DUDEN

Band 6

W9-CEY-241

Der Duden in 12 Bänden

Das Standardwerk zur deutschen Sprache

Herausgegeben vom Wissenschaftlichen Rat
der Dudenredaktion:
Dr. Annette Klosa, Dr. Kathrin Kunkel-Razum,
Dr. Werner Scholze-Stubenrecht,
Dr. Matthias Wermke (Vors.)

DUDEN

Aussprachewörterbuch

**Wörterbuch der
deutschen Standardaussprache**

4., neu bearbeitete und
aktualisierte Auflage
Bearbeitet von Max Mangold
in Zusammenarbeit
mit der Dudenredaktion

DUDEN BAND 6

DUDENVERLAG
Mannheim·Leipzig·Wien·Zürich

Redaktion: Dr. Matthias Wermke
Herstellung: Monika Schoch
Typographie: Raphaela Mäntele

Noch Fragen?

Die **DUDEN-Sprachberatung** hilft prompt und zuverlässig
bei der Lösung sprachlicher Zweifelsfälle zum Beispiel aus folgenden Bereichen:

– Rechtschreibung und Zeichensetzung
– Grammatik und Wortbedeutung
– Stil und Anreden
– formale Textgestaltung

Die DUDEN-Sprachberatung ist erreichbar montags bis freitags von
9.00 bis 17.00 Uhr unter der Telefonnummer 01 90/87 00 98 (3,63 DM/Min.).

Die Deutsche Bibliothek – CIP-Einheitsaufnahme
Ein Titeldatensatz für diese Publikation ist bei
der Deutschen Bibliothek erhältlich.

Das Wort DUDEN ist für den Verlag
Bibliographisches Institut & F. A. Brockhaus AG
als Marke geschützt.

© Bibliographisches Institut & F. A. Brockhaus AG,
Mannheim 2000
Satz: Bibliographisches Institut & F. A. Brockhaus AG (alfa Integrierte Systeme)
Druck: Ebner, Ulm
Bindearbeit: Graphische Betriebe Langenscheidt, Berchtesgaden
Printed in Germany
ISBN 3-411-04064-5

Vorwort

Eine einheitliche Ausspracheregelung ist für die gesprochene Form der deutschen Hoch- oder Standardsprache nützlich. Sie unterstützt eine einwandfreie Verständigung im gesamten deutschen Sprachraum und mit Menschen aller Schichten und Berufe, und sie erleichtert Nichtmuttersprachlern, die Deutsch als Fremdsprache lernen, den Zugang zum Deutschen.

Das Duden-Aussprachewörterbuch vermittelt eine allgemeine Gebrauchsnorm, die so genannte Standardaussprache oder Standardlautung. Deren wesentliche Züge sind: 1. Sie ist überregional, d. h., sie enthält keine landschaftlichen oder mundartlichen Aussprachebesonderheiten. 2. Sie ist einheitlich; Varianten bleiben ausgeblendet oder auf ein Mindestmaß beschränkt. 3. Sie ist schriftnah, d. h., sie wird weitgehend durch das Schriftbild bestimmt. 4. Sie ist deutlich, d. h., sie unterscheidet die Laute stärker als die Umgangslautung. 5. Sie orientiert sich an der Sprechentwicklung, nicht mehr an der als übersteigert empfundenen Bühnenaussprache.

Die Standardaussprache gilt für alle Sprechsituationen, in denen nicht Umgangssprache oder Mundart gesprochen werden soll, in jedem Fall, wenn vor einem größeren Zuhörerkreis, aber auch vor Hörern aus allen Teilen des deutschen Sprachraums gesprochen wird, so zum Beispiel in Vortrags- und Diskussionsveranstaltungen, in der Schule und an Universitäten, auf der Bühne oder in Rundfunk und Fernsehen. Sie verhindert, dass eine mundartlich gefärbte oder umgangssprachliche Aussprache zum Nachteil des Sprechenden nicht richtig verstanden wird oder vom eigentlichen Inhalt des Gesagten ablenkt. Außerdem eröffnet die Standardaussprache denjenigen, die sie beherrschen, bessere Berufsaussichten.

Die 4. Auflage des Duden-Aussprachewörterbuchs wurde im Wortschatz aktualisiert, wobei vor allem auch fremdsprachliche Namen und fremdsprachliche Wörter ins Wörterverzeichnis ergänzt worden sind, die für das aktuelle Zeitgeschehen von Bedeutung sind. Zu diesem Zweck wurden Tages- und Wochenzeitschriften, aber auch die neuesten Nachschlagewerke ausgewertet. Auch die Nachrichtensendungen deutschsprachiger Rundfunk- und Fernsehanstalten dienten als wichtige Quelle bei der Datenbeschaffung. Außer bei den Eigennamen wurde bei Wörtern aus fremden Sprachen Wert auf die Angabe der eingedeutschten Aussprache gelegt. Natürlich folgt die Neuauflage des Duden-Aussprachewörterbuchs in der Rechtschreibung den neuen amtlichen Regeln.

Die Dudenredaktion dankt an dieser Stelle dem Bearbeiter dieses Bandes, Herrn Professor Dr. Max Mangold, Professor für Phonetik und Phonologie an der Universität des Saarlandes im Ruhestand, für die Erarbeitung der Neuauflage, mit der das anerkannte Wörterbuch zur deutschen Standardaussprache eine wesentliche Aktualisierung erfahren hat.

Mannheim, im Februar 2000
Der Wissenschaftliche Rat der Dudenredaktion

Inhalt

Einleitung

A. Sinn und Zweck
des Aussprachewörterbuches

Der Mensch spricht in Wörtern. Wenn jemand sagt: „Hans, komm!", dann
weiß er, dass er zwei Wörter gesprochen hat, nämlich *Hans* und *komm.* Er
weiß es mehr oder weniger bewusst, gleichgültig, ob er schreiben und lesen
kann oder nicht. Auch der Analphabet weiß, was ein Wort ist. So gibt es in
Sprachen, die keine Schrift besitzen, durchaus Ausdrücke, die so viel wie
„Wort" bedeuten. Der Mensch ist also – auch ohne besondere Vorbereitung –
in der Lage, gesprochene Sätze in kleinere Teile, d. h. in Wörter, zu zerlegen.
Schwieriger ist es hingegen für den gewöhnlichen Sprecher, ein einzelnes
Wort weiter zu zerlegen und zu entscheiden, wie viele und was für Laute
darin stecken. Es scheint, dass der Laut im Bewusstsein viel weniger vorhanden ist als das Wort. In der Tat hat die Menschheit lange gebraucht, bis sie es
fertig brachte, Wörter in Laute zu zerlegen und die Laute mithilfe von Buchstaben in der Schrift wiederzugeben, wie dies heute etwa in der deutschen
Buchstabenschrift der Fall ist. Hier entspricht im Allgemeinen ein Buchstabe einem Laut. So hat *Hans* die vier Laute [h], [a], [n], [s] und die vier
Buchstaben *H, a, n, s.* Allerdings entsprechen sich die Anzahl der Laute und
die Anzahl der Buchstaben nicht immer: In *komm* spricht man drei Laute
([kɔm]), schreibt aber vier Buchstaben (*k, o, m, m*). Ferner wird nicht selten
ein und derselbe Laut mit verschiedenen Buchstaben wiedergegeben. So
erscheint der [f]-Laut als *F* in *Folge* ['fɔlgə], aber als *V* in *Volk* [fɔlk].
Dazu kommt, dass dasselbe Wort verschieden ausgesprochen werden
kann, z. B. *rösten* als ['røːstn̩] (mit langem ö) oder als ['rœstn̩] (mit kurzem ö).
Schließlich gibt es Wörter, die gleich geschrieben werden, aber verschieden
lauten und verschiedene Bedeutung haben: *Heroin* [heroˈiːn] (mit betontem i)
bedeutet ein ‚Rauschmittel'. *Heroin* [heˈroːɪn] (mit betontem o) bedeutet
‚Heldin'. Besondere Schwierigkeiten bereitet die Aussprache der Fremdwörter und der Namen: *Jeep* spricht man nicht [jeːp], sondern [dʒiːp], und *Soest*
spricht sich nicht [zøːst] (mit langem ö), sondern [zoːst] (mit langem o). Die
Buchstaben lassen z. B. auch nicht erkennen, dass in *Saarbrücken* das ü stark
betont wird, während in *Zweibrücken* nicht das ü, sondern das ei stark betont
wird, also: [zaːɐ̯ˈbrʏkn̩], aber ['tsvaɪ̯brʏkn̩].
Diese Gründe machen es notwendig, neben der üblichen Schrift eine besondere Lautschrift zu verwenden, eine Schrift, die die Aussprache unmissverständlich wiedergibt.

B. Die Lautschrift

Am besten eignet sich für die Angabe der Aussprache die heute verbreitetste Lautschrift, das Alphabet der International Phonetic Association (IPA; früher: Association Phonétique Internationale, API), die so genannte Internationale Lautschrift (vgl. S. 14–16). Aus Rücksicht auf den Leser werden in diesem Buch nur eine beschränkte Zahl der Zeichen der Internationalen Lautschrift verwendet.

Zeichen der Internationalen Lautschrift

In der ersten Spalte stehen die im Wörterverzeichnis verwendeten grundlegenden Zeichen der IPA, in der zweiten steht eine volkstümliche Erklärung oder Bezeichnung des Zeichens (vgl. auch S. 14–16).

a	helles a	m	m-Laut
ɑ	dunkles a	n	n-Laut
ɐ	abgeschwächtes a	ɲ	nj-Laut
ʌ	abgeschwächtes dunkles a	ŋ	ng-Laut
b	b-Laut	o	geschlossenes o
β	nicht voll geschlossenes b	ɔ	offenes o
ç	Ichlaut	ø	geschlossenes ö
c	ßj-Laut	œ	offenes ö
d	d-Laut	p	p-Laut
ð	stimmhafter englischer th-Laut	q	hinterer k-Laut
ḓ	stimmhafter spanischer th-Laut	r	r-Laut
e	geschlossenes e	s	ß-Laut
ε	offenes e	ʃ	sch-Laut
ə	Murmellaut	t	t-Laut
f	f-Laut	θ	stimmloser englischer th-Laut
g	g-Laut	u	geschlossenes u
ɣ	geriebenes g	ʊ	offenes u
h	h-Laut	ʉ	zwischen ü und u
i	geschlossenes i	v	w-Laut
ɪ	offenes i	w	englischer w-Laut
ɨ	zwischen i und u	x	Achlaut
	ohne Lippenrundung	y	geschlossenes ü
j	j-Laut	ʏ	offenes ü
k	k-Laut	ɥ	konsonantisches ü
l	l-Laut	z	s-Laut („weich")
ɫ	dunkles l	ʑ	sj-Laut („weich")
ʎ	lj-Laut	ʒ	sch-Laut („weich")

Sonstige Zeichen der Lautschrift

| Stimmritzenverschlusslaut (Glottalstop, „Knacklaut") im Deutschen, z. B. beacht! [bə'ӏaxt]; wird vor Vokal am Wortanfang weggelassen, z. B. Ast [ast], eigentlich: [ӏast].

ʼ Stimmritzenverschlusslaut (Glottalstop) in Fremdsprachen.

: Längezeichen, bezeichnet Länge des unmittelbar davor stehenden Lautes (besonders bei Vokalen), z. B. bade ['ba:də].

:: Überlänge, bezeichnet Überlänge des unmittelbar davor stehenden Vokals.

~ Zeichen für nasale (nasalierte) Vokale, z. B. Fond [fõ:].

ˈ Hauptbetonung, steht unmittelbar vor der hauptbetonten Silbe, z. B. Affe ['afə], Apotheke [apo'te:kə].

ˌ Nebenbetonung, steht unmittelbar vor der nebenbetonten Silbe, wird selten verwendet; z. B. Bahnhofstraße ['ba:nho:f.ʃtra:sə]. Für Japanisch vgl. S. 126, Litauisch S. 126, Norwegisch S. 117, Schwedisch S. 121–122 und Serbokroatisch S. 122.

ˌ Zeichen für silbischen Konsonanten, steht unmittelbar unter dem Konsonanten, z. B. Büffel ['bʏfl̩].

‿̆ Halbkreis, untergesetzt oder übergesetzt, bezeichnet unsilbischen Vokal, z. B. Studie ['ʃtu:di̯ə]. Für Japanisch vgl. S. 126.

‿ kennzeichnet im Deutschen die Affrikaten sowie Diphthonge, z. B. Putz [pʊts͜], weit [vai̯t].

- Bindestrich, bezeichnet Silbengrenze, z. B. Gastrospasmus [gas-tro-'spas-mʊs.

Zeichen der Lautschrift für deutsche Aussprache

Die unten stehende Tabelle bringt Lautzeichen und Lautzeichenkombinationen, wie sie bei deutscher, z. T. bei dänischer Aussprache im Wörterverzeichnis verwendet werden. In der ersten Spalte steht das Lautzeichen oder die Lautzeichenkombination, in der zweiten Spalte ein Beispiel dazu in Rechtschreibung, in der dritten Spalte das Beispiel in Lautschrift.

a	hat	hat	ŋ	lang	laŋ
aː	Bahn	baːn	o	Moral	moˈraːl
ɐ	Ober	ˈoːbɐ	oː	Boot	boːt
ɐ̯	Uhr	uːɐ̯	o̞	loyal	lo̞aˈjaːl
ã	Pensee	pãˈseː	õ	Fondue	fõˈdyː
ãː	Gourmand	gʊrˈmãː	õː	Fond	fõː
ai̯	weit	vai̯t	ɔ	Post	pɔst
au̯	Haut	hau̯t	ø	Ökonom	økoˈnoːm
b	Ball	bal	øː	Öl	øːl
ç	ich	ɪç	œ	göttlich	ˈgœtlɪç
d	dann	dan	œ̃	Lundist	lœ̃ˈdɪst
dʒ	Gin	dʒɪn	œ̃ː	Parfum	parˈfœ̃ː
e	Methan	meˈtaːn	ɔy̯	Heu	hɔy̯
eː	Beet	beːt	p	Pakt	pakt
ɛ	hätte	ˈhɛtə	pf	Pfahl	pfaːl
ɛː	wähle	ˈvɛːlə	r	Rast	rast
ɛ̃	timbrieren	tɛ̃ˈbriːrən	s	Hast	hast
ɛ̃ː	Timbre	ˈtɛ̃ːbrə	ʃ	schal	ʃaːl
ə	halte	ˈhaltə	t	Tal	taːl
f	Fass	fas	ts	Zahl	tsaːl
g	Gast	gast	tʃ	Matsch	matʃ
h	hat	hat	u	kulant	kuˈlant
i	vital	viˈtaːl	uː	Hut	huːt
iː	viel	fiːl	u̯	aktuell	akˈtu̯ɛl
i̯	Studie	ˈʃtuːdi̯ə	ʊ	Pult	pʊlt
ɪ	bist	bɪst	u̯i̯	pfui!	pfu̯i̯
j	ja	jaː	v	was	vas
k	kalt	kalt	x	Bach	bax
l	Last	last	y	Mykene	myˈkeːnə
l̩	Nabel	ˈnaːbl̩	yː	Rübe	ˈryːbə
m	Mast	mast	y̯	Tuilerien	ty̯iləˈriːən
m̩	großem	ˈgroːsm̩	ʏ	füllt	fʏlt
n	Naht	naːt	z	Hase	ˈhaːzə
n̩	baden	ˈbaːdn̩	ʒ	Genie	ʒeˈniː
			ǀ	beamtet	bəˈlamtət

Von diesen Zeichen und Zeichenkombinationen werden [ai̯ au̯ ɔy̯ u̯i̯ pf ts tʃ dʒ ǀ] nicht für fremdsprachliche Aussprache verwendet.

Für ʰ (hochgestelltes h) vgl. S. 57, für ' vgl. S. 57, für ˳ (kleiner Kreis, untergesetzt oder übergesetzt) vgl. S. 55; für die Ziffern 1 bis 6 vgl. Birmanisch S. 126, Chinesisch S. 114, Thai S. 126, Vietnamesisch S. 126.

Zeichen der Lautschrift für fremdsprachliche Aussprache

Die unten stehende Tabelle bringt Lautzeichen, wie sie ausschließlich bei
fremdsprachlicher Aussprache im Wörterverzeichnis erscheinen. In der ersten Spalte steht das Lautzeichen, in der zweiten Spalte ein Beispiel dazu in
der Buchstabenschrift der Rechtschreibung, in der dritten Spalte die sprach-
liche Zugehörigkeit der Aussprache und die Lautschrift des Beispiels.

aɪ	Mike	*engl.* maɪk	ɨ	Gromyko	*russ.* ɡraˈmɨkɐ
aʊ	Browne	*engl.* braʊn	ł	Devoll	*alban.* deˈvoł
ɑ	Barnes	*engl.* bɑːnz	ʎ	Sevilla	*span.* seˈβiʎa
æ	Bradley	*engl.* ˈbrædlɪ	ɲ	Cognac	*fr.* kɔˈɲak
ʌ	Hull	*engl.* hʌl	oʊ	Bow	*engl.* boʊ
β	Habana	*span.* aˈβana	ɔɪ	Roy	*engl.* rɔɪ
ɕ	Siedlce	*poln.* ˈɕɛdltsɛ	q	Kasbegi	*georg.* ˈqazbegi
ð	Sutherland	*engl.* ˈsʌðələnd	θ	Heath	*engl.* hiːθ
ǫ	Guzmán	*span.* ɡuǫˈman	ʊə	Drury	*engl.* ˈdrʊərɪ
eɪ	Kate	*engl.* keɪt	w	Wilkes	*engl.* wɪlks
ɛə	Blair	*engl.* blɛə	ɥ	Guyot	*fr.* ɡɥiˈjo
ɪə	Lear	*engl.* lɪə	z	Ziębice	*poln.* ʐɛmˈbitsɛ
ɣ	Tarragona	*span.* tarraˈɣona			

Kennzeichnung der betonten Längen und Kürzen im Stichwort

Wir haben für alle Benutzer, die nur über die Hauptbetonung eines Wortes
unterrichtet sein wollen, diese Betonung auch im Stichwort selbst angegeben, und zwar bei Kürze (auch bei Halblänge) durch untergesetzten Punkt,
bei Länge durch untergesetzten Strich. Nur dort, wo die Aussprache des betreffenden Vokals stark vom deutschen Lautwert abweicht oder die Betonung schwankt, unterblieb diese Kennzeichnung. Werden bei einem Stichwort deutsche und davon abweichende fremde Aussprache angegeben, dann
bezieht sich der unter dem Stichwort stehende Punkt oder Strich auf die
deutsche Aussprache.

Internationale Lautschrift
(gemäß The International Phonetic Alphabet; revised to 1989)

Consonants

	Bilabial	Labiodental	Dental	Alveolar	Postalveolar	Retroflex	Palatal	Velar	Uvular	Pharyngeal	Glottal
Plosive	p b			t d		ʈ ɖ	c ɟ	k ɡ	q ɢ		ʔ
Nasal	m	ɱ		n		ɳ	ɲ	ŋ	ɴ		
Trill	ʙ			r					ʀ		
Tap or Flap				ɾ		ɽ					
Fricative	ɸ β	f v	θ ð	s z	ʃ ʒ	ʂ ʐ	ç ʝ	x ɣ	χ ʁ	ħ ʕ	h ɦ
Lateral fricative				ɬ ɮ							
Approximant		ʋ		ɹ		ɻ	j	ɰ			
Lateral approximant				l		ɭ	ʎ	ʟ			
Ejective stop	p'			t'		ʈ'	c'	k'	q'		
Implosive	ɓ			ɗ			ʄ	ɠ	ʛ		

Vowels

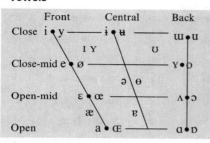

Where symbols appear in pairs, the one to the right represents a rounded vowel.

Other Symbols

ʍ	Voiceless labial-velar fricative	ʘ	Bilabial click
w	Voiced labial-velar approximant	ǀ	Dental click
ɥ	Voiced labial-palatal approximant	ǃ	(Post)alveolar click
ʜ	Voiceless epiglottal fricative	ǂ	Palatoalveolar click
ʡ	Voiced epiglottal plosive	ǁ	Alveolar lateral click
ʢ	Voiced epiglottal fricative	ɺ	Alveolar lateral flap
ɕ	Simultaneous ʃ and x	ɕ ʑ	Alveolo-palatal fricatives
ɝ	Additional mid central vowel		

Affricates and double articulations can be represented by two symbols joined by a tie bar if necessary.   k͡p t͡s

Suprasegmentals   Level Tones   Contour Tones

ˈ	Primary stress						
	ˌfoʊnəˈtɪʃən	ő or	˥	Extra high	̌	or	˩˥ rise
ˌ	Secondary stress						
ː	Long eː	´	˦	High	̂		˥˩ fall
ˑ	Half-long eˑ	‾	˧	Mid	᷄		˧˥ high rise
̆	Extra-short ĕ						
.	Syllable break ɹi.ækt	`	˨	Low	̀		˩˧ low rise
|	Minor (foot) group						
‖	Major (intonation) group	``	˩	Extra low	᷈		˦˥˨ rise fall etc.
‿	Linking (absence of a break)						
↗	Global rise	↓		Downstep			
↘	Global fall	↑		Upstep			

Diacritics

̥ Voiceless	n̥ d̥	̜ More rounded	ɔ̜	ʷ Labialized	tʷ dʷ
̬ Voiced	s̬ t̬	̹ Less rounded	ɔ̹	ʲ Palatalized	tʲ dʲ
ʰ Aspirated	tʰ dʰ	̟ Advanced	u̟	ˠ Velarized	tˠ dˠ
̤ Breath voiced	b̤ a̤	̠ Retracted	i̠	ˤ Pharyngealized	tˤ dˤ
̰ Creaky voiced	b̰ a̰	̈ Centralized	ë	̃ Nasalized	ẽ
̼ Linguolabial	t̼ d̼	̽ Mid centralized	ě	ⁿ Nasal release	dⁿ
̪ Dental	t̪ d̪	̘ Advanced Tongue root	e̘	ˡ Lateral release	dˡ
̺ Apical	t̺ d̺	̙ Retracted Tongue root	e̙	̚ No audible release	d̚
̻ Laminal	t̻ d̻	˞ Rhoticity	ɚ		

Lowered e̞ β̞

~ Velarized or phayrngealized ɫ

(β̞ = voiced bilabial approximant)

Raised e̝ ɹ̝

(ɹ̝ = voiced alveolar fricative)

̩ Syllabic ɹ̩

̯ Non-syllabic e̯

C. Zur Einrichtung des Wörterverzeichnisses

I. Zeichen von besonderer Bedeutung

... *Drei Punkte* stehen bei der Auslassung von Teilen eines Stichwortes oder der Lautschrift, z. B. **Podium** 'poːdjʊm, ...**ien** ...jən. Bei Auslassung von Teilen der Lautschrift wurde im Allgemeinen zum Mindesten das letzte mit der vorausgehenden Lautschrift übereinstimmende Zeichen gesetzt, z. B. **kapriziös** kapri'tsjøːs, **-e** ...øːzə.

[] Die *eckigen Klammern* stehen:
1. wenn angegeben werden soll, dass der eingeklammerte Teil des Stichwortes, der geschrieben werden kann oder nicht, für die Aussprache unerheblich ist, z. B. **Thorp[e]** *engl.* θɔːp;
2. wenn angegeben werden soll, dass der eingeklammerte Teil der Lautschrift ausgesprochen werden kann oder nicht, z. B. **Entente** ãˈtãːt[ə];
3. wenn angegeben werden soll, dass der eingeklammerte Teil des Stichwortes nur dann mitzusprechen ist, wenn er geschrieben wird, z. B. **McClellan[d]** *engl.* məˈklɛlən[d];
4. bei phonetischen (allophonischen) Lautschriften in der Einführung, wenn sie von der Rechtschreibung oder von den zwischen Schrägstrichen stehenden phonemischen Lautschriften abgehoben werden sollen, z. B. **Bier** /biːr/ [biːɐ̯].

// Die *Schrägstriche* kennzeichnen phonemische Lautschrift, z. B. **Junior** /ˈjuːniːoːr/.

- Der *waagerechte Strich* vertritt das Stichwort oder dessen Entsprechung in der Lautschrift buchstäblich, z. B. **Thema** 'teːma, **-ta** -ta.

–'– *Waagerechte Striche,* die die Silben eines Stichwortes buchstäblich wiedergeben, bedeuten *in Verbindung mit einem senkrechten Strich,* dass die zuvor angegebene Aussprache auch in der durch den senkrechten Strich gekennzeichneten Betonung gilt, z. B. **Pirmin** 'pɪrmiːn, –'– (also auch: pɪrˈmiːn).

® Als *Warenzeichen* geschützte Wörter sind durch das Zeichen ® kenntlich gemacht. Etwaiges Fehlen dieses Zeichens bietet keine Gewähr dafür, dass es sich hier um ein Freiwort handelt, das von jedermann benutzt werden darf.

II. Auswahl der Stichwörter

1. Gattungsnamen

Als Grundlage für die Auswahl der Stichwörter dienten Duden, Rechtschreibung, 21. Auflage, Mannheim 1996 sowie Duden, Deutsches Universalwörterbuch, 3. Auflage, Mannheim 1996. Fast alle darin enthaltenen einfachen Erbwörter und Lehnwörter wurden übernommen. Präfigierte und zusammengesetzte Verben wurden im Allgemeinen nur dann aufgenommen, wenn der zweite Teil des Verbs allein nicht vorkommt. So wurden z. B. die Verben befleißen und ausmergeln aufgenommen, weil *fleißen und *mergeln allein nicht existieren. Dagegen wurden etwa die Verben beachten und aussäen nicht berücksichtigt, weil die einfachen Verben achten und säen verzeichnet sind. Lautlich interessante und schwierige Ableitungen (beweglich, einig) und Zusammensetzungen (hochherzig) haben weitgehend Aufnahme gefunden. Grundsätzlich wurden alle Wörter berücksichtigt, für die mehr als eine Aussprache oder Betonung angezeigt erscheint (rösten ['rø:stn̩], *auch:* ['rœstn̩]; Radar [ra'da:ɐ̯], *auch:* ['ra:da:ɐ̯]).

Darüber hinaus ist das Wortgut des Duden-Fremdwörterbuchs, 6. Auflage, Mannheim 1997 fast vollständig in diesen Band eingegangen. Zusätzliche Wörter, besonders Fremdwörter, lieferten allgemeine Nachschlagewerke, Fachwörterbücher, Aussprachewörterbücher und zweisprachige Wörterbücher sowie Hörfunk- und Fernsehsendungen.

2. Eigennamen

Ein großer Teil der Eigennamen stammt aus den unter „Gattungsnamen" erwähnten Quellen. Für die übrigen Namen wurden Ortsverzeichnisse, Atlanten, Karten, Fahrpläne, biografische Wörterbücher u. a. herangezogen. Ferner wurden Hörfunk- und Fernsehsender abgehört.

Im Vordergrund stehen deutsche Namen. Aber auch fremdsprachige Namen sind zahlreich vertreten. Im Übrigen waren für die Auswahl der Eigennamen folgende Werke maßgebend: Meyers Enzyklopädisches Lexikon in 25 Bänden, Mannheim 1971–1979; Meyers Taschenlexikon Musik in 3 Bänden, Mannheim 1984; Der Literatur-Brockhaus, Mannheim 1988; Meyers Großes Handlexikon, Mannheim 1996; ferner The Random House Dictionary of the English Language, Second Edition Unabridged, New York 1987. Für die Schreibung fremdsprachiger Eigennamen wurde Meyers Enzyklopädisches Lexikon in 25 Bänden zugrunde gelegt.

III. Anordnung und Behandlung der Stichwörter

1. Allgemeines

(a) Stichwörter sind **halbfett** gedruckt, ebenso ihre vollständig oder teilweise angegebenen Flexionsformen.

(b) Die *Reihenfolge* der Stichwörter ist abclich und hält sich an die in den Dudenbänden übliche Alphabetisierungsweise. Fremdsprachliche Stichwörter wurden wie deutsche eingeordnet. Schwedisches ö z. B. erscheint dort, wo ö im deutschen Alphabet erscheint, d. h. nach o und nicht nach ä wie im Schwedischen. Buchstaben mit diakritischen Zeichen (ś, ź) werden wie die entsprechenden gewöhnlichen Buchstaben (s, z) eingeordnet.

(c) *Gleich lautende und gleich geschriebene* Stichwörter mit verschiedener Bedeutung werden nur einmal angeführt, z. B. **Bär** bɛːɐ̯. (In diesem Falle kann Bär das Tier bezeichnen oder ein Eigenname sein.)

(d) *Gleich geschriebene, aber verschieden lautende* Stichwörter mit verschiedener Bedeutung können als getrennte Stichwörter erscheinen, z. B. **¹Bede** (Abgabe) ˈbeːdə, **²Bede** (Eigenname) *engl.* biːd.

(e) Als *Verweisstichwörter* stehen:
1. die an anderer Stelle des Alphabets einzuordnenden Pluralformen, vor allem von Fremdwörtern, z. B. **Larghi** vgl. Largo. Bei der Singularform ist dann die Pluralform noch einmal, und zwar hier mit ihrer Aussprache, aufgeführt, z. B. **Largo** ˈlargo, **...ghi** ...gi.
2. Steigerungsformen von umlautenden Adjektiven, z. B. **nässer** vgl. nass.

2. Angegebene Flexionsformen

Flektierte Formen werden im Allgemeinen angegeben, wenn die Flexion lautverändernde Wirkung auf das Stichwort ausübt.

(a) *Umlautformen bei Substantiven und Adjektiven*
Beispiele: Acker [ˈakɐ], Äcker [ˈɛkɐ]; kalt [kalt], kälter [ˈkɛltɐ].

(b) *Starke und unregelmäßige Formen der Verben*
Diese Formen erscheinen als selbstständige Stichwörter ohne Verweis auf die Grundform.
Beispiele: böte [ˈbøːtə], dachte [ˈdaxtə].

(c) *Regelmäßige Formen der Verben*
Diese Formen erscheinen bei der Grundform, wenn sie lautverändernd sind.
Beispiel: binden [ˈbɪndn̩], bind! [bɪnt].

(d) *Fremde Pluralformen*
Beispiele: Largo [ˈlargo], Larghi [ˈlargi]; Thema [ˈteːma], -ta [-ta].

ⓔ *Sonstige flektierte Formen*

1. Der Wechsel von [p/b], [t/d], [k/g], [f/v], [s/z], und zwar bei Substantiven und Adjektiven mindestens an zwei Formen, bei Verben an zwei oder drei Formen.
Beispiele: Tạg [taːk], -e [ˈtaːɡə]; lọs [loːs], -e [ˈloːzə]; rẹden [ˈreːdn̩], rẹd! [reːt]; rạsen [ˈraːzn̩], rạs! [raːs], rạst [raːst].

2. Der Wechsel [ç/x], und zwar im Zusammenhang mit den Umlautformen.
Beispiel: Bạch [bax], Bạ̈che [ˈbɛçə].

3. Der Wechsel [g/ç], und zwar bei Substantiven und Adjektiven mindestens durch zwei, bei Verben durch drei Formen.
Beispiel: Pfẹnnig [ˈpfɛnɪç], -e [...ɪɡə]; bạ̈ndigen [ˈbɛndɪɡn̩], bạ̈ndig! [ˈbɛndɪç], bạ̈ndigt [ˈbɛndɪçt].

4. Die Verschiebung der Betonung bei der Pluralbildung.
Beispiel: Exkavạtor [ɛkskaˈvaːtoː ̯], -en [...vaˈtoːrən].

5. Die Flexionsformen von Substantiven, bei denen eine Lautveränderung eintritt, ohne dass sie rechtschreiblich sichtbar wird.
Beispiel: Chassịs ʃaˈsiː:, des - ...iː[s], die - ...iː:s.

3. Nicht angegebene Flexionsformen und Ableitungen

ⓐ Die flektierten Formen, bei denen die Flexion keine lautverändernde Wirkung auf das Stichwort ausübt, fehlen alle. Man findet also z. B. nicht: mạch! [max] neben: mạchen [ˈmaxn̩] oder zạhlst [t͜saːlst] neben: zạhlen [ˈt͜saːlən]. Wenn bei Ableitungen keine Lautänderung eintritt, so fehlen sie meistens. Man findet also z. B. nicht: Prẹllung [ˈprɛlʊŋ], aber: prẹllen [ˈprɛlən].

ⓑ Folgende Wechsel oder Änderungen bei Flexionsformen werden nicht verzeichnet:

1. Der Wechsel [i/iː], [e/eː], [ɛ/ɛː], [y/yː], [ø/øː], [u/uː], [o/oː], [ã/ãː], [ɛ̃/ɛ̃ː], [õ/õː] unbetont am Wortende vor einem mit Konsonant beginnenden Suffix.
Beispiele: Pụlli [ˈpʊli], Pụllis [ˈpʊliːs]; Kạnnä [ˈkanɛ], Kạnnäs [ˈkanɛːs]; ẹchoen [ˈɛçoən], ẹchot [ˈɛçoːt]; Ạuto [ˈauto], Ạutos [ˈautoːs]; Pavillon [ˈpavɪljõ], Pạvillons [ˈpavɪljõːs]. Pụllis, Ạutos (zu: Ạuto), Pạvillons, Thẹmas usw. werden nicht gebracht.

Im Falle von [a] ist in jener Stellung [a] und [aː] möglich.
Beispiel: Thẹma [ˈteːma], Thẹmas [ˈteːmas] oder [ˈteːmaːs].

2. Der Wechsel [əm/m̩], [ən/n̩] (vgl. S. 37–40)
Beispiele: klẹin [klain], klẹinem [ˈklainəm]; grọß [groːs], grọßem [ˈɡroːsm̩]; lạng [laŋ], lạngen [ˈlaŋən]; wẹit [vait], wẹiten [ˈvaitn̩]; Cọchem [ˈkɔxm̩], Cọchemer [ˈkɔxəmɐ]. klẹinem, grọßem, lạngen (Adjektiv), wẹiten (Adjektiv), Cọchemer usw. werden nicht gebracht.

3. Der Wechsel [r/ɐ̯] (vgl. S. 54–55)
Beispiel: führen [ˈfyːrən], führ! [fyːɐ̯], führst [fyːɐ̯st]; Uhr [uːɐ̯], Uhren [ˈuːrən]; Jubilar [jubiˈlaːɐ̯], Jubilarin [jubiˈlaːrɪn]. führ!, führst, Uhren, Jubilarin usw. werden nicht gebracht.

4. Der Wechsel [l/əl, l̩], [ɐ/ər, r] (vgl. S. 37–38, 40; 40–41)
Beispiele: rascheln [ˈraʃl̩n], raschle [ˈraʃlə]; fächern [ˈfɛçɐn], fächre [ˈfɛçrə], Fächerung [ˈfɛçərʊŋ]. raschle, fächre, Fächerung usw. werden nicht gebracht.

5. Verschmelzung von [t] plus [s] und [ʃ] zu den Affrikaten [ts̲] und [tʃ]
Beispiele: Rat [raːt], Rats [raːts̲]; weit [vait], weitst [vaitst]; Brecht [brɛçt], brechtsch [brɛçtʃ]. Rats, weitst, brechtsch usw. werden nicht gebracht.

Dies trifft auch zu, wenn es sich um das Fugen-s bei Zusammensetzungen handelt.
Beispiel: Rat [raːt], Ratsherr [ˈraːts̲hɛr].

6. Veraltete Flexionsformen bei Namen, deren Flexionsendung mit einem Vokal beginnt. Bei ihnen findet der Wechsel [p/b, t/d, k/g, f/v, s/z] statt.
Beispiele: Bertold [ˈbɛrtɔlt], Bertoldens [ˈbɛrtɔldn̩s]; Hans [hans], Hansens [ˈhanzn̩s].

c Femininformen zu Maskulina auf -or werden im Allgemeinen nicht angegeben. Sie werden wie der Plural der Maskulina betont. Beispiel: Senatorin [zenaˈtoːrɪn] (vgl. Senatoren [zenaˈtoːrən]).

d Die englische Pluralendung [ɪz] kann deutsch [ɪs], [əs] oder [ɛs] gesprochen werden. Beispiel: countesses [*engl.* ˈkaʊntɪsɪz], Countesses [ˈkaʊntɪsɪs, ...səs, ...sɛs]. Vgl. S. 877–878, Jones, Wells.

4. Nicht verzeichnete Aussprachevarianten

a Der Vokal [ɛː] kann auch [eː] gesprochen werden: Kähne [ˈkɛːnə], auch: [ˈkeːnə]; Präses [ˈprɛːzɛs], auch: [ˈpreːzɛs]; Kannäs [ˈkanɛːs], auch: [ˈkaneːs]. Die [eː]-Aussprache wird gewöhnlich nicht angegeben (vgl. u. a. S. 20, 36, 70–73, 79, 81)

b Der unbetonte Vokal [ɛ] kann auch [e] gesprochen werden, wenn [ɛ] in betonter Stellung [ː] bzw. [eː] gesprochen würde (vgl. oben Präses): Präsiden [prɛˈziːdn̩], auch: [preˈziːdn̩]; Kannä [ˈkanɛ], auch: [ˈkane]. Gewöhnlich wird nur die [ɛ]-Aussprache angegeben (vgl. u. a. S. 20, 36, 67, 72–73, 81)

c Wo neben [ɪ ɛ a ɣ œ ʊ ɔ] + [r] auch [ɪ ɛ a ɣ œ ʊ ɔ] + [ɐ̯] gesprochen werden kann, wird nur die Aussprache mit [r] angegeben. Beispiele: wirr [vɪr] (ohne [vɪɐ̯]), Herz [hɛrts̲] (ohne [hɛɐ̯ts̲]). Vgl. S. 43–54

ⓓ Wo sowohl [aːɐ̯] als auch [aːr] ausgesprochen werden kann, wird nur die Aussprache mit [aːɐ̯] angegeben. Beispiele: Haar [haːɐ̯] (ohne [haːr]), Fahrt [faːɐ̯t] (ohne [faːrt]). Vgl. S. 54

ⓔ Das betonte Suffix -it [iːt] (Mineralien, Chemikalien) kann auch [ɪt] gesprochen werden: Sulfit [zʊlˈfiːt], auch: [zʊlˈfɪt] (nicht verzeichnet).

ⓕ Das betonte Suffix -ik [iːk] (meist griechischen Ursprungs) kann auch [ɪk] gesprochen werden: Republik [repuˈbliːk], auch: [repuˈblɪk] (nicht verzeichnet).

ⓖ Der Plural der Substantive auf unbetont -tron (Geräte) kann auch auf -trone betont werden. Dabei wird betont [iː eː ɛː aː yː øː oː] zu [i e ɛ a y ø u o] (vgl. S. 21): Zyklotrone [ˈʦyːklotroːnə]; auch: [ʦykloˈtroːnə] (nicht verzeichnet).

5. Flexionsformen von Präfixbildungen und zusammengesetzten Wörtern

Werden für ein einfaches Wort Flexionsformen angegeben, dann werden diese bei den Präfixbildungen und zusammengesetzten Wörtern, die das einfache Wort enthalten, gewöhnlich nicht wiederholt.

    Beispiel: abgängig [ˈapgɛŋɪç] (nicht auch: -e [...ɪgə] wie bei dem einfachen Wort gängig).

Kommt das einfache Wort selbstständig nicht vor, dann werden bei der Präfixbildung und dem zusammengesetzten Wort alle jene Flexionsformen angegeben, die beim einfachen Wort angegeben worden wären.

    Beispiel: erbosen [ɛɐ̯ˈboːzn̩], erbos! [ɛɐ̯ˈboːs], erbost [ɛɐ̯ˈboːst].

6. Die Behandlung der synkopierten Formen

ⓐ Die Auslassung des e bei Nachsilben (vgl. Duden, Rechtschreibung, 21. Auflage, Mannheim, 1996, S. 24).
Bei Verben auf -eln und -ern wird die Form mit dem ausgelassenen (synkopierten) e angegeben, wenn durch diesen Ausfall die Laute [b d g v z] mit den Lauten [r l n] zusammentreffen.
Beispiele: bügeln [ˈbyːgl̩n], bügle [ˈbyːglə]; knausern [ˈknaʊ̯zɐn], knausre [ˈknaʊ̯zrə].

ⓑ Die dichterische Auslassung des i in -ig- (ew'ge) wird nicht angegeben. In diesen synkopierten Formen wird der Apostroph im Allgemeinen nicht gesprochen. Man spricht [ˈeːfgə], ebenso leid'ge [ˈlaɪ̯tgə]. Geht aber dem Apostroph [k] oder [g] voraus – diese Fälle dürften jedoch sehr selten sein –, dann ist der Apostroph als [ɪ] zu sprechen: zug'ge [ˈʦuːgɪgə].

7. Stichwörter mit verschiedener Betonung und verschiedener Bedeutung

Haben Verben je nach Betonung verschiedene Bedeutungen, dann wird dieser Unterschied ohne Erklärung der verschiedenen Bedeutungen durch arabische Ziffern angezeigt, z. B. durchdringen: 1. 'dʊrçdrɪŋən 2. –'––. Wer den Bedeutungsunterschied nachsehen will, muss den Rechtschreibband der 12-bändigen Dudenreihe benutzen.

Stehen bei einem Stichwort mit verschiedener Betonung keine arabischen Ziffern, dann heißt das, dass bei beiden Betonungen die Bedeutung dieselbe ist, z. B. durchblättern ['dʊrçblɛtɐn, –'––].

8. Sprachangaben

Lautschrift und evtl. dabeistehende Sprachangaben in Kursivschrift (*dt., engl., fr.* u. a.) betreffen ausschließlich die Aussprache des Stichwortes. Sie sagen nichts über die Herkunft des Stichwortes aus.

ⓐ *Deutsche Aussprache*
Steht zwischen dem Stichwort und seiner Lautschrift keine Sprachangabe, dann gibt die Lautschrift die deutsche Aussprache an.
Beispiele: Haus [haus], Petronius [pe'tro:niʊs], Lissabon ['lɪsabɔn].

ⓑ *Fremdsprachliche Aussprache*
Steht zwischen einem Stichwort und seiner Lautschrift eine Sprachangabe (kursiv gedruckte Abkürzung; vgl. S. 24), dann gibt die Lautschrift die Aussprache in der betreffenden Sprache an.
Beispiel: Crawford *engl.* 'krɔ:fəd.

ⓒ *Deutsche und fremdsprachliche Aussprache*
Folgen bei einem Stichwort einer Lautschrift ohne Sprachangabe Lautschriften mit einer oder mehreren fremden Sprachangaben, dann gibt die Lautschrift ohne Sprachangabe die deutsche, die Lautschrift mit Sprachangabe die fremde Aussprache wieder.
Beispiel: Elvira [ɛl'vi:ra], *span.* [ɛl'βira], *engl.* [ɛl'vaɪərə].

In diesen Fällen steht die deutsche Aussprache immer an erster Stelle. In der Reihenfolge der fremden Aussprachen liegt keine Wertung.

ⓓ *Gemischt deutsche und fremdsprachliche Aussprache*
Wird der eine Teil des Stichwortes deutsch, der andere aber fremdsprachlich ausgesprochen, so steht zwischen den Sprachangaben ein Bindestrich.
Beispiel: Farthing *dt.-engl.* ['fa:ɐ̯ðɪŋ]; [ð] ist englisch, [a:ɐ̯] deutsch, der Rest sowohl englisch als auch deutsch.

ⓔ *Identische deutsche und fremdsprachliche Lautschrift*
Haben Deutsch und Fremdsprache dieselbe Lautschrift, so steht *dt.* (= deutsch) vor der Fremdsprachenangabe.
Beispiel: Hill [*dt.-engl.* hɪl].

9. Besondere Hinweise

ⓐ *Rechtschreibung der Stichwörter*
Grundsätzlich halten wir uns auch in diesem Band an die geltende Rechtschreibung. Der Zweck des Buches erforderte es aber, dass wir in vielen Fällen, vor allem bei Namen aus Sprachen, die nicht mit lateinischen Buchstaben geschrieben werden, Mehrfachschreibungen aufnehmen mussten. Schließlich wurden aus Raumgründen gelegentlich zwei Wörter zu einem Stichwort zusammengefasst, z. B. Arnd und Arndt zu: Arnd[t], weil in beiden Fällen die Aussprache [arnt] ist. Gerade hier zeigt sich, dass dieses Buch nur zur Feststellung einer Aussprache dient, aber nicht als Rechtschreibbuch benutzt werden kann.

ⓑ *Seltene Flexionsformen*
Die Tatsache, dass wir für seltene Flexionsformen die Aussprache angeben, bedeutet nicht, dass wir diese Formen zum Gebrauch empfehlen. Wir geben sie aus Gründen der Vollständigkeit an.
Beispiel: bewạld! [bə'valt]. (Diese Form ist in dichterischer Sprache denkbar.)

10. Im Wörterverzeichnis für Sprachen verwendete Abkürzungen

afgh.	afghanisch (Paschto)	lett.	lettisch
afr.	afrikaans	lit.	litauisch
alban.	albanisch	mad.	madagassisch
amh.	amharisch	mak.	makedonisch
bask.	baskisch	neugr.	neugriechisch
birm.	birmanisch	niederl.	niederländisch
bras.	brasilianisch	niedersorb.	niedersorbisch
bret.	bretonisch	norw.	norwegisch
bulgar.	bulgarisch	obersorb.	obersorbisch
chin.	chinesisch	pers.	persisch
dän.	dänisch	poln.	polnisch
dt.	deutsch	port.	portugiesisch
engl.	englisch	rät.	rätoromanisch
estn.	estnisch	rumän.	rumänisch
fär.	färöisch	russ.	russisch
finn.	finnisch	schwed.	schwedisch
fr.	französisch	serbokr.	serbokroatisch
georg.	georgisch	slowak.	slowakisch
grönl.	grönländisch	slowen.	slowenisch
hebr.	hebräisch	span.	spanisch
indon.	indonesisch	tschech.	tschechisch
isl.	isländisch	türk.	türkisch
it.	italienisch	ukr.	ukrainisch
jap.	japanisch	ung.	ungarisch
kat.	katalanisch	vietn.	vietnamesisch
korean.	koreanisch	weißruss.	weißrussisch

D. Aussprache deutscher Affixe

I.   Suffixe und Suffixfolgen

-bar	[ba:ɐ̯]	-ert	[ɐt]	-ling	[lɪŋ]
-chen	[çən]	-es	[əs]	-lings	[lɪŋs]
-e	[ə]	-est	[əst]	-los	[lo:s]
-ei	[ai̯]	-et	[ət]	-lose	[lo:zə]
-el	[əl/l̥]	-haft	[haft]	-losigkeit	[lo:zɪçkai̯t]
-elchen	[əlçən/lçən]	-haftig	[haftɪç]	-ner	[nɐ]
-elei	[əlai̯]	-haftigkeit	[haftɪçkai̯t]	-nis	[nɪs]
-eln	[əln/ln̥]	-heit	[hai̯t]	-nisse	[nɪsə]
-elnd	[əlnt/lnt]	-ich	[ɪç]	-s	[s]
-elnde	[əlndə/lndə]	-icht	[ɪçt]	-sal	[za:l]
-elst	[əlst/lst]	-ig	[ɪç]	-sam	[za:m]
-elt	[əlt/lt]	-ige	[ɪgə]	-sch	[ʃ]
-em	[əm/m̥]	-igen	[ɪgn̥]	-schaft	[ʃaft]
-en	[ən/n̥]	-igkeit	[ɪçkai̯t]	-sche	[ʃə]
-end	[ənt/n̥t]	-iglich	[ɪklɪç]	-st	[st]
-ende	[əndə/n̥də]	-igs	[ɪçs]	-t	[t]
-entlich	[əntlɪç/n̥tlɪç]	-igst	[ɪçst]	-te	[tə]
-er	[ɐ]	-igt	[ɪçt]	-tel	[tl̥]
-erchen	[ɐçən]	-in	[ɪn]	-tum	[tu:m]
-erei	[ərai̯]	-innen	[ɪnən]	-tümelei	[ty:məˈlai̯]
-erich	[ərɪç]	-isch	[ɪʃ]	-tümeln	[ty:mln̥]
-erisch	[ərɪʃ]	-keit	[kai̯t]	-tümler	[ty:mlɐ]
-erl	[ɐl]	-lei	[lai̯]	-tümlich	[ty:mlɪç]
-ern	[ɐn]	-lein	[lai̯n]	-ung	[ʊŋ]
-ernd	[ɐnt]	-ler	[lɐ]	-wärts	[vɛrts]
-ernde	[ɐndə]	-lich	[lɪç]		
-erst	[ɐst]	-lichen	[lɪçn̥]		

Bemerkungen

1. Bei Hinzutritt von [s], [ʃ] und [ʃə] an ein vorausgehendes [t] ergeben sich die Affrikaten [ts] bzw. [tʃ]; z. B. Rats [ra:ts], kantsch [kantʃ], brecht-sche [ˈbrɛçtʃə].
2. Für den Wechsel [əl/l̥] vgl. S. 37–38, 40; für den Wechsel [əm/m̥] vgl. S. 37–38; für den Wechsel [ən/n̥] vgl. S. 37–40.

II. Präfixe

be-	[bə]	er-	[ɛɐ̯]	ver-	[fɛɐ̯]
ent-	[ɛnt]	ge-	[gə]	zer-	[tsɛɐ̯]

E. Grundlagen

I. Grundbegriffe

1. Laute (Phone) und ihre Eigenschaften

Ein Laut (Phon) unterscheidet sich von einem anderen zum einen durch verschiedene Qualität, d. h. durch verschiedene Klangfarbe (z. B. [a] gegenüber [o]) oder durch Verschiedenheit des hervorgebrachten Geräuschs (z. B. [f] gegenüber [s]).

Zum anderen können Laute eine unterschiedliche Länge ([Zeit]dauer, Quantität) haben: [a] in *Bann* [ban] ist kurz, [a:] in *Bahn* [ba:n] ist lang; [m] in *Strom* [ʃtro:m] ist kurz, [mm] in *Strommenge* [ˈʃtro:mmɛŋə] ist lang.

Auch die Stärke (Intensität), mit der Laute ausgesprochen werden, kann verschieden sein. So besitzt in *Barras* [ˈbaras] das erste [a] eine größere Intensität als das zweite.

Und schließlich können sich Vokale und stimmhafte Konsonanten durch verschiedene Tonhöhe (musikalischer Akzent, Intonation) unterscheiden. Man vergleiche etwa ein fragendes *So?* mit einem sachlich feststellenden *So.*

Laute (Phone) schreibt man gewöhnlich in eckigen Klammern [ ].

2. Phonem

Zwei Laute sind verschiedene Phoneme, wenn sie in derselben lautlichen Umgebung vorkommen können und verschiedene Wörter unterscheiden. So sind z. B. [m] und [l] verschiedene Phoneme, denn erstens treten sie in derselben lautlichen Umgebung auf (z. B. vor [a] in *Matte* [ˈmatə] und *Latte* [ˈlatə]), und zweitens unterscheiden sie verschiedene Wörter (z. B. *Matte* [ˈmatə] und *Latte* [ˈlatə]). Phoneme und mit Phonemen geschriebene Wörter setzt man zwischen zwei schräge Striche: /m/, /l/; /ˈmatə/, /ˈlatə/.

Wörter, die sich nur durch ein einziges Phonem unterscheiden, heißen Minimalpaare (minimale Paare). Minimalpaare sind z. B. folgende Wörter:

/iː/	:	/oː/	Kiel	:	Kohl		/p/	:	/b/	packe	:	backe
/ɪ/	:	/ɛ/	fit	:	fett		/t/	:	/m/	Tasse	:	Masse
/eː/	:	/ɤ/	fehle	:	fülle		/k/	:	/ts/	Kahn	:	Zahn
/aː/	:	/a/	Rate	:	Ratte		/n/	:	/l/	Gneis	:	Gleis
/ɤ/	:	/œ/	Hülle	:	Hölle		/l/	:	/r/	Lippe	:	Rippe
/øː/	:	/õː/	Bö	:	Bon		/f/	:	/v/	Fall	:	Wall
/oː/	:	/au/	roh	:	rau		/s/	:	/ʃ/	Bus	:	Busch
/ɔ/	:	/au/	voll	:	faul		/s/	:	/z/	Muße	:	Muse
/ai/	:	/ɔy/	Eile	:	Eule		/pf/	:	/ts/	Tropf	:	Trotz
/au/	:	/ɛ̃ː/	Tau	:	Teint		/ts/	:	/dʒ/	Zinn	:	Gin

Ein einzelnes Phonem kann stellungsbedingte und freie Varianten (Allophone) haben. Daneben kann es auch zu Variation zwischen mehreren Phonemen kommen (Phonemvariation).

3. Stellungsbedingte Varianten

Stellungsbedingte Varianten können keine Wörter unterscheiden und nicht in derselben lautlichen Umgebung auftreten. So sind bei einem kleinen Wort- und Formenschatz der Laut [ç] – wie in *dich* [dɪç] – und der Laut [x] – wie in *Dach* [dax] – stellungsbedingte Varianten ein und desselben Phonems, das wir /x/ schreiben können.[1] Erstens kommt [ç] nicht in der lautlichen Umgebung vor, in der [x] auftritt, und umgekehrt: [ç] tritt gewöhnlich nach den vorderen Vokalen ([ɪ œ] u. a.) und nach Konsonanten wie in *dich* [dɪç], *manch* [manç] auf, während [x] nach nichtvorderen Vokalen wie [ʊ a ɔ] auftritt, z. B. in *Dach* [dax]. Somit schließen sich [x] und [ç] in derselben lautlichen Umgebung gegenseitig aus. Zweitens kann man mit [ç] und [x] nicht verschiedene Wörter unterscheiden: Wenn man für *Dach* statt [dax] [daç] sagt, weicht man zwar von der Standardaussprache ab, hat damit aber kein neues Wort geschaffen.

4. Freie (fakultative) Varianten

Freie Varianten eines Phonems sind verschiedene Laute, die in derselben lautlichen Umgebung auftreten können, ohne Wörter zu unterscheiden. In der Standardaussprache sind vor Vokal das mehrschlägige Zungenspitzen-R [r], das einschlägige Zungenspitzen-R [ɾ], das gerollte Zäpfchen-R [ʀ] und das Reibe-R [ʁ] freie Varianten des Phonems /r/. In *Ratte* z. B. sind alle vier R-Aussprachen möglich. Verschiedene Wörter ergeben sich dadurch nicht.

5. Phonemvariation

Es kommt vor, dass in bestimmten Wörtern ein Phonem durch ein anderes ersetzt werden kann, ohne dass sich die Bedeutung ändert. Man nennt das Phonemvariation. Sie ist in der Standardaussprache selten (z. B. *jenseits* /ˈjeːnzaɪts/, /ˈjɛnzaɪts/, wobei /eː/ und /ɛ/ verschiedene Phoneme sind).

---

1 Bei einem sehr großen Wort- und Formenschatz, wie man ihm im Rechtschreibduden (²¹1996) und im Duden-Fremdwörterbuch (⁶1997) begegnet, ist man gezwungen, [ç] und [x] als zwei verschiedene Phoneme zu betrachten, da beide in derselben lautlichen Umgebung auftreten können; so etwa vor /a/ am Wortanfang, z. B. /ç/ in *Charitin* /çaˈriːtɪn/ gegenüber /x/ in *Chassidismus* /xasiˈdɪsmʊs/. Auch Wortpaare wie *Kuhchen* /ˈkuːçən/ ('kleine Kuh') und *Kuchen* /ˈkuːxən/ können dafür angeführt werden, /ç/ und /x/ als verschiedene Phoneme zu betrachten.

6. Silbe (Sprechsilbe) und Silbengrenze (lautliche)

Im Unterschied zu der inhaltlich-grammatischen Einheit Morphem ist die Silbe (Sprechsilbe) eine lautliche Größe, nämlich die kleinste Lautfolge, die sich bei der Untergliederung des Redestroms ergibt. Sie wird vom Sprecher als kleinste Einheit des Kraftaufwandes beim Sprechen empfunden.

Eine Silbe kann aus einem Einzelvokal (*oh!* [o:]), einem Diphthong (*au!* [au̯]) oder aus deren Kombination mit Konsonanten bestehen (*aus* [au̯s], *schrumpft* [ʃrʊmp͜fst]), wobei die auf einen Vokal endende Silbe offen, die auf einen Konsonanten endende geschlossen genannt wird. Ein Wort wiederum kann eine oder mehrere Silben haben, z. B. *red!* [re:t], *rede!* ['re:-də], *redete* ['re:-də-tə]. Dabei heißt der besonders hervortretende Laut Silbenträger (Silbengipfel). Als solche treten meistens Vokale auf, aber auch Konsonanten, besonders [m n ŋ l r]. Man sagt dann, [m n ŋ l r] seien silbisch, und schreibt genauer: [m̩ n̩ ŋ̩ l̩ r̩]. So wird in der Standardaussprache *reden* wie ['re:dn̩] gesprochen, wobei [e:] Silbenträger der ersten Silbe und [n̩] Silbenträger der zweiten Silbe ist.

Treten Vokale als Nichtsilbenträger auf, dann nennt man sie unsilbisch. So ist im Diphthong [au̯] des Wortes *Haus* [hau̯s] der Vokal [u] unsilbisch, während der Vokal [a] silbisch, d. h. Silbenträger, ist. In der Standardaussprache treten [i u y o] unsilbisch auf, z. B. in *sexuell* [zɛˈksu̯ɛl]. Besonders Vokale mit hoher Zungenlage wie [i u y] kommen unsilbisch vor.

Die Silbengrenze markiert das Zusammentreffen zweier Silben (z. B. *reden* ['re:-dn̩])[1].

II. Lautklassen

Sprachlaute pflegt man in zwei große Gruppen (Lautklassen) einzuteilen, in Vokale (Selbstlaute) und Konsonanten (Mitlaute).

1. Vokale (Selbstlaute)

Vokale (Selbstlaute) sind Laute, bei denen die Stimmlippen im Kehlkopf schwingen und die Atemluft ungehindert durch den Mund ausströmt.

ⓐ Zungen- und Lippenstellung

Von der Stellung des Zungenrückens und der Lippen hängt vor allem die Klangfarbe ab (vgl. Zeichnungen S. 29–30).

α) Höhe der Zunge (Vertikallage der Zunge)

Je weiter oben der höchste Punkt des Zungenrückens liegt, desto höher (geschlossener) ist ein Vokal. Bei [i:] in *Kino* ['ki:no] ist der höchste

---

1 Zu einer Diskussion der zahlreichen Silbendefinitionen vgl. W. D. Ortmann: Sprechsilben im Deutschen. München 1980, S. III–XXXVI.

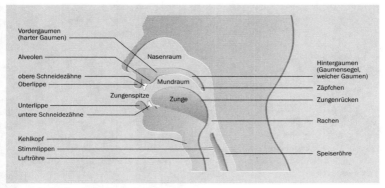

Querschnitt durch die Sprechwerkzeuge

Punkt des Zungenrückens höher als bei [e:] in *Mehl* [me:l]. Man sagt auch, [i:] sei geschlossener als [e:] bzw. [e:] offener als [i:].

β) Horizontallage der Zunge

Je weiter vorn im Mund der höchste Punkt des Zungenrückens ist, desto heller ist ein Vokal; je weiter hinten der höchste Punkt des Zungenrückens ist, desto dunkler ist er. Bei [i:] in *biete* ist der höchste Punkt des Zungenrückens vorn. Bei [u:] in *gut* [gu:t] ist er hinten, bei [ə] in *mache* ['maxə] ist er in der Mitte. Man sagt auch, [i:] sei ein vorderer, [u:] ein hinterer Vokal.

γ) Lippenstellung

Vokale werden mit gerundeten oder ungerundeten Lippen gesprochen. Bei [y:] in *übel* ['y:bl] sind die Lippen gerundet, bei [i:] in *Biene* ['bi:nə] sind sie nicht gerundet (ungerundet). Man sagt auch, [y:] sei gerundet (labial) und [i:] ungerundet (illabial, nicht labial).

ⓑ Vokalviereck

Den Bereich des Mundraumes, in dem die Vokale gebildet werden, stellt – etwas vereinfacht – das so genannte *Vokalviereck* auf der Zeichnung Seite 30 oben dar (unten eine ergänzte Vergrößerung). Mit seiner Hilfe lässt sich die Zungenstellung der Vokale am besten zeigen. Dabei ist zu beachten, dass hier nicht Vokale einer bestimmten Sprache dargestellt werden, sondern Bezugsvokale (Standardvokale), auf welche die einzelsprachlichen Vokale bezogen werden können. Von diesen Vokalen sind [i ɪ e ɛ æ a ɨ ə ɐ ɣ ʌ ɑ] ungerundet und [y ʏ ø œ ʉ u ʊ o ɔ ɒ] gerundet.

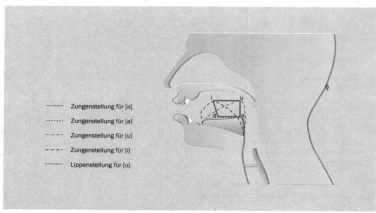

Sprechwerkzeuge mit Vokalviereck im Mundraum

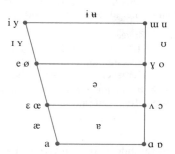

IPA-Vokalviereck (vereinfacht)

❻ Diphthonge

Im Gegensatz zu den Monophthongen (einfachen Vokalen) bestehen
Diphthonge (Zwielaute, Doppellaute) aus zwei Vokalen, von denen der
eine silbisch (Silbenträger) und der andere unsilbisch ist. Ist der erste
Vokal silbisch und der zweite unsilbisch (vgl. [a͜u] in *Haus* [ha͜us]), so
heißt der Diphthong fallend; im umgekehrten Fall steigend (vgl. [i͜ə] in
Studie ['ʃtu:di͜ə]). Genauer gesagt sind Diphthonge Gleitlaute, bei denen
die Zunge oder die Zunge zusammen mit den Lippen eine Gleitbewe-
gung von einem Vokal zu einem anderen durchführt.

ⓓ Orale und nasale Vokale
Die deutschen Vokale sind gewöhnlich oral (Mundvokale), wobei das
Gaumensegel angehoben ist und den Nasenraum verschließt, der des- •
halb keinen Resonanzraum bilden kann. Dagegen ist bei den nasalen
Vokalen (Nasalvokalen, Nasenvokalen; besser: nasalierten Vokalen)
das Gaumensegel gesenkt und der Durchgang zum Nasenraum, der ei-
nen Resonanzraum bildet, geöffnet. Nasale Vokale finden sich v. a. in
Fremdwörtern aus dem Französischen (vgl. [õ:] in *Garçon* [gar'sõ:]).

2. Konsonanten (Mitlaute)

Konsonanten (Mitlaute) sind Laute, bei denen ausströmende Atemluft während einer gewissen Zeit gehemmt (gestoppt) oder eingeengt wird.

ⓐ Artikulationsart (Artikulationsmodus, Überwindungsmodus)
Unter Artikulationsart versteht man die Art des Durchgangs und der
Behinderung des Luftstroms bei der Lautbildung.

*α) Verschlusslaute (Sprenglaute, Momentanlaute, Klusile, Explosive, Plo-
sive, Mutae)*
Bei den Verschlusslauten wird ein Verschluss gebildet, die Luft wird
während einer gewissen Zeit am Ausströmen gehindert: [p b t d k g ǀ].

β) Nasenlaute (Nasale, Nasalkonsonanten)
Bei den Nasenlauten entweicht die Luft durch die Nase. Der Mund ist
geschlossen: [m ɱ n ŋ].

γ) Seitenlaute (Laterale)
Bei den Seitenlauten entweicht die Luft nicht durch den Mund in seiner
ganzen Breite, sondern nur auf einer oder auf beiden Seiten der Zunge:
[l].

δ) Schwinglaute (Zitterlaute, Gerollte, mehrschlägige Laute, Vibranten)
Bei den Schwinglauten schwingt die Zungenspitze oder das Zäpfchen
hin und her (vibriert, rollt): [r ʀ].

ε) Geschlagene Laute (einschlägige Laute)
Bei den geschlagenen Lauten schlägt die Zungenspitze nur einmal: [ɾ].

ζ) Reibelaute (Engelaute, Frikative, Spiranten)
Bei den Reibelauten wird die ausströmende Luft eingeengt. Es entsteht
ein Reibegeräusch: [f v θ ð s z ʃ ʒ j ç x ɣ ʁ h]. [s z ʃ ʒ] nennt man Zisch-
laute (Sibilanten); bei ihnen wird zusätzlich in der vorderen Zungen-
mitte eine Längsrille gebildet.

η) Affrikaten
Affrikaten sind eng zusammen ausgesprochene, zu derselben Silbe ge-
hörende Verschluss- und Reibelaute mit ungefähr gleicher Artikulationsstelle (homorgan): [p͡f], [t͡s] u. a.

ⓑ Artikulationsstelle (Hauptartikulationen)
Darunter ist die Stelle zu verstehen, wo die (beiden) an der konsonantischen Hauptartikulation beteiligten Organe gegeneinander wirken (zusammentreffen) (vgl. Zeichnungen S. 29, 47–53).

α) Lippenlaute (Bilabiale)
Bei den Lippenlauten artikulieren Unter- und Oberlippe gegeneinander: [p b m].

β) Lippenzahnlaute (Labiodentale)
Bei den Lippenzahnlauten artikuliert die Unterlippe gegen die oberen Schneidezähne: [ɱ f v].

γ) Zahnlaute (Dentale) und Alveolare
Bei den Zahnlauten und Alveolaren artikuliert die Zungenspitze oder der vorderste Zungenrücken gegen die oberen Schneidezähne oder gegen die Alveolen: [t d n l r ɾ θ ð s z].

δ) Palatoalveolare
Bei den Palatoalveolaren artikuliert die Zungenspitze oder der vordere Zungenrücken gegen den hinteren Teil der Alveolen oder den vordersten Teil des Vordergaumens: [ʃ ʒ].

ε) Vordergaumenlaute (Palatale)
Bei den Vordergaumenlauten artikuliert der vordere Zungenrücken gegen den Vordergaumen: [ɲ ç j].

ζ) Hintergaumenlaute (Velare)
Bei den Hintergaumenlauten artikuliert der hintere Zungenrücken gegen den Hintergaumen: [k g ŋ x].

η) Zäpfchenlaute (Gaumenzäpfchenlaute, Halszäpfchenlaute, Uvulare)
Bei den Zäpfchenlauten artikuliert der hinterste Teil des Zungenrückens gegen das Zäpfchen: [ʀ ʁ].

θ) Stimmritzenlaute (Kehlkopflaute, Glottale, Laryngale)
Die Stimmritzenlaute werden in der Stimmritze (Glottis = Spalt zwischen den Stimmlippen) gebildet: [ʔ h].

ⓒ Stimmhaftigkeit (Sonorität)
Schwingen die Stimmlippen im Kehlkopf, dann ist der Konsonant stimmhaft. Das Schwingen lässt sich leicht nachprüfen, indem man die Hand an den Kehlkopf legt. So ist in der Standardlautung zum Beispiel [z] in *Sǫnne* [ˈzɔnə] oder in *Hạse* [ˈhaːzə] stimmhaft. Schwingen die Stimmbänder nicht, dann ist der Konsonant stimmlos, z. B. bei [s] in *Hạss* [has] oder in *hạsse* [ˈhasə]. Stimmhafte Verschlusslaute heißen auch Mediä: [b d g], stimmlose Verschlusslaute Tenues: [p t k].

⊙ Stärke (Intensität)
Konsonanten können als starke (Fortes) oder schwache Konsonanten (Lenes) gesprochen werden.

⊜ Behauchung (Aspiration)
Konsonanten sind behaucht (aspiriert), wenn auf sie eine mehr oder weniger große Menge frei ausströmender Atemluft folgt. In der Standardlautung ist z. B. [p] in *Pass* [pas] stark behaucht, also: [pʰas].

⊙ Zusätzliche Artikulationen (sekundäre Artikulationen)
Zusätzlich zu den oben besprochenen Hauptartikulationen können Konsonanten sekundär artikuliert werden. Hier ist besonders die Labialisierung zu erwähnen, bei der zusätzlich zur Hauptartikulation die Lippen wie beim Sch-Laut [ʃ] in der Standardlautung vorgestülpt werden; ferner: die Palatalisierung, bei der zusätzlich der vordere Zungenrücken angehoben wird, z. B. russ. [bʲ] in Bely [ˈbʲɛɫij] (im Wörterverzeichnis: [ˈbjɛlɨj]); die Velarisierung, bei der zusätzlich der hintere Zungenrücken angehoben wird, z. B. engl. [ɫ] in Bolt [boʊɫt] (im Wörterverzeichnis: [boʊlt]).

F. Genormte Lautung

Die deutsche Sprache wird nicht völlig einheitlich ausgesprochen; es gibt eine ganze Reihe landschaftlicher und durch die soziale Schichtung bedingter Unterschiede in der Aussprache. Wiederholt hat man versucht, die Aussprache zu normen, ähnlich wie man die Rechtschreibung genormt hat. Es zeigt sich jedoch, dass es leichter ist, eine bestimmte Schreibung festzulegen als eine bestimmte Aussprache. Schreibung lässt sich auf dem Papier jederzeit und dauernd sichtbar festhalten. Das Gesprochene lässt sich weniger leicht festhalten. Um es zu beschreiben, braucht man u. a. eine genaue Lautschrift, die der normale Leser nicht ohne weiteres lesen oder gar nachsprechen kann. Während die Schreibnorm als amtliche Rechtschreibregelung durchgesetzt werden konnte, ist es bisher nicht gelungen, eine Aussprachenorm, eine verbindlich festgelegte Lautung mit demselben Erfolg durchzusetzen.

Die älteste bekannte, 1898 geschaffene genormte Lautung ist die so genannte „Bühnenaussprache" von Theodor Siebs, die in erster Linie eine einheitliche Aussprache auf der Bühne ermöglichen sollte, dann aber eine viel weiter gehende Geltung erlangte. Sie ist mehrmals überarbeitet worden. Die 13. Auflage erschien 1922 unter dem Titel „Deutsche Bühnenaussprache – Hochsprache". 1957 kam die 16. Auflage unter dem Titel „Siebs Deutsche Hochsprache" mit dem Untertitel „Bühnenaussprache" heraus (vgl. S. 62–63). 1969 erschien die 19. Auflage unter dem Titel „Siebs – Deutsche Aussprache" mit dem Untertitel „Reine und gemäßigte Hochlautung mit Aussprachewörterbuch". Die Bühnenaussprache ist in den letzten Jahrzehnten durch eine neue Norm abgelöst worden, die als Standardaussprache oder als Standardlautung bezeichnet wird.

I. Standardlautung

Die Aussprache der deutschen Schriftsprache hat sich im 20. Jahrhundert, besonders seit den 50er-Jahren, teilweise geändert, nicht zuletzt deshalb, weil das (klassische) Theater seine Rolle als Träger einer Einheitsaussprache weitgehend an Rundfunk und Fernsehen abgeben musste. Dieser Entwicklung hat zuerst das „Wörterbuch der deutschen Aussprache" (1964) und im Anschluss daran das „Duden-Aussprachewörterbuch" (^{2}1974) Rechnung getragen, in dem die neue Einheitsaussprache, die vor allem die Aussprache geschulter Rundfunk- und Fernsehsprecher wiedergibt, unter der Bezeichnung „Standardaussprache" (Standardlautung) beschrieben wird. Die wesentlichen Züge dieser Standardlautung sind folgende:

1.   Sie ist eine Gebrauchsnorm, die der Sprechwirklichkeit nahe kommt. Sie erhebt jedoch keinen Anspruch darauf, die vielfältigen Schattierungen der gesprochenen Sprache vollständig widerzuspiegeln.

2. Sie ist überregional. Sie enthält keine typisch landschaftlichen Ausspracheformen.
3. Sie ist einheitlich. Varianten (freie Varianten und Phonemvariation) werden ausgeschaltet oder auf ein Mindestmaß beschränkt.
4. Sie ist schriftnah, d. h., sie wird weitgehend durch das Schriftbild bestimmt.
5. Sie ist deutlich, unterscheidet die Laute einerseits stärker als die Umgangslautung, andererseits schwächer als die zu erhöhter Deutlichkeit neigende Bühnenaussprache.

In den vergangenen Jahren wiederholt gemachte Versuche, innerhalb der Standardlautung verschiedene Formstufen (formelles, langsames, vertrauliches, schnelles usw. Sprechen) zu beschreiben und zu normen, haben bisher nicht zu einheitlichen und eindeutigen Ergebnissen geführt. Deshalb haben wir uns in diesen Bereichen auch nur auf den Hinweis auf S. 67, 3. beschränkt.

1. Vokale

ⓐ **Vokalphoneme**

Unter Berücksichtigung eines größeren Wort- und Formenschatzes (vgl. Fußnote 1, S. 27) können folgende Vokalphoneme (ihre Aussprache in [ ]) angenommen werden:

/i:/ [i: i i̯]	/a/ [a]	/u:/ [u: u u̯]	/ɔy/[1] [ɔy]
/ɪ/ [ɪ]	/y:/ [y: y y̆]	/ʊ/ [ʊ]	/ɛ̃:/ [ɛ̃: ɛ̃]
/e:/ [e: e]	/ʏ/ [ʏ]	/o:/ [o: o o̯]	/ã:/ [ã: ã]
/ɛ:/ [ɛ:]	/ø:/ [ø: ø]	/ɔ/ [ɔ]	/œ̃:/ [œ̃: œ̃]
/ɛ/ [ɛ]	/œ/ [œ]	/ai̯/[1] [ai̯]	/õ:/ [õ: õ]
/a:/ [a:]	/ə/ [ə]	/au̯/[1] [au̯]	

Bemerkungen zu den Vokalphonemen

1. Es ist üblich, [m̩], [n̩], [l̩] und [ɐ] als die Phonemfolgen /əm/, /ən/, /əl/ und /ər/ aufzufassen (z. B. _großem_ /ˈgroːsəm/ [ˈgroːsm̩], _besser_ /ˈbɛsər/ [ˈbɛsɐ]).
2. Die steigenden Diphthonge wie [i̯ə i̯ɔ y̆i: u̯ə ɔ̯a] u. a. lassen sich als die Phonemfolgen /i:ə i:ɔ y:i: u:ə o:a/ u. a. auffassen (z. B. _Studie_ /ˈʃtu:di:ə/ [ˈʃtu:di̯ə]).
3. Die fallenden Diphthonge mit [ɐ] als zweitem Bestandteil (so genannte „zentrierende" Diphthonge) lassen sich als Phonemfolgen /langer Vokal/ + /r/ auffassen (z. B. _Bier_ /bi:r/ [bi:ɐ]).
4. Der fallende Diphthong /ui̯/[ui̯] kommt nur in wenigen Interjektionen und Eigennamen vor (z. B. _pfui!_ /pfui̯/ [pfui̯]).

---

1 Es gibt auch Auffassungen, wonach die hier als Einzelphoneme betrachteten Diphthonge /ai̯ au̯ ɔy/ Phonemfolgen von je zwei Phonemen darstellen.

5. Die Vokale [ɛ:] und z. T. [ɛ] können durch [e:] bzw. [e] ersetzt werden. Beispiel: Kähne, Polonaise, Präsiden; sowohl [ˈkɛ:nə], [poloˈnɛ:zə], [prɛˈzi:dn̩] als auch [ˈke:nə], [poloˈne:zə], [preˈzi:dn̩]. Vgl. S. 21.

6. In der differenzierten „Gymnasialaussprache"[1] gibt es betont die zusätzlichen Phoneme /i/ [i], /e/ [e], /y/ [y], /u/ [u], /o/ [o] (vgl. z. B. *Epitheton* /eːˈpiteːtɔn/ [eˈpitetɔn]; in der einfachen Gymnasialaussprache werden diese Phoneme durch die Phoneme /ɪ ɛ ʏ ʊ ɔ/ ersetzt (*Epitheton* /eːˈpɪteːtɔn/ [eˈpɪtetɔn]); in deutscher Aussprache treten dafür die Phoneme /i: e: y: u: o:/ ein (*Epitheton* /eːˈpiːteːtɔn/ [eˈpiːtetɔn]). In diesem Buch wird auf die Wiedergabe der differenzierten, im Allgemeinen auch der einfachen Gymnasialaussprache verzichtet. Wer bestrebt ist, betonte Vokale in Fremdwörtern griechischen und lateinischen Ursprungs im Sinne der Gymnasialaussprache mit der Quantität der Ursprungssprache auszusprechen, wird zu diesem Zweck griechische und lateinische Wörterbücher und Grammatiken mit Quantitätsangaben zurate ziehen müssen. Er müsste dann z. B. *psychologisch* /psyːçoːˈloːgɪʃ/ [psyˈçoloːgɪʃ] (oder /psyːçoːˈlɔgɪʃ/ [psyçoˈlɔgɪʃ]), *Daten* /ˈdaːtən/ [ˈdatn̩], *Lektor* /ˈleːktoːr/ [ˈleːktoːɐ̯], *Skriptum* /ˈskriːptʊm/ [ˈskriːptʊm] aussprechen. Es gibt auch eine hyperkorrekte Gymnasialaussprache, in der von einigen Sprechern – entgegen der deutschen Aussprache – in betonter Stellung griechische oder lateinische Kürze als Länge und griechische oder lateinische Länge als Kürze gesprochen wird, z. B. mystisch (griechisch kurzes y; deutsche Aussprache: mystisch), theoretisch (griechisch langes e; deutsche Aussprache: theoretisch).

7. Unter den Fremdphonemen verbreiten sich zunehmend die englischen Diphthonge [eɪ oʊ], wofür deutsch [e: o:] gesprochen wird: Lady [ˈleɪdi] (deutsch: [ˈle:di]), Show [ʃoʊ] (deutsch: [ʃo:]).

ⓑ Klangfarbe

a) Lautbestand

Orale Monophthonge: [iː i i̢ ɪ eː e ɛː ɛ aː a yː y ŷ ʏ øː ø œ ə ɐ uː u u̢ ʊ oː o ɔ]; nasale Monophthonge: [ɛ̃ː ɛ̃ ãː ã œ̃ː œ̃ õː õ]; Diphthonge: [ai̯ au̯ ɔy̯].[2] Die Artikulation der Monophthonge und Diphthonge ist aus den folgenden Vokalvierecken ersichtlich[3]:

---

1 M. Mangold: Deutsche Vokale und Gymnasialaussprache. In: Sprechwissenschaft und Kommunikation, Sprache und Sprechen, Bd. 3. Kastellaun 1972, S. 79–92.

2 Phonetisch genauer wäre die Schreibung [ai̯ au̯ ɔy̯]; andere schreiben dafür [ae ao ɔø] u. Ä.

3 Dabei bedeutet ● ‚Vokal ohne Lippenrundung', ○ ‚Vokal mit Lippenrundung'.

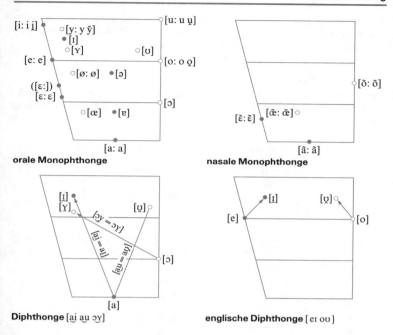

orale Monophthonge   nasale Monophthonge

Diphthonge [a̯i a̯u ɔy̯]   englische Diphthonge [eɪ oʊ]

Die Aussprache von /ə/ + /m/, /n/, /l/

Die Phonemfolgen /əm/, /ən/, /əl/ werden nur bei langsamer und deutlicher Aussprache als [əm], [ən], [əl], gewöhnlich aber als [m̩] (silbisches *m*), [n̩] (silbisches *n*; in bestimmten Stellungen auch [m̩] bzw. [ŋ̩]) und [l̩] (silbisches *l*) gesprochen:

	Rechtschreibung	phonemisch	Aussprache normal	Aussprache langsam, deutlich
/əm/	großem	/ˈgroːsəm/	[ˈgroːsm̩]	[ˈgroːsəm]
	Cochem	/ˈkɔxəm/	[ˈkɔxm̩]	[ˈkɔxəm]
	schwarzem	/ˈʃvartsəm/	[ˈʃvartsm̩]	[ˈʃvartsəm]
/ən/	haben	/ˈhaːbən/	[ˈhaːbn̩] auch: [ˈhaːbm̩]	[ˈhaːbən]
	hatten	/ˈhatən/	[ˈhatn̩]	[ˈhatən]
	Haken	/ˈhaːkən/	[ˈhaːkn̩] auch: [ˈhaːkŋ̩]	[ˈhaːkən]
/əl/	Nabel	/ˈnaːbəl/	[ˈnaːbl̩]	[ˈnaːbəl]
	Himmel	/ˈhɪməl/	[ˈhɪml̩]	[ˈhɪməl]
	Löffel	/ˈlœfəl/	[ˈlœfl̩]	[ˈlœfəl]

Im Folgenden werden die Bedingungen beschrieben, unter denen bei Normalaussprache /əm/ als [m̩] oder [əm], /ən/ als [n̩] (inklusive [m̩], [ŋ̍]) oder [ən] und /əl/ als [l̩] oder [əl] gesprochen werden.

Aussprache von /əm/:

/əm/ wird als [m̩] (silbisches *m*) gesprochen am Wortende oder vor Konsonant, und zwar nach den Reibelauten [f v s z ʃ ʒ ç x] und nach den Affrikaten [p͜f t͜s t͜ʃ d͜ʒ]:

tiefem	['ti:fm̩]	wachem	['vaxm̩]
passivem	[pa'si:vm̩]	Cochem	['kɔxm̩]
nassem	['nasm̩]	Cochems	['kɔxm̩s]
losem	['lo:zm̩]	stumpfem	['ʃtʊmp͜fm̩]
raschem	['raʃm̩]	stolzem	['ʃtɔlt͜sm̩]
largem	['larʒm̩]	deutschem	['dɔyt͜ʃm̩]
welchem	['vɛlçm̩]		

In den übrigen Stellungen wird /əm/ als [əm] gesprochen, und zwar vor und nach Vokal, nach den Verschlusslauten [p b t d k g], nach den Nasenlauten [m n ŋ], nach dem Seitenlaut [l] und nach [r]:

Cochemer	['kɔxəmɐ]	strackem	['ʃtrakəm]
nahem	['na:əm]	feigem	['faigəm]
zähem	['t͜sɛ:əm]	dummem	['dʊməm]
scheuem	['ʃɔyəm]	kleinem	['klainəm]
knappem	['knapəm]	langem	['laŋəm]
mürbem	['myrbəm]	hellem	['hɛləm]
Atem	['a:təm]	wirrem	['vɪrəm]
blödem	['blø:dəm]		

Aussprache von /ən/:

/ən/ wird als [n̩] (silbisches *n*) gesprochen am Wortende oder vor Konsonant, wenn die vorausgehende Silbe kein [n̩] enthält, und zwar:

● nach den Verschlusslauten [p b t d k g]:

knappen	['knapn̩]	haydnsch	['haidn̩ʃ]
halben	['halbn̩]	bindenden	['bɪndn̩dən]
hatten	['hatn̩]	nähernden	['nɛːɐndn̩]
Welten	['veltn̩]	kraulenden	['krauləndn̩]
doppelten	['dɔpl̩tn̩]	Balkens	['balkn̩s]
redenden	['re:dn̩dən]	röntgenden	['rœntgn̩dən]

Anstelle von [pn̩], [bn̩], [kn̩], [gn̩] wird im Allgemeinen häufiger [pm̩], [bm̩], [kŋ̍], [gŋ̍] gesprochen:

knappen	['knapm̩]	Balken	['balkŋ̍]
halben	['halbm̩]	röntgen	['rœntgŋ̍]

Das geschieht weniger häufig vor [t d n l s z ʃ ʒ ts tʃ dʒ]:

röntgend ...... [ˈrœntgŋt]   Funkens .... [ˈfʊŋkŋs]
liebende .... [ˈliːbm̩də]   Tropennacht .... [ˈtroːpm̩naxt]
Backenzahn [ˈbakn̩tsaːn]

- nach den Reibelauten [f v s z ʃ ʒ ç x] (außer in dem Verkleinerungssuffix -chen [çən]):

scharfen .... [ˈʃarfn̩]   forschen .... [ˈfɔrʃn̩]
aktiven .... [akˈtiːvn̩]   Logen .... [ˈloːʒn̩]
hassende .... [ˈhasn̩də]   Barchent .... [ˈbarçn̩t]
bremsen .... [ˈbrɛmzn̩]   lachendes .... [ˈlaxn̩dəs]

- nach den Affrikaten [pf ts tʃ dʒ]:

Hopfens .... [ˈhɔpfn̩s]   pantschen .... [ˈpantʃn̩]
Katzen .... [ˈkatsn̩]   managen .... [ˈmɛnɪdʒn̩]

In den übrigen Stellungen wird /ən/ als [ən] gesprochen, und zwar:

- vor Vokal:

Ebene .... [ˈeːbənə]   Wüstenei .... [vyːstəˈnai̯]
ebenes .... [ˈeːbənəs]   Gürzenich .... [ˈgʏrtsəniç]

- nach Vokal:

nahen .... [ˈnaːən]   Reihen .... [ˈrai̯ən]
Böen .... [ˈbøːən]   Auen .... [ˈau̯ən]

- nach den Nasenlauten [m n ŋ]:

zahmen .... [ˈtsaːmən]   öffnend .... [ˈœfnənt]
qualmende .... [ˈkvalməndə]   langen .... [ˈlaŋən]
fernen .... [ˈfɛrnən]   bangend .... [ˈbaŋənt]

- nach dem Seitenlaut [l]:

Wahlen .... [ˈvaːlən]   eitlen .... [ˈai̯tlən]
edlen .... [ˈeːdlən]   heiklen .... [ˈhai̯klən]
passablen ...... [paˈsaːblən]   quirlend .... [ˈkvɪrlənt]

- nach [r]:

wahren .... [ˈvaːrən]   saubren .... [ˈzau̯brən]
wirren .... [ˈvɪrən]   powren .... [ˈpoːvrən]
teuren .... [ˈtɔy̯rən]   unsren .... [ˈʊnzrən]

● nach [j]:

Bojen............. ['boːjən]	Taillen.................. ['taljən]
schwojenden ['ʃvoːjəndn̩]	taljenden.............. ['taljəndn̩]

● wenn in der vorausgehenden Silbe [n̩] auftritt:

Apensen........ ['aːpn̩zən]	reißenden............. ['raisn̩dən]
bindenden..... ['bɪndn̩dən]	horchenden .... ['hɔrçn̩dən]

● in dem Verkleinerungssuffix *-chen* [çən]:

Frauchen ...... ['frauçən]	Kügelchen .... ['kyːglçən]
Mädchen....... ['mɛːtçən]	Kinderchen .... ['kɪndɐçən]

Aussprache von /əl/:

/əl/ wird als [l̩] (silbisches *l*) gesprochen am Wortende oder vor Konsonant, und zwar nach den Verschlusslauten [p b t d k g], nach den Nasenlauten [m n ŋ], nach den Reibelauten [f v s z ʃ ʒ ç x] und nach den Affrikaten [p͡f t͡s t͡ʃ d͡ʒ]:

Pudel............. ['puːdl̩]	Löffel.................. ['lœfl̩]
Himmel......... ['hɪml̩]	Gipfel.................. ['gɪp͡fl̩]

In den übrigen Stellungen wird /əl/ als [əl] gesprochen, und zwar vor und nach Vokal und nach [r]:

Eselei .... [eːzə'lai]	Pleuel.................. ['plɔyəl]
pingelig .... ['pɪŋəlɪç]	Varel .... ['faːrəl]

Die Aussprache von /ə/ + /r/

Die Phonemfolge /ər/ (orthographisch meist *-er*) wird bei normalem Sprechen am Wortende und vor Konsonant gewöhnlich als [ɐ] (silbisches, „vokalisches" *r*) gesprochen. Nur bei sehr langsamer und deutlicher Aussprache kann dafür auch [ɐʶ] ([ɐ] + schwaches Reibe-R) eintreten[1]:

	Rechtschreibung	phonemisch	Aussprache normal	sehr langsam, sehr deutlich
/ər/	näher	/'nɛːər/	['nɛːɐ]	['nɛːɐʶ]
	Wasser	/'vasər/	['vasɐ]	['vasɐʶ]

---

1   Im Kunstgesang gilt für /ər/ immer [ər] ([r] = mehrschlägiges Zungenspitzen-R), z. B. *Wasser* ['vasər], *Wassers* ['vasərs].

näher............	['nɛːɐ]	kauernder..........	['kauɐndɐ]
Seher............	['zeːɐ]	Hunderter..........	['hʊndɐtɐ]
Bauer...........	['bauɐ]	Zauderers...........	['tsaudərɐs]
Bauers...........	['bauɐs]	fürchterlich..........	['fʏrçtɐlıç]
Baur...........	['bauɐ]	Dummerjan.........	['dʊmɐjaːn]
Kentaur........	[kɛn'tauɐ]	andersartig.........	['andɐslaːɐtıç]
Wasser..........	['vasɐ]	Wasserjungfer.....	['vasɐjʊŋfɐ]
Wassers.........	['vasɐs]	Dampferfahrt......	['dampfɐfaːɐt]

Vor Vokal wird die Phonemfolge /ər/ als [ər] gesprochen:

Feerie............	[feə'riː]	sauberes..............	['zaubərəs]
Szenerie........	[stsenə'riː]	Teuerung............	['tɔyərʊŋ]
Wegerich......	['veːgərıç]	Weigerung..........	['vaigərʊŋ]
zögere..........	['tsøːgərə]	Schießerei..........	[ʃiːsə'rai]

c   **Betonung und Länge silbischer Vokale**

In deutscher Aussprache kommen alle oralen Monophthonge und alle Diphthonge mit Ausnahme von [i e y ø ə ɐ u o] betont vor. Die langen Nasalvokale treten meist betont, die kurzen Nasalvokale nur unbetont auf.

Unbetont kommen alle oralen Monophthonge, alle Diphthonge und die kurzen Nasalvokale vor. Lange Vokale erscheinen selten unbetont, besonders selten vor betonter Silbe. Lange Nasalvokale sind unbetont sehr selten (z. B. *Pavillons* ['pavıljõːs]).

Vokale in betonter Stellung:

[iː]	mieden..........	['miːdn̩]	[uː]	Muße.............	['muːsə]
[ı]	Mitte.............	['mıtə]	[ʊ]	Butter............	['bʊtɐ]
[eː]	lege................	['leːgə]	[oː]	rote................	['roːtə]
[ɛː]	Bären...........	['bɛːrən]	[ɔ]	Motte............	['mɔtə]
[ɛ]	hätte.............	['hɛtə]	[ai]	reite...............	['raitə]
[aː]	rate................	['raːtə]	[au]	außen	['ausn̩]
[a]	hatte.............	['hatə]	[ɔy]	heute	['hɔytə]
[yː]	müde.............	['myːdə]	[ɛ̃ː]	Pointe............	['pɔɛ̃ːtə]
[ʏ]	Hürde...........	['hʏrdə]	[ãː]	Gourmand....	[gʊr'mãː]
[øː]	mögen..........	['møːgn̩]	[œ̃ː]	Parfum.........	[par'fœ̃ː]
[œ]	Götter	['gœtɐ]	[õː]	Garçon.........	[gar'sõː]

Vokale in unbetonter Stellung:

[i:]	Muttis	['mʊti:s]	[ə]	alle ['alə]
[i]	Mutti	['mʊti]	[ɐ]	Wasser ['vasɐ]
[ɪ]	Spinnerei	[ʃpɪnə'rai]	[u:]	Demut ['de:mu:t]
[e:]	Eugen	['ɔyge:n]	[u]	Uhu ['u:hu]
[e]	lebendig	[le'bɛndɪç]	[ʊ]	Putzerei [pʊtsə'rai]
[ɛ:]	Scheusäler	['ʃɔyzɛ:lɐ]	[o:]	Kleinod ['klaino:t]
[ɛ]	elend	['e:lɛnt]	[o]	Forelle [fo'rɛlə]
[a:]	Grobian	['gro:bia:n]	[ɔ]	Amboss ['ambɔs]
[a]	Monat	['mo:nat]	[ai]	Streiterei [ʃtraitə'rai]
[y:]	Bistümer	['bɪsty:mɐ]	[au]	Brauerei [braʊə'rai]
[y]	düpieren	[dy'pi:rən]	[ɔy]	Meuterei [mɔytə'rai]
[ʏ]	Schnüffelei	[ʃnyfə'lai]	[ɛ̃]	impair [ɛ̃'pɛ:ɐ]
[ø:]	Blödelei	[blø:də'lai]	[ã]	engagieren [ãga'ʒi:rən]
[ø]	möblieren	[mø'bli:rən]	[œ̃]	Lundist [lœ̃'dɪst]
[œ]	Nörgelei	[nœrgə'lai]	[õ]	foncé [fõ'se:]

❹ Die unsilbischen Vokale [i̯ y̆ u̯ o̯]

[i y u] werden vor Vokal gewöhnlich unsilbisch gesprochen, d. h. als [i̯ y̆ u̯], wobei [i̯] am leichtesten und [y̆] am wenigsten leicht auszusprechen sind. Vor unbetontem Vokal wird [i] nach [r] nicht so leicht unsilbisch wie vor betontem Vokal (also eher unsilbisch in *glorios* als in *Gloria*): Akazie [a'ka:tsi̯ə], Ferien ['fe:ri̯ən], Gloria ['glo:ri̯a], glorios [glo'ri̯o:s], Libyen ['li:by̆ən], manuell [ma'nu̯ɛl], Nation [na'tsi̯o:n].

Unbetont werden [i y u] jedoch vor Vokalen silbisch gesprochen, d. h. als [i y u], und zwar

– wenn [p b t d k g m n f v s ʃ ç x] + [m n r l] oder [kv] vorausgehen: Amphitruo [am'fi:truo], Amphitryo [am'fi:tryo], Dochmius ['dɔxmi̯ʊs], Insignien [ɪn'zɪgni̯ən], Natrium ['na:tri̯ʊm], Omnium ['ɔmni̯ʊm], Onuphrio [o'nu:fri̯o], Patriarch [patri'arç], Quietist [kvi̯e'tɪst].

– oft dann, wenn [i y u] zu einem Wortteil gehören, mit dem eine bestimmte bekannte lexikalische Bedeutung verbunden wird: Biennale [bi̯e'na:lə] (*Bi-* bedeutet ‚zwei'), Biologe [bio'lo:gə] (*Bio-* bedeutet ‚Leben'), Dual [du'a:l] (*Du-* bedeutet ‚zwei'), myop [my'o:p] (*my-* bedeutet ‚sich schließen').

Die Lautfolgen [i̯i: i̯i i̯ɪ i̯y: i̯y i̯ʏ y̆y: y̆y y̆ʏ y̆u: y̆u y̆ʊ u̯i: u̯i u̯y: u̯y u̯ʏ u̯u: u̯u u̯ʊ] kommen im Allgemeinen nicht vor. Dafür stehen [i̯i: i̯i i̯ɪ] usw.: liniieren [lini'i:rən], Vakuum ['va:kuʊm]; (aber:) Tuilerien [ty̆ilə'ri:ən], Linguist [lɪŋ'gʊɪst], Studium ['ʃtu:di̯ʊm].

[o] wird unbetont vor [a a:] unsilbisch gesprochen, wenn in der Schrift oi, oy stehen: loyal [lo̯a'ja:l], Memoiren [me'mo̯a:rən].

e **Ersatz von Lautfolgen und Vokalen**
Folgende Lautfolgen und Vokale können ersetzt werden:

Ersatz von [ɪr] usw. durch [iːɐ̯] usw.
Am Wortende und vor Konsonant können unbetont [ɪr ʏr ʊr] durch [iːɐ̯
yːɐ̯ uːɐ̯] ersetzt werden (vgl. S. 52–55):
Saphir [ˈzaːfɪr] > [ˈzaːfiːɐ̯], Zephyr [ˈtseːfʏr] > [ˈtseːfyːɐ̯], Femurs [ˈfeːmʊrs]
> [ˈfeːmuːɐ̯s].

Ersatz von [i] usw. durch [ɪ] usw.
Vor Wortfugen in griechischen und lateinischen Wörtern können [i y u
o] durch [ɪ ʏ ʊ ɔ] ersetzt werden, wenn mehrere Konsonantenbuchstaben folgen (ausgenommen *b, c, ch, d, f, g, k, p, ph, t, th* + *l, r*); dabei verschiebt sich die lautliche Silbengrenze:
Epispadie [epi-spaˈdiː] > [epɪs-paˈdiː], Polyspermie [poly-spɛrˈmiː] >
[polʏs-pɛrˈmiː], Manuskript [manu-ˈskrɪpt] > [manʊs-ˈkrɪpt], Apostasie
[apo-staˈziː] > [apɔs-taˈziː].

2. Konsonanten

a **Konsonantenphoneme**
Unter Berücksichtigung eines größeren Wort- und Formenschatzes
(vgl. Fußnote 1, S. 27) können folgende Konsonantenphoneme (ihre
Aussprache in []) angenommen werden[1]:

/p/	[p]	/n/	[n]	(/ð/ | [ð])[3]	/x/	[x]
/b/	[b]	/ŋ/	[ŋ]	/s/	[s]	/h/	[h]
/t/	[t]	/l/	[l]	/z/	[z]	/pf/[4]	[pf]
/d/	[d]	/r/	[r ɐ̯][2]	/ʃ/	[ʃ]	/ts/[4]	[ts]
/k/	[k]	/f/	[f]	/ʒ/	[ʒ]	/tʃ/[4]	[tʃ]
/g/	[g]	/v/	[v]	/ç/	[ç]	/dʒ/[4]	[dʒ]
/m/	[m]	(/θ/ | [θ])[3]	/j/	[j]		

---

1   Der Stimmritzenverschlusslaut [ǀ] ist kein eigentliches Konsonantenpho-
    nem, sondern ein Grenzsignal. Er signalisiert vor Vokal den Wortanfang
    und die Fuge in Präfixbildungen und zusammengesetzten Wörtern, z. B.
    anekeln [ˈʔanǀeːkl̩n], *beachten* [bəˈʔaxtn̩].
2   [r ɐ̯] sind die beiden stellungsbedingten Varianten von /r/ (zu seinen freien
    Varianten vgl. S. 52–55). Zu den stellungsbedingten Varianten anderer Pho-
    neme vgl. S. 55–57.
3   Die fremden Phoneme /θ/ und /ð/ sind selten. Sie finden sich in wenigen,
    meist aus dem Englischen stammenden Fremdwörtern.
4   Nach anderen Auffassungen sind /pf ts tʃ dʒ/ nicht Einzelphoneme, sondern
    Phonemfolgen von je zwei Phonemen (/p/ + /f/ usw.).

Konsonanten

		Lippenlaute stimm-los	Lippenlaute stimm-haft	Lippenzahn-laute stimm-los	Lippenzahn-laute stimm-haft	Zahnlaute stimm-los	Zahnlaute stimm-haft	Vordergaumenlaute stimm-los	Vordergaumenlaute stimm-haft	Hintergaumenlaute stimm-los	Hintergaumenlaute stimm-haft	Zäpfchenlaute stimm-los	Zäpfchenlaute stimm-haft	Stimmritzenlaute stimm-los	Stimmritzenlaute stimm-haft
Verschluss-laute	stark	p				t				k				l	
	schwach		b				d				g				
Nasenlaute			m				n				ŋ				
Seitenlaute							l								
Schwinglaute							r						R		
geschlagene Laute							r						ʀ		
Reibelaute	stark			f		(θ) s ʃ		ç		x				h	
	schwach				v		(ð) z ʒ				j		ʁ		

b Artikulationsart

Nach der Artikulationsart geordnet, ergeben sich folgende Konsonantengruppen:

Verschlusslaute [p b t d k g |]:

[p]	Panne	['panə]		[k]	kahl	[ka:l]
[b]	Bau	[bau]		[g]	Gast	[gast]
[t]	Tau	[tau]		[|]	Verein	[fɛɐ̯'|ain]
[d]	dann	[dan]				

Nasenlaute [m n ŋ]:

[m]	Mast	[mast]
[n]	Nest	[nɛst]
[ŋ]	lang	[laŋ]

Seitenlaut [l]:

[l]	Laut	[laut]

Schwinglaute [r = r ʀ]:

[r], [ʀ]	Rast	[rast], [ʀast]

geschlagener Laut [r = ɾ]:

[ɾ]	Rast	[ɾast]

Reibelaute [f v s z ʃ ʒ ç j x r (= ʁ) h (θ ð)]:

[f]	fast	[fast]		[j]	ja	[ja:]
[v]	was	[vas]		[x]	ach!	[ax]
[s]	Mast	[mast]		[ʁ]	Rast	[ʁast]
[z]	Hase	['ha:zə]		[h]	Halt	[halt]
[ʃ]	Schau	[ʃau]		([θ])	Thriller	[*dt.-engl.* 'θrɪlɐ])
[ʒ]	Genie	[ʒe'ni:]		([ð])	Fathom	[*dt.-engl.* 'fɛðm̩])
[ç]	ich	[ıç]				

Affrikaten [p͡f[1] t͡s t͡ʃ d͡ʒ]:

[p͡f]	Pfau	[p͡fau]		[t͡ʃ]	Tscheche	['t͡ʃɛçə]
[t͡s]	Zahl	[t͡sa:l]		[d͡ʒ]	Gin	[d͡ʒɪn]

---

1   [p͡f] ist im ersten Teil [p] bilabial, im zweiten [f] labiodental.

⊙ Artikulationsstelle
Nach der Artikulationsstelle geordnet, ergeben sich folgende Konsonantengruppen:

Lippenlaute [p b m]:

[p] Panne ['panə]
[b] Bau [bau]
[m] Maus [maus]

Lippenzahnlaute [f v]:

[f] fast [fast]
[v] was [vas]

Zahnlaute (Alveolare und Palatoalveolare inbegriffen)
Dental bis alveolar sind [t d n l r r s z ts]; palatoalveolar und zusätzlich mit gerundeten Lippen gesprochen (labialisiert) sind [ʃ ʒ tʃ dʒ]:

[t]	Tau	[tau]	[ts]	Zahl	[tsa:l]
[d]	dann	[dan]	[ʃ]	Schau	[ʃau]
[n]	Nest	[nɛst]	[ʒ]	Genie	[ʒe'ni:]
[l]	Laut	[laut]	[tʃ]	Tscheche	['tʃɛçə]
[r]	Rast	[rast]	[dʒ]	Gin	[dʒɪn]
[r]	Rast	[rast]	([θ])	Thriller	[dt.-engl. 'θrɪlɐ])
[s]	was	[vas]	([ð])	Fathom	[dt.-engl. 'fɛðm̩])
[z]	Hase	['ha:zə]			

Vordergaumenlaute [ç j]; **Hintergaumenlaute** [k g ŋ x]:

[ç] mich [mɪç]   [g] Gast [gast]
[j] jung [jʊŋ]   [ŋ] lang [laŋ]
[k] kalt [kalt]   [x] ach! [ax]

Zäpfchenlaute [ʀ] (gerollt), [ʁ] (Reibelaut):

[ʀ] Rast [ʀast]
[ʁ] Rast [ʁast]

Stimmritzenlaute [| h]:

[|] Verein [fɛɐ̯'|ain]
[h] Hast [hast]

ⓓ Artikulation der einzelnen Konsonanten[1]

Verschlusslaute

Lippenverschlusslaute [p b]
Das Gaumensegel (Hintergaumen) schließt den Durchgang vom Rachen zum Nasenraum ab. Unter- und Oberlippe bilden einen Verschluss:

Lippenverschlusslaute [p b]

Panne ..... ['panə]
Kappe .... ['kapə]
Kapsel .... ['kapsl̩]
Lampe .... ['lampə]
Kap .... [kap]
Ball .... [bal]
Blech ...... [blɛç]
Rabe .... ['ra:bə]
ebnen ..... ['e:bnən]

Zahnverschlusslaute [t d]
Das Gaumensegel (Hintergaumen) schließt den Durchgang vom Rachen zum Nasenraum ab. Die Zungenspitze (bzw. der vorderste Teil des Zungenrückens) bildet an den oberen Schneidezähnen oder an den Alveolen einen Verschluss:

Zahnverschlusslaute [t d]

Tanne ...... ['tanə]
hatte .... ['hatə]
wittre .... ['vɪtrə]
kannte ..... ['kantə]
hat .... [hat]
Dom .... [do:m]
drei .... [draɪ]
Mode .... ['mo:də]
edle .... ['e:dlə]

---

1   Zur Stimmhaftigkeit vgl. S. 55–56, zur Stärke S. 56, zur Behauchung S. 56–57.

Hintergaumenverschlusslaute [k g]

Das Gaumensegel (Hintergaumen) schließt den Durchgang vom Rachen zum Nasenraum ab. Der hintere Zungenrücken bildet am Hintergaumen einen Verschluss:

Hintergaumenverschlusslaute [k g]

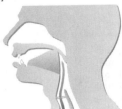

Kanne......	['kanə]
Hacke......	['hakə]
wickle......	['vɪklə]
Anker......	['aŋkɐ]
Pack........	[pak]
Gans........	[gans]
grell.........	[grɛl]
Lage.........	['la:gə]
magre......	['ma:grə]

Stimmritzenverschlusslaut [|]

Das Gaumensegel (Hintergaumen) schließt den Durchgang vom Rachen zum Nasenraum ab. Die Stimmlippen im Kehlkopf bilden einen Verschluss:

Affe...................	['afə]	beachten.............	[bə'|axtn̩]
(eigentlich:.......	['|afə])	desavouieren.......	[dɛs|avu'i:rən]
Abart.................	['ap|a:ɐt]	Deemphasis.........	[de'|ɛmfazɪs]
(eigentlich:.......	['|ap|a:ɐt])	Antacid................	[ant|a'tsi:t]
verachten..........	[fɛɐ̯'|axtn̩]	(eigentlich:	[|ant|a'tsi:t])

Nasenlaute[1]

Lippennasenlaut [m]

Das Gaumensegel (Hintergaumen) ist gesenkt und lässt den Durchgang vom Rachen zum Nasenraum offen. Unter- und Oberlippe bilden einen Verschluss:

Lippennasenlaut [m]

Mast........	[mast]
ramme.....	['ramə]
Amnion...	['amniɔn]
Lampe.....	['lampə]
Damm.....	[dam]
Helm........	[hɛlm]
tiefem......	['ti:fm̩]

---

1   Zu silbischem *m* [m̩], *n* [n̩] und [ŋ] vgl. S. 37–40.

Zahnnasenlaut [n]
Das Gaumensegel (Hintergaumen) ist gesenkt und lässt den Durchgang vom Rachen zum Nasenraum offen. Die Zungenspitze (bzw. der vorderste Teil des Zungenrückens) bildet an den oberen Schneidezähnen oder an den Alveolen einen Verschluss:

Zahnnasenlaut [n]

Naht .... [naːt]
Wanne ..... ['vanə]
andre .... ['andrə]
nannte ..... ['nantə]
Bann .... [ban]
Köln .... [kœln]
reden .... ['reːdn̩]

Hintergaumennasenlaut [ŋ]
Das Gaumensegel (Hintergaumen) ist gesenkt und lässt den Durchgang vom Rachen zum Nasenraum offen. Der hintere Zungenrücken bildet am Hintergaumen einen Verschluss:

Hintergaumennasenlaut [ŋ]

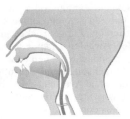

lange .... ['laŋə]
hangle ...... ['haŋlə]
schlingre.. ['ʃlɪŋrə]
Ängste ..... ['ɛŋstə]
Angel .... ['aŋl̩]
Fang .... [faŋ]

Seitenlaut [l]
Das Gaumensegel (Hintergaumen) schließt den Durchgang vom Rachen zum Nasenraum ab. Die Zungenspitze (bzw. der vorderste Teil des Zungenrückens) bildet in der Mitte an den oberen Schneidezähnen oder an den Alveolen einen Verschluss (vgl. Zahnverschlusslaute [t d] S. 47), wobei sie seitlich nicht abschließt (zum silbischen *l* [l̩] vgl. S. 37–38, 40):

Lage .... ['laːgə]   Ball .... [bal]
Falle .... ['falə]   Kerl .... [kɛrl]
Hilfe .... ['hɪlfə]   Himmel ... ['hɪml̩]
baumle..... ['baumlə]

Reibelaute

Lippenzahnreibelaute [f v]
Das Gaumensegel (Hintergaumen) schließt den Durchgang vom Rachen zum Nasenraum ab. Die Unterlippe nähert sich bis zur Berührung der Unterkante der oberen Schneidezähne, wobei sich eine Enge bildet:

Lippenzahnreibelaute [f v]

fạst .... [fast]
Ạffe .... [ˈafə]
Lẹfze .... [ˈlɛftsə]
Hịlfe .... [ˈhɪlfə]
Wọlf .... [vɔlf]
Wịlle .... [ˈvɪlə]
Wrạck .... [vrak]
Ụwe .... [ˈuːvə]
Mạlve ...... [ˈmalvə]

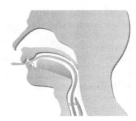

Zahnreibelaute [s z] ([θ ð])
Bei [s z] schließt das Gaumensegel (Hintergaumen) den Durchgang vom Rachen zum Nasenraum ab, der vorderste Teil des Zungenrückens nähert sich den oberen Schneidezähnen oder den Alveolen, und die Zungenspitze kommt an die unteren Schneidezähne zu liegen. Es entsteht eine Enge zwischen dem vordersten Zungenrücken einerseits und den oberen Schneidezähnen oder den Alveolen anderseits. Es kann sich auch die Zungenspitze selbst den oberen Schneidezähnen nähern; in diesem Fall entsteht eine Enge zwischen der Zungenspitze und den oberen Schneidezähnen. Bei den verschiedenen genannten Artikulationen befindet sich im vorderen Zungenrücken eine sich vorn stark verengende Längsrille.

Bei den meist aus dem Englischen stammenden [θ ð] nähert sich die Zungenspitze den oberen Schneidezähnen oder sie schiebt sich zwischen die oberen und unteren Schneidezähne; dabei bildet sich auf dem Zungenrücken keine Längsrille. Das Gaumensegel (Hintergaumen) schließt den Durchgang vom Rachen zum Nasenraum ab:

Zahnreibelaute [s z]

Cịty .... [ˈsɪti]
Slịp .... [slɪp]
Tạsse .... [ˈtasə]
Kạsten ...... [ˈkastn̩]
Hạls .... [hals]
Sọnne .... [ˈzɔnə]
Hạse .... [ˈhaːzə]
Ẹlse .... [ˈɛlzə]
knạusre ..... [ˈknausrə]
(Thrịller .... [*dt.-engl.* ˈθrɪlɐ])
(Fathom .... [*dt.-engl.* ˈfɛðm̩])

Palatoalveolare Reibelaute [ʃ ʒ]

Das Gaumensegel (Hintergaumen) schließt den Durchgang vom Rachen zum Nasenraum ab. Der vorderste Teil des Zungenrückens nähert sich den hinteren Alveolen und dem vordersten Teil des Vordergaumens, wobei die Zungenspitze sich hinter den oberen oder unteren Schneidezähnen befindet. Es entsteht eine Enge zwischen dem vordersten Teil des Zungenrückens einerseits und den Alveolen sowie dem vordersten Teil des Vordergaumens anderseits. (Es kann sich auch die Zungenspitze den Alveolen und dem vordersten Teil des Vordergaumens nähern; in diesem Fall entsteht eine Enge zwischen Zungenspitze einerseits und den Alveolen sowie dem vordersten Teil des Vordergaumens anderseits.) Bei den genannten Artikulationen befindet sich im vorderen Zungenrücken eine Längsrille, die weiter hinten liegt und weniger eng ist als bei [s] und [z]. Sowohl bei [ʃ] als auch bei [ʒ] werden die Lippen stark vorgestülpt (Labialisierung):

Palatoalveolare Reibelaute [ʃ ʒ]

Schale ...... [ˈʃaːlə]
Stall .... [ʃtal]
Tasche ..... [ˈtaʃə]
raschle ..... [ˈraʃlə]
fälsche ..... [ˈfɛlʃə]
harsch ...... [harʃ]
Mensch .... [mɛnʃ]
Genie .... [ʒeˈniː]
Gage .... [ˈɡaːʒə]

Vordergaumenreibelaute [ç j]

Das Gaumensegel (Hintergaumen) schließt den Durchgang vom Rachen zum Nasenraum ab. Der vordere Zungenrücken nähert sich dem Vordergaumen. Zwischen dem vorderen Zungenrücken und dem Vordergaumen entsteht eine Enge (sie kann bei [j] weniger stark sein):

Vordergaumenreibelaute [ç j]

Chemie ..... [çeˈmiː]
Sichel .... [ˈzɪçl̩]
nüchtern ... [ˈnʏçtɐn]
ich .... [ɪç]
Recht .... [rɛçt]
jagen .... [ˈjaːɡn̩]
Fjord .... [fjɔrt]
Boje .... [ˈboːjə]
Talje .... [ˈtaljə]

Hintergaumenreibelaut [x]
Das Gaumensegel (Hintergaumen) schließt den Durchgang vom Rachen zum Nasenraum ab. Der hintere Zungenrücken nähert sich dem Hintergaumen. Zwischen dem hinteren Zungenrücken und dem Hintergaumen entsteht eine Enge:

Hintergaumenreibelaut [x]

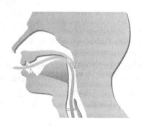

Chassidismus.... [xasiˈdɪsmʊs]
autochthon ...... [aʊtɔxˈtoːn]
Achat .... [aˈxaːt]
Buche .... [ˈbuːxə]
doch .... [dɔx]
Wucht .... [vʊxt]

Stimmritzenreibelaut [h]
Das Gaumensegel (Hintergaumen) schließt den Durchgang vom Rachen zum Nasenraum ab und die Stimmritze (Ritze zwischen den Stimmlippen) wird etwas verengt:

Haft..... [haft]   Uhu .... [ˈuːhu]   vehement ... [veheˈmɛnt]
Hirt ..... [hɪrt]   Ahorn .... [ˈaːhɔrn]   Vehikel ...... [veˈhiːkl̩]

Affrikaten [pf͜ ts͜ tʃ dʒ]
Alle Affrikaten stellen eine enge Verbindung aus Verschluss- und Reibelaut dar: [pf͜] aus Lippenverschlusslaut [p] und Lippenzahnreibelaut [f], [ts͜] aus Zahnverschlusslaut [t] und Zahnreibelaut [s], [tʃ] aus Zahnverschlusslaut [t] und palatoalveolarem Reibelaut [ʃ] und [dʒ] aus Zahnverschlusslaut [d] und palatoalveolarem Reibelaut [ʒ]:

Pfahl .... [pfaːl]   tschilpen ...... [ˈtʃɪlpn̩]
Pflanze .... [ˈpflantsə]   tschüs! .... [tʃyːs]
Apfel........... [ˈapfl̩]   Watsche.......... [ˈvatʃə]
Karpfen .... [ˈkarpfn̩]   pantschen .... [ˈpantʃn̩]
Topf............. [tɔpf]   Klatsch .... [klatʃ]
Krampf........ [krampf]   Mantsch.......... [mantʃ]
Zahn .... [tsaːn]   Dschungel ...... [ˈdʒʊŋl̩]
Zweck .... [tsvɛk]   Dschunke .... [ˈdʒʊŋkə]
Katze .... [ˈkatsə]   Loggia .... [ˈlɔdʒa]
Kerze........... [ˈkɛrtsə]   Hadschi .... [ˈhaːdʒi]
Herz............. [hɛrts]   Manager .... [ˈmɛnɪdʒɐ]
Kranz .... [krants]   Hedschra........ [ˈhɛdʒra]

Artikulation von /r/
Das Phonem /r/ hat zwei wesentliche Artikulationen: 1. konsonantisches *r* [r], 2. vokalisches *r* [ɐ] (vgl. auch /ər/ auf S. 40–41).

Konsonantisches r [r]

Die verschiedenen Arten von konsonantischem r [r]

Beim konsonantischen *r* lassen sich – je nach Bedarf und Genauigkeit – mehrere Untergruppen von Artikulationen unterscheiden: Zungenspitzen-R und Zäpfchen-R; Zungenspitzen-R, Zäpfchen-R und Reibe-R; mehrschlägiges Zungenspitzen-R, einschlägiges Zungenspitzen-R, Zäpfchen-R und Reibe-R.

1. Reibe-R (genaues Zeichen: [ʁ]):
    Das Gaumensegel (Hintergaumen) schließt den Durchgang vom Rachen zum Nasenraum ab. Der hintere Zungenrücken nähert sich dem Zäpfchen, wobei eine Enge entsteht.
2. Zäpfchen-R (genaues Zeichen: [ʀ]):
    Das Gaumensegel (Hintergaumen) schließt den Durchgang vom Rachen zum Nasenraum ab. Der hintere Zungenrücken nähert sich dem Zäpfchen, das mehrere Male gegen den hinteren Zungenrücken schlägt.
3. Mehrschlägiges Zungenspitzen-R (gerolltes Zungenspitzen-R; genaues Zeichen: [r]):
    Das Gaumensegel (Hintergaumen) schließt den Durchgang vom Rachen zum Nasenraum ab, und die Zungenspitze schlägt zwei- bis dreimal gegen die oberen Schneidezähne oder gegen die Alveolen.
4. Einschlägiges Zungenspitzen-R (genaues Zeichen: [ɾ]):
    Die Zungenspitze schlägt einmal gegen die oberen Schneidezähne oder gegen die Alveolen (sonst wie beim mehrschlägigen Zungenspitzen-R).

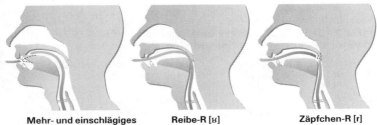

Mehr- und einschlägiges   **Reibe-R [ʁ]**   **Zäpfchen-R [ʀ]**
Zungenspitzen-R [r], [ɾ]

Verwendung der [r]-Arten

Bei den ausgebildeten Berufssprechern des Rundfunks und Fernsehens sowie den Berufsschauspielern auf der Bühne überwiegt deutlich das Reibe-R [ʁ]; doch findet man bei Letzteren oft auch Zäpfchen-R [ʀ] (mehrschlägig), weniger oft ein- und mehrschlägiges Zungenspitzen-R [ɾ r]. Für den Kunstgesang gilt mehrschlägiges Zungenspitzen-R [r] (gerolltes Zungenspitzen-R).

Die Verwendung der verschiedenen [r]-Arten hängt auch von Inhalt, Stil und Sprechlage ab. Bei zunehmender Deutlichkeit und zunehmendem Nachdruck wird vermehrt Zäpfchen-R und Zungenspitzen-R mit steigender Zahl von Zäpfchen- bzw. Zungenspitzenschlägen verwendet. Im Folgenden schreiben wir im Allgemeinen für alle Arten von konsonantischem *r* einfach [r].

Vokalisches r [ɐ̯]

Das vokalische r [ɐ̯] ist ein unsilbischer Vokal. Es hat dieselbe Qualität wie der silbische Vokal [ɐ], z. B. in Ober [ˈoːbɐ] (vgl. S. 40–41). Bei langsamer und deutlicher Aussprache kann für [ɐ̯] auch [ɐ̯ᴿ] (= [ɐ̯] + schwaches Reibe-R [ᴿ]) eintreten, z. B. zerr! [tsɛɐ̯ᴿ], Haar [haːɐ̯ᴿ], Bier [biːɐ̯ᴿ], erfassen [ɛɐ̯ᴿˈfasn̩]. Die Zeichenfolge [ɐ̯ᴿ] wird im Weiteren nicht verwendet.

Vorkommen von [r] und [ɐ̯]

1. *Konsonantisches r* [r]
Vor silbischem und unsilbischem Vokal; vor [j]

Rat...............[raːt]	Ferien.......[ˈfeːriən]
Rheuma.......[ˈrɔyma]	albre.........[[ˈalbrə]
Fahrer.........[ˈfaːrɐ]	unsre.........[ˈʊnzrə]
zerren.........[ˈtsɛrən]	Zahnrad....[ˈtsaːnraːt]
Diarrhö.......[diaˈrøː]	Hraban.....[ˈraːban]
zögere.........[ˈtsøːgərə]	Sacharja ...[zaˈxarja]

2. *Konsonantisches r* [r], *auch vokalisches r* [ɐ̯]
Nach den kurzen Vokalen [ɪ ɛ ʏ œ a ʊ ɔ] am Wortende oder vor Konsonant (nicht vor [j]; vgl. auch oben, 1). Im Allgemeinen wird in der Lautschrift nur [r] verwendet, z. B. Form [fɔrm] (nicht [fɔɐ̯m]).

zerr!.............[tsɛr]/[tsɛɐ̯]	Wetzlar.....[ˈvɛtslar]/[ˈvɛtslaɐ̯]
dürr.............[dʏr]/[dʏɐ̯]	Form.........[fɔrm]/[fɔɐ̯m]
örtlich.........[ˈœrtlɪç]/[ˈœɐ̯tlɪç]	Geysir.......[ˈgaizɪr]/[ˈgaizɪɐ̯]
dort.............[dɔrt]/[dɔɐ̯t]	herrlich.....[ˈhɛrlɪç]/[ˈhɛɐ̯lɪç]
dorrt ....[dɔrt]/[dɔɐ̯t]	Sperrfrist..[ˈʃpɛrfrɪst]/[ˈʃpɛɐ̯frɪst]

3. *Vokalisches r* [ɐ̯] *oder konsonantisches r* [r]
Nach dem langen a [aː] am Wortende oder vor Konsonant (nicht vor [j]). Im Allgemeinen wird in der Lautschrift nur [ɐ̯] verwendet, z. B. Haar [haːɐ̯] (nicht [haːr]).

Haar ....[haːɐ̯]/[haːr]	paarst...........[paːɐ̯st]/[paːrst]
Bart.............[baːɐ̯t]/[baːrt]	Barschaft ....[ˈbaːɐ̯ʃaft]/[ˈbaːrʃaft]
Harz ....[haːɐ̯ts]/[haːrts]	Haarband....[ˈhaːɐ̯bant]/[ˈhaːrbant]

4. *Vokalisches r* [ɐ]
a) Nach den langen Vokalen [iː eː ɛː yː øː uː oː ãː]:

Bier .... [biːɐ]	fuhrst .... [fuːɐst]
fährst .... [fɛːɐst]	Ohr .... [oːɐ]
Tür .... [tyːɐ]	Genre .... [ʒãːɐ]
hört .... [høːɐt]	Lehrling ...... ['leːɐlɪŋ]
Uhr .... [uːɐ]	Ohrfeige ...... ['oːɐfaigə]

b) In den Präfixen *er-, ver-, zer-* und in *herbei, hernach, hernieder, hervor, herzu:*

erobern .... [ɛɐ'loːbɐn]	hernach .... [hɛɐ'naːx]
erfassen ...... [ɛɐ'fasn̩]	Verlust .... [fɛɐ'lʊst]
herbei .... [hɛɐ'bai]	zerlegen .... [tsɛɐ'leːgn̩]

ⓔ Stimmhaftigkeit

Voll stimmlos sind die Konsonanten [p t k | f s ʃ ç x h pf ts tʃ (θ)]:

[p]	Panne	['panə]	[ç]	Licht	[lɪçt]
[t]	Tat	[taːt]	[x]	Dach	[dax]
[k]	Kalk	[kalk]	[h]	Hals	[hals]
[l]	beachte	[bə'laxtə]	[pf]	Pfahl	[pfaːl]
[f]	Fall	[fal]	[ts]	Zahl	[tsaːl]
[s]	Last	[last]	[tʃ]	tsching!	[tʃɪŋ]
[ʃ]	Schaft	[ʃaft]	([θ]	Thriller	*[dt.-engl.* 'θrɪlɐ])

Weitgehend stimmhaft oder schwach stimmhaft bis fast stimmlos sind die Konsonanten [b d g v z ʒ j ʁ dʒ (ð)].

– Sie sind schwach stimmhaft bis fast stimmlos (hier: [b̥ d̥ g̊ v̥ z̥ ʒ̥ j̊ r (=ʁ̥) dʒ̊ (ð̥)]) nach den stimmlosen Konsonanten [p t k f s ʃ ç x pf ts tʃ (θ)]:

[b̥]	Kasba	['kasb̥a]	[ʒ̥]	Holzjalousie	['hɔltsʒ̥aluziː]
[d̥]	abdanken	['apd̥aŋkn̩]	[j̊]	wegjagen	['vɛkj̊aːgn̩]
[g̊]	rotgelb	['roːtg̊ɛlp]	[ʁ̥]	warten	['vartn̩] (=['vaʁ̥tn̩])
[v̥]	Abwurf	['apv̥ʊrf]	[dʒ̊]	Obstjuice	['oːpstdʒ̊uːs]
[z̥]	Absicht	['apz̥ɪçt]			

– Sie sind weitgehend stimmhaft in allen übrigen Stellungen (hier: [b d g v z ʒ j r (= ʁ) dʒ (ð)]):

Ball............ [bal]	Einbahn .... ['ainbaːn]
braun......... [braun]	Genie .... [ʒeˈniː]
halbe........... ['halbə]	Garage .... [gaˈraːʒə]
Wahl........... [vaːl]	rangieren............. [rãˈʒiːrən]
wringen ...... ['vrɪŋən]	Jahr .... [jaːɐ̯]
Vorwahl ..... ['foːɐ̯vaːl]	Talje .... ['taljə]
Lavendel .... [laˈvɛndl]	Weinjahr .... ['vainjaːɐ̯]
powre .... ['poːvrə]	fahren................... ['faːrən] (= ['faːʁən])
Sahne .... ['zaːnə]	Dschunke............. ['dʒʊŋkə]
Vase .... ['vaːzə]	Manager .... ['mɛnɪdʒɐ]
Bremse .... ['brɛmzə]	Baumdschungel .... ['baumdʒʊŋl̩]
labe............. ['laːbə]	(Fathom .... [dt.-engl. 'fɛðm̩])

Stimmhaft sind die Konsonanten [m n ŋ l r (= r ɾ ʀ)]:

Mahl.... [maːl]	lang...... [laŋ]	Rang ..... [raŋ]
nass...... [nas]	lahm .... [laːm]	warm..... [varm]

❶ Stärke (Intensität)

Starke Konsonanten (Fortes) sind [p t k f s ʃ ç x pf ts tʃ (θ)]:

[p]	Panne.... ['panə]		[ç]	ich .... [ɪç]
[t]	Tau........ [tau]		[x]	ach! .... [ax]
[k]	kalt........ [kalt]		[pf]	Pfau .... [pfau]
[f]	fast .... [fast]		[ts]	Zahl.......... [tsaːl]
[s]	was........ [vas]		[tʃ]	Tscheche... ['tʃɛçə]
[ʃ]	Schau .... [ʃau]		([θ]	Thriller ..... [dt.-engl. 'θrɪlɐ])

Schwache Konsonanten (Lenes) sind [b d g v z ʒ j r (= ʁ) dʒ (ð)]:

[b]	Bau .... [bau]		[ʒ]	Genie .... [ʒeˈniː]
[d]	dann...... [dan]		[j]	ja .... [jaː]
[g]	Gast ...... [gast]		[ʁ]	rot .... [roːt] (= [ʁoːt])
[v]	was........ [vas]		[dʒ]	Gin........... [dʒɪn]
[z]	Hase...... ['haːzə]		([ð]	Fathom ..... [dt.-engl. 'fɛðm̩])

Für die übrigen Konsonanten, d. h. [l m n ŋ l r (= r ɾ ʀ) h], ist der Unterschied stark/schwach nicht wichtig.

❷ Behauchung (Aspiration)

Behaucht können die Konsonanten [p t k] sein. Die übrigen Konsonanten, d. h. [b d g m n ŋ l r (= r ɾ ʀ ʁ) f v s z ʃ ʒ ç j x h pf ts tʃ dʒ (θ ð)], sind immer unbehaucht.

Unbehaucht sind [p t k]

- in [ps pʃ ks kʃ], wenn zwischen [p] und [s], [p] und [ʃ], [k] und [s], [k] und [ʃ] keine Silbengrenze liegt:

Psi	[psiː]	Xenie	[ˈkseːni̯ə]
mopsen	[ˈmɔpsn̩]	Echse	[ˈɛksə]
Erbse	[ˈɛrpsə]	Hexe	[ˈhɛksə]
Raps	[raps]	Hexan	[hɛˈksaːn]
Pschorr	[pʃɔr]	Wegs	[veːks]
ruppsche	[ˈrʊpʃə]	gschamig	[ˈkʃaːmɪç]
kalbsche	[ˈkalpʃə]	hecksche	[ˈhɛkʃə]

- im ersten Teil von [pp], [pb], [tt], [td], [kk], [kg] (vgl. S. 58):

abpassen	[ˈapʰasn̩]	entdecken	[ɛntˈdɛkˈn̩]
Leibbinde	[ˈlai̯pbɪndə]	Rückkehr	[ˈrʏkkʰeˈɐ̯]
enttäuschen	[ɛntˈtʰɔy̯ʃn̩]	weggehen	[ˈvɛkgeːən]

Behaucht sind [p t k] in den übrigen Stellungen, und zwar:

- stark bis sehr stark behaucht (hier [pʰ tʰ kʰ]) am Wortanfang und am Wortende vor einer Pause; besonders in betonter Silbe vor dem betonten Vokal, wenn in der Silbe kein [s] oder [ʃ] vorausgeht; ferner sind stark bis sehr stark behaucht: [t] in *-tum* und [k] in *-keit* sowie in deren Ableitungen:

Pack	[pʰakʰ]	Tat	[tʰaːtʰ]	Anteil	[ˈantʰai̯l]
prall	[pʰral]	Talent	[tʰaˈlɛntʰ]	keck	[kʰɛkʰ]
Pneu	[pʰnɔy̯]	vital	[viˈtʰaːl]	irrtümlich	[ˈɪrtʰyːmlɪç]
Anprall	[ˈanpʰral]	subtil	[zʊpˈˈtʰiːl]	Einsamkeit	[ˈai̯nzaːmkʰai̯tʰ]

- mittelstark bis schwach behaucht in den restlichen Stellungen (hier [pˈ tˈ kˈ]):

Lippe	[ˈlɪpˈə]	redlich	[ˈreːtˈlɪç]
tappte	[ˈtʰapˈtˈə]	wittre	[ˈvɪtˈrə]
kopple	[ˈkʰɔpˈlə]	Stall	[ʃtˈal]
lieblich	[ˈliːpˈlɪç]	Wirtschaft	[ˈvɪrtˈʃaftʰ]
kapre	[ˈkʰaːpˈrə]	Mücke	[ˈmʏkˈə]
Spaß	[ʃpˈaːs]	hackte	[ˈhakˈtˈə]
Liebschaft	[ˈliːpˈʃaftʰ]	wickle	[ˈvɪkˈlə]
abstrakt	[apˈˈstˈrakt]	möglich	[ˈmøːkˈlɪç]
hatte	[ˈhatˈə]	lockre	[ˈlɔkˈrə]
Rathke	[ˈratˈkˈə]	Skalp	[skˈalpʰ]
rüttle	[ˈrʏtˈlə]	Belegschaft	[bəˈleːkˈʃaftʰ]

Anmerkung: Mit zunehmender Deutlichkeit und mit zunehmendem Nachdruck nimmt auch die Behauchung zu.

ⓗ Lange Konsonanten[1]

Lange Konsonanten kommen in einfachen Wörtern nicht vor; hier sind alle Konsonanten kurz:

Rate ['raːtə], Ratte ['ratə], Roggen ['rɔgn̩], schmuggle ['ʃmʊglə], Wahhabit [vahaˈbiːt], wattieren [vaˈtiːrən].

Lange Konsonanten kommen nur in der Wortfuge bei Ableitungen, Präfixbildungen und zusammengesetzten Wörtern sowie zwischen Wörtern im Satzinneren vor, die ohne Pause nacheinander gesprochen werden. Sie werden nur einmal gebildet (eingesetzt) und aufgehoben (abgesetzt), nicht jedoch in der Mitte, wo sich eine Silbengrenze befindet:

abpassen ['apasn̩], Geschirrreinigung [gəˈʃɪrrainigʊŋ], Fehlleistung ['feːllaistʊŋ], Lauffeuer ['lauffɔyɐ], mich Chemiker [mɪçˈçeːmikɐ], Passskandal ['passkandaːl], wahllos ['vaːlloːs], Waschschüssel ['vaʃʃʏsl̩].

Folgende lange Konsonanten kommen nicht vor: [bb dd gg ‖ ŋŋ vv zz ʒʒ jj hh]. Darüber hinaus gibt es auch keine langen Affrikaten; im Falle von [p͡fp͡f] (wie Kopfpflaster ['kɔpfp͡flastɐ]), [t͡st͡s], [t͡ʃt͡ʃ] muss zwischen [p͡f] und [p͡f] usw. immer neu eingesetzt werden. [d͡ʒd͡ʒ] kommt nicht vor.

ⓘ Stimmlose und stimmhafte Konsonanten gleicher Artikulationsart und -stelle im Kontakt

Treten stimmlose und stimmhafte Konsonanten gleicher Artikulationsart und -stelle ohne Zwischenpause hintereinander auf, d. h. [pb td kg fv sz ʃʒ çj], dann wird von [p] zu [b], von [t] zu [d] usw. die Artikulation unverändert beibehalten. Zwischen [p] und [b] usw. befindet sich eine Silbengrenze (vgl. auch S. 58–60):

ab Baden [apˈbaːdn̩], abbrennen ['apbrɛnən], Haussuchung ['hausːzuːxʊŋ], Pechjahr ['pɛçjaːɐ̯], Raddampfer ['raːtdampfɐ], Weggenosse ['veːkgənɔsə].

3. Silbentrennung (lautliche)

Wir haben der besseren Lesbarkeit wegen in der Lautschrift auf eine durchgehende Kennzeichnung der lautlichen Silbengrenze verzichtet, schreiben also nicht *nationalisieren* [na-tsi̯o-na-li-ˈziː-rən], sondern [natsi̯onaliˈziːrən]. Da aber die lautliche Silbengrenze ein wesentlicher Teil der Lautform eines Wortes ist, führen wir hier wenigstens die wichtigsten Trennungsregeln auf. Einzelne Regeln sind umstritten. So findet man anderswo etwa *Adler* ['aːt-lɐ] (hier: ['aː-dlɐ]), *Fragment* [frag-ˈmɛnt] (hier: [fra-ˈgmɛnt]).

1. Wo die Rechtschreibung zwischen Wörtern einen Zwischenraum lässt, ist eine lautliche Silbengrenze:
   Ich weiß es nicht [ɪç-vais-ɛs-nɪçt].

---

1 Lautschriftliche Wiedergabe durch Doppelschreibung ([pp rr ʃʃ] usw.).

2. In zusammengesetzten Wörtern ist die Silbengrenze in der Wortfuge: Angstschweiß ['aŋst-ʃvaɪs], Geldhunger ['gɛlt-hʊŋɐ], Lebensangst ['le:bns-laŋst].

3. Auf die deutschen Präfixe *be-, ent-, er-, ge-, ver-, zer-* folgt eine Silbengrenze: beachten [bə-'laxtn̩], bestreiten [bə-'ʃtraɪtn̩], entsagen [ɛnt-'za:gn̩], zerreißen [tsɛɐ-'raɪsn̩].

4. Vor den Ableitungssilben *-bar, -chen, -haft, -heit, -keit, -lein, -ler, -lich, -ling, -lings, -los, -ner, -nis, -sal, -sam, -schaft, -sel* [zl], *-tum, -wärts* liegt eine Silbengrenze: Gebirgler [gə'bɪrk-lɐ], Knäblein ['knɛ:p-laɪn], lenkbar ['lɛŋk-ba:ɐ], möglich ['mø:k-lɪç], Schürzchen ['ʃʏrts-çən].

5. Zwischen gleichen Lauten liegt eine Silbengrenze: abpassen ['ap-pasn̩], einnehmen ['aɪn-ne:mən], Filii ['fi:li-i], Kanaan ['ka:na-an], Zoologie [tso-olo'gi:].

6. Zwischen zwei silbischen Vokalen, die zusammenstoßen, liegt eine Silbengrenze: Danaer ['da:na-ɐ], Filii ['fi:li-i], Natrium ['na:tri-ʊm].

7. In der Folge Vokal + Konsonant + Vokal liegt die Silbengrenze zwischen dem ersten Vokal und dem folgenden Konsonanten: Ahle ['a:-lə], Hecke ['hɛ-kə], lange ['la-ŋə], mache ['ma-xə], Maße ['ma:-sə], Wasser ['va-sɐ].

8. Zwischen einem stimmlosen Verschlusslaut ([p t k]) und folgendem [b d g v z ʒ dʒ] liegt im Wortinneren eine Silbengrenze: abbitten ['ap-bɪtn̩], abdanken ['ap-daŋkn̩], abwärts ['ap-vɛrts], Absage ['ap-za:gə], Mägde ['mɛ:k-də], Weltgenie ['vɛlt-ʒeni:].

9. [i y u o b d g l v z ʒ j h dʒ] haben keine Silbengrenze unmittelbar nach sich: Kalium ['ka:liʊm], einengen ['aɪn|ɛŋən], Adler ['a:-dlɐ], fasre ['fa:-zrə], Fragment [fra'gmɛnt], Hedschra ['hɛ-dʒra], Jähheit ['jɛ:haɪt], magnetisch [ma'gne:tɪʃ], powre ['po:-vrə], Redner ['re:-dnɐ].

10. Vor [b d g v z ʒ dʒ] ist im Inneren einfacher Wörter eine Silbengrenze: Hedschra ['hɛ-dʒra], lesbisch ['lɛs-bɪʃ], Nabe ['na:-bə], nörgle ['nœr-glə], Pilsner ['pɪl-znɐ], regle ['re:-glə], unsre ['ʊn-zrə].

11. Vor [l h] liegt eine Silbengrenze: abhauen ['ap-haʊən], beacht! [bə'laxt], einengen ['aɪn-|ɛŋən].

12. [ɐ m n l] haben keine Silbengrenze unmittelbar vor sich: fährt [fɛ:ɐt], Löffel ['lœfl̩], reden ['re:dn̩], vagem ['va:gm̩].

13. Zwischen gleichen Zeichen der Lautschrift liegt eine Silbengrenze: forttraben ['fɔrt-tra:bn̩], ummähen ['ʊm-mɛ:ən].

14. Die Zeichen für Hauptbetonung ['] und Nebenbetonung [ˌ] stehen immer in einer Silbengrenze:
Prosaist [proza-'ɪst], Regierungsrat [re-'giːrʊŋs-ˌraːt].

4. Wortbetonung

ⓐ *Einfache Wörter*
In einfachen Wörtern ist gewöhnlich die erste Silbe betont:
Acker, Ekel, Elend, Erde, redet, Tages.

ⓑ *Abgeleitete Wörter*
In abgeleiteten Wörtern ist gewöhnlich die erste Silbe betont:
langsam, lesbar, Mannschaft, Möglichkeiten.

ⓒ *Präfixbildungen*
Die Präfixe *be-, ent-, er-, ge-, ver-, zer-* sind nicht betont:
beachten, Begriff, entfernen, Verfall.

ⓓ *Zusammengesetzte Wörter und Verbzusätze*
In zweigliedrigen zusammengesetzten Wörtern ist gewöhnlich der erste
Teil stärker betont (hauptbetont) als der zweite (nebenbetont). Der Ne-
benton wird in der Lautschrift gewöhnlich nicht bezeichnet:
Scheinwerfer ['ʃainvɛrfɐ] (genauer: ['ʃainˌvɛrfɐ]); Regierungsrat [re'giːrʊŋs-
raːt] (genauer: [re'giːrʊŋsˌraːt]).

In dreigliedrigen Zusammensetzungen ist der erste Teil am stärksten,
der zweite am zweitstärksten, der dritte am drittstärksten betont, wenn
die Zusammensetzung aus dem ersten Teil einerseits und dem zweiten +
dritten Teil andererseits besteht:
Dampfschifffahrt ['dampfˌʃɪffaːɐ̯t] (bestehend aus *Dampf + Schifffahrt,*
Formel: a + [b + c]).

Dagegen ist der erste Teil am stärksten betont, der zweite am drittstärksten und der dritte am zweitstärksten, wenn die Zusammensetzung
aus dem ersten + zweiten Teil einerseits und dem dritten Teil andererseits besteht:
Dampfschifffahrt ['dampfʃɪfˌfaːɐ̯t] (bestehend aus *Dampfschiff + Fahrt,*
Formel: [a + b] + c).

Die Partikeln *ab-, an-, aus-, bei-, ein-, nach-, wieder-* sind meistens betont.
Abweg, ausfahren, beistehend, Eingriff.

Die Partikeln *da-, dar-, durch-, her-, hier-, hin-, hinter-, in-, miss-, ob-,
über-, um-, un-, unter-, voll-, vor-, wider-, zu-* kommen betont und unbetont vor:
durchgehen, durchgehen, Inbegriff, infolge.

e *Abweichende Betonungen*
Die Ableitungssuffixe *-ei* und *-ieren* sind betont:
Bücher<u>ei</u>, halb<u>ie</u>ren, pol<u>ie</u>ren, Poliz<u>ei</u>.

Bei gefühlsmäßiger (emphatischer) Betonung und gelegentlich auch
sonst können Zusammensetzungen auf beiden Teilen betont sein:
<u>E</u>rzhal<u>u</u>nke, h<u>aa</u>rsch<u>a</u>rf, n<u>eu</u>nh<u>u</u>ndert.

In bestimmten zweigliedrigen Zusammensetzungen kommt auch Betonung auf dem zweiten Bestandteil vor:
Hohepr<u>ie</u>ster, liebk<u>o</u>sen, Rechts<u>au</u>ßen.

Auch in bestimmten dreigliedrigen Zusammensetzungen kommt oft Betonung auf dem zweiten Bestandteil vor:
Dreik<u>ä</u>sehoch, Fünfm<u>a</u>rkstück, Vierz<u>i</u>mmerwohnung.

Aneinanderreihungen mit und ohne *und* sind auf allen Teilen oder auf
dem letzten Teil betont:
M<u>au</u>l- und Kl<u>au</u>enseuche/Maul- und Kl<u>au</u>enseuche, r<u>o</u>tw<u>ei</u>ßr<u>o</u>t/rotweißr<u>o</u>t.

Bei Gegensatzbetonung kann jede beliebige Silbe, die kein [ə] enthält,
betont werden:
nicht <u>e</u>rfassen, sondern v<u>e</u>rfassen; Menschenfr<u>eu</u>nd (im Gegensatz zu
einem nicht ausdrücklich genannten *Menschenf<u>ei</u>nd*).

Abkürzungen, die mit den Buchstabennamen ausgesprochen werden,
sind auf dem letzten Teil betont, häufig vorkommende auch auf dem ersten:
BGB [be:geˈbe:]; LKW [ɛlkaːˈveː] (auch:) [ˈɛlkave].

Für Fremdwörter und fremde Namen lassen sich keine allgemeinen Be-
tonungsregeln aufstellen. Bei einzelnen fremden Adjektiven auf *-al, -ell,
-iv* und bei einzelnen Fremdwörtern (bes. griechischen und lateinischen), die als zusammengesetzt empfunden werden, findet man zunehmend – besonders fachsprachlich – Verlagerung der Betonung auf die
erste Silbe:
nation<u>a</u>l > n<u>a</u>tional, person<u>e</u>ll > p<u>e</u>rsonell, posit<u>i</u>v > p<u>o</u>sitiv; internatio-
n<u>a</u>l > <u>i</u>nternational, Psycholog<u>ie</u> > Ps<u>y</u>chologie, Telef<u>o</u>n > T<u>e</u>lefon.

Auch bei einzelnen aus dem Französischen stammenden Fremdwörtern, die materielle Gegenstände bezeichnen, besteht Neigung zur Anfangsbetonung:
Camembert [kamãˈbɛːɐ̯] > [ˈkaməmbeːɐ̯], Chevreau [ʃəˈvroː] > [ˈʃɛvro],
Chiffon [ʃiˈfõ] > [ˈʃifõ].

Namen haben oft abweichende Betonung:
Berl<u>i</u>n, Font<u>a</u>ne, Heilbr<u>o</u>nn, Rosw<u>i</u>tha.

II. Bühnenaussprache

1. Allgemeine Bemerkungen

Die Bühnenaussprache[1] ist eine ideale Norm, die der Sprechwirklichkeit weniger nah kommt als die oben beschriebene Standardlautung. Wie diese ist sie überregional, zeichnet sich aber durch größere Einheitlichkeit, Schriftnähe und Deutlichkeit aus. Vor allem für das klassische Versdrama diente sie als Aussprachenorm vom Ausgang des neunzehnten Jahrhunderts bis in die Zeit zwischen den beiden Weltkriegen. Sie ist auch heute noch weitgehend die Aussprachenorm des Kunstgesanges.

Im Folgenden skizzieren wir die Hauptunterschiede zwischen Standardlautung und Bühnenaussprache, indem wir von der Standardlautung ausgehen. Die vor dem Zeichen > stehende Form gehört der Standardlautung an, die nach dem Zeichen > stehende Form der Bühnenaussprache. Das Zeichen > ist hier nicht geschichtlich zu verstehen; es bedeutet also nicht, dass die eine Form aus der anderen hervorgegangen ist. Wir benutzen für die Standardlautung im Allgemeinen die Umschrift, wie sie im Wörterverzeichnis erscheint.

2. Bemerkungen zu einzelnen lautlichen Erscheinungen

a *Unsilbische Vokale*
Die unsilbischen Vokale [i̯ y̯ u̯ o̯] der Standardlautung (vgl. S. 42) erscheinen in der Bühnenaussprache (bis 1957) als die silbischen Vokale [i y u o], doch wird [i̯] nicht völlig abgelehnt.
Beispiele: Aktion [ak'tsi̯oːn] > [aktsi'oːn], loyal [lo̯a'jaːl] > [loa'jaːl], sexuell [zɛ'ksu̯ɛl] > [zɛksu'ɛl].

b *[ə] am Wortende*
[ə] der Standardlautung am Wortende in griechischen und lateinischen Wörtern (lateinisch -e; griechisch -ε, -η) erscheint in der Bühnenaussprache gewöhnlich als [e]:
Beispiele: bene ['beːnə] > ['beːne], Hebe ['heːbə] > ['heːbe], Psyche ['psyːçə] > ['psyːçe].

c *Nasalvokale*
Wenn in der Standardlautung [õː õ] neben [ɔŋ] und [ãː ã] neben [aŋ] erscheinen, so treten in der Bühnenaussprache [ɔŋ] und [aŋ] nicht auf.
Beispiele: Bonbon [bɔŋ'bɔŋ], [bõ'bõː] > [bõ'bõː]; Chance ['ʃãːs[ə]], ['ʃaŋs[ə]] > ['ʃãːsə].

---

1   Siebs, Theodor, Deutsche Bühnenaussprache Hochsprache, 14. Aufl., Köln 1927. – Siebs, Deutsche Hochsprache, 16. Aufl., Berlin 1957.

ⓓ *Silbisches m, n, l*
Die silbischen Konsonanten [m̩], [n̩], [l̩] der Standardlautung (vgl.
S. 37–40) erscheinen in der Bühnenaussprache als [əm], [ən], [əl].
Beispiele: blassem ['blasm̩] > ['blasəm]; Faden ['faːdn̩] > ['faːdən]; Haydn
['haidn̩] > ['haidən]; Hölzel ['hœltsl̩] > ['hœltsəl], Hölzl ['hœltsl̩] > ['hœl-
tsəl].

ⓔ *Silbischer Vokal [ɐ]*
Anstelle des Vokals [ɐ] der Standardlautung (vgl. S. 40–41) wird in der
Bühnenaussprache [ər] (= [ər], nach 1957 auch [əʀ]) gesprochen.
Beispiele: besser ['bɛsɐ] > ['bɛsər], Kentaur [kɛn'tauɐ] > [kɛn'tauər], Kin-
derchen ['kɪndɐçən] > ['kɪndərçən].

ⓕ *Unsilbisches vokalisches r [ɐ̯]*
Der unsilbische Vokal [ɐ̯] der Standardlautung (vgl. S. 52–55) erscheint
in der Bühnenaussprache als [r] (= [r], nach 1957 auch [ʀ]).
Beispiele: für [fyːɐ̯] > [fyːr], führst [fyːɐ̯st] > [fyːrst], Haar [haːɐ̯] > [haːr],
verfassen [fɛɐ̯'fasn̩] > [fɛr'fasən].

ⓖ *Konsonantisches r [r]*
Anstelle von gerolltem Zungenspitzen-R [r], geschlagenem Zungenspitzen-R [ɾ], Zäpfchen-R [ʀ] oder Reibe-R [ʁ] der Standardlautung (vgl.
S. 53–54), wird in der Bühnenaussprache gerolltes Zungenspitzen-R [r]
oder geschlagenes Zungenspitzen-R [ɾ] gesprochen – so bis 1957, nach
1957 auch gerolltes Zäpfchen-R [ʀ].

| | Standardlautung | Bühnenaussprache/Siebs | |
		bis 1957	nach 1957
Brei	[brai], [bɾai], [bʀai], [bʁai]	[brai], [bɾai]	[brai], [bɾai], [bʀai]
wirr	[vɪr], [vɪɾ], [vɪʀ], [vɪʁ]	[vɪr], [vɪɾ]	[vɪr], [vɪɾ], [vɪʀ]

ⓗ *Stimmhaftigkeit von Konsonanten*
Wo [b d g v z ʒ dʒ] in der Standardlautung (vgl. S. 55) schwach stimmhaft bis stimmlos, d. h. [b̥ d̥ g̊ v̥ z̥ ʒ̊ ʝ̊ d̥ʒ̊], sind, erscheinen sie in der Bühnenaussprache als stimmhaft.
Beispiele: Absicht ['apz̥ɪçt] > ['apzɪçt], Kasba ['kasb̥a] > ['kasba], röntgen
['rœntg̊n̩] > ['rœntgən].

ⓘ *Behauchung (Aspiration) (vgl. S. 56–57)*
Wo die Standardlautung [p t k] nicht behaucht, tut es auch die Bühnenaussprache nicht. Wo die Standardlautung [p t k] behaucht, neigt die
Bühnenaussprache allgemein zu stärkerer Behauchung; dies gilt besonders für Stellungen, wo in der Standardlautung die Behauchung mittelstark bis schwach ist. Eine eindeutige Regelung der Behauchung hat es
in der Bühnenaussprache nicht gegeben.

G. Ungenormte Lautung

Außerhalb der Standardlautung kann man zwei Arten von ungenormter Lautung unterscheiden: die *Umgangslautung,* die weniger deutlich und schriftnah ist als die Standardlautung, und die *Überlautung,* die deutlicher und schriftnäher ist als die Standardlautung. Beide Lautungen sind ungenormt.

I. Umgangslautung[1]

Die Umgangslautung herrscht je nach Gegend[2], sozialer Schicht und Sprechlage in der gewöhnlichen Unterhaltung zu Hause, auf der Straße und im Betrieb vor und wird für die Wiedergabe sprachlich und inhaltlich weniger anspruchsvoller Texte verwendet. Oft bedient man sich ihrer auch, wenn man sich an ein breiteres Publikum wendet, wie dies gelegentlich im Fernsehen, im Film und im Rundfunk geschieht. Da die Umgangslautung gegenüber der Standardlautung durch einen schwer übersehbaren Reichtum an individuellen, regionalen und sozialen Abstufungen gekennzeichnet ist, muss ihre umfassende systematische Darstellung als unmöglich gelten. In den folgenden Bemerkungen werden deshalb vor allem häufige Erscheinungen der Umgangslautung besprochen, allerdings ohne Angaben zur räumlichen Verbreitung. Auch muss immer damit gerechnet werden, dass einzelne dieser Erscheinungen in bestimmten Gebieten als unfein gelten, während sie anderswo lediglich als fremdartig abgelehnt werden.

1. Bemerkungen zu den Vokalen

ⓐ *Kürzung langer Vokale*
In bestimmten einsilbigen Wörtern können betonte lange Vokale vor folgendem Konsonanten gekürzt werden:
Bad [ba:t] > [bat], Glas [gla:s] > [glas], grob [gro:p] > [grɔp].

---

1   Bei der lautschriftlichen Wiedergabe erscheint lediglich der jeweils infrage kommende Teil des Wortes in der Umgangslautung, der Rest wird nach der Standardaussprache umschrieben. Die vor dem Zeichen > stehenden Formen gehören im Allgemeinen der Standardaussprache an, die übrigen der Umgangslautung. Das Zeichen > ist dabei nicht so zu verstehen, als sei die eine Form aus der anderen hervorgegangen.

2   Vgl. W. König, Atlas zur Aussprache des Schriftdeutschen in der Bundesrepublik Deutschland, 2 Bde., Ismaning 1989.

ⓑ *Ersatz von unbetonten* [e ɛ] *durch* [ə]

Nicht am Wortanfang stehendes unbetontes kurzes geschlossenes *e* [e] und unbetontes kurzes offenes *e* [ɛ] können durch [ə] ersetzt werden: arretieren [are'ti:rən] > [arə'ti:rən], genetisch [ge'ne:tɪʃ] > [gə'ne:tɪʃ], investieren [ɪnvɛs'ti:rən] > [ɪnvəs'ti:rən], Karies ['ka:rjɛs] > ['ka:rjəs], molekular [moleku'la:ɐ̯] > [molǝku'la:ɐ̯].

ⓒ *Ersatz der Nasalvokale*

Die Nasalvokale können durch [ɛŋ aŋ œŋ ɔŋ] ersetzt werden: Embonpoint [ãbõ'põɛ̃:] > [aŋbɔŋ'põɛŋ], Ensemble [ã'sã:bl̩] > [aŋ'saŋbl̩], Fond [fõ:] > [fɔŋ], Impromptu [ɛ̃prõ'ty:] > [ɛŋprɔŋ'ty:], Parfum [par'fœ̃:] > [par'fœŋ], Teint [tɛ̃:] > [tɛŋ].

Ferner können die Nasalvokale ersetzt werden durch:
- [ɛm am œm ɔm] vor [p b]:
  Empire [ã'pi:ɐ̯] > [am'pi:ɐ̯], L'hombre ['lõ:brɐ̯] > ['lɔmbrɐ̯].

- [ɛn an œn ɔn] vor [t d s z ʃ ʒ]:
  Chance ['ʃã:sə] > ['ʃansə], Entente [ã'tã:tə] > [an'tantə].

- [ɛŋ aŋ œŋ ɔŋ] vor [k g]:
  Engobe [ã'go:bə] > [aŋ'go:bə], Enquete [ã'ke:tə] > [aŋ'ke:tə].

ⓓ *Ersatz von* [y: y ʏ] *(geschrieben: y) durch* [i: i ɪ]

hysterisch [hʏs'te:rɪʃ] > [hɪs'te:rɪʃ], physikalisch [fyzi'ka:lɪʃ] > [fizi'ka:lɪʃ], Rhythmus ['rʏtmʊs] > ['rɪtmʊs], System [zʏs'te:m] > [zɪs'te:m].

ⓔ *Ersatz von* [i e y ø u o] *durch* [ɪ ɛ ʏ œ ʊ ɔ]

Nicht am Wortende stehende unbetonte [i e y ø u o] können vor Konsonant durch [ɪ ɛ ʏ œ ʊ ɔ] ersetzt werden:
Methylen [mety'le:n] > [mɛtʏ'le:n], Politologie [politolo'gi:] > [pɔlɪtɔlɔ'gi:], voluminös [volumi'nø:s] > [vɔlʊmɪ'nø:s].

2. Bemerkungen zu den Konsonanten

ⓐ *Ersatz von* [ç] *durch* [k]

[ç] kann in der Endung *-ig* am Wortende und vor Konsonant durch [k] ersetzt werden:
einig ['ainɪç] > ['ainɪk], predigt ['pre:dɪçt] > ['pre:dɪkt], vereinigt [fɛɐ̯-'lainɪçt] > [fɛɐ̯'lainɪkt], wenigstens ['ve:nɪçstn̩s] > ['ve:nɪkstn̩s], wichtig ['vɪçtɪç] > ['vɪçtɪk].

In Fremdwörtern kann [ç] vor Vokal, besonders am Wortanfang, durch [k] ersetzt werden:
Charitin [ça'ri:tɪn] > [ka'ri:tɪn], Chemie [çe'mi:] > [ke'mi:], China ['çi:na] > ['ki:na], Chylus ['çy:lʊs] > ['ky:lʊs].

ⓑ *Ersatz von* [g k] *(geschrieben: g)*

Zwischen vorderen Vokalen ([ə] einbegriffen) kann [g] durch [j] oder [ç] ersetzt werden:
legen ['le:gn̩] > ['le:jən], ['le:çn̩].

Im Wortinnern kann [g] vor Vokal nach [l] oder [r] durch [j] ersetzt werden:
Fẹlge [ˈfɛlgə] > [ˈfɛljə], Sọrge [ˈzɔrgə] > [ˈzɔrjə].

Vor stimmlosen Konsonanten und am Wortende kann [k] nach vorderen Vokalen und nach [l r] durch [ç] ersetzt werden:
lẹgt [leːkt] > [leːçt], Sạrg [zark] > [zarç], Sieg [ziːk] > [ziːç].

Vor stimmlosen Konsonanten und am Wortende kann [k] nach hinteren Vokalen ([a aː] einbegriffen) durch [x] ersetzt werden:
gesạgt [gəˈzaːkt] > [gəˈzaːxt], Smarạgd [smaˈrakt] > [smaˈraxt], Zụg [tsuːk] > [tsuːx].

c *Ersatz von* [n] *durch* [m/m̩/ŋ]
[np nb nm] können durch [mp mb mm] ersetzt werden:
ạnpassen [ˈanpasn̩] > [ˈampasn̩], ẹinbauen [ˈainbau̯ən] > [ˈaimbau̯ən], ẹinmachen [ˈainmaxn̩] > [ˈaimmaxn̩].

[nf nv] können durch [ɱf ɱv] ersetzt werden:
ạnfangen [ˈanfaŋən] > [ˈaɱfaŋən], ẹinwerfen [ˈainvɛrfn̩] > [ˈaiɱvɛrfn̩], fünf [fʏnf] > [fʏɱf], Invasiọn [invaˈzi̯oːn] > [iɱvaˈzi̯oːn].

[nk ng nx] können durch [ŋk ŋg ŋx] ersetzt werden:
ein Chạn [ain ˈxaːn] > [aiŋ ˈxaːn], ẹingreifen [ˈaingraifn̩] > [ˈaiŋgraifn̩], Ẹinkauf [ˈainkauf] > [ˈaiŋkauf], Ingrẹss [inˈgrɛs] > [iŋˈgrɛs].

d *Kürzung langer Konsonanten*
Lange Konsonanten ([pp tt kk mm ll] usw.; vgl. S. 58) können durch einfache Konsonanten ([p t k m l] usw.) ersetzt werden, auch nach Ersatz von [nm], [sz], [sʃ] usw. durch [mm], [ss], [ʃʃ] usw. (vgl. vorangehenden und folgenden Absatz):
ạbpassen [ˈappasn̩] > [ˈapasn̩], Ạnnahme [ˈannaːmə] > [ˈanaːmə], Ạussage [ˈauszaːgə] > [ˈaussaːgə]/[ˈausaːgə], Ạussprache [ˈausʃpraːxə] > [ˈaussʃpraːxə]/[ˈausʃpraːxə], ẹinmachen [ˈainmaxn̩] > [ˈaimmaxn̩]/[ˈaimaxn̩], Wạschschüssel [ˈvaʃʃʏsl̩] > [ˈvaʃʏsl̩].

e *Ersatz von* [sʃ] *durch* [ʃʃ]
[sʃ] kann durch [ʃʃ] ersetzt werden:
Ạusschank [ˈausʃaŋk] > [ˈauʃʃaŋk], es schẹint [ɛsˈʃaint] > [ɛʃˈʃaint], es stịnkt [ɛsˈʃtiŋkt] > [ɛʃˈʃtiŋkt].

f *Ersatz von* [pf ts tʃ] *durch* [pf ts tʃ]
In der Wortfuge können [pf ts tʃ] durch [pf ts tʃ] ersetzt werden. Die lautliche Silbengrenze erscheint dann vor oder nach [pf ts tʃ]:
Ạbfall [ˈapfal] > [ˈapfal], Hụtschachtel [ˈhuːtʃaxtl̩] > [ˈhuːtʃaxtl̩], Wẹrtskala [ˈveːɐ̯tskaːla] > [ˈveːɐ̯tskaːla].

g *Ersatz von* [ʒ dʒ] *durch* [ʃ tʃ]
[ʒ dʒ] können durch [ʃ tʃ] ersetzt werden:
Blamạge [blaˈmaːʒə] > [blaˈmaːʃə], Genie [ʒeˈniː] > [ʃeˈniː], Gịn [dʒin] > [tʃin], Journalịst [ʒʊrnaˈlist] > [ʃʊrnaˈlist].

b *Ersatz von* [sp st] *durch* [ʃp ʃt]
Im Wortinnern können [sp st] durch [ʃp ʃt] ersetzt werden, wenn zwischen [s] und [p]/[t] eine Morphemgrenze empfunden wird:
Inspektor [ɪnˈspɛktoːɐ̯] > [ɪnˈʃpɛktoːɐ̯], inspirieren [ɪnspiˈriːrən] > [ɪnʃpiˈriːrən], Konstitution [kɔnstituˈtsi̯oːn] > [kɔnʃtituˈtsi̯oːn].

i *Ersatz von* [ɡm ɡn] *durch* [ŋm ŋn] *in Fremdwörtern*
Im Innern von Fremdwörtern können [ɡm ɡn] durch [ŋm ŋn] ersetzt werden. Dabei verschiebt sich die Silbengrenze vor [m n]:
Magnet [maˈɡneːt] > [maŋˈneːt], Magnifizenz [maɡnifiˈtsɛnts] > [maŋnifiˈtsɛnts], Phlegma [ˈflɛɡma] > [ˈflɛŋma], sigmatisch [zɪˈɡmaːtɪʃ] > [zɪŋˈmaːtɪʃ], Signal [zɪˈɡnaːl] > [zɪŋˈnaːl].

3. Schwache Wortformen

Pronomen und Artikel, häufig verwendete Formen der Verben *haben, sein, werden, sollen, wollen* u. a., häufig verwendete (besonders einsilbige) Präpositionen, Konjunktionen und Adverbien können beim schnellen Sprechen unter Änderung der Vokale und unter Verlust von Vokalen und Konsonanten je nach Tempo und Stellung mehr oder weniger abgeschwächt werden, wobei die so entstandenen schwachen Formen z. T. je nach Gegenden verschieden sind.
Wenn du gehst, ... [vɛn duː ɡeːst] > [vɛn də ɡeːst]. Was haben sie denn der Frau gesagt? [vas ˈhaːbn̩ ziː dɛn deːɐ̯ frau̯ ɡəˈzaːkt] > [vas han zə n dɐ frau̯ ɡəˈzaːt].

II. Überlautung

Die Überlautung ist deutlicher und schriftnäher als die Standardlautung. Man verwendet sie, wenn höchste Deutlichkeit verlangt wird (Diktat, laute Umgebung, große Entfernung zwischen Sprecher und Hörer), z. T. auch im Gesang, im elementaren Lese- und Rechtschreibunterricht, beim Vorlesen durch ungeschulte Sprecher. Hier werden nur wichtige Merkmale aufgeführt. (Alle Umschriften sind in Überlautung.)

1. Bemerkungen zu den Vokalen

a *Längung unbetonter Vokale*
Die unbetonten Vokale [i e y ø u o ɛ̃ ã õ œ̃] werden gelängt; [i̯ y̯ u̯ o̯] werden silbisch und lang:
Hypertrophie [hyˈpʰertʰroːˈfiː], lebendig [leːˈbɛndɪç], Politik [pʰoːliːˈtʰiːkʰ], Studium [ˈʃtʰuːdiːʊm].

Die unbetonten Vokale [ɛ a] werden gelängt, wenn sie in der Standardlautung in betonter Stellung als [ɛː aː] gesprochen würden.
Apparat [apʰaːˈraːtʰ], Präsiden [pʰrɛːˈziːdɛn] (vgl. mit betontem [ɛː]: Präses [ˈpʰrɛːzɛs]), Zäsur [tsɛːˈzuːr].

ⓑ *Ersatz von* [ə] *durch* [e e: ɛ]

[ə] wird durch [e] oder [e:] bzw. durch [ɛ] ersetzt:
Atem ['a:tʰɛm]; großes ['gro:sɛs]; mache ['maxe]/['maxe:]/['maxɛ]; redet ['re:dɛtʰ].

ⓒ *Ersatz von* [m̩], [n̩], [l̩], [ɐ] *durch* [ɛm], [ɛn], [ɛl], [ɛr]

Die silbischen Konsonanten [m̩], [n̩], [l̩] werden durch [ɛm], [ɛn], [ɛl], der Vokal [ɐ] durch [ɛr] ersetzt:
bösem ['bø:zɛm], machen ['maxɛn], Schlüssel ['ʃlʏsɛl], Wasser ['vasɛr].

ⓓ *Ersatz von* [ɐ] *durch* [r]

Der unsilbische Vokal [ɐ] (vokalisches *r*) wird durch [r] ersetzt (vgl. auch S. 54–55):
erfahr! [ɛr'fa:r], hörst [hø:rstʰ].

2. Bemerkungen zu den Konsonanten

ⓐ *Behauchung von* [p t k]

[p t k] sind immer stark behaucht (außer in [ps pʃ ks kʃ], wenn [ps] usw. zu derselben Silbe gehören):
abbrennen ['apʰbrɛnɛn], abpassen ['apʰpʰasɛn], Raddampfer ['ra:tʰdampfɛr], weggehen ['vɛkʰge:hɛn], wegstecken ['vɛkʰʃtʰɛkʰɛn].

ⓑ *Aussprache von* /r/

/r/ (meist geschrieben *r, rr, rrh*) wird als gerolltes Zungenspitzen-R [r] oder als gerolltes Zäpfchen-R [ʀ] gesprochen.

ⓒ *Aussprache von h*

Der Buchstabe *h* zwischen Vokalen wird als [h] gesprochen:
Ehe ['e:he]/['e:he:]/['e:hɛ], gehen ['ge:hɛn], ziehest ['tsi:hɛstʰ].

H. Deutsche Aussprachelehre

Die folgende Zusammenstellung zeigt, wie die Buchstaben in der Standardlautung zu sprechen sind. Sie gilt für die meisten deutschen Wörter (gelb,
Kiste, lachen), für die meisten griechischen und lateinischen Fremdwörter
(Geologie, Konservatorium), aber auch für viele deutsche Eigennamen (Bremen, Lessing), für viele anderssprachige Wörter (Chianti, Garage, Lady)
und fremde Eigennamen (Aristoteles, Kongo) mit deutscher Aussprache. Sie
berücksichtigt auch einfache unflektierte und z.T. flektierte Wörter (Haus,
Hauses) und z.T. Ableitungen (Äuglein, Vöglein). Nicht erfasst wurde die
Regel, dass [i e ɛ y ø u o ɛ̃ ã õ] unbetont am Wortende vor den Suffixen [s],
[st], [t] und -chen [çən] durch [i: e: ɛ: y: ø: u: o: ɛ̃: ã: õ:] ersetzt werden, während [a] in derselben Stellung [a] bleibt oder [a:] wird; Beispiele: A̲uto ['a̲uto],
aber A̲utos ['a̲uto:s]; E̲cho ['ɛço], aber echot ['ɛço:t]; The̲ma ['te:ma], daneben The̲mas ['te:mas] oder ['te:ma:s] (vgl. S. 20). Auch die Verschmelzung
von [t] plus [s] und [ʃ] zu [ts] und [tʃ] blieb z.T. unberücksichtigt; Beispiel:
Ma̲tt [mat], aber: Ma̲tts [mats] (vgl. S. 21). Die Zusammenstellung berücksichtigt nicht die Wortfuge in Präfixbildungen (ent-sagen) und in zusammengesetzten Wörtern (Bahn-geleise). Zur richtigen Anwendung unserer Regeln
müssen die Präfixbildungen in Präfix plus einfaches Wort und die zusammengesetzten Wörter in einfache Wörter zerlegt werden. Wir haben dann
z. B. das Präfix ent-, die einfachen Wörter sagen, Bahn und Geleise, auf die
sich unsere Regeln anwenden lassen. Das bedeutet, dass Wörter wie Bahn-
geleise als Bahn plus Geleise zu sprechen sind, nämlich [ba:n] + [gə'laizə],
d. h. ['ba:ngəlaizə], nicht ['ba:ŋgəlaizə].

Wir konnten auch nicht alle möglichen Aussprachen von Buchstabenfol-
gen berücksichtigen. Unter der Buchstabenfolge eu erwähnen wir Fälle wie
Muse̲um [mu'ze:ʊm], I̲leus ['i:leʊs] nicht. Sie sind nach den Regeln unter den
Buchstaben e und u zu sprechen.

In unserer Zusammenstellung unterscheiden wir durchgehend zwischen
Buchstaben und Lauten. Vokale und Konsonanten sind Laute. Vokalbuchstaben und Konsonantenbuchstaben sind die Buchstaben der Rechtschreibung. Vokalbuchstaben sind: a, ä, á, à, â, å, ã, e, é, è, ê, i, í, ì, î, o, ö, ó, ò, ô, u,
ü, ù, ú, û, y. Konsonantenbuchstaben sind: b, c, ç, d, f, g, h, j, k, l, m, n, ñ, p,
q, r, s, ß, t, v, w, x, z.

a ....

Betont

1. spricht man langes a [a:]:
    a) wenn im Stamm nur ein Konsonantenbuchstabe (außer x), nur ph
    oder nur th folgt:
    A̲thos ['a:tɔs], Gra̲f [gra:f], Gra̲ph [gra:f], ha̲b! [ha:p], ha̲b-t [ha:pt], Ma̲ß
    [ma:s], ma̲ß-t [ma:st], Ta̲g [ta:k], Wa̲g-nis ['va:knɪs], wa̲g-st [va:kst]

b) wenn mehrere Konsonantenbuchstaben folgen, aber eine Nebenform oder der Stamm langes a [a:] hat:
nagle [ˈnaːglə] (Nebenform: nagele [ˈnaːgələ]), Wagner [ˈvaːgnɐ] (Stamm: wag[e]n [ˈvaːg[ə]n])

c) vor bl, br, cl, cr, dl, dr, fl, fr, gl, gr, kl, kr, phl, phr, pl, pr, qu, thl, thr, tl, tr:
Adler [ˈaːdlɐ], Afra [ˈaːfra], Natron [ˈnaːtrɔn], Pentathlon [pɛntˈlaːtlɔn]

d) vor einem zur nächsten Silbe gehörenden Vokal:
Ai [ˈaːi], ais [ˈaːɪs], Chaos [ˈkaːɔs], Menelaus [meneˈlaːʊs], Sais [ˈzaːɪs]

e) meist am Wortende:
a [aː], da [daː], Papa [paˈpaː], Trara [traˈraː], Ulema [uleˈmaː]

f) in einzelnen Wörtern, deren Stamm mit -ach endet:
brach, Brach-e, brachliegen, gemach, Gemach, nach, Schmach, sprach, Sprach-e, stach u. a.

g) in einzelnen Wörtern mit -a + r + s, sch, t, z:
Art, arten, artig, Arzt (neben: Arzt), Barsch, Bart, Harz, Quarz, schwart!, zart u. a.

h) in französischen Wörtern auf -ard [aːɐ̯] und -art [aːɐ̯]:
Bayard [baˈjaːɐ̯], Ekart [eˈkaːɐ̯], Foulard [fuˈlaːɐ̯]

i) in einzelnen Wörtern, deren Stamm mit -atsch endet:
Bratsche, Karbatsche, Latsch, Latsche (Schuh), Ratsche, Tatsche, Tratsch, Watsche (neben: Watsche), watscheln (neben: watscheln)

j) in:
drasch, Drasch, Jagd, Magd, Papst, Schlaks u. a.

2. spricht man kurzes a [a]:
   a) vor x oder vor mehreren zum Stamm gehörenden Konsonantenbuchstaben (sofern nicht unter a, Absatz A, 1 erfasst):
   Dach [dax], Fall [fall], fass-t [fast], lax [laks], Pack [pak], Pass [pas], rasch [raʃ], zapple [ˈtsaplə]

   b) im Präfix a- [a]:
   alogisch [ˈaloːgɪʃ], apolitisch [ˈapoliːtɪʃ]

   c) in:
   ab, am, Ammoniak, an, Ananas, as, As, Atlas, das, Fiaker, Grammatik, hat, Januar, Kanapee, Kanevas, Kap, Kosak, Madam[e], man, Massaker, Nachbar, Paletot, Papa, Papchen, Paprika, Salmiak, Tram, Walfisch, Walnuss, was u. a.

3. spricht man in englischen Wörtern:
   a) kurzes offenes e [ɛ] (englische Aussprache: [æ]):
   Camping [ˈkɛmpɪŋ] ([*engl.* ˈkæmpɪŋ]), Catch [kɛtʃ] ([*engl.* kætʃ])

   b) langes geschlossenes e [e:] (englische Aussprache: [eɪ]):
   Cape [ke:p] ([*engl.* keɪp]), Safe [ze:f] ([*engl.* seɪf])

   c) langes offenes e [ɛ:] vor r plus Vokalbuchstabe (vgl. S. 21; englische Aussprache: [ɛə]):
   Sharing [ˈʃɛ:rɪŋ], Square [skvɛ:ɐ̯]

Unbetont

1. spricht man kurzes a [a]:
   a) in nichtletzter Silbe:
   chaọtisch [ka'o:tɪʃ], Pakẹt [pa'ke:t], Pastẹll [pas'tɛl], Syllabus ['zʏlabʊs]

   b) am Wortende:
   Aụla ['aụla], Pạscha ['paʃa], Ụvula ['u:vula]

   c) am Wortende vor x oder vor mehreren Konsonantenbuchstaben:
   Bọrax ['bo:raks], Kọbalt ['ko:balt], Wạllach ['valax]

   d) am Wortende vor einem Konsonantenbuchstaben (sofern nicht unter
   Absatz B, 2 erfasst):
   Dọllar ['dɔlar], Mọnat ['mo:nat], Zỵkas ['tsy:kas]

2. spricht man langes a [a:]:
   a) in den deutschen Ableitungssilben -bar, -sal, -sam:
   lạngsam ['laŋza:m], Schịcksal ['ʃɪkza:l], zạhlbar ['tsa:lba:ɐ̯]

   b) meistens in -ian:
   Ẹnzian ['ɛntsịa:n], Grọbian ['gro:bịa:n], Thymian ['ty:mịa:n]

   c) oft vor Konsonant, wenn eine Nebenform betont ein langes a [a:] hat:
   Schakal ['ʃa:ka:l] (Nebenform: Schakal [ʃa'ka:l])

   d) in Ableitungen auf -ei, wenn in der einfachen Form die entsprechende Silbe langes a [a:] hat:
   Malerei [ma:lə'raị] (zu: mạlen), Raterei [ra:tə'raị] (zu: rạten)

   e) in:
   Bạlsam, Fẹbruar, Heịmat, Heịrat, Jạguar, Jạnuar, Leịchnam u. a.

ä ....

Betont

1. spricht man langes offenes e [ɛ:] (vgl. S. 21):
   a) wenn im Stamm nur ein Konsonantenbuchstabe (außer x), nur ph
   oder nur th folgt:
   äß-t [ɛ:st], Äther ['ɛ:tɐ], Bär [bɛ:ɐ̯], Erträg-nis [ɛɐ̯'trɛ:knɪs], gär-te ['gɛ:ɐ̯tə],
   Mäd-chen ['mɛ:tçən]

   b) wenn mehrere Konsonantenbuchstaben folgen, aber eine Nebenform
   oder der Stamm langes offenes e [ɛ:] hat:
   Mäkler ['mɛ:klɐ] (Stamm: mäk[e]l ['mɛ:k[ə]l), näsle ['nɛ:zlə] (Nebenform:
   näsele ['nɛ:zələ])

   c) wenn verwandte Formen mit langem a [a:] (vgl. a, Absatz A, 1) und aa
   [a:] vorkommen:
   Älchen ['ɛ:lçən] (zu: Aal [a:l]), bräche ['brɛ:çə] (zu: brạch [bra:x])

   d) am Stamm- oder Wortende:
   sä-st [zɛ:st], sä! [zɛ:]

e) vor einem zur nächsten Silbe gehörenden Vokal:
Apogäum [apoˈgɛːʊm], Gäa [ˈgɛːa], säe! [ˈzɛːə], Trochäus [trɔˈxɛːʊs]

f) vor bl, br, cl, cr, dl, dr, gl, gr, kl, kr, phl, phr, pl, pr, qu, thl, thr, tl, tr:
Äquer [ˈɛːkvɐ], Phädra [ˈfɛːdra]

g) in einzelnen Wörtern, deren Stamm mit -ätsch endet:
ätsch!, Grätsche, Kardätsche, Kartätsche, Rätsche

h) in:
Gebärde, gemäß, nächst, Rätsel, Städte (neben: Städte) u. a.

2. spricht man kurzes offenes e [ɛ] vor x oder vor mehreren zum Stamm
gehörenden Konsonantenbuchstaben (sofern nicht unter Absatz A, 1 erfasst):
fällen [ˈfɛlən], Fässchen [ˈfɛsçən], Gäste [ˈgɛstə], Mäxchen [ˈmɛksçən],
Wäscher [ˈvɛʃɐ]

Unbetont

1. spricht man kurzes offenes e [ɛ] (vgl. S. 21):
äolisch [ɛˈoːlɪʃ], Kännä [ˈkanɛ], Läpperei [lɛpəˈrai], präsent [prɛˈzɛnt]

2. spricht man langes offenes e [ɛː] (vgl. S. 21):
a) in Ableitungen von Wörtern unter a, Absatz B, 2:
Grobiänchen [ˈgroːbiɛːnçən], Scheusäler [ˈʃɔyzɛːlɐ]

b) in Ableitungen auf -ei, wenn in der einfachen Form die entsprechende Silbe langes offenes e [ɛː] (vgl. S. 21) hat:
Quälerei [kvɛːləˈrai] (zu: quälen), Schäkerei [ʃɛːkəˈrai] (zu: schäkern)

à ....

Man spricht kurzes a [a] in französischen und italienischen Wörtern:
à la baisse [a la ˈbɛːs], a metà [a meˈta]

aa ....

Man spricht langes a [aː]:
Aal [aːl], aast [aːst], Maat [maːt], Saal [zaːl], Waage [ˈvaːgə]

ae ....

1. Man spricht wie ä (vgl. ä) in Fremdwörtern und Namen (vgl. S. 21):
Baer [bɛːɐ], Laternae magicae [laˈtɛrnɛ ˈmaːgitsɛ]

2. Man spricht langes a [aː] in bestimmten norddeutschen Namen:
Baesweiler [ˈbaːsvailɐ], Raesfeld [ˈraːsfɛlt]

ah ....

Betont
spricht man langes a [aː]:
fahnd! [faːnt], mahne [ˈmaːnə], nah [naː], nahst [naːst], wahrst [vaːɐst]

Unbetont

1. spricht man langes a [a:] in Ableitungen auf -ei, wenn in der einfachen
    Form die entsprechende Silbe langes a [a:] hat:
    Fahrer<u>ei</u> [fa:rə'r<u>ai</u>] (zu: f<u>a</u>hren), Prahler<u>ei</u> [pra:lə'r<u>ai</u>] (zu: pr<u>a</u>hlen)

2. spricht man kurzes a [a] in Fremdwörtern am Wortende:
    <u>A</u>llah ['ala], insch<u>a</u>llah [ɪn'ʃala], K<u>o</u>rah ['ko:ra]

äh ....

Man spricht langes offenes e [ɛ:] (vgl. S. 21):
m<u>äh</u>e ['mɛ:ə], n<u>äh</u>! [nɛ:], n<u>äh</u>st [nɛ:st], Z<u>äh</u>heit ['t͜sɛ:h<u>ai</u>t], Zähler<u>ei</u> [t͜sɛ:lə'r<u>ai</u>]

ai ....

1. Man spricht den Diphthong [<u>ai</u>] in einfachen deutschen Wörtern und in
    einzelnen Fremdwörtern:
    B<u>o</u>nsai ['bɔnz<u>ai</u>], H<u>ai</u> [h<u>ai</u>], Lak<u>ai</u> [la'k<u>ai</u>], Maiz<u>e</u>na [m<u>ai</u>'t͜se:na], Taif<u>u</u>n
    [t<u>ai</u>'fu:n]

2. In französischen Wörtern spricht man unbetont kurzes offenes e [ɛ]
    (vgl. S. 21), betont meist langes offenes e [ɛ:] (vgl. S. 21):
    Bais<u>e</u>r [bɛ'ze:], Baisse ['bɛ:sə], Defait<u>i</u>st [defɛ'tɪst]

3. In englischen Wörtern spricht man betont langes geschlossenes e [e:]
    oder langes offenes e [ɛ:] (vgl. S. 21):
    Claim [kle:m], fair [fɛ:ɐ̯], Trainer ['trɛ:nɐ]

ain ....

Man spricht in französischen Wörtern am Wortende oder vor Konsonant unbetont kurzes nasales e [ɛ̃], betont langes nasales e [ɛ̃:]:
Bain-mari<u>e</u> [bɛ̃ma'ri:], Refrain [rə'frɛ̃:], Souterrain [zutɛ'rɛ̃:]

am ....

Man spricht in französischen Wörtern am Wortende oder vor Konsonant unbetont kurzes nasales a [ã], betont langes nasales a [ã:]:
Chambri<u>e</u>re [ʃãbri'e:rə], Estampe [ɛs'tã:p]

an ....

Man spricht in französischen Wörtern am Wortende oder vor Konsonant unbetont kurzes nasales a [ã], betont langes nasales a [ã:]:
Cancan [kã'kã:], Nuance ['nÿã:sə], Tanti<u>e</u>me [tã'tie:mə]

au ....

1. Man spricht den Diphthong [<u>au</u>] in deutschen Wörtern und den meisten
    nicht englischen oder nicht französischen Fremdwörtern:
    <u>A</u>uto ['<u>au</u>to], b<u>au</u>en ['b<u>au</u>ən], H<u>au</u>s [h<u>au</u>s], traum<u>a</u>tisch [tr<u>au</u>'ma:tɪʃ]

2. Man spricht betont langes geschlossenes o [o:] in französischen Wörtern:
    Chauvi ['ʃo:vi], Debauche [de'bo:ʃə], Hausse ['ho:sə], Sauce ['zo:sə]

3. Man spricht in französischen Wörtern unbetont meist kurzes geschlossenes o [o], weniger häufig kurzes offenes o [ɔ]:
    Chaudeau [ʃoˈdo:], chauffieren [ʃɔˈfi:rən], Chauvinist [ʃoviˈnɪst]

äu ....

Man spricht den Diphthong [ɔy]:
bläu! [blɔy], Häuser [ˈhɔyzɐ], täuschen [ˈtɔyʃn̩], Träumerei [trɔyməˈrai]

aw ....

Man spricht langes geschlossenes o [o:] in englischen Wörtern:
Squaw [skvo:], Yawl [jo:l]

ay ....

1. Man spricht den Diphthong [ai] vor allem in deutschen Eigennamen:
    Bayern [ˈbaiɐn], Haydn [ˈhaidn̩], Kayser [ˈkaizɐ], Raygras [ˈraigra:s]

2. Man spricht in englischen Wörtern betont langes geschlossenes e [e:], unbetont kurzes geschlossenes e [e] (englische Aussprache: [eɪ]):
    Essay [ˈɛse] ([engl. ˈɛseɪ]), Okay [oˈke:] ([engl. oʊˈkeɪ])

b ....

1. Man spricht [b]:
    a) am Wortanfang:
    Bach [bax], Bdellium [ˈbdɛli̯ʊm], blau [blau], Brot [bro:t], Bulle [ˈbʊlə]

    b) im Wortinneren vor Vokal, vor [m̩, n̩, l̩]:
    Abend [ˈa:bn̩t], Ambo [ˈambo], Gabel [ˈga:bl̩], Kasba [ˈkasba], liebem [ˈli:bm̩], Narbe [ˈnarbə]

    c) vor l, n, r, wenn sie zum Stamm gehören oder eine Nebenform b + e hat:
    ebnen [ˈe:bnən] (Stamm: eb[e]n [ˈe:b[ə]n]), kable [ˈka:blə] (Nebenform: kabele [ˈka:bələ])

2. Man spricht [p]:
    a) am Wortende:
    ab [ap], gelb [gɛlp], Klub [klʊp], Lob [lo:p], wirb! [vɪrp]

    b) vor stimmlosen Konsonanten:
    abchasisch [apˈxa:zɪʃ], Erbse [ˈɛrpsə], hübsch [hypʃ], Klubs [klʊps], webt [ve:pt]

    c) vor d, g im Wortinneren:
    Gelübde [gəˈlʏpdə], Liebden [ˈli:pdn̩], Nebgen [ˈnɛpgn̩], Rhabdom [rapˈdo:m]

    d) vor den Ableitungssilben -bar, -chen, -haft, -heit, -lein, -lich, -ling, -lings, -los, -nis, -sal, -sam, -sel, -schaft, -tum, -wärts:
    abwärts [ˈapvɛrts], Labsal [ˈla:pza:l], Liebchen [ˈli:pçən], löblich [ˈlø:plɪç]

bb...

1. Man spricht [b]:
   a) im Wortinneren vor Vokal, vor [n̩, l̩]:
   ẹbben [ˈɛbn̩], Họbby [ˈhɔbi], Rạbbi [ˈrabi], Schibbọleth [ʃɪˈboːlɛt], wạbbelt [ˈvabl̩t]

   b) vor l, r, wenn sie zum Stamm gehören oder eine Nebenform bb + e hat:
   Gạbbro [ˈgabro] (Stamm: gạbbr [gabr]), drịbble [ˈdrɪblə] (Nebenform: drịb-bele [ˈdrɪbələ])

2. Man spricht [p]:
   a) am Wortende:
   ẹbb! [ɛp], krạbb! [krap], rọbb! [rɔp], schrụbb! [ʃrʊp]

   b) vor stimmlosen Konsonanten:
   ẹbbt [ɛpt], krạbbst [krapst], schrụbbtest [ˈʃrʊptəst]

   c) vor den Ableitungssilben -bar, -chen, -haft, -heit, -lein, -lich, -ling, -lings, -los, -nis, -sal, -sam, -schaft, -sel, -tum, -wärts:
   ẹbblos [ˈɛploːs], ẹbbwärts [ˈɛpvɛrts], Krạ̈bbchen [ˈkrɛpçən]

c..

1. Man spricht [k] vor a, l, o, r, u:
   Café [kaˈfeː], Clown [klaun], Cour [kuːɐ̯], Crew [kruː], Curé [kyˈreː]

2. Man spricht den z-Laut [ts] vor ä (ae), e, i, ö (oe), y in griechischen und lateinischen Wörtern:
   Cạ̈sar [ˈtsɛːzar], Cịrce [ˈtsɪrtsə], Cyclạmen [tsyˈklaːmən], Regịna Cọeli [reˈgiːna ˈtsøːli]

3. Man spricht stimmloses („scharfes") s [s] vor e, é, è, ê, i, y in englischen, französischen und spanischen Wörtern:
   Aktrịce [akˈtriːsə], Cẹnt [sɛnt], Centạvo [sɛnˈtaːvo], Cinchọna [sɪnˈtʃoːna], Glacé [glaˈseː]

4. Man spricht den tsch-Laut [tʃ] vor e, i in italienischen Wörtern:
   Cicisbẹo [tʃitʃɪsˈbeːo], Cinquecẹnto [tʃɪŋkveˈtʃɛnto]

ç..

Man spricht stimmloses („scharfes") s [s]:
Aperçu [apɛrˈsyː], Curaçạo [kyraˈsaːo], Garçon [garˈsõː]

cc...

1. Man spricht [k] vor a, l, o, r, u:
   Accompagnạto [akɔmpanˈjaːto], Accụrsius [aˈkʊrziʊs], Ecclẹsia [ɛˈkleːzi̯a]

2. Man spricht [k] plus z-Laut, d. h. [kts], vor e, i in lateinischen Wörtern:
   Ạccius [ˈaktsiʊs], Coccẹjus [kɔkˈtseːjʊs], Ẹcce [ˈɛktsə]

3. Man spricht den tsch-Laut [tʃ] vor e, i in italienischen Wörtern:
   accelerạndo [atʃeleˈrando]

cch ....

1. Man spricht [k] in italienischen Wörtern:
   Malọcchi [maˈlɔki], Malọcchio [maˈlɔkịo], Stracchịno [straˈkiːno]

2. Man spricht den Achlaut [x] in griechischen und lateinischen Wörtern:
   Bacchanạl [baxaˈnaːl], Grạcchen [ˈgraxn̩], Saccharịn [zaxaˈriːn]

cci ....

   Man spricht den tsch-Laut [tʃ] vor a, o, u in italienischen Wörtern:
   Acciaccatụra [atʃakaˈtuːra], Bọccia [ˈbɔtʃa], Caprịccio [kaˈprɪtʃo]

ch ....

1. Man spricht den Ichlaut [ç]:
   a) im Wortinneren und am Wortende nach ä, e, i, ö, ü, y (nach vorderen
   Vokalen), nach den Diphthongen [ai̯], [ɔy] oder nach Konsonant:
   Bäche [ˈbɛçə], Ẹlch [ɛlç], ẹuch [ɔyç], ịch [ɪç], mạnch [manç], mögte
   [ˈmœçtə], psỵchisch [ˈpsyːçɪʃ], züchte [ˈtsʏçtə]

   b) in der Ableitungssilbe -chen:
   Frạuchen [ˈfrau̯çən], Häuschen [ˈhɔysçən], Papạchen [paˈpaːçən]

   c) vor allem in griechischen Wörtern am Wortanfang vor ä (ae), e, i, ö
   (oe), y, oft auch nach a, o in Zusammensetzungen mit solchen Wörtern:
   Biochemịe [bioçeˈmiː], Chäronẹa [çɛroˈneːa], Chemịe [çeˈmiː], Chinịn
   [çiˈniːn], Chọrilus [ˈçøːrilʊs], Chỵlus [ˈçyːlʊs]

   d) in weniger häufigen griechischen Wörtern am Wortanfang vor a, o, u
   oder vor Konsonant, z.T. auch nach a, o in Zusammensetzungen mit
   solchen Wörtern:
   Chạris [ˈçaːrɪs], Chlạmys [ˈçlaːmʏs], Chorẹut [çoˈrɔyt], chthọnisch [ˈçtoːnɪʃ],
   Chụs [çuːs], Isochạsme [izoˈçasmə]

2. Man spricht den Achlaut [x]:
   a) im Wortinneren und am Wortende nach a, o, u (nach [a], [aː] oder
   hinteren Vokalen), nach au [au̯]:
   Bạch [bax], epochạl [epɔˈxaːl], họch [hoːx], Rạuch [rau̯x], Tụch [tuːx]

   b) selten am Wortanfang in Fremdwörtern, besonders vor a in hebräi-
   schen Wörtern:
   Chanukkạ [xanʊˈkaː], Chasạn [xaˈzaːn], Chlỵst [xlʏst], Chnụm [xnuːm]

3. Man spricht [k]:
   a) in deutschen Wörtern nach Vokal vor einem zum Stamm gehörenden s:
   Ẹidechse [ˈai̯dɛksə], Ọchse [ˈɔksə], wẹchsle [ˈvɛkslə], Wụchs [vuːks]

   b) am Wortanfang in deutschen Eigennamen:
   Chạm [kaːm], Chẹmnitz [ˈkɛmnɪts], Chiẹmsee [ˈkiːmzeː], Chụr [kuːɐ̯]

   c) in griechischen Wörtern, besonders am Wortanfang vor a, l, o, r:
   Chạrta [ˈkarta], Chlọr [kloːɐ̯], Chorẹa [koˈreːa], Chrọnik [ˈkroːnɪk]

   d) in italienischen Wörtern:
   Chiạnti [ˈkịanti], Maraschịno [marasˈkiːno], Marchẹse [marˈkeːzə]

4. Man spricht den sch-Laut [ʃ] in französischen Wörtern:
   Chassis [ʃaˈsiː], Cochon [kɔˈʃõː], Penchant [pãˈʃãː]

5. Man spricht den tsch-Laut [tʃ] in den meisten englischen Wörtern, in einigen den tsch-Laut [tʃ] oder den sch-Laut [ʃ]:
   chartern [ˈtʃartɐn] oder [ˈʃartɐn], Chief [tʃiːf], Chutney [ˈtʃatni]

6. Man spricht den tsch-Laut [tʃ] in spanischen Wörtern:
   Chinchilla [tʃɪnˈtʃila], Gaucho [ˈgautʃo], Macho [ˈmatʃo]

ci ....

Man spricht den tsch-Laut [tʃ] in italienischen Wörtern vor a, e, o, u:
Caciocavallo [katʃokaˈvalo], Ciacona [tʃaˈkoːna]

ck ....

Man spricht [k]:
Bock [bɔk], Hecke [ˈhɛkə], Knicks [knɪks], wackle [ˈvaklə]

cs ....

Man spricht den tsch-Laut [tʃ] in ungarischen Wörtern:
Csárdás [ˈtʃardaʃ], Csikós [ˈtʃiːkoːʃ]

d ....

1. Man spricht [d]:
   a) am Wortanfang:
   Dame [ˈdaːmə], drei [draɪ], dwars [dvars], Dynamik [dyˈnaːmɪk]

   b) im Wortinneren vor Vokal, vor [m̩, n̩, l̩]:
   Adel [ˈaːdl̩], ander [ˈandɐ], blödem [ˈbløːdm̩], Felder [ˈfɛldɐ], Rhabdom [rapˈdoːm]

   c) vor l, n, r, wenn sie zum Stamm gehören oder eine Nebenform d + e hat:
   Handlung [ˈhandlʊŋ] (Stamm: hand[e]l [ˈhand[ə]l]), rudre [ˈruːdrə] (Nebenform: rudere [ˈruːdərə])

2. Man spricht [t]:
   a) am Wortende:
   Bad [baːt], erd! [eːɐt], Geld [gɛlt], Oxid [ɔˈksiːt], Wand [vant]

   b) vor stimmlosen Konsonanten und vor g, m, n, v, w:
   Admiral [atmiˈraːl], Edgar [ˈɛtgar], widmen [ˈvɪtmən], Wodka [ˈvɔtka]

   c) vor den Ableitungssilben -bar, -chen, -haft, -heit, -lein, -lich, -ling, -lings, -los, -nis, -sal, -sam, -schaft, -tum, -wärts:
   beredsam [bəˈreːtzaːm], freundlich [ˈfrɔyntlɪç], leidlos [ˈlaɪtloːs], Mädchen [ˈmɛːtçən]

   d) meist im lateinischen Präfix ad- vor Konsonantenbuchstaben (außer vor r):
   Adhärenz [athɛˈrɛntz], Adjunkt [atˈjʊŋkt], Advokat [atvoˈkaːt]

3. d ist stumm am Wortende in französischen Wörtern:
   Boulevard [bulə'va:ɐ̯], Fond [fõ:], Rechaud [re'ʃo:]

dd...

1. Man spricht [d]:
   a) im Wortinneren vor Vokal, vor [n̩, l̩]:
   addieren [a'di:rən], jiddisch ['jɪdɪʃ], Kladden ['kladn̩], Toddy ['tɔdi]

   b) vor l, r, wenn sie zum Stamm gehören oder eine Nebenform dd + e
   hat:
   Paddler ['padlɐ] (Stamm: padd[e]l ['pad[ə]l]), schnoddrig ['ʃnɔdrɪç] (Nebenform: schnodderig ['ʃnɔdərɪç])

2. Man spricht [t]:
   a) am Wortende:
   Modd [mɔt], padd! [pat]

   b) vor den Ableitungssilben -bar, -chen, -haft, -heit, -lein, -lich, -ling,
   -lings, -los, -nis, -sal, -sam, -schaft, -tum, -wärts:
   paddbar ['patba:ɐ̯]

[d]ds...

Man spricht [t͡s] am Wortende oder vor t:
Modds [mɔt͡s], paddst [pat͡st], Rads [ra:t͡s], redst [re:t͡st]

[d]dsch...

1. Man spricht den dsch-Laut [d͡ʒ] am Wortanfang und meistens im Wortinneren:
   Dschungel ['d͡ʒʊŋl̩], Hadschi ['ha:d͡ʒi], Hedschra ['hɛd͡ʒra]

2. Man spricht den tsch-Laut [t͡ʃ] in -d + sch[e] (Ableitungssuffix -sch[e])
   und am Wortende:
   Had[d]sch [ha:t͡ʃ], Lodsch [lɔt͡ʃ], Wildsch[e] ['vɪlt͡ʃ[ə]]

dt...

Man spricht [t]:
beredt [bə're:t], gesandt, [gə'zant], lädt [lɛ:t], Städte ['ʃtɛ:tə], verwandt [fɛɐ̯-
'vant]

e...

Betont
1. spricht man langes geschlossenes e [e:]:
   a) wenn im Stamm nur ein Konsonantenbuchstabe (außer x), nur ph
   oder nur th folgt:
   dem [de:m], den [de:n], der [de:ɐ̯], er [e:ɐ̯], feg-t [fe:kt], Isonephe [izo'ne:fə],
   les-t [le:st], Tethys ['te:tʏs], Weg-s [ve:ks]

b) wenn mehrere Konsonantenbuchstaben folgen, aber eine Nebenform oder der Stamm langes geschlossenes e [eː] hat:
e̱dle [ˈeːdlə] (Nebenform: e̱dele [ˈeːdələ]), re̱gnen [ˈreːgnən] (Stamm: re̱g[e]n [ˈreːg[ə]n])

c) vor bl, br, cl, cr, dl, dr, fl, fr, gl, gr, kl, kr, phl, phr, pl, pr, qu, thl, thr, tl, tr:
Alle̱gro [aˈleːgro], E̱phraim [ˈeːfraɪm], Le̱pra [ˈleːpra], Re̱quiem [ˈreːkviɛm], Ze̱bra [ˈtseːbra]

d) vor einem zur nächsten Silbe gehörenden Vokal:
Andre̱as [anˈdreːas], prote̱isch [proˈteːɪʃ], Se̱en [ˈzeːən], Tede̱um [teˈdeːʊm]

e) am Wortende:
Ade̱ [aˈdeː], Akme̱ [akˈmeː], je̱ [jeː], Koine̱ [kɔyˈneː], Re̱ [reː]

f) in:
bere̱dt, Beschwe̱rde, E̱rde, e̱rst, E̱rz (auch: E̱rz), He̱rd, He̱rde, Ke̱bse, Ke̱ks, Kre̱bs, Me̱ltau, ne̱bst, Schwe̱rt, ste̱ts, we̱rden, We̱rmut, We̱rt, we̱rt u. a.

2. spricht man kurzes offenes e [ɛ]:
a) vor x oder vor mehreren zum Stamm gehörenden Konsonantenbuchstaben (sofern nicht unter Absatz A, 1 erfasst):
Dre̱ss [drɛs], fe̱sch [fɛʃ], He̱xe [ˈhɛksə], Ke̱rbe [ˈkɛrbə], me̱ssen [ˈmɛsn̩], Pe̱ch [pɛç]

b) in:
ce̱s, Che̱f, de̱s, De̱s, e̱s, E̱s, e̱tliche, ge̱n, ge̱s, He̱rberge, He̱rzog, Hote̱l, plemple̱m, Relie̱f, Re̱n, Sowje̱t, we̱g, we̱s u. a.

3. spricht man langes offenes e [ɛː] (vgl. S. 21):
a) in französisch -ers [ɛːɐ̯], -ert [ɛːɐ̯]; in fr. -eille [ɛːjə]:
Boute̱ille [buˈtɛːjə], Desse̱rt [dɛˈsɛːɐ̯]

b) in französischen Wörtern:
Enque̱te, lege̱r, Pie̱ce u. a.

Unbetont

1. spricht man kurzes geschlossenes e [e]:
a) vor einem Konsonantenbuchstaben (außer x), vor bl, br, cl, cr, dl, dr, gl, gr, kl, kr, ph, phl, phr, pl, pr, qu, th, thl, thr, tl, tr + Vokalbuchstabe:
elega̱nt [eleˈgant], Metrono̱m [metroˈnoːm], Mephi̱sto [meˈfɪsto], Negri̱to [neˈgriːto], Nephri̱tis [neˈfriːtɪs]

b) vor Vokal:
A̱rea [ˈaːrea], Co̱chleae [ˈkɔxleɛ], Eozä̱n [eoˈtsɛːn], Koffe̱in [kɔfeˈiːn], Thea̱ter [teˈaːtɐ], Theologi̱e [teoloˈgiː]

c) am Wortende nach Vokal in nicht unmittelbar nachtoniger Silbe in weniger häufigen Fremdwörtern und fremden Namen:
A̱loe [ˈaːloe], Be̱nzoe [ˈbɛntsoe], Si̱mile [ˈziːmile]

d) meistens in den lateinischen Präfixen de- und re-:
desperat [despe'ra:t], destruktiv [destrok'ti:f], Reflex [re'flɛks], refraktär [refrak'tɛ:ɐ̯]

e) in:
jedennoch [je'dɛnɔx], jedoch [je'dɔx], lebendig [le'bɛndɪç]

2. spricht man kurzes offenes e [ɛ]:
a) in emp-, ent-, er-, her-, ver-, zer-:
empfinden [ɛm'pfɪndn̩], erfassen [ɛɐ̯'fasn̩], herein [hɛ'raɪn], Verrat [fɛɐ̯'ra:t]

b) vor x oder vor mehreren zum Stamm gehörenden Konsonantenbuchstaben in Fremdwörtern (sofern nicht unter Absatz B, 1 erfasst):
Kodex ['ko:dɛks], lexikalisch [lɛksi'ka:lɪʃ], Menthol [mɛn'to:l], Ressort [rɛ'so:ɐ̯], zentralisieren [tsɛntrali'zi:rən]

c) nachtonig vor Konsonant, wenn eine Nebenform oder eine kürzere verwandte Form betontes kurzes offenes e [ɛ] hat:
Tezett ['te:tsɛt] (Nebenform: Tezett [te'tsɛt]), impotent ['ɪmpotɛnt] (Nebenform: impotent [ɪmpo'tɛnt])

d) vor Konsonant am Wortende, vor allem in griechischen und lateinischen Wörtern, besonders wenn das Wort ähnlich wie in der Fremdsprache geschrieben wird:
Cortes ['kɔrtɛs], Debet ['de:bɛt], Herpes ['hɛrpɛs], Karies ['ka:rjɛs], Schibboleth [ʃɪ'bo:lɛt]

e) in:
Elen[tier] ['e:lɛn[ti:ɐ̯]], elend ['e:lɛnt], Elend ['e:lɛnt] u. a.

3. spricht man [ə]:
a) in deutschen Wörtern nachtonig, vor allem in Endungen:
Alte ['altə], rostet ['rɔstət], sauberere ['zaubərərə], unsere ['ʊnzərə], wuchernde ['vu:xɐndə]

b) wegen -el /əl/ [əl], [l̩] vgl. S. 37–38, 40; wegen -em /əm/ [əm], [m̩] vgl. S. 37–38; wegen -en /ən/ [ən], [n̩] vgl. S. 37–40; wegen -er /ər/ [ər], [ɐ] vgl. S. 40–41

c) in den Präfixen be- und ge-:
beachten [bə'|axtn̩], Bezirk [bə'tsɪrk], geahnt [gə'|a:nt], Gewand [gə'vant]

d) bei griechischen, lateinischen und anderen Fremdwörtern in der Endung, besonders wenn sie von der Endung in der Fremdsprache verschieden ist:
Oase [o'a:zə], Sonate [zo'na:tə], These ['te:zə], Woiwode [vɔy'vo:də]

e) in französischen Wörtern:
vortonig, besonders vor Konsonant plus Vokal:
Chevalier [ʃəva'lie:], Koschenille [kɔʃə'nɪljə], Premier [prə'mie:]

oft am Wortende nach Konsonant:
Chaine ['ʃɛ:nə], Clique ['klɪkə], Sauce ['zo:sə]

in -ement [ə'mãː]; oft in -ette [ɛtə], -ille [ɪl[j]ə], -otte [ɔtə]:
Deplacement [deplasə'mãː], Manschette [man'ʃɛtə], Marotte [ma'rɔtə]

in -age [aːʒə], -aise [ɛːzə], -euse [øːzə]:
Coiffeuse [kɔa'føːzə], Ekossaise [ekɔ'sɛːzə], Garage [ga'raːʒə]

4. spricht man langes geschlossenes e [eː] in Ableitungen auf -ei, wenn in
    der einfachen Form die entsprechende Silbe langes geschlossenes e [eː]
    hat:
    Eselei [eːzə'lai] (zu: Esel), Weberei [ve:bə'rai] (zu: weben)

    e ist stumm am Wortende in englischen und französischen Wör-
    tern:
    Bonhomme [bɔ'nɔm], Cape [keːp], Frame [freːm], Madame [ma'dam], Pipe-
    line ['paiplain], Revue [rə'vyː]

é ....

Man spricht in französischen Wörtern betont langes geschlossenes e
[eː], unbetont kurzes geschlossenes e [e]:
Café [ka'feː], Negligé [negli'ʒeː], Séance [ze'ãːsə], Séparée [zepa'reː]

ê ....

Man spricht in französischen Wörtern betont langes offenes e [ɛː] (vgl.
S. 21), unbetont kurzes offenes e [ɛ] (vgl. S. 21):
tête-à-tête [tɛta'tɛːt]

ea ....

Man spricht meist langes geschlossenes i [iː] in englischen Wörtern,
weniger häufig langes geschlossenes e [eː] und kurzes offenes e [ɛ]:
Beat [biːt], Break [breːk], Clearing ['kliːrɪŋ], Readymade ['rɛdimeːt], Seal
[ziːl], Steak [steːk], Steamer ['stiːmɐ], Team [tiːm], Tearoom ['tiːruːm]

eau ....

Man spricht in französischen Wörtern betont langes geschlossenes o
[oː], unbetont kurzes geschlossenes o [o]:
Beauté [bo'teː], Chapeau [ʃa'poː], Niveau [ni'voː], Nouveauté [nuvo'teː]

ee ....

1. Man spricht:
    a) betont langes geschlossenes e [eː]:
    Frikassee [frika'seː], Idee [i'deː], leerst [leːrst], See [zeː], Tee [teː]

    b) unbetont langes geschlossenes e [eː] in Ableitungen auf -ei, wenn in
    der einfachen Form die entsprechende Silbe langes geschlossenes e [eː]
    hat; in anderen Fällen kurzes geschlossenes e [e]:
    Kanapee ['kanape], Leererei [le:rə'rai], paneelieren [pane'liːrən], Porree
    ['pɔre]

2. Man spricht in englischen Wörtern betont langes geschlossenes i [i:],
   unbetont kurzes geschlossenes i [i]:
   Jeep [dʒi:p], Peer [pi:ɐ̯], Toffee ['tɔfi]

ée ....

Man spricht langes geschlossenes e [e:]:
Dragée [dra'ʒe:], Séparée [zepa're:]

eh ....

Man spricht langes geschlossenes e [e:] in deutschen Wörtern:
gehe ['ge:ə], hehlen ['he:lən], Hehlerei [he:lə'rai̯], Reh [re:], Wehr [ve:ɐ̯]

Jeep [dʒi:p], Peer [pi:ɐ̯], Toffee ['tɔfi]

ée ....

Man spricht langes geschlossenes e [e:]:
Dragée [dra'ʒe:], Séparée [zepa're:]

eh ....

Man spricht langes geschlossenes e [e:] in deutschen Wörtern:
gehe ['ge:ə], hehlen ['he:lən], Hehlerei [he:lə'rai̯], Reh [re:], Wehr [ve:ɐ̯]

ei ....

Man spricht den Diphthong [ai̯] in deutschen Wörtern und in den meisten Fremdwörtern:
Bein [bai̯n], Eidetik [ai̯'de:tɪk], Eis [ai̯s], reißen ['rai̯sn̩], Sauerei [zau̯ə'rai̯]

eih ....

Man spricht den Diphthong [ai̯] in deutschen Wörtern:
leih! [lai̯], leihst [lai̯st], Reihe ['rai̯ə], Weih [vai̯], Weihling ['vai̯lɪŋ]

ein ....

Man spricht in französischen Wörtern vor Konsonantenbuchstabe unbetont kurzes nasales e [ɛ̃], betont langes nasales e [ɛ̃:]:
Enceinte [ã'sɛ̃:t], Pleinpouvoir [plɛ̃pu'vɔa:ɐ̯], Teint [tɛ̃:]

em ....

Man spricht in französischen Wörtern vor Konsonantenbuchstabe
unbetont kurzes nasales a [ã], betont langes nasales a [ã:]:
Empire [ã'pi:ɐ̯], Ensemble [ã'sã:bl̩], Rembours [rã'bu:ɐ̯]

en ....

Man spricht in französischen Wörtern:
1. vor Konsonantenbuchstabe unbetont kurzes nasales a [ã], betont langes
   nasales a [ã:]:
   Departement [departə'mã:], Détente [de'tã:t], Pendant [pã'dã:]
2. langes nasales e [ɛ̃:] betont nach i oder nach y am Wortende:
   Bohemien [boe'mi̯ɛ̃:], Citoyen [sitɔa'jɛ̃:], Doyen [dɔa'jɛ̃:]

er..

Man spricht langes geschlossenes e [e:] am Wortende in französischen
Wörtern:
Baiser [bɛˈze:], Diner [diˈne:], Lever [ləˈve:], Premier [prəˈmi̯e:]

et..

Man spricht langes geschlossenes e [e:] am Wortende in französischen
Wörtern:
Bonnet [bɔˈne:], Cachet [kaˈʃe:], Toupet [tuˈpe:]

eu..

1. Man spricht den Diphthong [ɔy] in deutschen und griechischen Wör-
    tern:
    Euphorie [ɔyfoˈri:], heute [ˈhɔytə], neun [nɔyn], Rheuma [ˈrɔyma]

2. Man spricht in französischen Wörtern:
    a) betont meist langes geschlossenes ö [ø:]:
    Coiffeuse [ko̯aˈfø:zə], Jeu [ʒø:], Milieu [miˈli̯ø:], Redakteur [redakˈtø:ɐ̯]

    b) unbetont meist kurzes geschlossenes ö [ø]:
    Dejeuner [deʒøˈne:], pasteurisieren [pastøriˈzi:rən], Voyeurismus [vo̯ajøˈrɪs-
    mʊs]

ew..

Man spricht betont langes geschlossenes u [u:] in einigen englischen
Wörtern:
Crew [kru:], Review [riˈvju:]

ey..

1. Man spricht den Diphthong [ai̯] vor allem in Eigennamen:
    Ceylon [ˈtsai̯lɔn], Dilthey [ˈdɪltai̯], Meyer [ˈmai̯ɐ̯]

2. Man spricht in englischen Wörtern am Wortende kurzes geschlosse-
    nes i [i] (z. T. auch: [ai̯], [e]):
    Hockey [ˈhɔki], Jockey [ˈdʒɔke] (auch: [ˈdʒɔki], [ˈdʒɔkai̯]), Trolley [ˈtrɔli]

f..

Man spricht [f]:
auf [au̯f], Fach [fax], Harfe [ˈharfə], Reform [reˈfɔrm], Taft [taft]

ff..

Man spricht [f]:
Affäre [aˈfɛ:rə], Affe [ˈafə], Affrikate [afriˈka:tə], mufflig [ˈmʊflɪç], schaff!
[ʃaf]

Deutsche Aussprachelehre

g ....

1. Man spricht [g]:
   a) am Wortanfang vor Vokalen und stimmhaften Konsonanten:
   Gas [gaːs], Gdingen [ˈgdɪŋən], Gens [gɛns], gleich [glaiç], Gmund [gmʊnt], Gnade [ˈgnaːdə], grau [grau]

   b) im Wortinneren vor Vokal, vor [m, n, l]:
   Egel [ˈeːgl̩], Lage [ˈlaːgə], Sorge [ˈzɔrgə], vagem [ˈvaːgm̩], vulgär [vʊlˈgɛːɐ̯]

   c) vor l, n, r, wenn sie zum Stamm gehören oder eine Nebenform g + e hat:
   regne [ˈreːgnə] (Stamm: reg[e]n [ˈreːg[ə]n]), segle [ˈzeːglə] (Nebenform: segele [ˈzeːgələ])

   d) in griechischen und lateinischen Wörtern vor l, m, n, r:
   Aglaia [aˈglaia], Agronom [agroˈnoːm], Magma [ˈmagma], Signal [zɪˈgnaːl]

2. Man spricht [k]:
   a) am Wortende:
   arg [ark], folg! [fɔlk], lag [laːk], Metzg [mɛtsk], röntg! [rœntk], weg [vɛk], Weg [veːk]

   b) vor stimmlosen Konsonanten, vor d:
   bugsieren [bʊˈksiːrən], Gschnasfest [ˈkʃnaːsfɛst], legt [leːkt], Magda [ˈmakda]

   c) vor den Ableitungssilben -bar, -chen, -haft, -heit, -lein, -lich, -ling, -lings, -los, -nis, -sal, -sam, -schaft, -sel, -tum, -wärts:
   beweglich [bəˈveːklɪç], Feigling [ˈfaiklɪŋ], tragbar [ˈtraːkbaːɐ̯], Wagnis [ˈvaːknɪs]

   d) in der Endung -ig, wenn die Ableitungssilbe -lich unmittelbar folgt:
   königlich [ˈkøːnɪklɪç], lediglich [ˈleːdɪklɪç], männiglich [ˈmɛnɪklɪç]

   e) in:
   Königreich [ˈkøːnɪkraiç]

3. Man spricht den Ichlaut [ç] in der Endung -ig:
   a) am Wortende:
   böig [ˈbøːɪç], einig [ˈainɪç], König [ˈkøːnɪç], zweisprachig [ˈtsvaiʃpraːxɪç]

   b) vor Konsonant, wenn nicht die Ableitungssilbe -lich unmittelbar folgt:
   einigst [ˈainɪçst], vereinigt [fɛɐ̯ˈlainɪçt], zwanzigste [ˈtsvantsɪçstə]

4. Man spricht den sch-Laut [ʒ] in französischen Wörtern am Wortanfang und im Wortinneren vor e, é, è, ê, i, y:
   changieren [ʃãˈʒiːrən], Garage [gaˈraːʒə], Gene [ʒɛːn], Gilet [ʒiˈleː], Negligé [negliˈʒeː]

5. Man spricht den dsch-Laut [dʒ] in italienischen und z.T. in englischen Wörtern am Wortanfang und im Wortinneren vor e, i:
   agevole [aˈdʒeːvole], Gentry [ˈdʒɛntri], Gin [dʒɪn], Girandola [dʒiˈrandola]

gg ....

1. Man spricht [g]:
    a) im Wortinneren vor Vokal, vor [n̩, l̩]:
    Ẹgge ['ɛgə], fẹrgge ['fɛrge], grọggy ['grɔgi], Knịgge ['knɪgə], Rọggen ['rɔgn̩]

    b) vor l, r, wenn sie zum Stamm gehören oder eine Nebenform gg + e
    hat:
    bạggre ['bagrə] (Nebenform: bạggere ['bagərə]), Schmụggler ['ʃmʊglɐ]
    (Stamm: schmụgg[e]l ['ʃmʊg[ə]l]), tọ̈rrgle ['tœrglə] (Nebenform: tọ̈rrgele
    ['tœrgələ])

2. Man spricht [k]:
    a) am Wortende:
    Brịgg [brɪk], egg! [ɛk], fẹrgg! [fɛrk], flạgg! [flak], lọgg! [lɔk]

    b) vor stimmlosen Konsonanten:
    ẹggst [ɛkst], fẹrggt [fɛrkt], jọggst [dʒɔkst], lọggt [lɔkt], lọggte ['lɔktə]

    c) vor den Ableitungssilben -bar, -chen, -haft, -heit, -lein, -lich, -ling,
    -lings, -los, -nis, -sal, -sam, -sel, -schaft, -tum, -wärts:
    ẹggbar ['ɛkbaːɐ̯], lọggbar ['lɔkbaːɐ̯]

3. Man spricht den dsch-Laut [dʒ] in italienischen Wörtern vor i:
    Lọggien ['lɔdʒiən], solfeggieren [zɔlfɛˈdʒiːrən]

gh ....

Man spricht [g] vor Vokal, besonders in italienischen Wörtern:
Ghẹtto ['gɛto], Larghẹtto [larˈgɛto], Jọghurt ['joːgʊrt], Sọrghum ['zɔrgʊm]

[g]gi ....

Man spricht den dsch-Laut [dʒ] in italienischen Wörtern vor a, o, u,
sonst [dʒi]:
Arpẹggio [arˈpɛdʒo], giocọso [dʒoˈkoːzo], giụsto ['dʒʊsto], Ragiọne
[raˈdʒoːnə]

gli ....

Man spricht [lj] in italienischen Wörtern vor a, e, o, u, sonst [lji]:
Antikạglien [antiˈkaljən], Imbrọgli [ɪmˈbrɔlji], Intạglio [ɪnˈtaljo], Passacạglia
[pasaˈkalja]

gn ....

Man spricht [nj] in französischen und italienischen Wörtern:
Bạgno ['banjo], Champạgner [ʃamˈpanjɐ], Gnọcchi ['njɔki], Kọgnak ['kɔn-
jak], Vigogne [viˈgɔnjə]

gni ....

Man spricht [nji] in italienischen Wörtern:
Bạgni ['banji], Sẹgni ['zɛnji]

gu ....

Man spricht [g] am Wortanfang und im Wortinneren in französischen und spanischen Wörtern vor e, i:
Aiguillette [ɛgiˈjɛtə], Guerrilla [gɛˈrɪlja], Guillotine [gɪljoˈtiːnə]

h ....

1. Man spricht [h]:
    a) am Wortanfang in den deutschen und den meisten fremden Wörtern:
    Hals [hals], Hausse [ˈhoːsə], Hobby [ˈhɔbi], Hymne [ˈhʏmnə]

    b) in Ausrufewörtern zwischen Vokalen:
    aha! [aˈha], ahoi! [aˈhɔy], juhe̱! [juˈheː], oho̱! [oˈhoː]

    c) zwischen Vokalen in den meisten Fremdwörtern:
    Buhurt [ˈbuːhʊrt], Mahagoni [mahaˈgoːni], Mohär [moˈhɛːɐ̯], Vehikel [veˈhiːkl̩]

    d) in:
    Ahorn [ˈaːhɔrn], Oheim [ˈoːhaim], Schuhu [ˈʃuːhu], Uhu [ˈuːhu]

2. Sonst ist h stumm im Inneren und am Ende deutscher Wörter:
    ehe [ˈeːə], Einweihung [ˈainvaiʊŋ], leihst [laist], schmählich [ˈʃmɛːlɪç], sieh! [ziː]

3. h ist stumm im Inneren und oft am Anfang französischer Wörter:
    Bonhomie [bɔnoˈmiː], Hautgout [oˈguː], Honneurs [ɔˈnøːɐ̯s] (auch: [hɔ...])

i ....

Betont
1. spricht man langes geschlossenes i [iː]:
    a) wenn im Stamm nur ein Konsonantenbuchstabe (außer x), nur ph oder nur th folgt:
    Benzin [bɛnˈtsiːn], gib! [giːp], gib-t [giːpt], Lithium [ˈliːtiʊm], Sipho [ˈziːfo]

    b) wenn mehrere Konsonantenbuchstaben folgen, aber eine Nebenform oder der Stamm langes geschlossenes i [iː] hat:
    erwidre [ɛɐ̯ˈviːdrə] (Nebenform: erwidere [ɛɐ̯ˈviːdərə]), widrig [ˈviːdrɪç] (Stamm: wid[e]r [ˈviːd[ə]r])

    c) vor bl, br, cl, cr, dl, dr, fl, fr, gl, gr, kl, kr, phl, phr, pl, pr, qu, thl, thr, tl, tr:
    biblisch [ˈbiːblɪʃ], Mithras [ˈmiːtras], Triplum [ˈtriːplʊm], Zitrus [ˈtsiːtrʊs]

    d) vor einem zur nächsten Silbe gehörenden Vokal:
    Brio [ˈbriːo], Manien [maˈniːən], Pius [ˈpiːʊs], Schier [ˈʃiːɐ̯], Zion [ˈtsiːɔn]

    e) am Wortende:
    Hali [haˈliː], Kroki [kroˈkiː], Pli [pliː], Schi [ʃiː], Xi [ksiː]

    f) in:
    Livre [ˈliːvrə], Nische [ˈniːʃə], piksen [ˈpiːksn̩] u. a.

2. spricht man kurzes offenes i [ɪ]:
    a) vor x oder vor mehreren zum Stamm gehörenden Konsonantenbuch-
    staben (sofern nicht unter i, Absatz A, 1 erfasst):
    Biss [bɪs], Bisses ['bɪsəs], List [lɪst], mild [mɪlt], mixen ['mɪksn̩], Witz [vɪt͡s]

    b) in:
    April, bin, bis, Bistum, cis, Clique, dis, Finish ['fɪnɪʃ], fis, fit, Gambit, gis,
    Himbeere, hin, his, Hit, im, in, Kapitel, Klimbim, Krim, mit, Quiz, Slip,
    -zig, Zither u. a.

3. spricht man den Diphthong [ai] in einigen englischen Wörtern:
    Pile [pail], Pipeline ['paiplain], Spikes [ʃpaiks], timen ['taimən]

Unbetont

1. spricht man kurzes geschlossenes i [i]:
    a) vor einem Konsonantenbuchstaben (außer x), vor bl, br, cl, cr, dl, dr,
    gl, gr, kl, kr, ph, phl, phr, pl, pr, qu, th, thl, thr, tl, tr + Vokalbuchstabe:
    Antiquität [antikvi'tɛ:t], Diplom [di'plo:m], vital [vi'ta:l], Zitrone [t͡si'tro:nə]

    b) vor Vokal: nach b, c, ch, d, f, g, k, p, ph, qu, s, t, th, v, w, x, z + l, m, n,
    r; nach ml, mn, mr; nach nl, nm, nr (vgl. S. 42):
    Amnion ['amniɔn], Hafnium ['hafniʊm], Henretta [hɛnri'ɛta], Manlius
    ['manliʊs], Quietist [kvie'tɪst], Triage [tri'a:ʒe]

    c) am Wortende:
    Famuli ['fa:muli], Filii ['fi:lii], Gummi ['gʊmi], Porti ['pɔrti]

    d) z. T. in griechischen und lateinischen Zusammensetzungen mit -i-,
    wenn die Zusammensetzung gefühlt wird und wo sonst kurzes offenes i
    [ɪ] zu erwarten ist:
    Epistase [epi'sta:zə], Hemisphäre [hemi'sfɛ:rə], Peristyl [peri'sty:l]

    e) in:
    Livree, Persiflage u. a.

2. spricht man unsilbisches i [i̯] vor einem zu derselben Silbe gehörendem
    Vokal (vgl. S. 42):
    Nation [na't͡sio:n], Podium ['po:diʊm], potenziell [potɛn't͡siɛl], Studie
    ['ʃtu:diə]

3. spricht man kurzes offenes i [ɪ]:
    a) vor x oder vor mehreren zum Stamm gehörenden Konsonantenbuch-
    staben (sofern nicht unter Absatz B, 1 erfasst):
    fixieren [fɪ'ksi:rən], Kristall [krɪs'tal], Million [mɪ'lio:n], quittieren [kvɪ'ti:-
    rən]

    b) vor Konsonant am Wortende:
    Defizit ['de:fit͡sɪt], Forint ['fo:rɪnt], gratis ['gra:tɪs], Köchin ['kœçɪn]

    c) im Suffix -ig am Wortende, vor Vokal oder vor Konsonant; in hin-:
    einig ['ainɪç], einige ['ainɪgə], geeinigt [gə'|ainɪçt], hinein [hɪ'nain]

4. spricht man langes geschlossenes i [iː]:
   a) nachtonig vor Konsonant, wenn eine Nebenform oder eine kürzere
   verwandte Form betontes langes geschlossenes i [iː] hat:
   pạssiv ['pasiːf] (Nebenform: passịv [pa'siːf])

   b) in -im (hebräische Mehrzahlendung), meist in deutschen Eigennamen
   auf -in, z. T. in Gattungsnamen auf -in oder -ir:
   Bạldachin ['baldaxiːn], Ẹrwin ['ɛrviːn], Họ̈lderlin ['hœldɐliːn], Sẹraphim
   ['zeːrafiːm], Vạmpir ['vampiːɐ]

5. spricht man den Diphthong [ai̯] in einigen englischen Wörtern:
   Outsider ['au̯tsai̯dɐ], Pipeline ['pai̯plai̯n], timst [tai̯mst]

ie ....

   Betont
1. spricht man langes geschlossenes i [iː]:
   Biẹst [biːst], diẹ [diː], geschriẹen [gə'ʃriːən], Niẹte ['niːtə], siẹ [ziː], wiẹ [viː]

2. spricht man kurzes offenes i [ɪ] in:
   Viertel ['fɪrtl̩], vierzehn ['fɪrtseːn], vierzig ['fɪrtsɪç]

   Unbetont
1. spricht man kurzes geschlossenes i [i] in:
   vielleicht [fi'lai̯çt]; in wie- [vi-]: wiesọ [vi'zoː], wieviẹl [vi'fiːl]

2. spricht man langes geschlossenes i [iː] in Ableitungen auf -ei, wenn in
   der einfachen Form die entsprechende Silbe langes geschlossenes i [iː]
   hat:
   Spielerẹi [ʃpiːlə'rai̯] (zu: spiẹlen), Ziererẹi [tsiːrə'rai̯] (zu: ziẹren)

ieh ....

   Man spricht langes geschlossenes i [iː]:
   Viẹh [fiː], ziẹh! [tsiː], ziẹhen ['tsiːən], Zieherẹi [tsiːə'rai̯], ziẹhst [tsiːst]

ier ....

   In der französischen Endung spricht man z. T. [iːɐ], z. T. [i̯eː]:
   Bankiẹr [baŋ'ki̯eː], Barbiẹr [bar'biːɐ], Offiziẹr [ɔfi'tsiːɐ], Portiẹr [pɔr'ti̯eː]

ih ....

   Man spricht langes geschlossenes i [iː] in deutschen Wörtern, besonders
   in Namen:
   Ịhle ['iːlə], ịhm [iːm], ịhn [iːn], ịhr [iːɐ], ịhrzen ['iːɐtsn̩], Schlẹmihl ['ʃleːmiːl]

ill ....

   In französischen Wörtern spricht man z. T. [j], z. T. [lj] nach Vokalbuchstaben:
   Kanạille [ka'naljə], mouilliẹren [mu'ji:rən], Tailleur [ta'jøːɐ]

im ....

Man spricht in französischen Wörtern vor Konsonantenbuchstabe unbetont kurzes nasales e [ɛ̃], betont langes nasales e [ɛ̃:]:
impair [ɛ̃'pɛ:ɐ̯], Impromptu [ɛ̃prõ'ty:], Timbre ['tɛ̃:brə]

j ....

1. Man spricht den ~~seh~~-Laut [ʒ] in französischen, den ~~dseh~~-Laut [dʒ] in
englischen, den Achlaut [x] in spanischen Wörtern:
Jeep [dʒi:p], Jobber ['dʒɔbɐ], Jota ['xɔta], Jupon [ʒy'põ:]

2. Sonst spricht man [j]:
Boje ['bo:jə], Jagd [ja:kt], junior ['ju:ni̯o:ɐ̯], schwojen ['ʃvo:jən]

k ....

Man spricht [k]:
Alk [alk], kalt [kalt], Kino ['ki:no], Kognak ['kɔnjak], link [lɪŋk], Lok [lɔk],
piksen ['pi:ksn̩]

kk ....

Man spricht [k]:
Akklamation [aklama'tsi̯o:n], Kokke ['kɔkə], Okkasion [ɔka'zi̯o:n], okklusiv
[ɔklu'zi:f]

kq ....

Man spricht [k] in:
akquirieren [akvi'ri:rən], Akquise [a'kvi:zə]

l ....

1. Man spricht [l]:
blau [blau̯], Feld [fɛlt], Land [lant], Quirl [kvɪrl], Teil [tai̯l], Wels [vɛls]

2. Man spricht silbisches l [l̩] nach [p b t d k g m n ŋ f v s z ʃ ç x pf ts tʃ] am
Wortende (besonders in bajuwarischen Wörtern):
Axolotl [akso'lɔtl̩], Dirndl ['dɪrndl̩], Kreml ['kre:ml̩], Liesl [li:zl̩], Vogl ['fo:gl̩]

3. Wegen -el /əl/ [əl], [l̩] vgl. S. 37–38, 40

ll ....

1. Man spricht [l]:
alle ['alə], füll! [fʏl], füllst [fʏlst], Kristall [krɪs'tal]

2. In einigen französischen Wörtern spricht man [j] nach i:
Papillote [papi'jo:tə], Vermillon [vɛrmi'jõ:]

3. Man spricht [lj] in spanischen und einigen französischen Wörtern:
brillant [brɪl'jant], Kamarilla [kama'rɪlja], Llanos ['lja:nɔs]

Deutsche Aussprachelehre

m

1. Man spricht [m]:
   engem ['ɛŋəm], kạm [ka:m], Lạmpe ['lampə], mịschen ['mɪʃn̩], Tmẹsis ['tme:zɪs]

2. Wegen -em /əm/ [əm], [m̩] vgl. S. 37–38.

mm

Man spricht [m]:
bekọ̈mmlich [bə'kœmlɪç], hẹmme ['hɛmə], kommụn [kɔ'mu:n], stạmmle ['ʃtamlə]

n

1. Man spricht [n]:
   a) in deutschen Wörtern (außer vor g, k):
   Bịnse ['bɪnzə], mạnch [manç], Nạht [na:t], Plạn [pla:n], Zẹntren ['tsɛntrən]

   b) in Fremdwörtern außer vor c (gesprochen: [k]), g (gesprochen: [g]), k, qu, x (vgl. 1, c):
   Insulịn [ɪnzu'li:n], Kọncha ['kɔnça], Pnẹu [pnɔy], Pụnsch [pʊnʃ]

   c) in den griechischen oder lateinischen Präfixen con-, kon- (auch: [ŋ] vor [k], [g]), en-, in-, syn-:
   Enkạustik [ɛn'kaustɪk], Kongrẹss [kɔn'grɛs] (auch: [kɔŋ'grɛs]), synchrọn [zʏn'kro:n]

2. Man spricht den ng-Laut [ŋ]:
   a) in deutschen Wörtern vor k:
   Ạnker ['aŋkɐ], sịnkst [zɪŋkst], Ụnke ['ʊŋkə], wạnkt [vaŋkt]

   b) in Fremdwörtern vor c (gesprochen: [k]), g (gesprochen: [g]), k, qu, x (vgl. 1, c; vgl. ng):
   Delinquẹnt [delɪŋ'kvɛnt], Sphịnx [sfɪŋks], Tạngens ['taŋgɛns]

3. Man spricht silbisches n [n̩] nach [p b t d k g] am Wortende:
   Hạydn ['haɪdn̩], Ịbn ['ɪbn̩]

4. Wegen -en /ən/ [ən], [n̩] vgl. S. 37–40

ñ

Man spricht [nj]:
Cañon ['kanjɔn, kan'jo:n], Dọña ['dɔnja], Señọr [zɛn'jo:ɐ̯]

ng

Man spricht den ng-Laut [ŋ] in deutschen und einigen fremden Wörtern:
Ạngst [aŋst], brịngen ['brɪŋən], Gọng [gɔŋ], Lạ̈nge ['lɛŋə], Zẹitung ['tsaɪtʊŋ]

nn..

Man spricht [n]:
Annalen [aˈnaːlən], bạnnt [bant], dọnnre [ˈdɔnrə], Konnẹx [kɔˈnɛks], Tạnne [ˈtanə]

o...

Betont

1. spricht man langes geschlossenes o [oː]:

    a) wenn im Stamm nur ein Konsonantenbuchstabe (außer x), nur ph oder nur th folgt:
    grọß [groːs], họl! [hoːl], họl-st [hoːlst], Philosọph [filoˈzoːf], stọß-t [ʃtoːst], tọb-t [toːpt]

    b) wenn mehrere Konsonantenbuchstaben folgen, aber eine Nebenform oder der Stamm langes geschlossenes o [oː] hat:
    Jọdler [ˈjoːdlɐ] (Stamm: jọd[e]l [ˈjoːd[ə]l]), lọdre [ˈloːdrə] (Nebenform: lọdere [ˈloːdərə])

    c) vor bl, br, cl, cr, dl, dr, fl, fr, gl, gr, kl, kr, phl, phr, pl, pr, qu, thl, thr, tl, tr:
    Allọtria [aˈloːtria], Kọblenz [ˈkoːblɛnts], Kọbra [ˈkoːbra], Kollọquium [kɔˈloːkviʊm]

    d) vor einem zur nächsten Silbe gehörenden Vokal:
    Bọa [ˈboːa], Gọi [ˈgoːi], Protozọen [protoˈtsoːən], trọisch [ˈtroːɪʃ]

    e) am Wortende:
    Bürọ [byˈroː], Hallọ [haˈloː], họ! [hoː], Klọ [kloː], Prọ [proː]

    f) in einigen Wörtern mit -ost-:
    Jọst, Klọster, Ọstern, Prọst, Trọst u. a.

    g) in französischen Wörtern auf -or + d, p, t (gesprochen: [oːɐ̯]):
    d'accọrd [daˈkoːɐ̯], Kọrps [koːɐ̯], Ressọrt [rɛˈsoːɐ̯]

    h) in:
    họch, Jọghurt, Kọks, Lọtse, Mọnd, Mọntag, Ọbst, Prọpst, Vọgt u. a.

2. spricht man kurzes offenes o [ɔ]:

    a) vor x oder vor mehreren zum Stamm gehörenden Konsonantenbuchstaben (sofern nicht unter o, Absatz A, 1 erfasst):
    bọxe [ˈbɔksə], Pọst [pɔst], rọsst [rɔst], vọll [fɔl], Zọpf [tsɔpf], Zọrn [tsɔrn]

    b) in:
    Brọmbeere, Grọg, Grọs [grɔs] (12 Dutzend), Họchzeit (Eheschließung), Họffart [ˈhɔfart], Jọt, Lọg, Lọk, Lọrbeer, Mọb, ọb, Rọkoko, vọm, vọn, vọrn (vorne), Vọrteil, vọrwärts (auch: vọrwärts) u. a.

Unbetont

1. spricht man kurzes geschlossenes o [o]:
   a) vor einem Konsonantenbuchstaben (außer x), vor bl, br, cl, cr, dl, dr, gl, gr, kl, kr, ph, phl, phr, pl, pr, qu, th, thl, thr, tl, tr + Vokalbuchstabe: Borat [bo'ra:t], Sophrosyne [zofro'zy:nə], Troglodyt [troglo'dy:t]

   b) vor einem zur nächsten Silbe gehörenden Vokal: Geoid [geo'i:t], Oase [o'a:zə], Poem [po'e:m], Zoologie [tsoolo'gi:]

   c) am Wortende: anno ['ano], desto ['dɛsto], Ihro ['i:ro], Kakao [ka'ka:o], Mao ['ma:o]

   d) z. T. in griechischen und lateinischen Zusammensetzungen mit -o-, wenn die Zusammensetzung gefühlt wird und wo sonst kurzes offenes o [ɔ] zu erwarten ist (vgl. S. 43): Apostasie [aposta'zi:], Bioskop [bio'sko:p], Prospekt [pro'spɛkt]

2. spricht man kurzes offenes o [ɔ]:
   a) vor x oder vor mehreren zum Stamm gehörenden Konsonantenbuchstaben (sofern nicht unter o, Absatz B, 1 erfasst): Moloch ['mo:lɔx], ossal [ɔ'sa:l], Portal [pɔr'ta:l], Toxin [tɔ'ksi:n]

   b) vor Konsonant am Wortende: Bischof ['bɪʃɔf] (auch: ['bɪʃo:f]), Herold ['he:rɔlt], Pathos ['pa:tɔs], Ysop ['i:zɔp]

3. Man spricht langes geschlossenes o [o:]:
   a) nachtonig vor Konsonant, wenn eine Nebenform oder eine kürzere verwandte Form betontes langes geschlossenes o [o:] hat: alogisch ['alo:gɪʃ] (verwandte Form: logisch ['lo:gɪʃ])

   b) in Ableitungen auf -ei, wenn in der einfachen Form die entsprechende Silbe langes geschlossenes o [o:] hat: Mogelei [mo:gə'lai] (zu: mogeln), Vogtei [fo:k'tai] (zu: Vogt)

   c) in der unbetonten Endung -or: Doktor ['dɔkto:ɐ̯], Korridor ['kɔrido:ɐ̯], Tumor ['tu:mo:ɐ̯]

   d) in: Almosen ['almo:zn̩], Herzog ['hɛrtso:k], Kleinod ['klaino:t], u. a.

ö ....

Betont

1. spricht man langes geschlossenes ö [ø:]:
   a) wenn im Stamm nur ein Konsonantenbuchstabe (außer x), nur ph oder nur th folgt: Größe ['grø:sə], hör! [hø:ɐ̯], hör-st [hø:ɐ̯st], Köthen ['kø:tn̩], Synalöphe [zyna'lø:fə]

b) wenn mehrere Konsonantenbuchstaben folgen, aber eine Nebenform oder der Stamm langes geschlossenes ö [ø:] hat:
trödle ['trø:dlə] (Nebenform: trödele ['trø:dələ]), Trödler ['trø:dlɐ] (Stamm: tröd[e]l ['trø:d[ə]l])

c) wenn verwandte Formen mit langem geschlossenem o [o:] bestehen (vgl. o, Absatz A, 1; oo):
höchst [hø:çst] (zu: hoch [ho:x]), trösten ['trø:stn̩] (zu: Trost [tro:st])

d) vor einem zur nächsten Silbe gehörenden Vokal:
böig ['bø:ıç], Epopöe [epo'pø:ə], Pyorrhöen [pyɔ'rø:ən]

e) am Wortende:
Bö [bø:], Diarrhö [dia'rø:], o.ö [o:'|ø:]

f) in:
Behörde, Gehöft (auch: Gehöft), Österreich, Röste (auch: Röste), rösten (auch: rösten) u. a.

2. spricht man kurzes offenes ö [œ] vor x oder vor mehreren zum Stamm gehörenden Konsonantenbuchstaben (sofern nicht unter ö, Absatz A, 1 erfasst):
flösse ['flœsə], Föxchen ['fœksçən], Götter ['gœtɐ], löschen ['lœʃn̩]

Unbetont

1. spricht man kurzes geschlossenes ö [ø]:
a) vor einem Konsonantenbuchstaben (außer x), vor bl, br, cl, cr, dl, dr, gl, gr, kl, kr, ph, phl, phr, pl, pr, qu, th, thl, thr, tl, tr + Vokalbuchstabe:
Diözese [diø'tse:zə], möblieren [mø'bli:rən], ökonomisch [øko'no:mıʃ]

b) vor Vokal:
böotisch [bø'o:tıʃ], Homöopath [homøo'pa:t], Onomatopöie [onomatopø'i:]

c) in:
Stöchiometrie [ʃtøçiome'tri:]

2. spricht man kurzes offenes ö [œ]:
a) vor x oder vor mehreren zum Stamm gehörenden Konsonantenbuchstaben (sofern nicht unter ö, Absatz B, 1 erfasst):
Klöppelei [klœpə'lai̯], Östrogen [œstro'ge:n], Pörkölt ['pœrkœlt]

b) in:
Bischöfe ['bıʃœfə] (neben: ['bıʃø:fə])

3. spricht man langes geschlossenes ö [ø:]:
a) in Ableitungen von Wörtern unter o, Absatz B, 3, c, d:
Kleinödchen ['klai̯nø:tçən], Korridörchen ['kɔridø:ɐçən]

b) in Ableitungen auf -ei, wenn in der einfachen Form die entsprechende Silbe langes geschlossenes ö [ø:] hat:
Döserei [dø:zə'rai̯] (zu: dösen), Flöterei [flø:tə'rai̯] (zu: flöten)

c) in:
Bischöfe ['bıʃø:fə] (neben: ['bıʃœfə])

oa

Man spricht betont langes geschlossenes o [oː] in einigen englischen Wörtern:
Goal [goːl], Roadster ['roːt͡stɐ], Roastbeef ['roːstbiːf], Toast [toːst]

oe

1. Man spricht wie den Buchstaben ö (vgl. ö) in Fremdwörtern und Namen:
Foerster ['fœrstɐ], Goethe ['gøːtə], Goetheanum [gøteˈaːnʊm], Laboe [laˈbøː]

2. Man spricht langes geschlossenes o [oː] in bestimmten norddeutschen Namen:
Coesfeld ['koːsfɛlt], Itzehoe [ɪt͡səˈhoː], Soest [zoːst]

öe

Man spricht langes geschlossenes ö [øː] in -rrhöe (Einzahl), z. T. in -pöe (Einzahl):
Diarrhöe [diaˈrøː], Menorrhöe [menɔˈrøː], Pharmakopöe [farmakoˈpøː]

oeu (œu)

Man spricht betont langes geschlossenes ö [øː] betont in französischen Wörtern:
Cœur [køːɐ̯], Sœur [zøːɐ̯]

oh

Man spricht langes geschlossenes o [oː]:
Bohnerei [boːnəˈraɪ], droht [droːt], Lohe ['loːə], roh [roː], verrohst [fɛɐ̯ˈroːst]

öh

Man spricht langes geschlossenes ö [øː]:
flöh! [fløː], Höhe ['høːə], Köhlerei [køːləˈraɪ], löhnen ['løːnən], Söhnchen ['zøːnçən]

oi

1. Man spricht den Diphthong [ɔy]:
ahoi! [aˈhɔy], Koine [kɔyˈneː], Konvoi ['kɔnvɔy], schwoien ['ʃvɔyən]

2. Man spricht [ɔaː] oder [ɔa] in französischen Wörtern:
Boudoir [buˈdɔaːɐ̯], Memoiren [meˈmɔaːrən], Oktroi [ɔkˈtrɔa], Toilette [tɔaˈlɛtə]

3. Man spricht langes geschlossenes o [oː] in bestimmten Namen, besonders in rheinischen Ortsnamen:
Grevenbroich [greːvn̩ˈbroːx], Roisdorf ['roːsdɔrf], Voigt [foːkt]

oin

Man spricht betont [ɔɛ̃ː], unbetont [ɔɛ̃] in französischen Wörtern, wenn kein Vokalbuchstabe folgt:
Appoint [aˈpɔɛ̃ː], Pointe ['pɔɛ̃ːtə], pointiert [pɔɛ̃ˈtiːɐ̯t]

om ....

Man spricht betont langes nasales o [õ:], unbetont kurzes nasales o [õ] in französischen Wörtern, wenn am Wortende oder vor Konsonanten kein Vokalbuchstabe folgt:
Aplomb [a'plõ:], Komplet [kõ'ple:], Komtess [kõ'tɛs], ombriert [õ'bri:ɐt]

on ....

Man spricht betont langes nasales o [õ:], unbetont kurzes nasales o [õ] in französischen Wörtern, wenn kein Vokalbuchstabe oder kein h folgt (z. T. auch: [ɔŋ] in einzelnen Wörtern):
Bonbon [bõ'bõ:] (auch: [bɔŋ'bɔŋ]), foncé [fõ'se:], Jongleur [ʒõ'glø:ɐ]

oo ....

1. Man spricht langes geschlossenes o [o:]:
Boot [bo:t], Moor [mo:ɐ], Soor [zo:ɐ], Zoo [tso:]

2. Man spricht langes geschlossenes u [u:] oder kurzes offenes u [ʊ] in englischen Wörtern:
Boom [bu:m], Footing ['fʊtɪŋ], Look [lʊk], Looping ['lu:pɪŋ], Pool [pu:l], Zoom [zu:m]

ou ....

1. Betont spricht man meistens langes geschlossenes u [u:] in französischen Wörtern.
Bravour [bra'vu:ɐ], Cour [ku:ɐ], Poule [pu:l], Route ['ru:tə]

2. Unbetont spricht man in französischen Wörtern wie den Buchstaben u (vgl. u), d. h. kurzes geschlossenes u [u] oder kurzes offenes u [ʊ]:
Boudoir [bu'dɔa:ɐ], Camouflage [kamu'fla:ʒə], Journalist [ʒʊrna'lɪst]

3. Man spricht den Diphthong [au] in englischen Wörtern:
Couch [kautʃ], Count [kaunt], knock-out [nɔk'laut], Rout [raut]

ow ....

Man spricht bei englischen Wörtern in einigen Fällen den Diphthong [au], in anderen langes geschlossenes o [o:]:
Bowle ['bo:lə], Clown [klaun], Cowboy ['kaubɔy], Slowfox ['slo:fɔks]

oy ....

1. Man spricht den Diphthong [ɔy] in englischen Wörtern:
Boy [bɔy], Boykott [bɔy'kɔt], Lloyd [lɔyt], Toys [tɔys]

2. Man spricht [ɔaj] in französischen Wörtern:
Doyen [dɔa'jɛ̃:], loyal [lɔa'ja:l], Loyalität [lɔajali'tɛ:t]

p

1. Man spricht [p]:
   Mumps [mʊmps], Oper [ˈoːpɐ], Panne [ˈpanə], prall [pral], Stulpe [ˈʃtʊlpə]

2. p ist stumm am Wortende in französischen Wörtern:
   Contrecoup [kõtrəˈkuː], Coup [kuː], Drap [dra]

pf

Man spricht [pf]:
Kampf [kampf], Pfeil [pfail], Pflaume [ˈpflaumə], Pfropf [pfrɔpf]

ph

Man spricht [f]:
Aphthen [ˈaftn̩], Apokryph [apoˈkryːf], Phi [fiː], Philister [fiˈlɪstɐ], Phlox [flɔks]

pp

Man spricht [p]:
Appell [aˈpɛl], Depp [dɛp], tipptopp [tɪpˈtɔp], Tippse [ˈtɪpsə]

pph

Man spricht [pf] oder [f]:
Sappho [ˈzapfo] oder [ˈzafo], Sepphoris [ˈzɛpfɔrɪs] oder [ˈzɛfɔrɪs]

qu

1. Man spricht [k] plus w-Laut [v], d. h. [kv]:
   Qual [kvaːl], Quantum [ˈkvantʊm], Quirl [kvɪrl], Reliquie [reˈliːkviə]

2. Man spricht [k] in französischen und spanischen Wörtern:
   Enquete [ãˈkeːt], Quai [keː], Quebracho [keˈbratʃo], Queue [køː]

r

1. Man spricht [r]:
   Kerl [kɛrl], Rabe [ˈraːbə], rühren [ˈryːrən], Zwirn [t͡svɪrn]

2. Man spricht [ɐ] am Wortende und vor Konsonant nach den Diphthongen [ai au ɔy]:
   Kentaur [kɛnˈtauɐ], Mair [ˈmaiɐ], Mayrhofer [ˈmaiɐhoːfɐ], Sitieirgie
   [zitiaiɐrˈgiː]

3. Wegen -er /ər/ [ər], [ɐ] vgl. S. 40–41
4. Wegen r /r/ [r], [ɐ] vgl. S. 52–55
5. r ist stumm in der französischen Endung -er und z. T. in -ier:
   Croupier [kruˈpi:], Diner [diˈneː], Portier [pɔrˈtiːe], Souper [zuˈpeː]

rh

Man spricht [r]:
Rhabarber [raˈbarbɐ], Rheuma [ˈrɔyma], Rhein [rain], Rhön [røːn]

rr ....

Man spricht [r] (vgl. S. 52–55):
Arrẹst [aˈrɛst], Bạrren [ˈbarən], Nạrr [nar], Tẹrror [ˈtɛroːɐ̯], zụrrt [tsʊrt]

rrh ....

Man spricht [r] (vgl. S. 52–55):
Diarrhö̲ [diaˈrøː], Katạrrh [kaˈtar], Menorrhagie̲ [menɔraˈgiː], Mỵrrhe [ˈmʏrə]

s ....

1. Man spricht stimmhaftes („weiches") s [z]:
   a) am Wortanfang vor Vokalen:
   Sa̲al [zaːl], Saison [zɛˈzõː], Sẹdum [ˈzeːdʊm], sẹxy [ˈzɛksi], sị̲nd [zɪnt], So̲hn [zoːn], Sụfi [ˈzuːfi]

   b) im Wortinneren zwischen Vokalen, zwischen Vokal und [m̩ n̩ l̩]:
   Ba̲sen [ˈbaːzn̩], Cho̲se [ˈʃoːzə], E̲sel [ˈeːzl̩], nä̲sele [ˈnɛːzələ], The̲se [ˈteːzə]

   c) nach Vokal in ls, ms, ns, rs vor Vokal, vor [m̩ n̩ l̩]:
   Ạmsel [ˈamzl̩], Bị̲nse [ˈbɪnzə], Fẹlsen [ˈfɛlzn̩], Ko̲rso [ˈkɔrzo], Lị̲nsen [ˈlɪnzn̩]

   d) vor l, n, r, wenn eine Nebenform s + e hat:
   fạsle [ˈfaːzlə] (Nebenform: fạsele [ˈfaːzələ]), ụnsre [ˈʊnzrə] (Nebenform: ụnsere [ˈʊnzərə]), wị̲nsle [ˈvɪnzlə] (Nebenform: wị̲nsele [ˈvɪnzələ])

   e) in den Ableitungssilben -sal, -sam:
   lạngsam [ˈlaŋzaːm], Mü̲hsal [ˈmyːzaːl], rạtsam [ˈraːtzaːm], Schịcksal [ˈʃɪkzaːl]

   f) in der Ableitungssilbe -sel nach l, m, n, ng, r:
   Füllsel [ˈfʏlzl̩], Gerị̲nnsel [gəˈrɪnzl̩], Mị̲tbringsel [ˈmɪtbrɪŋzl̩]

   g) im Inneren besonders lateinischer und griechischer Wörter nach stimmlosen Konsonanten und vor Vokal, vor allem wenn vor dem s eine Wortfuge gefühlt wird:
   absolu̲t [apzoˈluːt], Obsidia̲n [ɔpziˈdi̯aːn], Rhapso̲de [rapˈzoːdə] (auch: [raˈpsoːdə])

2. Man spricht stimmloses („scharfes") s [s]:
   a) am Wortende:
   a̲us [au̯s], dạs [das], Ga̲s [gaːs], Hạls [hals], Konkụrs [kɔnˈkʊrs]

   b) am Wortanfang vor b, c (gesprochen: [k] oder [ts]), vor ch (gesprochen: [ç] oder [k]), vor f, g, k, l, m, n, ph, q, v, w, z (gesprochen: [ts]):
   Sbị̲rre [ˈsbɪrə], Sca̲la [ˈskaːla], Schị̲sma [ˈsçɪsma], Swị̲ng [svɪŋ], Szẹne [ˈstseːnə]

   c) am Wortanfang vor p und t, besonders in weniger häufigen Fremdwörtern (dafür meistens auch: [ʃ]):
   Speech [spiːtʃ], Sto̲a [ˈstoːa] (auch: [ˈʃtoːa]), Sto̲ck (Vorrat) [stɔk]

d) im Wortinneren vor stimmhaften Konsonanten in Fremdwörtern und vor allem dann, wenn keine Nebenform mit stimmhaftem s [z] besteht:

Asbest [as'bɛst], Gleisner ['glaisnɐ], Islam [ɪs'la:m], Ismus ['ɪsmʊs], Osram ['ɔsram]

e) im Wortinneren nach b, ch, ck, f, g, k, p:

Erbse ['ɛrpsə], höchst [hø:çst], Kapsel ['kapsl̩], Ochse ['ɔksə], Schickse ['ʃɪksə]

f) im Wortinneren vor c (gesprochen: [k] oder [t͡s]), ch (gesprochen: [ç]), f, k, p, ph, q, t, z (gesprochen: [t͡s]):

Eschatologie [ɛsçatolo'gi:], fasten ['fastn̩], Wespe ['vɛspə]

g) im Wortinneren nach Nasalvokalen:

Chanson [ʃã'sõ:], Konsommee [kõsɔ'me:], Pensee [pã'se:]

h) in der Ableitungssilbe -sel nach Konsonanten (nicht nach l, m, n, ng, r):

Geschreibsel [gə'ʃraipsl̩], Häcksel ['hɛksl̩], Schabsel ['ʃa:psl̩]

i) vor den Ableitungssilben -bar, -chen, -haft, -heit, -lein, -lich, -ling, -lings, -los, -nis, -schaft, -tum, -wärts:

Blüschen ['bly:sçən], boshaft ['bo:shaft], lösbar ['lø:sba:ɐ̯], löslich ['lø:slɪç]

k) in:

Tausendsasa ['tauzn̩tsasa]

3. Man spricht den sch-Laut [ʃ]:

a) am Wortanfang vor p und t in deutschen Wörtern und in häufigeren Fremdwörtern:

Spalier [ʃpa'li:ɐ̯], spät [ʃpɛ:t], Stein [ʃtain], streng [ʃtrɛŋ], Student [ʃtu'dɛnt]

b) am Wortanfang vor p und t, z.T. in weniger häufigen Fremdwörtern (daneben meist auch: [sp], [st]):

Sputum ['ʃpu:tʊm] (auch: ['sp...], Stoa ['ʃto:a] (auch: ['st...])

4. s ist stumm am Wortende in französischen Wörtern:

apropos [apro'po:], Fauxpas [fo'pa], Glacis [gla'si:], Refus [rə'fy:]

sc ....

Man spricht den sch-Laut [ʃ] vor e, i in italienischen Wörtern:

crescendo [krɛ'ʃɛndo], scemando [ʃe'mando], trascinando [traʃi'nando]

sch ....

1. Man spricht den sch-Laut [ʃ]:

Busch [bʊʃ], raschle ['raʃlə], Scheck [ʃɛk], schlau [ʃlau], Schule ['ʃu:lə]

2. Man spricht [sk] in italienischen Wörtern:

Maraschino [maras'ki:no], Scherzo ['skɛrt͡so]

3. Man spricht [s] plus Ichlaut, d.h. [sç] in einigen griechischen Wörtern (daneben z. T. auch den sch-Laut [ʃ], besonders am Wortanfang): Eschatologie (nur: [ɛsçatolo'gi:]), schizophren [sçits̯o'fre:n] (meist: [ʃi...])

sci

Man spricht den sch-Laut [ʃ] vor a, o, u in italienischen Wörtern: Pastasciutta [pasta'ʃʊta], sciolto ['ʃɔlto], strisciando [strɪ'ʃando]

sh

Man spricht den sch-Laut [ʃ] in englischen Wörtern: Cashew ['kɛʃu], Finish ['fɪnɪʃ], shocking ['ʃɔkɪŋ], Shunt [ʃant]

ß

Man spricht stimmloses („scharfes") s [s]: Maß [ma:s], reißt [raist], stoßen ['ʃto:sn̩], stößt [ʃtø:st], Straße ['ʃtra:sə]

ss

Man spricht stimmloses („scharfes") s [s]: Chassis [ʃa'si:], fasst, Kürbisse ['kʏrbɪsə], lassen ['lasn̩], misslich ['mɪslɪç], Pass [pas]

t

1. Man spricht [t]: Ast [ast], Atlas ['atlas], Bastion [bas'tio:n], Mixtion [mɪks'tio:n], Stamm [ʃtam], Tomate [to'ma:tə], treu [trɔy]

2. Man spricht den z-Laut [ts] vor unbetontem i [i] plus Vokal in lateinischen Wörtern, wenn a, c, e, i, k, l, m, n, o, p, r, u vorausgeht: Aktien ['aktsiən], Konsortium [kɔn'zɔrtsiʊm], Ration [ra'tsio:n], Scientia ['stsiɛntsia]

3. t ist stumm am Wortende in französischen Wörtern: Depot [de'po:], Etat [e'ta:], Komplet [kõ'ple:], Point [pŏɛ̃:], Teint [tɛ̃:]

tch

Man spricht den tsch-Laut [tʃ] in englischen Wörtern: Catch [kɛtʃ], Match [mɛtʃ], Pitchpine ['pɪtʃpain]

th

1. Man spricht [t]: Athlet [at'le:t], Eolith [eo'li:t], Thor [to:ɐ̯], Thron [tro:n], Zither ['tsɪtɐ]

2. Man spricht den englischen stimmlosen („scharfen") th-Laut [θ] bei englischen Wörtern in deutsch-englischer Aussprache: Commonwealth [dt.-engl. 'kɔmənvɛlθ], Thriller [dt.-engl. 'θrɪlɐ]

3. Man spricht den englischen stimmhaften („weichen") th-Laut [ð] bei bestimmten Wörtern in deutsch-englischer Aussprache: Farthing [dt.-engl. 'fa:ɐ̯ðɪŋ], on the rocks [dt.-engl. ɔn ðə 'rɔks]

ts

Man spricht den z-Laut [ts]:
Rats [ra:ts], Rätsel ['rɛ:tsl̩], schiltst [ʃiltst], Tsantsa ['tsantsa], Wirts [vɪrts]

tsch

Man spricht den tsch-Laut [tʃ]:
Quatsch [kvatʃ], Tscheche ['tʃɛçə], tratschen ['tra:tʃn̩], Zwetsche ['tsvɛtʃə]

tt

Man spricht [t]:
Bruttium ['brʊti̯ʊm], Fagott [fa'gɔt], Kitt [kɪt], Mitte ['mɪtə], Schotter ['ʃɔtɐ], zittre ['tsɪtrə]

tth

Man spricht [t]:
Matthäus [ma'tɛ:ʊs], Matthias [ma'ti:as]

tz

Man spricht den z-Laut [ts]:
Chintz [tʃɪnts], Katze ['katsə], Spatz [ʃpats], Witzling ['vɪtslɪŋ]

u

Betont
1. spricht man langes geschlossenes u [u:]:
   a) wenn im Stamm nur ein Konsonantenbuchstabe (außer x), nur ph oder nur th folgt:
   Anakoluth [anako'lu:t], Fuß [fu:s], Gut-s [gu:ts], ruß-t [ru:st], schul-t [ʃu:lt]

   b) wenn mehrere Konsonantenbuchstaben folgen, aber eine Nebenform oder der Stamm langes geschlossenes u [u:] hat:
   fusle ['fu:zlə] (Nebenform: fusele ['fu:zələ]), Hufner ['hu:fnɐ] (Stamm: huf[e]n ('hu:f(ə)n])

   c) vor bl, br, cl, cr, dl, dr, fl, fr, gl, gr, kl, kr, phl, phr, pl, pr, thl, thr, tl, tr:
   Gudrun ['gu:dru:n], Nutria ['nu:tria], Rubrum ['ru:brʊm], Stuprum ['ʃtu:prʊm]

   d) vor einem zur nächsten Silbe gehörenden Vokal:
   Dual ['du:a:l], Duo ['du:o], luisch ['lu:ɪʃ], Skua ['sku:a], tue ['tu:ə]

   e) am Wortende:
   du [du:], Gnu [gnu:], nanu! [na'nu:], Peru [pe'ru:], Tabu [ta'bu:]

   f) in einigen Wörtern mit -uch-, -usch-, -ust-, -utsch-:
   Blust, Bruch (= Sumpf; häufiger: Bruch), Buch, Buche, Buchstabe, Dusche (oder: Dusche), duster, Eunuch, Fluch, Huchen, Husten, Knust, knutschen, Kuchen, Nutsche, plustern, prusten, Puste, Ruch (auch: Ruch), Schuster, suchen, Tarbusch, Tuch, Wucher, wusch, Wust (Unrat) u. a.

   g) in:
   Geburt, Pups, wuchs, Wuchs u. a.

2. spricht man kurzes offenes u [ʊ]:
   a) vor x oder vor mehreren zum Stamm gehörenden Konsonantenbuchstaben (sofern nicht unter u, Absatz A, 1 erfasst):
   bewusst [bə'vʊst], Brust [brʊst], Busch [bʊʃ], Fluss [flʊs], Furt [fʊrt], Hund
   [hʊnt], Luchs [lʊks], Lux [lʊks], Mutter ['mʊtɐ], Wunsch [vʊnʃ]

   b) in:
   Bus, Kaput, Klub, plus, Rum, um, un-, Urteil u. a.

3. spricht man langes geschlossenes ü [y:] in französischen Wörtern:
   Avenuen [avə'ny:ən], Aperçu [apɛr'sy:], Coiffure [kǫa'fy:ɐ]

4. spricht man kurzes offenes ü [ʏ] in französischen Wörtern:
   brut [brʏt], fryste [frʏst], Nocturne [nɔk'tʏrn]

5. spricht man kurzes a [a] oder weniger häufig kurzes offenes ö [œ] in englischen Wörtern (englische Aussprache [ʌ]):
   Cut [kœt, kat], Pumps [pœmps], Shuttle ['ʃatl̩], Truck [trak]

   Unbetont
1. spricht man kurzes geschlossenes u [u]:
   a) vor einem Konsonantenbuchstaben (außer x), vor bl, br, cl, cr, dl, dr,
   gl, gr, kl, kr, ph, phl, phr, pl, pr, th, thl, thr, tr + Vokalbuchstabe:
   Duplikat [dupli'ka:t], Musik [mu'zi:k], Ruthenium [ru'te:niʊm]

   b) vor Vokal: nach b, c, ch, d, f, g, k, p, ph, s, t, th, v, w, x, z + l, m, n, r
   (vgl. S. 42):
   Altruist [altru'ɪst], Februar ['fe:brua:ɐ], Influenza [ɪnflu'ɛntsa]

   c) am Wortende:
   Akku ['aku], Emu ['e:mu], Guru ['gu:ru], Uhu ['u:hu], Zebu ['tse:bu]

   d) z. T. in griechischen und lateinischen Zusammensetzungen mit -u-,
   wenn die Zusammensetzung gefühlt wird und wo sonst kurzes offenes u
   [ʊ] zu erwarten ist:
   Bustrophedon [bustrofe'dɔn], Manuskript [manu'skrɪpt]

2. spricht man unsilbisches u [u̯] vor einem zu derselben Silbe gehörenden
   Vokal (vgl. S. 42):
   Linguist [lɪŋ'gu̯ɪst], Manual [ma'nu̯a:l], sexuell [zɛ'ksu̯ɛl], Statue ['ʃta:tu̯ə]

3. spricht man kurzes offenes u [ʊ]:
   a) vor x oder vor mehreren zum Stamm gehörenden Konsonantenbuchstaben (sofern nicht unter u, Absatz B, 1 erfasst):
   bugsieren [bʊ'ksi:rən], kurrent [kʊ'rɛnt], luxieren [lʊ'ksi:rən], Russe ['rʊsə]

   b) vor Konsonant am Wortende:
   Datum ['da:tʊm], Kautschuk ['kau̯tʃʊk], LINUX ['li:nʊks], minus ['mi:nʊs]

4. spricht man langes geschlossenes u [uː]:

    a) in Ableitungen auf -ei, wenn in der einfachen Form die entsprechende Silbe betontes langes u [uː] hat:
    Hudelei [huːdəˈlai̯] (zu: hudeln), Wucherei [vuːxəˈrai̯] (zu: wuchern)

    b) in dem Ableitungssuffix -tum:
    Altertum [ˈaltɐtuːm], Bistum [ˈbɪstuːm]

5. spricht man kurzes geschlossenes ü [y] in französischen Wörtern vor einem Konsonantenbuchstaben oder vor einem zur nächsten Silbe gehörenden Vokal:
    Bruitismus [bryiˈtɪsmʊs], gluant [ɡlyˈãː], Kommuniqué [kɔmyniˈkeː]

6. spricht man unsilbisches ü [ỹ] in französischen Wörtern vor einem zu derselben Silbe gehörenden Vokal (vgl. S. 42):
    Nuance [ˈnỹãːsə], Tuilerien [tỹiləˈriːən]

7. spricht man kurzes offenes ü [ʏ] in französischen Wörtern meist vor mehreren Konsonantenbuchstaben:
    Budget [bʏˈd͡ʒeː], Bulletin [bʏlˈtɛ̃ː], Surrealismus [zʏreaˈlɪsmʊs] (neben: [zʊr...])

8. Man spricht den w-Laut [v] in qu (ausgenommen qu, Absatz 2):
    Antiqua [anˈtiːkva], Qual [kvaːl], Quelle [ˈkvɛlə], Quirl [kvɪrl], Quotient [kvoˈt͡si̯ɛnt], ebenso in einigen französischen Wörtern vor i:
    Biskuit [bɪsˈkviːt], Etui [ɛtˈviː], Suite [ˈsviːtə]

ü ....

Betont

1. spricht man langes geschlossenes ü [yː]:

    a) wenn im Stamm nur ein Konsonantenbuchstabe (außer x) folgt:
    Füße [ˈfyːsə], Gemüt [ɡəˈmyːt], grüß-t [ɡryːst], Tüte [ˈtyːtə], Vestibül [vɛstiˈbyːl]

    b) wenn mehrere Konsonantenbuchstaben folgen, aber eine Nebenform oder der Stamm langes geschlossenes ü [yː] hat:
    bügle [ˈbyːɡlə] (Nebenform: bügele [ˈbyːɡələ]), Lügner [ˈlyːɡnɐ] (Stamm: lüg[e]n [ˈlyːɡ[ə]n])

    c) wenn verwandte Formen mit langem geschlossenem u [uː] bestehen (vgl. u, A, 1):
    hüsteln [ˈhyːstl̩n] (zu: Husten [ˈhuːstn̩]), Tücher [ˈtyːçɐ] (zu: Tuch [tuːx])

    d) am Wortende:
    atü [aˈtyː], hottehü [hɔtəˈhyː], Menü [meˈnyː], Parvenü [parvəˈnyː]

    e) in:
    düster, Küchlein (kleiner Kuchen; Küken), Nüster (auch: Nüster), Plüsch (auch: Plüsch), Rübsen, Rüsche, Trüsche (auch: Trüsche), wüst, Wüste u. a.

2. spricht man kurzes offenes ü [ʏ]:
    a) vor x oder vor mehreren zum Stamm gehörenden Konsonantenbuch-
    staben (sofern nicht unter ü, Absatz A, 1 erfasst):
    Büx [bʏks], füllen [ˈfʏlən], rüsten [ˈrʏstn̩], stülpen [ˈʃtʏlpn̩], wüsste [ˈvʏstə]

    b) in:
    gebürtig [gəˈbʏrtɪç], Gelübde [gəˈlʏpdə] u. a.

    Unbetont
1. spricht man kurzes geschlossenes ü [y]:
    a) vor einem Konsonantenbuchstaben + Vokalbuchstaben:
    amüsieren [amyˈziːrən], Büro [byˈroː], debütieren [debyˈtiːrən]

    b) am Wortende:
    Akü-sprache [ˈakyʃpraːxə]

2. spricht man kurzes offenes ü [ʏ] vor mehreren zum Stamm gehörenden
    Konsonantenbuchstaben:
    Küsterei [kʏstəˈrai̯], reüssieren [reʏˈsiːrən], süffisant [zʏfiˈzant]

3. spricht man langes geschlossenes ü [yː]:
    a) in -mütig und -tüm-:
    altertümlich [ˈaltɐtyːmlɪç], Bistümer [ˈbɪstyːmɐ], demütig [ˈdeːmyːtɪç]

    b) in Ableitungen auf -ei, wenn in der einfachen Form die entspre-
    chende Silbe langes geschlossenes ü [yː] hat:
    Bücherei [byçəˈrai̯] (zu: Bücher), Wüstenei [vyːstəˈnai̯] (zu: Wüste)

ue..
1. Man spricht wie ü (vgl. ü) in bestimmten Namen:
    Duesterberg [ˈdyːstɐbɛrk], Mueller [ˈmʏlɐ]

2. Man spricht langes geschlossenes u [uː] in bestimmten Namen:
    Buer [buːɐ̯], Kues [kuːs]

uh..
    Man spricht langes geschlossenes u [uː]:
    Buhlerei [buːləˈrai̯], fuhrst [fuːɐ̯st], Kuh [kuː], Ruhe [ˈruːə]

üh..
    Man spricht langes geschlossenes ü [yː]:
    früh [fryː], rührst [ryːɐ̯st], Schühchen [ˈʃyːçən], Wühlerei [vyːləˈrai̯]

ui..
    Man spricht langes geschlossenes ü [yː] in bestimmten Namen:
    Duisburg [ˈdyːsbʊrk], Juist [jyːst]

um..
    Man spricht langes nasales ö [œ̃ː] in:
    Parfum [parˈfœ̃ː]

v

1. Man spricht den f-Laut [f]:
   a) in deutschen Wörtern und in einigen wenigen häufig gebrauchten Fremdwörtern:
   Larve ['larfə], Nerven ['nɛrfn̩], Vers [fɛrs], Vogel ['foːgl̩], von [fɔn]

   b) am Wortende und vor stimmlosen Konsonanten:
   aktiv [ak'tiːf], aktivst [ak'tiːfst], drivt [draɪft], Levkoje [lɛf'koːje], luvt [luːft]

   c) vor den Ableitungssilben -bar, -chen, -haft, -heit, -lein, -lich, -ling, -lings, -los, -nis, -sal, -sam, -schaft, -tum, -wärts:
   luvbar ['luːfbaːɐ̯], luvwärts ['luːfvɛrts]

2. sonst spricht man den w-Laut [v]:
   aktive [ak'tiːvə], nervös [nɛr'vøːs], Violine [vi̯o'liːnə], Vokal [vo'kaːl]

w

1. Man spricht den w-Laut [v]:
   Löwe ['løːvə], powre ['poːvrə], Watt [vat], was [vas], Wrack [vrak]

2. Man spricht den f-Laut [f]:
   a) vor stimmlosen Konsonanten und am Wortende:
   Litewka [li'tɛfka], Löwchen ['løːfçən], stow! [ʃtoːf], stowst [ʃtoːfst]

   b) vor den Ableitungssilben -bar, -chen, -haft, -heit, -lein, -lich, -ling, -lings, -los, -nis, -sal, -sam, -schaft, -sel, -tum, wärts:
   stowbar ['ʃtoːfbaːɐ̯]

3. w ist stumm in den meisten deutschen Namen auf -ow:
   Bülow ['byːlo], Pankow ['paŋko], Teltower ['tɛltoɐ̯]

wh

   Man spricht den w-Laut [v]:
   Whipcord ['vɪpkɔrt], Whisky ['vɪski], Whist [vɪst]

ww

   Man spricht den w-Laut [v] in:
   Struwwelkopf ['ʃtrʊvl̩kɔpf], Struwwelpeter ['ʃtrʊvl̩peːtɐ]

x

   Man spricht [ks]:
   Hexe ['hɛksə], luxieren [lʊ'ksiːrən], Taxe ['taksə], Xylophon [ksylo'foːn]

y ....

Betont

1. spricht man langes geschlossenes ü [y:]:
   a) wenn im Stamm nur ein Konsonantenbuchstabe (außer x), nur ch, ph oder th folgt:
   Alkyl-s [al'ky:ls], Mythos ['my:tɔs], Psyche ['psy:çə], Triglyph [tri'gly:f]

   b) vor bl, br, chl, chr, cl, cr, dl, dr, gl, gr, kl, kr, phl, phr, pl, pr, th, thl, thr, tl, tr:
   Hybris ['hy:brɪs], Hydra ['hy:dra], Typhlon ['ty:flɔn], zyprisch ['tsy:prɪʃ]

   c) vor einem zur nächsten Silbe gehörenden Vokal:
   Dryas ['dry:as], Dyas ['dy:as], Zyathus ['tsy:atʊs]

   d) am Wortende:
   My [my:], Ny [ny:]

2. spricht man kurzes offenes ü [ʏ]:
   a) vor x oder vor mehreren zum Stamm gehörenden Konsonantenbuchstaben (sofern nicht unter y, Absatz A, 1 erfasst):
   Abyssus [a'bʏsʊs], Hymne ['hʏmnə], Myrrhe ['mʏrə], Pyxis ['pʏksɪs]

   b) in:
   Amaryl [ama'rʏl]

3. spricht man wie i (vgl. i) in vereinzelten Namen und Fremdwörtern:
   Gysi ['gi:zi], Kyffhäuser ['kɪfhɔyzɐ], Schwyz [ʃvi:ts], Ylang-Ylang ['i:laŋ-'li:laŋ], Ysop ['i:zɔp] u. a.

4. spricht man den Diphthong [ai] in englischen Wörtern:
   dry [drai], Flyer ['flaiɐ], Nylon ['nailɔn]

Unbetont

1. spricht man kurzes geschlossenes ü [y]:
   a) vor einem Konsonantenbuchstaben (außer x), vor bl, br, chl, chr, cl, cr, dl, dr, gl, gr, kl, kr, ph, phl, phr, pl, pr, th, thl, thr, tl, tr + Vokalbuchstabe:
   Dynastie [dynas'ti:], Hygrometer [hygro'me:tɐ], Typhlitis [ty'fli:tɪs], Zypresse [tsy'prɛsə]

   b) vor Vokal: nach b, c, ch, d, f, g, k, p, ph, s, t, th, v, w, x, z + l, m, n, r (vgl. S. 42):
   Bryonie [bry'o:nĭə], Dryade [dry'a:də], Kryoskop [kryo'sko:p], Phlyaken [fly'a:kn̩]

   c) am Wortende:
   Platy ['pla:ty]

   d) z. T. in griechischen Zusammensetzungen mit -y-, wenn die Zusammensetzung gefühlt wird und wo sonst kurzes offenes ü [ʏ] zu erwarten ist (vgl. S. 43):
   brachystyl [braxy'sty:l], Polyspermie [polyspɛr'mi:]

e) in psych- (zu: Psyche):
Psychiater [psyˈçi̯a:tɐ], Psychologe [psyçoˈlo:gə]

2. spricht man unsilbisches ü [ỹ] vor einem zu derselben Silbe gehörendem Vokal (vgl. S. 42):
Karyopse [kaˈrỹɔpsə], Kyaxares [kỹaˈksa:rɛs], Zyanose [tsỹaˈno:zə]

3. spricht man kurzes offenes ü [ʏ]:
a) vor x oder vor mehreren zum Stamm gehörenden Konsonantenbuchstaben (sofern nicht unter y, Absatz B, 1 erfasst):
abyssal [abʏˈsa:l], Hypnose [hʏpˈno:zə], Myxom [mʏˈkso:m], Pygmäe [pʏˈgmɛ:ə]

b) vor Konsonant am Wortende:
Onyx [ˈo:nʏks], Satyr [ˈza:tʏr], Tethys [ˈte:tʏs]

4. spricht man kurzes geschlossenes i [i] am Wortende in deutschen Namen und englischen Wörtern:
Dandy [ˈdɛndi], Geigy [ˈgai̯gi], groggy [ˈgrɔgi], Lady [ˈle:di], Sherry [ˈʃɛri]

5. spricht man kurzes geschlossenes i [i] (auch: [y]) in:
Zylinder [tsiˈlɪndɐ] (auch: [tsyˈlɪndɐ]

6. Man spricht den Konsonanten [j] in einigen nichtgriechischen Fremdwörtern vor Vokal:
Kyu [kju:], Rayon [rɛˈjõ:], Riyal [riˈja:l], Yohimbin [johɪmˈbi:n]

z ....

1. Man spricht den z-Laut [ts] in deutschen, griechischen, lateinischen, italienischen und anderssprachigen Wörtern:
Flöz [flø:ts], sforzando [sfɔrˈtsando], Zar [tsa:ɐ], Zentrum [ˈtsɛntrʊm], Zoo [tso:]

2. Man spricht stimmhaftes („weiches") s [z] in wenigen englischen, französischen und anderssprachigen Fremdwörtern:
Gaze [ˈga:zə], Vezier [veˈzi:ɐ], Zero [ˈze:ro], Zoom (Objektiv) [zu:m]

3. Man spricht stimmloses („scharfes") s [s] in:
Bronze [ˈbrõ:sə], Quiz [kvɪs]

4. z ist stumm am Wortende in französischen Wörtern:
Cachenez [kaʃˈne:], gardez! [garˈde:], Pincenez [pɛ̃sˈne:]

zz ....

Man spricht den z-Laut [ts]:
Razzia [ˈratsi̯a], Skizze [ˈskɪtsə], Strizzi [ˈʃtrɪtsi], Terrazzo [tɛˈratso]

I. Zur Aussprache fremder Sprachen[1]

Für die meisten Stichwörter, die keine Eigennamen sind, wird eine deutsche Aussprache gegeben; Beispiele: Doyen [do̯a'jɛ̃:], die französische Aussprache [dwa'jɛ̃] fehlt; Quiz [kvɪs], die englische Aussprache [kwɪz] fehlt. Leser, die sich für die fremdsprachliche Aussprache solcher Stichwörter interessieren, können folgende Nachschlagwerke zurate ziehen: 1. im Literaturverzeichnis (S. 877–878) angeführte fremdsprachige Aussprachewörterbücher, 2. fremdsprachige einsprachige Wörterbücher und Nachschlagewerke mit Ausspracheangaben, 3. zweisprachige Wörterbücher mit Angabe der fremdsprachlichen Aussprache.

Eigennamen aus toten Sprachen, aus dem Arabischen und einigen anderen Sprachen erscheinen mit deutscher Aussprache; Beispiele: Aristoteles [arɪs-'to:telɛs], Abd Al Hamid ['apt alha'mi:t]. Eigennamen aus Indien und einigen anderen Ländern haben englische Lautschrift; Beispiel: Bangalore [bæŋgə'lɔ:]. Für einige bekannte Eigennamen kann die Aussprache deutsch und fremdsprachlich sein; Beispiele: Reims [raims, *fr.* rɛ̃:s], Shakespeare ['ʃe:kspi:ɐ̯, *engl.* 'ʃeɪkspɪə]. Für die meisten Eigennamen– besonders für weniger bekannte – wird die Aussprache in der Fremdsprache gegeben; Beispiele: Estoril [*port.* ɪʃtu'ril], Saint-Louis [*fr.* sɛ̃'lwi], Schenectady [*engl.* skɪ'nɛktədɪ]. – Als Mindestforderung darf gelten, dass die Betonung (Stärkebetonung) beachtet wird; Beispiele: Kękkonen, Ụranus; nicht: Kekkonen, Uranus.

Im Übrigen entscheiden u. a. folgende Umstände bei der Forderung nach einer mehr oder weniger fremdsprachegerechten Aussprache nicht eingedeutschter Wörter:

Verbreitung einer Fremdsprache
Da z. B. das Englische als Fremdsprache im deutschen Sprachgebiet eine viel größere Bedeutung hat als das Russische, wird man bestrebt sein, das Englische eher als echt fremdsprachlich auszusprechen als das Russische.

Nachbarschaft einer Fremdsprache
Im österreichischen Bundesland Kärnten wird man eher als in Schleswig-Holstein versuchen, das Slowenische echt slowenisch auszusprechen. In Schleswig-Holstein wird man sich mehr als in Kärnten darum bemühen, das Dänische echt dänisch auszusprechen.

Länge der Textteile
Je länger nicht unterbrochene fremdsprachliche Teile innerhalb eines deutschen Textes sind, umso mehr versucht man, sie nach der Fremdsprache auszusprechen. John Fitzgerald Kennedy wird man mehr englisch aussprechen als Kennedy allein.

---

1   Eine Ergänzung zu diesem Kapitel ist der Duden-Beitrag Nr. 13: Mangold, Max: Aussprachelehre der bekannteren Fremdsprachen, Mannheim, 1964.

Wichtigkeit und Geltungsdauer der Wörter
Beim Namen einer in die Geschichte eingehenden Persönlichkeit ist die richtige Aussprache eher angebracht als bei Namen rasch vergessener Tagesberühmtheiten.

Gesprächsgegenstand und das Verhältnis zwischen Sprecher und Hörer
Wenn ein deutschsprachiger Fachmann vor einem des Portugiesischen unkundigen Publikum über portugiesische Literatur spricht, so wird er dennoch portugiesische Namen möglichst portugiesisch aussprechen. Im Fernsehen wird ein Fußballreporter sich nur wenig um die echt portugiesische Aussprache der Namen portugiesischer Fußballspieler bemühen; erstens wäre er dazu im Allgemeinen nicht in der Lage, zweitens würde eine allzu portugiesische Aussprache die angesprochenen Fernsehzuschauer nur unnötig ablenken und befremden. Es bleibt daher weitgehend dem Einfühlungsvermögen und Geschick des Sprechenden überlassen, die im Wörterverzeichnis gegebenen fremdsprachlichen Aussprachen so zu benutzen, wie es ihm, den Hörenden und der Sprechlage entspricht.

Im Folgenden werden für bestimmte Fremdsprachen Aussprachetabellen gebracht, ferner kurze Bemerkungen zur Betonung und Aussprache weiterer Fremdsprachen.

I. Aussprachetabellen

Die Aussprachetabellen zeigen, welche Buchstaben welchen Lauten in der betreffenden Sprache entsprechen, wenn nötig in Abhängigkeit von der Stellung der Buchstaben und Laute, wobei unter Stellung die vorausgehenden und folgenden Buchstaben oder Laute zu verstehen sind; außerdem zeigen sie auch die Betonung und die Häufigkeit. Für die einzelnen Regeln wird zum besseren Verständnis ein Beispielwort mit voller fremdsprachlicher Lautschrift geboten. Aufgenommen sind Buchstaben, deren Aussprache für den deutschsprachigen Leser ungewohnt oder schwierig erscheinen mag. Die Tabellen sollen ihm helfen, eine allzu abwegige Aussprache fremdsprachlicher Wörter zu vermeiden. Sie erheben keinen Anspruch auf Vollständigkeit und versetzen ihn somit nicht in die Lage, für ganze Wörter fremdsprachliche Lautschriften zu erstellen.

Albanisch

Buch-stabe	Laut	Beispiel	Buch-stabe	Laut	Beispiel
c	[ts]	Cemi ['tsemi]	sh	[ʃ]	Shehu ['ʃehu]
ç	[tʃ]	Çami ['tʃami]	th	[θ]	Thethi ['θeθi]
dh	[ð]	Dhimo ['ðimo]	v	[v]	Vasa ['vasa]
ë	[ə]	Vlorë ['vlorə]	x	[dz]	Xega ['dzega]
g	[gj]	Gjoka ['gjoka]	xh	[dʒ]	Hoxha ['hodʒa]
ll	[ɫ]	Lleshi ['ɫeʃi]	y	[y]	Ypi ['ypi]
q	[kj]	Qafa ['kjafa]	z	[z]	Zeka ['zeka]
s	[s]	Sako ['sako]	zh	[ʒ]	Zhepa ['ʒepa]

[kj, gj] ist genauer: [tɕ, dz] (z. B. Gjoka ['gjoka], genauer: ['dzoka]). Betonte
Vokale sind halblang bis kurz, unbetonte Vokale sind kurz. Die Betonung
liegt je nach Wort auf einer bestimmten Silbe.

Brasilianisch

Buchstabe	Laut	Stellung	Beispiel
ão	[ẽu̯]		Cão [kẽu̯]
c	[s]	vor e, i	Cipó [si'pɔ]
	[k]	in anderen Stellungen	Café [ka'fɛ]
ç	[s]		Içá [i'sa]
ch	[ʃ]		Chaves ['ʃavis]
e	[i]	unbetont am Wortende	Acre ['akri]
é	[ɛ]		Café [ka'fɛ]
ém	[ẽi̯]		Belém [be'lẽi̯]
es	[is]	am Wortende	Chaves ['ʃavis]
g	[ʒ]	vor e, i	Magé [ma'ʒɛ]
	[g]	in anderen Stellungen	Garça ['garsa]
gu	[g]	vor e, i	Guinda ['ginda]
h	stumm		Herval [er'val]
j	[ʒ]		Jaicós [ʒai̯'kɔs]
lh	[ʎ]		Filho ['fiʎu]
nh	[ɲ]		Varginha [var'ʒiɲa]
o	[u]	unbetont am Wortende	Paulo ['pau̯lu]
ó	[ɔ]		Cipó [si'pɔ]
ô	[o]		Antônio [ɐn'toni̯u]
os	[us]	unbetont am Wortende	Quadros ['ku̯adrus]
ou	[o]		Ouro ['oru]
qu	[k]	vor e, i	Quixadá [kiʃa'da]
s	[z]	zwischen Vokalen	José [ʒo'zɛ]
	[s]	in anderen Stellungen	Souza ['soza]

Buchstabe	Laut	Stellung	Beispiel
ss	[s]		Passos ['pasus]
v	[v]		Vasques ['vaskis]
x	[ʃ]		Xingu [ʃiŋ'gu]
z	[s]	am Wortende	Vaz [vas]
	[z]	in anderen Stellungen	Zé [zɛ]

Betonte Vokale sind halblang bis kurz, unbetonte Vokale sind kurz. Für die Betonung und ihre Bezeichnung vgl. Portugiesisch, S. 120.

Chinesisch

Buchstabe	Buchstabe	Laut	Buchstabe	Buchstabe	Laut
a	a	a	chang	ch'ang	tʃaŋ
ai	ai	ai̯	chao	ch'ao	tʃau̯
an	an	an	che	ch'e	tʃʌ
ang	ang	aŋ	chen	ch'en	tʃən
ao	ao	au̯	cheng	ch'eng	tʃəŋ
ba	pa	ba	chi	ch'ih	tʃɨ
bai	pai	bai̯	chong	ch'ung	tʃʊŋ
ban	pan	ban	chou	ch'ou	tʃou̯
bang	pang	baŋ	chu	ch'u	tʃu
bao	pao	bau̯	chua	ch'ua	tʃu̯a
bei	pei	bei̯	chuai	ch'uai	tʃu̯ai̯
ben	pen	bən	chuan	ch'uan	tʃu̯an
beng	peng	bəŋ	chuang	ch'uang	tʃu̯aŋ
bi	pi	bi	chui	ch'ui	tʃu̯ei̯
bian	pien	bi̯ɛn	chun	ch'un	tʃu̯ən
biao	piao	bi̯au̯	chuo	ch'o, ch'uo	tʃu̯ɔ
bie	pieh	bi̯ɛ	ci	tz'u	tsɨ
bin	pin	bɪn	cong	ts'ung	tsʊŋ
bing	ping	bɪŋ	cou	ts'ou	tsou̯
bo	po	bɔ	cu	ts'u	tsu
bu	pu	bu	cuan	ts'uan	tsu̯an
ca	ts'a	tsa	cui	ts'ui	tsu̯ei̯
cai	ts'ai	tsai̯	cun	ts'un	tsu̯ən
can	ts'an	tsan	cuo	ts'o, ts'uo	tsu̯ɔ
cang	ts'ang	tsaŋ	da	ta	da
cao	ts'ao	tsau̯	dai	tai	dai̯
ce	ts'e	tsʌ	dan	tan	dan
cei	(ts'ei)	tsei̯	dang	tang	daŋ
cen	ts'en	tsən	dao	tao	dau̯
ceng	ts'eng	tsəŋ	de	te	dʌ
cha	ch'a	tʃa	dei	tei	dei̯
chai	ch'a	tʃai̯	den	(ten)	dən
chan	ch'ai	tʃan	deng	teng	dəŋ

Buchstabe	Buchstabe	Laut	Buchstabe	Buchstabe	Laut
di	ti	di	hang	hang	xaŋ
dian	tien	di̯ɛn	hao	hao	xau̯
diao	tiao	di̯au̯	he	he, heh, ho	xʌ
die	tieh	di̯ɛ	hei	hei	xei̯
ding	ting	dɪŋ	hen	hen	xən
diu	tiu	di̯ou̯	heng	heng	xəŋ
dong	tung	dʊŋ	hong	hung	xʊŋ
dou	tou	dou̯	hou	hou	xou̯
du	tu	du	hu	hu	xu
duan	tuan	du̯an	hua	hua	xu̯a
dui	tui	du̯ei̯	huai	huai	xu̯ai̯
dun	tun	du̯ən	huan	huan	xu̯an
duo	to	du̯ɔ	huang	huang	xu̯aŋ
e	e, o	ʌ	hui	hui	xu̯ei̯
en	en	ən	hun	hun	xu̯ən
er	erh	ʌr	huo	huo	xu̯ɔ
fa	fa	fa	ji	chi	dʑi
fan	fan	fan	jia	chia	dʑi̯a
fang	fang	faŋ	jian	chien	dʑi̯ɛn
fei	fei	fei̯	jiang	chiang	dʑi̯aŋ
fen	fen	fən	jiao	chiao	dʑi̯au̯
feng	feng	fəŋ	jie	chie, chieh	dʑi̯ɛ
fo	fo	fɔ	jin	chin	dʑɪn
fou	fou	fou̯	jing	ching	dʑɪŋ
fu	fu	fu	jiong	chiung	dʑi̯ʊŋ
ga	ka	ga	jiu	chiu	dʑi̯ou̯
gai	kai	gai̯	ju	chü	dʑy
gan	kan	gan	juan	chüan	dʑy̆ɛn
gang	kang	gaŋ	jue	chüeh	dʑy̆ɛ
gao	kao	gau̯	jun	chün	dʑyn
ge	ke, ko	gʌ	ka	k'a	ka
gei	kei	gei̯	kai	k'ai	kai̯
gen	ken	gən	kan	k'an	kan
geng	keng	gəŋ	kang	k'ang	kaŋ
gong	kung	gʊŋ	kao	k'ao	kau̯
gou	kou	gou̯	ke	k'e, k'eh,	kʌ
gu	ku	gu		k'o	
gua	kua	gu̯a	kei	k'ei	kei̯
guai	kuai	gu̯ai̯	ken	k'en	kən
guan	kuan	gu̯an	keng	k'eng	kəŋ
guang	kuang	gu̯aŋ	kong	k'ung	kʊŋ
gui	kuei	gu̯ei̯	kou	k'ou	kou̯
gun	kun	gu̯ən	ku	k'u	ku
guo	kuo	gu̯ɔ	kua	k'ua	ku̯a
ha	ha	xa	kuai	k'uai	ku̯ai̯
hai	hai	xai̯	kuan	k'uan	ku̯an
han	han	xan	kuang	k'uang	ku̯aŋ

Buchstabe	Buchstabe	Laut	Buchstabe	Buchstabe	Laut
kui	k'uei	ku̯ei̯	mu	mu	mu
kun	k'un	ku̯ən	na	na	na
kuo	k'uo	ku̯ɔ	nai	nai	nai̯
la	la	la	nan	nan	nan
lai	lai	lai̯	nang	nang	naŋ
lan	lan	lan	nao	nao	nau̯
lang	lang	laŋ	nei	nei	nei̯
lao	lao	lau̯	nen	nen	nən
le	le, leh	lʌ	neng	neng	nəŋ
lei	lei	lei̯	ni	ni	ni
leng	leng	ləŋ	nian	nien	ni̯ɛn
li	li	li	niang	niang	ni̯aŋ
lia	lia	li̯a	niao	niao	ni̯au̯
lian	lien	li̯ɛn	nie	nieh	ni̯ɛ
liang	liang	li̯aŋ	nin	nin	nɪn
liao	liao	li̯au̯	ning	ning	nɪŋ
lie	lieh	li̯ɛ	niu	niu	ni̯ou̯
lin	lin	lɪn	nong	nung	nʊŋ
ling	ling	lɪŋ	nou	nou	nou̯
liu	liou	li̯ou̯	nu	nu	nu
long	lung	lʊŋ	nü	nü	ny
lou	lou	lou̯	nuan	nuan	nu̯an
lu	lu	lu	nüe	nüeh	nỹɛ
lü	lü	ly	nun	nun	nu̯ən
luan	luan	lu̯an	nuo	no	nu̯ɔ
lüan	lüan	lỹɛn	ou	ou	ou̯
lüe	lüeh, lioh	lỹɛ	pa	p'a	pa
lun	lun	lu̯ən	pai	p'ai	pai̯
lün	lün	lʏn	pan	p'an	pan
luo	lo	lu̯ɔ	pang	p'ang	paŋ
ma	ma	ma	pao	p'ao	pau̯
mai	mai	mai̯	pei	p'ei	pei̯
man	man	man	pen	p'en	pən
mang	mang	maŋ	peng	p'eng	pəŋ
mao	mao	mau̯	pi	p'i	pi
mei	mei	mei̯	pian	p'ien	pi̯ɛn
men	men	mən	piao	p'iao	pi̯au̯
meng	meng	məŋ	pie	p'ieh	pi̯ɛ
mi	mi	mi	pin	p'in	pɪn
mian	mien	mi̯ɛn	ping	p'ing	pɪŋ
miao	miao	mi̯au̯	po	p'o	pɔ
mie	mieh	mi̯ɛ	pou	p'ou	pou̯
min	min	mɪn	pu	p'u	pu
ming	ming	mɪŋ	qi	ch'i	tɕi
miu	miu	mi̯ou̯	qia	ch'ia	tɕi̯a
mo	mo	mɔ	qian	ch'ien	tɕi̯ɛn
mou	mou	mou̯	qiang	ch'iang	tɕi̯aŋ

Buchstabe	Buchstabe	Laut	Buchstabe	Buchstabe	Laut
qiao	ch'iao	tɕi̯au̯	shu	shu	ʃu
qie	ch'ieh	tɕi̯ɛ	shua	shua	ʃu̯a
qin	ch'in	tɕɪn	shuai	shuai	ʃu̯ai̯
qing	ch'ing	tɕɪŋ	shuan	shuan	ʃu̯an
qiong	ch'iung	tɕi̯ʊŋ	shuang	shuang	ʃu̯aŋ
qiu	ch'iu	tɕi̯ou̯	shui	shui	ʃu̯ei̯
qu	ch'ü	tɕy	shun	shun	ʃu̯ən
quan	ch'üan, ts'üan	tɕy̯ɛn	shuo	shuo	ʃu̯ɔ
			si	ssu	si̴
que	ch'üeh, ch'üoh	tɕy̯ɛ	song	sung	sʊŋ
			sou	sou	sou̯
qun	ch'ün	tɕyn	su	su	su
ran	jan	ran	suan	suan	su̯an
rang	jang	raŋ	sui	sui	su̯ei̯
rao	jao	rau̯	sun	sun	su̯ən
re	je	rʌ	suo	so, suo	su̯ɔ
ren	jen	rən	ta	t'a	ta
reng	jeng	rəŋ	tai	t'ai	tai̯
ri	jih	ri̴	tan	t'an	tan
rong	jung	rʊŋ	tang	t'ang	taŋ
rou	jou	rou̯	tao	t'ao	tau̯
ru	ju	ru	te	t'e, t'eh	tʌ
rua	(jua)	ru̯a	tei	(tei)	tei̯
ruan	juan	ru̯an	teng	t'eng	təŋ
rui	jui	ru̯ei̯	ti	t'i	ti
run	jun	ru̯ən	tian	t'ien	ti̯ɛn
ruo	jo	ru̯ɔ	tiao	t'iao	ti̯au̯
sa	sa	sa	tie	t'ieh	ti̯ɛ
sai	sai	sai̯	ting	t'ing	tɪŋ
san	san	san	tong	t'ung	tʊŋ
sang	sang	saŋ	tou	t'ou	tou̯
sao	sao	sau̯	tu	t'u	tu
se	se, seh	sʌ	tuan	t'uan	tu̯an
sei	(sei)	sei̯	tui	t'ui	tu̯ei̯
sen	sen	sən	tun	t'un	tu̯ən
seng	seng	səŋ	tuo	t'o, t'uo	tu̯ɔ
sha	sha	ʃa	wa	wa	u̯a
shai	shai	ʃai̯	wai	wai	u̯ai̯
shan	shan	ʃan	wan	wan	u̯an
shang	shang	ʃaŋ	wang	wang	u̯aŋ
shao	shao	ʃau̯	wei	wei	u̯ei̯
she	she, sheh	ʃʌ	wen	wen	u̯ən
shei	(shei)	ʃei̯	weng	weng	u̯əŋ
shen	shen	ʃən	wo	wo	u̯ɔ
sheng	sheng	ʃəŋ	wu	wu	u̯u
shi	shih	ʃi̴	xi	hsi̴, si	ɕi
shou	shou	ʃou̯	xia	hsia	ɕi̯a

Buchstabe	Buchstabe	Laut	Buchstabe	Buchstabe	Laut
xian	hsien, sien	ɕi̯ɛn	ze	tse	dzʌ
xiang	hsiang, siang	ɕi̯aŋ	zei	tsei	dzei̯
			zen	tsen	dzən
xiao	hsiao, siao	ɕi̯au̯	zeng	tseng	dzəŋ
xie	hsieh, sieh	ɕi̯ɛ	zha	cha	dʒa
xin	hsin, sin	ɕɪn	zhai	chai	dʒai̯
xing	hsing, sing	ɕɪŋ	zhan	chan	dʒan
xiong	hsiung	ɕi̯ʊŋ	zhang	chang	dʒaŋ
xiu	hsiu, siu	ɕi̯ou̯	zhao	chao	dʒau̯
xu	hsü, sü	ɕy	zhe	che, cheh	dʒʌ
xuan	hsüan, süan	ɕy̆ɛn	zhen	chen	dʒən
xue	hsüeh, süeh	ɕy̆ɛ	zheng	cheng	dʒəŋ
xun	hsün, sün	ɕyn	zhi	chih	dʒɿ
ya	ya	i̯a	zhong	chung	dʒʊŋ
yan	yen	i̯ɛn	zhou	chou	dʒou̯
yang	yang	i̯aŋ	zhu	chu	dʒu
yao	yao	i̯au̯	zhua	chua	dʒu̯a
ye	yeh	i̯ɛ	zhuai	chuai	dʒu̯ai̯
yi	i	i̯i	zhuan	chuan	dʒu̯an
yin	yin	i̯ɪn	zhuang	chuang	dʒu̯aŋ
ying	ying	i̯ɪŋ	zhui	chui	dʒu̯ei̯
yong	yung	i̯ʊŋ	zhun	chun	dʒu̯ən
you	yu	i̯ou̯	zhuo	cho, chuo	dʒu̯ɔ
yu	yü	i̯y	zi	tzu	dzɿ
yuan	yüan	y̆ɛn	zong	tsung	dzʊŋ
yue	yüeh, yo	y̆ɛ	zou	tsou	dzou̯
yun	yün	i̯yn	zu	tsu	dzu
za	tsa	dza	zuan	tsuan	dzu̯an
zai	tsai	dzai̯	zui	tsui	dzu̯ei̯
zan	tsan	dzan	zun	tsun	dzu̯ən
zang	tsang	dzaŋ	zuo	tso, tsuo	dzu̯ɔ
zao	tsao	dzau̯			

Die oben stehende Tabelle bringt die chinesischen Silben in der ersten Spalte in Pinyin-Transkription, in der zweiten Spalte in Wade-Transkription (genauer: Wade-Giles-Transkription) und in der dritten Spalte in Lautschrift. Im Wörterverzeichnis wird überwiegend Pinyin-Transkription verwendet unter Verzicht auf Wade-Transkription. Steht dort vor der Lautschrift die Abkürzung *chin.,* so steht das Stichwort in Pinyin. [p, t, k, tɕ, tʃ] sind stark behaucht, [b, d, g, dz, dʒ] sind stimmlos und unbehaucht. Ziffern hinter der Lautschrift bezeichnen die den einzelnen Silben innewohnenden Töne: 1 hoch-flach (Zeichen: ‾), 2 hoch-steigend (Zeichen: ′), 3 tief-fallend-steigend (Zeichen: ˇ), 4 hoch-fallend (Zeichen: ‵). Die Zeichen ‾ ′ ˇ ‵ werden in diesem Buch nicht verwendet. Beispiel: Beihai *chin.* bei̯xai̯ 33; der innewohnende Ton von bei̯ ist der Ton 3, ebenso derjenige von xai̯.

Italienisch

Buchstabe	Laut	Stellung	Beispiel
c	[tʃ]	vor *e, i*	Cino ['tʃi:no]
	[k]	in anderen Stellungen	Caro ['ka:ro]
cc	[ttʃ]	vor *e, i*	Bacci ['battʃi]
	[kk]	in anderen Stellungen	Sacco ['sakko]
cch	[kk]		Macchi ['makki]
cci	[ttʃ]	bei nicht gesprochenem *i*	Baccio ['battʃo]
ch	[k]		Chiara ['kja:ra]
ci	[tʃ]	bei nicht gesprochenem *i*	Ciano ['tʃa:no]
g	[dʒ]	vor *e, i*	Gina ['dʒi:na]
	[g]	in anderen Stellungen	Galli ['galli]
gg	[ddʒ]	vor *e, i*	Maggi ['maddʒi]
ggi	[ddʒ]	bei nicht gesprochenem *i*	Maggia ['maddʒa]
gh	[g]		Ghita ['gi:ta]
gi	[dʒ]	bei nicht gesprochenem *i*	Gianni ['dʒanni]
gl	[ʎʎ]	zwischen Vokal und gesprochenem *i*	Gigli ['dʒiʎʎi]
gli	[ʎʎ]	zwischen Vokalen	Oglio ['ɔʎʎo]
gn	[ɲɲ]	zwischen Vokalen	Cagni ['kaɲɲi]
s	[s]	zwischen Vokalen	Pisa ['pi:sa]
	[z]	zwischen Vokalen	Brusio ['bru:zjo]
	[z]	vor *b, d, g, l, m, n, r, v*	Caslano [kaz'la:no]
	[s]	in anderen Stellungen	Santi ['santi]
sc	[sk]	vor *a, o, u*	Scotto ['skɔtto]
	[sk]	vor Konsonant	Scroffa ['skrɔffa]
	[ʃ]	am Wortanfang vor *e, i*	Scelba ['ʃɛlba]
	[ʃʃ]	zwischen Vokal und *e, i*	Cresci ['kreʃʃi]
sch	[sk]		Schicchi ['skikki]
sci	[ʃ]	am Wortanfang bei nicht gesprochenem *i*	Sciutti ['ʃutti]
	[ʃʃ]	zwischen Vokalen bei nicht gesprochenem *i*	Brescia ['breʃʃa]
v	[v]		Vico ['vi:ko]
z	[tts]	zwischen Vokalen	Fabrizi [fa'brittsi]
	[ddz]	zwischen Vokalen	Azeglio [ad'dzeʎʎo]
	[ts]	in anderen Stellungen	Zoppi ['tsɔppi]
	[dz]	in anderen Stellungen	Zacchi ['dzakki]
zz	[tts]		Arezzo [a'rettso]
	[ddz]		Gozzo ['gɔddzo]

Doppelbuchstaben bezeichnen lange Laute; *pp* ist [pp], *ll* ist [ll] usw.; Beispiel: Cappuccilli [kapput'tʃilli]. Am häufigsten ist die zweitletzte Silbe betont (z. B. Verona), weniger häufig die drittletzte Silbe (z. B. Udine). *à, é, è, ì, ó, ò, ù* bezeichnen betonte Vokale (z. B. Cantù [kan'tu]).

Neugriechisch

Buchstabe	Laut	Stellung	Beispiel
ch	[ç]	vor *e, i*	Chios ['çiɔs]
	[x]	in anderen Stellungen	Chora ['xɔra]
d	[ð]	meistens	Delfi [ðɛl'fi]
	[d]	neugr. ντ	Dara ['dara]
ds	[dz]		Dsini ['dzini]
g	[ɣ]	meistens	Grammos ['ɣramɔs]
	[g]	neugr. γκ	Gura ['gura]
s	[z]	neugr. ζ	Sakinthos ['zakinθɔs]
	[s]	neugr. ç	Argos ['arɣɔs]
	[s]	*neugr. σ,* meistens	Sesi ['sɛsi]

Betonte Vokale sind halblang bis kurz, unbetonte Vokale sind kurz. Die Betonung liegt je nach Wort auf einer der drei letzten Silben.

Niederländisch

Buchstabe	Laut	Stellung	Beispiel
ae	[a:]		Laeken ['la:kə]
au	[ɔu̯]		Audra ['ɔu̯dra]
c	[s]	vor *e, i*	Citters ['sɪtərs]
	[k]	in anderen Stellungen	Claes [kla:s]
eeuw	[e:w]	vor Vokal	Leeuwe ['le:wə]
	[e:u̯]	in anderen Stellungen	Leeuw [le:u̯]
ei	[ɛi̯]		Heiloo [hɛi̯'lo:]
en	[ə]	am Wortende	Leiden ['lɛidə]
eu	[ø:]		Deurne ['dø:rnə]
g	[ɣ]		Gilze ['ɣɪlzə]
gg	[ɣ]		Brugge ['brʏɣə]
ie	[i:]	vor *r*	Dieren ['di:rə]
	[i]	in anderen Stellungen	Piet [pit]
ieuw	[iw]	vor Vokal	Nieuwerkerk ['niwərkɛrk]
	[iu̯]	in anderen Stellungen	Nieuwpoort ['niu̯po:rt]
ij	[ɛi̯]		Rijssen ['rɛi̯sə]
ng	[ŋ]		Angel ['ɑŋəl]
oe	[u:]	vor *r*	Boer [bu:r]
	[u]	in anderen Stellungen	Hoek [huk]
oei	[ui̯]		Hoei [hui̯]
ooi	[o:i̯]		Looi [lo:i̯]
ou	[ɔu̯]		Gouda ['ɣɔu̯da]
s	[s]		Soest [sust]
sch	[sx]	am Wortanfang	Schinnen ['sxɪnə]
	[sx]	z. T. im Wortinneren	Enschede ['ɛnsxədə]
	[s]	in anderen Stellungen	Bosch [bɔs]

Buchstabe	Laut	Stellung	Beispiel
u	[y:]	vor *r* plus Vokal	Buren ['by:rə]
	[y]	vor anderem Konsonan-ten-buchstaben plus Vokal	Drunen ['drynə]
	[ʏ]	meist in anderen Stellungen betont	Brussel ['brʏsəl]
ui	[œi̯]		Buinen ['bœi̯nə]
uu	[y:]	vor *r*	Ruur [ry:r]
uy	[œi̯]		Buys [bœi̯s]
v	[v]		Vlieland ['vlilɑnt]
w	[w]		Wijk [wɛi̯k]
y	[ɛi̯]		Dyck [dɛi̯k]
z	[z]		Zuilen ['zœi̯lə]

b, d, g werden am Wortende [p, t, x] gesprochen. Die Betonung ist ungefähr wie im Deutschen.

Norwegisch

Buchstabe	Laut	Stellung	Beispiel
æ	[æ:]		Ænes [ˌæ:ne:s]
	[æ]		Lærdal ['lærda:l]
	[e:]		Mæl [me:l]
å	[o:]		Bålen [ˌbo:lən]
	[ɔ]		Tårstad [ˌtɔrsta]
au	[œŷ]		Haug [hœŷg]
ei	[ɛi̯]		Geilo [ˌjɛi̯lu]
g	[j]	meist vor betontem *e, i, y*	Gyl [jy:l]
gj	[j]		Gjeving [ˌje:viŋ]
hj	[j]		Hjellum [ˌjɛlʉm]
hv	[v]		Hvitsten ['vitste:n]
k	[ç]	meist vor betontem *e, i, y*	Kisa [ˌçi:sa]
kj	[ç]		Kjose [ˌçu:sə]
lj	[j]		Ljan [ja:n]
o	[u:]		Lonin [ˌlu:nin]
	[u]		Onsaker [ˌunsa:kər]
	[o:]		Hov [ho:v]
	[ɔ]		Holla [ˌhɔla]
ø	[ø:]		Høle [ˌhø:lə]
	[œ]		Dønna [ˌdœna]
øy	[œi̯]		Gåsøy [ˌgo:sœi̯]
s	[s]		Søster ['sœstər]
sj	[ʃ]		Sjoa [ˌʃu:a]
sk	[ʃ]	vor betontem *e, i, y*	Ski [ʃi:]
skj	[ʃ]		Skjåk [ʃo:k]

Buchstabe	Laut	Stellung	Beispiel
u	[ʉː]		Sul [sʉːl]
	[ʉ]		Sunde [ˌsʉndə]
	[u]		Kumle [ˌkumlə]
v	[v]		Vinje [ˌvinjə]
y	[yː]		Byre [ˌbyːrə]
	[y]		Bykle [ˌbyklə]

Die Betonung ist ungefähr wie im Schwedischen (vgl. Schwedisch, S. 122).

Polnisch

Buchstabe	Laut	Stellung	Beispiel
ą	[õ]	vor *ch, f, rz, s, ś, sz, w, z, ż, ź*	Gąsawa [gõˈsava]
	[ɔm]	vor *b, p*	Gąbin [ˈgɔmbin]
	[ɔn]	vor *c, ć, cz, d, drz, dz, dż, dź, t, trz*	Bączek [ˈbɔntʃɛk]
	[ɔŋ]	vor *g, k*	Bąk [bɔŋk]
c	[tɕ]	vor *i*	Cisówka [tɕiˈsufka]
	[ts]	in anderen Stellungen	Potocka [pɔˈtɔtska]
ć	[tɕ]		Oćwięka [ɔtɕˈfjɛka]
ch	[x]		Chojnów [ˈxɔjnuf]
ci	[tɕ]	vor Vokal	Ciemnice [tɕɛmˈnitsɛ]
cz	[tʃ]		Czersk [tʃɛrsk]
ę	[ɛ̃]	vor *ch, f, rz, s, ś, sz, w, z, ż, ź*	Stęszew [ˈstɛ̃ʃɛf]
	[ɛm]	vor *b, p*	Dęblin [ˈdɛmblin]
	[ɛn]	vor *c, ć, cz, d, drz, dz, dż, dź, t, trz*	Bęndzin [ˈbɛndzin]
	[ɛŋ]	vor *g, k*	Łęg [u̯ɛŋk]
h	[x]		Hel [xɛl]
ł	[u̯]		Wisła [ˈvisu̯a]
ń	[i̯]	nach Vokal vor *ch, f, rz, s, ś, sz, w, z, ż, ź*	Biliński [biˈli̯iski]
	[i̯ŋ]	vor *g, k*	Mońki [ˈmɔi̯ŋki]
	[i̯n]	am Wortende nach Vokal	Toruń [ˈtɔrui̯n]
ó	[u]		Góra [ˈgura]
rz	[ʒ]		Rzeszów [ˈʒɛʃuf]
s	[ɕ]	vor *i*	Sinko [ˈɕiŋkɔ]
	[s]	in anderen Stellungen	Sąsek [ˈsasɛk]
ś	[ɕ]		Ośno [ˈɔɕnɔ]
si	[ɕ]	vor Vokal	Sianów [ˈɕanuf]
sz	[ʃ]		Sządek [ˈʃadɛk]
w	[v]		Witos [ˈvitɔs]
y	[ɨ]		Bytom [ˈbɨtɔm]

Buchstabe	Laut	Stellung	Beispiel
z	[z̧]	vor *i*	Zįn [zin]
	[z]	in anderen Stellungen	Zawąda [zaˈvada]
ż	[ʒ]		Żarǫwo [ʒaˈrɔvɔ]
ź	[z̧]		Rogóźno [rɔˈgɔznɔ]
zi	[z̧]	vor Vokal	Zięmba [ˈzɛmba]

b, d, g; rz, w, z, ż, ź werden am Wortende [p, t, k, ʃ, f, s, ʃ, ç] gesprochen.
Betonte Vokale sind halblang bis kurz, unbetonte Vokale sind kurz. Die
Betonung liegt meistens auf der zweitletzten Silbe.

Portugiesisch

Buchstabe	Laut	Stellung	Beispiel
ã	[ɐ̃]		Lousã [loˈzɐ̃]
ães	[ɐ̃iʃ]		Guimarães [gimɐˈrɐ̃iʃ]
ão	[ɐ̃u̯]		Cão [kɐ̃u̯]
c	[s]	vor *e, i*	Celso [ˈsɛlsu]
	[k]	in anderen Stellungen	Casal [kɐˈzal]
ç	[s]		Baço [ˈbasu]
b	[b]	am Wortanfang	Baça [ˈbasɐ]
	[b]	nach *l, m, r*	Pombal [pomˈbal]
	[β]	in anderen Stellungen	Bobo [ˈboβu]
ch	[ʃ]		Chiado [ˈʃi̯aðu]
d	[d]	am Wortanfang	Douro [ˈdoru]
	[d]	nach *l, n, r*	Caldas [ˈkaldɐʃ]
	[ð]	in anderen Stellungen	Vidago [viˈðaɣu]
é	[ɛ]		Évora [ˈɛvurɐ]
ê	[e]		Zêzere [ˈzezərə]
ei	[ɐi̯]		Leiria [lɐi̯ˈri̯ɐ]
em	[ɐ̃i̯]	am Wortende	Lajem [ˈlaʒɐ̃i̯]
ém	[ɐ̃i̯]		Belém [bəˈlɐ̃i̯]
g	[ʒ]	vor *e, i*	Gil [ʒil]
	[g]	am Wortanfang (nicht vor *e, i*)	Góis [gɔi̯ʃ]
	[g]	nach *l, n, r* (nicht vor *e, i*)	Felgar [fɛlˈgar]
	[ɣ]	in anderen Stellungen	Lagos [ˈlaɣuʃ]
gu	[g]	am Wortanfang vor *e, i*	Guiné [giˈnɛ]
		nach *l, n, r* vor *e, i*	Angueira [ɐŋˈgɐi̯rɐ]
	[ɣ]	vor *e, i* in anderen Stellungen	Aguiar [ɐˈɣi̯ar]
h	stumm		Horta [ˈɔrtɐ]
j	[ʒ]		Juncal [ʒuŋˈkal]
lh	[ʎ]		Batalha [bɐˈtaʎɐ]
nh	[ɲ]		Marinha [mɐˈriɲɐ]
o	[u]	unbetont meistens	Castro [ˈkaʃtru]

Buchstabe	Laut	Stellung	Beispiel
ó	[ɔ]		Póvoa [ˈpɔvṷɐ]
ões	[õį̃ʃ]		Camões [kaˈmõį̃ʃ]
ou	[o]		Douro [ˈdoru]
qu	[k]	vor *e, i*	Quental [kenˈtal]
s	[s]	am Wortanfang	Sá [sa]
	[s]	nach Konsonanten-buchstabe	Celso [ˈsɛlsu]
	[z]	zwischen Vokalen	Casal [kɐˈzal]
	[ʒ]	vor *b, d, g, l, n, r, v, z*	Lisboa [liʒˈboɐ]
	[ʃ]	am Wortende	Lagos [ˈlaɣuʃ]
	[ʃ]	vor *c, f, p, q, t*	Costa [ˈkɔʃtɐ]
ss	[s]		Bissau [biˈsaṷ]
v	[v]		Ivo [ˈivu]
x	[ʃ]	meistens	Xire [ˈʃirə]
z	[z]	vor Vokal	Zêzere [ˈzezərə]
	[ʃ]	am Wortende	Vaz [vaʃ]

Betonte Vokale sind halblang bis kurz, unbetonte Vokale sind kurz. Die Betonung ist in der Schrift folgendermaßen gekennzeichnet: a) Wörter, die auf Konsonantenbuchstabe plus a, am, as, e, em, ens, es, o, os enden, sind auf der zweitletzten Silbe betont, z. B. Costa [ˈkɔʃtɐ], Lajem [ˈlaʒẽį̃], Chaves [ˈʃaviʃ]. b) Wörter, die auf i oder u plus a, as, o, os enden, sind auf dem i oder u betont, z. B. Leiria [lɐį̃ˈriɐ], Rossio [rruˈsiu]. c) Der Akut und der Zirkumflex bezeichnen betonten Vokal, z. B. Mortágua [mɔrˈtaɣṷɐ], Grijó [griˈʒɔ], Grândola [ˈɡrɐndulɐ]. d) In den übrigen Fällen wird die letzte Silbe betont, z. B. Lousã [loˈzɐ̃], Portugal [purtuˈɣal], Queluz [kɛˈluʃ], Ribeirão [rriβɐį̃ˈrɐ̃ṷ].

Rumänisch

Buchstabe	Laut	Stellung	Beispiel
ă	[ə]		Măcin [məˈtʃin]
â	[ɨ]		Pârvan [pɨrˈvan]
c	[tʃ]	vor *e, i*	Cenad [tʃeˈnad]
	[k]	in anderen Stellungen	Cîrna [ˈkɨrna]
ch	[k]		Tache [ˈtake]
ci	[tʃ]	vor *o, u*	Ciuc [tʃuk]
e	[ie]	nach Vokal	Ploeşti [ploˈieʃtj]
	[e]	in anderen Stellungen meistens	Mereşti [meˈreʃtj]
g	[dʒ]	vor *e, i*	Ginta [ˈdʒinta]
	[ɡ]	in anderen Stellungen	Galaţi [ɡaˈlatsj]
gh	[ɡ]		Ghica [ˈɡika]
gi	[dʒ]	vor *o, u*	Giubega [dʒuˈbega]
î	[ɨ]		Bîrlad [bɨrˈlad]
j	[ʒ]		Dej [deʒ]
s	[s]		Sireţ [siˈret]

Buchstabe	Laut	Stellung	Beispiel
ş	[ʃ]		Argeş [ˈardʒeʃ]
ţ	[ts]		Haţeg [ˈhatseg]
v	[v]		Vasile [vaˈsile]
z	[z]		Zara [ˈzara]

Betonte Vokale sind halblang bis kurz, unbetonte Vokale sind kurz. Die
Betonung liegt je nach Wort auf einer bestimmten Silbe.

Schwedisch

Buchstabe	Laut	Stellung	Beispiel
å	[oː]		Åsaka [ˌoːsaka]
	[ɔ]		Långsele [ˈlɔŋsɛlə]
g	[j]	am Wortanfang vor ä, e, i, ö, y	Gösta [ˌjœsta]
	[j]	nach l, r am Wortende	Berg [bærj]
	[j]	nach l, r z. T. im Wortinneren	Helgum [ˌhɛljʊm]
	[ŋ]	zwischen kurzem Vokal und n	Tegnér [tɛŋˈneːr]
	[g]	in anderen Stellungen meistens	Glan [glɑːn]
gj	[j]	am Wortanfang	Gjerstad [ˈjæːrstɑːd]
hj	[j]	am Wortanfang	Hjo [juː]
k	[ç]	meist am Wortanfang vor ä, e, i, ö, y	Kil [çiːl]
	[k]	in anderen Stellungen	Kalix [ˈkɑːliks]
kj	[ç]	am Wortanfang	Kjellén [çɛˈleːn]
lj	[j]	am Wortanfang	Ljunga [ˌjʊŋa]
o	[uː]		Fole [ˌfuːlə]
	[u]		Okna [ˌukna]
	[oː]		Hov [hoːv]
	[ɔ]		Bolmen [ˈbɔlmən]
ö	[øː]		Köping [ˌçøːpiŋ]
	[œː]		Örebro [œrəˈbruː]
	[œ]		Östersund [œstərˈsʊnd]
s	[s]		Sala [ˌsɑːla]
sj	[ʃ]	am Wortanfang	Sjöström [ˌʃøːstrœm]
sk	[ʃ]	am Wortanfang vor ä, e, i, ö, y	Sköld [ʃœld]
	[ʃ]	z. T. im Wortinneren vor ä, e, i, ö, y	Askim [ˌaʃim]
skj	[ʃ]		Askjum [ˌaʃʊm]
stj	[ʃ]		Stjälpet [ˈʃɛlpət]
u	[ʉː]		Umeå [ˌʉːmɔː]
	[ʊ]		Lund [lʊnd]

Buchstabe	Laut	Stellung	Beispiel
v	[v]		Visby ['vi:sby]
y	[y:]		Myra [ˌmy:ra]
	[y]		Gyljen [ˌjyljən]
z	[s]		Zander ['sandər]

Die Betonung (Stärkebetonung) ist ähnlich der deutschen. Dazu kommt in mehrsilbigen Wörtern musikalische Betonung (musikalischer Akzent). Der einfache Ton (Akut) ist fallender Ton auf der stärkebetonten Silbe; er wird durch hochgestelltes Betonungszeichen gekennzeichnet, z. B. Tåkern ['to:kərn]. Der Doppelton (Gravis) ist fallender Ton auf der Silbe mit Hauptstärkebetonung und höher fallender Ton auf der folgenden Silbe, bei zusammengesetzten Wörtern auf der stärkebetonten Silbe des zweiten Wortes. Der Doppelton wird durch tiefgestelltes Betonungszeichen angegeben, z. B. Lomma [ˌluma].

Serbokroatisch

Buchstabe	Laut	Beispiel	Buchstabe	Laut	Beispiel
c	[ts]	Cret [tsrɛt]	s	[s]	Susak [ˌsu:sak]
ć	[tɕ]	Bihać [ˌbiha:tɕ]	š	[ʃ]	Šabac ['ʃabats]
č	[tʃ]	Čiovo ['tʃiɔvɔ]	z	[z]	Broz [brɔ:z]
đ	[dʑ]	Đorđe ['dʑɔ:rdʑɛ]	ž	[ʒ]	Žikin [ˌʒi:kin]

Vokale können kurz oder lang sein (z. B. Petar ['pɛtar], Belić [ˌbɛ:litɕ]). In mehrsilbigen Wörtern ist die Betonung (Stärkebetonung) nie auf der letzten Silbe. Die Stärkebetonung ist mit musikalischer Betonung (musikalischer Akzent) gekoppelt. Das hochgestellte Betonungszeichen gibt Stärkebetonung plus fallende musikalische Betonung an, z. B. Bosna ['bɔsna], Karlovac ['ka:rlɔvats]. Das tiefgestellte Betonungszeichen gibt Stärkebetonung plus steigende musikalische Betonung an, z. B. Gradiška [ˌgradiʃka], Livno [ˌli:vnɔ]. Einsilbige Wörter haben fallende musikalische Betonung, z. B. Broz [brɔ:z].

Slowenisch

Buchstabe	Laut	Stellung	Beispiel
c	[ts]		Ceglo ['tse:glɔ]
č	[tʃ]		Čepno ['tʃɛ:pnɔ]
h	[x]		Paha ['pa:xa]
l	[l]	vor Vokal	Laško ['la:ʃkɔ]
	[u̯]	in anderen Stellungen	Selnik ['se:u̯nik]
s	[s]		Sela ['se:la]
š	[ʃ]		Šomat ['ʃo:mat]

Buchstabe	Laut	Stellung	Beispiel
v	[v]	vor Vokal, *r, l;* zwischen *r* und *j*	Vrata ['vra:ta]
	[u̯]	in anderen Stellungen	Bevk [be:u̯k]
z	[z]		Zala ['za:la]
ž	[ʒ]		Žaga ['ʒa:ga]

b, d, g, z, ž werden am Wortende [p, t, k, s, ʃ] gesprochen (z. B. Grad [gra:t]).
e ist je nachdem [e:], [ɛ:], [e], [ɛ] oder [ə]; *o* [o:], [ɔ:], [o], [ɔ]. Betonte Vokale sind je nachdem lang oder kurz, unbetonte Vokale sind kurz. Die Betonung liegt je nach Wort auf einer bestimmten Silbe.

Spanisch

Buchstabe	Laut	Stellung	Beispiel
b	[b]	am Wortanfang	Barco ['barko]
	[b]	nach *m*	Ambato [am'bato]
	[β]	in anderen Stellungen	Cabra ['kaβra]
c	[θ]	vor *e, i*	Cinca ['θiŋka]
	[k]	in anderen Stellungen	Coca ['koka]
ch	[tʃ]		Chaco ['tʃako]
d	[d]	am Wortanfang	Darío [da'rio]
	[d]	nach *l, n*	Andes ['andes]
	[ð]	in anderen Stellungen	Prado ['praðo]
g	[x]	vor *e, i*	Gil [xil]
	[g]	am Wortanfang (nicht vor *e, i*)	Goya ['goja]
	[g]	nach *n* (nicht vor *e, i*)	Anga ['aŋga]
	[ɣ]	zwischen Vokalen (nicht vor *e, i*)	Laguna [la'ɣuna]
	[ɣ]	nach *b, d, f, l, r, s, t, v, z* (nicht vor *e, i*)	Burgos ['burɣos]
	[ɣ]	vor *b, d, l, m, n, r, s, t* (nicht am Wortanfang; nicht nach *n*)	Almagro [al'maɣro]
gu	[g]	am Wortanfang vor *e, i* zwischen *n* und *e, i*	Guillén [gi'ʎen] Manguera [maŋ'gera]
	[ɣ]	in anderen Stellungen vor *e, i*	Aguilar [aɣi'lar]
h	stumm		Habana [a'βana]
j	[x]		José [xo'se]
ll	[ʎ]		Llanes ['ʎanes]
ñ	[ɲ]		Miño ['miɲo]
qu	[k]		Quiché [ki'tʃe]
s	[z]	vor *b, d, g* [ɣ]*, l, m, n, v*	Isla ['izla]
	[s]	in anderen Stellungen	Sosa ['sosa]

Buchstabe	Laut	Stellung	Beispiel
ü	[u̯]		Güimar [gu̯iˈmar]
v	[b]	am Wortanfang	Valdés [balˈdes]
	[b]	nach n	Convenio [kɔmˈbeni̯o]
	[β]	in anderen Stellungen	Ávila [ˈaβila]
x	[x]	z. T.	Oaxaca [oaˈxaka]
y	[j]	vor Vokal	Yuste [ˈjuste]
	[i]	in anderen Stellungen	Alcoy [alˈkɔi̯]
z	[ð]	vor b, d, g [ɣ], l, m,n, v	Guzmán [guðˈman]
	[θ]	in anderen Stellungen	Zea [ˈθea]

Betonte Vokale sind halblang bis kurz, unbetonte Vokale sind kurz. In hispanoamerikanischer Aussprache gibt es im Allgemeinen kein [θ], [ð] und [ʎ]. [θ] wird durch [s] ersetzt, [ð] durch [z] und [ʎ] meist durch [j]. Die Betonung ist in der Schrift folgendermaßen gekennzeichnet: a) Wörter, die auf einen silbischen Vokal, auf n oder s enden, sind auf der zweitletzten Silbe betont, z. B. Cueva [ˈku̯eβa], Torres [ˈtɔrrɛs], Virgen [ˈbirxen], Tenorio [teˈnori̯o]. b) Wörter, die nicht auf einen silbischen Vokal, n oder s enden, sind auf der letzten Silbe betont, z. B. Alcoy [alˈkɔi̯], Miguel [miˈɣɛl]. c) Vokale mit Akut sind betont, z. B. Colón [koˈlɔn], Málaga [ˈmalaɣa].

Tschechisch

Buchstabe	Laut	Beispiel	Buchstabe	Laut	Beispiel
a	[a]	Praha [ˈpraha]	ou	[oṷ]	Kout [koṷt]
á	[a:]	Tábor [ˈta:bɔr]	ř	[rʒ]	Dvořák
c	[ts]	Vacov [ˈvatsɔf]			[ˈdvɔrʒa:k]
č	[tʃ]	Čapek [ˈtʃapɛk]	s	[s]	Osek [ˈɔsɛk]
ch	[x]	Cheb [xɛp]	š	[ʃ]	Beneš [ˈbɛnɛʃ]
di	[dji]	Diviš [ˈdjiviʃ]	t'	[tj]	Hošt'ka [ˈhɔʃtjka]
dí	[dji:]	Dívčice	ti	[tji]	Tichy [ˈtjixi:]
		[ˈdji:ftʃitsɛ]	tí	[tji:]	Tištín [ˈtjiʃtji:n]
e	[ɛ]	Desna [ˈdɛsna:]	u	[u]	Mucha [ˈmuxa]
é	[ɛ:]	Stéblová	ú	[u:]	Ústí [ˈu:stji:]
		[ˈstɛ:blɔva:]	ů	[u:]	Martinů
ě	[jɛ]	Dědov [ˈdjɛdɔf]			[ˈmartjinů]
i	[i]	Smilov [ˈsmilɔf]	v	[v]	Vrána [ˈvra:na]
í	[i:]	Písek [ˈpi:sɛk]	y	[i]	Lysá [ˈlisa:]
ň	[nj]	Bykáň [ˈbika:nj]	ý	[i:]	Týn [ti:n]
ni	[nji]	Nižbor [ˈnjiʒbɔr]	z	[z]	Znojmo [ˈznɔjmɔ]
ní	[nji:]	Níhov [ˈnji:hɔf]	ž	[ʒ]	Žatec [ˈʒatɛts]
o	[ɔ]	Sokol [ˈsɔkɔl]			

b, d, h, ř, v, z, ž werden am Wortende [p, t, x, rʃ, f, s, ʃ] gesprochen (z. B. Bochov [ˈbɔxɔf]). Die Betonung liegt auf der ersten Silbe.

Türkisch

Buchstabe	Laut	Beispiel	Buchstabe	Laut	Beispiel
ağ	[ɑ:]	Alądag [ɑˈlɑdɑ:]	öğ	[œj]	Öğün [œˈjyn]
c	[dʒ]	Hoca [ˈhɔdʒɑ]	s	[s]	Sancąk
ç	[tʃ]	Çeşme [ˈtʃɛsmɛ]			[sɑnˈdʒɑk]
e	[ɛ]	Ęfes [ˈɛfɛs]	ş	[ʃ]	Bąşköy [ˈbɑʃkœi̯]
eğ	[ɛj]	Ęğil [ˈɛjil]	u	[u]	Ęrzurum
ı	[ɨ]	Işıklı [ɨˈʃɨklɨ]			[ˈɛrzurum]
i	[i]	Dęnizli [ˈdɛnizli]	ü	[y]	Köprülü [ˈkœpryly]
ığ	[ɨ:]	Elâzığ [ɛlɑːˈzɨ:]	uğ	[u:]	Uğraş [u:ˈrɑʃ]
iğ	[i:]	Niğde [ˈni:dɛ]	üğ	[y:]	Üğrüm [y:ˈrym]
o	[ɔ]	Bolu [ˈbɔlu]	v	[v]	Envęr [ɛnˈvɛr]
ö	[œ]	İnönü [ˈinœny]	y	[j]	Yenįce [jɛˈnidʒɛ]
oğ	[ɔ:]	Boğazląr [bɔːˈazˈlɑr]	z	[z]	Dęnizli [ˈdɛnizli]

[ɨ] wird weiter hinten artikuliert, also eher entrundetes [u]. *y* ist [i] nach Vokal (z. B. Haydąr [hɑi̯ˈdɑr]). Vokale sind meistens kurz. Die Betonung ist eher schwach. Sie liegt bei Eigennamen je nachdem auf einer bestimmten Silbe (z. B. Ąnkara, Edįrne, Torǫs).

Ungarisch

Buchstabe	Laut	Beispiel	Buchstabe	Laut	Beispiel
a	[ɔ]	Aba [ˈɔbɔ]	ó	[o:]	Nógrád [ˈno:gra:d]
á	[a:]	Bárczi [ˈba:rtsi]	ö	[ø]	Bőrcs [børtʃ]
c	[ts]	Cęgléd [ˈtsɛgle:d]	ő	[ø:]	Győr [djø:r]
cs	[tʃ]	Csępel [ˈtʃɛpɛl]	s	[ʃ]	Sáska [ˈʃa:ʃkɔ]
cz	[ts]	Bárczi [ˈba:rtsi]	sz	[s]	Szabó [ˈsɔbo:]
e	[ɛ]	Pęst [pɛʃt]	ty	[tj]	Tyukod [ˈtjukod]
é	[e:]	Pécs [pe:tʃ]	u	[u]	Bųda [ˈbudɔ]
gy	[dj]	Győr [djø:r]	ú	[u:]	Nyúl [nju:l]
i	[i]	Kįs [kiʃ]	ü	[y]	Bük [byk]
í	[i:]	Vízi [ˈvi:zi]	ű	[y:]	Szűr [Sy:r]
ly	[j]	Kįrály [ˈkira:j]	v	[v]	Vác [va:ts]
ny	[nj]	Nyúl [nju:l]	z	[z]	Zala [ˈzɔlɔ]
o	[o]	Szǫlnok [ˈsolnok]	zs	[ʒ]	Zsųrk [ʒurk]

y wird bei Personennamen am Wortende meistens als [i] gesprochen (z. B. Ady [ˈɔdi]). Lange Konsonanten werden in der Schrift durch Doppelschreibung gekennzeichnet (z. B. Lįppó [ˈlippo:]); zu merken sind: cc [tts], ccs [ttʃ], ddzs [ddʒ], ggy [ddj], lly [jj], ssz [ss], zzs [ʒʒ] (z. B. Hǫsszú [ˈhossu:]). Die Betonung liegt auf der ersten Silbe.

II. Betonung und Aussprache weiterer Fremdsprachen

1. Betonung (Stärkebetonung)

ⓐ Auf der ersten Silbe (Anfangsbetonung): estnisch, färöisch, finnisch, georgisch, isländisch, lettisch, niedersorbisch, obersorbisch, slowakisch.

ⓑ Auf der drittletzten Silbe: makedonisch

ⓒ Auf der letzten Silbe (Endbetonung): französisch, Khmer, persisch.

ⓓ Je nach Wort auf einer bestimmten Silbe: afghanisch, bulgarisch, hebräisch, indonesisch, katalanisch, litauisch, madagassisch, rätoromanisch, russisch, ukrainisch, weißrussisch.

ⓔ Etwa wie im Deutschen: dänisch, englisch.

2. Tonhöhe (musikalische Betonung; Silbentöne)

ⓐ Birmanisch: 1 hoch-schwachfallend-kurz, 2 tief-schwachfallend-lang, 3 hochfallend-lang, 4 hoch-fallend-kurz.

ⓑ Japanisch: Silben mit kurzem Vokal oder mit silbischem n [n̩] können hoch oder tief sein. Vor dem Zeichen ' und nach dem Zeichen ، sind sie tief; in den übrigen Fällen hoch (Jamagata [jaˈma‚gata]: [ja], [ga], [ta] sind tief, [ma] ist hoch). Silben mit langem Vokal können hoch, hochtief, tief, tiefhoch sein (Kofu [koˈːfu]; [oː] ist in der ersten Hälfte tief, in der zweiten hoch; [fu] ist hoch).

ⓒ Litauisch: Betonte lange Silben haben fallenden Ton (Stoßton; Zeichen: ') oder steigenden Ton (Schleifton; Zeichen: ‚).

ⓓ Thai: 1 mittel, 2 tief, 3 fallend, 4 hoch, 5 steigend.

ⓔ Vietnamesisch: 1 flach, 2 steigend (´), 3 fallend (`), 4 fallend-steigend (?), 5 tief-steigend (˜), 6 tief (.). Die orthographischen Zeichen ´ ` ? ˜ . werden im Wörterverzeichnis nicht verwendet.

3. Aussprache

ⓐ Estnisch: ä ist [æ], õ ist [o] ohne Lippenrundung. Lange Vokale: Sääre [ˈsæːrɛ], überlange Vokale: Kuusalu [ˈkuːːsalu]. Lange Konsonanten: Sippa [ˈsippɑ], überlange Konsonanten: Vätta [ˈvætːɑ].

ⓑ Finnisch: ä ist [æ], y [y]. Kurze Laute: Pori [ˈpɔri], lange Laute: Hyyppä [ˈhyːppæ].

ⓒ Indonesisch: c ist [tʃ] (Kucing [ˈkutʃɪŋ]), j [dʒ] (Jakarta [dʒaˈkarta], ng [ŋ] (Selangor [səˈlaŋɔr]), s [s], w [w], y [j] (Surabaya [suraˈbaja]).

ⓓ Japanisch: [i̩], [u̩] bezeichnen schwach gesprochene [i], [u].

ⓔ Lettisch: Übergesetzter Querstrich bezeichnet in der Rechtschreibung langen Vokal (Rīga [ˈriːga]). c ist [ts], č [tʃ], ģ [gj], ķ [kj], ļ [lj], ņ [nj], o [ṷɔ], s [s], š [ʃ], z [z], ž [ʒ].

- **f** Litauisch: *a* ist [aː, a, æː, æ, ɛ], *ą* [aː, æː], *c* [ts], *č* [tʃ], *e* [ɛː, ɛ, æː, æ], *ę* [ɛː, æː], *ė* [eː], *i* [ɪ, ɪ̠, j], *o* [oː, ɔ], *s* [s], *š* [ʃ], *u* [ʊ], *ų* [uː], *ū* [uː], *v* [v], *y* [iː], *z* [z], *ž* [ʒ].
- **g** Slowakisch: *ä* ist [ɛ] oder [æ], *l'* [lj], *ĺ* [l̩ː], *ó* [ɔː], *ô* [u̯ɔ], *ŕ* [r̩ː]. *d, l, n, t* sind [dj, lj, nj, tj] vor *e, i, í* (Tiso [ˈtjisɔ]). *v* ist [u̯] nach Vokal vor Konsonant und am Wortende (Pravda [ˈprau̯da]).

A

a, A a:, *engl.* eɪ, *fr.* ɑ, *it.,*
span. a
α, A 'alfa
à a
ä, Ä ɛ:
Aa *dt., niederl.* a:
Aa *(Kinderspr.* Kot) a'la
Aach[en] 'a:x[n̩]
Aafjes *niederl.* 'a:fjəs
Aage *dän.* 'o:ụə
Aagje *niederl.* 'a:ɣiə
Aaiún *span.* aa'jun
Aak[e] 'a:k[ə]
Aakjær *dän.* 'o:ˈkɛːˈɐ̯
Äakus 'ɛ:akʊs
Aal[buch] 'a:l[bu:x]
Aalbæk *dän.* 'o:lbɛg
aalen, Aalen 'a:lən
Aalenien ale'nịɛ̃:
Aalenium a'le:nịʊm
aalglatt 'a:l'glat
Aall *norw.* o:l
Aalsmeer *niederl.* a:ls'me:r
Aalst *niederl.* a:lst
Aalten *niederl.* 'a:ltə
Aalto *finn.* 'a:ltɔ
Aaltonen *finn.* 'a:ltɔnɛn
Äänekoski *finn.* 'æ:nɛkɔski
Aanrud *norw.* ˌo:nrʉ:d
Aar a:ɐ̯
Aarau 'a:rạu
Aarberg a:ɐ̯'bɛrk, '--
Aarburg 'a:ɐ̯bʊrk
Aardenburg *niederl.*
'a:rdənbɐrx
Aare 'a:rə
Aargau 'a:ɐ̯gạu
Aarlen *niederl.* 'a:rlə
Aaron 'a:rɔn, *rumän.* 'aron
Aarschot *niederl.* 'a:rsxɔt
Aarwangen a:ɐ̯'vaŋən
Aas a:s, **-e** 'a:zə, **Äser** 'ɛ:zɐ
aasen 'a:zn̩, **aas!** a:s, **aast**
a:st
Aasen *norw.* 'o:sən
aasig 'a:zıç, **-e** ...ıgə
Aast a:st, **Äster** 'ɛ:stɐ
ab ap

¹Aba (arab. Mantel) a'ba:
²Aba (Name) 'a:ba, *engl.*
'a:ba:, ɑ:'ba:, *fr.* a'ba, *ung.*
'ɔbɔ
Abaco *engl.* 'æbəkoʊ, *it.*
'a:bako
Abadan *pers.* ɑbɑ'dɑ:n
Abaddon aba'dɔ:n
Abade *pers.* ɑbɑ'de
Abai *russ.* a'baj
abaissieren abɛ'si:rən
Abaka a'ba[:]ka
Abakaliki *engl.* ɑ:bɑ:kɑ:-
'li:ki:
Abakan *russ.* aba'kan
Abakus 'a:bakʊs
Abälard abɛ'lar[t], '---
Abalienation ap-
alịena'tsịo:n
abalienieren aplalịe'ni:rən
a ballata a ba'la:ta
Abalone aba'lo:nə
Abancay *span.* aβaŋ'kaị
Abandon abã'dõ:
Abandonnement abãdɔ-
nə'mã:
abandonnieren abãdɔ'ni:-
rən
Abano *it.* 'a:bano
Abanto *span.* a'βanto
Abart 'ap!a:ɐ̯t
à bas a'ba
Abasa *russ.* aba'za
Abaschidse *georg.* 'aba-
ʃidze
Abaschiri *jap.* a'ba.ʃịri
Abasie aba'zi:, **-n** ...i:ən
Abastumani *russ.* abɐstu-
'mani
Abate a'ba:tə, **...ti** ...ti
Abatis aba'ti:, **des -** ...i:[s]
abatisch a'ba:tıʃ
Abatjour aba'ʒu:ɐ̯
Abaton 'a:batɔn, *auch:*
'ab..., **...ta** ...ta
a battuta a ba'tu:ta
Abaziskus aba'tsıskʊs
Abazissus aba'tsısʊs

Abba[ch] 'aba[x]
Abbadide aba'di:də
Abbadie *fr.* aba'di
Abbado *it.* ab'ba:do
Abbadona aba'do:na
Abbagnano *it.* abbaɲ'ɲa:no
Abbas a'ba:s, *fr.* ab'ba:s,
pers. æb'ba:s, *engl.* ə'ba:s,
ə'bæs, 'æbəs
Abbasi aba'zi:
Abbaside aba'zi:de
Abbassamento abasa-
'mɛnto
Abbate a'ba:tə, **...ti** ...ti
Abbatini *it.* abba'ti:ni
Abbattimento abati'mɛnto
Abbazia *it.* abbat'tsi:a
Abbe 'abe, 'abə, a'be:
Abbé a'be:
abbeeren 'apbe:rən
Abbellimento abɛli'mɛnto
Abbeville *fr.* ab'vil, *engl.*
'æbıvıl
Abbevillien abəvı'lịɛ̃:
Abbey *engl.* 'æbı
Abbiategrasso abbịate-
'grasso
Abbo 'abo
Abbondio *it.* ab'bondịo
Abbot[t] *engl.* 'æbət
Abbotsford *engl.* 'æbətsfəd
Abbotsholme *engl.* 'æbəts-
hoʊm
Abbrändler 'apbrɛntlɐ
Abbreviation abrevịa'tsịo:n
Abbreviator abre'vịa:to:ɐ̯,
-en ...ịa'to:rən
Abbreviatur abrevịa'tu:ɐ̯
abbreviieren abrevi'i:rən
Abbt apt
Abbud a'bu:t
Abc a:be:'tse:, abe'tse:
ABC *engl.* eıbı:'si:
A.B.C. *span.* aβe'θe
Abc-Buch abe'tse:bu:x
Abcdarier abetse'da:rịɐ
Abcdarium abetse'da:rịʊm,
...ien ...ịən

Abcdarius abetse'da:rĭʊs, ...ii ...ii
Abchase ap'xa:zə
Abchasien ap'xa:zĭən
abchasisch ap'xa:zıʃ
abclich abe'tse:lıç
ABC-Staaten abe'tse:ʃta:tn̩
Abd apt
abdachen 'apdaxn̩
Abdalagis span. aβðala'xis
Abd Al Asis 'apt alˌaˈzi:s
Abd Al Hamid 'apt alhaˈmi:t
Abd Al Kadir 'apt alˈka:dır
Abd Allah 'apt aˈla:, apˈdala
Abd Al Madschid 'apt almaˈdʒi:t
Abd Al Malik 'apt alˈmalık
Abd Al Mumin 'apt alˈmu-mın
Abd Al Wahhab 'apt alvaˈha:p
Abd Ar Rahman 'apt araxˈma:n
Abd El Krim apdɛlˈkri:m
Abdera ap'de:ra
Abderhalden 'apdɐhaldn̩
Abderit apde'ri:t
Abd Er Rahman apdɛraxˈma:n
Abdias ap'di:as, 'apdĭas
Abdić serbokr. 'abditɕ
Abdikation apdika'tsĭo:n
abdikativ apdikaˈti:f, -e ...i:və
abdizieren apdi'tsĭ:rən
Abdomen ap'do:mən, ...mina ...mina
abdominal apdomi'na:l
abducens ap'du:tsɛns
Abduh 'apdʊx
Abduktion apdʊkˈtsĭo:n
Abduktor ap'dʊkto:ɐ̯, -en ...'to:rən
Abdulino russ. ab'dulinɐ
Abdullah ap'dʊla, apdʊ'la:; engl. æb'dʌlə
Abduzens ap'du:tsɛns
abduzieren apdu'tsĭ:rən
Abe jap. a'be
Abece a:be:'tse:, abe'tse:
Abecedarier abetse'da:rĭɐ
Abecedarium abetse'da:-rĭʊm, ...ien ...rĭən
Abecedarius abetse'da:rĭʊs, ...ii ...ii
abecedieren abetse'di:rən
abecelich abe'tse:lıç
Abeceschütze abe'tse:ʃʏtsə
Abéché fr. abe'ʃe
Abee a'be:, auch: 'abe

Abeille fr. a'bɛj
Abel 'a:bl̩, fr. a'bɛl, engl. eıbl
Abélard fr. abe'la:r
Abele lett. 'a:bele
Abelspiel 'a:bələʃpi:l
Abelin 'a:bəli:n
Abelit abe'li:t
Abell dän. 'ɛ:'bl̩
Abellio fr. abe'ljo
Abelmoschus a:bl̩'mɔʃʊs, 'a:bl̩mɔʃʊs, -se ...ʊsə
Abenberg 'a:bnbɛrk
Abencerrage, Abencerraje span. aβɛnθe'rraxe
Abend 'a:bn̩t, -e ...n̩də
abendlich 'a:bn̩tlıç
Abendrot[h] 'a:bn̩tro:t
abends 'a:bn̩ts
a beneplacito a bene'pla:-tʃito
Abengourou fr. abɛŋgu'ru
Abenrå dän. obn̩'ro:'
Abensberg 'a:bn̩sbɛrk
Abenteuer 'a:bn̩tɔyɐ
Abenteuerin 'a:bn̩tɔyɐrın
abenteuerlich 'a:bn̩tɔyɐlıç
abenteuern 'a:bn̩tɔyɐn
Abenteurer 'a:bn̩tɔyrɐ
Abenteurerin 'a:bn̩tɔyrɐrın
Abeokuta engl. a:beıoʊ-ˈku:ta:
Abeozen fr. abeo'zɛn
aber 'a:bɐ
Abercarn engl. æbə'ka:n
Abercorn engl. 'æbəkɔ:n
Abercrombie, Abercromby engl. 'æbəkrʌmbı
Aberdare engl. æbə'dɛə
Aberdeen engl. æbə'di:n
Aberdeen... 'ɛbɐdi:n...
Abergavenny engl. æbəgə-'vɛnı
Abergelei engl. æbə'gɛlı
abergläubisch a:bɐˈɡlɔybıʃ
aberhundert 'a:bɐhʊndɐt, auch: '--'--
aberkennen 'apˌɛɐ̯kɛnən, selten: '--'--
Aberli 'a:bɐli
abermals 'a:bɐma:ls
Abernathy engl. 'æbɐnæθı
aberrant ap|ɛ'rant
Aberration ap|ɛra'tsĭo:n
aberrieren ap|ɛ'ri:rən
Abersychan engl. æbə'sıkən
Abert 'a:bɐt
abertausend 'a:bɐtauznt, auch: '--'--
Abertillery engl. æbətı'lɛərı
Aberwitz 'a:bɐvıts

Aberystwyth engl. æbə'rıs-twıθ
Abessinien abɛ'si:nĭən
Abessinier abɛ'si:nĭɐ
abessinisch abɛ'si:nıʃ
Abessiv 'ap|ɛsi:f, -e ...i:və
Abetone it. abe'to:ne
Abetz 'a:bɛts
abflauen 'apflau̯ən
Abgar 'apgar
abgefeimt 'apgəfai̯mt
abgefuckt 'apgəfakt
Abgeordnete 'apgəlɔrdnətə
abgeschmackt 'apgəʃmakt
Abgötterei apgœtə'rai̯
abgraten 'apgra:tn̩
abgründig 'apgrʏndıç
abgrundtief 'apgrʊntˈti:f
abhagern 'apha:gɐn, ...gre ...grə
abhanden ap'handn̩
abhin ap'hın
abhold 'aphɔlt
abhorreszieren aphɔrɛs-'tsi:rən
abhorrieren aphɔ'ri:rən
Abi (Abitur) 'abi
Abi 'ɛ:bi
Abia[s] a'bi:a[s]
Abich[t] 'a:bıç[t]
Abidjan abi'dʒa:n, fr. abid'ʒã
Abies 'a:bĭɛs
Abietinsäure abĭe'ti:nzɔyrə
Abigail abi'gai̯l, 'a:b..., engl. 'æbıgeıl
Abiko jap. a'biko
Abildgaard dän. 'abılgɔ:'ɐ̯
Abilene engl. 'æbəli:n
Ability engl. ə'bılətı
Abimelech a'bi:mɛlɛç, abi'me:...
Abingdon engl. 'æbıŋdən
Abington engl. 'æbıŋtən
ab initio ap i'ni:tsĭo
Abinsk russ. a'binsk
Abiogenese abĭoge'ne:zə
Abiogenesis abĭo'ge:nezıs, auch: ... gɛn...
Abiose a'bĭo:zə
Abiosis a'bĭo:zıs, a'bi:ozıs
abiotisch a'bĭo:tıʃ
Abiotrophie abĭotro'fi:, -n ...i:ən
Abisag 'a:bizak
Abiseo span. aβi'seo
Abisko schwed. 'a:bisku
Abitur abi'tu:ɐ̯
Abiturient abitu'rĭɛnt

Abiturium abi'tu:rĭʊm,
...**ien** ...ĭən
abjekt ap'jɛkt
abjizieren apji'tsi:rən
Abjudikation apjudika-
'tsĭo:n
abjudizieren apjudi'tsi:rən
Abjuration apjura'tsĭo:n
abjurieren apju'ri:rən
Abkaik ap'kaik
abkanzeln 'apkantsln
abkapiteln 'apkapıtln
Abkömmling 'apkœmlıŋ
abkrageln 'apkra:gln,
kragle ab 'kra:glə 'ap
abkragen 'apkra:gn, **krag
ab!** 'kra:k 'ap, **abkragt**
'apkra:kt
Abkunft 'apkʊnft,
Abkünfte 'apkynftə
Ablaktation aplakta'tsĭo:n,
abl...
ablaktieren aplak'ti:rən,
abl...
ablandig 'aplandıç, **-e** ...ıgə
Ablass 'aplas, **Ablässe**
'aplɛsə
Ablation apla'tsĭo:n, abl...
Ablativ 'ablati:f, 'apl..., **-e**
...i:və
Ablativus absolutus 'abla-
ti:vʊs apzo'lu:tʊs, 'apl... -,
...'ti:vʊs -
Ablegat aple'ga:t
Ableitner 'aplaitnɐ
Ablemann engl. 'eıblmən
Ablepharie ablefa'ri:
Ablepsie ablɛ'psi:
Ablessimow russ. a'bljesi-
mɐf
Ablokation aploka'tsĭo:n,
abl...
ablozieren aplo'tsi:rən,
abl...
Abluentia ablu'ɛntsĭa, apl...
Ablution ablu'tsĭo:n, apl...
abmatten 'apmatn
abmeiern 'apmaiɐn
abmergeln 'apmɛrgln, ...**gle**
...glə
Abnahme 'apna:mə
Abnaki engl. æb'nɑ:kı
Abnegation apnega'tsĭo:n
Abner 'apnɐ
abnorm ap'nɔrm
abnormal 'apnɔrma:l, auch:
-–'-
Abnormität apnɔrmi'tɛ:t
Abo 'abo
Abo schwed. 'o:bu:

Abodrit abo'dri:t
Abohar engl. ə'bʊuhə
Aboisso fr. abɔi'so
abolieren abo'li:rən
Abolition aboli'tsĭo:n
Abolitionismus abolitsĭo-
'nısmʊs
Abolitionist abolitsĭo'nıst
Abomey fr. abɔ'mɛ
abominabel abomi'na:bļ,
...**ble** ...blə
Abondio it. a'bondĭo
Abonnement abɔnə'mã:
Abonnent abɔ'nɛnt
abonnieren abɔ'ni:rən
aboral aplo'ra:l, auch: '–––
Aborigine aplo'ri:gine,
auch: ɛbə'rıdʒini
[1]**Abort** (Abtritt) a'bɔrt,
auch: 'aplɔrt
[2]**Abort** (Fehlgeburt) a'bɔrt
abortieren abɔr'ti:rən,
aplɔ...
abortiv abɔr'ti:f, aplɔ..., **-e**
...i:və
Abortivum abɔr'ti:vʊm,
aplɔ..., ...**va** ...va
Abortus a'bɔrtʊs, ap'lɔ...,
die - ...tu:s
Abotrit abo'tri:t
About fr. a'bu
ab ovo ap 'o:vo
Abrachius a'braxĭʊs, ...**ien**
...ĭən
Abraham 'a:braham, engl.
'eıbrəhæm, span. aβra'am,
niederl. 'a:brɑham, 'a:brɑm
Abraham a Sancta Clara
'a:braham a 'zaŋkta 'kla:ra
Abrahamit abraha'mi:t
Abrahams 'a:brahams, engl.
'eıbrəhæmz
Abrakadabra a:braka'da:-
bra, auch: '–––'––
Abram engl. 'eıbrəm, russ.
a'bram
Abramow russ. a'bramɐf
Abrams engl. 'eıbrəmz
Abrantes port. ɐ'βrɐntıʃ
Ábrányi ung. 'a:bra:nji
Abrasax abra'zaks
Abrasch 'a:braʃ
Abrassimow russ. a'brasi-
mɐf
Abrasio ap'ra:zĭo, a'br...,
-nen ...ra'zĭo:nən
Abrasion abra'zĭo:n, apr...
Abrasit abra'zi:t
Abravanel abrava'ne:l
Abraxas a'braksas

abreagieren 'apreagi:rən
Abreaktion 'apreaktsĭo:n
Abrechte 'aprɛçtə
Abrégé abre'ʒe:
Abreu bras. a'breu
Abri a'bri:
Abrieb 'apri:p, **-es** ...i:bəs
Abrogans 'aprogans, 'abr...
Abrogation aproga'tsĭo:n,
abr...
abrogieren apro'gi:rən,
abr...
Abrotin abro'ti:n
Abrud rumän. a'brud
abrupt ap'rʊpt, a'brʊpt
Abruzzen a'brʊtsn̩
Abruzzi it. a'bruttsi
Abs aps
Absalom 'apsalɔm
Absalon dän. 'absælɔn
Absam 'apsam
Abschalom 'apʃalɔm
Abschatz 'apʃats
abschätzig 'apʃɛtsıç, **-e**
...ıgə
Abscheu 'apʃɔy
abscheulich ap'ʃɔylıç
Abschied 'apʃi:t, **-es** ...i:dəs
abschlaffen 'apʃlafn̩
abschlägig 'apʃlɛ:gıç
abschotten 'apʃɔtn̩
abschüssig 'apʃysıç, **-e**
...ıgə
absehbar apze:ba:ɐ̯, auch:
-'--
abseit, A... ap'zait
abseitig 'apzaitıç
abseits, A... 'apzaits
Absence a'psã:s, **-n** ...sn̩
absent ap'zɛnt
Absentee apzɛn'ti:
absentieren apzɛn'ti:rən
Absentismus apzɛn'tısmʊs
Absenz ap'zɛnts
absichtlich 'apzıçtlıç, auch:
-'--
Absil fr. ap'sil
Absinth ap'zınt
Absinthismus apzın'tısmʊs
Absinthium ap'zıntĭʊm
absolut apzo'lu:t
Absolution apzolu'tsĭo:n
Absolutismus apzolu'tısmʊs
Absolutist apzolu'tıst
Absolutorium apzolu'to:-
rĭʊm, ...**ien** ...ĭən
Absolvent apzɔl'vɛnt
absolvieren apzɔl'vi:rən
absonderlich ap'zɔndɐlıç

Absorbens apˈzɔrbɛns,
...nzien ...ˈbɛntsi̯ən, ...ntia
...ˈbɛntsi̯a
Absorber apˈzɔrbɐ
absorbieren apzɔrˈbiːrən
Absorption apzɔrpˈtsi̯oːn
absorptiv apzɔrpˈtiːf, -e
...iːvə
abspecken ˈapʃpɛkn̩
abspenstig ˈapʃpɛnstɪç, -e
...ɪɡə
abstatten ˈapʃtatn̩
Abstention apstɛnˈtsi̯oːn
Abstieg ˈapʃtiːk, -es ...iːɡəs
abstinent, A... apstiˈnɛnt
Abstinenz apstiˈnɛnts
Abstract ˈɛpstrɛkt, auch:
ˈapstrakt
abstrahieren apstraˈhiːrən
abstrakt apˈstrakt
Abstraktion apstrakˈtsi̯oːn
abstraktiv apstrakˈtiːf, -e
...iːvə
Abstraktum apˈstraktʊm,
...ta ...ta
abstrus apˈstruːs, -e ...uːzə
Absud ˈapzuːt, auch: -ˈ-, -e
...uːdə
absurd apˈzʊrt, -e ...rdə
Absurdismus apzʊrˈdɪsmʊs
Absurdist apzʊrˈdɪst
Absurdität apzʊrdiˈtɛːt
Absyrtos apˈzyrtɔs
abszedieren apstseˈdiːrən
Abszess apsˈtsɛs
abszindieren apstsɪnˈdiːrən
Abszisin apstsiˈziːn
Abszisse apsˈtsɪsə
Abt apt, Äbte ˈɛptə
Abtei apˈtai̯
Abteil apˈtai̯l, auch: ˈ--
¹Abteilung (das Abtrennen)
ˈaptai̯lʊŋ
²Abteilung (der durch
Abtrennen entstandene
Teil) apˈtai̯lʊŋ
Abtenau ˈaptənau̯
Äbtissin ɛpˈtɪsɪn
Abtrag ˈaptraːk, -es ...aːɡəs,
Abträge ˈaptrɛːɡə
abträglich ˈaptrɛːklɪç
abtrünnig ˈaptrʏnɪç, -e
...iɡə
Abu ˈaːbu, auch: ˈabu
Abubacer abuˈbaːtsɐ
Abu Bakr ˈabu ˈbakɐ
Abu Bekr ˈabu ˈbɛkɐ
Abu Dhabi ˈabu ˈdaːbi
Abu Firas ˈabu fiˈraːs
Abu Hanifa ˈabu haˈniːfa

Abu Hassan ˈabu ˈhasan
Abuja engl. əˈbuːdʒə
Abu Jakub ˈabu jaˈkuːp
Abu Kamal ˈabu kaˈmaːl
Abu Kamil ˈabu ˈkaːmɪl
Abukir abuˈkiːɐ̯
Abukuma jap. aˈbukuma
Abul Ala Al Maarri ˈabʊl
aˈla: almaˈlari
Abul Atahija ˈabʊl aˈtaːhija
Abul Faradsch ˈabʊl ˈfaratʃ
Abul Fida ˈabʊl fiˈda:
Abul Hassan ˈabʊl ˈhasan
Abulie abuˈliː, -n ...iːən
abulisch aˈbuːlɪʃ
Abul Wafa Al Busdschani
ˈabʊl vaˈfa: albʊsˈdʒaːni
Abu Maschar ˈabu ˈmaʃar
Abuna aˈbuːna
abundant abʊnˈdant
Abundanz abʊnˈdants
Abu Nuwas ˈabu nuˈvaːs
Abu Rauwasch ˈabu
rau̯ˈvaːʃ
ab urbe condita ap ˈʊrbə
ˈkɔndita
Abusch ˈaːbʊʃ
Abu Simbel ˈabu ˈzɪmbl̩
Abu Sir [Al Malak] ˈabu
ˈziːɐ̯ [alˈmalak]
abusiv apˈluˈziːf, auch: abu-
ˈziːf, -e ...iːvə
Abusus apˈluːzʊs, die -
...zuːs
Abu Tammam ˈabu taˈmaːm
Abu Tig ˈabu ˈtiːk
Abutilon aˈbuːtilɔn
abwärts ˈapvɛrts
abwegig ˈapveːɡɪç, -e ...iɡə
abwesend ˈapveːznt, -e
...n̩də
Aby schwed. ˌoːby
Åybro dän. obyˈbruːˈ
Abydos aˈbyːdɔs
abyssal, A... abyˈsaːl
abyssisch aˈbysɪʃ
Abyssus ˈabysʊs
abzüglich ˈaptsyːklɪç
Académie française fr.
akademifraˈsɛːz
Academy Award ɛˈkɛdəmi
ɛˈvoːɐ̯t
Acajou... akaˈʒuː...
Acajutla span. akaˈxutla
Acamar akaˈmar
Acámbaro span. aˈkambaro
Acancéh span. akanˈθe
Acanthis aˈkantɪs
a cappella a kaˈpɛla
a capriccio a kaˈprɪtʃo

Acapulco span. akaˈpulko
Acarigua span. akaˈriɣua
Acatzingo span. akaˈtsiŋgo
Acayucan span. akaˈjukan
Accademia it. akkaˈdɛːmi̯a
Accardo it. akˈkardo
accelerando atʃeleˈrando
Accent aigu aˈksã: tɛˈɡy:, -s
-s aˈksã: zɛˈɡy:
Accent circonflexe, -s -s
aˈksã: sɪrkõˈflɛks
Accent grave, -s -s aˈksã:
ˈgraːf
Accentus akˈtsɛntʊs, die -
...tuːs
Accessoires aksɛˈso̯aːɐ̯(s)
Acciaccatura atʃakaˈtuːra
Acciaioli it. attʃaˈi̯ɔːli
Acciaiuoli it. attʃai̯ˈu̯ɔːli
Accipies... akˈtsiːpi̯ɛs...
Accipiter akˈtsiːpitɐ
Accius ˈaktsi̯ʊs
Accolti it. akˈkɔlti
Accompagnato akɔmpan-
ˈjaːto, ...ti ...ti
Accoramboni it. akkoram-
ˈboːni
accordando akɔrˈdando
accordante akɔrˈdantə
Accordatura akɔrdaˈtuːra
Accoudoir akuˈdo̯aːɐ̯
Account ɛˈkau̯nt
Accountant ɛˈkau̯ntn̩t
Accra ˈakra, engl. əˈkrɑ:
accrescendo akrɛˈʃendo
Accrington engl. ˈækrɪŋtən
Accrochage akrɔˈʃaːʒə
Accroche-cœur akrɔʃˈkøːɐ̯
Accursius aˈkʊrzi̯ʊs
accusativus cum infinitivo
akuzaˈtiːvʊs kʊm ɪnfiniˈ-
tiːvo
Acella® aˈtsɛla
Acer ˈaːtsɐ
Aceraceae atseˈraːtsɛɛ
Acerenza it. atʃeˈrɛntsa
Acerolakirsche atseˈroːla-
kɪrʃə
Acerra it. aˈtʃɛrra
Acetaldehyd aˈtseːt-
ˌaldehyːt
Acetale atseˈtaːlə
Acetat atseˈtaːt
Aceton atseˈtoːn
Acetonämie atsetonɛˈmiː,
-n ...iːən
Acetonurie atsetonuˈriː, -n
...iːən
Acetophenon atsetofeˈnoːn
Acetum aˈtseːtʊm

Acetyl atse'ty:l
Acetylen atsety'le:n
Acetylenid atsetyle'ni:t, -e
...i:də
Acetylid atsety'li:t, -e ...i:də
acetylieren atsety'li:rən
Acevedo span. aθe'βeðo
ach!, Ach ax
Achäa a'xɛ:a
Achab 'axap
Achad 'axat
Achäer a'xɛ:ɐ
Achaia a'xa:ja, a'xaia
Achaier a'xa:jɐ, a'xaiɐ
Achaimenide axaime'ni:də
achäisch a'xɛ:ɪʃ
Achalasie axala'zi:, -n
...i:ən
Achalm 'axalm
Achalziche russ. axal'tsɪxɪ
Achämenide axɛme'ni:də
Achäne a'xɛ:nə
Achard 'axart, fr. a'ʃa:r
Acharnä a'xarnɛ, neugr.
axar'nɛ
Acharnar axar'na:ɐ
Achas 'a[:]xas
Achat a'xa:t
achaten a'xa:tn
Achatius a'xa:tsiʊs
Achaz a'xa:ts, 'a[:]xats
Achbar, Al al|ax'ba:ɐ
Achdar ax'da:ɐ
Ache 'axə, 'a:xə
Achebe engl. ə'tʃeɪbɪ
Acheirie axai'ri:, -n ...i:ən
Acheiropoeta axairopo'e:ta
Achelis a'xe:lɪs
Acheloos axe'lo:ɔs, neugr.
axɛ'lɔɔs
Achema a'xe:ma
Achenbach 'axnbax
Achenheim 'axnhaim
Achenpass 'a:xnpas
Achensee 'a:xnze:
Achenwall 'axnval
Acher[n] 'axɐ[n]
Achernar axɛr'na:ɐ
Acheron 'axerɔn
acherontisch axe'rɔntɪʃ
Acheson engl. 'ætʃɪsn
Acheuléen aʃøle'ɛ̃:
Achil engl. 'ækɪl
Achill a'xɪl, engl. 'ækɪl
Achille fr. a'ʃil
Achillea axɪ'le:a
Achilleion axɪ'laiɔn
Achilles a'xɪlɛs
Achilleis axɪ'le:ɪs
Achilleus a'xɪlɔys

Achillini it. akil'li:ni
Achillodynie axɪlody'ni:
Achim 'axɪm
Achior a'xio:ɐ
Achirie axi'ri:, -n ...i:ən
achlamydeisch axlamy-
'de:ɪʃ
Achlaut 'axlaut
Achleitner 'axlaitnɐ
Achlorhydrie aklo:ɐhy'dri:
Achloropsie aklorɔ'psi:
Achmadulina russ. axma-
'dulinɐ
Achmatowa russ. ax'ma-
tɐvɐ
Achmed 'axmɛt
Achmim ax'mi:m
Acholie axo'li:
Achoris 'axorɪs
Achroit akro'i:t
Achromasie akroma'zi:, -n
...i:ən
Achromat akro'ma:t
Achromatin akroma'ti:n
Achromatismus akroma-
'tɪsmʊs
Achromatopsie akroma-
tɔ'psi:, -n ...i:ən
Achromie akro'mi:, -n
...i:ən
Achse 'aksə
Achsel 'aksl̩
achsig 'aksɪç, -e ...ɪgə
acht, Acht axt
Achtal 'axtal
achte 'axtə
Achteck 'axt|ɛk
achteinhalb 'axt|ain'halp
achtel, A... 'axtl̩
achten 'axtn̩
ächten 'ɛçtn̩
achtens 'axtn̩s
achter, A... 'axtɐ
achteraus 'axtɐ|aus
Achterberg niederl. 'axtər-
bɛrx
Achterhoek niederl. 'axtər-
huk
achterlei 'axtɐ'lai
achterlich 'axtɐlɪç
Achtermann 'axtɐman
achtern 'axtɐn
Achternbusch 'axtɐnbʊʃ
Achterwasser 'axtɐvasɐ
achtfach 'axtfax
achtfältig 'axtfɛltɪç, -e ...ɪgə
Achtflach 'axtflax
Achtflächner 'axtflɛçnɐ
achthundert 'axt'hʊndɐt

achtjährig 'axtjɛ:rɪç, -e
...ɪgə
achtmal 'axtma:l
achtmalig 'axtma:lɪç, -e
...ɪgə
Achtmeter axt'me:tɐ
Achtopol bulgar. ɐx'tɔpol
Achtpfennigmarke axt-
'pfɛnɪçmarkə
achtsam 'axtza:m
Achtstundentag axt-
'ʃtʊndn̩ta:k
achtstündig 'axtʃtyndɪç, -e
...ɪgə
achttägig 'axttɛ:gɪç, -e
...ɪgə
achttausend 'axt'tauznt̩
Achttausender 'axt-
'tauzn̩dɐ
Achtuba russ. 'axtubɐ
achtundeinhalb 'axt|ʊnt-
|ain'halp
achtundzwanzig 'axt-
|ʊnt'tsvantsɪç
Achtung 'axtʊŋ
achtungsvoll 'axtʊŋsfɔl
Achtyrka russ. ax'tirkɐ
Achtyrski russ. ax'tirskij
achtzehn 'axtse:n
achtzig, A... 'axtsɪç
achtziger, A... 'axtsɪgɐ
Achtzigerin 'axtsɪgɐrɪn
Achtzigerjahre 'axtsɪgɐja:rə
achtzigerlei 'axtsɪgɐ'lai
achtzigfach 'axtsɪçfax
achtzigjährig 'axtsɪçjɛ:rɪç,
-e ...ɪgə
achtzigmal 'axtsɪçma:l
achtzigste 'axtsɪçstə
achtzigstel, A... 'axtsɪçstl̩
achtzöllig 'axttsœlɪç, -e
...ɪgə
Achtzylinder 'axttsilɪndɐ,
auch: ...tsyl...
achtzylindrig 'axttsilɪndrɪç,
auch: ...tsyl...
Achundow russ. a'xundɐf
Achwerdow russ. ax'vjɛr-
dɐf
Achylie axy'li:, aç..., -n
...i:ən
Aci it. 'a:tʃi
Acid 'ɛsɪt
Acida vgl. Acidum
Acidimetrie atsidime'tri:
Acidität atsidi'tɛ:t
acidoklin atsido'kli:n
acidophil atsido'fi:l
Acidose atsi'do:zə

Acidum 'a:tsidʊm, ...da ...da
Acidur® atsi'du:ɐ
Acier fr. a'sje
Acireale it. atʃire'a:le
Acis 'a:tsɪs
¹Acker 'akɐ, Äcker 'ɛkɐ
²Acker (Name) 'akɐ, fr. a'kɛ:r
Acker, van niederl. van 'akər
Ackerknecht 'akɐknɛçt
Ackermann 'akɐman, fr. akɛr'man
Ackermennig 'akɐmɛnɪç, -e ...ɪgə
ackern 'akɐn
Ackja 'akja
Ackté schwed. ak'te:
Acolman span. a'kɔlman
Acoluthus ako'lu:tʊs
Acoma engl. 'ækəmɔ:
Aconcagua span. akɔŋ'kagua
à condition a kõdi'sjõ:
Aconitin akoni'ti:n
Aconitum ako'ni:tʊm
Aconquija span. akɔŋ'kixa
Acontius a'kɔntsjʊs
a conto a 'kɔnto
Açores port. ɐ'sorɪʃ
Acosta niederl. a'kɔsta, span. a'kɔsta, port. ɐ'kɔʃtɐ
Acquaviva it. akkua'vi:va
Acqui it. 'akkui
Acquit a'ki:
Acrab a'kra:p, 'akrap
¹Acre (Flächenmaß) 'e:kɐ
²Acre (Name) bras. 'akri, span. 'akre
Acridin akri'di:n
Acrolein akrole'i:n
Acronal akro'na:l
across the board dt.-engl. ɛ'krɔs ðə 'bo:ɐt
Acryl a'kry:l
Acrylan akry'la:n
Acrylat akry'la:t
Act ɛkt
Acta Apostolorum 'akta apɔsto'lo:rʊm
Acta Martyrum 'akta 'martyrʊm
Actant ak'tã:
Acta Sanctorum 'akta zaŋk'to:rʊm
Actinide akti'ni:də
Actinium ak'ti:njʊm
Actio 'aktsjo
Actiographie aktsjogra'fi:
Action 'ɛkʃn

Action directe ak'sjõ: di'rɛkt
Action française ak'sjõ: frã'sɛ:s
Actium 'aktsjʊm
Actius Sincerus 'aktsjʊs zɪn'tse:rʊs
Acton engl. 'æktən
Actopan span. ak'topan
actum ut supra 'aktʊm ʊt 'zu:pra
Actus 'aktʊs
Açu bras. a'su
Acuña span. a'kuɲa
ad at
Ada dt., it. 'a:da, engl. 'eɪdə
Adabei 'a:dabai
ad absurdum at ap'zʊrdʊm
ADAC a:de:'la:'tse:
ad acta at 'akta
ad aequales at ɛ'kva:le:s
adagietto, A... ada'dʒɛto
adagio, A... a'da:dʒo
adagissimo ada'dʒɪsimo
Adaher a'da:hɛr
Adair engl. ə'dɛə
Adaja span. a'ðaxa
Ada Kaleh rumän. 'ada ka'le
Adaktylie adakty'li:
Adalar 'a:dalar
Adalbero adal'be:ro, 'a:dalbe:ro
Adalbert 'a:dalbɛrt
Adalberta adal'bɛrta
Adalberto it. adal'bɛrto
Adalbod 'a:dalbɔt
Adaldag 'a:dalda:k
Adalgar 'a:dalgar
Adalgisa adal'gi:za, it. adal'dʒi:za
Adalgot 'a:dalgɔt
Adalhard 'a:dalhart
Adalin® ada'li:n
Adalrich 'a:dalrɪç
Adalwin 'a:dalvi:n
Adam 'a:dam, niederl. 'a:dam, fr. a'dã, engl. 'ædəm, russ. a'dam, poln. 'adam
Ádám ung. 'a:da:m
Adamantina bras. adɐmɐn'tina
Adamantinom adamanti'no:m
Adamaoua fr. adama'wa
Adamas 'a:damas, ...manten ada'mantn̩
Adamastor ada'masto:ɐ
Adamaua ada'maua

Adama van Scheltema niederl. 'a:dɔma van 'sxɛltəma
Adamberger 'a:dambɛrgɐ
Adamclisi rumän. adamkli'si
Adam de la Halle fr. adã-dla'al
Adamec tschech. 'adamɛts
Adamello it. ada'mɛllo
Adami it. a'da:mi
Adamič slowen. a'da:mitʃ
Adamit ada'mi:t
Adamkus lit. a.damkʊs
Adamo it. a'da:mo, fr. ada'mo
Adamov tschech. 'adamɔf, fr. ada'mɔf
Adamowitsch (Nachn.) russ. ada'mɔvitʃ
Adams engl. 'ædəmz
Adamsit adam'zi:t
Adamson engl. 'ædəmsn
Adana türk. 'adana
Adapazarı türk. a'dapaza.rı
Adaptabilität adaptabili-'tɛ:t
Adaptation adapta'tsjo:n
Adapter a'daptɐ
adaptieren adap'ti:rən
Adaption adap'tsjo:n
adaptiv adap'ti:f, -e ...i:və
Adaptometer adapto'me:tɐ
Adäquanz adɛ'kvants, at-|ɛ...
adäquat adɛ'kva:t, at|ɛ..., auch: '---
Adar a'da:ɐ
Adare engl. ə'dɛə
a dato a 'da:to
ad calendas graecas at ka'lɛnda:s 'grɛ:ka:s
Adcock engl. 'ædkɔk
Adda 'ada, it. 'adda
Addams engl. 'ædəmz
Addaura it. ad'da:ura
adde! 'adə
Addend a'dɛnt, -en ...ndn̩
Addendum a'dɛndʊm, ...da ...da
addental atdɛn'ta:l, '---
Adder engl. 'ædə
Adderley engl. 'ædəlɪ
addieren a'di:rən
Addington engl. 'ædɪŋtən
Addinsell engl. 'ædɪnsɛl
addio a'di:o
Addis Abeba 'adɪs a[:]beba, auch: – a'be:ba, amh. addis abɛba
Addis Alam 'adɪs 'a:lam

Addison *engl.* 'ædɪsn
Additament adita'mɛnt
Additamentum adita'mɛn-
tʊm, ...**ta** ...ta
Addition adi'tsi̯o:n
additional aditsi̯o'na:l
additiv, A... adi'ti:f, **-e** ...i:və
Additive 'ɛditi:f
addizieren adi'tsi:rən
Addo 'ado, *engl.* 'ædoʊ
Adduktion adʊk'tsi̯o:n
Adduktor a'dʊkto:ɐ̯, **-en**
...'to:rən
ade, ¹Ade a'de:
²Ade (Name) *engl.* eɪd
Adebar 'a:dəbar
Adel 'a:dl̩
¹Adelaide (Vorn.) ade-
la'i:də, *engl.* 'ædəleɪd
²Adelaide (austr. Stadt)
engl. 'ædəleɪd
Adélaïde *fr.* adela'id
Adelard 'a:dəlart
Adelberg 'a:dl̩bɛrk
Adelbert 'a:dl̩bɛrt
Adelboden 'a:dl̩bo:dn̩,
--'--
Adelchi *it.* a'dɛlki
Adele a'de:lə
Adelebsen 'a:dələpsn̩
Adelegg 'a:dəlɛk
Adelgund 'a:dl̩gʊnt
Adelgunde a:dl̩'gʊndə
Adelgundis a:dl̩'gʊndɪs
Adelhausen a:dl̩'haʊzn̩
Adelheid 'a:dl̩haɪt
Adelhelm 'a:dl̩hɛlm
Adélie *fr.* ade'li
adelig 'a:dəlɪç, **-e** ...ɪgə
Adelma a'dɛlma
adeln 'a:dl̩n, **adle** 'a:dlə
Adelphie adɛl'fi:, **-n** ...i:ən
Adelphogamie adɛlfo-
ga'mi:, **-n** ...i:ən
Adelphokarpie adɛlfo-
kar'pi:, **-n** ...i:ən
Adelram 'a:dl̩ram
Adelsberg 'a:dl̩sbɛrk
Adelsheim 'a:dl̩shaɪm
Adeltrud 'a:dl̩tru:t
Adelung 'a:dəlʊŋ
Adelwin 'a:dl̩vi:n
Ademar 'a:dəmar
Ademtion adɛm'tsi̯o:n
Aden 'a:dn̩, *engl.* 'a:dn̩
Adenau[er] 'a:dənaʊ[ɐ̯]
Adenet *fr.* ad'nɛ
Adenin ade'ni:n
Adenitis ade'ni:tɪs, ...**itiden**
...ni'ti:dn̩

Adenohypophyse adeno-
hypo'fy:zə
adenoid adeno'i:t, **-e** ...i:də
Adenom ade'no:m
Adenoma ade'no:ma, **-ta**
-ta
adenomatös adenoma'tø:s,
-e ...ø:zə
adenös ade'nø:s, **-e** ...ø:zə
Adenosin adeno'zi:n
Adenotomie adenoto'mi:,
-n ...i:ən
adenotrop adeno'tro:p
Adenovirus adeno'vi:rʊs
Adept a'dɛpt
Ader 'a:dɐ̯
Äderchen 'ɛ:dɐ̯çən
aderig 'a:dərɪç, **-e** ...ɪgə
äderig 'ɛ:dərɪç, **-e** ...ɪgə
Adermin adɛr'mi:n
ädern 'ɛ:dɐn, **ädre** 'ɛ:drə
Adeodatus adeo'da:tʊs,
ade'o:datʊs
Adespota a'dɛspota
Adessiv 'atlɛsi:f, **-e** ...i:və
à deux cordes a 'dø: 'kɔrt
à deux mains a 'dø: 'mɛ̃:
Adgo 'atgo
Adhärens at'hɛ:rɛns,
...**nzien** athɛ'rɛntsi̯ən
adhärent athɛ'rɛnt
Adhärenz athɛ'rɛnts
adhärieren athɛ'ri:rən
Adhäsion athɛ'zi̯o:n
adhäsiv athɛ'zi:f, **-e** ...i:və
Adhémar *fr.* ade'ma:r
Adherbal at'hɛrbal
adhibieren athi'bi:rən
ad hoc at 'hɔk, *auch:* at
'ho:k
ad hominem at 'ho:minɛm
ad honorem at ho'no:rɛm
Adhortation athɔrta'tsi̯o:n
adhortativ athɔrta'ti:f, **-e**
...i:və
Adhortativ 'athɔrtati:f, **-e**
...i:və
Adi 'adi
Adiabate adia'ba:tə
adiabat[isch] adia'ba:t[ɪʃ]
Adiadochokinese adiado-
xoki'ne:zə
Adiantum a'di̯antʊm
Adiaphon adia'fo:n
Adiaphoron adi'a:fɔrɔn,
...**ra** ...ra
Adickes 'a:dɪkəs
adieu!, A... a'di̯ø:
Adieux, Les leza'di̯ø:
Adige *it.* 'a:didʒe

Adigrat 'a:digra:t
Ādikula ɛ'di:kula, ...**lä** ...lɛ
Ädil ɛ'di:l
Ädilität ɛdili'tɛ:t
ad infinitum at ɪnfi'ni:tʊm
Adinol adi'no:l
ad interim at 'ɪnterɪm
Adipinsäure adi'pi:nzɔyrə
Adipocire adipo'si:ɐ̯
adipös adi'pø:s, **-e** ...ø:zə
Adipositas adi'po:zitas
Adipsie adɪ'psi:
Ādipsos *neugr.* ɛðɪ'psɔs
Adirondacks *engl.* ædɪ'rɔn-
dæks
à discrétion a dɪskre'si̯ɔ̃:
Adi Ugri 'a:di 'u:gri, *amh.*
adi ugri
Adiuretin adiure'ti:n
Adıvar *türk.* adɪ'var
Adıyaman *türk.* a'dɪjaman
Adjazent atja'tsɛnt
adjazieren atja'tsi:rən
Adjektion atjɛk'tsi̯o:n
adjektiv 'atjɛkti:f, *auch:*
--'-, **-e** ...i:və
Adjektiv 'atjɛkti:f, **-e** ...i:və
adjektivieren atjɛkti'vi:rən
adjektivisch 'atjɛkti:vɪʃ,
auch: --'--
Adjektivum 'atjɛkti:vʊm,
auch: --'--, ...**va** ...va
Adjoint a'dʒoɛ̃:
Adjud *rumän.* ad'ʒud
Adjudikation atjudika-
'tsi̯o:n
adjudikativ atjudika'ti:f, **-e**
...i:və
adjudizieren atjudi'tsi:rən
adjungieren atjʊŋ'gi:rən
Adjunkt[e] at'jʊŋkt[ə]
Adjustage atjʊs'ta:ʒə
adjustieren atjʊs'ti:rən
Adjutant atju'tant
Adjutantur atjutan'tu:ɐ̯
Adjutor at'ju:to:ɐ̯, **-en** atju-
'to:rən
Adjutum at'ju:tʊm
Adjuvans 'atjuvans, *auch:*
at'ju:vans, ...**nzien** atju-
'vantsi̯ən, ...**ntia** atju'vant-
tsi̯a
Adjuvant atju'vant
Adlatus at'la:tʊs, a'dl...,...**ti**
...ti
Adler 'a:dlɐ, *russ.* 'adlır,
engl. 'ædlə
Adlerberg 'a:dl̩bɐ̯bɛrk
Adlercreutz *schwed.* ˌa:dlər-
krœi̯ts

Adlerkosteletz 'a:dlɐ.kɔstə-
lets
Adlersfeld 'a:dlɐsfɛlt
Adlersparre schwed. .ɑ:dlər-
sparə
Adlgasser 'a:dlgasɐ
ad libitum at 'li:bitʊm
adlig 'a:dlıç, -e ...ıgə
Adligat atli'ga:t, adl...
Adliswil adlıs'vi:l
Adlon 'a:dlɔn
ad maiorem Dei gloriam at
ma'jo:rɛm 'de:i 'glo:rjam
ad manum medici at
'ma:nʊm 'me:ditsi
ad manus medici at
'ma:nu:s 'me:ditsi
Admet[e] at'me:t[ə]
Admeto it. ad'mɛ:to
Admetos at'me:tɔs
Administration atminıstra-
'tsio:n
administrativ atminıstra-
'ti:f, -e ...i:və
Administrator atminıs'tra:-
to:ɐ, -en ...ra'to:rən
administrieren atminıs'tri:-
rən
admirabel atmi'ra:bļ, ...ble
...blə
Admiral atmi'ra:l
Admiralität atmirali'tɛ:t
Admiralty engl. 'ædmərəltı
Admiration atmira'tsio:n
admirieren atmi'ri:rən
Admission atmı'sio:n
Admittanz atmı'tants
ad modum at 'mo:dʊm
Admoni russ. ad'mɔni
admonieren atmo'ni:rən
Admonition atmoni'tsio:n
Admont 'atmɔnt
ad multos annos at 'mʊl-
to:s 'ano:s
ADN a:de:'lɛn
Adnet 'adnɛt
Adnex at'nɛks
Adnexitis atnɛ'ksi:tıs, ...iti-
den ...ksi'ti:dṇ
adnominal atnomi'na:l
ad notam at 'no:tam
Ado 'a:do
Adobe a'do:bə
ad oculos at 'o:kulo:s
Ado-Ękiti engl. 'a:doʊ'ɛkıti
Adolar 'a:dola:ɐ
adoleszent adolɛs'tsɛnt
Adoleszenz adolɛs'tsɛnts
Adolf dt., niederl. 'a:dɔlf,
schwed. 'ɑ:dɔlf

Adolfine adɔl'fi:nə
Adolfo span. a'ðɔlfo
Adolph 'a:dɔlf
Adolphe fr. a'dɔlf
Adolphseck a:dɔlfs'lɛk
Adolphus engl. ə'dɔlfəs
Adonai ado'na:i
Adoneus ado'ne:ʊs
Adoni engl. ə'doʊnı
Adonia a'do:nja
Adonis a'do:nıs
adonisch a'do:nıʃ
Adonius a'do:njʊs
Adony ung. 'ɔdonj
Adoptianismus adɔptsia-
'nısmʊs
adoptieren adɔp'ti:rən
Adoption adɔp'tsio:n
Adoptiv... adɔp'ti:f...
Ador fr. a'dɔ:r
adorabel ado'ra:bļ, ...ble
...blə
adoral atlo'ra:l
Adorant ado'rant
Adoration adora'tsio:n
Adorazione adora'tsio:nə
Adorf 'a:dɔrf
adorieren ado'ri:rən
Adorno a'dɔrno
Adossement adɔsə'mã:
adossieren adɔ'si:rən
adoucieren adu'si:rən
Adoula fr. adu'la
Adoum span. a'ðun
Adour fr. a'du:r
ad patres at 'pa:tre:s
ad publicandum at publi-
'kandʊm
Adra span. 'aðra
Adradas span. a'ðraðas
Adrammelech a'dramɛlɛç,
--'--
Adramyttion adra'mʏtjɔn
Adrano it. a'dra:no
Adrar fr. a'dra:r
Adrasteia adras'taia
Adrast[os] a'drast[ɔs]
ad referendum at refe'rɛn-
dʊm
ad rem at 'rɛm
Adrema® a'dre:ma
adremieren adre'mi:rən
Adrenalin adrena'li:n
adrenalotrop adrenalo-
'tro:p
Adrenarche adre'narçə
adrenogenital adrenogeni-
'ta:l
Adrenosteron adrenoste-
'ro:n

Adressant adrɛ'sant
Adressat adrɛ'sa:t
Adresse a'drɛsə
adressieren adrɛ'si:rən
adrett a'drɛt
Adria 'a:dria, it. 'a:drịa
Adriaan niederl. 'a:dria:n
Adriaen niederl. 'a:dria:n
Adriaenssen niederl. 'a:dri-
a:nsən
Adrian 'a:dria:n, engl.
'eıdrıən
Adriana dt., it. adri'a:na
Adriane adri'a:nə
Adriani it. adri'a:ni
Adriano it. adri'a:no
Adrianopel adria'no:pļ
Adriatica it. adri'a:tika
Adriatico it. adri'a:tiko
adriatisch adri'a:tıʃ
Adrien fr. adri'ɛ̃
Adrienne dt., fr. adri'ɛn
adrig 'a:drıç, -e ...ıgə
ädrig 'ɛ:drıç, -e ...ıgə
Adrio 'a:drio
Adrittura adrı'tu:ra
ad saturationem at zatura-
'tsio:nɛm
Adscharien a'dʒa:rịən
adscharisch a'dʒa:rıʃ
Adschdabijja atʃda'bi:ja
Adschlun a'dʒlu:n
Adschman a'dʒma:n
Adsorbat atzɔr'ba:t
Adsorbens at'zɔrbɛns,
...nzien ...'bɛntsịən, ...ntia
...'bɛntsịa
Adsorber at'zɔrbɐ
adsorbieren atzɔr'bi:rən
Adsorption atzɔrp'tsio:n
adsorptiv atzɔrp'ti:f, -e
...i:və
ad spectatores at spɛkta-
'to:re:s
Adstrat at'stra:t
Adstringens at'strıngɛns,
...nzien ...'gɛntsịən, ...ntia
...'gɛntsịa
adstringieren atstrıŋ'gi:rən
Adua 'a:dụa, amh. adwa
a due a 'du:e
Äduer 'ɛ:dụɐ
Adula it. 'a:dula
Adular adu'la:ɐ
Adulis a'du:lıs
adult a'dʊlt
Adulter a'dʊltɐ
Adultera a'dʊltera
Adult School 'ɛdalt 'sku:l
A-Dur 'a:du:ɐ, auch: '-'-

ad usum [Delphini] at
'u:zʊm [dɛl'fi:ni]
ad usum medici, – – pro-
prium at 'u:zʊm 'me:ditsi,
– – 'pro:priʊm
ad valorem at va'lo:rɛm
Advantage ɛt'va:ntɪtʃ
Advektion atvɛk'tsio:n
advektiv atvɛk'ti:f, -e ...i:və
Adveniat at've:niat
Advent at'vɛnt
Adventismus atvɛn'tɪsmʊs
Adventist atvɛn'tɪst
Adventitia atvɛn'ti:tsia
adventiv atvɛn'ti:f, -e ...i:və
Adventure ɛt'vɛntʃɐ
Adverb at'vɛrp, -ien ...rbiən
adverbal atvɛr'ba:l, '– – –
adverbial atvɛr'bia:l
adverbiell atvɛr'biɛl
Adverbium at'vɛrbiʊm, ...ia
...ia
Adversaria atvɛr'za:ria
Adversarien atvɛr'za:riən
adversativ atvɛrza'ti:f, -e
...i:və
Advertisement ɛt'vɜ:ɐtɪs-
mənt, ɛt'vœrt...
Advertiser 'ɛtvɐtaɪzɐ
Advertising [Agency]
'ɛtvɐtaɪzɪŋ ['e:dʒnsi]
ad vitrum at 'vi:trʊm
Advocatus Dei atvo'ka:tʊs
'de:i, ...ti – ...ti –
Advocatus Diaboli atvo-
'ka:tʊs di'a:boli, ...ti – ...ti –
ad vocem at 'vo:tsɛm
Advokat atvo'ka:t
Advokatur atvoka'tu:ɐ
Ady ung. 'ɔdi
Adygea ady'ge:a
adygeisch ady'ge:ɪʃ
Adyger a'dy:gɐ
Adygien a'dy:giən
adygisch a'dy:gɪʃ
Adynamandrie adynaman-
'dri:
Adynamie adyna'mi:, -n
...i:ən
adynamisch ady'na:mɪʃ,
auch: '– – – –
Adynamogynie adynamo-
gy'ni:
Adyton 'a:dytɔn, ...ta ...ta
Adzopé fr. adzɔ'pe
Aeby 'ɛ:bi
Aechmea ɛç'me:a
Aedon a'e:dɔn
AEG® a:le:'ge:
Aegeri 'ɛ:gəri

Aehrenthal 'ɛ:rənta:l
Aelfric engl. 'ælfrɪk
Aelia Capitolina 'ɛ:lia kapi-
to'li:na
Aelianus ɛ'lia:nʊs
Aelius 'ɛ:liʊs
Aelst niederl. a:lst
Aemilius ɛ'mi:liʊs
Aenobarbus aeno'barbʊs
Aepinus ɛ'pi:nʊs
Aerämie aerɛ'mi:, -n ...i:ən
Aereboe 'ɛ:ɐbo
Aerenchym aerɛn'çy:m
Aerial ae'ria:l
aerifizieren aerifi'tsi:rən
aeril ae'ri:l
aerisch a'e:rɪʃ
aero..., Aero... a'e:ro...,
'ɛ:ro...
Ærø dän. 'e:rʏ:'
aerob ae'ro:p, -e ...o:bə
Aerobat[ik] aero'ba:t[ɪk]
Aerobic ɛ'ro:bɪk
Aerobier ae'ro:biɐ
Aerobiont aero'biɔnt
Aerobios aero'bi:ɔs
Aerobiose aero'bio:zə
Aerobus a'e:robʊs, -se
...ʊsə
Aerodrom aero'dro:m
Aerodynamik aerody'na:-
mɪk
Aerodynamiker aerody'na:-
mikɐ
aerodynamisch aerody'na:-
mɪʃ
Aeroflot aero'flɔt, russ.
aɛra'flɔt
aerogen aero'ge:n
Aerogramm aero'gram
Aerograph aero'gra:f
Aerokartograph aerokarto-
'gra:f
Aeroklimatologie aerokli-
matolo'gi:
Aeroklub a'e:roklʊp
Aerolith aero'li:t
Aerologie aerolo'gi:
aerologisch aero'lo:gɪʃ
Aeromantie aeroman'ti:
Aeromechanik aerome'ça:-
nɪk
Aeromedizin aeromedi'tsi:n
Aerometer aero'me:tɐ
Aeronaut[ik] aero'naut[ɪk]
Aeronautiker aero'nautikɐ
Aéronavale fr. aerɔna'val
Aeronavigation aeronavi-
ga'tsio:n

Aeronomie aerono'mi:, -n
...i:ən
Aerophagie aerofa'gi:, -n
...i:ən
Aerophobie aerofo'bi:, -n
...i:ən
Aerophon aero'fo:n
Aerophor aero'fo:ɐ
Aerophotogrammetrie
aerofotograme'tri:
Aerophyt aero'fy:t
Aeroplan aero'pla:n
Ærøskøbing dän. 'e:rʏs-
kʏ:'bɪŋ
Aerosol aero'zo:l
aerosolieren aerozo'li:rən
Aerostatik aero'sta:tɪk
aerostatisch aero'sta:tɪʃ
Aerotaxe a'e:rotaksə
Aerotaxis aero'taksɪs
Aerotel aero'tɛl
Aerotherapie aerotera'pi:,
-n ...i:ən
aerotherm aero'tɛrm
Aerotrain a'e:rotrɛ̃:
Aerotropismus aerotro'pɪs-
mʊs
Aerozin aero'tsi:n
Aerschot niederl. 'a:rsxɔt
Aerssen niederl. 'a:rsə
Ærtholmene dän. 'ɛɐdhɔl-
mənə
Aerts[en] niederl. 'a:rts[ə]
Aeschbacher 'ɛʃbaxɐ
Aesti 'ɛ:sti, 'ɛsti
Ätes ɛ'e:tɛs
Aethusa ɛ'tu:za
Aetit ae'ti:t
Aetius a'e:tsiʊs
Aetosaurus aeto'zaurʊs,
...rier ...riɐ
Afanasjew russ. afa'nasjɪʃ
Afanasjewitsch russ. afa-
'nasjɪvɪtʃ
Afanasjewna russ. afa'nas-
jɪvnɐ
Afanasjewo russ. afa'nas-
jɪvɐ
Afanassi russ. afa'nasij
afebril afe'bri:l, auch: '– – –
affabel a'fa:bl̩, ...ble ...blə
Affaire, Affäre a'fɛ:rə
Affatomie afato'mi:, -n
...i:ən
Äffchen 'ɛfçən
Affe 'afə
Affekt a'fɛkt
Affektation afɛkta'tsio:n
affektieren afɛk'ti:rən
affektiert afɛk'ti:ɐt

Affektion afɛkˈtsi̯oːn
affektioniert afɛktsi̯oˈniːɐ̯t
affektiv afɛkˈtiːf, -e ...iːvə
Affektivität afɛktiviˈtɛːt
affektuos afɛkˈtu̯oːs, -e
...oːzə
affektuös afɛkˈtu̯øːs, -e
...øːze
äffen ˈɛfn
affengeil ˈafn̩ˈɡai̯l
Affenhitze ˈafn̩ˈhɪtsə
Afferei afəˈrai̯
Äfferei ɛfəˈrai̯
afferent afeˈrɛnt
Afferenz afeˈrɛnts
affettuoso afeˈtu̯oːzo
Affichage afiˈʃaːʒə, afi...
Affiche aˈfiʃə, auch: aˈfiːʃə
affichieren afiˈʃiːrən, afiˈʃ...
Affidavit afiˈdaːvɪt
affig ˈafɪç, -e ...ɪɡə
affigieren afiˈɡiːrən
Affiliation afiˈli̯aˈtsi̯oːn
affiliieren afiliˈiːrən
affin aˈfiːn
Äffin ˈɛfɪn
Affinage afiˈnaːʒə
Affination afinaˈtsi̯oːn
affiné afiˈneː
affinieren afiˈniːrən
Affinität afiniˈtɛːt
Affinor aˈfiːnoːɐ̯, -en afi-
ˈnoːrən
Affirmation afɪrmaˈtsi̯oːn
affirmativ afɪrmaˈtiːf, -e
...iːvə
Affirmative afɪrmaˈtiːvə
affirmieren afɪrˈmiːrən
äffisch ˈɛfɪʃ
Affix aˈfɪks, ˈafɪks
Affixoid afɪksoˈiːt, -e ...iːdə
affizieren afiˈtsiːrən
Affligem niederl. ˈaflɪɣɛm
Affligemensis afligeˈmɛn-
zɪs
afflitto aˈflɪto
Affodill afoˈdɪl
Affoltern ˈafɔltən
affrettando afrɛˈtando
Affrikata afriˈkaːta
Affrikate afriˈkaːtə
affrizieren afriˈtsiːrən
Affront aˈfrõː, auch: aˈfrɔnt,
des -s aˈfrõːs, auch:
aˈfrɔnts, die -s aˈfrõːs, die
-e aˈfrɔntə
affrontieren afrɔnˈtiːrən
affrös aˈfrøːs, -e ...øːzə
Affry fr. aˈfri
Afghalaine afɡaˈlɛːn

Afghan afˈɡaːn, ˈ--
Afghane afˈɡaːnə
Afghani afˈɡaːni
afghanisch afˈɡaːnɪʃ
Afghanistan afˈɡaːnɪstaːn,
...tan
Afinogenow russ. afinaˈɡjɛ-
nɐf
AFL engl. eɪ-ɛfˈɛl
Aflatoxin aflatoˈksiːn
Aflenz ˈaflɛnts
AFN engl. eɪ-ɛfˈɛn
afokal afoˈkaːl
à fond a ˈfõː
à fonds perdu a ˈfõː pɛrˈdy:
Afonso port. ɐˈfõsu
à forfait a fɔrˈfɛ:
a fortiori a fɔrˈtsi̯oːri
Afra ˈaːfra
Afrahat ˈafraha:t, --ˈ-
Afrancesados span. afran-
θeˈsaðos
Afranius aˈfraːni̯ʊs
a fresco aˈfrɛsko
Africanthropus afriˈkantro-
pʊs
Africanus afriˈkaːnʊs
Afrika ˈaːfrika, auch: ˈaf...
Afrikaander afriˈkaːndɐ
afrikaans afriˈkaːns, -e
...nzə
Afrikaans afriˈkaːns
Afrikana afriˈkaːna
Afrikander afriˈkandɐ
Afrikaner afriˈkaːnɐ
afrikanisch afriˈkaːnɪʃ
Afrikanist[ik] afrikaˈnɪst[ɪk]
Afrikanthropus afriˈkantro-
pʊs
Afro it. ˈaːfro
afroasiatisch ˈaːfro-
|aˈzi̯aːtɪʃ, auch: ˈafr...
Afrolook ˈaːfroluk, ˈaf...
Afschar afˈʃaːɐ̯
Afschari afˈʃaːri
Afşin türk. ɑfˈʃin
After ˈaftɐ
Aftershave ˈaːftɐʃeːf
Aftonbladet schwed. ˌaftɔn-
blaːdət
Afula hebr. aˈfula
Afyon türk. ˈafjɔn
Afzelia afˈtseːli̯a
Afzelius schwed. afˈseːli̯us
Ag, AG aˈˈɡeː
Aga ˈaːɡa
Agabos ˈaːɡabɔs
Agadès fr. aɡaˈdɛs
Agadir fr. aɡaˈdiːr
ägadisch ɛˈɡaːdɪʃ

Agafja russ. aˈɡafjɐ
Agäis ɛˈɡɛːɪs
ägäisch ɛˈɡɛːɪʃ
Aga Khan ˈaːɡa ˈkaːn
Agalaktie aɡalakˈtiː, -n
...iːən
agam aˈɡaːm
Agamemnon aɡaˈmɛmnɔn
Agamet aɡaˈmeːt
Agamie aɡaˈmiː
Agamist aɡaˈmɪst
Agamogonie aɡamoɡoˈniː
Agaña engl. ɑːˈɡaːnjɑː
Aganoor Pompilj it. aɡa-
ˈnɔːor pomˈpiːli
Agap russ. aˈɡap
Agapanthus aɡaˈpantʊs,
...thi ...ti
Agape aˈɡaːpə
Agapet[us] aɡaˈpeːt[ʊs]
Agapi russ. aˈɡapij
Agapornis aɡaˈpɔrnis
Agar-Agar ˈa[ː]ɡarˈ|a[ː]ɡar
Agardh schwed. ˌɑːˈɡard
Agartala engl. ˈæɡətələɑː
Agartz ˈaːɡarts
Agasias aˈɡaːzi̯as
Agasse fr. aˈɡas
Agassiz fr. aɡaˈsi, engl.
ˈæɡəsi
Agata it. ˈaɡata
Agatha ˈaːɡata, engl. ˈæɡəθə
Agathe aˈɡaːtə
Agathias aˈɡaːti̯as
Agatho ˈaːɡato
Agathokles aˈɡaːtoklɛs
Agathon ˈaːɡatɔn
ägatisch ɛˈɡaːtɪʃ
Agave aˈɡaːvə
Agawam engl. ˈæɡəwɔm
Agazzari it. aɡadˈdzaːri
Agboville fr. aɡboˈvil
Agdasch russ. aɡˈdaʃ
Agde fr. aɡd
Age eːtʃ
Âge dän. ˈoːu̯ə
Agee engl. ˈeɪdʒi
Agen fr. aˈʒɛ̃
Agena aˈɡeːna
Agence France-Presse fr.
aʒãsfrãsˈprɛs
Agence Havas fr. aʒãsa-
ˈvaːs
Agenda aˈɡɛnda
agendarisch aɡɛnˈdaːrɪʃ
Agende aˈɡɛndə
Agenesie aɡeneˈziː
Agenor aˈɡeːnoːɐ̯
Agens ˈaːɡɛns, ...nzien
aˈɡɛntsi̯ən

Agent a'gɛnt
Agentie agɛn'tsi:, -n ...i:ən
agentieren agɛn'ti:rən
Agent provocateur, -s -s a'ʒã: provoka'tø:ʀ
Agentur agɛn'tu:ʀ
Agenzia it. adʒen'tsi:a
Agenzien vgl. Agens
Ager 'a:gʀ
Ageratum a'ge:ratʊm
Agerisee 'ɛ:gərize:
Agerpres rumän. adʒer'pres
Agesilaos agezi'la:ɔs
Agesilaus agezi'la:ʊs
Ageus 'ɛ:gɔys
Ageusie agɔy'zi:, -n ...i:ən
agevole a'dʒe:vole
Agfa® 'akfa
Agfacolor® akfako'lo:ʀ
Agger 'agʀ
Aggie engl. 'ægɪ
Aggiornamento adʒɔrna-'mɛnto
Agglomerat aglome'ra:t
Agglomeration aglomera-'tsio:n
agglomerieren aglome'ri:-rən
Agglutination aglutina-'tsio:n
agglutinieren agluti'ni:rən
Agglutinin agluti'ni:n
Agglutinogen aglutino'ge:n
Aggravation agrava'tsio:n
aggravieren agra'vi:rən
Aggregat agre'ga:t
Aggregation agrega'tsio:n
aggregieren agre'gi:rən
Aggressin agrɛ'si:n
Aggression agrɛ'sio:n
aggressiv agrɛ'si:f, -e ...i:və
aggressivieren agrɛsi'vi:-rən
Aggressivität agrɛsivi'tɛ:t
Aggressor a'grɛso:ʀ, -en agrɛ'so:rən
Aggri..., Aggry... 'agri...
Aggsbach 'aksbax
Aggtelek ung. 'ɔktɛlɛk
Agha 'a:ga
Aghlabide agla'bi:də
Agiade a'gia:də
Agid ɛ'gi:t
Agide ɛ'gi:də
Agidius ɛ'gi:diʊs
Agidler ɛ'gi:tlʀ
Agien vgl. Agio
agieren a'gi:rən
agil a'gi:l
agile 'a:dʒile

Agilität agili'tɛ:t
Agilolfinger 'a:gilɔlfɪŋʀ
Agilops 'ɛ:gilɔps
Agilulf 'a:gilʊlf
Agimund 'a:gimʊnt
Agin russ. 'agin
Agina ɛ'gi:na
Agincourt fr. aʒɛ̃'ku:r
Aginete ɛgi'ne:tə
äginetisch ɛgi'ne:tɪʃ
Aginskoje russ. a'ginskʀjʀ
Agio 'a:dʒo, auch: 'a:ʒio,
  Agien 'a:dʒiən, auch:
  'a:ʒiən
Agiotage aʒio'ta:ʒə
Agioteur aʒio'tø:ʀ
agiotieren aʒio'ti:rən
Agir 'ɛ:gɪr
Agirbiceanu rumän. agɪr-bi'tʃɛanu
Agirre bask. aɣirrɛ
Agis 'a:gɪs
Agis 'ɛ:gɪs
Agisth[us] ɛ'gɪst[ʊs]
Agitatio agi'ta:tsio, -nen
  ...ta'tsio:nən
Agitation agita'tsio:n
agitato adʒi'ta:to
Agitator agi'ta:to:ʀ, -en agi-ta'to:rən
agitatorisch agita'to:rɪʃ
agitieren agi'ti:rən
Agitprop agɪt'prɔp
Aglaia a'gla:ja, a'glaia
Aglauros a'glaurɔs
Aglobulie aglobu'li:
Aglossie aglɔ'si:, -n ...i:ən
Aglykon agly'ko:n
Agma 'agma
Agnano it. aɲ'ɲa:no
Agnat a'gna:t
Agnatha a'gna:ta
Agnathie agna'ti:, -n ...i:ən
Agnation agna'tsio:n
Agnelli it. aɲ'nɛlli
Agnes 'agnɛs
Agnès fr. a'ɲɛs
Agnese it. aɲ'ɲe:ze
Agnesi it. aɲ'ɲe:zi
Agnetendorf a'gne:tn̩dɔrf
Agnew engl. 'ægnju:
Agni 'agni
Agnition agni'tsio:n
Agnolo it. 'aɲɲolo
Agnomen a'gno:mən,
  ...mina ...mina
Agnon hebr. ag'nɔn
Agnosie agno'zi:, -n ...i:ən
agnostisch a'gnɔstɪʃ

Agnostiker a'gnɔstikʀ
Agnostizismus agnɔsti'tsɪs-mʊs
agnostizistisch agnɔsti-'tsɪstɪʃ
Agnostus a'gnɔstʊs, ...ti ...ti
agnoszieren agnɔs'tsi:rən
Agnus Dei 'agnʊs 'de:i
Agogik a'go:gɪk
agogisch a'go:gɪʃ
Agogo ɛ'go:go
à gogo a go'go:
Agon a'go:n
agonal ago'na:l
Agone a'go:nə
Agonie ago'ni:, -n ...i:ən
Agonist[ik] ago'nɪst[ɪk]
Agonistiker ago'nɪstikʀ
Agop 'agɔp
Agophonie ɛgofo'ni:
¹Agora (Markt) ago'ra:
²Agora (Münze) ago'ra,
  ...rot ...'rɔt
Agorakritos ago'ra:kritɔs
Agoraphobie agorafo'bi:
Agordat a'gɔrda:t, amh.
  ak'ɔrdat
Agosti it. a'gosti
Agostini it. agos'ti:ni
Agostino it. agos'ti:no
Agost[on] ung. 'a:goʃt[on]
Agou[l]t fr. a'gu
Agra a'gra:, engl. 'ɑ:grə
Agraffe a'grafə
Agram 'a:gram
Agrammatismus agrama-'tɪsmʊs
Agranulozytose agranulo-tsy'to:ze
Agrapha 'a:grafa, 'ag...
Agraphie agra'fi:, -n ...i:ən
agrar..., A... a'gra:ʀ...
Agrarier a'gra:riʀ
agrarisch a'gra:rɪʃ
Agras neugr. 'aɣras
Agreement ɛ'gri:mənt
Agrégé agre'ʒe:
agreieren agre'i:rən
Agrell schwed. a'grɛl
Agrément agre'mã:
Agrest a'grɛst
Agri türk. 'ɑ:rɪ
Agricius a'gri:tsiʊs
Agricola a'gri:kola
ägrieren ɛ'gri:rən
Agrigent agri'gɛnt
Agrigento it. agri'dʒɛnto
Agrikultur agrikʊl'tu:ʀ
Agrimonia agri'mo:nia

Agrinion a'gri:njɔn, *neugr.*
  a'ɣrinjɔn
Agrippa a'grɪpa
Agrippina agrɪ'pi:na, *it.*
  agrip'pi:na
agro..., Agro... 'a:gro...
Agrochemie agroçe'mi:
Agronom agro'no:m
Agronomie agrono'mi:
Agropyrum agro'py:rʊm
Agrostemma agro'stɛma
Agrostis a'grɔstɪs
Agrostologie agrɔstolo'gi:
Agrumen a'gru:mən
Agrumi *it.* a'gru:mi
Agrypnie agryp'ni:, -n
  ...i:ən
Agrys *russ.* a'gris
Agt *niederl.* axt
Agthe 'aktə
Agua *span.* 'aɣu̯a
Aguada[s] *span.* a'ɣu̯aða[s]
Aguadilla *span.* aɣu̯a'ðiʎa
Aguado *span.* a'ɣu̯aðo
Agua Prieta *span.* 'aɣu̯a
  'prieta
Aguas *span.* 'aɣu̯as
Aguascalientes *span.*
  aɣu̯aska'lientes
Águeda *port.* 'aɣəðɐ, *span.*
  'aɣeða
Aguesseau *fr.* agɛ'so
Aguiar *port.* ɐ'ɣi̯ar, *bras.*
  a'gi̯ar
Aguilar *span.* aɣi'lar
Águilas *span.* 'aɣilas
Aguilera *span.* aɣi'lera
Aguirre *span.* a'ɣirrɛ
Aguja a'ɡuxa
Agujari *it.* agu'i̯a:ri
Agulhas a'ɡʊljas, *engl.* ə'ɡʊ-
  ləs, *port.* ɐ'ɣuʎɐʃ
Agung *indon.* 'agʊŋ
Agusan *span.* a'ɣusan
Agustí *span.* aɣus'ti
Agustín *span.* aɣus'tin
Agustini *span.* aɣus'tini
Aguti a'ɡu:ti
Ägypten ɛ'ɡyptn̩
Ägypter ɛ'ɡyptɐ
Ägyptienne ɛʒɪ'psi̯ɛn
ägyptisch ɛ'ɡyptɪʃ
Ägyptologe ɛɡypto'lo:gə
Ägyptologie ɛɡyptolo'gi:
ägyptologisch ɛɡypto'lo:-
  gɪʃ
Ägyptus ɛ'ɡyptʊs
Agyrte a'ɡyrtə
ah!, Ah a:, *auch:* a
äh! ɛ:, *auch:* ɛ

aha! a'ha:, *auch:* a'ha
Aha 'a:ha
Ahab 'a:hap
Ahaggar a'hagar, aha'ga:ɐ̯
Ahar a'har, *pers.* æ'hær
Ahas 'a:has
Ahasja a'hasja
Ahasver ahas've:ɐ̯, *auch:*
  -'--
ahasverisch ahas've:rɪʃ
Ahasverus ahas've:rʊs
Ahaus 'a:hau̯s
ahemitonisch 'ahemito:nɪʃ
Ahern[e] *engl.* ə'hə:n
Ahfir *fr.* a'fi:r
Ahidjo *fr.* aid'ʒo
ahistorisch 'ahɪsto:rɪʃ
Ahl Al Kitab 'axl alki'ta:p
Ahlat *türk.* ah'lat, '--
Ahlbeck 'a:lbɛk
Ahlden 'a:ldn̩
Ahle 'a:lə
Ahlefeldt *dän.* 'ɛ:ləfeld
Ahlem 'a:ləm
Ahlen 'a:lən
Ahlers-Hestermann 'a:lɐs-
  'hɛstɐman
Ahlgren *schwed.* ,a:lgre:n
Ahlgrimm 'a:lgrɪm
Ahlhorn 'a:lhɔrn
Ahlihakk axli'hak
Ahlin *schwed.* a'li:n
Ahlqvist *schwed.* ,a:lkvist
Ahlsen 'a:lzn̩
Ahlström *schwed.* ,a:lstrœm
Ahmad 'axmat
Ahmadabad *engl.* 'a:mədə-
  bæd
Ahmadi 'axmadi
Ahmadijja axma'di:ja
Ahmadpur *engl.* 'a:mədpu̯ə
Ahmed 'axmɛt
Ahmedabad *engl.* 'a:mədə-
  bæd
Ahmedî *türk.* ahmɛ'di
Ahmednagar *engl.* 'a:məd-
  nəgə
Ahmes 'axmɛs
Ahmet *türk.* ah'mɛt
Ahming 'a:mɪŋ
Ahmose ax'mo:zə
Ahn[a] 'a:n[a]
ahnden 'a:ndn̩, ahnd! a:nt
Ahne 'a:nə
ähneln 'ɛ:nl̩n
ahnen 'a:nən
Ahnfrau 'a:nfrau̯
ähnlich 'ɛ:nlɪç
Ahnlund *schwed.* ,a:nlʊnd
Aho *finn.* 'aho

ahoi! a'hɔy
Ahorn 'a:hɔrn
Ahr a:ɐ̯
Ahram, Al allax'ra:m
Ahrbleichert 'a:ɐ̯blai̯çɐt
Ähre 'ɛ:rə
Ahrenberg *schwed.* ,a:rən-
  bærj
Ahrens 'a:rəns
Ahrensbök a:rəns'bø:k,
  '---
Ahrensburg 'a:rənsbʊrk
Ahrenshoop a:rəns'ho:p
...ährig ....|ɛ:rɪç, -e ...ɪgə
Ahriman 'a:riman, *pers.*
  æhri'mæn
Ahrweiler 'a:ɐ̯vai̯lɐ
Ahtamar *türk.* 'ahtamar
Ahtisaari *finn.* 'ahtisa:ri
Ahuachapán *span.* au̯atʃa-
  'pan
Ahura Mazdah 'ahura
  'mazda
Ahvenanmaa *finn.* 'ahvɛ-
  namma:
Ahwas *pers.* æh'va:z
Ai 'a:i, *auch:* a'i:
Aia 'a:ja, 'ai̯a
Aiakos 'a:jakɔs, 'ai̯akɔs
Aias 'a:jas, 'ai̯as
Aibling[er] 'ai̯blɪŋ[ɐ]
Aicard *fr.* ɛ'ka:r
Aich[a] 'ai̯ç[a]
Aichach 'ai̯çax
Aichbühl 'ai̯çby:l
Aichel 'ai̯çl̩
Aichinger 'ai̯çɪŋɐ
Aichmophobie ai̯çmofo'bi:,
  -n ...i:ən
Aida *dt., it.* a'i:da
AIDA a'i:da
Aide ɛ:t, -n 'ɛ:dn̩
Aïdé *engl.* aɪ'deɪ
Aide-Mémoire 'ɛ:tme-
  'mo̯a:ɐ̯
Aidoiomanie ai̯dɔyoma'ni:
Aids e:ts
Aietes ai̯'e:tɛs
Aigai 'ai̯gai̯
Aigen 'ai̯gn̩
Aigeus 'ai̯gɔys
Aigi *russ.* aj'gi
Aigina aj'gi:na
Aigisthos ai̯'gɪstɔs
Aigner 'ai̯gnɐ
Aigospotamoi ai̯gɔspo-
  ta'mɔy
Aigrette ɛ'grɛtə
Aigues-Mortes *fr.* ɛg'mɔrt
Aiguière ɛ'gi̯e:rə, ...i̯ɛ:rə

Aiguille *fr.* ε'gɥij
Aiguillette εgi'jεtə
Aiguillon *fr.* εgɥi'jõ
Aigyptos a̲i̲'gʏptɔs
Aihun *chin.* a̲i̲xu̲ɐn 42
Aijubide a̲i̲ju'bi:də
Aiken *engl.* 'eɪkɪn
Aikido a̲i̲'ki:do
Ailerons εlə'rõ:
Ailey *engl.* 'eɪlɪ
Ailianos a̲i̲'lia:nɔs
Aimara *span.* a̲i̲ma'ra
Aimard *fr.* ε'ma:r
Aimé[e] *fr.* ε'me
Aimorés *bras.* a̲i̲mo'rεs
Ain a̲i̲n, *fr.* ε̃
Aïn-Beïda *fr.* a̲i̲nbεi'da
Aïn-Benian *fr.* a̲i̲nbe'nja̲n
Ainmiller 'a̲i̲nmɪlɐ
Aïn-Sefra *fr.* a̲i̲nse'fra
Ainsworth *engl.* 'eɪnzwə[:]θ
Aïn-Témouchent *fr.* a̲i̲nte-mu'ʃεnt
Aintree *engl.* 'eɪntri:
Ainu 'a̲i̲nu
Aiolos 'a̲i̲olɔs
Air ε:ɐ̯
Aïr *fr.* a'i:r
Aira 'a̲i̲ra
Airbag 'ε:ɐ̯bεk
Airbrush 'ε:ɐ̯braʃ
Airbus 'ε:ɐ̯bʊs
Air-Condition 'ε:ɐ̯kɔn.dɪʃn̩
Air-Conditioner 'ε:ɐ̯kɔn-.dɪʃənɐ
Air-Conditioning 'ε:ɐ̯kɔn-.dɪʃnɪŋ
Airdrie *engl.* 'εədrɪ
Aire *engl.* εə, *fr.* ε:r, *port.* 'a̲i̲rə
Airedale[r] 'ε:ɐ̯de:lɐ
Air Force 'ε:ɐ̯fo:ɐ̯s
Air France *fr.* εr'frã:s
Airfresh 'ε:ɐ̯frεʃ
Airglow 'ε:ɐ̯glo:
Airlift 'ε:ɐ̯lɪft
Airline[r] 'ε:ɐ̯la̲i̲n[ɐ]
Airmail 'ε:ɐ̯me:l
Airolo *it.* a̲i̲'rɔ:lo
Airotor ε'ro:to:ɐ̯, **-en** εro-'to:rən
Airport 'ε:ɐ̯po:ɐ̯t
Airterminal 'ε:ɐ̯tø:ɐ̯mɪnl̩,
...tœrm...
Airy *engl.* 'εərɪ
ais 'a:ɪs
Aïsch a̲i̲ʃ
Aïscha 'a:ɪʃa
Aïschines 'a̲i̲sçinεs
Aïschylos 'a̲i̲sçylɔs

ais-Moll 'a:ɪsmɔl, *auch:*
'—'—
Aisne ε:n, *fr.* εn
Aisopos a̲i̲'zo:pɔs, 'a̲i̲zopɔs
Aissore a̲i̲'so:rə
Aist[e] 'a̲i̲st[ə]
Aistis *lit.* 'a:i̲stɪs
Aistulf 'a̲i̲stʊlf
Aisuwakamatsu *jap.* a'izu-waka.matsu̲
Aitel 'a̲i̲tl̩
Aithra 'a̲i̲tra
Aitken *engl.* 'eɪtkɪn
Aitmatow *russ.* a̲i̲t'matɐf
Aitos *bulgar.* 'a̲i̲tos
Aitrach 'a̲i̲trax
Aitschi *jap.* 'a.i̲tʃi̲
Aitzema *niederl.* 'a:i̲tsəma
Aitzing 'a̲i̲tsɪŋ
Aiud *rumän.* a'i̲ud
Aiwasowski *russ.* ajva'zɔf-skij
Aix *fr.* εks
Aix-en-Provence *fr.* εksã-prɔ'vã:s
Aix-la-Chapelle *fr.* εkslaʃa-'pεl
Aix-les-Bains *fr.* εksle'bε̃
Aizpute *lett.* 'a̲i̲spʊte
Aja 'a:ja
Ajabe *jap.* 'a.jabe
Ajaccio *fr.* aʒak'sjo
Ajagus *russ.* aji'gus
Ajalbert *fr.* aʒal'bε:r
Ajan *russ.* a'jan
Ajanta *engl.* ə'dʒæntə
Ajatollah aja'tɔla
Ajax 'a:jaks, 'a̲i̲aks, *niederl.* 'a:jaks, *engl.* 'eɪdʒæks
Ajaxerle a:jaksɐlə
Ajion *neugr.* 'εjɔn
Ajion Oros *neugr.* 'ajɔn 'ɔrɔs
Ajka *ung.* 'ɔjkɔ
Ajmer *engl.* ædʒ'mɪə
Ajoie *fr.* a'ʒwa
à jour a 'ʒu:ɐ̯
Ajour... a'ʒu:ɐ̯...
ajourieren aʒu'ri:rən
Ajowanöl aʒo'va:nlø:l
Ajuthia a'ju:ti̲a
Akaba 'akaba
Akabira *jap.* a'kabira
Akademie akade'mi:, **-n**
...i:ən
Akademiker aka'de:mikɐ
akademisch aka'de:mɪʃ
akademisieren akademi-'zi:rən
Akademismus akade'mɪs-mʊs

Akademist akade'mɪst
Akadien a'ka:djən
Akajew *russ.* a'kajɪf
Akakios a'ka:kjɔs
Akalit® aka'li:t
Akalkulie akalku'li:, **-n**
...i:ən
Akanje 'a:kanjə
Akanthit akan'ti:t
Akanthose akan'to:zə
Akanthus a'kantʊs
Akardiakus akar'di:akʊs
Akardius a'kardi̲us
Akariasis aka'ri:azɪs
Akarine aka'ri:nə
Akarinose akari'no:zə
Akarizid akari'tsi:t, **-e** ...i:də
Akarnanien akar'na:nji̲ən
Akaroidharz akaro'i:tha:ɐ̯ts
Akarusräude 'a:karʊsrɔ̲y̲də
Akaryont aka'rʏɔnt
Akaschi *jap.* 'a.kaʃi̲
akatalektisch akata'lεktɪʃ
Akathistos a'ka:tɪstɔs
Akatholik 'akatoli:k, *auch:*
—'—'—
akausal aka̲u̲'za:l, *auch:*
'—'——
akaustisch a'ka̲u̲stɪʃ
Akazie a'ka:tsi̲ə
Akbar 'akbar
Akdeniz *türk.* 'akdε.niz
Åke *schwed.* .ɔ:kə
Akeldamach a'kεldamax
Akelei akə'la̲i̲, *auch:* 'a:kəla̲i̲
Aken a:kn̩, *niederl.* 'a:kə
Akenside *engl.* 'eɪkɪnsa̲i̲d
akephal ake'fa:l
Akershus *norw.* akərs'hʉːs
Åkes[s]on *schwed.* .ɔ:kəsɔn
Akhisar *türk.* 'ɑkhi.sɑr
Aki 'a:ki
Akiba a'ki:ba
Akif *türk.* ɑː'kif
Akihito *jap.* a'ki.hi̲to
Akim *russ.* a'kim
Akimenko *russ.* aki'mjεnkɐ
Akimow *russ.* a'kimɐf
Akin *türk.* ɑ'kin
Akinakes aki'na:kεs
Akinese aki'ne:zə
Akinesie akine'zi:
Akineten aki'ne:tn̩
akinetisch aki'ne:tɪʃ
Akis 'a:kɪs, *türk.* a'kis
Akischima *jap.* a'ki̲ʃima
Akita *jap.* 'a.ki̲ta
Akjab 'akjap
Akka[d] 'aka[t]
akkadisch a'ka:dɪʃ

Akkermạn (Ort) akɐˈman
Akkẹschi *jap.* aˈkkeʃi
Akklamatiọn aklamaˈtsi̯oːn
akklami̱eren aklaˈmiːrən
Akklimatisatiọn aklimati-
zaˈtsi̯oːn
akklimatisi̱eren aklimati-
ˈziːrən
Ạkko *hebr.* ˈakɔ
Akkolạde akoˈlaːdə
akkommodạbel akɔmo-
ˈdaːbļ, ...ble ...blə
Akkommodatiọn akɔmoda-
ˈtsi̯oːn
akkommodi̱eren akɔmo-
ˈdiːrən
Akkommodom̱eter akɔmo-
doˈmeːtɐ
Akkompagnement akɔm-
panjəˈmãː
akkompagni̱eren akɔm-
panˈjiːrən
Akkompagnịst akɔmpan-
ˈjɪst
Akkọrd aˈkɔrt, -e ...rdə
akkordạnt, A... akɔrˈdant
Akkordạnz akɔrˈdants
Akkọrdeon aˈkɔrdeɔn
Akkordeonịst akɔrdeoˈnɪst
akkordi̱eren akɔrˈdiːrən
Akkọrdik aˈkɔrdɪk
akkọrdisch aˈkɔrdɪʃ
akkouchi̱eren akuˈʃiːrən,
akuˈʃ...
Ạkkra ˈakra
akkrediti̱eren akrediˈtiːrən
Akkreditịv akrediˈtiːf, -e
...iːvə
Akkreszẹnz akrɛsˈtsɛnts
akkreszi̱eren akrɛsˈtsiːrən
Ạkku ˈaku
Akkulturatiọn akʊltura-
ˈtsi̯oːn
akkulturi̱eren akʊltuˈriːrən
Akkumulạt akumuˈlaːt
Akkumulatiọn akumula-
ˈtsi̯oːn
Akkumulạtor akumuˈlaː-
toːɐ, -en ...laˈtoːrən
akkumuli̱eren akumuˈliːrən
akkurạt akuˈraːt
Akkuratẹsse akuraˈtɛsə
Akkusatiọn akuzaˈtsi̯oːn
Ạkkusativ ˈakuzatiːf, -e
...iːvə
Akkusativi̱erung akuzati-
ˈviːrʊŋ
Aklạvik *engl.* əˈklɑːvɪk
Aklịne aˈkliːnə
Akm̱e ˈakˈmeː

Akmeịsmus akmeˈɪsmʊs
Akmeịst akmeˈɪst
Akmọlinsk *russ.* akˈmɔlinsk
Ạkne ˈaknə
Ạko *jap.* ˈaˌko:
Akoạsma akoˈasma
Akola *engl.* əˈkoʊlə
Akolụth akoˈluːt
Akoluthi̱e akoluˈtiː, -n ...iːən
Akolyth akoˈlyːt
Ạkon ˈaːkɔn
Ạkonit akoˈniːt
Akonitịn akoniˈtiːn
Akọnto aˈkɔnto
Akori̱e akoˈriː, -n ...iːən
Akosmịsmus akɔsˈmɪsmʊs
Akosmịst akɔsˈmɪst
Akosọmbo *engl.* ækoʊˈsɔm-
boʊ
akotyledọn akotyleˈdoːn
Akotyledọne akotyleˈdoːnə
akquiri̱eren akviˈriːrən
Akquịse aˈkviːzə
Akquisiteur akviziˈtøːɐ
Akquisitiọn akviziˈtsi̯oːn
Akquisịtor akviˈziːtoːɐ, -en
...ziˈtoːrən
akquisitọrisch akviziˈtoːrɪʃ
Ạkrab ˈakrap
Ạkragas ˈaːkragas
akrạl aˈkraːl
Ạkranes *isl.* ˈaːkranɛːs
Akrạnier aˈkraːni̯ɐ
Akratop̱ege akratoˈpeːgə
Akratotherme akrato-
ˈtɛrmə
Ạkren ˈaːkrən
Akrenzẹphalon akrɛnˈtsɛ:-
falɔn, ...la ...la
Akribi̱e akriˈbiː
akrịbisch aˈkriːbɪʃ
akribịstisch akriˈbɪstɪʃ
Akridịn akriˈdiːn
Akrịtas aˈkriːtas
ạkritisch ˈakriːtɪʃ
akroamạtisch akroaˈmaːtɪʃ
Akrobạt[ik] akroˈbaːt[ɪk]
Akrodyni̱e akrodyˈniː, -n
...iːən
Akrodystoni̱e akrodys-
toˈniː, -n ...iːən
akrokạrp akroˈkarp
Akrokephạle akrokeˈfaːlə
Akrokephali̱e akrokefaˈliː,
-n ...iːən
Akrolein akroleˈiːn
Akrolịth akroˈliːt
Akromegali̱e akromegaˈliː,
-n ...iːən

Akromikri̱e akromiˈkriː, -n
...iːən
Akron *engl.* ˈækrɔn
akronychisch akroˈnyçɪʃ
akronyktisch akroˈnyktɪʃ
Akronym akroˈnyːm
akropetạl akropeˈtaːl
Akrophoni̱e akrofoˈniː
akrophọnisch akroˈfoːnɪʃ
Akrọpolis aˈkroːpolɪs,
neugr. aˈkrɔpɔlis; ...len
akroˈpoːlən
Akrọstichon aˈkrɔstɪçɔn,
...cha ...ça
Akroṯeleuton akroˈteːlɔy-
tɔn, ...ta ...ta
Akroṯer akroˈteːɐ
Akroṯerie akroˈteːri̯ə
Akroṯerion akroˈteːri̯ɔn,
...ien ...i̯ɔn
Akroṯerium akroˈteːri̯ʊm,
...ien ...i̯ɔn
Akrotịsmus akroˈtɪsmʊs
Akrozephạle akrotseˈfaːlə
Akrozephali̱e akrotsefaˈliː,
-n ...iːən
Akrozyanọse akrotsȳa-
ˈnoːzə
Akrylsäure aˈkryːlzɔyrə
äksⁱ ɛːks
Ạksaray *türk.* ˈaksɑˌrɑi̯
Ạkşehir *türk.* ˈakʃɛˌhir
Aksum ˈaksʊm, aˈksuːm,
amh. aksum
Akt akt
Akta *vgl.* Aktum
Aktaịon akˈtai̯ɔn
Aktạnt akˈtant
Aktạon akˈtaːɔn
Aktạu *russ.* akˈtau
Ạkte ˈaktə
Aktei̱ akˈtai̯
Akteur akˈtøːɐ
Aktie ˈaktsi̯ə
Aktịn akˈtiːn
Aktinịde aktiˈniːdə
Aktịnie akˈtiːni̯ə
Aktinität aktiniˈtɛːt
Aktịnium akˈtiːni̯ʊm
Aktinogrạph aktinoˈgraːf
Aktinolịth aktinoˈliːt
Aktinom̱eter aktinoˈmeːtɐ
Aktinometri̱e aktinomeˈtriː
aktinomọrph aktinoˈmɔrf
Aktinomykọse aktinomy-
ˈkoːzə
Aktinomyzẹt aktinomyˈtseːt
¹Aktiọn (Handlung)
akˈtsi̯oːn

²**Aktion** (Kap) 'aktjɔn,
neugr. 'aktjɔn
aktional aktsjo'na:l
Aktionär aktsjo'nɛ:ɐ̯
Aktionismus aktsjo'nɪsmʊs
Aktionist aktsjo'nɪst
Aktium 'aktsjʊm
aktiv ak'ti:f, *auch:* '––, -e
...i:və
¹**Aktiv** (Tatform) 'akti:f, -e
...i:və
²**Aktiv** (Arbeitsgruppe)
ak'ti:f, -e ...i:və
Aktiva ak'ti:va
Aktivator akti'va:to:ɐ̯, -en
...va'to:rən
Aktive ak'ti:və
aktivieren akti'vi:rən
Aktivin akti'vi:n
aktivisch ak'ti:vɪʃ, *auch:*
'––
Aktivismus akti'vɪsmʊs
Aktivist akti'vɪst
Aktivitas ak'ti:vitas
Aktivität aktivi'tɛ:t
Aktivstoff ak'ti:fʃtɔf
Aktivum ak'ti:vʊm, ...va
...va
Aktjubinsk *russ.* ak'tjubinsk
Aktor 'akto:ɐ̯, -en ak'to:rən
Aktrice ak'tri:sə
aktual ak'tu̯a:l
aktualisieren aktu̯ali'zi:rən
Aktualismus aktu̯a'lɪsmʊs
aktualistisch aktu̯a'lɪstɪʃ
Aktualität aktu̯ali'tɛ:t
Aktuar ak'tu̯a:ɐ̯
Aktuarius ak'tu̯a:rjʊs, ...ien
...jən
Aktuator ak'tu̯a:to:ɐ̯, -en
aktu̯a'to:rən
aktuell ak'tu̯ɛl
Aktum 'aktʊm, **Akta** 'akta
Aktuogeologie aktu̯ogeo-
lo'gi:
Aktus 'aktʊs, **die -** ...tu:s
Akuem a'ku̯e:m
Akuität akui'tɛ:t
Akumetrie akume'tri:
Akune *jap.* a'ku̯ne
Akunian aku'nja:n
Akupressur akupre'su:ɐ̯
Akupunkteur akupʊŋk'tø:ɐ̯
akupunktieren akupʊŋk'ti:-
rən
Akupunktur akupʊŋk'tu:ɐ̯
Akupunkturist akupʊŋktu-
'rɪst
Akureyri *isl.* 'a:kʏrejrɪ
Akusmatiker akʊs'ma:tikɐ

Aküsprache 'akyʃpra:xə
Akustik a'kʊstɪk
Akustiker a'kʊstikɐ
akustisch a'kʊstɪʃ
Akustochemie akʊsto-
çe'mi:
akut, A... a'ku:t
Akutagawa *jap.* a'ku̯ta-
gawa
Akyab *engl.* æk'jæb, '––
Akyn 'a:kʏn
akzedieren aktse'di:rən
Akzeleration aktselera-
'tsjo:n
Akzelerator aktsele'ra:to:ɐ̯,
-en ...ra'to:rən
akzelerieren aktsele'ri:rən
Akzent ak'tsɛnt
Akzentuation aktsɛntu̯a-
'tsjo:n
akzentuell aktsɛn'tu̯ɛl
akzentuieren aktsɛntu'i:rən
Akzepisse aktse'pɪsə
Akzept ak'tsɛpt
akzeptabel aktsɛp'ta:bl̩,
...ble ...blə
Akzeptant aktsɛp'tant
Akzeptanz aktsɛp'tants
Akzeptation aktsɛpta'tsjo:n
akzeptieren aktsɛp'ti:rən
Akzeptor ak'tsɛpto:ɐ̯, -en
...'to:rən
Akzess ak'tsɛs
Akzession aktse'sjo:n
Akzessist aktse'sɪst
Akzessit ak'tsɛsɪt
Akzessorietät aktsɛsorje-
'tɛ:t
akzessorisch aktse'so:rɪʃ
Akzessorium aktse'so:rjʊm,
...ien ...jən
Akzidens 'aktsidɛns,
...nzien, ...ntien ...'dɛn-
tsjən
Akzidentalien aktsidɛn'ta:-
ljən
akzidentell aktsidɛn'tɛl
akzidentiell aktsidɛn'tsjɛl
Akzidenz aktsi'dɛnts
Akzidenzien aktsi'dɛntsjən
akzipieren aktsi'pi:rən
Akzise ak'tsi:zə
Al (Vorname) *engl.* æl
à la a la
Ala *dt., it.* 'a:la
alaaf a'la:f
à la baisse a la 'bɛ:s
Alabama ala'ba:ma, *engl.*
ælə'bæmə
Alabaster ala'bastɐ

Alabastron a'la:bastrɔn,
...ren ala'bastrən
à la bonne heure! a la
bɔ'nø:ɐ̯
Alaca [Hüyük] *türk.* 'aladʒa
[hy'jyk]
à la carte a la 'kart
Alacoque *fr.* ala'kɔk
Aladağ *türk.* a'lada:
Aladin 'aladi:n
Alagir *russ.* ala'gir
Alagoas *bras.* ala'goas
Alagoinhas *bras.* ala'gu̯iɲas
Alagón *span.* ala'ɣɔn
à la hausse a la 'o:s
Alai *russ.* a'laj
Alain *fr.* a'lɛ̃
Alais *fr.* a'lɛs
à la jardinière a la ʒardi-
'nʲɛ:ɐ̯
Alajuela *span.* ala'xu̯ela
Alalach 'a:lalax
Alaleona *it.* alale'o:na
Alalie ala'li:, -n ...i:ən
à la longue a la 'lõ:k
Alamac, ...ak ala'ma:k
à la maison a la mɛ'zõ:
Alamán *span.* ala'man
Alamanne ala'manə
Alamanni *it.* ala'manni
Alameda *engl.* ælə'mi:də
Alaméricaine alameri'kɛ:n
Alamo *engl.* 'æləmoʊ
à la meunière a la mø'nʲɛ:ɐ̯
à la mode a la 'mɔt
Alamode... ala'mo:də...
alamodisch ala'mo:dɪʃ
Alamogordo *engl.* æləmə-
'gɔːdoʊ
Álamos *span.* 'alamos
Alan a'la:n
Alanate ala'na:tə
¹**Aland** (Fisch) 'a:lant, -e
...ndə
²**Aland** (Fluss) 'a:lant
Åland *schwed.* 'o:lan[d]
Alane a'la:nə
Alanin ala'ni:n
Alant a'lant
Alanus ab Insulis a'la:nʊs
ap 'ɪnzuli:s
Alanya *türk.* a'lanja
Alaotra *mad.* a'lotrə
Alapajewsk *russ.* ala'pajɪfsk
Alarbus a'larbus
Alarcón *span.* alar'kɔn
Alard *fr.* a'la:r
Alarich 'a:larɪç
Alarm a'larm

alarmieren alar'mi:rən
Alas span., indon. 'alas
Alaşehir türk. ɑ'laʃɛ.hir
Alaska a'laska, engl. ə'læskə
Alassio it. a'lassio
Alastair alas'tɛ:ɐ̯, engl.
  'æləstɛə
Alastrim a'lastrım
à la suite a la 'sɥɪt
Alatri it. a'la:tri
Alatyr russ. a'latirj
Alauit alau'i:t
Alaun a'laun
alaunig a'launɪç, -e ...ɪɡə
alaunisieren alauni'zi:rən
Álava span. 'alaβa
Alawerdi russ. alɐvır'di
Alawit ala'vi:t
Alayrac fr. alɛ'rak
Alb alp
Alba dt., it. 'alba, span. 'alβa
Albacete span. alβa'θete
Alba Iulia rumän. 'alba 'julia
Alba Longa 'alba 'loŋga
Alban 'alba:n, auch: –'–
Albaner al'ba:nɐ
Albanese it. alba'ne:se
Albani it. al'ba:ni
Albania al'ba:nja
Albanien al'ba:njən
albanisch al'ba:nɪʃ
Albano it. al'ba:no
Albanologe albano'lo:gə
Albanologie albanolo'gi:
Albanus al'ba:nʊs
Albany engl. 'ɔ:lbənı
Albarello alba'rɛlo, ...lli ...li
Albatenius alba'te:njʊs
Albatros 'albatrɔs, -se ...ɔsə
Albdruck 'alpdrʊk
Albe 'albə, niederl. 'albə, it.
  'albe
Albedo al'be:do
Albedometer albedo'me:tɐ
Albee engl. 'ɔ:lbı:
Albemarle engl. 'ælbəma:l,
  span. alβe'marle
Albena bulgar. ɐl'bɛnɐ
Albenga it. al'bɛŋga
Albéniz al'be:nıs, span.
  al'βeniθ
Alber 'albɐ
Alberche span. al'βɛrtʃe
Alberdi span. al'βerði
Alberdingk Thijm niederl.
  'albərdıŋk 'tɛım
Alberei albə'raı
Albères, Monts fr. mõzal-
  'bɛ:r
Alberge al'bɛrgə

Albergo al'bɛrgo, ...ghi ...gi
Alberi it. al'bɛ:ri
Albéric fr. albe'rik
Alberich 'albərıç
Alberico it. albe'ri:ko
Alberique span. alβe'rike
albern, A... 'albɐn
Albero 'albero
Alberobello it. albero'bɛllo
Alberoni it. albe'ro:ni
Albers 'albɐs
Albert 'albɛrt, engl. 'ælbət,
  fr. al'bɛ:r, schwed. 'albært,
  niederl. 'albərt
Alberta al'bɛrta, engl.
  æl'bə:tə
Albertazzi it. alber'tattsi
Alberti dt., it. al'bɛrti, span.
  al'βɛrti
Albertina albɛr'ti:na
Albertine albɛr'ti:nə, fr.
  alber'tin
Albertinelli it. alberti'nɛlli
Albertini it. alber'ti:ni
albertinisch alber'ti:nıʃ
Albertinum alber'ti:nʊm
Albertinus alber'ti:nʊs
Albertis it. al'bɛrtis
Albertisch al'bɛrtıʃ
Alberto it. al'bɛrto, span.
  al'βɛrto, port. al'bɛrtu
Alberton engl. 'ælbətən
Albertotypie albɛrtoty'pi:,
  -n ...i:ən
Alberts 'albɛrts
Albertus al'bɛrtʊs, niederl.
  al'bɛrtys
Albertville fr. albɛr'vil
Albertz 'albɛrts
Alberus al'bɛrʊs
Albhard, ...rt 'alphart
Albi fr. al'bi
Albicastro albi'kastro
Albich 'albıç
Albigenser albi'gɛnzɐ
Albigeois fr. albi'ʒwa
Albiker 'albikɐ
Albiklas albi'kla:s, -e ...a:zə
Albin 'albi:n, auch: al'bi:n;
  schwed. 'albin
Albine al'bi:nə
Albini dt., it. al'bi:ni
Albinismus albi'nısmʊs
albinitisch albi'ni:tıʃ
Albino dt., it. al'bi:no
Albinoni it. albi'no:ni
albinotisch albi'no:tıʃ
Albinovanus albino'va:nʊs
Albinus al'bi:nʊs
Albion 'albiɔn, engl. 'ælbıən

Albireo al'bi:reo
Albis 'albıs
Albit al'bi:t
Albizzi it. al'bittsi
Albizzie al'bıtsiə
Alblasserdam niederl.
  alblasər'dam
Albo span. 'alβo
Albocácer span. alβo'kaθɛr
Alboin 'alboi:n
Albolit® albo'li:t
Alboni it. al'bo:ni
Alborán span. alβo'ran
Ålborg dän. 'ɔlbɔɐ̯'
Albornoz span. alβor'nɔθ
Albrecht 'albrɛçt, slowen.
  'a:lbrɛxt
Albrechtsberger 'albrɛçts-
  bɛrgɐ
Albrechtsburg 'albrɛçts-
  bʊrk
Albret fr. al'brɛ
Albrici it. al'bri:tʃi
Albright engl. 'ɔ:lbraıt
Albrizzi it. al'brittsi
Albtraum 'alptraʊm
Albuch 'a:lbu:x
Albufera span. alβu'fera
Albugo al'bu:go, ...gines
  ...gine:s
Albuin 'albui:n
Albújar span. al'βuxar
Albula 'albula
Album 'albʊm
Albumen al'bu:mən
Albumin albu'mi:n
Albuminat albumi'na:t
Albuminimeter albumini-
  'me:tɐ
albuminoid albumino'i:t, -e
  ...i:də
albuminös albumi'nø:s, -e
  ...ø:zə
Albuminurie albuminu'ri:,
  -n ...i:ən
Albumose albu'mo:zə
Albuquerque engl. 'ælbə-
  kə:kı, port. albu'kɛrkə
Alburquerque span. alβur-
  'kɛrke
Albury engl. 'ɔ:lbərı
Albus 'albʊs, -se ...ʊsə
Alcácer do Sal port. al'ka-
  sɛr du 'sal
Alcáçovas port. al'kasuvɐʃ
alcäisch al'tsɛ:ıʃ
Alcalá [de Guadaira] span.
  alka'la [ðe ɣwa'ðaıra]
Alcamo it. 'alkamo
Alcañiz span. alka'ɲiθ

Alcantara® alkanˈtaːra
Alcántara *span.* alˈkantara
Alcaraz *span.* alkaˈraθ
Alcarraza alkaˈrasa, *span.*
  alkaˈrraθa
Alcatraz *engl.* ˈælkətræz,
  ––ˈ–
Alcäus alˈtsɛːʊs
Alcazaba *span.* alkaˈθaβa
Alcázar alˈkaːzar, *span.*
  alˈkaθar
Alceo *it.* alˈtʃɛːo
Alcest alˈtsɛst
Alceste alˈtsɛstə, *fr.* alˈsɛst,
  it. alˈtʃeste
Alchemie alçeˈmiː, -n ...iːən
Alchemilla alçeˈmɪla
Älchen ˈɛːlçən
Alchimie alçiˈmiː, -n ...iːən
Alchimist alçiˈmɪst
Alchymie alçyˈmiː, -n ...iːən
Alciat[us] alˈtsi̯aːt[ʊs]
Alciato *it.* alˈtʃaːto
Alcibiades altsiˈbiːadɛs
Alcide *it.* alˈtʃiːde
Alcindas alˈsɪndas, *span.*
  alˈθindas
Alcindor *fr.* alsɛ̃ˈdɔːr
Alcipe *port.* alˈsipə
Alcira *span.* alˈθira
Alcobaça *port.* alkuˈβasɐ
Alcoforado *port.* alkufu-
  ˈraðu
Alcolea *span.* alkoˈlea
al corso *it.* alˈkɔrzo
Alcotest® alkoˈtɛst, '–––
Alcott *engl.* ˈɔːlkət
Alcover *kat.* əlkuˈβe, *span.*
  alkoˈβɛr
Alcoy *span.* alˈkɔi̯
Alcyone alˈtsy̆oːnə, *auch:*
  alˈtsyːone
alcyonisch alˈtsy̆oːnɪʃ
Aldabra *engl.* ælˈdæbrə
Aldamon ˈaldamon
Aldan *russ.* alˈdan
Aldanow *russ.* alˈdanɐf
Aldebaran aldebaˈraːn,
  auch: ...ˈbaːran
Aldebrand ˈaldəbrant
Aldeburgh *engl.* ˈɔːldbərə
Aldecoa *span.* aldeˈkoa
Aldegrever ˈaldəgreːvɐ
Aldegund ˈaldəgʊnt
Aldegunde aldəˈgʊndə
Aldegundis aldeˈgʊndɪs
Aldehyd aldeˈhyːt, -e ...yːdə
Aldemar ˈaldəmar
Alden *engl.* ˈɔːldən
Aldenburg ˈaldn̩bʊrk

Aldenhoff ˈaldn̩hɔf
Aldenhoven ˈaldn̩hoːfn̩
al dente alˈdɛntə
Alder ˈaldɐ
Alderamin alderaˈmiːn
Aldergrove *engl.* ˈɔːldə-
  groʊv
Alderman, ...men ˈɔldɐmən
Alderney *engl.* ˈɔːldənɪ
Aldersbach ˈaldɐsbax
Aldershot *engl.* ˈɔːldəʃɔt
Aldhelm ˈalthɛlm
Aldine alˈdiːnə
Aldingen ˈaldɪŋən
Aldington *engl.* ˈɔːldɪŋtən
Aldobrandini *it.* aldobran-
  ˈdiːni
Aldolase aldoˈlaːzə
Aldose alˈdoːzə
Aldosteron aldosteˈroːn
Aldous *engl.* ˈɔːldəs
Aldoxim aldoˈksiːm
Aldrey® ˈaldrai̯
Aldrich *engl.* ˈɔːldrɪtʃ
Aldridge *engl.* ˈɔːldrɪdʒ
Aldrin *engl.* ˈɔːldrɪn
Aldringen ˈaldrɪŋən
Aldringer ˈaldrɪŋɐ
Aldrovandi *it.* aldroˈvandi
Aldus ˈaldʊs
Ale eːl
alea iacta est ˈaːlea ˈjakta
  ˈɛst
Aleander aleˈandɐ
Aleandro *it.* aleˈandro
Aleardi *it.* aleˈardi
Aleatorik aleaˈtoːrɪk
aleatorisch aleaˈtoːrɪʃ
Alec[k] *engl.* ˈælɪk
Alechinsky *fr.* aleʃɛ̃sˈki
Alecsandri *rumän.* aleksan-
  ˈdri
Alectorolophus alɛktoˈroː-
  lofʊs
Alecu *rumän.* aˈleku
Alegre *bras.* aˈlegri
Alegrete *bras.* aleˈgreti
Alegría *span.* aleˈɣria
Aleisk *russ.* aˈlejsk
Aleixandre *span.* alei̯kˈsan-
  dre
Alejandro *span.* alɛˈxandro
Alejchem aˈlɛjxɛm
Aleksandar *serbokr.* aˈlɛk-
  saːndar
Aleksandrów Kujawski
  poln. alɛˈksandruf kuˈjafski
Aleksandrów Łódzki *poln.*
  alɛˈksandruf ˈu̯utski

Aleksinac *serbokr.* ˌalɛksi-
  nats
Alekto aˈlɛkto
Alemagna *it.* aleˈmaɲɲa
Alemán *span.* aleˈman
Alemanne aləˈmanə
Alemannien aləˈmani̯ən
alemannisch aləˈmanɪʃ
Alembert *fr.* alãˈbɛːr
Além-Paraíba *bras.* aˈlẽi̯m-
  paraˈiba
Alencar *bras.* aleŋˈkar
Alençon *fr.* alãˈsõ
Alentejo *port.* ɐlenˈtɐʒu
Aleotti *it.* aleˈɔtti
Aleph ˈaːlɛf
Aleppo aˈlɛpo
Aleramo *it.* aleˈraːmo
alert aˈlɛrt
Alert *engl.* əˈləːt
Alès *fr.* aˈlɛs
Aleš *tschech.* ˈalɛʃ
Alesia aˈleːzi̯a
Alessandri *span.* aleˈsandri
Alessandria *it.* alesˈsandri̯a
Alessandro *it.* alesˈsandro
Alessi *it.* aˈlɛssi
Ålesund *norw.* ˌoːləsʉn
Aletsch... aˈlɛtʃ..., ˈaːlɛtʃ...
Aleukämie alɔykɛˈmiː, -n
  ...iːən
aleukämisch alɔyˈkɛːmɪʃ
Aleuron aˈlɔyrɔn
Aleuten aleˈu:tn̩
Alewyn *a:*ˈləviːn
Alex ˈaːlɛks
Alexander alɛˈksandɐ, *engl.*
  ælɪgˈzaːndə
Alexandersbad alɛˈksan-
  dɐsbaːt
Alexandr *russ.* alɪkˈsandr
Alexandra alɛˈksandra,
  engl. ælɪgˈzaːndrə
Alexandre *fr.* alɛkˈsãːdr
Alexandrescu *rumän.* alek-
  sanˈdresku
Alexandrette alɛksanˈdrɛt,
  fr. alɛksãˈdrɛt
Alexandria alɛˈksandria,
  auch: alɛksanˈdriːa; *engl.*
  ælɪgˈzaːndriə, *rumän.* alek-
  sanˈdria
Alexandrien alɛˈksandri̯ən
Alexandrija *russ.* alɪksan-
  ˈdrijɐ
Alexandrine alɛksanˈdriːnə
Alexandriner alɛksanˈdriːnɐ
alexandrinisch alɛksan-
  ˈdriːnɪʃ

Alexandrinus alɛksanˈdriːnʊs
Alexandrit alɛksanˈdriːt
Alexandropolis alɛksanˈdroːpolɪs
Alexandros alɛˈksandrɔs
Alexandrow russ. alɪkˈsandrɐf
Alexandrowitsch russ. alɪkˈsandrɐvitʃ
Alexandrowna russ. alɪkˈsandrɐvnɐ
Alexandrowsk russ. alɪkˈsandrɐfsk
Alexandru rumän. alekˈsandru
Alexandrupolis neugr. alɛksanˈðrupɔlis
Alexei russ. alɪkˈsjej
Alexejew russ. alɪkˈsjejɪf
Alexejewitsch russ. alɪkˈsjejɪvitʃ
Alexejewka russ. alɪkˈsjejɪfkɐ
Alexejewna russ. alɪkˈsjejɪvnɐ
Alexia aˈlɛksia
Alexianer alɛˈksiaːnɐ
Alexie alɛˈksiː, -n ...iːən
Alexin russ. aˈljɛksin
Alexine alɛˈksiːnə
Alexios aˈlɛksiɔs
Alexis aˈlɛksɪs, fr. alɛkˈsi
Alexiu neugr. alɛkˈsiu
Alexius aˈlɛksiʊs
alezithal aletsiˈtaːl
Alf dt., schwed. alf, dän. ælˈf
Alfa ˈalfa
Alfalfa alˈfalfa
Alfano alˈfaːno
alfanzen alˈfantsn
Alfanzerei alfantsəˈrai
Alfarabi alfaˈraːbi
Alfaro span. alˈfaro
Alfa Romeo ˈalfa roˈmeːo
Alfeld ˈaːlfɛlt
Alfenas bras. alˈfenas
Alfenid alfeˈniːt, -es ...iːdəs
Alférez span. alˈfereθ
Alferon alfeˈroːn
Alfhild ˈalfhɪlt
Alfieri it. alˈfiɛːri
al fine alˈfiːnə
Alfinger ˈalfɪŋɐ
Alfio it. ˈalfio
Alföld[i] ung. ˈɔlføld[i]
Alfons ˈalfɔns
Alfonsa alˈfɔnza
Alfonsín span. alfɔnˈsin
Alfonsinisch alfɔnˈziːnɪʃ

Alfonsisch alˈfɔnziʃ
Alfonso it., span. alˈfɔnso
Alfraganus alfraˈgaːnʊs
Alfred ˈalfreːt, engl. ˈælfrɪd, fr. alˈfrɛd, dän. ˈælˈfrəð, schwed. ˈalfreːd
Alfreda alˈfreːda
Alfrede alˈfreːdə
Alfredo span. alˈfreðo, port. alˈfreðu, it. alˈfreːdo
al fresco alˈfrɛsko
Alfreton engl. ˈɔːlfrɪtən
Alfried ˈalfriːt
Alfrink niederl. ˈalfrɪŋk
Alfsön ˈalfsœn
Alfuren alˈfuːrən
Alfvén schwed. alˈveːn
Algae ˈalgɛ
Algardi it. alˈgardi
Algarotti it. algaˈrɔtti
Algarrobo span. alɣaˈrrɔβo
Algarve dt., port. alˈgarvə
Algazel algaˈzeːl
Algazi fr. algaˈzi
Alge ˈalgə
Algebra ˈalgebra, ...ren alˈgeːbrən
algebraisch algeˈbraːɪʃ
Algeciras span. alxeˈθiras
Algemeen Handelblad niederl. ˈalxəmeːn ˈhandəlblɑt
Algemesí span. alxemeˈsi
Algenib algeˈniːp
Alger fr. alˈʒe, engl. ˈældʒə
Algérie fr. alʒeˈri
Algerien alˈgeːriən
algerisch alˈgeːrɪʃ
Algernon engl. ˈældʒənən
Algérois fr. alʒeˈrwa
Algesie algeˈziː, -n ...iːən
Algesimeter algeziˈmeːtɐ
Algesiologie algezioloˈgi:
Alghero it. alˈgɛːro
Algier ˈalʒiːɐ
Algin alˈgiːn
Alginat algiˈnaːt
Algirdas lit. ˈalgirdas
Algoa engl. ælˈgoʊə
Algogene algoˈgeːnə
¹Algol (Stern) alˈgoːl, auch: ˈ--
²Algol (Formelsprache) ˈalgɔl
Algolagnie algolaˈgniː, -n ...iːən
Algologe algoˈloːgə
Algologie algoloˈgi:
algologisch algoˈloːgɪʃ
algomanisch algoˈmaːnɪʃ
Algometer algoˈmeːtɐ

algomisch alˈgoːmɪʃ
Algonkin alˈgɔŋkɪn
algonkisch alˈgɔŋkɪʃ
Algonkium alˈgɔŋkiʊm
Algonquin engl. ælˈgɔŋk[w]ɪn
Algorab algoˈraːp
algorithmisch algoˈrɪtmɪʃ
Algorithmus algoˈrɪtmʊs
Algraphie algraˈfiː, -n ...iːən
Algren engl. ˈɔːlgrɪn
Alhama span. aˈlama
Alhambra alˈhambra, span. aˈlambra, engl. ælˈhæmbrə
Alhandra port. ɐˈʎɐndrɐ
Alhaurín span. alaʊˈrin
Alhazen alhaˈtseːn
Alhidade alhiˈdaːdə
Al-Hoceima fr. aloˈsejˈma
Ali ˈaːli, auch: ˈali, aˈli:; engl. ˈæli, ˈaːlɪ
Alia vgl. Aliud
Alia (Name) alban. aˈlia
Aliakmon neugr. aˈljakmɔn
Älian[us] ɛˈlia:n[ʊs]
alias ˈaːlias
Ali-Bairamly russ. aˈli-bɐjramˈlɪ
Alibi ˈaːlibi
Alicante span. aliˈkante
Alice (Vorn.) aˈliːsə, engl. ˈælɪs, fr. aˈlis, it. aˈliːtʃe
Alide aˈliːdə
Alien engl. ˈeɪliən
Alienation aljenaˈtsioːn
Alieni aˈljeːni
alienieren aljeˈniːrən
Alife it. aˈliːfe
Aligarh engl. ˈæliga:
Aliger russ. aliˈgjɛr
Alighieri it. aliˈgiɛːri
Alignement alɪnjəˈmã:
alignieren alɪnˈjiːrən
Aligny fr. aliˈɲi
Alijew russ. aˈlijɪf
alimentär alimɛnˈtɛːɐ̯
Alimentation alimɛntaˈtsioːn
Alimente aˈliˈmɛntə
alimentieren alimɛnˈtiːrən
a limine aˈliːmine
Alin schwed. aˈliːn
Alin[e]a aˈliːn[e]a
alineieren alineˈiːrən
Alingsås schwed. aˈliŋsˈoːs
Alione it. aˈljoːne
aliphatisch aliˈfaːtɪʃ
Ali Portuk ˈaːli ˈpɔrtʊk
aliquant aliˈkvant
Aliquippa engl. ælɪˈkwɪpə

aliquot ali'kvɔt
Aliquote ali'kvo:tə
Alişar Hüyük *türk.* ali'ʃar
  hy'jyk
Aliscans *fr.* alis'kã
Aliseda *span.* ali'seða
Alisma a'lısma
Alismaceae alıs'ma:tsɛɛ
Aliso 'a:lizo, a'li:zo
Alison *engl.* 'ælısn
Alitalia *it.* ali'ta:lịa
alitieren ali'ti:rən
Alitta a'lıta
Aliud 'a:lịʊt, ...ia ...ịa
Ālius 'ɛ:lịʊs
Aliwal *engl.* 'ælıwəl
Alix 'a:lıks, *fr.* a'liks, *engl.*
  'ælıks
Alizarin alitsa'ri:n
Aljabjew *russ.* a'ljabjıf
aljamiadisch alxa'mịa:dıʃ
Aljamiado *span.* alxa'mịaðo
Aljochin *russ.* a'ljɔxin
Aljoscha *russ.* a'ljɔʃɐ
Aljoschka *russ.* a'ljɔʃkɐ
Aljubarrota *port.* alʒuβɐ-
  'rrotɐ
Aljustrel *port.* alʒuʃ'trɛl
Alk alk
Alkahest alka'hɛst
Alkaios al'kaịɔs
alkäisch al'kɛ:ıʃ
Alkalde al'kaldə
Alkali al'ka:li, *auch:* 'alkali,
  ...ien al'ka:lịən
Alkaliämie alkalịe'mi:, -n
  ...i:ən
Alkalimetrie alkalime'tri:
alkalin alka'li:n
Alkalinität alkalini'tɛ:t
alkalisch al'ka:lıʃ
alkalisieren alkali'zi:rən
Alkalität alkali'tɛ:t
Alkaloid alkalo'i:t, -e ...i:də
Alkalose alka'lo:zə
Alkamenes al'ka:menɛs
Alkan al'ka:n
Alkanna al'kana
Alkasar al'ka:zar
Alkäus al'kɛ:ʊs
Alkazar al'ka:zar, *auch:*
  alka'tsa:ɐ, al'ka:tsar
Alkazid... alka'tsi:t...
Alke 'alkə
¹Alken (Stoff) al'ke:n
²Alken (Name) 'alkn̩
Alkeste al'kɛstə
Alkestis al'kɛstıs
Alkibiades alki'bi:adɛs
Alkindi al'kındi

Alkine al'ki:nə
Alkinoos al'ki:noɔs
Alkiphron 'alkifrɔn
Alkje 'alkjə
Alkmaar *niederl.* 'alkma:r
Alkmaion alk'maịɔn
Alkman alk'ma:n, '--
alkmanisch alk'ma:nıʃ
Alkmäon alk'mɛ:ɔn
Alkmäonide alkmɛo'ni:də
Alkmar *niederl.* 'alkmar
Alkmene alk'me:nə
Alkmeonide alkmeo'ni:də
Alkmund 'alkmʊnt
Alkohol 'alkoho:l
Alkoholat alkoho'la:t
Alkoholika alko'ho:lika
Alkoholiker alko'ho:likɐ
alkoholisch alko'ho:lıʃ
alkoholisieren alkoholi'zi:-
  rən
Alkoholismus alkoho'lıs-
  mʊs
¹Alkor (Stern) al'ko:ɐ̯, *auch:*
  '--
²Alkor (Folie) 'alko:ɐ̯
Alkoran alko'ra:n
Alkoven (Bettnische)
  al'ko:vn̩, *auch:* 'alko:vn̩
Alkuin 'alkui:n
Alkyl al'ky:l
Alkylation alkyla'tsịo:n
Alkylen alky'le:n
alkylieren alky'li:rən
Alkyone al'kỵo:nə,
  al'ky:one
alkyonisch al'kỵo:nıʃ
all, All al
allabendlich al'|a:bn̩tlıç
allabends al'|a:bn̩ts
alla breve 'ala 'bre:və
Allacci *it.* al'lattʃi
Allach 'alax
Allachästhesie alaxɛstе'zi:,
  -n ...i:ən
Allahabad *engl.* æləhə'ba:d
Allais *fr.* a'lɛ
alla marcia 'ala 'martʃa
Allan *engl.* 'ælən
Allantoin alanto'i:n
Allantois a'lantoıs
alla polacca 'ala po'laka
alla prima 'ala 'pri:ma
allargando alar'gando
alla rinfusa 'ala rın'fu:za
Allasch 'alaʃ
alla tedesca 'ala te'dɛska
Allativ 'alati:f, -e ...i:və
alla turca 'ala 'turka
Allautal alaʊ̯'ta:l

alla zingarese 'ala tsıŋga-
  're:zə
allbekannt 'albəkant
allda al'da:
alldem al'de:m
alldeutsch 'aldɔytʃ
alldieweil aldi:'vaịl
alle, A... 'alə
alledem alə'de:m
Allee a'le:, -n ...e:ən
Allegat ale'ga:t
Allegation alega'tsịo:n
Allegheny *engl.* ælı'geını
allegieren ale'gi:rən
Allegorese alego're:zə
Allegorie alego'ri:, -n ...i:ən
allegorisch ale'go:rıʃ
allegorisieren alegori'zi:-
  rən
Allegorismus alego'rısmʊs
Allégret *fr.* ale'grɛ
allegretto, A... ale'grɛto
Allegri *it.* al'le:gri
allegro, A... a'le:gro
allein a'laịn
alleinig a'laịnıç, -e ...ıgə
allel, A... a'le:l
Allelie ale'li:
Allelomorphismus alelo-
  mɔr'fısmʊs
Allelopathie alelopa'ti:
alleluja[h]! ale'lu:ja
allemal 'alə'ma:l
Allemand *fr.* al'mã
Allemande alə'mã:də
Allen *engl.* 'ælən
Allenburg 'alənbʊrk
Allenby *engl.* 'ælənbı
Allende *span.* a'ʎende
Allendorf 'aləndɔrf
allenfalls 'alən'fals, *auch:*
  '---
allenfallsig 'alənfalzıç, -e
  ...ıgə
Allensbach 'alənsbax
Allenstein 'alənʃtaịn
allenthalben 'alənt'halbn̩
Allentown *engl.* 'æləntaʊn
Alleppey *engl.* ə'lɛpı
Aller 'alɐ, *span.* a'ʎɛr
allerallerletzte 'alɐ-
  '|alɐ'lɛtstə
allerart 'alɐ'|a:ɐ̯t
Allerbarmer 'alɐ̯'barmɐ
allerbeste 'alɐ'bɛstə
allerchristlichst 'alɐ'krıst-
  lıçst
allerdings 'alɐ'dıŋs
allerenden 'alɐ'|endn̩
allererste 'alɐ'|e:ɐ̯stə

allerg a'lɛrk, -e ...rgə
Allergen alɛr'geːn
Allergie alɛr'giː, -n ...iːən
Allergiker a'lɛrgikɐ
allergisch a'lɛrgɪʃ
Allergologe alɛrgo'loːgə
Allergologie alɛrgolo'giː
Allergose alɛr'goːzə
allerhand 'alɐ'hant
Allerheiligen 'alɐ'haɪlɪgn̩
allerheiligst 'alɐ'haɪlɪçst
Allerheiligste 'alɐ'haɪlɪçstə
allerhöchst 'alɐ'høːçst
allerlei, A... 'alɐ'laɪ
allerletzt 'alɐ'lɛtst
allerliebst 'alɐ'liːpst
Allermannsharnisch 'alɐmans,harnɪʃ
allermeist 'alɐ'maɪst
allernächst 'alɐ'nɛːçst
allerorten 'alɐ'lɔrtn̩
allerorts 'alɐ'lɔrts
Allersberg 'alɐsbɛrk
Allerseelen 'alɐ'zeːlən
allerseits 'alɐ'zaɪts
allerwärts 'alɐ'vɛrts
allerwege 'alɐ've:gə
allerwegs 'alɐ've:ks
Allerweltskerl 'alɐ'vɛlts,kɛrl
allerwenigstens 'alɐ've:nɪçstn̩s
Allerwerteste 'alɐ've:ɐtəstə
alles 'aləs
allesamt 'alə'zamt
Allesbesserwisser 'aləs,bɛsɐvɪsɐ
Allesbrenner 'aləsbrɛnɐ
Allevard fr. al'va:r
allewege 'alə've:gə
allez! a'le:
allezeit 'alə'tsaɪt
allfällig 'alfɛlɪç, auch: -'--
allfallsig 'alfalzɪç, -e ...ɪgə
allfarbig 'alfarbɪç
Allgäu[er] 'algɔy[ɐ]
allgäuisch 'algɔyɪʃ
allgemach 'algə'ma:x
allgemein 'algə'maɪn
Allgemeinbefinden 'algə-'maɪnbəfɪndn̩
Allgemeinheit 'algə'maɪn-haɪt
Allgewalt 'algəvalt
Allheilmittel 'al'haɪlmɪtl̩
Allheit 'alhaɪt
Allia it. 'alli̯a
Alliance fr. a'ljãːs, engl. ə'laɪəns
Allianz a'li̯ants

Alliaria a'li̯a:ri̯a
Allibone engl. 'ælɪboʊn
Allicin ali'tsi:n
Allier fr. a'lje
Alligation aliga'tsi̯o:n
Alligator ali'ga:to:ɐ, -en ...ga'to:rən
alliieren ali'i:rən
Alliierte ali'i:ɐtə
Alliin ali'i:n
Allingham engl. 'ælɪŋəm
Allio it. 'alli̯o, fr. a'ljo
Allional ali̯o'na:l
Allison engl. 'ælɪsn
Alliteration alɪtera'tsi̯o:n
alliterieren alɪte'ri:rən
allitisch a'li:tɪʃ
Allium 'ali̯ʊm
Allizin ali'tsi:n
alljährlich 'al'jɛːɐlɪç
alllebendig 'alle'bɛndɪç
allliebend al'li:bn̩t, -e ...n̩də
Allmacht 'almaxt
allmächtig al'mɛçtɪç, -e ...ɪgə
allmählich al'mɛːlɪç
Allmeind al'maɪnt, -en ...ndn̩
Allmend al'mɛnt, -en ...ndn̩
Allmende al'mɛndə
Allmers 'almɐs
allmonatlich 'al'mo:natlɪç
allnächtlich 'al'nɛçtlɪç
Alloa engl. 'æloʊə
Allobar alo'ba:ɐ
Allobroger a'lo:brogɐ
Allochorie aloko'ri:
allochromatisch alokro-'ma:tɪʃ
allochthon alɔx'to:n
Allod a'lo:t, -e ...o:də
allodial alo'di̯a:l
Allodifikation alodifika-'tsi̯o:n
Allodifizierung alodifi'tsi:-rʊŋ
Allodium a'lo:di̯ʊm, ...ien ...i̯ən
Allogamie aloga'mi:
allogam[isch] alo'ga:m[ɪʃ]
allogen alo'ge:n
Allokarpie alokar'pi:
Allokation aloka'tsi̯o:n
Allokution aloku'tsi̯o:n
allometrisch alo'me:trɪʃ
allomorph, A... alo'mɔrf
Allomorphie alomɔr'fi:
Allon hebr. a'lɔn
all'ongarese allɔŋga're:zə

Allonge a'lõ:ʒə
all'ongharese allɔŋga're:zə
allons! a'lõ:
Allons, enfants de la patrie! fr. alõzãfãdlapa-'tri[ə]
allonym, A... alo'ny:m
Allopath alo'pa:t
Allopathie alopa'ti:
Allophon alo'fo:n
Alloplastik alo'plastɪk
Allopolyploidie alopoly-ploi'di:
Allori it. al'lɔ:ri
Allorrhizie alɔri'tsi:
Allorto it. al'lɔrto
Allosem alo'ze:m
allothigen aloti'ge:n
Allotria a'lo:tria
allotriomorph alotrio'mɔrf
allotrop alo'tro:p
allotroph alo'tro:f
Allotropie alotro'pi:
all'ottava allɔ'ta:va
Alloxan alɔ'ksa:n
allozieren alo'tsi:rən
all right! o:l'raɪt
Allround... o:l'raunt
Allrounder o:l'raundɐ
Allroundman, ...men o:l'rauntmən
Allschwil 'alʃvi:l
allseitig 'alzaɪtɪç
Allseitigkeit 'alzaɪtɪçkaɪt
allseits 'alzaɪts
All-Star... 'o:lsta:ɐ...
Allstedt 'alʃtɛt
Allston engl. 'ɔ:lstən
allstündlich 'al'ʃtʏntlɪç
Alltag 'alta:k, -e ...a:gə
alltäglich 'al'tɛːklɪç, '--- (an Wochentagen), -'--- (täglich, gewohnt)
alltags 'alta:ks
allüberall 'ally:bɐ'lal
all'ungherese allʊŋge're:zə
all'unisono allu'ni:zono
Allüre a'ly:rə
Allusion alu'zi̯o:n
alluvial alu'vi̯a:l
Alluvion alu'vi̯o:n
Alluvium a'lu:vi̯ʊm
Allvater 'alfa:tɐ
allverehrt 'alfɐ'|e:ɐt
allweil 'alvaɪl
Allwetterjäger al'vɛtɐjɛ:gɐ
allwissend 'al'vɪsn̩t, -e ...n̩də
Allwissenheit 'al'vɪsn̩haɪt
allwöchentlich 'al'vœçn̩tlɪç

Allyl... a'ly:l...
Allylen aly'le:n
allzeit 'al'tsait
allzu 'altsu:
allzuhauf 'altsu'hauf
allzumal 'altsu'ma:l
allzusammen 'altsu'zamən
Alm alm
Alma 'alma, *engl.* 'ælmə, *fr.* al'ma
Alma-Ata *russ.* al'maa'ta
Almadén *span.* alma'ðen
Almagest alma'gɛst
Almagro *span.* al'maɣro
Almalyk *russ.* alma'lik
Alma Mater 'alma 'ma:tɐ
Almanach 'almanax
Almandin alman'di:n
Almannagjá *isl.* 'almana-gjau
Almansa *span.* al'mansa
Almansor al'manzo:ɐ
Almanzor *span.* alman'θɔr
Almásfüzitő *ung.* 'ɔlma:ʃfyzitø:
Alma-Tadema *niederl.* 'ɑlmɑ'ta:dəmɑ
Almaviva *it.* alma'vi:va
Alme 'almə
Almeida *port.* al'mɐjðɐ
Almelo *niederl.* 'ɑlmǝlo
Almemar alme'ma:ɐ
Almemor alme'mo:ɐ
almen 'almǝn
Almendralejo *span.* almendra'lɛxo
Almenrausch 'almǝnrauʃ
Almere *niederl.* al'me:rǝ
Almería *span.* alme'ria
Almetjewsk *russ.* alj'mjetjifsk
Almgren *schwed.* ‚almgre:n
Älmhult *schwed.* ‚ɛlmhʊlt
Almirante *span.* almi'rante
Almodóvar *span.* almo'ðoβar
Almohade almo'ha:də
Almonde *niederl.* ɑl'mɔndə
Almonte *span.* al'mɔnte
Almoravide almora'vi:də
Almorchón *span.* almɔr'tʃɔn
Almosen 'almo:zn̩
Almosenier almozə'ni:ɐ
Almquist *schwed.* ‚almkvist
Almrausch 'almrauʃ
Almukantarat almu'kantarat
Almuñécar *span.* almu'ɲekar
Almut[h] 'almu:t

Almute al'mu:tə
Alnæs *norw.* ‚alne:s
Alnar *türk.* al'nɑr
Alnico 'alniko
Alnilam alni'la:m
Alnus 'alnʊs
Aloe 'a:loe, **-n** ...oən
alogisch 'alo:gɪʃ, *auch:* -'--
Alois 'a:lɔɪs, ...oi:s
Aloisi *it.* alo'i:zi
Aloisia alo'i:zja
Aloisius alo'i:zjʊs
Alomar *kat.* ǝlu'ma
Alonnisos *neugr.* a'lɔnisɔs
Alonso *span.* a'lɔnso
Alopecurus alope'ku:rʊs
Alopezie alope'tsi:, **-n** ...i:ən
Alor *indon.* 'alɔr
Alorna *port.* ɐ'lɔrnɐ
Alost *fr.* a'lɔst
Alouette *fr.* a'lwɛt
aloxieren alɔ'ksi:rǝn
Aloys 'a:lɔɪs, ...oi:s
Aloysia alo'i:zja, alo'y:zja
Aloysius alo'i:zjʊs, alo'y:...
Alp alp
Alpacca al'paka
Alpaerts *niederl.* 'ɑlpa:rts
Alpaka al'paka
Alpanor al'pa:no:ɐ
al pari al 'pa:ri
Alpbach 'alpbax
Alpdruck 'alpdrʊk
Alpe 'alpǝ, *it.* 'alpe
Alpe-d'Huez *fr.* alpǝ'dɥɛ:z
alpen, A... 'alpn̩
Alpena *engl.* æl'pi:nǝ
Alpenvorland alpn̩'fo:ɐ̯lant, '----
Alpera *span.* al'pera
Alpers 'alpɐs
Alpes *alpe:s, fr.* alp
Alpes-Maritimes *fr.* alpmari'tim
Alpetragius alpe'tra:gjʊs
Alpha 'alfa, *engl.* 'ælfǝ
Alphabet alfa'be:t
alphabetisch alfa'be:tɪʃ
alphabetisieren alfabeti'zi:rǝn
Alpha Centauri 'alfa tsɛn'tauri
alphamerisch alfa'me:rɪʃ
Alphand *fr.* al'fã
alphanumerisch alfanu-'me:rɪʃ
Alpha privativum 'alfa priva'ti:vʊm
¹Alphard, ...rt (Vorn.) 'alphart

²Alphard (Stern) al'fart
Alphatron 'alfatro:n
Alpheios al'faiɔs
Alphekka al'fɛka
Alphen *niederl.* 'ɑlfǝ
Alpheus al'fe:ʊs
Alphonse *fr.* al'fõ:s
Alphonsus al'fɔnzʊs
Alpi *it.* 'alpi
Alpiden al'pi:dn̩
Alpilles *fr.* al'pij
alpin al'pi:n
Alpinade alpi'na:də
Alpinarium alpi'na:rjʊm, ...ien ...jən
Alpines *fr.* al'pin
Alpini *it.* al'pi:ni
Alpiniade alpi'nja:də
Alpinismus alpi'nɪsmʊs
Alpinist[ik] alpi'nɪst[ɪk]
Alpinum al'pi:nʊm
Alpirsbach 'alpɪrsbax
Âlpler 'ɛlplɐ
Alpnach 'alpnax
Alpsee 'alpze:
Alptraum 'alptraʊm
Alpujarras *span.* alpu'xarras
Alraun[e] al'raun[ǝ]
al riverso al ri'vɛrzo
al rovescio al ro'vɛʃo
Alrun 'alru:n
Alruna al'ru:na
Alrune al'ru:nǝ
als als
Als *dän.* æl's
Alsace *fr.* al'zas
Alsatia al'za:tsja
Alsbach 'alsbax
alsbald als'balt
alsbaldig als'baldɪç
alsdann als'dan
Alsdorf 'alsdɔrf
al secco al 'zɛko
al segno al 'zɛnjo
Alsen[born] 'alzn̩[bɔrn]
Alsfeld 'alsfɛlt
Alsineae al'zi:nee
Alsip *engl.* 'ɔ:lsɪp
Alsleben 'alsle:bn̩
also 'alzo
Als-ob als'lɔp
alsobald alzo'balt
alsogleich alzo'glaiç
Alsop *engl.* 'ɔ:lsǝp
Alsten *norw.* ‚alste:n
Alster 'alstɐ
Alsterbro *schwed.* alstɐr-'bru:

Alströmer *schwed.* ˌɑːlstrœˈməɾ
alt, Alt alt
Alta *norw.* ˈalta
Altaelv *norw.* ˈaltaɛlv
Altafjord *norw.* ˈaltafjuːr
Altai alˈtai, *russ.* alˈtaj
Altaiden altaˈiːdn̩
Altair alˈtaːɪr
altaisch alˈtaːɪʃ
Altamira *span.* altaˈmira
Altamirano *span.* altamiˈrano
Altamann ˈaltʃaman, ˈ–ˈ––
Alta Moda ˈalta ˈmoːda
Altamont[e] *engl.* ˈæltəmɔnt
Altamura *it.* altaˈmuːra
Altan alˈtaːn, *türk.* alˈtɑn
Altar alˈtaːɐ̯, Altäre alˈtɛːrə
Altarist altaˈrɪst
Altasiat ˈaltlaˈzi̯aːt
Altaussee ˈaltlauseː
Alta Verapaz *span.* ˈalta βeraˈpaθ
Altazimut altatsiˈmuːt
Altbach ˈaltbax
Altbayern ˈaltbai̯ɐn
altbekannt ˈaltbəˈkant
Alt-Berlin altbɐrˈliːn
altbewährt ˈaltbəˈvɛːɐ̯t
Altbunzlau altˈbʊntslau̯
altdeutsch ˈaltdɔɪ̯tʃ
Altdorf[er] ˈaltdɔrf[ɐ]
altehrwürdig ˈaltˈ|eːɐ̯vʏrdɪç
alteingeführt ˈaltˈ|ai̯ngəfyːɐ̯t
alteingesessen ˈaltˈ|ai̯ngəzesən
Alteisen ˈaltlai̯zn̩
Alte Land ˈaltə ˈlant
Alten ˈaltn̩
Altena ˈaltəna, *niederl.* ˈɑltənɑ
Altenau ˈaltənau̯
Altenbeken altn̩ˈbeːkn̩
Altenberg ˈaltn̩bɐrk
Altenberge altn̩ˈbɐrgə
Altenbourg ˈaltn̩burk
Altenburg ˈaltn̩burk
Altencelle altn̩ˈtselə
Altendorf ˈaltn̩dɔrf
Altenesch altn̩ˈ|ɛʃ
Altenhausen altn̩ˈhau̯zn̩
Altenkirchen ˈaltn̩kɪrçn̩, ––ˈ––
Altenmarkt (Österreich) ˈaltn̩markt
Altenstadt ˈaltn̩ʃtat
Altensteig ˈaltn̩ʃtai̯k
Altenstein ˈaltn̩ʃtai̯n

Altenstetter ˈaltn̩ʃtɛtɐ
Altentreptow altn̩ˈtreːpto
Alter ˈaltɐ
älter ˈɛltɐ
Alterans ˈalterans, ...nzien ...ˈrantsi̯ən
altera pars ˈaltera ˈpars
Alteration alteraˈtsi̯oːn
Alter Ego ˈaltɐ ˈeːgo, – ˈɛgo
alterieren alteˈriːrən
...alterig ....|altərɪç, -e ...ɪgə
altern ˈaltɐn
Alternant altɐrˈnant
Alternanz altɐrˈnants
Alternat altɐrˈnaːt
alternatim altɐrˈnaːtɪm
Alternation altɐrnaˈtsi̯oːn
alternativ altɐrnaˈtiːf, -e ...iːvə
Alternative altɐrnaˈtiːvə
Alternator altɐrˈnaːtoːɐ̯, -en ...naˈtoːrən
alternieren altɐrˈniːrən
alterprobt ˈaltlɛɐ̯ˈproːpt
Altertum ˈaltɐtuːm, ...tümer ...tyːmɐ
Altertümelei altɐtyːməˈlai̯
altertümeln ˈaltɐtyːml̩n
Altertümler ˈaltɐtyːmlɐ
altertümlich ˈaltɐtyːmlɪç
Älteste ˈɛltəstə
Altfrid ˈaltfriːt
altgedient ˈaltgəˈdiːnt
altgewohnt ˈaltgəˈvoːnt
Altglashütten altgla:sˈhytn̩
Althäa alˈtɛːa
Althaia alˈtai̯a
Althaus ˈalthaus
Althee alˈteːə
Altheide altˈhai̯də
Alt-Heidelberg alt-ˈhai̯dl̩bɛrk
Altheim ˈalthai̯m
althergebracht ˈaltˈheːɐ̯gə-
braxt
altherkömmlich ˈaltˈheːɐ̯-
kœmlɪç
Altherr ˈalthɛr
Altherrenschaft altˈhɛrən-
ʃaft
Althing ˈaltɪŋ
althochdeutsch ˈaltho:x-
dɔɪ̯tʃ
Althofen altˈhoːfn̩
Althoff ˈalthɔf
Althorp *engl.* ˈɔːlθɔːp
Althusius altˈhuːzi̯us
Altichiero *it.* altiˈki̯ɛːro
Altieri *it.* alˈti̯ɛːri
Altigraph altiˈgraːf

Altimeter altiˈmeːtɐ
Altin alˈtiːn
Altis ˈaltɪs
Altissimo *it.* alˈtissimo
Altist[in] alˈtɪst[ɪn]
Altjahrabend ˈaltjaːɐ̯|aːbn̩t, –ˈ–––
altjüngferlich altˈjʏŋfɐlɪç
Altjungfernstand altˈjʊŋ-
fɛnʃtant
Altkastilien ˈaltkasˈtiːli̯ən
Altkatholik ˈaltkatoˈliːk
altkatholisch ˈaltkaˈtoːlɪʃ
Altkatholizismus ˈaltkatoli-
ˈtsɪsmus
altklug ˈaltˈkluːk, -e ...gə
Altkönig ˈaltkøːnɪç
Alt Landsberg alt ˈlantsbɐrk
Altleiningen altˈlai̯nɪŋən
ältlich ˈɛltlɪç
Alt-Lübeck altˈlyːbɛk
Altlünen altˈlyːnən
Altman *engl.* ˈɔːltmən
Altmann ˈaltman
Altmark ˈaltmark
Altmeier, ...meyer ˈaltmai̯ɐ
altmodisch ˈaltmoːdɪʃ
Altmühl ˈaltmyːl
Altmünster altˈmʏnstɐ
Altnikol ˈaltnikɔl
altnordisch ˈalt ˈnɔrdɪʃ
Alto *span.* ˈalto, *engl.* ˈæltou
Alto Adige *it.* ˈalto ˈaːdidʒe
Alto Douro *port.* ˈaltu ˈðoru
Altokumulus alto ˈkuːmulus
Altolaguirre *span.* altolaˈɣirre
Altomonte altoˈmɔntə
Altomünster alto ˈmʏnstɐ
Alton *engl.* ˈɔːltən
Altona ˈaltona, *engl.* ˈæltounə
Altoona *engl.* ælˈtuːnə
Alto Paraná *bras.* ˈaltu paɾɐˈna, *span.* ˈalto paraˈna
Altostratus alto ˈstraːtus
Altötting altˈ|œtɪŋ
Altpreußen ˈaltprɔɪ̯sn̩
Altranstädt ˈaltranʃtɛt, –ˈ––
Altraud ˈaltraut
Altreichskanzler ˈaltrai̯çskantslɐ, –ˈ–––
...altrig ....|altrɪç, -e ...ɪgə
Altrincham *engl.* ˈɔːltrɪŋəm
Altrip[p] ˈaltrɪp
Alt-Rom altˈroːm
Altrud ˈaltruːt
Altruismus altruˈɪsmus
Altruist altruˈɪst
Alt Ruppin altrʊˈpiːn

Altschewsk *russ.* al'tʃɛfsk
Altsohl 'altzo:l
Altstadt 'altʃtat
Altstätten 'altʃtɛtn̩
Altstetten 'altʃtɛtn̩
Altswert 'altsveːɐ̯t
Alttestamentler 'alttɛsta-
.mɛntlɐ
Alttitschein 'alttɪtʃain̯
altüberliefert 'altˈyːbɐˈliːfɐt
¹Altus 'altʊs, ...ti ...ti
²Altus (Ort) *engl.* 'æltəs
Altvater 'altfaːtɐ
altväterisch 'altfɛːtərɪʃ
altvertraut 'altfɐˈtraut
Altvordern 'altfɔrdɐn
Altwegg 'altwɛk
Altweibersommer alt'vai̯-
bɐzɔmɐ
Altwied alt'viːt
Alt-Wien alt'viːn
Altyn al'tyːn
Altzella alt'tsɛla
Alu 'aːlu
Aludur® alu'duːɐ̯
Alüksne *lett.* 'aluːksne
Alumbrados *span.* alum-
'braðos
Alumen a'luːmən
alumetieren alume'tiːrən
Aluminat alumi'naːt
aluminieren alumi'niːrən
Aluminit alumi'niːt
Aluminium alu'miːnjʊm
Aluminothermie alumino-
tɐˈmiː
Alumnat alʊm'naːt
Alumne a'lʊmnə
Alumnus a'lʊmnʊs
Alum Rock *engl.* 'æləm 'rɔk
Alunit alu'niːt
Alunno *it.* a'lunno
Alupka *russ.* a'lupkɐ
Aluschta *russ.* a'luʃtɐ
Alusil® alu'ziːl
Alva *it.* 'alva, *port.* 'alvɐ,
span. 'alβa
Alvar *span.* al'βar
Alvarado *span.* alβa'raðo
Álvares *bras.* 'alvaris, *port.*
'alvɐrɪʃ
Alvarez *engl.* 'ælvərɛz,
æl'vaːrɛz
Álvarez *span.* 'alβareθ
Alvaro *it.* al'vaːro
Álvaro 'alvaro, *span.*
'alβaro, *port.* 'alvɐru
Alvear *span.* alβe'ar
Alvensleben 'alvn̩sle:bn̩
alveolar, A... alveo'laːɐ̯

alveolär alveo'lɛːɐ̯
alveolarisieren alveolari-
'ziːrən
Alveole alve'oːlə
Alverdes 'alvɛrdɛs
Alverdissen 'alvɐdɪsn̩
Alvermann 'alvɐman
Alvesta *schwed.* .alvəsta
Alviani *it.* al'vjaːni
Alvin *engl.* 'ælvɪn
Alving 'alvɪŋ
Älvsborg *schwed.* 'ɛlvsbɔrj
Alwa 'alva
Alwar *engl.* 'ælwə
Alwegbahn 'alveːk.baːn
Alwin 'alviːn
Alwina al'viːna
Alwine al'viːnə
Alxenor al'kseːnoːɐ̯
Alxinger 'alksiŋɐ
Alyattes a'lÿatɛs
Alypios a'lyːpiɔs
Alytus *lit.* ali:'tʊs
Alz alts
Alžběta *tschech.* 'alʒbjɛta
Alzenau 'altsənau̯
Alzette *fr.* al'zɛt
Alzey 'altsai̯
Alzheimer 'altshaimɐ
am am
a. m. (vormittags) eː'lɛm
amabile a'maːbile
Amadeo *it.* ama'dɛːo
Amadeus *dt., schwed.* ama-
'deːʊs
Amadis ama'diːs, a'maːdɪs
Amadís *span.* ama'ðis
Amado a'maːdo, *bras.*
ɐ'madu
Amador *span.* ama'ðɔr
Amadora *port.* ɐmɐ'ðɔrɐ
Amagasaki *jap.* a'maga.sakị
Amager *dän.* 'amaː'
Amagi *jap.* 'a.magi
amagnetisch 'amagneːtɪʃ
amakrin ama'kriːn
Åmål *schwed.* 'oːmoːl
Amalarich a'maːlarɪç
Amalasuntha amala'zʊnta
Amalaswintha amala-
'svɪnta
Amalekiter amale'kiːtɐ
Amaler 'a:malɐ
Amalfi *it.* a'malfi
Amalgam amal'gaːm
Amalgamation amalgama-
'tsịoːn
amalgamieren amalga'miː-
rən
Amalia a'maːlịa

Amália *port.* ɐ'malịe
Amalias *neugr.* ama'ljas
Amalie a'maːlịə
Amalner *engl.* ə'mælnɪə
Amalrich 'aːmalrɪç
Amalrik *russ.* a'maljrik
Amalthea amal'teːa
Amaltheia amal'taịa
Amambay *span.* amam'baị
Aman *rumän.* a'man
Amanda a'manda
Amandus a'mandʊs
Amanita ama'niːta
Amann 'aman, *fr.* a'man
Amant a'mãː
Amanuensis ama'nụɛnzɪs,
...nses ...zeːs
Aman Ullah a'maːn ʊ'laː
Amanzimtoti *engl.* əmæn-
zim'toʊti
Amapá *bras.* ɐma'pa
Amapala *span.* ama'pala
Amar *fr.* a'maːr, *türk.* 'amar
Amara a'maːra
amarant, A... ama'rant
Amarapura *engl.* æmərɑː-
pʊ'ra
Amaravati *engl.* æmə'rɑː-
vəti
Amarelle ama'rɛlə
Amaretto ama'rɛto, ...tti
...ti
Amari *it.* a'maːri
Amarillo *engl.* æmə'rɪloʊ,
span. ama'riʎo
Amarna a'marna
Amarone ama'roːnə
Amaru 'amaru
Amarum a'maːrʊm, ...ra
...ra
Amaryl ama'ryl
Amaryllis ama'rylɪs
Amasis a'maːzɪs
amassieren ama'siːrən
Amasya *türk.* 'amasjɑ, -'--
Amata a'maːta
Amateur ama'tøːɐ̯
Amateurismus amatøˈrɪs-
mʊs
Amathus 'aːmatʊs
Amati *it.* a'maːti
Amatique *span.* ama'tike
Amatitlán *span.* amatit'lan
Amato *it.* a'maːto
Amatrix a'maːtrɪks
Amatus a'maːtʊs
Amaurose amaụ'roːzə
Amause a'mauzə
Amaya *span.* a'maja
Amazonas ama'tsoːnas,

span. ama'θonas, *bras.*
ɐma'zonas
Amazone ama'tso:nə
Amazonenstrom ama'tso:-nənʃtro:m
Amazonien ama'tso:njən
Amazonit amatso'ni:t
Ambala *engl.* əm'bɑ:lə
Ambassade amba'sa:də, *auch:* ãb...
Ambassadeur ambasa-'dø:ɐ̯, *auch:* ãb...
Ambassador *engl.* æm'bæsədə
Ambato *span.* am'bato
Ambatolampy *mad.* ambatu'lampi
Ambatondrazaka *mad.* ambatundrə'zakə
Ambe 'ambə
¹Amber 'ambɐ
²Amber (Bernstein) 'ɛmbɐ
³Amber (Name) *engl.* 'æmbə
Amberg 'ambɐk
Ambergau 'ambɐgau̯
Amberger 'ambɐgɐ
·Ambesser 'ambɛsɐ
Ambiance *fr.* ã'bjã:s
ambidexter ambi'dɛkstɐ
Ambidextrie ambidɛks'tri:, **-n** ...i:ən
Ambiente am'bjɛntə
ambieren am'bi:rən
ambig am'bi:k, **-e** ...i:gə
ambigu, A... ãbi'gy:
ambigue am'bi:gu̯ə
Ambiguität ambigui'tɛ:t
ambiguos ambi'gu̯o:s, **-e** ...o:zə
Ambilobe *mad.* ambilu'be
Ambiorix am'bi:orıks
Ambition ambi'tsi̯o:n
ambitionieren ambitsi̯o'ni:rən
ambitiös ambi'tsi̯ø:s, **-e** ...ø:zə
Ambitus 'ambitʊs, **die -** ...tu:s
ambivalent ambiva'lɛnt
Ambivalenz ambiva'lɛnts
Ambivius am'bi:vi̯ʊs
Ambler *engl.* 'æmblə
Amblygonit amblygo'ni:t
Amblyopie amblylo'pi:, **-n** ...i:ən
Amblypoden ambly'po:dn̩
¹Ambo (Ambe) 'ambo
²Ambo 'ambo, **-nen** am'bo:-nən

Ambodifototra *mad.* ambudi'fututrə
Amboina am'bɔi̯na
Amboise *fr.* ã'bwa:z
Amboland 'ambolant
¹Ambon (Lesepult) 'ambɔn, **-en** am'bo:nən
²Ambon (Insel) *indon.* 'ambɔn
Ambositra *mad.* am'busitrə
Amboss 'ambɔs
Amboy *engl.* 'æmbɔi̯
Ambozeptor ambo'tsɛpto:ɐ̯, **-en** ...'to:rən
Ambra 'ambra
Ambrakia am'bra:ki̯a
ambrakisch am'bra:kıʃ
Ambras 'ambras
Ambraser 'ambrazɐ
Ambre *fr.* ã:br
Ambriz *port.* ɐm'briʃ
Ambrizete *port.* ɐmbri'zetə
Ambrogini *it.* ambro'dʒi:ni
Ambrogio *it.* am'bro:dʒo
Ambroise *fr.* ã'brwa:z
Ambrone am'bro:nə
Ambros 'ambros
Ambrosia am'bro:zi̯a
Ambrosiana *it.* ambro-'zi̯a:na
ambrosianisch ambro'zi̯a:-nıʃ
Ambrosio *it.* am'bro:zi̯o
ambrosisch am'bro:zıʃ
Ambrosius am'bro:zi̯ʊs
Ambrus *ung.* 'ɔmbruʃ
ambulant ambu'lant
Ambulanz ambu'lants
ambulatorisch ambula'to:rıʃ
Ambulatorium ambula'to:-ri̯ʊm, **...ien** ...i̯ən
ambulieren ambu'li:rən
Amden 'amdn̩
Ameca *span.* a'meka
Amecameca *span.* ameka-'meka
Amédé[e] *fr.* ame'de
Amedeo *it.* ame'dɛ:o
Ameise 'a:mai̯zə
Ameland *niederl.* 'a:mɑlɑnt
Amelanesier amela'ne:zi̯ɐ
Amelia a'me:li̯a, *it.* a'mɛ:li̯a
¹Amelie (Vorname) 'ameli, a'me:li:, a'me:li̯ə
²Amelie ame'li:, **-n** ...i:ən
Amélie *fr.* ame'li
Amélie-les-Bains *fr.* ameli-le'bɛ̃
Ameling *niederl.* 'a:məlıŋ

Amelioration ameliora-'tsi̯o:n
ameliorieren ameli̯o'ri:rən
Amelius a'me:li̯ʊs
Ameller *fr.* ame'lɛ:r
Amelung[en] 'a:məlʊŋ[ən]
Amelungsborn 'a:məlʊŋs-bɔrn
Amelunxen 'a:məlʊŋksn̩
amen, A... 'a:mɛn, ...mən
Amenaide amena'i:də
Amenais ame'na:ıs
Am Ende am 'ɛndə
Amendement amãdə'mã:
amendieren amɛn'di:rən
Amendment ɛ'mɛntmənt
Amendola *it.* a'mɛndola
Amenemhet amenɛm'he:t
Amenemopet amene'mo:-pɛt
Amenerdis ame'nɛrdıs
Amenhotep amɛn'ho:tɛp
Amenmose amɛn'mo:zə
Amenophis ame'no:fıs
Amenorrhö, ...öe ameno'rø:, **...rrhöen** ...'rø:ən
amenorrhoisch ameno'ro:ıʃ
Amenta *it.* a'mɛnta
Amentia a'mɛntsi̯a, **...iae** ...i̯ɛ
Amen-User amɛn'|u:zɐ
Amenz a'mɛnts
Amerbach 'amɐbax
America *engl.* ə'mɛrıkə
Americaine ameri'kɛ:n
American ɛ'mɛrıkn̩, *engl.* ə'mɛrıkən
Americana ameri'ka:na, *bras.* ɐmeri'kɐna
Americanismo amerika-'nısmo
American Legion ɛ'mɛrıkn̩ 'li:dʒn̩
American Way of Life ɛ'mɛrıkn̩ 've: ɔf 'lai̯f
Americium ame'ri:tsi̯ʊm
Americo *it.* ame'ri:ko
Americus *engl.* ə'mɛrıkəs
Amerighi *it.* ame'ri:gi
Amerigo *it.* ame'ri:go
Amerika a'me:rika
Amerikaner ameri'ka:nɐ
amerikanisch ameri'ka:nıʃ
amerikanisieren amerika-ni'zi:rən
Amerikanismus amerika-'nısmʊs
Amerikanist[ik] amerika-'nıst[ık]
amerindisch ame'rındıʃ

Amerling 'a:mɐlɪŋ
Amerongen *niederl.* 'a:mə-rɔŋə
Amersfoort *niederl.* 'a:mərsfo:rt
Amery 'ameri, *engl.* 'eɪmərɪ
Améry *fr.* ame'ri
Ames *engl.* eɪmz
Amesbury *engl.* 'eɪmzbərɪ
a metà a me'ta
amethodisch 'ameto:dɪʃ
Amethyst ame'tʏst
Ametrie ame'tri:, -n ...i:ən
ametrisch a'me:trɪʃ
Ametropie ametro'pi:, -n ...i:ən
Ameublement amøblə'mã:
AMEXCO a'mɛksko
Amfisa *neugr.* 'amfisa
Amfiteatrow *russ.* amfitɪ'a-trɐf
Amfortas am'fɔrtas
Amga *russ.* am'ga
Amgun *russ.* am'gunj
Amhara am'ha:ra
amharisch am'ha:rɪʃ
Amherst *engl.* 'æməst
Ami 'ami
Amiant a'mi̯ant
Amias 'a:mi̯as, *engl.* 'eɪmɪəs
Amichai *hebr.* ami'xaj
Amici[s] *it.* a'mi:tʃi[s]
Amicitia ami'tsi:tsi̯a
Amico *it.* a'mi:ko
Amicus a'mi:kus
Amid a'mi:t, -e ...i:də
Amidase ami'da:zə
Amido... a'mi:do...
Amiel *fr.* a'mjɛl
Amiens *fr.* a'mjɛ̃
Amiet 'ami̯ɛt
Amigoni *it.* ami'go:ni
Amikron ami'kro:n
Amikt a'mɪkt
Amilcare *it.* a'milkare
Ämilia ɛ'mi:li̯a
Ämilie ɛ'mi:li̯ə
Ämilius ɛ'mi:li̯us
Amimie ami'mi:, -n ...i:ən
Amin a'mi:n
Aminierung ami'ni:rʊŋ
Amino... a'mi:no...
Aminoplast amino'plast
Amintore *it.* a'mintore
Amir *pers.* æ'mi:r
Amira a'mi:ra
Amiranten ami'rantn̩
Amis *engl.* 'eɪmɪs
Amische 'a:mɪʃə
Amitose ami'to:zə

Amixie amɪ'ksi:
Amlasch *pers.* æm'læʃ
¹Amman 'aman
²Amman (Jordanien) a'ma:n
Ammanati *it.* amma'na:ti
Ammann 'aman, **Ammänner** 'amɛnɐ
Amme 'amə
Ammer[bach] 'amɐ[bax]
Ammergau 'amɐgau̯
Ammerland 'amɐlant
Ammersee 'amɐze:
Ammers-Küller *niederl.* 'amərs'kʏlər
Ammiana a'mi̯a:na
Ammianus a'mi̯a:nus
Ammin... a'mi:n...
¹Ammon (ägypt. Gott; Familienname) 'amɔn
²Ammon (Ammonium) a'mo:n
Ammoniak amo'ni̯ak, *auch:* '---
ammoniakalisch amo-ni̯a'ka:lɪʃ
Ammoniakat amoni̯a'ka:t
Ammonifikation amonifi-ka'tsi̯o:n
ammonifizieren amonifi-'tsi:rən
Ammonios a'mo:ni̯ɔs
Ammonit[er] amo'ni:t[ɐ]
Ammonium a'mo:ni̯ʊm
Ammons *engl.* 'æmənz
Ammonshorn 'amɔnshɔrn
AMMRE 'amre
Amneris am'ne:rɪs
Amnesie amne'zi:, -n ...i:ən
Amnestie amnɛs'ti:, -n ...i:ən
amnestieren amnɛs'ti:rən
amnestisch am'nɛstɪʃ
Amnesty 'ɛmnəsti
Amnion 'amni̯on
Amnioskop amni̯o'sko:p
Amnioskopie amni̯osko'pi:, -n ...i:ən
Amniot amni̯'o:t
Amnokkang *korean.* amnokkaŋ
amöbäisch amø'bɛ:ɪʃ
Amöbäum amø'bɛ:ʊm, ...bäa ...'bɛ:a
Amöbe a'mø:bə
Amöbiasis amø'bi:azɪs, ...iasen ...'bi̯a:zn̩
amöboid amøbo'i:t, -e ...i:də

Amoibaion amɔy̯'bai̯ɔn, ...baia ...'bai̯a
Amok 'a:mɔk, *auch:* a'mɔk
Amol *pers.* a'mol
a-Moll 'a:mɔl, *auch:* '–'–
Amom a'mo:m
amön a'mø:n
Amöna a'mø:na
Amonasro amo'nasro, *it.* amo'nazro
Amöneburg a'mø:nəbʊrk
Amönität amøni'tɛ:t
Amonn 'amɔn
Amönomanie amønoma'ni:
Amontons *fr.* amõ'tõ
Amor 'a:mo:ɐ̯
Amoral 'amora:l
amoralisch 'amora:lɪʃ
Amoralismus amora'lɪs-mʊs, '-----
Amoralist amora'lɪst, '----
Amoralität amorali'tɛ:t
Amorbach 'a:mo:ɐ̯bax
Amorce[s] a'mɔrs
Amorette amo'rɛtə
Amor fati 'a:mo:ɐ̯ 'fa:ti
Amorgos *neugr.* amɔr'ɣɔs
Amorim *span.* amo'rin, *port.* amu'ri
Amoriter amo'ri:tɐ
Amorosa amo'ro:za
amoroso amo'ro:zo
amorph a'mɔrf
Amorphie amɔr'fi:, -n ...i:ən
amorphisch a'mɔrfɪʃ
Amorphismus amɔr'fɪsmʊs
amortisabel amɔrti'za:bl̩, ...ble ...blə
Amortisation amɔrtiza-'tsi̯o:n
amortisieren amɔrti'zi:rən
Amos 'a:mɔs, *engl.* 'eɪməs
Amosis a'mo:zɪs
Amour a'mu:ɐ̯
Amour bleu a'mu:ɐ̯ 'blø:
Amouren a'mu:rən
amourös amu'rø:s, -e ...ø:zə
Amoy a'mɔy̯
Amparo *bras.* ɐm'paru
Ampel 'ampl̩
Ampelographie ampelo-gra'fi:
Ampelopsis ampe'lɔpsɪs
Amper 'ampɐ
Ampere am'pe:ɐ̯
Ampère *fr.* ã'pɛ:r
Amperemeter ampe:ɐ̯-'me:tɐ
Amperestunde ampe:ɐ̯-'ʃtʊndə

Ampex® 'ampɛks
Ampezzo *it.* am'pettso
Ampfer 'ampfɐ
Ampferer 'ampfərɐ
Ampfing 'ampfɪŋ
Amphetamin amfeta'mi:n
Amphiaraos amfja'ra:ɔs
amphib am'fi:p, -e ...i:bə
Amphibie am'fi:bjə
amphibisch am'fi:bɪʃ
Amphibium am'fi:bjʊm,
...**ien** ...jən
amphibol, A... amfi'bo:l
Amphibolie amfibo'li:, -n
...i:ən
Amphibolit amfibo'li:t
Amphibrachys am'fi:-
braxʏs
Amphidromie amfidro'mi:,
-n ...i:ən
Amphigonie amfigo'ni:
amphikarp amfi'karp
Amphikarpie amfikar'pi:
Amphikranie amfikra'ni:,
-n ...i:ən
Amphiktyone amfɪk'tyo:nə
Amphiktyonie amfɪktyo'ni:,
-n ...i:ən
Amphimacer, ...zer am'fi:-
matsɐ
amphimiktisch amfi'mɪktɪʃ
Amphimixis amfi'mɪksɪs
Amphiole® am'fjo:lə
Amphion am'fi:ɔn
Amphioxus am'fjɔksʊs
amphipneustisch amfi-
'pnɔystɪʃ
Amphipoden amfi'po:dn̩
Amphipolis am'fi:pɔlɪs
Amphiprostylos amfi'prɔs-
tylɔs, ...**len** ...o'sty:lən
Amphissa am'fɪsa
amphistomatisch amfisto-
'ma:tɪʃ
Amphitheater am'fi:tea:tɐ
amphitheatralisch amfi-
tea'tra:lɪʃ
Amphitrite amfi'tri:tə
Amphitruo am'fi:truo
Amphitryo am'fi:tryo
Amphitryon am'fi:tryɔn
Amphora 'amfora, ...**ren**
...'fo:rən
Amphore am'fo:rə
amphoter amfo'te:ɐ
Amphotropin® amfotro-
'pi:n
Amplidyne ampli'dy:nə
Amplifikation amplifika-
'tsjo:n

Amplifikativ... amplifika-
'ti:f...
Amplifikativum amplifika-
'ti:vʊm, ...**va** ...va
amplifizieren amplifi'tsi:-
rən
Amplitude ampli'tu:də
Amposta *span.* am'pɔsta
Ampsivarier ampsi'va:riɐ
Ampudia *span.* am'puðja
Ampulle am'pʊlə
Ampurdán *span.* ampur'ðan
Ampurias *span.* am'purjas
Amputation amputa'tsjo:n
amputieren ampu'ti:rən
Amr 'amɐ
Amras 'amras
Amraser 'amrazɐ
Amravati *engl.* æm'ra:vəti
Amrei 'amraj
Amrilkais amrɪl'kajs
Amriswil amrɪs'vi:l
Amritsar *engl.* æm'rɪtsə
Amroha *engl.* æm'roʊhə
Amrum 'amrʊm
Amsberg 'amsbɛrk
Amsdorf 'amsdɔrf
Amsel 'amzl̩
Amsler 'amzlɐ
Amstel *niederl.* 'amstəl
Amstelmeer *niederl.* ɑms-
təl'me:r
Amstelveen *niederl.* ɑms-
təl've:n
Amsterdam amstɐ'dam,
auch: '---, *niederl.* ɑmstər-
'dɑm, *engl.* 'æmstə'dæm, *fr.*
amstɛr'dam; -**er** ...amɐ
Amstetten am'ʃtɛtn̩
Amstrad® *engl.* 'æmstræd
Amt amt, **Ämter** 'ɛmtɐ
Amtei am'taj
amten 'amtn̩
Amthor 'amto:ɐ
amtieren am'ti:rən
Amu-Darja *russ.* a'mudarj'ja
Amulett amu'lɛt
Amun 'a:mʊn
Amund Ringnes *engl.*
'a:mən 'rɪŋneis
Amundsen a:'mʊntsn̩,
norw. ,a:mʊnsən
Amur a'mu:ɐ, *russ.* a'mur
Amursk *russ.* a'mursk
amüsant amy'zant
Amuse-Gueule amy:s'gœl
Amüsement amyzə'mã:
Amusie amu'zi:
amüsieren amy'zi:rən
amusisch 'amu:zɪʃ

Amwrossijewka *russ.*
am'vrɔsijɪfkɐ
Amy *engl.* 'eɪmɪ, *fr.* a'mi
Amygdalin amʏkda'li:n
amygdaloid amʏkdalo'i:t,
-e ...i:də
Amygdalus a'mʏkdalʊs
Amyklä a'my:klɛ
Amyl... a'my:l...
Amylase amy'la:zə
Amylen amy'le:n
amyloid amylo'i:t, -e ...i:də
Amyloidose amyloi'do:zə
Amylolyse amylo'ly:zə
amylolytisch amylo'ly:tɪʃ
amylophil amylo'fi:l
Amylose amy'lo:zə
Amylum a'my:lʊm
Amyntas a'mʏntas
Amyot *fr.* a'mjo
amythisch 'amy:tɪʃ
an an
ana 'ana
[1]**Ana** (Sammlung von Aus-
sprüchen) 'a:na
[2]**Ana** (Vorn.) *span.* 'ana,
port. 'ɐnɐ
Anabaptismus anabap'tɪs-
mʊs
Anabaptist anabap'tɪst
Anabar *russ.* ana'bar
Anabasis a'na:bazɪs
anabatisch ana'ba:tɪʃ
Anabel 'anabɛl, *engl.* 'ænə-
bɛl
Anabiose ana'bjo:zə
anabol ana'bo:l
Anabolie anabo'li:, -n ...i:ən
Anabolikum ana'bo:likʊm,
...**ka** ...ka
Anabolismus anabo'lɪsmʊs
Anacharsis ana'çarzɪs,
ana'xa..., *fr.* anakar'sis
Anachoret anaço're:t,
anaxo..., anako...
Anachronismus anakro-
'nɪsmʊs
anachronistisch anakro-
'nɪstɪʃ
Anacidität anlatsidi'tɛ:t
Anaco *span.* a'nako
Anaconda *engl.* ænə'kɔndə
Anadiplose anadi'plo:zə
Anadiplosis ana'di:plozɪs,
...**sen** ...di'plo:zn̩
Anadolu *türk.* a'nadolu
Anadyomene ana'dyo:-
mene, ...dyo'me:nə
Anadyr *russ.* a'nadɨrj

anaerob an|ae'ro:p, **-e**
...o:bə
Anaerobier an|ae'ro:biɐ
Anaerobiont an|aero'bjɔnt
Anaerobiose an|aero'bjo:zə
Anafi *neugr.* a'nafi
Anagallis ana'galɪs
Anagenese anage'ne:zə
Anaglyphe ana'gly:fə
Anagni *it.* a'naɲɲi
Anagnorisis ana'gno:rɪzɪs
Anagnost ana'gnɔst
Anagoge anago'ge:, ana-
'go:gə
anagogisch ana'go:gɪʃ
Anagramm ana'gram
anagrammatisch anagra-
'ma:tɪʃ
Anaheim *engl.* 'ænəhaɪm
Anahita a'na:hita
Anáhuac *span.* a'nauak
Anaimalai *engl.* ə'naɪmələɪ
Anaklasis a'na:klazɪs
anaklastisch ana'klastɪʃ
Anaklet ana'kle:t
Anakardie ana'kardjə
anaklitisch ana'kli:tɪʃ
anakoluth, A... anako'lu:t
Anakoluthie anakolu'ti:
Anakonda ana'kɔnda
Anakreon a'na:kreɔn
Anakreontik anakre'ɔntɪk
Anakreontiker anakre'ɔn-
tikɐ
anakreontisch anakre'ɔntɪʃ
Anakrusis a'na:kruzɪs,
auch: ana'kru:zɪs, **...krusen**
ana'kru:zn̩
Anakusis ana'ku:zɪs
anal a'na:l
Analava *mad.* ana'lavə
Analcim anal'tsi:m
Analekten ana'lɛktn̩
analektisch ana'lɛktɪʃ
Analeptikon ana'lɛptikɔn,
...ka ...ka
Analeptikum ana'lɛptikʊm,
...ka ...ka
analeptisch ana'lɛptɪʃ
Analgen an|al'ge:n
Analgesie an|alge'zi:, **-n**
...i:ən
Analgetikum an-
|al'ge:tikʊm, **...ka** ...ka
analgetisch an|al'ge:tɪʃ
Analgie an|al'gi:, **-n** ...i:ən
anallaktisch an|a'laktɪʃ
analog ana'lo:k, **-e** ...o:gə
Analoga vgl. Analogon
Analogat analo'ga:t

Analogie analo'gi:, **-n** ...i:ən
Analogismus analo'gɪsmʊs
Analogon a'na:logɔn, **...ga**
...ga
Analphabet an|alfa'be:t,
auch: '----
Analphabetismus an-
|alfabe'tɪsmʊs
Analysand analy'zant, **-en**
...dn̩
Analysator analy'za:to:ɐ,
-en analyza'to:rən
Analyse ana'ly:zə
analysieren analy'zi:rən
Analysis a'na:lyzɪs, **...ysen**
ana'ly:zn̩
Analyst ana'lʏst, 'ɛnəlɪst
Analytik ana'ly:tɪk
Analytiker ana'ly:tikɐ
analytisch ana'ly:tɪʃ
Anambas *indon.* a'nambas
Anämie anɛ'mi:, **-n** ...i:ən
anämisch a'nɛ:mɪʃ
Anamnese anam'ne:zə
Anamnesis a'namnezɪs,
...mnesen ...m'ne:zn̩
anamnestisch anam'nɛstɪʃ
anamnetisch anam'ne:tɪʃ
Anamnier a'namniɐ
Anamorphose anamɔr-
'fo:zə
Anamorphot anamɔr'fo:t
Anamur *türk.* a'namur
Anan *jap.* 'a.nan̩
Ananas 'ananas
¹Anand (Mulk Raj) *engl.*
'a:nænd
²Anand (Stadt) *engl.* ə'nænd
Ananda 'a:nanda
Ananias ana'ni:as
Ananino *russ.* a'nanjinɐ
Ananit ana'ni:t
Anankasmus anaŋ'kasmʊs
Anankast anaŋ'kast
Ananke a'naŋkə
Anantapodoton ananta-
'po:dotɔn, **-ta** ...ta
Anantapur *engl.* ə'næntə-
pʊə
Anantnag *engl.* ə'næntnɑ:g
Ananuri *russ.* ana'nuri
Ananym ana'ny:m
Anapa *russ.* a'napɐ
ana partes aequales 'ana
'parte:s ɛ'kva:le:s
Anapäst ana'pɛ:st
Anaphase ana'fa:zə
Anapher a'na[:]fɐ
Anaphora a'na:fora, **...rä**
...rɛ

Anaphorese anafo're:zə
anaphorisch ana'fo:rɪʃ
Anaphrodisiakum an-
|afrodi'zi:akʊm, **...ka** ...ka
Anaphrodisie an|afrodi'zi:,
-n ...i:ən
anaphylaktisch anafy'laktɪʃ
Anaphylaxie anafyla'ksi:,
-n ...i:ən
Anápolis *bras.* ɐ'napulis
Anaptyxe anap'tʏksə
Anarchie anar'çi:, **-n** ...i:ən
anarch[isch] a'narç[ɪʃ]
Anarchismus anar'çɪsmʊs
Anarchist anar'çɪst
Anarcho a'narço
Anarchosyndikalismus
anarçozʏndika'lɪsmʊs
Anarchosyndikalist anar-
çozʏndika'lɪst
Anäresis a'nɛ:rezɪs, an'lɛ:...,
...resen anɛ're:zn̩, an|ɛ...
Anarthrie an|ar'tri:, **-n**
...i:ən
Anasarka ana'zarka
Anasarkie anazar'ki:
Anasazi *engl.* ɑ:nə'sɑ:zɪ
Anastas *russ.* anas'tas
Anastase *fr.* anas'ta:z
Anastasia *dt., it.* anas'ta:zia
Anastasio *span.* anas'ta:sjo
Anastasios anas'ta:zjɔs
Anastasis a'nastazɪs
Anastasius anas'ta:zjʊs
Anastasjewitsch *russ.*
anas'tasjɪvitʃ
Anastasjewna *russ.* anas-
'tasjɪvnɐ
Anastassi *russ.* anas'tasij
Anastassija *russ.* anas'ta-
sijɐ
anastatisch ana'sta:tɪʃ
Anästhesie an|ɛste'zi:, **-n**
...i:ən
anästhesieren an-
|ɛste'zi:rən
Anästhesin® an|ɛste'zi:n
Anästhesiologe an-
|ɛstezio'lo:gə
Anästhesiologie an-
|ɛsteziolo'gi:
Anästhesist an|ɛste'zɪst
Anästhetikum an-
|ɛs'te:tikʊm, **...ka** ...ka
anästhetisch an|ɛs'te:tɪʃ
anästhetisieren an-
|ɛsteti'zi:rən
Anastigmat an|astɪ'gma:t
Anastomose anasto'mo:zə

Anastrophe a'nastrofe, -n
ana'stro:fn
Anastylose anasty'lo:zə
Anatevka ana'tɛfka
Anatexis ana'tɛksɪs
Anathem ana'te:m
Anathema a'na:tema, -ta
ana'te:mata
anathematisieren anate-
mati'zi:rən
anational 'anatsɪona:l
Anatol ana'to:l, '---
Anatole fr. ana'tɔl
Anatolien ana'to:lɪən
Anatoli russ. ana'tɔlij
Anatolios ana'to:lɪɔs
anatolisch ana'to:lɪʃ
Anatoljewitsch russ. ana-
'tɔljɪvɪtʃ
Anatoljewna russ. ana'tɔl-
jɪvnɐ
Anatom ana'to:m
Anatomie anato'mi:, -n
...i:ən
anatomieren anato'mi:rən
anatomisch ana'to:mɪʃ
Anatozismus anato'tsɪsmus
anatrop ana'tro:p
Anatto a'nato
Añatuya span. aɲa'tuja
Anau russ. a'nau
Anaxagoras ana'ksa:goras
anaxial 'an|aksɪa:l, auch:
--'-
Anaximander anaksi-
'mandɐ
Anaximandros anaksi'man-
drɔs
Anaximenes ana'ksi:menɛs
Anazidität an|atsɪdi'tɛ:t
anazyklisch ana'tsy:klɪʃ
anbandeln 'anbandl̩n,
anbandle 'anbandlə
anbändeln 'anbɛndl̩n,
anbändle 'anbɛndlə
anbei an'bai, auch: '--
anberaumen 'anbə,raumən
anbiedern anbi:dɐn,
anbiedre ...i:drə
anbuffen 'anbʊfn̩
Ancaster engl. 'æŋkæstə
Ancelin fr. ã'slɛ̃
Ancelot fr. ã'slo
anceps 'antsɛps
Ančerl tschech. 'antʃɛrl
Ancerville fr. ãsɛr'vil
Ancher dän. 'aŋ'gɐ
Anchesenamun ançeze-
'na:mʊn

Anchesenpepi ançezɛn-
'pe:pi
Anchieta span. an'tʃjeta
Anchises an'çi:zɛs
Anchnesneferibre ançnɛs-
neferi'bre:
Anchorage engl. 'æŋkɔrɪdʒ
Anchorman 'ɛŋkɐmɛn,
...men ...mɛn
Anchorwoman 'ɛŋkɐ-
,vʊmən, ...men ...vɪmɪn
Anchose an'ʃo:zə
Anchovis an'ço:vɪs, an'ʃo:-
vɪs
Anchusa an'çu:za
Anciennität ãsɪɛni'tɛ:t
Ancien Régime ã'sjɛ̃: re'ʒi:m
Ancillon fr. ãsi'jõ
Anckarström schwed.
,aŋkarstrœm
Ancón span. aŋ'kɔn
Ancona it. aŋ'ko:na
ancora aŋ'ko:ra
Ancre fr. ã:kr
Ancud span. aŋ'kuð
Ancus 'aŋkʊs
Ancylus 'antsylʊs
Ancyra an'tsy:ra
Anczyc poln. 'antʃits
and ɛnt, engl. ænd, ənd
Anda 'anda, ung. 'ɔndɔ
Andacht 'andaxt
andächtig 'andɛçtɪç, -e
...ɪgə
andächtiglich 'andɛçtɪklɪç
Åndalsnes norw. ,ɔnda:ls-
ne:s
Andalucía span. andalu'θia
Andalusien anda'lu:zɪən
Andalusier anda'lu:zɪɐ
andalusisch anda'lu:zɪʃ
Andalusit andalu'zi:t
Andaman engl. 'ændəmæn
Andamanen anda'ma:nən
Andamaner anda'ma:nɐ
Andamento anda'mɛnto
andante, A... an'dantə
andantino, A... andan'ti:no
Andapa mad. an'dapə
andauen 'andauən
Anday türk. an'dai
Andechs 'andɛks
Andel 'andl̩
Andelfingen 'andl̩fɪŋən
Andelsbuch 'andl̩sbu:x
Anden 'andn̩
Andenes norw. ,andəne:s
Anderberg schwed. ,andər-
bærj
andere 'andərə

anderenfalls 'andərənfals
andererseits 'andərɛzaits
Andergeschwisterkind
'andɐgəʃvɪstɐkɪnt, ---'---
Anderlecht niederl. 'andər-
lɛxt
Anderlingen 'andɐlɪŋən
Anderloni it. andər'lo:ni
Anderlues fr. ãdɛr'ly
andermal 'andɛma:l
Andermatt 'andɛmat
ändern 'ɛndɛn, ändre
'ɛndrə
Andernach 'andɛnax
andernfalls 'andɛnfals
anderorts 'andɛlɔrts
anders 'andɛs
Anders 'andɛs, engl.
'ændəz, dän. 'anɐs, schwed.
,andərs, poln. 'andɛrs
andersartig 'andɛs|a:ɐtɪç
Andersch 'andɛʃ
anderseits 'andɛzaits
Andersen 'andɛzn̩, dän.
'anɐsn
andersherum 'andɛshɛrʊm
Anderson engl. 'ændəsn
andersrum 'andɛsrʊm
Anderssen 'andɛsn̩
Andersson schwed. ,andər-
sɔn
anderssprachig 'andɛs-
ʃpra:xɪç
anderswie 'andɛsvi:
anderswo 'andɛsvo:
anderswoher 'andɛsvo'he:ɐ
anderswohin 'andɛsvo'hɪn
Anderten 'andɛtn̩
anderthalb 'andɛt'halp, -e
...bə
anderthalbfach 'andɛt-
'halpfax
anderwärtig 'andɛvɛrtɪç, -e
...ɪgə
anderwärts 'andɛvɛrts
anderweit 'andɛvait
Andes span. 'andes
Andesin ande'zi:n
Andesit ande'zi:t
Andhra 'andra, engl. 'a:ndrə
Andi 'andi
andin an'di:n
Andischan russ. andi'ʒan
Andlau, ...law 'andlau
Andler 'andlɐ, fr. ã'dlɛ:r
Andokides an'do:kidɛs
Andong korean. andoŋ,
chin. anduŋ 11
Andørja norw. ,anœrja
Andorn 'andɔrn

Andorra an'dɔra, *span.*
an'dɔrra
Andorraner andɔ'ra:nɐ
Andover *engl.* 'ændoʊvə
Andøy *norw.* 'anœi̯
Andrä, ...rae 'andrɛ
Andrada e Silva *bras.*
ɐn'drada i 'silva
Andrade *port.* ɐn'draðə,
bras. ɐn'dradi, *span.*
an'draðe
Andradina *bras.* ɐndra'dina
Andragoge andra'go:gə
Andragogik andra'go:gɪk
András *ung.* 'ɔndra:ʃ
Andrason an'dra:zɔn
Andrássy *ung.* 'ɔndra:ʃi
andre 'andrə
Andre *engl.* 'ændrɪ
André an'dre:, ã'dre:, *fr.*
ã'dre, *port.* ɐn'drɛ
Andrea an'dre:a, *it.* an'drɛ:a
Andreae an'dre:ɛ
Andreas an'dre:as, *dän.*
æn'drɪ:'æs
Andree 'andre
Andrée *schwed.* an'dre:
Andreescu *rumän.* andre-
'i̯esku
Andreew *bulgar.* an'dreɛf
Andrei *russ.* an'drjej
Andreini *it.* andre'i:ni
Andrejew *russ.* an'drjejɪf
Andrejewitsch *russ.*
an'drjejɪvitʃ
Andrejewna *russ.* an'drje-
jɪvnɐ
Andrejewski *russ.* an'drje-
jɪfskij
Andreotti *it.* andre'ɔtti
Andréou *fr.* ãdre'u
andrerseits 'andrɐzai̯ts
Andres 'andrəs
Andrés *span.* an'dres
Andresen an'dre:zn̩
Andreus *niederl.* an'dre:ʏs
Andrew[s] *engl.* 'ændru:[z]
Andria *it.* 'andri̯a
Andrian 'andri̯a:n
Andrić *serbokr.* 'andritɕ
Andrienne *fr.* ãdri'ɛn
Andriessen *niederl.*
'andrisə
Andrieu[x] *fr.* ãdri'ø
Andrjusch[k]a *russ.*
an'drjuʃ[k]ɐ
Androblastom androblas-
'to:m
Androclus 'androklʊs
Androdiözie androdi̯ø'tsi:

Androgamet androga'me:t
Androgamon androga'mo:n
androgen, A... andro'ge:n
Androgenese androge-
'ne:zə
androgyn andro'gy:n
Androgynie androgy'ni:
Androgynophor androgy-
no'fo:ɐ̯
Android andro'i:t, -e ...i:də
Androide andro'i:də
Androklus 'androklʊs
Androloge andro'lo:gə
Andrologie androlo'gi:
andrologisch andro'lo:gɪʃ
Andromache an'dro:maxe
Andromanie androma'ni:,
-n ...i:ən
Andromeda an'dro:meda
Andromonözie andromo-
nø'tsi:
Andronicus (bei Shakes-
peare) an'dro:nikʊs
Andronikos andro'ni:kɔs
Andronikus andro'ni:kʊs
Andronowo *russ.* an'drɔ-
nɐvɐ
androphil andro'fi:l
Androphilie androfi'li:, -n
...i:ən
Androphor andro'fo:ɐ̯
Andropow *russ.* an'drɔpɐf
Andros 'andrɔs, *engl.*
'ændrɔs, *neugr.* 'anðrɔs
Androspermium andro-
'spɛrmi̯ʊm, ...ien ...i̯ən
Androspore andro'spo:rə
Androsteron androste'ro:n
Androuet *fr.* ã'drwɛ
Andrözeum andrø'tse:ʊm
Andrussowo *russ.* an'dru-
sɐvɐ
Andrychów *poln.* an'drixuf
Andrzej *poln.* 'andʒʒɛj
Andrzejewski *poln.* andʒ-
ʒɛ'jɛfski
Andscho *jap.* 'a,ndʒo:
Andújar *span.* an'duxar
Andy *engl.* 'ændɪ
Aneas ɛ'ne:as
Anécho *fr.* ane'ʃo
anecken 'anlɛkn̩
Aného *fr.* ane'o
Äneide ɛne'i:də
Aneidylismus an-
lai̯dy'lɪsmʊs
aneinander anlai̯'nandɐ
Äneis ɛ'ne:ɪs
Aneisa a'nai̯za
Anekdötchen anɛk'dø:tçən

Anekdote anɛk'do:tə
Anekdotik anɛk'do:tɪk
anekdotisch anɛk'do:tɪʃ
Anelastizität an-
lelastitsi'tɛ:t
Anelektrolyt anlelɛktro'ly:t
Anelli *it.* a'nɛlli
Anellierung ane'li:rʊŋ
Anemochoren anemo'ko:-
rən
Anemochorie anemoko'ri:
anemogam anemo'ga:m
Anemogamie anemoga'mi:
anemogen anemo'ge:n
Anemogramm anemo'gram
Anemograph anemo'gra:f
Anemologie anemo'lo:gi:
Anemometer anemo'me:tɐ
Anemone ane'mo:nə
anemophil anemo'fi:l
Anemoskop anemo'sko:p
Anemostat® anemo'sta:t
Anemotaxis anemo'taksɪs
Anemotropagraph anemo-
tropo'gra:f
Anemotropometer anemo-
tropo'me:tɐ
Anenergie anlenɛr'gi:
Anenzephalie anlɛntsefa'li:
-n ...i:ən
Äneolithikum ɛneo'li:tikʊm
äneolithisch ɛneo'li:tɪʃ
Anepigrapha anle'pi:grafa
anerbieten 'anlɛɐ̯bi:tn̩
Anergie anlɛr'gi:, -n ...i:ən
anergisch an'lɛrgɪʃ
Anerio *it.* a'nɛ:ri̯o
anerkennen 'anlɛɐ̯kɛnən,
seltener: --'--
Aneroid anero'i:t, -e ...i:də
Anerosie anlero'zi:, -n
...i:ən
Anerythropsie an-
lerytrɔ'psi:, -n ...i:ən
Anet *fr.* a'nɛ
Anethol ane'to:l
Anethum a'ne:tʊm
Aneto *span.* a'neto
aneuploid anlɔyplo'i:t, -e
...i:də
Aneuploidie anlɔyploi'di:
Aneurie anɔy'ri:, -n ...i:ən
¹Aneurin (Vitamin) anɔy-
'ri:n
²Aneurin (Name) *engl.*
ə'nai̯ərin
Aneurysma anɔy'rʏsma
anfeinden 'anfai̯ndn̩, feind
an! 'fai̯nt 'an

anfersen 'anfɛrzn̩, **fɛrs an!**
'fɛrs 'an, **anferst** 'anfɛrst
Anfinsen *engl.* 'ænfɪnsən
Anfixe 'anfɪksə
Anfortas an'fɔrtas
Anfossi *it.* an'fɔssi
anfreunden 'anfrɔyndn̩,
freund an! 'frɔynt 'an
Angara *russ.* anga'ra
Angaria aŋ'ga:rɪa
Angarien... aŋga'ri:ən...
Angarsk *russ.* an'garsk
Angeberei ange:bə'rai
angeblich 'ange:plɪç
angefuckt 'angəfakt
angeheitert 'angəhaitet
Angehrn 'ange:ɐn
Angel 'aŋl
Ángel *span.* 'aŋxɛl
Angela 'aŋgela, *auch:*
aŋ'ge:la; *it.* 'andʒela, *engl.*
'ændʒılə
Ángela *span.* 'aŋxela
Angèle *fr.* ã'ʒɛl
Ángeles *span.* 'aŋxeles
Ängelholm *schwed.* ɛŋəl-
'hɔlm
Angeli 'aŋgeli, *it.* 'andʒeli
Angelica aŋ'ge:lika
Angelico *it.* an'dʒe:liko
Angelika aŋ'ge:lika
Angelina *it.* andʒe'li:na
Angelini *it.* andʒe'li:ni
Angelinus ange'li:nʊs
Angélique *fr.* ãʒe'lik
Angell *engl.* 'eɪndʒəl, *norw.*
aŋ'gɛl
Angellier *fr.* ãʒe'lje
angeln, A... 'aŋln
Angelo *it.* 'andʒelo
Angelolatrie aŋgelola'tri:
Angelologie aŋgelolo'gi:
Angeloni *it.* andʒe'lo:ni
Angelos 'aŋgelʊs
Angelotti *it.* andʒe'lɔtti
Angelou *engl.* 'ændʒəlu:
Angelow *bulgar.* 'aŋgɛlof
Angelsachse 'aŋlzaksə
angelsächsisch 'aŋlzɛksɪʃ
Angelucci *it.* andʒe'luttʃi
Angelus 'aŋgelʊs
Angely ãʒə'li:
Anger 'aŋɐ
Angera *it.* an'dʒɛ:ra
Angerapp 'aŋərap
Angerburg 'aŋɐbʊrk
Angerer 'aŋərɐ
Angermair 'aŋɐmaiɐ
Ångermanälven *schwed.*
,ɔŋərmanɛlvən

Ångermanland *schwed.*
,ɔŋərmanlan[d]
Angermund 'aŋɐmʊnt
Angermünde aŋɐ'mʏndə
Angers *fr.* ã'ʒe
Angevin *fr.* ãʒ'vɛ̃
angevinisch ãʒə'vi:nɪʃ
Anghel *rumän.* 'aŋgel
Angie *engl.* 'ændʒɪ
Angiitis aŋgi'i:tɪs, **...itiden**
aŋgii'ti:dn̩
Angilbert 'aŋgɪlbɛrt
Angina aŋ'gi:na
Angina [Pectoris] aŋ'gi:na
['pɛktorɪs]
anginös aŋgi'nø:s, **-e ...ø:zə**
Angiogramm aŋgio'gram
Angioletti *it.* andʒo'letti
Angiolieri *it.* andʒo'lie̯:ri
Angiolina *it.* andʒo'li:na
Angiolini *it.* andʒo'li:ni
Angiolo *it.* 'andʒolo
Angiologie aŋgiolo'gi:
Angiom aŋ'gio:m
Angioma aŋ'gio:ma, **-ta -ta**
Angiopathie aŋgiopa'ti:, **-n**
...i:ən
Angiose aŋ'gio:zə
Angiospermen aŋgio'spɛr-
mən
Angklung 'aŋklʊŋ
Angkor 'aŋko:ɐ, *Khmer*
aŋ'kʊ:ɐ
Anglaise ã'glɛ:zə
Anglebert *fr.* ãglə'bɛ:r
Angler 'aŋlɐ
Anglés *span.* aŋ'gles
Anglesea, Anglesey *engl.*
'æŋglsɪ
Angles-sur-l'Anglin *fr.*
ãgləsyrlã'glɛ̃
Angleur *fr.* ã'glœ:r
Anglia 'aŋglia, *engl.* 'æŋgljə
Anglien 'aŋgliən
Anglikaner aŋgli'ka:nɐ
anglikanisch aŋgli'ka:nɪʃ
Anglikanismus aŋgli'ka:nɪs-
mʊs
anglisch 'aŋ[g]lɪʃ
anglisieren aŋgli'zi:rən
Anglist[ik] aŋ'glɪst[ɪk]
Anglizismus aŋgli'tsɪsmʊs
Angloamerikaner aŋglo-
lameri'ka:nɐ, *auch:*
'-------
anglofranzösisch aŋglo-
fran'tsø:zɪʃ, *auch:* '-----
Anglokatholizismus aŋglo-
katoli'tsɪsmʊs
Anglomane aŋglo'ma:nə

Anglomanie aŋgloma'ni:
anglonormannisch aŋglo-
nɔr'manɪʃ, *auch:* '-----
anglophil aŋglo'fi:l
Anglophilie aŋglofi'li:
anglophob aŋglo'fo:p, **-e**
...o:bə
Anglophobie aŋglofo'bi:
Angmagssalik *grönl.*
amməsa'lik
Angol *span.* aŋ'gɔl
Angola aŋ'go:la, *port.*
ɐŋ'gɔlɐ
Angolaner aŋgo'la:nɐ
Angolar aŋgo'la:ɐ
Angophrasie aŋgofra'zi:, **-n**
...i:ən
Angora aŋ'go:ra
Angostura® aŋgɔs'tu:ra
Angoulême *fr.* ãgu'lɛm
Angoumois *fr.* ãgu'mwa
Angra do Heroismo *port.*
'ɐŋgrɐ ðu i'rui̯ʒmu
Angrapa *russ.* an'grapɐ
Angraria aŋ'gra:rɪa
Angra Pequena *port.* 'ɐŋgrɐ
pə'kenɐ
Angren *russ.* an'grjɛn
Angrivarier aŋgri'va:riɐ
Angry Young Men 'ɛŋgri
'jaŋ 'mɛn
Angst aŋst, **Ängste** 'ɛŋstə
Angster 'aŋstɐ
ängstigen 'ɛŋstıgn̩, **ängs-
tig!** 'ɛŋstıç, **ängstigt** 'ɛŋs-
tıçt
ängstlich 'ɛŋstlıç
Ångström 'ɔŋstrø:m, *auch:*
'aŋ..., *schwed.* ,ɔŋstrœm
Anguier *fr.* ã'gje
Anguilla *engl.* æŋ'gwılə
Anguilletten ãgi'jetn̩
Anguillotten ãgi'jɔtn̩
Anguissola *it.* aŋguis'sɔ:la
angular aŋgu'la:ɐ
Angus 'aŋgʊs, *engl.* 'æŋgəs
anhägern 'anhɛ:gɐn, **an-
hägre** 'anhɛ:grə
Anhalt[er] 'anhalt[ɐ]
Anhaltiner anhal'ti:nɐ
anhand an'hant
anhänglich 'anhɛŋlıç
Anhängsel 'anhɛŋzl
Anhava *finn.* 'anhava
Anhedonie anhedo'ni:
anheim an'haim
anheimeln 'anhaimln
anheischig 'anhai̯ʃıç
Anheliose anhe'lio:zə

anhemitǫnisch anhemi'to:-
nıʃ
Anhidrǫse anhi'dro:zə
Anhidrǫsis anhi'dro:zıs,
...ǫses ...o:ze:s
Anhilte an'hıltə
ạnhin 'anhın
Ạnholt 'anhɔlt, *dän.*
'ænhɔl'd
Anh-Tho' *vietn.* aɪ̯n θə 11
Anhui *chin.* anxu̯ei̯ 11
Ạnhwei 'anxvai̯
Anhydrämiẹ anhydrɛ'mi:
Anhydrid anhy'dri:t, -e
...i:də
Anhydrit anhy'dri:t
Ani *vgl.* Anus
Aníbal *span.* a'niβal
Anicẹt *fr.* ani'sɛ
Anicẹtus ani'tse:tʊs
Aniche *fr.* a'niʃ
Änigma ɛ'nıgma, -ta -ta
änigmạtisch ɛnı'gma:tıʃ
änigmatisiẹren ɛnıgmati-
'zi:rən
Anilin ani'li:n
Ạnima 'a:nima
animạl[isch] ani'ma:l[ıʃ]
animalisiẹren animali'zi:-
rən
Animalịsmus anima'lısmʊs
Animalität animali'tɛ:t
Animateur anima'tø:ɐ̯
Animation anima'tsio:n
Animatịsmus anima'tısmʊs
animativ anima'ti:f, -e
...i:və
animạto ani'ma:to
Animạtor ani'ma:to:ɐ̯, -en
...ma'to:rən
animiẹren ani'mi:rən
Animịsmus ani'mısmʊs
Animịst ani'mıst
Ạnimo 'a:nimo
animǫs ani'mo:s, -e ...o:zə
Animosität animozi'tɛ:t
animǫso ani'mo:zo
Animụccia *it.* ani'muttʃa
Ạnimus 'a:nimʊs
Anịna *rumän.* a'nina
Ạnion 'an[ɪ]i̯o:n, ...i̯on, -en
a'ni̯o:nən, an'[ɪ]i̯...
Anis a'ni:s, *auch:* 'a[:]nıs, -e
a'ni:zə, *auch:* 'a[:]nizə
Anisẹtte ani'zɛt
anisodǫnt an|izo'dɔnt
Anisogamiẹ an|izoga'mi:,
-n ...i:ən
Anisomorphiẹ an|izomɔr'fi:
Anisophylliẹ an|izofʏ'li:

anisotrǫp an|izotro:p
Anisotropiẹ an|izotro'pi:
Anịssija *russ.* a'nisii̯ɐ
Anịta a'ni:ta, *span.* a'nita,
engl. ə'ni:tə
Anịtra 'a'ni:tra
Anịwa *russ.* a'nivɐ
Ạnja 'anja
Ạnjala *finn.* 'anjɑlɑ
Anjou *fr.* ã'ʒu
Anjouan *fr.* ã'ʒwã
Anjou-Plantagenet *engl.*
ã:'ʒu:plæn'tædʒınıt
Anju *korean.* andʒu
Anjụt[k]a *russ.* a'njut[k]ɐ
Ạnka 'aŋka, *engl.* 'æŋkə
Ạnkara 'aŋkara, *türk.*
'aŋkara
Ạnke 'aŋkə
Ankeny *engl.* 'æŋkənı
¹Ạnker 'aŋkɐ
²Ạnker (Name) 'aŋkɐ, *norw.*
,aŋkər, *dän.* 'aŋgɐ
ạnkern 'aŋkɐn
Ạnklam 'aŋklam
Ạnkober 'ankobɐ, *amh.*
aŋkobɐr
Ạnkömmling 'ankœmlıŋ
Ạnkunft 'ankʊnft
Ankylǫse aŋky'lo:zə
Ankylostomiạse aŋkylosto-
'mi̯a:zə
Ankylostomiạsis aŋkylosto-
'mi:azıs, ...sen ...'mi̯a:zn̩
Ankylostomǫse aŋkylosto-
'mo:zə
ankylǫtisch aŋky'lo:tıʃ
Ankylotǫm aŋkylo'to:m
Ankyra aŋ'ky:ra, 'aŋkyra
Ạnlass 'anlas, Ạnlässe
'anlɛsə
ạnlässlich 'anlɛslıç
Ạnlernling 'anlɛrnlıŋ
ạnlieken 'anli:kn̩
ạnmaßend 'anma:snt, -e
...ndə
Ạnmut 'anmu:t
Ann *engl.* æn
Ånn *schwed.* ɔn
¹Ạnna (Vorn.) 'ana, *engl.*
'ænə, *it.,* *poln.* 'anna, *russ.*
'annɐ
²Ạnna (ind. Münze) a'na:
Annạba a'na:ba, *fr.* ana'ba
Annabel 'anabɛl, *engl.* 'ænə-
bɛl
Annabẹlla ana'bɛla, *engl.*
ænə'bɛla
Annabẹlle *fr.* anna'bɛl
Ạnnaberg 'anabɛrk

Ạnnaburg 'anabʊrk
Ạnnahme 'anna:mə
Ạnnaka *jap.* a'n̩naka
Annạlen a'na:lən
Annalin ana'li:n
Annalịst[ik] ana'lıst[ık]
Ạnnam 'anam
Annamịt ana'mi:t
Ạnnan 'anan, *engl.* 'ænən,
ə'na:n
Annapolis *engl.* ə'næpəlıs
Annapụrna ana'pʊrna
Ann Ạrbor *engl.* æn 'a:bə
Annạten a'na:tn̩
Annạtto a'nato
Ännchen 'ɛnçən
Anne 'anə, *engl.* æn, *fr.* a:n,
an
Änne 'ɛnə
Annecy *fr.* an'si
Annedore 'anədo:rə
Annegret 'anəgre:t
annektiẹren anɛk'ti:rən
Annele 'anələ
Anneli[e] 'anəli
Anneliden ane'li:dn̩
Annelies 'anəli:s
Anneliese 'anəli:zə
Annelore 'anəlo:rə
Annemarie 'anəma.ri:
Annemasse *fr.* an'mas,
an'ma:s
Annemirl 'anəmırl
Annenkow *russ.* 'annınkɐf
Annenski *russ.* 'annınskij
Ạnnerl 'anɛl
Annerose 'anəro:zə
Ạnnerstedt *schwed.* ,anərs-
tɛt
Annẹtte a'nɛtə
Annex a'nɛks
Annexion anɛ'ksi̯o:n
Annexionịsmus anɛksi̯o-
'nısmʊs
Annexionịst anɛksi̯o'nıst
Annexịtis anɛ'ksi:tıs, ...iti-
den anɛksi'ti:dn̩
Ạnni 'ani
Ậnni 'ɛni
Annịbale *it.* an'ni:bale
ạnni currẹntis 'ani kʊ'rɛntıs
Ạnnie 'ani, *engl.* 'ænı
ạnni futụri 'ani fu'tu:ri
Annihilạtion anihila'tsi̯o:n
annihiliẹren anihi'li:rən
Annịna a'ni:na, *it.* an'ni:na
ạnni praetẹriti 'ani prɛ'te:-
riti
Anniston *engl.* 'ænıstən
Anniversạr anivɛr'za:ɐ̯

Anniversarium anivɛrˈzaː-
rjʊm, ...ien ...jən
anno, A... 'ano
Annobón span. anoˈβɔn
anno currente 'ano
kuˈrɛntə
anno Domini 'ano 'doːmini
Annomination anomina-
ˈtsjoːn
Annonay fr. anɔˈnɛ
Annonce aˈnõːsə, auch:
aˈnɔŋsə
Annonceuse anõˈsøːzə,
auch: anɔŋˈsøːzə
annoncieren anõˈsiːrən,
auch: anɔŋˈsiːrən
Annone aˈnoːnə
Anno santo it. 'anno 'santo
annotieren anoˈtiːrən
Annotation anotaˈtsjoːn
Annuarium aˈnua:rjʊm, ...ia
...ja, ...ien ...jən
annuell aˈnuɛl
Annuität anuiˈtɛːt
annullieren anʊˈliːrən
Annulus 'anulʊs, ...li ...li
Annuntiation anʊntsja-
ˈtsjoːn
Annunziata it. annunˈtsjaːta
Annunziaten anʊnˈtsjaːtn̩
Annunziazione anʊntsja-
ˈtsjoːnə
Annunzio, d' it. danˈnuntsjo
Annuschka russ. ˈannuʃkɐ
Annweiler ˈanvailɐ
Anny engl. ˈænɪ
Anoa aˈnoːa
Anode aˈnoːdə
anöden ˈanløːdn̩, öd an! ˈøːt
'an
anodisch aˈnoːdɪʃ
Anodynum anoˈdyːnʊm,
...na ...na
anogen anoˈgeːn
Anoia aˈnɔya
Anolyt anoˈlyːt
anom aˈnoːm
anomal anoˈmaːl, auch: '---
Anomalie anomaˈliː, -n
...iːən
anomalistisch anomaˈlɪstɪʃ
Anomaloskop anomalo-
ˈskoːp
Anomie anoˈmiː, -n ...iːən
anomisch aˈnoːmɪʃ
anonym anoˈnyːm
Anonyma aˈnoːnyma
anonymisieren
anonymiˈziːrən
Anonymität anonymiˈtɛːt

Anonymus aˈnoːnymʊs,
...mi ...mi, ...men anoˈnyː-
mən
Anopheles aˈnoːfelɛs
Anophthalmie anlɔftalˈmiː,
-n ...iːən
Anopie anloˈpiː, -n ...iːən
anopistographisch an-
lopɪstoˈgraːfɪʃ
Anopsie anlɔˈpsiː, -n ...iːən
Anorak 'anorak
anorektal anorekˈtaːl
Anorektikum an-
loˈrɛktikʊm, ...ka ...ka
Anorexie anlorɛˈksiː
Anorganiker anlɔrˈga:nikɐ
anorganisch 'anlɔrga:nɪʃ,
auch: --'---
Anorgasmie anlɔrgasˈmiː,
-n ...iːən
anormal 'anɔrmaːl
Anorthit anɔrˈtiːt
Anorthosit anɔrtoˈziːt
Anosmie anlɔsˈmiː
Anosognosie anozognoˈziː
Anostose anlɔsˈtoːzə
anotherm anoˈtɛrm
Anothermie anoterˈmiː
Anouilh fr. aˈnuj
Anoxämie anlɔksɛˈmiː
Anoxie anlɔˈksiː, -n ...iːən
anoxisch anˈlɔksɪʃ
Anoxybiose anlɔksyˈbjoːzə
Anoxyhämie anlɔksyhɛˈmiː
anprangern ˈanpraŋən
Anqing chin. antcɪŋ 14
Anquetil fr. ãkˈtil
Anquetin fr. ãkˈtɛ̃
Anrath[er] ˈanraːt[ɐ]
anreichern ˈanraiçɐn
Anrep schwed. ˌanreːp
anrüchig ˈanrʏçɪç, -e ...ɪgə
ans ans
Ans fr. ãːs
ANSA it. 'ansa
Ansager ˈanzaːgɐ, dän.
ˈænˈsɛːˈɐ
Ansaldo it. anˈsaldo
ansässig ˈanzɛsɪç, -e ...ɪgə
Ansbach ˈansbax
Anscharius ansˈçaːrjʊs
Anschero-Sudschensk
russ. anˈʒɛrɐˈsudʒənsk
Anschluss ˈanʃlʊs
Anschovis anˈʃoːvɪs
Anschütz-Kaempfe
ˈanʃʏtsˈkɛmpfə
Anse aux Meadows, L'
engl. ˈlæns oʊ ˈmɛdoʊz

Anseele niederl. anˈseːlə,
'---
Ansegisel ˈanzəgiːzl̩
Anselm ˈanzɛlm
Anselma anˈzɛlma
Anselme fr. ãˈsɛlm
Anselmi it. anˈsɛlmi
Anselmo it., span. anˈsɛlmo
Anserma span. anˈsɛrma
Ansermet fr. ãsɛrˈmɛ
Ansfelden ansˈfɛldn̩
Ansgar[d] ˈansgar[t]
Ansgarius ansˈga:rjʊs
Anshan chin. anʃan 11
Anshelm ˈanshɛlm
Anshun chin. anʃu̯ən 14
ANSI ˈanzi
Ansiedelei anziːdəˈlai
Anson engl. ænsn
Ansonia engl. ænˈsoʊnjə
ansonst[en] anˈzɔnst[n̩]
Ansorge ˈanzɔrgə
Anstalt ˈanʃtalt
anstatt anˈʃtat
anstelle anˈʃtɛlə
Anstellerei anʃtɛləˈrai
anstellig ˈanʃtɛlɪç
Anstey engl. ˈænstɪ
Anstieg ˈanʃtiːk, -es ...iːgəs
Anstruther engl. ˈænstrʌðɐ
Antacid antˈlaˈksiː:, -e ...iːdə
Antacidum antˈlaːtsidʊm,
...da ...da
Antagonismus antagoˈnɪs-
mʊs
Antagonist antagoˈnɪst
Antaios anˈtaios
Antakya türk. anˈtakja
Antal ung. ˈɔntɔl
Antalaha mad. antaˈlaha
Antalgikum antˈlalgikʊm,
...ka ...ka
Antalkidas anˈtalkidas
Antalya türk. anˈtalja
Antananarivo antanana-
ˈriːvo, mad. antananəˈrivu
Antapex antˈlaːpɛks,
...pizes ...pitsɛːs
Antaphrodisiakum ant-
lafrodiˈzi:akʊm, ...ka ...ka
Antara Ibn Schaddad
ˈantara ˈɪbn̩ ʃaˈdaːt
Antares anˈta:rɛs, ˈantarɛs
Antarktika antˈlarktika
Antarktis antˈlarktɪs
antarktisch antˈlarktɪʃ
Antarthritikum ant-
larˈtriːtikʊm, ...ka ...ka
antasthenisch antlasˈteːnɪʃ
Antäus anˈtɛːʊs

Antazidum antʼlaːtsịdʊm,
...da ...da
Ante ˈantə, *serbokr.* ˌaːntɛ
Antebrachium anteˈbraˌxịʊm, **...ia** ...ịa
ante Chrịstum [natum]
ˈantə ˈkrɪstʊm [ˈnaːtʊm]
ante cịbum ˈantə ˈtsịːbʊm
antedatieren antedaˈtiːrən
antediluvianisch antedilu-
ˈvịaːnịʃ
Antegnati *it.* anteɲˈɲaːti
anteigen ˈantaịgṇ, **teig an!**
ˈtaịk ˈan, **anteigt** ˈantaịkt
Anteil ˈantaịl
Anteilnahme ˈantaịlnaːmə
Antelami *it.* anˈtɛːlami
ante meridiem ˈantə meˈriː-
dịɛm
Antemetikum ant-
leˈmeːtikʊm, **...ka** ...ka
ante mortem ˈantə ˈmɔrtɛm
Antenne anˈtɛnə
Antenor anˈteːnoːɐ̯
Antepänultima antepɛˈnʊl-
tima, **...mä** ...mɛ
Antependium anteˈpɛn-
dịʊm, **...ien** ...ịən
Antepirrhem antepɪˈreːm
anteponieren antepoˈniːrən
ante portas ˈantə ˈpɔrtaːs
Anteposition antepozi-
ˈtsịoːn
Antequera *span.* anteˈkera
Antero *port.* ɐ̃ˈtɛru
Anteros ˈanterɔs
Antes ˈantəs
Antezedens anteˈtsːedɛns,
...nzien ...ˈtsːeˈdɛntsịən
antezedent anteˈtseˈdɛnt
Antezedenz anteˈtseˈdɛnts
antezedieren anteˈtseˈdiːrən
Antezessor anteˈtsːesoːɐ̯,
-en ...ˈsoːrən
Antheil *engl.* ˈæntaɪl
Anthelium anˈteːlịʊm, **...ien**
...ịən
Anthelminthikum anthɛl-
ˈmɪntikʊm, **...ka** ...ka
anthelminthisch anthɛl-
ˈmɪntɪʃ
Anthem *engl.* ˈænθəm
Anthemion anˈteːmịon,
...ien ...ịən
Anthemios anˈteːmịɔs
Anthemis ˈantemɪs
Anthere anˈteːrə
Antheridium anteˈriːdịʊm,
...ien ...ịən
Anthes ˈantəs

Anthese anˈteːzə
Anthidrotikum anthiˈdroːti-
kʊm, **...ka** ...ka
Anthocyan antoˈtsy̆aːn
Anthologia (Anthologie)
antoloˈgiːa
Anthologie antoloˈgiː, **-n**
...iːən
Anthologion antoˈloːgịon,
...ia ...ịa, **...ien** ...ịən
anthologisch antoˈloːgɪʃ
Anthologium antoˈloːgịʊm,
...ia ...ịa, **...ien** ...ịən
Antholyse antoˈlyːzə
Anthony *engl.* ˈæntənɪ
Anthoxanthin antɔksanˈtiːn
Anthozoon antoˈtsoːɔn,
...zoen ...tsoːən
Anthozyan antoˈtsy̆aːn
Anthracen antraˈtseːn
Anthrachinon antraçiˈnoːn
Anthraknose antrakˈnoːzə
Anthrakose antraˈkoːzə
Anthrax ˈantraks
Anthrazen antraˈtseːn
anthrazit, A... antraˈtsịːt
Anthriscus anˈtrɪskʊs
Anthropobiologie antropo-
bioloˈgiː
Anthropochoren antropo-
ˈkoːrən
Anthropochorie antropo-
koˈriː
anthropogen antropoˈgeːn
Anthropogenese antropo-
geˈneːzə
Anthropogenetik antropo-
geˈneːtɪk
Anthropogenie antropo-
geˈniː
Anthropogeographie
antropogeograˈfiː
Anthropogonie antropo-
goˈniː
Anthropographie antropo-
graˈfiː
anthropoid antropoˈiːt, **-e**
...iːdə
Anthropoklimatologie
antropoklimatoloˈgiː
Anthropolatrie antropola-
ˈtriː
Anthropologe antropo-
ˈloːgə
Anthropologie antropo-
loˈgiː
anthropologisch antropo-
ˈloːgɪʃ
Anthropologismus antro-
poloˈgɪsmʊs

Anthropometer antropo-
ˈmeːtɐ
Anthropometrie antropo-
meˈtriː
anthropometrisch antro-
poˈmeːtrɪʃ
anthropomorph antropo-
ˈmɔrf
anthropomorphisieren
antropomɔrfiˈziːrən
Anthropomorphismus
antropomɔrˈfɪsmʊs
Anthroponose antropo-
ˈnoːzə
Anthroponym antropo-
ˈnyːm
Anthroponymie antropo-
nyˈmiː
Anthroponymik antropo-
ˈnyːmɪk
Anthropophag antropo-
ˈfaːk, **-en** ...aːgṇ
Anthropophage antropo-
ˈfaːgə
Anthropophagie antropo-
faˈgiː
anthropophob antropo-
ˈfoːp, **-e** ...oːbə
Anthropophobie antropo-
foˈbiː
Anthropos ˈantropɔs
Anthroposoph antropoˈzoːf
Anthroposophie antropo-
zoˈfiː
anthropozentrisch antro-
poˈtsɛntrɪʃ
Anthropozoen antropo-
ˈtsoːən
Anthropozoonose antropo-
tsooˈnoːzə
Anthropus ˈantropʊs
Anthurie anˈtuːrịə
Anthurium anˈtuːrịʊm,
...ien ...ịən
Anthygrondose anthy-
ˈgroːndoːzə
anti ˈanti
Antialkoholiker anti-
ˌalkoˈhoːlikɐ, *auch:*
ˈ‑ ‑ ‑ ‑ ‑ ‑ ‑
Antiapex antiˈlaːpɛks,
...pizes ...piːtsɛːs
Antiasthmatikum anti-
lastˈmaːtikʊm, **...ka** ...ka
antiautoritär anti-
ˌautoriˈtɛːɐ̯, *auch:* ˈ‑ ‑ ‑ ‑ ‑
antiauxochrom anti-
ˌauksoˈkroːm
Antibabypille antiˈbeːbipɪlə

antibakteriell antibakte-
'riɛl, *auch:* '-----
Antibarbarus anti'barba-
rʊs, ...ri ...ri
Antibes *fr.* ã'tib
Antibiont anti'biɔnt
Antibiose anti'bio:zə
Antibiotikum anti'bio:ti-
kʊm,
...ka ...ka
antibiotisch anti'bio:tiʃ
Antiblock 'antiblɔk
Antiblockier... antiblɔ'ki:ɐ̯...
Antichambre, -s ãti'ʃã:brə
antichambrieren antiʃam-
'bri:rən
Antichrese anti'çre:zə
antichretisch anti'çre:tiʃ
Antichrist 'antikrɪst
Antichthone anti'çto:nə
anticipando antitsi'pando
Anticosti *engl.* ænti'kɔstɪ
Antidepressivum antide-
prɛ'si:vʊm, ...va ...va
Antiderapant antidera'pant
Antidiabetikum antidia'be:-
tikʊm, ...ka ...ka
Antidiarrhoikum antidia-
'ro:ikʊm, ...ka ...ka
Antidot anti'do:t
Antidotarium antido'ta:-
riʊm,
...ia ...ia
Antidoton an'ti:dotɔn, ...ta
...ta
Antidual antidu'a:l
Antidumping... 'antidam-
pɪŋ..., --'--...
Antietam *engl.* æn'ti:təm
Antifaschismus antifa'ʃɪs-
mʊs, *auch:* '-----
Antifaschist antifa'ʃɪst,
auch: '-----
Antifebrilia antife'bri:lia
Antifebrin antife'bri:n
Antiferment 'antifermɛnt
antiferromagnetisch anti-
fɛroma'gne:tiʃ
Antifouling 'antifaʊlɪŋ,
--'--
Antigen anti'ge:n
antigliss 'antiglɪs
Antignochos, ...nae an'ti:gonɛ
Antigone an'ti:gone
Antigonos an'ti:gonɔs
Antiguous an'ti:gonʊs
Antigua an'ti:gua, *engl.*
æn'ti:gə, *span.* an'tiɣua
Antiguaner anti'gua:nɐ
antiguanisch anti'gua:nɪʃ

Antihistaminikum antihɪs-
ta'mi:nikʊm, ...ka ...ka
Antihormon 'antihɔrmo:n
antik an'ti:k
Antikaglien anti'kaljən
Antikathode, Antikatode
antika'to:də, *auch:* '-----
Antike an'ti:kə
antikisieren antiki'zi:rən
antiklerikal antikleri'ka:l,
auch: '-----
Antiklerikalismus antikle-
rika'lɪsmʊs, *auch:* '-----
Antiklimax anti'kli:maks
antiklinal antikli'na:l
Antiklinale antikli'na:lə
Antikline anti'kli:nə
Antikoagulans antiko-
'|a:gulans, ...ntia ...o-
|agu'lantsia, ...ntien ...o-
|agu'lantsiən
Antikonzeption antikɔn-
tsɛp'tsio:n
antikonzeptionell antikɔn-
tsɛptsio'nɛl
Antikörper 'antikœrpɐ
Antikritik antikri'ti:k, *auch:*
'-----
Antikritikus anti'kri:tikʊs,
...izi ...itsi, ...kusse ...kusə
antikritisch 'antikri:tiʃ,
auch: --'--
Antilabe anti'la:bə
Antilegomenon antile'go:-
menɔn, ...na ...na
Antilibanon 'anti'li:banɔn
Antilla[s] *span.* an'tiʎa[s]
Antillen an'tɪlən, *niederl.*
an'tɪlə
Antilles *fr.* ã'tij
Antilochos an'ti:lɔxɔs
Antilochus an'ti:lɔxʊs
Antilogarithmus antiloga-
'rɪtmʊs
Antilogie antilo'gi:, -n
...i:ən
Antilope anti'lo:pə
Antim *bulgar.* 'antim
Antimachiavell antimakia-
'vɛl
Antimachiavellismus anti-
makiave'lɪsmʊs
Antimachos an'ti:maxɔs
Antimano *span.* an'timano
Antimaterie antima'te:ri̯ə,
auch: '-----
Antimetabole antimeta-
'bo:lə
antimetaphysisch antime-
ta'fy:zıʃ, *auch:* '-----

Antimetathesis antime'ta:-
tezɪs
Antimetrie antime'tri:
antimetrisch anti'me:trɪʃ
Antimilitarismus antimili-
ta'rɪsmʊs, *auch:* '-------
Antimodernisteneid
antimodɐr'nɪstn̩lai̯t
Antimon anti'mo:n
antimonarchisch antimo-
'narçɪʃ, *auch:* '-----
Antimonat antimo'na:t
Antimonit antimo'ni:t
Antimoralismus antimora-
'lɪsmʊs, *auch:* '-----
Antimoralist antimora'lɪst,
auch: '-----
Antineuralgikum antinɔy-
'ralgikʊm, ...ka ...ka
Antineutron anti'nɔytrɔn,
-en ...'tro:nən
Antinomie antino'mi:, -n
...i:ən
antinomisch anti'no:mɪʃ
Antinomismus antino'mɪs-
mʊs
Antinomist antino'mɪst
Antinoos an'ti:noɔs
Antinous an'ti:noʊs
Antioch *engl.* 'æntɪɔk
antiochenisch antiɔ'xe:nɪʃ
Antiochia anti'ɔxia, antiɔ-
'xi:a
Antiochien anti'ɔxiən
Antiochier anti'ɔxiɐ
Antiochos an'ti:ɔxɔs
Antiochus an'ti:ɔxʊs
Antiope an'ti:ope
Antioquia *span.* an'tiokia
Antioxidans anti'ɔksidans,
...ntien ...'dantsiən
antioxidantieren anti-
'|ɔksidan'ti:rən
Antioxydans anti-
'|ɔksydans, ...ntien ...'dan-
tʃiən
antioxydantieren anti-
|ɔksydan'ti:rən
Antiozonans anti-
|o'tso:nans, ...ntien ...tso-
'nantsiən
Antiozonant antilotso'nant
Antipassat antipa'sa:t
Antipasto anti'pasto
Antipater an'ti:patɐ
Antipathie antipa'ti:, -n
...i:ən
antipathisch anti'pa:tɪʃ
Antipatros an'ti:patrɔs

Antiperistaltik antiperi-
'staltık
Antiphanes an'ti:fanɛs
Antiphlogistikum antiflo-
'gıstikʊm, ...**ka** ...ka
Antipholus an'ti:folʊs
¹Antiphon (liturg. Wechsel-
gesang) anti'fo:n
²Antiphon (Name) 'antifɔn
antiphonal antifo'na:l
Antiphonale antifo'na:lə,
...**lien** ...ljən
Antiphonar antifo'na:ɐ̯,
-ien ...rjən
Antiphone anti'fo:nə
Antiphonie antifo'ni:, **-n**
...i:ən
antiphonisch anti'fo:nıʃ
Antiphrase anti'fra:zə
Antipnigos anti'pni:gɔs
Antipode anti'po:də
Antipodes engl. æn'tıpədi:z
Antiproton anti'pro:tɔn,
-en ...ro'to:nən
Antiptose antıp'to:zə
Antipyrese antipy're:zə
Antipyretikum antipy're:ti-
kʊm, ...**ka** ...ka
antipyretisch antipy're:tıʃ
Antipyrin ® antipy'ri:n
Antiqua an'ti:kva
Antiquar anti'kva:ɐ̯
Antiquariat antikva'rja:t
antiquarisch anti'kva:rıʃ
Antiquarium anti'kva:rjʊm
antiquieren anti'kvi:rən
Antiquität antıkvi'tɛ:t
Antirachitikum antira'xi:ti-
kʊm, ...**ka** ...ka
Antirakete 'antirake:tə
Antiraketenrakete antira-
'ke:tn̩rake:tə
Antirheumatikum antirɔy-
'ma:tikʊm, ...**ka** ...ka
Antirrhinum antı'ri:nʊm
antisem anti'ze:m
Antisemit antize'mi:t, auch:
'----
antisemitisch antize'mi:tıʃ,
auch: '-----
Antisemitismus antizemi-
'tısmʊs, auch: '------
Antisepsis anti'zɛpsıs
Antiseptik anti'zɛptık
Antiseptikum anti'zɛpti-
kʊm, ...**ka** ...ka
antiseptisch anti'zɛptıʃ
Antiserum anti'ze:rʊm, ...**ra**
...ra

Antiskabiosum antiska-
'bjo:zʊm, ...**sa** ...za
Antiskating 'antiske:tıŋ,
--'--
Antispasmodikum anti-
spas'mo:dikʊm, ...**ka** ...ka
Antispast anti'spast
Antispastikum anti'spasti-
kʊm, ...**ka** ...ka
Antistar 'antiʃta:ɐ̯, 'anti-
sta:ɐ̯
Antistatik anti'sta:tık
antistatisch anti'sta:tıʃ
Antistes an'tıstɛs, ...**tites**
...tite:s
Antisthenes an'tıstenɛs
Antistrophe anti'stro:fə,
anti'ʃt..., auch: '----
Antitaurus anti'taurʊs
Antithese anti'te:zə, auch:
'----
Antithetik anti'te:tık
antithetisch anti'te:tıʃ
Antitoxin antitɔ'ksi:n
Antitranspirant antitran-
spi'rant
Antitrinitarier antitrini'ta:-
rjɐ
antitrinitarisch antitrini-
'ta:rıʃ
antitriptisch anti'trıptıʃ
Antitussivum antitʊ'si:-
vʊm, ...**va** ...va
Antium 'antsjʊm
Antivertex anti'vɛrtɛks
antizipando antitsi'pando
Antizipation antitsipa'tsjo:n
antizipativ antitsipa'ti:f, **-e**
...i:və
antizipatorisch antitsipa-
'to:rıʃ
antizipieren antitsi'pi:rən
antizyklisch anti'tsy:klıʃ
antizyklonal antitsyklo'na:l
Antizyklone antitsy'klo:nə,
auch: '-----
Antizymotikum antitsy-
'mo:tikʊm, ...**ka** ...ka
Antje 'antjə
Äntje 'ɛntjə
Antlia 'antlia
Antlitz 'antlıts
Antode an'to:də
Antofagasta span. antofa-
'ɣasta
Antogast 'antogast
Antoine fr. ã'twan
Antoinette antɔa'nɛtə, fr.
ãtwa'nɛt
Antoing[t] fr. ã'twɛ̃

Antöke an'tø:kə
Antokolski russ. anta-
'kɔljskij
¹Anton (Vorn.) 'anto:n, nie-
derl. 'antɔn, russ. an'tɔn,
tschech. 'antɔn
²Anton (Mark) an'to:n
Antona it. an'to:na
Antonella it. anto'nɛlla
Antonelli it. anto'nɛlli
Antonello it. anto'nɛllo
Antonescu rumän. anto-
'nesku
Antoni it. an'tɔ:ni, poln.
an'tɔni, russ. an'tɔnij
Antonia an'to:nia
Antoniazzo it. anto'njattso
Antonides niederl. an'to:ni-
dɛs
Antonie an'to:njə
Antonín tschech. 'antɔnji:n
Antonina it. anto'ni:na,
russ. anta'ninɐ
Antoninus anto'ni:nʊs
Antonio an'to:njo, it. an'tɔ:-
njo, span. an'tonjo
António port. ɐn'tɔnju
Antonioni it. anto'njo:ni
Antoniou anto'ni:u
Antonius an'to:njʊs
Antonomasie antono-
ma'zi:, **-n** ...i:ən
Antonow russ. an'tɔnɐf
Antonowitsch russ. an'tɔ-
nɐvitʃ
Antonowna russ. an'tɔ-
nɐvnɐ
Antony fr. ãtɔ'ni
antonym, A... anto'ny:m
Antonymie antony'mi:, **-n**
...i:ən
Antrag 'antra:k, **Anträge**
'antrɛ:gə
Antrazit russ. antra'tsit
Antrim engl. 'æntrım
Antrobus 'antrobʊs
Antsirabe mad. antsira'be
Antsiranana mad. antsi'ra-
nənə
Antrotomie antroto'mi:, **-n**
...i:ən
Antunes port. ɐn'tunɪʃ
Antwerpen ant'vɛrpn̩, '---,
niederl. 'antwɛrpə
Antwort 'antvɔrt
antworten 'antvɔrtn̩
Anubis a'nu:bıs
Anukleobiont anukleo-
'bjɔnt
Anulus 'a:nulʊs, ...**li** ...li

an und für sich an ʊnt ˈfyːɐ̯ zɪç, ---ˈ-
Anundfürsichsein an-
  |ʊnt ˈfyːɐ̯zɪçzai̯n, ---ˈ--
Anuradhapura engl. ə'nʊə-
  rədə'pʊərə
Anuren a'nuːrən
Anurie an|uˈriː, -n ...iːən
Anus ˈaːnʊs, Ani ˈaːni
Anus praeter ˈaːnʊs ˈprɛːtɐ
Anvers fr. ãˈvɛːr, belg. -fr.
  ãˈvɛrs
anvertrauen ˈanfɛɐ̯trau̯ən,
  seltener: --ˈ--
Anwalt ˈanvalt, Anwälte
  ˈanvɛltə
Anwältin ˈanvɛltɪn
Anwar anˈvaːɐ̯, indon.
  ˈanwar
anwidern ˈanviːdɐn, an-
  widre ˈanviːdrə
Anxur ˈaŋksʊr
Anyang chin. anˈi̯aŋ 12
Anyte ˈaːnyte
Anzengruber ˈantsŋgruːbɐ
anzeps ˈantsɛps
anzestral antsɛsˈtraːl
Anzilotti it. antsiˈlɔtti,
  andzi...
Anzin fr. ãˈzɛ̃
Anzio it. ˈantsio
Anzoátegui span. anθo-
  ˈatei̯i
anzüglich ˈantsyːklɪç
ANZUS engl. ˈænzəs
a.o. aːˈloː
Aöde aˈøːdə
Äolien ɛˈoːli̯ən
Äol[i]er ɛˈoːl[i]ɐ
Äoline ɛoˈliːnə
Äolis ˈɛːolɪs
äolisch ɛˈoːlɪʃ
Äolsharfe ˈɛːɔlsharfə
Äolus ˈɛːolʊs
Aomori jap. aˈoˌmori
Äon ɛˈoːn, auch: ˈɛːɔn, -en
  ɛˈoːnən
Aorist aoˈrɪst
Aorta aˈɔrta
Aortalgie aɔrtalˈgiː, -n
  ...iːən
Aortitis aɔrˈtiːtɪs, ...itiden
  ...tiˈtiːdn̩
Aosta it. aˈɔsta
Aoste fr. aˈɔst
AP (Associated Press) engl.
  eiˈpiː
¹Apache (Gauner) aˈpaxə
²Apache (Indianerstamm)
  aˈpatʃə, aˈpaxə

Apafi, ...fy ung. ˈɔpɔfi
Apagoge apaˈgoːgə, apa-
  goˈgeː:
apagogisch apaˈgoːgɪʃ
Apalache apaˈlatʃə, apa-
  ˈlaxə
Apalachicola engl. æpə-
  lætʃiˈkoʊlə
apallisch aˈpalɪʃ
Apamea apaˈmeːa
Apameia apaˈmai̯a
Apanage apaˈnaːʒə
apanagieren apanaˈʒiːrən
Aparecida bras. apareˈsida
Aparri span. aˈparri
apart aˈpart
Aparte aˈpartə
Apartheid aˈpaːɐ̯thai̯t
Apartment aˈpartmənt,
  aˈpaːɐ̯t...
Apastron aˈpastrɔn
Apathie apaˈtiː:
apathisch aˈpaːtɪʃ
apathogen apatoˈgeːn
Apatin serbokr. aˌpatiːn
Apatit apaˈtiːt
Apatity russ. apaˈtiti
Apatride apaˈtriːdə
Apatsche aˈpatʃə
Apec ˈaːpɛk, engl. ˈeɪpɛk
Apeiron ˈaːpai̯rɔn
Apel ˈaːpl̩
Apeldoorn niederl. ˈaːpəl-
  doːrn
Apella aˈpɛla
Apelles aˈpɛlɛs
Apelt ˈaːpl̩t
Apemantus apeˈmantʊs
Apen aˈːpn̩
Apennin apeˈniːn
Apenrade aːpn̩ˈraːdə
aper ˈaːpɐ
Aperçu apɛrˈsyː
Aperiens aˈpeːri̯ɛns, ...ntia
  apeˈri̯ɛntsi̯a, ...nzien ape-
  ˈri̯ɛntsi̯ən
aperiodisch ˈaperi̯oːdɪʃ
Aperitif aperiˈtiːf
Aperitivum aperiˈtiːvʊm,
  ...va ...va
Aperjis neugr. aˈpɛrjis
apern ˈaːpɐn
Apéro apeˈroː
Apersonalismus apɛrzona-
  ˈlɪsmʊs
aperspektivisch ˈapɛrspɛk-
  tiːvɪʃ
Apertometer apɛrtoˈmeːtɐ
Apertur apɛrˈtuːɐ̯
apetal apeˈtaːl

Apex ˈaːpɛks, Apizes ˈaːpi-
  tseːs
Apfel ˈapfl̩, Äpfel ˈɛpfl̩
Apfelsine apfl̩ˈziːnə
Aphakie afaˈkiː:
Aphärese afɛˈreːzə
Aphäresis aˈfɛːrezɪs, ...sen
  afɛˈreːzn̩
Aphasie afaˈziː:, -n ...iːən
Aphasiker aˈfaːzikɐ
Aphel aˈfeːl
Aphelandra afɛˈlandra
Aphelium aˈfeːli̯ʊm, ...ien
  ...i̯ən
Aphemie afɛˈmiː:, -n ...iːən
Aphon... aˈfoːn...
Aphonie afoˈniː:, -n ...iːən
Aphorismus afoˈrɪsmʊs
Aphoristik afoˈrɪstɪk
Aphoristiker afoˈrɪstikɐ
aphoristisch afoˈrɪstɪʃ
aphotisch aˈfoːtɪʃ
Aphrasie afraˈziː:, -n ...iːən
Aphrodisiakum afrodiˈziː:a-
  kʊm, ...ka ...ka
Aphrodisie afrodiˈziː:, -n
  ...iːən
aphrodisisch afroˈdiːzɪʃ
Aphrodite afroˈdiːtə
aphroditisch afroˈdiːtɪʃ
Aphthe ˈaftə
Aphylle aˈfylə
Aphyllie afyˈliː:
aphyllisch aˈfylɪʃ
Apia engl. aːˈpiːɑ:
a piacere a pi̯aˈtʃeːrə
Apian[us] aˈpi̯aːn[ʊs]
Apiarium aˈpi̯aːri̯ʊm, ...ien
  ...i̯ən
Apicius aˈpiːtsi̯ʊs
apikal apiˈkaːl
Apin indon. ˈapɪn
Apirie apiˈriː:
Apis ˈaːpɪs
Apitz ˈaːpɪts
Aplvor engl. æpˈai̯və
Aplanat aplaˈnaːt
Aplasie aplaˈziː:, -n ...iːən
aplastisch aˈplastɪʃ
Aplazentalier aplatsɛnˈtaː:-
  li̯ɐ
Aplit aˈpliːt
Aplomb aˈplõ:
APN russ. apɛˈɛn
Apnoe aˈpnoːə
APO, Apo ˈaːpo
Apochromat apokroˈmaːt
apod aˈpoːt, -e ...oːdə
Apodeiktik apoˈdai̯ktɪk
Apoden aˈpoːdn̩

Apodiktik apoˈdɪktɪk
apodiktisch apoˈdɪktɪʃ
Apodisation apodizaˈtsi̯oːn
Apodosis aˈpoːdozɪs,
...**osen** apoˈdoːzn̩
Apodyterion apodyˈteːri̯ɔn,
...**ien** ...i̯ɔn
Apodyterium apodyˈteː-
ri̯ʊm, ...**ien** ...i̯ɔn
Apoenzym apolɛnˈtsyːm
Apoferment apofɛrˈmɛnt
Apogalaktikum apogaˈlak-
tikʊm
apogam apoˈgaːm
Apogamie apogaˈmiː
Apogäum apoˈgɛːʊm
Apograph apoˈgraːf
Apographon aˈpoːgrafɔn,
...**pha** ...fa
Apokalypse apokaˈlʏpsə
Apokalyptik apokaˈlʏptɪk
Apokalyptiker apokaˈlʏp-
tikɐ
apokalyptisch apokaˈlʏptɪʃ
Apokamnose apokam-
ˈnoːzə
apokarp apoˈkarp
Apokarpium apoˈkarpi̯ʊm
Apokarterese apokarte-
ˈreːzə
Apokatastase apoka-
taˈstaːzə
Apokatastasis apokaˈtasta-
zɪs, ...**stasen** ...ˈstaːzən
Apökie apøˈkiː, -**n** ...i̯ɔn
Apokoinu apokɔyˈnu:
Apokope aˈpoːkope, -**n** apo-
ˈkoːpn̩
apokopieren apokoˈpiːrən
apokrin apoˈkriːn
apokryph, A... apoˈkryːf
Apokryphon aˈpoːkryfɔn,
...**pha** ...fa, ...**phen** apo-
ˈkryːfn̩
Apolda aˈpɔlda
apolitisch ˈapoliːtɪʃ, *auch:*
--ˈ--
Apoll aˈpɔl
Apollinaire *fr.* apɔlliˈnɛːr
Apollinarios apɔlliˈnaːri̯ɔs
Apollinaris apɔliˈnaːrɪs
apollinisch apɔˈliːnɪʃ
Apollinopolis apɔliˈnoːpolɪs
Apollo aˈpɔlo
Apollodoros apɔloˈdoːrɔs
Apollon *russ.* apalˈlɔn, *fr.*
apɔlˈlõ
Apollonia apɔˈloːni̯a
Apollonios apɔˈloːni̯ɔs
apollonisch apɔˈloːnɪʃ

Apollonius apɔˈloːni̯ʊs
Apollos aˈpɔlɔs
Apolog apoˈloːk, -**e** ...oːgə
Apologet[ik] apoloˈgeːt[ɪk]
apologetisieren apologeti-
ˈziːrən
Apologie apoloˈgiː, -**n** ...i̯ən
apologisch apoˈloːgɪʃ
apomiktisch apoˈmɪktɪʃ
Apomixis apoˈmɪksɪs
Apomorphin apomɔrˈfiːn
Aponeurose aponɔyˈroːzə
Apopemptikon apoˈpɛmpti-
kɔn, ...**ka** ...ka
apophantisch apoˈfantɪʃ
Apophis aˈpoːfɪs
Apophonie apofoˈniː
Apophthegma apoˈftɛgma,
-**ta** -ta
apophthegmatisch apo-
ftɛˈgmaːtɪʃ
Apophyllit apofʏˈliːt
Apophyse apoˈfyːzə
Apoplektiker apoˈplɛktikɐ
apoplektisch apoˈplɛktɪʃ
Apoplexie apoplɛˈksiː, -**n**
...i̯ən
Aporem apoˈreːm
aporematisch aporeˈmaːtɪʃ
Aporetik apoˈreːtɪk
Aporetiker apoˈreːtikɐ
aporetisch apoˈreːtɪʃ
Aporie apoˈriː, -**n** ...i̯ɔn
Aporinosis aporiˈnoːzɪs
Aporisma apoˈrɪsma, ...**ta**
...ta
Aporogamie aporogaˈmiː
Aposiopese apozi̯oˈpeːzə
Aposporie apospoˈriː
Apostasie apostaˈziː, -**n**
...i̯ən
Apostat apɔsˈtaːt
Apostata aˈpɔstata
Apostel aˈpɔstl̩
Apostem apɔsˈteːm
a posteriori a pɔsteˈri̯oːri
Aposteriori apɔsteˈri̯oːri
aposteriorisch apɔsteˈri̯oː-
rɪʃ
Apostilb apoˈstɪlp
Apostille apɔsˈtɪlə
Apostolat apɔstoˈlaːt
Apostolidis *neugr.* apɔstɔˈli-
ðis
Apostoliker apɔsˈtoːlikɐ
Apostolikum apɔsˈtoːlikʊm
apostolisch apɔsˈtoːlɪʃ
Apostolizität apɔstolitsiˈtɛːt
Apostolos aˈpɔstolɔs
Apostroph apoˈstroːf

Apostrophe aˈpɔstrofe,
apoˈstroːfə, -**n** apoˈstroːfn̩
apostrophieren apostro-
ˈfiːrən
Apothecium apoˈteːtsi̯ʊm,
...**ien** ...i̯ɔn
Apotheke apoˈteːkə
Apotheker apoˈteːkɐ
Apotheose apoteˈoːzə
apotheotisch apoteˈoːtɪʃ
Apothezium apoˈteːtsi̯ʊm,
...**ien** ..i̯ɔn
a potiori a poˈtsi̯oːri
Apotome apotoˈmeː
Apotropaion apoˈtroːpai̯ɔn,
...**aia** ...ai̯a
apotropäisch apotroˈpɛːɪʃ
Apotropäum apotroˈpɛːʊm
Appalachen apaˈlaxn̩
Appalachian *engl.* æpə-
ˈleɪtʃi̯ən, -**s** ...nz
Apparat apaˈraːt
apparativ aparaˈtiːf, -**e**
...iːvə
Apparatschik apaˈratʃɪk
Apparatur aparaˈtuːɐ̯
apparent apaˈrɛnt
Appartement apartəˈmãː
Appassionata apasi̯oˈnaːta
appassionato apasi̯oˈnaːto
Appeal ɛˈpiːl
Appeasement ɛˈpiːsmənt
Appel ˈapl̩, *niederl.* ˈɑpəl
Appell aˈpɛl
appellabel apɛˈlaːbl̩, ...**ble**
...blə
Appellant apɛˈlant
Appellat apɛˈlaːt
Appellation apɛlaˈtsi̯oːn
appellativ apɛlaˈtiːf, -**e**
...iːvə
Appellativ ˈapɛlatiːf, -**e**
...iːvə
Appellativum apɛlaˈtiːvʊm,
...**va** ...va
appellieren apɛˈliːrən
Appendektomie apɛndɛk-
toˈmiː, -**n** ...i̯ən
Appendix aˈpɛndɪks,
...**dices**, ...**dizes** ...ditsəs
Appendizitis apɛndiˈtsiːtɪs,
...**itiden** ...tsiˈtiːdn̩
Appennini *it.* appenˈniːni
Appennino *it.* appenˈniːno
Appenzell apn̩ˈtsɛl, ˈ---
Appersonierung apɛrzo-
ˈniːrʊŋ
Appert *fr.* aˈpɛːr
Appertinens aˈpɛrtinɛns,
...**nzien** ...ˈnɛntsi̯ən

Apperzeption apɛrtsɛp-
'tsi̯oːn
apperzipieren apɛrtsi'piː-
rən
Appetenz ape'tɛnts
Appetit ape'tiːt
Appetizer 'ɛpətaɪzɐ
Appia fr. ap'pja
Appian a'pi̯aːn
Appiani it. ap'pi̯aːni
Appiano it. ap'pi̯aːno
Appianos a'pi̯aːnɔs
Appingedam niederl.
apɪŋə'dam
Appische Straße 'apɪʃə
'ʃtraːsə
applanieren apla'niːrən
applaudieren aplau̯'diːrən
Applaus a'plau̯s, -e ...au̯zə
Apple[ton] engl. 'æpl[tən]
applikabel apliˈkaːbl̩, ...ble
...blə
Applikant apliˈkant
Applikation aplikaˈtsi̯oːn
Applikator apliˈkaːtoːɐ̯, -en
...kaˈtoːrən
Applikatur aplikaˈtuːɐ̯
applizieren apliˈtsiːrən
Appoggiatur apɔdʒaˈtuːɐ̯
Appoggiatura apɔdʒaˈtuːra
Appoint aˈpo̯ɛ̃ː
Appomattox engl. æpəˈmæ-
təks
apponieren apoˈniːrən
Apponyi ung. 'ɔpɔnji
apport!, Apport aˈpɔrt
Apportl a'pɔrtl̩
apportieren apɔrˈtiːrən
Apposition apoziˈtsi̯oːn
appositionell apozitsi̯oˈnɛl
appositiv apoziˈtiːf, -e ...iˈvə
appraisiv aprɛˈziːf, -e ...iˈvə
Apprehension aprehɛn-
'zi̯oːn
apprehensiv aprehɛnˈziːf,
-e ...iˈvə
Appreteur apreˈtøːɐ̯
appretieren apreˈtiːrən
Appretur apreˈtuːɐ̯
Approach ɛˈproːtʃ
Approbation aprobaˈtsi̯oːn
approbatur aproˈbaːtʊr
approbieren aproˈbiːrən
Approche aˈprɔʃ[ə], -n ...ʃn̩
approchieren aprɔˈʃiːrən
Appropriation apropria-
'tsi̯oːn
Approvisation aproviza-
'tsi̯oːn

approvisionieren aprovi-
zi̯oˈniːrən
Approximation aprɔksima-
'tsi̯oːn
approximativ aprɔksima-
'tiːf, -e ...iˈvə
Approximativ 'aprɔksima-
tiːf, -e ...iˈvə
Apraxie apraˈksiː, -n ...iˈən
Apraxin russ. a'praksin
Après-midi d'un faune fr.
aprɛmididœ̃ˈfoːn
Après nous le déluge! fr.
aprɛnuldeˈlyːʒ
Après-Ski aprɛˈʃiː
Après-Swim aprɛˈsvɪm
Aprica it. a'priːka
apricot apri'ko:
Apries 'aːpriɛs
Aprikose apriˈkoːzə
April a'prɪl
Aprilow bulgar. ɐˈprilof
a prima vista a 'priːma
'vɪsta
a priori a priˈoːri
Apriori apriˈoːri
apriorisch apriˈoːrɪʃ
Apriorismus aprioˈrɪsmʊs
Apriorist aprioˈrɪst
apropos apro'po:
Aprosdokese aprɔsdoˈkeːzə
aprosdoketisch aprɔsdo-
'keːtɪʃ
Aprosdoketon aprɔsˈdoːke-
tɔn, ...ta ...ta
Aprosexie aprozɛˈksiː, -n
...iˈən
Apscheron[sk] russ. apʃə-
'rɔn[sk]
Apside a'psiːdə
apsidial apsiˈdi̯aːl
Apsis 'apsɪs, Apsiden
a'psiːdn̩
Apt dt., fr. apt
Apterie apteˈriː, -n ...iˈən
apterygot apteryˈgoːt
aptieren apˈtiːrən
Aptitude 'ɛptitjuːt
Aptyalismus aptỹaˈlɪsmʊs
apuanisch aˈpu̯aːnɪʃ
Apucarana bras. apuka-
'rena
Apuchtin russ. a'puxtin
Apulejus apuˈleːjʊs
Apulien a'puːli̯ən
Apure span. a'pure
Apurímac span. apuˈrimak
Apus 'aːpʊs
Apyrexie apyrɛˈksiː, -n
...iˈən

Aqua destillata 'aːkva
dɛstɪˈlaːta
Aquädukt akvɛ'dʊkt
Aquae Sextiae 'aːkvɛ 'zɛks-
ti̯ɛ
äqual ɛ'kvaːl
Aquamanile akvamaˈniːlə
Aquamarin akvamaˈriːn
Aquanaut[ik] akvaˈnau̯t[ɪk]
Aquaplaning akvaˈplaːnɪŋ,
'aːk...
Aquarell akvaˈrɛl
aquarellieren akvarɛˈliːrən
Aquarellist akvarɛˈlɪst
Aquarianer akvaˈri̯aːnər
Aquarist[ik] akvaˈrɪst[ɪk]
Aquarium aˈkvaːri̯ʊm, ...ien
...i̯ən
Aquatel akvaˈtɛl
Aquatinta akvaˈtɪnta
aquatisch aˈkvaːtɪʃ
Aquativ 'ɛːkvatiːf, -e ...iˈvə
Aquatone... akvaˈtoːn...
Äquator ɛˈkvaːtoːɐ̯, -en
ɛkvaˈtoːrən
Äquatoreal ɛkvatoreˈaːl
äquatorial, Ä... ɛkvatoˈri̯aːl
à quatre a 'katə
à quatre mains a 'katrə
'mɛ̃ː
à quatre partis a 'katrə
parˈtiː
Aquavit akvaˈviːt
Äquer 'ɛːkvɐ
Äquidensite ɛkvidɛnˈziːtə
äquidistant ɛkvidɪsˈtant
Aquifer akviˈfeːɐ̯
äquiglazial ɛkviglaˈtsi̯aːl
Äquiglaziale ɛkviglaˈtsi̯aːlə
Aquila 'aːkvila, it. 'aːku̯ila
Aquilegia akviˈleːgi̯a
Aquileia it. akuiˈleːja
Aquileja akviˈleːja
äquilibrieren ɛkviliˈbriːrən
Äquilibrismus ɛkviliˈbrɪs-
mʊs
Äquilibrist[ik] ɛkvili-
'brɪst[ɪk]
Äquilibrium ɛkviˈliːbri̯ʊm
Aquilina akviˈliːna
äquimolar ɛkvimoˈlaːɐ̯
äquimolekular ɛkvimoleku-
'laːɐ̯
Aquin a'kviːn, fr. a'kɛ̃
Aquino it. aˈku̯iːno, span.
a'kino
äquinoktial ɛkvinɔkˈtsi̯aːl
Äquinoktium ɛkviˈnɔk-
tsi̯ʊm, ...ien ...i̯ən
äquipollent ɛkvipɔˈlɛnt

Äquipollenz ɛkvipɔ'lɛnts̩
Aquitanien akvi'ta:niən
aquitanisch akvi'ta:nɪʃ
Äquität ɛkvi'tɛ:t
äquivalent, A... ɛkviva'lɛnt
Äquivalenz ɛkviva'lɛnts̩
äquivok ɛkvi'vo:k
Äquivokation ɛkvivoka-
'tsio:n
Ar (Flächenmaß) a:ɐ̯
Ara 'a:ra
Åra 'ɛ:ra
Arabella ara'bɛla
Araber 'arabɐ, auch: a'ra:bɐ
arabesk ara'bɛsk
Arabeske ara'bɛskə
Aarabesque, -s ara'bɛsk
Arabien a'ra:biən
Arabinose arabi'no:zə
Arabis 'a:rabɪs
arabisch a'ra:bɪʃ
Arabist[ik] ara'bɪst[ɪk]
Arabit ara'bi:t
Aracaju bras. araka'ʒu
Arachis 'a:raxɪs
Arachnide arax'ni:də
Arachnitis arax'ni:tɪs, ...iti-
den ...ni'ti:dn̩
Arachnodaktylie araxno-
dakty'li:, -n ...i:ən
arachnoid araxno'i:t, -e
...i:də
Arachnoidea araxno'i:dea
Arachnoide araxno'i:də
Arachnoiditis araxnoi'di:-
tɪs, ...iditiden ...di'ti:dn̩
Arachnologe araxno'lo:gə
Arachnologie araxnolo'gi:
Arachthos neugr. 'araxθɔs
Arad 'a:rat, ung. 'ɔrɔd, hebr.,
rumän. a'rad
Arae Flaviae 'a:rɛ 'fla:viɛ
Arafat 'arafat, ara'fa:t
Arafura indon. ara'fura
Aragall span. ara'ɣal
Arago fr. ara'go
Aragon fr. ara'gõ
Aragón span. ara'ɣɔn
Aragona it. ara'go:na
Aragonese arago'ne:zə
Aragonien ara'go:niən
Aragonier ara'go:niɐ
aragonisch ara'go:nɪʃ
Aragonit arago'ni:t
Aragua span. a'raɣ̯ua
Araguaia bras. ara'guaia
Araguari bras. aragua'ri
Aragwi russ. a'ragvi
¹Arai (Gedicht) a'rai
²Arai jap. a'rai

Araiz[a] span. a'raiθ[a]
Arak pers. æ'ra:k
Araktschejew russ. arak-
'tʃejɪf
Aral® a'ra:l
Aralar span. ara'lar
Aralie a'ra:liə
Aralsee 'a:ra[:]lze:
Aralsk russ. a'raljsk
Aramäa ara'mɛ:a
Aramäer ara'mɛ:ɐ
aramäisch ara'mɛ:ɪʃ
Aran engl. 'ærən
Arand[i]a span. a'rand[i]a
Arango span. a'raŋgo
Aranha bras. a'rɐɲa
Aranjuez span. araŋ'xu̯eθ,
Schiller a'ranxu.ɛs
Arany[os] ung. 'ɔrɔnj[ɔʃ]
Aranzini aran'tsi:ni
Arao jap. a'rao
Aräometer arɛo'me:tɐ
Arapaho engl. ə'ræpəhou
Arapaima arapa'i:ma
Årar ɛ'ra:ɐ̯
Arara a'ra:ra
Ararat 'a:rarat, auch: 'ara-
rat, engl. 'ærəræt
ärarisch ɛ'ra:rɪʃ
Araschnia a'rasçnia
Araspe a'raspə
Arator a'ra:to:ɐ̯
Aratos a'ra:tɔs
Arauca span. a'rauka
Araucaria arau'ka:ria
Arauco span. a'rauko
Araújo bras. ara'uʒu
Araukaner arau'ka:nɐ
Araukarie arau'ka:riə
Arausio a'rauzio
Aravalli engl. ə'ra:vəlı
Arawake ara'va:kə
Arax russ. a'raks
Araxá bras. ara'ʃa
Araxes a'raksəs
Arazzo a'ratso, ...zzi ...tsi
Arbaud, ...beau fr. ar'bo
Arbeit 'arbait
arbeiten 'arbaitn̩
Arbela ar'be:la
Arbenz 'arbɛnts̩, span.
ar'βenθ
Arber 'arbɐ, engl. 'a:bə
Arbes tschech. 'arbɛs
Arbil ar'bi:l
Arbiter 'arbitɐ
Arbitrage arbi'tra:ʒə
arbiträr arbi'trɛ:ɐ̯
Arbitrarität arbitrari'tɛ:t
Arbitration arbitra'tsio:n

Arbitrator arbi'tra:to:ɐ̯, -en
...tra'to:rən
arbitrieren arbi'tri:rən
Arbitrium ar'bi:trium, ...ia
...ia
Arbó span. ar'βo, kat. ər'βo
Arboga schwed. ,arbo:ga
Arbogast 'arbogast
Arbois de Jubainville fr.
arbwadʒybɛ̃'vil
Arbon 'arbo:n
Arborea it. arbo'rɛ:a
Arboreal arbore'a:l
Arboretum arbo're:tum
Arboviren arbo'vi:rən
Arbovirose arbovi'ro:zə
Arbrissel fr. arbri'sɛl
Arbroath engl. a:'brouθ
Arbués span. ar'βues
¹Arbusow (dt.-balt. Famili-
enname) ar'bu:zɔf
²Arbusow russ. ar'buzɐf
Arbuthnot engl. a:'bʌθnət
Arc fr. ark
Arca it. 'arka
Arcachon fr. arka'ʃõ
Arcadelt niederl. 'orkadɛlt
Arcadia engl. a:'keıdıə
Arcadius ar'ka:dius
Arcangelo it. ar'kandʒelo
Arcata engl. a:'keıtə
Arc de Triomphe fr. arkdə-
tri'õ:f
Arce it. 'artʃe, span. 'arθe
Arcesius ar'tse:zius
Archaik ar'ça:ık
Archaiker ar'ça:ikɐ
Archaikum ar'ça:ikum
Archäikum ar'çɛ:ikum
archaisch ar'ça:ɪʃ
archäisch ar'çɛ:ɪʃ
archaisieren arçai'zi:rən
Archaismus arça'ısmus
Archaist arça'ıst
Archangelos neugr. ar'xan-
gɛlɔs
Archangelsk ar'çaŋlsk,
ar'çaŋgɛlsk, russ. ar'xan-
gıljsk
Archanthropinen arçantro-
'pi:nən
Archäologe arçɛo'lo:gə
Archäologie arçɛolo'gi:
archäologisch arçɛo'lo:gıʃ
Archäometrie arçɛome'tri:
Archäophyt arçɛo'fy:t
Archäopteris arçɛ'ɔpterıs,
...iden arçɛɔpte'ri:dn̩
Archäopteryx arçɛ'ɔpte-

ryks, ...ryges arçɛɔp'te:ryge:s
Archäozoikum arçɛo'tsɔ:ikʊm
¹Arche (Kasten) 'arçə
²Arche (Anfang) ar'çe:
Archeget arçe'ge:t
Archegoniaten arçego-'nia:tn̩
Archegonium arçe'go:-niʊm, ...ien ...iən
Archelaos arçe'la:ɔs
Archelaus arçe'la:ʊs
Archena span. ar'tʃena
Archenholz 'arçn̩hɔlts
Archenzephalon arçɛn'tse:-falɔn
Archer engl. 'ɑːtʃə
Archespor arçe'spo:ɐ̯
Archetyp arçe'ty:p, auch: '___
Archetypus arçe'ty:pʊs
Archeus ar'çe:ʊs
Archey engl. 'ɑːtʃı
Archias 'arçias
Archibald 'arçibalt, engl. 'ɑːtʃıbɔːld
Archidamos arçi'da:mɔs
Archidiakon arçidia'ko:n
Archidiakonat arçidiako-'na:t
Archigonie arçigo'ni:
Archilexem arçilɛ'kse:m
Archilochius arçilɔ'xi:ʊs
Archilochos ar'çi:lɔxɔs
Archimandrit arçiman'dri:t
Archimedes arçi'me:dɛs
archimedisch, A... arçi'me:-dıʃ
Archipel arçi'pe:l
Archipelagos arçi'pe:lagɔs
Archipenko arçi'pɛŋko, russ. ar'xipınkɐ, engl. ɑːkı-'pɛŋkoʊ
Archiphonem arçifo'ne:m
Archipoeta arçipo'e:ta
Archipowa russ. ar'xipɐvɐ
Archipresbyter arçi'prɛsbytɐ
Archisposa arçi'spo:za
Architekt arçi'tɛkt
Architektonik arçitɛk'to:nık
architektonisch arçitɛk'to:-nıʃ
Architektur arçitɛk'tu:ɐ̯
architektural arçitɛktu'ra:l
Architrav arçi'tra:f, -e ...a:və
Archiv ar'çi:f, -e ...i:və
Archivalien arçi'va:liən

archivalisch arçi'va:lıʃ
Archivar arçi'va:ɐ̯
archivieren arçi'vi:rən
Archivistik arçi'vıstık
Archivolte arçi'vɔltə
Archon 'arçɔn, -ten ar'çɔntn̩
Archont ar'çɔnt
Archontat arçɔn'ta:t
Archytas ar'çy:tas
Arcimboldi it. artʃim'bɔldi
Arciniegas span. arθi'nie̯as
Arcipelago it. artʃi'pe:lago
Arcis-sur-Aube fr. arsi-sy'ro:b
Arciszewski poln. artci-'ʃɛfski
arco, Arco 'arko
Arcole it. 'arkole
Arcos span. 'arkos, fr. ar'ko:s
Arctocephalus arkto'tse:falʊs
Arcus 'arkʊs, die - ...ku:s
Arda bulgar. 'ardɐ
Ardabil arda'bi:l, pers. ærdæ'bi:l
Årdal norw. 'o:rda:l
Ardea dt., it. 'ardea
Ardeal rumän. ar'dea̯l
Ardebil arde'bi:l
Ardèche fr. ar'dɛʃ
Ardelius schwed. ar'de:liʊs
Arden engl. ɑ:dn
Ardenne ar'dɛn
Ardennen ar'dɛnən
Ardennes fr. ar'dɛn
ardente ar'dɛntə
Ardey 'arda̯ı
Ardigò it. ardi'gɔ
Ardinghello it. ardıŋ'gɛllo
Arditi it. ar'di:ti
ardito ar'di:to
Ardmore engl. 'ɑ:dmɔ:
Ardometer® ardo'me:tɐ
Ardrossan engl. ɑ:'drɔsən
Ards engl. ɑ:dz
Arduin 'ardui:n
Åre 'a:rə
Åre schwed. 'o:rə
Area 'a:rea, Areen a're:ən
areal, A... are'a:l
Arecibo span. are'θiβo
Areflexie areflɛ'ksi:, -n ...i:ən
Areia[s] bras. a'reia[s]
Arekanuss a're:kanʊs
Arelat[e] are'la:t[ə]
Aremorica are'mo:rika
Arena a're:na, span. a'rena

Arenal span. are'nal
Arenas span. a'renas
Arenberg 'a:rənbɛrk
Arend 'a:rənt
Arenda a'rɛnda
Arendal norw. 'a:rənda:l
Arends 'a:rənts
Arendsee a:rənt'ze:
Arendt 'a:rənt
Arène fr. a'rɛn
Arenenberg a're:nənbɛrk
Arens[burg] 'a:rəns[bʊrk]
Arenski russ. a'rjɛnskij
Areopag areo'pa:k, -e ...a:gə
Areopagita areopa'gi:ta
Arequipa span. are'kipa
Ares a:rɛs
Åreskutan schwed. ,o:rə-skʉ:tan
Årestrup dän. 'ɔ:rəsdrʊb
Aretaios are'taiɔs
Aretalogie aretalo'gi:, -n ...i:ən
¹Arete (Name) a're:tə
²Arete (Tugend) are'te:
Arethusa are'tu:za
Aretino 'areti:n
Aretino it. are'ti:no
Aretologie aretolo'gi:
Arévalo span. a'reβalo
Arezzo it. a'rettso
Arfe span. 'arfe
arg ark, -e 'argə, ärger 'ɛrgɐ
Arg ark
Argali 'argali
Argaña span. ar'ɣaɲa
Argand fr. ar'gã
Argar span. ar'ɣar
Argelander arge'landɐ
Argen 'argn̩
Argens (Fluss) fr. ar'ʒɛ̃:s
Argens, d fr. dar'ʒã:s
Argensola span. arxen'sola
Argenson fr. arʒã'sõ
Argenta span. ar'ʃenta
Argentan argɛn'ta:n, fr. arʒã'tã
Argentera it. ardʒen'tɛ:ra
Argenteuil fr. arʒã'tœj
Argentière fr. arʒã'tjɛ:r
Argentina span. arxen'tina
Argentine argɛn'ti:nə
Argentinien argɛn'ti:niən
Argentinier argɛn'ti:niɐ
argentinisch argɛn'ti:nıʃ
Argentino span. arxen'tino
Argentit argɛn'ti:t
Argenton fr. arʒã'tõ

Argentorạtum argɛnto'ra:-
tʊm
Argẹntum ar'gɛntʊm
ärger, Ä... 'ɛrgʊ
Ạrgerich 'argərɪç, span.
arxe'ritʃ
ärgern 'ɛrgɛn, ärgre 'ɛrgrə
Argẹs rumän. 'ardʒeʃ
Arghẹzi rumän. ar'gezi
Arginạse argi'na:zə
Arginịn argi'ni:n
Arginụsen argi'nu:zn̩
Argịope ar'gi:ope
Argịver ar'gi:vʊ
Ạrgo[lis] 'argo[lɪs]
argọlisch ar'go:lɪʃ
Argon 'argɔn, ar'go:n
Argonạut argo'naʊt
Argọnne fr. ar'gɔn
Argọnnen ar'gɔnən
Argopụro indon. argo'puro
Ạrgos 'argɔs, neugr. 'arɣɔs
Argostọlion neugr. arɣɔs-
'tɔljɔn
Argọt ar'go:
Argọte span. ar'ɣote
Argotịsmus argo'tɪsmʊs
ärgste 'ɛrkstə
Arguẹdas span. ar'ɣeðas
Argüelles span. ar'ɣʊeʎes
Argüẹllo span. ar'ɣʊeʎo
Argumẹnt argu'mɛnt
Argumentatiọn argumɛn-
ta'tsi̯o:n
argumentatịv argumɛnta-
'ti:f, -e ...i:və
argumentatọrisch argu-
mɛnta'to:rɪʃ
argumentịeren argumɛn-
'ti:rən
Argumẹntum e Contrạrio
argu'mɛntʊm e: kɔn'tra:ri̯o
Argụn (Quellfluss des
Amurs) russ. ar'gunj
Argus 'argʊs, engl. 'ɑ:gəs
Ạrgwohn 'arkvo:n
ạrgwöhnen 'arkvø:nən
ạrgwöhnisch 'arkvø:nɪʃ
Argyll, Argyle engl. ɑ:'gaɪl
Argyrịe argy'ri:, -n ...i:ən
Ằrhus dän. 'ɔɐ̯hu:'s
Arhythmịe aryt'mi:, -n
...i:ən
Ạri 'a:ri
Ariạdne a'ri̯adnə, auch:
a'ri̯atnə
Ariạldus a'ri̯aldʊs
Ariạna fr. arja'na
Ariạne a'ri̯a:nə, fr. a'rjan
Ariạner a'ri̯a:nʊ

ariạnisch a'ri̯a:nɪʃ
Ariạnismus ari̯a'nɪsmʊs
Ạrias span. 'ari̯as
Ạribert 'a:ribɛrt
Ariboflavinọse ariboflavi-
'no:zə
Arịca span. a'rika
Arịccia it. a'rittʃa
Arịcia a'ri:tsi̯a
arịd a'ri:t, -e ...i:də
Ạrida jap. 'a.rida
Aridạeus, ...äus ari'dɛ:ʊs
Ariditặt aridi'tɛ:t
Ạrie 'a:ri̯ə
Ariège fr. a'rjɛ:ʒ
Ạriel 'a:ri̯e:l, auch: ...i̯ɛl
Ạrier 'a:ri̯ʊ
Ạries 'a:ri̯ɛs
Ariẹtta a'ri̯ɛta
Ariẹtte a'ri̯ɛtə
Ạrif 'a:rɪf, türk. ɑ'rif
Arịgo a'ri:go
Arịha a'ri:ha
Arịllus a'rɪlʊs, Arịlli a'rɪli
Arịma engl. ə'ri:mə
Arimạspen ari'maspn̩
Arimatặa arima'tɛ:a
Arimathịa arima'ti:a
Ạrindal 'a:rɪndal
Arịon a'ri:ɔn
ariọs a'ri̯o:s, -e ...o:zə
ariọso a'ri̯o:zo
Ariọso a'ri̯o:zo, ...si ...zi
Ariọst a'ri̯ɔst
Ariọsti it. a'ri̯ɔsti
Ariọsto it. a'ri̯ɔsto
Ariovịst ari̯o'vɪst
ạrisch 'a:rɪʃ
Arịsch, Al al|a'ri:ʃ
Arịschima jap. a'riʃima
arisịeren ari'zi:rən
Aristạgoras arɪs'ta:goras
Aristạios arɪs'tai̯ɔs
Arịstan a'rɪstan
Aristạrchos arɪs'tarçɔs
Aristẹas a'rɪsteas, arɪs'te:as
Aristẹides arɪs'tai̯dɛs
Aristẹus a'rɪstɔys
Arịstide fr. arɪs'tid
Arịstides arɪs'ti:dɛs
Aristịe arɪs'ti:, -n ...i:ən
Aristịpp[os] arɪs'tɪp[ɔs]
Aristobụlos arɪsto'bu:lɔs
Aristodẹmos arɪsto'de:mɔs
Aristodẹmos arɪsto'de:mʊs
Aristogẹiton arɪsto'gai̯tɔn
Aristogịton arɪsto'gi:tɔn
Aristokrạt arɪsto'kra:t
Aristokratịe arɪstokra'ti:, -n
...i:ən

Aristọl arɪs'to:l
Aristolọchia arɪsto'lɔxi̯a,
...ien ...i̯ən
Aristọmenes arɪs'to:menɛs
Arịston a'rɪstɔn
Aristonịkos arɪsto'ni:kɔs
Aristonym arɪsto'ny:m
Aristọphanes arɪs'to:fanɛs
Aristophanẹus arɪstofa-
'ne:ʊs
aristophạnisch arɪsto'fa:nɪʃ
Aristọteles arɪs'to:telɛs
Aristotẹliker arɪsto'te:likʊ
aristotẹlisch, A... arɪsto'te:-
lɪʃ
Aristotelịsmus arɪstote'lɪs-
mʊs
Arịstow russ. 'arɪstɐf
Aristọxenos arɪs'tɔksenɔs
Ạrita jap. 'a.rita
Arithmẹtik arɪt'me:tɪk
Arithmẹtiker arɪt'me:tikʊ
arithmẹtisch arɪt'me:tɪʃ
Arithmogrịph arɪtmo'gri:f
Arithmologịe arɪtmolo'gi:
Arithmomanịe arɪtmo-
ma'ni:, -n ...i:ən
Arithmomantịe arɪtmo-
man'ti:
Arịus a'ri:ʊs
Arịza span. a'riθa
Arizọna arɪ'tso:na, engl.
ærɪ'zoʊnə
Ârjäng schwed. 'o:rjɛŋ
Arjịssa Magụla neugr.
'arjisa ma'ɣula
Arkạde ar'ka:də
Arkadẹlphia engl. ɑ:kə'dɛl-
fi̯ə
Arkạdi russ. ar'kadij
Arkạdien ar'ka:di̯ən
Arkạdier ar'ka:di̯ʊ
arkadịeren arka'di:rən
Arkạdios ar'ka:di̯ɔs
arkạdisch ar'ka:dɪʃ
Arkạn... ar'ka:n...
¹Arkạnsas (US-Staat)
ar'kanzas, engl. 'ɑ:kənsɔ:
²Arkạnsas (Fluss)
ar'kanzas, engl. ɑ:'kænzəs
Arkansịt arkan'zi:t
Arkạnum ar'ka:nʊm, ...na
...na
Ạrkas 'arkas
Arkebụse arke'bu:zə
Arkebusịer arkebu'zi:ɐ̯
Arkelẹy arkə'lai̯
Arkesilạos arkezi'la:ɔs
Arkọna ar'ko:na
Arkọse ar'ko:zə

Arkosol arko'zo:l
Arkosolium arko'zo:li̯ʊm,
...ien ...i̯ən
Arktiker 'arktikɐ
Arktis 'arktɪs
arktisch 'arktɪʃ
Arktos 'arktɔs
Arktur ark'tu:ɐ
Arkturus ark'tu:rʊs
Arkuballiste arkuba'lɪstə
Arkus 'arkʊs, **die** - ...ku:s
Arkwright engl. 'a:kraɪt
Arland fr. ar'lã
Arlberg 'arlbɛrk
Arlecchino arlɛ'ki:no, **...ni**
...ni
Arles fr. arl
Arlesheim 'arləshaɪm
Arlésienne fr. arle'zjɛn
Arlette dt., fr. ar'lɛt
Arlington engl. 'a:lɪŋtən
Arlon fr. ar'lõ
arm arm, **ärmer** 'ɛrmɐ
Arm arm
Armada ar'ma:da
Armageddon arma'gɛdɔn
Armagh engl. a:'ma:
Armagnac arman'jak, fr.
arma'ɲak
Armagnake arman'ja:kə
Arman[d] fr. ar'mã
Armansperg 'armanspɛrk
Armarium ar'ma:ri̯ʊm, **...ia**
...i̯a, **...ien** ...i̯ən
Armas span. 'armas
Armatole arma'to:lə
Armatur arma'tu:ɐ
Armawir russ. arma'vir
Armbrust 'armbrʊst
Armco®-Eisen 'armkoˌlaɪzn̩
Armee ar'me:, **-n** ...e:ən
Ärmel 'ɛrml̩
Armeleuteviertel armə'lɔy-
təfɪrtl̩
...ärmelig ...ˌlɛrməlɪç, **-e**
...ɪgə
Armenia span. ar'menia
Armenien ar'me:ni̯ən
Armenier ar'me:ni̯ɐ
armenisch ar'me:nɪʃ
Armentières fr. armã'tjɛ:r
ärmer vgl. arm
Armesünde armə'zʏndɐ
Armfeldt schwed. ˌarmfɛlt
Armgard 'armgart
Armida it. ar'mi:da
Armidale it. a:ˌmɪdeɪl
Armide ar'mi:də
armieren ar'mi:rən
...armig ...ˌlarmɪç, **-e** ...ɪgə

Armilla ar'mɪla
Armillaria armɪ'la:ri̯a
Armillar... armɪ'la:ɐ...
Armin 'armi:n
Arminianer armi'ni̯a:nɐ
arminianisch armi'ni̯a:nɪʃ
Arminianismus arminia-
'nɪsmʊs
Arminio it. ar'mi:ni̯o
Arminius ar'mi:ni̯ʊs
ärmlich 'ɛrmlɪç
...ärmlig ...ˌlɛrmlɪç, **-e** ...ɪgə
Armorial armo'ri̯a:l
Armorica, ...ika ar'mo:rika
armorikanisch armori'ka:-
nɪʃ
Armstrong engl. 'a:mstrɔŋ
Armsunderglocke arm-
'zʏndɐglɔkə
Armure ar'my:rə
Armüre ar'my:rə
Armut 'armu:t
Armutei armu'taɪ
Arn[ach] 'arn[ax]
Arnaldo it., span. ar'naldo
Arnarson isl. 'ardnarsɔn
Arnau 'arnaṷ
Arnau[l]d, ...[l]t fr. ar'no
Arnaute ar'naṷtə
Arnd[t] arnt
Arne 'arnə, dän. 'aɐnə,
schwed. ˌa:rnə, engl. a:n
Arneburg 'arnəbʊrk
Arnell engl. a:'nɛl
Arnér schwed. ar'ne:r
Arnesson 'arnəsɔn
Arnessön 'arnəsœn
Arneth 'arnɛt
Arnfried 'arnfri:t
Arnfriede arn'fri:də
Arnheim 'arnhaɪm
Arnhem niederl. 'arnhɛm,
'arnəm, engl. 'a:nəm
Arni 'arni
Arnica, ...ika 'arnika
Arniches span. ar'nitʃes
Arnim 'arnɪm
Arno dt., it. 'arno, engl.
'a:noṷ
Arnobius ar'no:bi̯ʊs
Arnold 'arnɔlt, engl. a:nld
Arnoldi ar'nɔldi
Arnoldshain arnɔltsˈhaɪn
Arnoldson schwed. ˌa:rnɔld-
sɔn
Arnoldstein 'arnɔltʃtaɪn
Arnolfo it. ar'nɔlfo
Arnould, ...noux fr. ar'nu
Arnøy norw. ˌa:rnœi̯
Arnsberg 'arnsbɛrk

Arnsdorf 'arnsdɔrf
Arnstadt 'arnʃtat
Arnstein 'arnʃtaɪn
Arnswalde arns'valdə
Arnulf 'arnʊlf
Arolas span. a'rolas
Aroldo it. a'rɔldo
Arolsen 'a:rɔlzn̩
Arom a'ro:m
Aroma a'ro:ma, **-ta** -ta
Aromagramm aroma'gram
Aromat aro'ma:t
aromatisch aro'ma:tɪʃ
aromatisieren aromati'zi:-
rən
Aromune aro'mu:nə
Aron 'a:rɔn, it. 'a:ron, fr.
a'rõ
Arona it. a'ro:na
Aronson schwed. ˌa:rɔnsɔn
Arosa a'ro:za, span. a'rosa
Aroser a'ro:zɐ
Arouet fr. a'rwɛ
Arp arp
Arpad 'arpat
Árpád ung. 'a:rpa:d
Arpade ar'pa:də
Arpeggiatur arpɛdʒa'tu:ɐ
Arpeggien ar'pɛdʒi̯ən
arpeggieren arpɛ'dʒi:rən
arpeggio, A... ar'pɛdʒo
Arpeggione arpɛ'dʒo:nə
Arpi it. 'arpi
Arpino it. ar'pi:no, engl.
a:'pi:noṷ
Arrabal fr. ara'bal, span.
arra'βal
Arrábida port. ɐ'rraβiðɐ
Arrah engl. 'ærə
Arrak 'arak
Arran engl. 'ærən
Arrangement arãʒə'mã:,
araŋʒ...
Arrangeur arã'ʒø:ɐ, araŋ'...
arrangieren arã'ʒi:rən,
araŋ'...
Arras 'aras, fr. a'rɑ:s
Arrau span. a'rraṷ
Array ɛ're:
Arrazzo a'ratso, **...zzi** ...tsi
Arrende a'rɛndə
Arrest a'rɛst
Arrestant arɛs'tant
Arrestat arɛs'ta:t
Arrestation arɛsta'tsi̯o:n
Arrestatorium arɛsta'to:-
ri̯ʊm
Arrêt a'rɛ:, **des -s** a'rɛ:[s],
die -s a'rɛ:s
arretieren are'ti:rən

arretinisch are'ti:nɪʃ
Arretium a're:tsi̯ʊm
Arrha 'ara
Arrhenatherum arena'te:-
  rʊm
Arrhenius *schwed.* a're:nius
Arrhenoblastom areno-
  blas'to:m
Arrhenogenie arenoge'ni:,
  -n …i:ən
arrhenoid areno'i:t, -e
  …i:də
Arrhenoidie arenoi'di:, -n
  …i:ən
Arrhenotokie arenoto'ki:
arrhenotokisch areno'to:-
  kɪʃ
Arrhythmie aryt'mi:, -n
  …i:ən
arrhythmisch 'arytmɪʃ
Arria 'ari̯a
Arrian[us] a'ri̯a:n[ʊs]
Arriaza *span.* a'rri̯aθa
Arrieregarde a'ri̯e:ɐ̯gardə
Arrieta *span.* a'rri̯eta
Arrigo *it.* ar'ri:go
Arrival ɛ'rai̯vl̩
arrivederci arive'dɛrtʃi
arrivieren ari'vi:rən
Arrivist ari'vɪst
arrogant aro'gant
Arroganz aro'gants
arrondieren arɔn'di:rən,
  arõ…
Arrondissement arõ-
  disə'mãː
Arrosement arozə'mãː
arrosieren aro'zi:rən
Arrosion aro'zi̯o:n
Arroux *fr.* a'ru
Arrow[rock] *engl.*
  'ærʊʊ[rɔk]
Arrowroot 'ɛroru:t
Arroyo *span.* a'rrɔjo
Arrupe *span.* a'rrupe
Arsakide arza'ki:də
Ars Amandi 'ars a'mandi
Arsamas *russ.* arza'mas
Ars amatoria 'ars ama'to:-
  ri̯a
Ars antiqua 'ars an'ti:kva
Arsazide arza'tsi:də
Arsch arʃ, *auch:* a:ɐ̯ʃ,
  Ärsche 'ɛrʃə, *auch:* 'ɛ:ɐ̯ʃə
Arschin ar'ʃi:n
Ars Dictandi 'ars dɪk'tandi
Arsen ar'ze:n
Arsena 'arzena
Arsenal arze'na:l, *engl.*
  'ɑ:sɪnl̩

Arsenat arze'na:t
Arsène *fr.* ar'sɛn
Arseni *russ.* ar'sjenij
Arsenid arze'ni:t, -e …i:də
arsenieren arze'ni:rən
Arsenik ar'ze:nɪk
Arsenit arze'ni:t
Arsenius ar'ze:ni̯ʊs
Arsenjew *russ.* ar'sjenji̯f
Arsenolith arzeno'li:t
Arsidas 'arzidas
Arsin ar'zi:n
Arsinoe ar'zi:noe
Arsir 'arzɪr, ar'zi:ɐ̯
Arsis 'arzɪs
Arsizio *it.* ar'sittsi̯o
Arslantaş *türk.* ar'slantaʃ
Ars Moriendi 'ars mo'ri̯ɛndi
Ars nova 'ars 'no:va
Arsonval *fr.* arsõ'val
Ars povera 'ars 'po:vera
Art a:ɐ̯t, *engl.* ɑ:t
Arta *dt., neugr., it.* 'arta
Artajo *span.* ar'taxo
Artamane arta'ma:nə
Artaphernes arta'fɛrnɛs
Artaria *it.* ar'ta:ri̯a
Artaschat *russ.* arta'ʃat
Artaserse *it.* arta'sɛrse
Artaud *fr.* ar'to
Artaxata ar'taksata
Artaxerxes arta'ksɛrksɛs
Art brut 'a:ɐ̯ 'bryt
Art déco 'a:ɐ̯ 'de:ko
Artdirector 'a:ɐ̯tdiˌrɛktɐ
arte (Fernsehen) 'artə
Arteaga *span.* arte'aɣa
artefakt, A… arte'fakt
artefiziell artefi'tsi̯ɛl
Artel ar'tɛl, ar'tjɛl
Artemi *russ.* ar'tjemij
Artemidor artemi'do:ɐ̯
Artemidoros artemi'do:rɔs
Artemidorus artemi'do:rʊs
Artemis 'artemɪs
Artemisia *dt., it.* arte'mi:zi̯a
Artemision arte'mi:zi̯ɔn
arten 'a:ɐ̯tn̩
Arte povera 'artə 'po:vera
Arterie ar'te:ri̯ə
arteriell arte'ri̯ɛl
Arteriitis arteri'i:tɪs, …iti-
  den …rii'ti:dn̩
Arteriogramm arteri̯o'gram
Arteriographie arteri̯o-
  gra'fi:, -n …i:ən
Arteriole arte'ri̯o:lə
Arteriosklerose arteri̯o-
  skle'ro:zə

arteriosklerotisch arteri̯o-
  skle'ro:tɪʃ
Arterit arte'ri:t
Artern 'artɐn
artesisch ar'te:zɪʃ
Artes liberales 'arte:s libe-
  'ra:le:s
Artevelde *niederl.* 'ɑrtə-
  vɛldə
Arth[a] 'art[a]
Arthois *fr.* ar'twa
Arthralgie artral'gi:, -n
  …i:ən
Arthritiker ar'tri:tikɐ
Arthritis ar'tri:tɪs, …itiden
  …ri'ti:dn̩
arthritisch ar'tri:tɪʃ
Arthritismus artri'tɪsmʊs
Arthrodese artro'de:zə
arthrogen artro'ge:n
Arthrolith artro'li:t
Arthropathie artropa'ti:, -n
  …i:ən
Arthroplastik artro'plastɪk
Arthropoden artro'po:dn̩
Arthrose ar'tro:zə
Arthrosis ar'tro:zɪs
Arthur 'artʊr, *engl.* 'ɑ:θɐ, *fr.*
  ar'ty:r
Arthurhaus 'artʊrhau̯s
Arthus 'artʊs, *fr.* ar'tys
artifiziell artifi'tsi̯ɛl
artig a:ɐ̯tɪç, -e …ɪgə
Artigas *span.* ar'tiɣas
Artik *russ.* ar'tik
Artikel ar'ti:kl̩, *auch:* …tɪkl̩
artikular artiku'la:ɐ̯
Artikulaten artiku'la:tn̩
Artikulation artikula'tsi̯o:n
artikulatorisch artikula'to:-
  rɪʃ
artikulieren artiku'li:rən
Artillerie 'artɪləri:, *auch:*
  ———'-, -n …i:ən
Artillerist 'artɪlərɪst, *auch:*
  ———'-
Artiodactyla artsi̯o'daktyla
Artisan arti'zã:
Artischocke arti'ʃɔkə
Artist[ik] ar'tɪst[ɪk]
Artjom *russ.* ar'tjom
Artjomowsk[i] *russ.* ar'tjo-
  mɐfsk[ij]
Artland 'a:ɐ̯tlant
Artlenburg 'artlənbʊrk
Artmann 'artman
Art nouveau 'a:ɐ̯ nu'vo:
Artois ar'toa, *fr.* ar'twa
Artothek arto'te:k
Artôt *fr.* ar'to

Artur 'artʊr
Arturo *it.* ar'tu:ro
Artus 'artʊs
Artusi *it.* ar'tu:zi
Artvin *türk.* 'artvin
Aru *indon.* 'aru
Aruak a'ruak
Aruba a'ru:ba, *niederl.*
a'ru:bɑ
Arundel *engl.* 'ærəndl
Arunachal *engl.* æru'naːtʃəl
Arusha *engl.* ə'ruːʃə
Arva 'arva
Arvada *engl.* ɑːˈvædə
Arval... ar'va:l...
Arve 'arvə, *fr.* arv
Arverner ar'vɛrnɐ
Arvida *engl.* ɑː'vaɪdə, *fr.*
arvi'da
Arvika *schwed.* ˌarvi:ka
Arviragus arvi'ra:gʊs
Arwed 'arve:t
Arx arks
Aryl a'ry:l
Arys 'a:rɪs, *russ.* a'rɪsj
Arz arts
Arzberg 'artsbɛrk
Arzew *fr.* ar'zø
Arzfeld 'artsfɛlt
Arzibaschew *russ.* artsi'ba-
ʃəf
Arznei a:ɐts'naɪ, *auch:*
arts...
Arzt a:ɐtst, *auch:* artst,
Ärzte 'ɛ:ɐtstə, *auch:* 'ɛrtstə
Ärztin 'ɛ:ɐtstɪn, *auch:* 'ɛrts-
tɪn
ärztlich 'ɛ:ɐtstlɪç, *auch:*
'ɛrtstlɪç
Arzú *span.* ar'θu
as, ¹As as
²As (Münzeinheit) as, -se
'asə
³As (Name) *niederl.* ɑs
Ås *schwed.* o:s, -ar ˌo:sar
Aš *tschech.* aʃ
Asaba *engl.* ɑ:sɑ:'bɑ:
Asachi *rumän.* a'saki
Asad 'asat
Asadi *pers.* æsæ'di:
Asa foetida 'a:za 'fø:tida
Asafötida aza'fø:tida
Asahikawa *jap.* a'sahiˌkawa
Asahi Schimbun *jap.* a'sa-
hiʃiˌmbun
Asaka *jap.* a'saka
Asam 'a:zam
Asande a'zandə
Asansol *engl.* æsən'soʊl
Asant a'zant

Åsar *vgl.* Ås
Asarhaddon azar'hadɔn
Asbest as'bɛst, *russ.*
az'bjɛst
Asbestos *engl.* æs'bɛstəs
Asbestose asbɛs'to:zə
Asbjørnsen *norw.* 'asbjœrn-
sən
Asbury *engl.* 'æzbərɪ
Ascanio *it.* as'ka:njo
Ascanius as'ka:njʊs
Ascension *engl.* ə'sɛnʃən
Ascetonym astseto'ny:m
Asch aʃ, *niederl.* ɑs
Ascha 'aʃa, *russ.* a'ʃa
Aschach 'aʃax
Aschaffenburg a'ʃafnburk
Aschajew *russ.* a'ʒajɪf
Ascham *engl.* 'æskəm
Aschanti a'ʃanti
Ascharit aʃa'ri:t
aschbleich 'aʃˈblaɪç
Aschchabad *russ.* aˌʃxa'bat
Asche 'aʃə
Äsche 'ɛʃə
Ascheberg 'aʃəbɛrk
Aschenbrödel 'aʃnbrø:dl̩
Aschendorf 'aʃn̩dɔrf
Aschenputtel 'aʃnpʊtl̩
Ascher 'aʃɐ
Äscher 'ɛʃɐ
Aschermittwoch aʃɐ'mɪt-
vɔx
Aschersleben 'aʃɐsleːbn̩
aschfahl 'aʃˈfa:l
Aschheim 'aʃhaɪm
Aschibetsu *jap.* a'ʃiˌbetsu
aschig 'aʃɪç, -e ...ɪgə
Aschija *jap.* a'ʃija
Aschikaga *jap.* a'ʃikaˌga
Äschines 'ɛ[:]ʃinɛs
Aschkenas aʃke'na:s
Aschkenasim aʃke'na:zi:m,
...na'zi:m
Aschmun aʃ'mu:n
Aschoff a'ʃɔf
Aschoka a'ʃo:ka
Aschram 'a:ʃram
Aschraf *pers.* æʃ'ræf
Aschschur 'aʃʊr
Aschtoret aʃ'to:rɛt
Aschug a'ʃu:k, -en ...u:gn̩
Aschuge a'ʃu:gə
Aschwaghoscha aʃva-
'go:ʃa
äschyleisch, Ä... ɛʃy'le:ıʃ
Äschylos 'ɛʃylɔs, 'ɛːʃylɔs
Äschylus 'ɛʃylʊs, 'ɛːʃylʊs
ASCII-... 'aski...
Ascites as'tsi:tɛs

Ascoli *it.* 'askoli
Ascomycetes askomy'tse:-
te:s
Ascona *it.* as'ko:na
Ascorbin... askɔr'bi:n...
Ascot *engl.* 'æskət
As-Dur 'asdu:ɐ̯, *auch:* '–'–
Åse 'a:zə
Åse 'o:sə
Asea Brown Boveri a'ze:a
'braʊn bo've:ri
ASEAN *engl.* 'æsɪæn
Asebie aze'bi:
a secco a 'zɛko
Aseität azei'tɛ:t
Åsele *schwed.* 'o:sələ
Asemie aze'mi:, -n ...i:ən
Asemissen 'a:zəmɪsn̩
äsen 'ɛ:zn̩, äs! ɛs, äst ɛ:st
Asepsis a'zɛpsɪs
Aseptik a'zɛptɪk
aseptisch a'zɛptɪʃ
Aser 'a:zɐ
Åser *vgl.* Aas
Aserbaidschan azɛr-
baiˈdʒa:n, *russ.* azɪr-
baiˈdʒan
Aserbeidschan azɛr-
baiˈdʒa:n, *pers.* azærbai-
ˈdʒa:n
asexual 'azɛksu̯a:l, *auch:*
––'–
Asexualität 'azɛksu̯alitɛ:t,
auch: ––––'–
asexuell 'azɛksu̯ɛl, *auch:*
––'–
Asgard 'asgart
Ásgeir[sson] *isl.* 'aʊs-
gjeir[sɔn]
Ashbery *engl.* 'æʃbərɪ
Ashburnham *engl.* æʃ'bə:-
nəm
Ashburton *engl.* æʃ'bə:tn̩
Ashdod *hebr.* aʃ'dɔd
Asheboro *engl.* 'æʃbəroʊ
Asheville *engl.* 'æʃvɪl
Ashfield *engl.* 'æʃfi:ld
Ashford *engl.* 'æʃfəd
Ashington *engl.* 'æʃɪŋtən
Ashkenazy aʃke'na:zi
Ashland *engl.* 'æʃlənd
Ashmole *engl.* 'æʃmoʊl
Ashmore *engl.* 'æʃmɔ:
Ashqelon *hebr.* aʃke'lɔn
Ashtabula *engl.* æʃtə'bju:lə
Ashton 'ɛʃtɔn, *engl.* 'æʃtən
Ashton-under-Lyne *engl.*
'æʃtən ˌʌndə 'laın
Asiago *it.* a'zja:go
Asialie azja'li:

Asianismus azia'nısmʊs
Asiat a'zia:t
asiatisch a'zia:tıʃ
Asiderit azide'ri:t
Asiderose azide'ro:zə
Asien 'a:ziən
Asiento a'ziɛnto
Asimov *engl.* 'æzıməf
Asimow *russ.* a'zimɐf
Asín *span.* a'sin
Asinara *it.* asi'na:ra
Asinius a'zi:niʊs
Asinus 'a:zinʊs
Asioli *it.* a'zio:li
Asir a'zi:ɐ
Asis *pers.* æ'zi:z
Asjut as'ju:t
Ask ask
Askalaphus as'ka:lafʊs
Askalon 'askalɔn
Askanien as'ka:niən
Askanier as'ka:niɐ
Askanija-Nowa *russ.* as'ka-nijɐ'nɔvɐ
Askanios as'ka:niɔs
Askari as'ka:ri
Askariasis aska'ri:azıs
Askaris 'askarıs, ...iden ...'ri:dn̩
Askenase aske'na:zə
Askenazy *poln.* askɛ'nazi
Aškenazy *tschech.* 'aʃkɛnazi
Asker *norw.* ˌaskər
Aškerc *slowen.* 'a:ʃkɛrts
Askersund *schwed.* askər-'sʊnd
Askese as'ke:zə
Asket[ik] as'ke:t[ık]
Asketiker as'ke:tikɐ
Askim *norw.* ˌaʃim
Askja *isl.* 'askja
asklepiadeisch asklepia'deːıʃ
Asklepiades askle'pi:adɛs
Asklepiadeus asklepia-'deːʊs, ...ei ...'de:i
Asklepios as'kle:piɔs
Asklepius as'kle:piʊs
Asklund *schwed.* ˌasklʊnd
Askogon asko'go:n
Askomyzet askomy'tse:t
Askorbin... askɔr'bi:n...
Äskulap ɛsku'la:p
Askus 'askʊs, Aszi 'astsi
Aslak[sen] 'aslak[sn̩]
Aslan 'aslan
Asmara as'ma:ra
Asmodi as'mo:di
as-Moll 'asmɔl, *auch:* '–'–
Asmus[sen] 'asmʊs[n̩]

Asnières *fr.* a'njɛ:r
Asnyk *poln.* 'asnik
Asolo *it.* 'a:zolo
asomatisch 'azoma:tıʃ, *auch:* –'–'––
Asomnie azɔm'ni:, -n ...i:ən
Äsop[us] ɛ'zo:p[ʊs]
Asow *russ.* a'zɔf
Asowsches Meer 'a:zɔfʃəs 'me:ɐ, a'zɔfʃəs –
asozial 'azotsia:l, *auch:* –'–
Asozialität azotsiali'tɛ:t
Aspang 'aspaŋ
Asparagin aspara'gi:n
Asparagus as'pa:ragʊs, *auch:* aspa'ra:gʊs
Asparuch *bulgar.* ɐspɐ'rux
Aspasia as'pa:zia
Aspazija *lett.* 'aspa:zija
Aspe 'aspə
Aspekt as'pɛkt
Aspelt 'aspl̩t
Aspen *engl.* 'æspən
Aspendos as'pɛndɔs
Aspenström *schwed.* ˌaspənstrœm
Asper 'aspɐ
Asperg 'aspɛrk
aspergieren aspɛr'gi:rən
Aspergill[us] aspɛr'gıl[ʊs]
Aspergillose aspɛrgı'lo:zə
aspermatisch aspɛr'ma:tıʃ
Aspermatismus aspɛrma-'tısmʊs
Aspermie aspɛr'mi:
Aspern 'aspɐn
Aspersion aspɛr'zio:n
Aspersorium aspɛr'zo:-riʊm, ...ien ...iən
Aspertini *it.* asper'ti:ni
Asperula as'pe:rula
Asphalt as'falt, '––
asphaltieren asfal'ti:rən
asphaltisch as'faltıʃ
Asphodelus as'fo:delʊs
Asphodill asfo'dıl
asphyktisch as'fʏktıʃ
Asphyxie asfʏ'ksi:, -n ...i:ən
Aspidistra aspi'dıstra
Aspidium as'pi:diʊm
Aspik as'pi:k; *auch:* as'pık, '––
Aspirant aspi'rant
Aspirantur aspiran'tu:ɐ
Aspirata aspi'ra:ta, ...tä ...tɛ
Aspirateur aspira'tø:ɐ
Aspiration aspira'tsio:n
Aspirator aspi'ra:to:ɐ, -en ...a'to:rən

aspiratorisch aspira'to:rıʃ
aspirieren aspi'ri:rən
Aspirin® aspi'ri:n
Aspirometer aspiro'me:tɐ
Aspisviper 'aspısvi:pɐ
Asplenium as'ple:niʊm
Asplit® as'pli:t
Asplund *schwed.* ˌasplʊnd
Aspromonte *it.* aspro-'monte
Asquith *engl.* 'æskwıθ
Asra[el] 'asra[e:l], *auch:* 'asra[ɛl]
aß a:s
Ass as
Assab 'asap
Assad 'asat
Assafjew *russ.* a'safjıf
Assagai asa'gai
assai a'sai
Assam 'asam, *engl.* ɛ'sæm
Assan 'asan
assanieren asa'ni:rən
Assaph 'asaf
Assassine asa'si:nə
Assaut a'so:
Asscher-Pinkhof *niederl.* 'asər'pıŋkhɔf
äße 'ɛ:sə
Asse 'asə, *niederl.* 'asə
Assebroek *niederl.* 'asə-bruk
Asseburg 'asəbʊrk
Assejew *russ.* a'sjejıf
Assekurant aseku'rant
Assekuranz aseku'rants
Assekurat aseku'ra:t
assekurieren aseku'ri:rən
Assel 'asl̩
Asselijn *niederl.* 'asəlɛin
Assemblage asã'bla:ʒə
Assemblee asã'ble:, -n ...e:ən
Assemblée nationale, -s -s *fr.* asãblenasjɔ'nal
Assembler ɛ'sɛmblɐ
Assembling ɛ'sɛmblıŋ
Assen *niederl.* 'asə, *bulgar.* ɐ'sɛn
Assenede *niederl.* 'asəne:də
Assenowgrad *bulgar.* ɐ'sɛ-novgrat
Assens *dän.* 'æsn̩s
assentieren asɛn'ti:rən
Asser 'asɐ, *niederl.* 'asər
Asserato ase'ra:to, *it.* asse...
asserieren ase'ri:rən
Assertion asɛr'tsio:n
assertorisch asɛr'to:rıʃ

Asservat asɛr'va:t
asservieren asɛr'vi:rən
Assessment ɛ'sɛsmənt
Assessor a'sɛso:ɐ̯, -en asɛ-
'so:rən
assessoral asɛso'ra:l
assessorisch asɛ'so:rɪʃ
Assibilation asibila'tsi̯o:n
assibilieren asibi'li:rən
Assiduität asidui'tɛ:t
Assiette a'si̯ɛtə
Assignant asɪ'gnant
Assignat asɪ'gna:t
Assignatar asɪgna'ta:ɐ̯
Assignate asɪ'gna:tə
assignieren asɪ'gni:rən
Assimilat asimi'la:t
Assimilation asimila'tsi̯o:n
assimilatorisch asimila-
'to:rɪʃ
assimilieren asimi'li:rən
Assiniboin[e] engl. ə'sɪnɪ-
bɔɪn
Assis bras. a'sis
Assisen a'si:zn̩
Assisi a'si:zi, it. as'si:zi
Assist ɛ'sɪst
Assistent asɪs'tɛnt
Assistenz asɪs'tɛnts
assistieren asɪs'ti:rən
Aßlar 'aslar
Aßling 'aslɪŋ
Aßmann 'asman
Aßmannshausen asmans-
'haʊzn̩
Associated Press engl.
ə'soʊʃi̯eɪtɪd 'prɛs
Associé aso'si̯e:
Assoluta aso'lu:ta
Assonanz aso'nants
assortieren asɔr'ti:rən
Assortiment asɔrti'mɛnt
Assoziation asotsi̯a'tsi̯o:n
assoziativ asotsi̯a'ti:f, -e
...i:və
assoziieren asotsi'i:rən
ASSR russ. aɛs-ɛs'ɛr
Assuan a'su̯a:n
assumieren asu'mi:rən
Assumptio a'sʊmptsi̯o
Assumptionist asʊmptsi̯o-
'nɪst
Assumtion asʊm'tsi̯o:n
Assunta a'sʊnta
Assur 'asʊr
Assurbanipal asʊr'ba:nipal
Assureelinien asy're:li:ni̯ən
Assurnasirpal asʊr'na:zɪr-
pal
Assynt engl. 'æsɪnt

Assyrer a'sy:rɐ
Assyrien a'sy:ri̯ən
Assyrier a'sy:ri̯ɐ
Assyriologe asyri̯o'lo:gə
Assyriologie asyri̯olo'gi:
assyrisch a'sy:rɪʃ
Ast ast, Äste 'ɛstə
Asta, AStA 'asta
Astafjew russ. as'tafjɪf
Astaire engl. əs'tɛə
Astaroth 'astaro:t
Astarte as'tartə
Astasie asta'zi:, -n ...i:ən
astasieren asta'zi:rən
Astat a'sta:t, as't...
astatisch a'sta:tɪʃ, as't...
Ästchen 'ɛstçən
asten 'astn̩
Asten niederl. 'ɑstə
ästen 'ɛstn̩
Aster 'astɐ
Åster vgl. Aast
Asteria as'te:ri̯a
asterisch as'te:rɪʃ
Asteriskus aste'rɪskʊs
Asterismus aste'rɪsmʊs
Asterix 'astɛrɪks
Astérix fr. aste'riks
Asteroid astero'i:t, -en
...i:dn̩
Asteronym astero'ny:m
Asthenie aste'ni:, -n ...i:ən
Astheniker a'ste:nikɐ, as't...
asthenisch a'ste:nɪʃ, as't...
Asthenopie asteno'pi:
Asthenosphäre asteno-
'sfɛ:rə
Ästhesie ɛste'zi:
Ästhet[ik] ɛs'te:t[ɪk]
Ästhetiker ɛs'te:tikɐ
ästhetisch ɛs'te:tɪʃ
ästhetisieren ɛsteti'zi:rən
Ästhetizismus ɛsteti'tsɪs-
mʊs
Ästhetizist ɛsteti'tsɪst
Asthma 'astma
Asthmatiker ast'ma:tikɐ
asthmatisch ast'ma:tɪʃ
Asti it. 'asti
ästig 'ɛstɪç, -e ...ɪgə
astigmatisch astɪ'gma:tɪʃ
Astigmatismus astɪgma'tɪs-
mʊs
Astilbe a'stɪlbə, as't...
Ästimation ɛstima'tsi̯o:n
ästimieren ɛsti'mi:rən
Ästivation ɛstiva'tsi̯o:n
Astolfo it., span. as'tɔlfo
Ästometer ɛsto'me:tɐ
Aston engl. 'æstən

Astor 'asto:ɐ̯, engl. 'æstə,
'æstɔ:
Astorga span. as'tɔrɣa
Astoria as'to:ri̯a, engl.
æs'tɔ:ri̯ə
Åstorp schwed. 'o:stɔrp
ASTRA 'astra
Astrachan 'astraxa[:]n,
russ. 'astrɐxɐnj
Astragal astra'ga:l
Astragalus as'tra:galʊs, ...li
...li
astral as'tra:l
Astralon astra'lo:n
Astrid 'astri:t, schwed.
'astrid
Astrild as'trɪlt, -e ...ldə
Astrognosie astrogno'zi:
Astrograph astro'gra:f
Astrographie astrogra'fi:,
-n ...i:ən
Astrolabium astro'la:bi̯ʊm,
...ien ...i̯ən
Astrolatrie astrola'tri:
Astrologe astro'lo:gə
Astrologie astrolo'gi:
astrologisch astro'lo:gɪʃ
Astromantie astroman'ti:
Astrometeorologie astro-
meteorolo'gi:
Astrometer astro'me:tɐ
Astrometrie astrome'tri:
Astronaut[ik] astro'naʊt[ɪk]
Astronom astro'no:m
Astronomie astrono'mi:
astronomisch astro'no:mɪʃ
astrophisch 'astro:fɪʃ,
auch: -'--
Astrophotographie astro-
fotogra'fi:
Astrophotometrie astrofo-
tome'tri:
Astrophyllit astrofy'li:t
Astrophysik astrofy'zi:k
astrophysikalisch astrofy-
zi'ka:lɪʃ
Astrophysiker astro'fy:zikɐ
Astrospektroskopie astro-
spɛktrosko'pi:
Astrow russ. 'astrɛf
Åstuar ɛs'tu̯a:ɐ̯, ...rien
...ri̯ən
Asturias span. as'turi̯as
Asturien as'tu:ri̯ən
Asturier as'tu:ri̯ɐ
asturisch as'tu:rɪʃ
Astutuli as'tu:tuli
Astuzie femminili it.
as'tuttsi̯e femmi'ni:li
Astyages as'ty:agɛs

Astyanax as'ty:anaks
ASU 'a:zu
Asunción *span.* asun'θjɔn
Asyl a'zy:l
Asylant azy'lant
Asylierung azy'li:rʊŋ
Asymblastie azymblas'ti:
Asymmetrie azyme'tri:, -n ...i:ən
asymmetrisch 'azyme:trıʃ, *auch:* --'--
Asymptote azym'pto:tə
asymptotisch azym'pto:tıʃ
asynchrom azyn'kro:m
asynchron 'azynkro:n, *auch:* --'-
asyndetisch 'azynde:tıʃ, *auch:* --'--
Asyndeton a'zyndetɔn, ...ta ...ta
Asynergie azynɛr'gi:, azynlɛr..., -n ...i:ən
Asystolie azysto'li:, -n ...i:ən
aszendent, A... astsɛn'dɛnt
Aszendenz astsɛn'dɛnts
aszendieren astsɛn'di:rən
Aszension astsɛn'zjo:n
Aszese as'tse:zə
Aszet[ik] as'tse:t[ık]
Aszetiker as'tse:tikɐ
aszetisch as'tse:tıʃ
Aszi vgl. Askus
Aszites as'tsi:tɛs
Atabeg ata'bɛk
Atacama *span.* ata'kama
Atahualpa *span.* ata'ualpa
Atair a'ta:ır
Atakpamé *fr.* atakpa'me
ataktisch a'taktıʃ, *auch:* '---
Atalanta *it.* ata'lanta
Atalante ata'lantə
Ataman ata'ma:n
Atami *jap.* 'a.tami
Atanas *bulgar.* ɐtɐ'nas
Atar *fr.* a'ta:r
Ataraktikum ata'raktikʊm, ...ka ...ka
Ataraxie atara'ksi:
Atargatis a'targatıs
Atascadero *engl.* ɔtæskə'dɛəroʊ
Atassi a'tasi
Atatürk *türk.* ɑtɑ'tyrk
Ataúlfo *span.* ata'ulfo
Atavismus ata'vısmʊs
atavistisch ata'vıstıʃ
Ataxie ata'ksi:, -n ...i:ən
Atay *türk.* a'taɪ

Atbara 'atbara
Atbassar *russ.* adba'sar
Atchison *engl.* 'ætʃısn
Ate 'a:tə
Atebrin ate'bri:n
Atelektase atelɛk'ta:zə
Atelie ate'li:, -n ...i:ən
Atelier ate'lje:, atə...
Atellane atɛ'la:nə
Atem 'a:təm
a tempo a 'tɛmpo
Atérien ate'rjɛ̃:
Ath *fr.* at
Athabasca *engl.* æθə'bæskə
Athabasken ata'baskn̩
Athalarich a'ta:larıç
Athalia a'ta:lja
Athamas a'ta:mas, 'a:tamas
Athan ɛ'ta:n
Athanal ɛta'na:l
Athanarich a'ta:narıç
Athanas a'ta:nas
Athanasia ata'na:zja
Athanasiadis *neugr.* aθana'sjaðis
Athanasianisch atana'zja:-nıʃ
Athanasianum atana'zja:-nʊm
Athanasie atana'zi:
Athanasios ata'na:zjɔs
Athanasismus atana'tısmʊs
Athanol ɛta'no:l
Athapasken ata'paskn̩
Athaulf ata'ulf
Athaumasie atauma'zi:
Atheismus ate'ısmʊs
Atheist ate'ıst
Athelie ate'li:, -n ...i:ən
athematisch 'atema:tıʃ, *auch:* --'--
Athen[a] a'te:n[a]
Athenagoras ate'na:goras
Athenaios ate'najɔs
Athenais ate'na:ıs
Athenäum ate'nɛ:ʊm
Athenäus ate'nɛ:ʊs
Athene a'te:nə
Athénée *fr.* ate'ne
Athener a'te:nɐ
athenisch a'te:nıʃ
Athenodoros ateno'do:rɔs
Athenodorus ateno'do:rʊs
Athens *engl.* 'æθınz
Äther 'ɛ:tɐ
ätherisieren ɛteri'zi:rən
atherman atɛr'ma:n
Atherom ate'ro:m

atheromatös ateroma'tø:s, -e ...ø:zə
Atheromatose ateroma-'to:zə
Atherosklerose ateroskle-'ro:zə
Atherton *engl.* 'æθətən
Athesie ate'zi:, -n ...i:ən
Athesis 'a:tezıs
Athesmie atɛs'mi:, -n ...i:ən
Athetese ate'te:zə
Athetose ate'to:zə
Athin ɛ'ti:n
Athinä *neugr.* a'θinɛ
Athinaiki *neugr.* aθinai'ki
Äthiopianismus ɛtjopja'nıs-mʊs
Äthiopien ɛ'tjo:pjən
Äthiopier ɛ'tjo:pjɐ
äthiopisch ɛ'tjo:pıʃ
Äthiopismus ɛtjo'pısmʊs
Athis 'a:tıs, *fr.* a'tis
at his best ɛt hıs 'bɛst
Athlet[ik] at'le:t[ık]
Athletiker at'le:tikɐ
athletisch at'le:tıʃ
Athlone *engl.* æθ'loʊn
Athol *engl.* 'æθɔ:l, 'æθəl
At-home ɛt'ho:m
Athos 'a:tɔs, *neugr.* 'aθɔs
Äthrioskop ɛtrio'sko:p
Athus *fr.* a'tys
Äthyl ɛ'ty:l
Äthylen ɛty'le:n
Athymie aty'mi:, -n ...i:ən
Ätiologie ɛtjolo'gi:
ätiologisch ɛtjo'lo:gıʃ
ätiotrop ɛtjo'tro:p
Atitlán *span.* atit'lan
at its best ɛt ıts 'bɛst
Atkár *ung.* 'ɔtka:r
Atkarsk *russ.* at'karsk
Atkin[s] *engl.* 'ætkın[z]
Atkinson *engl.* 'ætkınsn
Atlan *fr.* a'tlɑ̃
Atlant at'lant
Atlanta *engl.* ət'læntə
Atlanten vgl. ¹Atlas
Atlanthropus at'lantropʊs, ...pi ...pi
Atlantic *engl.* ət'læntık
Atlántico *span.* at'lantiko
Atlântico *port.* ɐ'tlɐntiku
Atlantik at'lantık
Atlantikum at'lantikʊm
Atlantique *fr.* atlɑ̃'tik
Atlantis at'lantıs
atlantisch at'lantıʃ
Atlantosaurus atlanto'zaʊrʊs, ...rier ...rjɐ

¹Atlas 'atlas, Atlasse 'atlasǝ, Atlanten at'lantn̩
²Atlas (Name) 'atlas, fr. a'tlɑːs
atlassen 'atlasn̩
Atlético span. at'letiko
Atli 'atli
Atlixco span. at'lisko
Atman a:tman
atmen 'a:tmǝn
Atmidometer atmido'meːtɐ
...atmig ...|a:tmɪç, -e ...ɪgǝ
Atmokausis atmo'kaʊzɪs
Atmometer atmo'meːtɐ
atmophil atmo'fiːl
Atmosphäre atmo'sfɛːrǝ
Atmosphärenüberdruck atmosfɛːrǝn|ly:bɐdrʊk
Atmosphärilien atmosfɛ-'riːliǝn
atmosphärisch atmo'sfɛːrɪʃ
Atmosphärographie atmosfɛrogra'fiː
Atmosphärologie atmosfɛrolo'giː
Ätna 'ɛːtna, 'ɛtna
Ätolien ɛ'toːliǝn
Ätolier ɛ'toːliɐ
ätolisch ɛ'toːlɪʃ
Atoll a'tɔl
Atom a'toːm
atomar ato'maːɐ
Atomiseur atomi'zøːɐ
atomisieren atomi'ziːrǝn
Atomismus ato'mɪsmʊs
Atomist[ik] ato'mɪst[ɪk]
Atomium a'toːmiʊm
Atomizer 'atomaɪzɐ, 'ɛt...
Aton 'a:tɔn, a'toːn
Atona vgl. Atonon
atonal 'atona:l, auch: --'-
Atonalist atona'lɪst
Atonalität atonali'tɛːt
Atonie ato'niː, -n ...i:ǝn
atonisch a'toːnɪʃ
Atonon 'a:tonɔn, 'at...,
Atona 'a:tona, 'atona
Atophan® ato'fa:n
Atopie ato'piː, -n ...i:ǝn
Atossa a'tɔsa
Atout a'tu:
à tout prix a 'tu: 'pri:
atoxisch 'atɔksɪʃ, auch: -'--
Atrak pers. æ'træk
atramentieren atramɛn-'ti:rǝn
Atrani it. a'tra:ni
Atrato span. a'trato
Atrecht niederl. 'a:trɛxt
Atrek russ. a'trjɛk

Atresie atre'ziː, -n ...i:ǝn
Atreus 'a:trɔys
Atri it. 'a:tri
Atrichie atrɪ'çiː, -n ...i:ǝn
Atride a'tri:dǝ
Atrium 'a:triʊm, ...ien ...iǝn
atrop a'tro:p
Atropa 'a:tropa
Atrophie atro'fiː, -n ...i:ǝn
atrophieren atro'fi:rǝn
atrophisch a'tro:fɪʃ
Atropin atro'pi:n
Atropos 'a:tropɔs
Atrozität atrotsi'tɛːt
ätsch! ɛ:tʃ
Atschinsk russ. 'atʃɪnsk
Atschissaj russ. atʃi'saj
Atsugi jap. a'tsugi
Atta 'ata
attacca a'taka
Attaché ata'ʃe:
Attachement ataʃǝ'mãː
attachieren ata'ʃi:rǝn
Attack ɛ'tɛk
Attacke a'takǝ
attackieren ata'ki:rǝn
Attaignant fr. atɛ'ɲã
Attalos 'atalɔs
Attar pers. æt'tɑ:r
Attarin atari:n
Attavante degli Attavanti it. atta'vante 'deʎʎi atta-'vanti
Attenborough engl. 'ætnbrǝ
Attendorn 'atn̩dɔrn
Attentat 'atn̩ta:t, auch: atɛn'ta:t
Attentäter 'atn̩tɛːtɐ, auch: atɛn'tɛːtɐ
attentieren atɛn'ti:rǝn
Attention! fr. atã'sjõ
Attentismus atɛn'tɪsmʊs
Attentist atɛn'tɪst
Atterberg schwed. ,atǝrbærj
Atterbom schwed. ,atǝrbum
Attersee 'atɐzeː
Attest a'tɛst
Attestation atɛsta'tsjo:n
attestieren atɛs'ti:rǝn
Ätti 'ɛti
Attica engl. 'ætɪkǝ
Atticus 'atikʊs
Attika 'atika
Attila 'atila, it. 'attila, ung. 'ɔttilɔ
Attilio it. at'ti:lio
Attinghausen 'atɪŋhaʊzn̩
attirieren ati'ri:rǝn
Attis 'atɪs
attisch 'atɪʃ

Attitude ati'ty:t
Attitüde ati'ty:dǝ
Attizismus ati'tsɪsmʊs
Attizist ati'tsɪst
Attleboro engl. 'ætlbǝrǝ
Attlee engl. 'ætlɪ
Attnang 'atnaŋ
Atto... 'ato...
Attolico it. at'tɔ:liko
Attonität atoni'tɛːt
Attorney ɛ'tøːɐni, ɛ'tœrni
Attractant ɛ'trɛktn̩t
Attrait a'trɛ:
Attraktion atrak'tsjo:n
attraktiv atrak'ti:f, -e ...i:vǝ
Attraktivität atraktivi'tɛːt
Attrappe a'trapǝ
attrappieren atra'pi:rǝn
attribuieren atribu'i:rǝn
Attribut atri'bu:t
attributiv atribu'ti:f, auch: '----, -e ...i:vǝ
Attritionismus atritsio'nɪsmʊs
Attu engl. 'ætu:
Attuarier a'tua:riɐ
Attwood engl. 'ætwʊd
atü a'ty:
Atum a'tʊm, a'tu:m
Atwater engl. 'ætwɔ:tǝ
Åtvidaberg schwed. o:tvida-'bærj
Atwood engl. 'ætwʊd
atypisch 'aty:pɪʃ, auch: -'--
Atys 'a:tys
Atzel 'atsl̩
atzen 'atsn̩
ätzen 'ɛtsn̩
Atzmon ats'mon
au!, Au aʊ
Aua, AUA 'aʊa
Aub aʊp
Aubade fr. o'bad
Aubagne fr. o'baɲ
Aubanel fr. oba'nɛl
Aube fr. o:b
Auber fr. o'bɛ:r
aubergine, A... obɛr'ʒi:nǝ
Auberjonois fr. obɛrʒɔ'nwa
Aubert 'aʊbɐt, fr. o'bɛ:r
Aubervilliers fr. obɛrvi'lje
Aubespine fr. obɛs'pin
Aubignac fr. obi'ɲak
Aubigné fr. obi'ɲe
Aubigny fr. obi'ɲi
Aubin fr. o'bɛ̃
Aubing 'aʊbɪŋ
Aubonne fr. o'bɔn
Aubrac fr. o'brak
Aubrietie aʊbri'e:tsiǝ

Aubry *fr.* oʼbri
Auburn *engl.* ˈɔːbən
Auburtin ˈaubʊrtiːn
Aubusson obyˈsõ:, *fr.*
oby'sõ
Aucassin et Nicolẹtte *fr.*
okasɛˈenikɔˈlɛt
auch aux
Auch *fr.* oːʃ
Auchel ˈauxl, *fr.* oʼʃɛl
Auchinlẹck *engl.* ɔːkɪnˈlɛk
Auckland *engl.* ˈɔːklənd
au contraire o: kõˈtrɛːɐ̯
au courant o: kuˈrãː
Auctọritas aukˈtoːritas
Aucụba au̯ˈkuːba
Aude *fr.* oːd
Audefroi le Bâtạrd *fr.*
odəfrwalbɑ'taːr
Auden *engl.* ɔːdn
Audenạrde *fr.* odˈnard
Audi ˈau̯di
audiạtur et ạltera pạrs
au̯ˈdjaːtʊr ɛt ˈaltera ˈpars
Audibẹrti *fr.* odibɛrˈti
Audịenz au̯ˈdjɛnts
Audiẹrne *fr.* oˈdjɛrn
Audifax ˈau̯difaks
Audimax au̯diˈmaks, ˈ---
Audincourt *fr.* odɛ̃ˈkuːr
Audio ˈau̯djo
Audiogrạmm au̯djoˈgram
Audiolọge au̯djoˈloːgə
Audiologie au̯djoloˈgiː
Audiomẹter au̯djoˈmeːtɐ
Audiometrie au̯djomeˈtriː
audiomẹtrisch au̯djoˈmeː-
trɪʃ
Audion ˈau̯djɔn, -en au̯-
ˈdjoːnən
Audio-Vịdeo... ˈau̯djoˈviː-
deo...
Audiovisiọn au̯djoviˈzjoːn
audiovisuẹll au̯djoviˈzu̯ɛl
Audiphọn au̯diˈfoːn
Audisiọ *fr.* odiˈzjo
Audit ˈoːdɪt
Auditeur au̯diˈtøːɐ̯
¹Auditiọn au̯diˈtsjoːn
²Audịtion (Veranstaltung)
oˈdɪʃn̩
Audition colorée odiˈsjõ:
koloˈreː
auditiv au̯diˈtiːf, -e ...iːvə
Audịtor au̯ˈdiːtoːɐ̯, -en au̯di-
ˈtoːrən
Auditọrium au̯diˈtoːrjʊm,
...ien ...jən
Auditọrium mạximum
au̯diˈtoːrjʊm ˈmaksimʊm

Audịtus au̯ˈdiːtʊs
Audoux *fr.* oˈdu
Audran *fr.* oˈdrã
Audrey *engl.* ˈɔːdrɪ
Audubon *engl.* ˈɔːdəbɔn
Aue ˈau̯ə
Auẹr[bach] ˈau̯ɐ[bax]
Auẹrhahn ˈau̯ɐhaːn
Auẹrnheimer ˈau̯ɐnhai̯mɐ
Auẹrochs ˈau̯ɐlɔks
Auẹrsperg ˈau̯ɐspɛrk
Auẹrstedt ˈau̯ɐʃtɛt
Auẹrswald ˈau̯ɐsvalt
Auẹsow *russ.* au̯ˈɛzɐf
auf au̯f
au fait o: ˈfɛ:
aufbahren ˈau̯fbaːrən
aufeinạnder au̯flai̯ˈnandɐ
Aufeinạnderfolge au̯f-
lai̯ˈnandɐfɔlgə
Aufenau ˈau̯fənau̯
Aufẹnthalt ˈau̯flɛnthalt
auferlegen ˈau̯flɛɐ̯le:gn̩, *seltener:* --'--
Auffenberg ˈau̯fn̩bɛrk
aufforsten ˈau̯ffɔrstn̩
au four o: ˈfuːɐ̯
aufgagen ˈau̯fgɛgn̩, gag auf
ˈgɛk ˈau̯f, gagt auf ˈgɛkt
ˈau̯f
aufgleisen ˈau̯fglai̯zn̩, gleis
auf! ˈglai̯s ˈau̯f, gleist auf
ˈglai̯st ˈau̯f
aufgrụnd au̯fˈgrʊnt
Aufhausen au̯fˈhau̯zn̩
Aufịdius au̯ˈfiːdi̯ʊs
Aufidus ˈau̯fidʊs
Aufkịrchen au̯fˈkɪrçn̩
aufklaren ˈau̯fklaːrən
auflandig ˈau̯flandɪç, -e
...ɪgə
aufmạ ˈau̯fm̩
aufn̩ ˈau̯fn̩
äufnen ˈɔy̯fnən
aufpeppen ˈau̯fpɛpn̩
aufrecht, Au... ˈau̯frɛçt
aufrechterhalten ˈau̯frɛçt-
lɛɐ̯haltn̩
Aufruhr ˈau̯fruːɐ̯
Aufführer ˈau̯fryːrɐ
aufrührerisch ˈau̯fryːrərɪʃ
aufs au̯fs
aufsässig ˈau̯fzɛsɪç, -e ...ɪgə
Aufschnaiter ˈau̯fʃnai̯tɐ
Aufschneiderei au̯fʃnai̯-
dəˈrai̯
aufseiten au̯fˈzai̯tn̩
Aufseß ˈau̯fzɛs
aufständern ˈau̯fʃtɛndɐn,
ständre auf ˈʃtɛndrə ˈau̯f

Aufstieg ˈau̯fʃtiːk, -es
...iːgəs
Auftrag ˈau̯ftraːk, -es
...aːgəs, Aufträge ˈau̯f-
trɛːgə
Auftropfstein ˈau̯ftrɔpf-
ˌʃtai̯n
auf und ạb ˈau̯f ʊnt ˈap
auf und davọn ˈau̯f ʊnt
daˈfɔn
Aufwand ˈau̯fvant, -es
...ndəs
aufwärts ˈau̯fvɛrts
Aufwasch ˈau̯fvaʃ
Aufwiegelei au̯fviːgəˈlai̯
aufwiegeln ˈau̯fviːgl̩n,
wiegle auf ˈviːglə au̯f
auf Zeit au̯f ˈtsai̯t
Augapfel ˈau̯klapfl̩
Auge ˈau̯gə
Augeias au̯ˈgai̯as
Äugelchen ˈɔy̯glçən
äugeln ˈɔy̯gl̩n, äugle ˈɔy̯glə
äugen ˈɔy̯gn̩, äug! ɔy̯k,
äugt ɔy̯kt
Augenblick ˈau̯gn̩blɪk,
auch: --'-
augenblicklich ˈau̯gn̩blɪk-
lɪç, *auch:* --'--
Augenblicksereignis
ˈau̯gn̩blɪkslɛɐ̯ˌlai̯gnɪs
Augendienerei au̯gn̩di:-
nəˈrai̯
augenscheinlich
ˈau̯gn̩ʃai̯nlɪç, *auch:* --'--
Auger *fr.* oˈʒe
Augereau *fr.* oˈʒro
Augias au̯ˈgiːas, ˈau̯gi̯as
Augier *fr.* oˈʒje
...äugig ....ɔy̯gɪç, -e ...ɪgə
Augịt au̯ˈgiːt
Äuglein ˈɔy̯klai̯n
Augmẹnt au̯ˈgmɛnt
Augmentatiọn au̯gmɛnta-
ˈtsjoːn
Augmentativ ˈau̯gmɛnta-
tiːf, -e ...iːvə
Augmentatịvum au̯gmɛn-
taˈtiːvʊm, ...va ...va
augmentieren au̯gmɛnˈtiː-
rən
au gratin o: graˈtɛ̃:
Augsburg ˈau̯ksbʊrk
Augsburger ˈau̯ksbʊrgɐ
augsburgisch ˈau̯ksbʊrgɪʃ
Augspross ˈau̯kʃprɔs
Augspurg ˈau̯kspʊrk
Augst au̯kst
Augstein ˈau̯kʃtai̯n
Augur ˈau̯gʊr, -en au̯ˈguːrən

augurieren au̯gu'ri:rən
¹August (Monat) au̯'gʊst
²August (Name) 'au̯gʊst,
poln. 'au̯gust, schwed.
'au̯gʊst
Augusta au̯'gʊsta, engl.
ɔ:'gʌstə, it. au̯'gusta
Augustana au̯gʊs'ta:na
Augusta Rauracorum,
– Treverorum, – Vindeli-
corum au̯'gʊsta rau̯ra'ko:-
rʊm, – treve'ro:rʊm, – vɪn-
deli'ko:rʊm
Auguste au̯'gʊstə, fr. o'gyst
augusteisch, A... au̯gʊs-
'te:ɪʃ
Augustenburg
au̯'gʊstn̩bʊrk
Augustin 'au̯gʊsti:n, auch:
--'-; der liebe Augustin
nur: '---; fr. ogys'tɛ̃
Augustine au̯gʊs'ti:nə
Augustiner au̯gʊs'ti:nɐ
Augustinus au̯gʊs'ti:nʊs
Augustiny au̯gʊs'ti:ni
Augusto span. au̯'yusto
Augustów poln. au̯'gustuf
Augustulus au̯'gʊstulʊs
Augustus[burg] au̯'gʊs-
tʊs[bʊrk]
Aukrust norw. ɷœȳkrʉst
Auktion au̯k'tsi̯o:n
Auktionator au̯ktsi̯o'na:-
to:ɐ̯, -en ...na'to:rən
auktionieren au̯ktsi̯o'ni:rən
auktorial au̯kto'ri̯a:l
Aukube au̯'ku:bə
Aul (Zeltlager) au̯l
Aula 'au̯la
Aulard fr. o'la:r
Auld engl. ɔ:ld
Aulén schwed. au̯'le:n
Aulendorf 'au̯ləndɔrf
Auletik au̯'le:tɪk
Aulis 'au̯lɪs
Aulne fr. o:n
Aulnoy[e] fr. o'nwa
Aulodie au̯lo'di:, -n ...i:ən
Aulos 'au̯lɔs, Auloi 'au̯lɔy
Auma 'au̯ma
Aumale fr. o'mal
Aumerle fr. o'mɛrl
au naturel fr. naty'rɛl
Aune 'au̯nə
Aunis fr. o'nis
Aunjetitz 'au̯nɟətɪts
au pair o: 'pɛ:ɐ̯
au porteur o: pɔr'tø:ɐ̯
Aura 'au̯ra
aural au̯'ra:l

Auramin au̯ra'mi:n
Aurangabad engl. au̯rəŋ-
ga:'ba:d
Aurar vgl. Eyrir
auratisch au̯'ra:tɪʃ
Auray fr. ɔ'rɛ
Aurbacher 'au̯ɐbaxɐ
Aurea Mediocritas 'au̯rea
me'di̯o:kritas
Aurei vgl. Aureus
Aurel[ia] au̯'re:l[i̯a]
Aurelian[us] au̯re'li̯a:n[ʊs]
Aurelie au̯'re:li̯ə
Aurelio span. au̯'reli̯o
Aurelius au̯'re:li̯ʊs
Aurell schwed. au̯'rɛl
Aureole au̯re'o:lə
Aureomycin® au̯reomy-
'tsi:n
Aurès fr. ɔ'rɛs
Aureus 'au̯reʊs, Aurei
'au̯rei
Auric fr. ɔ'rik
Aurica 'au̯rika
Aurich 'au̯rɪç
Auricoste fr. ɔri'kɔst
Aurifaber au̯ri'fa:bɐ
Auriga au̯'ri:ga
Aurignac orɪn'jak, fr. ɔri-
'ɲak
Aurignacien orɪn̩ja'si̯ɛ̃:
Aurigny fr. ɔri'ɲi
Aurikel au̯'ri:kl̩
aurikular au̯riku'la:ɐ̯
aurikulär au̯riku'lɛ:ɐ̯
Aurillac fr. ɔri'jak
Auriol fr. ɔ'rjɔl
Auripigment au̯rɪpɪ'gmɛnt
Auripunktur au̯ripʊŋk'tu:ɐ̯
Aurispa it. au̯'rispa
Aurlandsfjord norw. ɷœȳr-
lansfju:r
Aurora au̯'ro:ra, engl.
ɔ:'ro:rə, span. au̯'rora
Aurore fr. ɔ'rɔ:r
Auroville engl. 'ɔ:rouvɪl
Aurum 'au̯rʊm
Aurunker au̯'rʊŋkɐ
aus, Aus au̯s
ausbaken 'au̯sba:kn̩
ausbauchen 'au̯sbau̯xn̩
ausbogen 'au̯sbo:gn̩, bog
aus! 'bo:k 'au̯s, ausbogt
'au̯sbo:kt
ausbojen 'au̯sbo:jən,
...[ge]bojet ...[gə]bo:jət,
ausbojete 'au̯sbo:jətə,
boje aus! 'bo:jə 'au̯s
ausbooten 'au̯sbo:tn̩
ausbuchten 'au̯sbʊxtn̩

ausbürgern 'au̯sbʏrgɐn
ausbürgre 'au̯sbʏrgrə
ausbüxen 'au̯sbʏksn̩
Auschwitz 'au̯ʃvɪts
Ausculum 'au̯skulʊm
ausdrücklich 'au̯sdrʏklɪç,
auch: -'--
ausdünnen 'au̯sdʏnən
auseinander au̯s|ai̯'nandɐ
Auseinandersetzung au̯s-
|ai̯'nandɐzɛtsʊŋ
Auseklis lett. 'au̯seklɪs
ausfitten 'au̯sfɪtn̩
ausflippen 'au̯sflɪpn̩
Ausflügler 'au̯sfly:klɐ
ausführlich 'au̯sfy:ɐ̯lɪç,
auch: -'--
ausgangs 'au̯sgaŋs
ausgebufft 'au̯sgəbʊft
ausgerechnet Adjektiv
'au̯sgərɛçnət, auch: '--'--
ausgeschamt 'au̯sgəʃa:mt
ausgezeichnet Adjektiv
'au̯sgətsai̯çnət, auch: '--'--
ausgiebig 'au̯sgi:bɪç, -e
...ɪgə
aushändigen 'au̯s,hɛndɪgn̩,
händig aus! 'hɛndɪç 'au̯s,
aushändigt 'au̯shɛndɪçt
aushäusig 'au̯shɔyzɪç, -e
...ɪgə
aushebern 'au̯she:bɐn, aus-
hebre 'au̯she:brə
ausixen 'au̯s|ɪksn̩
auskehlen 'au̯ske:lən
ausklarieren 'au̯skla.ri:rən
ausknocken 'au̯snɔkn̩
auskoffern 'au̯skɔfɐn
auskolken 'au̯skɔlkn̩
auskömmlich 'au̯skœmlɪç
Auskultant au̯skʊl'tant
Auskultation au̯skʊlta-
'tsi̯o:n
Auskultator au̯skʊl'ta:to:ɐ̯,
-en ...ta'to:rən
auskultatorisch au̯skʊlta-
'to:rɪʃ
auskultieren au̯skʊl'ti:rən
Auskunft 'au̯skʊnft,
...künfte ...kʏnftə
Auskunftei au̯skʊnf'tai̯
Auslad 'au̯sla:t, -es ...a:dəs
Ausland 'au̯slant
Ausländer 'au̯slɛndɐ
Ausländerei au̯slɛndə'rai̯
ausländisch 'au̯slɛndɪʃ
auslandsdeutsch 'au̯slants-
dɔytʃ
Auslass 'au̯slas, ...lässe
...lɛsə

Auslug 'auslu:k, **-es** ...u:gəs
ausm 'ausm̩
ausmarchen 'ausmarçn̩
ausmergeln 'ausmɛrgl̩n,
  mergle aus! 'mɛrglə 'aus
ausmitteln 'ausmɪtl̩n
ausmittig 'ausmɪtɪç, **-e** ...ɪgə
ausmugeln 'ausmu:gl̩n,
  mugle aus! 'mu:glə 'aus
Ausnahme 'ausna:mə
Ausoner 'auzonɐ
Ausonia au̯'zo:nia, *it.*
  au̯'zo:nia, *span.* au̯'sonia
Ausonius au̯'zo:nius
auspfarren 'auspfarən
Auspitz 'auspɪts
Auspizium aus'pi:tsium,
  ...**ien** ...iən
auspowern 'auspo:vɐn,
  powre aus! 'po:vrə 'aus
aussätzig 'auszɛtsɪç, **-e**
  ...ɪgə
Ausschlachterei ausʃlax-
  tə'rai
ausschließlich 'ausʃli:slɪç,
  auch: '–'––, –'––
Aussee au̯'se:
außen, Au... 'ausn̩
außenbords 'ausn̩bɔrts
Außenpolitik 'ausn̩politi:k
außenpolitisch 'ausn̩poli:-
  tɪʃ
außer 'ausɐ
Außerachtlassung ausɐ-
  'axtlasʊŋ
außeramtlich 'ausɐ|amtlɪç
außerdem 'ausɐde:m, ––'–
äußere, Äu... 'ɔysərə
außergewöhnlich 'ausɐgə-
  'vø:nlɪç
außerhalb 'ausɐhalp
Außerkurssetzung ausɐ-
  'kʊrszɛtsʊŋ
äußerlich 'ɔysɐlɪç
äußerln 'ɔysɐln
außermittig 'ausɐmɪtɪç, **-e**
  ...ɪgə
äußern 'ɔysɐn
außerordentlich 'ausɐ-
  'ɔrdn̩tlɪç
außerplanmäßig 'ausɐ-
  ‚pla:nmɛ:sɪç
Außerrhoden 'ausɐro:dn̩
äußerst 'ɔysɐst
außerstand ausɐ'ʃtant,
  auch: '–––
außerstande ausɐ'ʃtandə,
  auch: '––––
äußerstenfalls 'ɔysɐstn̩'fals
außertourlich 'ausɐtu:ɐlɪç

Aussig 'ausɪç
aussöhnen 'auszø:nən
Ausspann 'ausʃpan
Ausständler 'ausʃtɛntlɐ
ausstatten 'ausʃtatn̩
Aust-Agder *norw.* .œystag-
  dər
Austen *engl.* 'ɔstɪn
Austenit auste'ni:t
austenitisieren austeniti-
  'zi:rən
Auster 'austɐ, *engl.* 'ɔ:stə
Austerity ɔs'tɛriti
Austerlitz 'austɐlɪts
Austin *engl.* 'ɔstɪn
austonnen 'austɔnən
Austrag 'austra:k, **-es**
  ...a:gəs, ...**träge** ...trɛ:gə
Austräger 'austrɛ:klɐ
austral, A... aus'tra:l
Australasien aus'tra:l-
  |a:ziən
Australia *engl.* ɔs'treiljə
australid austra'li:t, **-e**
  ...i:də
Australien aus'tra:liən
Australier aus'tra:liɐ
australisch aus'tra:lɪʃ
australoid australo'i:d, **-e**
  ...i:də
Australopithecinae austra-
  lopite'tsi:nɛ
**Australopithecinen, ...ezi-
  nen** australopite'tsi:nən
Australopithecus australo-
  'pi:tekʊs
Austrasien aus'tra:ziən
Austreberta austre'bɛrta
Austria 'austria, *engl.* 'ɔstriə
Austrian Airlines *engl.*
  'ɔstriən 'ɛəlainz
Austriazismus austria'tsɪs-
  mʊs
Austrien 'austriən
Austromarxismus austro-
  mar'ksɪsmʊs
Austvågøy *norw.* .œyst-
  vɔgœi
ausufern 'aus|u:fɐn
auswärtig 'ausvɛrtɪç, **-e**
  ...ɪgə
auswärts 'ausvɛrts
Ausweis 'ausvais, **-e** ...aizə
Auswürfling 'ausvyrflɪŋ
Auszüger 'austsy:gɐ
Auszügler 'austsy:klɐ
Autan *fr.* o'tã
autark au'tark
Autarkie autar'ki:, **-n** ...i:ən
auteln 'autl̩n

auterg au'tɛrk, **-e** ...rgə
Auteuil *fr.* o'tœj
Authari 'autari
Authentie auten'ti:
authentifizieren autɛntifi-
  'tsi:rən
Authentik au'tɛntik
authentisch au'tɛntɪʃ
authentisieren autɛnti'zi:-
  rən
Authentizität autɛntitsi'tɛ:t
authigen auti'ge:n
Autismus au'tɪsmʊs
Autist au'tɪst
Auto 'auto
Autoaggression auto-
  |agrɛ'sio:n
Autobiograf autobio'gra:f
Autobiografie autobio-
  gra'fi:, **-n** ...i:ən
Autobus 'autobʊs, **-se** ...ʊsə
Autocar 'autoka:ɐ
Autochore auto'ko:rə
Autochorie autoko'ri:
Autochrom auto'kro:m
autochthon autɔx'to:n
Autocoder auto'ko:dɐ
Autocross 'autokrɔs
Autocue 'o:tokju:
Autodafé autoda'fe:
Autodeterminismus auto-
  determi'nɪsmʊs
Autodidakt autodi'dakt
Autodigestion autodigɛs-
  'tio:n
Autodrom auto'dro:m
autodynamisch autody-
  'na:mɪʃ
Autoerotik autole'ro:tɪk,
  auch: '–––––
Autoerotismus auto-
  |ero'tɪsmʊs, *auch:* '––––––
autogam auto'ga:m
Autogamie autoga'mi:
autogen auto'ge:n
Autogiro auto'ʒi:ro
Autognosie autogno'zi:
Autogramm auto'gram
autograph, A... auto'gra:f
Autographie autogra'fi:, **-n**
  ...i:ən
autographieren autogra-
  'fi:rən
Autographilie autografi'li:
Autogravüre autogra'vy:rə
Autohypnose autohyp-
  'no:zə, '–––––
Autointoxikation auto-
  |ɪntɔksika'tsio:n
Autokarpie autokar'pi:

Autokatalyse a̲utokata-
'ly:zə
autokephal a̲utoke'fa:l
Autokephalie a̲utokefa'li:
Autokinese a̲utoki'ne:zə
A̲utokino 'a̲utoki:no
Autoklav a̲uto'kla:f, -en
...a:vn̩
autoklavieren a̲utokla'vi:-
rən
Autokrat a̲uto'kra:t
Autokratie a̲utokra'ti:, -n
...i:ən
Autolycus a̲u'to:lykʊs
Autolykos a̲u'to:lykɔs
Autolyse a̲uto'ly:zə
autolytisch a̲uto'ly:tɪʃ
Automat a̲uto'ma:t
Automatie a̲utoma'ti:, -n
...i:ən
Automatik a̲uto'ma:tɪk
Automation a̲utoma'tsi̲o:n
Automatisation a̲utomati-
za'tsi̲o:n
automatisch a̲uto'ma:tɪʃ
automatisieren a̲utomati-
'zi:rən
Automatismus a̲utoma'tɪs-
mʊs
Automatograph a̲utomato-
'gra:f
Automedon a̲u'to:medɔn
Automixis a̲uto'mɪksɪs
automobil, A... a̲utomo'bi:l
Automobilismus a̲utomo-
bi'lɪsmʊs
Automobilist a̲utomobi'lɪst
automorph a̲uto'mɔrf
Automorphismus a̲utomɔr-
'fɪsmʊs
autonom a̲uto'no:m
Autonomie a̲utono'mi:, -n
...i:ən
Autonomisierung a̲utono-
mi'zi:rʊŋ
Autonomist a̲utono'mɪst
autonym a̲uto'ny:m
Autophilie a̲utofi'li:
A̲utopilot 'a̲utopilo:t
Autoplastik a̲uto'plastɪk
Autopoiese a̲utopɔy'e:zə
autopoietisch a̲utopɔy'e:tɪʃ
Autopolyploidie a̲utopoly-
ploi'di:
Autopsie a̲uto'psi:, -n ...i:ən
A̲utor 'a̲uto:ɐ̯, -en a̲u'to:rən
Autoradiogramm a̲utoradi-
o'gram
Autoradiographie a̲utora-
di̲ogra'fi:

A̲utoreverse 'a̲utorivø:ɐ̯s,
...vœrs; ---'-
Autorin a̲u'to:rɪn
Autorisation a̲utoriza'tsi̲o:n
autorisieren a̲utori'zi:rən
autoritär a̲utori'tɛ:ɐ̯
Autorität a̲utori'tɛ:t
autoritativ a̲utorita'ti:f, -e
...i:və
Autosemantikon a̲utoze-
'mantikɔn, ...ka ...ka
A̲utosex 'a̲utozɛks
Autoskopie a̲utosko'pi:, -n
...i:ən
autoskopisch a̲uto'sko:pɪʃ
Autosom a̲uto'zo:m
Autostereotyp a̲utostereo-
'ty:p
A̲utostopp 'a̲utoʃtɔp
Autostrada a̲uto'stra:da
Autosuggestion a̲utozʊ-
gɛs'ti̲o:n
autosuggestiv a̲utozʊ-
gɛs'ti:f, -e ...i:və
Autotomie a̲utoto'mi:, -n
...i:ən
Autotoxin a̲utotɔ'ksi:n
Autotransformator a̲uto-
transfɔr'ma:to:ɐ̯, -en
...ma'to:rən
Autotransfusion a̲utotrans-
fu'zi̲o:n
autotroph a̲uto'tro:f
Autotrophie a̲utotro'fi:
Autotropismus a̲utotro'pɪs-
mʊs
Autotypie a̲utoty'pi:, -n
...i:ən
autotypisch a̲uto'ty:pɪʃ
Autovakzin[e] a̲utovak-
'tsi:n[ə]
Autoxidation a̲utɔksida-
'tsi̲o:n
autozephal a̲utotse'fa:l
Autozid... a̲uto'tsi:t...
A̲utozoom 'a̲utozu:m
Autran[s] fr. o'trã
Autreau fr. o'tro
autsch! a̲utʃ
aut simile a̲ut 'zi:mile
autumnal a̲utʊm'na:l
Autun fr. o'tœ̃
Autunit a̲utu'ni:t
Auvergne o'vɛrnjə, fr.
o'vɛrɲ
A̲uw a̲u
auweh! a̲u've:
auwei[a]! a̲u'vai̯[a]
A̲uwera 'a̲uvəra
A̲uwers 'a̲uvɐs

Auxcousteaux fr. okus'to
Auxerre fr. o'sɛ:r
aux fines herbes o 'fi:n
'zɛrp
auxiliar a̲uksi'li̲a:ɐ̯
Auxin a̲u'ksi:n
auxochrom a̲ukso'kro:m
Auxonne fr. o'sɔn
Auxospore a̲ukso'spo:rə
auxotroph a̲ukso'tro:f
A̲uzinger 'a̲utsɪŋɐ
A̲va 'a:va, engl. 'a:və, 'eɪvə
Aval a'val
Available-Light-... ɛ've:-
ləbl'lai̯t...
avalieren ava'li:rən
Avalist ava'lɪst
Avallon fr. ava'lõ
Avalon engl. 'ævəlɔn
Avance a'vã:sə
Avancement avãsə'mã:
avancieren avã'si:rən
Avancini it. avan'tʃi:ni
Avancinus avan'tsi:nʊs
A̲vanos türk. 'ɑvɑnɔs
Avantage avã'ta:ʒə
Avantageur avãta'ʒø:ɐ̯
Avantgarde a'vã:gardə,
avã'gardə, fr. avã'gard
Avantgardismus avãgar-
'dɪsmʊs
Avantgardist avãgar'dɪst
avanti, A... it. a'vanti
Avanturin avantu'ri:n
Avare a'va:rə
Avaricum a'va:rikʊm
a̲ve!, A... 'a:ve
Avebury engl. 'eɪvbəri
Avec a'vɛk
Aved fr. a'vɛd
Aveiro port. ɐ've̯iru
Aveline fr. a'vlin
Avellaneda span. aβeʎa-
'neða
Avellino it. avel'li:no
A̲ve-Maria 'a:vema'ri:a
Avempace avɛm'pa:tsə
A̲vena a've:na
Avenarius ave'na:ri̲ʊs
Avenary ave'na:ri
Avenches fr. a'vã:ʃ
Avenel fr. av'nɛl
Avenida ave'ni:da
Aventin avɛn'ti:n
Aventinus avɛn'ti:nʊs
Aventiure avɛn'ty:rə
Aventüre avɛn'ty:rə
Aventurier avãty'rje:
Aventurin avɛntu'ri:n
Avenue avə'ny:, -n ...y:ən

average, A... 'ɛvərɪtʃ
Averbo a'vɛrbo
Avercamp *niederl.* 'a:vərkamp
Averell *engl.* 'eɪvərəl
Averescu *rumän.* ave'resku
avernalisch avɛr'na:lɪʃ
Averner a'vɛrnɐ
avernisch a'vɛrnɪʃ
Avernus a'vɛrnʊs
Averoff, ...ph *neugr.* a'vɛrɔf
Averroes a'vɛroɛs
Averroismus avɛro'ɪsmʊs
¹Avers (Vorderseite; Abfindung) a'vɛrs, **-e** ...rzə
²Avers (Ort in der Schweiz) 'a:fɐs
¹Aversa vgl. Aversum
²Aversa (Name) *it.* a'vɛrsa
Aversal... avɛr'za:l...
Aversion avɛr'zio̯:n
Aversional... avɛrzio̯'na:l...
aversionieren avɛrzio̯'ni:rən
Aversum a'vɛrzʊm, **...sa** ...za
avertieren avɛr'ti:rən
Avertin ® avɛr'ti:n
Avertissement avɛrtɪsə'mã:
Avery *engl.* 'eɪvərɪ
Avesta *schwed.* ˌa:vəsta
Aveyron *fr.* avɛ'rõ
Avezzano *it.* aved'dza:no
Avianca *span.* a'βi̯aŋka
Aviano *it.* a'vi̯a:no
Avian[i]us a'vi̯a:n[i̯]ʊs
Aviarium a'vi̯a:ri̯ʊm, **...ien** ...i̯ən
Aviatik a'vi̯a:tɪk
Aviatiker a'vi̯a:tikɐ
Avicenna avi'tsɛna
Avienus a'vi̯e:nʊs
Avigliana *it.* avi'ʎʎa:na
Avignon avɪn'jõ:, *fr.* avi'ɲõ
Ávila *span.* 'aβila
Avilés *span.* aβi'les
avirulent 'avirulɛnt
Avis a'vi:, *auch:* a'vi:s, **des –** a'vi:[s], **die –** a'vi:s, **-e** a'vi:zə
avisieren avi'zi:rən
Aviso a'vi:zo
a vista a 'vɪsta
Avista... a'vɪsta...
Avitaminose avitami'no:zə
Avivage avi'va:ʒə
avivieren avi'vi:rən
Avocado avo'ka:do
Avocato avo'ka:to
Avogadro *it.* avo'ga:dro

Avoirdupois avo̯ardy'po̯a, ˌɛvɐdə'pɔys
Avokado avo'ka:do
Avokato avo'ka:to
Avon *engl.* 'eɪvən
Avosmediano avɔsme'di̯a:no
Avranches *fr.* a'vrã:ʃ
Avunkulat avʊŋku'la:t
Avus 'a:vʊs
Avyžius *lit.* a.vi:ʒi̯ʊs
AWACS 'a[:]vaks, 'ɛvɛks
Awadschi *jap.* 'a.wadʒi
Aware a'va:rə
awarisch a'va:rɪʃ
Awatscha *russ.* a'vatʃɐ
Awe *engl.* ɔ:
Awertschenko *russ.* a'vjɛrtʃɪnkɐ
Awesta a'vɛsta
awestisch a'vɛstɪʃ
Awgust *russ.* 'avgust
Awram *russ.* av'ram
Awwakum *russ.* avva'kum
Axai *russ.* ak'saj
Axakow *russ.* ak'sakɐf
Axel 'aksl̩, *niederl.* 'ɑksəl, *schwed.* ˌaksəl, '––
Axel-Heiberg-Land 'aksl̩-'haibɐrklant, *engl.* 'æksəl-'haibɔ:glænd
Axelrod *engl.* 'ækslrɔd
Axen[berg] 'aksn̩[bɛrk]
Axenfeld 'aksn̩fɛlt
Axenstraße 'aksn̩ʃtra:sə
Axerophthol aksero'fto:l
axial a'ksi̯a:l
Axialität aksi̯ali'tɛ:t
axillar aksɪ'la:ɐ̯
Axinia a'ksi:ni̯a
Axinit aksi'ni:t
Axinja *russ.* ak'sinjɐ
Axiologie aksi̯olo'gi:, **-n** ...i:ən
axiologisch aksi̯o'lo:gɪʃ
Axiom a'ksi̯o:m
Axiomatik aksi̯o'ma:tɪk
axiomatisch aksi̯o'ma:tɪʃ
axiomatisieren aksi̯omati'zi:rən
Axiometer aksi̯o'me:tɐ
Axioti *neugr.* a'ksjɔti
Axjonow *russ.* ak'sjɔnɐf
Ax-les-Thermes *fr.* aksle'tɛrm
Axminster *engl.* 'æksmɪnstɐ
Axminsterteppich 'ɛksmɪnstɐtɛpɪç
Axolotl akso'lɔtl̩

Axon 'aksɔn, **-e[n]** a'kso:nə[n]
Axonometrie aksonome'tri:, **-n** ...i:ən
axonometrisch aksono'me:trɪʃ
Axt akst, **Äxte** 'ɛkstɐ
Axtafa *russ.* aksta'fa
Axu *russ.* ak'su
Axular *bask.* aʃular
Ayacucho *span.* aja'kutʃo
Ayala *span.* a'jala
Ayamonte *span.* aja'mɔnte
Ayatollah aja'tɔla
Ayckbourn *engl.* 'eɪkbɔ:n
Aycliffe *engl.* 'eɪklɪf
Aydın *türk.* 'ɑi̯dɪn
Ayler *engl.* 'eɪlə
Aylesbury *engl.* 'eɪlzbərɪ
Aymará *span.* ai̯ma'ra
Aymé *fr.* ɛ'me
Ayr *engl.* ɛə
Ayren[hoff] 'ai̯rən[hɔf]
Ayrer 'ai̯rɐ
Aysén *span.* ai̯'sen
Aytoun *engl.* eɪtn
Ayub *engl.* 'a:jʊb, ...ju:b
Ayuntamiento ajʊnta'mi̯ɛnto
Ayurveda ajʊr've:da
Ayutthaya *Thai* ajudtha'ja: 1411
Ayvalık *türk.* 'ɑi̯valɪk
Azalea a'tsa:lea
Azalee atsa'le:ə
Azalie a'tsa:li̯ə
Azambuja *port.* ɐzɐm'buʒɐ
Azaña *span.* a'θaɲa
Azania *engl.* ə'zeɪnɪə
Azara *span.* a'θara
Azarol... atsa'ro:l...
Azarole atsa'ro:lə
Azcapotsalco *span.* askapo'tsalko
Azeglio *it.* ad'dzɛʎʎo
Azema a'tse:ma
Azemmour *fr.* azɛm'mu:r
azentrisch 'atsɛntrɪʃ
azeotrop atseo'tro:p
azephal atse'fa:l
Azephale atse'fa:lə
Azephalie atsefa'li:, **-n** ...i:ən
Azeriden atse'ri:dn̩
Azetaldehyd a'tse:t-ˌaldehy:t, **-es** ...y:dəs
Azetat atse'ta:t
Azevedo aze've:do, *bras.* aze'vedu, *port.* ɐzə'veðu
Azid a'tsi:t, **-e** ...i:də

Azikiwe *engl.* ɑ:zi:'ki:weɪ
Azilien azi'li̯ẽ:
Azimut atsi'mu:t
azimutal atsimu'ta:l
Azincourt *fr.* azẽ'ku:r
Azine a'tsi:nə
azinös atsi'nø:s, -e …ø:zə
Aznar *span.* aθ'nar
Aznavour *fr.* azna'vu:r
Azo… 'atso…
Azobenzol atsobɛn'tso:l
Azóguez *span.* a'θoɣeθ
Azoikum a'tso:ikʊm
azoisch a'tso:ɪʃ
Azol a'tso:l
Azolinus atso'li:nʊs
Azone *it.* at'tso:ne
Azoospermie atsoo-
  spɛr'mi:, **-n** …i:ən
Azor *hebr.* a'zɔr
Azorella atso'rɛla
Azoren a'tso:rən
Azorín *span.* aθo'rin
Azorubin atsoru'bi:n
Azotämie atsotɛ'mi:,
  -n…i:ən
Azote *fr.* a'zɔt
azotieren atso'ti:rən
Azotobakter atsoto'baktɐ
Azotobakterin atsotobakte-
  'ri:n
Azotogen atsoto'ge:n
Azotorrhö, …öe atsotɔ'rø:,
  …rrhöen …'rø:ən
Azoturie atsotu'ri:, **-n**…i:ən
Azpeitia *span.* aθ'pɛɪti̯a
Azrou *fr.* a'zru
Azteke ats'te:kə
Azua *span.* 'aθu̯a
Azuaga *span.* a'θu̯aɣa
Azuay *span.* a'θu̯aɪ
Azubi a'tsu:bi, 'a[:]tsubi
Azucena *it.* addzu'tʃɛ:na,
  span. aθu'θena
Azuela *span.* a'θu̯ela
Azuer *span.* a'θu̯ɛr
Azuero *span.* a'θu̯ero
Azuga *rumän.* a'zuga
Azul *span.* a'θul
Azulejos atsu'lɛxɔs, asu…,
  span. aθu'lɛxos
Azulen atsu'le:n
Azur a'tsu:ɐ̯
Azuree… atsu're:…
azuriert atsu'ri:ɐ̯t
Azurit atsu'ri:t
azurn a'tsu:ɐ̯n
Azusa *engl.* ə'zu:sə
Azyanopsie atsy̆ano'psi:, **-n**
  …i:ən

Azygie atsy'gi:
azygisch a'tsy:gɪʃ
Azygos atsy'go:s, **-e** …o:zə
azyklisch 'atsy:klɪʃ, *auch:*
  –'––
azymisch a'tsy:mɪʃ
Azymit atsy'mi:t
Azymon 'a:tsymɔn, 'ats…,
  …ma …ma
Azzalino atsa'li:no
Azzilo 'atsilo
Azzo 'atso, *it.* 'attso
Azzone *it.* at'tso:ne
Azzurri a'tsʊri, *it.* ad'dzurri

B

b, B be:, *engl.* bi:, *fr., span.*
  be, *it.* bi
β, B 'be:ta
Bâ *fr.* ba
Baade 'ba:də
Baader 'ba:dɐ
Baal *dt., niederl.* ba:l
Baalbek 'ba:lbɛk, –'–
Baal-Hanan 'ba:al'ha:nan
Baal Schem Tov 'ba:l 'ʃe:m
  'to:f
Baamonde *span.* baa-
  'mɔnde
Baar ba:ɐ̯, *tschech.* ba:r
Baaren *niederl.* 'ba:rə
Baarle *niederl.* 'ba:rlə
Baarn *niederl.* ba:rn
Baas ba:s, **-e** 'ba:zə
Baath ba:t
Bååth *schwed.* bo:t
Bab ba:p, *pers.* ba:b
baba ba'ba
¹Baba (Großmutter) 'ba:ba
²Baba (türk. Titel) ba'ba:
³Baba (Name) *mak., rumän.*
  'baba, *türk.* ba'ba
bäbä bɛ'bɛ
Babadag *rumän.* baba'dag
Babahoyo *span.* baβa'ojo
Babajewski *russ.* bɐba-
  'jefskij
Baba Mustapha 'ba:ba
  'mʊstafa
Babar *indon.* 'babar
Babbage *engl.* 'bæbɪdʒ

babbeln 'babl̩n, **babble**
  'bablə
¹Babbitt (Durchschnitts-
  mensch; Metall) 'bɛbɪt
²Babbitt (Name) *engl.*
  'bæbɪt
Babcock *engl.* 'bæbkɔk
Babeck 'ba:bɛk
Babekan 'ba:beka:n, babe-
  'ka:n
Babel 'ba:bl̩, *russ.* 'babɪlj
Babelino babe'li:no
Bab el Mandeb 'ba:p ɛl
  'mandɛp
Babelon *fr.* ba'blõ
Babelsberg 'ba:bl̩sbɛrk
Babelthuap *engl.* ba:bəl-
  'tu:ɑ:p
Babenberger 'ba:bn̩bɛrgɐ
Babenhausen ba:bn̩'hauzn̩
Babeş *rumän.* 'babeʃ
Babesien ba'be:zi̯ən
Babett ba'bɛt
Babette ba'bɛtə, *fr.* ba'bɛt
Babeuf *fr.* ba'bœf
Babi *pers.* ba'bi:
Babia Góra *poln.* 'babja
  'gura
Babia Hora *slowak.* 'babja
  'hora
Babić *serbokr.* 'babitɕ
Babięca *span.* ba'βi̯eka
Babi Jar *russ.* 'babij 'jar
Babilonie babilo'ni:
Babinet *fr.* babi'nɛ
Babing[er] 'ba:bɪŋ[ɐ]
Babington *engl.* 'bæbɪntən
Babinski ba'bɪnski, *fr.* ba-
  bɛs'ki
Babirussa babi'rʊsa
Babismus ba'bɪsmʊs
Babist ba'bɪst
Babits *ung.* 'bɔbitʃ
Babka *engl.* 'bæbkə
Babo 'ba:bo
Babœuf *fr.* ba'bœf
Babol *pers.* ba'bol
Babolsar *pers.* babol'sær
Babouvismus babu'vɪsmʊs
Babrios 'ba:brios
Babrius 'ba:brius
Babst bapst
Babu 'ba:bu
Babuin 'ba:bui:n
Babur 'ba:bʊr
Baburen *niederl.* ba'by:rə
Babusche ba'bʊʃə, ba'bu:ʃə
Babuschka 'ba[:]bʊʃka
Baby 'be:bi

Babyboom[er] 'be:bi-bu:m[ɐ]

Babycar 'be:bika:ɐ̯

Babydoll 'be:bidɔl, --'–

Babyface 'be:bife:s

Babylon 'ba:bylɔn, *engl.* 'bæbılən

Babylonien baby'lo:njən

Babylonier baby'lo:niɐ̯

babylonisch baby'lo:nıʃ

Babylook 'be:bilʊk

babysitten 'be:bizıtn̩

Babysitter 'be:bizıtɐ

babysittern 'be:bizıtɐn

Babysitting 'be:bizıtıŋ

Bacabal *bras.* baka'bal

Bacall *engl.* bə'kɔ:l

Bacău *rumän.* ba'kəu̯

Baccaloni *it.* bakka'lo:ni

Baccarat 'bakara

Bacchanal baxa'na:l, **-ien** ...ljən

Bacchant ba'xant

Bacchelli *it.* bak'kɛlli

Bacchiacca *it.* bak'kjakka

Bacchiocchi *it.* bak'kjɔkki

bacchisch 'baxıʃ

Bacchius ba'xi:ʊs, **...ien** ...i:ən

Bacchus 'baxʊs

Bacchylides ba'xy:lidɛs

Bacci *it.* 'battʃi

Baccio *it.* 'battʃo

Bacewicz *poln.* ba'tsɛvitʃ

Bach bax, **Bäche** 'bɛçə

bachab bax'lap

Bacharach 'baxarax, *engl.* 'bækəræk

Bachauer 'baxau̯ɐ

Bachaumont *fr.* baʃo'mõ

Bache 'baxə

Bachelard *fr.* ba'ʃla:r

Bachelin *fr.* ba'ʃlɛ̃

Bachelor 'bɛtʃəlɐ

Bachelor of Laws 'bɛtʃəlɐ ɔf 'lo:s

Bachem 'baxm̩

Bachér ba'xe:ɐ̯

Baches 'baxəs

Bachiacca *it.* ba'kjakka

Bachja Ibn Pakuda 'baxja 'ıbn̩ pa'ku:da

Bachler 'baxlɐ

Bächler 'bɛçlɐ

Bachman[n] 'baxman

Bachmetjew *russ.* bax'mjetjıf

Bachofen 'baxlo:fn̩

Bachtaran *pers.* baxtæ'ra:n

Bachtiar *pers.* bæxti'a:r

Bachtiare bax'tja:rə

Bachtiari bax'tja:ri

Bächtold 'bɛçtɔlt

Bachtschissarai *russ.* bɛxtʃisa'raj

Baciccia *it.* ba'tʃittʃa

Bacile ba'tʃi:lə, **...li** ...li

Bacílek *tschech.* 'batsi:lɛk

Bacillus ba'tsılʊs, **...li** ...li

back, ¹Back (seemänn.) bak

²Back (Verteidiger) bɛk

³Back (Name) *engl.* bæk

Bäck *dt., schwed.* bɛk

Bačka *serbokr.* 'ba:tʃka:

Backbord 'bakbɔrt, **-e** ...rdə

Bäckchen 'bɛkçən

Backe 'bakə

backen, B... 'bakn̩

...backen ...bakn̩

Backer *niederl.* 'bakər

Bäcker 'bɛkɐ

Bäckerei bɛkə'rai̯

Backfire 'bɛkfai̯ɐ

Backfisch 'bakfıʃ

Backgammon bɛk'gɛmən

Background 'bɛkgraunt

Backhand 'bɛkhɛnt

Backhaus 'bakhaus

Backhendl 'bakhɛndl̩

Backhuysen *niederl.* 'bɑk-hœi̯zə

...backig ...bakıç, **-e** ...ɪgə

...bäckig ...bɛkıç, **-e** ...ɪgə

Backlash 'bɛklɛʃ

Bäckler 'bɛklɐ

Backlist 'bɛklıst

Backlund *schwed.* ˌbaklʊnd

Backnang 'baknaŋ

Backofen 'baklo:fn̩

Backoffen 'baklɔfn̩

Backslash 'bɛkslɛʃ

Backspring 'bɛkspriŋ

Backstag 'bakʃta:k, **-e** ...a:gə

backstage 'bɛkste:tʃ

Backström *schwed.* ˌbak-strœm

bäckt bɛkt

Backtracking 'bɛktrɛkıŋ

Backup 'bɛklap, –'–

Backus-Naur... 'bakʊs-ˈnau̯ɐ...

Bacmeister 'bakmai̯stɐ

Baço 'ba:ko

Baçó *kat.* bə'so

Bacolod *span.* bako'lɔð

Bacon 'be:kn̩, *engl.* 'beɪkən, *fr.* ba'kõ

Baconsky *rumän.* ba'konski

Bacovia *rumän.* ba'kovia

Bacquehem 'bakhɛm

Bács[ka] *ung.* 'ba:tʃ[kɔ]

Baculard *fr.* baky'la:r

Baculus 'ba:kulʊs

Bačvice *serbokr.* 'batʃvitsɛ

Baczyński *poln.* ba'tʃii̯ski

Bad ba:t, **-es** 'ba:dəs, **Bäder** 'bɛ:dɐ

Badacsony *ung.* 'bɔdɔtʃonj

Badajoz *span.* baða'xɔθ

Badalona *span.* baða'lona

Badari ba'da:ri

Bądarzewska-Baranowska *poln.* bɔnda'ʒɛf-skabara'nɔfska

Badem 'ba:dəm

baden 'ba:dn̩, **bad!** ba:t

Baden 'ba:dn̩

Baden-Baden 'ba:dn̩'ba:dn̩

Badener 'ba:dənɐ

Badeni ba'de:ni

Baden-Powell *engl.* beɪdn̩'pʊəl, ...'pauəl

Badenser ba'dɛnzɐ

badensisch ba'dɛnzıʃ

Badenweiler ba:dn̩'vai̯lɐ

Baden-Württemberg 'ba:dn̩'vʏrtəmbɛrk

Bader 'ba:dɐ

Bäder vgl. Bad

Badgastein ba:tgas'tai̯n

Badge bɛtʃ

Badia ba'di:a, **...ien** ...i:ən

Badinage badi'na:ʒə

Badinerie badinə'ri:, **-n** ...i:ən

Badings *niederl.* 'ba:dıŋs

Badinski *bulgar.* 'badinski

badisch 'ba:dıʃ

Badius 'ba:djʊs

Badlands *engl.* 'bædlændz

Badminton 'bɛtmıntn̩

Badoglio *it.* ba'dɔʎʎo

Badt bat

Badtrip 'bɛt'trıp

Badura ba'du:ra

Baeck bɛk

Baedeker 'bɛ:dəkɐ

Baegert 'ba:gɐt

Baehr bɛ:ɐ̯

Baekelmans *niederl.* 'ba:kəlmɑns

Baelen *niederl.* 'ba:lə

Baena *span.* ba'ena

Baensch bɛnʃ

Baer bɛ:ɐ̯

Baerl ba:ɐ̯l

Baerle *niederl.* 'ba:rlə

Baertling *schwed.* ˌbɛrtlıŋ

Baertsoen *niederl.* 'ba:rtsun

Bærum *norw.* ˌbæːrʉm
Baerze *niederl.* ˈbaːrzə
Baesecke ˈbɛːzəkə
Baessler ˈbɛslɐ
Baesweiler ˈbaːsvaɪlɐ
Baetica ˈbɛːtika
Baetis ˈbɛːtɪs
Baeumker ˈbɔymkɐ
Baeyer ˈbaɪɐ
Baez *engl.* baɪˈɛz, ˈ--
Baeza *span.* baˈeθa
Bafang *fr.* baˈfaŋ
Bafel ˈbaːfl̩
baff baf
Baffin *engl.* ˈbæfɪn
Bafile *it.* baˈfiːle
BAföG, Bafög ˈbaːfœk
Bafoussam *fr.* bafuˈsam
Bafra *türk.* ˈbafra
Bag bɛk
Bagage baˈgaːʒə
Bagamoyo bagaˈmoːjo
Bagasse baˈgasə
Bagassose bagaˈsoːzə
Bagatelle bagaˈtɛlə
bagatellisieren bagatɛliˈziːrən
Bagdad ˈbakdat
Bagdader ˈbakdadɐ
Bage *engl.* beɪdʒ
Bagé *brasilian.* baˈʒɛ
Bagehot *engl.* ˈbædʒət
Bagel (Verlag) baˈʒɛl
Bagge ˈbagə
Bagger ˈbagɐ
baggern ˈbagɐn, baggre ˈbagrə
Baggesen ˈbagəzn̩
Baggings ˈbɛgɪŋs
Baghlan *afgh.* bæɣˈlan
Bagirmi baˈgɪrmi
Baglione *it.* baʎˈʎoːne
Baglioni *it.* baʎˈʎoːni
Bagnères-de-Bigorre *fr.* baɲɛrdəbiˈgɔːr
Bagnères-de-Luchon *fr.* baɲɛrdəlyˈʃɔ̃
Bagnes *fr.* baɲ
Bagneux *fr.* baˈɲø
Bagni *it.* ˈbaɲɲi
¹Bagno (Kerker) ˈbanjo, Bagni ˈbanji
²Bagno (Name) *it.* ˈbaɲɲo
Bagnolet *fr.* baɲɔˈlɛ
Bagot *ba.gɔt, engl.* ˈbægət
Bagramjan *russ.* bəgraˈmjan
Bagratide bagraˈtiːdə
Bagration *russ.* bəgrɐtiˈɔn

Bagrationowsk *russ.* bəgrɐtiˈɔnɐfsk
Bagratunier bagraˈtuːnjɐ
Bagrizki *russ.* baˈgritskij
Bagrjana *bulgar.* bɐˈgrjanɐ
Baguette baˈgɛt, -n ...tn̩
Baguío *span.* baˈɣio
Baguirmi *fr.* bagirˈmi
bah! ba:
bäh! bɛ:
Bahadur baˈhaːdʊr
Bahai bahaˈiː
Bahaismus bahaˈɪsmʊs
Bahama[s] baˈhaːma[s], *engl.* bəˈhɑːmə[z]
Bahama[n]er bahaˈmaː[n]ɐ
bahama[n]isch bahaˈmaː[n]ɪʃ
Bahamer baˈhaːmɐ
bahamisch baˈhaːmɪʃ
Bahamonde *span.* baaˈmɔnde
Bahar ˈbahaːɐ̯, *pers.* bæˈhaːr
Bahasa Indonesia *indon.* baˈhasa ɪndoˈnɛsɪa
Bahawalpur *engl.* bəˈhɑːwəlpʊə
Bahdanowitsch *weißruss.* bɐɣdɐˈnovitʃ
bähen ˈbɛːən
Baher Dar *amh.* bahər dar
Bahia *bras.* baˈia
Bahía Blanca *span.* baˈia ˈβlaŋka
Bahlsen® ˈbaːlzn̩
Bahlui *rumän.* baxˈluj
Bahmani ˈbaxmani
Bahn[sen] ˈbaːn[zn̩]
Bahöl baˈhøːl
Bahr baːɐ̯
Bähr bɛːɐ̯
Bahrain baˈrajn, baxˈrajn
Bahrdt baːɐ̯t
Bahr Al Arab ˈbaxɐ alˈʔarap
Bahr Al Asrak ˈbaxɐ alˈʔazrak
Bahr Al Gabal ˈbaxɐ alˈgabal
Bahr Al Ghasal ˈbaxɐ algaˈzaːl
Bahre ˈbaːrə
Bahrfeldt ˈbaːɐ̯fɛlt
Bahrijja baxˈriːja
Bahro ˈbaːro
Baht baːt
Bahuschewitsch *weißruss.* bɐɣuˈʃevitʃ
Bahuwrihi bahuˈvriːhi
Ba Huyên Thanh-Quan *vietn.* ba huɪə̯n θajn kṷan 3611

Bai baj
Baia *it.* ˈbaːja
Baiae ˈbajɛ
Baia Mare *rumän.* ˈbaja ˈmare
Baiao baiˈaːo
Baião *bras.* baˈjẽ̯ṷ
Baia Sprie *rumän.* ˈbaja ˈsprie
Baibars bajˈbars
Băicoi *rumän.* bəˈkoj
Baida, Al albajˈda:
Baidawi bajˈda:vi
Baiera ˈbajəra, bajˈe:ra
Baier ˈbajɐ
Baiersbronn bajɐsˈbrɔn
Baiersdorf ˈbajərsdɔrf
Baïf *fr.* baˈif
Baigneuse bɛnˈjøːzə
Baikal ˈbajkal, *auch:* -ˈ-, *russ.* bajˈkal
Baikonur *russ.* bɐjkaˈnur
Baile Átha Cliath *engl.* blaːˈklɪə
Băile Herculane *rumän.* ˈbəile herkuˈlane
Bailén *span.* bajˈlen
Băilești *rumän.* bəiˈleʃtj
Bailey *engl.* ˈbeɪlɪ
Bailiff ˈbeːlɪf
Bailli *fr.* baˈji
Bailliage baˈjaːʒə
Baillie *engl.* ˈbeɪlɪ
Baillot *fr.* baˈjo
Bailly *fr.* baˈji
Baily *engl.* ˈbeɪlɪ
Bain[es] *engl.* beɪn[z]
Bainbridge *engl.* ˈbeɪnbrɪdʒ
Baini *it.* baˈiːni
Bain-Marie bɛmaˈriː
Bainville *fr.* bɛˈvil
Bairak bajˈrak
Bairam bajˈram
Baird *engl.* bɛəd, *poln.* bɛrt
Baire *fr.* bɛːr
Bairiki *engl.* baɪˈriːki:
bairisch ˈbaɪrɪʃ
Bairnsdale *engl.* ˈbɛənzdeɪl
Baiser bɛˈzeː
Baisse ˈbɛːsə
Baissier bɛˈsieː
Bait baɪt
Baitin bajˈtiːn
Baja *ung.* ˈbɔjɔ
Bajã ˈbaːjɛ
Baja California *span.* ˈbaxa kaliˈfɔrnɪa
Bajadere bajaˈdeːrə
Bajasid baja'ziːt

Baja Verapaz *span.* 'baxa βeɾa'paθ
Bajazzo ba'jatso
Bajer *dän.* 'baj'ɐ
Bajocien baʒo'sjɛ̃:
Bajonett bajo'nɛt
bajonettieren bajonɛ'ti:rən
Bajram Curri *alban.* baj'ram 'tsurri
Bajus 'ba:jʊs
Bajuware baju'va:rə
bajuwarisch baju'va:rɪʃ
Bajza *ung.* 'bɔjzɔ, *slowak.* 'bajza
Bakal *russ.* ba'kal
Bakalow *bulgar.* bɐ'kalof
Bakar *serbokr.* ˌbakar
Bakchos 'bakçɔs
Bakchylides bak'çy:lidɛs
Bake 'ba:kə
Bakel 'ba:kl̩, *fr.* ba'kɛl
Bakelit® bakə'li:t
Bakema *niederl.* 'ba:kəma
Baker *engl.* 'beɪkə
Bakerloo *engl.* beɪkə'lu:
Bakersfield *engl.* 'beɪkəzfi:ld
Bakhuizen *niederl.* 'bɑkhœizə
Baki *türk.* bɑ:'ki
Bakin *jap.* ba'kin
Bakić *serbokr.* 'bakitɕ
Bakkalaureat bakalaure'a:t
Bakkalaureus baka'laureʊs, ...ei ...ei
Bakkarat 'bakara[t], ...'ra
Bakken 'bakn̩, *dän.* 'bagn̩
Bakker *niederl.* 'bɑkər
Baklanow *russ.* ba'klanɐf
Baklava 'baklava, *türk.* bɑklɑ'vɑ
Bakócz *ung.* 'bɔko:ts
Bakony *ung.* 'bɔkonj
Bakonyer ba'ko:njɐ
Bakov *tschech.* 'bakɔf
Bakschejew *russ.* bak'ʃejɪf
Bakschisch 'bakʃɪʃ
Bakst *fr.* bakst
Bakteriämie bakterjɛ'mi:, -n ...i:ən
Bakterie bak'te:rjə
bakteriell bakte'rjɛl
Bakteriologe bakterjo'lo:gə
Bakteriologie bakterjolo'gi:
bakteriologisch bakterjo'lo:gɪʃ
Bakteriolyse bakterjo'ly:zə
Bakteriolysin bakterjoly'zi:n

bakteriolytisch bakterjo'ly:tɪʃ
Bakteriophage bakterjo'fa:gə
Bakteriose bakte'rjo:zə
Bakteriostase bakterjo'sta:zə
bakteriostatisch bakterjo'sta:tɪʃ
Bakteriotherapie bakterjotera'pi:, -n ...i:ən
Bakterium bak'te:rjʊm, ...ien ...jən
Bakteriurie bakterju'ri:
bakterizid, B... bakteri'tsi:t, -e ...i:də
Baktr[i]a 'baktr[i]a
Baktriana baktri'a:na
Baktrien 'baktrjən
baktrisch 'baktrɪʃ
Baku 'ba:ku; *russ.* ba'ku
Bakuba ba'ku:ba
Bakunin *russ.* ba'kunin
Baky 'ba:ki
Balabanow *bulgar.* bɐlɐ'banof
Balachna *russ.* bɐlax'na
Balaena ba'lɛ:na
Balaguer *span.* bala'ɣɛr, *kat.* bələ'ɣe
Balakirew *russ.* ba'lakirɪf
Balaklawa *russ.* bɐla'klavɐ
Balakowo *russ.* bɐla'kɔvɐ
Balalaika bala'laika
Balance ba'lɑ̃:s[ə], ba'laŋs[ə], -n ...sn̩
Balancé balã'se:, balaŋ'se:
Balancement balãsə'mã:, balaŋsə'mã:
Balance of Power 'bɛləns ɔf 'pauɐ
Balanchine *engl.* 'bælənt͡ʃi:n
balancieren balã'si:rən, balaŋ'si:rən
Balandrino balan'dri:no
Balanitis bala'ni:tɪs, ...itiden ...ni'ti:dn̩
Balanoposthitis balanopɔs'ti:tɪs, ...itiden ...ti'ti:dn̩
Balard *fr.* ba'la:r
Balaschicha *russ.* bɐla'ʃixɐ
Balaschow *russ.* bɐla'ʃɔf
Balassa[gyarmat] *ung.* 'bɔlɔʃʃɔ[djɔrmɔt]
Balassi *ung.* 'bɔlɔʃʃi
Balata 'balata, *auch:* ba'la:ta
Balaton *ung.* 'bɔlɔton
Balatonfüred *ung.* 'bɔlɔtonfyrɛd

Balatum 'balatʊm, *auch:* ba'la:tʊm
Balawat bala'va:t
Balázs *ung.* 'bɔla:ʒ
Balban bal'ba:n
Balbek 'ba:lbɛk
Balbier bal'bi:ɐ
balbieren bal'bi:rən
Balbín *tschech.* 'balbi:n
Balbina bal'bi:na
Balbinus bal'bi:nʊs
Balbo *it.* 'balbo
Balboa bal'bo:a, *span.* bal'βoa
Balbuena *span.* bal'βu̯ena
Balbulus 'balbulʊs
Bălcescu *rumän.* bəl't͡ʃesku
Balch [Springs] *engl.* 'bɔ:lt͡ʃ ['sprɪŋz]
Balchasch *russ.* bal'xaʃ
Balchin *engl.* 'bɔ:lt͡ʃɪn
bald balt
Baldachin 'baldaxi:n, *auch:* --'--
Baldassare *it.* baldas'sa:re
Balde 'baldə
Bälde 'bɛldə
Baldegger See 'baldɛgɐ 'ze:
Baldeneysee 'baldənaize:
Baldensperger 'baldn̩spɛrgɐ, *fr.* baldɛ̃spɛr'ʒe
Balder 'baldɐ
Baldewin 'baldəvi:n
Baldi *it.* 'baldi
baldig 'baldɪç, -e ...igə
Baldini *it.* bal'di:ni
Baldinucci *it.* baldi'nutt͡ʃi
baldmöglichst 'baltmø:klɪçst
Baldovinetti *it.* baldovi'netti
Baldovino *it.* baldo'vi:no
baldowern bal'do:vɐn, ...wre ...vrə
Baldr 'baldɐ
Baldrian 'baldria:n
Balduin 'baldui:n
Baldung 'baldʊŋ
Baldur *baldʊr, isl.* 'baldʏr
Baldus de Ubaldis 'baldʊs de: u'baldi:s
Baldwin *engl.* 'bɔ:ldwɪn
Bale *engl.* beɪl
Bâle *fr.* ba:l
Balearen bale'a:rən
Baleares *span.* bale'ares
balearisch bale'a:rɪʃ
Balen *niederl.* 'ba:lə
Balenit bale'ni:t
Balester ba'lɛstɐ

Balęstra ba'lɛstra
Bạlfas *indon.* 'balfas
Balfour *engl.* 'bælfə
Bạlg balk, **-es** ...gəs, **Bälge**
'bɛlgə, **Bälger** 'bɛlgɐ
Bạlga[ch] 'balga[x]
Balgạrija *bulgar.* bəl'garijɐ
Bạlge 'balgə
Bälge vgl. Balg
bạlgen 'balgn̩, **bạlg!** balk,
bạlgt balkt
Bälger vgl. Balg
Balgerẹi balgə'rai̯
Bạlhorn 'balhɔrn
Bạli 'ba:li, *indon.* 'bali
Balıkesir *türk.* bɑ'lɪkɛˌsir
Balikpạpan *indon.* balɪk'pa-
pan
Balịlla *it.* ba'lilla
balinẹsisch bali'ne:zɪʃ
Bạlingen 'ba:lɪŋən
Balịński *poln.* ba'lii̯ski
Bálint *ung.* 'ba:lint
Baliol *engl.* 'beɪlɪəl
Bạljana 'baljana
Bạlje 'baljə
Bạlk balk, *niederl.* bɑlk
Bạlkan 'balka:n, *serbokr.*
ˌbalka:n, *bulgar.* bɐl'kan
balkạnisch bal'ka:nɪʃ
balkanisịeren balkani'zi:-
rən
Balkanolọge balkano'lo:gə
Balkanologịe balkanolo'gi:
Balkạre bal'ka:rə
Bạ̈lkchen 'bɛlkçən
Bạlke 'balkə
Bạlken 'balkn̩
Balkh *afgh.* bælx
Balkon bal'kõ:; *auch:* bal-
'kɔŋ, bal'ko:n, **des -s**
...kõ:s, *auch:* ...kɔŋs,
...ko:ns, **die -s** ...kõ:s,
auch: ...kɔŋs, **die -e** ...ko:nə
¹Bạll bal, **Bälle** 'bɛlə
²Bạll (Name) bal, *engl.* bɔ:l
Balladạres *span.* baʎa'ðares
Ballạde ba'la:də
balladẹsk balla'dɛsk
Ballad-Opera *engl.* 'bæləd-
ˌɔpərə
Balladur *fr.* bala'dy:r
Ballance *engl.* 'bæləns
Ballantyne *engl.* 'bæləntaɪn
Ballarat *engl.* bælə'ræt,
'--'-, '---
Ballard *engl.* 'bæləd, *fr.*
ba'la:r
Ballast 'balast, *auch:* ba'last
Bạllawatsch 'balavatʃ

Bälle vgl. Ball
Ballẹi ba'lai̯
Bạllek *slowak.* 'baljɛk
bạllen, B... 'balən
Ballén *span.* ba'ʎen
Ballenstedt 'balənʃtɛt
Balleny *engl.* 'bælənɪ
Ballerịna balə'ri:na
Ballerịne balə'ri:nə
Ballerịno balə'ri:no
bạllern, B... 'balən
Bạlleron 'balərɔn
Ballerup *dän.* 'bæl'ərʊb
Ballestẹr *span.* baʎes'tɛr
ballẹstern ba'lɛstɐn
Ballestẹros *span.* baʎes'te-
ros
Ballestrem 'baləstre:m,
ba'lɛstrɛm
Ballẹtt ba'lɛt
Balletteuse balɛ'tø:zə
Ballettomạne balɛto'ma:nə
Bạllhorn 'balhɔrn
ballhornisịeren balhɔrni-
'zi:rən
Ballịf *fr.* ba'jif
bạllig 'balɪç, **-e** ...ɪgə
Bạllin 'bali:n
Ballina *engl.* 'bælɪnə
Balliol *engl.* 'beɪlɪəl
Ballinger *engl.* 'bælɪndʒə
Ballịsmus ba'lɪsmʊs
Ballịste ba'lɪstə
Ballịstik ba'lɪstɪk
Ballịstiker ba'lɪstɪkɐ
ballịstisch ba'lɪstɪʃ
Ballistokardiographịe
balɪstokardi̯ogra'fi:, **-n**
...i:ən
Ballịt ba'li:t
Bạllo in mạschera *it.* 'ballo
im'maskera
¹Ballon ba'lõ:, *auch:* ba'lɔŋ,
ba'lo:n, **des -s** ba'lõ:s,
auch: ba'lɔŋs, ba'lo:ns, **die
-s** ba'lõ:s, *auch:* ba'lɔŋs,
die -e ba'lo:nə
²Ballon (Name) *fr.* ba'lõ
Ballon[s] d'Essai ba'lõ:
dɛ'sɛ:
Ballonẹtt balo'nɛt
Ballooning bəˈluːnɪŋ
¹Bạllot (Warenballen) ba'lo:
²Bạllot (geheime Abstim-
mung) 'bɛlət
Ballọta ba'lo:ta
Ballotạde balo'ta:də
Ballotạge balo'ta:ʒə
ballotịeren balo'ti:rən
Ballotịne balo'ti:nə

Ballwin *engl.* 'bɔ:lwɪn
Bạlly 'bali, *fr.* ba'li, ba'ji,
engl. 'bɑ:lɪ
Ballyhoo 'bɛlihu:, --'-
Ballymena *engl.* bælɪ'mi:nə
Bạlm balm
Balmacẹda *span.* balma-
'θeða
Bạlme 'balmə
Bạlmer 'balmɐ
Bạlmes *span.* 'balmes
Balmọnt *russ.* balj'mɔnt
Balmọral *engl.* bæl'mɔrəl
Bạlmung 'balmʊŋ
Balneographịe balneo-
gra'fi:, **-n** ...i:ən
Balneologịe balneolo'gi:
balneolọgisch balneo'lo:gɪʃ
Balneophysiologịe balneo-
fyzi̯olo'gi:
Balneotherapịe balneo-
tera'pi:
Bạl paré, -s -s 'bal pa're:
Bạlsa 'balza
Bạlsam 'balza:m; **-e**
...za:mə, *auch:* ...'za:mə
Balsamão *port.* balsɐ'mɐ̃u̯
balsamịeren balza'mi:rən
Balsamịne balza'mi:nə
balsạmisch bal'za:mɪʃ
Bạlsamo *it.* 'balsamo
Bạlsas *bras., span.* 'balsas
Bạlser 'balzɐ
Bạlsthal 'balsta:l
Bạlta *russ.* 'baltɐ
Baltạrd *fr.* bal'ta:r
Baltazarịni *it.* baltaddza-
'ri:ni
Bạlte 'baltə
Bạlthasar 'baltazar
Bạlthe 'baltə
Bạlthus *fr.* bal'tys
Bạltia 'balti̯a
Bạltikum 'baltikʊm
Bạltimore 'baltimo:ɐ̯, *engl.*
'bɔ:ltɪmɔ:
bạltisch 'baltɪʃ
Baltịschpọrt baltɪʃ'pɔrt
Baltịsk *russ.* bal'tijsk
Baltịstik bal'tɪstɪk
Bạltrum 'baltrʊm
Baltrušaitis *lit.* baltrʊ'ʃa:i̯tɪs
Bạltsa 'baltsa
Baltschịk *bulgar.* bɐl'tʃik
Bạłtyk *poln.* 'bau̯tik
Bạltzar 'baltsar
Balụba ba'lu:ba, *fr.* balu'ba
Bałụcki *poln.* ba'u̯utski
Bạluschek 'baluʃɛk
Balụster ba'lʊstɐ

Balustrade balʊsˈtraːdə
Baluze *fr.* baˈlyːz
Balve ˈbalvə
Balyk baˈlyk
Balz balts
Bälz bɛlts
Balzac *fr.* balˈzak
Balzan *it.* balˈtsan
Balze *fr.* balz
balzen ˈbaltsn̩
Balzico *it.* ˈbaltsiko
Bam *pers.* bæm
BAM *russ.* bam
Bamako *fr.* bamaˈko
Bambara bamˈbaːra, ˈbambara
Bamberg ˈbambɛrk
Bamberger ˈbambɛrgɐ
bambergisch ˈbambɛrgɪʃ
Bambi ˈbambi
Bambina bamˈbiːna
Bambino bamˈbiːno, ...ni ...ni
Bambocciade bambɔˈtʃaːdə
Bambule bamˈbuːlə
Bambus ˈbambʊs, -s ...ʊsə
Bambuti bamˈbuːti
Bamian *afgh.* baˈmian
Bamigoreng bamigoˈrɛŋ
Bamm[el] ˈbam[l̩]
bammeln ˈbamln̩
Bamperletsch ˈbampɐlɛtʃ
¹Ban (Würdenträger) baːn
²Ban (Maß) ban
³Ban (Münze) baːn, -i ...ni
banal baˈnaːl
banalisieren banaliˈziːrən
Banalität banaliˈtɛːt
Banane baˈnaːnə
Banat baˈnaːt, *serbokr.* ˌbanaːt, *rumän.* baˈnat
Bánát *ung.* ˈbaːnaːt
Banater baˈnaːtɐ
Banause baˈnaʊzə
banausisch baˈnaʊzɪʃ
Bancban[us] baŋkˈbaːn[ʊs]
Bances *span.* ˈbanθes
Banchieri *it.* baŋˈkiɛːri
Banchs *span.* baŋks
Banco *it.* ˈbaŋko
Bancroft *engl.* ˈbæŋkrɔft
band bant
¹Band bant, -e ˈbandə, Bände ˈbɛndə, Bänder ˈbɛndɐ
²Band (Gruppe von Musikern) bɛnt
¹Banda ˈbanda, ...de ˈbandə
²Banda (Name) *indon.* ˈbanda, *engl.* ˈbændə

Bandage banˈdaːʒə
bandagieren bandaˈʒiːrən
Bandagist bandaˈʒɪst
Bandak *norw.* ˌbandak
Bandana banˈdaːna
Bandar *engl.* ˈbændə, *indon.* ˈbandar, *pers.* bænˈdær
Bandaranaike *engl.* bændəˈnaɪkɪ, baˈndraːˈniːkɪ
Bandar Seri Begawan *indon.* ˈbandar səˈri baˈgawan
Bändchen ˈbɛntçən
¹Bande ˈbandə
²Bande vgl. ¹Banda
bände ˈbɛndə
Bände vgl. ¹Band
Bandeau bãˈdoː
Bandeirante *bras.* bɛndeɪˈrɐnti
Bandeira *bras.* bɛnˈdeɪra
Bandel ˈbandl̩
Bändel ˈbɛndl̩
Bandelier bandəˈliːɐ
Bandello *it.* banˈdɛllo
banden ˈbandn̩
Bänder vgl. ¹Band
Banderilla bandəˈrɪlja
Banderillero bandərɪlˈjeːro
bändern ˈbɛndɐn, bändre ˈbɛndra
Banderole bandəˈroːlə
banderolieren bandəroˈliːrən
bändigen ˈbɛndɪgn̩, bändig! ˈbɛndɪç, bändigt ˈbɛndɪçt
Bandinelli *it.* bandiˈnɛlli
Bandırma *türk.* ˈbandɪrma
Bandit banˈdiːt
Bandleader ˈbɛntliːdɐ
Bandola banˈdoːla
Bandoneon banˈdoːneɔn
Bandonion banˈdoːnion, ...ien ...iən
Bändsel ˈbɛntsl̩
Bandung *indon.* ˈbandʊŋ
Bandura banˈduːra
Bandurria banˈdurja
Bandy ˈbɛndi
Băneasa *rumän.* bəˈnʲasa
Banér *schwed.* baˈneːr
Banes *span.* ˈbanes
Báñez *span.* ˈbaɲeθ
Bañeza *span.* baˈɲeθa
Banff *engl.* bæmf
Bánffy *ung.* ˈbaːnfi
bang baŋ, bänger ˈbɛŋɐ
Bang *dt., dän.* baŋ
Bangale baŋˈgaːlə
bangalisch baŋˈgaːlɪʃ

Bangalore *engl.* bæŋgəˈlɔː
Bangassou *fr.* bãgaˈsu
Bang-Ba-Lân *vietn.* baŋ ba ləŋ 321
Bangbu *chin.* baŋbu 44
Bangbüx[e] ˈbaŋbʏks[ə]
Bangbuxe ˈbaŋbʊksə
bange ˈbaŋə, bänger ˈbɛŋɐ
Bangemann ˈbaŋəman
bangen ˈbaŋən
Banggai *indon.* ˈbaŋgaɪ
Bangka *indon.* ˈbaŋka
Bangkok ˈbaŋkɔk
Bangladesch baŋglaˈdɛʃ
bänglich ˈbɛŋlɪç
Bangnis ˈbaŋnɪs, -se ...ɪsə
Bangor *engl.* ˈbæŋgə
Bangs *engl.* bæŋz
Bangui *fr.* bãˈgi
Bangweolosee baŋveˈoː-loze:
Banha ˈbanha
Bani vgl. ³Ban
Banijas baniˈjaːs
Banim *engl.* ˈbeɪnɪm
Bani Masar ˈbani maˈzaːɐ
Bani Sadr *pers.* bæˈniː sædr
Bani Suwaif ˈbani zuˈvaif
Banja Luka *serbokr.* ˈbaːnja ˌluːka
Banjan ˈbanjan
Banjarmasin *indon.* bandʒarˈmasin
Banjo ˈbanjo, *auch:* ˈbɛndʒo, ˈbandʒo
Banjul *engl.* ˈbændʒuːl, –ˈ–
Bank baŋk, Bänke ˈbɛŋkə
Bánk *ung.* baːŋk
Banka ˈbaŋka
Bánk bán *ung.* ˈbaːŋg ˈbaːn
Bänkchen ˈbɛŋkçən
Bänkellied ˈbɛŋkl̩liːt
Banker ˈbɛŋkɐ, *auch:* ˈbaŋkɐ
bankerott baŋkoˈrɔt
Bankert ˈbaŋkɐt
Bankett[e] baŋˈkɛt[ə]
bankettieren baŋkɛˈtiːrən
Bankier baŋˈkieː
Banking ˈbɛŋkɪŋ
Bankiva... baŋˈkiːva...
Banko ˈbaŋko
Bank of England *engl.* ˈbæŋk əv ˈɪŋglənd
Bankomat baŋkoˈmaːt
bankrott, B... baŋˈkrɔt
Bankrotteur baŋkrɔˈtøːɐ
bankrottieren baŋkrɔˈtiːrən
Banks[town] *engl.* ˈbæŋks[taʊn]
Bann ban, *engl.* bæn

bạnnen 'banən
Bạnner 'banɐ
bạnnig 'banɪç
Banning *niederl.* 'banɪŋ,
engl. 'bænɪŋ
Bạnninger 'benɪŋɐ
Baños *span.* 'baɲos
Bạnquo 'baŋko
bạnsai! 'banzaị
Bạnschaft 'ba:nʃaft
Bạnse 'banzə
bạnsen 'banzn̩, bạns! bans,
bạnst banst
Bạnsin ban'zi:n
Bạnská Bystrica *slowak.*
'banska: 'bistritsa
Bạntam 'bantam
Bạntin ban'ti:n
Banting *engl.* 'bæntɪŋ
Bạntock *engl.* 'bæntək
Bạntu 'bantu
Bạntuist[ik] bantu'ɪst[ɪk]
Bạntustan 'bantʊsta[:]n
Bạntz[er] 'bants[ɐ]
Bạnu 'ba:nu, Bạni 'ba:ni
Bănulẹscu *rumän.* bənu-
'lesku
Bạnus 'ba:nʊs
Banvịlle *fr.* bã'vil
Banyuls-sur-Mẹr *fr.* ban-
jylssyr'mɛ:r
Banyuwạngi *indon.* banju-
'waɲi
Bạnz bants
bạnzai! 'banzaị
Bánzer *span.* 'banθɐr
Bạobab 'ba:obap
Bao-Ðai *vietn.* baụ daị 46
Baoding *chin.* baụdɪŋ 44
Baoji *chin.* baụdzi 31
Baotou *chin.* baụtoụ 12
Bạphomet 'bafomet
Baptịsmus bap'tɪsmʊs
Baptịst[a] bap'tɪst[a]
Baptịste *fr.* ba'tist
Baptistẹrium baptɪs'te:-
rịʊm, ...ien ...ịən
bạr, ¹Bạr ba:ɐ̯
²Bạr (Name) ba:ɐ̯, *russ.* bar,
serbokr. bar, ba:r, *engl.* ba:
Bär bɛ:ɐ̯
Barabạ *russ.* bɐra'ba
Barạbbas 'ba[:]rabas, ba'ra-
bas
Barạber ba'ra:bɐ
barạbern ba'ra:bɐn, ...bre
...brə
Barạbinsk *russ.* ba'rabinsk
Baracạldo *span.* bara'kaldo
Bạrack 'ba:rak

Barack (Schnaps) *ung.*
'bɔrɔtsk
Barạcke ba'rakə
Baracọa *span.* bara'koa
Baradạus bara'dɛ:ʊs
Bărăgạn *rumän.* bərə'gan
Barạjas *span.* ba'raxas
Bạrak 'ba:rak, *hebr.* ba'rak
Bạrák *tschech.* 'bara:k
Baranagar *engl.* 'bærənəgə
Baranạuskas *lit.* bara-
'na:ụskas
Baranović *serbokr.* ba.ranɔ-
vitɕ
Barạnowitschi *russ.* ba'ra-
nɐvitʃi
Barạnte *fr.* ba'rã:t
Bárány *ung.* 'ba:ra:nj
Baranya *ung.* 'bɔrɔnjɔ
Barataschwili *georg.* 'bara-
thaʃwili
Baratiẹri *it.* bara'tịɛ:ri
Barạtt ba'rat
Barattẹriẹ baratə'ri:, -n
...i:ən
barattiẹren bara'ti:rən
Baratýnski *russ.* bɐra'tinskij
Bạrazk (Schnaps) 'baratsk
Bạrb barp
Barbacẹna *bras.* barba'sena
Barbạdier bar'ba:dịɐ
barbạdisch bar'ba:dɪʃ
Barbados bar'ba:dɔs, 'bar-
badɔs; *engl.* ba:'beɪdoʊz
Barbakạne barba'ka:nə
Bạrbar bar'ba:ɐ̯
Bạrbara *dt., it.* 'barbara,
engl. 'ba:bərə, *poln.* bar-
'bara
Barbarẹi barba'raị
Barbarẹske barba'reskə
Bạrbari *it.* 'barbari
Barbarino *it.* barba'ri:no
barbạrisch bar'ba:rɪʃ
Barbarịsmus barba'rɪsmʊs
Bạrbaro *it.* 'barbaro
Barbarọssa barba'rɔsa
Barbạstro *span.* bar'βastro
Bärbchen 'bɛrpçən
Bạrbe 'barbə, *fr.* barb
Barbe bleue *fr.* barbə'blø
Bạrbecue 'ba:ɐ̯bɪkju:
Barbediẹnne *fr.* barbə'djen
bärbeißig 'bɛ:ɐ̯baịsɪç, -e
...ịgə
Bärbel 'bɛrbl̩
Bạrber *engl.* 'ba:bə
Barbẹra bar'be:ra, *it.* bar-
'bɛ:ra
Barberịna *it.* barbe'ri:na

Barberini *it.* barbe'ri:ni
Barberịno *it.* barbe'ri:no
Bạrberton *engl.* 'ba:bətən
Barbès *fr.* bar'bɛs
Barbẹtte bar'betə
Barbey d'Aurevilly *fr.* bar-
bɛdərvi'ji
Bạrbi *dt., it.* 'barbi
Bạrbie 'barbi
¹Bạrbier bar'bi:ɐ̯
²Barbier (Name) *fr.* bar'bje
Barbiẹre *it.* bar'bịɛ:re
barbiẹren bar'bi:rən
Barbiẹri *it.* bar'bịɛ:ri
Barbirọlli *engl.* ba:bɪ'rɔlɪ
Bạrbiton 'barbitɔn
Bạrbitos 'barbitɔs
Barbitụr... barbi'tu:ɐ̯...
Barbiturạt barbitu'ra:t
Barbizon *fr.* barbi'zõ
Barbọsa *port.* bɐr'bɔzɐ
Bạrbour *engl.* 'ba:bə
Bạrbu *rumän.* 'barbu
Barbụda bar'bu:da, *engl.*
ba:'bu:də
Barbusse *fr.* bar'bys
Bạrby 'barbi
Bạrč *slowak.* bartʃ
Bạrca *span.* 'barka
Barcelọna bartse'lo:na,
span. barθe'lona
Barchạn bar'ça:n
Bạrchent 'barçnt
Bạrches 'barçəs
Bạrclay[s] *engl.* 'ba:klɪ[z]
Barcsay *ung.* 'bɔrtʃɔi
Barczẹwo *poln.* bar'tʃɛvɔ
Bạrdal *norw.* .ba:rda:l
bardạuz! bar'daụts
Bạrde 'bardə
Bardeen *engl.* ba:'di:n
Bạrdejov *slowak.* 'bardjɛịoụ
Bạrdeleben 'bardələ:bn̩
Bạrdem *span.* bar'ðem
Bárdenas *span.* 'barðenas
Bạrdhi *alban.* 'barði
Bạrdi *it.* 'bardi
bardiẹren bar'di:rən
Bardiẹt bar'di:t
Bardịtus bar'di:tʊs, die -
...tu:s
Bardolịno *it.* bardo'li:no
Bạrdo 'bardo, *fr.* bar'do,
poln. 'bardɔ
Bạrdolf, ...ph 'bardɔlf
Bárdos[sy] *ung.* 'ba:rdoʃ[i]
Bardọt *fr.* bar'do
Bạrdowick bardo'vi:k, '---
Barẹa *span.* ba'rea
Barège ba'rɛ:ʒə

Barège[s] *fr.* ba'rɛ:ʒ
Bareilly *engl.* bə'reɪlɪ
Barelli *it.* ba'rɛlli
Barenboim 'ba:rənbɔym
Barendsz *niederl.* 'ba:rənts
Bärenstein 'bɛ:rənʃtaɪn
Barenthin 'ba:rənti:n
Barents 'ba:rənts, *niederl.*
'ba:rənts
Barentsburg *norw.*
'ba:rəntsburg
Barentsz *niederl.* 'ba:rənts
Barett ba'rɛt
Baretti *it.* ba'retti
barfuß 'ba:ɐ̯fu:s
Barfüßer 'ba:ɐ̯fy:sɐ
barg, B... bark
Bargaining 'ba:ɐ̯gənɪŋ
Barge ba:ɐ̯tʃ
bärge 'bɛrgə
Bargello *it.* bar'dʒɛllo
bargen, B... 'bargn̩
Bargheer bar'ge:ɐ̯
Bargone *fr.* bar'gɔn
Bargusin *russ.* bɐrgu'zin
Barham *engl.* 'bærəm
Bari *it.* 'ba:ri
Baribal 'ba:ribal
bärig 'bɛ:rɪç, -e ...ɪgə
Barile ba'ri:lə, ...li ...li
Barilla ba'rɪlja
Bariloche *span.* bari'lotʃe
Barinas *span.* ba'rinas
Baring *engl.* 'bɛərɪŋ
Bárinkay *ung.* 'ba:rɪŋkɔi
Bariolage barjo'la:ʒə
Bari Palese *it.* 'ba:ri pa'le:se
Barisal *engl.* 'bærɪsɔ:l
Barisanus bari'za:nʊs
barisch 'ba:rɪʃ
Barito *indon.* ba'rito
Bariton 'ba[:]rɪtɔn, -e ...o:nə
baritonal barito'na:l
Baritonist barito'nɪst
Barium 'ba:rjʊm
Bark[a] 'bark[a]
Barkane bar'ka:nə
Barkarole barka'ro:lə
Barkas 'barkas
Barkasse bar'kasə
Barke 'barkə
Barkeeper 'ba:ɐ̯ki:pɐ
Barker *engl.* 'ba:kə
Barkerole barkə'ro:lə
Barkette bar'kɛtə
Barkhausen 'barkhauzn̩
Barkide bar'ki:də
Barking *engl.* 'ba:kɪŋ
Barkla *engl.* 'ba:klə
Barkley, ...ly *engl.* 'ba:klɪ

Bar Kochba 'ba:ɐ̯ 'kɔxba
Barkone bar'ko:nə
Barksdale *engl.* 'ba:ksdeɪl
Barlaam 'barlaam
Barlach 'barlax
Bärlapp 'bɛ:ɐ̯lap
Barläus bar'lɛ:ʊs
Bar-le-Duc *fr.* barlə'dyk
Barletta *it.* bar'letta
Barlog 'barlɔk
Barlow *engl.* 'ba:loʊ
Bärme 'bɛrmə
Barmekide barme'ki:də
barmen, B... 'barmən
Barmer 'barmɐ
barmherzig barm'hɛrtsɪç
Bar-Mizwa ba:ɐ̯'mɪtsva
Barmstedt 'barmʃtɛt
Barn[a] 'barn[a]
Barnaba *it.* 'barnaba
Barnabas 'barnabas
Barnabe 'barnabe
Barnabit barna'bi:t
Barnard *engl.* 'ba:nəd
Barnardo *engl.* ba:'na:doʊ
Bärnau 'bɛrnau
Barnaul *russ.* bɐrna'ul
Barnay 'barnai
Bärnbach 'bɛrnbax
Barnenez *fr.* barnə'ne
Barnes *engl.* ba:nz
Barnet *engl.* 'ba:nɪt, *span.*
bar'nɛt
Barnett *engl.* 'ba:nɪt
Barneveld *niederl.* 'barnə-
velt
Barnevelt *niederl.* 'barnə-
velt
Barney *engl.* 'ba:nɪ
Barnhelm 'barnhɛlm
Barnim 'barnɪm, -er -ɐ
Barnowsky bar'nɔfski
Barnsley *engl.* 'ba:nzlɪ
Barntrup 'barntrʊp
Barnum *engl.* 'ba:nəm
Barocci *it.* ba'rɔttʃi
barock, B... ba'rɔk
barockal barɔ'ka:l
barockisieren barɔki'zi:rən
Baroda *engl.* bə'roʊdə
Barogramm baro'gram
Barograph baro'gra:f
Baroja *span.* ba'rɔxa
Barolo ba'ro:lo
Barometer baro'me:tɐ
Barometrie barome'tri:
barometrisch baro'me:trɪʃ
¹Baron (Freiherr) ba'ro:n

²Baron (Eigenname) *fr.*
ba'rõ, *hebr.* ba'rɔn
Baronat baro'na:t
Baroncelli barɔn'tʃɛli, *it.*
baron'tʃɛlli
Barone *it.* ba'ro:ne
Baronesse baro'nɛsə
Baronet 'baronɛt, 'bɛronɛt,
engl. 'bærənɪt
Baronie baro'ni:, -n ...i:ən
Baronin ba'ro:nɪn
baronisieren baroni'zi:rən
Baronius ba'ro:njʊs
Barothermograph barotɛr-
mo'gra:f
Barotse ba'ro:tsə
Barquisimeto *span.* barkisi-
'meto
Barr *fr.* ba:r, *engl.* ba:
Barra *engl.* 'bærə, *it., span.,
bras.* 'barra
Barrabas 'barabas
Barraca[s] *span.* ba'rraka[s]
Barracco *it.* bar'rakko
Barrage ba'ra:ʒə
Barrakuda bara'ku:da
Barrancabermeja *span.*
barraŋkaβɛr'mexa
Barranco *span.* ba'rraŋko,
port. bɐ'rreŋku
Barranquilla *span.* barraŋ-
'kiʎa
¹Barras (Militär) 'baras
²Barras (Name) *fr.* ba'ra:s
Barraud, ...ault *fr.* ba'ro
Barre 'barə, *fr.* ba:r
Barré ba're:
Barreda *span.* ba'rreða
Barreiro *port.* bɐ'rreiru
Barrel 'bɛrəl, *auch:* 'barəl
Barrême *fr.* ba'rɛm
Barren 'barən
Barren Grounds *engl.*
'bærən 'graundz
Barrère *fr.* ba'rɛ:r
Barrès *fr.* ba'rɛs
Barrett *engl.* 'bærət
Barretter ba'rɛtɐ
Barrie[r] *engl.* 'bærɪ[ə]
Barriere ba'rje:rə
Barrikade bari'ka:də
barrikadieren barika'di:rən
Barrili *it.* bar'ri:li
Barring 'barɪŋ
Barrington *engl.* 'bærɪŋtən
Barrio *span.* 'barrjo
Barrios *span.* 'barrjos
Barrique ba'rɪk
Barrister 'bɛrɪstɐ, *engl.*
'bærɪstə

Barrịtus ba'ri:tʊs, die - ...tu:s
Barrọccio *it.* bar'rɔttʃo
Barrois *fr.* ba'rwa
Bạrros *span.* 'barrɔs, *bras.* 'barrus, *port.* 'barruʃ
Barrow *engl.* 'bæroʊ
Barry *engl.* 'bærɪ, *fr.* ba'ri
Barrymore *engl.* 'bærɪmɔ:
Barsạni bar'za:ni
bạrsch barʃ
Bạrsch ba:ɐ̯ʃ
Barschại *russ.* bar'ʃaj
Bạrschel 'barʃl̩
Barsinghạusen barzɪŋ- 'hauzn̩
Barsọi bar'zɔy
bạrst barst
bärste 'bɛrstə
Bạrstow *engl.* 'bɑ:stoʊ
Bar-sur-Aube *fr.* barsy'ro:b
¹Bạrt ba:ɐ̯t, Bärte 'bɛ:ɐ̯tə
²Bart (Name) *fr.* ba:r, *sorb.* bart, *rumän.* bart
Bärtchen 'bɛ:ɐ̯tçən
Bạrte 'bartə
Bạrtel 'bartl̩, *poln.* 'bartɛl
Bạrtels 'bartl̩s
Bạrten 'bartn̩
Bạrtenstein 'bartn̩ʃtain
Bạrter 'ba:ɐ̯tɐ
Bạrterl 'bartɛl
Bạrtfeld 'bartfɛlt
Barth ba:ɐ̯t, bart
Bạrthel 'bartl̩
Barthélemy *fr.* bartel'mi
Barthélemy-Saint-Hilaire *fr.* bartelmisɛti'lɛ:r
Bạrthes *fr.* bart
Bartholdi *fr.* bartɔl'di
Bạrtholdy bar'tɔldi
Bartholịnus barto'li:nʊs
Bartholomä bar'to:lomɛ
Bartholomäus bartolo- 'mɛ:ʊs
Bartholomé *fr.* bartɔlɔ'me
Bạrtholomew *engl.* bɑ:'θɔ- ləmju:
Barthou *fr.* bar'tu
bärtig 'bɛ:ɐ̯tɪç, -e ...ɪgə
Bạrtın *türk.* 'bartɪn
Bạrtlett *engl.* 'bɑ:tlɪt
Bạrtning 'bartnɪŋ
Bạrtọ *russ.* bar'tɔ
Bạrtók 'bartɔk, *ung.* 'bɔr- to:k
Bạrtold 'bartɔlt, *russ.* 'bar- tɛljt
Bạrtoli *it.* 'bartoli
Bartolịni *it.* barto'li:ni

Bạrtolo *it.* 'bartolo
Bartolomé *span.* bartolo'me
Bartolomeo *it.* bartolo- 'mɛ:o, *span.* bartolo'meo
Bartolọzzi *it.* barto'lɔttsi
Bạrtolus 'bartolʊs
Bạrtolus de Sassoferrạto 'bartolʊs de: zasofɛ'ra:to
Bạrton *engl.* 'bɑ:tn
Bạrtoš *tschech.* 'bartɔʃ
Bartoszẹwski *poln.* bartɔ- 'ʃɛfski
Bartoszyce *poln.* bartɔ'ʃitsɛ
Bạrtow 'barto, *engl.* 'bɑ:toʊ
Bartsch ba:ɐ̯tʃ, bartʃ
Bartụcci *it.* bar'tuttʃi
Bạruch ba'rʊx, *engl.* bə'ru:k
Barụta *span.* ba'ruta
Barụtsche ba'rʊtʃə
Bärwạlde bɛ:ɐ̯'valdə
Bạrycz *poln.* 'baritʃ
Barye *fr.* ba'ri
Barylli ba'ryli
Barymẹtrik bary'me:trɪk
Bạryon 'ba:rỹɔn, -en ba'rỹo:nən
Baryschnikow *russ.* ba'riʃ- nikɐf
Barysphäre bary'sfɛ:rə
Baryt ba'ry:t
Bạryton 'ba:rytɔn
Barytonẹse baryto'ne:zə
Barytonon ba'ry:tonon, ...na ...ona
Barzellẹtta bartsɛ'lɛta
baryzẹntrisch bary'tsɛntrɪʃ
Baryzẹntrum bary'tsɛn- trʊm, ...tra ...tra
Bạrzel 'bartsl̩
Barzellẹtta bartsɛ'lɛta
Bạrzun *fr.* bar'zɛ̃, *engl.* 'bɑ:zʌn
Basaịti *it.* baza'i:ti
basạl, B... ba'za:l
Basaliọm baza'liọ:m
Basạlt ba'zalt
Basan *fr.* ba'zɑ̃
Basanạvičius *lit.* basa'na:- vɪtʃjʊs
Basạne ba'za:nə
Basar ba'za:ɐ̯
Basarạb *rumän.* basa'rab
Basarạbia *rumän.* basa'ra- bia
Bạsch *fr.* baʃ
Bäschen 'bɛ:sçən
Baschẹnis *it.* bas'kɛ:nis
Baschkịre baʃ'ki:rə
Baschkịrien baʃ'ki:rịən

baschkịrisch baʃ'ki:rɪʃ
Baschkịrow *russ.* baʃ'kirɐf
Bạschlakow 'baʃlakɔf
Bạschlik 'baʃlɪk
Baschọ *jap.* ba'ʃo:
Baschọw *russ.* ba'ʒɔf
¹Bạse 'ba:zə
²Base (im Baseballspiel; Stützpunkt) be:s
Baseball[er] 'be:sbo:l[ɐ]
Bạsedow 'ba:zədo
Basedowoịd bazədovo'i:t, -e ...i:də
Bạsel 'ba:zl̩
Bạselbiet 'ba:zl̩bi:t
Basellạnd ba:zl̩'lant
Bạselitz 'ba:zəlɪts
Basel-Stạdt ba:zl̩'ʃtat
Baseman, ...men 'be:smɛn
Bạsement 'be:smənt
Basic, BASIC 'be:sɪk
Basịdie ba'zi:diə
Basidiospọre bazidiọ- 'spo:rə
Basie *engl.* 'beɪsɪ
basịeren ba'zi:rən
...basig ....ba:zɪç, -e ...ɪgə
basiklịn bazi'kli:n
¹Basịl (Schafleder) ba'zi:l
²Basil (Name) ba'zi:l, 'ba:zi:l, *engl.* bæzl
basilạr bazi'la:ɐ̯
Basịl Basịlowitsch ba'zi:l ba'zi:lovɪtʃ
Basilán *span.* basi'lan
Basildon *engl.* 'bæzldən
Basịle *it.* ba'zi:le
Basileios bazi'laiɔs, ba'zi:- laiɔs
Basileus bazi'lɔys
Basiliạner bazi'lịa:nɐ
Basilicạta *it.* bazili'ka:ta
Basịlides ba'zi:lides
Basịlie ba'zi:liə
Basịlika ba'zi:lika
basilikạl bazili'ka:l
Basịlikum ba'zi:likʊm
Basịlios ba'zi:liɔs
Basịlisk bazi'lɪsk
Basịlio *it.* ba'zi:lio, *span.* ba'siljo
Basịlius ba'zi:liʊs, bazi'li:ʊs
Basin *fr.* ba'zɛ̃
Basingstoke *engl.* 'beɪ- zɪŋstoʊk
Bạsion 'ba:ziɔn
basipetạl bazipe'ta:l
basiphịl bazi'fi:l
Bạsis 'ba:zɪs
bạsisch 'ba:zɪʃ

Basizität bazi̯tsiˈtɛːt
Baske ˈbaskə
Baskerville *engl.* ˈbæskəvɪl
Basketball ˈbaˈ[ː]skətbal
Baskine basˈkiːnə
baskisch ˈbaskɪʃ
Basko ˈbasko
Basküle basˈkyːlə
Baskuntschak *russ.* bɐskunˈtʃak
Basler ˈbaːzlɐ
Basmanow *russ.* basˈmanɐf
Basmati basˈmaːti
Basnage *fr.* baˈnaːʒ
Basoche *fr.* baˈzɔʃ
basophil bazoˈfiːl
Basquine basˈkiːnə
Basra ˈbasra
Basrelief ˈbareli̯ɛf, --ˈ-
Bas-Rhin *fr.* baˈrɛ̃
bass bas
Bass bas, Bässe ˈbɛsə
Bass *engl.* bæs
Bassa *dt., span.* ˈbasa
Bassä ˈbasɛ
Bassajew *russ.* baˈsaji̯f
Bassani *it.* basˈsaːni
Bassanio baˈsaːni̯o
Bassano [del Grappa] *it.* basˈsaːno [del ˈgrappa]
Bassarabescu *rumän.* basaraˈbesku
Bassbariton ˈbasbaːritɔn, ˈ-ˈ---
Bassbuffo ˈbasbʊfo, ˈ-ˈ--
Basse ˈbasə
Basse Danse, -s -s *fr.* basˈdãːs
Bassein *engl.* bəˈsɛɪn, *birm.* paθei̯n 22
Basselin *fr.* basˈlɛ̃
Basselisse ˈbaslɪs, -ˈ-
Bassena baˈseːna
Bassenheim ˈbasn̩hai̯m
Bassermann ˈbasɐman
Basset baˈseː, ˈbɛsɪt
Basseterre *engl.* bæsˈtɛə
Basse-Terre *fr.* basˈtɛːr
Bassett baˈsɛt
Bassey *engl.* ˈbæsɪ
[1]Bassi *vgl.* Basso
[2]Bassi (Name) *it.* ˈbassi
Bassiafette ˈbasi̯afɛtə
Bassianus baˈsi̯aːnʊs
Bassin baˈsɛ̃ː
Bassist baˈsɪst
Basso ˈbaso, Bassi ˈbasi
Basso continuo ˈbaso kɔnˈtiːnu̯o

Basso ostinato ˈbaso ɔstiˈnaːto
Basso seguente ˈbaso zeˈgu̯ɛntə
Bassotti baˈsɔti
Bassow *russ.* ˈbasɐf
Bassum ˈbasʊm
Bast bast
basta! ˈbasta
Bastaard ˈbastaːɐ̯t
Båstad *schwed.* ˌboːsta
Bastard ˈbastart, -e ...rdə
Bastarda basˈtarda
bastardieren bastarˈdiːrən
Bastarner basˈtarnɐ
Baste ˈbastə
Bastei[n] basˈtai̯[n]
basteln ˈbastl̩n
Baster ˈbastɐ
Bastet ˈbastɛt
Bastia ˈbasti̯a, *fr.* basˈtja, *it.* basˈtiːa
Bastian ˈbasti̯a[ː]n
Bastianini *it.* basti̯aˈniːni
Bastiano *it.* basˈti̯aːno
Bastiat *fr.* basˈtja
Bastida[s] *span.* basˈtiða[s]
Bastide *fr.* basˈtid
Bastien *fr.* basˈtjɛ̃
Bastien-Lepage *fr.* bastjɛ̃lˈpaːʒ
Bastienne *fr.* basˈtjɛn
Bastille basˈtiːjə, *fr.* basˈtij
Bastion basˈti̯oːn
bastionieren basti̯oˈniːrən
Basto *port.* ˈbaʃtu
Bastogne *fr.* basˈtɔɲ
Bastonade bastoˈnaːdə
Bastrop *engl.* ˈbæstrəp
Basuto baˈzuːto
bat baːt
Bata *span.* ˈbata
Baťa *tschech.* ˈbatja
[1]Bataille (Schlacht) baˈtaːjə, baˈtaljə
[2]Bataille (Familienname) *fr.* baˈtɑːj
Bataillon batalˈjoːn
Bataisk *russ.* baˈtajsk
Batak *bulgar.* bɐˈtak, *indon.* ˈbatak
Batalha *port.* bɐˈtaʎɐ
Batangas *span.* baˈtaŋgas
Batate baˈtaːtə
Bataver ˈbaːtavɐ, baˈtaːvɐ
Batavia baˈtaːvi̯a
batavisch baˈtaːvɪʃ
Batch... ˈbɛtʃ...
bäte, B... ˈbɛːtə
Bätely ˈbɛːtəli

Batemberg *bulgar.* ˈbatɛmbɛrk
Bates *engl.* beɪts
Bath *engl.* baːθ
Bathik ˈbaːtɪk
Bathilde baˈtɪldə
Bathildis baˈtɪldɪs
bathisch ˈbaːtɪʃ
Batholith batoˈliːt
Bathometer batoˈmeːtɐ
Bathophobie batofoˈbiː, -n ...iːən
Báthori, ...ry *ung.* ˈbaːtori
Bathrokephalie batrokefaˈliː
Bathrozephalie batrotsefaˈliː
Bathseba ˈbatseba, baˈtseːba
Bathurst *engl.* ˈbæθəːst
bathyal, B... baˈtỹaːl
Bathygraphie batygraˈfiː
bathygraphisch batyˈgraːfɪʃ
Bathymeter batyˈmeːtɐ
Bathyscaph[e] batyˈskaːf, -[e]n ...fn̩
Bathysphäre batyˈsfɛːrə
Batik ˈbaːtɪk
batiken baˈtɪkn̩
Batist baˈtɪst
Batista y Zaldívar *span.* baˈtista i θalˈdiβar
batisten baˈtɪstn̩
Batjuschkow *russ.* ˈbatjuʃkɐf
Batley *engl.* ˈbætlɪ
Batlle y Ordóñez *span.* ˈbatʎe i ɔrˈðoɲeθ
[1]Batman (Name) *türk.* ˈbatman
[2]Batman ˈbɛtmɛn, ˈbatman
Bat-Mirjam *hebr.* ˈbatmirjam
Batna *fr.* batˈna
Batoni *it.* baˈtoːni
Baton Rouge *engl.* ˈbætən ˈruːʒ
Batory *poln.* baˈtɔri
Batrachium baˈtraxi̯um
Batrachomyomachie batraxomyomaˈxiː
Batschka ˈbatʃka
Batseba ˈbatseba, baˈtseːba
[1]Battaglia (Musikstück) baˈtalja, ...ien ...ljən
[2]Battaglia (Name) *it.* batˈtaʎʎa
Battambang *Khmer* batdamˈbaːŋ

Battani ba'ta:ni
Battelle engl. bə'tɛl
Battement batə'mã:
Battenberg 'batn̩bɛrk, engl.
'bætnbɔːg
Batter 'bɛtɐ
Batterie batə'ri:, -n ...i:ən
Battersea engl. 'bætəsɪ
Batteur ba'tø:ɐ̯
Batteux fr. ba'tø
Batthyány ung. 'bɔttja:ni
Batticaloa engl. bætɪkə'louə
Battipaglia it. batti'paʎʎa
Battista ba'tɪsta, it. bat'tista
Battistello it. battis'tɛllo
Battisti it. bat'tisti
Battistini it. battis'ti:ni
Battle engl. bætl
Battuta ba'tu:ta
Battute ba'tu:tə
Batu indon. 'batu, türk.
ba'tu
Batumi russ. ba'tumi
Bat Yam hebr. 'bat 'jam
Batz bats, fr. bats
Batzen 'batsn̩
Bau bau
Baubo 'baubo
Bauch baux, Bäuche 'bɔyçə
Bauchant fr. bo'ʃã
Bauchi engl. 'bautʃi:
bauchig 'bauxɪç, -e ...ɪɡə
bäuchig 'bɔyçɪç, -e ...ɪɡə
bäuchlings 'bɔyçlɪŋs
Baucis 'bautsɪs
Baud baut, bo:t
Baude 'baudə
Baudelaire fr. bo'dlɛ:r
Baudissin 'baudɪsi:n
Bauditz dän. 'baudids
Baudot fr. bo'do
Baudouin fr. bo'dwɛ̃
Baudouin de Courtenay fr.
bodwɛ̃dkurtə'nɛ
Baudouinville fr. bodwɛ̃'vil
Baudricourt fr. bodri'ku:r
Baudrier fr. bodri'e
Baudrillart fr. bodri'ja:r
Baudry fr. bo'dri
bauen 'bauən
¹Bauer 'bauɐ
²Bauer (Name) 'bauɐ, engl.
'bauə, niederl. 'bɔywər
Bäuerin 'bɔyərɪn
bäuerisch 'bɔyərɪʃ
Bäuerle 'bɔyɛlə
Bauernfeind 'bauɐnfaint
Bauernfeld 'bauɐnfɛlt
Bauhaus 'bauhaus
Bauhin 'bauhi:n, fr. bo'ɛ̃

Bauland 'baulant
Baule 'baulɔ, fr. bo:l
Baum baum, Bäume
'bɔymə
Baumann 'bauman
Baumbach 'baumbax
Baumberge 'baumbɛrɡə
Baumberger 'baumbɛrɡɐ
Baumégrad bo'me:gra:t
Baumeister 'baumaistɐ
baumeln 'baumln̩
baumen 'baumən
bäumen 'bɔymən
Baumgart 'baumgart
Baumgarten 'baumgartn̩
Baumgartenberg baum-
gartn̩'bɛrk
Baumgartner 'baumgartnɐ,
fr. bomgart'nɛ:r
Baumholder baum'hɔldɐ
Bäumler 'bɔymlɐ
Baunach 'baunax
Baunatal 'baunata:l
Baunscheidtismus baun-
ʃai'tɪsmʊs
Baunzerl 'bauntsɐl
Baur baur
bäurisch 'bɔyrɪʃ
Bauru bras. bau'ru
Bausch bauʃ, Bäusche
'bɔyʃə
Bäuschel 'bɔyʃl
bauschen 'bauʃn̩
Bauschinger 'bauʃɪŋɐ
Bause 'bauzə
Bausinger 'bauzɪŋɐ
Bausznern 'bausnɐn
Bautastein 'bautaʃtain
Baute 'bautə
Bautista span. bau'tista
Bautsch[i] 'bautʃ[i]
Bautzen 'bautsn̩
Bauwich 'bauvɪç
Baux fr. bo
Bauxerl 'bauksɐl
Bauxit bau'ksi:t
bauz! bauts
Bavaria ba'va:ria
Bavink 'ba:fɪŋk
Bawean indon. ba'wean
Bax[ter] engl. 'bæks[tə]
Baxterianismus bɛksteria-
'nɪsmus
Bay engl. bei
Bayamo span. ba'jamo
Bayamón span. baja'mɔn
Bayar türk. 'bajar
Bayard fr. ba'ja:r
Bayazit türk. 'bajazit
Bayburt türk. 'baiburt

Bayer 'baiɐ, engl. 'beiə
bayerisch 'baiərɪʃ
Bayern 'baiɐn
Bayeux fr. ba'jø
Bayez engl. beiz
Baykurt türk. bai'kurt
Bayle fr. bɛl
Baynard 'be:nart
Baynes engl. beinz
Bayonne fr. ba'jɔn, engl.
bei'joun
Bayot fr. ba'jo
Bayr 'baiɐ
Bayraktar türk. bairak'tar
Bayreuth bai'rɔyt
bayrisch 'bairɪʃ
Bayrischzell bairɪʃ'tsɛl
Bayswater engl. 'beizwɔ:tə
Baytown engl. 'beitaun
Baza span. 'baθa
Bazaine fr. ba'zɛn
Bazán span. ba'θan
Bazar ba'za:ɐ̯
Bazard fr. ba'za:r
Bazel niederl. 'ba:zəl
Bazi 'ba:tsi
bazillär batsɪ'lɛ:ɐ̯
Bazille fr. ba'zij
Bazillurie batsɪlu'ri:
Bazillus ba'tsɪlʊs
Bazin fr. ba'zɛ̃
Baziotes engl. bæzɪ'outi:z
Bazooka ba'zu:ka
Bazzani it. bad'dza:ni
BBC (britischer Rundfunk)
engl. bi:bi:'si:
Bdellium 'bdɛljʊm, ...ien
...jən
B-Dur 'be:du:ɐ̯, auch: '-'-
Bea 'be:a, it. 'bɛ:a
BEA engl. bi:i:'ei
beabsichtigen bə-
'lapzɪçtiɡn̩, beabsichtig!
...ɪç, beabsichtigt ...ɪçt
Beach bi:tʃ
Beach-la-mar 'bi:tʃlə'ma:ɐ̯
Beachy Head engl. 'bi:tʃi
'hɛd
Beaconsfield (Disraeli)
engl. 'bi:kənzfi:ld
Beadle engl. bi:dl
Beaflor be:aflo:ɐ̯
Beagle 'bi:ɡl̩
Beam bi:m
beamen 'bi:mən
beampeln bə'lampln̩
Beamte bə'lamtə
beamtet bə'lamtət
Bean engl. bi:n

beanspruchen bə-
'lanʃprʊxn̩
beanstanden bə'lanʃtandn̩,
beanstand! ...nt
Bear bɛ:ɐ̯
Beard engl. bɪəd
Beardsley engl. 'bɪədzlɪ
Béarn fr. be'arn
Béarnaise... bear'nɛ:s...
Béarner be'arnɐ
Beas engl. 'bi:ɑ:s
¹Beat (Takt) bi:t
²Beat (Vorname) be'a:t
Beata be'a:ta
Beata Maria Virgo be'a:ta
mar'i:a 'vɪrgo
beatae memoriae be'a:tɛ
me'mo:riɛ
Beate be'a:tə
beaten 'bi:tn̩
Beatenberg be'a:tn̩bɛrk
Beatifikation beatifika-
'tsi̯o:n
beatifizieren beatifi'tsi:rən
Beatle[s] engl. bi:tl[z]
Beatnik 'bi:tnɪk
Beaton engl. bi:tn
Beatpad 'bi:tpɛt
Beatrice bea'tri:sə, it. bea-
'tri:tʃe, engl. 'bɪətrɪs
Béatrice fr. bea'tris
Beatrix be'a:trɪks, 'be:a-
trɪks, engl. 'bɪətrɪks, niederl. 'be:ɑtrɪks
Beattie, Beatty engl. 'bi:tɪ
Beatus be'a:tʊs
Beau bo:
Beaucaire fr. bo'kɛ:r
Beauce fr. bo:s
Beauchamp engl. 'bi:tʃəm,
fr. bo'ʃɑ̃
Beaufort 'bo:fɐt, fr. bo'fɔ:r,
engl. 'boʊfət
beaufschlagen bə-
'laʊfʃla:gn̩, beaufschlag!
...a:k, beaufschlagt ...a:kt
beaufsichtigen bə-
'laʊfzɪçtɪgn̩, beaufsichtig!
...ɪç, beaufsichtigt ...ɪçt
beaugenscheinigen bə-
'laʊgn̩ʃaɪnɪgn̩, beaugen-
scheinig! ...ɪç, beaugen-
scheinigt ...ɪçt
Beau Geste, -x -s fr. bo'ʒɛst
Beauharnais fr. boar'nɛ
¹Beaujolais (Wein) boʒo'lɛ:,
des - ...lɛ:[s]
²Beaujolais (Name) fr.
boʒo'lɛ
Beaulieu fr. bo'ljø

Beaumanoir fr. boma'nwa:r
Beaumarchais fr. bomar'ʃɛ
Beaume fr. bo:m
Beaumont fr. bo'mɔ̃, engl.
'boʊmənt
Beaune fr. bo:n
Beauneveu fr. bon'vø
Beauport fr. bo'pɔ:r
Beauté bo'te:
beautiful 'bju:tifʊl
Beauty 'bju:ti
Beauvais fr. bo'vɛ
Beauvoir fr. bo'vwa:r
Beaver engl. 'bi:və
Beaverbrook engl. 'bi:və-
brʊk
Beavercreek engl. 'bi:və-
kri:k
Beaverton engl. 'bi:vətn
Beazley engl. 'bi:zlɪ
Bebber 'bɛbɐ
Bébé be'be:
Bebel 'be:bl̩
beben 'be:bn̩, beb! be:p,
bebt be:pt
Bebenburg 'be:bn̩bʊrk
Bebenhausen be:bn̩'haʊzn̩
Bebermeyer 'be:bɐmaɪɐ
Bebey fr. be'bɛ
bebildern bə'bɪldɐn, ...dre
...drə
Bebington engl. 'bɛbɪŋtən
Bebitz 'be:bɪts
Bebop 'bi:bɔp
Bebra 'be:bra
bebrillt bə'brɪlt
bebuscht bə'bʊʃt
Bec fr. bɛk
Becanus be'ka:nʊs
Bécaud fr. be'ko
Beccadelli it. bekka'dɛlli
Beccafumi it. bekka'fu:mi
Beccaria it. bekka'ri:a
Bečej serbokr. 'bɛtʃɛːj
Becerra span. be'θɛrra
Bech bɛç
Béchamel... beʃa'mɛl...
Béchar fr. be'ʃa:r
Bêche-de-Mer bɛʃdə'me:ɐ̯
Bechelaren bɛxə'la:rən
Becher[t] 'bɛçɐ[t]
bechern 'bɛçɐn
Bechet engl. 'bɛʃeɪ, fr. be'ʃɛ
Bechstein 'bɛçʃtaɪn
Bechterew 'bɛçtɛrɛf, russ.
'bjɛxtɪrɪf
becircen bə'tsɪrtsn̩
Beck dt., engl., fr., niederl.,
poln. bɛk
Becke 'bɛkə, engl. bɛk

Becken 'bɛkn̩
Beckenbauer 'bɛkn̩baʊɐ
Becker 'bɛkɐ, engl. 'bɛkə,
dän. 'begɐ, fr. bɛ'kɛ:r
Beckerath 'bɛkəra:t
Becket[t] engl. 'bɛkɪt
Beckford engl. 'bɛkfəd
Beckley engl. 'bɛklɪ
Beckmann 'bɛkman
Beckmesser 'bɛkmɛsɐ
Beckmesserei bɛkmɛsə'raɪ
beckmessern 'bɛkmɛsɐn
Becks niederl. bɛks
Beckum 'bɛkʊm
Beckwith engl. 'bɛkwɪθ
Becque fr. bɛk
Bécquer span. 'bekɛr
Becquerel bɛkə'rɛl, fr.
bɛ'krɛl
Beda 'be:da
bedachen bə'daxn̩
bedacht, B... bə'daxt
bedächtig bə'dɛçtɪç, -e
...ɪgə
bedachtsam bə'daxtza:m
Bed and Breakfast engl.
'bɛt ɛnt 'brɛkfəst
Bedarf bə'darf
Bedburdyck bɛtbu:ɐ̯'di:k
Bedburg 'bɛtbʊrk
Beddoes engl. 'bɛdoʊz
¹Bede (Abgabe) 'be:də
²Bede (Eigenname) engl.
bi:d
Bedel fr. bə'dɛl, engl. bi:dl,
bɪ'dɛl
Bedell engl. bi:dl, bɪ'dɛl
bedeppert bə'dɛpɐt
Bedford engl. 'bɛdfəd,
-shire -ʃɪə
Bedié fr. be'dje
bedienstet bə'di:nstət
Bédier fr. be'dje
Beding bə'dɪŋ
Bedlam engl. 'bɛdləm
Bedlington engl. 'bɛdlɪŋtən
Bedloe engl. 'bɛdloʊ
Bednar slowak. 'bɛdnar
Bednorz 'bɛdnɔrts
Bedny russ. 'bjɛdnɪj
bedornen bə'dɔrnən
Bedos de Celles fr.
bədos'dsɛl
Bedrängnis bə'drɛŋnɪs, -se
...ɪsə
Bedreddin türk. bɛdrɛd'din
Bedregal de Conitzer span.
beðre'ɣal de konit'sɛr
Bedretto it. be'dretto
Bedřich tschech. 'bɛdrʒɪx

bedripst bə'drɪpst
Beds *engl.* bɛdz
Beduine bedu'i:nə
bedungen bə'dʊŋən
Bedürfnis bə'dʏrfnɪs, -se
...ɪsə
Bedzin *poln.* 'bɛndzin
Beebe *engl.* 'bi:bɪ
Beech[am] *engl.* 'bi:tʃ[əm]
Beecher-Stowe *engl.* 'bi:-
tʃə'stoʊ
Beech[e]y *engl.* 'bi:tʃɪ
Beeck[e] 'be:k[ə]
Beeckman *niederl.* 'be:k-
mɑn
Beefalo 'bi:falo
Beefburger 'bi:fbø:ɐɡɐ,
...œrɡɐ
Beefeater 'bifli:tɐ
Beefsteak 'bi:fste:k
Beeftea 'bi:fti:
beeiden bə'laidn̩, **beeid!**
bə'lait
beeidigen bə'laidɪɡn̩, **beei-
dig!** ...dɪç, **beeidigt** ...dɪçt
beeindrucken bə'laindrʊkn̩
beeinflussen bə'lainflʊsn̩
beeinträchtigen bə-
'laintrɛçtɪɡn̩, **beeinträch-
tig!** ...ɪç, **beeinträchtigt**
...ɪçt
Beel[aerts] *niederl.*
'be:l[a:rts]
beelenden bə'le:lɛndn̩,
beelend! bə'le:lɛnt
Beelitz 'be:lɪts
Beelzebub be'ɛltsəbu:p,
auch: 'be:l...
Beemster *niederl.* 'be:mstər
Beeper 'bi:pɐ
Beer be:ɐ, *engl.* bɪə
Beerberg 'be:ɐbɛrk
Beerbohm *engl.* 'bɪəboʊm
beerdigen bə'le:ɐdɪɡn̩,
beerdig! ...dɪç, **beerdigt**
...dɪçt
Beere 'be:rə
Beerfelden be:ɐ'fɛldn̩
Beernaert *niederl.* 'be:r-
na:rt
Beers *niederl.* be:rs, *engl.*
bɪəz
Beer Sheva *hebr.* b'ɛrʃɛ'va
Beeskow 'be:sko
Beeston *engl.* 'bi:stən
Beet[e] 'be:t[ə]
Beethoven 'be:tho:fn̩
Beets *niederl.* be:ts
Beeville *engl.* 'bi:vɪl

befähigen bə'fɛ:ɪɡn̩, **befä-
hig!** ...ɪç, **befähigt** ...ɪçt
befahl bə'fa:l
befähle bə'fɛ:lə
Befana *it.* be'fa:na
befangen bə'faŋən
befehden bə'fe:dn̩, **befehd!**
bə'fe:t
Befehl bə'fe:l
befehlen bə'fe:lən
befehlerisch bə'fe:lərɪʃ
befehligen bə'fe:lɪɡn̩,
befehlig! ...lɪç, **befehligt**
...lɪçt
Befehlshaber bə'fe:lsha:bɐ
befehlshaberisch bə'fe:ls-
ha:bərɪʃ
befeinden bə'faindn̩,
befeind! bə'faint
Beffchen 'bɛfçən
Beffroi bɛ'frʊa
Beffroy de Reigny *fr.*
bɛfrwadrɛ'ɲi
befiedern bə'fi:dɐn, **be-
fiedre** ...drə
befiehl! bə'fi:l
befindlich bə'fɪntlɪç
befleißen bə'flaisn̩
befleißigen bə'flaisɪɡn̩,
befleißig! ...ɪç, **befleißigt**
...ɪçt
befliss[en] bə'flɪs[n̩]
beflissentlich bə'flɪsn̩tlɪç
beföhle bə'fø:lə
befohlen bə'fo:lən
beförstern bə'fœrstɐn
Befort 'be:fɔrt
befremdlich bə'frɛmtlɪç
Befremdnis bə'frɛmtnɪs,
-se ...ɪsə
befreunden bə'frɔyndn̩,
befreund! bə'frɔynt
befrieden bə'fri:dn̩,
befried! bə'fri:t
befriedigen bə'fri:dɪɡn̩,
befriedig! ...dɪç, **befrie-
digt** ...dɪçt
Befugnis bə'fu:knɪs, -se
...ɪsə
befugt bə'fu:kt
befürworten bə'fy:ɐvɔrtn̩
Beg bɛk, be:k
Bega 'be:ga, *niederl.* 'be:ɣɑ
begabt bə'ga:pt
Begängnis bə'ɡɛŋnɪs, -se
...ɪsə
begann bə'gan
begänne bə'gɛnə
Begard be'gart, -en ...rdn̩
Begarde be'gardə

Begarelli *it.* beɡa'rɛlli
Begas 'be:gas
Begasse be'gasə
Begbick 'bɛkbɪk
Begebnis bə'ge:pnɪs, -se
...ɪsə
begegnen bə'ge:gnən
Begehr bə'ge:ɐ
Begga 'bɛga
Beggar's Opera *engl.*
'bɛgəz 'ɔpərə
begichten bə'ɡɪçtn̩
Begier[de] bə'gi:ɐ[də]
Begin *hebr.* 'bɛgin
Beg[h]ine be'gi:nə
Beginn bə'ɡɪn
beginnen bə'ɡɪnən
beglaubigen bə'glaubɪɡn̩,
beglaubig! ...ɪç, **beglau-
bigt** ...ɪçt
Beglerbeg 'bɛglɐbɛk,
'be:ɡlɐbe:k
Bègles *fr.* bɛgl
Begna *norw.* 'bɛŋna, 'bɛgna
begnaden bə'gna:dn̩,
begnad! bə'gna:t
begnadet bə'gna:dət
begnadigen bə'gna:dɪɡn̩,
begnadig! ...ɪç, **begnadigt**
...ɪçt
begnügen bə'gny:ɡn̩,
begnüg! ...y:k, **begnügt**
...y:kt
Begonie be'go:niə
begönne bə'gœnə
begonnen bə'gɔnən
begönnern bə'gœnɐn
begöschen bə'gø:ʃn̩
Begović *serbokr.* 'be:gɔvitɕ
Begräbnis bə'grɛ:pnɪs, -se
...ɪsə
begradigen bə'gra:dɪɡn̩,
begradig! ...ɪç, **begradigt**
...ɪçt
begrannt bə'grant
Béguin *fr.* be'gɛ̃
Beguine be'gi:n
Begum 'be:gʊm
begünstigen bə'gynstɪɡn̩,
begünstig! ...ɪç, **begüns-
tigt** ...ɪçt
begütert bə'gy:tɐt
begütigen bə'gy:tɪɡn̩,
begütig! ...ɪç, **begütigt**
...ɪçt
behaart bə'ha:ɐt
behäbig bə'hɛ:bɪç, -e ...ɪɡə
behagen bə'ha:gn̩, **behag!**
...a:k, **behagt** ...a:kt
Behaghel be'ha:gl̩

behaglich bə'ha:klıç
Behaim[ing] 'be:haim[ıŋ]
Behaismus beha'ısmʊs
Behältnis bə'hɛltnıs, -se
...ısə
Beham 'be:ham
Behan *engl.* 'bi:ən
behände bə'hɛndə
Behändigkeit bə'hɛndıçkait
behaupten bə'hauptn̩
Behaviorismus bihevjə'rıs-
mʊs
behavioristisch bihevjə'rıs-
tıʃ
Behbehan *pers.* behbe'ha:n
Beheim 'be:haim
beheimaten bə'haima:tn̩
Behelf bə'hɛlf
behelligen bə'hɛlıgn̩,
behellig! ...ıç, behelligt
...ıçt
behelmt bə'hɛlmt
behemdet bə'hɛmdət
Behemoth behe'mo:t, *auch:*
'be:hemo:t
Behennuss 'be:ənnʊs
beherzigen bə'hɛrtsıgn̩,
beherzig! ...ıç, beherzigt
...ıçt
behilflich bə'hılflıç
Behind bı'haint
Behistan behıs'ta:n
Behistun behıs'tu:n
Behl[a] 'be:l[a]
Behm[er] 'be:m[ɐ]
Behn be:n, *engl.* bein, bɛn
Behn[c]ke 'be:nkə
Behnisch 'be:nıʃ
Behörde bə'hø:ɐ̯də
behördlich bə'hø:ɐ̯tlıç
behost bə'ho:st
Behr be:ɐ̯
Behrend 'be:rənt
Behrens 'be:rəns
Behring 'be:rıŋ
Behrisch 'be:rıʃ
Behrman *engl.* 'bɛəmən
Behrmann 'be:ɐ̯man
Behsad *pers.* beh'za:d
Behschahr *pers.* beh'ʃæhr
Behuf bə'hu:f
behufs bə'hu:fs
behumpsen bə'hʊmpsn̩
behumsen bə'hʊmzn̩, ...ms!
...ms, ...mst ...mst
behutsam bə'hu:tza:m
bei, Bei bai
Beich baiç
Beichte 'baiçtə
beichten 'baiçtn̩

Beichtiger 'baiçtıgɐ
beidäugig 'baitlɔygıç
Beiderbecke *engl.* 'baidə-
bɛk
beiderlei 'baidɐ'lai
beiderseitig 'baidɐzaitıç
beiderseits 'baidɐ'zaits
Beiderwand 'baidɐvant
Beidhänder 'baithɛndɐ
beidseitig 'baitzaitıç
beidseits 'baitzaits
beieinander baiˈlaiˈnandɐ
beiern 'baiɐn
Beig baik
beige *unflektiert:* be:ʃ,
auch: bɛ:ʃ; *flektiert:* 'be:ʒə,
auch: 'bɛ:ʒə
¹Beige (Farbe) be:ʃ, *auch:*
bɛ:ʃ
²Beige (Stapel) 'baigə
Beigel 'baigl̩
beigen 'baign̩, beig! baik,
beigt baikt
Beignet bɛn'je:
Beihai *chin.* beixai 33
Beijing *chin.* beidzıŋ 31
Beil bail
beileibe baiˈlaibə
Beilngries bailn'gri:s
Beilstein 'bailʃtain
beim baim
Beimler 'baimlɐ
Bein bain
beinah 'baina:, *auch:* '-'-,
-'-
beinahe 'baina:ə, *auch:*
'-'--, -'--
Beinbrech 'bainbrɛç
beinhalten bə'ınhaltn̩
beinhart 'bain'hart
...beinig ....bainıç, -e ...ıgə
Beinum *niederl.* 'bɛinəm
Beinwell 'bainvɛl
Beira *port.* 'bɛirɐ
Beiram bai'ram
Beiramaz *port.* bɛirɐ'mar
Beirer 'bairɐ
Beirut baiˈru:t, *auch:* '--
beisammen baiˈzamən
Beisasse 'baizasə
beiseite baiˈzaitə
Beisel, Beisl 'baizl̩
Beispiel 'baiʃpi:l
beispielshalber 'baiʃpi:ls-
ˌhalbɐ
Beißel 'baisl̩
beißen 'baisn̩
Beißner 'baisnɐ
Beit bait, *engl.* bait
Beitel 'baitl̩

Beith *engl.* bi:θ
Beitrag 'baitra:k, -es
'baitra:gəs, Beiträge 'bai-
trɛ:gə
Beiuş *rumän.* be'juʃ
beiwilligen 'baivılıgn̩, wil-
lig bei! 'vılıç 'bai, beiwil-
ligt 'baivılıçt
Beiz[e] 'baits[ə]
beizeiten baiˈtsaitn̩
beizen 'baitsn̩
Beja *port.* 'bɛʒɐ
Béja *fr.* be'ʒa
bejahen bə'ja:ən
bejahrt bə'ja:ɐ̯t
Bejaïa *fr.* beʒa'ja
Béjar *span.* 'bɛxar
Béjart *fr.* be'ʒa:r
Bejucal *span.* bɛxu'kal
Bek *russ.* bjɛk
Beka (Libanon) be'ka:
Bekabad *russ.* bıka'bat
bekalmen bə'kalmən
bekannt bə'kant
Bekassine beka'si:nə
Beke 'be:kə, *engl.* bi:k, *ung.*
'bɛkɛ
Békés[y] *ung.* 'be:ke:ʃ[i]
Békéscsaba *ung.* 'be:ke:ʃ-
tʃɔbɔ
bekiest bə'ki:st
Bekker 'bɛkɐ, *niederl.* 'bɛkər
beklommen bə'klɔmən
bekloppt bə'klɔpt
beknackt bə'knakt
bekömmlich bə'kœmlıç
beköstigen bə'kœstıgn̩,
beköstig ! ...ıç, beköstigt
...ıçt
Bektaschi bɛkta'ʃi:
bekunden bə'kundn̩,
bekund! bə'kunt
¹Bel (Maßeinheit) bɛl
²Bel (babylon. Gottheit) be:l
Bél *ung.* be:l, *slowak.* bɛ:l
Béla 'be:la, *ung.* 'be:lɔ
Bela Crkva *serbokr.* 'bɛ:la:
'tsr̩:kva
Belafonte *engl.* bɛlə'fɔntı
Belag bə'la:k, -es bə'la:gəs,
Beläge bə'lɛ:gə
Belaja [Zerkow] *russ.* 'bjɛ-
lɐjɐ ['tsɛrkɐfj]
Belalcázar *span.* belal'kaθar
Belami bɛla'mi:
Bélami *fr.* bela'mi
belämmert bə'lɛmɐt
Belang bə'laŋ
Belar 'be:lar
Belarius be'la:rjʊs

Bẹlas *port.* 'bɛlɐʃ
Belạsco beˈlasko, *engl.*
 bəˈlæskoʊ
belạ̈stigen bəˈlɛstɪgn̩,
 belạ̈stig! bəˈlɛstɪç, belạ̈s-
 tigt bəˈlɛstɪçt
Belạu *engl.* bəˈlaʊ
belạuben bəˈlaʊbn̩, belạub!
 bəˈlaʊp, belạubt bəˈlaʊpt
Belaúnde *span.* belaˈunde
Belạwan *indon.* bəˈlawan
Bẹlbuck 'bɛlbʊk
belcantiẹren bɛlkanˈtiːrən
Belcantịst bɛlkanˈtɪst
Belcạnto bɛlˈkanto
Bełchạtów *poln.* bɛu̯ˈxatuf
Bẹlchen 'bɛlçn̩
Bẹlcher *engl.* 'bɛltʃə
Belcrẹdi bɛlˈkreːdi
Beldạhnsee bɛlˈdaːnzeː
Bẹldibi *türk.* 'bɛldibi
Beldimạn *rumän.* beldiˈman
Bẹle 'beːlə
belẹbt bəˈleːpt
Bẹlecke 'beːləkə
Beleg bəˈleːk, -e bəˈleːgə
belẹibt bəˈlai̯pt
belẹidigen bəˈlai̯dɪgn̩,
 belẹidig! ...ɪç, belẹidigt
 ...ɪçt
Belém *port.* bəˈlẽi̯, *bras.*
 beˈlẽi̯
Belemnịt belɛmˈniːt
Belén *span.* beˈlen
Belenense *port.* bələˈnẽsə
Belẹño *span.* beˈleɲo
belẹsen bəˈleːzn̩
Belesprịt bɛlɛsˈpriː
Beletạge bɛleˈtaːʒə
beleum[un]det
 bəˈlɔym[ʊn]dət
Bẹlevi *türk.* 'bɛlɛvi
Bẹlew *bulgar.* 'bɛlɛf
Belfagọr bɛlfaˈɡoːɐ̯
Bẹlfast 'bɛlfa[ː]st, *engl.* bɛl-
 ˈfɑːst, '‒‒
bẹlfern 'bɛlfɐn
Belfiọre *it.* belˈfjoːre
Belfọrt *fr.* bɛlˈfɔːr
Belfọrte *it.* belˈfɔrte
Bẹlfried 'bɛlfriːt, -e ...iːdə
BẸLGA 'bɛlga
Bẹlgard 'bɛlgart, -er ...dɐ
Belgạum *engl.* bɛlˈgaʊm
Bẹlge 'bɛlgə
Bẹlgië *niederl.* 'bɛlxiə
Bẹlgien 'bɛlgjən
Bẹlgier 'bɛlgjɐ
Belgioiọso *it.* beldʒoˈi̯oːso
Bẹlgique *fr.* bɛlˈʒik

bẹlgisch 'bɛlgɪʃ
Bẹlgorod *russ.* 'bjɛlgɐrɐt
Bẹlgorod Dnestrọwski
 russ. 'bjɛlgɐrɐd dnɪsˈtrɔf-
 skij
Bẹlgrad 'bɛlgraːt, -er ...aːdɐ
Belgrạno *span.* bɛlˈɣrano
Belial 'beːli̯al
Bẹlić *serbokr.* ˌbɛːlitɕ
Belice *it.* beˈliːtʃe, *span.*
 beˈliθe
Bẹli Drịm *serbokr.* 'bɛːliː
 'driːm
beliẹbig bəˈliːbɪç, -e ...ɪgə
beliẹbt bəˈliːpt
Belịnda beˈlɪnda, *engl.*
 bɪˈlɪndə
Belịnde beˈlɪndə
Bẹling 'beːlɪŋ
Belịnski *russ.* bɪˈlinskij
Bẹlisar 'beːlizar
Belịtung *indon.* bəˈlitʊŋ
Bẹlius 'beːli̯ʊs
Belize *engl.* bəˈliːz, *span.*
 beˈliθe
Belịzer bəˈliːzɐ
belịzisch bəˈliːzɪʃ
Beljạjew *russ.* bɪˈljajɪf
Belkacẹm *fr.* belkaˈsɛm
belkantiẹren bɛlkanˈtiːrən
Belkạnto bɛlˈkanto
Bẹll *dt., engl.* bɛl
Bẹlla 'bɛla, *it.* 'bɛlla
Bellạc *fr.* bɛˈlak
Belladọnna bɛlaˈdɔna
Belladonnịn bɛladɔˈniːn
Bellạgio *it.* belˈlaːdʒo
Bellaire *engl.* bɛˈlɛə
Bẹllamy *engl.* 'bɛləmɪ, *nie-
derl.* 'bɛlɑmi
Bellange *fr.* bɛˈlɑ̃ːʒ
Bellangé *fr.* bɛlɑ̃ˈʒe
Bellarmịn belarˈmiːn
Bellarmịno *it.* bellarˈmiːno
Bellastrịga bɛlaˈstriːga
Bellạtrix bɛˈlaːtrɪks
Bellavịsta *it.* bellaˈvista
Bellay *fr.* bɛˈlɛ
Bellcaire *span.* bɛlˈkai̯re
Belle-Alliance *fr.* bɛlaˈljãːs
Belleau *fr.* beˈlo
Bellechọse *fr.* bɛlˈʃoːz
Belle Époque *fr.* bɛleˈpɔk
Bellefleur bɛlˈfløːɐ̯
Bellefontaine *engl.* bɛl-
 ˈfaʊntn̩
Bellegambe *fr.* bɛlˈgɑ̃ːb
Bellegarde *fr.* bɛlˈgard
Bẹlle Glade *engl.* 'bɛlgleɪd
Belle-Île *fr.* beˈlil

Belle Isle *engl.* beˈlaɪl
Belle-Ịsle *fr.* beˈlil
Belle Mère, -s -s *fr.* bɛlˈmɛːr
bẹllen, B... 'bɛlən
Belle Rêve *fr.* bɛlˈrɛːv
Bẹllermann 'bɛlɐman
Bellẹrophon beˈleːrofɔn
Belletrịst[ik] bɛleˈtrɪst[ɪk]
Belleville *engl.* 'bɛlvɪl, *fr.*
 bɛlˈvil
Bellevue bɛlˈvyː, *fr.* bɛlˈvyː;
 -n ...yːən
Belley *fr.* bɛˈlɛ
Bẹllheim 'bɛlhai̯m
Bẹlli *it.* 'bɛlli
Bellièvre *fr.* bɛˈljɛːvr
Bellịn beˈliːn
Bellincioni *it.* bellinˈtʃoːni
Bẹlling[en] 'bɛlɪŋ[ən]
Bẹllingham *engl.* 'bɛlɪŋhæm
Bellingshausen bɛlɪŋs-
 ˈhaʊzn̩, '‒‒‒‒
Bellịni *it.* belˈliːni
Bellinzọna *it.* bellinˈtsoːna
Bẹllis 'bɛlɪs
Bellizịst bɛliˈtsɪst
Bẹllman *schwed.* 'bɛlman
Bẹllmer 'bɛlmɐ
Bẹllo 'bɛlo, *span.* 'beʎo, *it.*
 'bɛllo
Bellọc *fr.* beˈlɔk, *engl.* 'bɛlɔk
Bellọna beˈloːna
Bellọri *it.* belˈlɔːri
Bellọtto *it.* belˈlɔtto
Bellovạker beloˈvaːkɐ
Bẹllow[s] *engl.* 'bɛloʊ[z]
Bẹlloy *fr.* bɛlˈwa
Bellụno *it.* belˈluːno
Bellụschi *it.* belˈluski
Bẹllville *engl.* 'bɛlvɪl
Bẹllwood *engl.* 'bɛlwʊd
Belmondọ *fr.* bɛlmõˈdo
Belmọnt *engl.* 'bɛlmɔnt, *fr.*
 bɛlˈmõ
Belmọnte *it.* belˈmonte,
 span. bɛlˈmɔnte, *port.* bɛl-
 ˈmonta, *bras.* bɛlˈmonti
Belmopan *engl.* bɛlmoʊ-
 ˈpæn
Bẹlo *port.* 'bɛlu
belọbigen bəˈloːbɪgn̩, belọ-
 big! ...ɪç, belọbigt ...ɪçt
Bẹloch beˈlɔx
Bẹlo Horizọnte *bras.*
 'bɛloriˈzonti
Bẹloiannisz *engl.* 'bɛloiɔnnis
Belọit *engl.* bɪˈlɔɪt
Belomọrsk *russ.* bɪlaˈmɔrsk
Belorẹzk *russ.* bɪlaˈrjɛtsk
Belorụssija *russ.* bɪlaˈrusijɐ

belorussisch belo'rʊsɪʃ,
auch: 'be:lorʊsɪʃ, 'bɛ...
Belotte *fr.* bə'lɔt
Below 'be:lo, *russ.* 'bjɛlɐf
Belowescher Heide belo-
'vɛʃɐ 'haidə
Belowo *russ.* bɪ'lɔvɐ
Belp bɛlp
Bel-Paese bɛlpa'e:zə
Belriguardo *it.* belri'guardo
Belsazar bɛl'za:tsar
Belschazzar bɛl'ʃatsar
Belsen 'bɛlzn̩
Belševica *lett.* 'bɛlʃevɪtsa
Belt bɛlt
Belton *engl.* 'bɛltən
Beltramelli *it.* beltra'mɛlli
Beltrami *it.* bel'tra:mi
Beltrán *span.* bɛl'tran
Beltrum *niederl.* 'bɛltrəm
Beltschewa *bulgar.* 'bɛl-
tʃevɐ
Beltschin *bulgar.* bɛl'tʃin
Beltsville *engl.* 'bɛltsvɪl
Beltz bɛlts
Belucha *russ.* bɪ'luxɐ
Beluga be'lu:ga
belustigen bə'lʊstɪgn̩,
belustig! ...ɪç, belustigt
...ɪçt
Belutsch[e] be'lu:tʃ[ə],
auch: be'lʊtʃ[ə]
Belutschistan be'lu:tʃɪs-
ta[:]n, *auch:* be'lʊtʃ...
Belvedere bɛlve'de:rə, *it.*
belve'de:re, *engl.* bɛlvɪ'dɪə
Belvidera bɛlvɪ'de:ra
Bely *russ.* 'bjɛlij
Belzanor bɛl'tsa:no:ɐ̯
belzen 'bɛltsn̩
Belzig 'bɛltsɪç
Belzner 'bɛltsnɐ
Belznickel 'bɛltsnɪkl̩
Belzoni *it.* bel'tso:ni
Belzy *russ.* 'bjeljtsɨ
Bem *poln.* bɛm
Bema 'be:ma, -ta -ta
bemächtigen bə'mɛçtɪgn̩,
bemächtig! ...ɪç, bemäch-
tigt ...ɪçt
bemängeln bə'mɛŋln̩
bemänteln bə'mɛntl̩n
bemasten bə'mastn̩
Bemata vgl. Bema
Bembel 'bɛmbl̩
bemehlen bə'me:lən
bemeiern bə'maiɐn
Bemelmans *engl.* 'bi:məl-
mənz
Bembo *it.* 'bɛmbo

Bemfica *port.* bẽ'fikɐ
Bemidji *engl.* bə'mɪdʒɪ
Bemis *engl.* 'bi:mɪs
bemitleiden bə'mɪtlaidn̩,
bemitleid! ...ait
bemittelt bə'mɪtl̩t
Bemme 'bɛmə
bémol be'mɔl
bemoost bə'mo:st
bemüßigen bə'my:sɪgn̩,
bemüßig! ... ɪç, bemüßigt
...ɪçt
bemuttern bə'mʊtɐn
bemützt bə'mʏtst
Ben *dt., engl., fr.* bɛn
benachbart bə'naxba:ɐ̯t
benachrichtigen bə'na:x-
rɪçtɪgn̩, benachrichtig!
...ɪç, benachrichtigt ...ɪçt
benachteiligen bə'na:xtai-
lɪgn̩, benachteilig! ...ɪç,
benachteiligt ...ɪçt
Benaco *it.* be'na:ko
Ben Akiba bɛn a'ki:ba
benamsen bə'na:mzn̩, be-
nams! ...ms, benamst
...mst
benannt bə'nant
benarbt bə'narpt
Benares be'na:rɛs, *engl.*
bɪ'na:rɪz
Benatzky be'natski
benaut bə'naut
Benavente *span.* bena-
'βɛnte
Benbecula *engl.* bɛn'bɛkjʊlə
Ben Bella bɛn 'bɛla
Benbrook *engl.* 'bɛnbrʊk
Benchley *engl.* 'bɛntʃlɪ
Benckendorff 'bɛŋkn̩dɔrf
Bencovich *it.* 'beŋkovitʃ
Benda *dt., tschech.* 'bɛnda,
fr. bẽ'da
Bendavid bɛn'da:fit, ...a:vɪt
Bendemann 'bɛndəman
Bender 'bɛndɐ, *engl.* 'bɛndə
Bendery *russ.* bɪn'dɛrɨ
Bendigo *engl.* 'bɛndɪgoʊ
Bendis 'bɛndɪs
Bendit 'bɛndɪt, *fr.* bɛn'dit
Bendix *dt., engl.* 'bɛndɪks
Bendl 'bɛndl̩
Bendorf 'bɛndɔrf
Bendzin 'bɛntsi:n
bene 'be:ne
Bene Beraq *hebr.* bə'nɛ
'brak
Benecke 'bɛnəkə
Beneckendorff 'bɛnəkn̩dɔrf
benedeien bene'daiən

Benedek 'be:nədɛk, *ung.*
'bɛnɛdɛk
Benedetti bene'dɛti, *it.*
bene'detti, *fr.* benedɛt'ti
Benedetto *it.* bene'detto
Benedict *engl.* 'bɛnɪdɪkt
Benedictionale benedɪk-
tsio'na:lə, ...lien ...ljən
Benedictis bene'dɪktɪs
Benedictsson *schwed.*
.be:nədɪktsɔn
Benedictus bene'dɪktʊs
Benedik[t] 'be:nedɪk[t]
Benedikta bene'dɪkta
Benediktbeuern be:nedɪkt-
'bɔyɐn
Benediktenwand bene-
'dɪktn̩vant
Benediktiner benedɪk'ti:nɐ
Benediktion benedɪk'tsio:n
Benediktus bene'dɪktʊs
Benedix 'be:nedɪks
benedizieren benedi'tsi:rən
Benefaktor bene'fakto:ɐ̯,
-en ...'to:rən
Benefiz bene'fi:ts
Benefiziant benefi'tsiant
Benefiziar benefi'tsia:ɐ̯
Benefiziat benefi'tsia:t
Benefizium bene'fi:tsiʊm,
...ien ...iən
Beneke 'bɛnəkə
Benelli *it.* be'nɛlli
Benelux 'be:nelʊks, *auch:*
bene'lʊks
Beneš *tschech.* 'bɛnɛʃ
Benesch 'bɛnɛʃ
Benešová *tschech.* 'bɛnɛ-
ʃova:
Benet *engl.* 'bɛnɪt
Benét *engl.* bɪ'nei
Benevent bene'vɛnt
Benevento *it.* bene'vɛnto
Benevoli *it.* be'nɛ:voli
Benfeld 'bɛnfɛlt, *fr.* bɛn'fɛld
Benfey 'bɛnfai
Benfica *port.* bẽ'fikɐ
Bengal *engl.* 'bɛŋ'gɔ:l
Bengale[n] bɛŋ'ga:lə[n]
Bengali bɛŋ'ga:li
Bengaline bɛŋga'li:nə
bengalisch bɛŋ'ga:lɪʃ
Bengasi bɛn'ga:zi
Ben-Gavriël *hebr.* bɛn gav-
ri'el
Bengbu *chin.* bəŋbu 34
Bengel 'bɛŋl̩
Bengkalis *indon.* bəŋ'kalɪs
Bengkulu *indon.* bəŋ'kulu
Bengt *schwed.* bɛŋt

Bengtsfors *schwed.* ˌbɛŋts-
fɔrs
Bengtson ˈbɛŋtsɔn
Bengtsson *schwed.* ˌbɛŋkt-
sɔn
Benguela *port.* beŋˈgɛlɐ
Ben Gurion *hebr.* bɛn gurˈjɔn
Ben Hur bɛn ˈhuːɐ̯
Beni *span.* ˈbeni
Beni-Abbès *fr.* beniaˈbɛs
Beni Amer ˈbɛni ˈamɐ
Beniamino *it.* beniˈaˈmiːno
Benicarló *span.* benikarˈlo
Benicasim *span.* benikaˈsim
Benicia *engl.* bɪˈniːʃə
Benický *slowak.* ˈbɛnjitski:
Benidorm *span.* beniˈðɔrm
Benigna beˈnɪɡna
benigne beˈnɪɡnə
Benignität benɪɡniˈtɛːt
Benigno *it.* beˈnɪɲɲo
Benignus beˈnɪɡnʊs
Beni Hasan ˈbɛni ˈhasan
Beni-Mellal *fr.* benimɛlˈlal
Benimm bəˈnɪm
Benin beˈniːn, *engl.* beˈnɪn
Benincasa *it.* beniŋˈkaːsa
Beninner beˈniːnɐ
Bening *niederl.* ˈbeːnɪŋ
beninisch beˈniːnɪʃ
Beni-Ounif *fr.* beniˈnif
Beni-Saf *fr.* beniˈsaf
Benito *it.* beˈniːto
Benitoit benitoˈiːt
Beniuc *rumän.* beˈnjuk
Benjamin ˈbɛnjamiːn, *engl.*
ˈbɛndʒəmin, *fr.* bɛ̃ʒaˈmɛ̃
Benka *slowak.* ˈbɛŋka
Benken[dorf] ˈbɛŋkn̩[dɔrf]
Ben Khedda bɛn ˈkɛda
Benkowski *bulgar.* bɛŋˈkɔfski
Benlliure y Gil *span.* benˈʎiɥre i ˈxil
Ben Lomond *engl.* bɛn ˈloʊmənd
Ben Macdhui *engl.* bɛn məkˈdjuːɪ
ben marcato ˈbɛn marˈkaːto
Benmore *engl.* bɛnˈmɔː
Benn *dt., engl.* bɛn
Benndorf ˈbɛndɔrf
Benne ˈbɛnə
Benneckenstein ˈbɛnəkn̩ʃtai̯n
Benner ˈbɛnɐ
Bennet[t] *engl.* ˈbɛnɪt
Bennettitae bɛnɛtiˈteːə
Ben Nevis *engl.* bɛn ˈnɛvɪs

Bennewitz ˈbɛnəvɪts
Bennigsen ˈbɛnɪçsn̩
Benning[en] ˈbɛnɪŋ[ən]
Benningbroek *niederl.* ˈbɛnɪŋˈbruk
Bennington *engl.* ˈbɛnɪŋtən
Benno ˈbɛno
Bennuss ˈbeːnnʊs
Benny *engl.* ˈbɛnɪ
Benois, ...oit, ...oît *fr.* bəˈnwa
benommen bəˈnɔmən
Benoni *engl.* bəˈnoʊnɪ, *afr.* bəˈnoːniː
benoten bəˈnoːtn̩
Bénoué *fr.* beˈnwe
Benozzo *it.* beˈnɔttso
Benrath ˈbɛnraːt, *fr.* bɛnˈrat
Bensberg ˈbeːnsbɛrk
Bense ˈbɛnzə
Bensenville *engl.* ˈbɛnsnvɪl
Benserade *fr.* bɛ̃ˈsrad
Bensheim ˈbɛnshai̯m
Benson *engl.* bɛnsn
Bent *dän.* benˈd, *engl.* bɛnt
ben tenuto ˈbɛn teˈnuːto
Benthal bɛnˈtaːl
Bentham *engl.* ˈbɛntəm, ...nθəm
Bentheim ˈbɛnthai̯m
benthonisch bɛnˈtoːnɪʃ
Benthos ˈbɛntɔs
Bên Thuy *vietn.* ben θui̯ 24
Bentinck *engl.* ˈbɛntɪŋk
Bentivoglio *it.* bentiˈvɔʎʎo
Bentlage ˈbɛntlaːɡə
Bentley *engl.* ˈbɛntlɪ
Benton *engl.* ˈbɛntən
Bentonit bento ˈniːt
Bentzon *dän.* ˈbendsɔn
Benua *russ.* bɪnuˈa
Benue ˈbeːnu̯ə, *engl.* ˈbeɪnwei̯
Benveniste *fr.* bɛ̃vəˈnist
Benvenuta *it.* benveˈnuːta
Benvenuti *it.* benveˈnuːti
Benvenuto *it.* benveˈnuːto
Benvolio bɛnˈvoːli̯o
Benxi *chin.* bɔnci 31
Benya ˈbɛnja
Benz bɛnts
Benzaldehyd ˈbɛntsˌaldehyːt, -e ...yːdə
benzen ˈbɛntsn̩
Benzidin bɛntsiˈdiːn
Benzin bɛnˈtsiːn
Benzinger ˈbɛntsɪŋɐ
Benzmann ˈbɛntsman
Benzoat bɛntsoˈaːt
Benzoe ˈbɛntsoe

Benzol bɛnˈtsoːl
Benzoyl bɛntsoˈyːl
benzoylieren bɛntsoyˈliːrən
Benzpyren bɛntsˈpyˈreːn
Ben Zwi bɛn ˈtsvi
Benzyl bɛnˈtsyːl
Beo ˈbeːo
beobachten bəˈloːbaxtn̩
Beograd *serbokr.* bɛˈɔɡrad
Beolco *it.* beˈolko
beordern bəˈlɔrdɐn, ...dre ...drə
Beöthy *ung.* ˈbøːti
Beowulf ˈbeːovʊlf
Bepp bɛp
Beppa *it.* ˈbɛppa
Beppe *it.* ˈbɛppe
Beppo *ital., it.* ˈbɛppo
Beppone *it.* bepˈpoːne
Beppu *jap.* beˈppu
bequem[en] bəˈkveːm[ən]
Beran *tschech.* ˈbɛran
Béranger *fr.* beˈraˈʒe
Berapp bəˈrap
berappen bəˈrapn̩
Bérar[d] *fr.* beˈraːr
Berat *alban.* beˈrat
Bérat *fr.* beˈra
beratschlagen bəˈraːtˌʃlaːɡn̩, **beratschlag!** ...aːk, **beratschlagt** ...aːkt
Berau[n] ˈbeːrau̯[n]
Berber (Volksname, Stadt) ˈbɛrbɐ
Berbera ˈbɛrbɐra
Berbérati *fr.* bɛrberaˈti
Berberei bɛrbəˈrai̯
Berberian *engl.* bɔːˈbɛrɪən
Berberin bɛrbəˈriːn
Berberis ˈbɛrbɛrɪs
berberisch ˈbɛrbərɪʃ
Berberitze bɛrbəˈrɪtsə
Berceo *span.* bɛrˈθeo
Berceto *it.* berˈtʃeːto
Berceuse bɛrˈsøːzə
Berchem *fr.* bɛrˈʃɛm, *niederl.* ˈbɛrxəm
Berchet *it.* berˈʃɛ
Berching ˈbɛrçɪŋ
Berchmans *niederl.* ˈbɛrxmɑns
Bercht[a] ˈbɛrçt[a]
Berchtesgaden bɛrçtəsˈgaːdn̩
Berchtold ˈbɛrçtɔlt
Berck *fr.* bɛrk
Berckheyde *niederl.* ˈbɛrkhei̯də
Berditschew *russ.* bɪrˈditʃɪf
Berdjajew *russ.* bɪrˈdjaji̯f

Berdjansk *russ.* bır'djansk
Berdoa 'bɛrdoa
Berea *engl.* bəˈrɪə
berechenbar bəˈrɛçn̩baːɐ̯
Berechia beˈrɛçia
berechtigen bəˈrɛçtɪgn̩,
 berechtigt! ...ɪç, **berech-**
 tigt ...ɪçt
beredsam bəˈreːtzaːm
beredt bəˈreːt
bereedert bəˈreːdɐt
Beregowoi *russ.* bırıgaˈvɔj
bereichern bəˈrai̯çɐn
bereit bəˈrai̯t
bereits bəˈrai̯ts
Bereitschaft bəˈrai̯tʃaft
Berend[t] 'beːrənt
Berengar 'beːrɛŋgar
Bérenger *fr.* berãˈʒe
Berenguer *span.* bereŋˈgɛr
Berenice bereˈniːtsə, *it.*
 bereˈniːtʃe
Bérénice *fr.* bereˈnis
Berenike bereˈniːkə
Berens 'beːrəns
Berent *poln.* 'bɛrɛnt
berenten bəˈrɛntn̩
Beresford *engl.* 'bɛrɪzfəd
Beresina bereˈziːna, *auch:*
 beˈreːzina; *russ.* bırıziˈna
Beresnikj *russ.* bırıznıˈki
Béret *fr.* beˈrɛ
Berettyó *ung.* 'bɛrɛttjo:
¹Berg bɛrk, -e 'bɛrgə
²Berg (Name) *engl. niederl.*
 bɛrx, *schwed.* bærj, *norweg.*
 bærg, *russ.* bjɛrk
Berga 'bɛrga, *span.* 'bɛrɣa
bergab bɛrkˈlap
bergabwärts bɛrkˈlapvɛrts
Bergama *türk.* 'bɛrgama
Bergamasca bɛrgaˈmaska
Bergamasco *it.* berga-
 'masko
Bergamaske bɛrgaˈmaskə
Bergamasker bɛrgaˈmaskɐ
bergamaskisch bɛrgaˈmas-
 kıʃ
Bergamín *span.* bɛrɣaˈmin
Bergamo *it.* 'bɛrgamo
Bergamott... bɛrgaˈmɔt...
Bergamotte bɛrgaˈmɔtə
bergan bɛrkˈlan
Bergander bɛrˈgandɐ
Berganza bɛrˈgantsa, *span.*
 bɛrˈɣanθa
bergauf bɛrkˈlau̯f
bergaufwärts bɛrk-
 ˈlau̯fvɛrts
Bergbom *schwed.* ˌbærjbum

Berge[dorf] 'bɛrgə[dɔrf]
Bergell bɛrˈgɛl
Bergelson *hebr.* 'bɛrgɛlsɔn
bergen 'bɛrgn̩, **bergt** bɛrkt
Bergen 'bɛrgn̩, *niederl.*
 'bɛrɣə, *norw.* 'bærgən
Bergen-aan-Zee *niederl.*
 bɛrɣanaːnˈzeː
Bergenfield *engl.* 'bəːgən-
 fiːld
Bergengruen 'bɛrgŋgryːn
Bergenie bɛrˈgeːniə
Bergen op Zoom *niederl.*
 'bɛrɣə ɔp 'soːm
Berger 'bɛrgɐ, *schwed.* 'bær-
 jər, *engl.* 'bəːgə
Bergerac *fr.* bɛrʒəˈrak
Bergere bɛrˈʒeːrə
Bergerette bɛrʒəˈrɛtə
Bergey *engl.* 'bəːgı
Bergfried 'bɛrkfriːt, -e
 ...iːdə
Berggolz *russ.* bırgˈgɔljts
Bergh *engl.* bəːg, *niederl.*
 bɛrx, *schwed.* bærj
Berghaus 'bɛrkhau̯s
Bergheim 'bɛrkhai̯m
Berghe von Trips 'bɛrgə fɔn
 'trıps
berghoch 'bɛrkhoːx
bergig 'bɛrgıç, -e ...ıgə
bergisch 'bɛrgıʃ
Bergisel bɛrkˈliːz̩l
Bergius 'bɛrgi̯ʊs
Bergkamen bɛrkˈkaːmən
Bergkarabach 'bɛrkkara-
 ˌbax
Berglund *schwed.* ˌbærjlʊnd
Bergman *schwed.* 'bærjman
Bergmann 'bɛrkman, *nie-*
 derl. 'bɛrxman, *engl.* 'bəːg-
 mən
Bergmüller 'bɛrkmylɐ
Bergner 'bɛrgnɐ
Bergneustadt bɛrkˈnɔy̯ʃtat
Bergognone *it.* bergoɲ-
 ˈɲoːne
Bergonzi *it.* berˈgondzi
Bergslagen *schwed.*
 ˌbærjslaːgən
Bergsøe *dän.* 'bɛʁu̯syːˈ
Bergson *fr.* bɛrkˈsɔn
Bergstedt *dän.* 'bɛʁu̯sded
Bergstraße 'bɛrkʃtraːsə
Bergsträßer 'bɛrkʃtrɛːsɐ
Bergström *schwed.* ˌbærj-
 strœm
bergunter bɛrkˈlʊntɐ
Bergzabern 'bɛrktsaːbɐn
Berhampur *engl.* 'bɛrəmpʊɐ̯

Berhard 'bɛrhart
Beriberi beriˈbeːri
Bericht bəˈrıçt
berichtigen bəˈrıçtıgn̩,
 berichtigt! ...ıç, **berichtigt**
 ...ıçt
Berici *it.* 'bɛːritʃi
Berija 'beːrija, *russ.* 'bjerijɐ
Bering 'beːrıŋ, *dän.* 'biːrıŋ,
 engl. 'beːrıŋ
beringen bəˈrıŋən
Berio *it.* 'bɛːri̯o
Bériot *fr.* beˈrjo
Berisha *alban.* beˈriʃa
Berisso *span.* beˈriso
Berit 'beːrıt
Berja *span.* 'bɛrxa
Berk *dt., türk.* bɛrk
Berka 'bɛrka
Berke 'bɛrkə
Berkel 'bɛrkl̩, *niederl.* 'bɛr-
 kəl
Berkeley *England* 'baːklı,
 USA 'bəːklı
Berkelium bɛrˈkeːli̯ʊm
Berkley *engl.* 'bəːklı
Berks *engl.* baːks
Berkshire *engl.* 'baːkʃɪə
Berkutow *russ.* 'bjɛrkutɐf
Berl *dt., fr.* bɛrl
Berlage *niederl.* 'bɛrlaːɣə
Berlanga *span.* bɛrˈlaŋga
Berleburg 'bɛrləbʊrk
Berlengas *port.* bərˈlɛŋgɐʃ
Berlepsch 'bɛrlɛpʃ
Berlewi *poln.* bɛrˈlɛvi, *fr.*
 bɛrleˈvi
Berlichingen 'bɛrlıçıŋən
Berliet *fr.* bɛrˈljɛ
Berlin bɛrˈliːn, *engl. Perso-*
 nenname 'bəːlın, -ˈ-, *Ort in*
 den USA 'bəːlın
Berlinale bɛrliˈnaːlə
Berlinchen bɛrˈliːnçən
Berlind 'bɛrlınt
Berlinde bɛrˈlındə
Berline bɛrˈliːnə
Berliner bɛrˈliːnɐ
berlinerisch bɛrˈliːnərıʃ
berlinern bɛrˈliːnɐn
Berlinghieri *it.* berlıŋˈgi̯ɛːri
Berlingske tidende *dän.*
 'bɛʁlıŋsgə 'tiːðənə
Berlinguer *it.* berlıŋˈgu̯ɛr
berlinisch bɛrˈliːnıʃ
Berlioz *fr.* bɛrˈljoːz
Berlitz 'bɛrlıts
Berlocke bɛrˈlɔkə
Berlusconi *it.* berlusˈkoːni

Berman engl. 'bə:mən, poln.
'bɛrman, russ. 'bjɛrmɐn
Bermange engl. bə:'mã:ʒ
Bermann 'be:rman
Berme 'bɛrmə
Bermejo span. bɛr'mɛxo
Bermeo span. bɛr'meo
Bermuda[s] bɛr'mu:da[s],
engl. bə[:]'mju:də[z]
Bermúdez span. bɛr'muðeθ
Bermudo span. bɛr'muðo
Bern[a] 'bɛrn[a]
Bernabei it. berna'bɛ:i̯
Bernacchi it. ber'nakki
Bernadette fr. bɛrna'dɛt,
engl. be:nə'dɛt
Bernadotte fr. bɛrna'dɔt,
schwed. .bær...
Bernagie niederl. 'bɛrnai̯i
Bernal engl. bə:'næl, bə:nl
Bernald 'bɛrnalt
Bernalda it. ber'nalda
Bernanos fr. bɛrna'no:s
Bernard 'bɛrnart, fr. bɛr-
'na:r, engl. Vorname
'bə:nəd, Familienname
auch: bə:'nɑ:d
Bernarda bɛr'narda
Bernardes port. bər'nardiʃ,
bras. ber'nardis
Bernárdez span. bɛr'narðeθ
Bernardi it. ber'nardi
Bernardin de Saint-Pierre
fr. bɛrnardɛ̃dsɛ̃'pjɛ:r
Bernardino it. bernar'di:no,
span. bɛrnar'ðino
Bernardo it. ber'nardo,
span. bɛr'narðo
Bernardon bɛrnar'dõ:
Bernari it. ber'na:ri
Bernart fr. bɛr'na:r
Bernáth ung. 'bɛrna:t
Bernau 'bɛrnau̯, –'–
Bernauer 'bɛrnau̯ɐ
Bernay fr. bɛr'nɛ
Bernays 'bɛrnai̯s
Bernbrunn 'bɛrnbrʊn
Bernburg 'bɛrnbʊrk, -er
...rgɐ
Berndorf 'bɛrndɔrf
Bernd bɛrnt
Berneck bɛr'nɛk, '––
Berneker 'bɛrnəkɐ
Berner 'bɛrnɐ
Berners engl. 'bə:nəz
Berneuchen bɛr'nɔy̯çən
Bernhard 'bɛrnhart, niederl.
'bɛrnart, schwed. 'bæ:rn-
hard
Bernharda bɛrn'harda

Bernharde bɛrn'hardə
Bernhardi bɛrn'hardi
Bernhardin[e] bɛrnhar-
'di:n[ə]
Bernhardiner bɛrnhar'di:nɐ
Bernhardt 'bɛrnhart, fr.
bɛr'na:r
Bernhart 'bɛrnhart
Bernheim 'bɛrnhai̯m
Bernhild 'bɛrnhɪlt
Bernhilde bɛrn'hɪldə
Berni it. 'bɛrni
Bernicia bɛr'ni:tsi̯a
Bernick 'bɛrnɪk
Bernina bɛr'ni:na, it. ber-
'ni:na
Berning 'bɛrnɪŋ
Bernini it. ber'ni:ni
Bernis fr. bɛr'nis
Bernkastel 'bɛrnkastl̩
Bernlef 'bɛrnlɛf
Berno 'bɛrno
Bernold 'bɛrnɔlt
Bernoulli bɛr'nʊli
Berns niederl. bɛrns
Bernstadt 'bɛrnʃtat
Bernstein 'bɛrnʃtai̯n, fr.
bɛrn'stɛn, engl. 'bə:nstai̯n,
...sti:n
Bernstorff 'bɛrnstɔrf, dän.
'bɛg'nsdɔgf
Bernt bɛrnt
Bernus 'bɛrnʊs
Bernuth 'bɛrnʊt
Bernward 'bɛrnvart
Bero 'be:ro
Béroalde de Berville fr.
beroalddəber'vil
Béroff fr. be'rɔf
Bérol fr. be'rɔl
Berolina bero'li:na
Berolinismus beroli'nɪsmʊs
Beromünster be:ro'mʏnstɐ,
'––––
Berossos be'rɔsɔs
Béroul fr. be'rul
Beroun tschech. 'bɛrou̯n
Berquin fr. bɛr'kɛ̃
Berre fr. bɛ:r
Berrettini it. berret'ti:ni
Berrocal span. bɛrrɔ'kal
Berruguete span. bɛrru-
'ɣete
Berry 'bɛri, fr. bɛ'ri, engl.
'bɛri
Berryman engl. 'bɛrimən
Bersagliere bɛrzal'je:rə, ...ri
...ri
Bersenbrück 'bɛrzn̩brʏk

Berserker bɛr'zɛrkɐ, auch:
'–––
Bersezio it. ber'sɛttsi̯o
Berson 'bɛrzɔn, engl. bə:sn
bersten 'bɛrstn̩
Bert bɛrt, fr. bɛ:r, engl. bə:t
Berta 'bɛrta
Bertaut, ...aux fr. bɛr'to
Berté ung. 'bɛrte:
Bertelsen dän. 'bɛg̯dlsn̩
Bertel[s]mann 'bɛrtl[s]man
Berteroa bɛr'te:roa, ...e'ro:a
Bertha 'bɛrta, engl. 'bə:θə
Berthalda bɛr'talda
Berthe 'bɛrtə
Berthelot fr. bɛrtə'lo
Berthier[s] fr. bɛr'tje
Berthild 'bɛrt[h]ɪlt
Berthilde bɛr'tɪldə, bɛrt-
'hɪldə
Berthold 'bɛrtɔlt, auch:
'bɛrthɔlt
Bertho[l]let fr. bɛrtə'lɛ
Berthoud fr. bɛr'tu
Berti 'bɛrti
Bertie engl. 'bə:tɪ
Bertil schwed. 'bærtil
Bertillon fr. bɛrti'jõ
Bertillonage bɛrtijo'na:ʒə
Bertin fr. bɛr'tɛ̃
Bertina bɛr'ti:na
Bertine bɛr'ti:nə
Bertini it. ber'ti:ni
Bertinoro it. berti'nɔ:ro
Berto dt., it. 'bɛrto
Bertola it. ber'tɔ:la
Bertold 'bɛrtɔlt
Bertoldi it. ber'tɔldi
Bertoldo it. ber'tɔldo
Bertolucci it. berto'luttʃi
Berton fr. bɛr'tõ
Bertoncini it. berton'tʃi:ni
Bertoni it. ber'to:ni
Bertrada bɛrt'ra:da
Bertram 'bɛrtram, engl.
'bə:trəm
Bertran fr. bɛr'trã
Bertrand 'bɛrtrant, fr. bɛr-
'trã, engl. 'bə:trənd
Bertrant fr. bɛr'trã
Bertrich 'bɛrtrɪç
Bertuch 'bɛrtʊx
berüchtigt bə'rʏçtɪçt
berücksichtigen bə'rʏk-
zɪçtɪgn̩, **berücksichtig!**
...ɪç, **berücksichtigt** ...ɪçt
Beruete span. be'ruete
Beruf bə'ru:f
beruhigen bə'ru:ɪgn̩, **beru-
hig!** ...ɪç, **beruhigt** ...ɪçt

berühmt bə'ry:mt
Bérulle *fr.* be'ryl
Beruni be'ru:ni
Berve 'bɛrvə
Bervic *fr.* bɛr'vik
Berwald *schwed.* 'bæ:rvald
Berwanger 'be:ɐvaŋ ɐ
Berwick *engl.* 'bɛrɪk, *USA*
'bɔ:wɪk; *fr.* be'rwik
Berwicke 'bɛrvɪkə
Berwickshire *engl.* 'bɛrɪkʃɪə
Berwiński *poln.* bɛr'viǐski
Berwyn *engl.* 'bɔ:wɪn
Beryl 'be:rɪl, *engl.* 'bɛrɪl
Beryll[ium] be'rYl[ɪʊm]
Berylliose berY'lio:zə
Berytos be'ry:tɔs
Berzelius bɛr'tse:lɪʊs,
schwed. bær'se:lɪʊs
Berzsenyi *ung.* 'bɛrʒɛnji
besagt bə'za:kt
besaiten bə'zaitṇ
besamen bə'za:mən
Besan be'za:n, *auch:*
'be:za:n
Besançon *fr.* bəzã'sõ
besänftigen bə'zɛnftɪɡṇ,
  besänftig! ...ɪç, **besänf-**
  tigt ...ɪçt
Besant *engl.* 'bɛsənt,
'bɛzənt, bɪ'zænt
Besatz[ung] bə'zats[ʊŋ]
Besborodko *russ.* bɪzba-
'rɔtkɐ
beschäftigen bə'ʃɛftɪɡṇ,
  beschäftig! ...ɪç, **beschäf-**
  tigt ...ɪçt
Beschau bə'ʃau
Bescheid bə'ʃait, **-e**
bə'ʃaidə
bescheiden bə'ʃaidṇ, ...dne
...dnə
bescheinigen bə'ʃainɪɡṇ,
  bescheinig! ...ɪç, **beschei-**
  nigt ...ɪçt
Beschir bɛ'ʃi:ɐ
Beschkow *bulgar.* 'bɛʃkof
Beschlächt bə'ʃlɛçt
Beschlag bə'ʃla:k,
  Beschläge bə'ʃlɛ:gə
Beschlagnahme bə'ʃla:k-
na:mə
beschlagnahmen bə'ʃla:k-
na:mən
beschleunigen bə'ʃlɔynɪɡṇ,
  beschleunig! ...ɪç,
  beschleunigt ...ɪçt
Beschmet bɛʃ'mɛt
beschönigen bə'ʃø:nɪɡṇ,

beschönig! ...ɪç, **beschö-**
nigt ...ɪçt
Beschores bə'ʃo:rəs
beschrankt bə'ʃraŋkt
beschriften bə'ʃrɪftṇ
Bescht bɛʃt
beschuhen bə'ʃu:ən
beschuldigen bə'ʃʊldɪɡṇ,
  beschuldig! ...ɪç, **beschul-**
  digt ...ɪçt
Beschwer[de] bə'ʃve:ɐ[də]
beschweren bə'ʃve:rən
Beschwernis bə'ʃve:ɐnɪs,
-se ...ɪsə
beschwichtigen bə'ʃvɪç-
tɪɡṇ, **beschwichtig!** ...ɪç,
  beschwichtigt ...ɪçt
beschwipst bə'ʃvɪpst
beseelen bə'ze:lən
beseitigen bə'zaitɪɡṇ,
  beseitig! ...ɪç, **beseitigt**
...ɪçt
Beseler 'be:zəlɐ
beseligen bə'ze:lɪɡṇ, **bese-**
lig! ...ɪç, **beseligt** ...ɪçt
Besemschon 'be:zmʃo:n
Besen 'be:zṇ
besessen bə'zɛsṇ
besichtigen bə'zɪçtɪɡṇ,
  besichtig! ...ɪç, **besichtigt**
...ɪçt
Besigheim 'be:zɪçhaim
Bésigue be'zi:k
Besik be'zi:k
besinnlich bə'zɪnlɪç
Besitz bə'zɪts
Beskiden bɛs'ki:dṇ
Beskidy *poln.* bɛs'kidɪ
Beskydy *slowak.* 'bɛskidɪ
Beslener bɛs'le:nɐ
Besnard *fr.* be'na:r
Besnier *fr.* bɛ'nje
besoffen bə'zɔfn̩
besolden bə'zɔldṇ, **besold!**
...lt
besonder[s] bə'zɔndɐ[s]
besonnen bə'zɔnən
Besorgnis bə'zɔrknɪs, **-se**
...ɪsə
besorgt bə'zɔrkt
bespiken bə'ʃpaikṇ, bə's...
Bess *engl.* bɛs
Bessarabien bɛsa'ra:biən
Bessarion bɛ'sa:riɔn
Bessel 'bɛsḷ
Besseler 'bɛsələ
Bessemer 'bɛsəmɐ, *engl.*
'bɛsəmə
bessemern 'bɛsəmɐn
Bessenyei *ung.* 'bɛʃɛnjɛi

besser, B... 'bɛsɐ
Bessermäne bɛsɐ'mɛ:nə
bessern 'bɛsɐn
Bessette *fr.* bɛ'sɛt
Bessey, ...ie *engl.* 'bɛsɪ
Bessières *fr.* bɛ'sjɛ:r
Besson 'bɛsɔn, *fr.* bɛ'sõ
Bessos 'bɛsɔs
best... 'bɛst...
Best *dt., engl., niederl.* bɛst
bestallen bə'ʃtalən
bestätigen bə'ʃtɛ:tɪɡṇ,
  bestätig! ...ɪç, **bestätigt**
...ɪçt
bestatten bə'ʃtatṇ
Bestätter bə'ʃtɛtɐ
Bestätterei bəʃtɛtə'rai
beste, B... 'bɛstə
bestechlich bə'ʃtɛçlɪç
Besteck bə'ʃtɛk
Besteder bə'ʃte:dɐ
Besteg bə'ʃte:k, **-e** ...gə
Bestelmeyer 'bɛstḷmaiɐ
bestenfalls 'bɛstṇ'fals
bestens 'bɛstṇs
besternt bə'ʃtɛrnt
Bestiaire *fr.* bɛs'tjɛ:r
bestialisch bɛs'tia:lɪʃ
Bestialität bɛstiali'tɛ:t
Bestiarium bɛs'tia:riʊm,
  ...ien ...iən
Bestie 'bɛstiə
bestiefelt bə'ʃti:fḷt
bestimmt bə'ʃtɪmt
bestirnt bə'ʃtɪrnt
bestmöglich 'bɛst'mø:klɪç
bestoßen bə'ʃto:sṇ
Bestseller 'bɛstzɛlɐ
bestuhlen bə'ʃtu:lən
Bestuschew-Rjumin *russ.*
bɪs'tuʒɔf'rjumin
bestusst bə'ʃtʊst
Besuch bə'zu:x
Bésus *fr.* be'zys
Besymenski *russ.* bɪzɪ-
'mjɛnskij
Bet *engl.* bɛt
Beta 'be:ta
betagt bə'ta:kt
Betain beta'i:n
Betancourt, ...cur *span.*
betaŋ'kur
Betanien be'ta:niən
Betätigung bə'tɛ:tɪɡʊŋ
Betatron 'be:tatro:n
betäuben bə'tɔybn̩,
  betäub! bə'tɔyp, **betäubt**
bə'tɔypt
Betaxin® beta'ksi:n
bête bɛ:t

Bete 'be:tə
Beteigeuze betai'gɔytsə
beteiligen bə'tailɪgn̩, beteilig! ...ıç, beteiligt ...ıçt
Betel 'be:tl̩
beten 'be:tn̩
Betesda be'tɛsda
beteuern bə'tɔyɐn
Beth be:t, engl. bɛθ
Bethanien be'ta:niən
Bethe 'be:tə, engl. 'beıtı
Bethel 'be:tl̩, engl. bɛθl
Bethesda be'tɛsda, engl. bɛ'θɛzdɐ
Bethge 'be:tgə
Bethlehem 'be:tlehɛm, engl. 'bɛθlıhɛm, afr. 'betle:hɛm
bethlehemitisch be:tlehe-'mi:tıʃ
Bethlen ung. 'bɛtlɛn
Bethmann 'be:tman
Bethnal engl. 'bɛθnəl
Bethsaida be'tsaida
Bethulia be'tu:lia
Béthune fr. be'tyn
Bethusy-Huc be'tu:zi'hu:k
Beth Zur 'be:t 'tsu:ɐ
Beti fr. be'ti
betisch 'be:tıʃ
Betise be'ti:zə
Betjeman engl. 'bɛtʃəmən
Betlehem be'tlehɛm
Beton be'tõ:, auch: be'tɔŋ, be'to:n, des -s be'tõ:s, auch: be'tɔŋs, be'to:ns, die -s be'tõ:s, auch: be'tɔŋs, die -e be'to:nə
Betonie be'to:niə
betonieren beto'ni:rən
betonnen bə'tɔnən
betören bə'tø:rən
Betracht bə'traxt
beträchtlich bə'trɛçtlıç
Betrag bə'tra:k, -es ...a:gəs, Beträge bə'trɛ:gə
Betreff bə'trɛf
Betreffnis bə'trɛfnıs, -se ...ısə
betreffs bə'trɛfs
betresst bə'trɛst
betreuen bə'trɔyən
Betrieb bə'tri:p, -e ...i:bə
betrieblich bə'tri:plıç
betriebsam bə'tri:pza:m
betrüblich bə'try:plıç
Betrübnis bə'try:pnıs, -se ...ısə
Betrug bə'tru:k, -es ...gəs
Betrüger bə'try:gɐ
Betrügerei bətry:gə'rai

betrügerisch bə'try:gərıʃ
betrunken bə'trʊŋkn̩
Betschuana be'tʃua:na
Bet Schean hebr. 'bɛt ʃɛ''an
Betsiboka mad. betsi'bukə
Betsileo mad. betsi'leu
Betsy engl. 'bɛtsı
Bett bɛt
Bettag 'be:tta:k
Bettauer 'bɛtauɐ
Bette engl. bɛt
Bettel 'bɛtl̩
bettelarm 'bɛtl̩'|arm
Bettelei bɛtə'lai
Bettelheim 'bɛtl̩haim
betteln 'bɛtl̩n
Betteloni it. bette'lo:ni
betten 'bɛtn̩
Bettendorf engl. 'bɛtndɔ:f
Betterton engl. 'bɛtətn
Betti 'bɛti, it. 'betti
Bettina be'ti:na
Bettine be'ti:nə
Bettinelli it. betti'nɛlli
Bettler 'bɛtlɐ
Bettola it. 'bettola
Betttuch 'bɛttu:x
Bettuch 'be:ttu:x
Betty 'bɛti, engl. 'bɛtı
betucht bə'tu:xt
Betula 'be:tula
Betulaceae betu'la:tsɛɛ
betulich bə'tu:lıç
betusam bə'tu:za:m
betütern bə'ty:tɐn
Betuwe niederl. 'be:tywə
Betz[dorf] 'bɛts[dɔrf]
Beuche 'bɔyçə
beuchen 'bɔyçn̩
Beuckelaer niederl. 'bø:kəla:r
Beuel 'bɔyəl
Beuermann 'bɔyɐman
Beuge 'bɔygə
beugen 'bɔygn̩, beug! bɔyk, beugt bɔykt
Beule 'bɔylə
Beumelburg 'bɔymlbʊrk
beunruhigen bə'|ʊnru:ıgn̩, beunruhig! ...ıç, beunruhigt ...ıçt
beurgrunzen bə'|u:ɐgrʊntsn̩
beurkunden bə'|u:ɐkʊndn̩, beurkund! ...nt
beurlauben bə'|u:ɐlaubn̩, beurlaub! ...laup, beurlaubt ...laupt
Beuron 'bɔyro:n
Beuschel 'bɔyʃl̩
Beust bɔyst

beut bɔyt
Beute 'bɔytə
Beutel 'bɔytl̩
beuteln 'bɔytl̩n
beuten 'bɔytn̩
Beuth[en] 'bɔyt[n̩]
Beuther 'bɔytɐ
Beutler 'bɔytlɐ
Beutner 'bɔytnɐ
Beutnerei bɔytnə'rai
beutst bɔytst
Beuys bɔys
Bevagna it. be'vaɲɲa
Bevan engl. 'bɛvən
Bevatron 'be:vatro:n
Bevensen 'be:vn̩zən
Bever 'be:vɐ, niederl. 'be:vər
Bevergern 'be:vɐgɐrn
Beveridge engl. 'bɛvərıdʒ
Beverl[e]y engl. 'bɛvəlı
Bevern 'be:vɐn
Beverungen bə've:rʊŋən
Beverwijk niederl. be:vər-'wɛik
bevettern bə'fɛtɐn
Bevilacqua it. bevi'lakkua
Bevin engl. 'bɛvın
Bevis 'be:vıs
Bevk slowen. be:uk
bevölkern bə'fœlkɐn
bevor bə'fo:ɐ
bevormunden bə'fo:ɐmʊndn̩, bevormund! ...mʊnt
bevorraten bə'fo:ɐra:tn̩
bevorrechten bə'fo:ɐrɛçtn̩
bevorrechtigen bə'fo:ɐrɛçtıgn̩, bevorrechtig! ...tıç, bevorrechtigt ...tıçt
bevorschussen bə'fo:ɐʃʊsn̩
bevorworten bə'fo:ɐvɔrtn̩
bevorzugen bə'fo:ɐtsu:gn̩, bevorzug! ...u:k, bevorzugt ...u:kt
bewachsen bə'vaksn̩
bewahrheiten bə'va:ɐhaitn̩
bewalden bə'valdn̩, bewald! ...lt
bewaldrechten bə'valtrɛçtn̩
bewältigen bə'vɛltıgn̩, bewältig! ...ıç, bewältigt ...ıçt
bewandert bə'vandɐt
bewandt bə'vant
Bewandtnis bə'vantnıs, -se ...ısə
bewegen bə've:gn̩, beweg! ...e:k, bewegt ...e:kt
beweglich bə've:klıç

beweiben bə'vaibn̩,
 beweib! bə'vaip, beweibt
 bə'vaipt
beweihräuchern bə'vairɔy-
 çɐn
beweinkaufen bə'vain-
 kaufn̩
Beweis bə'vais, -e ...aizə
Bewerb bə'vɛrp, -e ...rbə
bewerkstelligen bə'vɛrk-
 ʃtɛlɪɡn̩, bewerkstellig!
 ...ɪç, bewerkstelligt ...ɪçt
Bewick engl. 'bju:ɪk, bjʊɪk
bewilligen bə'vɪlɪɡn̩, bewil-
 lig! bə'vɪlɪç, bewilligt
 bə'vɪlɪçt
bewillkommnen bə'vɪlkɔm-
 nən
bewimpeln bə'vɪmpl̩n
bewog bə'vo:k, -en
 bə'vo:ɡn̩
bewöge bə'vø:ɡə
Bewuchs bə'vu:ks
Bewundrer bə'vʊndrɐ
bewusst bə'vʊst
Bewusstheit bə'vʊsthait
bewusstlos bə'vʊstlo:s
Bex fr. bɛ
Bexbach 'bɛksbax
Bexhill engl. 'bɛks'hɪl
Bexley engl. 'bɛksli
Bey bai, türk. bei
Beyatlı türk. bejat'lɨ
Beyce Sultan türk. 'beidʒe
 sul'tan
Beyen[s] niederl. 'beiən[s]
Beyer 'baiɐ
Beyeren niederl. 'beiərə
Beyerle 'baiɐlə
Beyerlein 'baiɐlain
Beyle fr. bɛl
Beyme 'baimə
Beyschlag 'baiʃla:k
Beyse 'baizə
Beyşehir türk. 'beiʃɛ.hir
Beza 'be:za
bezastern bə'tsastɐt
Bezau 'be:tsau
Bèze fr. bɛ:z
bezichtigen bə'tsɪçtɪɡn̩,
 bezichtig! ...ɪç, bezichtigt
 ...ɪçt
beziehentlich bə'tsi:əntlɪç
Beziehung bə'tsi:ʊŋ
Béziers fr. be'zje
beziffern bə'tsɪfɐn
Bezirk bə'tsɪrk
bezirzen bə'tsɪrtsn̩
Bezoar betso'a:ɐ
Bezold 'be:tsɔlt, 'bɛtsɔlt

Bezruč tschech. 'bɛzrutʃ
Bezug bə'tsu:k
bezüglich bə'tsy:klɪç
bezuschussen bə'tsu:ʃʊsn̩
bezwecken bə'tsvɛkn̩
Bezzel 'bɛtsl̩
Bezzenberger 'bɛtsn̩bɛrɡɐ
Bhabha engl. 'ba:ba:
Bhadgaon engl. 'bædgaʊn
Bhagalpur engl. 'ba:gəlpʊə
Bhagawadgita bagavat-
 'gi:ta
Bhagawata 'ba:gavata
Bhagvan, ...gwan 'bagvan
Bhaktapur engl. 'bæktəpʊə
Bhakti 'bakti
Bharat 'ba:rat
Bhasa 'ba:za
Bhaskara Atscharja 'ba:s-
 kara a'tʃa:rja
Bhatpara engl. ba:t'pa:rə
Bhavnagar engl. 'baʊnəgə
Bhawabhuti bava'bu:ti
Bhikku 'biku
Bhikschu 'bɪkʃu
Bhil bi:l
Bhiwani engl. bɪ'wa:nɪ
Bhopal engl. boʊ'pa:l
Bhubaneswar engl. bʊbə-
 'neiswə
Bhusawal engl. bʊ'sa:wəl
Bhutan 'bu:tan
Bhutaner bu'ta:nɐ
bhutanisch bu'ta:nɪʃ
Bhutto 'bʊto, engl. 'bʊtoʊ
bi bi:
Biafra 'biafra
biafranisch bia'fra:nɪʃ
Biagio it. 'bia:dʒo
Biak indon. 'biak
Biała-Podlaska poln.
 'bjaṷapɔd'laska
Bialas 'bia:las
Bialik 'bia:lɪk
Bialla 'biala
Białogard poln. bja'ṷɔgart
Białoszewski poln. bjaṷɔ-
 'ʃɛfski
Białowieska Puszcza poln.
 bjaṷɔ'vjɛska 'puʃtʃa
Białowieża poln.
 bjaṷɔ'vjɛʒa
Białystok poln. bja'ṷɪstɔk
Bianca it. 'bianka
Bianchi it. 'bianki
Bianciardi it. bian'tʃardi
Bianco it. 'bianko
Bianka 'bianka
Biarchie biar'çi:, -n ...i:ən
Biard fr. bja:r

Biarritz fr. bja'rits
¹Bias (Name) 'bi:as
²Bias (Vorurteil) 'bi:as,
 auch: 'baiəs
Biasca it. 'biaska
Biathlon 'bi:atlɔn
Biba 'biba
Bibaculus bi'ba:kulʊs
Bibai jap. 'bi.bai
Bibalo it. 'bi:balo
bibbern 'bɪbɐn, bibbre
 'bɪbrə
Bibbiena it. bib'bi̯ɛ:na
Bibby engl. 'bɪbɪ
Bibel 'bi:bl̩
Bibeleskäs 'bɪbələskɛ:s
Bibelot bi'blo:, bibə'lo:
Biber 'bi:bɐ
Biberach 'bi:bərax
Biberbach 'bi:bɐbax
Biberette bibə'rɛtə
Bibergeil 'bi:bɐgail
Biberist 'bi:bərɪst
Bibernelle bi:bɐ'nɛlə
Bibesco fr. bibɛs'ko
Bibescu rumän. bi'besku
Bibiana bi'bia:na
Bibiena it. bi'bi̯ɛ:na
Bibi 'bi:bi
Bibliander bibli'andɐ
Biblia Pauperum 'bi:blia
 'pauperʊm
Bibliognosie bibliogno'zi:
Bibliograf usw. vgl. Biblio-
 graph usw.
Bibliograph biblio'gra:f
Bibliographie bibliogra'fi:,
 -n ...i:ən
bibliographieren bibliogra-
 'fi:rən
bibliographisch biblio'gra:-
 fɪʃ
Biblioklast biblio'klast
Bibliolatrie bibliola'tri:
Bibliolithen biblio'li:tn̩
Bibliologie bibliolo'gi:
Bibliomane biblio'ma:nə
Bibliomanie biblioma'ni:
Bibliomantie biblioman'ti:
Bibliophage biblio'fa:gə
bibliophil biblio'fi:l
Bibliophilie bibliofi'li:
Bibliophobie bibliofo'bi:
Bibliosophie bibliozo'fi:
Bibliotaph biblio'ta:f
Bibliothek biblio'te:k
Bibliothekar bibliote'ka:ɐ
bibliothekarisch bibliote-
 'ka:rɪʃ

Bibliothekographie biblio-
tekogra'fi:
Bibliothekonomie bibliote-
kono'mi:
Bibliotherapie bibliotera'pi:
Biblis 'bi:blɪs
biblisch 'bi:blɪʃ
Biblizismus bibli'tsɪsmʊs
Biblizist bibli'tsɪst
Bibra 'bi:bra
Bibracte bi'braktə
Bibulus 'bi:bʊlʊs
Bicaj *alban.* 'bitsaɪ
Bice *it.* 'bi:tʃe
Bicellaglas bi'tsɛlagla:s
Bicester *engl.* 'bɪstə
Bicêtre *fr.* bi'sɛtr
Bichat *fr.* bi'ʃa
Bich-Khê *vietn.* bik xe 21
bichrom 'bi:kro:m, bi'kro:m
Bichromat 'bi:kroma:t,
bikro'ma:t
Bichromie bikro'mi:
Bichsel 'bɪksl̩
Bicinium bi'tsi:niʊm, ...ien
...iən
Bickbeere 'bɪkbe:rə
Bicocca *it.* bi'kɔkka
¹Bida (Neuerung) 'bɪda
²Bida (Name) *fr.* bi'da, *engl.*
bi:'dɑ:, 'bi:də
Bidasoa *span.* biða'soa
Bidault *fr.* bi'do
Bid[d]eford *engl.* 'bɪdɪfəd
Biddle *engl.* bɪdl̩
Bidens 'bi:dɛns
Bider 'bi:dɐ
biderb bi'dɛrp, -e ...rbə
Bidermann 'bi:dɐman
Bidet bi'de:
Bidon bi'dõ:
Bidonville bidõ'vɪl
Bidschar bi'dʒa:ɐ
Bie bi:
Bié *port.* bɪɛ
Bieberstein 'bi:bɐʃtaɪn
Biebl *dt., tschech.* 'bi:bl̩
Biebrich 'bi:brɪç
Biebrza *poln.* 'bjɛbʒa
Biedenkopf 'bi:dn̩kɔpf
bieder 'bi:dɐ, ...dre ...drə
Biedermann 'bi:dɐman
Biedermeier 'bi:dɐmaɪɐ
Bièfve *fr.* bjɛ:v
Biege 'bi:gə
biegen 'bi:gn̩, **bieg!** bi:k,
biegt bi:kt
biegsam 'bi:kza:m
Biel bi:l
Biela 'bi:la, 'bje:la

Bielawa *poln.* bjɛ'lava
Bielbrief 'bi:lbri:f
Bielefeld 'bi:ləfɛlt, -er ...ldɐ
Bielenstein 'bi:lənʃtaɪn
Bieler 'bi:lɐ
Bielitz 'bi:lɪts
Biella *it.* 'bjɛlla
Bielschowsky bɪl'ʃɔfski
Bielsk[i] *poln.* 'bjɛlsk[i]
Bielsko-Biała *poln.* 'bjɛl-
skɔ'bjaṷa
Bielstein 'bi:lʃtaɪn
bien bjɛ̃:
Bien[e] 'bi:n[ə]
Bienek 'bi:nɛk
Biennen 'bi:nən
Bienewitz 'bi:nəvɪts
Biengen 'bɪŋən
Biên Hoa *vietn.* biən hụa 13
bienn, B... bi'ɛn
biennal biɛ'na:l
Biennale biɛ'na:lə
Bienne *fr.* bjɛn
Biennium bi'ɛniʊm, ...ien
...iən
Bienville *fr.* bjɛ̃'vil, *engl.*
'bjɛnvɪl
Bier bi:ɐ
Bierbaum 'bi:ɐbaṵm
Bierce *engl.* bɪəs
Biere[n] 'bi:rə[n]
bierernst, B... 'bi:ɐ|ɛrnst
Biermann 'bi:ɐman
Biermer 'bi:ɐmɐ
Biernat *poln.* 'bjɛrnat
Biernatzki bɪr'natski
Bierstadt 'bi:ɐʃtat
Bierut *poln.* 'bjɛrut
Bierutów *poln.* bjɛ'rutuf
Bierutowice *poln.* bjɛrutɔ-
'vitsɛ
Bierzunski bjɛr'tsʊnski
Biesbosch *niederl.* 'bizbɔs
Biese 'bi:zə
Biesenthal 'bi:zn̩ta:l
Biesfliege 'bi:sfli:gə
Biesheuvel *niederl.* 'bishø:-
vəl
Biest bi:st
Bieszczady *poln.* bjɛʃ'tʃadɨ
Biet bi:t
bieten 'bi:tn̩
Bietigheim 'bi:tɪçhaɪm
Biff bɪf
bifilar bifi'la:ɐ
Bifokal... bifo'ka:l...
Biforium bi'fo:riʊm, ...ien
...iən
biform bi'fɔrm
Bifurkation bifʊrka'tsi̯o:n

Biga, BIGA 'bi:ga
Bigamie biga'mi:, -n ...i:ən
bigamisch bi'ga:mɪʃ
Bigamist biga'mɪst
Bigarade biga'ra:də
Bigard *engl.* 'bɪgəd
Bigband 'bɪkbɛnt
Bigbang 'bɪk'bɛŋ
Big Ben *engl.* 'bɪg 'bɛn
Big Brother *dt.-engl.* 'bɪk
'braðɐ
Big Business bɪk 'bɪznɪs,
'-'--; *auch:* ...znɛs
Bigeminie bigemi'ni:, -n
...i:ən
Bigge 'bɪgə
Bigg[er]s *engl.* 'bɪg[ə]z
Bighorn *engl.* 'bɪghɔ:n
Biglow Papers *engl.* 'bɪglou
'peɪpəz
Bignon *fr.* bi'ɲõ
Bignonie bɪ'gno:niə
Bigorre *fr.* bi'gɔ:r
Bigos 'bɪgɔs
Bigosch 'bɪgɔʃ
Bigot 'bɪgɔt, *fr.* bi'go
bigott bi'gɔt
Bigotterie bigɔtə'ri:, -n
...i:ən
Bigpoint 'bɪkpɔynt
Bihać *serbokr.* .biha:tɕ
Bihar bi'ha:ɐ, *engl.* bɪ'ha:,
ung. 'bihɔr
Bihari bi'ha:ri, *ung.* 'bihɔri
Bihé *port.* biɛ
Bihlmeyer 'bi:lmaɪɐ
Bihor *rumän.* bi'hor
Bija *russ.* 'bijɐ
bijektiv 'bi:jɛkti:f, *auch:*
bijɛk'ti:f, -e ...i:və
Bijelić *serbokr.* bi.jɛlitɕ
Bijns *niederl.* bɛɪns
Bijou bi'ʒu:
Bijouterie biʒutə'ri:, -n
...i:ən
Bijoutier biʒu'ti̯e:
Bika (Libanon) bi'ka:
Bikaner *engl.* bɪkə'nɪə, '---
Bikarbonat 'bi:karbona:t,
auch: bikarbo'na:t
Bike[r] 'baɪk[ɐ]
Bikini bi'ki:ni, *engl.* bɪ'ki:nɪ
bikollateral bikɔlate'ra:l
Bikompositum 'bi:kɔmpo:-
zitʊm, *auch:* bikɔm'p...,
...ta ...ta
bikonkav bikɔn'ka:f, *auch:*
...kɔŋ..., -e ...a:və
bikonvex bikɔn'vɛks

Bikuspidatus bikʊspi'da:-
tʊs, ...-ti ...ti
bilabial, B... bila'bi̯a:l, *auch:*
'bi:l...
Bilac *bras.* bi'lak[i]
Bilá Hora *tschech.* 'bi:la:
'hɔra
Bilák *slowak.* 'bila:k
Bilalama bila'la:ma
Bilanz bi'lants
bilanzieren bilan'tsi:rən
Bilaspur *engl.* bɪ'la:spʊə
bilateral 'bi:latera:l, *auch:*
bilate'ra:l
Bilateralismus bilatera'lıs-
mʊs
Bilateralium bilate'ra:li̯ʊm,
...lia ...li̯a
Bilaterium bila'te:ri̯ʊm,
...-ia ...i̯a
Bilbais bɪl'bai̯s
Bilbao bɪl'ba:o, *span.* bil'βao
Bilbaşar *türk.* bilbɑ'ʃɑr
Bilboquet bɪlbo'ke:
Bilch bɪlç
Bild bɪlt, **-er** 'bɪldɐ
Bildchen 'bɪltçən
bilden 'bɪldn̩, **bild!** bɪlt
Bilderchen 'bɪldɐçən
Bilderdijk *niederl.* 'bɪldər-
dei̯k
Bilderstürmerei bɪldɐʃtʏr-
mə'rai̯
Bildhauer 'bɪlthau̯ɐ
bildhauern 'bɪlthau̯ɐn
bildhübsch 'bɪlt'hʏpʃ
Bildner 'bɪldnɐ
Bildnerei bɪldnə'rai̯
bildnerisch 'bɪldnərɪʃ
Bildnis 'bɪltnɪs, **-se** ...ɪsə
bildsam 'bɪltza:m
bildschön 'bɪlt'ʃø:n
Bileam 'bi:leam
Bilecik *türk.* 'bilɛdʒik
Bilek 'bi:lɛk
Bilfinger 'bɪlfɪŋɐ
Bilge 'bɪlgə
Bilhana 'bɪlhana
Bilharzie bɪl'hartsi̯ə
Bilharziose bɪlhar'tsi̯o:zə
biliär bi'li̯ɛ:ɐ
bilifer bili'fe:ɐ
Bilin bi'li:n
Bilina *tschech.* 'bi:lina
bilinear biline'a:ɐ, *auch:*
'bi:l...
bilingual bilɪŋ'gu̯a:l, *auch:*
'bi:l...
bilingue, B... bi'lɪŋgu̯ə
bilinguisch bi'lɪŋgu̯ɪʃ

Bilinguismus bilɪŋ'gu̯ɪsmʊs
Bilinguität bilɪŋgui'tɛ:t
biliös bi'li̯ø:s, **-e** ...ø:zə
Bilirubin biliru'bi:n
Bilis 'bi:lɪs
Biliverdin bilivɛr'di:n
Bill *dt., engl.* bɪl
Billancourt *fr.* bijã'ku:r
Billard 'bɪljart, **-e** 'bɪljardə
billardieren bɪljar'di:rən
Billaud *fr.* bi'jo
Billbergie bɪl'bɛrgi̯ə
Bille 'bɪlə
billen 'bɪlən
Billendorf 'bɪləndɔrf
Billerbeck 'bɪlɐbɛk
Billerica *engl.* 'bɪlrɪkə, -'−−
¹Billetdoux (Name) *fr.*
bije'du
²Billetdoux (Liebesbrief)
bije'du:, **des -** ...u:[s], **die -**
...u:s
Billeteur bɪljɛ'tø:ɐ
Billeteuse bɪljɛ'tø:zə
Billett bɪl'jɛt
Billiarde bɪ'li̯ardə
Billie *engl.* 'bɪlɪ
billig 'bɪlɪç, **-e** ...ɪgə
billigen 'bɪlɪgn̩, **billig!** 'bɪlɪç,
billigt 'bɪlɪçt
Billing 'bɪlɪŋ
Billinger 'bɪlɪŋɐ
Billings *engl.* 'bɪlɪŋz
Billion bɪ'li̯o:n
Billiton bɪ'li:tɔn
Billon bɪl'jõ
Billot *fr.* bi'jo
Billows *engl.* 'bɪlouz
Billroth 'bɪlro:t
Billunger 'bɪlʊŋɐ
Billy *engl.* 'bɪlɪ, *fr.* bi'ji
Bilma *fr.* bil'ma
Bilokation bɪloka'tsi̯o:n
Biloxi *engl.* bɪ'lɔksɪ
Bilsenkraut 'bɪlzn̩krau̯t
Bilston *engl.* 'bɪlstən
Bilwiss 'bɪlvɪs
Bilux...® 'bi:lʊks...
bim! bɪm
bim, bam! 'bɪm 'bam
Bimbam 'bɪm'bam
bim, bam, bum! 'bɪm 'bam
'bʊm
Bimester bi'mɛstɐ
Bimetall 'bi:mɛtal
Bimetallismus bimeta'lıs-
mʊs
Bimini *engl.* bɪ'mɪnɪ
Bimmelei bɪmə'lai̯
bimmeln 'bɪml̩n

bimsen 'bɪmzn̩, **bims!** bɪms,
bimst bɪmst
Bimsstein 'bɪmsʃtai̯n
bin bɪn
binar bi'na:ɐ
binär bi'nɛ:ɐ
binarisch bi'na:rɪʃ
Binarismus bina'rɪsmʊs
Binary Digit 'bai̯nəri 'dɪdʒɪt
Binasco *it.* bi'nasko
Bination bina'tsi̯o:n
binational binatsi̯o'na:l
binaural binau̯'ra:l
Binche *fr.* bɛ̃:ʃ
Binchois *fr.* bɛ̃'ʃwa
Binde 'bɪndə
binden 'bɪndn̩, **bind!** bɪnt
Binder 'bɪndɐ
Binderei bɪndə'rai̯
Binding 'bɪndɪŋ
Bin-el-Ouidane *fr.* binɛlwi-
'dan
Binet *fr.* bi'nɛ
Bing *engl.* bɪŋ, *norw.* biŋ
Binge 'bɪŋə
Bingel[kraut] 'bɪŋl̩[krau̯t]
Bingen 'bɪŋən
Binger 'bɪŋɐ, *fr.* bɛ̃'ʒe
Bingerbrück 'bɪŋɐ'brʏk
Bingerville *fr.* bɛ̃ʒɛr'vil
Bingham *engl.* 'bɪŋəm
Binghamton *engl.* 'bɪŋəm-
tən
Bingo 'bɪŋgo
Bingöl *türk.* 'bingœl
Bin Gorion *hebr.* bin gɔr'jɔn
Binh Đinh *vietn.* bin din 36
Binh-Nguyên-Lôc *vietn.* bin
ŋui̯ən lok 31
binieren bi'ni:rən
Biniou bi'nju:
Bink[e]l 'bɪŋkl̩
Binkis *lit.* 'bɪŋkɪs
Binnatal 'bɪnata:l
binnen 'bɪnən
binnenbords 'bɪnənbɔrts
Binnenland 'bɪnənlant
Binnig 'bɪnɪç
Binningen 'bɪnɪŋən
Binode bi'no:də
Binokel bi'no:kl̩, *auch:*
bi'nɔkl̩
binokeln bi'no:kl̩n, *auch:*
bi'nɔkl̩n
binokular, B... binoku'la:ɐ
Binom bi'no:m
binomial bino'mi̯a:l
Binsdorf 'bɪnsdɔrf
Binse 'bɪnzə
Binswanger 'bɪnsvaŋɐ

Bintan *indon.* 'bıntan
Binyon *engl.* 'bınjən
Binz[en] 'bınts[n̩]
bio..., Bio... 'bi:o...
bioaktiv bio|ak'ti:f, *auch:*
'bi:o..., -e ...i:və
Biobibliographie biobiblio-
gra'fi:, -n ...i:ən
Bio-Bio *span.* 'bio'βio
Biochemie biocҫe'mi:
Biochemiker bio'ҫe:mikɐ
biochemisch bio'ҫe:mıʃ
Biochore bio'ko:rə
Biodynamik biody'na:mık
Bioelement 'bi:o|element
biogen, B... bio'ge:n
Biogenese bioge'ne:zə.
biogenetisch bioge'ne:tıʃ
Biogenie bioge'ni:
Biogeographie biogeo-
gra'fi:
biogeographisch biogeo-
'gra:fıʃ
Biogeozönose biogeotsø-
'no:zə
Biograd *serbokr.* 'biɔgra:d
Biograf bio'gra:f
Biografie biogra'fi:, -n
...i:ən
biografisch bio'gra:fıʃ
Biograph usw. vgl. Biograf
usw.
Biokatalysator biokataly-
'za:to:ɐ, -en ...za'to:rən
Bioklimatologie bioklima-
tolo'gi:
Bioko 'bio:ko
Biokovo *serbokr.* 'biɔkɔvɔ
Biolith bio'li:t
Biologe bio'lo:gə
Biologie biolo'gi:
Biologismus biolo'gısmʊs
biologistisch biolo'gıstıʃ
Biolumineszenz biolumi-
nɛs'tsɛnts
Biolyse bio'ly:zə
biolytisch bio'ly:tıʃ
Biom bi'o:m
Biomant bio'mant
Biomantie bioman'ti:
Biometrie biome'tri:
Biometrik bio'me:trık
Biomorphose biomɔr'fo:zə
Biomotor bio'mo:to:ɐ, -en
...mo'to:rən
Bion 'bi:ɔn, *fr.* bjõ
Bionik bi'o:nık
bionisch bi'o:nıʃ
Bionomie biono'mi:
Biontologie biɔntolo'gi:

Biophor bio'fo:ɐ
Biophysik biofy'zi:k
biophysikalisch biofyzi'ka:-
lıʃ
Biopsie biɔ'psi:, -n ...i:ən
Biorheuse bio'rɔyzə
Biörn bjœrn
Biorrheuse biɔ'rɔyzə
Bios 'bi:ɔs
Biosatellit biozatɛ'li:t
Biose 'bio:zə
Bioskop bio'sko:p
Biosphäre bio'sfɛ:rə
Biostratigraphie biostrati-
gra'fi:
Biot *fr.* bjo
Biotar bio'ta:ɐ
Biotechnik bio'tɛҫnık
biotechnisch bio'tɛҫnıʃ
Biotechnologie biotɛҫno-
lo'gi:
Biotin bio'ti:n
biotisch bio'o:tıʃ
Biotit bio'ti:t
Biotop bio'to:p
biotrop bio'tro:p
Biotyp[us] bio'ty:p[ʊs]
Bioy *span.* bioi
biozentrisch bio'tsɛntrıʃ
Biozid bio'tsi:t, -e ...i:də
Biozönologie biotsønolo'gi:
Biozönose biotsø'no:zə
biozönotisch biotsø'no:tıʃ
biped bi'pe:t, -e ...e:də
Bipede bi'pe:də
bipedisch bi'pe:dıʃ
Bipedität bipedi'tɛ:t
bipolar bipo'la:ɐ
Bipolarität bipolari'tɛ:t
Biquadrat 'bi:kvadra:t,
auch: bikva'dra:t
biquadratisch bikva'dra:tıʃ,
auch: 'bi:k...
Biquet bi'ke:
Biran *fr.* bi'rã
Birch bırҫ, *engl.* bə:tʃ
Bircher 'bırҫɐ
Birck bırk
Bird bə:d
Birdie 'bø:ɐdi, 'bœrdi
Birdschand *pers.* bir'dʒænd
Birecik *türk.* 'birɛdʒik
Bireme bi're:mə
Birett bi'rɛt
birg! bırk
Birge 'bırgə
Birger 'bırgɐ, *schwed.* 'birjər
Birgit *dt., schwed.* 'bırgıt
Birgitta bır'gıta, *schwed.*
bir.gita

birgt bırkt
Birjussa *russ.* birju'sa
Birk bırk
Birka *schwed.* .birka
Birkbeck *engl.* 'bə:kbɛk
Birke 'bırkə
birken, B... 'bırkn̩
Birkenau 'bırkənau
Birkenfeld 'bırkn̩fɛlt
Birkenhead *engl.* 'bə:kən-
hɛd
Birket-Smith *dän.* biɐgəð-
'smıð
Bîrlad *rumän.* bır'lad
Birma 'bırma
Birmane bır'ma:nə
birmanisch bır'ma:nıʃ
Birmingham *engl. England*
'bə:mıŋəm, *USA* 'bə:mıŋ-
hæm, ...ŋəm
Birnau 'bırnau
Birne 'bırnə
Birobidschan *russ.* birɐ-
bi'dʒan
Birolli *it.* bi'rɔlli
Biron 'bi:rɔn, *fr.* bi'rõ
Birs bırs
Birsfelden bırs'fɛldn̩
birst bırst
Birt[en] 'bırt[n̩]
Birtwistle *engl.* 'bə:twısl
Biruni bi'ru:ni
Birutsche bi'rʊtʃə
bis bıs
Bisai *jap.* 'bi.sai
Bisam 'bi:zam
Bisbee *engl.* 'bızbı
Biscaya bıs'ka:ja
Bisceglie *it.* biʃ'ʃeʎʎe
bischen 'bıʃn̩
Bischkek *russ.* biʃ'kjɛk
Bischof 'bıʃɔf, *auch:* 'bıʃo:f,
Bischöfe 'bıʃœfə, *auch:*
'bıʃø:fə
Bischoff 'bıʃɔf
Bischoffwerder 'bıʃɔfvɛrdɐ
bischöflich 'bıʃœflıҫ, *auch:*
'bıʃø:flıҫ
Bischofsburg 'bıʃɔfsbʊrk
Bischofsgrün bıʃɔfs'gry:n
Bischofsheim 'bıʃɔfshaim
Bischofshofen bıʃɔfs'ho:fn̩
Bischofskoppe 'bıʃɔfskɔpə
Bischofswerda bıʃɔfs'vɛrda
Bischofswiesen bıʃɔfs-
'vi:zn̩
Bischofszell bıʃɔfs'tsɛl
Bischweiler 'bıʃvailɐ
Bischwiller *fr.* biʃvi'lɛ:r
Bise 'bi:zə

Biseauschliff biˈzoːʃlɪf
Bisektrix biˈzɛktrɪks, ...tri‑
zes ...ˈtriːtse:s
biserial bizeˈrịaːl
biseriert bizeˈriːʁt
Biserta biˈzɛrta
Bisexualität bizɛksụaliˈtɛːt,
auch: ˈbiː...
bisexuell bizɛˈksụɛl, auch:
ˈbiːz...
bisher bɪsˈheːʁ
bisherig bɪsˈheːrɪç, -e ...ɪɡə
Bishop engl. ˈbɪʃəp
Bishop's Stortford engl.
ˈbɪʃəps ˈstɔːfəd
Bisk russ. bijsk
Biskaya bɪsˈkaːja
Biskotte bɪsˈkɔtə
Biskra ˈbɪskra, fr. bisˈkra
Biskuit bɪsˈkviːt, auch: bɪs‑
ˈkụiːt
Biskupiec poln. bisˈkupjɛts
Biskupin poln. bisˈkupin
Bisky ˈbɪski
bislang bɪsˈlaŋ
Bismarck ˈbɪsmark, engl.
ˈbɪzmɑːk
Bismark ˈbɪsmark
bismillah bɪsmiˈlaː
Bismut ˈbɪsmuːt
Bismutit bɪsmuˈtiːt
Bismutum bɪsˈmuːtʊm
Bison ˈbiːzɔn
Bispel ˈbiːspɛl
Bisque fr. bisk
biss, Biss bɪs
Bissagos bɪˈsaːɡɔs
Bissau port. biˈsaụ
bisschen, B... ˈbɪsçən
bissel ˈbɪsḷ
Bissell engl. bɪsl
bissen ˈbɪsṇ
Bissen ˈbɪsṇ, dän. ˈbisṇ
bisserl ˈbɪsɐl
Bissier bɪˈsịe:
Bissière fr. biˈsjɛːr
bissig ˈbɪsɪç, -e ...ɪɡə
Bissing[en] ˈbɪsɪŋ[ən]
Bisson fr. biˈsõ
bist bɪst
Bisten (Lockruf der Hasel‑
henne) ˈbɪstṇ
Bister ˈbɪstɐ
Bisticci it. bisˈtittʃi
Bistolfi it. bisˈtɔlfi
Bistouri bɪsˈtuːri
Bistrița rumän. ˈbistritsa
Bistritz ˈbɪstrɪts
Bistro ˈbistro, auch: bɪsˈtro:
Bistronnet bɪstrɔˈne:

Bistum ˈbɪstuːm, Bistümer
...tyːmɐ
Bisulfat ˈbiːzʊlfaːt, auch:
bizʊlˈfaːt
Bisulfit ˈbiːzʊlfiːt, auch:
bizʊlˈf...
bisweilen bɪsˈvạilən
Biswind ˈbiːsvɪnt
bisyllabisch bizyˈlaːbɪʃ,
auch: ˈbiːz...
Bit[burg] ˈbɪt[bʊrk]
Bitche fr. bitʃ
Biterolf ˈbiːtərɔlf
Bithynien biˈtyːnịən
Bithynier biˈtyːnịɐ
bithynisch biˈtyːnɪʃ
Bitlis türk. ˈbitlis
Bitok biˈtɔk, Bitki ˈbɪtki
Bitola mak. ˈbitɔla
bitonal bitoˈnaːl, auch:
ˈbiːtona:l
Bitonalität bitonaliˈtɛːt,
auch: ˈbiː...
Bitonto it. biˈtonto
Bitsch bɪtʃ
bitte, B... ˈbɪtə
Bittel ˈbɪtḷ
bitten ˈbɪtṇ
bitter ˈbɪtɐ
Bitter ˈbɪtɐ, engl. ˈbɪtə
bitterböse ˈbɪtɐˈbøːzə
bitterernst ˈbɪtɐˈlɛrnst
Bitterfeld ˈbɪtɐfɛlt
Bitterfontein engl. ˈbɪtəfɔn‑
ˈtein
bitterkalt ˈbɪtɐˈkalt
Bitterling ˈbɪtɐlɪŋ
Bitternis ˈbɪtɐnɪs, -se ...ɪsə
bittersüß ˈbɪtɐˈzyːs
Bittner ˈbɪtnɐ
Bitttag ˈbɪttaːk
Bitumen biˈtuːmən, ...mina
...mina
bitumig biˈtuːmɪç, -e ...ɪɡə
bituminieren bitumiˈniːrən
bituminös bitumiˈnøːs, -e
...øːzə
Bituriger biˈtuːriɡɐ
Bitz[ius] ˈbɪts[ịʊs]
bitzeln ˈbɪtsḷn
Biuretreaktion biuˈreːtreak‑
tsịoːn
bivalent bivaˈlɛnt, auch:
ˈbiː...
Bivalenz bivaˈlɛnts, auch:
ˈbiː...
Bivalven biˈvalvṇ
Bivar span. biˈβar
Biwa[k] ˈbiːva[k]
biwakieren bivaˈkiːrən

Bix[by] engl. ˈbɪks[bɪ]
Bixio it. ˈbiksịo
Biya fr. biˈja
bizarr biˈtsar
Bizarrerie bitsarəˈriː, -n
...iːən
Bize ung. ˈbizɛ, fr. biːz
Bizeps ˈbiːtsɛps
Bizerte fr. biˈzɛrt
Bizet fr. biˈzɛ
Bizinie biˈtsiːnịə
bizonal ˈbiːtsona:l
Bizone ˈbiːtsoːnə
bizyklisch biˈtsyːklɪʃ, auch:
ˈbiː...
Bjadulja weißruss. bjɐˈduljɐ
Bjarnhof dän. ˈbjaʁnhɔf
Bjelašnica serbokr. ˌbjɛlaːʃ‑
nitsa
Bjelke ˈbjɛlkə
Bjelovar serbokr. bjɛˌlɔvaːr
Bjerke norw. ˌbjærkə
Bjoner norw. ˈbjuːnər
Björkö schwed. ˌbjœrkøː
Björling schwed. ˌbjœːrliŋ
Björn bjœrn, isl. bjœrdn
Bjørn dän. bjœʁ’, norw.
bjœːrn
Bjørneboe norw. ˌbjœːr‑
nəbuː
Björneborg schwed. bjœrnə‑
bɔrj
Björnson ˈbjœrnzɔn
Bjørnson norw. ˈbjœːrnsɔn
Björnsson isl. ˈbjœsɔn
Blaas blaːs
Blabla blaˈblaː
Blacas d'Aulps fr. blakɑs‑
ˈdoːp
Blache blaxə
Blacher ˈblaxɐ
Black blɛk, engl. blæk
Blackband ˈblɛkbɛnt
Blackbeard engl. ˈblækbɪəd
Blackbottom ˈblɛkbɔtəm
Blackbox ˈblɛkbɔks
Blackburn[e] engl. ˈblæk‑
bəːn
Blackett engl. ˈblækɪt
Blackfeet engl. ˈblækfiːt
Blackfriars engl. blæk'fraiəz
Blackie ˈblɛki, engl. ˈblæki
Blackjack ˈblɛkdʒɛk
Blackmail ˈblɛkmeːl
Blackmore engl. ˈblækmɔː
Blackmur engl. ˈblækmə
Blackout ˈblɛklạut, ’–’–, –’–
Blackpanther dt.- engl.
ˈblɛkˈpɛnθɐ
Blackpool engl. ˈblækpuːl

Blackpower 'blɛk'paʊɐ
Blackstone *engl.* 'blækstən
Blacktongue 'blɛk'taŋ
Blacktown *engl.* 'blæktaʊn
Blackwall 'blækwɔ:l
Blackwater *engl.* 'blæk-
wɔ:tə
Blackwell *engl.* 'blækwəl
Blackwood *engl.* 'blækwʊd
Blacky 'blɛki
bla̱d bla:t, -e 'bla:də
Bla̱de 'bla:də
bla̱ffen 'blafn̩
blä̱ffen 'blɛfn̩
Bla̱ffert 'blafɐt
Bla̱ga *rumän.* 'blaga
Bla̱ge 'bla:gə
blagie̱ren bla'gi:rən
Blagoda̱t *russ.* blɐga'datj
Blago̱ew *bulgar.* blɐ'gɔɛf
Blago̱ewgrad *bulgar.* blɐ-
'gɔɛvgrat
Blago̱i *bulgar.* blɐ'gɔj
Blagowe̱schtschensk *russ.*
blɐga'vjɛʃtʃɪnsk
Bla̱gue 'bla:gə
Blague̱ur bla'gø:ɐ̯
Bla̱he 'bla:ə
blä̱hen 'blɛ:ən
Bla̱hoslav *tschech.* 'blahɔs-
laf
Bla̱iberg *engl.* 'blaɪbə:g
Bla̱ich blaɪç
Blaine *engl.* bleɪn
Blainville *fr.* blɛ̃'vil
Blair *engl.* blɛə
Blais *fr.* blɛ
Bla̱j *rumän.* blaʒ
Bla̱jvajs *slowen.* 'bla:jva:js
Blake *engl.* bleɪk
Blakelock *engl.* 'bleɪklɔk
bla̱ken 'bla:kn̩
blä̱ken 'blɛ:kn̩
Blakey *engl.* 'bleɪkɪ
bla̱kig 'bla:kɪç, -e ...ɪgə
blama̱bel bla'ma:bl̩, ...ble
...blə
Blama̱ge bla'ma:ʒə
Bla̱man *niederl.* 'bla:man
blamie̱ren bla'mi:rən
Blâmont *fr.* blɑ'mõ
Blanc *fr.* blã
Bla̱nca *span.* 'blaŋka
Blanc de Blancs *fr.* blãdə-
blã
Blanc fixe *fr.* blã'fiks
Blanchard *fr.* blã'ʃa:r
Blanche *fr.* blã:ʃ, *engl.*
blɑ:ntʃ, *schwed.* blaŋʃ
Blancheflor blãʃə'flo:ɐ̯

blanchie̱ren blã'ʃi:rən
Blancho̱t *fr.* blã'ʃo
Bla̱nckenburg 'blaŋkn̩bʊrk
Blancmange̱r blãmã'ʒe:
Bla̱nco *span.* 'blaŋko
bla̱nd blant, -e ...ndə
Bland *engl.* blænd
Bla̱nda *dt., isl.* 'blanda
Blandia̱na *rumän.* blan-
di'ana
Blandi̱na blan'di:na
Blandi̱ne blan'di:nə
Blandra̱ta blan'dra:ta
Bla̱nes *span.* 'blanes
bla̱nk blaŋk
Bla̱nk (Leerstelle) blɛŋk
Bla̱nka 'blaŋka
Bla̱nkenberg 'blaŋkn̩bɛrk
Bla̱nkenberge *niederl.*
'blaŋkənbɛryə
Bla̱nkenburg 'blaŋkn̩bʊrk
Blankene̱se blaŋkə'ne:zə
Bla̱nkenhain 'blaŋkn̩hain̩
Blanket 'blɛŋkɪt
Blanke̱tt blaŋ'kɛt
bla̱nko, B... 'blaŋko
Blanqui *fr.* blã'ki
Blanqui̱smus blã'kɪsmʊs
Blanqui̱st blã'kɪst
Blanton *engl.* 'blæntən
Blantyre *engl.* blæn'taɪə
Blanvalet *fr.* blãva'lɛ
Blanza̱t *fr.* blã'za
Bla̱rer 'bla:rɐ
Bla̱rney *engl.* 'blɑ:nɪ
Bla̱s *span.* blas
Blä̱schen 'blɛ:sçən
Bla̱schke 'blaʃkə
Bla̱sco *span.* 'blasko
Bla̱se 'bla:zə
bla̱sen 'bla:zn̩, bla̱s! bla:s,
bla̱st bla:st
Blä̱ser 'blɛ:zɐ
Blaserei̱ bla:zə'raɪ
Bläserei̱ blɛ:zə'raɪ
Blase̱tti *it.* bla'zetti
blasie̱rt bla'zi:ɐ̯t
bla̱sig 'bla:zɪç, -e ...ɪgə
Bla̱sis *it.* 'bla:zis
Bla̱sius 'bla:zjʊs
Bla̱skowitz 'blaskovɪts̩
Blason bla'zõ:
blasonie̱ren blazo'ni:rən
Blasphemi̱e blasfe'mi:, -n
...i:ən
blasphemie̱ren blasfe'mi:-
rən
blasphe̱misch blas'fe:mɪʃ
Blasphemi̱st blasfe'mɪst
bla̱ss blas, blä̱sser 'blɛsɐ

Bla̱ss blas
Blä̱ssbock 'blɛsbɔk
Blä̱sse 'blɛsə
bla̱ssen 'blasn̩
Blä̱sshuhn 'blɛshu:n
blä̱sslich 'blɛslɪç
blä̱st blɛ:st
Blaste̱m blas'te:m
Blastode̱rm blasto'dɛrm
Blastogene̱se blastoge-
'ne:zə
Blasto̱m blas'to:m
Blastome̱re blasto'me:rə
Blastomyko̱se blastomy-
'ko:zə
Blastomyze̱t blastomy'tse:t
Blastophthori̱e blastofto'ri:
Blasto̱porus blasto'po:rʊs
Blastozo̱l blasto'tsø:l
Blastozyt blasto'tsy:t
Bla̱stula 'blastula, ...lae ...lɛ
Bla̱tný *tschech.* 'blatni:
Bla̱tt blat, Blä̱tter 'blɛtɐ
Blä̱ttchen 'blɛtçən
bla̱tten 'blatn̩
Bla̱tter[n] 'blatɐ[n]
blä̱ttern 'blɛtɐn
Bla̱tz blats
Blä̱tz blɛts̩
bla̱u, Bla̱u blau
Bla̱ubart 'blauba:ɐ̯t
Blaubeu̱ren blau'bɔyrən
Blä̱ue 'blɔyə
bla̱uen, B... 'blauən
blä̱uen 'blɔyən
bla̱ugelb 'blaugɛlp
Bla̱ukopf 'blaukɔpf̩
Bla̱uling 'blaulɪŋ
Blä̱uling 'blɔylɪŋ
Blaumanis *lett.* 'blaumanɪs
bla̱urot 'blauro:t
Blåvands Hu̱k *dän.* blo-
væns'hʊg, ...hug
Blavatsky bla'vats̩ki
Blave̱t *fr.* bla'vɛ
Blaydon *engl.* 'bleɪdən
Bla̱ze *fr.* blɑ:z
Bla̱žek *tschech.* 'blaʒɛk
Blazer 'blɛ:zɐ
Blažko̱vá *slowak.* 'blaʃkɔva:
Blech[e] 'blɛç[ə]
blẹchen, B... 'blɛçn̩
Ble̱ckede 'ble:kədə
blẹcken 'blɛkn̩
Ble̱d *slowen.* ble:d
Ble̱dow 'ble:do
Ble̱ek[er] 'ble:k[ɐ]
Ble̱i blai
Ble̱ibe 'blaibə

bleiben 'blaibn̩, **bleib!**
'blaip, **bleibt** blaipt
Bleiberg 'blaibɛrk
Bleibtreu 'blaiptrɔy
Bleiburg 'blaibʊrk
bleich, B... blaiç
Bleiche 'blaiçə
bleichen 'blaiçn̩
Bleicherode blaiçə'ro:də
Bleichert 'blaiçɛt
bleien 'blaiən
bleiern 'blaiɐn
bleischwer 'blai'ʃveːɐ̯
Blekinge schwed. ˌble:kiŋə
Blemyer 'ble:mỹɐ
Blemmyer 'blɛmỹɐ
Blend blɛnt
Blende 'blɛndə
blenden 'blɛndn̩, **blend!**
blɛnt
Blenheim engl. 'blɛnɪm
Blenio it. 'blɛ:nio̯
Blenkinsop engl. 'blɛŋkɪn-
sɔp
Blennadenitis blɛnade'ni:-
tɪs, **...itiden** ...ni'ti:dn̩
Blennorrhagie blɛnɔra'gi:,
-n ...i:ən
Blennorrhö, Blennorrhöe
blɛnɔ'rø:, **...rrhöen** ...'røːən
Blepharitis blefa'ri:tɪs, **...iti-
den** ...ri'ti:dn̩
Blepharochalase blefaro-
ça'la:zə
Blepharoklonus blefaro-
'klo:nʊs, **-se** ...ʊsə
Blepharospasmus blefaro-
'spasmʊs
Blériot fr. ble'rjo
Bléry fr. ble'ri
Bles niederl. blɛs
Blesse dt., niederl. 'blɛsə
blessieren blɛ'siːrən
Blessing 'blɛsɪŋ
Blessur blɛ'suːɐ̯
bleu, B... blø:
Bleuel 'blɔyəl
Bleuler 'blɔylɐ
Bley engl. blaɪ
Bleyer 'blaiɐ
Bleyle 'blailə
blich blɪç
Blicher dän. 'blɪgɐ
Blick blɪk
blicken 'blɪkn̩
Blickensdörfer 'blɪkn̩s-
dœrfɐ
Blida fr. bli'da
blieb bli:p
blieben 'bli:bn̩

Blier fr. bli'e
blies, B... bli:s
bliese 'bli:zə
Blieskastel bli:s'kastl̩
Bligger 'blɪgɐ
Bligh engl. blaɪ
Blimbing indon. 'blɪmbɪŋ
Blimp blɪmp
Blin fr. blɛ̃, span. blin
blind blɪnt, **-e** ...ndə
Blindage blɛ̃'da:ʒə
Blind Date 'blaint 'de:t
Blinde 'blɪndə
Blindekuh 'blɪndəkuː
blindlings 'blɪntlɪŋs
Blindschleiche 'blɪntʃlaiçə
Blini 'bli:ni, 'blɪni
blink blɪŋk
blinken 'blɪŋkn̩
Blinker 'blɪŋkɐ
blinkern 'blɪŋkɐn
blinzeln 'blɪntsl̩n
Bliss engl. blɪs
Blister 'blɪstɐ
blistern 'blɪstɐn
Blitar indon. 'blitar
Blitz blɪts
blitzblank 'blɪts'blaŋk
blitzen 'blɪtsn̩
Blitzesschnelle 'blɪtsəs-
'ʃnɛlə
blitzsauber 'blɪts'zaubɐ
blitzschnell 'blɪts'ʃnɛl
Blitzstein engl. 'blɪtsstain
Blixen dän. 'blɪgsn̩
Bliziński poln. bli'ziski
Blizzard 'blɪzɐt
Bljucher russ. 'bljuxɪr
¹Bloch blɔx, **Blöcher** 'blœçɐ
²Bloch (Name) dt., poln.
blɔx, fr., engl. blɔk, dän.
blɔg
blochen 'blɔxn̩
Blocher 'blɔxɐ
Blochmann 'blɔxman
¹Block blɔk, **Blöcke** 'blœkə
²Block (Name) dt., fr., niederl. blɔk
Blockade blɔ'ka:də
blocken 'blɔkn̩
blockieren blɔ'ki:rən
blockig 'blɔkiç, **-e** ...igə
Blocking 'blɔkɪŋ
Blocksberg 'blɔksbɛrk
Blockx niederl. blɔks
blöd blø:t, **-e** 'blø:də
blöde 'blø:də
Blödel 'blø:dl̩
blödeln 'blø:dl̩n, **...dle** ...dlə
Blödian 'blø:dia̯n

Blödling 'blø:tlɪŋ
blödsinnig 'blø:tzɪnɪç
Bloem blø:m, niederl. blum
Bloemaert niederl. 'blu-
ma:rt
Bloemendaal niederl. 'blu-
mənda:l
Bloemfontein engl. 'blu:m-
fɔn'tein, afr. 'blu:mfɔntain
Bloesch blœʃ
Blohm blo:m
Blois fr. blwa
Blok niederl., russ. blɔk
blöken 'blø:kn̩
Blomberg 'blɔmbɛrk,
schwed. ˌblumbɛrj
Blomdahl schwed. ˌblumda:l
Blomfield engl. 'blɔmfi:ld
Blommaert niederl. 'blɔ-
ma:rt
Blomstedt schwed. ˌblum-
stɛt
blond blɔnt, **-e** ...ndə
¹Blonde (Frau) 'blɔndə
²Blonde (Seidenspitze)
'blɔndə, fr. blõ:d; **-n** ...dn̩
Blondeel niederl. blɔn'de:l
Blondel fr. blõ'dɛl
blondieren blɔn'di:rən
Blondin fr. blõ'dɛ̃
Blondine blɔn'di:nə
Blondy fr. blõ'di
Bloodhound 'blathaunt
Bloody Mary 'bladi 'mɛ:ri
Bloom engl. blu:m
Bloomer 'blu:mɐ
Bloomfield engl. 'blu:mfi:ld
Bloomington engl. 'blu:-
mɪŋtən
Bloomsbury engl.
'blu:mzbəri
Blooteling niederl. 'blo:təlɪŋ
bloß blo:s
Blöße 'blø:sə
Blount engl. blʌnt
Blouson blu'zõ:
Blouson noir, -s -s blu'zõ:
'nɔa:ɐ̯
Blow engl. blou
Blow-out 'blo:laut, -'-
Blow-up 'blo:lap, -'-
Bloy[s] fr. blwa
blubbern 'blubɐn, **...bbre**
...brə
Blücher 'blyçɐ
Bludenz blu:dɛnts
Bluebaby 'blu:be:bi
Bluebox 'blu:bɔks
Bluechip 'blu:'tʃɪp
Bluejeans 'blu:dʒi:ns

Bluemovie 'blu:'mu:vi
Bluenote 'blu:no:t
Blues blu:s
Bluescreen 'blu:skri:n
Blüette, Bluette bly'ɛtə
Bluff blʊf, auch: blaf, blœf
bluffen 'blʊfn̩, auch: 'blafn̩,
  'blœfn̩
blühen 'bly:ən
Blüher 'bly:ɐ
Blühet 'bly:ət
Bluhm engl. blu:m
Bluhme dän. 'blu:mə
Blum blu:m, fr. blum, engl.
  blʊm
Blüm bly:m
Blumauer 'blu:maʊɐ
Blumberg 'blʊmbɛrk,
  'blu:m..., engl. 'blʌmbə:g
Blümchen 'bly:mçən
Blume 'blu:mə, engl. blu:m
Blümelhuber 'bly:ml̩hu:bɐ
Blumenau bras. blume'naʊ
Blumenbach 'blu:mənbax
Blumenberg 'blu:mənbɛrk
Blumenfeld 'blu:mənfɛlt
Blumenholz 'blu:mənhɔlts
Blumenthal 'blu:mənta:l
Blumer 'blu:mɐ
blümerant blymə'rant
Blumhardt 'blu:mhart
Blümlisalp bly:mli'zalp
Blumner 'blʊmnɐ
Blümner 'bly:mnɐ
Blunck blʊŋk
Blunden engl. 'blʌndən
Blunt engl. blʌnt
Bluntschli 'blʊntʃli
Blunze 'blʊntsə
Blüschen 'bly:sçən
Bluse 'blu:zə
Blüse 'bly:zə
blusen 'blu:zn̩, blus! blu:s,
  blust blu:st
blusig 'blu:zɪç, -e ...ɪgə
Blust blu:st
Blut blu:t
¹blutarm (arm an Blut)
  'blu:tlarm
²blutarm (sehr arm) 'blu:t-
  'larm
blutdürstig 'blu:tdʏrstɪç, -e
  ...ɪgə
Blüte 'bly:tə
bluten 'blu:tn̩
Bluter 'blu:tɐ
Blüthner 'bly:tnɐ
blutig 'blu:tɪç, -e ...ɪgə
blutjung 'blu:t'jʊŋ

blutrünstig 'blu:trʏnstɪç, -e
  ...ɪgə
bluttriefend 'blu:ttri:fn̩t
blutwenig 'blu:t've:nɪç
Bly engl. blaɪ
Blyth engl. blaɪ[θ], blaɪð
Blythe engl. blaɪð
Blytheville engl. 'blaɪðvɪl
Blyton engl. blaɪtn
b-Moll 'be:mɔl, auch: '-'-
BMW® be:|ɛm've:
Bo it. bɔ, engl. bɔʊ
Bø bø:, -en 'bø:ən
Bô ung. bø:
Boa 'bo:a
Boabdil boap'dɪl, span.
  boaβ'ðil
BOAC engl. bi:oʊ-eɪ'si:
Boac[o] span. bo'ak[o]
Boanerges boa'nɛrgɛs
Board 'bo:ɐt
Boardinghouse 'bo:ɐdɪŋ-
  haʊs
Boas 'bo:as, engl. 'boʊæz
Boatpeople 'bo:tpi:pl̩
Boa Vista bras. 'boa 'vista,
  port. 'boɐ 'viʃtɐ
¹Bob (Schlitten) bɔp
²Bob (Name) engl. bɔb
bobben 'bɔbn̩, bobb! bɔp,
  bobbt bɔpt
Bobbio it. 'bɔbbio
¹Bobby (Name) 'bɔbi, engl.
  'bɔbɪ
²Bobby (Polizist) 'bɔbi
Bober 'bo:bɐ
Boberg schwed. ˌbu:bærj
Bobigny fr. bɔbi'ɲi
Bobine bo'bi:nə
Bobinet 'bo:binɛt, auch:
  bobi'nɛt
Bobingen 'bo:bɪŋən
Bobinoir bobi'ŋoa:ɐ
Böblingen 'bø:blɪŋən
Böblinger 'bø:blɪŋɐ
Bobo 'bo:bo, span. 'boβo
Bobo-Dioulasso fr. bɔbo-
  djula'so
Boborykin russ. bɐba'rikin
Bóbr poln. bubr
Bobrowski bo'brɔfski
Bobruisk russ. ba'brujsk
Bobsleigh 'bɔpsle
Bobtail 'bɔpte:l
Bocage fr. bɔ'ka:ʒ, port.
  bu'kaʒi
Bocanegra span. boka'ne-
  ɣra
Bocángel span. bo'kaŋxɛl

Boca Raton engl. 'boʊkə
  rə'toʊn
Bocas del Toro span.
  'bokaz ðɛl 'toro
Boccaccino it. bokkat'tʃi:no
Boccaccio bɔ'katʃo, it. bok-
  'kattʃo
Boccalini it. bokka'li:ni
Boccanegra it. bokka-
  'ne:gra
Boccati it. bok'ka:ti
Bocche di Cattaro it.
  'bokke di 'kattaro
Boccherini it. bokke'ri:ni
Bocchus 'bɔxʊs
Boccia 'bɔtʃa
Boccioni it. bot'tʃo:ni
Boch bɔx
Bochara bɔ'xa:ra
Boche bɔʃ
Bocheński poln. bɔ'xɛi̯ski
Bocher 'bɔxɐ
Bochmann 'bɔxman
Bochnia poln. 'bɔxnja
Bocholt dt., niederl. 'bɔxɔlt
Bochum 'bo:xʊm
Bock bɔk, Böcke 'bœkə
Böck bø:k, bœk
bockbeinig 'bɔkbai̯nɪç
Böckchen 'bœkçən
Bockelmann 'bɔkl̩man
böckeln 'bœkl̩n
Bockelson 'bɔkl̩zɔn
bocken 'bɔkn̩
Bockenem 'bɔkənəm
Böckh bø:k
bockig 'bɔkɪç, -e ...ɪgə
Böckler 'bœklɐ
Bocklet 'bɔklɛt
Böcklin 'bœkli:n
Böckser 'bœksɐ
Bockshorn 'bɔkshɔrn
Böckstein 'bœkʃtai̯n
Bockum-Hövel 'bɔkʊm-
  'hø:fl̩
Bocquet fr. bɔ'kɛ
Bocska[y] ung. 'botʃkɔ[i]
Bocuse fr. bɔ'ky:z
Bodaibo russ. bɐdaj'bɔ
Bodart fr. bɔ'da:r
Bodden 'bɔdn̩
Bode 'bo:də
Bodega bo'de:ga
Bodel fr. bɔ'dɛl
Bodelschwingh 'bo:dl̩ʃvɪŋ
Bodelsen dän. 'buðl̩sn̩
Boden 'bo:dn̩, Böden
  'bø:dn̩
Bodenbach 'bo:dn̩bax

Bodenheim 'bo:dṇhaɪm,
engl. 'boʊdnhaɪm
Bodenschatz 'bo:dṇʃats
Bodensee 'bo:dṇze:
Bodenstedt 'bo:dṇʃtɛt
Bodenstein 'bo:dṇʃtaɪn
Bodenwerder bo:dṇ'vɛrdɐ
Bodfeld 'bo:tfɛlt
Bodhisattwa bodi'zatva
bodigen 'bo:dɪgṇ, **bodig!**
...ɪç, **bodigt** ...ɪçt
Bödiker 'bø:dɪkɐ
Bodil *dän.* 'bʊdil
Bodin *fr.* bɔ'dɛ̃
Bödingen 'bø:dɪŋən
Bødker *dän.* 'bʏdgɐ
Bodleian *engl.* 'bɔdlɪən
bodmen bo:dmən
Bodman 'bo:tman
Bodmer 'bo:dmɐ
Bodmerei bo:dmə'raɪ
Bodmershof 'bo:dmɐsho:f
Bodo 'bo:do
Bodø *norw.* ˌbu:dø
Bodolz 'bo:dɔlts
Bodoni *it.* bo'do:ni
Bodrogkeresttúr *ung.*
'bodrokkɛrɛstu:r
Bodrum *türk.* 'bɔdrum
Bodschnurd *pers.*
bodʒ'nu:rd
Bodt *fr.* bɔt
Bødtcher *dän.* 'bʏdgɐ
Body[builder] 'bɔdi[bɪldɐ]
Bodybuilding 'bɔdibɪldɪŋ
Bodycheck 'bɔditʃɛk
Bodydouble 'bɔdidu:bl̩
Bodyguard 'bɔdiga:ɐt
Bodystocking 'bɔdistɔkɪŋ
Bodystyling 'bɔdistaɪlɪŋ
Bodysuit 'bɔdisju:t
Boeck bœk, *niederl.* buk,
norw. bu:k
Boeckl 'bœkl̩
Boegner *fr.* bøg'nɛ:r
Boehm bø:m, *engl.* beɪm,
bə:m
Boehn bø:n
Boehringer 'bø:rɪŋɐ
Boeing 'bo:ɪŋ, *engl.* 'boʊɪŋ
Boelcke 'bœlkə
Boelitz 'bø:lɪts
Boemund 'bo:əmʊnt
Böen vgl. Bö
Boendale *niederl.* 'bunda:lə
Boer[de] *niederl.* 'bu:r[də]
Boere 'bu:rə
Boerhaave *niederl.* 'bu:r-
ha:və
Boesch bœʃ

Boethius bo'e:tsɪʊs, *auch:*
bo'e:tɪʊs, *schwed.* bu'e:tsiʊs
Bœuf *fr.* bœf
Bœuf Stroganoff 'bœf stro-
ga'nɔf
Boeynants *niederl.* 'buɪ-
nɑnts
Bofel 'bo:fl̩
Bofese bo'fe:zə
Boff bɔf
Boffrand *fr.* bɔ'frã
Bofist 'bo:fɪst, *auch:* bo'fɪst
Bofors *schwed.* bu:'fɔrs
Bofu *jap.* 'bo.:fu
Bogaers *niederl.* 'bo:ɣa:rs
Bogalusa *engl.* boʊgə'lu:sə
Bogan *engl.* 'boʊgən
Bogart *engl.* 'boʊga:t
Bogatzky bo'gatski
Boğazköy *türk.* bɔː'azkœj
Boğazkale *türk.* bɔː'azkɑ.lɛ
Bogdan *russ.* bag'dan,
alban. 'bogdan, *serbokr.*
'bɔgda:n, *rumän.* bog'dan
Bogdanow *russ.* bag'danɐf
Bogdanowitsch *russ.* bɐg-
da'nɔvitʃ
böge 'bø:gə
Bogel 'bo:gl̩
Bögelchen 'bø:gl̩çən
bogen 'bo:gṇ
Bogen 'bo:gṇ, **Bögen**
'bø:gṇ
Bogeng 'bo:gɛŋ
Bogey 'bo:gi
Boghead 'bɔkhɛt
bogig 'bo:gɪç, -e ...ɪgə
Bogislaus 'bo:gɪslaʊs
Bogislaw 'bo:gɪslaf
Böglein 'bø:klaɪn
Bogner 'bo:gnɐ
Bognor *engl.* 'bɔgnə
Bogoljubow *russ.* bɐga'lju-
bɐf
Bogoljubowo *russ.* bɐ-
ga'ljubɐvə
Bogomile bogo'mi:lə
Bogomolez *russ.* bɐga'mɔ-
lɪts
Bogomolezserum bogo-
'mɔ:lɛtsze:rʊm
Bogomolow *russ.* bɐga'mɔ-
lɐf
Bogor *indon.* 'bogɔr
Bogorodsk *russ.* bɐga'rɔtsk
Bogorow *bulgar.* bo'gɔrof
Bogota *engl.* bə'goʊtə
Bogotá bogo'ta, *span.*
boɣo'ta
Bogović *serbokr.* 'bɔgɔvitɕ

Bogumil 'bo:gumi:l
Bogumile bogu'mi:lə
Bogusławski *poln.* bɔ-
gu'suafski
Boguszęwska *poln.* bɔgu-
'ʃɛfska
Boguszów *poln.* bɔ'guʃuf
Bogza *rumän.* 'bɔgza
Bohatta bo'hata
Böheim 'bø:haɪm
Boheme bo'e:m, bo'ɛ:m;
auch: bo'he:m, bo'hɛ:m
Bohême *fr.* bɔ'ɛm
Bohemia bo'he:mɪa
Bohemien boe'mɪɛ̃:, *auch:*
bohe...
Bohemist[ik] bohe'mɪst[ɪk]
Bohemund 'bo:əmʊnt
Bohicon *fr.* bɔi'kɔn
Bohinj *slowen.* 'bɔ:xinj
Bohl 'bo:l
Böhl[a] 'bø:l[a]
Bohländer 'bo:lɛndɐ
Böhlau 'bø:laʊ
Bohle 'bo:lə
Böhlen 'bø:lən
Bohley 'bo:laɪ
Böhlig 'bø:lɪç
Bohlin *schwed.* bu'li:n
Böhlitz 'bø:lɪts
Bohm bo:m
Böhm[e] 'bø:m[ə]
böhmakeln 'bø:ma:kl̩n
Böhmen 'bø:mən
Böhmer 'bø:mɐ
Böhmerwald 'bø:mɐvalt
Böhmerwäldler 'bø:mɐ-
vɛltlɐ
böhmisch 'bø:mɪʃ
Böhmisch-Leipa 'bø:mɪʃ-
'laɪpa
Bohn bo:n, *engl.* boʊn
Böhnchen 'bø:nçən
Bohne 'bo:nə
bohnen, B... 'bo:nən
Bohner 'bo:nɐ
bohnern 'bo:nɐn
Bohol *span.* bo'ɔl
Bohomolec *poln.* bɔxɔ'mɔ-
lɛts
Bohorič *slowen.* 'bo:xɔritʃ
Bohr *dän.* buːˈɐ̯
bohren bo:rən
Bohse 'bo:zə
Böhtlingk 'bø:tlɪŋk
Bohumil 'bo:humi:l, *tschech.*
'bɔhumil
Bohuslän *schwed.* ˌbu:hʊs-
lɛ:n
Bohuslav *tschech.* 'bɔhuslaf

Bohuslaw 'bo:huslaf
Boi bɔy
Boian *rumän.* bo'i̯an
Boiardo *it.* bo'i̯ardo
Boie 'bɔyə
Boieldieu *fr.* bɔjɛl'djø, bwa[ɛ]l'djø
bōig 'bø:ɪç, -e ...ɪgə
Boigne *fr.* bwaɲ
Boileau *fr.* bwa'lo
Boiler 'bɔylɐ
Boilly *fr.* bwa'ji
Boiohemum bojo'he:mʊm
Bois *fr.* bwa
Boisbaudran *fr.* bwabo'drã
Boisbriand *fr.* bwabri'ã
Boise *engl.* 'bɔɪsɪ
boisieren bɔa'zi:rən
Boismortier *fr.* bwamɔr'tje
Boisrobert *fr.* bwarɔ'bɛ:r
Bois Rosé *fr.* bwaro'ze
Boisserée bɔasə're:
Boissieu *fr.* bwa'sjø
Boito *it.* 'bɔ:i̯to
Boi[t]zenburg 'bɔytsn̩bʊrk
Bojan *russ.* ba'jan, *bulgar.* bo'jan
Bojana *serbokr.* ˌbɔjana, *bulgar.* bo'janɐ
Bojar bo'ja:ɐ
Bojardo *it.* bo'i̯ardo
Boje 'bo:jə
¹Bojer (kelt. Volk) 'bo:jɐ
²Bojer (norweg. Schriftsteller) *norw.* 'bɔjər
Bojić *serbokr.* ˌbɔ:jitɕ
Bok *engl.* bɔk
Bōk bø:k
Bóka *ung.* 'bo:kɔ
Boka Kotorska *serbokr.* 'bɔka ˌkɔtɔrska:
Bokassa *fr.* bɔ'ka'sa
Bokchoris 'bɔkxɔrɪs
Boker *engl.* 'bɔʊkə
Bokhara bɔ'xa:ra
Bokmål 'bo:kmo:l
Boknafjord *norw.* ˌbukna-fju:r
Boksburg *afr.* 'bɔksbœrx
¹Bol (Tonerdesilikat) bo:l
²Bol (Eigenname) *niederl.* bɔl
Bola 'bo:la
Bøla *norw.* ˌbø:la
Bolama *port.* bu'lɐmɐ
Bolanden 'bo:landn̩
Bolden *engl.* 'bɔʊldən
Boldeşti *rumän.* bol'deʃtj
Boldini *it.* bol'di:ni

Boldrewood *engl.* 'bɔʊldə-wʊd
Bolena *it.* bo'lɛ:na
Bolero bo'le:ro
Boleslaus 'bo:lɛslau̯s
Boleslav 'bo:lɛslaf, *tschech.* 'bɔlɛslaf
Boleslaw 'bo:lɛslaf, *russ.* bɛlɪ'slaf
Bolesław *poln.* bɔ'lɛsu̯af
Bolesławiec *poln.* bɔlɛ-'su̯avjɛts
Bolet *span.* bo'lɛt
Boletus bo'le:tʊs, ...ti ...ti
Boleyn *engl.* bə'lɪn, 'bʊlɪn
Bolgary *russ.* bal'garɨ
Bolger *engl.* 'bɔldʒə
Bolid bo'li:t, -e ...i:də
Bolide bo'li:də
Boliden *schwed.* ˌbu:li:dən
Bolingbroke *engl.* 'bɔlɪŋ-brʊk
Bolintineanu *rumän.* bolin-ti'neanu
Bolivar bo'li:var
Bolívar *span.* bo'liβar
Bolivia *span.* bo'liβi̯a
Bolivianer boli'vi̯a:nɐ
bolivianisch boli'vi̯a:nɪʃ
Boliviano boli'vi̯a:no
Bolivien bo'li:vi̯ən
Bolkart 'bɔlkart
bölken 'boelkn̩
Bolko 'bɔlko
Bolko[w] 'bœlko
Boll bɔl
Bøll bœl
Bolland *niederl.* 'bɔlant, *fr.* bɔ'lã
Bolle 'bɔlə, *fr.* bɔl
Böller 'bœlɐ
böllern 'bœlɐn
Bolletrieholz bole'tri:hɔlts
Bollette bɔ'lɛtə
Bolligen 'bɔligən
Bollnow 'bɔlno
Bollschweiler 'bɔlʃvai̯lɐ
Bollwerk 'bɔlvɛrk
Bolm *engl.* bɔlm
Bolmen *schwed.* 'bɔlmən
Bolo 'bo:lo
Bologna bo'lɔnja, *it.* bo'lɔɲɲa, bo'lɔɲɲa
Bologne *fr.* bɔ'lɔɲ
Bologneser bolɔn'je:zə, *it.* bolɔɲ'ɲe:se
Bologneser bolɔn'je:zɐ
bolognesisch bolɔn'je:zɪʃ
Bolometer bolo'me:tɐ

bolometrisch bolo'me:trɪʃ
Bolos 'bo:lɔs
Boloskop bolo'sko:p
Bolotnikow *russ.* ba'lɔtnikɐf
Bolschaja *russ.* balj'ʃajɐ
Bölsche 'bœlʃə, 'bø:lʃə
Bolschewik bɔlʃe'vɪk, -i ...ki
bolschewisieren bɔlʃevi-'zi:rən
Bolschewismus bɔlʃe'vɪs-mʊs
Bolschewist bɔlʃe'vɪst
Bolschoi bɔl'ʃɔy
Bolsena *it.* bol'se:na, ...'sɛ:na
Bolsener bɔl'ze:nɐ
Bolson bɔl'zo:n, ...zɔn
¹Bolsover (engl. Personenname) *engl.* 'bɔlsouvə
²Bolsover (Ort in Derbyshire) *engl.* 'bɔulzouvə
Bolstad *norw.* 'bulsta
Bolswert *niederl.* 'bɔlswɛrt
Bolt bɔlt, *engl.* boult
Bolte 'bɔltə
Boltenhagen bɔltn̩'ha:gn̩
Bolton *engl.* 'bɔultən
Boltraffio *it.* bol'traffio
Boltz[mann] 'bɔlts[man]
Bolu *türk.* 'bɔlu
Bolus 'bo:lʊs, ...li ...li
Bolváry *ung.* 'bolva:ri
Bolyai 'bɔljai̯, *ung.* 'bo:jɔi
Bolz bɔlts
Bolzano bɔl'tsa:no, *it.* bol-'tsa:no
bolzen, B... 'bɔltsn̩
Bom *niederl.* bɔm
Boma *fr.* bɔ'ma
Bomans *niederl.* 'bo:mans
Bomarzo *it.* bo'martso
Bomätsche 'bo:mɛtʃə
bomätschen 'bo:mɛtʃn̩
Bomba *it.* 'bomba
Bombage bɔm'ba:ʒə
Bombala *engl.* bɔm'ba:lə
Bombard *fr.* bõ'ba:r
Bombarde bɔm'bardə
Bombardement bɔmbar-də'mã:
bombardieren bɔmbar'di:-rən
Bombardon bɔmbar'dõ:
Bombast bɔm'bast
Bombastus bɔm'bastʊs
Bombay 'bombe, *engl.* bɔm-'beɪ
Bombe 'bɔmbə

bomben 'bɔmbn̩, bomb! bɔmp, bombt bɔmpt
bombenfest 'bɔmbn̩fɛst, *sehr fest* '--'-
bombensicher 'bɔmbn̩zɪçɐ, *sehr sicher* '--'--
Bomber *engl.* 'bɔmbɐ
Bomberg *engl.* 'bɔmbɔ:g
bombieren bɔm'bi:rən
bombig 'bɔmbɪç, -e ...ɪgə
Bombilla bɔm'bɪlja
Bombois *fr.* bɔ̃'bwa
Bombus 'bɔmbʊs
Bombykometer bɔmbyko-'me:tɐ
Bomhard 'bɔmhart, -e ...rdə
Bomhart 'bɔmhart
Bomilkar bo'mɪlkar
Bommel 'bɔml̩
Bommerlunder bɔmɐ'lʊndɐ
Bompiani *it.* bom'pia:ni
Bomu 'bo:mu
bon bõ:, bɔŋ
¹Bon (Gutschein) bɔŋ, bõ:
²Bon (Name) *fr.* bõ, *it.* bɔn
Bona 'bo:na
Bona [Dea] 'bo:na ['de:a]
bonaerensisch bonae'rɛn-zɪʃ
bona fide 'bo:na 'fi:də
Bonaire *niederl.* bo'nɛ:r[ə]
Bonald *fr.* bɔ'nald
Bonampak *span.* bonam-'pak
Bonanus bo'na:nʊs
Bonannus bo'nanʊs
Bonanza bo'nantsa, *span.* bo'nanθa
Bonaparte bona'partə, *fr.* bona'part
Bonapartismus bonapar-'tɪsmʊs
Bonapartist bonapar'tɪst
Bonar *engl.* 'bɔnə, *indon.* 'bonar
Bonarelli *it.* bona'rɛlli
Bonascia *it.* bo'naʃʃa
Bonatz 'bo:nats
Bonaventura bonavɛn-'tu:ra, *it.* ...ven...
Bonbon bõ'bõ:, bɔŋ'bɔŋ
Bonbonniere bõbɔ'nie:rə, bɔŋb...
Boncompagni *it.* bɔŋkam-'paɲɲi
Boncour[t] *fr.* bõ'ku:r
¹Bond (Name) *engl.* bɔnd
²Bond (Schuldverschreibung) bɔnt
Bondage 'bɔndɪtʃ

Bondarew *russ.* 'bɔndɐrɪf
Bondartschuk *russ.* bɛn-dar'tʃuk
Bondeli 'bɔndəli
Bonder ® 'bɔndɐ
bondern 'bɔndɐn, bondre 'bɔndrə
Bondeson *schwed.* ˌbun-dəsɔn
Bondeville *fr.* bõd'vil
Bondoukou *fr.* bõdu'ku
Bondur ® *fr.* bõn'du:ɐ̯
Bondy *dt., span.* 'bɔndi, *fr.* bõ'di
Bone *engl.* boʊn, *indon.* 'bone
Bône *fr.* bo:n
Bonebed *engl.* 'boʊnbɛd
Bonelli *it.* bo'nɛlli
Bönen 'bø:nən
Boner 'bo:nɐ
Bonfest 'bo:nfɛst
Bonfigli *it.* bon'fiʎʎi
Bonfini *it.* bon'fi:ni
bongen 'bɔŋən
Bongo 'bɔŋgo, *fr.* bõ'go
Bongor *fr.* bõ'gɔ:r
Bongosi bɔŋ'go:zi
Bongs bɔŋs
Bönhase 'bø:nha:zə
Bonheur *fr.* bɔ'nœ:r
Bonhoeffer 'bo:nhœfɐ, 'bɔn...
Bonhomie bɔno'mi:, -n ...i:ən
Bonhomme bɔ'nɔm
Boni vgl. Bonus
Böni 'bø:ni
Bonifacio *it.* boni'fa:tʃo, *fr.* bɔnifa'sjo, *span.* boni'faθjo
Bonifácio *port.* buni'fasiu, *bras.* boni'fasiu
Bonifatius boni'fa:tsiʊs
Bonifaz boni'fa:ts, *auch:* 'bo:...
Bonifazio *it.* boni'fattsio
Bonifikation bonifika'tsio:n
bonifizieren bonifi'tsi:rən
Bonilla *span.* bo'niʎa
¹Bonin (dt. Name) bo'ni:n
²Bonin (Inseln) *engl.* 'boʊnɪn
Bonington *engl.* 'bɔnɪŋtən
Boninsegna *it.* bonin'seɲɲa
Boniperti *it.* boni'pɛrti
Bonität boni'tɛ:t
bonitieren boni'ti:rən
Bonito bo'ni:to
Bonitur boni'tu:ɐ̯
Bonivard *fr.* bɔni'va:r

Bonjour *fr.* bõ'ʒu:r
Bonmot bõ'mo:
Bonn bɔn
Bonnard *fr.* bɔ'na:r
Bonnassieux *fr.* bɔna'sjø
Bonnat *fr.* bɔ'na
Bonndorf 'bɔndɔrf
Bonne 'bɔnə
Bonnefous *fr.* bɔn'fus
Bonnefoy *fr.* bɔn'fwa
Bønnelycke *dän.* 'bʏnəlygə
Bonner 'bɔnɐ
¹Bonnet (Haube) bɔ'ne:
²Bonnet (Name) *fr.* bɔ'nɛ
Bonnétable *fr.* bɔne'tabl
Bonneterie bɔnɛt[ə]'ri:, -n ...i:ən
Bonneval *fr.* bɔn'val
Bonneville *fr.* bɔn'vil
Bonnier *schwed.* 'bɔnjər
Bönnigheim 'bœnɪçhaɪm
Bonny *engl.* 'bɔnɪ
Bonnot *fr.* bɔ'no
Bono *it.* 'bɔ:no
Bonomelli *it.* bono'mɛlli
Bonomi[ni] *it.* bo'nɔ:mi[ni]
Bononcini *it.* bonon'tʃi:ni
Bonporti *it.* bom'pɔrti
Bonsai 'bɔnzai
Bonsels 'bɔnzls
Bonsignori *it.* bonsiɲ'ɲo:ri
Bonstetten 'bo:nʃtɛtn̩, *fr.* bõnstɛ'tɛn
Bonte 'bɔntə
Bontempi *it.* bon'tɛmpi
Bontempelli *it.* bontem-'pɛlli
Bontemps *fr.* bõ'tã
Bontje 'bɔntjə
Bontoc *span.* bɔn'tɔk
Bonus 'bo:nʊs, Boni 'bo:ni
Bonvalot *fr.* bõva'lo
Bonvesin *it.* bonve'zin
Bonvicino *it.* bonvi'tʃi:no
Bonvin *fr.* bõ'vɛ̃
Bonvivant bõvi'vã:
Bonynge *engl.* 'bɔnɪŋ
Bonze 'bɔntsə
Bonzokratie bɔntsokra'ti:, -n ...i:ən
Boo *norw.* bu:
Boofke 'bo:fkə
Boogie-Woogie 'bugi'vʊgi
Böök *schwed.* bø:k
Booker *engl.* 'bʊkə
Booklet 'bʊklɪt
Boole *engl.* bu:l
¹Boom bu:m
²Boom (Name) *niederl.* bo:m

boomen 'buːmən
Boomtown 'buːmtaʊn
Boon *niederl.* boːn, *engl.*
buːn
Boone *engl.* buːn
Boos boːs
Boosey *engl.* 'buːzɪ
Booster 'buːstɐ
¹**Boot** (Nachen) boːt
²**Boot** (Name; Schuh) *engl.*
buːt
Bootchen 'boːtçən
booten 'buːtn̩
Bootes boˈoːtɛs
Booth boːt, *engl.* buːθ
Boothby *engl.* 'buːðbɪ
Boothe *engl.* buːð, buːθ
Boothia *engl.* 'buːθɪə
Böötien bøˈoːtsiən
Böötier bøˈoːtsiɐ
böötisch bøˈoːtɪʃ
Bootle *engl.* buːtl
Bootlegger 'buːtlɛgɐ
Boots buːts
Bop bɔp
Bopfingen 'bɔpfɪŋən
Bophuthatswana *engl.*
boʊpuːtaːt'swaːnə
Bopp[ard] 'bɔp[art]
Boppe 'bɔpə
Boppo 'bɔpo
Boquerón *span.* bokeˈrɔn
¹**Bor** (Element) boːɐ̯
²**Bor** (Name) *russ., tschech.,*
slowen., niederl., türk. bɔr,
serbokr. bɔːr
Bór *poln.* bur
Bora 'boːra
Boraccia boˈratʃa
Borachio boˈraːkio
Borago boˈraːgo
Borah *engl.* 'bɔːrə
Boran boˈraːn
Boraner boˈraːnɐ
Borås *schwed.* buˈroːs
Borasdschan *pers.*
boraz'dʒaːn
Borat boˈraːt
Borax 'boːraks
Borazit boraˈtsiːt
Borazol boraˈtsoːl
Borba *port.* 'bɔrbɐ, *bras.*
'bɔrba, *serbokr.* ˌbɔrba
Borchardt 'bɔrçart
Borchers 'bɔrçɐs
Borchert 'bɔrçɐt
Borchgrevink *norw.* ˌbɔrk-
greˈvɪŋk
Borck[e] 'bɔrk[ə]
Bord bɔrt, -e …rdə

Borda 'bɔrda, *fr.* bɔrˈda
Börde 'bœrdə
¹**Bordeaux** (Stadt) bɔrˈdoː,
fr. bɔrˈdo
²**Bordeaux** (Wein) bɔrˈdoː,
des - …'doː[s], **die** - …'doːs
bordeaux[rot] bɔrˈdoː[roːt]
Bordelaiser bɔrdəˈlɛːzɐ
Bordelese bɔrdəˈleːzə
Bordell bɔrˈdɛl
bördeln 'bœrdl̩n, …**dle** …dlə
Borden *engl.* bɔːdn
Bordereau bɔrdəˈroː
Bordero bɔrdəˈroː
Borderpreis 'bɔrdɐpraɪs
Bordet *fr.* bɔrˈdɛ
Bordewijk *niederl.* 'bɔrdə-
wɛik
bordieren bɔrˈdiːrən
Bordighera *it.* bordiˈgɛːra
Bordj-bou-Arrerridj *fr.*
bɔrdʒbuareˈridʒ
Bordolo 'bɔrdolo
Bordone *it.* bɔrˈdoːne
Bordoni *it.* bɔrˈdoːni
bordorot bɔrˈdoːroːt
Borduas *fr.* bɔrˈdɥaːs
Bordun bɔrˈduːn
Bordüre bɔrˈdyːrə
Bore 'boːrə, *engl.* bɔː
Boreade boreˈaːdə
boreal, B… boreˈaːl
Boreas 'boːreas
Borée boˈreː
Borel *fr.* bɔˈrɛl, *niederl.*
boˈrɛl
Borelli *it.* boˈrɛlli
Boretsch 'boːrɛtʃ
¹**Borg** (Name) bɔrk, *schwed.*
bɔrj, *engl.* bɔːg
²**Borg** (auf -; Ferkel) bɔrk,
-e …rgə
Borgå *schwed.* 'bɔrgoː
Børge *dän.* 'bœɐ̯ɡə
borgen 'bɔrgn̩, **borg!** bɔrk,
borgt bɔrkt
Borgen *norw.* ˌbɔrgən
Borgentreich 'bɔrgn̩traɪç
Borger *niederl.* 'bɔrɣər,
engl. bɔːgə
Borgerhout *niederl.* bɔrɣər-
'hoʊt
Borges *span.* 'bɔrxes
Borgese *it.* bɔrˈdʒeːse
Borghese *it.* bɔrˈgeːse
Borghesisch bɔrˈgeːzɪʃ
Borgholm *schwed.* ˌbɔrjhɔlm
Borgholz 'bɔrkhɔlts
Borgholzhausen bɔrkhɔlts-
'haʊzn̩

Borghorst 'bɔrkhɔrst
Borgia *it.* 'bɔrdʒa
Borgianni *it.* bɔrˈdʒanni
Borgis 'bɔrgɪs
Borglum *engl.* 'bɔːgləm
Borgo *it.* 'bɔrgo
Borgognone *it.* borgɔɲ-
'ɲoːne
Borgou *fr.* bɔrˈgu
Borgu 'bɔrgu
Borgund *norw.* ˌbɔrgʉn
Borgward 'bɔrkvart
Bori *span.* 'bori
Borid boˈriːt, -e …iːdə
Borinage *fr.* bɔriˈnaːʒ
Boris 'boːrɪs, *russ.* baˈris,
bulgar. boˈris
Boris Godunow 'boːrɪs
goˈduːnɔf, *russ.* baˈris
gʉdʉˈnɔf
Borislaw *russ.* bɛriˈslaf, *bul-*
gar. borɪˈslaf
Borissoglebsk *russ.* bɛri-
saˈgljɛpsk
Borissow *russ.* baˈrisɛf
Borissowitsch *russ.* baˈrisɛ-
vitʃ
Borissowka *russ.* baˈrisɛfkɛ
Borissowna *russ.* baˈri-
sɛvnɛ
Borja *span.* 'bɔrxa
Börjeson *schwed.* ˌbœrjəsɔn
Bork[e] 'bɔrk[ə]
Borken 'bɔrkn̩
Borkenau 'bɔrkənaʊ
Borkenstein 'bɔrkn̩ʃtaɪn
Borkh bɔrk
Borkou *fr.* bɔrˈku
Borku 'bɔrku
Borkum 'bɔrkʊm
Borlänge *schwed.* ˌbɔːrlɛŋə
Borlaug *engl.* 'bɔːlɔːg
Børli *norw.* 'bœːrli
Borman *niederl.* 'bɔrman,
engl. 'bɔːmən
Bormann 'bɔːɡman
Bormio *it.* 'bormio, 'bɔr…
Borms *niederl.* bɔrms
Born *dt., fr.* bɔrn
Borna 'bɔrna
Børne 'bœrnə
Bornefeld 'bɔrnəfɛlt
Bornemann 'bɔrnəman
Bornemissza *ung.* 'bɔrnɛ-
missɔ
Borneo 'bɔrneo
Borneol bɔrneˈoːl
Borner 'bɔrnɛ
Börner 'bœrnɛ
Bornhak 'bɔrnhak

Bornheim 'bɔrnhai̯m
Bornholm bɔrn'hɔlm, *dän.*
  bɔg̍n'hɔl'm
Bornhöved bɔrn'hø:fət
Bornier *fr.* bɔr'nje
borniert bɔr'ni:ɐ̯t
Bornit bɔr'ni:t
Bornkamm 'bɔrnkam
Bornova *türk.* 'bɔrnɔvɑ
Bornu 'bɔrnu
Borobudur *indon.* boro'bu-
  dʊr
Borodin boro'di:n, *russ.*
  bɐra'din
Borodino *russ.* bɐrɐdi'nɔ
Borоević bo'rо:evit͡ʃ
Boron *fr.* bɔ'rõ
Borough *engl.* 'bʌrə
Borovský *tschech.* 'bɔrɔfski:
Borowikowski *russ.* bɐrɐvi-
  'kɔfskij
Borowitschi *russ.* bɐrɐvi'tʃi
Borowski *poln.* bɔ'rɔfski
Borraginaceae bɔragi'na:-
  t͡seɛ
Borrago bɔ'ra:go
Borrassá *kat.* burrə'sa
Borreby *dän.* 'bɔrəby:'
Borrelia bɔ're:li̯a
Borrelie bɔ're:li̯ə
Borreliose[n] bɔre'li̯o:z[n̩]
Borretsch 'bɔrɛt͡ʃ
Borrhaus 'bɔrhau̯s
Borrhus 'bɔrhu:s
Borries 'bɔri̯əs
Börries 'bœri̯əs
Borris *dt., engl.* 'bɔrɪs
Borromäerin bɔro'mɛ:ərɪn
borromäisch bɔro'mɛ:ɪʃ
Borromäus bɔro'mɛ:ʊs
Borromeo *it.* borro'mɛ:o
Borromini *it.* borro'mi:ni
Borrow *engl.* 'bɔrou̯
Borşa *rumän.* 'bɔrʃa
Borsalino® bɔrza'li:no
Borsche 'bɔrʃə
Borschomi *russ.* bar'ʒɔmi
Borschtsch bɔrʃtʃ
Börse 'bœrzə
Borsec *rumän.* 'borsek
Borsi *it.* 'borsi
Börsianer bœr'zi̯a:nɐ
Borsig 'bɔrzɪç
Borsja *russ.* 'bɔrzjə
Borso *it.* 'borso
Börssum 'bø:ɐ̯sʊm
Borst bɔrst
Borstal *engl.* 'bɔ:stl
Borste 'bɔrstə
borstig 'bɔrstɪç, -e ...ɪgə

Börtchen 'bœrt͡çən
Borte 'bɔrtə
Borten *norw.* ˌburtən
Bortkiewicz bɔrt'ki̯e:vɪtʃ
Bort-les-Orgues *fr.* bɔr-
  le'zɔrg
Bortnjanski *russ.*
  bart'njanskij
Bortnyik *ung.* 'bortnjik
Borudscherd *pers.* bo-
  ru'd͡ʒerd
Borusse bo'rʊsə
Borussia bo'rʊsi̯a
Borvin 'bɔrvɪn
Borysthenes bo'rystenɛs
Börzsöny *ung.* 'børʒønj
Bos bo:s, *niederl.* bɔs
bös bø:s, -e 'bø:zə
Bosa 'bo:za
Bosanquet *engl.* 'bouznkɪt
Bosanski Brod, - Novi,
  - Šamac *serbokr.*
  ˌbosanski: 'brɔ:d, - 'nɔvi:,
  - 'ʃamat͡s
Bosatsu 'bo:zat͡su, bo'zat͡su
Bosau 'bo:zau̯
Bosboom *niederl.* 'bɔzbo:m
Boscán *span.* bɔs'kan
Bosch bɔʃ, *niederl.* bɔs, *kat.*
  bɔsk
böschen 'bœʃn̩
Boschilow *bulgar.* bo'ʒilof
Böschung 'bœʃʊŋ
Boschvogel *niederl.* 'bɔsfo:-
  ɣəl
Bosco *fr.* bɔs'ko, *it.* 'bɔsko
Boscoli *it.* 'bɔskoli
Boscoreale *it.* boskore'a:le
böse, B... 'bø:zə
Bose 'bo:zə, *engl.* bous
Bösendorfer 'bø:zn̩dɔrfɐ
Bosetzky bo'zɛt͡ski
Bösewicht 'bø:zəvɪçt
boshaft 'bo:shaft
Bosilj *serbokr.* ˌbɔsi:lj
Bösing 'bø:zɪŋ
Bosio *fr.* bo'zjo, *it.* 'bɔ:zi̯o
Boskett bɔs'kɛt
Boskoop *niederl.* 'bɔsko:p
Boskop 'bɔskɔp
Bošković *serbokr.* 'bɔʃkɔvit͡ɕ
Boskovsky bɔs'kɔfski
Bosman *engl.* 'bɔsmən
Bosna *serbokr.* 'bɔsna
Bosniake bosni'a:kə
Bosnickel 'bo:snɪkl̩
Bosnien 'bɔsni̯ən
Bosnier 'bɔsni̯ɐ
Bosnigl 'bo:snɪgl̩
bosnisch 'bɔsnɪʃ

Boso 'bo:zo
Boson 'bo:zɔn, -en bo'zo:-
  nən
Bosper 'bɔspɐ
bosporanisch bɔspo'ra:nɪʃ
Bosporus 'bɔsporʊs
Bosquet *fr.* bɔs'kɛ
Bosruck 'bo:srʊk
Boss bɔs
Bossangoa *fr.* bɔsaŋgɔ'a
Bossa Nova 'bɔsa 'no:va
Bosschaert *niederl.* 'bɔs-
  xa:rt
Boßdorf 'bɔsdɔrf
Bosse 'bɔsə, *fr.* bɔs
Boßel 'bo:sl̩
bosselieren bɔsə'li:rən
bosseln 'bɔsln̩
boßeln 'bo:sln̩
Bossert 'bɔsɐt
Boßhard, ...t 'bɔshart
Bossi *it.* 'bɔssi
Bossier City *engl.* 'bouʒə
  'sɪti
bossieren bɔ'si:rən
Bossuet *fr.* bɔ'sɥɛ
Bost *fr.* bɔst
Bostana bɔs'ta:na
Bostel 'bɔstl̩
Bostella bɔs'tɛla
Boston 'bɔstɔn, *engl.* 'bɔs-
  tən
Bostra 'bɔstra
Boström *schwed.* ˌbu:strœm
Boswash *engl.* 'bɔswɔʃ
Boswell *engl.* 'bɔzwəl
Bosworth *engl.* 'bɔzwə[:]θ
bot bo:t
Bot bɔt
Botallo *it.* bo'tallo
Botanik bo'ta:nɪk
Botaniker bo'ta:nikɐ
botanisch bo'ta:nɪʃ
botanisieren botani'zi:rən
Botany *engl.* 'bɔtənɪ
Bötchen 'bø:t͡çən
Bote 'bo:tə
böte 'bø:tə
Botel bo'tɛl
Botelho *port.* bu'teʎu
Botero *it.* bo'tɛ:ro, *span.*
  bo'tero
Botew *bulgar.* 'bɔtɛf
Botewgrad *bulgar.*
  'bɔtɛvgrat
Botez *rumän.* bo'tez
Both *niederl.* bɔt
Botha *afr.* 'bo:ta
Bothe 'bo:tə
Bothmer 'bo:tmɐ

Botho 'bo:to
Bothwell *engl.* 'bɔθwəl
Botjow *bulgar.* 'bɔtjɔf
Botkin *russ.* 'bɔtkin
Boto 'bo:to, *span.* 'boto, *fr.* bɔ'to
Botokude boto'ku:də
Botoşani *rumän.* boto'ʃanj
Botrange *fr.* bɔ'trã:ʒ
Botryomykose botryomy-'ko:zə
Botsaris *neugr.* 'bɔtsaris
Bŏtsch bø:tʃ
Botschaft 'bo:tʃaft
Botsuana bɔ'tsua:na
Botswana bɔ'tsva:na
Bott bɔt
Botta *it.* 'bɔtta, *fr.* bɔ'ta
Bottai *it.* bɔt'ta:i̯
Böttcher 'bœtçɐ
Böttcherei bœtçə'rai̯
Bottega bɔ'te:ga
Bottelier bɔtə'li:ɐ̯
Botten[g]rube[r] 'bɔtn̩[g]ru:b[ɐ]
Bottenhavet *schwed.* ˌbɔtənhɑ:vət
Bottenwiek 'bɔtn̩vi:k
Botter 'bɔtɐ
Bottesini *it.* botte'zi:ni
Böttger 'bœtgɐ
Botticelli *it.* botti'tʃɛlli
Bottich 'bɔtɪç
Böttlicher 'bœtɪçɐ
Botticini *it.* botti'tʃi:ni
Botticino *it.* botti'tʃi:no
Böttiger 'bœtɪgɐ, *schwed.* ˌbœtigər
Bottine bɔ'ti:nə
Bottleneck 'bɔtl̩nɛk
Bottler 'bɔtlɐ
Bottlerei bɔtlə'rai̯
bottnisch 'bɔtnɪʃ
Botto *slowak.* 'bɔtɔ
Bottomley *engl.* 'bɔtəmlɪ
Bottoms *engl.* 'bɔtəmz
Bottrop 'bɔtrɔp
Bottschild 'bɔtʃɪlt
Botucatu *bras.* botuka'tu
Botulismus botu'lɪsmʊs
Botwinnik *russ.* bat'vinnik
Botwood *engl.* 'bɔtwʊd
Bouaké *fr.* bwa'ke
Bouar *fr.* bwa:r
Bouarfa *fr.* bwar'fa
Boubker *fr.* bub'kɛ:r
Bouchard *fr.* bu'ʃa:r
Bouchardon *fr.* buʃar'dõ
Bouché, Boucher *fr.* bu'ʃe
Bouchée bu'ʃe:

boucherisieren buʃəri'zi:-rən
Bouches-du-Rhône *fr.* buʃ-dy'ro:n
Bouchet *fr.* bu'ʃɛ
Bouchor *fr.* bu'ʃɔ:r
Boucicault *fr.* busi'ko, *engl.* 'bu:sɪkoʊ
Boucicaut *fr.* busi'ko
Bouclé bu'kle:
Boudier *niederl.* bu'di:r
Boudin *fr.* bu'dɛ̃
Boudoir bu'dɔa:ɐ̯
Boudry *fr.* bu'dri
Boué *fr.* bwe
Boufarik *fr.* bufa'rik
Bouffioulx *fr.* bu'fju
Boufflers *fr.* bu'flɛ:r
Bouffonnerie bufɔnə'ri:, -n ...i:ən
Bougainville *engl.* 'bu:gən-vɪl, *fr.* bugɛ̃'vil
Bougainvillea bugɛ̃'vɪlea
Bougeant *fr.* bu'ʒã
Boughton *engl.* bautn
[1]Bougie (Dehnsonde) bu'ʒi:
[2]Bougie (Name) *fr.* bu'ʒi
bougieren bu'ʒi:rən
Bougram, Bougran bu'grã:
Bouguer *fr.* bu'gɛ:r
Bouguereau *fr.* bu'gro
Bouhélier *fr.* bue'lje
Bouhours *fr.* bu'u:r
Bouilhet *fr.* bu'jɛ
Bouillabaisse, -s buja'bɛ:s
Bouillé *fr.* bu'je
Bouillet *fr.* bu'jɛ
[1]Bouillon (Brühe) bʊl'jõ:, bʊl'jɔŋ, bu'jõ:
[2]Bouillon (Name) *fr.* bu'jõ
bouillonieren bʊljo'ni:rən, *auch:* buj...
Bouilly *fr.* bu'ji
Boujad *fr.* bu'ʒad
Boulainvilliers *fr.* bulɛ̃vi'lje
Boulanger *fr.* bulã'ʒe
Boulangerit bulãʒə'ri:t
Boulder *engl.* 'bouldə
Boule bu:l
Boulenger *fr.* bulã'ʒe
Boulette bu'lɛtə
Boulevard bulə'va:ɐ̯
Boulevardier buləvar'dje:
boulevardisieren buləvar-di'zi:rən
Boulez *fr.* bu'lɛ:z
Boulle *fr.* bul
Boullongne *fr.* bu'lɔŋ
Boulogne bu'lɔŋjə, *fr.* bu'lɔŋ

Boulogner bu'lɔŋjɐ
Boulogne-sur-Mer *fr.* bulɔŋsyr'mɛ:r
[1]Boulonnais bulɔ'nɛ:, des - ...ɛ:[s], die - ...ɛ:s
[2]Boulonnais (Landschaft) *fr.* bulɔ'nɛ
Boulonnaise bulɔ'nɛ:zə
Boult *engl.* boʊlt
Boulton *engl.* 'boʊltən
Boumann 'ba̯uman
Boumedien[n]e *fr.* bume'd-jɛn
Bou Mort *span.* bo̯u'mɔr
Bounce ba̯uns
bouncen 'ba̯unsn̩
Bountiful *engl.* 'ba̯untɪfʊl
Bounty *engl.* 'ba̯untɪ
Bouquet bu'ke:
Bouquet garni, -s -s bu'ke: gar'ni:
Bouquinist buki'nɪst
Bour *fr.* bu:r
Bourbaki *fr.* burba'ki
Bourbon *fr.* bur'bõ, *engl.* 'bɔ:bən
Bourbone bur'bo:nə
bourbonisch bʊr'bo:nɪʃ
Bourbonnais *fr.* burbɔ'nɛ, *engl.* bʊəboʊ'neɪ, bɔ:'boʊ-nɪs
Bourbons *fr.* bur'bõ
Bourchier 'bœrtʃɪɐ, *engl.* 'ba̯ʊtʃə
Bourdaloue *fr.* burda'lu
Bourdelle[s] *fr.* bur'dɛl
Bourdet *fr.* bur'dɛ
Bourdichon *fr.* burdi'ʃõ
[1]Bourdon (Orgelpfeife) bur'dõ:
[2]Bourdon[s] (Name) bur'dõ
Bourem *fr.* bu'rɛm
Bourette bu'rɛtə
Bourg (Ortsname) *fr.* burk
Bourg-en-Bresse *fr.* burk-ã'brɛs
bourgeois bʊr'ʒo̯a, -e ...'ʒo̯a:zə
Bourgeois bʊr'ʒo̯a, *fr.* bur'ʒwa, des - ...a[:s], die - ...a:s
Bourgeoisie bʊrʒo̯a'zi:, -n ...i:ən
Bourges *fr.* burʒ
Bourget *fr.* bur'ʒɛ
Bourgiba bʊr'gi:ba
Bourgogne bʊr'gɔnjə, *fr.* bur'gɔŋ

Bourgognino bʊrgɔnˈjiːno, *it.* burgoɲˈɲiːno
Bourgoin-Jallieu *fr.* burgwɛ̃ʒaˈljø
Bourguiba *fr.* burgiˈba
Bourienne *fr.* buˈrjɛn
Bourke *engl.* bəːk
Bourmont *fr.* burˈmõ
Bourne *engl.* bʊən, bɔːn, bəːn
Bournemouth *engl.* ˈbɔːnməθ
Bournonville *dän.* buɐnɔŋˈvil
Bournville *engl.* ˈbɔːnvɪl
Bourrée bʊˈreː
Bourrette bʊˈrɛtə
Boursault *fr.* burˈso
Bourscheid ˈbuːɐʃait
Bourtanger Moor ˈbuːɐtaŋɐ ˈmoːɐ
Bourvil *fr.* burˈvil
Bous buːs
Bousoño *span.* boʊˈsoɲo
Bousouki buˈzuːki
Bousset *fr.* buˈsɛ
Boussinesq *fr.* busiˈnɛsk
Boussingault *fr.* busɛ̃ˈgo
Bousso *fr.* buˈso
Boutade buˈtaːdə
Bouteille buˈtɛːjə, ...ˈtɛljə
Boutens *niederl.* ˈbʊɐtəns
Bouterwek ˈbautɐveːk
Boutique buˈtiːk, -n ...kn̩
Bouton buˈtõː
Boutonniere butəˈnjeːrə
Boutros ˈbuːtrɔs
Boutroux *fr.* buˈtru
Bouts *niederl.* bʊɐts
Bouverie, La *fr.* labuˈvri
Bouvet *fr.* buˈvɛ
Bouvier *fr.* buˈvje
Bouvines *fr.* buˈvin
Bouzouki buˈzuːki
Bøv *dän.* bøʊ'
Bova *it.* ˈbɔːva
Bovary *fr.* bɔvaˈri
Bové *fr.* bɔˈve
Boveri boˈveːri
Bovet *fr.* bɔˈvɛ
Bovidae ˈboːvidɛ
bovin boˈviːn
Bovino *it.* boˈviːno
Bovio *it.* ˈbɔːvi̯o
Bovist ˈboːvɪst, boˈvɪst
Bovovakzin bovovakˈtsiːn
Bøw *engl.* boʊ
Bowden *engl.* boʊdn, baʊdn
Bowdenzug ˈbaʊdn̩tsuːk

Bowdi[t]ch *engl.* ˈbaʊdɪtʃ
Bowdler *engl.* ˈbaʊdlə
Bowen *engl.* ˈboʊɪn
Bowes *engl.* boʊz
Bowie *engl.* ˈboʊɪ
Bowiemesser ˈboːvimɛsɐ
Bowle ˈboːlə
bowlen ˈboːlən
Bowler ˈboːlɐ
Bowles *engl.* boʊlz
Bowling ˈboːlɪŋ
Bowman *engl.* ˈboʊmən
Bowstring... ˈboːstrɪŋ...
Box bɔks
Boxberg ˈbɔksbɛrk
Boxcalf ˈbɔkskalf, *auch:* ˈbɔkskaːf
Boxe ˈbɔksə
boxen ˈbɔksn̩
Boxer ˈbɔksɐ
Boxin bɔˈksiːn
Boxitogorsk *russ.* bɐksitaˈgɔrsk
Boxkalf ˈbɔkskalfl, *auch:* ...kaːf
Boy bɔy, *poln.* bɔj
Boyacá *span.* bojaˈka
Boyce *engl.* bɔɪs
Boycott *engl.* ˈbɔɪkɔt
Boyd *engl.* bɔɪd
Boydell *engl.* bɔɪˈdɛl
Boyden *engl.* bɔɪdn
Boye *schwed.* ˌbɔjə
Boyen ˈbɔyən
Boyer *fr.* bwaˈje, *engl.* ˈbɔɪə
Boyesen *engl.* ˈbɔɪɪsn
Boyet *fr.* bwaˈjɛ
Boyfriend ˈbɔyfrɛnt
Bô Yin Râ bojɪnˈraː
Boykott bɔyˈkɔt
boykottieren bɔykɔˈtiːrən
Boyle *engl.* bɔɪl
Boylesve *fr.* bwaˈlɛːv
Boyne *engl.* bɔɪn
Boyneburg ˈbɔynəbʊrk
Boynton *engl.* ˈbɔɪntn
Boyscout ˈbɔyskaʊt
Boyson *norw.* ˈbɔjsɔn
Boz *engl.* bɔz
Bozeman *engl.* ˈboʊzmən
Bozen ˈboːtsn̩
Božena *tschech.* ˈbɔʒɛna
Božić *serbokr.* ˈbɔːʒitɕ
Božidarović *serbokr.* bɔʒiˌdaːrɔvitɕ
Boznańska *poln.* bɔzˈnai̯ska
Bozoum *fr.* boˈzum
Bozzetto bɔˈtsɛto
Braak *niederl.* braːk
Braaten *norw.* ˈbroːtən

Brabançonne *fr.* brabãˈsɔn
Brabançons *fr.* brabãˈsõ
Brabander *niederl.* ˈbraːbandər
Brabant braˈbant, *niederl.* ˈbraːbant, *fr.* braˈbã
Brabantio braˈbantsi̯o
Brabazon *engl.* ˈbræbəzn
brabbeln ˈbrabl̩n, brabble ˈbrablə
Brabham *engl.* ˈbræbəm
Brač *serbokr.* braːtʃ
Braça ˈbrasa
Bracci *it.* ˈbrattʃi
Bracciano *it.* bratˈtʃaːno
Braccio *it.* ˈbrattʃo
Bracciolini *it.* brattʃoˈliːni
Bracco *it.* ˈbrakko
brach braːx
Brache ˈbraːxə
bräche ˈbrɛːçə
Bracher ˈbraːxɐ
Brachet ˈbraːxət
brachial braˈxi̯aːl
Brachialgie braxi̯alˈgiː, -n ...iːən
Brachiatoren braxi̯aˈtoːrən
Brachiopode braxi̯oˈpoːdə
Brachistochrone braxɪstoˈkroːnə
Brachmann ˈbraxman
Brachmonat ˈbraːxmoːnat
Brachse ˈbraksə
Brachsen ˈbraksn̩
Bracht braxt
brachte ˈbraxtə
brächte ˈbrɛçtə
Brachvogel ˈbraːxfoːgl̩
brachydaktyl braxydakˈtyːl
Brachydaktylie braxydakˈtyːliː, -n ...iːən
Brachygenie braxygeˈniː, -n ...iːən
Brachygnathie braxygnaˈtiː, -n ...iːən
Brachygraphie braxygraˈfiː
brachykatalektisch braxykataˈlɛktɪʃ
Brachykatalexe braxykataˈlɛksə
brachykephal braxykeˈfaːl
Brachylalie braxylaˈliː
Brachylogie braxyloˈgiː, -n ...iːən
Brachypnoe braxyˈpnoːə
brachystyl braxyˈstyːl
Brachysyllabus braxyˈzylabus, ...syllaben ...ˈlaːbn̩
brachyzephal braxytseˈfaːl

Brachyzephalie braxytse-
fa'li:, -n ...i:ən
Brack[e] 'brak[ə]
Brackel 'bra:kļ
bracken 'brakņ
Bracken engl. 'brækən
Brackenheim 'braknhạim
Brackenridge engl. 'bræ-
kənrɪdʒ
Brackett engl. 'brækɪt
brackig 'brakɪç, -e ...ɪgə
Bräckin 'brɛkɪn
brackisch 'brakɪʃ
Brackmann 'brakman
Bracknell engl. 'bræknəl
Brackwede brak've:də
Bracque fr. brak
Bracquemond fr. brak'mõ
Brad rumän. brad
Bradamante it. brada-
'mante
Bradano it. 'bra:dano
Bradbury engl. 'brædbərɪ
Braddock engl. 'brædək
Braddon engl. brædn
Brade engl. breɪd
Bradenton engl. 'breɪdntən
Bradford engl. 'brædfəd
Bradlaugh engl. 'brædlɔ:
Bradley engl. 'brædlɪ
Bradshaw engl. 'brædʃɔ:
Bradstreet engl. 'brædstri:t
Bradūnas lit. bra'du:nas
Bradwardine engl. 'bræd-
wədi:n
Brady engl. 'breɪdɪ
Bradyarthrie bradyļar'tri:,
-n ...i:ən
Bradykardie bradykar'di:,
-n ...i:ən
Bradykinesie bradykine'zi:,
-n ...i:ən
Bradykinin bradyki'ni:n
Bradylalie bradyla'li:, -n
...i:ən
Bradyphrasie bradyfra'zi:,
-n ...i:ən
Bradyphrenie bradyfre'ni:,
-n ...i:ən
Bradypnoe brady'pno:ə
Bradypus 'bra:dypʊs
Braekeleer niederl. 'bra:kə-
le:r
Braemar engl. breɪ'mɑ:
Braga port. 'brayɐ
Bragaglia it. bra'gaʎʎa
Bragança port. brɐ'ɣẽsɐ
Brägen 'brɛ:gn
Bragg engl. bræg
Bragi 'bra:gi

Brahe dt., dän. 'bra:ə,
schwed. ˌbrɑ:ə
Brahm[a] 'bra:m[a]
Brahmagupta brama'gʊpta
Brahmaismus brama'ɪsmʊs
Brahman[as] 'bra:man[as]
Brahmane bra'ma:nə
brahmanisch bra'ma:nɪʃ
Brahmaputra brama'pʊtra,
...pu:tra
Brahmine bra'mi:nə
Brahms bra:ms
Braibant fr. brɛ'bã
Braid engl. breɪd
Bräila rumän. brə'ila
Braille fr. braj, brɑ:j
Brailleschrift 'bra:jəʃrɪft
Brăiloiu rumän. brəi'loju
Brailowsky brai'lɔfski
Brain[e] engl. breɪn
Braindrain 'bre:ndre:n
Braine-le-Comte fr. brɛnlə-
'kõ:t
Braingain 'bre:nge:n
Brainstorming 'bre:nsto:ɐ-
:mɪŋ
Braintree engl. 'breɪntri:
Braintrust 'bre:ntrast
Brainwashing 'bre:nvɔʃɪŋ
Braise 'brɛ:zə
braisieren brɛ'zi:rən
Braith brait
Braithwaite engl. 'breɪθweɪt
Brake 'bra:kə
Brakel 'bra:kļ, niederl. 'bra:-
kəl
Bräker 'brɛ:kɐ
Brakhage engl. 'breɪkɪdʒ
Brakman niederl. 'brɑkmɑn
Brakpan engl. 'brækpæn,
afr. brak'pan
Brakteat brakte'a:t
Braktee brak'te:ə
brakteoid brakteo'i:t, -e
...i:də
Brakteole brakte'o:lə
Bram bra:m
Bramah engl. 'brɑ:mə
Bramahschloss 'bra:maʃlɔs
Bramante it. bra'mante
Bramantino it. braman-
'ti:no
Bramarbas bra'marbas
bramarbasieren bramarba-
'zi:rən
Brambach 'brambax,
'bra:m...
Brambilla bram'bɪla, it.
bram'billa
Bramburi 'bramburi

Bräme 'brɛ:mə
Bramer niederl. 'bra:mər
Bramine bra'mi:nə
Bramme 'bramə
Brampton engl. 'bræmptən
Bramsche 'bra:mʃə
Bramsegel 'bra:mze:gļ
bramsig 'bramzɪç, -e ...ɪgə
Bramstedt 'bra:mʃtɛt
Bramwald 'bra:mvalt
Brancas fr. brã'ka:s
Brancati it. braŋ'ka:ti
Branch engl. brɑ:ntʃ
Branche 'brã:ʃə
Branchiat bran'çia:t
Branchide bran'çi:də
Branchie 'brançiə
branchiogen brançio'ge:n
Branchiosaurier brançio-
'zaurie
Branchiosaurus brançio-
'zaurʊs
Branchiostoma bran'çiɔs-
toma
Branco port., bras. 'breŋku
Brancusi fr. brãku'si
Brâncuşi rumän. brɪŋ'kuʃj
[1]Brand brant, Brände
'brɛndə
[2]Brand (Marke) brɛnt
Brandauer 'brandaue
Brandberg 'brantbɛrk
Brande engl. brænd, dän.
'brandə
Brände vgl. [1]Brand
Brandeis 'brandais, engl.
'brændais
branden 'brandn, brand!
brant
Brandenburg 'brandņbʊrk
Brandenburger
'brandņbʊrgɐ
brandenburgisch
'brandņbʊrgɪʃ
Brander 'brandɐ
Brandes dt., dän. 'brandəs
Brandi 'brandi
brandig 'brandɪç, -e ...ɪgə
Branding 'brɛndɪŋ
Brandis 'brandɪs
Brandl 'brandļ
Brandmüller 'brantmylɐ
Brandner 'brandnɐ
brandneu 'brant'nɔy
Brando engl. 'brændoʊ
Brandon engl. 'brændən
Brandsch brantʃ
brandschatzen 'brantʃatsņ
Brandstaetter poln.
brant'stɛtɐr

Brandstetter 'brantʃtɛtɐ
Brändström *schwed.* ˌbrɛndstrœm
Brandt *dt., poln.* brant, *niederl.* brant, *engl.* brænt
Brandts brants, *niederl.* brants
Brandy 'brɛndi
Brandys *poln.* 'brandis
Brandýs *tschech.* 'brandi:s
Brandywine *engl.* 'brændɪwaɪn
Branflakes 'brɛnfle:ks
Branford *engl.* 'brænfəd
Brangäne braŋ'gɛ:nə
Branicki *poln.* bra'nitski
Braniewo *poln.* bra'njɛvɔ
Branimir *serbokr.* ˌbranimi:r
Branislav *tschech.* 'branjislaf
Branko *serbokr.* 'bra:ŋkɔ
Branković *serbokr.* ˌbra:ŋkɔvitɕ
Branle 'brã:lə
Branner *dän.* 'bran'ɐ
brannte 'brantə
Branntwein 'brantvaɪn
Brant brant, *engl.* bra:nt
Brantas *indon.* 'brantas
Brantford *engl.* 'bræntfəd
Branting *schwed.* ˌbrantiŋ
Brantôme *fr.* brã'to:m
Brantzky 'brantski
Braque *fr.* brak
Braren 'bra:rən
Brasch braʃ
Brasidas 'bra:zidas
Bräsig 'brɛ:zɪç
Brasil bra'zi:l, *bras.* bra'zil
Brasilein brazile'i:n
Brasilettoholz brazi'lɛtohɔlts
Brasília bra'zi:lia
Brasília *bras.* bra'zilia
Brasilianer brazi'lia:nɐ
brasilianisch brazi'lia:nɪʃ
Brasilien bra'zi:liən
Brasilin brazi'li:n
Brasillach *fr.* brazi'jak
Brașov *rumän.* bra'ʃov
Brassbound 'bra:sbaunt
Brasschaat *niederl.* bras-'xa:t
Brass[e] 'bras[ə]
Brasselett brasə'lɛt
brassen, B... 'brasn̩
Brassens *fr.* bra'sɛ̃:s
Brasserie brasə'ri:, -n ...i:ən
Brasseur *fr.* bra'sœ:r
Brassica 'brasika

Brassière bra'sie̯:rə, ...ie̯:rə
Brassó *ung.* 'brɔʃʃo:
Brass-Section 'bra:s-'zɛkʃn̩
Bræstrup *dän.* 'bresdrʊb
Břasy *tschech.* 'brʒasi
brät, B... brɛ:t
Bratby *engl.* 'brætbɪ
Brätchen 'brɛ:tçən
bräteln 'brɛ:tl̩n
braten 'bra:tn̩
Brater 'bra:tɐ
Brătescu *rumän.* brə'tesku
Brathwaite *engl.* 'brɛːθweɪt
Brătianu *rumän.* brə'tjanu
Bratislava bratɪs'la:va, *slowak.* 'bratjislava
Brätling 'brɛ:tlɪŋ
Bratny *poln.* 'bratni
Bratsche 'bra:tʃə
Bratschi 'bratʃi
Bratschist bra'tʃɪst
Bratsk *russ.* bratsk
brätst brɛ:tst
Bratt *schwed.* brat
Brattain *engl.* brætn
Bratteli *norw.* 'bratəli
Brattleboro *engl.* 'brætlbərə
Bråu brɔy
Braubach 'braubax
Brauch braux, Bräuche 'brɔyçə
brauchen 'brauxn̩
Brauchitsch 'brauxɪtʃ
bräuchte 'brɔyçtə
Braue 'brauə
brauen 'brauən
Brauer 'brauɐ
Bräuer 'brɔyɐ
Brauerei brauə'raɪ
Braumann 'brauman
Braumüller 'braumylɐ
braun, B... braun
Braunau 'braunau
Braunburg 'braunbʊrk
Braune 'braunə
Bräune 'brɔynə
Brauneis 'braunaɪs
Braunelle brau'nɛlə
bräunen 'brɔynən
Brauner 'braunɐ, *fr.* bro'nɛ:r
Braunfels 'braunfɛls
Braunlage braun'la:gə
Bräunig 'brɔynɪç
bräunlich 'brɔynlɪç
Bräunlingen 'brɔynlɪŋən
Brauns brauns
Braunsberg 'braunsbɛrk
Braunschweig 'braunʃvaik, -er ...aigɐ

braunschweigisch 'braunʃvaigɪʃ
Braus braus
Brausche 'brauʃə
Brause 'brauzə
brausen 'brauzn̩, braus!
braus, braust braust
Braut braut, Bräute 'brɔytə
Bräutchen 'brɔytçən
Bräutigam 'brɔytɪgam, *auch:* ...ti...
Brautigan *engl.* 'brɔ:tɪgən
Brautlacht 'brautlaxt
bräutlich 'brɔytlɪç
Brautmann 'brautman
Brauweiler 'brauvailɐ
brav bra:f, -e 'bra:fə, 'bra:və, -st bra:fst
Brava *port.* 'bravɐ
Bravade bra'va:də
Bravais *fr.* bra'vɛ
Bravheit 'bra:fhait
Bråviken *schwed.* ˌbro:vi:kən
bravissimo! bra'vɪsimo
bravo! 'bra:vo
Bravo 'bra:vo, Bravi 'bra:vi
Bravour bra'vu:r
bravourös bravu'rø:s, -e ...ø:zə
Bravur bra'vu:ɐ
bravurös bravu'rø:s, -e ...ø:zə
Brawe 'bra:və
Braxton *engl.* 'brækstən
Bray brai, *fr.* brɛ, *engl.* brei
Braz *bras.* bras
Brazauskas *lit.* bra'za:uskas
Brazdžionis *lit.* braz'dʒjo:nis
Brazil *engl.* brə'zɪl
Brazos *engl.* 'bræzɔus
Brazza *it.* 'brattsa, *fr.* bra'za
Brazzaville *fr.* braza'vil
Brčko *serbokr.* 'brt͡ʃkɔ:
BRD be:lɛr'de:
Brda *poln.* brda
Brdy *tschech.* 'brdi
Brea *span.* 'brea, *engl.* 'breiə
Bréa *fr.* bre'a
break!, B... bre:k
Breakdance[r] 'bre:k-da:ns[ɐ]
Breake 'bre:kə
breaken 'bre:kn̩
Break-even-Point 'bre:k-'li:vnpɔynt
Breakspear *engl.* 'breikspiə
Bréal *fr.* bre'al
Bream *engl.* bri:m

Breasted *engl.* 'brɛstɪd
Breaza *rumän.* 'brȩaza
Breazul *rumän.* 'brȩazul
Breban *rumän.* bre'ban
Brébeuf *fr.* bre'bœf
Breccie 'brɛtʃə
Brechbühl 'brɛçby:l
Breche 'brɛçə
Brèche de Roland *fr.* brɛʃ-
  dərɔ'lã
brechen 'brɛçn̩
Brecher 'brɛçɐ
Brechin *engl.* 'bri:kɪn
Brecht brɛçt, *niederl.* brɛxt
Breckenridge *engl.*
  'brɛknrɪdʒ
Breckerfeld 'brɛkɐfɛlt
Breckinridge *engl.* 'brɛkɪn-
  rɪdʒ
Brecknock *engl.* 'brɛknɔk
Brecknockshire *engl.* 'brɛk-
  nɔkʃɪə
Brecksville *engl.* 'brɛksvɪl
Břeclav *tschech.* 'brʒɛtslaf
Brecon *engl.* 'brɛkən
Breda 'bre:da, *niederl.*
  bre'da:, brə'da:
Bredebro *dän.* brɪðə'bru:'
Bredel 'bre:dl̩
Breden 'bre:dn̩
Bredero *niederl.* 'bre:dəro
Bredius *niederl.* 'bre:diʏs
Bredouille bre'dʊljə
Bredow 'bre:do
Bredt bre:t
Bredstedt 'bre:tʃtɛt
Breeches 'brɪtʃəs
Breenbergh *niederl.* 'bre:n-
  bɛrx
Breg bre:k
Bregaglia *it.* bre'gaʎʎa
Brege 'bre:gə
Bregen 'bre:gn̩
Bregendahl *dän.* 'brɪ:'ən-
  de:'l
Bregenz 'bre:gɛnts
Bregma 'brɛgma, -ta -ta
Breguet *fr.* bre'gɛ
Bréhier *fr.* bre'je
Brehm[er] 'bre:m[ɐ]
Brehna 'bre:na
Brei braɪ
Breidablik 'braɪdablɪk
Breidenstein 'braɪdn̩ʃtaɪn
breiig 'braɪɪç, -e 'braɪɪgə
Brein braɪn
Breisach 'braɪzax
Breisgau 'braɪsgau
Breisig 'braɪzɪç
breit, B... braɪt

Breitbach 'braɪtbax
Breite 'braɪtə
breiten 'braɪtn̩
Breitenau[er] 'braɪtənau̯[ɐ]
Breitenbach 'braɪtn̩bax
Breitenburg 'braɪtn̩bʊrk
Breitenfeld 'braɪtn̩fɛlt
Breitfuß 'braɪtfu:s
Breithaupt 'braɪthaupt
Breithorn 'braɪthɔrn
Breitinger 'braɪtɪŋɐ
Breitkopf 'braɪtkɔpf
Breitling 'braɪtlɪŋ
Breitner 'braɪtnɐ, *niederl.*
  'braɪtnər
Breitscheid 'braɪtʃaɪt
Breitungen 'braɪtʊŋən
Brekelenkam *niederl.* 'bre:-
  kələnkam
Breker 'bre:kɐ
Breklum 'brɛklʊm
Brekke *norw.* ,brɛkə
Brekzie 'brɛktsi̯ə
Brel *fr.* brɛl
Bremberg 'brɛmbɛrk
Brembo *it.* 'brɛmbo, 'bre...
Breme 'bre:mə
Bremen 'bre:mən
Bremer 'bre:mɐ, *schwed.*
  'bre:mər
Bremerhaven bre:mɐ'ha:fn̩
Bremerton *engl.* 'brɛmətən
Bremervörde bre:mɐ'fø:ɐ̯də
Bremgarten 'bre:mgartn̩,
  'brɛm...
bremisch 'bre:mɪʃ
Bremond *fr.* bre'mõ
Bremsberg 'brɛmsbɛrk
Bremse 'brɛmzə
bremseln 'brɛmzl̩n, ...le
  ...zlə
bremsen 'brɛmzn̩, brems!
  brɛms, bremst brɛmst
Bremser 'brɛmzɐ
Brend'amour *fr.* brãda'mu:r
Brendel 'brɛndl̩
Brenet[s] *fr.* brə'nɛ
Brenham *engl.* 'brɛnəm
Brennan *engl.* 'brɛnən
Brenne *fr.* brɛn
brennen 'brɛnən
Brenner 'brɛnɐ, *schwed.*
  'brɛnər, *hebr.* 'brɛnɛr
Brennerei brɛnə'raɪ
Brennero *it.* 'brɛnero
Brennglas 'brɛngla:s
Brennilis *fr.* brɛni'lis
Brennnessel 'brɛnnɛsl̩
Brennus 'brɛnʊs
Brennwald 'brɛnvalt

Brent *engl.* brɛnt
Brenta *it.* 'brɛnta
Brentano brɛn'ta:no
Brente 'brɛntə
Brentford *engl.* 'brɛntfəd
Brenton *engl.* 'brɛntən
Brent Spar *engl.* 'brɛnt 'spɑ:
Brentwood *engl.* 'brɛntwʊd
Brenz[e] 'brɛnts[ə]
brenzeln 'brɛntsl̩n
brenzlig 'brɛntslɪç, -e ...ɪgə
Brera *it.* 'brɛ:ra
Brès *fr.* brɛ
Bresche 'brɛʃə
Breschnew 'brɛʃnɛf,
  'brɛʃnjɛf, *russ.* 'brjɛʒnɪf
Brescia *it.* 'brɛʃʃa
Bresgen 'brɛsgn̩
Breslau 'brɛslau̯
Breslauer 'brɛslau̯ɐ
breslauisch 'brɛslau̯ɪʃ
Bressanone *it.* bressa'no:ne
Bresse *fr.* brɛs
Breßlau 'brɛslau̯
Bresson *fr.* brɛ'sõ
Bressoux *fr.* brɛ'su
Brest *dt., bulgar., fr.* brɛst,
  russ. brjɛst
Brest-Litowsk 'brɛstli'tɔfsk,
  russ. 'brjɛstli'tɔfsk
Bret *engl.* brɛt
Bretagne bre'tanjə, brə...,
  fr. brə'taɲ; -er bre'tanjɐ,
  brə...
Bretesche bre'tɛʃə
Brétigny *fr.* breti'ɲi
Břetislav *tschech.* 'brʒɛtji-
  slaf
Brett *dt., engl.* brɛt
Bretten[tal] 'brɛtn̩[ta:l]
brettern 'brɛtɐn
Brettl 'brɛtl̩
Bretton *engl.* 'brɛtən
Bretzel 'brɛtsl̩
Bretzenheim 'brɛtsn̩haim
Bretzner 'brɛtsnɐ
Breu[er] 'brɔy[ɐ]
Breuberg 'brɔybɛrk
Breuel 'brɔyəl
Breugel *niederl.* 'brø:ɣəl

Breughel 'brɔygl̩, niederl.
'brø:ɣəl
Breuil fr. brœj
Breve 'bre:və
Brevet bre've:, brə've:
brevetieren breve'ti:rən
Breviar bre'vja:ɐ̯
Breviarium bre'vja:rjʊm,
...ien ...jən
Brevier bre'vi:ɐ̯
Breviloquenz brevilo'kvɛnts
brevi manu 'bre:vi 'ma:nu
Brevis 'bre:vɪs, ...ves ...ve:s
Brevität brevi'tɛ:t
Břevnov tschech. 'brʒɛvnɔf
Brew brɔy
Brewer engl. 'bru:ə
Brewster engl. 'bru:stə
Breyer 'braiɐ̯
Breysig 'braizɪç
Breytenbach afr. 'brəitən-
bax
Brězan obersorb. 'briɛzan
Breza poln. 'brɛza
Brezel 'bre:tsl̩
Brezen 'bre:tsn̩
Březina tschech. 'brʒɛzina
Brezno slowak. 'brɛznɔ
Brezovački serbokr. 'brɛzɔ-
vatʃki:
Brialmont fr. brial'mõ
Brianchon fr. briã'ʃõ
Briançon fr. briã'sõ
Briand fr. bri'ã
Brianza it. bri'antsa
Briard bri'a:ɐ̯
Bric-à-brac brika'brak
brich! briç
bricht, B... briçt
Brickaville fr. brika'vil
Bricke 'brɪkə
Bride 'bri:də
¹Bridge brɪtʃ
²Bridge (Name) engl. brɪdʒ
Bridgeport engl. 'brɪdʒpɔ:t
Bridges engl. 'brɪdʒɪz
Bridgeton engl. 'brɪdʒtən
Bridgetown engl.
'brɪdʒtaʊn
Bridg[e]water engl.
'brɪdʒwɔ:tə
Bridgman engl. 'brɪdʒmən
Bridie engl. 'braɪdɪ
bridieren bri'di:rən
Bridlington engl. 'brɪdlɪŋtən
Bridport engl. 'brɪdpɔ:t
Brie bri:, fr. bri
briefen 'bri:fn̩
Brief[ing] 'bri:f[ɪŋ]
Brieg bri:k

Briegel 'bri:gl̩
Brielle niederl. 'brilə
Brielow 'bri:lo
Brienne fr. bri'ɛn
Brienz bri:nts, 'bri:ɛnts
Brierly engl. 'braiəlɪ
Bries bri:s, -e bri:zə
Brieschen 'bri:sçən
Briesel 'bri:zl̩
Brieselang 'bri:zəlaŋ
Briesen 'bri:zn̩
Brieske 'bri:skə
Briesmann 'bri:sman
briet bri:t
Brieux fr. bri'ø
Briey fr. bri'ɛ
Brig bri:k
Brigach 'bri:gax
Brigade bri'ga:də
Brigadere lett. 'brɪgadere
¹Brigadier (Heer) briga'die:
²Brigadier (Leiter einer
Arbeitsbrigade) briga'die:,
...'di:ɐ̯, -e ...'di:rə
Brigadierin briga'di:rɪn
Brigands fr. bri'gã
Brigant[e] bri'gant[ə]
Brigantia bri'gantsia
Brigantine brigan'ti:nə
Brigantinus lacus brigan-
'ti:nʊs 'la:kʊs
Brigantium bri'gantsjʊm
Brigg brɪk
Brig-Glis 'bri:k'gli:s
Briggs engl. brɪgz
Brigham engl. 'brɪgəm
Brighella it. bri'gɛlla
Brighouse engl. 'brɪghaʊs
Bright[on] engl. braɪt[n̩]
Brigid engl. 'brɪdʒɪd
Brigida 'bri:gida
Brigitta bri'gɪta
Brigitte bri'gɪtə, fr. bri'ʒit
Brignol[l]es brɪn'jɔl
Brignoni it. brɪn'ɲo:ni
Brigue fr. brig
Brik fr., russ. brik
Brikett bri'kɛt
brikettieren brikɛ'ti:rən
Brikole bri'ko:lə
Bril niederl. brɪl
Brilioth schwed. 'briliɔt
Brill engl., niederl. brɪl
brillant, B... brɪl'jant
brillante brɪ'lantə
brillantieren brɪljan'ti:rən
Brillantin[e] brɪljan'ti:n[ə]
Brillanz brɪl'jants
Brillat fr. bri'ja

Brille 'brɪlə
brillieren brɪl'ji:rən
Brillonette brɪljo'nɛtə
Brillouin fr. brij'wɛ̃
Brilon 'bri:lɔn
Brimborium brɪm'bo:rjʊm
Brimsen 'brɪmzn̩
Brincken 'brɪŋkn̩
Brinckman[n] 'brɪŋkman
Brîncoveanu rumän. briŋ-
ko'veanu
Brîncuşi rumän. brɪŋ'kuʃi
Brindisi it. 'brindizi
Brinell schwed. bri'nɛl
bringen 'brɪŋən
Brink afr. brəŋk, niederl.
brɪŋk
Brinkman schwed. 'brɪŋk-
man
Brinkmann 'brɪŋkman
Brinkmanship 'brɪŋkmənʃɪp
Brinon fr. bri'nõ
Brinton engl. 'brɪntən
Brinz brɪnts
Brio 'bri:o
Brioche, -s bri'ɔʃ
Brioletten brio'lɛtn̩
Brioletts brio'lɛts
Brion 'bri:ɔn, 'bri:o:n, fr.
bri'õ
Brioni it. bri'o:ni, serbokr.
bri.o:ni
brionisch bri'o:nɪʃ
brioso bri'o:zo
Briot fr. bri'o
brisant bri'zant
Brisanz bri'zants
Brisbane 'brɪsbe:n, ...bən,
engl. 'brɪzbən, ...bein
Briscoe engl. 'brɪskoʊ
Brise 'bri:zə, engl. braɪs
Briseis bri'ze:ɪs
Brisesoleil fr. brizsɔ'lɛj
Brisolett[e] brizo'lɛt[ə]
Brissac fr. bri'sak
¹Brissago (Zigarre) brɪ-
'sa:go
²Brissago it. bris'sa:go
Brissot fr. bri'so
Bristol engl. brɪstl̩
Bristow engl. 'brɪstoʊ
Brisur bri'zu:ɐ̯
Brit brɪt
Britain engl. brɪtn̩
Britannia bri'tanja, engl.
brɪ'tæniə
Britannicus bri'tanikʊs
Britannien bri'tanjən
britannisch bri'tanɪʃ
Britannus bri'tanʊs

Brite 'brɪtə, 'briːtə
britisch 'brɪtɪʃ, 'briːtɪʃ
British *engl.* 'brɪtɪʃ
British Broadcasting Corporation *engl.* 'brɪtɪʃ
'brɔːdkɑːstɪŋ kɔːpə'reɪʃən
British Museum *engl.* 'brɪtɪʃ mjuˈzɪəm
Britizismus britiˈtsɪsmʊs
Brito *span.* 'brito, *port.,* *bras.* 'britu
Britschka 'brɪtʃka
Britta 'brɪta, *schwed.* ˌbrita
Britten 'brɪtn̩, *engl.* 'brɪtən
Britting 'brɪtɪŋ
Brive-la-Gaillarde *fr.* brivlagaˈjard
Brix brɪks, *fr.* bri
Brixen 'brɪksn̩
Brixham *engl.* 'brɪksəm
Brixi *tschech.* 'briksi
Brixlegg brɪks'lɛk
Briza 'briːtsa
Brizeux *fr.* bri'zø
Brjanka *russ.* 'brjankə
Brjansk *russ.* brjansk
Brjullow *russ.* brjuˈlɔf
Brjussow *russ.* 'brjusɛf
Brlić *serbokr.* 'br̩litɕ
Brno *tschech.* 'br̩nɔ
Broadcasting 'brɔːtkɑːstɪŋ
Broad Church *engl.* 'brɔːd 'tʃəːtʃ
Broadmeadows *engl.* 'brɔːdmɛdoʊz
Broadmoor *engl.* 'brɔːdmɔː
Broads *engl.* brɔːdz
Broadside... 'brɔːtzaɪt
Broadway *engl.* 'brɔːdweɪ
Broadwood *engl.* 'brɔːdwʊd
Broca *fr.* brɔ'ka
Brocchi *it.* 'brɔkki
Broccoli 'brɔkoli
Brocéliande *fr.* brɔseˈljãːd
Broch brɔx
Broché brɔ'ʃeː
brochieren brɔ'ʃiːrən
Brock *dt., engl.* brɔk
Bröckchen 'brœkçən
Brockdorff 'brɔkdɔrf
bröckelig 'brœkəlɪç, -e ...ɪɡə
Brockelmann 'brɔkl̩man
bröckeln 'brœkl̩n
bröcken, B... 'brɔkn̩
Brockes 'brɔːkəs, 'brɔkəs
Brockhaus 'brɔkhaʊs
bröcklig 'brœklɪç, -e ...ɪɡə
Brockmann 'brɔkman
Brockton *engl.* 'brɔktən
Brockville *engl.* 'brɔkvɪl

Brod brɔːt, *tschech.* brɔt, *serbokr.* brɔːd
Broda 'brɔːda
Brodel 'brɔːdl̩
brodeln 'brɔːdl̩n ...dle ...dlə
Brodem 'brɔːdəm
Broder 'brɔːdɐ
Broderie brodə'riː, -n ...iːən
brodieren bro'diːrən
Brodler 'brɔːdlɐ
Brodnica *poln.* brɔ'dnitsa
Brodski *russ.* 'brɔtskij
Bródy *ung.* 'brɔːdi
Brodziński *poln.* brɔ'dz̜iski
Broederlam *niederl.* 'bruːdərlam
Broek *niederl.* bruk
Broekhuizen *niederl.* bruk-'hœizə
Broer brɔːɐ
Brofferio *it.* brofˈfɛːrio
Bröger 'brøːɡɐ
[1]Broglie (Familienname) *fr.* brɔj
[2]Broglie (Ort in Eure) *fr.* brɔ'gli
Brogni *fr.* brɔ'ni
Broichweiden brɔːx'vaidn̩
Broika 'brɔyka
Broiler 'brɔylɐ
Brok brɔːk
Brokat brɔ'kaːt
Brokatell[e] broka'tɛl[ə]
Brokatello broka'tɛlo
Brokdorf 'brɔkdɔrf, 'brɔːk...
Broke *engl.* brʊk
Broken Hill *engl.* 'broʊkən 'hil
Broker 'brɔːkɐ
Brokkoli 'brɔkoli
Brokoff 'brɔkɔf
Brolsma 'brɔlsma
Brom brɔːm
Brombeere 'brɔmbeːrə
Bromberg 'brɔmbɛrk
Brome *engl.* bruːm
Bromelie bro'meːljə
Bromfield *engl.* 'brɔmfiːld
Bromid brɔ'miːt, -e ...iːdə
bromieren bro'miːrən
Bromios 'brɔːmiɔs
Bromismus bro'mɪsmʊs
Bromit bro'miːt
Bromley 'brɔmlɪ
Bromme 'brɔmə
Bromo *indon.* 'bromo
Bromoderma bromo'dɛrma
Brömsebro *schwed.* brœmsə'bruː

Bromsgrove *engl.* 'brɔmzɡroʊv
Bromus 'broːmʊs
Bronche 'brɔnçə
bronchial brɔn'çiaːl
Bronchie 'brɔnçiə
Bronchiektasie brɔnçiɛk-ta'ziː, -n ...iːən
Bronchiole brɔn'çioːlə
Bronchitis brɔn'çiːtɪs, ...itiden ...çi'tiːdn̩
Bronchogramm brɔnço-'gram
Bronchopneumonie brɔn-çopnɔymo'niː, -n ...iːən
Bronchoskop brɔnço'skoːp
Bronchoskopie brɔnço-sko'piː, -n ...iːən
Bronchotomie brɔnço-to'miː, -n ...iːən
Bronchus 'brɔnçus
Brøndbyvester-Brøndbyøster *dän.* brœnby'vesdɐ-brœnby'ysdɐ
Brongniart *fr.* brõ'ɲaːr, brɔ-'ɲaːr
Broniewski *poln.* brɔ'njɛfski
Bronikowski broni'kɔfski
Bronislaw 'broːnɪslaf, *russ.* brɛni'slaf
Bronislawa bronɪs'laːva
Bronn[bach] 'brɔn[bax]
Bronnen 'brɔnən
Bronner 'brɔnɐ
Bronsart 'brɔnzart
Bronschtein *russ.* bran-'ʃtjejn
Bronson *engl.* brɔnsn
Bronte *it.* 'brɔnte
Brontë *engl.* 'brɔntɪ
Brontosaurus brɔnto'zaʊrʊs, ...rier ...riɐ
Bronx *engl.* brɔŋks
Bronze 'brõːsə, 'brɔŋsə
bronzen 'brõːsn̩, 'brɔŋsn̩
bronzieren brɔ'siːrən, brɔŋ'...
Bronzino *it.* bron'dziːno
Bronzit brɔ'siːt, brɔŋ'siːt
Broodthaers *niederl.* 'broːtha:rs
Brook bro:k, *engl.* brʊk
Brooke[s] *engl.* brʊk[s]
Brookfield *engl.* 'brʊkfiːld
Brookhaven *engl.* brʊk'heɪvən
Brookings *engl.* 'brʊkɪŋz
Brookline *engl.* 'brʊklaɪn
Brooklyn *engl.* 'brʊklɪn
Brookner *engl.* 'brʊknə

Brooks *engl.* bruks
Broom[e] *engl.* bruːm
Broonzy *engl.* 'bruːnzı
Brophy *engl.* 'broufı
Bror broːɐ̯, *schwed.* bruːr
Brosämchen 'broːzɛːmçən
Brosame 'broːzaːmə
Brosamer 'broːzaːmɐ
Brosbøll *dän.* 'brɔsbʏl
Brosche 'brɔʃə
Bröschen 'brøːsçən
Broschi *it.* 'brɔski
broschieren brɔ'ʃiːrən
Broschur brɔ'ʃuːɐ̯
Broschüre brɔ'ʃyːrə
Brösel 'brøːzl̩
Bröselein 'brøːzəlai̯n
bröseln 'brøːzl̩n, ...**sle** 'brøːzlə
Brosio *it.* 'brɔːzi̯o
Brossage brɔ'saːʒə
Brossard *fr.* brɔ'saːr
Brosse[s] *fr.* brɔs
Brosset *fr.* brɔ'sɛ
Brossette *fr.* brɔ'sɛt
brossieren brɔ'siːrən
Broszkiewicz *poln.* brɔʃ-'kjɛvitʃ
Brot broːt
Brötchen 'brøːtçən
Brothers *engl.* 'brʌðəz
Brötli 'brøːtli
Brotophilie brotofi'liː
Brotterode brɔtə'roːdə
brotzeln 'brɔtsl̩n
Brouckère *fr.* bruˈkɛːr
Brougham *engl.* brum, bruːm, 'bruːəm, 'brouəm
Broughton *Ort in Northamptonshire* brautn, *sonst in England* brɔːtn
Brouka *weißruss.* 'brouku
Brouillerie bruʝə'riː, -n ...iːən
brouillieren bruˈʝiːrən
Brouillon bruˈjõ
Broumov *tschech.* 'brɔu̯mɔf
Brousek *tschech.* 'brɔu̯sɛk
Broussais *fr.* bru'sɛ
Brouwer[s] *niederl.* 'brɔu̯wər[s]
Brovik 'broːvık
Browallius *schwed.* bru'vaːliʊs
Brown brau̯n, *engl.* braun
Browne *engl.* braun
Brownhills *engl.* 'braunhılz
Browning *engl.* 'braunıŋ
Brown-Séquard *fr.* brunse-'kaːr, ...kwaːr

Brownsville *engl.* 'braunzvıl
Brownwood *engl.* 'braunwud
Browser 'brau̯zɐ
Browsing 'brau̯zıŋ
Broye *fr.* brwa
Broz *serbokr.* brɔːz
Brożek *poln.* 'brɔʒɛk
Brožík *tschech.* 'brɔʒiːk
brr! br̩ (r̩ = *dentaler oder bilabialer Vibrant*)
Brú *fär.* briθu
Bruant *fr.* bry'ã
Bruay-en-Artois *fr.* bryɛã-nar'twa
Brubeck *engl.* 'bruːbɛk
Bruce *engl.* bruːs
Brucella bru'tsɛla
Brucellose brutsɛ'loːzə
¹Bruch (Zerbrochenes) brux, **Brüche** 'bryçə
²Bruch (Sumpfland) brux, *auch:* bruːx, **Brüche** 'bryçə, *auch:* 'bryːçə
³Bruch (Name) brux, *span.* bruk
Bruchberg 'bruxbɛrk
Bruche *fr.* bryʃ
Bruchhagen brux'haːgn̩
bruchig 'bruxıç, *auch:* 'bruː-xıç, -e ...ıgə
brüchig 'bryçıç, -e ...ıgə
Bruchollerie *fr.* bryʃɔl'ri
Bruchsal 'bruxzaːl
Brucin bru'tsiːn
Bruck bruk
Brück[chen] 'brʏk[çən]
Brücke 'brʏkə
Brücken 'brʏkn̩
Brückenau 'brʏkənau̯
Bruck[n]er 'bruk[n]ɐ
Brückner 'brʏknɐ, *poln.* 'brıknɛr
Brüden 'bryːdn̩
Bruder 'bruːdɐ, **Brüder** 'bryːdɐ
Brüderle 'bryːdɐlə
Brudi 'bruːdi
Brudziński *poln.* bru'dʑiski
Brueg[h]el 'brɔygl̩, *niederl.* 'brøːɣəl
Brüel bryːl
Bruerović *serbokr.* bru'ɛːrɔvitɕ
Brües bryːs
Brueys *fr.* bry'ɛs
Bruges *fr.* bryːʒ
Brugg bruk
Brugge *niederl.* 'brʏɣə, *schwed.* 'brugə

Brügge 'brʏgə
Brüggemann 'brʏgəman
Bruggen *afr.* 'brœxə, *niederl.* 'brʏɣə
Brüggen 'brʏgn̩, *niederl.* 'brʏɣə
Brugger 'brugɐ
Brugmann 'bruːkman
Brügnole brʏn'joːlə
Brugsch brukʃ
Brühe 'bryːə
Bruheim *norw.* ˌbruːhɛi̯m
brühen 'bryːən
brühheiß 'bryːˈhai̯s
brühig 'bryːıç, -e ...ıgə
Brühl[mann] 'bryːl[man]
Bruhn[s] bruːn[s]
brühwarm 'bryːˈvarm
Bruitismus bryi'tısmus
Brukenthal 'brukn̩taːl
Brukterer 'bruktərɐ
Brulé *fr.* bry'le
Brulez *niederl.* bry'le:
Brüll brʏl
brüllen 'brʏlən
Brülow 'bryːlo
Brumaire *fr.* bry'mɛːɐ̯
Brum[m]el *fr.* bry'mɛl
Brummell *engl.* 'brʌməl
brummeln 'bruml̩n
brummen 'brumən
Brummen *niederl.* 'brʏmə
Brummi 'brumi
brummig 'brumıç, -e ...ıgə
Brun bruːn, *fr.* brœ̃, *norw.* brʉːn
Brunai *indon.* 'brunai̯
Brunch brantʃ, branʃ
brunchen 'brantʃn̩, 'branʃn̩
Brundage *engl.* 'brʌndıdʒ
Brundisium brun'diːzi̯um
Brune *fr.* bryn
Bruneau *fr.* bry'no
Bruneck bru'nɛk
Brunei *engl.* bruːˈnai̯, *indon.* 'brunai̯
Brunel *fr.* bry'nɛl, *engl.* bru-'nɛl
Brunella bru'nɛla
Brunelle bru'nɛlə
Brünelle bry'nɛlə
Brunelleschi *it.* brunel'leski
Brunellesco *it.* brunel'lesko
Brunet *fr.* bry'nɛ
Brunetière *fr.* bryn'tjɛːr
brünett bry'nɛt
Brünette bry'nɛtə
Brunetto *it.* bru'netto
Brunfels 'bruːnfɛls

Brunft brʊnft, **Brünfte**
ˈbrʏnftə
brunften ˈbrʊnftn̩
brunftig ˈbrʊnftıç, **-e** ...ıgə
Brunhild ˈbruːnhılt, ˈbrʊn...
Brünhild ˈbryːnhılt, ˈbrʏn...
Brunhilde bruːnˈhıldə,
brʊn...
Brunholdisstuhl bruːnˈhɔldısʃtuːl, brʊn...
Bruni dt., it. ˈbruːni
Brunichilde brunıˈçıldə
Brunico it. bruˈniːko
brünieren bryˈniːrən
Brünig ˈbryːnıç
Brüning ˈbryːnıŋ
Brünn[e] ˈbrʏn[ə]
Brünnchen ˈbrʏnçən
Brunn[en] ˈbrʊn[ən]
Brunner ˈbrʊnɐ
Brunngraber ˈbrʊngraːbɐ
Bruno dt., it. ˈbruːno
Brunold ˈbruːnɔlt
Brunot fr. brʏˈno
Bruns bruːns
Brunsburg ˈbruːnsbʊrk
Brunsbüttel ˈbrʊnsbʏtl̩,
–ˈ– –
Brunsbüttelkoog brʊnsbʏtl̩ˈkoːk
Brunschvicg fr. brœsˈvik
Brunshausen brʊnsˈhau̯zn̩
Brunssum niederl. ˈbrʏnsəm
Brunst brʊnst, **Brünste**
ˈbrʏnstə
Brunstäd ˈbrʊnʃtɛt
brunsten ˈbrʊnstn̩
Brunswick ˈbruːnsvık, engl.
ˈbrʌnzwık
Brunswik ˈbrʊnsviːk
Bruntál tschech. ˈbruntaːl
Bruntje ˈbruːntjə
brunzen ˈbrʊntsn̩
Brus bruːs
Brush engl. brʌʃ
brüsk brʏsk
brüskieren brʏsˈkiːrən
Brusovsky bruˈzɔfski
Brussa ˈbrusa
Brussel niederl. ˈbrʏsəl
Brüssel ˈbrʏsl̩
Brussilow russ. bruˈsiləf
Brüssler ˈbrʏslɐ
Brüssow ˈbrʏso
Brust brʊst, **Brüste** ˈbrʏstə
Brüstchen ˈbrʏstçən
brüsten ˈbrʏstn̩
Brüsterort brʏsˈtɐˈlɔrt
Brüstung ˈbrʏstʊŋ

brut brʏt
Brut bruːt
brutal bruˈtaːl
brutalisieren brutaliˈziːrən
Brutalismus brutaˈlısmʊs
Brutalität brutaliˈtɛːt
Brutalo bruˈtaːlo
Brutamonte brutaˈmɔntə
brüten ˈbryːtn̩
brütig ˈbryːtıç, **-e** ...ıgə
Bruto it. ˈbruːto
Bruton engl. bruːtn
Bruttium ˈbrʊtiʊm
brutto ˈbrʊto
Brutus ˈbruːtʊs, engl. ˈbruː-təs
brutzeln ˈbrʊtsl̩n
Bruun dän. bruːˈn
Brüx brʏks
Bruxelles fr. brʏˈsɛl
Bruxismus brʊˈksısmʊs
Bruxomanie brʊksomaˈniː
Bruyère[s] fr. brʏˈjɛːr
Bruyn brɔy̯n, niederl. brœi̯n
Bruynèl niederl. brœi̯ˈnɛl
Bruys niederl. brœi̯s
Bry briː
Bryan[t] engl. ˈbraɪən[t]
Bryce engl. braɪs
Brycht poln. brıxt
Bryen fr. briˈɛ̃
Bryennios brʏˈɛnjɔs
Bryll poln. brıl
Bryn Mawr engl. brınˈmɔː
Bryologie bryoloˈgiː
Bryonia bryˈoːni̯a
Bryonie bryˈoːni̯ə
Bryophyt bryoˈfyːt
Bryozoon bryoˈtsoːɔn
Brzechwa poln. ˈbʒɛxfa
Brzeg poln. bʒɛk
Brzękowski poln. bʒɛŋˈkɔfski
Brześć poln. bʒɛstɕ
Brzezinski engl. bʒɛˈzınskı
Brzozowski poln. bʒɔˈzɔfski
BSE beːlɛsˈleː
bst! pst (s = silbisches s)
Bub buːp, **-en** ˈbuːbn̩
Buback ˈbuːbak
Bubastis buˈbastıs
Bubblegum ˈbablgam
Bübchen ˈbyːpçən
Bube ˈbuːbə
Buben[berg] ˈbuːbn̩[bɛrk]
Bubennow russ. bubınˈnɔf
Bubenreuth buːbn̩ˈrɔy̯t
Buber ˈbuːbɐ
Büberei byːbəˈrai̯
Bubi[kon] ˈbuːbi[koːn]

Bübin ˈbyːbın
Bubis ˈbuːbıs
bübisch ˈbyːbıʃ
Büblein ˈbyːplai̯n
Bubnoff ˈbʊbnɔf
Bubnys lit. bʊbˈniːs
Bubo ˈbuːbo, **-nen** buˈboː-nən
Buçaco port. buˈsaku
Buca[k] türk. ˈbudʒa[k]
Bucaramanga span. bukara-ˈmaŋga
Bucchero... ˈbʊkero...
Buccina ˈbʊktsina, **...nae**
...nɛ
Buccleuch engl. bəˈkluː
Bucegi rumän. buˈtʃedʒ
Bucelin ˈbʊtsəliːn
Bucephalus buˈtseːfalʊs
Bucer ˈbʊtsɐ
Buch buːx, **Bücher** ˈbyːçɐ
Buchan[s] engl. ˈbʌkən[z]
Buchanan engl. bjuːˈkænən
Buchara buˈxaːra, russ. buxaˈra
Buchare buˈxaːrə
Bucharei buxaˈrai̯
Buchari buˈxaːri
Bucharin russ. buˈxarin
Buchau ˈbuːxau̯
Buchberger ˈbuːxbɛrgɐ
Buchbinder ˈbuːxbındɐ
Buchbinderei buːxbındəˈrai̯
buchbindern ˈbuːxbındɐn, **...dre** ...drə
Buchdruckerei buːxdrʊkəˈrai̯
Buche ˈbuːxə
Büchel ˈbuːxl̩
Büchelchen ˈbyːçlçən
Bücheler ˈbyːçəlɐ
buchen, B... ˈbuːxn̩
Buchenland ˈbuːxn̩lant
buchenländisch ˈbuːxn̩lɛn-dıʃ
Buchenwald ˈbuːxn̩valt
Bucher ˈbuːxɐ
¹Bücher vgl. Buch
²Bücher (Name) ˈbyːçɐ
Bücherei byːçəˈrai̯
Buchet fr. byˈʃɛ
Buchez fr. byˈʃe
Buchheim ˈbuːxhai̯m
Buchheister ˈbuːxhai̯stɐ
Buchholtz ˈbuːxhɔlts, dän.
ˈbughɔlˈds
Buchholz[er] ˈbuːxhɔlts[ɐ]
Büchi ˈbyːçi
Buchis ˈbuːxıs
Büchlein ˈbyːçlai̯n

Buchloe 'bu:xlo:ə
Buchman 'bu:xman, *engl.*
'bʌkmən
Buchmann 'bu:xman
Büchmann 'by:çman
Buchner 'bu:xnɐ
Büchner 'by:çnɐ
Buchol[t]z 'bu:xɔlts
Buchs[baum] 'buks[baum]
Büchschen 'byksçən
Buchse 'buksə
Büchse 'byksə
Büchser 'buksɐ
Buchstabe 'bu:xʃta:bə
buchstabieren bu:xʃta'bi:-
rən
buchstäblich 'bu:xʃtɛ:plɪç
Bucht buxt, *schwed.* bukt
Buchtarma *russ.* buxtar'ma
Buchtel 'buxtl̩
Büchtger 'byçtgɐ
buchtig 'buxtɪç, -e ...ɪgə
Bucina 'bu:tsina, ...**nae** ...nɛ
Bucintoro butʃin'to:ro
Buck *engl.* bʌk, *dän.* bug
Bückeberge 'bykəbɛrgə
Bückeburg 'bykəburk
Buckel 'bukl̩
buckelig 'bukəlɪç, -e ...ɪgə
buckeln 'bukl̩n
bücken, B... 'bykn̩
Buckerl 'bukɐl
Buckingham[shire] *engl.*
'bʌkɪŋəm[ʃɪə]
Buckinx *niederl.* 'bykɪŋks
Buckland *engl.* 'bʌklənd
Bucklaw *engl.* 'bʌklɔ:
Buckle *engl.* bʌkl
bucklig 'buklɪç, -e ...ɪgə
Bückling 'byklɪŋ
Buckner *engl.* 'bʌknə
Buckow 'buko, 'bu:ko
Buckram 'bukram
Bucks *engl.* bʌks
Buckskin 'bukskɪn
Buckwitz 'bukvɪts
Bucky 'buki
Bucovina *rumän.* buko'vina
Bucureşti *rumän.* buku-
'reʃtj
Bucyrus *engl.* bju:'saɪərəs
Buczkowski *poln.* butʃ-
'kɔfski
Buda 'bu:da, *ung.* 'budɔ
Budai *rumän.* 'budai̯, *ung.*
'budɔi
Budak *serbokr.* 'buda:k
Budanzew *russ.* bu'dantsəf
Budapest 'bu:dapɛst, *ung.*
'budɔpɛʃt

Būdavas *lit.* ˌbu:davas
Büdchen 'by:tçən
Budd *engl.* bʌd
Buddel 'budl̩
Buddelei budə'lai̯
buddeln 'budl̩n, **buddle**
'budlə
Buddenbrooks 'budn̩bro:ks
Buddha 'buda
Buddhismus bu'dɪsmus
Buddhist bu'dɪst
Buddingh' *niederl.* 'bydɪŋ
buddisieren budi'zi:rən
Buddleia bu'dlai̯a
Buddleja bu'dle:ja
Buddy 'badi
Bude 'bu:də, *engl.* bju:d
Budé *fr.* by'de
Budějovice *tschech.* 'budjɛ-
jɔvitsɛ
Budel 'bu:dl̩, *niederl.* 'bydəl
Büdelsdorf 'by:dl̩sdɔrf
Budenz 'bu:dɛnts
Büderich 'by:dərɪç
Buderus bu'de:rus
Budge[ll] *engl.* bʌdʒ[l]
Budget by'dʒe:
budgetär bydʒe'tɛ:ɐ
budgetieren bydʒe'ti:rən
Budike bu'di:kə
Büdingen 'by:dɪŋən
Budjonny *russ.* bu'djɔnnij
Büdner 'by:dnɐ
Budo 'bu:do
Budoja bu'do:ja
Budoka bu'do:ka
Budschak *russ.* bud'ʒak
Budweis 'butvais
Buea *engl.* bu:'eiə
Buena Park *engl.* 'bweinə
'pɑ:k
Buenaventura *span.* buena-
βen'tura
Buenavista *span.* buena-
'βista
Buenco 'buɛŋko
Buendía *span.* buen'dia
Buenos Aires 'bue:nɔs
'ai̯rɛs, *span.* 'buenos 'ai̯rɛs
Buen Retiro 'buen re'ti:ro,
span. 'buen rrɛ'tiro
Buer bu:ɐ
Bueren by:rən
Buero *span.* 'buero
Büfett by'fet
Büfettier byfɛ'tje:
Buff[a] 'buf[a]
Buffalo 'bafəlo, *engl.* 'bʌfə-
lou
Büffel 'byfl̩

Büffelei byfə'lai̯
büffeln 'byfl̩n
Buffet by'fe:, *fr.* by'fɛ
Büffet by'fe:
Buffo 'bufo, **Buffi** 'bufi
Buffon *fr.* by'fõ
buffonesk bufo'nɛsk
Buffonist bufo'nɪst
Bufotalin bufota'li:n
¹Bug (Schiffsvorderteil)
bu:k, **Büge** 'by:gə
²Bug (Name) bu:k, *russ.*,
poln. buk
Buga *span.* 'buɣa
Buganda bu'ganda
Bugat[t]i bu'gati, *fr.* byga'ti
Bugeaud *fr.* by'ʒo
Bügel 'by:gl̩
bügeln 'by:gl̩n, **bügle**
'by:glə
Bugenhagen 'bu:gn̩ha:gn̩
Bugey *fr.* by'ʒɛ
Bugge *norw.* ˌbʉgə
Buggy 'bagi
Bugi 'bu:gi
Bugiardini *it.* budʒar'di:ni
Buginese bugi'ne:zə
Buğra *türk.* bu:'rɑ
bugsieren bu'ksi:rən
Bugspriet 'bu:kʃpri:t
Bugulma *russ.* bugul'ma
Buguruslan *russ.* bugurus-
'lan
buh, B... bu:
Buhei bu'hai̯
Bühel 'by:əl
buhen 'bu:ən
Buhen 'bu:hɛn
Buhl bu:l, *dän.* bu:'l
Bühl by:l
Buhle 'bu:lə
buhlen, B... 'bu:lən
Bühler 'by:lɐ
Buhlerei bu:lə'rai̯
Buhne 'bu:nə
Bühne 'by:nə
Bührer 'by:rɐ
Buhturi 'buxturi
Buhurt 'bu:hurt
Buhuşi *rumän.* bu'huʃj
Buiatrik bu'ja:trık
Buick *engl.* 'bju:ık, bjuık
Builder 'bıldɐ
Building 'bıldıŋ
Buin bu'i:n
Buinaxk *russ.* buj'naksk
Bui-Hu'u-Nghia *vietn.* bui̯
hiu̯ ŋiə 355
Buisson *fr.* bɥi'sõ

Buitenzorg *niederl.* 'bœɪ̯tən-zɔrx
Bujide bu'ji:də
Bujumbura buʒʊmˈbu:ra, buj..., *fr.* buʒumbuˈra
buk, Buk bu:k
Buka *engl.* 'bu:kə
Bukanier bu'ka:niɐ̯, *auch:* buka'ni:ɐ̯
Bukarest 'bu:karɛst
Bukavu *fr.* buka'vu
büke 'by:kə
Buke 'bu:kə
Bukentaur buken'tauɐ̯
Bukephalos bu'ke:faləs
Bukett bu'kɛt
Bukinist buki'nɪst
Bukittinggi *indon.* bukɪt-'tɪŋgi
Bükk *ung.* bykk
bukkal bʊ'ka:l
Buklee bu'kle:
Buko 'bu:ko
Bukolik bu'ko:lɪk
Bukoliker bu'ko:likɐ̯
bukolisch bu'ko:lɪʃ
Bukowina buko'vi:na
Bukowski *engl.* bju'kɔvskɪ, *russ.* bu'kɔfskij
Bukranion bu'kra:nɪɔn, ...nien ...nɪ̯ən
Buktenica *serbokr.* buk.tɛ-nitsa
Bülach 'by:lax
Bulat *russ.* bu'lat
Bulatović *serbokr.* ˌbulatə-vitɕ
Bulawayo *engl.* bʊlə'weɪ̯ou
Bulawin *russ.* bu'lavin
bulbär bʊl'bɛ:ɐ̯
Bulbi *vgl.* Bulbus
bulboid bʊlbo'i:t, -e ...i:də
bulbös bʊl'bø:s, -e ...ø:zə
Bülbül 'bylbyl
Bulbus 'bʊlbʊs, ...bi ...bi
Bule bu'le:
Bulette bu'lɛtə
Bulfinch *engl.* 'bʊlfɪntʃ
Bulgakow *russ.* bul'gakɐf
Bulganin *russ.* bul'ganin
Bulgare bʊl'ga:rə
Bulgarien bʊl'ga:rɪ̯ən
bulgarisch bʊl'ga:rɪʃ
Bulimie buli'mi:
Bulin[e] bu'li:n[ə]
Bülk bylk
Bulk... 'bʊlk...
Bulkcarrier 'balkkɛrɪɐ̯
Bulkladung 'bʊlkla:dʊŋ

Bull *engl.* bʊl, *norw.* bʉl, *fr.* byl
Bulla 'bʊla, ...ae ...'bʊlɛ
Bullant *fr.* by'lã
Bullarium bʊ'la:rɪ̯ʊm, ...ien ...i̯ən
Bullauge 'bʊlˌauɡə
Bulldog® 'bʊldɔk
Bulldogge 'bʊldɔɡə
Bulldozer 'bʊldo:zɐ̯
¹Bulle 'bʊlə
²Bulle (Name) *fr.* byl
bullerig 'bʊlərɪç, -e ...ɪɡə
bullern 'bʊlɐn
Bulletin byl'tɛ̃:
Bullfinch 'bʊlfɪntʃ
bullig 'bʊlɪç -e ...ɪɡə
Bullinger 'bʊlɪŋɐ̯
Bullins *engl.* 'bʊlɪnz
Bullion 'bʊlɪ̯ən
Bullitt *engl.* 'bʊlɪt
Bullock *engl.* 'bʊlək
bullös bʊ'lø:s, -e ...ø:zə
bullosus bʊ'lo:zʊs
bullrig 'bʊlrɪç, -e ...ɪɡə
Bull Run *engl.* 'bʊl 'rʌn
Bullterrier 'bʊltɛrɪɐ̯
Bully 'bʊli
Bully-les-Mines *fr.* bylile-'min
Bülow 'by:lo
Bülte 'byltə
Bult[haupt] 'bʊlt[haʊ̯pt]
Bultmann 'bʊltman
Bulwer *engl.* 'bʊlwə
bum! bʊm
Bumbass 'bʊmbas
Bumboot 'bʊmbo:t
bum, bum! 'bʊm 'bʊm
Bumbum bʊm'bʊm
Bumbry *engl.* 'bʌmbrɪ
Bumerang 'bu:məraŋ, *auch:* 'bʊm...
Bumke 'bʊmkə
Bumm bʊm
Bummel 'bʊml̩
Bummelant bʊmə'lant
Bummelei bʊmə'laɪ̯
bummeln 'bʊml̩n
Bummerl 'bʊmɐl
bummern 'bʊmɐn
Bummler 'bʊmlɐ̯
bummlig 'bʊmlɪç, -e ...ɪɡə
bums! bʊms
bumsen 'bʊmzn̩, bumst bʊms, bumst bʊmst
Buna® 'bu:na
Bunbury *engl.* 'bʌnbərɪ
Bunčák *slowak.* 'buntʃa:k
Bunche *engl.* bʌntʃ

Bund bʊnt, -es 'bʊndəs, Bünde 'byndə
Bunda 'bʊnda
Bundahischn 'bʊndahɪʃn̩
Bündchen 'byntçən
Bünde 'byndə
Bündel 'byndl̩
Bündelei byndə'laɪ̯
Bünden 'byndn̩
bündig 'byndɪç, -e ...ɪɡə
bündisch byndɪʃ
Bündner 'byndnɐ̯
bündnerisch 'byndnərɪʃ
Bündnis 'byntnɪs, -se ...sə
Bundy *engl.* 'bʌndɪ
Bungalow 'bʊŋgalo
Bunge 'bʊŋə
Bungee-Jumping 'bandʒi-dʒampɪŋ
Bungsberg 'bʊŋsbɛrk
Bunguran *indon.* bu'ŋuran
Bunić *serbokr.* ˌbunitɕ
Bunin *russ.* 'bunin
Bunje 'bʊnjə
Bunker 'bʊŋkɐ̯
Bunker Hill *engl.* 'bʌŋkə 'hɪl
bunkern 'bʊŋkɐn
Bünning 'bynɪŋ
Bunny 'bani
Bunraku 'bʊnraku
Bunsen 'bʊnzn̩
bunt bʊnt
Bunte 'bʊntə
Bunting *engl.* 'bʌntɪŋ
Buñuel *span.* bu'ɲu̯el
Bunyan *engl.* 'bʌnjən
Bunyoro bʊn'jo:ro
Bunzlau 'bʊntslaʊ̯
Bünzli 'byntsli
Buochs 'bu:ɔks
Buol 'bu:ɔl
Buon *it.* bu̯ɔn
Buonaccorsi *it.* bu̯ɔnak-'korsi
Buonaiuti *it.* bu̯ona'ju:ti
Buonaparte *it.* bu̯ona'parte
Buonarroti *it.* bu̯onar'rɔ:ti
Buoncompagni *it.* bu̯oŋ-kom'paɲɲi
Buondelmonte *it.* bu̯ondel-'monte
Buono *it.* 'bu̯ɔ:no
Buononcini *it.* bu̯onon'tʃi:ni
Buontalenti *it.* bu̯onta'lɛnti
Buonvicini *it.* bu̯onvi'tʃi:ni
Buphthalmie bʊftal'mi:, -n ...i:ən
Buphthalmus bʊf'talmʊs
Buquoy bu'kɔa, by...
Büraburg 'by:rabʊrk

Buraida buˈraida
Buraimi buˈraimi
Burak *türk.* buˈrɑk
Buran buˈraːn
Burano *it.* buˈraːno
Burattino buraˈtiːno, ...ni
...ni
Burbach ˈbuːɐ̯bax
Burbage *engl.* ˈbəːbɪdʒ
Burbank *engl.* ˈbəːbæŋk
Burberry® ˈbøːɐ̯bəri,
ˈbœrb...
Burchard ˈburçart
Burchiello *it.* burˈkjɛllo
Burck[hardt] ˈburk[hart]
Burda[ch] ˈburda[x]
Búrdalo *span.* ˈburðalo
Bürde ˈbyrdə
Burdett[e] *engl.* bəˈ[ː]dɛt
Burdo ˈburdo, -nen burˈdoː-
nən
Burdur *türk.* ˈburdur
Burdwan *engl.* buədˈwaːn
Bure ˈbuːrə
Bureau byˈroː
Bureja *russ.* burɪˈja
Buren *niederl.* ˈbyːrə, *fr.*
byˈrɛn
Büren ˈbyːrən
Buresch ˈbuːrɛʃ
Bürette byˈrɛtə
Burg burk, -en ˈburgn̩
Burga ˈburga
Burgas *bulgar.* burˈgas
Burgau ˈburgau̯
Burgbernheim burkˈbɛrn-
haim
Burgdorf ˈburkdɔrf
Bürge ˈbyrgə
Bürgel ˈburgl̩
Bürgel ˈbyrgl̩
Burgen[land] ˈburgn̩[lant]
Bürgenstock ˈbyrgn̩ʃtɔk
Burger ˈburgɐ
Bürger ˈbyrgɐ
bürgerlich ˈbyrgɐlɪç
Bürgermeister ˈbyrgɐ-
maistɐ, *auch:* --ˈ--
Burgess *engl.* ˈbəːdʒɪs
Burgfelden burkˈfɛldn̩
Burgfried ˈburkfriːt, -e
...iːdə
Burgh *engl.* bəːg, ˈbʌrə, *nie-
derl.* byrx
Burghard ˈburkhart
Burghausen burkˈhauzn̩
Burgheim ˈburkhaim
Burghers *engl.* ˈbəːgəz
Burghild ˈburkhɪlt
Burghilde burkˈhɪldə

Burghley *engl.* ˈbəːlɪ
Bürgi ˈbyrgi
Burgiba burˈgiːba
Bürgin (Name) ˈbyrgiːn
Burgk burk
Burgkmair ˈburkmaiɐ
Burgkunstadt burkˈkunʃtat
Bürglen ˈbyrglən
Burglengenfeld burkˈlɛŋən-
fɛlt
Burgos ˈburgɔs, *span.* ˈbur-
ɣos
Burgoyne *engl.* ˈbəːgɔɪn, -ˈ–
Burgsdorf[f] ˈburksdɔrf
Burgstädt ˈburkʃtɛt
Burgstall[er] ˈburkʃtal[ɐ]
Burgsteinfurt burkˈʃtain-
furt
Burgstemmen burkˈʃtɛmən
Burgtonna burkˈtɔna
Burgund burˈgunt
Burgunder burˈgundɐ
burgundisch burˈgundɪʃ
Burgwald ˈburkvalt
Burian *tschech.* ˈburijan
Buri[dan] ˈbuːri[dan]
burisch ˈbuːrɪʃ
Burjate burˈjaːtə
Burjäte burˈjɛːtə
Burk[art] ˈburk[art]
Burkburnett *engl.* bəːk-
bəˈ[ː]nɛt
Burke *engl.* bəːk
Bürkel ˈbyrkl̩
Burkhard[t] ˈburkhart
Burkhart ˈburkhart
Burkheim ˈburkhaim
Burkina Faso burˈkiːna
ˈfaːzo
Burkiner burˈkiːnɐ
burkinisch burˈkiːnɪʃ
Burkitt *engl.* ˈbəːkɪt
Bürklein ˈbyrklain
Bürkli ˈbyrkli
Bürkner ˈbyrknɐ
Burlak burˈlaːk
Burleigh *engl.* ˈbəːlɪ
Burleson *engl.* ˈbəːlɪsən
burlesk burˈlɛsk
Burleske burˈlɛskə
Burletta burˈlɛta
Burley *engl.* ˈbəːlɪ
Burlingame *engl.* ˈbəːlɪŋ-
geɪm
Burlington *engl.* ˈbəːlɪŋtən
Burliuk *engl.* bəːˈljuːk
Burma ˈburma
Burman *engl.* ˈbəːmən
Burmane burˈmaːnə
burmanisch burˈmaːnɪʃ

Burmeister ˈbuːɐ̯maistɐ
Burmese burˈmeːzə
burmesisch burˈmeːzɪʃ
Burmester ˈbuːrmɛstɐ
Burnacini *it.* burnaˈtʃiːni
Burnand *fr.* byrˈnã
Burne[t] *engl.* ˈbəːn[ɪt]
Burnett *engl.* bəˈ[ː]nɛt,
ˈbəːnɪt
Burney *engl.* ˈbəːnɪ
Burnham *engl.* ˈbəːnəm
Burnie *engl.* ˈbəːnɪ
Burnitz ˈburnɪts
Burnley *engl.* ˈbəːnlɪ
Burnouf *fr.* byrˈnuf
Burn-out ˈbəːɐ̯naut,
ˈbœrn...
Burns *engl.* bəːnz
Burnside *engl.* ˈbəːnsaid
Burnsville *engl.* ˈbəːnzvɪl
Burnus ˈburnus, -se ...usə
Büro byˈroː
Bürokrat byroˈkraːt
Bürokratie byrokraˈtiː, -n
...iːən
bürokratisieren byrokrati-
ˈziːrən
Bürokratismus byrokraˈtɪs-
mus
Bürokratius byroˈkraːtsiu̯s
Bürolist byroˈlist
Buron *fr.* byˈrõ
Büroteł byroˈtɛl
Burr *engl.* bəː
Bürresheim ˈbyrəshaim
Burriana *span.* buˈrrjana
Burrillville *engl.* ˈbʌrɪlvɪl
Burrough[s] *engl.* ˈbʌrou[z]
¹Bursa ˈburza, -e ...zɛ
²Bursa *türk.* ˈbursɑ
Bürschchen ˈbyrʃçən
Bursch[e] ˈburʃ[ə]
Burscheid ˈbuːɐ̯ʃai̯t
burschikos burʃiˈkoːs, -e
...oːzə
Burschikosität burʃikozi-
ˈtɛːt
Burse ˈburzə
Bursfelde bursˈfɛldə
Bursitis burˈziːtɪs, ...itiden
...ziˈtiːdn̩
Burssens *niederl.* ˈbyrsəns
Burst bøːɐ̯st, bœrst
Bürstadt ˈbyːɐ̯ʃtat
Bürstchen ˈbyrstçən
Bürste ˈbyrstə
Burstyn *engl.* ˈbəːstɪn
Bürte ˈburtə
...bürtig ...byrtɪç, -e ...ɪgə
Burton *engl.* bəːtn

Burtscheid 'bʊrtʃait
Buru *indon.* 'buru
Burundi bu'rʊndi
Burund[i]er bu'rʊnd[i]ɐ
burundisch bu'rʊndiʃ
Burwood *engl.* 'bə:wʊd
Bury 'bu:ri, *engl. Familien-
name* 'bjʊərı, 'bɛrı, *engl.
Ortsname* 'bɛrı, *fr.* by'ri
Buryja 'bu:rija
Bury Saint Edmunds *engl.*
'bɛrı sınt 'ɛdməndz
Bürzel 'byrtsl̩
Burzenland 'bʊrtsn̩lant
Burzew *russ.* 'burtsəf
Bus (Auto) bʊs, **-se** 'bʊsə
Busbecq *fr.* bys'bɛk
Busch bʊʃ, **Büsche** 'byʃə
Buschan 'bʊʃan
Buschehr *pers.* bu'ʃehr
Büschel 'byʃl̩
Buschen 'bʊʃn̩
Büscher 'byʃɐ
Buschido bʊ'ʃi:do
Büsching 'byʃıŋ
Buschir bu'ʃi:ɐ
Buschmann 'bʊʃman
Buschor 'bʊʃo:ɐ
Büse 'by:zə
Busen 'bu:zn̩
Busenbaum 'bu:zn̩baum
Busenello *it.* buze'nɛllo
Busento *it.* bu'sɛnto
Bush[bury] *engl.* 'bʊʃ[bərı]
Bushat *alban.* bu'ʃat
Bushel 'bʊʃl̩
Bush[e]y *engl.* 'bʊʃı
Busianis *neugr.* bu'zjanis
busig 'bu:zıç, **-e** ...ıgə
Business 'bıznıs, ...nɛs
Busing 'basıŋ
Büsingen 'by:zıŋən
Busiris bu'zi:rıs
Busken Huet *niederl.* 'byskə
hy'ɛt
Buskerud *norw.* .bʉskərʉ
Busko Zdrój *poln.* 'buskɔ
'zdruj
Busnois *fr.* by'nwa
Busolt 'bu:zɔlt
Busoni *it.* bu'zo:ni
busper 'bʊspɐ
Buß bus
Bussard 'bʊsart, **-e** ...rdə
Buße 'bu:sə
Busse 'bʊsə
Bussel 'bʊsl̩
busseln 'bʊsl̩n
Bussen 'bʊsn̩
büßen 'by:sn̩

Busser *fr.* by'sɛ:r
Busserl 'bʊsɐl
Bussing 'basıŋ
Büssing 'bysıŋ
Bussole bʊ'so:lə
Bussotti *it.* bus'sɔtti
Bussum *niederl.* 'bysəm
Bussy *fr.* by'si
Busta 'bʊsta
Bustamante *span.* busta-
'mante
Bustani bʊs'ta:ni
Büste 'bystə
Bustelli bʊs'tɛli
Buster *engl.* 'bʌstə
Busti *it.* 'busti
Bustier bys'tie:
Busto *it., span.* 'busto
Bustorius bʊs'to:rjʊs
Busuki bu'zu:ki
Busuluk *russ.* buzu'luk
Büsum 'by:zʊm
Butadien buta'die:n
Butan bu'ta:n
Butanol buta'no:l
Butare *fr.* buta're
butch bʊtʃ
Butcher *engl.* 'bʊtʃə
Bute *engl.* bju:t
buten 'bu:tn̩
Buten bu'te:n
Butenandt 'bu:tənant
Buteo 'bu:teo
Buthelezi *engl.* bu:tə'leızı
Butike bu'ti:kə
Butiker bu'ti:kɐ
Butin bu'ti:n
Butinone *it.* buti'no:ne
Butjadingen bʊt'ja:dıŋən
[1]Butler (Diener) 'batlɐ,
auch: 'bœtlɐ
[2]Butler (Name) 'bʊtlɐ, *engl.*
'bʌtlɐ
Butlerow *russ.* 'butlırɐf
Butmir *serbokr.* 'butmir
Buto[mus] 'bu:to[mʊs]
Butor *fr.* by'tɔ:r
Bütow 'by:to
Butrint *alban.* bu'trint
Bütscher 'bʊtʃɐ
Bütschli 'bytʃli
Butskopf 'bʊtskɔpf
Butt bʊt, *engl.* bʌt
Bütt byt
Butte 'bʊtə, *fr.* byt, *engl.*
bju:t
Bütte 'bytə
Buttel 'bʊtl̩
Büttel 'bytl̩

Bütten 'bytn̩
Butter 'bʊtɐ, *engl.* 'bʌtɐ
Butterfield *engl.* 'bʌtəfi:ld
Butterfly 'batɐflai
butterig 'bʊtərıç, **-e** ...ıgə
buttern 'bʊtɐn
butterweich 'bʊtɐ'vaiç
Butterworth *engl.* 'bʌtə-
wə[:]θ
Butti *it.* 'butti
Butting 'bʊtıŋ
Buttje 'bʊtjə
Buttjer 'bʊtjɐ
Buttlar 'bʊtlar
Buttler 'bʊtlɐ
Büttner 'bytnɐ
Button 'batn̩
Button-down-...
'batn̩'daun...
buttrig 'bʊtrıç, **-e** ...ıgə
Butts *engl.* bʌts
Buttstädt, ...stedt 'bʊtʃtɛt
Butung *indon.* 'butʊŋ
Buturlin *russ.* butur'lin
Butyl bu'ty:l
Butylen buty'le:n
Butyrat buty'ra:t
Butyrometer butyro'me:tɐ
Butz[bach] 'bʊts[bax]
Bützchen 'bytsçən
Bütze 'bʊtsə
Butzen 'bʊtsn̩
bützen 'bytsn̩
Bützer 'bʊtsɐ
Bützow 'bytso, 'by:tso
Buus *niederl.* bys
Buvette by'vɛtə
Büx byks
Buxbaum 'bʊksbaum
Buxe 'bʊksə
Buxheim 'bʊkshaim
Buxtehude bʊkstə'hu:də
Buxton *engl.* 'bʌkstən
Buxtorf 'bʊkstɔrf
Buxu *span.* 'buksu
Buxus 'bʊksʊs
Buyck bɔyk
Buy-out 'bajlaut
Buyoya *fr.* bujɔ'ja
Buys[se] *niederl.* 'bœis[ə]
Buytewech *niederl.* 'bœitə-
wɛx
Buzău *rumän.* bu'zəu̯
Buzentaur butsɛn'taur
Buzephalus bu'tse:falʊs
Buzuk *alban.* bu'zuk
Buzzati *it.* bud'dza:ti
By *schwed.* by:
Byatt *engl.* 'baiət
bye-bye 'bai'bai

Byblos 'by:blɔs
Býčí Skála tschech. 'bi:tʃi: 'ska:la
Byck rumän. bik
Bydgoszcz poln. 'bidgɔʃtʃ
Bygdin norw. ,bygdin
Bygdøy norw. ,bygdœi
Bygholm dän. 'byghɔl'm
Bykau weißruss. 'bikɐu
Bykowski russ. bi'kɔfskij
Bylany tschech. 'bilani
Byline by'li:nə
Bylot engl. 'baɪlɔt
Byng engl. biŋ
Bynner engl. 'binə
Byns niederl. bɛins
Bypass 'baipas, ...**pässe** ...pɛsə
Byrd[e] engl. bə:d
Byrgius 'byrgius
Byrn[e]s engl. bə:nz
Byrom engl. 'baiərəm
Byron 'bairən, engl. 'baiərən
Byronismus bairo'nismus
Byrranga russ. bir'rangɐ
Byssus 'bysus
Byström schwed. ,by:strœm
Bystrzyca [Kłodzka] poln. biʃtʃ'ʃitsa ['kuotska]
Byte bait
Bytom poln. 'bitɔm
Bytów poln. 'bituf
Byzantiner bytsan'ti:nɐ
byzantinisch bytsan'ti:nɪʃ
Byzantinismus bytsanti'nismus
Byzantinist[ik] bytsanti-'nist[ik]
Byzantinologie bytsantino-lo'gi:
Byzanz by'tsantjən
Byzantium by'tsantsium
Byzanz by'tsants
Bzura poln. 'bzura

C

c, C tse:, engl. si:, fr. se, it. tʃi, span. θe
č, Č tʃe:
Caaguazú span. kaaɣua'θu
Caamaño span. kaa'maɲo

Caazapá span. kaaθa'pa
Cab kɛp
Cabaletta kaba'lɛta
Caballé span. kaβa'ʎe
Caballero kabal'je:ro, auch: kava...
Caban ka'bã:
Cabanel fr. kaba'nɛl
Cabanilles span. kaβa'niʎes
Cabanis fr. kaba'nis
Cabanossi kaba'nɔsi
Cabaret kaba're:
Cabat fr. ka'ba
Cabcart 'kɛpka:ɐt
Cabell engl. kæbl
Cabet fr. ka'bɛ
Cabeza de Vaca span. ka'βeθa ðe 'βaka
Cabezón span. kaβe'θɔn
Cabimas span. ka'βimas
Cabinda port. kɐ'βindɐ
Cable... ke:bl...
Cabo span. 'kaβo, port. 'kaβu, bras. 'kabu
Cabochiens fr. kabɔ'ʃjɛ̃
Cabochon kabɔ'ʃõ:
Caboclo ka'bɔklo, bras. ka'boklu
Cabora Bassa port. ka'βɔrɐ 'βasɐ
Cabot engl. 'kæbət
Cabotage kabo'ta:ʒə
Caboto it. ka'bɔ:to
Cabo Verde port. 'kaβu 'verdə
Cabra span. 'kaβra
Cabral port. kɐ'βral
Cabrera span. ka'βrera
Cabretta ka'brɛta
Cabrio 'ka:brio
Cabriolet kabrio'le:
Čačak serbokr. ,tʃa:tʃak
Cacaxtla span. ka'kaxtla
Caccia 'katʃa
Caccini it. kat'tʃi:ni
Cáceres span. 'kaθeres
Cache kɛʃ, auch: kaʃ
Cache-cache kaʃ'kaʃ
Cachelot kaʃə'lot
Cachemire kaʃ'mi:ɐ
Cachenez kaʃ[ə]'ne:, des - ...e:[s], die - ...e:s
Cachesex kaʃ[ə]'zɛks
Cachet ka'ʃe:
Cachetage kaʃ'ta:ʒə
Cachetero katʃe'te:ro
Cachí span. ka'tʃi
cachieren ka'ʃi:rən
Cachin fr. ka'ʃɛ̃
Cachoeira bras. ka'ʃueira

Cachot ka'ʃo:
Cachou ka'ʃu:
Cachucha ka'tʃutʃa
Cäcilia tsɛ'tsi:lia
Cäcilianismus tsɛtsilia'nis-mus
Cäcilie tsɛ'tsi:liə
Caciocavallo katʃoka'valo
Cacique span. ka'θike
Cactaceae kak'ta:tsɛɛ
Cacus 'ka:kus
CAD kɛt
Cadalso span. ka'ðalso
Cadamosto it. kada'mosto
Cadarache fr. kada'raʃ
Cadaverin kadave'ri:n
Cadbury engl. 'kædbəri
Čadca slowak. 'tʃattsa
Caddie 'kɛdi
Cade engl. keid
Cadenabbia it. kade'nabbia
Cadett ka'dɛt
Cadillac® fr. kadi'jak, engl. 'kædɪlæk
Cadinen ka'di:nən
Cadix fr. ka'diks
Cádiz span. 'kaðiθ
Cadmium 'katmium
Cadogan engl. kə'dʌgən
Cadolzburg 'ka:dɔltsburk
Cadore it. ka'do:re
Cadorna it. ka'dorna
Cadou fr. ka'du
Cadoudal fr. kadu'dal
Cadre 'ka:drə
Caduceus ka'du:tseus, ...ei ...ei
Caduff ka'duf
Cadwall 'katval, engl. 'kædwɔ:l
Caecilius tsɛ'tsi:lius
Caecum 'tsɛ:kum, **Caeca** 'tsɛ:ka
Caedmon 'kɛ:tmɔn, engl. 'kædmən
Cael[i]us 'tsɛ:l[i]us
Caen fr. kã
Caere 'tsɛ:rə
Caeremoniale tsɛremo-'nia:lə, ...**lia** ...lia, ...**lien** ...liən
Caernarvon engl. kɑ:'nɑ:-vən
Caerphilly engl. kɑ:'fili
Caesar 'tsɛ:zar, engl. 'si:zə
Caesarea tsɛza're:a
Caesarius tsɛ'za:rius
Caesius 'tsɛ:zius
Caetani it. kae'ta:ni
Caetano port. kai'tɐnu

Cafard ka'fa:ɐ̯
¹Café ka'fe:
²Café (Name) bras. ka'fɛ
Café complęt fr. kafekõ'plɛ
Café crème fr. kafe'krɛm
Cafeteria kafetə'ri:a
Cafeterie kafetə'ri:, -n
...i:ən
Cafetier kafe'tje:
Cafetiere kafe'tje:rə
Caffaręlli it. kaffa'rɛlli
Caffaro it. 'kaffaro
Caffe (Maler) ka'fe:
Caffięri it. kaf'fjɛ:ri
Cafuso ka'fu:zo
Cagayán span. kaɣa'jan
Cage engl. keɪdʒ
Cagli it. 'kaʎʎi
Cagliari it. 'kaʎʎari
Cagliostro it. kaʎ'ʎɔstro
Cagnacci it. kaɲ'nattʃi
Cagnes-sur-Mer fr. kaɲsyr-
'mɛ:r
Cagney engl. 'kæɡnɪ
Cagniard fr. ka'ɲa:r
Cagnola it. kaɲ'nɔ:la
Cagoule fr. ka'ɡul
Caguas span. 'kaɣu̯as
Cahier ka'je:
Cahokia engl. kə'hoʊkɪə
Cahors fr. ka'ɔ:r
Cahours fr. ka'u:r
Caicos engl. 'keɪkəs
Caillaud, ...aux fr. ka'jo
Caillavęt fr. kaja'vɛ
Caille fr. ka:j
Caillebotte fr. kaj'bɔt
Caillois fr. kaj'wa
Cain fr. kɛ̃, engl. keɪn
Caïn fr. ka'ɛ̃
Caine engl. keɪn
Cainsdorf 'kaɪnsdɔrf
Ça ira fr. sai'ra
Caird engl. kɛəd
Cairngorm engl. kɛən'ɡɔ:m
Cairn[e]s engl. kɛənz
Caissa ka'ɪsa
Caisson kɛ'sõ:
Caithness engl. 'keɪθnɛs
Čaják slowak. 'tʃaja:k
Cajal span. ka'xal
Cajamarca span. kaxa-
'marka
Cajamarquilla span. kaxa-
mar'kiʎa
Cajander schwed. ka'jandər
Cajetan[us] kaje'ta:n[ʊs]
Cajun engl. 'keɪdʒən
Cajus 'ka:jʊs, 'ɡa:jʊs
Cakchiquel kaktʃi'kɛl

Cake ke:k
Cakewalk 'ke:kvo:k
Čaks lett. tʃaks
Calabar engl. 'kæləba:
Calabozo span. kala'βoθo
Calabrese it. kala'bre:se
Calabria it. ka'la:brɪa
Calais ka'lɛ:, fr. ka'lɛ
Calama span. ka'lama
Calamares kala'ma:rɛs
Calamba span. ka'lamba
Calame fr. ka'lam
Calamus 'ka:lamʊs, ...mi
...mi
Calanca it. ka'laŋka
Caland 'ka:lant
calando ka'lando
Calapán span. kala'pan
Calar Alto span. ka'lar 'alto
Călărași rumän. kələ'raʃj
Calas fr. ka'la:s
Calasanz span. kala'sanθ
Calasanza it. kala'zantsa
Calatafimi it. kalata'fi:mi
Calatayud span. kalata'juð
Calatrava kala'tra:va, span.
kala'traβa
Calau 'ka:lau̯
Calayos ka'lajɔs
Calbayog span. kalβa'jɔx
Calbe 'kalbə
Calcagno kal'kanjo
Calcaneus kal'ka:neʊs, ...ei
...ei
Calcar niederl. 'kalkɑr
Calceolaria kaltseo'la:rɪa,
...ien ...jən
Calces vgl. Calx
Calchas 'kalças
Calciferol kaltsife'ro:l
Calcipot® 'kaltsipɔt
Calcispongiae kaltsi'spɔŋ-
ɡjɛ
Calcit kal'tsi:t
Calcium 'kaltsiʊm
Calculus 'kalkulʊs, ...li ...li
Calcutta kal'kʊta, engl. kæl-
'kʌtə
Caldara it. kal'da:ra
Caldarium kal'da:rɪʊm
Caldaro it. kal'da:ro
Caldas span., engl. 'kaldas
Caldas da Rainha port 'kal-
dɐʒ ðɐ rrɐ'iɲɐ
Calder engl. 'kɔ:ldə
Caldera kal'de:ra, span. kal-
'dera
Calderara it. kalde'ra:ra
Calderón 'kaldərɔn, span.
kalde'rɔn

Caldwell engl. 'kɔ:ldwəl
Calé ka'le:
Caledonia kale'do:nɪa
Calembour[g] kalã'bu:ɐ̯
Calembourdier kalãbʊr'dje:
Calenberg 'ka:lənbɛrk
Calendae ka'lɛndɛ
Calendula ka'lɛndula, ...lae
...lɛ
Calepio it. ka'lɛ:pɪo
Calera span. ka'lera
Calexico engl. kə'lɛksɪkoʊ
Calf kalf, auch: ka:f
Čalfa slowak. 'tʃalfa
Calgari it. kal'ga:ri
Calgary engl. 'kælɡərɪ
Calgon kal'ɡo:n
Calhoun engl. kæl'hu:n
Cali span. 'kali
Caliari it. ka'lja:ri
Caliban 'ka[:]liban, engl.
'kælɪbæn
Caliche ka'li:tʃə
Calicot kali'ko:
Calicut engl. 'kælɪkət
California engl. kælɪ'fɔ:nɪə,
span. kali'fɔrnɪa
Californium kali'fɔrnɪʊm
Caligula ka'li:ɡula
Calima span. ka'lima
Călimănești rumän. kəlimə-
'neʃtj
Calina ka'li:na
Călinescu rumän. kəli-
'nesku
Calisher engl. 'kælɪʃə
Calit ka'li:t
Cālius 'tsɛ:ljʊs
Calixt[us] ka'lɪkst[ʊs]
Calixtiner kalıks'ti:nɐ
Call... 'kɔ:l...
Call[a] 'kal[a]
Calla[g]han engl. 'kæləhən
Call and Response 'kɔ:l ɛnt
rɪs'pɔns
Callanetics kɛlə'nɛtɪks
Callao span. ka'ʎao
Callas it. 'kallas, fr. ka'la:s
Callboy 'kɔ:lbɔy
Calles span. 'kaʎes
Callgirl 'kɔ:lɡøːɐ̯l, ...ɡœrl
Call-in ko:l'ɪn, '--
Callingcard 'kɔ:lɪŋka:ɐ̯t
Callisto ka'lɪsto
Calloc'h bret. 'kalox
Callot fr. ka'lo
Callovien kalo'vjɛ̃:
Callus 'kalʊs, -se ...usə
Calloway engl. 'kæləweɪ
calmato kal'ma:to

Calme 'kalmə
Calmette *fr.* kal'mɛt
Calo 'ka:lo
Calomarde *span.* kalo-'marðe
Calonder ka'lɔndɐ
Calonne *fr.* ka'lɔn
Caloocan *span.* kalo'okan
Calor 'ka:lo:ɐ̯
Calov 'ka:lɔf, 'ka:lo
Calovius ka'lo:vjʊs
Caloyos ka'lo:jɔs
Calpe *span.* 'kalpe
Calprenède *fr.* kalprə'nɛd
Calpurnia kal'pʊrnja
Calpurnius kal'pʊrnjʊs
Cals *niederl.* kɑls, *fr.* kals
Caltabellotta *it.* kaltabel-'lɔtta
Caltagirone *it.* kaltadʒi-'ro:ne
Caltanissetta *it.* kaltanis-'setta
Caltex® 'kaltɛks
Calumet kalu'mɛt, *fr.* kaly'mɛ, *engl.* 'kæljʊmɛt
Calutron 'ka:lutro:n
Calva 'kalva
¹Calvados *fr.* kalva'do:s
²Calvados (Schnaps) kalva-'dɔs
Calvaert *niederl.* 'kɑlva:rt
Calvaria kal'va:rja, ...ien ...jən
Calvé *fr.* kal've
Calverley *engl.* 'kælvəlɪ
Calvi *it.* 'kalvi, *fr.* kal'vi
Calvin kal'vi:n, *fr.* kal'vɛ̃
calvinisch kal'vi:nɪʃ
Calvino *it.* kal'vi:no
Calvisius kal'vi:zjʊs
Calvities kal'vi:tsjɛs
Calvo *span.* 'kalβo
Calw kalf, -er 'kalvɐ
Calx kalks, Calces 'kaltse:s
Calyces *vgl.* Calyx
calycinisch kaly'tsi:nɪʃ
Calypso ka'lɪpso
Calyptra ka'lyptra
Calyx 'ka:lyks, Calyces ...lytse:s
Calzabigi *it.* kaltsa'bi:dʒi
Calzini *it.* kal'tsi:ni
Cam, CAM kɛm
Camacho *span.* ka'matʃo
Camagüey *span.* kama'ɣu̯ɛi̯
Camaieu kama'jø:
Camaino *it.* kama'i:no
Camaj *alban.* 'tsamaj
Camaldoli *it.* ka'maldoli

Câmara *bras.* 'kɐmara, *port.* 'kɐmɐrɐ
Camarera kama're:ra
Camarero kama're:ro
Camargo *fr.* kamar'go, *span.* ka'marɣo
Camargue *fr.* ka'marg
Camarillo *engl.* kæmə'rɪloʊ
Camaro ka'ma:ro
Cambaceres *span.* kamba-'θeres
Cambacérès *fr.* kãbase'rɛs
Camber 'kɛmbɐ
Camberg 'kambɛrk
Camberley *engl.* 'kæmbəlɪ
Cambert *fr.* kã'bɛ:r
Camberwell *engl.* 'kæmbə-wəl
Cambiaso *it.* kam'bja:zo
Cambiata kam'bja:ta
¹Cambio (Wechsel) 'kam-bjo, Cambi 'kambi
²Cambio (Name) *it.* 'kambjo
Cambium 'kambjʊm
Cambó *kat.* kəm'bo
Cambon *fr.* kã'bõ
Camborne *engl.* 'kæmbɔ:n
Cambrai *fr.* kã'brɛ
Cambria 'kambria
Cambrian *engl.* 'kæmbrɪən
Cambric 'kambrɪk, *engl.* 'keɪmbrɪk
Cambridge *engl.* 'keɪmbrɪdʒ
Cambrium 'kambrɪʊm
Cambronne *fr.* kã'brɔn
Camburg 'kambʊrk, -er ...rgɐ
Camcorder 'kamkɔrdɐ, 'kɛm...
Camden *engl.* 'kæmdən
Camelot kamə'lɔt
Camembert 'kaməmbe:ɐ̯, ...bɛ:ɐ̯, *auch:* kamã'bɛ:ɐ̯
Camena ka'me:na
Camenzind 'ka:məntsɪnt
Cameo 'kɛmjo
Camera obscura 'kamera ɔps'ku:ra, ...rae ...rae ...rɛ ...rɛ
Camerarius kame'ra:rjʊs
Camerata kame'ra:ta
Camerino *it.* kame'ri:no
Camerlengo kamɛr'lɛŋgo
Camerloher 'kamɐlo:ɐ̯
Cameron *engl.* 'kæmərən
Cameronianer kamero-'nja:nɐ
Cameroons *engl.* 'kæmə-ru:nz
Cameroun *fr.* kam'run

Camilla ka'mɪla, *it.* ka'milla, *engl.* kə'mɪlə
Camille *fr.* ka'mij
Camillo ka'mɪlo, *it.* ka'millo
Camillus ka'mɪlʊs
Camilo *span.* ka'milo, *port.* kɐ'milu
Caminha *port.* kɐ'mijnɐ
Camino *it.* ka'mi:no, *span.* ka'mino
Camion ka'mjõ:
Camionnage kamjɔ'na:ʒə
Camionneur kamjɔ'nø:ɐ̯
Cammelli *it.* kam'mɛlli
Cammin ka'mi:n
Camões *port.* ka'mõjʃ
Camogli *it.* ka'mɔʎʎi
Camoin *fr.* ka'mwɛ̃
Camon *it.* ka'mɔn
Camón *span.* ka'mɔn
Camonica *it.* ka'mɔ:nika
Camorra ka'mɔra
Camouflage kamu'fla:ʒə
camouflieren kamu'fli:rən
Camp kɛmp
Campagna kam'panja, *it.* kam'paɲɲa
Campagnola *it.* kampaɲ-'ɲɔ:la
Campan *fr.* kã'pã
Campana *it.* kam'pa:na, *span.* kam'pana
Campaña *span.* kam'paɲa
Campanella *it.* kampa'nɛlla
Campanile kampa'ni:lə
Campanini *it.* kampa'ni:ni
Campanula kam'pa:nula, ...lae ...lɛ
Campanus kam'pa:nʊs
Campari® kam'pa:ri
Campbell *engl.* kæmbl
Campbellit kambɛ'li:t
Campbellton *engl.* 'kæmbltən
Campbeltown *engl.* 'kæmbltaʊn
Campe 'kampə
Campeador *span.* kampea-'ðɔr
Campeche *span.* kam'petʃe
Campeche... kam'petʃə...
Campeggi *it.* kam'peddʒi
Campejus kam'pe:jʊs
campen 'kɛmpn̩
Campendonk 'kampn̩dɔŋk
Campenhausen 'kampn̩hau̯zn̩
Camper 'kɛmpɐ
Camper[t] *niederl.* 'kɑm-pər[t]

Campesino kampe'zi:no
Camphausen 'kamphauzn̩
Campher 'kamfɐ
Camphill engl. 'kæmphɪl
Camphuysen niederl.
'kamphœyzə
Campi it. 'kampi
Campian engl. 'kæmpjən
Campidano it. kampi'da:no
Campidoglio it. kampi-
'dɔʎʎo
Campiello it. kam'pjɛllo
campieren kam'pi:rən
Campigli it. kam'piʎʎi
Campignien kãpɪn'jɛ̃:
Campigny fr. kãpi'ɲi
Campilit kampi'li:t
Campin fr. kã'pɛ̃
Campiña span. kam'piɲa
Campina[s] bras. kem'pi-
na[s]
Campine fr. kã'pin
Camping 'kempɪŋ
Campion engl. 'kæmpɪən
Campione it. kam'pjo:ne
Campistron fr. kãpis'trõ
¹Campo 'kampo
²Campo (Name) it., span.
'kampo, port., bras. 'kempu
Campoamor span. kampoa-
'mɔr
Campobasso it. kampo-
'basso
Campoformido it. kampo-
'fɔrmido
Campoformio it. kampo-
'fɔrmjo
Campo Grande bras.
'kempu 'grɛndi
Campomanes span. kam-
po'manes
Campoosorio span. kam-
poo'sorjo
Cámpora span. 'kampora
Campos span. 'kampos,
bras. 'kempus, port. 'kem-
puʃ
Camposanto kampo'zanto
Campos Salles bras. 'kem-
pus 'salis
Campra fr. kã'pra
Campus 'kampʊs, auch:
'kempəs
campy 'kempi
Camrose engl. 'kæmrovz
Camus fr. ka'my
Canada 'kanada, engl.
'kænədə, fr. kana'da
Canadian engl. kə'neɪdɪən
Canadienne kana'djɛn

Canaille ka'naljə
Çanakkale türk. tʃa'nak-
ka.lɛ
Canal it., span. ka'nal
Canal du Centre fr. kanál-
dy'sã:tr
Canal du Midi fr. kanaldy-
mi'di
Canale ka'na:lə, ...li ...li
Canalejas span. kana'lɛxas
Canaletto it. kana'letto
Canali it. ka'na:li
Canalis ka'na:lɪs, ...les
...le:s
Canandaigua engl. kænən-
'deɪgwə
Cananea span. kana'nea
Cañar span. ka'ɲar
Canarias span. ka'narjas
Canarie kana'ri:
Canaris ka'na:rɪs
Canasta ka'nasta
Canaveral engl. kə'nævərəl
Canazei it. kanat'tsɛ:i̯
Canberra engl. 'kænbərə
Cancan kã'kã:
canceln 'kɛntsl̩n
Cancer 'kantsɐ
Cancer en cuirasse kã'se:ɐ̯
ã: kɥi'ras
cancerogen kantsero'ge:n
Cancerologe kantsero'lo:gə
Canción span. kan'θjon
Cancioneiro port. kẽsju-
'neɪru
Cancionero kansjo'ne:ro,
span. kanθjo'nero
Cancún span. kaŋ'kun
Candamo span. kan'damo
Candel span. kan'dɛl
Candela dt., it. kan'de:la
Candelaria span. kande'la-
rja
Candia it. 'kandja
Candiano it. kan'dja:no
Candid 'kandɪt
Candida 'kandida
candidatus [reverendi]
ministerii kandi'da:tʊs
[reve'rendi] mɪnɪs'te:rii
Candide fr. kã'did
Candido it. 'kandido
Candidus 'kandidʊs
Candilis fr. kãdi'lis
Candle-Light-... 'kɛndllai̯t...
cand. med. 'kant 'me:t, -
'mɛt
Candolle fr. kã'dɔl
cand. phil. 'kant 'fi:l, - 'fɪl
Cané fr. ka'ne

Canebière fr. kan'bjɛ:r
Canelones span. kane'lones
Canes Venatici 'ka:ne:s
ve'na:titsi
Canetti ka'nɛti
Caneva it. 'ka:neva
Canevari it. kane'va:ri
Canfield engl. 'kænfi:ld
Cango afr. 'kaŋgo:
Canicatti it. kanikat'ti
Canicula ka'ni:kula
Caniglia it. ka'niʎʎa
Canik türk. 'dʒanik
Canina it. ka'ni:na
Caninus ka'ni:nʊs, Canini
ka'ni:ni
Canio 'ka:njo
Canisius ka'ni:zjʊs
Canis Major 'ka:nɪs 'ma:jo:ɐ̯
Canis Minor 'ka:nɪs
'mi:no:ɐ̯
Canities ka'ni:tsjɛs
Canitz 'ka:nɪts
Cankar slowen. 'tsa:ŋkar
Cankırı türk. 'tʃaŋkɨri
Canlassi it. kan'lassi
Canna[bich] 'kana[bɪç]
Cannabis 'kanabis
Cannae 'kane
Cannan engl. 'kænən
Cannelé kanə'le:
Cannelkohle 'kɛnl̩ko:lə
Cannelloni kane'lo:ni
Cannes fr. kan
Cannet, Le fr. ləka'nɛ
Canning 'kenɪŋ
Cannizzaro it. kanit'tsa:ro
Cannock engl. 'kænək
Cannon engl. 'kænən
Cannon... 'kɛnən...
Cannstadt 'kanʃtat
Cano ka'no, span. 'kano
Canoas bras. ke'noas
Canoe 'ka:nu, ka'nu:
Canogar span. kano'ɣar
Canon 'ka:nɔn, -es ...none:s
Cañon 'kanjɔn, kan'jo:n
Canon City engl. 'kænjɔn
'sɪti
Canonica it. ka'nɔ:nika
Canonicus ka'no:nikʊs
Canonsburg engl. 'kænənz-
bə:g
Canopus ka'no:pʊs
Canosa it. ka'no:sa
Canossa it. ka'nɔssa
Canotier kano'tje:
Canova it. ka'nɔ:va
Cánovas span. 'kanoβas
Canrobert fr. kãrɔ'bɛ:r

Cansado *fr.* kãsa'do
Cansever *türk.* dʒɑnsɛ'vɛr
Canstein 'kanʃtaɪn
Cant kɛnt
cantabile kan'ta:bile
Cantabria *span.* kan'taβrɪa
Cantábrico *span.* kan-'taβriko
Cantacuzino *rumän.* kanta-kuzi'no
Cantal *fr.* kã'tal
cantando kan'tando
Cantani *it.* kan'ta:ni
Cantar kan'ta:r
Cantaro (Maß) 'kantaro, ...ri ...ri
Cantate kan'ta:tə
Cantatille *fr.* kãta'tij
Cantatore *it.* kanta'to:re
Cantelli *it.* kan'tɛlli
Canteloube *fr.* kãt'lub
Cantemir *rumän.* kante'mir
Canter 'kantɐ, *auch:* 'kɛntɐ
Canterbury *engl.* 'kæntəbərɪ
Canth *schwed.* kant
Cantharidin kantari'di:n
Cân Tho' *vietn.* kən θə 31
Cantica 'kantika
Cantiga kan'ti:ga
Cantilena kanti'le:na
Cantilène *fr.* kãti'lɛn
Cantillon *fr.* kãti'jõ
Cantium 'kantsɪʊm
Canto 'kanto
Canton 'kantɔn, *engl.* 'kæn-tən
Cantoni *it.* kan'to:ni
Cantor 'kanto:ɐ
Cantù *it.* kan'tu
Cantus 'kantʊs, **die** - 'kan-tu:s
Cantus choralis, - figuralis, - firmus, - mensurabilis, - mensuratus, - planus 'kantʊs ko'ra:lɪs, - fɪgu'ra:-lɪs, - 'fɪrmʊs, - mɛnzu'ra:bi-lɪs, - mɛnzu'ra:tʊs, - 'pla:-nʊs
Canvassing 'kɛnvəsɪŋ
Canyon[ing] 'kɛnjən[ɪŋ]
Canzone kan'tso:nə
Canzoniere kantso'nɪe:rə
Cão *port.* kɐ̃ʊ
Cao-Ba-Quat *vietn.* kaʊ ba ku̯at 122
Cao-Dai 'ka:o'daɪ
Caodaismus kaoda'ɪsmʊs
Caorle *it.* 'ka:orle
Capa 'kapa

Capablanca *span.* kapa-'βlaŋka
Cápac *span.* 'kapak
Cap-de-la-Madeleine *fr.* kapdəlama'dlɛn
Capdevielle *fr.* kapdə'vjɛl
Capdevila *span.* kapðe'βila
Cape ke:p
Cape (Kap) *engl.* 'keɪp
Capeador kapea'do:ɐ, **-es** ...o:rɛs
Capecchi *it.* ka'pekki
Cape Cod *engl.* 'keɪp 'kɔd
Cape Girardeau *engl.* 'keɪp ʒɪ'ra:doʊ
Čapek *tschech.* 'tʃapɛk
Capella ka'pɛla
Capellanus kapɛ'la:nʊs
Capelle *niederl.* kɑ'pɛlə
Capellio *it.* ka'pɛllɪo
Capello ka'pɛlo, *it.* ka'pɛllo
Capensis ka'pɛnzɪs
Capestrano *it.* kapes'tra:no
Capet *fr.* ka'pɛ
Capétiens *fr.* kape'sjɛ̃
Cap-Haïtien *fr.* kapai'sjɛ̃
Caphis 'ka:fɪs
Capistranus kapɪs'tra:nʊs
Capistrum ka'pɪstrʊm, ...ra ...ra
Capita vgl. Caput
Capitan[t] *fr.* kapi'tã
Capitium ka'pi:tsɪʊm, ...ia ...ɪa
Capito 'ka:pito
capito? ka'pi:to
Capitolinus mons kapito-'li:nʊs 'mɔns
Capitulum ka'pi:tulʊm, ...la ...la
Capizzi *it.* ka'pittsi
Caplet *fr.* ka'plɛ
Capmany *span.* kap'mani, *kat.* kəp'maɲ
Capnio 'kapnio
Capnion 'kapnɪɔn
Capodichino *it.* kapodi-'ki:no
Capodimonte *it.* kapodi-'monte
Capodistria *it.* kapo'distrɪa
Capogrossi *it.* kapo'grɔssi
Capone *it.* ka'po:ne, *engl.* kə'poʊn
Caporetto *it.* kapo'retto
Capotasto kapo'tasto, ...sti ...sti
Capote *engl.* kə'poʊtɪ
Cappel 'kapl̩
Cappelle *niederl.* kɑ'pɛlə

Cappel[l]er 'kapəlɐ
Cappelletti *it.* kappel'letti
Capp[i]ello *it.* kap'p[i]ɛllo
Cappenberg 'kapn̩bɛrk
Capponi *it.* kap'po:ni
Cappuccilli *it.* kapput'tʃilli
Cappuccino kapʊ'tʃi:no
Capra *engl.* 'kæprə
Capraia *it.* ka'pra:ɪa
Capranica *it.* ka'pra:nika
Caprarola *it.* kapra'rɔ:la
Capreolus ka'pre:olʊs
Caprera *it.* ka'pre:ra
Caprese ka'pre:zə
Capri *it.* 'ka:pri
Capriccio ka'prɪtʃo
capriccioso kapri'tʃo:zo
Caprice ka'pri:sə
Capricornus kapri'kɔrnʊs
Caprivi ka'pri:vi
Caprolactam kaprolak'ta:m
Capron... ka'pro:n...
Capronat kapro'na:t
Caproni *it.* ka'pro:ni
Capsicum 'kapsikʊm
Capsien ka'psɪɛ̃
Captain *engl.* 'kæptɪn
Captatio Benevolentiae kap'ta:tsɪo benevo'lɛntsɪɛ
Capua *it.* 'ka:pua
Capuana *it.* kapu'a:na
Capuchon kapy'ʃõ
Capucines *fr.* kapy'sin
Capucius ka'pu:tsɪʊs
Capulet ka'pulɛt
Capuleti *it.* kapu'le:ti
Capuletti kapu'lɛti, *it.* kapu'lɛtti
Capus *fr.* ka'py
Caput 'ka:pʊt, 'kapʊt, **Capita** 'ka:pita, 'kap...
Caput mortuum 'ka:pʊt 'mɔrtuʊm, 'kap...
Caquelon kakə'lõ
Caquetá *span.* kake'ta
¹Car (Fahrzeug) ka:ɐ
²Car (Name) *serbokr.* tsar
Carabiniere karabi'nɪe:rə, ...ri ...ri
Carabobo *span.* kara'βoβo
Caracal *rumän.* ka'rakal
Caracalla kara'kala
Caracas *span.* ka'rakas
Caracciola kara'tʃo:la
Caracciolo *it.* ka'rattʃolo
Caracho ka'raxo
Caradoc *engl.* kə'rædək
Caradosso *it.* kara'dɔsso
Carafa *it.* ka'ra:fa
Caraffa *it.* ka'raffa

Caragiale *rumän.* kara-
'dʒale
caramba! ka'ramba
Caransebeş *rumän.* karan-
'sebeʃ
Caraş *rumän.* 'karaʃ
Caratacus ka'ra:takʊs
Carate *it.* ka'ra:te
Carathéodory karateo'do:ri
Caratinga *bras.* kara'tiŋga
Caratti *it.* ka'ratti
Caravaca *span.* kara'βaka
Caravaggio *it.* kara'vaddʒo
Caravan 'ka[:]ravan, kara-
'va:n
Caravaner 'ka[:]rava:nɐ,
kara'va:nɐ
Caravaning 'ka[:]rava:nɪŋ,
kara'va:nɪŋ
Caravelle *fr.* kara'vɛl
Carazo *span.* ka'raθo
Carbazol karba'tso:l
Carbid karbi:t, -e ...i:də
Carbo 'karbo
Carbó *span.* kar'βo, *kat.*
kər'βo
carbocyclisch karbo-
'tsy:klɪʃ
Carbol... kar'bo:l...
Carbolineum karboli'ne:ʊm
Carbon *fr.* kar'bõ
Carbonado karbo'na:do
Carbonari *it.* karbo'na:ri
Carbonat karbo'na:t
Carbondale *engl.* 'ka:bən-
deɪl
Carboneum karbo'ne:ʊm
Carbonia *it.* kar'bɔ:nia
Carbonyl karbo'ny:l
Carborundum karbo-
'rʊndʊm
Carcano *it.* 'karkano
Carcassonne *fr.* karka'sɔn
Carchi *span.* 'kartʃi
Carcinoma kartsi'no:ma
Carco *fr.* kar'ko
Carcopino *fr.* karkɔpi'no
Cardano *it.* kar'da:no
Cardanus kar'da:nʊs
Cardarelli *it.* karda'rɛlli
Cardenal *span.* karðe'nal
Cárdenas *span.* 'karðenas
Cardew *engl.* 'ka:dju:
Cardiff *engl.* 'ka:dɪf
Cardigan 'kardigan
Cardigan[shire] *engl.*
'ka:dɪgən[ʃɪə]
Cardillac *fr.* kardi'jak
Cardin *fr.* kar'dɛ̃
Cardinale *it.* kardi'na:le

Cardona *span.* kar'ðona
Cardoso *port.* kɐr'dozu,
brasil. kar'dozu
Carducci *it.* kar'duttʃi
Carducho *span.* kar'ðutʃo
CARE kɛ:ɐ̯
Carei *rumän.* ka'rei̯
Carême *fr.* ka'rɛm
care of 'kɛ:ɐ̯ 'ɔf
Carew *engl.* kə'ru:
Carey *engl.* 'kɛərɪ
carezzando karɛ'tsando
carezzevole karɛ'tse:vole
Cargilit kargi'li:t
Cariani *it.* ka'ria:ni
CARICOM 'ka:rikɔm
Caridis ka'ri:dɪs
Caries 'ka:ries
Carignano *it.* kariɲ'ɲa:no
Carillon kari'jõ
Carina ka'ri:na, ...nae ...nɛ
carinthisch ka'rɪntɪʃ
Carioca ka'rio:ka
Carion 'ka:riɔn
Caripito *span.* kari'pito
Carissimi *it.* ka'rissimi
Carit *dän.* 'karid
Caritas 'ka:ritas
caritativ karita'ti:f, -e ...i:və
Carjacking 'ka:ɐ̯dʒɛkɪŋ
Carl, karl, *schwed.* ka:rl
Carla 'karla
Carle *engl.* ka:l
Carlén *schwed.* kar'le:n
Carleton *engl.* 'ka:ltən
Carletonville *engl.* 'ka:ltən-
vɪl
Carlevaris *it.* karle'va:ris
Carli *it.* 'karli
Carling *norw.* 'karlɪŋ
Carlingford *engl.* 'ka:lɪŋfəd
Carli[s]le *engl.* ka:'laɪl
Carlo *dt., it.* 'karlo
Carlone *it.* kar'lo:ne
Carlos 'karlɔs, *span.* 'karlos,
port. 'karluʃ, *bras.* 'karlus
Carlota *span.* kar'lota
Carlotta kar'lɔta
Carlow *engl.* 'ka:lou
Carlowitz 'karlovɪts
Carlsbad *engl.* 'ka:lzbæd
Carl[s]son *schwed.*
'ka:[r]lsɔn
Carlstedt *schwed.* ,ka:[r]l-
stɛt
Carlsund *schwed.*
'ka:[r]lsʊnd
Carlton *engl.* 'ka:ltən
Carlyle *engl.* ka:'laɪl

Carmagnola *it.* karmaɲ-
'nɔ:la
Carmagnole karman'jo:lə
Carman 'karman, *engl.*
'ka:mən
Carmarthen *engl.* kə'ma:-
ðən, -shire -ʃɪə
Carmel 'karml, *engl.*
'ka:məl
Carmela kar'me:la, *span.*
kar'mela
Carmelina *it.* karme'li:na
Carmelita *it.* karme'li:ta
Carmen 'karmən, *span.*,
rumän. 'karmen, *fr.* kar-
'mɛn, *bras.* 'karmɛ̃i̯
Carmen 'karmən, ...mina
...mina
Carmencita *span.* karmen-
'θita
Carmenta kar'mɛnta
Carmer 'karmɐ
Carmi *engl.* 'ka:maɪ, *hebr.*
'karmi
Carmichael *engl.* ka:'maɪkəl
Carmiggelt *niederl.* kɑr'mɪ-
ɣəlt
Carmina burana 'karmina
bu'ra:na
Carmona *span.* kar'mona,
port. kɐr'monɐ
Carmontelle *fr.* karmõ'tɛl
Carnaby *engl.* 'ka:nəbɪ
Carnac *fr.* kar'nak
Carnallit karna'li:t
Carnap 'karnap
Carnarvon *engl.* kə'na:vən,
-shire -ʃɪə
Carnavalet *fr.* karnava'lɛ
Carné *fr.* kar'ne
Carnegie *engl.* ka:'nɛgɪ,
'ka:nɪgɪ
Carner *kat.* kər'ne
Carnero kar'ne:ro, *span.*
kar'nero
Carnet [de Passages], -s
[- -] kar'ne: [də pa'sa:ʒə]
Carnevali *it.* karne'va:li
Carney *engl.* 'ka:nɪ
carnivor karni'vo:ɐ̯
Carnot *fr.* kar'no, *rät.* kər-
'not
Carnotzet *fr.* karnɔt'sɛ
Carnovali *it.* karno'va:li
Carnuntum kar'nʊntʊm
Caro *dt., it.* 'ka:ro, *span.*
'karo, *engl.* 'ka:rou
¹Carol (Name) 'ka:rɔl, *engl.*
'kærəl, *fr.* ka'rɔl, *rumän.*
'karol

²Carol (Lied) 'kɛrəl
Carola ka'ro:la, *auch:*
'ka:rola
Carolina karo'li:na, *engl.*
kærə'laınə, *span.* karo'lina,
bras. karu'lina
Caroline karo'li:nə, *engl.*
'kærəlaın, *fr.* karə'lin
Carolines *engl.* 'kærəlaınz
Carolsfeld 'ka:rɔlsfɛlt
Carolus 'ka:rolʊs, *auch:*
ka'ro:lʊs
Caron *fr.* ka'rõ
Carosio *it.* ka'rɔ:zi̯o
Caroso *it.* ka'ro:so
Carossa ka'rɔsa
Carothers *engl.* kə'rʌðəz
Carotin karo'ti:n
Carotinoid karotino'i:t, -e
...i:də
Carotis ka'ro:tıs, ...tiden
karo'ti:dn̩
Caroto *it.* ka'rɔ:to
Carouge *fr.* ka'ru:ʒ
Carp *rumän.* karp
Carpaccio *it.* kar'pattʃo
Carpalia kar'pa:li̯a
Carpați *rumän.* kar'patsj
Carpeaux *fr.* kar'po
carpe diem 'karpə 'di:ɛm
Carpelan *schwed.* karpə'la:n
Carpentaria *engl.* ka:pən-
'tɛəri̯ə
Carpenter *engl.* 'ka:pıntə
Carpenter... 'karpntɐ...
Carpentersville *engl.*
'ka:pıntəzvıl
Carpentier *fr.* karpä'tje,
span. karpen'ti̯er
Carpentras *fr.* karpä'tra
Carpi *it.* 'karpi
Carpin kar'pi:n
Carpineti *it.* karpi'ne:ti
Carpinteria *engl.* ka:pıntə-
'ri̯ə
Carpio *span.* 'karpi̯o
Carpioni *it.* kar'pi̯o:ni
Carport 'ka:ɐ̯po:ɐ̯t
Carpus 'karpʊs, ...pi ...pi
Carpzov 'karptso
Carr *engl.* ka:
Carrà *it.* kar'ra
Carracci *it.* kar'rattʃi
Carranza *span.* ka'rranθa
Carrara ka'ra:ra, *it.* kar-
'ra:ra
carrarisch ka'ra:rıʃ
Carrasquilla *span.* karras-
'kiʎa
Carré *fr.* ka're

Carrel *fr.* ka'rɛl, *engl.* 'kærəl
Carreño *span.* ka'rrɛɲo
Carrer *it.* kar'rɛr
Carrera[s] *span.* ka'rrɛra[s]
Carrere *span.* ka'rrɛre
Carrero *span.* ka'rrɛro
Carretto *it.* kar'retto
Carrickfergus *engl.* kærık-
'fə:gəs
Carrie *engl.* 'kærı
¹Carrier (Name) *fr.* ka'rje
²Carrier (Transport) 'kɛri̯ɐ
Carriera *it.* kar'ri̯e:ra
Carrière *fr.* ka'rje:r
Carrillo *span.* ka'rriʎo
Carrington *engl.* 'kærıŋtən
Carrión *span.* ka'rri̯ɔn
Carroll *engl.* 'kærəl
Carrousel *fr.* karu'zɛl
Carry *engl.* 'kærı
Çarşamba *türk.* tʃar'ʃamba
Carshalton *engl.* kə'ʃɔ:ltən
Carson *engl.* ka:sn
Carsta 'karsta
Carsten 'karstn̩, *dän.*
'kaɐ̯sdn̩
Carstens 'karstn̩s
Carstensz *niederl.* 'karstəns
Carsulae 'karzulɛ
Cartagena *span.* karta'xena
Cartago *span.* kar'taɣo
Cartan *fr.* kar'tã
Carte blanche, -s -s 'kart
'blã:ʃ
Carter *engl.* 'ka:tə
Carteret *fr.* kartə'rɛ, *engl.*
'ka:təret
Carteri *it.* kar'tɛ:ri
Carteromaco *it.* karte'rɔ:-
mako
cartesianisch karte'zi̯a:nıʃ
cartesisch kar'te:zıʃ
Cartesius kar'te:zi̯ʊs
Carthage *engl.* 'ka:θıdʒ
Carthago kar'ta:go
Carthamin karta'mi:n
Cartier *fr.* kar'tje
Cartilago karti'la:go,
...gines ...gine:s
Carton de Wiart *fr.* kartõ-
də'vja:r
Cartoon kar'tu:n
Cartoonist kartu'nıst
Cartwright *engl.* 'ka:traıt
Caruaru *bras.* karu̯a'ru
Carúpano *span.* ka'rupano
Carus 'ka:rʊs
Caruso *it.* ka'ru:zo
Carvajal *span.* karβa'xal
Carvalho *port.* kɐr'vaʎu

Carver *engl.* 'ka:və
Carving 'ka:ɐ̯vıŋ
Cary *engl.* 'kɛərı
Carzou *fr.* kar'zu
Casa *it.* 'ka:sa
Casablanca kaza'blaŋka, *fr.*
kazablã'ka
Casadesus *fr.* kazad'sy
Casa Grande *engl.* 'ka:sa:
'gra:ndeı
Casale Monferrato *it.*
ka'sa:le monfer'ra:to
Casals *kat.* kə'zals, *span.*
ka'sals
Casamari *it.* kasa'ma:ri
Casanova kaza'no:va, *it.*
kasa'nɔ:va
Căsar 'tsɛ:zar, **-en** tsɛ'za:rən
Căsarea tsɛza're:a
Căsares *span.* ka'sares
căsarisch tsɛ'za:rıʃ
Căsarismus tsɛza'rısmʊs
Căsarius tsɛ'za:ri̯ʊs
Casaroli *it.* kaza'rɔ:li
Căsaropapismus tsɛzaro-
pa'pısmʊs
Casas *span.* 'kasas
Casas Grandes *span.*
'kasaz 'ɣrandes
Casati *it.* ka'sa:ti
Casaubon *fr.* kazo'bõ
Casca 'kaska
Cascada kas'ka:da
Cascade *engl.* kæs'keıd
Cascadeur kaska'dø:ɐ̯
Cascais *port.* kɐʃ'kaiʃ
Cascales *span.* kas'kales
Cascara sagrada 'kaskara
za'gra:da
Cascella *it.* kaʃ'ʃɛlla
Cascina (Toskana) *it.* 'kaʃ-
ʃina
Casco 'kasko, *engl.* 'kæskoʊ
¹Case (Name) *engl.* keıs
²Case (Fall; Behälter) ke:s
Casehistory 'ke:shıstəri
Casein kaze'i:n
Casel 'ka:zl̩
Casella *it.* ka'sɛlla
Caselli *fr.* kazɛl'li, *it.* ka'sɛlli
Casement *engl.* 'keısmənt
Caserta *it.* ka'sɛrta, ka'z...
Casey *engl.* 'keısı
cash, ¹Cash kɛʃ
²Cash (Name) *engl.* kæʃ
cash and carry 'kɛʃ ɛnt
'kɛri
cash before delivery 'kɛʃ
bi'fo:ɐ̯ di'lıvəri
Cashel *engl.* kæʃl

Cashew 'kɛʃu
Cashflow 'kɛʃflo:
cash on delivery 'kɛʃ ɔn
di'lıvəri
Casimir 'ka:zimi:ɐ̯, fr. kazi-
'mi:r
Casimiri it. kazi'mi:ri
Casino ka'zi:no
Casiquiare span. kasi'kiare
Cäsium 'tsɛ:zjʊm
Caskel 'kaskl̩
Čáslav tschech. 'tʃa:slaf
Caslon engl. 'kæzlən
Casona span. ka'sona
Casorati it. kazo'ra:ti
Casoria it. ka'sɔ:ria
Caspar 'kaspar
Casparini it. kaspa'ri:ni
Caspary kas'pa:ri
Caspe span. 'kaspe
Casper 'kaspɐ, engl. 'kæspə
Cassa 'kasa
Cassadó kat. kəsə'ðo, span.
kasa'ðo
Cassagnac fr. kasa'ɲak
Cassander ka'sandɐ
Cassano it. kas'sa:no
Cassapanca kasa'paŋka
Cassata ka'sa:ta
Cassatt engl. kə'sæt
Cassava ka'sa:va
Cassavetes engl. kæsə'vi:-
ti:z
Cassegrain fr. kas'grɛ̃
Cassel fr. ka'sɛl, engl. kæsl,
schwed. 'kasəl
Casselberry engl. 'kæsəl-
bərı
Cassell engl. kæsl
Cassella ka'sɛla
Cassette ka'sɛtə
Cassianeum kasia'ne:ʊm
Cassianus ka'sia:nʊs
Cassibelan kasibe'la:n,
engl. kæ'sıbələn
Cassin fr. ka'sɛ̃
Cassinari it. kassi'na:ri
Cassinet 'kɛsinɛt
Cassini it. kas'si:ni, fr.
kasi'ni
Cassino it. kas'si:no
Cassio 'kasio
Cassiodorus kasio'do:rʊs
Cassiopeia kasio'paia
Cassiopeium kasio'paiʊm
Cassirer ka'si:rɐ
Cassis ka'si:s
Cassius 'kasiʊs, engl.
'kæsıəs
Cassola it. kas'sɔ:la

Cassone ka'so:nə, ...ni ...ni
Cassou fr. ka'su
Cast ka:st
Castagno it. kas'taɲɲo
Castagnola it. kastaɲ'ɲɔ:la
Castaldi it. kas'taldi
Castan fr. kas'tã
Castanheda port. kɐʃtɐ-
'ɲeðɐ
Castaños span. kas'taɲos
Casteau fr. kas'to
Casteggio it. kas'teddʒo
Castelar span. kaste'lar
Castelbarco it. kastel'barko
Castel del Monte it. kas'tɛl
del 'monte
Castelein niederl. kɑstə'lɛin
Castelfranco it. kastel-
'fraŋko
Castel Gandolfo it. kas'tɛl
gan'dɔlfo
Castell kas'tɛl
Castellammare it. kastel-
lam'ma:re
Castellani it. kastel'la:ni
Castellano[s] span. kaste-
'ʎano[s]
Castelli kas'tɛli, it. kas'tɛlli
Castellio kas'tɛljo, fr. kas-
tɛ'ljo
Castellón span. kaste'ʎɔn
Castelnau fr. kastɛl'no
Castelnuovo it. kastel-
'nuɔ:vo, span. kastel'nuoβo
Castelo port. kɐʃ'tɛlu, bras.
kas'tɛlu
Castelrotto it. kastel'rotto
Castelseprio it. kastel'sɛ:-
prio
Castelvecchio it. kastel-
'vɛkkio
Castelvetrano it. kastelve-
'tra:no
Castelvetro it. kastel've:tro
Casti it. 'kasti
Castigliano it. kastiʎ'ʎa:no
Castiglione [delle Stiviere]
it. kastiʎ'ʎo:ne ['delle sti-
'viɛ:re]
Castiglioni it. kastiʎ'ʎo:ni
Castilho port. kɐʃ'tiʎu
Castilla span. kas'tiʎa
Castillejo[s] span. kasti'ʎɛ-
xo[s]
Castillo span. kas'tiʎo
Castillon fr. kasti'jõ
Casting engl. 'ka:stıŋ
Casti-Piani kasti'pia:ni

Castize kas'ti:tsə
¹Castle (Name) 'kastlə,
engl. ka:sl
²Castle (Burg) 'ka:sl̩
Castlebar engl. ka:sl'ba:
Castleford engl. 'ka:slfəd
Castlemaine engl. 'ka:sl-
mein
Castlereagh engl. 'ka:slreı
Castletown engl. 'ka:sltaʊn
Castor, CASTOR 'kasto:ɐ̯
Castoreum kas'to:reʊm
Castra 'kastra
Castracani it. kastra'ka:ni
Castrén schwed. kas'tre:n
Castres fr. kastr
Castries engl. kæs'tri:s
Castrismus kas'trismʊs
Castro it., span. 'kastro,
bras. 'kastru, port. 'kaʃtru,
engl. 'kæstrou
Castro Alves bras. 'kastru
'alvis
Castroismus kastro'ısmʊs
Castrop-Rauxel 'kastrɔp-
'raʊksl̩
Castruccio it. kas'truttʃo
Castulo 'kastulo
Casuarina kazua'ri:na
Casula 'ka:zula, ...lae ...lɛ
Casus Belli 'ka:zʊs 'bɛli, die
- - 'ka:zu:s -
Casus obliquus 'ka:zʊs
o'bli:kvʊs, - ...ui 'ka:zu:s
...vi
Casus rectus 'ka:zʊs 'rɛk-
tʊs, - ...ti 'ka:zu:s ...ti
Cat engl. kæt
Catacombe it. kata'kombe
Çatal Hüyük türk. tʃa'tal
hy'jyk
Catalina span. kata'lina
Catalpa ka'talpa
Cataluña span. kata'luɲa
Catamarca span. kata-
'marka
Catania it. ka'ta:nia
Catanzaro it. katan'dza:ro,
...'tsa:ro
Cataracta kata'rakta
Catargiu rumän. katar'dʒiu̯
Catarina port. kɐtɐ'rinɐ
Catawba engl. kə'tɔ:bə
Catboot 'kɛtbo:t
Catch kɛtʃ
Catch-as-catch-can 'kɛtʃ-
|ɛs'kɛtʃ'kɛn
catchen 'kɛtʃn̩
Catcher 'kɛtʃɐ

Catcherpromoter 'kɛtʃɐ-
pro'mo:tɐ
Catchup 'kɛtʃap, auch:
'kɛtʃɛp
Cateau fr. ka'to
Catechine katɛ'çi:nə
Catecholamine katɛçola-
'mi:nə
Catechu 'katɛçu
Catel ka'tɛl
Catena it. ka'te:na
Catenaccio kate'natʃo
Catene ka'te:nə
Caterina it. kate'ri:na
Catering 'ke:tərɪŋ
Caterpillar 'kɛtəpɪlɐ
Catesby engl. 'keɪtsbɪ
Catgut 'katgʊt, 'kɛtgat
Catharina kata'ri:na
Cathay ka'taɪ
Cathedra 'ka:tedra, ...drae
...drɛ
Cather engl. 'kæðə
Catherine engl. 'kæθərɪn,
'kæθrɪn
Cathérine fr. kate'rin
Cathleen engl. 'kæθli:n
Cathrein ka'traɪn
Cathrine fr. ka'trin
Catilina kati'li:na
Catinat fr. kati'na
Catinga ka'tɪŋga
Catlett engl. 'kætlɪt
Catlin engl. 'kætlɪn
Catlinit katli'ni:t
Cato 'ka:to
Catonsville engl. 'keɪtnzvɪl
Catroux fr. ka'tru
Cats niederl. kats
Catskill engl. 'kætskɪl
Catsuit 'kɛtsju:t
Catt dt., fr. kat, engl. kæt
Cattaneo it. kat'ta:neo
Cattaro it. 'kattaro
Cattell engl. kə'tɛl
Cattenom fr. kat'nɔm
Cattleya ka'tlaɪa
Cattolica it. kat'tɔ:lika
Catull[us] ka'tʊl[ʊs]
Catulus 'ka:tulʊs
Catwalk 'kɛtvo:k
Cau fr. ko
Caub kaʊp
Cauca span. 'kaʊka
Cauchon fr. ko'ʃõ
Cauchy fr. ko'ʃi
Caucus 'ko:kəs
Cauda 'kaʊda
caudal[is] kaʊ'da:l[ɪs]

Caudex 'kaʊdɛks, ...dices
...ditse:s
Caudillo kaʊ'dɪljo
Caudium 'kaʊdiʊm
Cauer 'kaʊɐ
Caulaincourt fr. kolɛ̃'ku:r
Caulfield engl. 'kɔ:[l]fi:ld
Caullery fr. kol'ri
Caulnes fr. ko:n
Caumont fr. ko'mõ
Cauquenes span. kaʊ'kenes
Caura span. 'kaʊra
Caus fr. ko
Causa 'kaʊza
Cause célèbre, -s -s 'ko:s
se'lɛ:brə
Causerie kozə'ri:, -n ...i:ən
Causeur ko'zø:ɐ̯
Causeuse ko'zø:zə
Causses fr. ko:s
Causticum 'kaʊstikʊm,
...ca ...ka
Caute engl. koʊt
Cauterets fr. ko'trɛ, kɔ'trɛ
Cautín span. kaʊ'tin
Cauwelaert niederl. 'kɔʊ-
wəla:rt
Caux fr. ko
Cava vgl. Cavum
Cava (Wein) 'ka:va
Cavaco port. kɐ'vaku
Cava de' Tirreni it. 'ka:va
de tir'rɛ:ni
Cavael ka'va:l
Cavaillé-Coll fr. kavaje'kɔl
Cavaillon fr. kava'jõ
Cavalcanti it. kaval'kanti,
bras. kaval'kɐnti
Cavaliere kava'lje:rə, ...ri
...ri
Cavalieri it. kava'lie̯:ri
Cavalier Poets engl. kævə-
'lɪə 'poʊɪts
Cavalleria kavale'ri:a
Cavalleria Rusticana it.
kavalle'ri:a rusti'ka:na
Cavallero it. kaval'lɛ:ro
Cavalli it. ka'valli
Cavallini it. kaval'li:ni
Cavallino it. kaval'li:no
Cavallotti it. kaval'lɔtti
Cavan engl. 'kævən
Cavazzola it. kavat'tsɔ:la
Cavazzoni it. kavat'tso:ni
Cave engl. keɪv
Caveau fr. ka'vo
cave canem! 'ka:və 'ka:nɛm
Cavedoni it. kave'do:ni
Cavell engl. kævl
Cavendish engl. 'kævəndɪʃ

Caviceo it. kavi'tʃɛ:o
Cavite span. ka'βite
Cavos it. 'ka:vos
Cavour it. ka'vur
Cavtat serbokr. .tsaftat
Cavum 'ka:vʊm, ...va ...va
Cawdor engl. 'kɔ:də
Cawnpore engl. kaʊn'pɔ:
Caxambu bras. kaʃɐm'bu
Caxés span. ka'xes
Caxias port. kɐ'ʃiɐʃ, bras.
ka'ʃias
Caxton engl. 'kækstən
Cayatte fr. ka'jat
Cayce engl. 'keɪsɪ
Cayenne fr. ka'jɛn
Cayes fr. kaj
Cayley engl. 'keɪlɪ
Caylus fr. kɛ'lys
Caymans engl. 'keɪmənz
Cayönü türk. 'tʃɑjœ.ny
Cayrol fr. kɛ'rɔl
Cazalis fr. kaza'lis
Cazalla span. ka'θaʎa
Cazin fr. ka'zɛ̃
Cazotte fr. ka'zɔt
Cazzati it. kat'tsa:ti
CB-Funk 'tse:'be:fʊŋk
CBS engl. si:bi:'ɛs
CD-... tse:'de:...
CD-ROM tse:de:'rɔm
CDU tse:de:'lu:
C-Dur 'tse:du:ɐ̯, auch: '–'–
Ceán span. θe'an
Ceará bras. sja'ra
Céard fr. se'a:r
Ceaușescu rumän. tʃɛaʊ-
'ʃesku
Cebion® 'tse:bio:n
Cebollera span. θeβo'ʎera
Cebotari tʃebo'ta:ri
Cebu 'tse:bu
Cebú span. θe'βu
Ceccarelli it. tʃekka'rɛlli
Ceccato it. tʃek'ka:to
Cecchetti it. tʃek'ketti
Cecchi it. 'tʃekki
Cecco it. 'tʃekko
Cecco del Vecchio 'tʃeko
dɛl 'vekio
Cech engl. sɛtʃ
Čech tschech. tʃɛx
Čechy tschech. 'tʃɛxi
Cecidie tse'tsi:diə
Cecil engl. sɛsl
Cécile fr. se'sil
Cecilia it. tʃe'tʃi:lia, span.
θe'θilia
Cecilie tse'tsi:liə
Cecilienhof tse'tsi:liənho:f

Cecily *engl.* 'sısılı, 'sesılı
Cedar *engl.* 'si:də
Cederborgh *schwed.*
ˌse:dərbɔrj
Cederström *schwed.*
ˌse:dərstrœm
Cedi 'se:di, *engl.* 'seıdı
Cedille se'di:jə, -n ...jən
Cedynia *poln.* tsɛ'dinja
Cefalù *it.* tʃefa'lu
Cegléd *ung.* 'tsɛgle:d
Ceiba *span.* 'θɛiβa
Ceilometer tsạilo'me:tɐ
Ceinturon sɛ̃ty'rõ:
Ceiriog *engl.* 'kạiəriɔg
Cela *span.* 'θela
Celadon 'tse:ladɔn
Čelakovský *tschech.* 'tʃɛla-
kɔfski:
Celan tsɛ'la:n
Celano *it.* tʃe'la:no
Celaya *span.* θe'laja
Celebes tse'le:bɛs; *auch:*
'tse:lebɛs, se'le:bɛs
Čelebonović *serbokr.* tʃɛlɛ-
ˌbɔnɔvitc
Celebret 'tse:lebrɛt
Celentano *it.* tʃelen'ta:no
Celerina tsele'ri:na, tʃe...
Celesta tse'lɛsta, tʃe...
Celestina *span.* θeles'tina
Celia 'tse:lia, *engl.* 'si:lıə
Celibidache *rumän.* tʃelibi-
'dake
Céline *fr.* se'lin
Celio *it.* 'tʃe:lịo
Celje *slowen.* 'tsɛ:ljɛ
Cella 'tsɛla, Cellae 'tsɛlɛ
Cellarius tsɛ'la:riʊs
Celle 'tsɛlə, *it.* 'tʃɛlle
Cellerar tsɛle'ra:ɐ
Cellerarius tsɛle'ra:riʊs,
...rii ...rii
Cellere *it.* 'tʃɛllere
Celli *vgl.* Cello
Cellier *fr.* se'lje
Celliers *afr.* səl'je:
Cellini *it.* tʃel'li:ni
Cellist tʃɛ'lıst
Cello 'tʃɛlo, Celli ...li
Cellon® tsɛ'lo:n
Cellophan[e]® tsɛlo-
'fa:n[ə]
cellophanieren 'tsɛlofa'ni:-
rən
Cellula 'tsɛlula, ...lae ...lɛ
Celsius 'tsɛlzịus, *schwed.*
'sɛlsiʊs
Celsus 'tsɛlzʊs
Celtis 'tsɛltıs

Celtium 'tsɛltsịom
Cemal Süreya *türk.* dʒɛ'mal
syrɛ'ja
Cembalist tʃɛmba'lıst
Cembalo 'tʃɛmbalo, ...li ...li
Cenabum 'tse:nabʊm
Cena *it.* 'tʃe:na
Cénacle *fr.* se'nakl
Cenci *it.* 'tʃɛntʃi
Cendrars *fr.* sã'dra:r
Cenerentola *it.* tʃene'rɛn-
tola
Ceneri *it.* tʃe:neri
Cennini *it.* tʃen'ni:ni
Cenoman[e] tseno'ma:n[ə]
Cenowa *poln.* tsɛ'nɔva
Cent sɛnt, *auch:* tsɛnt
CENTAG *engl.* 'sɛntæg
Cental 'sɛntl
Centaurus tsɛn'taurʊs
Centavo sɛn'ta:vo
Centenar tsɛnte'na:ɐ
Center 'sɛntɐ, 'tsɛ...
Centerville *engl.* 'sɛntəvıl
Centesimo tʃɛn'te:zimo,
...mi ...mi
Centésimo sɛn'te:zimo
Cent-gardes *fr.* sã'gard
Centime sã'ti:m, des ...s
...m[s], die ...s ...m[s]
Céntimo 'sɛntimo
Centinela *span.* θenti'nela
Centlivre *engl.* sınt'lıvə
¹Cento (Gedicht) 'tsɛnto,
-nes tsɛn'to:ne:s
²Cento (Name) 'tsɛnto,
engl. 'sɛntoʊ, *it.* 'tʃɛnto,
span. 'θento
Centovalli *it.* tʃento'valli
Central *span.* θen'tral
Central Criminal Court
'sɛntrəl 'krıminl 'ko:ɐ
Centralia *engl.* sɛn'treılıə
Central Intelligence
Agency 'sɛntrəl ın'tɛlidʒns
'e:dʒnsi
Centre... 'sɛntɐ..., 'tsɛ...
Centrosom tsɛntro'zo:m
Centula 'tsɛntula
centum 'tsɛntʊm
Centurie tsɛn'tu:rịə
Centurio *it.* tʃen'tu:ripe
Centurium tsɛn'tu:rịʊm
Cephalopode tsɛfalo'po:de
Centweight 'sɛntve:t
Čep *tschech.* tʃɛp
Cepheiden tsɛfe'i:dn
Cepheus 'tse:fɔys
Cephisus tse'fi:zʊs
Ceprano *it.* tʃe'pra:no

Cepu *indon.* tʃə'pu
Cer tse:ɐ
Cera[m] 'tse:ra[m]
Cerano *it.* tʃe'ra:no
Cerbère *fr.* sɛr'bɛ:r
Cerberus 'tsɛrberʊs
Cercamon sɛrka'mɔn
Čerchov *tschech.* 'tʃɛrxɔf
Cercle 'sɛrkl, des -s ...l[s],
die -s ...l[s]
Cerdagne *fr.* sɛr'daɲ
Cerdaña *span.* θɛr'ðaɲa
Cerealien tsere'a:lịən
cerebellar tserebe'la:ɐ
Cerebellum tsere'bɛlʊm,
...lla ...la
Cerebotani *it.* tʃerebo'ta:ni
Cerebrum 'tse:rebrʊm, ...ra
...ra
Cereolus tse're:olʊs, ...li ...li
Ceres 'tse:res, *engl.* 'sıəri:z,
span. 'θeres, *bras.* 'sɛris
Ceresin tsere'zi:n
Ceresio *it.* tʃe'rɛ:zịo
Cereus 'tse:reʊs
Cerezo *span.* θe're:θo
Cergy-Pontoise *fr.* sɛrʒi-
põ'twa:z
Cerha 'tsɛrha
Cerignola *it.* tʃeriɲ'ɲɔ:la
Cerigo *it.* tʃe'ri:go
Cerimon 'tse:rimɔn
Cerinth[us] tse'rınt[ʊs]
cerise sə'ri:s
Cerit tse'ri:t
Čermák *tschech.* 'tʃɛrma:k
Cermets 'sø:ɐmɛts, 'sœrm...
CERN *fr.* sɛrn
Cerna *rumän.* 'tʃerna
Cernan *engl.* 'sɔ:nən
Cernăuţ *rumän.* tʃernə'utsj
Cernavodă *rumän.* tʃerna-
'vodə
Cernay *fr.* sɛr'nɛ
Cernier *fr.* sɛr'nje
Černík *tschech.* 'tʃɛrnji:k
Černohorský *tschech.* 'tʃɛr-
nɔhɔrski:
Cernuda *span.* θɛr'nuða
Cernuschi *fr.* sɛrnys'ki
Ceroli *it.* tʃe'rɔ:li
Cerone *it.* tʃe'ro:ne
Cerotin... tsero'ti:n...
Cerquetti *it.* tʃer'kuetti
Cerquozzi *it.* tʃer'kuɔttsi
Cerretti *it.* tʃer'retti
Cërrik *alban.* tsə'rrik
Cerrito *span.* θe'rrito
Cerritos *engl.* sə'ri:təs

Cerro de las Mesas *span.* 'θɛrro ðe las 'mesas
Cerro de Pasco *span.* 'θɛrrɔ ðe 'pasko
Cerro Largo *span.* 'θɛrrɔ 'larɣo
Cerro Sechín *span.* 'θɛrrɔ se't ʃin
Cersne 'tsɛrsnə
Certaldo *it.* t ʃer'taldo
Certon *fr.* sɛr'tõ
Certosa *it.* t ʃer'to:za
Cerumen tsɛ'ru:mən
Cerussit tsɛrʊ'si:t
Ceruti *it.* t ʃe'ru:ti
Cervantes sɛr'vantɛs, *span.* θɛr'βantes
Cervelat 'sɛrvəla
Červený *tschech.* 't ʃɛrvɛni:
Cerveteri *it.* t ʃer'vɛ:teri
Cervera *span.* θɛr'βera
Cervi *it.* 't ʃɛrvi
Cervia *it.* 't ʃɛrvi̯a
Cervices vgl. Cervix
Cervin *fr.* sɛr'vẽ
Cervinara *it.* t ʃervi'na:ra
Cervini *it.* t ʃer'vi:ni
Cervinia *it.* t ʃer'vi:ni̯a
Cervino *it.* t ʃer'vi:no
Cervinus tsɛr'vi:nʊs
Cervix 'tsɛrvıks, **Cervices** tsɛr'vi:tse:s
ces tsɛs
Césaire *fr.* se'zɛ:r
Cesalpino *it.* t ʃezal'pi:no
Cesar 'tsɛ:zar, *span.* θe'sar
César *fr.* se'za:r, *span.* 'θesar
Cesare *it.* 't ʃe:zare
Cesarec *serbokr.* tsɛ'sarɛts
Cesari *it.* 't ʃe:zari, t ʃe'za:ri
Cesarić *serbokr.* 'tsɛsaritɕ
Cesarini *it.* t ʃeza'ri:ni
Cesarino *it.* t ʃeza'ri:no
Cesar[i]o *it.* t ʃe'za:r[i]o
Cesarotti *it.* t ʃeza'rɔtti
Cesbron *fr.* sɛs'brõ
Cesena *it.* t ʃe'zɛ:na
Cesenatico *it.* t ʃeze'na:tiko
Cesetti *it.* t ʃe'zetti
Cesis *lett.* 'tse:sıs
Česká Kamenice *tschech.* 't ʃɛska: 'kamɛnjitsɛ
Česká Lípa *tschech.* 't ʃɛska: 'li:pa
Česká Republika *tschech.* 't ʃɛska: 'rɛpublika
Česká Třebová *tschech.* 't ʃɛska: 'tr ʃɛbɔva:

České Budějovice *tschech.* 't ʃɛskɛ: 'budjɛjɔvitsɛ
Československá Republika *tschech.* 't ʃɛskɔslɔvɛnska: 'rɛpublika
Československo *tschech.* 't ʃɛskɔslɔvɛnskɔ
Český Brod *tschech.* 't ʃɛski: 'brɔt
Český Krumlov *tschech.* 't ʃɛski: 'krumlɔf
Ceslaus 'tsɛslaus
Çeşme *türk.* 't ʃɛ ʃmɛ
Céspedes *span.* 'θespeðes, *it.* 't ʃespedes
Cess[na] *engl.* 'sɛs[nə]
Cessnock *engl.* 'sɛsnɔk
Cesti *it.* 't ʃesti
Cestius 'tsɛsti̯ʊs
c'est la guerre! *fr.* sɛla'gɛ:r
c'est la vie! *fr.* sɛla'vi
Cestodes tsɛs'to:dɛs
Cetaceum tsɛ'ta:tsɛʊm
Cetatea Albă *rumän.* t ʃe'ta-tea̯ 'albə
ceteris paribus tse:teri:s 'pa:ribʊs
ceterum censeo 'tse:terʊm 'tsenzeo
Cethegus tse'te:gʊs
Cetina *span.* θe'tina, *ser-bokr.* ˌtsetina
Cetinje *serbokr.* ˌtsetinjɛ
cetisch 'tse:tı ʃ
Četnici *serbokr.* 't ʃɛtni:tsi
Cetra *it.* 't ʃe:tra, 't ʃɛ:tra
Cette *fr.* sɛt
Cettineo *serbokr.* tsɛti'nɛɔ
Cetus 'tse:tʊs
Ceulen *niederl.* 'kø:lə
Ceuta *span.* 'θeuta
Ceva *it.* 't ʃe:va, 't ʃɛ:va
Cevapcici, Čevapčići t ʃe'vaptʃitʃi
Cevennen se'vɛnən
Cévennes *fr.* se'vɛn
Cevio *it.* 't ʃe:vi̯o
Ceyhan *türk.* 'dʒɛi̯han
Ceyhun *türk.* dʒɛi̯'hun
Ceylon 'tsai̯lon, *engl.* sı'lɔn
Ceylonese tsai̯lo'ne:zə
Cézanne *fr.* se'zan
Cézannismus seza'nısmʊs
CFTC *fr.* seɛfte'se
CGT *fr.* seʒe'te
Chaban-Delmas *fr.* ʃabã-dɛl'mɑ:s
Chabannes *fr.* ʃa'ban ·
Chabarowsk *russ.* xa'ba-rɛfsk

Chabert *fr.* ʃa'bɛ:r
Chablais *fr.* ʃa'blɛ
¹Chablis (Wein) ʃa'bli:, des - ...i:[s], die - ...i:s
²Chablis (Ort) *fr.* ʃa'bli, ʃa'bli
Chabot *fr.* ʃa'bo
Chabrias 'ça:brias
Chabrier *fr.* ʃabri'e
Chabrol *fr.* ʃa'brɔl
Chabur xa'bu:r
Chacao *span.* t ʃa'kao
Cha-Cha-Cha 't ʃa't ʃa't ʃa
Chachani *span.* t ʃa't ʃani
Chachapoyas *span.* t ʃat ʃa'pojas
Chaco *span.* 't ʃako
Chaconne ʃa'kɔn, -n ...nən
chacun à son goût *fr.* ʃakœasõ'gu
Chadderton *engl.* 't ʃædətən
Chadidscha xa'di:dʒa
Chadourne *fr.* ʃa'dúrn
Chadschu Kermani *pers.* xɑ'dʒu: kermɑ'ni:
Chadsidakis *neugr.* xadzi-'ðakis
Chadsopulos *neugr.* xa'dzɔpulɔs
Chadwick *engl.* 't ʃædwık
Chadyschensk *russ.* xa'di-ʒənsk
Chaefre ça'e:frə
Chagall *fr.* ʃa'gal
Chagas... *fr.* ʃa:gas...
Chagny *fr.* ʃa'ɲi
Chagos *engl.* 't ʃɑ:gous
Chagres *span.* 't ʃaɣres
Chagrin *fr.* ʃa'grẽ:
chagrinieren ʃagri'ni:rən
Ch'aho *korean.* t ʃhaho
Chahut ʃa'y:
Chailley *fr.* ʃa'jɛ
Chaillot *fr.* ʃa'jo
Chailly *fr.* ʃa'ji
Chain *engl.* t ʃeın
Chaine 'ʃɛ:n[ə], -n ...nən
Chairaddin xai̯re'di:n
Chairemon çai̯'re:mɔn
Chairil *indon.* 'xai̯rıl
Chairleder 'ʃɛ:ɐ̯le:dɐ
Chairman, ...men 't ʃɛ:ɐ̯mɛn
Chaironeia çai̯ro'nai̯a
Chaise 'ʃɛ:zə
Chaiselongue ʃɛzə'lõŋ, ...'lõ:k, -n ...'lõŋən, ...'lõ:gŋ, **die -s** ...'lõŋs
Chaka *engl.* 't ʃɑ:kɑ:
Chakan *pers.* xɑ'kɑ:n
Chakasse xa'kasə

Chạkra 'tʃakra
Chạku 'tsa:ku
Chạlaza 'ça:lats̬a, ...zen
  ça'la:tsǝn
Chạlaze ça'la:tsǝ
Chạlạzion ça'la:tsi̯on, ...ien
  ...i̯ǝn
Chạlạzium ça'la:tsi̯ʊm,
  ...ien ...i̯ǝn
Chalazogamiẹ çalats̬o-
  ga'mi:, -n ...i:ǝn
¹Chalcedǫn (Stein) kalts̬e-
  'do:n
²Chalcẹdon (Stadt) çal'ts̬e:-
  dǝn
Chalcịdice çal'tsi:dits̬e
Chaldäa kal'dɛ:a
Chaldäer kal'dɛ:ɐ
chaldäisch kal'dɛ:ɪʃ
Chạlder 'kaldɐ
Chạldi 'xaldi
Chalẹt ʃa'le:
Chaleur Bay engl. ʃa:'lǝ:
  'beɪ
Chalfont engl. 'tʃælfɔnt
Chalgrin fr. ʃal'grɛ̃
Chạlid 'xa:lɪt
Chalikǫse çali'ko:zǝ
Chalị̈ xa'li:l
Chalị̈lowo russ. xa'lilɐvɐ
Chalkẹdon çal'ke:dɔn
Chalkịdike çal'ki:dike
Chalkidikị neugr. xalkiði'ki
Chạlkis 'çalkɪs, neugr. xal-
  'kis
Chalkochemigraphiẹ çal-
  koçemigra'fi:
Chalkogẹne çalko'ge:nǝ
Chalkogrạph çalko'gra:f
Chalkographiẹ çalkogra'fi:
Chalkolịth[ikum] çalko-
  'li:t[ikʊm]
chalkophịl çalko'fi:l
Chalkọse çal'ko:sǝ
Chalk Rịver engl. 'tʃɔ:k 'rɪvǝ
Chạlle fr. ʃal
Challenger engl. 'tʃælɪndʒǝ
Chạlmers engl. 'tʃɑːmɔz
Châlons-sur-Mạrne fr.
  ʃalõsyr'marn
Chalon-sur-Saône fr. ʃalõ-
  syr'so:n
Chạlupka slowak. 'xalupka
Chạlumeau ʃaly'mo:
Chaly ʃa'li:
Chalzedǫn kalts̬e'do:n
Chalzị̈dito çal'tsi:dits̬e
Chạm ka:m, fr. kam
Chamạde ʃa'ma:dǝ
Chamäleon ka'mɛ:lèon

Chamäphyt çamɛ'fy:t
Chamartín span. tʃamar'tin
Chamạve ça'ma:vǝ
Chamäzephaliẹ çamɛts̬e-
  fa'li:, -n ...i:ǝn
Chamberlain 'tʃe:mbɐlɪn,
  engl. 'tʃeɪmbǝlɪn
Chamberlen, ...lin engl.
  'tʃeɪmbǝlɪn
Chamber of Cǫmmerce
  'tʃe:mbɐ ɔf 'kɔmø:ɐ̯s,
  - -...mœrs
Chambers engl. 'tʃeɪmbǝz
Chambersburg engl. 'tʃeɪm-
  bǝzbǝ:g
Chambertin ʃãbɛr'tɛ̃:
Chambéry fr. ʃãbe'ri
Chambly fr. ʃã'bli, engl.
  'ʃæmblɪ
Chambonnières fr. ʃã-
  bǝ'njɛ:r
Chambǫrd fr. ʃã'bɔ:r
Chambray ʃam'brɛ:
Chambre des Députés
  ʃã:brǝ de: depy'te:
Chambre garniẹ, -s -s
  'ʃã:brǝ gar'ni:
Chambre séparée, -s -s
  'ʃã:brǝ zepa're:
Chambriẹre ʃãbri'e:rǝ
Chamfǫrt fr. ʃã'fɔ:r
Chaminạde fr. ʃami'nad
Chamịsso ʃa'mɪso
Chammurạbi xamu'ra:bi
chamois ʃa'mǫa
Chamois ʃa'mǫa, des -
  ...a[s]
Chamonịx fr. ʃamǝ'ni
Chamǫrro span. tʃa'mɔrrɔ
Champ tʃɛmp
Champa 'tʃampa
Champạgne ʃam'panjǝ, fr.
  ʃã'paɲ
champạgner, C... ʃam-
  'panjɐ
Champagny fr. ʃãpa'ɲi
Champaign engl. ʃæm'peɪn
Champaigne fr. ʃã'paɲ
Champ-de-Mạrs fr. ʃãd-
  'mars
Champfleury fr. ʃãflœ'ri
Champignon 'ʃampɪnjõ,
  'ʃã:pɪnjɔŋ
Champigny fr. ʃãpi'ɲi
Champion 'tʃɛmpi̯ǝn
Championạt ʃampi̯o'na:t
Champions League 'tʃɛm-
  pi̯ǝns 'li:k
Champlain fr. ʃã'plɛ̃, engl.
  ʃæm'pleɪn

Champmeslé fr. ʃãmɛ'le
Champollion fr. ʃãpɔ'ljõ
Champs-Élysées fr. ʃãze-
  li'ze
Chamsịn xam'zi:n
Chamson fr. ʃã'sõ
Chạn ka:n, xa:n
Chañaral span. tʃaɲa'ral
Chance 'ʃã:sǝ; auch: ʃã:s,
  'ʃaŋs[ǝ]; -n ...sn̩
Chạncellor 'tʃa:nsǝlɐ
Chạn-Chạn span. 'tʃan'tʃan
Chandamịr pers. xandæ-
  'mi:r
Chandernagǫr engl. tʃæn-
  dǝnǝ'gɔ:
Chandigarh engl. tʃæn-
  dɪ'gɑ:, '---
Chạndler engl. 'tʃɑ:ndlǝ
Chandos engl. 'tʃɑ:ndɔs
Chạndra 'tʃandra
Chandrashekar engl.
  [tʃ]ʃɑ:ndrǝ'ʃeɪkɑ:
Chanẹl fr. ʃa'nɛl
Chạng tʃaŋ
Changchun chin. tʃaŋtʃʊǝn
  21
Change ʃã:ʃ, auch: tʃe:ntʃ
changeant, Ch... ʃã'ʒã:
Changement ʃãʒǝ'mã:
changiẹren ʃã'ʒi:rǝn
Changjiang chin. tʃaŋdzi̯aŋ
  11
Changsha chin. tʃaŋʃa 21
Changzhou chin. tʃaŋdʒǫu
  21
Chaniạ neugr. xa'nja
Chạnka russ. 'xankɐ
Channel Islands engl.
  'tʃænl 'aɪlǝndz
Channing engl. 'tʃænɪŋ
Chạnoyu 'tʃanoju
Chanson fr. ʃã'sõ:
Chanson de Gẹste, -s - - fr.
  ʃãsõd'ʒɛst
Chanson de Roland fr.
  ʃãsõdrɔ'lã
Chansonẹtte ʃãso'nɛtǝ
Chansonier ʃãso'nǰe:
Chansonière ʃãso'nǰe:rǝ,
  ...i̯ɛ:rǝ
Chansonnẹtte ʃãsɔ'nɛtǝ
Chansonnier ʃãsɔ'nǰe:
Chansonnière ʃãsɔ'nǰe:rǝ,
  ...i̯ɛ:rǝ
Chantạge ʃã'ta:ʒǝ
Chantạl fr. ʃã'tal
Chạnte 'xantǝ
Chanteclẹr fr. ʃãtǝ'klɛ:r

Chantepie de la Saussaye
fr. ʃãtpidlaso'sɛ
Chanteuse ʃã'tø:ze
Chantilly *fr.* ʃãti'ji
Chantrey *engl.* 'tʃɑ:ntrɪ
Chantschew *bulgar.* 'xan-
tʃɛf
Chanty-Mansisk *russ.* xan-
'tïman'sijsk
Chanukka xanʊ'ka:
Chanum xa'nʊm
Chanute *engl.* tʃə'nu:t, *fr.*
ʃa'nyt
Chaos 'ka:ɔs
Chaot[e] ka'o:t[ə]
Chaotik ka'o:tɪk
chaotisch ka'o:tɪʃ
Chapada ʃa'pa:da
Chapala *span.* tʃa'pala
Chaparral *span.* tʃapa'rral
Chapeau ʃa'po:
Chapeau claque, -x -s
ʃa'po: 'klak
Chapel *engl.* 'tʃæpəl
Chapelain *fr.* ʃa'plɛ̃
Chapelcross *engl.* 'tʃæpəl-
krɔs
Chapelle *fr.* ʃa'pɛl
Chapelou *fr.* ʃa'plu
Chaperon ʃapə'rõ:
chaperonieren ʃapəro'ni:-
rən
Chapetones tʃape'to:nɛs,
span. tʃape'tones
Chapí *span.* tʃa'pi
Chapiteau ʃapi'to:, **die ...ux**
...o:s
Chaplain *fr.* ʃa'plɛ̃
Chaplin *engl.* 'tʃæplɪn
Chaplinade tʃapli'na:də
chaplinesk tʃapli'nɛsk
Chapman *engl.* 'tʃæpmən,
schwed. 'çapman
Chappaz *fr.* ʃa'pa
Chappe *fr.* ʃap
Chappell *engl.* 'tʃæpəl
Chaptal *fr.* ʃap'tal
chaptalisieren ʃaptali'zi:-
rən
Chapu *fr.* ʃa'py
Chapultepec *span.* tʃapul-
te'pɛk
Char *fr.* ʃa:r
Character indelebilis
ka'raktɐ ɪnde'le:bilɪs
Charade ʃa'ra:də
Charakter ka'raktɐ, -e
...'te:rə
charakterisieren karakteri-
'zi:rən

Charakteristik karakte'rɪs-
tɪk
Charakteristikum karakte-
'rɪstikʊm, **...ka** ...ka
charakteristisch karakte-
'rɪstɪʃ
Charakterologe karaktero-
'lo:gə
Charakterologie karaktero-
lo'gi:
charakterologisch karakte-
ro'lo:gɪʃ
Charax 'ça:raks
Charbin *vgl.* Harbin
Charcot *fr.* ʃar'ko
Charcuterie ʃarkytə'ri:, **-n**
...i:ən
Charcutier ʃarky'tie:
Chardin *fr.* ʃar'dɛ̃
Chardonnay *fr.* ʃardɔ'nɛ
Chardonne *fr.* ʃar'dɔn
Chardonnet *fr.* ʃardɔ'nɛ
Chardonnetseide
ʃardɔ'ne:zaidə
Chardschit xar'dʒi:t
Charente *fr.* ʃa'rã:t
Charente-Maritime *fr.*
ʃarãtmari'tim
Chares 'ça:rɛs
Charg *pers.* xɑ:rg
Charga 'xarga
Charge *fr.* ʃarʒə
Chargé d'Affaires, -s - -
ʃar'ʒe: da'fɛ:ɐ̯
chargieren ʃar'ʒi:rən
Chari *fr.* ʃa'ri
Charibert 'ka:ribɛrt
Charidschije xari'dʒi:jə
Charidschit xari'dʒi:t
Charing Cross *engl.* 'tʃærɪŋ
'krɔs
Charis 'ça:rɪs, *auch:* 'çarɪs;
...iten ça'ri:tn̩
Charis (Name) *neugr.* 'xaris
Charisius ça'ri:ziʊs
Charisma 'ça:rɪsma, *auch:*
'çar..., ça'rɪsma, **-ta** ça'rɪs-
mata, **Charismen** ça'rɪs-
mən
charismatisch çarɪs'ma:tɪʃ
charitativ karita'ti:f, **-e**
...i:və
Charité ʃari'te:
Chariten ça'ri:tn̩
Charitin ça'ri:tɪn
Chariton 'ça:ritɔn, *engl.*
'ʃærɪtn
Charivari ʃari'va:ri
Charkow 'çarkɔf, *russ.*
'xarjkɐf

Charlemagne *fr.* ʃarlə'maɲ
Charleroi *fr.* ʃarlə'rwa
Charles *engl.* tʃɑ:lz, *fr.* ʃarl
¹Charleston (Tanz) 'tʃarlstn̩
²Charleston (Stadt) 'tʃɑ:l-
stən
Charlestown *engl.* 'tʃɑ:lz-
taʊn
Charlet *fr.* ʃar'lɛ
Charleville *fr.* ʃarlə'vil
Charley, **...lie** *engl.* 'tʃɑ:lɪ
Charlier ʃar'lje
Charlière ʃarl'lie:rə, **...iɛ:rə**
Charlot *fr.* ʃar'lo
Charlotta *schwed.* ʃar.lɔta
¹Charlotte (Vorname) ʃar-
'lɔtə, *fr.*, *schwed.* ʃar'lɔt,
engl. 'ʃɑ:lət
²Charlotte (Ort) *engl.*
Michigan ʃɑ:'lɔt, *engl.*
North Carolina 'ʃɑ:lət
Charlotte Amalie *engl.*
'ʃɑ:lət ə'ma:liə
Charlottenburg ʃar-
'lɔtn̩bʊrk, **-er** ...rgɐ
Charlottesville *engl.*
'ʃɑ:lətsvɪl
Charlottetown *engl.* 'ʃɑ:lət-
taʊn
Charlton *engl.* 'tʃɑ:ltən
¹Charly (Kokain) 'tʃɑ:ɐ̯li
²Charly (Name) *fr.* ʃar'li,
engl. 'tʃɑ:lɪ
Charmanli *bulgar.* 'xarmɐnli
charmant ʃar'mant
Charme ʃarm
Charmelaine ʃarmə'lɛ:n
Charmes *fr.* ʃarm
Charmettes *fr.* ʃar'mɛt
Charmeur ʃar'mø:ɐ̯
Charmeuse ʃar'mø:s
charmieren ʃar'mi:rən
charming tʃa'ɐ̯mɪŋ
Charmion 'çarmion
Charmouth *engl.* 'tʃɑ:maʊθ
Charms *russ.* xarms
Charol[l]ais *fr.* ʃarɔ'lɛ
Chäromanie çɛroma'ni:, **-n**
...i:ən
Charon 'ça:rɔn
Chäronea çɛro'ne:a
Charonton *fr.* ʃarõ'tõ
Charpak *fr.* ʃar'pak
Charpentier *fr.* ʃarpã'tje
Charrat *fr.* ʃa'ra
Charrière *fr.* ʃa'rjɛ:r
Charron *fr.* ʃa'rõ
Chart tʃart, tʃɑ:ɐ̯t, *auch:* ʃ...
Charta 'karta
Charte 'ʃartə

Chạrter 'tʃartɐ, 'tʃaːɐ̯tɐ, auch:' ʃ...
Chạrterer 'tʃartərɐ, 'tʃaːɐ̯-tərɐ, auch:' ʃ...
chạrtern 'tʃartɐn, 'tʃaːɐ̯tɐn, auch:' ʃ...
Chạrters Towers engl. 'tʃaːtəz 'tavəz
Chartiẹr fr. ʃar'tje
Chartịsmus tʃar'tısmʊs, ʃa...
Chartịst tʃar'tıst, ʃa...
Chạrtres fr. ʃartr
Chartreuse® ʃar'trøːzə, fr. ʃar'trøːz
Chartulạria kartu'laːrĭa
Chartụm kar'tuːm, xa...
Charụde xa'ruːdə, ça...
Charybdis ça'rypdıs
Charzyssk russ. xar'tsısk
Chasạn xa'zaːn
Chasạre ça'zaːrə, xa...
¹Chase (Name) engl. tʃeıs
²Chase (Musik) tʃeːs
Chasẹchem xa'zeçɛm
Chạskowo bulgar. 'xaskovo
Chạsles fr. ʃaːl
Chạsma 'çasma
Chasmogamiẹ çasmo-ga'miː, -n ...iːən
Chạsmus 'çasmʊs, -se ...ʊsə
Chassawjụrt russ. xɐsav-'jurt
Chạsse ʃas
Chassecœur fr. ʃas'kœːr
Chassepọt... ʃasə'poː:...
Chasserạl fr. ʃa'sral
Chassériau fr. ʃase'rjo
Chasseron fr. ʃa'srõ
Chasseur ʃa'søːɐ̯
Chassey fr. ʃa'sɛ
Chassịd xa'siːt, -ịm xasi-'diːm
Chassidäer xasi'dɛːɐ̯
Chassidịsmus xasi'dısmʊs
Chassis ʃa'siː:, auch:'ʃasi; des - ʃa'si:[s], auch:'ʃasi[:s], die - ʃa'siːs, auch:'--
Chastelạrd fr. ʃa'tlaːr
Chastelẹt fr. ʃa'tlɛ
Chastel[l]ain fr. ʃa'tlɛ̃
Chasuạrier ça'zu̯aːrĭɐ
Chasuble ʃa'zyːbl̩
Chạtanga russ. 'xatɐ̯ŋɐ
Chateau, Châ... ʃa'toː
Chateaubriand fr. ʃatobri'ã
Châteaubriant fr. ʃatobri'ã
Château-d'Oex fr. ʃato'dɛ

Châteaudun fr. ʃato'dœ̃
Châteauguay fr. ʃato'gɛ
Châteauneuf fr. ʃato'nœf
Châteauneuf-du-Pạpe fr. ʃatonœfdy'pap
Châteauroux fr. ʃato'ru
Chatelaine ʃatə'lɛːn
Châtelạrd fr. ʃa'tlaːr
Châtelẹt fr. ʃa'tlɛ, ʃa'tlɛ
Châtelineau fr. ʃatli'no
Châtellerault fr. ʃatɛl'ro
Châtelperronien ʃatɛlpɛro-'niɛ̃:
Châtel-Saint-Denịs fr. ʃatɛlsɛ̃d'ni
Chatenẹt fr. ʃat'nɛ
Chatham engl. 'tʃætəm
Châtillon fr. ʃati'jõ, ʃat...
Chat Noir fr. ʃa'nwaːr
Chatonfassung ʃa'tõːfasʊŋ
Chatrian fr. ʃatri'ã
Chatschaturjạn russ. xɐtʃɐ-tu'rjan
Chattahoochee engl. tʃætə-'huːtʃı
Chattanooga engl. tʃætə-'nuːgə
Chạtte 'katə, auch:'çatə
Chatterji engl. 'tʃætədʒi
Chatterley fr. 'tʃætəlı
Chatterton engl. 'tʃætətn
Chạtti 'xati
Chattuạrier xa'tu̯a:rĭɐ
Chaucer engl. 'tʃɔːsə
Chauchạt fr. ʃo'ʃa
Chaudeau fr. ʃo'do:
Chaudes-Aigues fr. ʃod'zɛg
Chaudẹt fr. ʃo'dɛ
Chaudfroid fr. ʃo'frɔa
Chaudière fr. ʃo'djɛr, engl. ʃou'djɛə
Chaudron fr. ʃo'drõ
Chauffeur ʃɔ'føːɐ̯
Chauffeuse ʃɔ'føːzə
chauffiẹren ʃɔ'fiːrən
Chauk engl. tʃaʊk, birm. tʃhaʊ̯' 4
Chạuke 'çaʊkə
Chauliạc fr. ʃo'ljak
Chaulieu fr. ʃo'ljø
Chaulmoograöl tʃo:l'muːgralø:l
Chaulnes fr. ʃo:n
Chaumẹtte fr. ʃo'met
Chaumont fr. ʃo'mõ
Chaussee ʃɔ'se:, -n ...e:ən
chaussiẹren ʃɔ'si:rən
Chausson fr. ʃo'sõ
Chautauqua engl. ʃə'tɔ:kwə
Chautemps fr. ʃo'tã

Chauvi 'ʃo:vi
Chauvin fr. ʃo'vɛ̃
Chauvinịsmus ʃovi'nısmʊs
Chauvinịst ʃovi'nıst
Chauviré fr. ʃovi're
Chaux-de-Fonds fr. ʃod'fõ
Chavạnnes fr. ʃa'van
Chạves span. 'tʃaβes, port. 'ʃavıʃ, bras. 'ʃavis
Chávez span. 'tʃaβeθ
Chavín de Huantạr span. tʃa'βin de u̯an'tar
Chawạf fr. ʃa'waf
Chawẹr xa've:ɐ̯
Chayẹfsky engl. tʃaı'ɛfskı
Chẹ span. tʃe
Chẹb tschech. xɛp
Chechaouẹn fr. ʃeʃa'wɛn
Chẹcco 'kɛko
Chech'ön korean. tʃetʃhən
¹Chẹck (Scheck) ʃɛk
²Chẹck (Behinderung) tʃɛk
chẹcken 'tʃɛkn̩
Chẹcker (Name) engl. 'tʃɛkə
Check-in 'tʃɛk|ın, -'-
Chẹcking 'tʃɛkıŋ
Chẹcklist[e] 'tʃɛklıst[ə]
Check-out 'tʃɛk|aʊt, -'-
Chẹckpoint 'tʃɛkpɔynt
Check-up 'tʃɛk|ap, -'-
Chẹddar engl. 'tʃɛdə
Chẹddarkäse 'tʃɛdɐkɛːzə
Chẹderschule 'xedɐʃuːlə
Cheektowạga engl. tʃiːktə-'waːgə
cheerio! 'tʃiːrĭo
Cheerleader 'tʃiːɐ̯liːdɐ
Cheeseburger 'tʃiːsbɔːɐ̯gɐ, ...bœrgɐ
Cheever engl. 'tʃiːvə
Chẹf ʃɛf
Chẹf de Mission 'ʃɛf də mı'sĭõ:
Chẹf de Rang 'ʃɛf də 'rãː
Chef d'Œuvre, -s - ʃɛ'dø:vrə
Chẹfren 'çe:frɛn
Cheilịtis çaı'li:tıs, ...itịden çaili'ti:dn̩
Cheiloschịsis çailo'sçi:zıs
Cheilọsis çaı'lo:zıs
Cheirologiẹ çairolo'gi:
Chẹiron 'çaırɔn
Cheironomiẹ çairono'mi:
cheironọmisch çairo'no:-mıʃ
Cheirospạsmus çairo'spas-mʊs

Cheirotonie çairoto'ni:, -n
...i:ən
Cheju *korean.* tʃedʒu
Cheke *engl.* tʃi:k
Chelard *fr.* ʃə'la:r
Chelčický *tschech.* 'xɛl-
tʃitski:
Chelidonin çelido'ni:n
Cheliff *fr.* ʃe'lif
Chelizere çeli'tse:rə
Chelléen ʃele'ẽ:
Chelleri *it.* 'kɛlleri
Chelles *fr.* ʃɛl
Chelm xɛlm, çɛlm
Chełm[no] *poln.* 'xɛʊm[nɔ]
Chełmoński *poln.* xɛʊ-
'mɔiski
Chelmsford *engl.* 'tʃɛlmsfəd
Chełmża *poln.* 'xɛʊmʒa
Chelonia çe'lo:nia, ...niae
...niɛ
Chelpin 'kɛlpi:n
Chelsea *engl.* 'tʃɛlsı
Cheltenham *engl.* 'tʃɛltnəm
Chemcor® çɛm'ko:ɐ̯
Chemiatrie çemia'tri:
Chemie çe'mi:
Chemigraph çemi'gra:f
Chemigraphie çemigra'fi:
Chemikal[ie] çemi'ka:l[iə]
Chemikant çemi'kant
Chemiker 'çe:mikɐ
Chemillé *fr.* ʃəmi'je
Chemilumineszenz çemilu-
minɛs'tsɛnts
Chemin des Dames *fr.*
ʃəmɛ̃de'dam
Cheminée *fr.* ʃəmi'ne
Chemin-Petit *fr.* ʃəmɛ̃p'ti
chemisch 'çe:mıʃ
Chemise ʃə'mi:zə, *fr.*
ʃə'mi:z; -n ...zn
Chemisett[e] ʃəmi'zɛt[ə]
chemisieren çemi'zi:rən
Chemisierkleid ʃəmi'zie:-
klait
Chemismus çe'mısmʊs
Chemnitz 'kɛmnıts
Chemnizer *russ.* xım'nitsər
chemo..., Chemo...
'çe:mo...
Chemolumineszenz çemo-
lumınɛs'tsɛnts
Chemonastie çemonas'ti:,
-n ...i:ən
Chemoresistenz çemore-
zıs'tɛnts
Chemorezeptoren çemore-
tsɛp'to:rən
Chemose çe'mo:zə

Chemosynthese çemozyn-
'te:zə
chemotaktisch çemo'taktıʃ
Chemotaxis çemo'taksıs
Chemotechniker çemo-
'tɛçnikɐ
Chemotherapeutikum
çemotera'pɔytikʊm, ...ka
...ka
chemotherapeutisch
çemotera'pɔytıʃ
Chemotherapie çemote-
ra'pi:
Chemotropismus çemotro-
'pısmʊs
Chemurgie çemʊr'gi:
Chen Boda *chin.* tʃənbɔda
222
Chen Duxiu *chin.* tʃəndu-
çioʊ 124
Chênedollé *fr.* ʃɛndɔ'le
Chenevière *fr.* ʃənə'vjɛ:r
Cheney *engl.* 'tʃi:nı
Chengde *chin.* tʃəŋdʌ 22
Chengdu *chin.* tʃəŋdu 21
Chénier *fr.* ʃe'nje
Chenille ʃə'nıljə, *auch:*
ʃə'nıljə
Chenonceaux *fr.* ʃənɔ̃'so
Chentechtai çɛn'tɛçtai
Chentkaus çɛnt'kaus
Chen Yi *chin.* tʃən-ji 24
Cheops 'çe:ɔps
Chephren 'çe:frɛn
Chepre 'çe:prə
Chequers *engl.* 'tʃɛkəz
Cher *fr.* ʃɛ:r
Cherasco *it.* ke'rasko
Cheraskow *russ.* xı'raskɐf
Chérau *fr.* ʃe'ro
Cherbourg *fr.* ʃɛr'bu:r
Cherbuliez *fr.* ʃɛrby'lje
Cherchel[l] *fr.* ʃɛr'ʃɛl
cherchez la femme! *fr.* ʃɛr-
ʃela'fam
Chéreau *fr.* ʃe'ro
Chéret *fr.* ʃe'rɛ
Cheristane çerıs'ta:nə
Cherkassky tʃɛr'kaski
Cherokee *engl.* tʃɛrə'ki:,
'---
Cherrapunji *engl.* tʃɛrə-
'pʊndʒı
Cherrybrandy 'tʃɛri'brɛndı,
'ʃɛ... -
Cherson *russ.* xır'sɔn
Chersones çɛrzo'ne:s, -e
...e:zə
Chertsey *engl.* 'tʃə:tsı
Cherub 'çe:rʊp, *auch:* 'ke:...,

-im 'çe:rubi:m, *auch:*
'ke:..., -inen çeru'bi:nən,
auch: 'ke:...
Cherubin 'ke:rubi:n
Cherubini *it.* keru'bi:ni
cherubinisch çeru'bi:nıʃ
Cherubino *it.* keru'bi:no
Cherusker çe'rʊskɐ
Cherwell *engl.* 'tʃɑ:wəl
Chesapeake *engl.* 'tʃɛsəpi:k
Cheshire *engl.* 'tʃɛʃə
Chessex *fr.* ʃɛ'sɛ
Chester *engl.* 'tʃɛstə
¹Chesterfield (Mantel)
'tʃɛstɐfi:lt
²Chesterfield (Name) *engl.*
'tʃɛstəfi:ld
Chesterton *engl.* 'tʃɛstətən
Cheta *russ.* 'xjɛtɐ
Chetagurow *russ.* xıta'gu-
rɐf
Cheti 'çe:ti
Chetiter çe'ti:tɐ
Chettle *engl.* tʃɛtl
Chetumal *span.* tʃetu'mal
chevaleresk ʃəvalə'rɛsk
Chevalerie ʃəvalə'ri:
Chevalier ʃəva'lie:, *fr.*
ʃəva'lje
Chevallaz *fr.* ʃəva'la
Chevallier *fr.* ʃəva'lje
Chevauleger, -s ʃəvole'ʒe:
Cheveley *engl.* 'tʃi:vlı
Chevènement *fr.* ʃəvɛn'mã
Chevetogne *fr.* ʃəv'tɔɲ
Chevillard *fr.* ʃəvi'ja:r
chevillieren ʃəvi'ji:rən, ʃe...
¹Cheviot (Gewebe) 'ʃɛvjɔt,
'tʃɛvjɔt, 'ʃe:vjɔt
²Cheviot (Name) *engl.* 'tʃi:-
vıət, 'tʃɛvıət
Chevreau ʃə'vro:, 'ʃɛvro
Chevrette ʃə'vrɛt, -n ...tn
Chevrolet 'ʃɛvrolɛt
Chevron ʃə'vrɔ̃:
Chevy *engl.* 'tʃɛvı
Chewinggum 'tʃu:ıŋgam
Chewsure xɛf'zu:rə
Cheyenne *engl.* ʃaı'æn,
ʃaı'ɛn
Cheyne[y] *engl.* 'tʃeın[ı]
Cheysson *fr.* ʃɛ'sõ
Chézy *fr.* ʃe'zi
Chi çi:
Chia *it.* 'ki:a
Chiabrera *it.* kia'brɛ:ra
Chiala *it.* 'kia:la
Chian çia:n
Chiang Kai-shek tʃiaŋkai-
'ʃɛk

Chiang Mai *Thai* tʃhiəŋ'maɪ
12
Chianti *it.* 'kɪanti
Chiapa[s] *span.* 'tʃɪapa[s]
Chiaramonti *it.* kɪara'monti
Chiarelli *it.* kɪa'rɛlli
Chiari *it.* 'kɪa:ri
Chiarini *it.* kɪa'ri:ni
Chiaroscuro kɪarɔs'ku:ro
Chiasmage çias'ma:ʒə
Chiasma opticum 'çɪasma 'ɔptikʊm
Chiasmus 'çɪasmʊs
Chiasso *it.* 'kɪasso
chiastisch 'çɪastɪʃ
Chiavacci kɪa'vatʃi
Chiavari *it.* 'kɪa:vari
Chiavenna *it.* kɪa'vɛnna, ...'venna
Chiaveri *it.* kɪa:veri
Chiavette kɪa'vɛtə
Chibchas *span.* 'tʃiβtʃas
Chibiny *russ.* xi'bini
Chibougamau *fr.* ʃibu-ga'mo
chic ʃɪk
Chicago ʃi'ka:go, *engl.* ʃi'ka:goʊ
Chicha 'tʃɪtʃa
Chichén-Itzá *span.* tʃi-'tʃenit'sa
Chichester *engl.* 'tʃɪtʃɪstə
Chichi ʃi'ʃi:
Chichibio *it.* kiki'bi:o
Chichicastenango *span.* tʃitʃikaste'naŋgo
Chickamauga *engl.* tʃɪkə-'mɔ:gə
Chickasaw *engl.* 'tʃɪkəsɔ:
Chickasha *engl.* 'tʃɪkəʃeɪ
Chicken 'tʃɪkn̩
Chiclayo *span.* tʃi'klajo
Chicle 'tʃɪklə
Chico 'tʃi:ko, 'tʃiko, *span.* 'tʃiko, *engl.* 'tʃi:koʊ
Chicomoztoc *span.* tʃiko-moθ'tɔk
Chicopee *engl.* 'tʃɪkəpi:
Chicorée 'ʃɪkore, ʃiko're:
Chicoutimi *fr.* ʃikuti'mi
Chief tʃi:f
Chiemgau 'ki:mgaʊ
Chiemsee 'ki:mze:
Chiesa *it.* 'kɪe:za
Chieti *it.* 'kɪe:ti
Chiffon 'ʃɪfɔ̃, ʃi'fõ:
Chiffonnade ʃifo'na:də
Chiffonnier ʃifɔ'nɪe:
Chiffonniere ʃifɔ'nɪe:rə
Chiffre 'ʃɪfrə, 'ʃɪfɐ

Chiffreur ʃɪ'frø:ɐ̯
chiffrieren ʃɪ'fri:rən
Chifley *engl.* 'tʃɪflɪ
Chigi *it.* 'ki:dʒi
Chignon *fr.* ʃin'jõ:
Chihuahua *span.* tʃi'ʊaʊa
Chikago ʃi'ka:go
Chilana çi'la:na
Child[e] *engl.* tʃaɪld
Childebert 'çɪldəbɛrt
Childerich 'çɪldərɪç
Chile 'tʃi:le, *auch:* 'çi:le; *span.* 'tʃile
Chilene tʃi'le:nə, *auch:* çi...
chilenisch tʃi'le:nɪʃ, *auch:* çi...
Chili 'tʃi:li
Chiliade çi'lɪa:də
Chiliasmus çi'lɪasmʊs
Chiliast çi'lɪast
Chilies 'tʃɪlɪs
Chililabombwe *engl.* tʃi:li:-la:'bɔmbweɪ
Chillán *span.* tʃi'ʎan
Chiller 'tʃɪlɐ
Chillicothe *engl.* tʃɪlɪ'kɔθɪ
Chillida *span.* tʃi'ʎiða
Chillies 'tʃɪlɪs
Chillingworth *engl.* 'tʃɪlɪŋ-wə[:]θ
Chillon *fr.* ʃi'jõ
Chillón *span.* tʃi'ʎɔn
Chilly 'tʃili
Chiloé *span.* tʃilo'e
Chilon 'çi:lɔn
Chilpancingo *span.* tʃilpan-'θiŋgo
Chilperich 'çɪlpərɪç
Chiltern *engl.* 'tʃɪltən
Chimaltenango *span.* tʃi-malte'naŋgo
Chimära çi'mɛ:ra
Chimäre çi'mɛ:rə
Chimay *fr.* ʃi'mɛ
Chimborasso tʃimbo'raso
Chimborazo *span.* tʃimbo-'raθo
Chimbote *span.* tʃim'bote
Chimenti *it.* ki'menti, ...'mɛnti
Chimki *russ.* 'ximki
Chimú *span.* tʃi'mu
China 'çi:na
Chinampa tʃi'nampa
Chinandega *span.* tʃinan-'deɣa
Chinard *fr.* ʃi'na:r
Chinatown *engl.* 'tʃaɪnə-taʊn
chinawhite tʃaɪnəvaɪt

Chinchilla tʃɪn'tʃɪla
chin-chin! 'tʃɪntʃɪn
Chinchón *span.* tʃin'tʃɔn
Chindwin *engl.* 'tʃɪn'dwɪn, *birm.* tʃhɪndwiŋ 33
Chiné ʃi'ne:
Chinese çi'ne:zə
Chinesin çi'ne:zɪn
chinesisch çi'ne:zɪʃ
Chingford *engl.* 'tʃɪŋfəd
Chingola *engl.* tʃɪŋ'goʊlɑ:
Chinhae *korean.* tʃinhɛ
chiniert ʃi'ni:ɐ̯t
Chinin çi'ni:n
Chinju *korean.* tʃindʒu
¹Chino (Mischling) 'tʃi:no
²Chino (Ort) *engl.* 'tʃi:noʊ
Chinois ʃi'nɔa, des - ...a[s], die - ...as
Chinoiserie ʃinoazə'ri:, -n ...i:ən
Chinolin çino'li:n
Chinon çi'nɔ:n
Chinook *engl.* tʃi'nʊk
Chintschin *russ.* 'xintʃin
Chintz tʃɪnts
Chioggia *it.* 'kɪɔddʒa
Chionides 'çɪo:nidɛs
Chionograph çiono'gra:f
chionophil çiono'fi:l
Chios 'çi:ɔs, *neugr.* 'çiɔs
Chip tʃɪp
¹Chippendale (Stil) 'tʃɪpn̩de:l, 'ʃɪp...
²Chippendale (Name) *engl.* 'tʃɪpəndeɪl
Chippenham *engl.* 'tʃɪ-pənəm
Chippewa *engl.* 'tʃɪpəwa:
Chippeway *engl.* 'tʃɪpəweɪ
Chippy 'tʃɪpi
Chips tʃɪps
Chiquimula *span.* tʃiki'mula
Chiquinquirá *span.* tʃikiŋ-ki'ra
Chiquita *span.* tʃi'kita
Chiquitos *span.* tʃi'kitos
Chirac *fr.* ʃi'rak
Chiragra 'çi:ragra
Chirico *it.* 'ki:riko
Chiriguanos *span.* tʃiri'ɣʊa-nos
Chirimoya tʃiri'mo:ja
Chiriquí *span.* tʃiri'ki
Chirognomie çirogno'mi:
Chirogrammatomantie çirogramatoman'ti:, -n ...i:ən
Chirograph çiro'gra:f
Chirographum çi'ro:gra-

fʊm, ...**pha** ...fa, ...**phen**
...roˈgraːfn̩
Chirologie çiroloˈgiː
Chiromant çiroˈmant
Chiromantie çiromanˈtiː
Chiron ˈçiːrɔn, *fr.* ʃiˈrõ
Chironja *span.* tʃiˈrɔŋxa
Chironomie çironoˈmiː
chironomisch çiroˈnoːmɪʃ
Chiropädie çiropεˈdiː
Chiropraktik çiroˈpraktɪk
Chiropraktiker çiroˈpraktikɐ
Chiroptera çiˈrɔptera
Chiropterogamie çiropteroga'miː
Chirospasmus çiroˈspasmʊs
Chirotherium çiroˈteːriʊm, ...ien ...i̯ən
Chirp tʃøːɐp, tʃœrp
Chirripó *span.* tʃirriˈpo
Chirurg çiˈrʊrk, **-en** ...rgn̩
Chirurgie çirʊrˈgiː, **-n** ...iːən
chirurgisch çiˈrʊrgɪʃ
Chisholm *engl.* ˈtʃɪzəm
Chișinău *rumän.* kiʃiˈnɐu̯
Chislehurst *engl.* ˈtʃɪzlhəːst
Chispa *span.* ˈtʃispa
Chissano *portug.* ʃiˈsɐnu
Chitarrone kitaˈroːnə
Chitin çiˈtiːn
chitinös çitiˈnøːs, **-e** ...øːzə
¹Chiton (Kleidung) çiˈtoːn
²Chiton (Schnecke) ˈçiːtɔn, **-en** çiˈtoːnən
Chitral *engl.* tʃɪˈtrɑːl
Chitré *span.* tʃiˈtre
Chitrowo *russ.* xitraˈvɔ
Chittagong *engl.* ˈtʃɪtəgɔŋ
Chiusa *it.* ˈki̯uːsa
Chiusi *it.* ˈki̯uːsi
Chivasso *it.* kiˈvasso
Chivers *engl.* ˈtʃɪvəz
¹Chiwa (Teppich) ˈçiːva
²Chiwa (Ort) ˈçiːva, *russ.*
xiˈva
Chladek ˈklaːdεk
Chladni ˈkladni
Chlaina ˈçlai̯na
Chlamydobakterie çlamydobakˈteːri̯ə
Chlamys ˈçlaːmys
Chläna ˈçlεːna
Chlebnikow *russ.* ˈxlʲεbnikɐf
Chlędowski *poln.* xu̯εnˈdɔfski
Chlestakow *russ.* xlʲistaˈkɔf
Chloanthit kloanˈtiːt

Chloasma kloˈasma
Chlodio ˈkloːdi̯o
Chlodomer ˈkloːdomeːɐ
Chlodwig ˈkloːtvɪç
Chloe ˈkloːə, ˈçloːə
Chłopicki *poln.* xu̯ɔˈpitski
Chlopow *russ.* ˈxlɔpɐf
Chlor kloːɐ
Chloral kloˈraːl
Chloralismus kloraˈlɪsmʊs
Chloramin kloraˈmiːn
Chlorat kloˈraːt
Chloration kloraˈtsi̯oːn
Chloratit kloraˈtiːt
Chlorella kloˈrεla
chloren ˈkloːrən
Chlorid kloˈriːt, **-e** ...iːdə
chlorieren kloˈriːrən
chlorig ˈkloːrɪç, **-e** ...ɪgə
Chloris ˈkloːrɪs, *fr.* klɔˈris
Chlorit kloˈriːt
chloritisieren kloritiˈziːrən
Chlornatrium kloːɐˈnaːtri̯ʊm
Chloroform kloroˈfɔrm
chloroformieren klorofɔrˈmiːrən
Chlorom kloˈroːm
Chloromycetin® kloromyˈtseˈtiːn
Chlorophan kloroˈfaːn
Chlorophyll kloroˈfyl
Chlorophytum kloroˈfyːtʊm
Chlorophyzee klorofyˈtseːə
Chloroplast kloroˈplast
Chlorose kloˈroːzə
Chlot[h]ar ˈkloːtar, *auch:* kloˈtaːɐ
Chlothilde kloˈtɪldə
Chlubna *tschech.* ˈxlubna
Chlumberg ˈklʊmbεrk
Chlumec *tschech.* ˈxlumεts
Chlumecký klu̯ˈmεtski
Chlumetz ˈxlʊmεts
Chlyst xlyst
Chmel xmεl
Chmelnizki *russ.* xmilʲˈnitskij
Chmielowski *poln.* xmjεˈlɔfski
Chňoupek *slowak.* ˈxnjɔu̯pεk
Chnum xnuːm
Chnumhotep xnʊmˈhoːtεp
Choane koˈaːnə
Choc ʃɔk
Chocano *span.* tʃoˈkano
Chocholoušek *tschech.* ˈxɔxɔlɔu̯ʃεk
Cho-Cho-San tʃotʃoˈsan

Chocó *span.* tʃoˈko
Choctaw *engl.* ˈtʃɔktɔː
Chodassewitsch *russ.*
xɐdaˈsjevitʃ
Chode ˈxoːdə
Choderlos *fr.* ʃodεrˈlo
Chodkiewicz *poln.* xɔtˈkjεvitʃ
Chodowięcki kodoˈvi̯εtski,
ço..., xo...
Chodscheili *russ.* xɐdʒɔjˈli
Chodschent *russ.* xaˈdʒεnt
Chodzież *poln.* ˈxɔdzεʃ
Ch'oe Namsŏn *korean.*
tʃhwe namsɔn
Choi *pers.* xoi̯
Choirilos ˈçɔyrilɔs
Choiseul *fr.* ʃwaˈzœl, *engl.*
ʃwaːˈzəːl
Choisy *fr.* ʃwaˈzi
Chojna *poln.* ˈxɔjna
Chojnów *poln.* ˈxɔjnuf
Choke[r] ˈtʃoːk[ɐ]
chokieren ʃoˈkiːrən
Chol *span.* tʃɔl
Cholagogum çolaˈgoːgʊm,
...**ga** ...ga
Cholämie çolεˈmiː, **-n** ...iːən
Cholangitis çolaŋˈgiːtɪs
Cholansäure çoˈlaːnzɔyrə
Cholelith çoleˈliːt
Cholelithiasis çoleliˈtiːazɪs
Cholera ˈkoːlera
Cholerese çoleˈreːzə
Choleretikum çoleˈreːtikʊm, ...**ka** ...ka
choleretisch çoleˈreːtɪʃ
Choleriker koˈleːrikɐ
Cholerine koleˈriːnə
cholerisch koˈleːrɪʃ
Cholesteatom çolesteaˈtoːm
Cholesterin kolεsteˈriːn,
ço...
Cholet *fr.* ʃɔˈlε
Cholezystitis çolεtsysˈtiːtɪs,
...**itiden** ...tiˈtiːdn̩
Cholezystopathie çolεtsystopaˈtiː, **-n** ...iːən
Choliambus çoˈli̯ambʊs
Cholin çoˈliːn
Cholm *russ.* xɔlm
Cholminow *russ.* ˈxɔlminɐf
Cholmogory *russ.* xɐlmaˈgɔri̯
Cholm[ond]eley *engl.*
ˈtʃʌmli
Cholmsk *russ.* xɔlmsk
Cholo tʃoːlo, *span.* ˈtʃolo
Cholodenko *fr.* ʃɔlɔdᴇ̃ˈko

Cholostase çolo'sta:zə
cholostatisch çolo'sta:tɪʃ
Choltitz 'kɔltɪts
Cholula span. tʃo'lula
Cholurie çolu'ri:, -n ...i:ən
Choluteca span. tʃolu'teka
Chomage ʃo'ma:ʒə
Chomaini pers. xomei'ni:
Chombo span. 'tʃɔmbo
Chomette fr. ʃɔ'mɛt
Chomjakow russ. xɐmi'kɔf
Chomsky engl. 'tʃɔmskɪ
Chomutov tschech. 'xɔmutɔf
Chon tʃɔn
Ch'ŏn-an korean. tʃhɔnan
Chon Buri Thai 'tʃhonbu'ri: 111
Chondren 'çɔndrən
Chondrin çɔn'dri:n
Chondriosomen çɔndrio-'zo:mən
Chondrit çɔn'dri:t
Chondritis çɔn'dri:tɪs, ...iti-den ...ri'ti:dn̩
Chondroblast çɔndro'blast
Chondroblastom çɔndro-blas'to:m
Chondrom çɔn'dro:m
Chondromatose çɔndro-ma'to:zə
Chŏn Du-Hwan korean. tʃɔnduhwan
Chŏng Ch'ŏl korean. tʃɔŋ-tʃhɔl
Ch'ŏngjin korean. tʃhɔŋdʒin
Ch'ŏngju korean. tʃhɔŋdʒu
Chongqing chin. tʃuŋtɕɪŋ 24
Ch'ŏng-ŭp korean. tʃhɔŋip
Choniates ço'nia:tɛs
Chŏnju korean. tʃɔndʒu
Chonos span. 'tʃonos
Chontales span. tʃɔn'tales
Chontamenti xɔnta'mɛnti
Chooz fr. ʃo
Chop ko:p
Chopin fr. ʃɔ'pɛ̃
Chopjor russ. xa'pjɔr
Chopper 'tʃɔpɐ
Chopsuey tʃɔ'psu:i
Chor ko:ɐ̯, Chŏre 'kø:rə
Chora neugr. 'xɔra
Choral ko'ra:l, Chorăle ko'rɛ:lə
Chorasan pers. xɔrɑ'sɑ:n
Chŏrchen 'kø:ɐ̯çən
Chorda 'kɔrda
Chordaphon kɔrda'fo:n
Chordaten kɔr'da:tn̩

Chorde 'çɔrdə, 'kɔ...
Chorditis kɔr'di:tɪs, ...itiden ...di'ti:dn̩
Chordom kɔr'do:m
Chordotonal kɔrdoto'na:l
Chöre vgl. Chor
Chorea ko're:a
choreaform korea'fɔrm
Chorege çɔ're:gə, ko...
choreiform korei'fɔrm
Choreograph koreo'gra:f
Choreographie koreo-gra'fi:, -n ...i:ən
choreographieren koreo-gra'fi:rən
choreographisch koreo-'gra:fɪʃ
Choreomanie koreoma'ni:, -n ...i:ən
Choresm xo'rɛsm̩, ço... russ. xa'rjɛzm
Choresmien xo'rɛsmiən, ço...
Choresmier xo'rɛsmiɐ, ço... choresmisch xo'rɛsmɪʃ, ço...
Choretide kore'ti:də
Choreus ço're:ʊs, ...een ...e:ən
Choreut[ik] ço'rɔyt[ɪk]
Choriambus ço'riambʊs ...chörig ...kø:rɪç, ...e ...ɪgə
Chörilus 'çø:rilʊs
Chorin ko'ri:n
Chorioidea korio'i:dea
Chorion 'ko:riɔn
Choriozönose çoriotsø-'no:zə
choripetal koripe'ta:l
chorisch 'ko:rɪʃ
Chorist ko'rɪst
Chörlein 'kø:ɐ̯lain
Chorley engl. 'tʃɔ:lɪ
Choro 'ʃo:ru, port. 'ʃoru
Chorographie çorogra'fi:, ko..., -n ...i:ən
chorographisch çoro'gra:-fɪʃ, ko...
Chorologie çorolo'gi:, ko..., -n ...i:ən
chorologisch çoro'lo:gɪʃ, ko...
Choroloque span. tʃoro-'loke
Choromanie koroma'ni:, -n ...i:ən
Choromański poln. xɔrɔ-'maiski
Chorramabad pers. xɔrræ-mɑ'bɑ:d

Chorramschahr pers. xɔr-ræm'ʃæhr
Chortatsis neugr. xɔr'tatsis
Chorus 'ko:rʊs, -se ...ʊsə
Ch'ŏrwŏn korean. tʃhɔrwɔn
Chorzów poln. 'xɔʒuf
Chose 'ʃo:zə
Chosrau xɔs'rau, pers. xos-'roṷ
Chosroes 'çɔsroɛs
Choszczno poln. 'xɔʃtʃnɔ
Chotek dt., tschech. 'xɔtɛk
Chotěšov tschech. 'xɔtjɛʃɔf
Chotin russ. xa'tin
Chotjewitz 'kɔtjəvɪts
Chotusice tschech. 'xɔtu-sitsɛ
Chotusitz 'kɔtuzɪts
Chouannerie fr. ʃwan'ri
Chouans fr. ʃwã
Chou En-lai tʃulɛn'lai
Chowanschtschina russ. xa'vanʃtʃinɐ
Chowanski russ. xa'vanskij
Chow-Chow tʃaṷ'tʃaṷ, auch: ʃau'ʃau
Chrabar bulgar. 'xrabər
Chraibi fr. ʃraj'bi
Chrematistik krema'tɪstɪk
Chrennikow russ. 'xrjenni-kɐf
Chrestien fr. kre'tjɛ̃
Chrestomathie krɛsto-ma'ti:, -n ...i:ən
Chrétien fr. kre'tjɛ̃
Chrie 'çri:[ə], -n 'çri:ən
Chris engl. krɪs
Chrisam 'çri:zam
Chrischona krɪ'ʃo:na
Chrisma 'çrɪsma
Chrismale çrɪs'ma:lə, ...lien ...liɔn, ...lia ...lia
Chrismarium çrɪs'ma:riʊm, ...ien ...iɔn
Chrismatorium çrɪsma'to:-riʊm, ...ien ...iɔn
Chrismon 'çrɪsmɔn, ...ma ...ma
Christ[a] 'krɪst[a]
Christaller 'krɪstalɐ
Christchurch engl. 'kraɪst-tʃə:tʃ
Christe vgl. Christus
Christea rumän. 'kristea
Christel 'krɪstl̩
Christen 'krɪstn̩, dän. 'krɪsdn̩
Christenberg 'krɪstn̩bɛrk
Christensen norw. 'kristən-sən, dän. 'krɪsdn̩sn̩

Christi vgl. Christus
Christian 'krıstjan, *fr.*
kris'tjã, *engl.* 'krıstʃən,
dän. 'krısdjæn
Christiana *engl.* krıstı'ɑ:nə,
afr. krəsti:'ɑ:na
Christiane krıs'tjɑ:nə
Christiania *norw.* kristi'a:-
nia
christianisieren krıstjani-
'zi:rən
Christianitas krıs'tjɑ:nitas
Christiansborg *dän.*
krısdjæns'bɒ̞'
**Christian Science [Moni-
tor]** *engl.* 'krıstʃən 'saıəns
['mɒnıtə]
Christiansen 'krıstjanzn̩,
dän. 'krısdjænsn̩, *norw.*
'kristjansən
Christianshåb *dän.*
krısdjæns'ho:'b
Christiansø *dän.*
krısdjæns'ʏ:'
Christie['s] *engl.* 'krıstı[z]
Christina krıs'ti:na, *engl.*
krıs'ti:nə
Christine krıs'ti:nə, *fr.* kris-
'tin, *engl.* 'krıstı:n, – ' –
christkatholisch 'krıst-
kato:lıʃ
Christkatholizismus 'krıst-
katolitsısmʊs
Christkindl 'krıstkındl̩
Christl 'krıstl̩
Christmas *engl.* 'krısməs
Christmaspantomimes
engl. 'krısməs,pæntəmaımz
¹Christo vgl. Christus
²Christo *bulgar.* 'xristo,
engl. 'krıstoʊ
Christof 'krıstəf
Christoff *it.* 'kristof
Christoffel 'krıstəfl̩, *auch:*
– ' – –
Christogramm krısto'gram
Christolatrie krıstola'tri:
Christologie krıstolo'gi:
christologisch krısto'lo:gıʃ
Christomanos *neugr.* xris-
tə'manəs
Christoph 'krıstəf
Christophanie krıstofa'ni:,
-n ...i:ən
Christophe *fr.* kris'tɔf
Christophel 'krıstəfl̩, *auch:*
– ' – –
Christopher 'krıstəfɐ, *engl.*
'krıstəfə, *schwed.* kris'tɔfər
Christophine krısto'fi:nə

Christophorus krıs'to:forʊs
Christow *bulg.* 'xristof
Christozentrik krısto'tsɛn-
trık
christozentrisch krısto-
'tsɛntrıʃ
Christus 'krıstʊs, ...ti ...ti,
...to ...to, ...tum ...tʊm,
...te ...tə, ...te
Christy *engl.* 'krıstı
Chrobak 'xro:bak
Chrobák *slowak.* 'xrɔba:k
Chrobry *poln.* 'xrɔbrɨ
Chrodegang 'kro:dəgaŋ
Chrodegilde krodə'gıldə
Chrom kro:m
Chroman® kro'ma:n
Chromat kro'ma:t
Chromatid kroma'ti:t, -en
...i:dn̩
Chromatie kroma'ti:, -n
...i:ən
chromatieren kroma'ti:rən
Chromatik kro'ma:tık
Chromatin kroma'ti:n
chromatisch kro'ma:tıʃ
chromatisieren kromati-
'zi:rən
Chromatographie kroma-
togra'fi:
chromatographisch kro-
mato'gra:fıʃ
Chromatometer kromato-
'me:tɐ
chromatophil kromato'fi:l
Chromatophor kromato-
'fo:ɐ̞
Chromatopsie kromatɔ'psi:
Chromatron 'kro:matro:n
Chromax 'kro:maks
Chromidien kro'mi:diən
chromieren kro'mi:rən
Chromit kro'mi:t
chromogen kromo'ge:n
Chromolith kromo'li:t
Chromolithographie kro-
molitogra'fi:, -n ...i:ən
Chromomer kromo'me:ɐ̞
Chromonema kromo'ne:ma
Chromonika kro'mo:nika
Chromophor kromo'fo:ɐ̞
Chromoplast kromo'plast
Chromoproteid kromopro-
te'i:t, -e ...i:də
Chromoskop kromo'sko:p
Chromosom kromo'zo:m
chromosomal kromozo-
'ma:l
Chromosphäre kromo-
'sfɛ:rə

Chromotypie kromoty'pi:
Chromozentrum kromo-
'tsɛntrʊm
Chronegk 'kro:nɛk
Chronem kro'ne:m
Chronik 'kro:nık
Chronika 'kro:nika
chronikalisch kroni'ka:lıʃ
Chronin kro'ni:n
Chronique scandaleuse, -s
-s kro'nık skãda'lø:s
chronisch 'kro:nıʃ
Chronist[ik] kro'nıst[ık]
Chronodistichon krono-
'dıstıçɔn
Chronogramm krono'gram
Chronograph krono'gra:f
Chronographie krono-
gra'fi:, -n ...i:ən
Chronologe krono'lo:gə
Chronologie kronolo'gi:
chronologisch krono'lo:gıʃ
Chronometer krono'me:tɐ
Chronometrie kronome-
'tri:, -n ...i:ən
chronometrisch krono-
'me:trıʃ
Chronophotographie kro-
nofotogra'fi:
Chronos 'kro:nɔs, 'krɔnɔs
Chronoskop krono'sko:p
Chronostichon kro'nɔstı-
çɔn
Chronotherm® krono-
'tɛrm
Chrotta 'krɔta
Chroust krʊst
Chrudim *tschech.* 'xrudjim
Chruschtschow *russ.*
xru'ʃtʃɔf
Chrysalide çryza'li:də
Chrysander çry'zandɐ
Chrysantheme kryzan-
'te:mə
Chrysanthemum çry'zante-
mʊm, kr...; ...themen çry-
zan'te:mən, kr...
Chrysaor çry'za:o:ɐ̞
Chryseis çry'ze:ıs
chryselephantin çryzele-
fan'ti:n
Chrysipp[os] çry'zıp[ɔs]
Chrysler *engl.* 'kraızlə
Chrysoberyll çryzobe'rʏl
Chrysochalk çryzo'çalk
Chrysographie çryzogra'fi:
Chrysoidin çryzoi'di:n
Chrysokalk çryzo'kalk
Chrysolith çryzo'li:t
Chrysologus çry'zo:logʊs

Chrysoloras çryzo'lo:ras
Chrysopras çryzo'pra:s, -e
...a:zə
Chrysostomos çry'zɔsto-
mɔs
Chrysostomus çry'zɔsto-
mʊs
Chrysothemis çry'zo:temıs
Chrysotil çryzo'ti:l
Chrzanów poln. 'xʃanuf
chthonisch 'çto:nıʃ
Chubb engl. tʃʌb
Chubbschloss® 'tʃapʃlɔs
Chubut span. tʃu'ʃut
Chula Vista engl. 'tʃu:lə
'vıstə
Chul[l]pa span. 'tʃulpa
Chums xʊms
Ch'unch'ŏn korean. tʃhuntʃ-
hɔn
Chungju korean. tʃuŋdʒu
Chupícuaro span. tʃu'pi-
kuaro
Chuquicamata span. tʃuki-
ka'mata
Chuquisaca span. tʃuki-
'saka
Chuquitanta span. tʃuki-
'tanta
Chur ku:ɐ̯
Church tʃɔ:ɐ̯tʃ, tʃœrtʃ
Churcharmy 'tʃø:ɐ̯tʃʃa:ɐ̯mi,
'tʃœrtʃ...
Churchill engl. 'tʃɔ:tʃıl
Churdin pers. xur'di:n
Churfirsten 'ku:ɐ̯fırstn̩
Churi 'xu:ri
Churri 'xʊri
Churriguera span. tʃurri-
'ɣera
Churriter xʊ'ri:tɐ, kʊ...
churwelsch 'ku:ɐ̯vɛlʃ
Chusestan pers. xuzes'tɑ:n
Chutba 'xʊtba
Chutney 'tʃatni
Chuwaira xu'vaira
Chuzpe 'xʊtspə
Chvostek 'xvɔstɛk
Chwarismi xva'rısmi
Chwistek poln. 'xfistɛk
Chybiński poln. xɨ'biĵski
chylös çy'løs, -e ...ø:zə
Chylurie çylu'ri:, -n ...i:ən
Chylus 'çy:lʊs
Chymosin çymo'zi:n
Chymus 'çy:mʊs
Chypre 'ʃi:prə
Chytil tschech. 'xitjil
Chytilová tschech. 'xitjilɔva:
Chyträus çy'trɛ:ʊs

CIA engl. si:aı'eı
Ciacona tʃa'ko:na
Ciaja it. 'tʃa:ja
Ciampi it. 'tʃampi
Ciampino it. tʃam'pi:no
Ciano it. 'tʃa:no
ciao! tʃau
Ciardi it. 'tʃardi, engl. 'tʃɑ:dı
CIBA-Geigy® 'tsi:ba'gaigi
Cibao span. θi'ʃao
Cibber engl. 'sıbə
Cibin[ul] rumän. tʃi'bin[ul]
Cíbola span. 'θiβola
Ciborium tsi'bo:riʊm, ...ien
...iən
CIC engl. si:aı'si:
Ciccolini it. tʃikko'li:ni
Cicellis engl. 'sıslıs
Cicely engl. 'sısılı
Cicero 'tsi:tsero, engl. 'sısə-
rou
Cicerone tʃitʃe'ro:nə, ...ni
...ni
Ciceronianer tsitsero'nja:nɐ
ciceronianisch tsitsero-
'nja:nıʃ
Ciceronianismus tsitsero-
nja'nısmʊs
ciceronisch tsitse'ro:nıʃ
Cicisbeo tʃitʃıs'be:o
Cicognani it. tʃikoɲ'ɲa:ni
Cicognini it. tʃikoɲ'ɲi:ni
Ciconia it. tʃi'ko:nja
Cid tsi:t, si:t, span. θið, fr.
sid
Cidre 'si:drə, ...dɐ
Cie. kɔmpa'ni:
Ciechanów poln. tɕɛ'xanuf
Ciechocinek poln. tɕɛxɔ'tɕi-
nɛk
Cieco it. 'tʃɛ:ko
Ciénaga span. 'θjenaɣa
Cienfuegos span. θjɛn'fue-
yos
Cieplice Śląskie Zdrój poln.
tɕɛ'plitsɛ 'ɕlɔ̃skjɛ 'zdruj
Cierva span. 'θjɛrβa
Cieszyn poln. 'tɕɛʃin
Cieza span. 'θjeθa
cif tsıf, sıf
Cifra it. 'tʃi:fra
Ciger slowak. 'tsi:gɐr
Cignani it. tʃiɲ'ɲa:ni
Cigoli it. 'tʃi:goli
Cikker slowak. 'tsikɐr
Cilacap indon. tʃi'latʃap
Cilea it. tʃi'lɛ:a
Cilenšek 'tsilɛnʃɛk
Cilia 'tsi:lja
Ciller türk. tʃil'lɛr

Cilli, Cilly 'tsıli
Cima it. 'tʃi:ma
Cimabue it. tʃima'bu:e
Cimarosa it. tʃima'rɔ:za
Cimarron engl. 'sımərɔn
Cimarrón span. 'θima'rrɔn
Cimarrones span. θima'rrɔ-
nes
Cimiotti it. tʃi'mjɔtti
Cimitile it. tʃimi'ti:le
Cimoszewicz poln. tɕimɔ-
'ʃɛvitʃ
Cîmpeni rumän. kɨm'penj
Cîmpina rumän. 'kɨmpina
Cîmpia Turzii rumän. kɨm-
'pia 'turzi
Cîmpulung rumän. kɨmpu-
'luŋg
Cinca span. 'θiŋka
Cinch sıntʃ
Cinchona sın'tʃo:na
Cinchonin sıntʃo'ni:n
Cincinnati engl. sınsı'nætı
Cincinnatus tsıntsı'na:tʊs
Cinderella tsınde'rɛla, engl.
sındə'rɛlə
Cineast[ik] sine'ast[ık]
Cinecittà it. tʃinetʃit'ta
Cinelli tʃi'nɛli
Cinema 'tʃi:nema, auch:
'sınəma
Cinéma sine'ma
Cinemagic sine'mɛdʒık
Cinemascope® sinema-
'sko:p
Cinemathek sinema'te:k
Cinephile sine'fi:lə
Cinerama® sine'ra:ma
Cingoli it. 'tʃiŋgoli
Cingria fr. sɛ̃gri'a
Cingulum 'tsıŋgulʊm, ...la
...la
Cinna 'tsına
Cino it. 'tʃi:no
Cinq-Mars fr. sɛ̃'ma:r
Cinquecentist tʃiŋkvetʃɛn-
'tıst
Cinquecento tʃiŋkve'tʃɛnto
Cinque Ports engl. 'sıŋk
'pɔ:ts
Cinqueterre it. tʃiŋkue-
'tɛrre
Cintra port. 'sintrɐ
Cinvatbrücke 'tʃınvatbrykə
Cinzano® tʃin'tsa:no
CIO engl. si:aı'ou
Ciołkowski poln. tɕɔu̯'kɔfski
Cione it. 'tʃo:ne
Cioran fr. sjɔ'rã, rumän. tʃo-
'ran

Ciọrbea *rumän.* 'tʃorbea
Ciotạt, La *fr.* lasjɔ'ta
Čịovo *serbokr.* 'tʃiovɔ
ÇIP tsɪp
Čịpiko *serbokr.* ˌtɕipikɔ
Cipollạta tʃipɔ'la:ta
Cipollịn[o] tʃipɔ'li:n[o]
Cịppus 'tsɪpʊs
Cịpra *serbokr.* 'tsipra
cịrca 'tsɪrka
Circarạma sɪrka'ra:ma
Cịrce 'tsɪrtsə
circẹnsisch tsɪr'tsɛnzɪʃ
Cịrcinus 'tsɪrtsinʊs
Circlạere tsɪr'klɛ:rə
Circle *engl.* sə:kl
Circleville *engl.* 'sə:klvɪl
Circolation sɪrkola'sjö:
Circuit... 'sø:ɐ̯kɪt..., 'sœr-
 kɪt...
Cịrculus 'tsɪrkulʊs, ...li ...li
Cịrculus vitiọsus 'tsɪrkulʊs
 vi'tsjo:zʊs, ...li ...si ...li ...zi
Cịrcus 'tsɪrkʊs
Ciré si're:
Cịrebon *indon.* 'tʃirəbɔn
Cirencester *engl.* 'saɪərən-
 sɛstə
Cịre perdue 'si:ɐ̯ pɛr'dy:
Cirịaco *it.* tʃi'ri:ako
Cịrksena 'tsɪrksəna
Cîrlọva *rumän.* kir'lova
Cirò *it.* tʃi'rɔ
Ciry *fr.* si'ri
cịs tsɪs
Císař *tschech.* 'tsi:sarʃ
Cịsco *engl.* 'sɪskoʊ
Cis-Dur 'tsɪsdu:ɐ̯, *auch:* '–'–
Cịsek 'tsi:zɛk
Cišịnski *obersorb.* tɕi'ʃinski
Cisiojạnus tsizio'ja:nʊs,
 ...ni ...ni
Cịskei *engl.* 'sɪskaɪ
CỊSL *it.* tʃizl
Cịslaweng 'tsɪslavɛŋ
Cịsmar 'tsɪsmar
cis-Moll 'tsɪsmɔl, *auch:* '–'–
Cisnădje *rumän.* tʃisnə'die
Cisnẹros *span.* θiz'neros
Cịssarz 'tsɪsarts
Cịsta 'tsɪsta
Cịster 'tsɪstɐ
Cịsti 'tʃisti
Cịta 'tsi:ta
citạto lọco tsi'ta:to 'lo:ko
Cité *fr.* si'te
Cîteaux *fr.* si'to
citịssime tsi'tɪsime
Cịtizenband 'sɪtɪznbɛnt

Citlaltépetl *span.* θitlal'te-
 pɛtl
cịto 'tsi:to
Citoyen sitɔa'jɛ̃:
Citrạl tsi'tra:l
Citrạt tsi'tra:t
Citrịn tsi'tri:n
Citrịne *engl.* sɪ'tri:n
Citroën® *fr.* sitrɔ'ɛn
Cịtrus... 'tsi:trʊs...
Citrus Heịghts *engl.* 'saɪtrəs
 'haɪts
Cittadẹlla *it.* tʃitta'dɛlla
Città dẹlla Piẹve *it.* tʃit'tad-
 'della'pi̯ɛ:ve
Città del Vaticạno *it.* tʃit-
 'taddelvati'ka:no
Città di Castẹllo *it.* tʃit'tad-
 dikas'tɛllo
Cịty 'sɪti
Ciục *rumän.* tʃuk
Ciudạd *span.* θi̯u'ðað
Ciudadẹla *span.* θi̯uða'ðela
Ciudạd Reạl *span.* θi̯u'ðar
 rre'al
Ciurliọnis *lit.* tʃjʊr'ljo:nɪs
Civẹrchio *it.* tʃi'vɛrki̯o
Civẹt si've:
Cividạle *it.* tʃivi'da:le
Civịlis tsi'vi:lɪs
Civita Castellạna *it.* 'tʃi:-
 vita kastel'la:na
Civitạli *it.* tʃivi'ta:li
Civitas Dẹi tsi:vitas 'de:i
Civitavẹcchia *it.* tʃivita'vɛk-
 ki̯a
Cixous *fr.* sik'sus
Claạßen, ...ssen 'kla:sn̩
Clabạssi *it.* kla'bassi
Clackmannan *engl.* klæk-
 'mænən
Clacton *engl.* 'klæktən
Clactonien klɛkto'ni̯ɛ̃:
Cladẹl *fr.* kla'dɛl
Cladọcera kla'do:tsera
Claes *schwed.* kla:s
Claesson *schwed.* 'kla:sɔn
Claes[z] *niederl.* kla:s
Claggart *engl.* 'klægət
Claim kle:m
Clair *fr.* klɛ:r, *engl.* klɛə
Clairau[l]t *fr.* klɛ'ro
Claire 'klɛ:rə, *fr.* klɛr,
 engl. klɛə
Clairẹt klɛ're:
Clairẹtte klɛ'rɛt
Clair-obscur klɛrɔps'ky:ɐ̯
Clairon klɛ'rõ:
Clairton *engl.* klɛətn
Clairvaux *fr.* klɛr'vo

Clairvoyance *fr.* klɛrvwa-
 'jã:s
Clạm klam
Clamạrt *fr.* kla'ma:r
Clạn kla:n, *auch:* klɛ[:]n
Clanciẹr *fr.* klã'sje
Claparède *fr.* klapa'rɛd
Clapeyron *fr.* klapɛ'rõ
Clapperton *engl.* 'klæpətn
Clapton *engl.* 'klæptən
Claque 'klak[ə], -n ...kn̩
Claqueur kla'kø:ɐ̯
Clạra *dt., it.* 'kla:ra, *span.*
 'klara, *engl.* 'klɑ:rə, *fr.*
 kla'ra
Clará *span.* kla'ra
Claramụnt *span.* klara'mun
Clạre 'klɛ:rə
Clare *engl.* klɛə
Claremont *engl.* 'klɛəmɔnt
Claremore *engl.* 'klɛəmɔː
Clarence *engl.* 'klærəns
Clarendon *engl.* 'klærəndən
[1]Claret (Bordeauxwein)
 'klɛrət
[2]Clarẹt (leichter Rotwein)
 kla're:
[3]Clarẹt (Name) *span.* kla'rɛt
Claretie *fr.* klar'ti
Claretịner klare'ti:nɐ
Clạrholz 'kla:ɐ̯hɔlts
Clarín *span.* kla'rin
Clarịno kla'ri:no, ...ni ...ni
Clarịssa kla'rɪsa *engl.* klə-
 'rɪsə
Clarịsse kla'rɪsə
Clạrk[e] *engl.* klɑ:k
Clạrkia 'klarki̯a, ...ien 'klar-
 ki̯ən
Clạrkie 'klarki̯ə
Clạrksburg *engl.* 'klɑ:ksbə:g
Clạrksdale *engl.* 'klɑ:ksdeɪl
Clạrksville *engl.* 'klɑ:ksvɪl
Claß kla:s
Clạssen 'kla:sn̩
Clastịdium klas'ti:di̯um
Clạuberg 'klaubɛrk
Claude *fr.* klo:d
Claudẹl *fr.* klo'dɛl
Clạudia 'klaudi̯a
Claudiạn[us] klau̯'dia:n[ʊs]
Claudịna klau̯'di:na
Claudịne klau̯'di:nə, *fr.* klo-
 'din
Clạudio 'klau̯di̯o, *it.* 'kla:u̯-
 di̯o
Claudius 'klau̯di̯ʊs
Clạuert 'klau̯ɐt
Clạuren 'klau̯rən
Claus klau̯s, *niederl.* klɔu̯s

Clausewitz 'klaʊzəvɪts
Clausius 'klaʊzjʊs
Clauß[en] 'klaʊ[sn̩]
Claussen *dän.* 'klaʊ'sn̩
Clausthal 'klaʊsta:l
Clausthal-Zellerfeld 'klaʊs-
ta:l'tsɛlɐfɛlt
Clausula 'klaʊzula, ...lae
...lɛ
clausula rebus sic stanti-
bus 'klaʊzula 're:bʊs 'zi:k
'stantibʊs
Clavé *span.* kla'βe, *fr.* kla've
Clavecin klavə'sɛ̃:
Clavecinist klavəsi'nɪst
Clavel *fr.* kla'vɛl
Clavell *engl.* klə'vɛl
Claver *span.* kla'βɛr
Claves vgl. Clavis
Clavi vgl. Clavus
Clavicembalo klavi'tʃɛm-
balo, ...li ...li
Clavicula kla'vi:kula, ...lae
...lɛ
Clavigo kla'vi:go
Clavijo *span.* kla'βixo
Clavis 'kla:vɪs, ...ves ...ve:s
Clavus 'kla:vʊs, ...vi ...vi
Clays *niederl.* 'kla:ɪs
Clay[ton] *engl.* kleɪ[tn̩]
clean kli:n
Clear-Air-... 'kli:ɐ̯'|ɛ:ɐ̯...
Clearance 'kli:rəns
Clearfield *engl.* 'klɪəfi:ld
Clearing 'kli:rɪŋ
Clearwater *engl.* 'kli:əwɔ:tə
Cleaver *engl.* 'kli:və
Cleethorpe[s] *engl.* 'kli:-
θɔ:p[s]
Cleland *engl.* 'klɛlənd
Clematis kle'ma:tɪs, 'kle:-
matɪs
Clemen 'kle:mən
Clemenceau *fr.* klemã'so
Clemens *dt.,* *niederl.* 'kle:-
məns, *engl.* 'klɛmənz
Clement 'kle:mənt, *engl.*
'klɛmənt
Clément *fr.* kle'mã
Clemente *it.* kle'mɛnte,
span. ...mente
Clementi *it.* kle'mɛnti
Clementia kle'mɛntsja
Clementine klemɛn'ti:nə
Clementis *slowak.* 'klɛmɛn-
tis
Clemenza *it.* kle'mɛntsa
Clemm[ys] 'klɛm[ʏs]
Cleomenes kle'o:menɛs
Clérambault *fr.* klerã'bo

Clercq *niederl.* klɛrk
Clerfayt *fr.* klɛr'fɛ
Clerici *it.* 'klɛ:ritʃi
Clericus 'kle:rikʊs
Clerihew *engl.* 'klɛrɪhju:
Clerk klark, kla:ɐ̯k
Clerk[e] *engl.* klɑ:k
Clermont *fr.* klɛr'mõ
Clermont-Ferrand *fr.* klɛr-
mõfɛ'rã
Clervaux *fr.* klɛr'vo
Cles *it.* kles
Cleve *dt.,* *niederl.* 'kle:və
Cleveland *engl.* 'kli:vlənd
clever 'klɛvɐ
Clever (Name) 'kle:vɐ
Cleverle 'klɛvɐlə
Cleverness 'klɛvɐnɛs
Cleyn klaɪn
Clianthus kli'antʊs
Cliburn *engl.* 'klaɪbən
Cliché kli'ʃe:
Clichy *fr.* kli'ʃi
Clicquot *fr.* kli'ko
Cliffhanger 'klɪfhɛŋə
Cliffdwellings 'klɪfdvɛlɪŋs
Clifford 'klɪfɔrt, *engl.* 'klɪfəd
Cliffside *engl.* 'klɪfsaɪd
Clif[ton] *engl.* 'klɪf[tən]
Clinch klɪntʃ, klɪnʃ
Clinschor 'klɪnʃo:ɐ̯
Clinton 'klɪntən
Clio 'kli:o
Clip[per] 'klɪp[ɐ]
Clipperton *engl.* 'klɪpətən
Clique 'klɪkə, *auch:* 'kli:kə
Clive *engl.* klaɪv
Clivia 'kli:vja, ...ien ...jən
Clochard *fr.* klɔ'ʃa:r
Clo-Clo klo'klo:
Clodia 'klo:dja
Clodion *fr.* klɔ'djõ
Clodius Pulcher 'klo:djʊs
'pʊlkɐ, –...lçɐ
Cloete *engl.* kloʊ'i:tɪ, 'klu:tɪ
Clog klɔk
Cloisonné klɔazo'ne:
Clölia 'klø:lja
Cloning 'klo:nɪŋ
Clonmacnoise *engl.* klɔn-
mək'nɔɪz
Clonmel *engl.* klɔn'mɛl, '––
Clonus 'klo:nʊs, -se ...ʊsə
Cloos klo:s
Cloots *fr.* klɔts, klo:ts
Cloppenburg 'klɔpn̩bʊrk
Cloqué klo'ke:
Clos klo:, des - klo:[s], die -
klo:s
Closca *rumän.* 'kloʃka

Close *engl.* kloʊs
Closed Shop 'klo:st 'ʃɔp,
–'–
Close-up 'klo:slap
Closener 'klo:zənɐ
Closs klɔs
Clostridium klɔs'tri:djʊm
Clotaldo *dt., span.* klo'taldo
Cloth *dt.-engl.* klɔθ
Clou klu:
Clouet *fr.* klu'ɛ
Clough *engl.* klʌf, klu:
Clouzot *fr.* klu'zo
Clovio *it.* 'klɔ:vjo
Clovis *fr.* klɔ'vis, *engl.* 'kloʊ-
vɪs
Clown klaʊn, *auch:* klo:n
Clownerie klaʊnə'ri:, -n
...i:ən
clownesk klaʊ'nɛsk
Clownismus klaʊ'nɪsmʊs
Club klʊp
Clumber... 'klambɐ...
Cluniazenser klunja'tsɛnzɐ
Cluny *fr.* kly'ni
Cluses *fr.* kly:z
Clusius 'klu:zjʊs
Cluster 'klastɐ
Cluytens *fr.* klɥi'tɛ̃:s, *nie-*
derl. 'klɔɛ̯təns
Clyde *engl.* klaɪd
Clydebank *engl.* 'klaɪdbæŋk
c-Moll 'tse:mɔl, *auch:* '–'–
CMOS (Inform.) 'tse:mɔs
Co. (Kompanie) ko:
Coach ko:tʃ
coachen 'ko:tʃn̩
Coaching 'ko:tʃɪŋ
Coagulum ko'|a:gulʊm, ...la
...la
Coahuila *span.* koa'ɥila
Coalgate *engl.* 'koʊlgeɪt
Coalville *engl.* 'koʊlvɪl
Coandă *rumän.* 'koandə
Coase *engl.* koʊz
Coast Ranges *engl.* 'koʊst
'reɪndʒɪz
Coat ko:t
Coatbridge *engl.* 'koʊtbrɪdʒ
Coates *engl.* koʊts
Coatesville *engl.* 'koʊtsvɪl
Coating 'ko:tɪŋ
Coats *engl.* koʊts
Coatzacoalcos *span.* koat-
sako'alkos
Cob kɔp
Cobaea ko'bɛ:a
Cobalt *engl.* 'koʊbɔ:lt
Cobán *span.* ko'βan

Cobb[e] *engl.* kɔb
Cobbett *engl.* ˈkɔbɪt
Cobbler ˈkɔblɐ
Cobden *engl.* ˈkɔbdən
Cobenzl ˈkoːbɛntsl̩
Cobergher *niederl.* ˈkoːbɛr-
  ɣər
Cobh *engl.* kouv
COBOL ˈkoːbɔl
Cobourg *engl.* ˈkoubəːg
Cobra ˈkoːbra
Coburg ˈkoːbʊrk, *engl.* ˈkou-
  bəːg
Coburn *engl.* ˈkoubən
Coca ˈkoːka, *span.* ˈkoka
Coca-Cola® kokaˈkoːla
Cocain kokaˈiːn
Cocarcinogene kokartsino-
  ˈɡeːnə
Coccaio *it.* kokˈkaːjo
Cocceji kɔkˈtseːji
Coccejus kɔkˈtseːjʊs
Coccioli *it.* ˈkɔttʃoli
Coccius ˈkɔktsiʊs
Coccus ˈkɔkʊs
Cochabamba *span.* kotʃa-
  ˈβamba
Cochem ˈkɔxm̩
Cochenille kɔʃəˈnɪljə
Cochin ˈkɔtʃɪn, *fr.* kɔˈʃɛ̃,
  engl. ˈkoutʃɪn
Cochise *engl.* kouˈtʃiːs
Cochläus kɔxˈlɛːʊs
Cochlea ˈkɔxlea, **...eae** ...eɛ
Cochon kɔˈʃõ:
Cochonnerie kɔʃɔnəˈriː, **-n**
  ...iːən
Cochran[e] *engl.* ˈkɔkrən
Cochstedt ˈkɔxʃtɛt
Cock *niederl.* kɔk
Cockcroft *engl.* ˈkoukkrɔft,
  ˈkɔkk...
Cocker... ˈkɔkɐ...
Cockerell *engl.* ˈkɔkərəl
Cockerill *engl.* ˈkɔkərɪl
Cockeysville *engl.* ˈkɔkiːzvɪl
Cockney ˈkɔkni
Cockpit ˈkɔkpɪt
Cockroft *engl.* ˈkɔkrɔft,
  ˈkouk...
Cocktail ˈkɔkteːl
Coclé *span.* koˈkle
Coco *span.* ˈkoko
Cocoa *engl.* ˈkoukou
Cocos-Keeling *engl.* ˈkou-
  kəsˈkiːlɪŋ
Cocteau *fr.* kɔkˈto
Cocytus koˈtsyːtʊs
Coda ˈkoːda
Codde *niederl.* ˈkɔdə

Code koːt, *fr.* kɔd, *engl.*
  koud
Code civil ˈkoːt siˈvɪl
Codein kodeˈiːn
Code Napoléon ˈkoːt napo-
  leˈõ:
Codeswitching ˈkoːtsvɪtʃɪŋ
Codex ˈkoːdɛks, **Codices**
  ˈkoːditseːs
Codex argenteus ˈkoːdɛks
  arˈɡɛnteʊs
Codex Juris Canonici
  ˈkoːdɛks ˈjuːrɪs kaˈnoːnitsi
Codicillus kodiˈtsilʊs, **...lli**
  ...li
codieren koˈdiːrən
Codlea *rumän.* ˈkodlea
Codó *bras.* koˈdɔ
Codomannus kodoˈmanʊs
Codon ˈkoːdɔn, **-en** koˈdoː-
  nən
Codreanu *rumän.*
  koˈdreanu
Codrington *engl.* ˈkɔdrɪŋtən
Coducci *it.* koˈduttʃi
Cody *engl.* ˈkoudɪ
Coecke *niederl.* ˈkukə
Coelho *port.* ˈkuɐʎu, *bras.*
  ˈkuɐʎu
Coelin tsøˈliːn
Coello *span.* koˈeʎo
Coen *niederl.* kun
Coesfeld ˈkoːsfɛlt
coetan koleˈtaːn
Coetzee *afr.* kuˈtse:
Cœur køːɐ̯
Cœurass køːɐ̯ˈlas, ˈ--
Cœur d'Alene *engl.*
  kəːdˈleɪn
Cœur de Lion *fr.* kœrdəˈljõ
Coevorden *niederl.*
  ˈkuvɔrdə
Coffein kɔfeˈiːn
Coffeeshop ˈkɔfiʃɔp
Coffeynagel ˈkɔfenaɡl̩
Coffeyville *engl.* ˈkɔfɪvɪl
Coffin *engl.* ˈkɔfɪn
Coffinit kɔfiˈniːt
Cofre de Perote *span.*
  ˈkofre ðe peˈrote
Coggan *engl.* ˈkɔɡən
Coghetti *it.* koˈɡetti
cogito, ergo sum ˈkoːɡito
  ˈɛrɡo ˈzʊm
cognac ˈkɔnjak
¹Cognac (Ort) *fr.* kɔˈɲak
²Cognac® ˈkɔnjak
Cogne *fr.* kɔɲ
Cogniard *fr.* kɔˈɲaːr
Cogniet *fr.* kɔˈɲɛ

Cognomen kɔˈɡnoːmən,
  Cognomina kɔˈɡnoːmina
Cogul *span.* koˈɣul
Cohen ˈkoːən, *selten*
  koˈheːn; *fr.* kɔˈɛn, *engl.*
  ˈkouɪn
Cohn *dt.,* *fr.* koːn, *engl.*
  koun
Cohoes *engl.* kouˈhouz
Cohuna *engl.* kəˈhuːnə
Coiffeur kɔ̯aˈføːɐ̯
Coiffeuse kɔ̯aˈføːzə
Coiffure kɔ̯aˈfyːɐ̯, **-n** ...yːrən
Coil kɔyl
Coimbatore *engl.* ˈkɔɪm-
  bəˈtɔ:
Coimbra *port.* ˈkuɪmbrɐ
Coimbrizenser koɪmbri-
  ˈtsɛnzɐ
Coin *span.* koˈin
Coincidentia Oppositorum
  koɪntsiˈdɛntsi̯a ɔpoziˈtoː-
  rʊm
Coing ˈkoːɪŋ
Cointreau® kwɛ̃ˈtroː
Cointrin *fr.* kwɛ̃ˈtrɛ̃
Coir ˈkɔyɐ̯, koˈiːɐ̯
Coitus ˈkoːitʊs, **die -** ...tuːs
Cojedes *span.* kɔˈxeðes
Cojutepeque *span.* kɔxute-
  ˈpeke
Cojz *slowen.* tsoːjz
¹Coke (Name) *engl.* kouk,
  kʊk
²Coke® (Coca-Cola) koːk
¹Cola *it.* ˈkɔːla
²Cola vgl. Colon
Colalto koˈlalto
Colani koˈlaːni
Colantonio *it.* kolanˈtoːni̯o
Colas *fr.* koˈla
Colascione kolaˈʃoːnə
Colatina *bras.* kolaˈtina
col basso kol ˈbaso
Colbert *fr.* kɔlˈbɛːr
Colbitz ˈkɔlbɪts
Colbrán *span.* kɔlˈβran
Colbrie ˈkɔlbri
Colby *engl.* ˈkoulbɪ
Colchagua *span.* kɔlˈtʃaɣu̯a
Colchester *engl.* ˈkoultʃɪstə
Colchicin kɔlçiˈtsi:n
Colchicum ˈkɔlçikʊm
Coldcream ˈkoːltkriːm
Colditz ˈkɔldɪts
Coldrubber ˈkoːltrabɐ
Coldstream *engl.* ˈkouldstriːm
Col du Perthus *fr.* kɔldy-
  pɛrˈtys

Cole engl. koʊl
Colebrooke engl. ˈkoʊlbrʊk
Coleman engl. ˈkoʊlmən
Colenbrander niederl.
ˈkoːlənbrɑndər
Colenso engl. kəˈlɛnzoʊ
Coleopter koleˈɔptɐ
Coleraine engl. koʊlˈreɪn,
ˈ‒‒
Coleridge engl. ˈkoʊlrɪdʒ
Colerus koˈleːrʊs
Cölestin[us] tsøløsˈtiːn[ʊs]
Colet fr. kɔˈlɛ, engl. ˈkɔlɪt
Coletta koˈlɛta, it. koˈletta
Colette fr. kɔˈlɛt
Coleus ˈkoːleʊs
Coleville engl. ˈkoʊlvɪl
Colgate kɔlˈgaːtə, engl.
ˈkoʊlgeɪt
Colhuacán span. kolu̯aˈkan
Coligny fr. kɔliˈɲi
Colijn niederl. koˈlɛi̯n
Colima span. koˈlima
Colin fr. kɔˈlɛ̃, engl. ˈkɔlɪn
Colines fr. kɔˈlin
Colins fr. kɔˈlɛ̃, engl. ˈkɔlɪnz
Coliseo it. koliˈzɛːo
Cölius tsøːli̯ʊs
Colla vgl. Collum
colla destra ˈkɔla ˈdɛstra
Collage kɔˈlaːʒə
collagieren kɔlaˈʒiːrən
Collalto it. kolˈlalto
Collande kɔˈlandə
colla parte ˈkɔla ˈpartə
coll'arco kɔl ˈarko
Collard fr. kɔˈlaːr
Collargol kɔlarˈgoːl
Collasse fr. kɔˈlas
colla sinistra ˈkɔla ziˈnɪstra
Collatinus kɔlaˈtiːnʊs
Collazo span. koˈʎaθo
Colle it. ˈkolle
collé kɔˈleː
Collé fr. kɔˈle
Collectanea kɔlɛkˈtaːnea
College ˈkɔlɪtʃ
Collège kɔˈlɛːʃ
Collège de France fr. kɔlɛʒ-
dəˈfrɑ̃ːs
Collegeville engl. ˈkɔlɪdʒvɪl
Collegium musicum kɔˈleː-
gi̯ʊm ˈmuːzikʊm, ...ia ...ka
...i̯a ...ka
Collegium publicum kɔˈleː-
gi̯ʊm ˈpuːblikʊm, ...ia ...ka
...i̯a ...ka
col legno kɔl ˈlɛɲo
Collegni it. kolleˈoːni
Colletet fr. kɔlˈtɛ

Collett norw. ˈkɔlət
Colliander kɔˈli̯andɐ
Collico® ˈkɔliko
¹Collie (Hund) ˈkɔli
²Collie (Ort) engl. ˈkɔlɪ
¹Collier (Schmuck) kɔˈli̯eː
²Collier (Name) engl. ˈkɔli̯ə
Collier de Vénus, -s - -
kɔˈli̯eː də veˈnʏs
Collijn schwed. kɔˈliːn
Collin dt., norw. kɔˈliːn, fr.
kɔˈlɛ̃
Collingdale engl. ˈkɔlɪŋdeɪl
Colling[s]wood engl.
ˈkɔlɪŋ[z]wʊd
Collino it. kolˈliːno
Collins engl. ˈkɔlɪnz
Collinsville engl. ˈkɔlɪnzvɪl
Collioure fr. kɔˈlju:r
Collip engl. ˈkɔlɪp
Cölln kœln
Collodi it. kolˈlɔːdi
Collon fr. kɔˈlõ
Colloredo kɔloˈreːdo, it.
kolloˈreːdo
Collot d'Herbois fr. kɔlo-
dɛrˈbwa
Collum ˈkɔlʊm, **Colla** ˈkɔla
Colman engl. ˈkoʊlmən,
span. ˈkɔlman
Colmar ˈkɔlmar, fr. kɔlˈmaːr
Cologne fr. kɔˈlɔɲ
Coloma span. koˈloma
Coloman ˈkoːloman, auch:
ˈkɔl...
Colomannus koloˈmanʊs
Colomb-Béchar fr. kɔlõ-
beˈʃaːr
Colombe[s] fr. kɔˈlõːb
**Colombey-les-deux-Égli-
ses** fr. kɔlõbɛledøzeˈgliːz
Colombia span. koˈlɔmbi̯a
Colombier fr. kɔlõˈbje
Colombina kolɔmˈbiːna
Colombine kolɔmˈbiːnə
Colombo koˈlɔmbo, it.
koˈlɔmbo, engl. kəˈlʌmboʊ
Colon ˈkoːlɔn, **Cola** ˈkoːla
Colón span. koˈlɔn
Colonel koloˈnɛl, fr. kɔlɔ-
ˈnɛl, engl. ˈkəːnəl
Colonia koˈloːni̯a, span.
koˈlonia
Colonia Agrippinensis
koˈloːni̯a agrɪpiˈnɛnzɪs
Colonial Heights engl.
kəˈloʊni̯əl ˈhaɪts
Colonna it. koˈlonna
Colonne fr. kɔˈlɔn, it.
koˈlonne

Color... ˈkoːloːɐ̯..., koˈloːɐ̯...
Colorado koloˈraːdo, engl.
kɔləˈrɑːdoʊ, span. kolo-
ˈraðo
Coloradoit koloradoˈiːt
Collosseum kɔlɔˈseːʊm,
engl. kɔləˈsiəm
¹Colt® (Waffe) kɔlt
²Colt (Name) engl. koʊlt
Colton engl. ˈkoʊltən
Coltrane engl. kɔlˈtreɪn
Colum engl. ˈkɔləm
Columba koˈlʊmba
Columban kolʊmˈbaːn
Columbarium kolʊmˈbaː-
ri̯um, ...ien ...i̯ən
Columbia koˈlʊmbi̯a, engl.
kəˈlʌmbiə
**Columbia Broadcasting
System** engl. kəˈlʌmbi̯ə
ˈbrɔːdkɑːstɪŋ ˈsɪstɪm
Columbium koˈlʊmbi̯ʊm
Columbretes span. kolum-
ˈbretes
Columbus schwed. kuˈlʊm-
bʊs, engl. kəˈlʌmbəs
Columella koluˈmɛla
Colville engl. ˈkɔlvɪl
Colwyn engl. ˈkɔlwɪn
Coma Berenices ˈkoːma
bereˈniːtseːs
Comacchio it. koˈmakki̯o
Comanche koˈmantʃə
Comander koˈmandɐ
Comănești rumän. komə-
ˈneʃti
Comarca span. koˈmarka
Comaske koˈmaskə
Comayagua span. komaˈja-
ɣu̯a
Comba ˈkɔmba, it. ˈkomba
Combarelles, Les fr. lekõ-
baˈrɛl
Combat fr. kõˈba
Combe-Capelle fr. kõbka-
ˈpɛl
Combes fr. kõːb
Combin fr. kõˈbɛ̃
Combine kɔmˈbaɪn, ˈ‒‒
Combo ˈkɔmbo
Comboni it. komˈboːni
Comburg ˈkɔmbʊrk
Come-back kamˈbɛk, ˈ‒‒
Comecon ˈkɔmekɔn
Comedia koˈmeːdi̯a
Comédie-Française fr.
kɔmedifrɑ̃ˈsɛːz
Comédie larmoyante fr.
komeˈdi: larmɔ̯aˈjãː
Come-down ˈkamdaʊn

Comedy ˈkɔmədi
Comenius koˈmeːniʊs
Come quick, danger! *engl.*
ˈkam ˈkvɪk ˈdeːndʒɐ
Comércio *port.* kuˈmɛrsiu
Comer See ˈkoːmɐ ˈzeː
Comes ˈkoːmɛs, **Comites**
ˈkoːmiteːs
come sopra ˈkoːmə ˈzoːpra
Comestibles komɛsˈtiːbl̩
Comet *engl.* ˈkɔmɪt
Cömeterium tsømeˈteːriʊm,
...**ien** ...i̯ən
Comfort *engl.* ˈkʌmfət
Comic ˈkɔmɪk
Comicstrip ˈkɔmɪkstrɪp
Comillas *span.* koˈmiʎas
Comines *fr.* kɔˈmin
Comingman, ...**men**
ˈkamɪŋˈmɛn
Coming-out kamɪŋˈla̯ut
Cominius koˈmiːni̯ʊs
Comino *it.* koˈmiːno
COMISCO koˈmɪsko
Comiso *it.* ˈkɔːmizo
Comisso *it.* koˈmisso
Comitatus komiˈtaːtʊs
Comites *vgl.* Comes
Commandino *it.* kommanˈdiːno
comme ci, comme ça *fr.*
kɔmˈsi, kɔmˈsa
Commedia dell'Arte
kɔˈmeːdi̯a dɛl ˈartə
comme il faut kɔmɪlˈfoː
Commendone *it.* kommenˈdoːne
Commer ˈkɔmɐ
Commerce *engl.* ˈkɔmɔːs, *fr.* kɔˈmɛrs
Commercial kɔˈmøːɐ̯ʃl̩, kɔˈmœrʃl̩
Commerz kɔˈmɛrts
Commines *fr.* kɔˈmin
Commis voyageur, - -s
kɔˈmiː vo̯aˈʒøːɐ̯
Commodianus kɔmoˈdi̯aːnʊs
Commodity kɔˈmɔditi
commodo ˈkɔmodo
Commodus ˈkɔmodʊs
Commoner ˈkɔmənɐ
Common Law ˈkɔmən ˈloː
Common Prayer-Book
ˈkɔmən ˈprɛːɐ̯bʊk
Commons ˈkɔməns
Common Sense ˈkɔmən ˈzɛns
Commonwealth [of Na-

tions] *dt.-engl.* ˈkɔmənvɛlθ
[ɔf ˈneːʃn̩s]
Commune *fr.* kɔˈmyn
Commune Sanctorum
kɔˈmuːnə zaŋkˈtoːrʊm
Communio Sanctorum
kɔˈmuːni̯o zaŋkˈtoːrʊm
Communiqué kɔmyniˈkeː
Communis Opinio kɔˈmuː-
nɪs oˈpiːni̯o
Commynes *fr.* kɔˈmin
Como *it.* ˈkɔːmo
comodo ˈkoːmodo
Comodoro *span.* komoˈðorɔ
Comoé *fr.* kɔmɔˈe
Comolli *it.* koˈmɔlli
Comores *fr.* kɔˈmɔːr
Comorin *engl.* ˈkɔmərɪn
Compact Disc kɔmˈpakt ˈdɪsk, kɔmˈpɛkt -
Compagni *it.* komˈpaɲɲi
Compagnie kɔmpanˈjiː, -**n**
...iːən
Compagnon kɔmpanˈjõ
Company ˈkampəni
Companys *kat.* kumˈpaɲs, *span.* kɔmˈpanis
Compaoré *fr.* kõpaɔˈre
Comparetti *it.* kompaˈretti
Compartimento kɔmpartiˈmɛnto
Compenius kɔmˈpeːni̯ʊs
Compère *fr.* kõˈpɛːr
Compiègne *fr.* kõˈpjɛɲ
Compiler kɔmˈpailɐ
Compliance kɔmˈplai̯əns
Complutenser kɔmpluˈtɛnzɐ
Composé kõpoˈzeː
Composer kɔmˈpoːzɐ
Compositae kɔmˈpoːzitɛ
Compostela *span.* kɔmpɔsˈtela
Compound... kɔmˈpa̯unt..., *auch:* ˈ--
Comprette® kɔmˈprɛtə
comptant kõˈtãː
Comptoir kõˈto̯aːɐ̯
Compton *engl.* ˈkɔmptən
Compur® kɔmˈpuːɐ̯
Computer *engl.* kɔmˈpjuːtɐ
computerisieren kɔmpjutəriˈziːrən
computern kɔmˈpjuːtɐn
Comstock Lode *engl.* ˈkɔmstɔk ˈloʊd
Comte *fr.* kõːt
Comtesse kɔmˈtɛs, *auch:* kõˈtɛs, -**n** ...ˈtɛsn̩

Comuneros *span.* komuˈneːros
con affetto kɔn aˈfɛto
Conakry *fr.* kɔnaˈkri
con amore kɔn aˈmoːrə
Conan *engl.* ˈkoʊnən, ˈkɔnən
con anima kɔn ˈaːnima
Conant *engl.* ˈkɔnənt
conaxial kɔnlaˈksi̯aːl
con brio kɔn ˈbriːo
Conca *it.* ˈkoŋka
con calore kɔn kaˈloːrə
Concarneau *fr.* kõkarˈno
Conceição *port.* kõsɐi̯ˈsɐ̃u̯
Concelebratio kɔntseleˈbraːtsi̯o
Concentus kɔnˈtsɛntʊs, **die -** ...tuːs
Concepción *span.* kɔnθɛpˈθi̯ɔn
Conceptart ˈkɔnsɛptlaːɐ̯t, *auch:* –ˈ--
Conceptio immaculata kɔnˈtsɛptsi̯o imakuˈlaːta
Concertante kɔntsɛrˈtantə, *auch:* kɔntʃɛ...
Concertgebouw *niederl.* kɔnˈsɛrtxəbɔy̯
Concertgebouworkest *niederl.* kɔnˈsɛrtxəbɔy̯ɔr-ˌkɛst
Concertino kɔntʃɛrˈtiːno
Concerto grosso kɔnˈtʃɛrto ˈgrɔso, ...**ti** ...**ssi** ...ti ...si
Concerts spirituels kõˈsɛːɐ̯ spiriˈtɥɛl
Concetti kɔnˈtʃɛti
¹Concha (Organ) ˈkɔnça
²Concha (Name) *span.* ˈkɔntʃa
Conches kõːʃ
Conchita *span.* kɔnˈtʃita
Conchon *fr.* kõˈʃõ
Concierge kõˈsi̯ɛrʃ
Conciergerie kõsi̯ɛrʒəˈri
Concini *it.* konˈtʃiːni, *fr.* kõsiˈni
concitato kɔntʃiˈtaːto
Conclusio kɔnˈkluːzi̯o, *auch:* kɔŋ...
Concord *engl.* ˈkɔŋkɔːd
Concorde *fr.* kõˈkɔrd
Concordia kɔnˈkɔrdi̯a, *auch:* kɔŋ..., *engl.* kɔnˈkɔː-dɪə, *span.* kɔŋˈkɔrði̯a
Concours hippique, - -s kõˈkuːɐ̯ ɪˈpik
Conde *span.* ˈkɔnde
Condé *fr.* kõˈde
Condensa kɔnˈdɛnza

Condensite® kɔndɛn'zi:tə
Condillac *fr.* kõdi'jak
con discrezione kɔn dıskre-
'tsjo:nə
Conditionalis kɔnditsjo-
'na:lıs
Conditio sine qua non kɔn-
'di:tsjo 'zi:nə 'kva: 'no:n
Condivi *it.* kon'di:vi
con dolore kɔn do'lo:rə
Condon *engl.* 'kɔndən
Condom *fr.* kõ'dõ
Condor 'kɔndo:ɐ̯
Condorcet *fr.* kõdɔr'sɛ
Condottiere kɔndɔ'tjɛ:rə,
...ri ...ri
Condroz *fr.* kõ'dro
Conductus kɔn'dʊktʊs,
die - ...tu:s
Condwiramurs kɔn'dvi:ra-
mʊrs
Condylus 'kɔndylʊs, ...li ...li
con effetto kɔn ɛ'fɛto
Conegliano *it.* koneʎ'ʎa:no
con espressione kɔn ɛsprɛ-
'sjo:nə
Coney *engl.* 'koʊnı
Confalonieri *it.* konfalo-
'njɛ:ri
Confédération Française
des Travailleurs Chré-
tiens *fr.* kõfederɑsjõfrãsɛz-
detravajœrkre'tjɛ̃
Confédération Générale
du Travail *fr.* kõfederɑsjõ-
ʒeneraldytra'vaj
Confédération Internatio-
nale des Sociétés d'Au-
teurs et Compositeurs *fr.*
kõfederɑsjõɛ̃tɛrnasjɔnalde-
sɔsjetedotœrzekõpozi'tœ:r
confer 'kɔnfɛr
Conférence kõfe'rã:s, -n
...sn̩
Conférencier kõferã'sje:
conferieren konfe'ri:rən
Confessio kɔn'fɛsjo, -nes
...'sjo:ne:s
Confessio Augustana,
- Belgica, - Gallicana,
- Helvetica kɔn'fɛsjo
aʊgʊs'ta:na, - 'bɛlgika,
- gali'ka:na, - hɛl've:tika
Confessor kɔn'fɛso:ɐ̯, -es
...'so:re:s
Confiteor kɔn'fi:teo:ɐ̯
Confoederatio Helvetica
kõnfœde'ra:tsjo hɛl've:tika
Conformers kɔn'fo:ɐ̯mɐs
Conforto *it.* kon'fɔrto

con forza kɔn 'fɔrtsa
Confrater kɔn'fra:tɐ, ...tres
...tre:s
con fuoco kɔn 'fu̯o:ko
Confutatio kɔnfu'ta:tsjo
Conga 'kɔŋga
Congar *fr.* kõ'ga:r
Congleton *engl.* 'kɔŋgltən
Congo *fr.* kõ'go
Congo Belge *fr.* kõgo'bɛlʒ
Congonhas *bras.* koŋ'gɔɲas
con grazia kɔn 'gra:tsia
Congress of Industrial
Organizations *engl.* 'kɔŋ-
grɛs əv ın'dʌstrıəl ɔ:gə-
naı'zeıʃənz
Congreve *engl.* 'kɔngri:v
Công Tum *vietn.* koŋ tum 11
Coni *vgl.* Conus
Coniferae ko'ni:fere
con impeto kɔn 'ımpeto
Coninxloo *niederl.*
'ko:nıŋkslo
Conjunctiva kɔnjʊŋk'ti:va
Conjunctivitis kɔnjʊŋkti-
'vi:tıs, ...itiden ...vi'ti:dn̩
con leggierezza kɔn lɛdʒe-
'rɛtsa
con moto kɔn 'mo:to
Connacht *engl.* 'kɔnɔ:t
Connaisseur kɔnɛ'sø:ɐ̯
Connally *engl.* 'kɔnəlı
Connaught *engl.* 'kɔnɔ:t
Conneaut *engl.* 'kɔnıɔt
Connecticut *engl.* kə'nɛtı-
kət
Connection kɔ'nɛkʃn̩
Connellsville *engl.* 'kɔnlzvıl
Connelly *engl.* 'kɔnəlı
Connemara *engl.* kɔnı-
'ma:rə
Conner[s] *engl.* 'kɔnə[z]
Connersville *engl.* 'kɔnəzvıl
Connery *engl.* 'kɔnərı
Conni 'kɔnı
Connie *engl.* 'kɔnı
Connolly *engl.* 'kɔnəlı
Conny 'kɔnı, *engl.* 'kɔnı
Cönobit tsøno'bi:t
Conolly *engl.* 'kɔnəlı
Conon *fr.* kɔ'nõ
con passione kɔn pa'sjo:nə
con pietà kɔn pje'ta
Conques *fr.* kõ:k
Conquest *engl.* 'kɔŋkwɛst
Conquista *span.* koŋ'kista
Conrad 'kɔnra:t, *engl.* 'kɔn-
ræd
Conradi, ...dy kɔn'ra:di
Conrart *fr.* kõ'ra:r

Conring 'kɔnrıŋ
Consagra *it.* kon'sa:gra
Consalvi *it.* kon'salvi
Conscience *fr.* kõ'sjã:s
Consciousness-Raising
'kɔnʃəsnɛs.re:zıŋ
Consecutio Temporum
kɔnze'ku:tsjo 'tɛmporʊm
Conseil *fr.* kõ'sɛj
Consensus kɔn'zɛnzʊs,
die - ...zu:s
Consensus communis
kɔn'zɛnzʊs kɔ'mu:nıs
Consensus omnium kɔn-
'zɛnzʊs 'ɔmniʊm
con sentimento kɔn zɛnti-
'mɛnto
Consett *engl.* 'kɔnsıt
Considérant *fr.* kõside'rã
Consilium Abeundi kɔn'zi:-
ljom abe'ʊndi
Consistency kɔn'zıstn̩si
Consolatio kɔnzo'la:tsjo,
-nes ...la'tsjo:ne:s
Consommé kõsɔ'me:
con sordino kɔn zɔr'di:no
con spirito kɔn 'spi:rito
Constable 'kanstəbl̩, *engl.*
'kʌnstəbl
Constans 'kɔnstans, *fr.*
kõs'tã
Constant *engl.* 'kɔnstənt, *fr.*
kõs'tã
Constanța *rumän.* kon-
'stantsa
Constantin 'kɔnstanti:n,
auch: --'-, *rumän.* kon-
stan'tin, *fr.* kõstã'tɛ̃
Constantina *span.* kɔnstan-
'tina
Constantine *fr.* kõstã'tin
Constantinescu *rumän.*
konstanti'nesku
Constantinus kɔnstan'ti:-
nʊs
Constantius kɔn'stantsjʊs
Constellation *engl.* kɔn-
stə'leıʃən
Constituante kõsti'tyã:t, -s
...ã:t, -n ...ã:tn̩
Constitución *span.* kɔnstitu'θjɔn
Constructio ad Sensum
kɔn'strʊktsjo at 'zɛnzʊm
Constructio apo Koinu
kɔn'strʊktsjo a'po: kɔy'nu:
Constructio kata Synesin
kɔn'strʊktsjo ka'ta 'zy:ne-
zın
Consulat *fr.* kõsy'la

Consulting kɔnˈzaltıŋ
Contact... kɔnˈtakt...
Contadora *span.* kɔntaˈðora
Contagion kɔntaˈgi̯oːn
Container kɔnˈteːnɐ
containerisieren kɔntɛnəriˈziːrən
Containment kɔnˈteːnmənt
Contango kɔnˈtaŋɡo, *auch:* kɔnˈtɛŋɡo
Contarex ˈkɔntarɛks
Contarini *it.* kɔntaˈriːni
Contax® ˈkɔntaks
¹Conte (Erzählung), **-s** *fr.* kõːt
²Conte (Graf) ˈkɔntə, **...ti** ...ti
Conté *fr.* kõˈte
Conteben® kɔnteˈbeːn
Contenance kõtəˈnãːs[ə]
con tenerezza kɔn teneˈrɛtsa
Contergan® kɔntɛrˈɡaːn
Contessa kɔnˈtɛsa
Contessina kɔnteˈsiːna
Contest ˈkɔntɛst
Conthey *fr.* kõˈtɛ
Conti *it.* ˈkɔnti, *fr.* kõˈti
Continental kɔntinɛnˈtaːl, *engl.* kɔntiˈnɛntl
Continuo kɔnˈtiːni̯u̯o
Conto *span.* ˈkɔnto
Conto de Reis *port.* ˈkontu ðə ˈrrei̯ʃ, *bras.* - di ˈrrei̯s
contra, C... ˈkɔntra
Contradictio in adjecto kɔntraˈdıktsi̯o ın atˈi̯ɛkto
contra legem ˈkɔntra ˈleːɡɛm
contraria contrariis kɔnˈtraːri̯a kɔnˈtraːriːs
Contrasto kɔnˈtrasto
Contrat social kõˈtra: zoˈsi̯al
contre cœur ˈkõːtrə ˈkøːɐ̯
Contrecoup kõtrəˈkuː
Contredanse kõtrəˈdãːs
Control... kɔnˈtroːl...
Controller kɔnˈtroːlɐ
Controlling kɔnˈtroːlıŋ
Contucci *it.* kɔnˈtuttʃi
Conurbation kɔnlʊrbaˈtsi̯oːn
Conus ˈkoːnʊs, **...ni** ...ni
Conveniencegoods kɔnˈviːni̯ənsˌɡʊts
Convent kɔnˈvɛnt
Convention nationale kõvãˈsi̯õː nasi̯oˈnal

Conversano *it.* konverˈsaːno
Converter kɔnˈvɛrtɐ
Convertible Bonds kɔnˈvøːɐ̯təbl̩ ˈbɔnts, **...vœrt...**
Conveyer kɔnˈveːɐ
Convoi kɔnˈvɔy̯, *auch:* ˈ--
Conw[a]y *engl.* ˈkɔnwei̯
Conybeare *engl.* ˈkɔnıbıə, ˈkʌn...
Conz[e] ˈkɔnts[ə]
Coogan *engl.* ˈkuːɡən
Cook[e] *engl.* kʊk
Cooktown *engl.* ˈkʊktau̯n
cool kuːl
Cool Clary *engl.* ˈkuːl ˈklærı
Coolen *niederl.* ˈkoːlə
Coolidge *engl.* ˈkuːlıdʒ
Coolness ˈkuːlnɛs
Cooma *engl.* ˈkuːmə
Coomb[e] *engl.* kuːm
Coon Rapids *engl.* ˈkuːn ˈræpıdz
Co op koˈlɔp
Cooper *engl.* ˈkuːpə
Coopman *niederl.* ˈkoːpmɑn
Coordinates koˈloːɐ̯dinəts
Coornhert *niederl.* ˈkoːrnhɛrt
Coos[a] *engl.* ˈkuːs[ə]
Coover *engl.* ˈkuːvə
Cop kɔp
Čop *slowen.* tʃoːp
Copacabana *span.* kopakaˈbana, *bras.* kɔpakaˈbɐna
Copán *span.* koˈpan
Cope *engl.* koʊp
Copeau *fr.* kɔˈpo
Cöpenick ˈkøːpənık
Copernicus koˈpɛrnikʊs
Copiague *engl.* ˈkoʊpeıɡ
Copiapó *span.* kopi̯aˈpo
Ćopić *serbokr.* ˈtɕɔːpitɕ
Copilot ˈkoːpiloːt
Copland *engl.* ˈkɔplənd, ˈkoʊp...
Coplé *span.* koˈple
Coplestone *engl.* ˈkɔplstən
Copley *engl.* ˈkɔplı
Coppard *engl.* ˈkɔpəd
Coppé[e] *it.* kɔˈpe
Coppélia kɔˈpeːli̯a, *fr.* kɔpeˈlja
Coppelius kɔˈpeːli̯ʊs
Copperfield *engl.* ˈkɔpəfiːld
Coppermine *engl.* ˈkɔpəmaın
Coppet *fr.* kɔˈpɛ
Coppi *it.* ˈkɔppi, ˈkoppi
Coppo *it.* ˈkɔppo

Coppola *engl.* ˈkɔpələ
Copy... ˈkɔpi...
Copyright ˈkɔpirai̯t
Coq au Vin ˈkɔk oː ˈvɛ̃ː
Coq d'Or *fr.* kɔkˈdɔːr
Coquelin *fr.* kɔˈklɛ̃
Coquerel *fr.* kɔˈkrɛl
Coques *fr.* kɔk
Coquilhatville *fr.* kɔkijatˈvil
Coquille koˈkiːjə
Coquimbo *span.* koˈkimbo
Cor koːɐ̯
Cora ˈkoːra
Corabia *rumän.* koˈrabia
Coral Gables *engl.* ˈkɔrəl ˈɡeıblz
Coralli *it.* koˈralli
Corallina koraˈliːna
coram publico ˈkoːram ˈpuːbliko
Corato *it.* koˈraːto
Coray *fr.* kɔˈrɛ
Corazón *span.* koraˈθɔn
Corazzini *it.* koratˈtsiːni
Corbeil *fr.* kɔrˈbei̯
Corbie *fr.* kɔrˈbi
Corbière[s] *fr.* kɔrˈbi̯ɛːr
Corbusier, Le *fr.* ləkɔrbyˈzje
Corby *engl.* ˈkɔːbı
Corcovado *span.* kɔrko- ˈβaðo, *bras.* korkoˈvadu
Corcy *fr.* kɔrˈsi
Corcyra [nigra] kɔrˈtsyːra [ˈniːɡra]
Cord kɔrt
Corda[n] ˈkɔrda[n]
Corday *fr.* kɔrˈdɛ
Cordele *engl.* kɔːˈdiːl, ˈkɔːdiːl
Cordelia kɔrˈdeːli̯a
Cordeliers *fr.* kɔrdəˈlje
Cordes ˈkɔrdəs
Cordial Médoc kɔrˈdi̯al meˈdɔk
Cordier *fr.* kɔrˈdje
Cordierit kɔrdi̯eˈriːt
Cordillera *span.* kɔrðiˈ/̯era, **- Blanca** - ˈβlaŋka, **- Real** - rrɛˈal
Córdoba ˈkɔrdoba, *auch:* ...va, *span.* ˈkɔrðoβa
Cordon bleu, -s -s kɔrˈdõː ˈbløː
Cordon sanitaire, -s -s kɔrˈdõː zaniˈtɛːɐ̯
Cordovero *span.* kɔrðoˈβero
Corduba ˈkɔrduba
Cordula ˈkɔrdula
Cordus ˈkɔrdʊs
Core koːɐ̯

Corẹlli *it.* ko'rɛlli, *engl.* kə'rɛlı

Coremans *niederl.* 'ko:rə-mɑns

Corẹna *it.* ko'rɛ̜:na

Corẹnzio *it.* ko'rɛntsi̯o

Corẹsi *rumän.* ko'resi

Cọrey *engl.* 'kɔ:rɪ

Corfam 'ko:ɐ̯fam

Corfịnio *it.* kor'fi:ni̯o

Corfịnium kɔr'fi:ni̯ʊm

Corfù *it.* kor'fu

Cọri 'ko:ri, *engl.* 'kɔ:rɪ, *it.* 'kɔ:ri

Coriano *it.* ko'ri̯a:no

Corigliano Calabro *it.* koriʎ'ʎa:no 'ka:labro

Corịnna ko'rɪna

Corịnne *fr.* kɔ'rin

Corịnnus ko'rɪnʊs

Corịnth ko'rɪnt, *engl.* 'kɔrɪnθ

Corịnto *span.* ko'rinto

Coriolano *it.* kori̯o'la:no

Coriolan[us] kori̯o'la:n[ʊs]

Coriolis *fr.* kɔri̯ɔ'lis

Corịppus ko'rɪpʊs

Corịsco *span.* ko'risko

Cọrium 'ko:ri̯ʊm

Cork *engl.* kɔ:k

Cọrliss *engl.* 'kɔ:lɪs

Çọrlu *türk.* 'tʃɔrlu

Cọrmac[k] *engl.* 'kɔ:mæk

Cornamusa kɔrna'mu:za

Cornaro *it.* kor'na:ro

Cornazzano *it.* kornat-'tsa:no

Cọrnea 'kɔrnea, -e ...neɛ

Cornedbeef 'ko:ɐ̯nət'bi:f

Cọrnedpork 'ko:ɐ̯nət'po:ɐ̯k

Corneịlle *fr.* kɔr'nɛj

Cornẹlia kɔr'ne:li̯a

Cornẹlie kɔr'ne:li̯ə

Cornẹlisz *niederl.* kɔr'ne:lɪs

Cornẹlius kɔr'ne:li̯ʊs, *nieder*l. kɔr'ne:li̯ʏs

Cọrnell 'kɔrnl̩, *engl.* kɔ:'nɛl

Cornellá *span.* kɔrne'ʎa

Cornẹlsen kɔr'ne:lzn̩

Cornẹly kɔr'ne:li

Cornemuse, -s kɔrnə'my:s

Cọrner 'ko:ɐ̯nɐ

Cornẹt[s] à Pistons kɔr'ne: a pɪs'tõ:

Cọrnflakes 'ko:ɐ̯nfle:ks

Cọrnforth *engl.* 'kɔ:nfɔ:θ

Cọrni vgl. Corno

Cornịche *fr.* kɔr'niʃ

Cornichon kɔrni'ʃõ:

Cornịglio *it.* kor'niʎʎo

Cọrning *engl.* 'kɔ:nɪŋ

Cọrno 'kɔrno, ...ni ...ni

Cọrno da Cạccia 'kɔrno da 'katʃa

Cọrno di Bassẹtto 'kɔrno di ba'sɛto

Cornouạille[s] *fr.* kɔr'nwɑ:j

Cọrnova 'kɔrnova

Cornu *fr.* kɔr'ny

Cornụtus kɔr'nu:tʊs

Cọrnwall 'kɔrnval, *engl.* 'kɔ:nwəl

Cornwallis *engl.* kɔ:n'wɔlɪs

Cọro *span.* 'koro

Corocọro *span.* koro'koro

Corọlla ko'rɔla

Coromịnas *kat.* kuru'mi-nəs, *span.* koro'minas

Corọna ko'ro:na, *engl.* kə'roʊnə

Coronado *span.* koro'naðo, *engl.* kɔrə'nɑ:doʊ

Coronẹl *span.* koro'nɛl

Cọroner 'kɔrənɐ

Coropụna *span.* koro'puna

Corọt *fr.* kɔ'ro

Çọrović *serbokr.* 'tɕɔrɔvitɕ

Corozạl *span.* koro'θal

[1]Corpora vgl. Corpus

[2]Cọrpora (Maler) *it.* 'kɔr-pora

Cọrporate Idẹntity 'ko:ɐ̯pə-rət ai̯'dɛntiti

Cọrps ko:ɐ̯, des - ko:ɐ̯[s], die - ko:ɐ̯s

Cọrps consulaire 'ko:ɐ̯ kõsy'lɛ:ɐ̯

Cọrps de Ballẹt 'ko:ɐ̯ də ba'le:

Cọrps diplomatịque 'ko:ɐ̯ diploma'tɪk

Corpsier 'ko:ɐ̯i̯e, ko'ri̯e:

Cọrpus 'kɔrpʊs, ...pora ...pora

[1]Cọrpus Chrịsti (Sakra-ment) 'kɔrpʊs 'krɪsti

[2]Cọrpus Chrịsti (Name) *engl.* 'kɔ:pəs 'krɪstɪ

Cọrpus Chrịsti mỵsticum 'kɔrpʊs 'krɪsti 'mʏstikʊm

Corpụsculum kɔr'pʊsku-lʊm, ...la ...la

Cọrpus Delịcti 'kɔrpʊs de'lɪkti

Cọrpus Inscriptiọnum Lati-nạrum 'kɔrpʊs ɪnskrɪp-'tsi̯o:nʊm lati'na:rʊm

Cọrpus Jụris 'kɔrpʊs 'ju:rɪs

Cọrpus Jụris Canọnici 'kɔr-pʊs 'ju:rɪs ka'no:nitsi

Cọrpus Jụris Civịlis 'kɔrpʊs 'ju:rɪs tsi'vi:lɪs

Cọrpus lụteum 'kɔrpʊs 'lu:teʊm

Cọrpus Reformatọrum 'kɔrpʊs refɔrma'to:rʊm

Corradịni *it.* korra'di:ni

Corrạdo *it.* kor'ra:do

Corrạl[es] *span.* kɔ'rral[es]

Corrêa *bras.* ko'rrea

Corrẹa[s] *span.* kɔ'rrɛa[s]

Corregedọr koreʒe'do:ɐ̯

Corrẹggio kɔ'rɛdʒo, *it.* kor-'reddʒo

Corregidọr kɔrɛxi'do:ɐ̯

Correia *port.* ku'rrɐi̯ɐ, *bras.* ku'rreia

Cọrrens 'kɔrɛns

Corrẹnte kɔ'rɛntə

Corrẹr *it.* kor'rɛr

Corrẹtte *fr.* kɔ'rɛt

Corrèze *fr.* kɔ'rɛ:z

Corrịda [de Tọros] kɔ'ri:da [de 'tɔrɔs]

Corriẹntes *span.* kɔ'rri̯entes

Corriẹre dẹlla Sẹra *it.* kor-'ri̯ɛ:re 'della 'se:ra

Cọrrigan *engl.* 'kɔrɪgən

Corrigẹnda kɔri'gɛnda

Cọrrigens 'kɔrigɛns, ...ntia ...'gɛntsi̯a, ...nzien ...'gɛn-tsi̯ən

corriger la fortune *fr.* kɔri-ʒelafɔr'tyn

Corrọdi kɔ'ro:di

Cọrry *engl.* 'kɔrɪ

Corsạge kɔr'za:ʒə

Corsạri *niederl.* kɔr'sa:ri

Cọrse *fr.* kɔrs

Cọrsica *it.* 'kɔrsika

Corsicana *engl.* kɔ:sɪ'kænə

Corsịni *it.* kor'si:ni

Cọrso 'kɔrzo

Cọrt *niederl.* kɔrt

Cortaillọd *fr.* kɔrta'jo

Cortázar *span.* kɔr'taθar

Cọrte *it.* 'korte, *fr.* kɔr'te

Cortège kɔr'tɛ:ʃ

Cortemaggiọre *it.* korte-mad'dʒo:re

Cortenuọva *it.* korte'nu̯ɔ:va

Cọrte Real *port.* 'kɔrtə 'rri̯al

Cọrtes 'kɔrtɛs, *span.* 'kɔrtes

Cortés *span.* kɔr'tes

Cortés *port.* kur'teʃ

Cọrtex 'kɔrtɛks, ...tices ...titse:s

Cọrtez 'kɔrtɛs

Cọrti 'kɔrti, *it.* 'korti

Corticosteron kɔrtikoste-
ˈroːn
Cortina *it.* korˈtiːna
Cortine kɔrˈtiːnə
Cortines *span.* kɔrˈtines
Cortisol kɔrtiˈzoːl
Cortison kɔrtiˈzoːn
Cortland *engl.* ˈkɔːtlənd
Cortona *it.* korˈtoːna
Cortot *fr.* kɔrˈto
Coruche *port.* kuˈruʃi
Çoruh *türk.* ˈtʃɔruh
Çorum *türk.* ˈtʃɔrum
Corumbá *bras.* korumˈba
Coruña, La *span.* la koˈruɲa
Corvallis *engl.* kɔːˈvælɪs
Corvey ˈkɔrvai̯
Corvi *it.* ˈkɔrvi
Corvin[us] kɔrˈviːn[ʊs]
Corvisart *fr.* kɔrviˈzaːr
Corvo *port.* ˈkɔrvu, *engl.*
ˈkɔːvoʊ
Corvus ˈkɔrvʊs
Cory ˈkoːri, *engl.* ˈkɔːrɪ
Corydalis koˈryːdalɪs
Coryell *engl.* kɔːˈjɛl
Coryfin® kɔryˈfiːn
Coryza ˈkoːrytsa
Cosa *span.* ˈkosa
Cosa Nostra ˈkoːza ˈnɔstra,
engl. ˈkoʊsə ˈnoʊstrə
Coșbuc *rumän.* kɔʒˈbuk
Cosel ˈkoːzl̩
Cosenza *it.* koˈzɛntsa
Cosgrave *engl.* ˈkɔzgreɪv
Coshocton *engl.* kəˈʃɔktən
Ćosić *serbokr.* ˈtɕɔːsitɕ
così fan tutte koˈziː ˈfan
ˈtutə, *it.* koˈsif ˈfanˈtutte
Cosima ˈkoːzima
Cosimo ˈkoːzimo, *it.*
ˈkɔːzimo
Cosmas ˈkɔsmas
Cosmate kɔsˈmaːtə
Cosmea kɔsˈmeːa, ...**een**
...eːən
Cosmerovius kɔsmeˈroːvi̯ʊs
Cosmotron ˈkɔsmotroːn
Cossa ˈkɔsa, *it.* ˈkɔssa
Cossé *fr.* kɔˈse
Cossiga *it.* kosˈsiːga
Cossío *span.* koˈsio
Coßmann ˈkɔsman
Cossmann ˈkɔsman
Cossonay *fr.* kɔsɔˈnɛ
Cossotto *it.* kosˈsɔtto
Cossutta *it.* kosˈsutta, *span.*
koˈsuta
¹Costa (Rippe) ˈkɔsta, ...**tae**
...tɛ

²Costa (Name) *port.* ˈkɔʃtɐ,
bras., span., it. ˈkɔsta, *engl.,*
kat. ˈkɔstə, *niederl.* ˈkɔstɑ
Costa Brava ˈkɔsta ˈbraːva,
span. ˈkɔsta ˈβraβa
Costa de Oro *span.* ˈkɔsta
ðe ˈoro
Costa do Sol *port.* ˈkɔʃtɐ ðu
ˈsɔl
Costa Mesa *engl.* ˈkɔstə
ˈmeɪsə
cost and freight ˈkɔst ɛnt
ˈfreːt
Costanza kɔsˈtantsa, *it.*
kosˈtantsa
Costanzo *it.* kosˈtantso
Costard ˈkɔsstart
Costa Rica ˈkɔsta ˈriːka,
span. ˈkɔsta ˈrrika
Costa-Ricaner kɔstari-
ˈkaːnɐ
costa-ricanisch kɔstari-
ˈkaːnɪʃ
Coste *fr.* kɔst
Costeley *fr.* koˈtlɛ
Costello *engl.* kɔsˈtɛloʊ,
ˈkɔstəloʊ
Costenoble kɔstəˈnoːbl̩, *fr.*
kɔstəˈnɔbl
Coster *fr.* kɔsˈtɛːr, *niederl.*
ˈkɔstər
Costin *rumän.* kosˈtin
cost, insurance, freight
ˈkɔst ɪnˈʃuːrəns ˈfreːt
Costner *engl.* ˈkɔstnə
Cosway *engl.* ˈkɔzweɪ
Coșwig ˈkɔsvɪç
Cot *fr.* kɔt
Cota *span.* ˈkota
Cotabato *span.* kotaˈβato
Cotán *span.* koˈtan
Cotarelo *span.* kotaˈrelo
Côte *fr.* koːt
Côte d'Azur *fr.* kotdaˈzyːr
Côte d'Ivoire *fr.* kotdiˈvwaːr
Côte d'Or *fr.* kotˈdɔːr
Côtelé kotəˈle
Coteline kotəˈliːn
Cotentin *fr.* kɔtãˈtɛ̃
Coter *niederl.* ˈkoːtər
Cotes *engl.* koʊts
Côtes *fr.* koːt
Côtes-du-Nord *fr.* kotdy-
ˈnɔːr
Cotin *fr.* kɔˈtɛ̃
Cotnari *rumän.* kotˈnarj
Cotonou *fr.* kɔtɔˈnu
Cotopaxi *span.* kotoˈpaksi
Cotrubaș *rumän.* kotruˈbaʃ

Cotswold[s] *engl.* ˈkɔts-
woʊld[z]
Cotta ˈkɔta
Cottage ˈkɔtɪtʃ
Cottbus ˈkɔtbʊs, **Cottbu-**
ser, Cottbusser ˈkɔtbʊsɐ
Cotte *fr.* kɔt
Cottet *fr.* kɔˈtɛ
Cotti *it.* ˈkɔtti
cottisch ˈkɔtɪʃ
¹Cotton (Baumwolle) ˈkɔtn̩
²Cotton (Name) *engl.* kɔtn,
fr. kɔˈtõ
cottonisieren kɔtoniˈziːrən
Cottonwood ˈkɔtn̩vʊt
Coty *fr.* kɔˈti
Coubertin *fr.* kubɛrˈtɛ̃
Coubier *fr.* kuˈbje
Couch kaʊtʃ
Couchepin *fr.* kuʃˈpɛ̃
Coucy *fr.* kuˈsi
Coudenhove-Kalergi
kudn̩ˈhoːvəkaˈlɛrgi
Coudray *fr.* kuˈdrɛ
Coué ku̯e:, *fr.* kwe
Couéismus ku̯eˈɪsmʊs
Cougnac *fr.* kuˈɲak
Couillet *fr.* kuˈjɛ
Coulage kuˈlaːʒə
Coulee *engl.* ˈkuːlɪ
Couleur kuˈløːɐ̯
Coulis kuˈli:
Couloir kuˈlo̯aːʀ
¹Coulomb (Einheit) kuˈlõ:,
auch: kuˈlɔmp
²Coulomb (Name) *fr.* kuˈlõ
Coulommier[s] kulɔˈmje
Coulondre *fr.* kuˈlõːdr
Coulsdon *engl.* ˈkoʊlzdən
Council Bluffs *engl.* ˈkaʊnsl
ˈblʌfs
Count kaʊnt
Countdown ˈkaʊntˈdaʊn
Counter ˈkaʊntɐ
Counter Intelligence
Corps ˈkaʊntɐ ɪnˈtelɪdʒns
ˈkoːɐ̯
Counterpart ˈkaʊntɐpaːɐ̯t
Countess ˈkaʊntɪs, ...**essen**
...ˈtɛsn̩
Countrymusic ˈkantrimjuː-
zɪk
Country of the Common-
wealth *dt.-engl.* ˈkantri ɔf
ðə ˈkɔmənvɛlθ
County ˈkaʊnti
Coup ku:
Coupage kuˈpaːʒə
**Coup de Main, -s - - ** ˈkuː də
ˈmɛ̃:

Coup d'État, -s - 'ku: de'ta:
Coupe kʊp, -n ...pn̩
Coupé ku'pe:
Couperin fr. ku'prɛ̃
Couperus niederl. ku'pe:rʏs
Couplet ku'ple:
Coupon ku'põ:, ...pɔŋ
Cour ku:ɐ̯
Cour, la dän. la'ku:ɐ̯
Courage ku'ra:ʒǝ
couragiert kura'ʒi:ɐ̯t
courant ku'rant
Courante ku'rã:t[ǝ], -n ...tn̩
Courbet fr. kur'bɛ
Courbette kʊr'bɛtǝ
Courbevoie fr. kurbǝ'vwa
Courbière fr. kur'bjɛ:r
Courcelles fr. kur'sɛl
Cour des Miracles fr. kur-
demi'ra:kl
Courier fr. ku'rje
Courmacher 'ku:ɐ̯maxɐ
Courmayeur fr. kurma'jœ:r
Cournand fr. kur'nã
Cournot fr. kur'no
Couronne d'Or ku'rɔn 'do:ɐ̯
Courouble fr. ku'rubl
Courrèges fr. ku'rɛ:ʒ
Course (Golf) ko:ɐ̯s
¹Court (Tennis) ko:ɐ̯t
²Court (Name) fr. ku:r, engl.
kɔ:t
Courtage kʊr'ta:ʒǝ
Courtauld engl. 'kɔ:toʊ[ld]
Courtelary fr. kurtǝla'ri
Courteline fr. kurtǝ'lin
Courtenay fr. kurtǝ'nɛ
Courtens niederl. 'ku:rtǝns
Courths-Mahler 'kʊrts-
'ma:lɐ
Courtier kʊr'tje:, fr. kur'tje
Courtois fr. kur'twa
Courtoisie kʊrtɔa'zi:, -n
...i:ǝn
Courtrai fr. kur'trɛ
Courvoisier kʊrvɔa'zje:, fr.
kurvwa'zje
Couscous 'kʊskʊs
¹Cousin (Vetter) ku'zɛ̃:
²Cousin (Name) fr. ku'zɛ̃
Cousine ku'zi:nǝ
Cousinet fr. kuzi'nɛ
Cousins engl. kʌznz
Coussemaker fr. kusma-
'kɛ:r
Cousser fr. ku'sɛ:r
Cousteau fr. kus'to
Coustou fr. kus'tu
Coutances fr. ku'tã:s
Coutinho port. ko'tiɲu

Coutiño span. koṷ'tiɲo
Couturat fr. kuty'ra
Couture ku'ty:ɐ̯
Couturier kuty'rje:
Couvade ku'va:dǝ
Couve fr. ku:v
Couven fr. ku'vɛ̃
Couvert ku've:ɐ̯, ...'vɛ:ɐ̯,
auch: ...'vɛrt
Couveuse ku'vø:zǝ
Couzijn niederl. ku'zɛi̯n
Covadonga span. koβa-
'ðɔŋga
Covarrubias span.
koβa'rruβjas
Covasna rumän. ko'vasna
Cove engl. koʊv
Covent-Garden engl.
'kɔvǝnt'ga:dn̩
Coventry engl. 'kɔvǝntrɪ
Cover 'kavɐ
Coverdale engl. 'kʌvǝdeɪl
covern 'kavɐn, covre 'kavrǝ
Cover-up kavɐ'lap, '---
Coverversion 'kavɐvø:ɐ̯ʃn̩,
...vœrʃn̩
Covilhã[o] port. kuvi'ʎẽ[u̯]
Covina engl. kǝ'vi:nǝ
Covington engl. 'kʌvɪŋtǝn
Coward engl. 'kaʊǝd
Cowboy 'kaʊbɔy
Cowell engl. 'kaʊǝl
Cowen engl. 'kaʊɪn, 'koʊɪn
Cowes engl. kaʊz
Cowley engl. 'kaʊlɪ
¹Cowper (Erhitzer) 'kaʊpɐ
²Cowper (Name) engl.
'kaʊpǝ, 'ku:pǝ
Cowra engl. 'kaʊrǝ
Cox engl. kɔks
Coxa 'kɔksa, ...xae ...ksɛ
Coxalgia kɔksal'gi:a
Cox[c]ie niederl. 'kɔksi
Coxitis kɔ'ksi:tɪs, Coxitiden
kɔksi'ti:dn̩
Cox' Orange 'kɔks|o.rã:ʒǝ,
auch: ...raŋʒǝ
Coxsackie engl. kʊk'sækɪ
Coyoacán span. kojoa'kan
Coyote ko'jo:tǝ
Coypel fr. kwa'pɛl
Coyzevox fr. kwaz'vɔks
Cozzani it. kot'tsa:ni
Coz[z]ens engl. kʌznz
Cozumel span. koθu'mɛl
Cozy engl. 'koʊzɪ
ČR tʃe:'ɛr
Crabb[e] engl. kræb
Crabmeat 'krɛpmi:t
Cracau 'kra:kaṷ

Crack krɛk
cracken 'krɛkn̩
Cracker 'krɛkɐ
Cracovienne krako'vjɛn
Cracow 'kra:ko
Craddock engl. 'krædǝk
Craesbee[c]k niederl.
'kra:zbe:k
Craft[s] engl. krɑ:ft[s]
Craig[ie] engl. 'kreɪg[ɪ]
Crailsheim 'kraɪlshaɪm
Crainic rumän. 'kraɪnik
Craiova rumän. kra'i̯ova
Cramer 'kra:mɐ
Cramlington engl. 'kræm-
lɪŋtǝn
Cramm kram
Crampton engl.
'kræm[p]tǝn
Crampus 'krampʊs, ...pi
...pi
Cranach 'kra:nax
Cranbrook engl. 'krænbrʊk
Crane engl. kreɪn
Cranford engl. 'krænfǝd
Cranko engl. 'kræŋkoʊ
Cranmer engl. krænmǝ
Crans fr. krã
Cranston engl. 'krænstǝn
Cranz krants
Crapart fr. kra'pa:r
Craquelé kraka'le:
Craquelure krakǝ'ly:rǝ
Crash krɛʃ
Crashaw engl. 'kræʃɔ:
Crasna rumän. 'krasna
Crass kras
crassus, C... 'krasʊs
Crater Lake engl. 'kreɪtǝ
'leɪk
Crati it. 'kra:ti
Crato 'kra:to
Crau fr. kro
Craûn kraṷn
Crawford engl. 'krɔ:fǝd
Crawfordsville engl. 'krɔ:-
fǝdzvɪl
Crawl kraṷl, auch: kro:l
Crawley engl. 'krɔ:lɪ
Craxi it. 'kraksi
Crayer niederl. 'kra:i̯ɐr
Crayon krɛ'jõ:
Crazy Horse engl. 'kreɪzɪ-
.hɔ:s
Cream kri:m
Creangă rumän. 'krɛaŋgǝ
Creas 'kre:as
Création, -s krea'sjõ:
Crébillon fr. krebi'jõ
Crecquillon fr. kreki'jõ

Crécy *fr.* kre'si
Credé kre'de:
Credi *it.* 'kre:di
Credo 'kre:do
credo, quia absurdum
[**est**] 'kre:do 'kvi:a ap'zʊr-
dʊm ['ɛst]
credo, ụt intẹlligam 'kre:do
'ʊt ɪn'tɛligam
Cree[k] *engl.* kri:[k]
Creeley *engl.* 'kri:lɪ
Creglingen 'kre:glɪŋən
Creil *fr.* krɛj
Creizenach 'kraitsənax
Crell[e] 'krɛl[ə]
Crema *it.* 'kre:ma
Crémant kre'mã:
Crémazie *fr.* krema'zi
crème, C... kre:m, *auch:*
krɛ:m
Crème de la Crème 'krɛ:m
də la 'krɛ:m
Crème double, -s -s 'krɛ:m
'du:bl̦
Crème fraîche, -s -s 'krɛ:m
'frɛʃ
cremen 'kre:mən, *auch:*
'krɛ:mən
Cremer 'kre:mɐ, *engl.*
'kri:mə
Cremera *it.* 'krɛ:mera
Crémieux *fr.* kre'mjø
Cremona *it.* kre'mo:na
Cremor Tartari 'kre:mo:ɐ̯
'tartari
Crenne *fr.* krɛn
Creole kre'o:lə
Crêpe krɛp
Crêpe de Chine, -s - - 'krɛp
də 'ʃi:n
Crêpe Georgette, -s - 'krɛp
ʒɔr'ʒɛt
Crêpe lavable, -s -s 'krɛp
la'va:bl̦
Crepeline krɛpə'li:n
Crêpe marocain, -s -s 'krɛp
maro'kɛ̃:
Crêpe Satin, -s - 'krɛp za'tɛ̃:
Crêpe Suzette, -s - 'krɛp
zy'zɛt
Crepon kre'põ:
Crepuscolari *it.* krepusko-
'la:ri
Crépy *fr.* kre'pi
Créqui, ...uy *fr.* kre'ki
Cres *serbokr.* tsrɛs
Crescas 'krɛskas
crescendo krɛ'ʃɛndo
Crescendo krɛ'ʃɛndo, ...**di**
...di

Crescẹntia krɛs'tsɛntsi̯a
Crescẹntius krɛs'tsɛntsi̯ʊs
Crescẹnzo *it.* kreʃ'ʃɛntso
Crescimbẹni *it.* kreʃʃim-
'bɛ:ni
Crẹspi *it.* 'krespi
Crespin *fr.* krɛs'pɛ̃
Crespino *it.* kres'pi:no
Crẹspo *span.* 'krespo
Cressent *fr.* krɛ'sã
Crẹssida 'krɛsida
Cresson *fr.* 'krɛ'sõ
Crẹstwood *engl.* 'krɛstwʊd
Crêt de la Neige *fr.* krɛdla-
'nɛ:ʒ
Crétẹil *fr.* kre'tɛj
Crẹticus 'krɛ:tikʊs
Crétin *fr.* kre'tɛ̃
Cretonne kre'tɔn
Creuse *fr.* krø:z
Creußen 'krɔysn̦
Creusot *fr.* krø'zo
Creutz krɔyts, *schwed.*
krɔits
Creutzwald *fr.* krøts'vald
Creuzberg 'krɔytsbɛrk
Creuzburg 'krɔytsbʊrk
Creuzé de Lesser *fr.* krø-
zedlɛ'sɛ:r
Creuzer 'krɔytsɐ
Creve Coeur *engl.* 'kri:v
'kʊə
Crèvecœur *fr.* krɛv'kœ:r,
engl. krɛv'kə:
Crevel *fr.* krə'vɛl
Crevette kre'vɛtə
Crew kru:
Crewe *engl.* kru:
Cribbage 'krɪbɪtʃ
Crichton *engl.* kraitn
Crick *engl.* krɪk
Criciúma *bras.* kri'si̯uma
Crikvenica *serbokr.* tsrik,vɛ-
nitsa
Crime kraim
Crimmitschau 'krɪmɪtʃau
Crinis 'kri:nɪs, ...**nes** ...ne:s
Criollịsmo kri̯ɔl'jismo
Criollo kri'ɔljo
Crippa *it.* 'krippa
Cripps *engl.* krɪps
Criş *rumän.* kriʃ
Crişan[a] *rumän.* kri'ʃan[a]
Crisby *engl.* 'krɪzbɪ
Crispi *it.* 'krispi
Crispien 'krɪspi:n, – ' –
Crispin 'krɪs'pi:n, *fr.* kris'pɛ̃
Crispinaden krɪspi'na:dn̦
Crispinus krɪs'pi:nʊs
Crista 'krɪsta, ...**stae** ...stɛ

Cristịnos *span.* kris'tinos
Cristobal *engl.* krɪs'toʊbəl
Cristóbal *span.* kris'toβal
Cristobalit krɪstoba'li:t
Cristofori *it.* kris'tɔ:fori
Cristoforo *it.* kris'tɔ:foro
Crişul Alb *rumän.* 'kriʃul
'alb
Crişul Negru *rumän.* 'kriʃul
'negru
Crivelli *it.* kri'vɛlli
Crivitz 'kri:vɪts
Crkvice *serbokr.* ,tsr̩kvitsɛ
Crna Gora *serbokr.* 'tsr̩:na:
,gɔra
Crnjanski *serbokr.*
tsr̩,njanski:
Croce *it.* 'kro:tʃe
Crocker *engl.* 'krɔkə
Crockett *engl.* 'krɔkɪt
Crofter 'krɔftɐ
Crofts *engl.* krɔfts
Croisé krɔa'ze:
croisiert krɔa'zi:ɐ̯t
Croissant krɔa'sã:
Croisset *fr.* krwa'sɛ
Croix *fr.* krwa
Croker *engl.* 'krovkə
Cro-Magnon *fr.* kroma'n̦õ
**Cromagnon... **kroman'jõ:...
Cromargan® kromar'ga:n
Cromarty *engl.* 'krɔməti
Crome[r] *engl.* 'kroʊm[ə]
Cromlech 'krɔmlɛç, ...**lek**
Crommelynck *fr.* krɔm'lɛ̃:k
Crompton *engl.* 'krʌm[p]tən
Cromwell *engl.* 'krɔmwəl
Cronaca *it.* 'krɔ:naka
Cronberg 'kro:nbɛrk
Cronegk 'kro:nɛk
Cronin *engl.* 'kroʊnɪn
Cronje *afr.* krɔn'je:
Crooked Islands *engl.* 'krʊ-
kɪd 'ailəndz
Crookes *engl.* krʊks
Crooner 'kru:nɐ
Cropsey *engl.* 'krɔpsɪ
Croquet 'krɔkɛt, ...kət, kro-
'kɛt
Croquette kro'kɛt[ə], -**n**
...tn̦
Croquis kro'ki:, **des -** ...i:[s],
die - ...i:s
Cros *fr.* kro
Crosato *it.* kro'za:to
Crosby *engl.* 'krɔzbɪ
cross, C... krɔs
Cross-Country krɔs'kantri
Crosse, La *engl.* lə'krɔs
Crossen 'krɔsn̦

Crossing-over 'krɔsıŋ'|o:vɐ
Crossman engl. 'krɔsmən
Cross-over krɔs'|o:vɐ, '---
Crossrate 'krɔsre:t
Crotone it. kro'to:ne
Crotus Rubianus 'kro:tʊs
ru'bja:nʊs
Croupade kru'pa:də
Croupier kru'pie:
Croupon kru'põ:
crouponieren krupo'ni:rən
Croûton kru'tõ:
Crowe[ll] engl. 'kroʊ[əl]
Crowfoot engl. 'kroʊfʊt
Crowley engl. 'kroʊlı,
'kraʊlı
Crown engl. kraʊn
Croy krɔy
Croydon engl. krɔıdn
Crozat fr. kro'za
Crozon fr. kro'zõ
Cru kry:
Cruces vgl. Crux
Cruces span. 'kruθes
Cruciferae kru'tsi:ferɛ
Cruciger 'kru:tsıgɛr
Crudeli it. kru'dɛ:li
Crudum 'kru:dʊm
Crüger 'kry:gɐ
Cruikshank engl. 'krʊkʃæŋk
Cruise engl. kru:z
Cruise-Missile 'kru:s'mısaıl
Cruising 'kru:zıŋ
Crumb engl. krʌm
Crumblage 'kramblıtʃ
Crus kru:s, Crura 'kru:ra
Crusca it. 'kruska
Crusenstolpe schwed. ˌkru:-
sənstɔlpə
Crush... 'kraʃ...
Crusius 'kru:zjʊs
Crusoe 'kru:zo, engl. 'kru:-
soʊ, ...zoʊ
Crusta 'krʊsta, ...tae ...tɛ
Crutzen niederl. 'krytsə
Cruveilhier fr. kryvɛ'je
Crux krʊks, Cruces 'kru:-
tse:s
crux interpretum 'krʊks
ın'tɛrpretʊm
Cruz span. kruθ, port. kruʃ,
bras. kros, engl. kru:z
Cruz Alta port. kru'zaltɐ,
bras. ...ta
Cruzeiro kru'ze:ro, bras.
kru'zeıru
Crwth dt.-engl. kru:θ
Cryotron 'kry:otro:n
Crystal City engl. 'krıstl 'sıtı
Csákány ung. 'tʃa:ka:nj

Csák[y] ung. 'tʃa:k[i]
Csárda 'tʃarda, ung. 'tʃa:rdɔ
Csárdás 'tʃardas, ung.
'tʃa:rda:ʃ
Csárdásfürstin 'tʃardas-
fʏrstın
Csenger[y] ung. 'tʃɛŋgɛr[i]
Csepel[i] ung. 'tʃɛpɛl[i]
Csepelsziget ung. 'tʃɛpɛlsi-
gɛt
Cserhát[i] ung. 'tʃɛrha:t[i]
Csermák ung. 'tʃɛrma:k
Csezmiczey ung. 'tʃɛzmitsɛi
Csikós 'tʃi:ko:ʃ
Csiky ung. 'tʃiki
Csokor 'tʃɔko:ɐ̯
Csoma ung. 'tʃomɔ
Csongrád ung. 'tʃoŋgra:d
Csontváry ung. 'tʃontva:ri
Csoóri ung. 'tʃo:ri
ČSR tʃe:|ɛs'|ɛr
ČSSR tʃe:|ɛslɛs'|ɛr
CSU tse:|ɛs'|u:
Csurka ung. 'tʃurkɔ
ČTK tʃe:te:'ka:
Cuadra span. 'kuaðra
Cuanza port. 'kuɐ̯zɐ
Cuauhtémoc span. kuaṷ'te-
mɔk
Cuautla span. 'kuaṷtla
Cuba 'ku:ba, span. 'kuβa,
port. 'kuβɐ
Cubanit kuba'ni:t
Cuban Music 'kju:bn̩ 'mju:-
zık
Cubatão bras. kuba'tɐ̃ṷ
Cube 'ku:bə
Cubiculum ku'bi:kulʊm,
...la ...la
Cubitus 'ku:bitʊs, ...ti ...ti
Čubranović serbokr. tʃu-
ˌbranɔvitɕ
Cucaracha span. kuka'ratʃa
Cucchi it. 'kukki
Cúchulainn engl. ku:'kʊlın
Cucurbita ku'kʊrbita, ...tae
...tɛ
Cúcuta span. 'kukuta
Cucuțeni rumän. kuku'tenj
Cudahy engl. 'kʌdəhı
Cudworth engl. 'kʌdwə[:]θ
Cue kju:
Cuéllar span. 'kueʎar
Cuenca span. 'kueŋka
Cuernavaca span. kuɛrna-
'βaka
Cues ku:s
Cuesmes fr. kɥɛm
¹Cueva (Tanz) 'kɥe:va

²Cueva (Name) span.
'kɥeβa
Cuevas span. 'kɥeβas, fr.
kɥe'va:s
Cugir rumän. ku'dʒir
Cui russ. kju'i
Cuiabá bras. kuja'ba
cui bono 'ku:i 'bo:no
Cuicuilco span. kɥi'kɥilko
Cuite... ky'i:t...
Cuitláhuac span. kɥit'laṷak
cuius regio, eius religio
'ku:jʊs 're:gio 'e:jʊs re'li:-
gio
Cujacius ku'ja:tsjʊs
Cujas fr. ky'ʒa:s
Cukor engl. 'ku:kɔ
Çukurova türk. tʃu'kurɔˌva
Cul de Paris, Culs - - 'ky: də
pa'ri:
Culdoskop kʊldo'sko:p
Culebra engl. ku:'lɛbrə,
span. ku'leβra
Culemborg niederl. 'kyləm-
bɔrx
Culemeyer 'ku:ləmaiɐ̯
Culham engl. 'kʌləm
Culiacán span. kulja'kan
Cullberg schwed. 'kʊlbærj
Cullen engl. 'kʌlın
Cullinan engl. 'kʌlınən
Cullman engl. 'kʌlmən
Cullmann 'kʊlman
Culloden engl. kə'lɔdn
Cully fr. ky'ji
Culm kʊlm
Culmann 'ku:lman
Culmsee 'kʊlmze:
Culotte ky'lɔt, -n ...tn̩
Culpa 'kʊlpa
Culteranist kʊltera'nıst
Cultismo kʊl'tısmo
Cultural Lag 'kaltʃərəl 'lɛk
Culver engl. 'kʌlvə
Cumä, Cumae 'ku:mɛ
Cumaná span. kuma'na
Cumarin kuma'ri:n
Cumaron kuma'ro:n
Cumberland engl. 'kʌmbə-
lənd
Cumbernauld engl. 'kʌmbə-
nɔ:ld
Cumbria 'kʊmbria
Cumbrian engl. 'kʌmbrıən
cum grano salis kʊm
'gra:no 'za:lıs
Cumhuriyet türk. dʒumhu-
ri'jet
cum infamia kʊm ın'fa:mia
cum laude kʊm 'laṷdə

Cumming[s] *engl.* 'kʌmɪŋ[z]
Cumont *fr.* ky'mõ
cum tempore kʊm 'tɛm-
pore
Cumulonimbus kumulo-
'nɪmbʊs
Cunard *engl.* kju:'nɑːd, '--
...taˈtoːrən
Cundinamarca *span.* kundi-
naˈmarka
Cundrie kʊnˈdriːə
Cundwiramurs kʊnˈdviːra-
mʊrs
Cunene *port.* kuˈnenə
Cuneo *it.* 'kuːneo
Cunha *port.* 'kuɲɐ, *bras.*
'kuɲa
Cunhal *port.* kuˈɲal
Cunnilingus kʊniˈlɪŋgʊs
Cunningham[e] *engl.* 'kʌnɪ-
ŋəm
Cuno[w] 'kuːno
Cunqueiro *span.* kuŋˈkɛi̯ro
Cup kap
Cupal kuˈpaːl
Cupar *engl.* 'kuːpə
Cupido kuˈpiːdo, *auch:*
'kuːpido
Cuppa 'kʊpa, ...**ae** 'kʊpɛ
Cupralon® kupraˈloːn
Cuprama® kuˈpraːma
Cuprein kupreˈiːn
Cupresa® kuˈpreːza
Ćuprija *serbokr.* ˌtɕuprija
Cupro 'kuːpro
Cuprum 'kuːprʊm
Cupula 'kuːpula, ...**lae** ...lɛ
¹Curaçao® (Likör) kyra-
'saːo
²Curaçao (Name) *niederl.*
kyraˈsou̯
Curan *engl.* 'kʌrən
Cura posterior 'kuːra pɔs-
'teːri̯oːɐ̯
Curare kuˈraːrə
Curarin kuraˈriːn
Curci *it.* 'kurtʃi
Curcuma 'kʊrkuma, ...**men**
kʊrˈkuːmən
Curd kʊrt
Cure *fr.* ky:r
Curé ky're:
Cureglia *it.* kuˈreʎʎa
Curel *fr.* ky'rɛl
Curepipe *fr.* kyr'pip
Cureton *engl.* kjʊətn
Curettage kyrɛˈtaːʒə
Curette kyˈrɛtə
curettieren kyrɛˈtiːrən

Curiatier kuˈri̯aːtsi̯ɐ
Curicó *span.* kuriˈko
¹Curie (Maßeinheit) ky'ri:
²Curie (Name) *fr.* ky'ri
Curio 'kuːri̯o
Curitiba *bras.* kuriˈtiba
Curium 'kuːri̯ʊm
Curius 'kuːri̯ʊs
Curl *engl.* kəːl
Curler 'kəːɐ̯lɐ, 'kœrlɐ
Curling 'kəːɐ̯lɪŋ, 'kœrlɪŋ
Currency 'karənsi
currentis kʊˈrɛntɪs
Curri *alban.* 'tsurri
curricular kʊrikuˈlaːɐ̯
Curriculum [Vitae] kʊˈriː-
kulʊm ['viːtɛ]
Currie[r] *engl.* 'kʌri[ə]
Curros *span.* 'kurrɔs
Curry 'kari, 'kœri
Curschmann 'kʊrʃman
Cursor 'kəːɐ̯zɐ, 'kœrzɐ
Curt kʊrt
Curtainwall 'kəːɐ̯tɪnvoːl,
'kɐrt...
Curtea de Argeş *rumän.*
'kurtɕa de 'ardʒeʃ
Curti *it.* 'kurti
Curtin *engl.* 'kəːtɪn
Curtis *engl.* 'kəːtɪs, *it.* 'kurtis
Curtiss *engl.* 'kəːtɪs
Curtius 'kʊrtsi̯ʊs
Curzio *it.* 'kurtsi̯o
Curzola *it.* 'kurtsola
Curzon *engl.* kəːzn
Cusa 'kuːza
Cusack *engl.* 'kjuːsæk
Cusanus kuˈzaːnʊs
Cusco *span.* 'kusko
Cushing *engl.* 'kʊʃɪŋ
Cuspinian[us] kʊspi-
'ni̯aːn[ʊs]
Custard 'kastɐt
Custine *fr.* kys'tin
Custodian kasˈtoːdi̯ən
Custoza *it.* kusˈtɔddza
Custozza kʊsˈtɔtsa
Cut kœt, kat
Cutaway 'kœtəvɐ, 'kat...
Cutch *engl.* kʌtʃ
Cuticula kuˈtiːkula, ...**len**
kutiˈkuːlən
Cutis 'kuːtɪs
Cutler *engl.* 'kʌtlə
Cuttack *engl.* kʌ'tæk
cutten 'katn̩
Cutter 'katɐ
cuttern 'katɐn
Cuvée ky've:
Cuvier *fr.* ky'vje

Cuvillier *fr.* kyvi'lje
Cuvilliés kyvi'lje:, ...vi'je:
Cuxhaven kʊksˈhaːfn̩
Cuyahoga *engl.* kai̯əˈhoʊ̯gə
Cuyo *span.* 'kujo
Cuyp[ers] *niederl.*
'kœi̯p[ərs]
Cuza *rumän.* 'kuza
Cuzcatlán *span.* kuθkatˈlan
Cuzco *span.* 'kuθko
Cuzzoni *it.* kutˈtsoːni
Cvetković *serbokr.* ˌtsvɛtkə-
vitɕ
Cvijić *serbokr.* ˌtsvi:jitɕ
Cvirka *lit.* 'tsvɪrka
Čvrsnica *serbokr.*
ˌtʃvr̩ˈsnitsa
Cwmbran *engl.* kʊmˈbrɑːn
Cyan tsỹaːn
Cyanat tsỹaˈnaːt
Cybele 'tsyːbele
Cybersex 'sai̯bɐzɛks
Cyberspace 'sai̯bɐspeːs
Cyborg *engl.* 'sai̯bɔːg
Cyclamat tsyklaˈmaːt
Cyclamen tsyˈklaːmən
cyclisch 'tsyːklɪʃ
Cyclonium tsyˈkloːni̯ʊm
Cyclops 'tsyːklɔps, ...**piden**
tsykloˈpiːdn̩
Cymbal 'tsymbal
Cymbeline *engl.* 'sɪmbɪliːn
Cynewulf 'ky:nəvʊlf,
'kyːn..., *engl.* 'kɪnɪwʊlf
Cynthia 'tsyntɪ̯a
Cypern 'tsyːpɐn
Cyphanthropus tsyˈfantro-
pʊs
Cypress *engl.* 'sai̯prəs
Cypria 'tsyːpria
Cyprian[us] tsypri'a:n[ʊs]
Cyprienne *fr.* sipri'ɛn
Cyrankiewicz *poln.* tsi-
raŋˈkjɛvitʃ
Cyrano *fr.* sira'no
Cyrenaica, Cyrenaika
tsyreˈnaːika, *auch:* ...ˈnai̯ka
Cyrene tsyˈreːnə
Cyriac 'tsyːri̯ak
Cyriacus tsyˈriːakʊs
Cyril *engl.* 'sɪrɪl
Cyrille *fr.* si'ril
cyrillisch tsyˈrɪlɪʃ
Cyrill[us] tsyˈrɪl[ʊs]
Cyrus 'tsyːrʊs
Cysarz 'tsyːzarts
Cysat 'tsiːzat
Cythera tsyˈteːra
Cythere tsyˈteːrə
Cytherea tsyteˈreːa

Cytobion® tsyto'bjo:n
Czachórski *poln.* tʃa'xurski
Czacki *poln.* 'tʃatski
Czajkowski *poln.* tʃaj'kɔfski
Czaki 'tʃaki
Czarnowanz 'tʃarnovant̬s
Czartoryscy *poln.* tʃartɔ-'ristsɨ
Czartoryski *poln.* tʃartɔ-'riski
Czech tʃɛç
Czechowicz *poln.* tʃɛ'xɔvitʃ
Czekanowski *poln.* tʃɛka-'nɔfski
Czeladź *poln.* 'tʃɛlat̬s
Częstochau 'tʃɛnstɔxau̯
Czepko 'tʃɛpko
Czermak 'tʃɛrmak
Czernin 'tʃɛrni:n, -'–
Czernowitz 'tʃɛrnovɪt̬s
Czerny 'tʃɛrni, *poln.* 'tʃɛrnɨ
Czersk *poln.* tʃɛrsk
Czerski 'tʃɛrski
Czerwenka tʃɛr'vɛŋka, '–––
Czeszko *poln.* 'tʃɛʃkɔ
Częstochowa *poln.* tʃɛ̃stɔ-'xɔva
Czibulka 'tʃi:bulka, tʃi'bulka
Cziffra *ung.* 'tsifrɔ
Czinner 'tsɪnɐ
Czóbel *ung.* 'tso:bɛl
Czochralski... tʃɔx'ralski...
Czolbe 'tʃɔlbə
Czuber 'tsu:bɐ
Czuczor *ung.* 'tsutsor
Czyżewski *poln.* tʃɨ'ʒɛfski

D

d, D de:, *engl.* di:, *fr.,* span. dɐ, *it.* di
δ, Δ 'dɛlta
da da:
DAAD de:|a:|a:'de:
dabehalten 'da:bəhaltn̩
dabei da'bai̯, *hinweisend* 'da:bai̯
D'Abernon *engl.* 'dæbənən
Dabit *fr.* da'bi
Dabola *fr.* dabɔ'la
Dąbrowa Górnicza *poln.* dɔm'brɔva gur'nitʃa

Dąbrowska *poln.* dɔm-'brɔfska
Dąbrowski *poln.* dɔm-'brɔfski
da capo da 'ka:po
Dacapo da'ka:po
Dacca 'daka, *engl.* 'dækə
d'accord da'ko:ɐ̯
Dach dax, Dächer 'dɛçɐ
Dachau 'daxau̯
dachen 'daxn̩
Dachla 'da:xla
Dachs daks
Dächschen 'dɛksçən
Dachsel 'daksl̩
Dächsel 'dɛksl̩
dachsen 'daksn̩
Dächsin 'dɛksɪn
Dachstein 'daxʃtai̯n
dachte 'daxtə
dächte 'dɛçtə
Dachtel 'daxtl̩
Dacier *fr.* da'sje
Dackel 'dakl̩
Dacko *fr.* da'ko
Da Costa *niederl.* dɑ'kɔstɑ
Dacqué da'ke:
Dacron® 'da:krɔn, da'kro:n
Dada 'dada
Dadaismus dada'ɪsmʊs
Dadaist dada'ɪst
Dädaleum dɛda'le:ʊm, ...leen ...'le:ən
dädalisch dɛ'da:lɪʃ
Dädalus 'dɛ:dalʊs
Daddah *fr.* da'da
Daddi *it.* 'daddi
Daddy 'dɛdi
Dadelsen 'da:dl̩zən
Dadier *fr.* da'dje
dadurch da'dʊrç, *hinweisend* 'da:dʊrç
dadurch, dass 'da:dʊrç 'das
Daems *niederl.* da:ms
Daffinger 'dafɪŋɐ
Daffke 'dafkə
Dafni *neugr.* 'ðafni
dafür da'fy:ɐ̯, *hinweisend* 'da:fy:ɐ̯
dafürhalten, D... da'fy:ɐ̯-haltn̩
Dag *schwed.* dɑ:g
Dagaba 'da:gaba
Dagebüll 'da:gəbyl
dagegen da'ge:gn̩, *hinweisend* 'da:ge:gn̩
Dagenham *engl.* 'dægnəm
Dagens Nyheter *schwed.* 'dɑ:gəns ˌny:he:tər

Dagermann *schwed.* ˌdɑ:gərman
Dagestan 'da:gɛsta[:]n, *russ.* dɐgɪs'tan
dagestanisch dagɛs'ta:nɪʃ
Dagfinn *norw.* ˌda:gfin
Daghighi *pers.* dæɣi'ɣi:
Dagincour[t] *fr.* daʒɛ̃'ku:r
Dagmar *dt., schwed.* 'dag-mar
Dagny 'dagni
Dagö 'da:gø
Dagoba 'da:goba
Dagobert 'da:gobɛrt
Dagomar 'da:gomar
Dagomba da'gɔmba
Dagon da'go:n
Dagover 'da:govɐ
Dagsburg 'da:ksbʊrk
Dagstuhl 'dakʃtu:l
Daguerre *fr.* da'gɛ:r
Daguerreotyp dagɛro'ty:p
Daguerreotypie dagɛro-ty'pi:
daguerreotypieren dagɛ-roty'pi:rən
Dagupan *span.* da'ɣupan
Dahabije daha'bi:jə
daheim, D... da'hai̯m
daher da'he:ɐ̯, *hinweisend* 'da:he:ɐ̯
daher, dass 'da:he:ɐ̯ 'das
daher, weil 'da:he:ɐ̯ 'vai̯l
daherab daheˈrap, *hinweisend* 'da:hɛrap
daherkommen da'he:ɐ̯kɔmən
dahier da'hi:ɐ̯
dahin da'hɪn, *hinweisend* 'da:hɪn
dahinab dahɪ'nap, *hinweisend* 'da:hɪnap
dahinauf dahɪ'nau̯f, *hinweisend* 'da:hɪnau̯f
dahinaus dahɪ'nau̯s, *hinweisend* 'da:hɪnau̯s
dahinein dahɪ'nai̯n, *hinweisend* 'da:hɪnai̯n
dahingegen dahɪn'ge:gn̩, *hinweisend* 'da:hɪnge:gn̩
dahingestellt da'hɪngəʃtɛlt
dahinsiechen da'hɪnzi:çn̩
dahinten da'hɪntn̩, *hinweisend* 'da:hɪntn̩
dahinter da'hɪntɐ, *hinweisend* 'da:hɪntɐ
dahinterher dahɪntɐ'he:ɐ̯
dahinunter dahɪ'nʊntɐ, *hinweisend* 'da:hɪnʊntɐ

dahinwärts da'hɪnvɛrt̥s̥, *hinweisend* 'da:hɪnvɛrt̥s̥
Dahl *dt., norw.* da:l, *engl., schwed.* dɑ:l
Dahläk *amh.* dahlɛk
Dahlberg *schwed.* ˌdɑ:lbærj
Dahle[m] 'da:lə[m]
Dähle 'dɛ:lə
Dahlen 'da:lən
Dahlgren *schwed.* ˌdɑ:lgre:n
Dahlie 'da:liə
Dahlke 'da:lkə
Dahlmann 'da:lman
Dahlquist *schwed.* ˌdɑ:lkvist
Dahlstierna *schwed.* ˌdɑ:l-ʃæ:rna
Dahlström 'da:lʃtrø:m
Dahm[e] 'da:m[ə]
Dahmen 'da:mən
Dahn[er] 'da:n[ɐ]
Dahome daho'me:
Dahomeer daho'me:ɐ
dahomeisch daho'me:ɪʃ
Dahomey daho'mɛ:, *fr.* daɔ'mɛ
Dahomeyer daho'mɛ:ɐ
dahomeyisch daho'mɛ:ɪʃ
Dahrendorf 'da:rəndɔrf
Dahschur dax'ʃu:ɐ̯
Dahure da'hu:rə
Daibutsu 'daibut̥su
Dail Eireann 'da:l 'e:rɪn, *engl.* dɔil 'ɛərən
Daily Graphic *engl.* 'deɪlɪ 'græfik
Daily Mirror *engl.* 'deɪlɪ 'mɪrə
Daily Record *engl.* 'deɪlɪ 'rɛkɔːd
Daily Soap 'de:li 'zo:p
Daimio 'daimio
Daimler 'daimlɐ
Daimonion dai'mo:nion, ...ien ...iən
Daimyo 'daimio
¹Daina (lett.) 'daina
²Dainâ (lit.) dai'na, **Dainos** 'daino:s
Dair As Sur 'daiɐ̯ a'su:ɐ̯
Dairut dai'ru:t
Dairy Belt *engl.* 'dɛərɪ 'bɛlt
Daisne *fr.* dɛn
Daisy 'de:zi, *engl.* 'deɪzɪ
Dajak 'da:jak
Dakapo da'ka:po
Dakar 'dakar, *fr.* da'ka:r
Daker 'da:kɐ
Dakhma 'da:kma
Dakien 'da:kiən
dakisch 'da:kɪʃ

Dakka 'daka
Dakoromane dakoro'ma:nə
Dakoromania dakoro-'ma:nia
dakoromanisch dakoro-'ma:nɪʃ
Dakota da'ko:ta, *engl.* də-'koutə
Đakovica *serbokr.* 'dzakɔvitsa
Đakovo *serbokr.* 'dzakɔvɔ
Dakryoadenitis dakryo-ˌlade'ni:tɪs, ...itiden ...ni'ti:dn̥
Dakryolith dakryo'li:t
Dakryon 'da:kryɔn
Dakryops 'da:kryɔps, ...open dakryˈo:pn̥
Dakryorrhö ...öe dakryɔ'rø:, ...rrhöen ...'rø:ən
Dakryozystitis dakryotsys-'ti:tɪs, ...itiden ...ti'ti:dn̥
Daktyle dak'ty:lə
Daktylen vgl. Daktylus
Daktyliomantie daktylioman'ti:
Daktyliothek daktylio'te:k
daktylisch dak'ty:lɪʃ
Daktylitis dakty'li:tɪs, ...itiden ...li'ti:dn̥
Daktylo 'daktylo
Daktyloepitrit daktylolepi'tri:t
Daktylogramm daktylo-'gram
Daktylograph daktylo'gra:f
daktylographieren daktylogra'fi:rən
Daktylogrypose daktylo-gry'po:zə
Daktylologie daktylolo'gi:, -n ....i:ən
Daktylomegalie daktylomega'li:, -n ....i:ən
Daktyloskopie daktylosko'pi:, -n ....i:ən
Daktylus 'daktylʊs, ...len dak'ty:lən
Dal *schwed.* dɑ:l, *russ.* dalj
Daladier *fr.* dala'dje
Dalai-Lama 'da:lai'la:ma
Dalälv *schwed.* ˌdɑ:lɛlv
Daland 'da:lant
Dalarna *schwed.* ˌdɑ:larna
Đa Lat *vietn.* da lat 36
Dalbe 'dalbə
Dalben 'dalbn̥
Dalberg 'da:lbɛrk, *fr.* dal-'bɛrg

Dalbergia dal'bɛrgia, ...ien ...iən
dalberig 'dalbərɪç, -e ...ɪgə
dalbern 'dalbɛn, **dalbre** 'dalbrə
D'Albert *fr.* dal'bɛ:r
Dalbono *it.* dal'bɔ:no
dalbrig 'dalbrɪç, -e ...ɪgə
Dalby *engl.* 'dɔ:lbɪ
Dalcroze *fr.* dal'kro:z
Dale *engl.* deɪl, *niederl.* 'da:lə, *norw.* ˌda:lə
Däle 'dɛ:lə
Dalekarlien dale'karliən
Dalem *niederl.* 'da:ləm
D'Alema *it.* da'le:ma
D'Alembert *fr.* dalã'bɛ:r
Daleminze dale'mɪntsə
Dalen *niederl.* 'da:lə, *norw.* ˌda:lən
Dalén *schwed.* da'le:n
Dalfinger 'dalfɪŋɐ
Dalgarno *engl.* dæl'gɑ:noʊ
Dalheim 'da:lhaim
Dalhousie *engl.* dæl'haʊzɪ
Dalí *span.* da'li, *kat.* də'li
Dalian *chin.* daliɛn 42
Dalías *span.* da'lias
Dalibor *tschech.* 'dalibɔr
Dalida *fr.* dali'da
Dalila da'li:la, *fr.* dali'la
Dalimil *tschech.* 'dalimil
Dalin *schwed.* da'li:n
dalisch 'da:lɪʃ
Dalk[auer] 'dalk[aʊɐ]
Dalkeith *engl.* dæl'ki:θ
dalken 'dalkn̥
dalkert 'dalkɐt
Dall *engl.* dɔ:l
Dall'Abaco *it.* dal'la:bako
Dallapiccola *it.* dalla'pikkola
Dallas *engl.* 'dæləs
Dalleochin daleɔ'xi:n
Dalle[s] 'dalə[s]
dalli! 'dali
Dall'Ongaro *it.* dal'loŋgaro
Dalmacija *serbokr.* ˌdalma:tsija
Dalman 'da[:]lman
Dalmand *ung.* 'dɔlmɔnd
Dalmatien dal'ma:tsiən
Dalmatik dal'ma:tɪk
Dalmatika dal'ma:tika
Dalmatin *slowen.* 'da:lmatin
Dalmatinac *serbokr.* dalma-'ti:nats
Dalmatiner dalma'ti:nɐ
dalmatinisch dalma'ti:nɪʃ
dalmatisch dal'ma:tɪʃ

Dalmau *kat.* dəl'mau̯
Dalni *russ.* 'daljnij
Dálnoki *ung.* 'da:lnoki
Daloa *fr.* dalɔ'a
Dalou *fr.* da'lu
Dalriada dal'rịa:da
Dalrymple *engl.* dæl'rɪmpl
dal segno dal 'zɛnjo
Dalsgaard *dän.* 'dæl'sgɔ:'ɐ̯
Ðalski *serbokr.* 'dʒa:lski:
Dalsland *schwed.* 'da:lsland
Dalton, D'A... *engl.* 'dɔ:ltən
Daltonismus dalto'nɪsmʊs
Daltschew *bulgar.* 'daltʃɛf
Daluege da'ly:gə
Dalwigk 'da:lvɪk
Daly *engl.* 'deɪlɪ
Dam *niederl. dam, dän.*
  dam'
Dama 'da:ma
damalig 'da:ma:lıç, -e ...ıgə
damals 'da:ma:ls
Damanhur daman'hu:ɐ̯
Damão *port.* dɐ'mẽu̯
Damara da'ma:ra, 'da:mara
Damaris 'da:marıs
Damas 'da:mas, *fr.* da'mɑ:s
Damaschke da'maʃkə
Damaskinos *neugr.* ðamas-
  ki'nɔs
Damaskios da'maskịɔs
Damaskus da'maskʊs
Dámaso *span.* 'damaso
Damassé dama'se:
Damassin dama'sɛ̃:
Damast da'mast
damasten da'mastn̩
Damasus 'da:mazʊs
Damaszener damas'tse:nɐ
damaszenisch damas'tse:-
  nıʃ
Damaszenus damas'tse:nʊs
damaszieren damas'tsi:rən
Damawand *pers.* dæma-
  'vænd
Dambock 'dambɔk
Dambrauskas *lit.* dam-
  'bra:u̯skas
D'Ambray *fr.* dã'brɛ
Dämchen 'dɛ:mçən
¹Dame 'da:mə
²Dame (Titel) de:m, *engl.*
  deım
Dame blanche *fr.* dam'blã:ʃ
Damebrett 'da:məbrɛt
Dämel 'dɛ:ml̩
dämelich 'dɛ:məlıç
Damen 'da:mən
Damenweg 'da:mənve:k
Damghan *pers.* dam'ɣɑ:n

Damhirsch 'damhırʃ
Damian da'mịa:n, *auch:*
  'da:mịa:n
Damiani *it.* da'mịa:ni
Damiano *it.* da'mịa:no
Damião *port.* dɐ'mĩɐ̯u̯
Damiette da'mịɛt[ə], *fr.*
  da'mjɛt
Damiri da'mi:ri
Damis 'da:mıs, *fr.* da'mis
damisch 'da:mıʃ
damit da'mɪt, *hinweisend*
  'da:mɪt, *Konjunktion*
  da'mɪt
Damjan[ow] *bulgar.*
  dɐ'mjan[of]
Dämlack 'dɛ:mlak
damledern 'damle:dɐn
dämlich 'dɛ:mlıç
Damm dam, Dämme 'dɛmə
Dammam da'ma:m
Dammar 'damar
Dammarafichte da'ma:ra-
  fıçtə
Damme[n] 'damə[n]
dämmen 'dɛmən
Dämmer 'dɛmɐ
dämm[e]rig 'dɛm[ə]rıç, -e
  ...ıgə
dämmern 'dɛmɐn
dämmlich 'damlıç
Damnation de Faust *fr.*
  danasjõd'fo:st
damnatur dam'na:tʊr
Damno 'damno
Damnum 'damnʊm, ...na
  ...na
Damodar *engl.* 'da:mou̯dɑ:
Damokles 'da:moklɛs
Damon 'da:mɔn
Dämon 'dɛ:mɔn, -en
  dɛ'mo:nən
dämonenhaft dɛ'mo:nən-
  haft
Dämonie dɛmo'ni:, -n ...i:ən
dämonisch dɛ'mo:nıʃ
dämonisieren dɛmoni'zi:-
  rən
Dämonismus dɛmo'nɪsmʊs
Dämonium dɛ'mo:nịʊm,
  ...ien ...ịən
Dämonologie dɛmono-
  lo'gi:, -n ...i:ən
Dämonomanie dɛmono-
  ma'ni:, -n ...i:ən
Dämonopathie dɛmono-
  pa'ti:, -n ...i:ən
Damophon 'da:mofɔn
Dampf dampf, Dämpfe
  'dɛmpfə

dampfen 'dampfn̩
dämpfen 'dɛmpfn̩
Dampfer 'dampfɐ
Dämpfer 'dɛmpfɐ
dämpfig 'dɛmpfıç, -e ...ıgə
¹Dampfschifffahrt (Damp-
  ferverkehr) 'dampf.ʃıffa:ɐ̯t
²Dampfschifffahrt (Fahrt
  mit dem Dampfschiff)
  'dampfʃıf.fa:ɐ̯t
Dampier *engl.* 'dæmpjə
Dampierre *fr.* dã'pjɛ:r
Damrosch 'damrɔʃ, *engl.*
  'dæmrɔʃ
Damüls da'mʏls
Damwild 'damvɪlt
Dan da:n, *dän.* dɛ:'n, *engl.*
  dæn, *russ.* dan
Dana *engl.* 'deɪnə
danach da'na:x, *hinweisend*
  'da:na:x
Danae 'da:nae
Danaer 'da:naɐ
Danaide dana'i:də
Danakil 'da:nakıl
Ða Nãng *vietn.* da nai̯ŋ 35
Danaos 'da:naɔs
Danaus 'da:naʊs
Danbury *engl.* 'dænbərı
Danby *engl.* 'dænbı
Dance *engl.* da:ns
Dancefloor 'da:nsflo:ɐ̯
Dancing 'da:nsıŋ
Danckelmann 'daŋkl̩man
Danço *fr.* dã'ko
Dancourt *fr.* dã'ku:r
Dandara 'dandara
Dandelin *fr.* dã'dlɛ̃
Dandenong *engl.* 'dændə-
  nɔŋ
Danderyd *schwed.* ˌdandə-
  ry:d
¹Dandin *fr.* dã'dɛ̃
²Dandin (ind. Dichter) 'dan-
  di:n
Dändliker 'dɛndlikɐ
Dandolo *it.* 'dandolo
Dandong *chin.* dandʊŋ 11
Dandridge *engl.* 'dændrıdʒ
Dandrieu *fr.* dãdri'ø
Dandy 'dɛndi
Dandyismus dɛndi'ısmʊs
Dane *engl.* deın
Däne 'dɛ:nə
daneben da'ne:bn̩, *hinwei-*
  send 'da:ne:bn̩
Danebrog 'da:nəbro:k
Daněk *tschech.* 'danjɛk
Danelagh *engl.* 'deınlɔ:
Dänemark 'dɛ:nəmark

Danew *bulgar.* 'danɛf
Danewerk 'da:nɔvɛrk
dang daŋ
dänge 'dɛŋə
Danger *engl.* 'deɪndʒə
Danhauser 'danhaʊzɐ
Dania *engl.* 'deɪnɪə
Daničić *serbokr.* ..danitʃitɕ
danieden da'ni:dn̩
danieder da'ni:dɐ
Daniel 'da:nie:l, *auch:* ...iɛl, *engl.* 'dænjəl, *fr.* da'njɛl, *schwed.* .da:niɛl, *port., bras.* dɐ'niɛl
Daniela da'nie:la
Daniele *it.* da'nie:le
Daniell *engl.* 'dænjəl
Daniella da'niɛla
Danielle *fr.* da'njɛl
Daniello da'niɛlo
Daniélou *fr.* danje'lu
Daniels *engl.* 'dænjəlz
Danielson *schwed.* .da:niɛlsɔn
Danielsson *isl.* 'da:niɛlsɔn
Daniil *russ.* dɐni'il
Daniilowna *russ.* dɐni'i-lɐvnɐ
Danijel *russ.* dɐni'jelj
Däniker 'dɛ:nikɐ
Danil *serbokr.* .danil
Danila *russ.* da'nilɐ
Danilewski *russ.* dɐni'ljɛf-skij
Danilo *it.* da'ni:lo, *serbokr.* .danilɔ
Danilow *russ.* da'nilɐf
Danilowitz da'ni:lɔvɪts
Daniłowski *poln.* dani-'uɔfski
Daninos *fr.* dani'no:s
Danioth 'da:niɔt
dänisch 'dɛ:nɪʃ
danisieren dani'zi:rən
dänisieren dɛni'zi:rən
dank, D... daŋk
dankbar 'daŋkba:ɐ̯
danken 'daŋkn̩
dankenswert 'daŋkn̩sve:ɐ̯t
Dankl 'daŋkl̩
Dankmar 'daŋkmar
Dankrad 'daŋkra:t
Dankward, ...rt 'daŋkvart
Danmark *dän.* 'dænmaɐ̯g
dann, D... dan
Dannecker 'danɛkɐ
Dannemora *schwed.* .danə-mu:ra
dannen 'danən
Dannenberg 'danənbɛrk

Dannevirke *engl.* 'dænvɔ:k
Dannreuther *engl.* 'dæn-rɔɪtə
D'Annunzio *it.* dan'nuntsio
Danny *engl.* 'dænɪ
dannzumal 'dantsuma:l
Danse macabre 'dã:s ma'ka:brə
Danszky 'danski
Dantan *fr.* dã'tã
Dantas *port.* 'dɐntɐʃ, *bras.* 'dɐntas
Dante Alighieri 'dantə ali-'gie:ri, *it.* 'dante ali'gie:ri
Dantes 'dantəs
dantesk dan'tɛsk
Danti *it.* 'danti
dantisch, D... 'dantɪʃ
Danton *fr.* dã'tõ
Dantschow *bulgar.* 'dantʃof
Dantyszek *poln.* dan'tiʃɛk
Danubius da'nu:biʊs
Danuta da'nu:ta
Danvers *engl.* 'dænvəz
Danville *engl.* 'dænvɪl
Dany *fr.* da'ni
Danza *it.* 'dantsa
Danzi 'dantsi
Danzig 'dantsɪç
Danziger 'dantsɪgɐ
Dao 'da:o, daʊ
Dão *port.* dẽʊ̯
Dapertutto dapɐr'tʊto
Daphne 'dafnə, *engl.* 'dæfnɪ
Daphnia 'dafnia, ...ien ...iən
Daphnie 'dafniə
Daphnin daf'ni:n
Daphnis 'dafnɪs
Da Ponte da'pɔntə, *it.* dap-'pɔnte
Daqing *chin.* datɕɪŋ 44
Daquin *fr.* da'kɛ̃
dar da:ɐ̯
Dara (Syrien) 'dara
Darab *pers.* dɐ'ra:b
Darabukka dara'bʊka
daran da'ran, *hinweisend* 'da:ran
Daran *pers.* dɑ'rɑ:n
daransetzen da'ranzɛtsn̩
Darány[i] *ung.* 'dɔra:nj[i]
Darasi 'darazi
darauf da'raʊf, *hinweisend* 'da:raʊf
daraufhin daraʊf'hɪn, *hinweisend* 'da:raʊfhɪn
daraus da'raʊs, *hinweisend* 'da:raʊs
darben 'darbn̩, **darb!** darp, **darbt** darpt

Darbietung 'da:ɐ̯bi:tʊŋ
Darbist dar'bɪst
Darbouka dar'bu:ka
Darboux *fr.* dar'bu
Darbuka dar'bu:ka
Darby *engl.* 'dɑ:bɪ
Darbyst dar'bɪst
Darcet *fr.* dar'sɛ
Darcy *fr.* dar'si
Dardanellen darda'nɛlən
Dardaner 'dardanɐ
Dardanius dar'da:niʊs
Dardanos 'dardanɔs
Dareikos darai'kɔs
darein da'raɪn, *hinweisend* 'da:raɪn
dareinreden da'raɪnre:dn̩
Dareios da'raiɔs
Dar-el-Beïda *fr.* darɛlbɛj'da
Dares 'da:rɛs
Daressalam darɛsa'la:m
Daret *fr.* da'rɛ
darf darf
Darfur dar'fu:ɐ̯
Darg dark, -e ...gə
Darginer dar'gi:nɐ
Dargomyschski *russ.* dɐr-ga'mɪʃskij
Dargwa 'dargva
¹Dari (Sorgho) 'da:ri
²Dari (Sprache) da'ri:
Daria da'ri:a
Darién *span.* da'riɛn
darin da'rɪn, *hinweisend* 'da:rɪn
darinnen da'rɪnən
Dario *it.* 'da:riɔ
Darío *span.* da'ri:o
Darius da'ri:ʊs, *fr.* da'rjʊs
Darjeeling *engl.* dɑ:'dʒi:lɪŋ
Darjes 'darjəs
Dark dark
Darkehmen dar'ke:mən
Darkhorse 'da:ɐ̯k'ho:ɐ̯s
Darlan *fr.* dar'lã
Darley *engl.* 'dɑ:lɪ
¹Darling (Liebling) 'da:ɐ̯lɪŋ
²Darling (Name) *engl.* 'dɑ:lɪŋ
Darlington *engl.* 'dɑ:lɪŋtən
Darłowo *poln.* da'ruɔvɔ
Darm darm, **Därme** 'dɛrmə
Därmchen 'dɛrmçən
Darmesteter *fr.* darm[ɛ]ste-'tɛ:r
Darmstadt 'darmʃtat
Darmstädter 'darmʃtɛtɐ
darmstädtisch 'darmʃtɛtɪʃ
Darna 'darna
darnach dar'na:x, *auch:* '––

Darnand *fr.* dar'nã
darneben dar'ne:bn̩
darnieder dar'ni:dɐ
Darnley *engl.* 'dɑːnlɪ
darob da'rɔp, *hinweisend* 'da:rɔp
Darre 'darə
Darré da're:
Darre Gas *pers.* dær're 'gæz
D'Arrest da'rɛ:
Darrieux *fr.* da'rjø
Darß dars
Darßer 'darsɐ
Darsteller 'da:ɐ̯ʃtɛlɐ
Dart[ford] *engl.* 'dɑːt[fəd]
Dartmoor *engl.* 'dɑːtmɔ:
Dartmouth *engl.* 'dɑːtməθ
Darts da:ɐ̯ts
dartun 'da:ɐ̯tu:n
Daru *fr.* da'ry, *engl.* 'dɑːru:
darüber da'ry:bɐ, *hinweisend* 'da:ry:bɐ
darum da'rʊm, *hinweisend* 'da:rʊm
darumlegen da'rʊmle:gn̩
darunter da'rʊntɐ, *hinweisend* 'da:rʊntɐ
Darvas *ung.* 'dɔrvɔʃ
Darwen *engl.* 'dɑ:wɪn
Darwin 'darvi:n, *engl.* 'dɑ:wɪn
darwinisch dar'vi:nɪʃ
Darwinismus darvi'nɪsmʊs
Darwinist darvi'nɪst
darwinsch 'darvi:nʃ
Darzau 'dartsau̯
das das
Das *engl., pers.* dɑ:s
Dasai *jap.* 'da.zai
Dasberg 'da:sbɛrk
Daschawa *russ.* da'ʃavɐ
Daschkessan *russ.* dɐʃkɪ'san
Daschkowa *russ.* 'daʃkɐvɐ
Dascht daʃt
Dasein 'da:zai̯n
daselbst da'zɛlpst
Dasent *engl.* 'deisənt
Daser 'da:zɐ
Dash dɛʃ
dasig 'da:zɪç, **-e** ...ɪgə
dasitzen 'da:zɪtsn̩
Dasius 'da:zi̯ʊs
dasjenige 'dasje:nɪgə
Daskalow *bulgar.* dɐskɐ'lɔf
Daskyleion dasky'lai̯ɔn
dass das
Dass *norw.* das
Dassault *fr.* da'so

Dassel 'dasl̩
dasselbe das'zɛlbə
Dassin *engl.* 'dæsɪn, dæ'sɪn, *fr.* da'sɛ̃
dastehen 'da:ʃte:ən
Dasymeter dazy'me:tɐ
Dasypodius dazy'po:di̯ʊs
Daszyński *poln.* da'ʃiiski
DAT (Digitaltonband) dat
Datarie data'ri:
Date de:t
Datei da'tai̯
Daten vgl. Datum
Datex 'da:tɛks
Dathan 'da:tan
Dathen da'te:n
Dathenus da'ti:nʊs
datieren da'ti:rən
Dating 'de:tɪŋ
Datis 'da:tɪs
Dativ 'da:ti:f, **-e** ...i:və
dativisch da'ti:vɪʃ
Dativus ethicus da'ti:vʊs 'e:tikʊs, **...vi ...ci** ...vi ...itsi
dato 'da:to
Datolith dato'li:t
Datong *chin.* datʊŋ 42
Datscha 'datʃa
Datsche 'datʃə
Datta *engl.* 'dætə
Dattel[n] 'datl̩[n]
Datterich 'datərɪç
datum 'da:tʊm
Datum 'da:tʊm, **Daten** 'da:tn̩
Datura da'tu:ra
Dau[b] dau̯[p]
Daube 'dau̯bə
Daubel 'dau̯bl̩
Dauberval *fr.* dobɛr'val
daubieren do'bi:rən
Daubigny *fr.* dobi'ɲi
Däubler 'dɔy̯blɐ
Daucher 'dau̯xɐ
Daud, Da-Ud da'u:t
Daudet *fr.* do'dɛ
Dauer 'dau̯ɐ
dauern 'dau̯ɐn
dauernd 'dau̯ɐnt, **-e** ...ndə
Dauerseller 'dau̯ɐzɛlɐ
Daugava *lett.* 'dau̯gava
Daugavpils *lett.* 'dau̯gafpɪls
Dauha, Ad a'dau̯ha
Daulatschah *pers.* dou̯læt-'ʃɑːh
Däumchen 'dɔy̯mçən
Daume[n] 'dau̯mə[n]
Daumer 'dau̯mɐ
Daumier *fr.* do'mje
Däumling 'dɔy̯mlɪŋ

Daumont do'mõ:
Daun dau̯n
da- und dorthin 'da: ʊnt 'dɔrthɪn
Daune 'dau̯nə
Dauner 'dau̯nɐ
Dauphin do'fɛ̃:, *fr.* do'fɛ̃, *engl.* 'dɔ:fɪn
Dauphiné dofi'ne:, *fr.* dofi'ne
Daure da'u:rə
Dau Rud *pers.* 'dou̯ 'ru:d
Daus dau̯s, **Dauses** 'dau̯zəs, **Däuser** 'dɔy̯zɐ
Dausset *fr.* do'sɛ
Daut[he] 'dau̯t[ə]
Dauthendey 'dau̯tndai̯
Dautzenberg *niederl.* 'dou̯t-sənbɛrx
Dauzat *fr.* do'za
Davanzati *it.* davan'tsa:ti
Davao *span.* da'βao
Dave *engl.* deɪv
Davel *fr.* da'vɛl
Davenant *engl.* 'dævɪnənt
Davenport *engl.* 'dævnpɔ:t
Daventry *engl.* 'dævəntrɪ
Davičo *serbokr.* 'davitʃɔ
David 'da:fɪt, *auch:* 'da:vɪt, *niederl.* 'da:vɪt, *engl.* 'deɪvɪd, *fr.* da'vid, *span.* da'βið
Davida da'vi:da
Davidis da'vi:dɪs
Davids *engl.* 'deɪvɪdz
Davidsohn da'fɪtzo:n, *auch:* 'da:vɪ...
Davidson *engl.* 'deɪvɪdsn̩
Davie[s] *engl.* 'deɪvɪ[s]
Davignon *fr.* davi'ɲõ
Davila *it.* 'da:vila
Dávila *span.* 'daβila
Daviler *fr.* davi'le:r
Davioud *fr.* da'vju
Davis 'de:vɪs, *engl.* 'deɪvɪs
Davisianismus davizi̯a'nɪsmʊs, dev...
Davisson 'da:vɪsən, *engl.* 'deɪvɪsn̩
Davit 'de:vɪt
Davitt *engl.* 'dævɪt
davon da'fɔn, *hinweisend* 'da:fɔn
davonkommen da'fɔnkɔmən
davor da'fo:ɐ̯, *hinweisend* 'da:fo:ɐ̯
Davos da'vo:s, **-er** ...o:zɐ
Davou[s]t *fr.* da'vu
Davy 'de:vi, *engl.* 'deɪvɪ
Davysch 'de:vɪʃ

dawai da'vai
Dawes engl. dɔ:z
Dawid russ. da'vit
Dawidenko russ. devi-
'djɛnkɐ
dawider da'vi:dɐ, hinwei-
send 'da:vi:dɐ
dawiderreden da'vi:dɐ-
re:dn̩
Dawidowitsch russ. da'vi-
dɐvitʃ
Dawidowna russ. da'vi-
dɐvnɐ
Dawison poln. da'visɔn
Dawley engl. 'dɔ:lɪ
Dawson engl. dɔ:sn
Dawyd russ. da'vit
Dawydow russ. da'vidɐf
Dawydowitsch russ. da'vi-
dɐvitʃ
Dawydowna russ. da'vi-
dɐvnɐ
Dax fr. daks
DAX® daks
Day engl. deɪ
Dayan hebr. da'jan
Daycruiser 'de:kru:zɐ
Dayton engl. deɪtn
Daytona Beach engl. deɪ-
'toʊnə 'bi:tʃ
Dazion 'da:tsi̯ɔn
Dazier 'da:tsi̯ɐ
dazisch 'da:tsɪʃ
Dazit da'tsi:t
dazu da'tsu:, hinweisend
'da:tsu:
dazugehörig da'tsu:gəhø:-
rɪç, -e ...ɪɡə
dazuhalten da'tsu:haltn̩
dazumal 'da:tsuma:l
dazwischen da'tsvɪʃn̩, hin-
weisend 'da:tsvɪʃn
dazwischenfahren da-
'tsvɪʃnfa:rən
D-Day 'di:de:
DDR de:de:'lɛr
DDT® de:de:'te:
D-Dur 'de:du:ɐ, auch: '–'–
De Aar afr. də 'ɑ:r
Deacon engl. 'di:kən
Deadfreight 'dɛt'fre:t
Deadheat 'dɛthi:t
Deadline 'dɛtlain
Deadweight 'dɛtve:t
deaggressivieren de-
lagrɛsi'vi:rən
Deák ung. 'dɛa:k
Deakin engl. 'di:kɪn
deaktivieren de-
lakti'vi:rən

Deakzentuierung de-
laktsɛntu'i:rʊŋ
Deal di:l
dealen 'di:lən
Dealer 'di:lɐ
Dealu rumän. 'dɛalu
De Amicis it. de a'mi:tʃis
Dean (Dekan) di:n
Dean[e] engl. di:n
Deanna engl. dɪ'ænə
Dearborn engl. 'dɪəbɔ:n
Dearne engl. dɔ:n
Deaspiration de-
laspira'tsi̯o:n
Déat fr. de'a
Death Valley engl. 'dɛθ 'vælɪ
Deauville fr. do'vil
Debakel de'ba:kl̩
Debardage debar'da:ʒə
Debardeur debar'dø:ɐ
debardieren debar'di:rən
debarkieren debar'ki:rən
Debatte de'batə
Debatter de'batɐ
debattieren deba'ti:rən
Debauche de'bo:ʃ[ə], -n
...ʃn
debauchieren debo'ʃi:rən
De Beers engl. də'bɪəz
Debeljanow bulgar. dɛbɛ-
'ljanɔf
Debellation debɛla'tsi̯o:n
Debes 'de:bəs
Debet 'de:bɛt
Debica poln. dɛm'bitsa
debil de'bi:l
Debilität debili'tɛ:t
Debit de'bi:t, de'bi:
debitieren debi'ti:rən
Debitor 'de:bito:ɐ, **-en** debi-
'to:rən
Deblin poln. 'dɛmblin
deblockieren deblɔ'ki:rən
Debno poln. 'dɛmbnɔ
De Boer niederl. də'bu:r
de Boor de'bo:ɐ
Debora de'bo:ra
Deborah de'bo:ra, engl.
'dɛbərə
Deborin russ. dɪ'bɔrin
De Bosis it. de 'bɔ:zis
debouchieren debu'ʃi:rən
Debra Markos amh. dɛbrɛ
mark'os
Debra Tabor amh. dɛbrɛ
tabor
Debré fr. də'bre
Debrecen ung. 'dɛbrɛtsɛn
Debreczin 'dɛbrɛtsi:n
Debre[c]ziner 'dɛbrɛtsi:nɐ

Debroey niederl. də'bruɪ
Debrot niederl. də'brɔt
Debrunner 'de:brʊnɐ
Debucourt fr. dəby'ku:r
Debugging di'bagɪŋ
Debunking di'baŋkɪŋ
Debussy fr. dəby'si
Debüt de'by:
Debütant deby'tant
debütieren deby'ti:rən
Debye niederl. də'bɛi̯ə
Decadence deka'dã:s
Decamerone it. dekame-
'ro:ne
Decamps fr. də'kã
Dečani serbokr. 'dɛtʃa:ni
Decatur engl. dɪ'keɪtə
Decay di'ke:
Decazes fr. də'kɑ:z
Decazeville fr. dəkaz'vil
Decca 'dɛka, engl. 'dɛkə
Deccan engl. 'dɛkən
Decebalus de'tse:balus
Decembrio it. de'tʃɛmbri̯o
Deception Island engl. dɪ-
'sɛpʃən 'aɪlənd
Dechanat deça'na:t
Dechanei deça'nai
Dechant de'çant, auch: '––,
-en de'çantn̩
Dechantei deçan'tai
Decharge de'ʃarʒə
dechargieren deʃar'ʒi:rən
DECHEMA de'çema
Dechen[d] deçn̩[t]
Decher deçɐ
Dechet de'ʃe:
dechiffrieren deʃɪ'fri:rən
Dechsel 'dɛksl̩
Déchy ung. 'de:tʃi
Decidua de'tsi:du̯a, **-e** ...u̯ɛ
Decimomannu it. detʃimo-
'mannu
Decimus 'de:tsimus
Děčín tschech. 'djɛtʃi:n
Děčínské stěny tschech.
'djɛtʃi:nskɛ: 'stjɛni
deciso de'tʃi:zo
Decius 'de:tsius
Deck[e] 'dɛk[ə]
Deckel 'dɛkl̩
deckeln 'dɛkl̩n
decken 'dɛkn̩
Decker 'dɛkɐ, niederl.
'dɛkər
Decoder de'ko:dɐ
decodieren deko'di:rən
Decoding di'ko:dɪŋ
Decollage dekɔ'la:ʒə
Decollagist dekɔla'ʒɪst

Décollement dekɔlə'mã:
Décolleté dekɔl'te:
Decorated Style engl.
'dɛkəre:tɪt 'staɪl
Decorte niederl. də'kɔrtə
Découpage deku'pa:ʒə
decouragieren dekura'ʒi:-
rən
decouragiert dekura'ʒi:ɐt
Decourcelle fr. dəkur'sɛl
Decourt de'ku:ɐ
Découvert deku've:ɐ̯, ...vɛ:ɐ̯
decrescendo dekrɛ'ʃɛndo
Decrescendo dekrɛ'ʃɛndo,
...di ...di
Decroly fr. dəkrɔ'li
Decroux fr. də'kru
Decubitus de'ku:bitʊs
de dato de: 'da:to
Dedeağaç türk. 'dɛdɛɑ:.ɑtʃ
Dedecius de'de:tsiʊs
Dedekind 'de:dəkɪnt
Dederon 'de:derɔn
Dedham engl. 'dɛdəm
Dedijer serbokr. 'dɛdijɛr
Dedikation dedika'tsio:n
Dedinac serbokr. dɛ'di:nats
deditieren dedi'ti:rən
dedizieren dedi'tsi:rən
Dedo 'de:do
Dédougou fr. dedu'gu
Dedreux fr. də'drø
Deduktion dedʊk'tsio:n
deduktiv dedʊk'ti:f, -e
...i:və
deduzieren dedu'tsi:rən
Dee engl. di:
Deemphasis de'lɛmfazɪs
Deep de:p
Deepfreezer 'di:pfri:zɐ
Deeping engl. 'di:pɪŋ
Deer[e] engl. dɪə
Deerfield engl. 'dɪəfi:ld
Deern de:ɐ̯n
Deesis 'de:ezɪs, **Deesen**
de'e:zn̩
Deeskalation de-
lɛskala'tsio:n
deeskalieren delɛska'li:rən
Deez de:ts
DEFA 'de:fa
de facto de: 'fakto
De-facto-... de'fakto...
Defaitismus defɛ'tɪsmʊs
Defaitist defɛ'tɪst
Defäkation defɛka'tsio:n
defäkieren defɛ'ki:rən
De Falla span. de 'faʎa
Defatigation defatiga'tsio:n
Defätismus defɛ'tɪsmʊs

Defätist defɛ'tɪst
defäzieren defɛ'tsi:rən
defekt, D... de'fɛkt
defektiv defɛk'ti:f, -e ...i:və
Defektivität defɛktivi'tɛ:t
Defektivum defɛk'ti:vʊm,
...va ...va
Defektur defɛk'tu:ɐ̯
Defemination defemina-
'tsio:n
Défense musculaire de'fã:s
mysky'lɛ:ɐ̯
Defensionale defɛnzio-
'na:lə
defensiv defɛn'zi:f, -e ...i:və
Defensive defɛn'zi:və
Defensivität defɛnzivi'tɛ:t
Defensor de'fɛnzo:ɐ̯, -en
...'zo:rən
Defensor Fidei de'fɛnzo:ɐ̯
'fi:dei
Defereggen 'dɛfərɛgn̩
Deferentitis deferɛn'ti:tɪs,
...titiden ...ti'ti:dn̩
Deferenz defe'rɛnts
deferieren defe'ri:rən
Deferveszenz defɛrvɛs-
'tsɛnts
Defferre fr. də'fɛ:r
Defiance (USA) engl. dɪ-
'faɪəns
Defibrator defi'bra:to:ɐ̯,
-en ...ra'to:rən
Defibreur defi'brø:ɐ̯
Defibrillation defibrɪla-
'tsio:n
Defibrillator defibrɪ'la:to:ɐ̯,
-en ...la'to:rən
defibrinieren defibri'ni:rən
deficiendo defi'tʃɛndo
Deficit-Spending 'dɛfɪsɪt-
'spɛndɪŋ
Defiguration defigura-
'tsio:n
defigurieren defigu'ri:rən
Defilee defi'le:, -n ...e:ən
defilieren defi'li:rən
Definiendum defi'niɛndʊm,
...da ...da
Definiens de'fi:niɛns,
...nientia defi'niɛntsia
definieren defi'ni:rən
definit defi'ni:t
Definition defini'tsio:n
definitiv defini'ti:f, -e ...i:və
Definitivum defini'ti:vʊm,
...va ...va
Definitor defi'ni:to:ɐ̯, -en
...ni'to:rən
definitorisch defini'to:rɪʃ

Defixion defɪ'ksio:n
defizient, D... defi'tsiɛnt
Defizit de:'fitsɪt
defizitär defitsi'tɛ:ɐ̯
Deflagration deflagra-
'tsio:n
Deflagrator defla'gra:to:ɐ̯,
-en ...ra'to:rən
Deflation defla'tsio:n
deflationär deflatsio'nɛ:ɐ̯
deflationistisch deflatsio-
'nɪstɪʃ
deflatorisch defla'to:rɪʃ
deflektieren deflɛk'ti:rən
Deflektor de'flɛkto:ɐ̯, -en
deflɛk'to:rən
Deflexion deflɛ'ksio:n
Defloration deflora'tsio:n
deflorieren deflo'ri:rən
Defoe də'fo:, engl. də'fou
De Forest engl. də'fɔrɪst
deform de'fɔrm
Deformation defɔrma-
'tsio:n
deformieren defɔr'mi:rən
Deformität defɔrmi'tɛ:t
Defrance fr. də'frã:s
Defraudant defrau'dant
Defraudation defrauda-
'tsio:n
defraudieren defrau'di:rən
Defregger 'de:frɛgɐ
Defresne fr. də'frɛn
Defroster de'frɔstɐ
deftig 'dɛftɪç, -e ...ıgə
Degagement degaʒə'mã:
degagieren dega'ʒi:rən
Degas fr. də'ga
De Geer schwed. də'jæ:r
Degen 'de:gn̩
Degenau 'de:gənaʊ
Degener 'de:gənɐ
Degeneration degenera-
'tsio:n
degenerativ degenera'ti:f,
-e ...i:və
degenerieren degene'ri:rən
Degenfeld 'de:gn̩fɛlt
Degenhard[t] 'de:gn̩hart
Degerfors schwed. 'de:gər-
fɔrs
Degerloch 'de:gɐlɔx
Degeyter fr. dəʒe'tɛ:r, nie-
derl. də'ɣɛitər
Deggendorf 'dɛgn̩dɔrf
deglacieren degla'si:rən
D'Églantine fr. deglã'tin
Degler 'de:glɐ
Deglutination deglutina-
'tsio:n

Deglutition degluti'tsịo:n
Degorgement degɔrʒə'mã:
degorgieren degɔr'ʒi:rən
Degout de'gu:
degoutant degu'tant
degoutieren degu'ti:rən
Degradation degrada'tsịo:n
degradieren degra'di:rən
degraissieren degrɛ'si:rən
Degras de'gra, des - ...a[s]
Degrelle *fr.* də'grɛl
Degression degrɛ'sịo:n
degressiv degrɛ'si:f, -e
...i:və
de Gruyter de'grɔytɐ
Degtjarsk *russ.* dĭk'tjarsk
DEGUSSA de'gusa
Degustation degusta'tsịo:n
de gustibus non est dispu-
tandum de: 'gustibus 'no:n
'ɛst dıspu'tandum
degustieren degus'ti:rən
Deguy *fr.* də'gi
Dehaene *niederl.* də'ha:nə
De Havilland *engl.* də'hævı-
lənd
Dehio de'hi:o
Dehiszenz dehıs'tsɛnts
Dehler 'de:lɐ
Dehmel[t] 'de:ml̩[t]
Dehn[e] 'de:n[ə]
dehnen 'de:nən
Dehodencq *fr.* dəɔ'dɛ̃:k
De Hooch *niederl.* də'ho:x
Dehors de'o:ɐ[s]
Dehra Dun *engl.* 'dɛərə
'du:n
Dehumanisation dehuma-
niza'tsịo:n
Dehydrase dehy'dra:zə
Dehydratation dehydrata-
'tsịo:n
Dehydration dehydra'tsịo:n
dehydratisieren dehydrati-
'zi:rən
dehydrieren dehy'dri:rən
Dehydrogenase dehydro-
ge'na:zə
Deianira deja'ni:ra, daja...
Deibel 'daibl̩
Deich daiç
deichen 'daiçn̩
Deichsel 'daiksl̩
deichseln 'daiksl̩n
Deicke 'daikə
Deidesheim 'daidəshaim
Deifikation deifika'tsịo:n
deifizieren deifi'tsi:rən
Deighton *engl.* deıtn
Dei gratia 'de:i 'gra:tsịa

deiktisch 'daiktıʃ, *auch:*
de'ıktıʃ
Deime 'daimə
Deimling 'daimlıŋ
Deimos 'daimɔs
dein dain
Deineka *russ.* dıj'njɛkɐ
deiner 'dainɐ
deinerseits 'dainɐ'zaits
deinesgleichen 'dainəs-
'glaiçn̩
deinesteils 'dainəs'tails
deinethalben 'dainət'halbn̩
deinetwegen 'dainət've:gn̩
deinetwillen 'dainət'vılən
Deinhardstein 'dainhart-
ʃtain
deinige 'dainıgə
Deinking de'lıŋkıŋ
Deinokrates dai'no:kratɛs
Deiphobus de'i:fobus
Deirdre *engl.* 'dıədrı
Deismus de'ısmus
Deiss dais
Deißinger 'daisıŋɐ
Deißmann 'daisman
¹Deist de'ıst
²Deist (Name) daist
Deister 'daistɐ
Deiwel 'daivl̩
Deixel 'daiksl̩
Deixis 'daiksıs
Dej *rumän.* deʒ
Déjà-vu deʒa'vy:
Dejbjerg *dän.* 'daibjɛɐ̯'u
Dejekt de'jɛkt
Dejektion dejɛk'tsịo:n
Dejeuner deʒø'ne:
dejeunieren deʒø'ni:rən
Dejotarus de'jo:tarus
de jure de: 'ju:rə
De-jure-... de'ju:rə...
Deka 'dɛka
Dekabrist deka'brıst
Dekade de'ka:də
dekadent deka'dɛnt
Dekadenz deka'dɛnts
dekadisch de'ka:dıʃ
Dekaeder deka'|e:dɐ
Dekagramm deka'gram,
auch: 'dɛk..., 'de:k...
De Kalb *engl.* də'kælb
Dekaliter deka'li:tɐ, *auch:*
...'li:tɐ, *auch:* 'dɛk..., 'de:k...
Dekalkier... dekal'ki:ɐ...
Dekalo de'ka:lo, ...li ...li
Dekalog deka'lo:k, -es
...o:gəs
Dekameron de'ka:merɔn

Dekameter deka'me:tɐ,
auch: 'dɛk..., 'de:k...
Dekan de'ka:n
Dekanat deka'na:t
dekandrisch de'kandrıʃ
Dekanei deka'nai
dekantieren dekan'ti:rən
dekapieren deka'pi:rən
Dekapitation dekapita-
'tsịo:n
dekapitieren dekapi'ti:rən
Dekapode deka'po:də
Dekapolis de'ka:polıs
Dekapsulation dekapsula-
'tsịo:n
dekaptieren dekap'ti:rən
Dekar de'ka:ɐ
Dekare de'ka:rə
dekartellieren dekartɛ-
'li:rən
dekartellisieren dekartɛli-
'zi:rən
Dekaster deka'ste:ɐ
Dekasyllabus deka'zyla-
bus, ...**bi** ...bi
Dekateur deka'tø:ɐ
dekatieren deka'ti:rən
Dekatron 'de:katro:n
Dekatur deka'tu:ɐ
Dekelea deke'le:a
Dekeleia de'ke:laia
Dekelia *neugr.* ðɛ'kɛlja
Deken *niederl.* 'de:kə
Dekhan 'dɛkan
Dekker *engl.* 'dɛkə, *niederl.*
'dɛkər
Deklamation deklama-
'tsịo:n
Deklamator dekla'ma:to:ɐ,
-en ...ma'to:rən
Deklamatorik deklama-
'to:rık
deklamatorisch deklama-
'to:rıʃ
deklamieren dekla'mi:rən
Deklarant dekla'rant
Deklaration deklara'tsịo:n
deklarativ deklara'ti:f, -e
...i:və
deklaratorisch deklara-
'to:rıʃ
deklarieren dekla'ri:rən
deklassieren dekla'si:rən
de Klerk *afr.* də'klɛrk
deklinabel dekli'na:bl̩, ...**ble**
...blə
Deklination deklina'tsịo:n
Deklinator dekli'na:to:ɐ,
-en deklina'to:rən

Deklinatorium deklina-
'to:rɪʊm, ...**ien** ...i̯ən
deklinieren dekli'ni:rən
Deklinometer deklino-
'me:tɐ
dekliv de'kli:f, **-e** ...i:və
Dekobra fr. dəkɔ'bra
dekodieren deko'di:rən
Dekokt de'kɔkt
Dekolleté, ...etee dekɔl'te:
dekolletieren dekɔl'ti:rən
Dekolonisation dekoloni-
za'tsi̯o:n
dekolonisieren dekoloni-
'zi:rən
dekolorieren dekolo'ri:rən
Dekompensation dekɔm-
pɛnza'tsi̯o:n
dekomponieren dekɔmpo-
'ni:rən
Dekomposition dekɔmpo-
zi'tsi̯o:n
dekompositorisch dekɔm-
pozi'to:rɪʃ
Dekompositum dekɔm-
'po:zitʊm, ...**ta** ...ta
Dekompression dekɔmprɛ-
'si̯o:n
dekomprimieren dekɔm-
pri'mi:rən
Dekonditionation dekɔndi-
tsi̯ona'tsi̯o:n
Dekonstruktivismus
dekɔnstrʊkti'vɪsmʊs
Dekontamination dekɔnta-
mina'tsi̯o:n
dekontaminieren dekɔnta-
mi'ni:rən
Dekonzentration dekɔn-
tsɛntra'tsi̯o:n
dekonzentrieren dekɔn-
tsɛn'tri:rən
De Kooning engl. də'ku:nɪŋ
Dekor de'ko:ɐ̯
Dekorateur dekora'tø:ɐ̯
Dekoration dekora'tsi̯o:n
dekorativ dekora'ti:f, **-e**
...i:və
dekorieren deko'ri:rən
Dekorit® deko'ri:t
Dekort de'ko:ɐ̯, auch:
de'kɔrt
dekortieren dekɔr'ti:rən
Dekorum de'ko:rʊm
Dekostoff 'de:koʃtɔf
DEKRA 'de:kra
Dekrement dekre'mɛnt
dekrepit dekre'pi:t
Dekrepitation dekrepita-
'tsi̯o:n

dekrepitieren dekrepi-
'ti:rən
Dekrescendo dekrɛ'ʃɛndo,
...**di** ...di
Dekreszenz dekrɛs'tsɛnts
Dekret de'kre:t
Dekretale dekre'ta:lə, ...**lien**
...li̯ən
Dekretalist dekreta'lɪst
dekretieren dekre'ti:rən
Dekretist dekre'tɪst
dekryptieren dekryp'ti:rən
Dekubitus de'ku:bitʊs
Dekumat[en]land deku-
'ma:t[n]lant
dekupieren deku'pi:rən
Dekurie de'ku:ri̯ə
Dekurio de'ku:ri̯o, **-nen**
deku'ri̯o:nən
dekussieren dekʊ'si:rən
Dekuvert deku've:ɐ̯, ...vɛ:ɐ̯
dekuvrieren deku'vri:rən
Dela 'de:la
Delaborde fr. dəla'bɔrd
Delacroix fr. dəla'krwa
Delafield engl. 'dɛləfi:ld
De la Force fr. dəla'fɔrs
De Lagarde fr. dəla'gard
De la Gardie schwed. dəla-
'gardi
Delalande fr. dəla'lã:d
De la Mare engl. dɛlə'mɛə
Delambre fr. də'lã:br
Delamere engl. 'dɛləmɪə
Delamination delamina-
'tsi̯o:n
Delamon 'de:lamɔn
De la Motte-Fouqué də la
'mɔt fu'ke:
Delamuraz fr. dəlamy'ra
Deland England 'di:lənd,
USA də'lænd
De Land engl. də'lænd
Delan[e]y engl. də'leɪnɪ
Delannoy fr. dəla'nwa
¹Delano (Vorname, Berg)
engl. 'dɛlənoʊ
²Delano (Stadt) engl. dɪ'leɪ-
noʊ
De la Pasture engl. də'læpə-
ti̯ə
Delaquis fr. dəla'ki
De la Rive fr. dəla'ri:v
Delarive fr. dəla'ri:v
De la Roche fr. dəla'rɔʃ,
engl. dɛlə'rɔ:ʃ
Delaroche fr. dəla'rɔʃ
Delarue-Mardrus fr. dəla-
rymar'dry
Delat de'la:t

Delation dela'tsi̯o:n
delatorisch dela'to:rɪʃ
Delattre fr. də'latr
Delaunay fr. dəlo'nɛ
Delavigne fr. dəla'viɲ
Delavrancea rumän. dela-
'vrantʃea
¹Delaware (Indianer) dela-
'va:rə
²Delaware (Staat in den
USA) 'dɛləvɛ:ɐ̯, engl. 'dɛlə-
wɛə
De la Warr engl. 'dɛləwɛə
Delay engl. dɪ'leɪ
Delblanc schwed. dɛl'blaŋk
Delbos fr. dɛl'bɔs
Delbrück 'dɛlbryk
Delcassé fr. dɛlka'se
deleatur, D... dele'a:tʊr
Delécluze fr. dəle'kly:z
Deledda it. de'lɛdda
Delegat dele'ga:t
Delegation delega'tsi̯o:n
Delegatur delega'tu:ɐ̯
de lege ferenda de: 'le:gə
fe'rɛnda
de lege lata de: 'le:gə 'la:ta
delegieren dele'gi:rən
delektabel delɛk'ta:bl̩, ...**ble**
...blə
delektieren delɛk'ti:rən
Delémont fr. dəle'mõ
Delen niederl. 'de:lə
Delesse fr. də'lɛs
deletär dele'tɛ:ɐ̯
Deletion dele'tsi̯o:n
Delfi neugr. ðɛl'fi
Delfin del'fi:n
Delft niederl. dɛlft
Delfter 'dɛlftɐ
Delfzijl niederl. dɛlf'sɛil
Delgado span. dɛl'ɣaðo,
port. dɛl'gaðu
Delhi 'de:li, engl. 'dɛlɪ
Delia de'li̯a
Deliberation delibera'tsi̯o:n
Deliberativ... delibera'ti:f...
deliberieren delibe'ri:rən
Delibes fr. də'lib, span.
de'liβes
Delicado span. deli'kaðo
Delicias span. de'liθi̯as
Delicious di'lɪʃəs
Delicius de'li:tsiʊs
delikat deli'ka:t
Delikatesse delika'tɛsə
Delikt de'lɪkt
Delila[h] de'li:la
Delille fr. də'lil
De Lillo engl. də'lɪloʊ

Delimitation delimita'tsi̯o:n
delimitieren delimi'ti:rən
delineavit deline'a:vɪt
delinquent, D... delɪŋ'kvɛnt
Delinquenz delɪŋ'kvɛnts
Delios 'de:li̯ɔs
Delir de'li:ɐ̯
delirant deli'rant
delirieren deli'ri:rən
deliriös deli'ri̯ø:s, **-e** ...ø:zə
Delirium de'li:ri̯ʊm, ...**ien** ...i̯ən
Delirium tremens de'li:ri̯ʊm 'tre:mɛns
delisch 'de:lɪʃ
Delisle fr. də'lil
Delitzsch 'de:lɪtʃ
Delius de'li̯ʊs, engl. 'di:li̯əs
deliziös deli'tsi̯ø:s, **-e** ...ø:zə
Delizius de'li:tsi̯ʊs
Delkredere dɛl'kre:dərə
Dell engl. dɛl
Della Casa it. 'della 'ka:sa
Della Ciaja it. 'della 'tʃa:i̯a
Delle 'dɛlə, fr. dɛl
Deller engl. 'dɛlə
Dellinger 'dɛlɪŋɐ
Delluc fr. dɛ'lyk
Dellys fr. dɛ'lis
Delmarva engl. dɛl'mɑːvə
Delmenhorst 'dɛlmənhɔrst
delogieren delo'ʒi:rən
Delon fr. də'lõ
Deloney engl. də'loʊnɪ
De Long engl. də'lɔŋ
Delorges fr. də'lɔrʒ
Delorko serbokr. dɛ'lɔrkɔ
Delorme fr. də'lɔrm
Delors fr. də'lɔ:r
Delos 'de:lɔs
Delp dɛlp
Delphi 'dɛlfi
Delphin dɛl'fi:n
Delphinarium dɛlfi- 'na:ri̯ʊm, ...**ien** ...i̯ən
Delphinin dɛlfi'ni:n
Delphinologe dɛlfino'lo:gə
Delphinus dɛl'fi:nʊs
delphisch 'dɛlfɪʃ
Delray Beach engl. 'dɛlreɪ 'bi:tʃ
Del Rio engl. dɛl'ri:oʊ
Delsberg 'dɛlsbɛrk
Delsenbach 'dɛlznbax
Delta 'dɛlta, engl. 'dɛltə
Delta Amacuro span. 'dɛlta ama'kuro
Delteil fr. dɛl'tɛj
Deltgen 'dɛltgn̩
Deltoid dɛlto'i:t, **-e** ...i:də

Deltschew bulgar. 'dɛltʃɛf
Delusion delu'zi̯o:n
delusorisch delu'zo:rɪʃ
de Luxe də 'lʏks
De-Luxe-... də'lʏks...
Delvau[x] fr. dɛl'vo
Delville fr. dɛl'vil
Delvincourt fr. dɛlvɛ̃'ku:r
Delwig russ. 'djeljvik
Delysid dely'zi:t
dem de:m
Demades de'ma:dɛs
DEMAG 'de:mak
Demagoge dema'go:gə
Demagogie demago'gi:, **-n** ...i:ən
demagogisch dema'go:gɪʃ
de Maizière fr. dəmɛ'zjɛ:r
Demanda span. de'manda
Demangeon fr. dəmɑ̃'ʒõ
Demant (Diamant) 'de:mant, auch: de'mant
demanten de'mantn̩
Demantius de'mantsi̯ʊs
Demantoid demanto'i:t, **-e** ...i:də
Demaratos dema'ra:tɔs
Demarch de'març
Demarche de'marʃ[ə], **-n** ...ʃn̩
Demarkation demarka- 'tsi̯o:n
demarkieren demar'ki:rən
Demarne fr. də'marn
Demarteau fr. demar'to
demaskieren demas'ki:rən
Dematerialisation demate- ri̯aliza'tsi̯o:n
Demawend dema'vɛnt
Dembowski poln. dɛm- 'bɔfski
Demedts niederl. də'mɛts
Demelee deme'le:
Demen vgl. Demos
dementgegen 'de:m- ɛnt'ge:gn̩
Dementi de'mɛnti
Dementia de'mɛntsi̯a, **-e** ...tsi̯e
Dementia praecox de'mɛn- tsi̯a 'prɛ:kɔks
Dementia senilis de'mɛn- tsi̯a ze'ni:lɪs
dementieren demɛn'ti:rən
dementsprechend 'de:m- ɛnt'ʃprɛçn̩t, **-e** ...n̩də
Demenz de'mɛnts
Demer[s] niederl. 'de:mər[s]
Demerit deme'ri:t
Demerthin 'de:mɐti:n

Demeter de'me:tɐ, serbokr. .dɛmɛtɛr
Demetrias de'me:trias
Demetrio it. de'me:tri̯o
Demetrios de'me:tri̯ɔs
Demetrius de'me:tri̯ʊs
demgegenüber 'de:mge:gn̩'ly:bɐ
demgemäß 'de:mgə'mɛ:s
Demid russ. dɪ'mit
Demidow russ. dɪ'midɐf
Demidowitsch russ. dɪ'mi- dɐvitʃ
Demidowna russ. dɪ'mi- dɐvnɐ
Demijohn 'de:mid̮ʒɔn
demilitarisieren demilitari- 'zi:rən
De Mille engl. də'mɪl
Demimonde dəmi'mõ:də
Demineralisation demine- raliza'tsi̯o:n
Deming engl. 'dɛmɪŋ
deminutiv deminu'ti:f, **-e** ...i:və
Demirel türk. dɛmi'rɛl
Demirkazık türk. dɛ'mirkɑ- .zık
demi-sec dəmi'zɛk
Demission demɪ'si̯o:n
Demissionär demɪsi̯o'nɛ:ɐ̯
demissionieren demɪsi̯o- 'ni:rən
Demitz 'de:mɪts
Demiurg demi'ʊrk, **-en** ...rgn̩
Demivierge dəmi'vi̯ɛrʃ
Demjan russ. dɪmj'jan
Deml tschech. 'dɛml̩
Demmin dɛ'mi:n
Demmler 'dɛmlɐ
demnach 'de:m'na:x
demnächst 'de:m'nɛ:çst
Demo 'de:mo, auch: 'dɛmo
Demobilisation demobili- za'tsi̯o:n
demobilisieren demobili- 'zi:rən
Demobilmachung demo- 'bi:lmaxʊŋ
Democracia span. demo- 'kraθi̯a
Democrazia Cristiana it. demokrat'tsi:a kris'ti̯a:na
Democrazia Italiana it. demokrat'tsi:a ita'li̯a:na
Democritus de'mo:kritʊs
démodé demo'de:
Demodokos de'mo:dokɔs

Demodulation demodula-
'tsio:n
Demodulator demodu'la:-
to:ɐ, -en demodula'to:rən
demodulieren demodu-
'li:rən
Demograph demo'gra:f
Demographie demogra'fi:,
-n ...i:ən
demographisch demo-
'gra:fiʃ
Demoiselle demɔa'zɛl,
də..., -n ...lən
Demökologie demøkolo'gi:
Demokrat demo'kra:t
Demokratie demokra'ti:, -n
...i:ən
demokratisch demo'kra:tiʃ
demokratisieren demokra-
ti'zi:rən
Demokratismus demokra-
'tısmʊs
Demokrit demo'kri:t
Demokritos de'mo:kritɔs
Demolder fr. dəmɔl'dɛ:r
demolieren demo'li:rən
Demolition demoli'tsio:n
demonetisieren demoneti-
'zi:rən
Demoni de'mo:ni
demonomisch demo-
'no:mıʃ
Demonstrant demɔn'strant
Demonstration demɔnstra-
'tsio:n
demonstrativ, D... demɔn-
stra'ti:f, -e ...i:və
Demonstrativum demɔn-
stra'ti:vʊm, ...va ...va
Demonstrator demɔn'stra:-
to:ɐ, -en ...ra'to:rən
demonstrieren
demɔn'stri:rən
Demontage demɔn'ta:ʒə
demontieren demɔn'ti:rən
Demophilos de'mo:filɔs
Demopolis engl. dɪ'mɔpəlıs
Demoralisation demorali-
za'tsio:n
demoralisieren demorali-
'zi:rən
de Morgan engl. də'mɔ:gən
de mortuis nil nisi bene de:
'mɔrtui:s 'ni:l 'ni:zi 'be:nə
Demos 'de:mɔs
Demoskop demo'sko:p
Demoskopie demosko'pi:
Demosthenes de'mɔstenɛs
demosthenisch, D...
demɔs'te:nıʃ

Demotike demoti'ke:
demotisch de'mo:tıʃ
Demotistik demo'tıstık
Demotivation demotiva-
'tsio:n
demotivieren demoti'vi:rən
Dempf dɛmpf
Dempo indon. 'dɛmpo
Demski 'dɛmski
Demulgator demʊl'ga:to:ɐ,
-en demʊlga'to:rən
demulgieren demʊl'gi:rən
Demulzens de'mʊltsɛns,
...ntia ...'tsɛntsia, ...nzien
...'tsɛntsiən
Demus 'de:mʊs
Demut 'de:mu:t
Demuth engl. də'mu:θ
demütig 'de:my:tıç, -e ...gə
demütigen 'de:my:tıgn,
demütig! ...ıç, demütigt
...ıçt
demütiglich 'de:my:tıklıç
Demy fr. də'mi
demzufolge 'de:mtsu'fɔlgə
den de:n
Denain fr. də'nɛ̃
Denar de'na:ɐ
Denaturalisation denatura-
liza'tsio:n
denaturalisieren denatura-
li'zi:rən
denaturieren denatu'ri:rən
denazifizieren denatsifi-
'tsi:rən
Denbigh, ...by engl. 'dɛnbı
Denck[er] 'dɛŋk[ɐ]
Dender niederl. 'dɛndər
Dendera 'dɛndera
Dendermonde niederl. dɛn-
dər'mɔndə
Dendre fr. dã:dr
Dendrit dɛn'dri:t
Dendrobios dɛndro'bi:ɔs
Dendrochronologie dɛn-
drokronolo'gi:
Dendrologe dɛndro'lo:gə
Dendrologie dɛndrolo'gi:
dendrologisch dɛndro'lo:-
gıʃ
Dendrometer dɛndro'me:tɐ
Deneb 'dɛnɛp
Denebola de'ne:bola
denen 'de:nən
Deneuve fr. də'nœ:v
Dengel 'dɛŋl
dengeln 'dɛŋln
Denghoog 'dɛŋho:k
Dengler 'dɛŋlɐ
Denguefieber 'dɛŋgefi:bɐ

Deng Xiaoping chin. dəŋ-
ciaupın 132
Den Haag de:n 'ha:k, nie-
derl. den 'ha:x
Denham engl. 'dɛnəm
De Nicola it. de ni'kɔ:la
Denier de'nie:, də...
Denifle 'de:niflə
Denikin russ. dı'nikin
Deniliquin engl. də'nılıkwın
Denim® 'de:nım, 'dɛnım
Denis 'de:nıs, engl. 'dɛnıs,
fr. də'ni
Denise fr. də'ni:z
Denison engl. 'dɛnısn
Denissow russ. dı'nisɐf
denitrieren deni'tri:rən
Denitrifikation denitrifika-
'tsio:n
denitrifizieren denitrifi-
'tsi:rən
Denizli türk. dɛ'nizli, '---
Denk dɛŋk
denken 'dɛŋkn
Denkendorf 'dɛŋkndɔrf
Denkmal 'dɛŋkma:l,
...mäler ...mɛ:lɐ
Denktaş türk. dɛŋk'taʃ
denn dɛn
Denneborg 'dɛnəbɔrk
Denner[t] 'dɛnɐ[t]
Dennery fr. dɛn'ri
Dennewitz 'dɛnəvıts
Dennie engl. 'dɛnı
Dennis[on] engl. 'dɛnıs[n]
dennoch 'dɛnɔx
dennschon 'dɛnʃo:n
Denny engl. 'dɛnı
Denobilitation denobilita-
'tsio:n
denobilitieren denobili-
'ti:rən
Denomination denomina-
'tsio:n
Denominativ 'de:nomina-
ti:f, -e ...i:və
Denominativum denomina-
'ti:vʊm, ...va ...va
denominieren denomi-
'ni:rən
Denon fr. də'nõ
Denotat deno'ta:t
Denotation denota'tsio:n
denotativ denota'ti:f, -e
...i:və
Denotator deno'ta:to:ɐ, -en
...ta'to:rən
Denouement denu'mã:
Denpasar indon. dɛm'pasar
Dens dɛns, Dentes 'dɛnte:s

Densimeter dɛnzi'me:tɐ
Densität dɛnzi'tɛ:t
Densitometer dɛnzito-
'me:tɐ
Densitometrie dɛnzitome-
'tri:
Densograph dɛnzo'gra:f
Densometer dɛnzo'me:tɐ
Densusianu *rumän.* den-
su'ʃjanu
Dent *engl.* dɛnt
Dentagra 'dɛntagra
dental, D... dɛn'ta:l
Dentalgie dɛntal'gi:, **-n**
...i:ən
Dentalis dɛn'ta:lɪs, **...les**
...le:s
dentalisieren dɛntali'zi:rən
Dente *it.* 'dɛnte
dentelieren dātə'li:rən
Dentelles *fr.* dā'tɛl
Dentes vgl. Dens
Dentice *it.* 'dɛntitʃe
Dentifikation dɛntifika-
'tsio:n
Dentikel dɛn'ti:kl̩
Dentin dɛn'ti:n
Dentist dɛn'tɪst
Dentition dɛnti'tsio:n
dentogen dɛnto'ge:n
Dentologie dɛntolo'gi:
Denton *engl.* 'dɛntən
D'Entrecasteaux Islands
engl. dɑ:ntrəkɑ:s'toʊ
'aɪləndz
Denudation denuda'tsio:n
denuklearisieren denuklea-
ri'zi:rən
Denunziant denʊn'tsiant
Denunziat denʊn'tsia:t
Denunziation denʊntsia-
'tsio:n
denunziatorisch denʊntsia-
'to:rɪʃ
denunzieren denʊn'tsi:rən
Denver *engl.* 'dɛnvə
Denzinger 'dɛntsɪŋɐ
Deo 'de:o
Deodat deo'da:t
Deodatus deo'da:tʊs, de-
'o:datʊs
Deodorant delodo'rant
deodorieren delodo'ri:rən
deodorisieren de-
lodori'zi:rən
Deo gratias! 'de:o 'gra:-
tsia:s
Deontik de'ɔntɪk
deontisch de'ɔntɪʃ
Deontologie deontolo'gi:

Deo optimo maximo 'de:o
'ɔptimo 'maksimo
De Palma *engl.* də'pælmə
Depardieu *fr.* dəpar'djø
Departement departə'mā:
departemental departəmā-
'ta:l
Department di'pa:ɐtmənt
Departure di'pa:ɐtʃɐ
Depauw *niederl.* də'pɔʊ
Dependance depā'dā:s, **-n**
...sn̩ ~
Dependenz depɛn'dɛnts
dependenziell depɛndɛn-
'tsiɛl
De Pere *engl.* də'pɪə
Depersonalisation depɛr-
zonaliza'tsio:n
Depesche de'pɛʃə
depeschieren depɛ'ʃi:rən
Depew *engl.* də'pju:
Dephlegmation deflɛgma-
'tsio:n
Dephlegmator deflɛ'gma:-
to:ɐ, **-en** ...ma'to:rən
dephlegmieren deflɛ'gmi:-
rən
depigmentieren depɪgmɛn-
'ti:rən
Depilation depila'tsio:n
Depilatorium depila'to:-
rium, **...ien** ...iən
depilieren depi'li:rən
Deplacement deplasə'mā:
deplacieren depla'si:rən,
auch: ...a'tsi:...
deplatzieren depla'tsi:rən
deplatziert depla'tsi:ɐt
Depletion deple'tsio:n
deplorabel deplo'ra:bl̩,
...ble ...blə
Depolarisation depolariza-
'tsio:n
Depolarisator depolari-
'za:to:ɐ, **-en** ...za'to:rən
depolarisieren depolari-
'zi:rən
Depolymerisation depoly-
meriza'tsio:n
Deponat depo'na:t
Deponens de'po:nɛns,
...nentia depo'nɛntsia,
...nenzien depo'nɛntsiən
Deponent depo'nɛnt
Deponie depo'ni:, **-n** ...i:ən
deponieren depo'ni:rən
Depopulation depopula-
'tsio:n
Deport de'pɔrt, *auch:*
de'po:ɐ

Deportation depɔrta'tsio:n
deportieren depɔr'ti:rən
Depositar depozi'ta:ɐ
Depositär depozi'tɛ:ɐ
Depositen depo'zi:tn̩
Deposition depozi'tsio:n
Depositorium depozi-
'to:rium, **...ien** ...iən
Depositum de'po:zitʊm,
...ta ...ta
depossedieren depɔse-
'di:rən
Depot de'po:
depotenzieren depotɛn-
'tsi:rən
Depp[e] 'dɛp[ə]
deppert 'dɛpɐt
Depravation deprava'tsio:n
depravieren depra'vi:rən
Deprekation depreka'tsio:n
Depression deprɛ'sio:n
depressiv deprɛ'si:f, **-e**
...i:və
Depressivität deprɛsivi'tɛ:t
Depretiation depretsia-
'tsio:n
depretiieren depretsi'i:rən
Depretis *it.* de'prɛ:tis
Deprez *fr.* də'pre
deprezieren depre'tsi:rən
deprimieren depri'mi:rən
Deprivation depriva'tsio:n
deprivieren depri'vi:rən
De profundis de: pro'fʊn-
di:s
Deptford *engl.* 'dɛtfəd
Depurans de'pu:rans,
...ntia depu'rantsia,
...nzien depu'rantsiən
Deputant depu'tant
Deputat depu'ta:t
Deputation deputa'tsio:n
deputieren depu'ti:rən
dequalifizieren dekualifi-
'tsi:rən
de Quincey *engl.* də'kwɪnsɪ
der de:ɐ
Derain *fr.* də'rɛ̃
Derangement derāʒə'mā:,
derany̆z...
derangieren derā'ʒi:rən,
derany̆'...
derart 'de:ɐ'la:ɐt
derartig 'de:ɐ'la:ɐtɪç
derb dɛrp, **-e** 'dɛrbə
Derbent *russ.* dɪr'bjɛnt
derbkomisch 'dɛrp'ko:mɪʃ
Derbolav 'dɛrbolaf
¹Derby (Ort) *England*
'dɑ:bɪ, *USA* 'də:bɪ

²**Derby** (Pferderennen)
'dɛrbi
Derbyshire engl. 'dɑːbɪʃɪə
Dercetas dɛr'tseːtas
Đerdap serbokr. ˌdzɛrdaːp
Derealisation derealiza-
'tsi̯oːn
deregulieren deregu'liːrən
dereierend dere'iːrənt, -e
...ndə
dereinst deːɐ̯'lai̯nst
dereinstens deːɐ̯'lai̯nstn̩s
dereinstig deːɐ̯'lai̯nstɪç
dereistisch dere'ɪstɪʃ
Derek 'deːrɛk
Dereliktion derelɪk'tsi̯oːn
derelinquieren derelɪŋ-
'kviːrən
Derème fr. də'rɛm
deren 'deːrən
Derenburg 'deːrənbʊrk
Derennes fr. də'rɛn
derenthalben 'deːrənt-
'halbn̩
derentwegen 'deːrənt-
've:gn̩
derentwillen 'deːrənt'vɪlən
derer 'deːrɐ
Derfflinger 'dɛrflɪŋɐ
dergestalt 'deːɐ̯gə'ʃtalt
dergleichen 'deːɐ̯'glai̯çn̩
De Ridder engl. də'rɪdə
de rigueur də ri'gøːɐ̯
Derivans 'deːrivans, ...ntia
deri'vantsi̯a, ...nzien deri-
'vantsi̯ən
Derivat deri'vaːt
Derivation deriva'tsi̯oːn
derivativ, D... deriva'tiːf,
auch: 'deːrivatiːf, -e ...iːvə
Derivativum deriva'tiːvʊm,
...va ...va
Derivator deri'vaːtoːɐ̯, -en
...va'toːrən
derivieren deri'viːrən
derjenige 'deːɐ̯je:nɪgə
Derk dɛrk
Derketo 'dɛrketo
derlei 'deːɐ̯'lai̯
Derleth 'dɛrlɛt, ...lət
Derma 'dɛrma, -ta -ta
dermal dɛr'maːl
dermaleinst 'deːɐ̯ma'l'lai̯nst
dermalen 'deːɐ̯maːlən,
auch: -'--
Dermalgie dɛrmal'giː, -n
...iːən
dermalig 'deːɐ̯ma·lɪç, auch:
-'--, -e ...ɪgə
dermaßen 'deːɐ̯'maːsn̩

Dermatikum dɛr'maːtikʊm,
...ka ...ka
dermatisch dɛr'maːtɪʃ
Dermatitis dɛrma'tiːtɪs,
...itiden ...atiˈtiːdn̩
Dermatogen dɛrmato'ge:n
Dermatoid® dɛrmato'iːt, -e
...iːdə
Dermatol® dɛrma'toːl
Dermatologe dɛrmato-
'loːgə
Dermatologie dɛrmatolo'gi
Dermatolysis dɛrmato-
'lyːzɪs
Dermatom dɛrma'toːm
Dermatomyiasis dɛrmato-
my'iːazɪs
Dermatomykose dɛrmato-
my'koːzə
Dermatomyom dɛrmato-
my'oːm
Dermatophyton dɛrmato-
'fyːton
Dermatoplastik dɛrmato-
'plastɪk
Dermatopsie dɛrmatɔ'psiː
dermatoptisch dɛrma'tɔp-
tɪʃ
Dermatose dɛrma'toːzə
Dermatozoon dɛrmato-
'tsoːɔn, ...zoen ...'tsoːən
Dermatozoonose dɛrmato-
tsoo'noːzə
Dermograph dɛrmo'graːf
Dermographie dɛrmo-
graˈfiː, -n ...iːən
Dermographismus dɛrmo-
graˈfɪsmʊs
Dermoid dɛrmo'iːt, -e
...'iːdə
Dermoplastik dɛrmo'plas-
tɪk
Dermota dɛr'moːta, 'dɛr-
mota
dermotrop dɛrmo'troːp
Dermoûth niederl. 'dɛrmut
Dèr Mouw niederl. dɛr'mou̯
Dermulo it. der'muːlo
Dernbach 'dɛrnbax
Dernburg 'dɛrnbʊrk
Dernesch 'dɛrnɛʃ
Dernier Cri, -s -s dɛr'nie:
'kriː
dero 'deːro
Derogation deroga'tsi̯oːn
derogativ deroga'tiːf, -e
...iːvə
derogatorisch deroga'toːrɪʃ
derogieren dero'giːrən
derohalben 'deːro'halbn̩

Deroute de'ruːt[ə], -n ...tn̩
Déroute fr. de'rut
derowegen 'deːro've:gn̩
Derra 'dɛra
Derrick 'dɛrɪk
Derrida fr. dɛri'da
Derris 'dɛrɪs
Derry engl. 'dɛrɪ
Derschawin russ. dɪr'ʒavin
derselbe deːɐ̯'zɛlbə
derselbige deːɐ̯'zɛlbɪgə
Dertinger 'dɛrtɪŋɐ
Deruet fr. də'rɥɛ
Deruta it. de'ruːta
Derviş türk. dɛr'viʃ
derweil 'deːɐ̯'vai̯l
derweile[n] 'deːɐ̯'vai̯lə[n]
Derwent engl. 'dɔːwənt,
'dɑːw...
Derwisch 'dɛrvɪʃ
Déry ung. 'deːri
derzeit 'deːɐ̯'tsai̯t
derzeitig 'deːɐ̯'tsai̯tɪç
des, Des dɛs
De Sabata it. de 'saːbata
Desaguadero span.
desaɣu̯a'ðero
Desai engl. dɛ'sai̯
Desaix fr. də'sɛ
desaktivieren dɛs-
lakti'viːrən, deza...
desaminieren dɛs-
lami'niːrən, deza...
Desani engl. dɛ'saːnɪ
Desannexion dɛs-
lanɛ'ksi̯oːn, deza...
Desargues fr. de'zarg
desarmieren dɛslar'miːrən,
deza...
Desaster de'zastɐ
Désaugiers fr. dezo'ʒi̯e
Desault fr. də'so
desavouieren dɛslavu'iːrən,
deza...
Desbordes fr. de'bɔrd
Descamps fr. de'kã
Descartes fr. de'kart
Descaves fr. de'kaːv
Desch dɛʃ
Deschamps fr. de'ʃã
Deschanel fr. deʃa'nɛl
Deschler 'dɛʃlɐ
Deschner 'dɛʃnɐ
Deschnjow russ. dɪʒ'njɔf
Deschwanden 'deːʃvandn̩
Descort de'koːɐ̯
Des Coudres fr. de'kudr
Desdemona dɛsde'moːna,
it. dez'dɛːmona
Des-Dur 'dɛsduːɐ̯, auch: '-'-

Deseine *fr.* dǝ'sɛn
Desengagement dɛs-
|ãgaʒǝ'mã:, dezã...
Desensibilisation dezɛnzi-
biliza'tsi̯o:n
Desensibilisator dezɛnzibi-
li'za:to:ɐ̯, **-en** ...za'to:rǝn
desensibilisieren dezɛnzi-
bili'zi:rǝn
Desenzano *it.* dezen'tsa:no
Desertas, Ilhas *port.* 'iʎɐʒ
ðǝ'zɛrtɐʃ
Deserteur dezɛr'tø:ɐ̯
desertieren dezɛr'ti:rǝn
Desertifikation dezɛrtifika-
'tsi̯o:n
Desertion dezɛr'tsi̯o:n
desfalls 'dɛs'fals
Desforges *fr.* de'fɔrʒ
Desful *pers.* dez'fu:l
desgleichen 'dɛs'glai̯çn̩
Des Grieux *fr.* degri'ø
Déshabillé dezabi'je:
deshalb 'dɛs'halp
Deshoulières *fr.* dezu'ljɛ:r
desiderabel dezide'ra:bl̩,
...**ble** ....blǝ
desiderat, D... dezide'ra:t
Desiderativum dezidera-
'ti:vʊm, ...**va** ...va
Desideratum dezide-
'ra:tʊm, ...**ta** ...ta
Desideria dezi'de:ri̯a
Desiderio *it.* desi'dɛ:ri̯o
Desiderium dezi'de:ri̯ʊm,
...**ien** ...i̯ǝn, ...**ia** ...i̯a
Desiderius dezi'de:ri̯ʊs
Design di'zai̯n
Designat dezi'gna:t
Designation dezɪgna'tsi̯o:n
Designator dezi'gna:to:ɐ̯,
...**en** ...a'to:rǝn
designatus dezi'gna:tʊs
Designer di'zai̯nɐ
designieren dezi'gni:rǝn
Desillusion dɛs|ɪlu'zi̯o:n,
dezɪlu'zi̯o:n
desillusionieren dɛs-
|ɪluzi̯o'ni:rǝn, dezɪ...
Desillusionismus dɛs-
|ɪluzi̯o'nɪsmʊs, dezɪ...
Desinfektion dɛs-
|ɪnfɛk'tsi̯o:n, dezɪ...
Desinfektor dɛs|ɪn'fɛkto:ɐ̯,
dezɪ..., **-en** ...'to:rǝn
Desinfiziens dɛs-
|ɪn'fi:tsi̯ɛns, dezɪ..., ...**ntia**
...fi'tsi̯ɛntsi̯a, ...**nzien**
...fi'tsi̯ɛntsi̯ǝn

desinfizieren dɛs-
|ɪnfi'tsi:rǝn, dezɪ...
Desinformation dɛs-
|ɪnfɔrma'tsi̯o:n, dezɪ...
Desintegration dɛs-
|ɪntegra'tsi̯o:n, dezɪ...
Desintegrator dɛs-
|ɪnte'gra:to:ɐ̯, dezɪ..., **-en**
...ra'to:rǝn
desintegrieren dɛs-
|ɪnte'gri:rǝn, dezɪ...
Desinteresse dɛs|ɪntǝ'rɛsǝ,
dezɪ..., 'dɛs|ɪ...
Desinteressement dɛs-
|ɛ̃tǝrɛsǝ'mã:, dezɛ̃...
desinteressiert dɛs-
|ɪntǝrɛ'si:ɐ̯t, dezɪ..., 'dɛs|ɪ...
Desinvestition dɛs-
ɪnvɛsti'tsi̯o:n, dezɪ...
Désinvolture dezɛ̃vɔl'ty:ɐ̯
Desio *it.* 'dɛ:zi̯o
Désirade *fr.* dezi'rad
Désirée *fr.* dezi're
desistieren dezɪs'ti:rǝn
Desjardins *fr.* deʒar'dɛ̃
Desjatine dɛsja'ti:nǝ
Desk... 'dɛsk...
Deskription dɛskrɪp'tsi̯o:n
deskriptiv dɛskrɪp'ti:f, **-e**
...i:vǝ
Deskriptivismus dɛskrɪpti-
'vɪsmʊs
Deskriptor dɛs'krɪpto:ɐ̯, **-en**
...'to:rǝn
Deslandes *fr.* de'lã:dr
Desmarées *fr.* dema're
Desmarets de Saint-Sorlin
fr. demarɛdsɛsɔr'lɛ̃
Desmin dɛs'mi:n
Desmitis dɛs'mi:tɪs, **Desmi-
tiden** dɛsmi'ti:dn̩
Desmodont dɛsmo'dɔnt
Desmoid dɛsmo'i:t, **-e**
...'i:dǝ
Des Moines *engl.* dɪ'mɔɪn[z]
Desmolasen dɛsmo'la:zn̩
Desmologie dɛsmolo'gi:
Desmond *engl.* 'dɛzmǝnd
Desmoulins *fr.* demu'lɛ̃
Desna *russ.* dɪs'na
Desnica *serbokr.* ˌdɛsnitsa
Desnos *fr.* dɛs'nɔs, ...no:s
Desnoyer[s] *fr.* denwa'je
Desodorans dɛs|o'do:rans,
dezo..., ...**ntia** ...do'rantsi̯a,
...**nzien** ...do'rantsi̯ǝn
desodorieren dɛs-
|odo'ri:rǝn, dezo...
desodorisieren dɛs-
|odori'zi:rǝn, dezo...

desolat dezo'la:t
Desordre de'zɔrdɐ, *auch:*
...dra
Desorganisation dɛs-
|ɔrganiza'tsi̯o:n, dezɔ...
desorganisieren dɛs-
|ɔrgani'zi:rǝn, dezɔ...
desorientiert dɛs-
|ɔri̯ɛn'ti:ɐ̯t, dezo...
Désormière *fr.* dezɔr'mjɛ:r
Desornamentado... dɛs-
|ɔrnamɛn'ta:do..., dezɔ...
Desorption dezɔrp'tsi̯o:n
De Soto *engl.* dǝ'soutoʊ
Desoxidation dɛs-
|ɔksida'tsi̯o:n, dezɔ...
desoxidieren dɛs-
|ɔksi'di:rǝn, dezɔ...
Desoxyribose dɛs-
|ɔksyri'bo:zǝ, dezɔ...
despektieren dɛspɛk'ti:rǝn
despektierlich dɛspɛk'ti:ɐ̯-
lɪç
Desperado dɛspe'ra:do
desperat dɛspe'ra:t
Desperation dɛspera'tsi̯o:n
Despériers *fr.* depe'rje
Despiau *fr.* dɛs'pjo
Despina *it.* des'pi:na
Des Places *fr.* de'plas
Des Plaines *engl.* dɛs
'plei̯nz
Despoina 'dɛspɔyna
Desportes *fr.* de'pɔrt
Depot dɛs'po:t
Despotie dɛspo'ti:, **-n** ...i:ǝn
despotisch dɛs'po:tɪʃ
despotisieren dɛspoti-
'zi:rǝn
Despotismus dɛspo'tɪsmʊs
Despréaux *fr.* depre'o
Despre[t]z *fr.* de'pre
Desquamation dɛskvama-
'tsi̯o:n
Des Roches *fr.* de'rɔʃ, *engl.*
'dei̯ 'rɔʃ
Dessalines *fr.* desa'lin
dessaretisch dɛsa're:tɪʃ
Dessau[er] 'dɛsau̯[ɐ]
desselben dɛs'zɛlbn̩
dessen 'dɛsn̩
dessenthalben 'dɛsn̩t'halbn̩
dessentwegen 'dɛsn̩t've:gn̩
dessentwillen 'dɛsn̩t'vɪlǝn
Dessert de'se:ɐ̯, dɛ'sɛ:ɐ̯;
auch: dɛ'sɛrt
Dessewffy *ung.* 'dɛʒø:fi
Dessi *it.* des'si
Dessin dɛ'sɛ̃
Dessinateur dɛsina'tø:ɐ̯

dessinieren dɛsiˈniːrən
Dessoir dɛˈsɔaː̯ʀ̩
Dessous dɛˈsuː, **des -** dɛˈsuː[s], **die -** dɛˈsuːs
destabilisieren destabiliˈziːrən
Destillat dɛstɪˈlaːt
Destillateur dɛstɪlaˈtøːʀ̯
Destillation dɛstɪlaˈtsi̯oːn
destillativ dɛstɪlaˈtiːf, **-e** ...iːvə
Destillator dɛstɪˈlaːtoːʀ̯, **-en** ...laˈtoːrən
Destille dɛsˈtɪlə
destillieren dɛstɪˈliːrən
Destimulator destimuˈlaːtoːʀ̯, **-en** ...laˈtoːrən
Destinatar dɛstinaˈtaːʀ̯
Destinatär dɛstinaˈtɛːʀ̯
Destination dɛstinaˈtsi̯oːn
Destinn ˈdɛstɪn
destituieren dɛstituˈiːrən
Destitution dɛstituˈtsi̯oːn
D'Estivet *fr.* dɛstiˈvɛ
desto ˈdɛsto
Destose dɛsˈtoːzə
Destouches *fr.* deˈtuʃ
Destour *fr.* dɛsˈtuːr
destra mano ˈdɛstra ˈmaːno
Destrée *fr.* dɛsˈtre
destruieren destruˈiːrən
Destruktion dɛstrʊkˈtsi̯oːn
destruktiv dɛstrʊkˈtiːf, **-e** ...iːvə
Destur dɛsˈtuːʀ̯
Destutt de Tracy *fr.* dɛstytdətraˈsi
desultorisch dezʊlˈtoːrɪʃ
deswegen ˈdɛsˈveːgn̩
deszendent, D... dɛstsɛnˈdɛnt
Deszendenz dɛstsɛnˈdɛnts
deszendieren dɛstsɛnˈdiːrən
Deszensus dɛsˈtsɛnzʊs, **die -** ...zuːs
détaché, D... detaˈʃe:
Detachement detaʃəˈmã:
Detacheur detaˈʃøːʀ̯
Detacheuse detaˈʃøːzə
detachieren detaˈʃiːrən
Detachur detaˈʃuːʀ̯
Detail deˈtai̯
Détaille *fr.* deˈtɑːj
detaillieren detaˈjiːrən
Detaillist detaˈjɪst
Detektei detɛkˈtai̯
Detektiv detɛkˈtiːf, **-e** ...iːvə
detektivisch detɛkˈtiːvɪʃ

Detektor deˈtɛktoːʀ̯, **-en** ...ˈtoːrən
Détente deˈtãːt
Detention detɛnˈtsi̯oːn
Deterding *niederl.* ˈdeːtərdɪŋ
Detergens deˈtɛrgɛns, **...ntia** ...ˈgɛntsi̯a, **...nzien** ...ˈgɛntsi̯ən
Deterioration deteri̯oraˈtsi̯oːn
Deteriorativum deteri̯oraˈtiːvʊm, **...va** ...iːva
deteriorieren deteri̯oˈriːrən
Determinante detɛrmiˈnantə
Determination detɛrminaˈtsi̯oːn
determinativ, D... detɛrminaˈtiːf, **-e** ...iːvə
Determinativum detɛrminaˈtiːvʊm, **...va** ...va
determinieren detɛrmiˈniːrən
Determinismus detɛrmiˈnɪsmʊs
Determinist detɛrmiˈnɪst
detestabel detɛsˈtaːbl̩, **...ble** ...blə
detestieren detɛsˈtiːrən
Detlef ˈdeːtlɛf, *auch:* ˈdɛtlɛf
Detmar ˈdeːtmar, *auch:* ˈdɛt...
Detmold ˈdɛtmɔlt
Detmolder ˈdɛtmɔldɐ
Detonation detonaˈtsi̯oːn
Detonator detoˈnaːtoːʀ̯, **-en** ...naˈtoːrən
detonieren detoˈniːrən
Detraktion detrakˈtsi̯oːn
Detrick *engl.* ˈdɛtrɪk
Detriment detriˈmɛnt
detritogen detritoˈgeːn
Detritus deˈtriːtʊs
Detroit diˈtrɔyt, *engl.* dəˈtrɔɪt
Detskoje Selo *russ.* ˈdjɛtskɐjə sɪˈlɔ
Dettelbach ˈdɛtl̩bax
Dettifoss *isl.* ˈdɛhtɪfɔs
Dettingen ˈdɛtɪŋən
detto ˈdɛto
detur ˈdeːtʊr
Detumeszenz detumɛsˈtsɛnts
Detva *slowak.* ˈdjɛtva
Detxepare *bask.* detʃepare
Deubel ˈdɔybl̩
Deuce djuːs
deucht[e] ˈdɔyçt[ə]

Deukalion dɔyˈkaːli̯ɔn
deukalionisch dɔykaˈli̯oːnɪʃ
Deulino *russ.* dɪˈulinɐ
Deurne *niederl.* ˈdøːrnə
Deus *port.* deu̯ʃ, *bras.* deu̯s
Deus absconditus ˈdeːʊs apsˈkɔnditus
Deusdedit deːʊsˈdeːdɪt, deˈʊsdedɪt
Deus ex Machina ˈdeːʊs ɛks ˈmaxina, **Dei - -** ˈdeːi - -
Deussen ˈdɔysn̩
Deut dɔyt
Deutelei dɔytəˈlai̯
deuteln ˈdɔytl̩n
deuten, D... ˈdɔytn̩
Deuter ˈdɔytɐ
Deuteragonist dɔyteragoˈnɪst
Deuteranomalie dɔyteranomaˈliː, **-n** ...iːən
Deuteranopie dɔyteranˈlo̯piː, **-n** ...iːən
Deuterei dɔytəˈrai̯
Deuterium dɔyˈteːri̯ʊm
Deuteroanomalie dɔyteroanomaˈliː, **-n** ...iːən
Deuterojesaja dɔyterojeˈzaːja
Deuteron ˈdɔyterɔn, **...onen** ...ˈroːnən
deuteronomisch dɔyteroˈnoːmɪʃ
Deuteronomist dɔyteronoˈmɪst
Deuteronomium dɔyteroˈnoːmi̯ʊm
Deuterostomier dɔyteroˈstoːmi̯ɐ
...deutig ...dɔytɪç, **-e** ...ɪgə
Deutinger ˈdɔytɪŋɐ
Deutler ˈdɔytlɐ
deutlich ˈdɔytlɪç
Deutoplasma dɔytoˈplasma
deutsch, ¹D... dɔytʃ
²Deutsch (Name) dɔytʃ, *engl.* dɔɪtʃ, *fr.* dœtʃ
Deutsch-Altenburg ˈdɔytʃˈʔaltn̩bʊrk
Deutschamerikaner ˈdɔytʃamerikaːnɐ, ----'--
deutschamerikanisch ˈdɔytʃamerikaːnɪʃ, ----'--
Deutschbein ˈdɔytʃbai̯n
Deutschendorf ˈdɔytʃn̩dɔrf
Deutsches Eck ˈdɔytʃəs ˈɛk
Deutsch Eylau ˈdɔytʃˈʔailau̯
Deutsch Krone ˈdɔytʃˈkroːnə
Deutschkunde ˈdɔytʃkʊndə

Deutschkundler 'dɔytʃ-
kʊntlɐ
deutschkundlich 'dɔytʃ-
kʊntlɪç
Deutschland 'dɔytʃlant
Deutschlandsberg dɔytʃ-
'lantsbɛrk
Deutschlehrer 'ddɔytʃleːrɐ
Deutschmeister 'dɔytʃ-
maistɐ
Deutschordensritter
dɔytʃ'ɔrdn̩srɪtɐ
Deutschösterreich 'dɔytʃ-
'|øːstɔraiç
Deutschritterorden
dɔytʃ'rɪtɐ|ɔrdn̩, '---,--
deutschschweizerisch
'dɔytʃʃvaitsɐrɪʃ
deutschsprachig 'dɔytʃ-
ʃpraːxɪç
deutschsprachlich 'dɔytʃ-
ʃpraːxlɪç
Deutschsprechen 'dɔytʃ-
ʃprɛçn̩
Deutschtum 'dɔytʃtuːm
Deutschtümelei dɔytʃtyː-
məˈlai
Deutschtümler 'dɔytʃ-
tyːmlɐ
Deutschunterricht 'dɔytʃ-
|ʊntɐrɪçt
Deutsch-Wagram dɔytʃ-
'vaːgram
Deutschwissenschaft
'dɔytʃvɪsn̩ʃaft
Deutung 'dɔytʊŋ
Deutz[ie] 'dɔyts[iə]
Deuxpièces døˈpiɛːs
Deux-Sèvres fr. døˈsɛːvr
Deva rumän. 'deva
Déva[i] ung. 'deːvɔ[i]
Deval fr. dəˈval
De Valera engl. dəvəˈlɛərə
Devalvation devalvaˈtsioːn
devalvationistisch deval-
vatsioˈnɪstɪʃ
devalvatorisch devalva-
'toːrɪʃ
devalvieren devalˈviːrən
Devastation devastaˈtsioːn
devastieren devasˈtiːrən
Develi türk. 'dɛvɛli
Developer diˈvɛləpɐ
Devens engl. 'dɛvənz
Deventer niederl. 'deːvəntɐr
deverbativ, D... devɛrbaˈtiːf,
auch: 'deːvɛrbatiːf, -e ...iːvə
Deverbativum devɛrba-
'tiːvʊm, ...va ...va
Devereux engl. 'dɛvəruː[ks]

Devéria fr. dəveˈrja
Deveroux 'deːveru
devestieren devɛsˈtiːrən
Devestition devɛstiˈtsioːn
Devestitur devɛstiˈtuːɐ̯
Devèze fr. dəˈvɛːz
deviant deˈviant
Devianz deˈviants
Deviation deviaˈtsioːn
Deviationist deviatsioˈnɪst
Devienne fr. dəˈvjɛn
deviieren deviˈiːrən
Deville fr. dəˈvil
Devils Lake engl. 'dɛvɪlz
'leik
Devis engl. 'dɛvɪs
Devise deˈviːzə
devital deviˈtaːl
devitalisieren devitali-
'ziːrən
Devizes engl. dɪˈvaɪzɪz
Devlin engl. 'dɛvlɪn
Devoll alban. deˈvɔl
Devolution devoluˈtsioːn
devolvieren devɔlˈviːrən
¹Devon (Erdg.) deˈvoːn
²Devon (Name) engl. dɛvn
devonisch deˈvoːnɪʃ
Devonport engl. 'dɛvnpɔːt
Devonshire engl. 'dɛvnʃɪə
devorieren devoˈriːrən
devot deˈvoːt
Devotio moderna deˈvoː-
tsio moˈdɛrna
Devotion devoˈtsioːn
devotional devotsioˈnaːl
Devotionalien devotsioˈnaː-
liən
Devoto it. deˈvɔːto
Devrient deˈfriːnt, auch:
dəvriˈɛ̃
Dewadasi devaˈdaːzi
Dewanagari devaˈnaːgari
Dewar engl. 'djuːə
Dewasne fr. dəˈvaːn
Dewet afr. dəˈvɛt
De Wette deˈvɛtə
Dewey engl. 'djuːɪ
Dewsbury engl. 'djuːzbəri
Dexiographie dɛksioɡraˈfiː
dexiographisch dɛksio-
'graːfɪʃ
Dextran dɛksˈtraːn
Dextrin dɛksˈtriːn
dextrogyr dɛkstroˈɡyːɐ̯
Dextrokardie dɛkstro-
karˈdiː, -n ...iːən
Dextropur® dɛkstroˈpuːɐ̯
Dextrose dɛksˈtroːzə
Deyssel niederl. 'dɛisəl

Dez[em] 'deːts[ɛm]
Dezember deˈtsɛmbɐ
Dezemvir deˈtsɛmvɪr
Dezemvirat detsɛmviˈraːt
Dezennium deˈtsɛniʊm,
...ien ...iən
dezent deˈtsɛnt
dezentral detsɛnˈtraːl
Dezentralisation detsɛntra-
lizaˈtsioːn
dezentralisieren detsɛntra-
liˈziːrən
Dezenz deˈtsɛnts
Dezerebration detserebra-
ˈtsioːn
Dezernat detsɛrˈnaːt
Dezernent detsɛrˈnɛnt
Dezett deˈtsɛt
Deziar detsiˈ|aːɐ̯, auch:
'deːtsi...
Dezibel detsiˈbɛl, auch:
'deːtsi...
dezidieren detsiˈdiːrən
Dezigramm detsiˈgram,
auch: 'deːtsi...
Deziliter detsiˈliːtɐ, auch:
'deːtsi..., ...litɐ
dezimal detsiˈmaːl
Dezimale detsiˈmaːlə
dezimalisieren detsimali-
'ziːrən
Dezimation detsimaˈtsioːn
Dezime 'deːtsimə, deˈtsiːmə
Dezimeter detsiˈmeːtɐ,
auch: 'deːtsi...
dezimieren detsiˈmiːrən
Dezisionismus detsizioˈnɪs-
mʊs
dezisiv detsiˈziːf, -e ...iːvə
Dezister detsiˈsteːɐ̯, auch:
'deːtsi...
Dežman serbokr. ˌdɛʒman
DGB deːgeːˈbeː
Dhahran daˈraːn, daxˈraːn
Dhaka 'daka, engl. 'dækə,
'daːkə
Dharma 'darma
Dhau dau
Dhaulagiri daulaˈgiːri
Dhaw dau
Dhlomo engl. 'dloumou
D'Hondt tɔnt, niederl. dɔnt
Dhorme fr. dɔrm
D'Hôtel fr. doˈtɛl
Dhoti doˈti
Dhulia engl. 'duːliə
Dia 'diːa
Diabas diaˈbaːs, -e ...aːzə
Diabelli diaˈbɛli

Diabetes [mellitus] dia-
'be:tɛs [mɛ'li:tʊs]
Diabetiker dia'be:tikɐ
diabetisch dia'be:tɪʃ
Diabetologe diabeto'lo:gə
Diabetologie diabeto-
lo'gi:
Diabolie diabo'li:
Diabolik dia'bo:lɪk
diabolisch dia'bo:lɪʃ
Diabolo di'a:bolo
Diabolos di'a:bolɔs
Diabolus di'a:bolʊs
Diabon® dia'bo:n
Diabrosis dia'bro:zɪs
Diachronie diakro'ni:
diachron[isch] dia'kro:n[ɪʃ]
Diadem dia'de:m
Diadoche dia'dɔxə
Diagenese diage'ne:zə
Diaghilev fr. djagi'lɛf
Diaglyphe dia'gly:fə
diaglyphisch dia'gly:fɪʃ
Diagnose dia'gno:zə
Diagnostik dia'gnɔstɪk
Diagnostiker dia'gnɔstikɐ
Diagnostikon dia'gnɔsti-
kɔn, ...ka ...ka
diagnostisch dia'gnɔstɪʃ
diagnostizieren diagnɔsti-
'tsi:rən
diagonal, D... diago'na:l
Diagonale diago'na:lə
Diagoras di'a:goras
Diagramm dia'gram
Diagraph dia'gra:f
Diahyponym diahypo'ny:m,
'di:a...
Diakaustik dia'kaʊstɪk
diakaustisch dia'kaʊstɪʃ
Diakon dia'ko:n
Diakonat diako'na:t
Diakonie diako'ni:
Diakonikon diakoni'kɔn,
Diakonika diakoni'ka
diakonisch dia'ko:nɪʃ
Diakonisse diako'nɪsə
Diakonissin diako'nɪsɪn
Diakonus di'a:konʊs, Dia-
kone[n] dia'ko:nə[n]
Diakos neugr. 'ðjakɔs
Diakrise dia'kri:zə
Diakrisis di'a:krizɪs, Diakri-
sen dia'kri:zn̩
diakritisch dia'kri:tɪʃ
diaktin diak'ti:n
Dialekt dia'lɛkt
dialektal dialɛk'ta:l
Dialektik dia'lɛktɪk
Dialektiker dia'lɛktikɐ

dialektisch dia'lɛktɪʃ
Dialektologie dialɛktolo'gi:
dialektologisch dialɛkto-
'lo:gɪʃ
Diallag dia'la:k, -e ...a:gə
Diallele dia'le:lə
Dialog dia'lo:k, -e ...o:gə
dialogisch dia'lo:gɪʃ
dialogisieren dialogi'zi:rən
Dialogismus dialo'gɪsmʊs
Dialogist dialo'gɪst
Dialypetale dialype'ta:lə
Dialysat dialy'za:t
Dialysator dialy'za:to:ɐ, -en
...za'to:rən
Dialyse dia'ly:zə
dialysieren dialy'zi:rən
dialytisch dia'ly:tɪʃ
diamagnetisch diama-
'gne:tɪʃ
Diamagnetismus diama-
gne'tɪsmʊs
Diamant dia'mant
Diamante span. dia'mante
diamanten dia'mantn̩
Diamantina bras. diɐmɐn-
'tina
Diamantine diaman'ti:nə
Diamantit diaman'ti:t
DIAMAT, Diamat dia'mat
Diameter dia'me:tɐ
diametral diame'tra:l
diametrisch dia'me:trɪʃ
Diamid dia'mi:t, -es ...i:dəs
Diamin dia'mi:n
Diamond engl. 'daɪəmənd
Diana dt., it. 'dja:na, span.
'djana, engl. daɪ'ænə
Diane fr. djan
Dianetik dia'ne:tɪk
Dianoetik diano'e:tɪk
dianoetisch diano'e:tɪʃ
Diapason dia'pa:zɔn, auch:
diapa'zo:n, -e ...pa'zo:nə
Diapause dia'paʊzə
Diapedese diape'de:zə
diaphan dia'fa:n
Diaphanie diafa'ni:, -n
...i:ən
Diaphanität diafani'tɛ:t
Diaphanoskop diafano-
'sko:p
Diaphanoskopie diafano-
sko'pi:, -n ...i:ən
Diaphonie diafo'ni:, -n
...i:ən
Diaphora di'a:fora
Diaphorese diafo're:zə
Diaphoretikum diafo're:ti-
kʊm, ...ka ...ka

diaphoretisch diafo're:tɪʃ
Diaphragma dia'fragma
Diaphthorese diafto're:zə
Diaphthorit diafto'ri:t
Diaphyse dia'fy:zə
Diapir dia'pi:ɐ
Diapositiv diapozi'ti:f,
auch: 'di:a..., -e ...i:və
Diärese diɛ're:zə
Diäresis di'ɛ:rezɪs, Diäre-
sen diɛ're:zn̩
Diario span. 'djario, port.
'djariu, it. di'a:rio
Diarium 'dia:riʊm, ...ien
...iən
Diarrhö, ...öe dia'rø:,
...rrhöen ...'rø:ən
diarrhöisch dia'rø:ɪʃ
Diarthrose diar'tro:zə
Dias port. 'dieʃ, bras. 'dias
diaschist dia'sçɪst, dia'ʃɪst
Diaskeuast diaskɔy'ast
Diaskop dia'sko:p
Diaskopie diasko'pi:, -n
...i:ən
Diaspor dia'spo:ɐ
Diaspora di'aspora
Diastase dia'sta:zə
Diastema dia'ste:ma, -ta
-ta
Diastole di'astole, auch:
dia'sto:lə, -n dia'sto:lən
diastolisch dia'sto:lɪʃ
diastrat[isch] dia'stra:t[ɪʃ]
diät, D... di'ɛ:t
Diätar diɛ'ta:ɐ
diätarisch diɛ'ta:rɪʃ
Diäten di'ɛ:tn̩
Diätetik diɛ'te:tɪk
Diätetikum diɛ'te:tikʊm,
...ka ...ka
diätetisch diɛ'te:tɪʃ
Diathek dia'te:k
diatherman diatɛr'ma:n
Diathermanität diatɛrma-
ni'tɛ:t
Diathermansie diatɛr-
man'zi:
Diathermie diatɛr'mi:
Diathese dia'te:zə
Diäthylen diɛty'le:n
diätisch di'ɛ:tɪʃ
Diätistin diɛ'tɪstɪn
Diatomee diato'me:ə, -n
...me:ən
Diatomit diato'mi:t
Diatonik dia'to:nɪk
diatonisch dia'to:nɪʃ
diatopisch dia'to:pɪʃ
Diatret... dia'tre:t...

Diatribe dia'tri:bə
Diavolo di'a:volo, ...li ...li
Diaz it. 'di:ats, port. 'diɐʃ
Díaz span. 'diaθ
Diaz de la Peña fr. djazdə-
lape'nja
Diazed... dia'tsɛt...
Diazin dia'tsi:n
Diazotypie diatsoty'pi:
Dib fr. dib
Diba 'di:ba
dibbeln 'dıbl̩n, dibble 'dıblə
Dibbuk 'dıbʊk
Dibdin engl. 'dıbdın
Dibelius di'be:ljʊs
Dibër alban. 'dibər
D'Iberville engl. 'daıbəvıl
Dibothriocephalus dibo-
trio'tse:falʊs
Dibrachys 'di:braxʏs
Dibrugarh engl. 'dıbrʊgə
Dicenta span. di'θenta
Dicentra di'tsɛntra, ...rae
...rɛ
dich dıç
Dichasium dı'ça:zjʊm, ...ien
...jən
Dichogamie dıçoga'mi:
Dichoreus diço're:ʊs,
...reen ...re:ən
dichotom dıço'to:m
Dichotomie dıçoto'mi:, -n
...i:ən
Dichroismus dikro'ısmʊs
dichroitisch dikro'i:tıʃ
Dichrom di'kro:m...
Dichromasie dikroma'zi:,
-n ...i:ən
Dichromat dikro'ma:t
Dichromatopsie dikro-
matə'psi:, -n ...i:ən
Dichromie dikro'mi:, -n
...i:ən
Dichroskop dikro'sko:p
dicht dıçt
Dichte 'dıçtə
dichten 'dıçtn̩
Dichter 'dıçtɐ
dichterisch 'dıçtərıʃ
Dichterling 'dıçtɐlıŋ
dichthalten 'dıçthaltn̩
Dichtigkeit 'dıçtıçkaıt
Dichtl 'dıçtl̩
Dichtung 'dıçtʊŋ
dick dık
Dick dt., engl. dık
Dicke 'dıkə
Dickens engl. 'dıkınz
Dickenson engl. 'dıkınsn
Dickey engl. 'dıkı

Dickicht 'dıkıçt
Dickie engl. 'dıkı
Dickinson engl. 'dıkınsn
Dickson 'dıksɔn, engl. dıksn
Dickte 'dıktə
Dicktuerei dıktu:ə'raı
Dicle türk. 'dıdʒlɛ
Dictionnaire dıksjɔ'nɛ:ɐ
Didaktik di'daktık
Didaktiker di'daktikɐ
didaktisch di'daktıʃ
didaktisieren didakti'zi:rən
Didaskalia didaska'li:a
Didaskalien didas'ka:ljən
Didaxe di'daksə
Diday fr. di'dɛ
Diddley engl. 'dıdlı
dideldum! di:dl̩'dʊm
dideldumdei! di:dl̩dʊm'daı
Diderot fr. di'dro
Didgeridoo engl. dıdʒərı'du:
Didier fr. di'dje
Didimotichon neugr. ðiði-
'mɔtixɔn
Didion engl. 'dıdıən
Dido 'di:do
Didot di'do:, fr. di'do
Didring schwed. .di:drıŋ
Didschla 'dıdʒla
Didym di'dy:m
Didyma di:'dyma
Didymitis didy'mi:tıs, Didy-
mitiden didymi'ti:dn̩
Didymos 'di:dymɔs
Didymus 'di:dymʊs
didynamisch didy'na:mıʃ
die di:
Die fr. di
Dieb di:p, -e 'di:bə
Diebenkorn engl. 'di:bən-
kɔ:n
Dieberei di:bə'raı
diebessicher 'di:bəszıçɐ
diebisch 'di:bıʃ
Diebitsch 'di:bıtʃ
Diebstahl 'di:pʃta:l
Dieburg 'di:bʊrk
Dieck[er]hoff 'di:k[ɐ]hɔf
Dieckmann 'di:kman
Diedenhofen 'di:dnho:fn̩
Dieder (Vieleck) di'|e:dɐ
Diederichs 'di:dərıçs
Dief[f]enbach 'di:fnbax
Diefenbaker engl. 'di:fən-
beıkə
Diegese die'ge:zə
diegetisch die'ge:tıʃ
Diego 'dje:go, span. 'djeyo,
it. 'diɛ:go, engl. 'djeıgoʊ

Diégo-Suarez fr. djegosya-
'rɛs, ...rɛ:z
Diehard 'daıha:ɐt
Diehl di:l, fr. dil
diejenige 'di:je:nıgə
Diek[irch] 'di:k[ırç]
Diele 'di:lə
Dielektrikum die'lɛktrikʊm,
...ka ...ka
dielektrisch die'lɛktrıʃ
dielen 'di:lən
Dielmann 'di:lman
Diels[dorf] 'di:ls[dɔrf]
Diem[e] 'di:m[ə]
Diemel 'di:ml̩
Diemelstadt 'di:ml̩ʃtat
¹Diemen (Feim) 'di:mən
²Diemen niederl. 'dimə
Diémer fr. dje'mɛ:r
Dien di'e:n
Dienbienphu 'djɛn'bjɛn'fu:
Điên Biên Phu vietn. diən
biən fu 114
dienen 'di:nən
Diener 'di:nɐ
dienern 'di:nɐn
Dienst[ag] 'di:nst[a:k]
Dienstagabend di:nsta:k-
'|a:bn̩t, '--'--
dienstägig 'di:nstɛ:gıç
dienstäglich 'di:nstɛ:klıç
dienstags 'di:nsta:ks
Dientzenhofer 'di:ntsnho:fɐ
Diepenbee[c]k niederl.
'dipənbe:k
Diepenbrock niederl.
'dipənbrɔk
Diepgen 'di:pgn̩
Diephold 'di:pɔlt
Diepholz 'di:phɔlts
Diepoldinger 'di:pɔldıŋɐ
Dieppe fr. djɛp
Dierauer 'di:raʊɐ
Dierdorf 'di:ɐdɔrf
Dierk[ow] 'di:ɐk[o]
Dierx fr. djɛrks
dies di:s, -e 'di:zə
Dies [academicus] 'di:ɛs
[aka'de:mikʊs]
Dies ater 'di:ɛs 'a:tɐ
Diesbach 'di:sbax
diesbezüglich 'di:s-
bətsy:klıç
diese 'di:zə
Diese di'e:zə
Diesel 'di:zl̩
dieselbe di:'zɛlbə
dieselbige di:'zɛlbıgə
dieseln 'di:zl̩n, diesle 'di:zlə
dieser 'di:zɐ

dieserart 'di:zɐ|aːɐ̯t
dieserhalb 'di:zɐhalp
dieses 'di:zəs
diesfalls 'di:sfals
diesig 'di:zɪç, -e ...ɪgə
Dies Irae 'di:ɛs 'i:rɛ
Diesis 'di:ezɪs, Diesen
di'e:zn̩
diesjährig 'di:sjɛːrɪç
Dieskau 'di:skau̯
diesmal 'di:smaːl
diesmalig 'di:smaːlɪç, -e
...ɪgə
diesseitig 'di:szaɪ̯tɪç
diesseits 'di:szaɪ̯ts
Dießen 'di:sn̩
Diessenhofen 'di:snho:fn̩
Diest niederl. dist
Diesterweg 'di:stɐve:k
Dietbald 'di:tbalt
Dietbert 'di:tbɛrt
Dieter 'di:tɐ
Dieterich 'di:tərɪç
Dieterle 'di:tɐlə
Dietfried 'di:tfri:t
Dietfurt 'di:tfʊrt
Dietger 'di:tgɐr
Dieth di:t
Diethelm 'di:thɛlm
Diether 'di:tɐ, 'di:thɛr
Diethild 'di:thɪlt
Diethilde di:t'hɪldə
Dietikon 'di:tiko:n
Dietkirchen 'di:tkɪrçn̩, -'--
Dietl 'di:tl̩
Dietlind 'di:tlɪnt
Dietlinde di:t'lɪndə
Dietmar 'di:tmar
Dietmund 'di:tmʊnt
Dietram 'di:tram
Dietramszell di:trams'tsɛl
Dietrich 'di:trɪç
Dietrichson norw. 'di:trik-
sɔn
Dietrichstein 'di:trɪçʃtaɪ̯n
Dietrici, ...cy di'trik'tsi
Dietterlin 'di:tɐli:n
Diettrich 'di:trɪç
Dietz[e] 'di:ts[ə]
Dietzenbach 'di:tsn̩bax
Dietzenschmidt 'di:tsn̩ʃmɪt
Dietzfelbinger di:ts'fɛlbɪŋɐ
Dietzsch di:tʃ
Dieudonné fr. djødɔ'ne
Dieu le veut! fr. djøl'vø
Dieupart fr. djø'pa:r
Dieussart fr. djø'sa:r
Dieuze fr. djø:z
Dievenow 'di:vəno
dieweil di:'vaɪ̯l

Diez di:ts
Diez span. 'dieθ
Diezel 'di:tsl̩
Diezmann 'di:tsman
Diffalco dɪ'falko, ...chi ...ki
Diffamation dɪfama'tsi̯o:n
diffamatorisch dɪfama'to:-
rɪʃ
Diffamie dɪfa'mi:, -n ...i:ən
diffamieren dɪfa'mi:rən
Differdange fr. difɛr'dãːʒ
Differdingen 'dɪfɐdɪŋən
different dɪfə'rɛnt
Differenz dɪfə'rɛnts
differenzial, D... dɪfərɛn-
'tsi̯a:l
Differenziat dɪfərɛn'tsi̯a:t
Differenziation dɪfərɛntsi̯a-
'tsi̯o:n
Differenziator dɪfərɛn'tsi̯a:-
to:ɐ̯, -en ...i̯a'to:rən
differenziell dɪfərɛn'tsi̯ɛl
differenzieren dɪfərɛn'tsi:-
rən
differieren dɪfə'ri:rən
diffizil dɪfi'tsi:l
Diffluenz dɪflu'ɛnts
difform dɪ'fɔrm
Difformität dɪfɔrmi'tɛ:t
diffrakt dɪ'frakt
Diffraktion dɪfrak'tsi̯o:n
diffundieren dɪfʊn'di:rən
diffus dɪ'fu:s, -e ...u:zə
Diffusat dɪfu'za:t
Diffusion dɪfu'zi̯o:n
Diffusor dɪ'fu:zo:ɐ̯, -en
dɪfu'zo:rən
Digamma di'gama
Digby engl. 'dɪgbɪ
digen di'ge:n
Digenis dige'nɪs
digerieren dige'ri:rən
Digest 'daɪ̯dʒɛst
Digesten di'gɛstn̩
Digestif digɛs'ti:f
Digestion digɛs'tsi̯o:n
digestiv digɛs'ti:f, -e ...i:və
Digestivum digɛs'ti:vʊm,
...va ...va
Digestor di'gɛsto:ɐ̯, -en
...'to:rən
Diggelmann 'dɪglman
Digger 'dɪgɐ
Digges engl. dɪgz
Digimatik digi'ma:tɪk
Digit 'dɪdʒɪt
digital digi'ta:l
Digitalis digi'ta:lɪs
digitalisieren digitali'zi:rən

Digitaloid digitalo'i:t, -e
...i:də
Digitoxin digitɔ'ksi:n
Digitus 'di:gitʊs, ...ti ...ti
Diglossie diglɔ'si:, -n ...i:ən
Diglyph di'gly:f
Digne fr. diɲ
Dignitar dɪgni'ta:ɐ̯
Dignitär dɪgni'tɛ:ɐ̯
Dignität dɪgni'tɛ:t
digorisch di'go:rɪʃ
Digramm di'gram
Digraph di'gra:f
Digression digrɛ'si̯o:n
Digul indon. 'digʊl
digyn di'gy:n
dihybrid dihy'bri:t, 'di:h...;
-e ...i:də
Dihybride dihy'bri:də,
'di:h...
Dijambus di'jambʊs
Dijck, Dijk daɪ̯k, niederl.
dɛɪ̯k
Dijkstra niederl. 'dɛɪ̯kstra
Dijon fr. di'ʒõ
dijudizieren dijudi'tsi:rən
Dikaryont dika'rÿɔnt
Dikasterion dikas'te:ri̯ɔn,
...ien ...i̯ən
Dikasterium dikas'te:ri̯ʊm,
...ien ...i̯ən
Dike 'di:kə
diklin di'kli:n
dikotyl diko'ty:l
Dikotyle diko'ty:lə
Dikotyledone dikotyle-
'do:nə
Dikrotie dikro'ti:, -n ...i:ən
Diksmuide niederl. dɪks-
'mœi̯də
Dikta vgl. Diktum
Diktam 'dɪktam
diktando dɪk'tando
Diktant dɪk'tant
Diktaphon dɪkta'fo:n
Diktat dɪk'ta:t
Diktator dɪk'ta:to:ɐ̯, -en
dɪkta'to:rən
diktatorial dɪktato'ri̯a:l
diktatorisch dɪkta'to:rɪʃ
Diktatur dɪkta'tu:ɐ̯
diktieren dɪk'ti:rən
Diktion dɪk'tsi̯o:n
Diktionär dɪktsi̯o'nɛ:ɐ̯
Diktonius schwed. dik'tu:-
niʊs
Diktum 'dɪktʊm, ...ta ...ta
Diktus 'dɪktʊs
Diktyogenese dɪktÿoge-
'ne:zə

Diktys 'dıktʏs
Đilas *serbokr.* ˌdzilas
dilatabel dilaˈta:bl̩, ...**ble**
...blə
Dilatabiles dilaˈta:bile:s
Dilatation dilataˈtsi̯o:n
Dilatator dilaˈta:to:ɐ̯, -**en**
dilataˈto:rən
dilatieren dilaˈti:rən
Dilation dilaˈtsi̯o:n
Dilatometer dilatoˈme:tɐ
dilatorisch dilaˈto:rıʃ
Dildo 'dıldo
Dilemma diˈlɛma, -**ta** -ta
dilemmatisch dilɛˈma:tıʃ
Dilettant dilɛˈtant
dilettantisch dilɛˈtantıʃ
Dilettantismus dilɛtanˈtıs-
mʊs
dilettieren dilɛˈti:rən
Dili *port.* 'dili
Dilich 'di:lıç
Diligence diliˈʒɑ̃:s, -**n** -sn̩
Diligenz diliˈgɛnts
Dilke *engl.* dılk
Dill *dt., engl.* dıl
Dille[nburg] 'dılə[nbʊrk]
Dillens *niederl.* 'dıləns
Dilliger 'dılıgɐ
Dillingen 'dılıŋən
Dillinger 'dılıŋɐ, *engl.*
'dılındʒɐ
Dillis 'dılıs
Dillmann 'dılman
Dillon *fr.* diˈlõ, *engl.* 'dılən
Dilong *slowak.* 'dıloŋk
Dilos *neugr.* 'ðilɔs
Dilsberg 'dılsbɛrk
Dilthey 'dıltaɪ̯
diluieren diluˈi:rən
Dilution diluˈtsi̯o:n
diluvial diluˈvi̯a:l
Diluvium diˈlu:vi̯ʊm, ...**ien**
...i̯ən
Dimafon dimaˈfo:n
Dîmboviţa *rumän.* 'dımbo-
vitsa
Dime daɪ̯m
Dimension dimɛnˈzi̯o:n
dimensional dimɛnzi̯oˈna:l
dimensionieren dimɛnzi̯o-
ˈni:rən
dimer diˈme:ɐ̯
Dimerisation dimeriza-
ˈtsi̯o:n
Dimeter 'di:metɐ
Dimini *neugr.* ðiˈmini
Diminuendo dimiˈnu̯ɛndo,
...**di** ...di
diminuieren diminuˈi:rən

Diminution diminuˈtsi̯o:n
diminutiv, D... diminuˈti:f,
-**e** ...i:və
Diminutivum diminuˈti:-
vʊm, ...**va** ...va
Dimission dimɪˈsi̯o:n
Dimissionär dimɪsi̯oˈnɛ:ɐ̯
Dimissoriale dimɪsoˈri̯a:lə,
...**ien** ...i̯ən
Dimitar *bulgar.* diˈmitər
Dimitri *russ.* diˈmitrij
Dimitrije *serbokr.* diˌmitri̯ɛ
Dimitrijević *serbokr.*
diˌmitri̯ɛvitɕ
Dimitroff 'dımitrɔf, dimi-
'trɔf
Dimitrovgrad *serbokr.*
'dimitrɔvgrad
Dimitrow *bulgar.* dimiˈtrɔf
Dimitrowa *bulgar.* dimi-
'trɔvɐ
Dimitrowgrad *bulgar.*
diˈmitrovgrat, *russ.* dimi-
trav'grat
Dimitrowo *bulgar.* diˈmi-
trovo
dimittieren dimɪˈti:rən
Dimmer 'dımɐ
di molto diˈmɔlto
Dimona *hebr.* dimɔ'na
dimorph diˈmɔrf
Dimorphie dimɔrˈfi:, -**n**
...i:ən
Dimorphismus dimɔrˈfıs-
mʊs
Dimotiki *neugr.* ðimɔtiˈki
Dimow *bulgar.* 'dimof
DIN® diːn
Dina 'di:na
Dinah 'di:na, *engl.* 'daɪnə
Dinamo *russ.* diˈnamɐ, *ser-
bokr.* 'dinamɔ
Dinan *fr.* diˈnã
Dinanderie dinandə'ri:, -**n**
...i:ən
Dinant *fr.* diˈnã
Dinar diˈna:ɐ̯, *serbokr.*
'dina:r
Dinard *fr.* diˈna:r
Dinariden dinaˈri:dn̩
dinarisch diˈna:rıʃ
Dindigul *engl.* 'dındıgʊl
Dindorf 'dındɔrf
D'Indy *fr.* dɛ̃'di
Dine *engl.* daɪn
Diner diˈne:
Dinescu *rumän.* diˈnesku
Ding dıŋ
Dingelchen 'dıŋl̩çən
Dingelstädt 'dıŋl̩ʃtɛt

Dingelstedt 'dıŋl̩ʃtɛt
dingen 'dıŋən
Dingerchen 'dıŋɐçən
Dingi, Dinghy 'dıŋgi
Dinghofer 'dıŋho:fɐ
Dingle *engl.* dıŋgl
Dingler 'dıŋlɐ
Dinglinger 'dıŋlıŋɐ
Dingo 'dıŋgo
Dingolfing 'dıŋgɔlfıŋ
Dings[bums] 'dıŋs[bʊms]
Dingsda 'dıŋsda:
Dingsfelden 'dıŋsfɛldn̩,
auch: – '– –
Dingskirchen 'dıŋskırçn̩,
auch: – '– –
Đinh-Hung *vietn.* dıŋ hʊŋ 11
Dini *it.* 'di:ni
dinieren diˈni:rən
Dining... 'daɪnıŋ...
Dinis, Diniz *port.* də'niʃ,
bras. di'nis
Dink[a] 'dıŋk[a]
Dinkel 'dıŋkl̩
Dinkelsbühl 'dıŋkl̩sby:l
Dinner 'dınɐ
¹Dino (Name) *it.* 'di:no
²Dino (Saurier) 'di:no
Dinokrates diˈno:kratɛs
Dinorah diˈno:ra
Dinosaurier dinoˈzau̯ri̯ɐ
Dinosaurus dinoˈzaurʊs
Dinotherium dinoˈte:ri̯ʊm,
...**ien** ...i̯ən
Dinslaken 'dınsla:kn̩
Dinu *rumän.* 'dinu
Dio 'di:o
Diode diˈo:də
Diodor di̯oˈdo:ɐ̯
Diodorus di̯oˈdo:rʊs
Diogenes 'di̯o:genɛs
Diogo *port.* 'di̯oɣu
Diokles 'di:oklɛs
Diokletian di̯oklɛˈtsi̯a:n
Diolefin di̯olɛˈfi:n
Diolen® di̯oˈle:n
Diomede *it.* di̯oˈmɛ:de, *engl.*
'daɪəmi:d
Diomedes di̯oˈme:dɛs
¹Dion (Name) 'di:ɔn, *fr.* djõ
²Dion (Direktion, Division)
di̯o:n
Dione 'di̯o:nə
Dionissi *russ.* diaˈnisij
Dionys di̯o'ny:s
Dionysia di̯oˈny:zi̯a
Dionysien di̯oˈny:zi̯ən
Dionysios di̯oˈny:zi̯ɔs
dionysisch di̯oˈny:zıʃ
Dionysius di̯oˈny:zi̯ʊs

Dionysos 'djo:nyzɔs
Diop *fr.* djɔp
diophantisch djo'fantɪʃ
Diophantos djo'fantɔs
Diopsid dio'psi:t, -e ...i:də
Dioptas diɔp'ta:s, -e ...a:zə
Diopter di'ɔptɐ
Dioptrie diɔp'tri:, -n ...i:ən
Dioptrik di'ɔptrɪk
dioptrisch di'ɔptrɪʃ
Dioptrometer diɔptro'me:tɐ
Dior *fr.* djo:r
Diorama dio'ra:ma
Diori *fr.* djo'ri
Diorismus dio'rɪsmʊs
Diorit dio'ri:t
Dioskur djɔs'ku:ɐ̯
Dioskurides djɔs'ku:ride:s
Diospolis magna, - parva
     'djɔspolɪs 'magna, - 'parva
Diotima 'djo:tima, *auch:*
     djo'ti:ma
Diouf *fr.* djuf
Diourbel *fr.* djur'bɛl
Dioxan dio'ksa:n
Dioxin dio'ksi:n
Dioxid 'di:lɔksi:t, *auch:* di-
     lɔ'ksi:t, -e ...i:də
diözesan, D... diøtse'za:n
Diözese diø'tse:zə
Diözie diø'tsi:
diözisch di'ø:tsɪʃ
Diözismus diø'tsɪsmʊs
Dip dɪp
Dipeptid dipɛp'ti:t, -e ...i:də
Dipeptidase dipɛpti'da:zə
Diphilos 'di:filɔs
Diphtherie dɪfte'ri:, -n
     ...i:ən
diphtherisch dɪf'te:rɪʃ
Diphtheritis dɪfte'ri:tɪs
diphtheroid dɪftero'i:t, -e
     ...i:də
Diphthong dɪf'tɔŋ
Diphthongie dɪftɔŋ'gi:, -n
     ...i:ən
diphthongieren dɪftɔŋ'gi:-
     rən
diphthongisch dɪf'tɔŋɪʃ
diphyletisch dify'le:tɪʃ
Diphyllobothrium difʏlo-
     'bo:trium, ...ien ...iən
diphyodont difʏo'dɔnt
Diplakusis dipla'ku:zɪs
Diplegie diple'gi:, -n ...i:ən
Diplex... 'di:plɛks...
Diplodokus diplo'do:kʊs
Diploe 'di:plo:ə
diploid diplo'i:t, -e ...i:də
Diploidie diploi'di:

Diplokokkus diplo'kɔkʊs
Diplom di'plo:m
Diplomand diplo'mant, -en
     ...dn
Diplomat diplo'ma:t
Diplomatie diploma'ti:
Diplomatik diplo'ma:tɪk
Diplomatiker diplo'ma:tikɐ
diplomatisch diplo'ma:tɪʃ
diplomieren diplo'mi:rən
Diplont di'plɔnt
Diplopie diplo'pi:
diplostemon diploste'mo:n
Dipnoi 'dɪpnoi
Dipodie dipo'di:, -n ...i:ən
dipodisch di'po:dɪʃ
Dipol 'di:po:l
Dippel 'dɪpl̩
dippen 'dɪpn̩
Dippoldiswalde dɪpɔldɪs-
     'valdə
Dipsomane dɪpso'ma:nə
Dipsomanie dɪpsoma'ni:, -n
     ...i:ən
Diptam 'dɪptam
Dipteren dɪp'te:rən
Dipteros 'dɪpterɔs, ...roi
     ...ɔy
Diptychon 'dɪptʏçɔn, ...cha
     ...ça
Dipylon 'di:pylɔn
dir di:ɐ̯
Dirac *engl.* dı'ræk
Dirae 'di:rɛ
Directcosting di'rɛktkɔstɪŋ
Directmailing di'rɛktme:lɪŋ
Directoire dirɛk'tǫa:ɐ̯
Diredaua dire'daua, *amh.*
     dərre dawa
direkt di'rɛkt
Direktion dirɛk'tsio:n
direktiv dirɛk'ti:f, -e ...i:və
Direktive dirɛk'ti:və
Direktor di'rɛkto:ɐ̯, -en
     ...'to:rən
Direktorat dirɛkto'ra:t·
direktorial dirɛkto'rịa:l
Direktorin dirɛk'to:rɪn
Direktorium dirɛk'to:rịʊm,
     ...ien ...iən
Direktrice dirɛk'tri:sə
Direktrix di'rɛktrɪks
Direttissima dirɛ'tɪsima
direttissimo dirɛ'tɪsimo
Direx 'di:rɛks
Dirge dø:ɐ̯tʃ, dœrtʃ
Dirham 'dɪrham
Dirhem 'dɪrhɛm
Dirichlet diri'kle:
Dirigat diri'ga:t

Dirigent diri'gɛnt
dirigieren diri'gi:rən
Dirigismus diri'gɪsmʊs
dirigistisch diri'gɪstɪʃ
dirimieren diri'mi:rən
Dirk *dt., niederl.* dɪrk, *engl.*
     dɔ:k
Dirke 'dɪrkə
Dirks *dt., niederl.* dɪrks
Dirksen 'dɪrksn̩, *engl.*
     dɔ:ksn
Dirndl 'dɪrndl̩
Dirn[e] 'dɪrn[ə]
Dirr dɪr
Dirschau 'dɪrʃau̯
Dirttrack... 'dø:ɐ̯ttrɛk...,
     'dœrt...
Diruta *it.* di'ru:ta
dis, ¹Dis dɪs
²Dis (Ort) *pers.* dez
Disac[c]harid dizaxa'ri:t,
     'di:z..., -e ...i:də
Disagio dɪs'la:dʒo, ...a:ʒịo
disambiguieren dɪs-
     lambigu'i:rən
Disc... 'dɪsk...
Discantus dɪs'kantʊs, die -
     ...u:s
Disciples of Christ di'sai̯plṣ
     ɔf 'krai̯st
Discman® 'dɪskmɛn
Disco 'dɪsko
Discount... dɪs'kau̯nt...
Discounter dɪs'kau̯ntɐ
Discovery *engl.* dɪs'kʌvəri
disculpieren dɪskʊl'pi:rən
Dis-Dur 'dɪsdu:ɐ̯, *auch:* '–'–
Disen 'di:zn̩
Disengagement dɪs-
     lɪn'ge:tʃmənt, '––––
Disentis 'di:zn̩tɪs
Diseur di'zø:ɐ̯
Diseuse di'zø:zə
disgruent dɪsgru'ɛnt
Disharmonie dɪsharmo'ni:,
     -n ...i:ən
disharmonieren dɪsharmo-
     'ni:rən
disharmonisch dɪshar'mo:-
     nɪʃ
Disibodenberg dizi-
     'bo:dn̩bɛrk
Disjektion dɪsjɛk'tsio:n
disjunkt dɪs'jʊŋkt
Disjunktion dɪsjʊŋk'tsio:n,
disjunktiv dɪsjʊŋk'ti:f, -e
     ...i:və
Disk... 'dɪsk...
Diskant dɪs'kant

Diskette dısˈkɛtə
¹Disko ˈdısko
²Disko (Insel) *dän.* ˈdısgʊ
Diskographie dıskograˈfi:
diskoidal dıskoıˈda:l
Diskologie dıskoloˈgi:
Diskomyzet dıskomyˈtse:t
Diskont dısˈkɔnt
diskontieren dıskɔnˈti:rən
diskontinuierlich dıskɔntinuˈi:ɐ̯lıç
Diskontinuität dıskɔntinuiˈtɛ:t
Diskonto dısˈkɔnto, ...ti ...ti
Diskopathie dıskopaˈti:, -n ...i:ən
diskordant dıskɔrˈdant
Diskordanz dıskɔrˈdants
Diskothek dıskoˈte:k
Diskothekar dıskoteˈka:ɐ̯
Diskredit ˈdıskredi:t
diskreditieren dıskrediˈti:rən
diskrepant dıskreˈpant
Diskrepanz dıskreˈpants
diskret dısˈkre:t
Diskretion dıskreˈtsi̯o:n
diskretionär dıskretsi̯oˈnɛ:ɐ̯
Diskriminante dıskrimiˈnantə
Diskrimination dıskriminaˈtsi̯o:n
Diskriminator dıskrimiˈna:to:ɐ̯, -en ...naˈto:rən
diskriminieren dıskrimiˈni:rən
diskurrieren dıskʊˈri:rən
Diskurs dısˈkʊrs, -e ...rzə
diskursiv dıskʊrˈzi:f, -e ...i:və
Diskus ˈdıskʊs, -se ...ʊsə
Diskussion dıskʊˈsi̯o:n
diskutabel dıskuˈta:bl̩, ...ble ...blə
Diskutant dıskuˈtant
diskutieren dıskuˈti:rən
Dislokation dıslokaˈtsi̯o:n
disloyal dıslo̯aˈja:l, *auch:* ˈ---
dislozieren dısloˈtsi:rən
Dismal Swamp *engl.* ˈdızməl ˈswɔmp
Dismembration dısmɛmbraˈtsi̯o:n
Dismembrator dısmɛmˈbra:to:ɐ̯, -en ...raˈto:rən
dis-Moll ˈdısmɔl, *auch:* ˈ-ˈ-
Disna *russ.* dısˈna
Disney *engl.* ˈdıznı
Disneyland *engl.* ˈdıznılænd

Dispache dısˈpaʃə
Dispacheur dıspaˈʃø:ɐ̯
dispachieren dıspaˈʃi:rən
disparat dıspaˈra:t
Disparität dıspariˈtɛ:t
Dispatcher dısˈpɛtʃɐ
Dispens dısˈpɛns, -e ...nzə
dispensabel dıspɛnˈza:bl̩, ...ble ...blə
Dispensaire... dıspɛnˈzɛ:ɐ̯..., ...pā's...
Dispensarium dıspɛnˈza:ri̯ʊm, ...ien ...i̯ən
Dispensation dıspɛnzaˈtsi̯o:n
Dispensatorium dıspɛnzaˈto:ri̯ʊm, ...ien ...i̯ən
dispensieren dıspɛnˈzi:rən
Dispergens dısˈpɛrgɛns, ...tia, ...ɡɛntsi̯a, ...zien ...ɡɛntsi̯ən
dispergieren dıspɛrˈgi:rən
Dispermie dıspɛrˈmi:, -n ...i:ən
dispers dısˈpɛrs, -e ...rzə
Dispersants dısˈpø:ɐ̯sn̩ts, ...pœrsn̩
Dispersion dıspɛrˈzi̯o:n
Dispersität dıspɛrziˈtɛ:t
Dispersoid dıspɛrzoˈi:t, -e ...i:də
Dispersum dısˈpɛrzʊm
Displaced Person dısˈple:st ˈpøːɐ̯sn̩, -ˈpœrsn̩
Display dısˈple:, *engl.* ...ˈpleı
Displayer dısˈple:ɐ̯
Dispondeus dıspɔnˈde:ʊs, ...dem ...deːən
Disponende dıspoˈnɛndə
Disponent dıspoˈnɛnt
disponibel dıspoˈni:bl̩, ...ble ...blə
Disponibilität dısponibiliˈtɛ:t
disponieren dıspoˈni:rən
Disposition dıspoziˈtsi̯o:n
dispositiv dıspoziˈti:f, -e ...i:və
Dispositor dısˈpo:zito:ɐ̯, -en dıspoziˈto:rən
Disproportion dıspropɔrˈtsi̯o:n
disproportional dıspropɔrtsi̯oˈna:l
Disproportionalität dıspropɔrtsi̯onaliˈtɛ:t
disproportioniert dıspropɔrtsi̯oˈni:ɐ̯t
Disput dısˈpu:t

disputabel dıspuˈta:bl̩, ...ble ...blə
Disputant dıspuˈtant
Disputation dısputaˈtsi̯o:n
disputieren dıspuˈti:rən
Disqualifikation dıskvalifikaˈtsi̯o:n
disqualifizieren dıskvalifiˈtsi:rən
D'Israeli, Disraeli *engl.* dızˈreılı
Diss dıs
dissecans ˈdısekans
Dissemination dıseminaˈtsi̯o:n
disseminiert dısemiˈni:ɐ̯t
Dissen ˈdısn̩
Dissens dıˈsɛns, -e ...nzə
Dissenter dıˈsɛntɐ
dissentieren dısɛnˈti:rən
Dissepiment dısepiˈmɛnt
Dissertant dısɛrˈtant
Dissertation dısɛrtaˈtsi̯o:n
dissertieren dısɛrˈti:rən
dissident, D... dısiˈdɛnt
Dissidenz dısiˈdɛnts
Dissidien dıˈsi:di̯ən
dissidieren dısiˈdi:rən
Dissimilation dısimilaˈtsi̯o:n
dissimilieren dısimiˈli:rən
Dissimulation dısimulaˈtsi̯o:n
dissimulieren dısimuˈli:rən
Dissipation dısipaˈtsi̯o:n
dissipieren dısiˈpi:rən
dissolubel dısoˈlu:bl̩, ...ble ...blə
dissolut dısoˈlu:t
Dissolution dısoluˈtsi̯o:n
Dissolvens dıˈsɔlvɛns, ...ntia ...ˈvɛntsi̯a, ...nzien ...ˈvɛntsi̯ən
dissolvieren dısɔlˈvi:rən
dissonant dısoˈnant
Dissonanz dısoˈnants
dissonieren dısoˈni:rən
Dissousgas dıˈsu:ga:s
dissozial dısoˈtsi̯a:l
Dissozialität dısotsi̯aliˈtɛ:t
Dissoziation dısotsi̯aˈtsi̯o:n
dissoziieren dısotsiˈi:rən
Disstress ˈdıstrɛs
Dissuasion dısu̯aˈzi̯o:n
distal dısˈta:l
Distanz dısˈtants
distanzieren dıstanˈtsi:rən
Distar dısˈta:ɐ̯
Distel ˈdıstl̩, *fr.* dısˈtɛl
Distelbarth ˈdıstl̩ba:ɐ̯t

Disteli 'dɪstǝli
Distelrasen 'dɪstl̩ra:zn̩
Disthen dɪs'te:n
distich dɪs'tɪç
Distichiasis dɪstɪ'çi:azɪs,
...iasen ...'çia:zn̩
Distichie dɪstɪ'çi:, -n ...i:ǝn
distichitisch dɪstɪ'çi:tɪʃ
Distichomythie dɪstɪço-
my'ti:
Distichon 'dɪstɪçɔn
Distingem dɪstɪŋ'ge:m
distinguieren dɪstɪŋ'gi:rǝn,
auch: ...gu'i:rǝn
distinkt dɪs'tɪŋkt
Distinktion dɪstɪŋk'tsi̯o:n
distinktiv dɪstɪŋk'ti:f, -e
...i:vǝ
Distler 'dɪstlɐ
Distorsion dɪstɔr'zi̯o:n
distrahieren dɪstra'hi:rǝn
Distraktion dɪstrak'tsi̯o:n
Distraktor dɪs'trakto:ɐ̯, -en
...'to:rǝn
Distribuent dɪstri'bu̯ɛnt
distribuieren dɪstribu'i:rǝn
Distribution dɪstribu'tsi̯o:n
distributional dɪstributsi̯o-
'na:l
distributionell dɪstributsi̯o-
'nɛl
distributiv dɪstribu'ti:f, -e
...i:vǝ
Distributivum dɪstribu'ti:-
vʊm, ...va ...va
District of Columbia engl.
'dɪstrɪkt ǝv kǝ'lʌmbɪǝ
Distrikt dɪs'trɪkt
Distrito Federal bras. dis-
'tritu fede'ral, span. dis-
'trito feðe'ral
Diszession dɪstsɛ'si̯o:n
Disziplin dɪstsi'pli:n
Disziplinar... dɪstsipli'na:ɐ̯...
disziplinär dɪstsipli'nɛ:ɐ̯
disziplinarisch dɪstsipli-
'na:rɪʃ
disziplinell dɪstsipli'nɛl
disziplinieren dɪstsipli'ni:-
rǝn
diszipliniert dɪstsipli'ni:ɐ̯t
Diszision dɪstsi'zi̯o:n
Diszission dɪstsi'si̯o:n
Dit di:, fr. di
Ditetrode dite'tro:de
Dithmarschen 'dɪtmarʃn̩
Dithyrambe dity'rambǝ
dithyrambisch dity'rambɪʃ
Dithyrambos dity'rambɔs
Dithyrambus dity'rambʊs

dito, D... 'di:to
Ditrochäus ditrɔ'xɛ:ʊs,
...äen ...ɛ:ǝn
Dittberner 'dɪtbɛrnɐ
Dittchen 'dɪtçǝn
Ditte 'dɪtǝ
Ditters[dorf] 'dɪtɐs[dɔrf]
Dittes 'dɪtǝs
Dittographie dɪtogra'fi:, -n
...i:ǝn
Dittologie dɪtolo'gi:, -n
...i:ǝn
Ditzen[bach] 'dɪtsn̩[bax]
Ditzingen 'dɪtsɪŋǝn
Diu port. diu̯
Diurese diu're:zǝ
Diuretikum diu're:tikʊm,
...ka ...ka
Diuretin® diure'ti:n
diuretisch diu're:tɪʃ
Diurnal di̯ʊr'na:l
Diurnale di̯ʊr'na:lǝ, ...lia
...i̯a
Diurnum 'di̯ʊrnʊm
Diva 'di:va
Divan 'di:va:n, pers. di'va:n,
türk. di:'van
Diverbium di'vɛrbi̯ʊm, ...ia
...i̯a, ...ien ...i̯ǝn
divergent divɛr'gɛnt
Divergenz divɛr'gɛnts
divergieren divɛr'gi:rǝn
divers di'vɛrs, -e ...rzǝ
Diversa di'vɛrza
Diversant divɛr'zant
Diverse di'vɛrzǝ
Diversifikation divɛrzifika-
'tsi̯o:n
diversifizieren divɛrzifi-
'tsi:rǝn
Diversion divɛr'zi̯o:n
divertieren divɛr'ti:rǝn
Divertikel divɛr'ti:kl̩
Divertikulitis divɛrtiku'li:tɪs
Divertikulose divɛrtiku-
'lo:zǝ
Divertimento divɛrti-
'mɛnto, ...ti ...ti
Divertissement divɛrtɪ-
sǝ'mã:
Divico 'di:viko
divide et impera 'di:vide ɛt
'impera
Dividend divi'dɛnt, -en
...ndn
Dividende divi'dɛndǝ
dividieren divi'di:rǝn
Dividivi divi'di:vi
Divina Commedia di'vi:na
kɔ'me:di̯a, it. - kom'mɛ:di̯a

Divination divina'tsi̯o:n
divinatorisch divina'to:rɪʃ
Divinität divini'tɛ:t
Divinópolis bras. divi'nɔpu-
lis
Divis di'vi:s, -e ...i:zǝ
Diviš tschech. 'djiviʃ
divisi di'vi:zi
Division divi'zi̯o:n
Divisionär divizi̯o'nɛ:ɐ̯
Divisionismus divizi̯o'nɪs-
mʊs
Divisor di'vi:zo:ɐ̯, -en divi-
'zo:rǝn
Divisorium divi'zo:ri̯ʊm,
...ien ...i̯ǝn
Divo fr. di'vo
Divriği türk. 'divriji
Divulgator divʊl'ga:to:ɐ̯,
-en ...ga'to:rǝn
Divulsion divʊl'zi̯o:n
Divus 'di:vʊs
Diwan 'di:va:n; pers.
di'va:n, türk. di:'van
Diwnogorsk russ. divna-
'gɔrsk
Dix dt., engl. dɪks, fr. diks
Dixelius schwed. dik'se:liʊs
Dixence fr. dik'sã:s
Dixie[land] 'dɪksi[lɛnt]
Dixon engl. dɪksn, russ. 'dik-
sɐn
Diyarbakır türk. di'jarbɑ.kɪr
dizygot 'di:tsygo:t
Dizzy engl. 'dɪzɪ
DJ engl. di:'dʒeɪ
Dj... vgl. auch Ð..., J...
Djak djak
Djamaa dʒa'ma:a
Djamileh fr. dʒami'le
Djanna 'dʒana
Djebel fr. dʒe'bɛl
Djedkare djɛtka're:
Djelfa fr. dʒɛl'fa
Djemila fr. dʒemi'la
Djemmal fr. dʒɛm'mal
Djerba[h] fr. dʒɛr'ba
Djérid fr. dʒe'rid
Djérissa fr. dʒeri'sa
Djibouti fr. dʒibu'ti
Djidjelli fr. dʒidʒɛl'li
Djoser 'djo:zɐ
Djoshegan djoʃe'ga:n
Djougou fr. dʒu'gu
Djuma 'dʒuma
Djurgården schwed. ,jʊ:r-
go:rdǝn
Djursland dän. 'dju:ɐ̯slæn'
Długosz poln. 'duu̯gɔʃ
Dmitri russ. 'dmitrij

Dmitrijew *russ.* 'dmitrijɪf
Dmitrijewitsch *russ.* 'dmi-
 trijɪvɪtʃ
Dmitrijewna *russ.* 'dmitri-
 jɪvnɐ
Dmitrow *russ.* 'dmitrɐf
d-Moll 'de:mɔl, *auch:* '–'–
Dmochowski *poln.* dmɔ-
 'xɔfski
Dmowski *poln.* 'dmɔfski
Dmytryk *engl.* 'dmɪtrɪk
Dnepr *russ.* dnjɛpr
Dneprodserschinsk *russ.*
 dnɪprɐdzɪr'ʒɪnsk
Dneproges *russ.* dnɪpra'gɛs
Dnepropetrowsk *russ.* dnɪ-
 prɐpɪ'trɔfsk
Dnestr *russ.* dnjɛstr
Dnjepr 'dnjɛpɐ
Dnjepropetrowsk dnjɛpro-
 pe'trɔfsk
Dnjestr 'dnjɛstɐ
Dno *russ.* dnɔ
do, Do do:
Đoan-Thi-Điêm *vietn.* du̯an
 θi di̯əm 364
Dobbiaco *it.* dob'bi̯a:ko
Dobbs [Ferry] *engl.* 'dɔbz
 ['fɛrɪ]
Döbel 'dø:bl̩
Döbeln 'dø:bl̩n
Doberan dobə'ra:n
Döbereiner 'dø:bərai̯nɐ
Doberlug 'do:bɐlʊk
Dobermann 'do:bɐman
Dobi *ung.* 'dobi
Dobiáš *tschech.* 'dobia:ʃ
Dobles *span.* 'dobles
Döblin 'dø:bli:n, dø'bli:n
Doboj *serbokr.* 'dɔbɔj
Doboz[y] *ung.* 'doboz[i]
Dobra *dt., poln.* 'dɔbra
Döbraberg 'dø:brabɛrk
Dobraczyński *poln.* dɔbra-
 'tʃii̯ski
Dobratsch 'do:bratʃ
Dobre Miasto *poln.* 'dɔbrɛ
 'mjastɔ
Dobretsberger 'do:brɛts-
 bɛrgɐ
Dobrew *bulgar.* 'dɔbrɐf
Dobrilugk 'do:brilʊk
Dobrogea *rumän.* do'bro-
 dʒɐa
Dobrogeanu *rumän.*
 dobro'dʒɐanu
Dobroljubow *russ.* dɐbra-
 'ljubɐf
Dobromierz *poln.* dɔ'brɔm-
 jɛʃ

Dobromila 'dɔbromila
Dobrović *serbokr.* ˌdɔ:brɔ-
 vitɕ
Dobrovský *tschech.*
 'dɔbrɔfski:
Dobrowolsk[i] *russ.* dɐbra-
 'vɔljsk[ij]
Dobrudscha do'brʊdʒa,
 bulgar. 'dɔbrudʒɐ
Dobrynin *russ.* da'brɪnin
Dobschütz 'dɔpʃʏts
Dobson *engl.* dɔbsn
Dobtschinski *russ.* 'dɔptʃin-
 skij
Dobzhansky dɔp'ʃanski
Doccia *it.* 'dottʃa
Doce, Rio *bras.* 'rriu 'dosi
Docen do'tse:n
docendo discimus
 do'tsendo 'dɪstsimʊs
doch[misch] 'dɔx[mɪʃ]
Dochmius 'dɔxmiʊs, ...ien
 ...iən
Docht dɔxt
Dock[e] 'dɔk[ə]
docken 'dɔkn̩
Docking 'dɔkɪŋ
Doctor 'dɔkto:ɐ, -es dɔk-
 'to:re:s
Doctor of Laws 'dɔktɐ ɔf
 'lo:s
Doctorow *engl.* 'dɔktərou
Documenta doku'mɛnta
Dóczi *ung.* 'do:tsi
Dodd[ridge] *engl.* 'dɔd[rɪdʒ]
Dodds *engl.* dɔdz
Dodekadik dode'ka:dɪk
dodekadisch dode'ka:dɪʃ
Dodekaeder dodeka'le:dɐ
Dodekalog dodeka'lo:k, -es
 ...o:gəs
Dodekanes dodeka'ne:s
Dodekanisos *neugr.* ðɔðɛ-
 'kanisɔs
Dodekaphonie dodeka-
 fo'ni:
dodekaphonisch dodeka-
 'fo:nɪʃ
Dodekaphonist dodekafo-
 'nɪst
Dodekapolis dode'ka:polɪs
Doderer 'do:dərɐ
Döderlein 'dø:dɐlai̯n
Dodge *engl.* dɔdʒ
Dodgson *engl.* dɔdʒsn
¹Dodo (Vorname) 'do:do,
 do'do:
²Dodo (Vogel) 'do:do
Dodoma do'do:ma, *engl.*
 doʊ'douma

Dodona do'do:na
dodonäisch dodo'nɛ:ɪʃ
Dodsley *engl.* 'dɔdzlɪ
Doebbelin 'dœbəli:n
Doeberl 'dø:bɐl
Doebler 'dø:blɐ
Doehring 'dø:rɪŋ
Doelenstücke 'du:lənʃtʏkə
Does *niederl.* dus
Doesburg *niederl.* 'duzbʏrx
Doeskin® 'do:skɪn
Doetinchem *niederl.* 'dutɪŋ-
 xɛm
Doff *engl.* dɔf
Döffingen 'dœfɪŋən
Doflein 'do:flai̯n
Dogaressa doga'rɛsa
Dogberry *engl.* 'dɔgbɛrɪ
Dogcart 'dɔkart
Doge 'do:ʒə, *auch:* 'do:dʒə
Dogge 'dɔgə
Dogger 'dɔgɐ, *engl.* 'dɔgə
Dögling 'dø:klɪŋ
Dogma 'dɔgma
Dogmatik dɔ'gma:tɪk
Dogmatiker dɔ'gma:tikɐ
dogmatisch dɔ'gma:tɪʃ
dogmatisieren dɔgmati'zi:-
 rən
Dogmatismus dɔgma'tɪs-
 mʊs
dogmatistisch dɔgma'tɪstɪʃ
Dogskin 'dɔkskɪn
Doha 'do:ha
Doherty *engl.* 'douətɪ
Döhl dø:l
Dohle 'do:lə
Dohm[a] 'do:m[a]
Dohna 'do:na
Dohnanyi do'na:ni
Dohnányi do'na:ni, *ung.*
 'dohna:nji
Dohne 'do:nə
Dohrn do:ɐn
Doidalses dɔy'dalzɛs
Doină *rumän.* 'doi̯nə
Doiro *port.* 'doi̯ru
Doisy *engl.* 'dɔɪzɪ
do it yourself 'du: ɪt ju:ɐ-
 'zɛlf
Dojran *mak.* 'dɔjran
Doket do'ke:t
Doketismus doke'tɪsmʊs
Dokimasie dokima'zi:
Dokimasiologie dokima-
 ziolo'gi:
Dokimastik doki'mastɪk
dokimastisch doki'mastɪʃ
Dokkum *niederl.* 'dɔkəm

Dokschukino *russ.* dak'ʃu-kinɐ
doktern 'dɔktɐn
Doktor 'dɔkto:ɐ̯, -en dɔk-'to:rən
Doktorand dɔkto'rant, -en ...ndn̩
Doktorat dɔkto'ra:t
doktorieren dɔkto'ri:rən
Doktorin dɔk'to:rɪn, *auch:* 'dɔktorɪn
Doktoringenieur dɔkto:ɐ̯-lɪnʒe'nio̯ø:ɐ̯
Doktrin dɔk'tri:n
doktrinär, D... dɔktri'nɛ:ɐ̯
Doktrinarismus dɔktrina-'rɪsmʊs
doktrinell dɔktri'nɛl
Dokument doku'mɛnt
Dokumentalist dokumɛn-ta'lɪst
Dokumentar dokumɛn'ta:ɐ̯
dokumentarisch dokumɛn-'ta:rɪʃ
Dokumentarist dokumɛn-ta'rɪst
Dokumentation dokumɛn-ta'tsi̯o:n
Dokumentator dokumɛn-'ta:to:ɐ̯, -en ...ta'to:rən
dokumentieren dokumɛn-'ti:rən
Dokus 'do:kʊs, -se ...ʊsə
Dol do:l
Dolabella dola'bɛla
Dolamon 'do:lamɔn
Dolan do'la:n
Dolanský *tschech.* 'dɔlanski:
Dolantin dolan'ti:n
Dolby 'dɔlbi
Dolce it. 'dɔltʃe
dolce [far niente] 'dɔltʃə ['fa:ɐ̯ 'ni̯ɛntə]
Dolcefarniente dɔltʃəfa:ɐ̯-'ni̯ɛntə
Dolce Stil nuovo 'dɔltʃə 'sti:l 'nu̯o:vo
Dolce Vita 'dɔltʃə 'vi:ta
Dolch dɔlç
Dolci *it.* 'dɔltʃi
Dolcian 'dɔltsi̯a:n, –'–
dolcissimo dɔl'tʃɪsimo
Dolde 'dɔldə
Doldenhorn 'dɔldn̩hɔrn
Doldinger 'dɔldɪŋɐ
Doldrums 'dɔldrʊms
¹Dole 'do:lə
²Dole (Name) *fr.* dɔl, *engl.* doʊl
Dôle *fr.* do:l

dolendo do'lɛndo
Dolenjsko *slowen.* dɔ'le:njskɔ
dolente do'lɛntə
Dolerit dole'ri:t
Doles 'do:ləs
Dolet *fr.* dɔ'lɛ
Doležal *slowak.* 'dɔljɛʒal
Dolf dɔlf
Dolfin dɔl'fi:n, *it.* dol'fin
Dolgane dɔl'ga:nə
Dolgell[e]y *engl.* dɔl'gɛθlɪ
Dölger 'dœlgɐ
Dolgoprudny *russ.* dɛlga-'prudnij
Dolgoruki *russ.* dɛlga'rukij
Dolichenus dolɪ'çe:nʊs
dolichokephal dolɪçoke'fa:l
dolichozephal dolɪçotse'fa:l
Dolichozephale dolɪçotse-'fa:lə
Dolichozephalie dolɪçotse-fa'li:, -n ...i:ən
dolieren do'li:rən
Dolin *engl.* 'doʊlɪn
Dolina *russ.* da'linɐ
Dolinar *slowen.* dɔ'li:nar
Doline do'li:nə
Dolinsk *russ.* 'dɔlinsk
Dolj *rumän.* dɔlʒ
doll dɔl
Döll[ach] 'dœl[ax]
Dollar 'dɔlar
Dollart 'dɔlart, *niederl.* 'dɔlart
Dollbord 'dɔlbɔrt
Dolle 'dɔlə
Dollen 'dɔlən
Dollfuß 'dɔlfu:s
dollieren dɔ'li:rən
Dolling[er] 'dɔlɪŋ[ɐ]
Döllinger 'dœlɪŋɐ
Dollmann 'dɔlman
Dollo *fr.* dɔ'lo
Dollond *engl.* 'dɔlənd
Dolly 'dɔli, *engl.* 'dɔlɪ
Dolma dɔl'ma:
Dolman 'dɔlman
Dolmar 'dɔlmar
Dolmatowski *russ.* dɛlma-'tɔfskij
Dolmen 'dɔlmən
Dolmetsch 'dɔlmɛtʃ
dolmetschen 'dɔlmɛtʃn̩
Dolmetscher 'dɔlmɛtʃɐ
Dolní Věstonice *tschech.* 'dɔlnji: 'vjɛstɔnjitsɛ
Dolomit dolo'mi:t
Dolomiten dolo'mi:tn̩
Dolomiti *it.* dolo'mi:ti

Dolores do'lo:rɛs, *span.* do'lores
doloros dolo'ro:s, -e ...o:zə
dolorös dolo'rø:s, -e ...ø:zə
Dolorosa dolo'ro:za
doloroso dolo'ro:zo
dolos do'lo:s, -e ...o:zə
Dolphin *engl.* 'dɔlfin
Dolphi *engl.* 'dɔlfɪ
Dolton *engl.* 'doʊltən
Dolus [directus, - eventualis] 'do:lʊs [di'rɛktʊs, evɛn-'tu̯a:lɪs]
Dom[a] 'do:m[a]
Domagk 'do:mak
Domäne do'mɛ:nə
domanial doma'ni̯a:l
Domanig do'ma:nɪk
Domanović *serbokr.* dɔˌma-nɔvitɕ
Domaška *obersorb.* 'domaʃka
Domaškojc *niedersorb.* 'domaʃkɔjts
Domaslaw 'dɔmaslaf
Domat *fr.* dɔ'ma
Domatium do'ma:tsi̯ʊm, ...ien ...i̯ən
Domažlice *tschech.* 'dɔmaʒ-litsɛ
Dombasle *fr.* dõ'ba:l
Dombes *fr.* dõ:b
Dombrowa dɔm'bro:va
Dombrowski dɔm'brɔfski
Domburg *niederl.* 'dɔmbʏrx
Dôme *fr.* do:m
Domela *niederl.* 'do:məla
Domenchina *span.* domen'tʃina
Doménech *span.* do'menɛk
Domenica *it.* do'me:nika
Domenichino *it.* domeni-'ki:no
Domenico *it.* do'me:niko
Domentijan *serbokr.* dɔmɛn.tijan
Domesday Book *engl.* 'du:mzdeɪ.bʊk
Domestik domɛs'ti:k
Domestikation domɛstika-'tsi̯o:n
Domestike domɛs'ti:kə
domestizieren domɛsti-'tsi:rən
Domgraf 'do:mˌgra:f
Domin do'mi:n
Domina 'do:mina, ...nä ...nɛ
dominal domi'na:l
dominant domi'nant
Dominante domi'nantə

Dominantseptakkord dominant'zεpt|akɔrt
Dominantseptimenakkord dominantzεp'ti:mən|akɔrt
Dominanz domi'nants
Dominat domi'na:t
Domination domina'tsi̯o:n
Domingo do'miŋgo, *span.* do'miŋgo
Dominguez *span.* do'miŋgeθ
Dominguín *span.* domiŋ'gin
Dominic *engl.* 'dɔminɪk
Dominica do'mi:nika; *engl.* dɔmi'ni:kə, dou'mɪnɪkə
Dominicus do'mi:nikʊs
dominieren domi'ni:rən
Dominik 'do:minɪk
Dominikaner domini'ka:nɐ
dominikanisch domini'ka:-nɪʃ
Dominikus do'mi:nikʊs
Dominion do'minɪ̯ən, ...ien ...i̯ən
Dominique *fr.* dɔmi'nik
Dominium do'mi:ni̯ʊm, ...ien ...i̯ən
Domino 'do:mino, *engl.* 'dɔmɪnou
Dominus vobiscum! 'do:minʊs vo'bɪskʊm
Domitian[us] domi-'tsi̯a:n[ʊs]
Domitilla domi'tɪla
Domitius do'mi:tsi̯ʊs
Dömitz 'dø:mɪts
Domizellar domitse'la:ɐ̯
Domizil domi'tsi:l
domizilieren domitsi'li:rən
Domleschg dɔm'lεʃk
Dommitzsch 'dɔmɪtʃ
Domnick 'dɔmnɪk
Domodedowo *russ.* dɐma'djεdɐvɐ
Domodossola *it.* domo'dɔssola
Domowina domo'vi:na, *auch:* 'do:movina, 'dɔm...
Dompfaff 'do:mpfaf
Dompteur dɔmp'tø:ɐ̯
Dompteuse dɔmp'tø:zə, -n ...zn̩
Domra 'dɔmra
Dom Remi *fr.* dõre'mi, dõrə'mi
Domremy *fr.* dõre'mi, dõrə'mi
Domröse 'dɔmrø:zə
Don *engl., russ., span.* dɔn

Dona vgl. Donum
Doña 'dɔnja, *span.* 'dɔɲa
Doña Ana *span.* 'dɔɲa 'ana
Donado *span.* do'naðo
Donadoni *it.* dona'do:ni
Donalbain *engl.* 'dɔnlbeɪn
Donald 'do:nalt, *engl.* dɔnld
Donar 'do:nar
Donarit dona'ri:t
¹Donat (moderner Name) 'do:nat, *engl.* 'doʊnæt, *russ.* da'nat
²Donat (alter Name) do'na:t
Donata do'na:ta
Donatar dona'ta:ɐ̯
Donatello *it.* dona'tεllo
Donath 'do:nat
Donati *it.* do'na:ti
Donation dona'tsi̯o:n
Donatismus dona'tɪsmʊs
Donatist dona'tɪst
Donato *it.* do'na:to
Donatoni *it.* dona'to:ni
Donator dona'to:ɐ̯, -en dona'to:rən
Donatus do'na:tʊs
Donau 'do:naʊ
Donaueschingen do:naʊ-'lεʃɪŋən
Donaumoos 'do:naʊmo:s
Donauried do'naʊri:t
Donauwörth do:naʊ'vø:ɐ̯t
Donawitz 'do:navɪts
Donbass *russ.* dan'bas
Don Bosco *it.* dom'bɔsko
Don Carlos dɔn'karlɔs, *span.* dɔŋ'karlos, *it.* dɔŋ-'karlos
Doncaster *engl.* 'dɔŋkəstə
Dončević *serbokr.* .dɔ:ntʃε-vitɕ
Donegal done'ga:l, 'do:ne-ga:l, *engl.* dɔni'gɔ:l
Donelaitis *lit.* do:næ'la:i̯tɪs
Döner 'dø:nɐ
Dönerkebab dønɐke'bap
Donez 'do:nεts, *russ.* da-'njεts
Donezk *russ.* da'njεtsk
Dong dɔŋ
Đông Đăng *vietn.* dɔŋ dai̯ŋ 31
Dongen *niederl.* 'dɔŋə
Dông Ho 'i *vietn.* dɔŋ hɔi̯ 32
Don Giovanni *it.* dondʒo-'vanni
Dongola 'dɔŋgola
Dongtinghu *chin.* dʊŋtɪŋxu 422

Doni *it.* 'do:ni
Donici *rumän.* 'donitʃ
Dönitz 'dø:nɪts
Donizetti *it.* donid'dzetti
Donja 'dɔnja
Donjon dõ'ʒõ:
Don Juan dɔn'xu̯an, dɔn-'ju:an, *span.* dɔŋ'xu̯an, *fr.* do'ʒu̯ɑ̃
Donker *niederl.* 'dɔŋkər
Dönkes 'dœŋkəs
Donkey 'dɔŋki
Donleavy *engl.* dɔn'li:vɪ
¹Donna (Herrin) 'dɔna
²Donna (Name) *engl.* 'dɔnə
Donnan *engl.* 'dɔnən
Donnay *fr.* dɔ'nε
Donne *engl.* dʌn, dɔn
Donnelly *engl.* 'dɔnlɪ
Donner 'dɔnɐ
Donnerlittchen! 'dɔnɐ-'lɪtçən
Donnerlüttchen! 'dɔnɐ-'lʏtçən
donnern 'dɔnɐn
Donnersberg 'dɔnɐsbεrk
Donnersmarck 'dɔnɐsmark
Donnerstag 'dɔnɐsta:k
Donnerwetter 'dɔnɐvεtɐ
Donnerwetter! 'dɔnɐ'vεtɐ
Dönniges 'dœnɪgəs
Donon *fr.* dɔ'nõ
Donoso *span.* do'noso
Donostia *span.* do'nɔsti̯a
Donovan *engl.* 'dɔnəvən
Don Pasquale *it.* dompas-'ku̯a:le
Don Quichotte dɔnki'ʃɔt, dõ...
Donquichotterie dɔnkiʃɔ-tə'ri:, dõ..., -n ...i:ən
Donquichottiade dɔnkiʃɔ-'ti̯a:də, dõ...
Don Quijote, Don Quixote dɔnki'xo:tə, *span.* dɔŋki-'xote
Donskoi *russ.* dan'skɔj
Dont dɔnt
Dontgeschäft 'dõ:gəʃεft
Döntjes 'dœntjəs, 'dø:ntjəs
Donum 'do:nʊm, **Dona** 'do:na
Donut 'do:nat
doodeln 'du:dln̩, **doodle** 'du:dlə
doof do:f
Doolaard *niederl.* 'do:la:rt
Doolittle *engl.* 'du:lɪtl
Doomer *niederl.* 'do:mər
Doon[e] *engl.* du:n

Dope doːp
dopen 'doːpn̩, *auch:* 'dɔpn̩
Döpfner 'dœpfnɐ
Doping 'doːpɪŋ, *auch:*
'dɔpɪŋ
Döpler 'døːplɐ
Dopolavoro *it.* dopola'voːro
Doppel 'dɔpl̩
doppeldeutig 'dɔpl̩dɔytɪç
doppeln 'dɔpl̩n
doppelzüngig 'dɔpl̩tsʏŋɪç,
-e ...ɪgə
Dopper *niederl.* 'dɔpər
Doppik 'dɔpɪk
doppio movimento 'dɔpio
movi'mɛnto
Doppler 'dɔplɐ
Dopsch dɔpʃ
Dor doːɐ̯
Dora 'doːra, *it.* 'dɔːra, *engl.*
'dɔːrə
Dora Baltea *it.* 'dɔːra 'baltea
Dorabella dora'bɛla
Dorada *span.* do'raða
Dorade do'raːdə
Dorado do'raːdo
Doran *engl.* 'dɔːrən
Dorant do'rant
Dora Riparia *it.* 'dɔːra
ri'paːria
Dorat *fr.* dɔ'ra
Dorati do'raːti
Doráti *ung.* 'dora:ti
Dorazio *it.* do'rattsio
Dorchain *fr.* dɔr'ʃɛ̃
Dorchen 'doːɐ̯çən
Dorchester *engl.* 'dɔːtʃɪstə
Dorcigny *fr.* dɔrsi'ɲi
Đorđe, Djordje *serbokr.*
'dʑɔːrdʑɛ
Đorđić, Djordjić *serbokr.*
'dʑɔːrdʑitɕ
Dordogne dɔr'dɔnjə, *fr.* dɔr-
'dɔɲ
Dordrecht *niederl.* 'dɔrdrɛxt
Dore 'doːrə, *fr.* dɔːr
Doré *fr.* dɔ're
Doreen *engl.* dɔː'riːn, '--
Dorer 'doːrɐ
Dorestad *niederl.* 'doːrəstat
Doret *fr.* dɔ're
Dorett[e] do'rɛt[ə]
Dorf dɔrf, **Dörfer** 'dœrfɐ
Dörfchen 'dœrfçən
Dörfen 'dɔrfn̩
Dörf[f]el 'dœrfl̩
Dörfler 'dœrflɐ
Dorfsame 'dɔrfzaːmə
Dorgelès *fr.* dɔrʒə'lɛs

[1]**Doria** (Name) 'doːria, *it.*
'dɔːria
[2]**Doria** (Donner und -!)
'doːria
Dorian *engl.* 'dɔːrɪən
[1]**Doriden** (Töchter des
Nereus) do'riːdn̩
[2]**Doriden**® dori'deːn
Dorier 'doːriɐ
Dorigny *fr.* dɔri'ɲi
Dorina do'riːna
Doriot *fr.* dɔ'rjo
Doris 'doːrɪs, *engl.* 'dɔrɪs
DORIS 'doːrɪs
dorisch 'doːrɪʃ
Dorit[t] 'doːrɪt
Dorking *engl.* 'dɔːkɪŋ
Dorlandus dɔr'landʊs
Dorle 'doːɐ̯lə
Dormagen 'dɔrmaːgn̩
Dörmann 'dœːɐ̯man
Dormeuse dɔr'møːzə
Dormitorium dɔrmi'toː-
rium, ...ien ...iən
Dormont *engl.* 'dɔːmɔnt
Dorn dɔrn, **Dörner** 'dœrnɐ
Dorna[ch] 'dɔrna[x]
Dörnberg 'dœrnbɛrk
Dornbirn 'dɔrnbɪrn
Dornburg 'dɔrnbʊrk
Dörnchen 'dœrnçən
Dorneck dɔr'nɛk
Dorner 'dɔrnɐ
Dörner vgl. Dorn
Dornhan 'dɔrnhaːn
Dornicht 'dɔrnɪçt
Dornier dɔr'nie:
dornig 'dɔrnɪç, -e ...ɪgə
Dörnigheim 'dœrnɪçhaim
Dorno 'dɔrno
Dornröschen 'dɔrnrøːsçən
Dornstetten dɔrn'ʃtɛtn̩
Doro 'doːro
Doromanie doroma'niː
Doronicum do'roːnikʊm
Dorosch *russ.* 'dɔrɐʃ
Doroschenko *russ.* dɐra-
'ʃɛnko
Dorothea doro'teːa
Dorothee 'doːrote, doro-
'teː[ə]
Dorotheos do'roːteɔs, doro-
'teːɔs
Dorotheum doro'teːʊm
Dorothy *engl.* 'dɔrəθi
Dorotić *serbokr.* ˌdɔrɔtitɕ
Dorpat 'dɔrpat
Dörpfeld 'dœrpfɛlt
Dorpmüller 'dɔrpmylɐ
Dörr[e] 'dœr[ə]

dorren 'dɔrən
dörren 'dœrən
Dörrie[s] 'dœriə[s]
Dorrien *engl.* 'dɔrɪən
dorsal, D... dɔr'zaːl
Dorsale dɔr'zaːlə
Dorsch dɔrʃ
Dorset 'dɔrzɛt, *engl.* 'dɔːsɪt
Dorsey *engl.* 'dɔːsɪ
dorsiventral dɔrzivɛn'traːl
dorsoventral dɔrzovɛn'traːl
Dorst *dt., niederl.* dɔrst
Dorsten 'dɔrstn̩
dort dɔrt
Dörtchen 'doːɐ̯tçən
Dort[h]e 'doːɐ̯tə
Dört[h]e 'døːɐ̯tə
dorther 'dɔrt'heːɐ̯, -'-, *hinweisend* '--
dorthin 'dɔrt'hɪn, -'-, *hinweisend* '--
dorthinab 'dɔrthɪ'nap, --'-,
hinweisend '---
dorthinaus 'dɔrthɪ'naʊs,
--'-, *hinweisend* '---
Dorticós *span.* dɔrti'kɔs
dortig 'dɔrtɪç, -e ...ɪgə
Dortka 'dɔrtka
Dortmund 'dɔrtmʊnt
Dortmunder 'dɔrtmʊndɐ
dortseitig 'dɔrtzaitɪç
dortseits 'dɔrtzaits
dortselbst 'dɔrt'zɛlpst, -'-
hinweisend '--
dortzulande 'dɔrttsu.landə
Dorval *fr.* dɔr'val, *engl.*
dɔː'vaːl
Doryphoros do'ryːforɔs
Dos doːs, **Dotes** 'doːteːs
DOS® dɔs
dos à dos 'doːs doː, do'za'doː:
Dosalo 'doːzalo
Dos Caminos *span.* dɔs
ka'minos
Döschen 'døːsçən
Dose 'doːzə
dösen 'døːzn̩, **dös!** døːs,
döst døːst
Dosfel *niederl.* 'dɔsfəl
dosieren do'ziːrən
dösig 'døːzɪç, -e ...ɪgə
Dosimeter dozi'meːtɐ
Dosimetrie dozime'triː
Dosio *it.* 'dɔːzio
Dosis 'doːzɪs
Dositheos do'ziːteɔs
Dos Passos *engl.* dɔs'pæsɔs
Dospewski *bulgar.*
dos'pɛfski

Dos Santos *port.* duʃ 'sɛn-tuʃ
Dossena *it.* dos'se:na
Dossi *it.* 'dɔssi
Dossier dɔ'sje:
dossieren dɔ'si:rən
Dossow 'dɔso
Dost[al] 'dɔst[al]
Dostojewski dɔsto'jɛfski, *russ.* dʊsta'jɛfskij
Dotal... do'ta:l...
Dotation dota'tsjo:n
Dotes vgl. Dos
Dothan *engl.* 'doʊθən
dotieren do'ti:rən
Dotter 'dɔtɐ
dotterig 'dɔtərɪç, -e ...ɪgə
Dotti *it.* 'dɔtti
Döttingen 'dœtɪŋən
Dottore *it.* dot'to:re
Dottrens *fr.* dɔ'trã
Dou *niederl.* dɔu̯
Douai *fr.* dwɛ
Douala *fr.* dwa'la
Douane 'dua̯:nə
Douanier dua̯'nje:
Douarnenez *fr.* dwarnə'ne
Douaumont *fr.* dwo'mõ
doubeln 'du:bl̩n, **double** 'du:blə
Doublage du'bla:ʒə
Double 'du:bl̩
Doublé du'ble:
Doublebind 'dabl̩bai̯nt
Doubleday *engl.* 'dʌbldeɪ
Doubleface 'du:bl̩fa:s, 'dabl̩fe:s
doublieren du'bli:rən
Doublure du'bly:rə
Doubrava *tschech.* 'dɔu̯brava
Doubs *fr.* du
doucement dusə'mã:
Douceur du'sø:ɐ̯
Douéra *fr.* dwe'ra
Douffet *fr.* du'fɛ
Dougga *fr.* dug'ga
Dougherty *engl.* 'doʊətɪ
Doughnut 'do:nat
Doughton *engl.* daʊtn̩
Doughty *engl.* 'daʊtɪ
Douglas-Home *engl.* 'dʌgləs'hju:m
Douglasie du'gla:zjə
Douglas[s] *engl.* 'dʌgləs
Douglasskop dagləs'sko:p
Douglastanne 'du:glastanə
Douhet *it.* du'ɛ
Doumer *fr.* du'mɛ:r
Doumergue *fr.* du'mɛrg

Doumic *fr.* du'mik
Dounreay *engl.* 'du:nreɪ
Doupion du'pjõ:
Doupovské hory *tschech.* 'dɔu̯pɔfskɛ: 'hɔri
Dour *fr.* du:r
Dourado[s] *bras.* do'radu[s]
Dourine du'ri:n
Douro *port.* 'doru
do ut des 'do: ʊt 'dɛs, - - 'de:s
Doutiné duti'ne:
Douvermann 'dau̯vɐman
Douwes *niederl.* 'dɔu̯wəs
doux du:
Dove 'do:və, *engl.* dʌv
Dover 'do:vɐ, *engl.* 'doʊvə
Dovifat 'do:vifat
Dovre[fjell] *norw.* 'dɔv-rə[fjɛl]
Dow[den] *engl.* dau̯[dn]
Dow-Jones-... 'dau̯-'dʒo:ns...
Dowland *engl.* 'dau̯lənd
Dowlas *engl.* 'dau̯ləs
down! dau̯n
Down-... dau̯n...
Downers Grove *engl.* 'dau̯-nəz 'grou̯v
Downes *engl.* dau̯nz
Downey *engl.* 'dau̯nɪ
Downing *engl.* 'dau̯nɪŋ
Download 'dau̯nlo:t
downloaden 'dau̯nlo:dn̩, ...d! ...o:t
Downpatrick *engl.* dau̯n-'pætrɪk
Downs *engl.* dau̯nz
Dowschenko *russ.* dav-'ʒɛnkɐ
Dowson *engl.* dau̯sn
Doxa 'dɔksa
Doxale dɔ'ksa:lə
Doxaton *neugr.* ðɔksa'tɔn
Doxograph dɔkso'gra:f
Doxologie dɔksolo'gi:, -n ...i:ən
Doyen dɔa'jɛ̃:
Doyle *engl.* dɔɪl
Dozent do'tsɛnt
Dozentur dotsɛn'tu:ɐ̯
dozieren do'tsi:rən
Dózsa *ung.* 'do:ʒɔ
Dr. 'dɔkto:ɐ̯
Drabble *engl.* dræbl
Drac *fr.* drak
Drach[e] 'drax[ə]
Drachen[fels] 'draxn̩[fɛls]
Drachmann *dän.* 'dragmæn
Drachme 'draxmə

Drachten *niederl.* 'drɑxtə
Dracontius dra'kɔntsi̯ʊs
Dracula 'dra:kula
Dracut *engl.* 'dreɪkət
Draeseke 'drɛ:zəkə
Draga *serbokr.* 'dra:ga
Dragahn dra'ga:n
Drăgăşani *rumän.* drəgə-'ʃani
Drage 'dra:gə
Dragee, ...gée dra'ʒe:
Drageoir dra'ʒɔa:ɐ̯
Dräger 'drɛ:gɐ
Drageur dra'ʒø:ɐ̯
Draggen 'dragn̩
Draghi *it.* 'dra:gi
dragieren dra'ʒi:rən
Dragist dra'ʒɪst
Drago *it.* 'dra:go, *span.* 'draɣo, *serbokr.* 'dra:gɔ
Drăgoiu *rumän.* drə'goi̯
Dragoman (Dolmetscher) 'dra:goma:n
Dragomir dra:gomi:ɐ̯
Dragon dra'go:n
Dragonade drago'na:də
Dragoner dra'go:nɐ
Dragonetti *it.* drago'netti
Dragoni *it.* dra'go:ni
Dragowitsche drago'vɪtʃə
Dragqueen 'drɛkkvi:n
Draguignan *fr.* dragi'ɲã
Dragun dra'gu:n
drahn dra:n
Drahrer 'dra:rɐ
Draht dra:t, **Drähte** 'drɛ:tə
drahten 'dra:tn̩
drähtern 'drɛ:tɐn
Drain drɛ̃:
Drainage drɛ'na:ʒə
drainieren drɛ'ni:rən
Drais drai̯s
Draisine drai̯'zi:nə, *auch:* drɛ'zi:nə
Drake *engl.* dreɪk
Drakensberge 'dra:kn̩sbɛrgə
Drako 'dra:ko
Drakon 'dra:kɔn
drakonisch dra'ko:nɪʃ
Drakontiasis drakɔn'ti:azɪs
Drakunkulose drakʊŋku-'lo:zə
drall, D... dral
Dralon ® 'dra:lɔn
¹Drama (Stadt) *neugr.* 'ðrama
²Drama 'dra:ma
Dramatik dra'ma:tɪk
Dramatiker dra'ma:tikɐ

dramatisch dra'ma:tɪʃ
dramatisieren dramati'zi:-
rən
Dramatis Personae 'dra:-
matɪs pɛr'zo:nɛ
Dramaturg drama'tʊrk, -en
...rgṇ
Dramaturgie dramatʊr'gi:,
-n ...i:ən
dramaturgisch drama'tʊr-
gɪʃ
Dramburg 'drambʊrk
Dramma per musica
'drama pɛr 'mu:zika, ,
Dramme - - 'dramə - -
Drammen norw. 'dramən
Dramolett dramo'lɛt
dran dran
Drän drɛ:n
Dränage drɛ'na:ʒə
Drancy fr. drã'si
dränen 'drɛ:nən
drang, D... draŋ
dränge 'drɛŋə
Drängelei drɛŋə'lai̯
drängeln 'drɛŋḷn
drängen 'drɛŋən
Drängerei drɛŋə'rai̯
Drangiane draŋ'gi̯a:nə
Drangsal 'draŋza:l
drangsalieren draŋza'li:rən
Drangsnes isl. 'drauŋsnɛ:s
dränieren drɛ'ni:rən
Drank draŋk
drankommen 'drankɔmən
Dranmor 'dranmo:ɐ̯
Dransfeld 'dransfɛlt
Drap dra:
Drapa 'dra:pa, Drapur
'dra:pʊr
Drapé dra'pe:
Drapeau dra'po:
Draper engl. 'drei̯pə
Draperie drapə'ri:, -n ...i:ən
drapieren dra'pi:rən
drapp drap
Drapur vgl. Drapa
drasch, D... dra:ʃ
dräsche 'drɛ:ʃə
Drašković serbokr. 'draʃkɔ-
vitɕ
Drastik 'drastɪk
Drastikum 'drastikʊm, ...ka
...ka
drastisch 'drastɪʃ
Dratzigsee 'dra:tsɪt͡sgə:
Drau drau̯
dräuen 'drɔy̯ən
drauf drau̯f
Draufgänger 'drau̯fgɛŋɐ

draufgängerisch 'drau̯f-
gɛŋərɪʃ
draufgehen 'drau̯fge:ən
drauflosgehen drau̯f'lo:s-
ge:ən
draus drau̯s
Drausensee 'drau̯znze:
draußen 'drau̯sṇ
Drava slowen., serbokr.
'dra:va
Dráva ung. 'dra:vɔ
Drave 'dra:və
Drawäne dra'vɛ:nə
Drawback 'dro:bɛk
Drawida dra'vi:da, auch:
'dra:vida
drawidisch dra'vi:dɪʃ
Drawingroom 'dro:ɪŋru:m
Drawsko Pomorskie poln.
'drafskɔ pɔ'mɔrskjɛ
Drayton engl. dreɪtn
Drazäne dra'tsɛ:nə
Drd[l]a tschech. 'dṛd[l]a
Dreadlocks 'drɛtlɔks
Dreadnought 'drɛtno:t
Dreamteam 'dri:mti:m
Dreber 'dre:bɐ
Drebkau 'drɛpkau̯
drechseln 'drɛksḷn
Drechsler 'drɛkslɐ
Drechslerei drɛkslə'rai̯
Dreck drɛk
Dredsche 'drɛdʒə
Drees niederl. dre:s
Dreesch dre:ʃ
Dregger 'drɛgɐ
Dregowitsche drego'vɪtʃə
Dreh dre:
drehen 'dre:ən
Dreher 'dre:ɐ
Dreherei dre:ə'rai̯
drei drai̯
Dreiachteltakt drai̯-
'|axtḷtakt
Dreieck 'drai̯|ɛk
dreieckig 'drai̯|ɛkɪç
Dreieich[en] drai̯'|ai̯ç[n̩]
Dreieichenhain drai̯-
|ai̯çn̩'hain
dreieinhalb 'drai̯|ai̯n'halp
dreieinig drai̯'|ai̯nɪç
Dreieinigkeit drai̯'|ai̯nɪçkai̯t
Dreier 'drai̯ɐ
dreierlei 'drai̯ɐ'lai̯
dreifach 'drai̯fax
Dreifaltigkeit drai̯'faltɪçkai̯t
Dreifarbendruck drai̯-
'farbṇdrʊk
Dreifelderwirtschaft drai̯-
'fɛldɐvɪrtʃaft

Dreifingerfaultier drai̯'fɪŋɐ-
faulti:ɐ̯
Dreifuss 'drai̯fu:s
dreigestrichen 'drai̯gə-
ʃtrɪçṇ
Drei Gleichen drai̯ 'glai̯çṇ
Dreigroschenoper
drai̯'grɔʃṇlo:pɐ
Dreiheit 'drai̯hai̯t
Dreiherr[e]nspitze drai̯-
'hɛr[ə]nʃpɪtsə
dreihundert 'drai̯'hʊndɐt
Dreikaiserzusammen-
kunft drai̯'kai̯zɐtsuzamən-
kʊnft
Dreikant[er] 'drai̯kant[ɐ]
dreikantig 'drai̯kantɪç
Dreikäsehoch drai̯'kɛ:zə-
ho:x
Dreikönige drai̯'kø:nɪgə
Dreiländertreffen drai̯'lɛn-
dɐtrɛfṇ
Dreiling 'drai̯lɪŋ
dreimal 'drai̯ma:l
dreimalig 'drai̯ma:lɪç, -e
...ɪgə
Dreimaster 'drai̯mastɐ
dreimastig 'drai̯mastɪç
Dreimeilenzone drai̯'mai̯-
lən͡tso:nə
Dreimonatsziel drai̯'mo:-
nats͡tsi:l
drein drai̯n
dreinblicken 'drai̯nblɪkṇ
Dreipass 'drai̯pas
Dreiphasenstrom drai̯-
'fa:zn̩ʃtro:m
DreiSat, 3sat 'drai̯zat
Dreischrittregel drai̯'ʃrɪt-
re:gḷ
dreischürig 'drai̯ʃy:rɪç, -e
...ɪgə
Dreiser engl. 'drai̯zɐ
Dreisesselberg drai̯'zɛsḷ-
bɛrk
dreißig 'drai̯sɪç
dreißigjährig 'drai̯sɪçjɛ:rɪç
dreist drai̯st
dreistückweise drai̯'ʃtyk-
vai̯zə
Dreistufenrakete drai̯-
'ʃtu:fn̩rakɛ:tə
Dreitagefieber drai̯'ta:gə-
fi:bɐ
dreitausend 'drai̯'tau̯znt
Dreitausender 'drai̯-
'tau̯zn ̩dɐ
dreiundeinhalb 'drai̯|ʊnt-
|ai̯n'halp

dr**ei**undzw**a**nzig 'draɪ-|ʊnt'tsvantsɪç
dreiviertellang draɪ'fɪrtl̩laŋ
Dreiviertelliterflasche draɪfɪrtl̩'liːtɐflaʃə, ...'lɪt...
Dreiviertelmehrheit draɪ-'fɪrtl̩meːɐ̯haɪt
Dr**ei**viertelst**u**nde 'draɪfɪrtl̩'ʃtʊndə
Dreivierteltakt draɪ-'fɪrtl̩takt
Dreiw**e**gekatalysator draɪ-'veːgəkatalyzaːtoːɐ̯, -en ...zatoːrən
dr**ei**zehn 'draɪtseːn
dr**ei**zehnh**u**ndert 'draɪtseːn-'hʊndɐt
Dreiz**i**mmerwohnung draɪ-'tsɪmɐvoːnʊŋ
Drei Z**i**nnen draɪ 'tsɪnən
Dr**e**ll drɛl
dr**e**mmeln 'drɛml̩n
Dr**e**mpel 'drɛmpl̩
Drenst**ei**nfurt drɛn'ʃtaɪnfʊrt
Dr**e**nt[h]e niederl. 'drɛntə
Dres. dɔk'toːreːs
Dr**e**sche 'drɛʃə
dr**e**schen 'drɛʃn̩
Dr**e**sden 'dreːsdn̩
Dresden-**A**ltstadt dreːsdn̩-'laltʃtat
Dr**e**sdener 'dreːsdənɐ
Dresden-N**eu**stadt dreːsdn̩'nɔyʃtat
Dr**e**sdner 'dreːsdnɐ
Dr**e**ss drɛs
Dress**a**t drɛ'saːt
Dr**e**ssel 'drɛsl̩
Dress**eu**r drɛ'søːɐ̯
dress**ie**ren drɛ'siːrən
Dr**e**ssing 'drɛsɪŋ
Dr**e**ssinggown 'drɛsɪŋgaʊn
Dr**e**ssler 'drɛslɐ
Dr**e**ssman, ...men 'drɛsmɛn
Dress**u**r drɛ'suːɐ̯
Dreux fr. drø
Drev**e**t fr. drəˈvɛ
Dr**e**wenz 'dreːvɛnts
Dr**e**witz 'dreːvɪts
Drewj**a**ne drɛ'vjaːnə
Dr**e**ws dreːfs, engl. druːz
Dr**e**yer 'draɪɐ
Dr**e**yfus 'draɪfuːs, fr. drɛ'fys
Dr**e**yse 'draɪzə
Drezd**e**nko poln. drɛz'dɛŋkɔ
Dr. ... hab**i**l. 'dɔktoːɐ̯... ha'biːl
Dr. h. c. 'dɔktoːɐ̯ ha:'tse:

Dr. h. c. mult. 'dɔktoːɐ̯ ha:'tse:'mʊlt
dr**i**bbeln 'drɪbl̩n, dr**i**bble 'drɪblə
Dr**i**bbling 'drɪblɪŋ
Dr**i**burg 'driːbʊrk
Dr**ie**bergen niederl. 'driːbɛryə
Dr**ie**sch driːʃ
Dr**ie**sen 'driːzn̩
Dr**ie**ssler 'driːslɐ
Dr**ieu** fr. dri'ø
Dr**i**ft drɪft
dr**i**ften 'drɪftn̩
dr**i**ftig 'drɪftɪç, -e ...ɪgə
Dr**i**go it. 'driːgo
Dr**i**lch drɪlç
Dr**i**ll drɪl
dr**i**llen 'drɪlən
Dr**i**llich 'drɪlɪç
Dr**i**lling 'drɪlɪŋ
dr**i**n drɪn
Dr**i**n alban. drin
Dr**i**na serbokr. 'driːna
Dr.-Ing. 'dɔktoːɐ̯lɪŋ
dr**i**ngen 'drɪŋən
Dr**i**ngenberg 'drɪŋənbɛrk
dr**i**ngend 'drɪŋənt, -e ...ndə
dr**i**nglich 'drɪŋlɪç
Dr**i**nk drɪŋk
Dr**i**nkwater engl. 'drɪŋk-woːtɐ
dr**i**nnen 'drɪnən
Dr**i**now bulgar. 'drinɔf
dr**i**nsitzen 'drɪnzɪtsn̩
dr**i**sch! drɪʃ
Dr**i**schel 'drɪʃl̩
dr**i**scht drɪʃt
dr**i**tt[e] 'drɪt[ə]
Dr**i**ttel 'drɪtl̩
dr**i**tteln 'drɪtl̩n
dr**i**ttens 'drɪtn̩s
Dr**i**tte-W**e**lt-... drɪtə'vɛlt...
dr**i**tth**ö**chst 'drɪt'høːçst
dr**i**ttl**e**tzt 'drɪt'lɛtst
Dr**i**ttteil 'drɪttaɪl
Dr**i**ve draɪf
dr**i**ven 'draɪvn̩, driv! draɪf, drivt draɪft
Drive-in draɪ'vɪn, draɪf|ɪn, auch: '--
Dr**i**ver 'draɪvɐ, engl. 'draɪvə
Dr. jur. 'dɔktoːɐ̯ 'juːɐ̯
Dr. med. 'dɔktoːɐ̯ 'meːt, - 'meːt
Dr. med. dent. 'dɔktoːɐ̯ 'meːt 'dɛnt, - 'mɛt -
Dr. med. vet. 'dɔktoːɐ̯ 'meːt 'vɛt, - 'mɛt -
dr**o**b drɔp

dr**o**ben 'droːbn̩
Drob**e**ta rumän. drɔ'beta
Dr**oe**mer 'drøːmɐ
Dr**o**ge 'droːgə
dr**ö**ge 'drøːgə
Droger**ie** drogə'riː, -n ...iːən
Dr**o**gheda engl. 'drɔɪɪdə
Drog**i**st dro'gɪst
Dr**o**go 'droːgo
Drog**o**bytsch russ. dra'gɔbɪtʃ
Drogu**e**tt span. dro'ɣɛt
dr**o**hen 'droːən
Dr**o**hn[e] 'droːn[ə]
dr**ö**hnen 'drøːnən
Dr**o**hung 'droːʊŋ
Dr**o**itwich engl. 'drɔɪtwɪtʃ
Droler**ie** drolə'riː, -n ...iːən
dr**o**llig 'drɔlɪç, -e ...ɪgə
Dr**o**lshagen 'drɔlshaːgn̩, -'--
Dr**ô**me fr. droːm
Dromed**a**r drome'daːɐ̯, auch: 'droːmeda:ɐ̯
Dr**ö**mling 'drøːmlɪŋ
Dr**o**mmete drɔ'meːtə
Dr**o**nte 'drɔntə
Dr**o**ntheim 'drɔnthaɪm
Dr**o**pkick 'drɔpkɪk
Drop-out 'drɔplaʊt, -'-
dr**o**ppen 'drɔpn̩
Dr**o**ps drɔps
Dr**o**pshot 'drɔpʃɔt
dr**o**sch drɔʃ
dr**ö**sche 'drœʃə
Dr**o**schke 'drɔʃkə
Dr**o**schschin russ. 'drɔʒʒin
dr**ö**seln 'drøːzl̩n, dr**ö**sle 'drøːzlə
Dr**o**sendorf 'droːzn̩dɔrf
Dr**o**sera 'droːzera
Dros**i**nis neugr. ðrɔ'sinis
Drosogr**a**ph drozo'graːf
Drosom**e**ter drozo'meːtɐ
Dros**o**phila dro'zoːfila, ...lae ...lɛ
Dr**o**ssel 'drɔsl̩
Dr**o**sselbart 'drɔsl̩baːɐ̯t
dr**o**sseln 'drɔsl̩n
Dr**o**ssen 'drɔsn̩
Dr**o**ssenfeld 'drɔsn̩fɛlt
Dr**o**st dt., niederl. drɔst
Dr**o**ste-H**ü**lshoff 'drɔstə-'hʏlshɔf
Drost**ei** drɔs'taɪ
Drottningh**o**lm schwed. drɔtnɪŋ'hɔlm
Dro**u**ais fr. dru'ɛ
Dro**u**et fr. dru'ɛ

Drouyn de Lhuys fr. druɛ̃-
 dǝ'lɥis
Droylsden engl. 'drɔɪlzdǝn
Droysen 'drɔyzn̩
Droz fr. dro:z, fr. -schweiz.
 dro
Dr. phil. 'dɔkto:ɐ̯ 'fi:l, - 'fɪl
Dr. phil. nat. 'dɔkto:ɐ̯ 'fi:l
 'nat, - 'fɪl -
Dr. rer. nat. 'dɔkto:ɐ̯ 're:ɐ̯
 'nat
Dr. rer. pol. 'dɔkto:ɐ̯ 're:ɐ̯
 'pɔl
Dr. theol. 'dɔkto:ɐ̯ 'te:ɔl,
 - te'ɔl
drüben 'dry:bn̩
drüber 'dry:bɐ
Druck drʊk, **Drücke** 'drʏkǝ
drucken 'drʊkn̩
drücken 'drʏkn̩
Druckerei drʊkǝ'raɪ
Drückerei drʏkǝ'raɪ
drucksen 'drʊksn̩
Drude 'dru:dǝ
Drudel 'dru:dl̩
Druey fr. dry'ɛ
Drugstore 'draksto:ɐ̯
Drugulin 'dru:guli:n
Druide dru'i:dǝ
drum drʊm
Drum dram
Drumew bulgar. 'drumɛf
Drumherum drʊmhe'rʊm
Drumlin 'drʊmlɪn, auch:
 'dramlɪn
Drummer 'dramɐ
Drummond engl. 'dramǝnd,
 bras. dru'mõ
Drummondville engl. 'dra-
 mǝndvɪl
Drummoyne engl. dra'mɔɪn
Drumont fr. dry'mõ
Drums drams
Drum und Dran 'drʊm ʊnt
 'dran
drunten 'drʊntn̩
drunter 'drʊntɐ
Druon fr. dry'õ
Drury engl. 'drʊǝrɪ
Drusch drʊʃ
Druschba bulgar., russ.
 'druʒbɐ
Drüschen 'dry:sçǝn
Druschina dru'ʃi:na
Druschinin russ. dru'ʒinin
Druschkowka russ. druʃ-
 'kɔfkɐ
Druse 'dru:zǝ
Drüse 'dry:zǝ
drusig 'dru:zɪç, -e ...ɪgǝ

drüsig 'dry:zɪç, -e ...ɪgǝ
Drweca poln. 'drvɛntsa
dry draɪ
Dryada dry'a:da
Dryade dry'a:dǝ
Dryander dry'andɐ
Dryas 'dry:as
Dryden engl. draɪdn
Dryfarming 'draɪfarmɪŋ
Drygalski dry'galski
Dryopithekus dryo'pi:tekʊs
Držić serbokr. ˌdr:ʒitɕ
Dschafar 'dʒafar
Dschagga 'dʒaga
Dschaina 'dʒaɪna
Dschainismus dʒaɪ'nɪsmʊs
Dschalal-Abad russ. dʒa'la-
 la'bat
Dschalaloddin pers. dʒælа-
 lod'di:n
Dschalil russ. dʒa'lilj
Dschambul russ. dʒam'bul
Dschami pers. dʒa'mi:
Dschanide dʒa'ni:dǝ
Dschanin dʒa'ni:n
Dschankoi russ. dʒan'kɔj
Dscharir dʒa'ri:ɐ̯
Dschasiradza 'zi:ra
Dschebel 'dʒɛbl̩, 'dʒe:bl̩
Dscherba 'dʒɛrba
Dscheskasgan russ. dʒǝs-
 kaz'gan
Dschetygara russ. dʒǝti-
 ga'ra
Dschibran dʒi'bra:n
Dschibuti dʒi'bu:ti
Dschidda 'dʒɪda
Dschiggetai dʒɪgе'taɪ
Dschihad dʒi'ha:t
Dschina 'dʒi:na
Dschingis Khan 'dʒɪŋgɪs
 'ka:n
Dschinismus dʒi'nɪsmʊs
Dschinn dʒɪn
Dschodo 'dʒo:do
Dscholfa pers. dʒɔl'fa:
Dschonke 'dʒɔŋkǝ
Dschowaini pers. dʒovеj'ni:
Dschugaschwili russ. dʒu-
 ga'ʃvili
Dschumblat dʒʊm'bla:t
Dschungel 'dʒʊŋl̩
Dschunke 'dʒʊŋkǝ
Dschuscheghan dʒʊʃe'ga:n
Dserschinsk[i] russ. dzɪr-
 'ʒinsk[ij]
Dsungare tsʊŋ'ga:rǝ
Dsungarei tsʊŋga'raɪ
dsungarisch tsʊŋ'ga:rɪʃ

du, Du du:
dual du'a:l
Dual 'du:a:l, du'a:l; -e
 du'a:lǝ
Duala 'dua:la
Dualis du'a:lɪs
dualisieren duali'zi:rǝn
Dualismus dua'lɪsmʊs
Dualist dua'lɪst
Dualität duali'tɛ:t
Duane engl. dweɪn
Duarte span. 'duarte, port.
 'duartǝ
Dubai du'baɪ, 'du:baɪ
Dubarry fr. dyba'ri
Du Bartas fr. dybar'ta:s
Dubasse du'basǝ
Dubbels niederl. 'dʌbǝls
Dubbing 'dabɪŋ
Dubbo engl. 'dʌbou
Dubček slowak. 'duptʃɛk
Dübel 'dy:bl̩
Du Bellay fr. dybɛ'lɛ
dübeln 'dy:bln̩, **düble**
 'dy:blǝ
Düben 'dy:bn̩
Dübendorf 'dy:bn̩dɔrf
Dubia, Dubien vgl. Dubium
Dubinsky engl. du:'bɪnskɪ
dubios du'bjo:s, -e ...o:zǝ
dubiös du'bjø:s, -e ...ø:zǝ
Dubiosa du'bjo:za
Dubiosen du'bjo:zn̩
Dubislav 'du:bɪslaf
Dubitatio dubi'ta:tsjo, -nes
 ...ta'tsjo:ne:s
dubitativ dubita'ti:f, -e
 ...i:vǝ
Dubitativ 'du:bitati:f, -e
 ...i:vǝ
Dubium 'du:bjʊm, ...ia ...ja,
 ...ien ...jǝn
Dublee du'ble:
Dublette du'blɛtǝ
dublieren du'bli:rǝn
Dublin 'dablɪn, engl. 'dʌblɪn
Dublone du'blo:nǝ
Dublüre du'bly:rǝ
Dubna russ. dub'na
Dubnica tschech. 'dubnjitsa
Dubno russ. 'dubnɐ
Du Bois engl. du:'bɔɪs,
 fr. dy'bwa
Dubois fr. dy'bwa
Du Bois-Reymond fr. dy-
 bwarɛ'mõ
Du Bos, Dubos fr. dy'bos
Dubreuil, Du B... fr. dy'brœj
Dubrovnik serbokr.
 ˌdubrɔ:vni:k

Dubs[ky] 'dʊps[ki]
Dubufe *fr.* dy'byf
Dubuffet *fr.* dyby'fɛ
Dubuque *engl.* də'bju:k
Duc *fr.* dyk
¹**Duca** (Herzog) *it.* 'du:ka
²**Duca** (Name) *rumän.* 'duka
Du Camp, Ducamp *fr.* dy'kã
Du Cange, Ducange *fr.*
  dy'kã:ʒ
Ducasse *fr.* dy'kas
Duccio *it.* 'duttʃo
Duce *it.* 'du:tʃe
Ducento *it.* du'tʃɛnto
Ducerceau *fr.* dysɛr'so
Duces *vgl.* Dux
Duchamp *fr.* dy'ʃã
Du Châtel *fr.* dyʃa'tɛl
Du Châtelet *fr.* dyʃa'tlɛ,
  dyʃa'tlɛ
Duchcov *tschech.* 'duxtsɔf
Duchenne *fr.* dy'ʃɛn
Duchesne *fr.* dy'ʃɛn
Duchesnea dy'ʃɛ:nea
Duchessa du'kɛsa
Duchesse dy'ʃɛs, -n dy'ʃɛsn
Duchoborze dʊxo'bɔrtsə
Ducht dʊxt
Dučić *serbokr.* 'dutʃitɕ
Duci[s] *fr.* dy'si[s]
Duck *engl.* dʌk
Duckdalbe 'dʊkdalbə
Dückdalbe 'dʏkdalbə
ducken 'dʊkn̩
Duckmäuser 'dʊkmɔyzɐ
Duclos *fr.* dy'klo
Ducommun *fr.* dykɔ'mœ̃
Ducos *fr.* dy'ko
Ducroz *fr.* dy'kro
Ductus 'dʊktʊs, **die -** ...tu:s
Duda 'du:da
Dudajew *russ.* du'dajɪf
Duddell *engl.* dʌ'dɛl
Du Deffand *fr.* dydɛ'fã
Dudek *engl.* 'du:dɛk
Dudelange *fr.* dy'dlã:ʒ
dudeldumdei!
  du:dl̩dʊm'daɪ
Dudelei du:də'laɪ
Dudeler 'du:dəlɐ
Düdelingen 'dy:dəlɪŋən
dudeln 'du:dl̩n, **dudle**
  'du:dlə
Dudelsack 'du:dl̩zak
Duden 'du:dn̩
Duderstadt 'du:dɐʃtat
Dudevant *fr.* dyd'vã
Dudinka *russ.* du'dɪnkɐ
Dudinzew *russ.* du'dintsəf
Dudith *ung.* 'duditʃ

Dudler 'du:dlɐ
Dudley *engl.* 'dʌdlɪ
Dudo 'du:do
Dudok *niederl.* 'dydɔk
Dudow *bulgar.* 'dudof
Dudweiler 'dʊtvaɪlɐ
due *it.* 'du:e
Duecento *it.* due'tʃɛnto
Duell du'ɛl
Duellant duɛ'lant
duellieren duɛ'li:rən
Duenja 'duɛnja, *span.*
  'duena
Duero 'due:ro, *span.* 'duero
Duesterberg 'dy:stɐbɛrk
Duett du'ɛt
Duettino duɛ'ti:no, ...**ni** ...ni
Du Fail *fr.* dy'faj
Dufay, Du Fay *fr.* dy'fɛ
duff dʊf
Duff *engl.* dʌf
Duffel *niederl.* 'dʏfəl
Düffel 'dʏfl̩
Dufferin *engl.* 'dʌfərɪn
Dufflecoat 'dafl̩ko:t
Duffy *engl.* 'dʌfɪ
Dufour *fr.* dy'fu:r
Dufourcq *fr.* dy'furk
Dufrénoy *fr.* dyfre'nwa
Dufresne *fr.* dy'frɛn
Dufresnoy *fr.* dyfrɛ'nwa
Dufresny *fr.* dyfrɛ'ni
Duft dʊft, **Düfte** 'dʏftə
dufte 'dʊftə
duften 'dʊftn̩
duftig 'dʊftɪç, -e ...ɪgə
Du Fu *chin.* dufu 43
Dufy *fr.* dy'fi
Du Gard *fr.* dy'ga:r
Dugento *it.* du'dʒɛnto
Dughet *fr.* dy'gɛ
Dugi Otok *serbokr.* 'dugi:
  ɔtɔk
Dugong 'du:gɔŋ
Dugonics *ung.* 'dugonitʃ
Duguesclins *fr.* dyge'klɛ̃
Duguit *fr.* dy'gi
Duhamel *fr.* dya'mɛl
Duhem *fr.* dy'ɛm
Duhm du:m
Duhn[en] 'du:n[ən]
Duhr du:ɐ
Dühring[er] 'dy:rɪŋ[ɐ]
Duiker *niederl.* 'dœikɐr
Duilius *fr.* du'i:liʊs
Duineser dui'ne:zɐ
Duinkerken *niederl.* 'dœin-
  kɛrkə
Duino *it.* du'i:no
Duisberg 'dy:sbɛrk

Duisburg 'dy:sbʊrk
Duisdorf 'dy:sdɔrf
Duitschew *bulgar.* 'dujtʃɛf
Dujardin *fr.* dyʒar'dɛ̃
du jour dy: 'ʒu:ɐ̯
Dukagjini *alban.* duka'gjini
Dukas 'du:kas; *fr.* dy'ka,
  auch: dy'kɑ:s
Dukaten du'ka:tn̩
Duk-Duk 'dʊk'dʊk, '--
Duke *engl.* dju:k
Düker 'dy:kɐ
Dukes *engl.* dju:ks
Dukla *tschech., poln.* 'dukla
duktil dʊk'ti:l
Duktilität dʊktili'tɛ:t
Duktor 'dʊkto:ɐ̯, -**en**
  dʊk'to:rən
Duktus 'dʊktʊs
Dulac *fr.* dy'lak
Dulaurens *fr.* dylɔ'rã:s
Dulbecco *engl.* dʌl'bɛkoʊ
Dülberg 'dʏlbɛrk
Dulcamara *it.* dulka'ma:ra
Dulce *span.* 'dulθe
Dulcimer 'dalsimɐ
Dulcin dʊl'tsi:n
Dulcinea *span.* dulθi'nea
dulden 'dʊldn̩, **duld!** dʊlt
duldsam 'dʊltza:m
Dülfer 'dʏlfɐ
Dulichius du'liçiʊs
Dülken 'dʏlkn̩
Dullenried 'dʊlənri:t
Duller 'dʊlɐ
Dulles *engl.* 'dʌlɪs
Dullin *fr.* dy'lɛ̃
Dülmen 'dʏlmən
Dulon[g] *fr.* dy'lõ
Dult dʊlt
Duluth *engl.* də'lu:θ
Dulzian 'dʊltsia:n, -'–
Dulzin dʊl'tsi:n
Dulzinea dʊltsi'ne:a, ...**neen**
  ...nɛ:ən
Duma 'du:ma
Dumaguete *span.* duma-
  'ɣete
Dumain *engl.* dju'meɪn, *fr.*
  dy'mɛ̃
Dumas *fr.* dy'ma
Du Maurier *engl.* dju'mɔ:-
  rɪeɪ
Dumbarton *engl.* dʌm'bɑ:tn̩
Ďumbier *slowak.* 'djumbiɐr
Dumbshow 'damʃo:
¹**Dumdum** (Geschoss) dʊm-
  'dʊm
²**Dumdum** (Name) *engl.*
  'dʌmdʌm

Dumesnil fr. dyme'nil
Dumézil fr. dyme'zil
Dumfries engl. dʌm'fri:s
Dumitrescu rumän. dumi-
ˈtresku
Dumitriu rumän. dumi'triu
Dumka 'dʊmka, ...ki ...ki
dumm dʊm, **dümmer**
'dʏmɐ
dummdreist 'dʊmdraist
Dummejungenstreich
dʊmə'jʊŋənʃtraiç
dümmer vgl. dumm
Dümmer 'dʏmɐ
Dummerjan 'dʊmɐja:n
Dummian 'dʊmia:n, ...ian
Dümmler 'dʏmlɐ
dümmlich 'dʏmlɪç
Dummrian 'dʊmria:n, ...ian
Dummy 'dami
Dumonstier fr. dymõ'tje
Du Mont, DuM... fr. dy'mõ
Dumont fr. dy'mõ, bras.
du'mõ
Dumont d'Urville fr. dymõ-
dyr'vil
Dumoulin fr. dymu'lɛ̃
Dumouriez fr. dymu'rje
Dump damp
dümpeln 'dʏmpl̩n
Dumper 'dampɐ, auch:
'dʊmpɐ
dumpf dʊmpf
dumpfig 'dʊmpfɪç, -e ...ɪgə
Dumping 'dampɪŋ
Dumpling 'damplɪŋ
Dumy 'du:mi
dun du:n
Dün dy:n
Duna ung. 'dunɔ
Düna 'dy:na
Dünaburg 'dy:nabʊrk
Dunaiszky ung. 'dunɔiski
Dunaj tschech. 'dunaj, slo-
wak. 'dunai
Dunajec poln. du'najɛts, slo-
wak. 'dunajets
Dunajewski russ. duna'jɛf-
skij
Dunant fr. dy'nã
Dunántúl ung. 'duna:ntu:l
Dunărea rumän. 'dunərɛa
Dunaújvaros ung.
'dunɔu:jva:roʃ
Dunav serbokr. 'dunav
Dunaw bulgar. dunɐf
Dunaway engl. 'dʌnəwei
[1]**Dunbar** engl. dʌn'ba:
[2]**Dunbar** (US Dichter)
'dʌnba:

Dunbarton engl. dʌn'ba:tn
Duncan engl. 'dʌŋkən
Duncanville engl. 'dʌŋkən-
vil
Dunciade dʊn'tsia:də
Duncker 'dʊŋkɐ
[1]**Dundalk** engl. dʌn'dɔ:k
[2]**Dundalk** (USA) engl. 'dʌn-
dɔ:k
Dundas engl. dʌn'dæs, '--
Dundee engl. dʌn'di:
Dunderlandsdal norw.
'dʊndərlansda:l
Dundonald engl. dʌn'dɔnld
Dune 'du:nə
Düne 'dy:nə
Dunedin engl. dʌn'i:dɪn
Dünen 'dy:nən
Dunfermline engl. dʌn-
'fə:mlɪn
Dung dʊŋ
Dungane dʊŋ'ga:nə
Dungau 'du:ngau
düngen 'dʏŋən
Dungeness engl. dʌndʒi'nɛs
Dunham engl. 'dʌnəm
Duni it. 'du:ni
Dunikowski poln. duni-
'kɔfski
Dunit du'ni:t
Dunja 'dʊnja, russ. 'dunjɐ
Dunjasch[k]a russ.
du'njaʃ[k]ɐ
dunkel 'dʊŋkl̩
Dünkel 'dʏŋkl̩
dunkelblau 'dʊŋkl̩blau
dünkelhaft 'dʏŋkl̩haft
dunkeln 'dʊŋkl̩n
dünken 'dʏŋkn̩
Dunker 'dʊŋkɐ
Dunkerque fr. dœ̃'kɛrk
Dunking 'daŋkɪŋ
Dünkirchen 'dy:nkɪrçn̩
Dunkirk engl. dʌn'kə:k
Dunkmann 'dʊŋkman
Dun Laoghaire engl. dʌn-
'liəri
Dunlap engl. 'dʌnləp
Dunlop engl. 'dʌnləp
Dunmore engl. dʌn'mɔ:
dünn dʏn
Dunn[e] engl. dʌn
Dünne 'dʏnə
Dunnville engl. 'dʌnvil
Dunois fr. dy'nwa
Dunoyer fr. dynwa'je
Duns dʊns, engl. dʌnz
Dunsany engl. dʌn'seini
Dunsel 'dʊnzl̩

Dunsinane engl. 'dʌnsɪnein,
-'--, --'-
Duns Scotus 'dʊns 'sko:tʊs
Dunst dʊnst, **Dünste**
'dʏnstə
Dunstable engl. 'dʌnstəbl
Dunstan engl. 'dʌnstən
dunsten 'dʊnstn̩
dünsten 'dʏnstn̩
dunstig 'dʊnstɪç, -e ...ɪgə
Düntzer 'dʏntsɐ
Dünung 'dy:nʊŋ
Duo 'du:o
duodenal duode'na:l
Duodenitis duode'ni:tɪs,
...nitiden ...ni'ti:dn̩
Duodenum duo'de:nʊm,
...na ...na
Duodez duo'de:ts
duodezimal duodetsi'ma:l
Duodezime duo'de:tsimə
Duole du'o:lə
Duolit® duo'li:t
Duonelaitis lit. dṷʌnæ'la:i-
tɪs
Dupanloup fr. dypã'lu
Duparc fr. dy'park
dupen 'du:pn̩
Dupérac fr. dype'rak
Duperron fr. dypɛ'rõ
Duphly fr. dy'fli
düpieren dy'pi:rən
Dupin, Du Pin fr. dy'pɛ̃
Dupla vgl. Duplum
Duplay fr. dy'plɛ
Dupleix fr. dy'plɛks
Duplessis fr. dyplɛ'si
Du Plessys fr. dyplɛ'si
Duplet du'ple:
Duplett du'plɛt
Duplex... 'du:plɛks...
duplieren du'pli:rən
Duplik du'pli:k
Duplikat dupli'ka:t
Duplikation duplika'tsio:n
Duplikator dupli'ka:to:ɐ,
-en ...ka'to:rən
duplizieren dupli'tsi:rən
Duplizität duplitsi'tɛ:t
Duployé fr. dyplwa'je
Duplum 'du:plʊm, ...la ...la
Dupong fr. dy'põ
Du Pont fr. dy'põ, engl. dju-
'pɔnt, 'dju:pɔnt
Dupont fr. dy'põ
Duport fr. dy'pɔ:r
Düppel 'dʏpl̩
Duprat fr. dy'pra
Duprè it. du'prɛ

Dupré, ...ez fr. dy'pre
Dupren dy'pre:n
Dups dʊps
Dupuis, ...uy fr. dy'pɥi
Dupuytren fr. dypɥi'trɛ̃
Duque 'du:kə
Duque de Caxias bras. 'duki di ka'ʃias
Duquesa du'ke:za
Duquesne fr. dy'kɛn, engl. dʊ'keɪn
Duquesnois, ...noy fr. dykɛ'nwa
Du Quoin engl. dju'kɔɪn
Dur du:ɐ
Dura 'du:ra
durabel du'ra:bl̩, ...**ble** ...blə
dural, D... du'ra:l
Duralumin® 'du:ralumi:n
Dura Mater 'du:ra 'ma:tɐ
Durán span. du'ran
Durance fr. dy'rã:s
Durand fr. dy'rã, engl. də'rænd
Durandal fr. dyrã'dal
Durandus de Sancto Porciano du'randʊs de: 'zaŋkto pɔr'tsia:no
Durango span. du'raŋgo, engl. də'ræŋgoʊ
Đuranović serbokr. dʑu'ra:nɔvitɕ
Durant fr. dy'rã, engl. də'rænt
Durante it. du'rante
Durantis du'rantɪs
Duranty fr. dyrã'ti
Durão bras. du'rɐ̃ʊ
Duras fr. dy'rɑ:s
durativ 'du:rati:f, auch: dura'ti:f, -**e** ...i:və
Durax® 'du:raks
Durazno span. du'raðno
Durazzo it. du'rattso
Durban 'dʊrban, engl. 'də:bən
Durbar 'dʊrba:ɐ, -'-
Durbin engl. 'də:bɪn
Durbridge engl. 'də:brɪdʒ
Durčanský slowak. 'durtʃanski:
durch, D... dʊrç
durchackern 'dʊrçⱡakɐn
durcharbeiten 1. 'dʊrçⱡarbaitn̩ 2. -'-'---
Durcharbeitung 'dʊrçⱡarbaitʊŋ
durchatmen 'dʊrçⱡa:tmən
durchaus dʊrç'ⱡaus; auch: '-'-, --

durchbacken 1. 'dʊrçbakn̩ 2. -'--
durchbeben dʊrç'be:bn̩
durchbeißen 1. 'dʊrçbaisn̩ 2. -'--
durchbekommen 'dʊrçbəkɔmən
durchberaten 'dʊrçbəra:tn̩
durchbetteln 1. 'dʊrçbɛtl̩n 2. -'--
durchbeuteln 'dʊrçbɔytl̩n
durchbiegen 'dʊrçbi:gn̩
durchbilden 'dʊrçbɪldn̩
Durchbildung 'dʊrçbɪldʊŋ
durchblasen 1. 'dʊrçbla:zn̩ 2. -'--
durchblättern 'dʊrçblɛtɐn, -'--
durchbläuen 'dʊrçblɔyən
Durchblick 'dʊrçblɪk
durchblicken 'dʊrçblɪkn̩
durchblitzen dʊrç'blɪtsn̩
durchbluten 1. 'dʊrçblu:tn̩ 2. -'--
durchblutet dʊrç'blu:tət
Durchblutung dʊrç'blu:tʊŋ
durchbohren 1. 'dʊrçbo:rən 2. -'--
Durchbohrung dʊrç'bo:rʊŋ
durchboxen 'dʊrçbɔksn̩
durchbraten 'dʊrçbra:tn̩
durchbrausen 1. 'dʊrçbrauzn̩ 2. -'--
durchbrechen 1. 'dʊrçbrɛçn̩ 2. -'--
Durchbrechung dʊrç'brɛçʊŋ
durchbrennen 'dʊrçbrɛnən
durchbringen 'dʊrçbrɪŋən
Durchbruch 'dʊrçbrʊx, ...**brüche** ...br[y]çə
durchbuchstabieren 'dʊrçbu:xʃtabi:rən
durchbummeln 1. 'dʊrçbʊml̩n 2. -'--
durchbürsten 'dʊrçbʏrstn̩
durchchecken 'dʊrçtʃɛkn̩
durchdenken 1. 'dʊrçdɛŋkn̩ 2. -'--
durchdiskutieren 'dʊrçdɪskuti:rən
durchdrängen 'dʊrçdrɛŋən
durchdrehen 'dʊrçdre:ən
durchdringen 1. 'dʊrçdrɪŋən 2. -'--
Durchdringung dʊrç'drɪŋʊŋ
durchdröhnen dʊrç'drø:nən
durchdrucken 'dʊrçdrʊkn̩

durchdrücken 'dʊrçdrʏkn̩
durchdrungen dʊrç'drʊŋən
durchduften dʊrç'dʊftn̩
durchdürfen 'dʊrçdʏrfn̩
durcheilen 1. 'dʊrçⱡailən 2. -'--
durcheinander dʊrçⱡai'nandɐ
Durcheinander dʊrçⱡai'nandɐ, '----
durchexerzieren 'dʊrçⱡɛksɛrtsi:rən
durchfahren 1. 'dʊrçfa:rən 2. -'--
Durchfahrt 'dʊrçfa:ɐt
Durchfall 'dʊrçfal
durchfallen 1. 'dʊrçfalən 2. -'--
durchfärben 'dʊrçfɛrbn̩
durchfaulen 'dʊrçfaulən
durchfaxen 'dʊrçfaksn̩
durchfechten 'dʊrçfɛçtn̩
durchfedern 'dʊrçfe:dɐn
durchfegen 1. 'dʊrçfe:gn̩ 2. -'--
durchfeiern 1. 'dʊrçfaiɐn 2. -'--
durchfeilen 'dʊrçfailən
durchfetten 'dʊrçfɛtn̩
durchfeuchten dʊrç'fɔyçtn̩
durchfilzen 'dʊrçfɪltsn̩
durchfinden 'dʊrçfɪndn̩
durchflammen dʊrç'flamən
durchflechten 1. 'dʊrçflɛçtn̩ 2. -'--
durchfliegen 1. 'dʊrçfli:gn̩ 2. -'--
durchfließen 1. 'dʊrçfli:sn̩ 2. -'--
Durchflug 'dʊrçflu:k
durchfluten 1. 'dʊrçflu:tn̩ 2. -'--
durchformen 'dʊrçfɔrmən
durchforschen dʊrç'fɔrʃn̩
Durchforschung dʊrç'fɔrʃʊŋ
durchforsten dʊrç'fɔrstn̩
durchfragen 'dʊrçfra:gn̩
durchfressen 1. 'dʊrçfrɛsn̩ 2. -'--
durchfrieren 1. 'dʊrçfri:rən 2. -'--
Durchfuhr 'dʊrçfu:ɐ
durchführen 'dʊrçfy:rən
durchfunkeln dʊrç'fʊŋkl̩n
durchfurchen dʊrç'fʊrçn̩
durchfüttern 'dʊrçfʏtɐn
Durchgang 'dʊrçgaŋ
Durchgänger 'dʊrçgɛŋɐ
durchgängig 'dʊrçgɛŋɪç

durchgeben 'dʊrçge:bn̩
durchgedreht 'dʊrçgədre:t
durchgehen 1. 'dʊrçge:ən
2. -'--
durchgehend 1. 'dʊrçge:ənt
2. -'--; -e ...ndə
durchgehends 'dʊrçge:ənts
durchgeistigt dʊrç'gaistɪçt
durchgestalten 'dʊrçgə-
ʃtaltn̩
durchgliedern 'dʊrçgli:dɐn,
-'--
durchglühen 1. 'dʊrçgly:ən
2. -'--
durchgraben 'dʊrçgra:bn̩
durchgreifen 'dʊrçgraifn̩
durchgucken 'dʊrçgʊkn̩
durchhaben 'dʊrçha:bn̩
durchhalten 'dʊrçhaltn̩
durchhängen 'dʊrçhɛŋən
durchhauen 1. 'dʊrçhauən
2. -'--
durchhecheln 'dʊrçheçln̩
durchheizen 'dʊrçhaitsn̩
durchhelfen 'dʊrçhɛlfn̩
Durchhieb 'dʊrçhi:p
durchirren dʊrç'ɪrən
durchixen 'dʊrçiksn̩
durchjagen 1. 'dʊrçja:gn̩
2. -'--
durchkämmen 1. 'dʊrç-
kɛmən 2. -'--
durchkämpfen 1. 'dʊrç-
kɛmpfn̩ 2. -'--
durchkauen 'dʊrçkauən
durchkitzeln 'dʊrçkɪtsln̩
durchklettern 1. 'dʊrçklɛ-
tɐn 2. -'--
durchklingen 1. 'dʊrçklɪŋən
2. -'--
durchknöpfen 'dʊrçknœpfn̩
durchkommen 'dʊrçkɔmən
durchkomponieren 'dʊrç-
kɔmponi:rən
durchkönnen 'dʊrçkœnən
durchkosten 1. 'dʊrçkɔstn̩
2. -'--
durchkramen 'dʊrçkra:-
mən, -'--
durchkreuzen 1. 'dʊrç-
krɔytsn̩ 2. -'--
Durchkreuzung dʊrç'krɔy-
tsʊŋ
durchkriechen 1. 'dʊrç-
kri:çn̩ 2. -'--
durchladen 'dʊrçla:dn̩
Durchlass 'dʊrçlas, ...lässe
...lɛsə
durchlassen 'dʊrçlasn̩
durchlässig 'dʊrçlɛsɪç

Durchlaucht 'dʊrçlauxt,
auch: -'-
durchlauchtig dʊrç'lauxtɪç,
-e ...ɪgə
durchlauchtigst dʊrç'laux-
tɪçst
durchlaufen 1. 'dʊrçlaufn̩
2. -'--
durchleben dʊrç'le:bn̩
durchleiden dʊrç'laidn̩
durchlesen 'dʊrçle:zn̩, -'--
durchleuchten 1. 'dʊrç-
lɔyçtn̩ 2. -'--
Durchleuchtung dʊrç-
'lɔyçtʊŋ
durchliegen 'dʊrçli:gn̩
durchlochen dʊrç'lɔxn̩
durchlöchern dʊrç'lœçɐn
durchlüften 1. 'dʊrçlʏftn̩
2. -'--
Durchlüfter dʊrç'lʏftɐ
Durchlüftung dʊrç'lʏftʊŋ
durchmachen 'dʊrçmaxn̩
Durchmarsch 'dʊrçmarʃ
durchmarschieren
'dʊrçmarʃi:rən
durchmessen 1. 'dʊrçmɛsn̩
2. -'--
Durchmesser 'dʊrçmɛsɐ
durchmischen 1. 'dʊrçmɪʃn̩
2. -'-
durchmüssen 'dʊrçmʏsn̩
durchmustern 'dʊrçmʊs-
tɐn, -'--
Durchmusterung
'dʊrçmʊstərʊŋ, -'---
durchnagen 'dʊrçna:gn̩,
-'--
Durchnahme 'dʊrçna:mə
durchnässen dʊrç'nɛsn̩
durchnehmen 'dʊrçne:mən
durchnummerieren
'dʊrçnʊməri:rən
durchorganisieren 'dʊrç-
ɔrganizi:rən
durchörtern dʊrç'lœrtən
durchpausen 'dʊrçpauzn̩
durchpeitschen
'dʊrçpaitʃn̩
durchpflügen 1. 'dʊrç-
pfly:gn̩ 2. -'--
durchprüfen 'dʊrçpry:fn̩
durchprügeln 'dʊrçpry:gln̩
durchpulsen dʊrç'pʊlzn̩
durchqueren dʊrç'kve:rən
durchrasen 1. 'dʊrçra:zn̩
2. -'--
durchrationalisieren 'dʊrç-
ratsionalizi:rən

durchrauschen 1. 'dʊrç-
rauʃn̩ 2. -'--
durchrechnen 'dʊrçrɛçnən
durchregnen 1. 'dʊrçre:-
gnən 2. -'--
durchreichen 'dʊrçraiçn̩
Durchreise 'dʊrçraizə
durchreisen 1. 'dʊrçraizn̩
2. -'--
durchreißen 'dʊrçraisn̩
durchreiten 1. 'dʊrçraitn̩
2. -'--
durchrennen 1. 'dʊrçrɛnən
2. -'--
durchrieseln 1. 'dʊrçri:zln̩
2. -'--
durchringen 'dʊrçrɪŋən
durchrinnen 1. 'dʊrçrɪnən
2. -'--
durchrosten 'dʊrçrɔstn̩
durchrutschen 'dʊrçrʊtʃn̩
durchrütteln 'dʊrçrʏtln̩
durchs dʊrçs
Durchsage 'dʊrçza:gə
durchsagen 'dʊrçza:gn̩
Durchsatz 'dʊrçzats
durchsaufen 1. 'dʊrçzaufn̩
2. -'--
durchschallen 1. 'dʊrçʃalən
2. -'--
durchschaubar dʊrç'ʃau-
ba:ɐ
durchschauen 1. 'dʊrç-
ʃauən 2. -'--
durchschauern dʊrç'ʃauɐn
durchscheinen 1. 'dʊrçʃai-
nən 2. -'--
durchscheuern 'dʊrçʃɔyɐn
durchschießen 1. 'dʊrçʃi:sn̩
2. -'--
durchschimmern 1. 'dʊrç-
ʃimɐn 2. -'--
durchschlafen 1. 'dʊrç-
ʃla:fn̩ 2. -'--
Durchschlag 'dʊrçʃla:k
durchschlagen 1. 'dʊrç-
ʃla:gn̩ 2. -'--
durchschlagend 1. 'dʊrç-
ʃla:gnt 2. -'--; -e ...ndə
durchschlägig 'dʊrçʃlɛ:gɪç
durchschleichen 1. 'dʊrç-
ʃlaiçn̩ 2. -'--
durchschleusen
'dʊrçʃlɔyzn̩
Durchschlupf 'dʊrçʃlʊpf
durchschlüpfen
'dʊrçʃlʏpfn̩
durchschmoren 'dʊrç-
ʃmo:rən

durchschmuggeln 'dʊrçʃmʊgl̩n
durchschneiden 1. 'dʊrç-ʃnaɪdn̩ 2. -'--
Durchschnitt 'dʊrçʃnɪt
durchschnittlich 'dʊrçʃnɪt-lɪç
durchschnüffeln 'dʊrç-ʃnʏfl̩n, -'--
durchschossen dʊrç'ʃɔsn̩
durchschreiben 'dʊrç-ʃraɪbn̩
durchschreiten 1. 'dʊrç-ʃraɪtn̩ 2. -'--
Durchschuss 'dʊrçʃʊs
durchschütteln 'dʊrçʃʏtl̩n
durchschwärmen dʊrç-'ʃvɛrmən
durchschweifen dʊrç-'ʃvaɪfn̩
durchschwimmen 1. 'dʊrç-ʃvɪmən 2. -'--
durchschwitzen 'dʊrçʃvɪtsn̩, -'--
durchsegeln 1. 'dʊrçze:gl̩n 2. -'--
durchsehen 'dʊrçze:ən
durchsetzen 1. 'dʊrçzɛtsn̩ 2. -'--
durchseuchen dʊrç'zɔyçn̩
durchsieben 1. 'dʊrçzi:bn̩ 2. -'--
Durchsicht 'dʊrçzɪçt
durchsichtig 'dʊrçzɪçtɪç
durchsickern 'dʊrçzɪkɐn
durchsitzen 'dʊrçzɪtsn̩
durchsonnt dʊrç'zɔnt
durchsprechen dʊrçʃprɛçn̩
durchspringen 1. 'dʊrçʃprɪ-ŋən 2. -'--
durchstarten 'dʊrçʃtartn̩
durchstechen 1. 'dʊrçʃtɛçn̩ 2. -'--
Durchstecherei dʊrçʃtɛ-çə'raɪ
durchstehen 'dʊrçʃte:ən
durchsteigen 1. 'dʊrçʃtaɪgn̩ 2. -'--
Durchstich 'dʊrçʃtɪç
durchstöbern dʊrç'ʃtø:bɐn
Durchstoß 'dʊrçʃto:s
durchstoßen 1. 'dʊrçʃto:sn̩ 2. -'--
durchstrahlen dʊrç'ʃtra:lən
durchstreichen 1. 'dʊrç-ʃtraɪçn̩ 2. -'--
durchstreifen dʊrç'ʃtraɪfn̩
durchströmen 1. 'dʊrç-ʃtrø:mən 2. -'--

durchsuchen 1. 'dʊrçzu:xn̩ 2. -'--
Durchsuchung dʊrç'zu:xʊŋ
durchtanzen 1. 'dʊrçtantsn̩ 2. -'--
durchtoben dʊrç'to:bn̩
durchtosen dʊrç'to:zn̩
durchtrainieren 'dʊrçtrɛ-ni:rən, ...ren...
durchtränken dʊrç'trɛŋkn̩
durchtreiben dʊrç'traɪbn̩
durchtrennen 'dʊrçtrɛnən, -'--
durchtreten 'dʊrçtre:tn̩
durchtrieben dʊrç'tri:bn̩
durchwachen 1. 'dʊrçvaxn̩ 2. -'--
durchwachsen 1. 'dʊrç-vaksn̩ 2. -'--
durchwagen 'dʊrçva:gn̩
durchwählen 'dʊrçvɛ:lən
durchwalken 'dʊrçvalkn̩
durchwalten dʊrç'valtn̩
durchwandern 1. 'dʊrçvan-dɐn 2. -'--
durchwärmen 'dʊrçvɛr-mən, -'--
durchwaten 1. 'dʊrçva:tn̩ 2. -'--
durchweben 1. 'dʊrçve:bn̩ 2. -'--
durchweg 'dʊrçvɛk, *auch:* -'-
durchwegs 'dʊrçve:ks, *auch:* -'-
durchwehen dʊrç've:ən
durchweichen 1. 'dʊrç-vaɪçn̩ 2. -'--
durchwinden 1. 'dʊrçvɪndn̩ 2. -'--
durchwintern dʊrç'vɪntɐn
Durchwinterung dʊrç'vɪn-tərʊŋ
durchwirken 1. 'dʊrçvɪrkn̩ 2. -'--
durchwitschen 'dʊrçvɪtʃn̩
durchwollen 'dʊrçvɔlən
durchwuchern dʊrç'vu:xɐn
durchwühlen 1. 'dʊrçvy:lən 2. -'--
durchzählen 'dʊrçtsɛ:lən
durchzechen 1. 'dʊrçtsɛçn̩ 2. -'--
durchzeichnen 'dʊrçtsaɪçnən
durchziehen 1. 'dʊrçtsi:ən 2. -'--
Durchzieher 'dʊrçtsi:ɐ
durchzittern dʊrç'tsɪtɐn
durchzucken dʊrç'tsʊkn̩

Durchzug 'dʊrçtsu:k
Durchzügler 'dʊrçtsy:klɐ
durchzwängen 'dʊrçtsvɛ-ŋən
Đurđević *serbokr.* 'dʒu:rdʑɛvitɕ
Durdreiklang 'du:ɐdraɪklaŋ
Düren 'dy:rən
Durendal 'du:rəndal, *fr.* dyrã'dal
Dürer 'dy:rɐ
Duret, ...rey *fr.* dy'rɛ
dürfen 'dʏrfn̩
D'Urfey *engl.* 'də:fɪ
durfte 'dʊrftə
dürfte 'dʏrftə
dürftig 'dʏrftɪç, -e ...ɪgə
Durham *engl.* 'dʌrəm
Durianbaum 'du:rɪanbaʊm
Duribreux *fr.* dyri'brø
Durieux *fr.* dy'rjø
Durine du'ri:nə
Duris 'du:rɪs
Durit du'ri:t
Durkheim *fr.* dyr'kɛm
Dürkheim 'dʏrkhaɪm
Durkó *ung.* 'durko:
Durlach 'dʊrlax
Durmitor *serbokr.* dur.mitɔr
Dürn[e] 'dʏrn[ə]
Dürnkrut 'dʏrnkrʊt
Dürnstein 'dʏrnʃtaɪn
Duro *port.* 'duru
Duroc *fr.* dy'rɔk
Durochromgalvano duro-'kro:mgalva:no
Duroplast duro'plast
dürr, Dürr dʏr
Durra 'dʊra
Dürre 'dʏrə
Durrell *engl.* 'dʌrəl
Dürrenberk 'dʏrənbɛrk
Dürrenmatt 'dʏrənmat
Dürrer 'dʊrɐ
Durrës *alban.* 'durːəs
Dürrheim 'dʏrhaɪm
Dürrnberg 'dʏrnbɛrk
Dürrson 'dʏrzɔn
Durry *fr.* dy'ri
Durst dʊrst
dürsten 'dʊrstn̩
dürsten 'dʏrstn̩
durstig 'dʊrstɪç, -e ...ɪgə
Durtain *fr.* dyr'tɛ̃
Duru *fr.* dy'ry
Durum ...'du:rʊm...
Duruy *fr.* dy'rɥi
Du Ry *fr.* dy'ri
Durych *tschech.* 'durix
Duryea *engl.* 'dʊərjeɪ

Dušan *serbokr.* .duʃan
Duschanbe *russ.* duʃam'bɛ
Dusche 'duʃə, *auch:* 'du:ʃə
Duschek 'duʃɛk
duschen 'duʃn̩, *auch:* 'du:ʃn̩
Duschkin *russ.* 'duʃkin
Duse *it.* 'du:ze
Düse 'dy:zə
Dušek *tschech.* 'duʃɛk
Dusel 'du:zl̩
Duselei du:zə'lai̯
duselig 'du:zəlıç, -e ...ıgə
düselig 'dy:zəlıç, -e ...ıgə
duseln 'du:zln̩, dusle
'du:zlə
düsen 'dy:zn̩, düs! dy:s,
düst dy:st
Dušík *slowak., tschech.*
'dusi:k
duslig 'du:zlıç, -e ...ıgə
Dusnok *ung.* 'duʃnok
Du Sommerard *fr.* dysɔm-
'ra:r
Dussault *fr.* dy'so
Dussek 'dusɛk
Dussel 'dusl̩
Düssel[dorf] 'dysl̩[dɔrf]
Dusselei dusə'lai̯
dusselig 'dusəlıç, -e ...ıgə
dusslig 'duslıç, -e ...ıgə
¹Dust (Dunst, Staub) dust
²Dust (Teestaub) dast
duster 'du:stɐ
düster, D... 'dy:stɐ
düstern 'dy:stɐn
Düsternis 'dy:stɐnıs, -se
...ısə
Dusznjki Zdrój *poln.* duʃ-
'niki 'zdruj
Dutchman, ...men 'datʃmɛn
Dutertre, Du T... *fr.* dy'tɛrtr
Dutilleux *fr.* dyti'jø
Dutoit *fr.* dy'twa
Du Toit *afr.* də'to:i̯
Dutourd *fr.* dy'tu:r
Dutra *bras.* 'dutra
Dutroux *fr.* dy'tru
Dutschke 'dutʃkə
Dutt (Name) *engl.* dʌt
Dutt[e] 'dut[ə]
Dutton *engl.* dʌtn
Duttweiler 'dutvai̯lɐ
Dutyfree... 'dju:tifri:...
Dutzend 'dutsn̩t, -e ...ndə
dutzendweise 'dutsn̩tvai̯zə
Duumvir du'ʊmvır ...ri ...viri
Duumvirat duʊmvi'ra:t
Duun *norw.* dʉ:n
Duval *fr.* dy'val
Duva[l]lier *fr.* dyva'lje

Duve *fr.* dy:v
Duveneck *engl.* 'du:vənɛk
Duverg[i]er *fr.* dyvɛr'ʒ[j]e
Duvernois *fr.* dyvɛr'nwa
Duvet *fr.* dy'vɛ
Duvetine dyf'ti:n
Duveyrier *fr.* dyvɛ'rje
Duvieusart *fr.* dyvjø'za:r
Duvivier *fr.* dyvi'vje
Duvoisin *fr.* dyvwa'zɛ̃
Duwock 'du:vɔk
¹Dux (Führer) duks, Duces
'du:tse:s
²Dux (Name) duks, *fr.* dyks
Duxbury *engl.* 'dʌksbərı
Duyckinck *engl.* 'daɪkıŋk
Duyse *niederl.* 'dœi̯sə
Duyster *niederl.* 'dœi̯stər
Dűzce *türk.* 'dyzdʒɛ
duzen 'du:tsn̩
Dvořák 'dvɔrʒak, *tschech.*
'dvɔrʒa:k
Dvořáková *tschech.* 'dvɔ-
rʒa:kɔva:
Dvorský *slowak.* 'dvɔrski:
Dvůr Králové *tschech.* 'dvu:r
'kra:lɔvɛ
D-Wagen 'de:va:gn̩
Dwaita 'dvai̯ta
Dwandwa 'dvandva
dwars dvars
Dweil dvai̯l
Dwiggins *engl.* 'dwıgınz
Dwight *engl.* dwaıt
Dwin *russ.* dvin
Dwina 'dvi:na, *russ.* dvi'na
Dwinger 'dvıŋɐ
Dwinsk *russ.* dvinsk
Dyade dy'a:də
Dyadik dy'a:dık
dyadisch dy'a:dıʃ
Dyarchie dyar'çi:, -n ...i:ən
Dyas 'dy:as
dyassisch dy'asıʃ
Dyb[b]uk 'dybʊk
Dybenko *russ.* di'bjɛnkʊ
Dyce *engl.* daıs
Dyck, van fan 'dai̯k, van -,
niederl. vɑn 'dɛi̯k
Dyckerhoff 'di:kɐhɔf
Dyer *engl.* 'daıɐ
Dyersburg *engl.* 'daıəzbə:g
Dygat *poln.* 'dıgat
Dygasiński *poln.* dıga'ci̯i̯ski
Dyggve *dän.* 'dygvə
Dyhrenfurt 'di:rənfʊrt
Dyk di:k, *tschech.* dik, *nie-
derl.* dɛi̯k
Dykstra *niederl.* 'dɛi̯kstra
Dylan *engl.* 'dılən

Dymow *russ.* 'dimɐf
Dymschiz *russ.* 'dimʃıts
dyn, Dyn dy:n
Dynameter dyna'me:tɐ
Dynamik dy'na:mık
Dynamis 'dy:namıs
dynamisch dy'na:mıʃ
dynamisieren dynami'zi:-
rən
Dynamismus dyna'mısmʊs
dynamistisch dyna'mıstıʃ
Dynamit dyna'mi:t
Dynamo dy'na:mo, *auch:*
'dy:namo
Dynamograph dynamo-
'gra:f
dynamometamorph dyna-
mometa'mɔrf
Dynamometamorphis-
mus dynamometamɔr'fıs-
mʊs
Dynamometamorphose
dynamometamɔr'fo:zə
Dynamometer dynamo-
'me:tɐ
Dynast dy'nast
Dynastie dynas'ti:, -n ...i:ən
Dynatron dy'natro:n
Dynode dy'no:də
Dyophysit dyofy'zi:t
Dyophysitismus dyofyzi-
'tısmʊs
Dyopol dyo'po:l
Dyopson dyɔ'pso:n
Dyothelet dyote'le:t
Dyrhólaey *isl.* 'dırhou̯lae̯i
Dyrrhachium dy'raxi̯ʊm
Dysakusis dysla'ku:zıs,
dyza...
Dysarthrie dyslar'tri:,
dyza..., -n ...i:ən
Dysarthrose dyslar'tro:zə,
dyza...
Dysästhesie dysleste'zi:,
dyzɛ...
Dysautonomie dys-
lau̯tono'mi:, dyzau̯..., -n
...i:ən
Dysbakterie dysbakte'ri:,
-n ...i:ən
Dysbasie dysba'zi:, -n
...i:ən
Dysbulie dysbu'li:
Dyscholie dysço'li:
Dyschromie dyskro'mi:, -n
...i:ən
Dysenterie dyslɛnte'ri:,
dyzɛ..., -n ...i:ən
dysenterisch dyslɛn'te:rıʃ,
dyzɛ...

Dysergie dʏslɛrˈgiː, dyzɛ...
Dysfunktion dʏsfʊŋkˈtsi̯oːn
Dysglossie dʏsglɔˈsiː, -n
...iːən
Dysgnathie dʏsgnatiː, -n
...iːən
Dysgrammatismus dʏs-
gramaˈtɪsmʊs
Dyshidrosis dʏshiˈdroːzɪs
Dyskalkulie dʏskalkuˈliː
Dyskeratose dʏskeraˈtoːzə
Dyskinesie dʏskineˈziː, -n
...iːən
Dyskolie dʏskoˈliː
Dyskolos ˈdʏskolɔs
Dyskranie dʏskraˈniː, -n
...iːən
Dyskrasie dʏskraˈziː, -n
...iːən
Dyslalie dʏslaˈliː, -n ...iːən
Dyslexie dʏslɛˈksiː, -n ...iːən
dysmel dʏsˈmeːl
Dysmelie dʏsmeˈliː, -n
...iːən
Dysmenorrhö, ...**öe** dʏsme-
nɔˈrøː, ...**rrhöen** ...ˈrøːən
Dysodil dʏslo'diːl, dyzo...
Dyson engl. daɪsn
Dysontogenie dʏs-
lɔntogeˈniː, dyzɔ...
Dysosmie dʏslɔsˈmiː,
dyzɔ..., **-n** ...iːən
Dysosphresie dʏslɔsfreˈziː,
dyzɔ..., **-n** ...iːən
Dysostose dʏslɔsˈtoːzə,
dyzɔ...
Dyspareunie dʏsparɔʏˈniː,
-n ...iːən
Dyspepsie dʏspɛˈpsiː, **-n**
...iːən
dyspeptisch dʏsˈpɛptɪʃ
Dysphagie dʏsfaˈgiː, **-n**
...iːən
Dysphasie dʏsfaˈziː, **-n**
...iːən
Dysphonie dʏsfoˈniː, **-n**
...iːən
Dysphorie dʏsfoˈriː, **-n**
...iːən
dysphorisch dʏsˈfoːrɪʃ
dysphotisch dʏsˈfoːtɪʃ
Dysphrasie dʏsfraˈziː, **-n**
...iːən
Dysphrenie dʏsfreˈniː, **-n**
...iːən
Dysplasie dʏsplaˈziː, **-n**
...iːən
dysplastisch dʏsˈplastɪʃ
Dyspnoe dʏsˈpnoːə
Dysprosium dʏsˈproːzi̯ʊm

Dysproteinämie dʏsˈpro-
teinɛˈmiː, **-n** ...iːən
Dysteleologie dʏsteleo-
loˈgiː
Dysthymie dʏstyˈmiː, **-n**
...iːən
Dysthyreose dʏstyreˈoːzə
Dystokie dʏstoˈkiː, **-n** ...iːən
Dystonie dʏstoˈniː, **-n** ...iːən
Dystopie dʏstoˈpiː, **-n** ...iːən
dystopisch dʏsˈtoːpɪʃ
dystroph dʏsˈtroːf
Dystrophie dʏstroˈfiː, **-n**
...iːən
Dystrophiker dʏsˈtroːfikɐ
Dysurie dʏsluˈriː, dyzuˈriː,
-n ...iːən
Dyszephalie dʏstsefaˈliː, **-n**
...iːən
Dytiscus dyˈtɪskʊs, ...**ci**
...stsi
Dytron dyˈtroːn
Džamonja serbokr. ˈdʒa-
mɔnja
Działdowo poln. dzaʊˈdɔvɔ
Działoszyce poln. dzaʊ̯ɔ-
ˈʃitsɛ
Dziątzko ˈtsi̯atsko
Dzibilchaltún span. tsiβil-
tʃalˈtun
Dzierzgoń poln. ˈdzɛʒgɔi̯n
Dzierzon ˈtsi̯ɛrʒɔn
Dzierżon poln. ˈdzɛrʒɔn
Dzierżoniów poln. dzɛrˈʒɔ-
njuf
Dzików poln. ˈdzikuf
D-Zug ˈdeːtsuːk

E

e, E eː, engl. iː, fr. ə, it., span.
e
ε, E ˈɛpsilɔn
η, H ˈeːta
Eadmer engl. ˈɛdmə
Eadmund engl. ˈɛdmənd
Eads engl. iːdz
Eagan engl. ˈiːgən
Eagle ˈiːgl̩
Eakins engl. ˈeɪkɪnz
Ealing engl. ˈiːlɪŋ
Eames engl. eɪmz, iːmz

Eamon engl. ˈeɪmən
Eanes port. ˈi̯enɪʃ
Earhart engl. ˈɛɑhɑːt
Earl øːg̯l, œrl
Earle engl. əːl
Earl Grey ˈøːg̯l ˈgreː, ˈœrl -
Earl of Home engl. ˈəːl əv
ˈhjuːm
Earlom engl. ˈəːləm
Earl's Court engl. ˈɛːlz ˈkɔːt
Early English engl. ˈəːlɪ
ˈɪŋglɪʃ
Earth[a] engl. ˈəːθ[ə]
Easley engl. ˈiːzlɪ
East engl. iːst
East Anglia engl. ˈiːst
ˈæŋgli̯ə
Eastbourne engl. ˈiːstbɔːn
East Gwillimbury engl. ˈiːst
ˈgwɪləmbərɪ
Easthampton engl. iːst-
ˈhæmptən
East Kilbride engl. iːst kɪl-
ˈbraɪd
Eastlake engl. ˈiːstleɪk
Eastland engl. ˈiːstlənd
Eastleigh engl. ˈiːstli:
Eastman engl. ˈiːstmən
Easton engl. ˈiːstən
Eastport engl. ˈiːstpɔːt
East Rockaway engl. ˈiːst
ˈrɔkəweɪ
East Side engl. ˈiːst ˈsaɪd
Eastwood engl. ˈiːstwʊd
easy ˈiːzi
Easygoing... ˈiːziˈgoːɪŋ...
Easyrider ˈiːziˈraɪdɐ
Eat-Art ˈiːlaːg̯t
Eaton engl. iːtn
Eaubonne fr. oˈbɔn
Eau Claire engl. oʊˈklɛə
Eau[x] de Cologne ˈo: də
koˈlɔnjə
Eau[x] de Javel ˈo: də ʒaˈvɛl
Eau[x] de Labarraque ˈo:
də labaˈrak
Eau de Vie ˈo: də ˈvi:
Eau forte ˈo: ˈfɔrt
Eaux-Bonnes fr. oˈbɔn
Eaux-Chaudes fr. oˈʃoːd
Eau[x] de Parfum ˈo: də
parˈfœ̃:
Eau[x] de Toilette ˈo: də
tɔaˈlɛt
Eban eˈban, hebr. ɛˈvɛn
Ebba ˈɛba
Ebbe ˈɛbə
ebben ˈɛbn̩, **ebb!** ɛp, **ebbt**
ɛpt
Ebbinghaus ˈɛbɪŋha̯us

Ebbo 'ɛbo
Ebbw Vale engl. 'ɛbu: 'veɪl
Ebe it. 'ɛ:be
Ebel 'e:bl̩
Ebeleben 'e:bəle:bn̩
Ebeling 'e:bəlɪŋ
eben 'e:bn̩
Eben tschech. 'ɛbɛn
ebenbürtig 'e:bn̩byrtɪç
ebenda 'e:bn̩'da:, hinweisend --'-
ebendaher 'e:bn̩da'he:ɐ̯,
  hinweisend e:bn̩'da:he:ɐ̯
ebendahin 'e:bn̩da'hɪn, hinweisend e:bn̩'da:hɪn
ebendann 'e:bn̩'dan, hin-
  weisend --'-
ebendarum 'e:bn̩da'rʊm,
  hinweisend e:bn̩'da:rʊm
ebendaselbst 'e:bn̩da-
  'zɛlpst
ebender 'e:bn̩'de:ɐ̯, hinweisend --'-
ebenderselbe 'e:bn̩de:ɐ̯-
  'zɛlbə, hinweisend --'-
ebendeshalb 'e:bn̩dɛs'halp,
  hinweisend --'--
ebendeswegen 'e:bn̩dɛs-
  've:gn̩, hinweisend --'---
ebendieser 'e:bn̩'di:zɐ, hinweisend --'--
ebendort 'e:bn̩'dɔrt, hinweisend --'-
ebendortselbst 'e:bn̩dɔrt-
  'zɛlpst
Ebene 'e:bənə
Ebenezer ebe'ne:tsɐ, engl.
  ɛbɪ'ni:zə
ebenfalls 'e:bn̩fals
Ebenfurth 'e:bn̩fʊrt
Ebenholz 'e:bn̩hɔlts
ebenieren ebe'ni:rən
Ebenist ebe'nɪst
ebenjener 'e:bn̩'je:nɐ, hinweisend --'--
Ebenrode 'e:bn̩'ro:də
Ebensee 'e:bn̩ze:
ebenso 'e:bn̩zo:
Eberau 'e:bərau
Eber[bach] 'e:bɐ[bax]
Eberesche 'e:bɐlɛʃə
Eberhard[t] 'e:bɐhart
Eberharda 'e:bɐ'harda
Eberhart engl. 'eɪbəha:t
Eberhild 'e:bɐhɪlt
Eberhilde 'e:bɐ'hɪldə
Eberl[e] 'e:bɐl[ə]
Eberlein 'e:bɐlain
Eberlin 'e:bɐli:n

Ebermannstadt 'e:bɐman-
  ʃtat
Ebermayer 'e:bɐmaiɐ̯
Ebernand 'e:bɐnant
Ebern[burg] 'e:bɐn[bʊrk]
Ebers[bach] 'e:bɐs[bax]
Ebersberg 'e:bɐsbɛrk
Ebersmünster e:bɐs-
  'mynstɐ
Eberstein 'e:bɐʃtain
Eberswalde e:bɐs'valdə
Ebert[h] 'e:bɐt
Eberwein 'e:bɐvain
Eberwin 'e:bɐvi:n
Eberz 'e:bɐts
Ebhardt 'e:phart
Ebing[en] 'e:bɪŋ[ən]
Ebionit ebjo'ni:t
Ebko 'ɛpko
ebnen 'e:bnən
Ebner 'e:bnɐ
Ebnung 'e:bnʊŋ
Ebo 'e:bo
Ebola 'e:bola
Eboli 'e:boli, it. 'ɛ:boli
Éboli span. 'eβoli
Ébolowa fr. ebɔlɔ'wa
Ebony engl. 'ɛbənɪ
Ebonit ebo'ni:t
Éboué fr. e'bwe
Ebrach 'e:brax
Ebrard 'e:brart
Ébrié fr. ebri'e
Ebro 'e:bro, span. 'eβro
Ebroin 'e:broi:n
Ebstein 'ɛpʃtain
Ebstorf 'ɛpstɔrf
Ebullioskop ebuljo'sko:p
Ebullioskopie ebuljosko'pi:
Eburacum ebu'ra:kʊm
Eburneation ebʊrnea'tsio:n
Eburnifikation ebʊrnifika-
  'tsio:n
Eburodunum eburo'du:nʊm
Eburone ebu'ro:nə
Eça de Queirós port. 'ɛsɐ ðə
  kɐj'rɔʃ
Ecaille e'kai
Ecart e'ka:ɐ̯
Ecarté ekar'te:
Ecbasis Captivi 'ɛkbazɪs
  kap'ti:vi
Eccard 'ɛkart
ecce!, Ecce 'ɛktsə
Ecce-Homo 'ɛktsə'ho:mo
Ecchondrose ɛkçɔn'dro:zə
Eccles engl. ɛklz
Ecclesia [militans,
  patiens] ɛ'kle:zia ['mi:li-
  tans, 'pa:tsiɛns]

Ecclesiastes ɛkle'ziastɛs
Ecclesia triumphans ɛ'kle:-
  zia tri'ʊmfans
Ecco 'ɛko
Ecdyson ɛkdy'zo:n
Ecevit türk. ɛdʒɛ'vit
Échallens fr. eʃa'lɑ̃
Échappé eʃa'pe:
Echappement eʃapə'mɑ̃:
echappieren eʃa'pi:rən
Echarpe e'ʃarp
echauffieren eʃo'fi:rən
Echec e'ʃɛk
Echegaray span. etʃeya'rai
Echelle e'ʃɛl, -n ...lən
Echelon eʃə'lõ
echelonieren eʃəlo'ni:rən
Echeveria ɛtʃe've:ria, ...ien
  ...iən
Echeverría span. etʃeβe'rria
Echidna ɛ'çidna, auch:
  ɛ'çitna
Echinit eçi'ni:t
Echinoderme ɛçino'dɛrmə
Echinokaktus ɛçino'kaktʊs
Echinokokkose ɛçinokɔ-
  'ko:zə
Echinokokkus ɛçino'kɔkʊs
Echinus ɛ'çi:nʊs
Echnaton 'ɛçnatɔn
Echo 'ɛço
echoen 'ɛçoən
Echographie ɛçogra'fi:, -n
  ...i:ən
Echokinesie ɛçokine'zi:, -n
  ...i:ən
Echolalie ɛçola'li:, -n ...i:ən
Echomatismus ɛçoma'tɪs-
  mʊs
Echomimie ɛçomi'mi:
Echophrasie ɛçofra'zi:, -n
  ...i:ən
Echopraxie ɛçopra'ksi:, -n
  ...i:ən
Echothymie ɛçoty'mi:
Echse 'ɛksə
echt ɛçt
Echter[dingen] 'ɛçtɐ[dɪŋən]
Echtermeyer 'ɛçtɐmaiɐ̯
Echtern[ach] 'ɛçtɐn[ax]
Echtsilber 'ɛçtzɪlbɐ
echtsilbern 'ɛçtzɪlbɐn
Echuca engl. ɪ'tʃu:kə
Écija span. 'eθixa
Eck ɛk
Eckard[t] 'ɛkart
Eckart 'ɛkart
Eckartsberga ɛkarts'bɛrga
Eckartshausen ɛkarts-
  'hauzn̩

Eckbert 'ɛkbɛrt
Eckbrecht 'ɛkbrɛçt
Eckchen 'ɛkçən
Ecke 'ɛkə
Eckehard, ...rt 'ɛkəhart
ecken 'ɛkn̩
Eckener 'ɛkənɐ
Ecker[berg] 'ɛkɐ[bɛrk]
Eckermann 'ɛkɐman
Eckern 'ɛkɐn
Eckernförde ɛkɐn'fø:ɐ̯də
Eckersberg 'ɛkɐsbɛrk
Eckert 'ɛkɐt
Eckeward 'ɛkəvart
Eckhard[t], ...rt 'ɛk[h]art
Eckhel 'ɛkl̩
eckig 'ɛkɪç, **-e** ...ɪgə
Eckmann 'ɛkman
Eckmühl 'ɛkmy:l
Eckstein 'ɛk-ʃtaɪn
Eckstine engl. 'ɛkstaɪn
Eclair e'klɛ:ɐ̯
Écluse fr. e'kly:z
Eco it. 'ɛ:ko
Econ 'e:kɔn
Écône fr. e'ko:n
Economiser i'kɔnomaɪzɐ
Economist, The engl. ðɪ i'kɔnəmɪst
Econom eko'no:mo
Economy i'kɔnəmi
e contrario e: kɔn'tra:rɪo
Ecossais ekɔ'sɛ:, **des -** ...ɛ:[s]
Ecossaise ekɔ'sɛ:zə
Écouen fr. e'kwã
Ecraséleder ekra'ze:le:dɐ
écrasez l'infâme fr. ekraze-lɛ̃'fɑ:m
ecru e'kry:
Ecstasy 'ɛkstəzi
Ecu, ECU e'ky:
Ecuador ekua'do:ɐ̯, span. ekua'ðɔr
Ecuadorianer ekuado-'rɪa:nɐ
ecuadorianisch ekuado-'rɪa:nɪʃ
Ed engl. ɛd, schwed. e:d
ed. 'e:dɪdɪt
Ed. e'di:tsɪo, edi'tsɪo:n, engl. ɪ'dɪʃən
Éd. fr. edi'sjõ
Edam 'e:dam, niederl. e'dɑm
Edamer 'e:damɐ
edaphisch e'da:fɪʃ
Edaphon 'e:dafɔn
edd. edi'de:rʊnt
Edda 'ɛda, it. 'edda
Eddi[e] engl. 'ɛdɪ

Eddington engl. 'ɛdɪŋtən
eddisch 'ɛdɪʃ
Eddy engl. 'ɛdɪ
Eddystone engl. 'ɛdɪstən
¹Ede dt., niederl. 'e:də
²Ede (Nigeria) engl. 'eɪdeɪ
Edéa fr. ede'a
Edeka 'e:deka
edel 'e:dl̩, **edle** 'e:dlə
Edel 'e:dl̩, engl. i:dl
Edelbert 'e:dlbɛrt
Edelény ung. 'ɛdɛle:nj
Edelfeldt schwed. ˌe:dəlfɛlt
Edelgard 'e:dl̩gart
Edelhagen 'e:dl̩ha:gn̩
Edelinck niederl. 'e:dəlɪŋk
Edeling 'e:dəlɪŋ
Edelman engl. 'ɛdlmən
Edelmann 'e:dl̩man
Edelmut 'e:dl̩mu:t
edelmütig 'e:dl̩my:tɪç, **-e** ...ɪgə
Edelschrott 'e:dl̩ʃrɔt
Edelsheim 'e:dl̩shaɪm
Edeltrud 'e:dl̩tru:t
Edelweiß 'e:dl̩vaɪs
Eden 'e:dn̩, engl. i:dn
Edenkoben e:dn̩ko:bn̩
Edentate edɛn'ta:tə
Edenvale engl. 'i:dnveɪl
Eder[kopf] 'e:dɐ[kɔpf]
Edersee e'dɐze:
Edessa e'dɛsa
Edewecht 'e:dəvɛçt
Edfelt schwed. ˌe:dfɛlt
Edfu 'ɛtfu
Edgar 'ɛtgar, engl. 'ɛdgə, fr. ɛd'ga:r
Edgardo it. ed'gardo
Edge[rton] engl. 'ɛdʒ[ətn]
Edgewood engl. 'ɛdʒwʊd
Edgeworth engl. 'ɛdʒwə[:]θ
Edgü türk. ɛd'gy
Edgware engl. 'ɛdʒwɛə
ediderunt edi'de:rʊnt
edidit 'e:dɪdɪt
edieren e'di:rən
Edikt e'dɪkt
Edina engl. ɪ'daɪnə
Edinburg 'e:dɪnbʊrk, engl. 'ɛdɪnbə:g
Edinburgh engl. 'ɛdɪnbərə
Edinger 'e:dɪŋɐ
Edip türk. ɛ'dip
Edirne türk. ɛ'dirnɛ
Edison 'e:dizɔn, engl. 'ɛdɪsn
Edith 'e:dɪt, engl. 'i:dɪθ, fr. e'dit
Editha e'di:ta
Editio castigata e'di:tsɪo

kasti'ga:ta, **-nes ...tae** edi-'tsɪo:ne:s ...tɛ
Edition edi'tsɪo:n
Editio princeps e'di:tsɪo 'prɪntsɛps, **-nes ...cipes** edi'tsɪo:ne:s ...tsipe:s
¹Editor 'e:dito:ɐ̯, auch: e'di:-to:ɐ̯, **-en** edi'to:rən
²Editor (EDV) 'ɛdɪtɐ
Editorial edito'rɪa:l, edi'to:-rɪəl
editorisch edi'to:rɪʃ
Edle 'e:dlə
Edling[er] 'e:dlɪŋ[ɐ]
Edmar 'ɛtmar
Edmer engl. 'ɛdmə
Edmond fr. ɛd'mõ, engl. 'ɛdmənd
Edmondo it. ed'mondo
Edmonds engl. 'ɛdməndz
Edmonton engl. 'ɛdməntən
Edmund 'ɛtmʊnt, engl. 'ɛdmənd
Edmundo span. ɛð'mundo
Edmundston engl. 'ɛdməndstən
Edna 'ɛtna, engl. 'ɛdnə
Edoardo it. edo'ardo
Edo 'e:do, jap. e'do
Edom 'e:dɔm
Edomiter edo'mi:tɐ
Édouard fr. e'dwa:r
Edqvist schwed. ˌe:dkvist
Edremit türk. 'ɛdrɛmit
Edrisi e'dri:zi
Edriside edri'zi:də
Edrita e'dri:ta
Edschmid 'e:tʃmɪt, 'ɛt...
Edsel engl. ɛdsl
Eduard 'e:dṵart, schwed. 'e:dvard
Eduardo span. e'ðṵardo
Edukation eduka'tsɪo:n
Edukt e'dʊkt
E-Dur 'e:du:ɐ̯, auch: '–'–
Edutainment ɛdju'te:nmənt
Edvard norw. 'ɛdvard, schwed. 'e:dvard
Edvige fr. ɛd'vi:ʒ
Edward 'ɛtvart, engl. 'ɛdwəd, poln. 'ɛdvart
Edwards engl. 'ɛdwədz
Edwardsville engl. 'ɛdwədzvɪl
Edwin 'ɛtvi:n, engl. 'ɛdwɪn
Edwina engl. ɛd'wi:nə
Edzard 'ɛtsart
Eeckhout niederl. 'e:khɔṵt
Eeden niederl. 'e:də
Eekhoud niederl. 'e:khɔṵt

Eeklo *niederl.* 'e:klo
Eem *niederl.* e:m
Eemshaven *niederl.* 'e:ms-
ha:və
Eemskanaal *niederl.* 'e:ms-
kɑna:l
Eesteren *niederl.* 'e:stərə
Eesti *estn.* 'ɛ:sti
Efate *engl.* ɛfɑ:tɪ
EFE *span.* 'efe
Efendi e'fendi
Eferding 'e:fɐdɪŋ
Efes *türk.* 'ɛfɛs
Efeu 'e:fɔy
Effeff ɛf'lɛf; *auch:* '–'–, '––
Effekt ɛ'fɛkt
Effekten ɛ'fɛktn̩
Effekthascherei ɛfɛktha-
ʃə'rai̯
effektiv, E... ɛfɛk'ti:f, -e
...i:və
Effektivität ɛfɛktivi'tɛ:t
Effektor ɛ'fɛkto:ɐ̯, -en
...'to:rən
effektuieren ɛfɛktu'i:rən
Effel *fr.* ɛ'fɛl
Effemination ɛfemina'tsi̯o:n
effeminieren ɛfemi'ni:rən
Effen *niederl.* 'ɛfə
Effendi ɛ'fɛndi
efferens 'ɛferɛns
efferent ɛfe'rɛnt
efferveszieren ɛfɛrvɛs'tsi̯:-
rən
Effet ɛ'fe:
effettuoso ɛfɛ'tu̯o:zo
Effi 'ɛfi
Efficiency i'fɪʃn̩si
Effie 'ɛfi, *engl.* 'ɛfɪ
Effigy Mound *engl.* 'ɛfɪdʒɪ
'maund
effilieren ɛfi'li:rən
Effilochés ɛfilɔ'ʃe:
effizient ɛfi'tsi̯ɛnt
Effizienz ɛfi'tsi̯ɛnts
effizieren ɛfi'tsi:rən
Efflation ɛfla'tsi̯o:n
Effloreszenz ɛflɔrɛs'tsɛnts
effloreszieren ɛflɔrɛs'tsi̯:-
rən
effluieren ɛflu'i:rən
Effluvium ɛ'flu:vi̯ʊm, ...ien
...i̯ən
Effner 'ɛfnɐ
Effrem *it.* 'ɛffrem
Effusiometer ɛfuzi̯o'me:tɐ
Effusion ɛfu'zi̯o:n
effusiv ɛfu'zi:f, -e ...i:və
Efik *engl.* 'ɛfɪk
Eforie *rumän.* efo'rie

Efraim 'e:fraɪm
EFTA 'ɛfta
Eftaliotis *neugr.* ɛfta'li̯ɔtis
EG e:'ge:
Ega *span.* 'eɣa, *port.* 'ɛɣɐ
Egadi *it.* 'ɛ:gadi
¹egal (gleichgültig) e'ga:l
²egal (dauernd) 'e:ga[:]l
egalisieren egali'zi:rən
egalitär egali'tɛ:ɐ̯
Egalitarismus egalita'rɪs-
mʊs
Egalität egali'tɛ:t
Égalité *fr.* egali'te
Egan *engl.* 'i:gən
Egart 'e:gart
Egas *span.* 'eɣas
Egas Moniz *port.* 'ɛɣɐʒ
mu'niʃ
Egbert 'ɛkbɛrt, *engl.* 'ɛgbə:t
Egberta ɛk'bɛrta
Egbrecht 'ɛkbrɛçt
Ege *türk.* ɛ'ge
Egedacher 'e:gədaxɐ
Egede *dän.* 'i:əðə
Egedesminde *dän.* i̯əðəs-
'mɪnə
Egedius *norw.* e'ge:diʊs
Egel[l] 'e:gl̩
Egeln 'e:gl̩n
Egen 'e:gn̩
Egenolff 'e:gənɔlf
Egenter 'e:gn̩tɐ
Eger 'e:gɐ, *ung.* 'ɛgɛr
Egeria e'ge:ri̯a
Egerländer 'e:gɐlɛndɐ
Egerling 'e:gɐlɪŋ
Egerton *engl.* 'ɛdʒətn
Egeskov *dän.* 'i:əsgɔu̯'
Egesta e'gɛsta
Egestion egɛs'ti̯o:n
Egestorff 'e:gəstɔrf
Egg ɛk
Egge 'ɛgə, *norw.* ˌɛgə
Eggebrecht 'ɛgəbrɛçt
eggen 'ɛgn̩, egg! ɛk, eggt
ɛkt
Eggenberg 'ɛgn̩bɛrk
Eggenburg 'ɛgn̩bʊrk
Eggenfelden ɛgn̩'fɛldn̩
Eggenschwiler 'ɛgn̩ʃvi:lɐ
Egger 'ɛgɐ, *fr.* ɛg'ʒɛ:r
Egger-Lienz 'ɛgɐ'li:ɛnts
Eggers 'ɛgɐs, *engl.* 'ɛgəz
Eggert[h] 'ɛgɐt
Eggesin ɛgə'zi:n
Eggestein 'ɛgəʃtai̯n
Egghead 'ɛkhɛt
Eggius 'ɛgi̯ʊs
Eggjum *norw.* ˌɛji̯ʊm

Eggleston *engl.* 'ɛglztən
Eggmühl 'ɛkmy:l
Egg-Nog[g] 'ɛknɔk
Egid e'gi:t
Egil 'e:gɪl, 'ɛgɪl; *dän.* 'i:gil
Egill 'e:gɪl, 'ɛgɪl
Egilsson *isl.* 'ɛi̯ɪlsɔn
Eginald 'e:ginalt
Eginetico *it.* edʒi'nɛ:tiko
Eginhard, ...rt 'e:gɪnhart
Egino 'e:gino
Eginolf 'e:ginɔlf
Egisheim 'e:gɪshai̯m
Egk ɛk
Eglamour 'e:glamu:ɐ̯, *engl.*
'ɛgləmɔ:
Eglantine eglan'ti:nə
Egle 'e:glə
Egli 'e:gli
Eglinton *engl.* 'ɛglɪntən
Eglisau 'e:glizau̯
Eglitis *lett.* 'egli:tɪs
Egloff[stein] 'e:glɔf[ʃtai̯n]
Eglofs 'e:glɔfs
eglomisieren eglomi'zi:rən
Egmond aan Zee *niederl.*
'ɛɣmɔnt a:n 'ze:
Egmont *dt., engl.* 'ɛgmɔnt
egnatisch ɛ'gna:tɪʃ
ego, Ego 'e:go
Egoismus ego'ɪsmʊs
Egoist ego'ɪst
egoistisch ego'ɪstɪʃ
Egolzwil e:gɔlts'vi:l
egoman ego'ma:n
Egomanie egoma'ni:
Egon 'e:gɔn
Egotismus ego'tɪsmʊs
Egotist ego'tɪst
Egoutteur ego'tø:ɐ̯
Egozentrik ego'tsɛntrɪk
Egozentriker ego'tsɛntrɪkɐ
egozentrisch ego'tsɛntrɪʃ
Egozentrizität egotsɛntri-
tsi'tɛ:t
Egranus e'gra:nʊs
egrenieren egre'ni:rən
egressiv egrɛ'si:f, -e ...i:və
Egtved *dän.* 'i:tvið
Eguren *span.* e'ɣuren
Egyptienne eʒɪ'psi̯ɛn, egɪp-
'tsi̯ɛn
eh! e:
Ehard 'e:hart
ehe, Ehe 'e:ə
ehedem 'e:ə'de:m
ehegestern 'e:əgɛstɐn
ehelich 'e:əlɪç
ehelich[en] 'e:əlɪç[n̩]

ehemalig 'e:əma:lıç, -e
...ıgə
ehemals 'e:əma:ls
eher[n] 'e:ɐ[n]
ehestens 'e:əstn̩s
Ehime *jap.* 'e.hime
Ehingen 'e:ıŋən
Ehinger 'e:ıŋɐ
Ehle *dt., schwed.* 'e:lə
Ehlers 'e:lɐs
Ehm[ann] 'e:m[an]
Ehm[c]ke 'e:mkə
Ehmsen 'e:mzn̩
ehrbar 'e:ɐba:ɐ
Ehre 'e:rə
Ehregott 'e:rəgɔt
ehren 'e:rən
Ehrenberg 'e:rənbɛrk
Ehrenbreitstein e:rən-
'braıtʃtaın
Ehrenburg 'e:rənbʊrk
Ehrencron *dän.* 'ı:rənkrʊ:'n
Ehrenfels 'e:rənfɛls
Ehrenfest 'e:rənfɛst
Ehrenfried 'e:rənfri:t
Ehrenfriedersdorf e:rən-
'fri:dɐsdɔrf
ehrenhaft, E... 'e:rənhaft
Ehrenhausen e:rən'haʊzn̩
ehrenrührig 'e:rənry:rıç
Ehrenstein 'e:rənʃtaın
Ehrenstrahl 'e:rənʃtra:l
Ehrensvärd *schwed.* ,e:rəns-
væ:rd
Ehrentraud 'e:rəntraʊt
Ehrentrud 'e:rəntru:t
ehrerbietig 'e:ɐlɐɐ,bi:tıç, -e
...ıgə
Ehreshoven 'e:rəsho:fn̩
Ehret 'e:rɛt
ehrfürchtig 'e:ɐfʏrçtıç, -e
...ıgə
Ehrgeiz 'e:ɐgaıts
ehrgeizig 'e:ɐgaıtsıç
Ehrhard[t] 'e:ɐhart
Ehringsdorf 'e:rıŋsdɔrf
Ehrismann 'e:rısman
Ehrle 'e:ɐlə
ehrlich, E... 'e:ɐlıç
Ehrling *schwed.* ,æ:rlıŋ
ehrsam 'e:ɐza:m
Ehrwald 'e:ɐvalt
Ehrwürden 'e:ɐvyrdn̩
ehrwürdig 'e:ɐvyrdıç
ei!, Ei aı
eia! 'aıa
eiapopeia! aıapo'paıa,
'___'--
Eibar *span.* ɛı̯'βar
Eibe 'aıbə

eiben 'aıbn̩
Eibenschütz 'aıbn̩ʃʏts
Eibenstock 'aıbn̩ʃtɔk
Eibesfeld 'aıbəsfɛlt
Eibisch 'aıbıʃ
Eibl 'aıbl̩
Eibsee 'aıpze:
Eich[berg] 'aıç[bɛrk]
Eiche 'aıçə
Eichel 'aıçl̩
Eichelhäher 'aıçlhɛ:ɐ
eichen, Ei... 'aıçn̩
Eichendorf[f] 'aıçn̩dɔrf
Eichhorn 'aıçhɔrn
Eichhörnchen 'aıçhœrnçən
Eichler 'aıçlɐ
Eichmann 'aıçman
Eichner 'aıçnɐ
Eichrodt 'aıçro:t
Eichsfeld 'aıçsfɛlt
Eichstätt 'aıçʃtɛt
Eickstedt 'aıkʃtɛt
Eid aıt, -e 'aıdə
Eidam 'aıdam
Eidechschen 'aıdɛksçən
Eidechse 'aıdɛksə
Eidem *norw., schwed.* 'ɛıdəm
Eider[däne] 'aıdɐ[dɛ:nə]
Eiderdaune 'aıdɐdaʊnə
Eiderstedt 'aıdɐʃtɛt
Eidetik aı'de:tık
Eidetiker aı'de:tikɐ
eidetisch aı'de:tıʃ
Eidgenosse 'aıtgənɔsə
eidgenössisch 'aıtgənœsıʃ
eidlich 'aıtlıç
Eidlitz 'aıdlıts
Eidologie aıdolo'gi:, -n
...i:ən
Eidolon 'aıdolɔn, ...la ...la
Eidophor aıdo'fo:ɐ
Eidos 'aıdɔs
Eidsvoll *norw.* 'ɛıdsvɔl
Eier[mann] 'aıɐ[man]
Eifel 'aıfl̩
Eifer 'aıfɐ
eifern 'aıfɐn
Eifersucht 'aıfɐzʊxt
Eifersuchtelei aıfɐzʏçtə'laı
eifersüchtig 'aıfɐzʏçtıç
Eiff aıf
Eiffel 'aıfl̩, *fr.* ɛ'fɛl
Eiffelturm 'aıflturm
Eifler 'aıflɐ
eifrig 'aıfrıç, -e ...ıgə
eigen, Ei... 'aıgn̩
Eigenart 'aıgn̩|a:ɐt
eigenartig 'aıgn̩|a:ɐtıç
Eigenbrötelei aıgn̩brø:tə'laı
Eigenbrötler 'aıgn̩brø:tlɐ

Eigenbrötlerei aıgn̩brø:t-
lə'raı
eigenbrötlerisch
'aıgn̩brø:tlərıʃ
eigenhändig 'aıgn̩hɛndıç
eigenmächtig 'aıgn̩mɛçtıç
eigennützig 'aıgn̩nʏtsıç, -e
...ıgə
eigens 'aıgn̩s
Eigenschaft 'aıgn̩ʃaft
eigensinnig 'aıgn̩zınıç
eigenständig 'aıgn̩ʃtɛndıç
eigensüchtig 'aıgn̩zʏçtıç
eigentlich 'aıgn̩tlıç
Eigentum 'aıgn̩tu:m
Eigentümer 'aıgn̩ty:mɐ
eigentümlich 'aıgn̩ty:mlıç
eigenwillig 'aıgn̩vılıç
Eiger 'aıgɐ
Eigernordwand aıgɐ'nɔrt-
vant
Eigil 'aıgıl
eignen 'aıgnən
eigner, Ei... 'aıgnɐ
Eignung 'aıgnʊŋ
Eigtved *dän.* 'aıgvıð
Eijkman *niederl.* 'ɛıkmɑn
Eike 'aıkə
Eiko 'aıko
Eikonal aıko'na:l
Eiland 'aılant, -e ...ndə
Eilbert 'aılbɛrt
Eilberta aıl'bɛrta
Eilbertus aıl'bɛrtʊs
Eildon *engl.* 'i:ldən
Eile 'aılə
Eileen *engl.* 'aıli:n
eilen 'aılən
Eilenburg 'aılənbʊrk
Eilendorf 'aıləndɔrf
eilends 'aılənts
eilfertig 'aılfɛrtıç
Eilfried 'aılfri:t
Eilhard, ...rt 'aılhart
Eilif 'aılıf
eilig 'aılıç, -e ...ıgə
Eilika 'aılika
Eiliko 'aıliko
Eilrad 'aılra:t
Eilrich 'aılrıç
Eilsen 'aılzn̩
Eiltraud 'aıltraʊt
Eiltrud 'aıltru:t
Eimer[t] 'aımɐ[t]
Eimmart 'aımart
ein aın
Einakter 'aın|aktɐ
einander aı'nandɐ
Einar 'aınar, *isl.* 'ɛınar
einarmig 'aın|armıç

Einarsson *isl.* 'ɛɪnarsɔn
einäschern 'aɪn|ɛʃɐn
Einaudi *it.* eɪ'naːʊdi
einäugig 'aɪn|ɔʏgɪç, -e
...ɪgə
Einback 'aɪnbak
einballieren 'aɪnbaliːrən
Einband 'aɪnbant
einbändig 'aɪnbɛndɪç, -e
...ɪgə
Einbeck 'aɪnbɛk
Einbeere 'aɪnbeːrə
Einbrenne 'aɪnbrɛnə
Einbruch 'aɪnbrʊx, Einbrü-
che 'aɪnbryçə
einbuchten 'aɪnbʊxtn̩
einbürgern 'aɪnbʏrgɐn, ein-
bürgre 'aɪnbʏrgrə
eindellen 'aɪndɛlən
eindeutig 'aɪndɔʏtɪç
eindeutschen 'aɪndɔʏtʃn̩
Eindhoven *niederl.* 'ɛɪnt-
hoːvə
eindosen 'aɪndoːzn̩, dos
ein! 'doːs 'aɪn, eindost
'aɪndoːst
Eindringling 'aɪndrɪŋlɪŋ
Eindruck 'aɪndrʊk
eindrücklich 'aɪndrʏklɪç
eineiig 'aɪn|aɪç, -e ...ɪgə
eineindeutig 'aɪn|aɪn-
dɔʏtɪç
eineinhalb 'aɪn|aɪn'halp
Einem 'aɪnəm
einen 'aɪnən
einer, Ei... 'aɪnɐ
einerlei, Ei... 'aɪnɐ'laɪ
einerseits 'aɪnɐ'zaɪts
eines 'aɪnəs
einesteils 'aɪnəs'taɪls
einfach 'aɪnfax
Einfall 'aɪnfal
Einfalt 'aɪnfalt
einfältig 'aɪnfɛltɪç
Einfeld 'aɪnfɛlt
Einfelder 'aɪnfɛldɐ
einförmig 'aɪnfœrmɪç, -e
...ɪgə
einfrieden 'aɪnfriːdn̩, fried
ein! 'friːt 'aɪn
einfriedigen 'aɪnfriːdɪgn̩,
friedig ein! 'friːdɪç 'aɪn,
einfriedigt 'aɪnfriːdɪçt
ein für alle Mal 'aɪn fyːɐ̯ alə-
'maːl, - - 'aləmaːl
Eingang 'aɪngaŋ
eingangs 'aɪngaŋs
eingeboren 'aɪngəboːrən
eingedenk 'aɪngədɛŋk
eingefleischt 'aɪngəflaɪʃt

eingefuchst 'aɪngəfʊkst
eingehend 'aɪngeːənt, -e
...ndə
eingemeinden 'aɪngə-
maɪndn̩, gemeind ein!
gə'maɪnt 'aɪn
Eingerichte 'aɪngərɪçtə
eingeschlechtig 'aɪngə-
ʃlɛçtɪç
Eingeständnis 'aɪngəʃtɛnt-
nɪs, -se ...ɪsə
eingestrichen 'aɪngəʃtrɪçn̩
Eingeweide 'aɪngəvaɪdə
eingleisen 'aɪnglaɪzn̩, gleis
ein! 'glaɪs 'aɪn, eingleist
'aɪnglaɪst
eingleisig 'aɪnglaɪzɪç
einhalbmal aɪn'halpmaːl
Einhalt 'aɪnhalt
einhändig 'aɪnhɛndɪç
einhändigen 'aɪnhɛndɪgn̩,
händig ein! 'hɛndɪç 'aɪn,
einhändigt 'aɪnhɛndɪçt
Einhard, ...rt 'aɪnhart
einhäusig 'aɪnhɔʏzɪç
einheimisch 'aɪnhaɪmɪʃ
einheimsen 'aɪnhaɪmzn̩,
heims ein! 'haɪms 'aɪn,
einheimst 'aɪnhaɪmst
Einheit 'aɪnhaɪt
einheitlich 'aɪnhaɪtlɪç
einhellig 'aɪnhɛlɪç, -e ...ɪgə
einherfahren aɪn'heːɐ̯faːrən
Einherier aɪn'heːrɪɐ̯
Einhorn 'aɪnhɔrn
Einhufer 'aɪnhuːfɐ
einhufig 'aɪnhuːfɪç, -e ...ɪgə
einhundert 'aɪn'hʊndɐt
einig 'aɪnɪç, -e ...ɪgə
einige 'aɪnɪgə
einigeln 'aɪn|iːgl̩n, igle ein
'iːglə 'aɪn
einigen 'aɪnɪgn̩, einig!
'aɪnɪç, einigt 'aɪnɪçt
einigermaßen 'aɪnɪgɐ-
'maːsn̩
Einigkeit 'aɪnɪçkaɪt
einjährig 'aɪnjɛːrɪç
Einjährig-Freiwilliger
'aɪnjɛːrɪç'fraɪvɪlɪgɐ
einkampfern 'aɪnkampfɐn
einkapseln 'aɪnkapsl̩n
Einkehr 'aɪnkeːɐ̯
einkellern 'aɪnkɛlɐn
einkerkern 'aɪnkɛrkɐn
Einkind 'aɪnkɪnt
einkremen 'aɪnkreːmən,
auch: ...rɛːmən
Einkünfte 'aɪnkʏnftə

Einlass 'aɪnlas, Einlässe
...lɛsə
einlässlich 'aɪnlɛslɪç
einliegend 'aɪnliːgn̩t, -e
...n̩də
einmähdig 'aɪnmɛːdɪç, -e
...ɪgə
einmal 'aɪnmaːl
Einmaleins 'aɪnmaːl'|aɪns
einmalig 'aɪnmaːlɪç,
nachdrücklich '-'--, -e
...ɪgə
einmännig 'aɪnmɛnɪç, -e
...ɪgə
Einmarkstück aɪn'mark-
ʃtʏk
einmastig 'aɪnmastɪç
Einmeterbrett aɪn'meːtɐ-
brɛt
einmütig 'aɪnmyːtɪç, -e
...ɪgə
Einnahme 'aɪnnaːmə
einnehmend 'aɪnneːmənt,
-e ...ndə
Einnehmerei aɪnneːmə'raɪ
einnorden 'aɪnnɔrdn̩, nord
ein! 'nɔrt 'aɪn
Eino *finn.* 'ɛɪnɔ
Einöd 'aɪn|øːt
Einöde 'aɪn|øːdə
Einödriegel 'aɪn|øːtriːgl̩
Einparteiensystem aɪnpar-
'taɪənzysteːm
einpfarren 'aɪnpfarən
Einphasenstrom aɪn'faːzn̩-
ʃtroːm
einpolig 'aɪnpoːlɪç, -e
...ɪgə
einprägsam 'aɪnprɛːkzaːm
einreihig 'aɪnraɪɪç, -e
...ɪgə
Einruhr 'aɪnruːɐ̯
eins aɪns
Einsaat 'aɪnzaːt
einsam 'aɪnzaːm
einsargen 'aɪnzargn̩, sarg
ein! 'zark 'aɪn, einsargt
'aɪnzarkt
Einsatzstellung 'aɪnzatəlʊŋ
einschalen 'aɪnʃaːln̩
einschichtig 'aɪnʃɪçtɪç
Einschiebsel 'aɪnʃiːpsl̩
einschläf[e]rig 'aɪn-
ʃlɛːf[ə]rɪç, -e ...ɪgə
einschläfernd 'aɪnʃlɛːfɐnt,
-e ...ndə
einschläfig 'aɪnʃlɛːfɪç, -e
...ɪgə
einschlägig 'aɪnʃlɛːgɪç
einschließlich 'aɪnʃliːslɪç

einschneidend 'aɪnʃnaɪdn̩t, -e …ndə
Einschrieb 'aɪnʃriːp, -es …iːbəs
einschüchtern 'aɪnʃʏçtɐn
einschürig 'aɪnʃyːrɪç, -e …ɪgə
einseitig 'aɪnzaɪtɪç
Einser 'aɪnzɐ
einsichtig 'aɪnzɪçtɪç
Einsiedel 'aɪnziːdl̩
Einsiedelei aɪnziːdəˈlaɪ
Einsiedeln 'aɪnziːdl̩n
Einsiedler 'aɪnziːdlɐ
einsilbig 'aɪnzɪlbɪç
einsitzig 'aɪnzɪtsɪç, -e …ɪgə
Einspänner 'aɪnʃpɛnɐ
einspännig 'aɪnʃpɛnɪç
einspurig 'aɪnʃpuːrɪç
einst, Ei… aɪnst
Einstein 'aɪnʃtaɪn
Einsteinium aɪn'ʃtaɪniʊm
einstens 'aɪnstn̩s
Einstieg 'aɪnʃtiːk, -es …iːgəs
einstig 'aɪnstɪç, -e …ɪgə
einstimmig 'aɪnʃtɪmɪç
einstmalig 'aɪnstmaːlɪç, -e …ɪgə
einstmals 'aɪnstmaːls
einstöckig 'aɪnʃtœkɪç
einstufen 'aɪnʃtuːfn̩
einstufig 'aɪnʃtuːfɪç
einstweilen aɪnst'vaɪlən
einstweilig aɪnst'vaɪlɪç, -e …ɪgə
eintausend 'aɪn'tauznt
einteigen 'aɪntaɪgn̩, **teig ein!** 'taɪk 'aɪn, **einteigt** 'aɪntaɪkt
einteilig 'aɪntaɪlɪç
Eintel 'aɪntl̩
Einthoven niederl. 'ɛɪntho:və
eintönig 'aɪntøːnɪç, -e …ɪgə
Eintracht 'aɪntraxt
einträchtig 'aɪntrɛçtɪç
einträchtiglich 'aɪntrɛçtɪklɪç
Eintrag 'aɪntraːk, -es 'aɪntraːgəs, **Einträge** 'aɪntrɛːgə
einträglich 'aɪntrɛːklɪç
eintreibbar 'aɪntraɪpbaːɐ
eintretendenfalls 'aɪntreːtn̩dən'fals
eintüten 'aɪntyːtn̩
ein und derselbe 'aɪn ʊnt deːɐ'zɛlbə

einundeinhalb 'aɪnlʊnt-laɪn'halp
einundzwanzig 'aɪn-lʊnt'tsvantsɪç
einverleiben 'aɪnfɛɐlaɪbn̩, **verleib ein!** fɛɐ'laɪp 'aɪn, **einverleibt** 'aɪnfɛɐlaɪpt
Einvernahme 'aɪnfɛɐna:mə
einvernehmen 'aɪnfɛɐne:-mən
einverstanden 'aɪnfɛɐ-ʃtandn̩
Einverständnis 'aɪnfɛɐ-ʃtɛntnɪs, -se …ɪsə
Einwaage 'aɪnva:gə
Einwand 'aɪnvant, -es 'aɪnvandəs, **Einwände** …vɛndə
einwandfrei 'aɪnvantfraɪ
einwärts 'aɪnvɛrts
einwertig 'aɪnveːɐtɪç
einwilligen 'aɪnvɪlɪgn̩, **willig ein!** 'vɪlɪç 'aɪn, **einwilligt** 'aɪnvɪlɪçt
Einwohner 'aɪnvo:nɐ
Einzahl 'aɪntsa:l
einzehig 'aɪntse:ɪç
einzeilig 'aɪntsaɪlɪç
Einzel 'aɪntsl̩
Einzeller 'aɪntsɛlɐ
einzellig 'aɪntsɛlɪç
einzeln 'aɪntsl̩n
einzig 'aɪntsɪç, -e …ɪgə
einzigartig 'aɪntsɪçla:ɐtɪç, *nachdrücklich* '--'--
Einzigeine 'aɪntsɪç'laɪnə
Einzüger 'aɪntsyːgɐ
Eion 'aɪɔn
Eipel 'aɪpl̩
Eipper[le] 'aɪpɐ[lə]
Eire engl. 'ɛərə
Éire 'aːɪri, 'iːri; engl. 'ɛərə
Eirene aɪ're:nə
Eirik norw. ˌɛɪrik
Eiríksjökull isl. 'ɛɪrixsjœ:-kʏdl
Eiríkur isl. 'ɛɪri:kʏr
eirund, Ei… 'aɪrʊnt, -e …ndə
¹Eis (gefrorenes Wasser) aɪs, -es 'aɪzəs
eis, ²Eis (Tonbezeichnung) 'e:ɪs
Eisack 'aɪzak
Eisbrenner 'aɪsbrɛnɐ
Eiselen 'aɪzəlɔn
Eiselsberg 'aɪzl̩sbɛrk
eisen 'aɪzn̩, **eis!** aɪs, **eist** aɪst
Eisen 'aɪzn̩, fr. ɛ'zɛn
Eisenach 'aɪzənax

Eisenbahn 'aɪzn̩ba:n
Eisenbart[h] 'aɪzn̩ba:ɐt
Eisenberg 'aɪzn̩bɛrk, engl. 'aɪzənbɔːg
Eisenburg 'aɪzn̩bʊrk
Eisenerz[er] 'aɪzn̩le:ɐts[ɐ], …lɛrts[ɐ]
eisenhaltig 'aɪzn̩haltɪç
eisenhart 'aɪzn̩'hart
Eisenhofer 'aɪzn̩ho:fɐ
Eisenhoit 'aɪzn̩hɔʏt
Eisenhower 'aɪzn̩haʊɐ, engl. 'aɪzənhaʊə
Eisenhut 'aɪzn̩hu:t
Eisenhüttenstadt aɪzn̩'hʏtn̩ʃtat
Eisenia aɪ'ze:nia
Eisenmann 'aɪzn̩man
Eisenmenger 'aɪzn̩mɛŋɐ
Eisenreich 'aɪzn̩raɪç
Eisenschtein 'aɪzn̩ʃtaɪn, russ. ejzɪn'ʃtejn
eisenschüssig 'aɪzn̩ʃʏsɪç, -e …ɪgə
Eisenstadt 'aɪzn̩ʃtat
Eisenstein 'aɪzn̩ʃtaɪn
Eisenwurzen 'aɪzn̩vʊrtsn̩
Eiserfeld 'aɪzɐfɛlt
eisern, Ei… 'aɪzɐn
Eisfeld 'aɪsfɛlt
Eisfjord 'aɪsfjɔrt
Eisgarn 'aɪsgarn
Eisgruber 'aɪsgru:bɐ
Eisheiligen 'aɪshaɪlɪgn̩
eisig 'aɪzɪç, -e …ɪgə
eiskalt 'aɪs'kalt
Eisleben 'aɪsle:bn̩
Eisleber 'aɪsle:bɐ
Eisler 'aɪslɐ
Eisling[en] 'aɪslɪŋ[ən]
Eismeer 'aɪsme:ɐ
Eismitte 'aɪsmɪtə
Eisner 'aɪsnɐ, tschech. 'ajznɛr
Eisriesenwelt 'aɪsri:zn̩vɛlt
Eiß[e] 'aɪs[ə]
Eist aɪst
Eisteddfod engl. aɪs'tɛðvɔd
Eistrup 'aɪstrʊp
eitel, Ei… 'aɪtl̩
Eitelberger 'aɪtl̩bɛrgɐ
Eitelfriedrich 'aɪtl̩fri:drɪç, '--'--, --'--
Eitelkeit 'aɪtl̩kaɪt
Eiter 'aɪtɐ
eiterig 'aɪtərɪç, -e …ɪgə
eitern 'aɪtɐn
Eitner 'aɪtnɐ
Eitoku jap. 'e.:toku
Eitorf 'aɪtɔrf

Eitrem *norw.* ˌɛi̯trɛm
eitrig 'ai̯trɪç -e …ɪɡə
Eitz[en] 'ai̯tsn̩
Eiweiß 'ai̯vai̯s
Eizaguirre *span.* ɛi̯θa'ɣirrɛ
Eizes 'ai̯tsəs
Ejaculatio praecox ejaku-
  'la:tsi̯o 'prɛ:koks
Ejakulat ejaku'la:t
Ejakulation ejakula'tsi̯o:n
ejakulieren ejaku'li:rən
Ejektion ejɛk'tsi̯o:n
Ejektiv ejɛk'ti:f, -e …i:və
Ejektor e'jɛkto:ɐ̯, -en
  …'to:rən
Ejgil *dän.* 'ai̯ɡil
ejizieren eji'tsi:rən
Ejlert 'ai̯lɐt, *dän.* 'ai̯'lɐd
Ejlif 'ai̯lɪf
Ejnar 'ai̯nar, *schwed.* 'ɛi̯nar
Ejner *dän.* 'ai̯nɐ
ejusdem mensis e'jʊsdɛm
  'mɛnzɪs
Ejvind *dän.* 'ai̯vɪn'
Ekart e'ka:ɐ̯
Ekarté ekar'te:
Ekbatana ɛk'ba:tana
Ekbert 'ɛkbɐt
Ekchondrom ɛkçɔn'dro:m
Ekchondrose ɛkçɔn'dro:zə
Ekchymose ɛkçy'mo:zə
Ekdal 'e:kdal
ekdemisch ɛk'de:mɪʃ
Ekdyson ɛkdy'zo:n
ekel, E... 'e:kl̩
ekelig 'e:kəlɪç, -e …ɪɡə
ekeln 'e:kl̩n
Ekelöf *schwed.* ˌe:kəlø:v
Ekelund *schwed.* ˌe:kəlʊnd
Ekenäs *schwed.* ˌe:kənɛ:s
Ekert 'e:kɐt
Ekhof 'e:kho:f, 'ɛk…
Ekibastus *russ.* ekibas'tus
Ekkehard, …rt 'ɛkəhart
Ekklesia ɛ'kle:zi̯a
Ekklesiastes ɛkle'zi̯astɛs
Ekklesiastik ɛkle'zi̯astɪk
Ekklesiastikus ɛkle'zi̯asti-
  kʊs
ekklesiogen ɛklezi̯o'ge:n
Ekklesiologie ɛklezi̯olo'gi:
ekkrin ɛ'kri:n
Ekkyklema e'ky:klema,
  …klemen ɛky'kle:mən
Eklaireur ɛkle'rø:ɐ̯
Eklampsie ɛklam'psi:, ek…;
  -n …i:ən
Eklampsismus ɛklam'psɪs-
  mʊs, ek…

eklamptisch ɛk'lamptɪʃ,
  e'k…
Eklat e'kla:
eklatant ekla'tant
Eklektiker ɛk'lɛktikɐ, e'k…
eklektisch ɛk'lɛktɪʃ, e'k…
Eklektizismus ɛklɛkti'tsɪs-
  mʊs, ek…
eklektizistisch ɛklɛkti'tsɪs-
  tɪʃ, ek…
eklig 'e:klɪç, -e …ɪɡə
Eklipse ɛk'lɪpsə, e'k…
Ekliptik ɛk'lɪptɪk, e'k…
ekliptikal ɛklɪpti'ka:l, ek…
ekliptisch ɛk'lɪptɪʃ, e'k…
Ekloge ɛk'lo:ɡə, e'k…
Eklogit ɛklo'gi:t, ek…
Eklund *schwed.* ˌe:klʊnd
Ekman *schwed.* ˌe:kman
Ekmnesie ɛkmne'zi:, -n
  …i:ən
Eknoia ɛk'nɔya
Ekofisk *norw.* 'e:kufisk
Ekonomiser i'kɔnomai̯zɐ
Ekossaise ɛkɔ'sɛ:zə
Ekphorie ɛkfo'ri:, -n …i:ən
Ekphym ɛk'fy:m
Ekpyrosis ɛk'py:rozɪs
Ekrasit ekra'zi:t
Ekron 'e:krɔn
ekrü e'kry:
Eksjö *schwed.* ˌe:kʃø:
Ekstase ɛk'sta:zə, ɛks'ta:zə
Ekstatik ɛk'sta:tɪk, ɛks't…
Ekstatiker ɛk'sta:tikɐ,
  ɛks't…
ekstatisch ɛk'sta:tɪʃ, ɛks't…
…ektomiert (z. B. gastrek-
  tomiert) …ɛkto'mi:ɐ̯t
Ekstrophie ɛkstro'fi:, -n
  …i:ən
Ektase ɛk'ta:zə
Ektasie ɛkta'zi:, -n …i:ən
Ektasis 'ɛktazɪs, …sen
  ɛk'ta:zn̩
Ektenie ɛkte'ni:, -n …i:ən
Ekthlipsis 'ɛktlɪpsɪs, *auch:*
  -'--; …sen ɛk'tlɪpsn̩
Ekthym ɛk'ty:m
ekto..., E... 'ɛkto...
Ektoderm ɛkto'dɛrm
Ektodermose ɛktodɛr-
  'mo:zə
Ektodesmen ɛkto'dɛsmən
Ektomie ɛkto'mi:, -n …i:ən
Ektoparasit ɛktopara'zi:t
ektophytisch ɛkto'fy:tɪʃ
Ektopie ɛkto'pi:, -n …i:ən
ektopisch ɛk'to:pɪʃ
Ektoplasma ɛkto'plasma

Ektosit ɛkto'zi:t
Ektoskelett ɛktoske'lɛt,
  '----
Ektoskopie ɛktosko'pi:, -n
  …i:ən
Ektotoxin ɛktotɔ'ksi:n
ektotroph ɛkto'tro:f
Ektrodaktylie ɛktrodak-
  ty'li:, -n …i:ən
Ektromelie ɛktrome'li:, -n
  …i:ən
Ektropion ɛk'tro:pi̯ɔn, …ien
  …i̯ɔn
Ektropium ɛk'tro:pi̯ʊm,
  …ien …i̯ɔn
Ektypus 'ɛkty:pʊs, -'--,
  …pen ɛk'ty:pn̩
Ekuador ɛkua'do:ɐ̯
Ekuadorianer ekuado-
  'ri̯a:nɐ
ekuadorianisch ekuado-
  'ri̯a:nɪʃ
Ekwensi *engl.* ɛ'kwɛnsi
Ekzem ɛk'tse:m
Ekzematiker ɛktse'ma:tikɐ
Ekzematoid ɛktsemato'i:t,
  -e …i:də
ekzematös ɛktsema'tø:s, -e
  …ø:zə
El (Gott) e:l
Elaborat elabo'ra:t
elaboriert elabo'ri:ɐ̯t
Elagabal e'la:gabal, ela'ga:-
  bal
Elagabalus ela'ga:balʊs
Elaidin elai'di:n
Elain ela'i:n
Elaine *engl.* ɪ'lei̯n
Elaiosom elai̯o'zo:m
EL AL ɛl'la:l
El-Alamein ɛlǀala'mai̯n
Elam 'e:lam
elamisch e'la:mɪʃ
elamitisch ela'mi:tɪʃ
Elan e'la:n, *auch:* e'lã:
Elan vital e'lã: vi'tal
Eläolith elɛo'li:t
Eläoplast elɛo'plast
elaphitisch ela'fi:tɪʃ
Elara e'la:ra
El-Argar... *span.* elar'ɣar...
El-Asnam *fr.* ɛlas'nam
Elast[ik] e'last[ɪk]
elastisch e'lastɪʃ
Elastizität elastitsi'tɛ:t
Elastomer elasto'me:ɐ̯
Elat 'e:lat, *hebr.* e'lat
Elatea ela'te:a
Elateia ela'tai̯a
Elatere ela'te:rə

Elath 'e:lat, *hebr.* e'lat
Elativ 'e:lati:f, **-e** ...i:və
Elatos 'e:latɔs
Elâzığ *türk.* ɛla'zi:, '---
¹Elba (Insel) 'ɛlba, *it.* 'ɛlba
²Elba (Fluss) *it.* 'ɛlba
elbabwärts 'ɛlp'lapvɛrts̬
Elbasan *alban.* ɛlba'san
elbaufwärts 'ɛlp'laufvɛrts̬
Elbe 'ɛlbə
Elberfeld ɛlbɐ'fɛlt, *auch:*
'---
Elbert 'ɛlbɛrt
Elbert[on] *engl.* 'ɛlbət[ən]
Elbertzhagen 'ɛlbɐts̬ha:gn̩
Elbeuf *fr.* ɛl'bœf
Elb-Florenz 'ɛlpflorɛnts̬
Elbherzogtümer 'ɛlphɛr-
ts̬o:kty:mɐ
Elbing[en] 'ɛlbɪŋ[ən]
Elbingerode ɛlbɪŋgə'ro:də
elbisch 'ɛlbɪʃ
Elbistan *türk.* ɛlbis'tan
Elblag *poln.* 'ɛlblɔŋk
Elbmarschen 'ɛlpmarʃn̩
Elbogen 'ɛlbo:gn̩
Elbrus 'ɛlbrʊs, *russ.* elj'brus
Elbsandsteingebirge ɛlp-
'zantʃtaingəbɪrgə
Elbseitenkanal ɛlp'zaitn̩-
kana:l
Elburs ɛl'bʊrs, *pers.* æl'borz
El Cajon *engl.* ɛl kə'hoʊn
Elcano *span.* ɛl'kano
Elch ɛlç
Elche *span.* 'ɛltʃe
Elchingen 'ɛlçɪŋən
Elchowo *bulgar.* 'ɛlxovo
Eldagsen 'ɛldaksn̩, 'e:l...
Elde[na] 'ɛldə[na]
Elderstatesman, ...men
'ɛldɐ'ste:tsmən
Eldgjá *isl.* 'ɛldgjau̯
El-Djem *fr.* ɛl'dʒɛm
El-Djouf *fr.* ɛl'dʒuf
ELDO 'ɛldo
Eldon *engl.* 'ɛldən
Eldorado ɛldo'ra:do, *span.*
ɛldo'raðo
El Dorado *engl.* ɛl da'ra:doʊ
Eldridge *engl.* 'ɛldrɪdʒ
Elea e'le:a
Eleanor *engl.* 'ɛlɪnə
Eleanora *engl.* ɛlɪə'nɔ:rə
Eleasar ele'a:zar
Eleate ele'a:tə
eleatisch ele'a:tɪʃ
Eleatismus elea'tɪsmʊs
Eleazar ele'a:ts̬ar, *engl.*
ɛlɪ'eɪzə

Electra e'lɛktra, *engl.* ɪ'lɛk-
trə
Electrola elɛk'tro:la
Elefant ele'fant
Elefantiasis elefan'ti:azɪs,
...asen ...'tia:zn̩
Elefsis *neugr.* ɛlɛf'sis
elegant ele'gant
Elegant ele'gã:
Eleganz ele'gants̬
Elegeion ele'gaiɔn
Elegie ele'gi:, **-n** ...i:ən
Elegiker e'le:gikɐ
elegisch e'le:gɪʃ
Elegiambus ele'giambʊs
Eleison e'laizɔn, e'le:izɔn
Elektion elɛk'ts̬io:n
elektiv elɛk'tif, **-e** ...i:və
Elektor e'lɛkto:ɐ̯, **-en**
...'to:rən
Elektorat elɛkto'ra:t
Elektra e'lɛktra
Elektret elɛk'tre:t
Elektride elɛk'tri:də
Elektrifikation elɛktrifika-
'ts̬io:n
elektrifizieren elɛktrifi'ts̬i:-
rən
Elektrik e'lɛktrɪk
Elektriker e'lɛktrikɐ
elektrisch e'lɛktrɪʃ
elektrisieren elɛktri'zi:rən
Elektrizität elɛktritsi'tɛ:t
elektro..., E... e'lɛktro...
Elektroakustik elɛktro-
la'kʊstɪk, -'-----
elektroakustisch elɛktro-
la'kʊstɪʃ, -'-----
Elektroanalyse elɛktro-
lana'ly:zə, -'------
Elektrochemie elɛktro-
çe'mi:, -'----
elektrochemisch elɛktro-
'çe:mɪʃ, -'----
Elektrochirurgie elɛktroçi-
rʊr'gi:, -'------
Elektrochord elɛktro'kɔrt,
-e ...rdə
Elektrocolor... elɛktro'ko:-
lo:ɐ̯..., ...ko'lo:ɐ̯
Elektrode elɛk'tro:də
Elektrodialyse elɛktrodia-
'ly:zə, -'----
Elektrodynamik elɛktrody-
'na:mɪk, -'-----
elektrodynamisch elɛktro-
dy'na:mɪʃ, -'-----
Elektrodynamometer elɛk-
trodynamo'me:tɐ

Elektroendosmose elɛktro-
lɛndɔs'mo:zə
Elektroenergie elɛktro-
lenɛrgi:
Elektroenzephalogramm
elɛktro|ɛntsefalo'gram
Elektroenzephalographie
elɛktro|ɛntsefalogra'fi:
Elektroerosion elɛktro-
lero'zio:n
Elektrographie elɛktro-
gra'fi:
Elektroherd e'lɛktrohe:ɐ̯t,
-e ...he:ɐ̯də
Elektroindustrie e'lɛktro-
|ɪndʊstri:
Elektrojet e'lɛktrodʒɛt
elektrokalorisch elɛktroka-
'lo:rɪʃ, -'-----
Elektrokardiogramm elɛk-
trokardio'gram
Elektrokardiograph elɛk-
trokardio'gra:f
Elektrokardiographie elɛk-
trokardiogra'fi:
Elektrokatalyse elɛktroka-
ta'ly:zə
Elektroakustik elɛktro-
'kaustɪk
Elektrokauter elɛktro'kautɐ
Elektrokoagulation
elɛktrokoagula'tsio:n
Elektrolumineszenz elɛk-
trolumines'tsɛnts̬
Elektrolunge e'lɛktrolʊŋə
Elektrolyse elɛktro'ly:zə
Elektrolyseur elɛktroly'zø:ɐ̯
elektrolysieren elɛktroly-
'zi:rən
Elektrolyt elɛktro'ly:t
Elektromagnet elɛktro-
ma'gne:t, -'----
Elektromagnetismus elɛk-
tromagne'tɪsmʊs, -'------
elektromechanisch elɛk-
trome'ça:nɪʃ, -'-----
Elektrometall e'lɛktrometal
Elektrometallurgie elɛktro-
metalʊr'gi:
Elektrometer elɛktro'me:tɐ
Elektromobil elɛktromo'bi:l
Elektromotor e'lɛktro.mo:-
to:ɐ̯, *auch:* ...mo.to:ɐ̯
elektromotorisch elɛktromo'to:rɪʃ
Elektromyogramm elɛktro-
myo'gram
¹Elektron (negatives Elementarteilchen) 'e:lɛktrɔn,

auch: e'lɛktrɔn, elɛk'tro:n,
-en elɛk'tro:nən
²**Elektron®** (Leichtmetall-
legierung) e'lɛktrɔn
Elektronenoptik
elɛk'tro:nən|ɔptɪk
Elektronik elɛk'tro:nɪk
Elektroniker elɛk'tro:nikɐ
elektronisch elɛk'tro:nɪʃ
Elektronium® elɛk'tro:-
njʊm, ...**ien** ...jən
elektronographisch elɛk-
trono'gra:fɪʃ
Elektroofen e'lɛktro|o:fn̩
Elektroosmose elɛktro-
|ɔs'mo:zə
Elektropathologie elɛktro-
patolo'gi:
elektrophil elɛktro'fi:l
elektrophob elɛktro'fo:p, -e
...o:bə
Elektrophon elɛktro'fo:n
Elektrophor elɛktro'fo:ɐ
Elektrophorese elɛktrofo-
're:zə
elektrophoretisch elɛktro-
fo're:tɪʃ
Elektrophysiologie elɛktro-
fyzjolo'gi:
elektropolieren elɛktropo-
'li:rən, -'-----
Elektroschock e'lɛktroʃɔk
Elektroskop elɛktro'sko:p
Elektrostal *russ.* elɪktra-
'stalj
Elektrostatik elɛktro'sta:tɪk
elektrostatisch elɛktro-
'sta:tɪʃ
Elektrostriktion elɛktro-
strɪk'tsjo:n
Elektrotechnik elɛktro-
'tɛçnɪk, -'-----
Elektrotherapie elɛktro-
tera'pi:, -'-----
Elektrothermie elɛktro-
tɛr'mi:
elektrothermisch elɛktro-
'tɛrmɪʃ
Elektrotomie elɛktroto'mi:,
-n ...i:ən
Elektrotonus elɛktro'to:nʊs
Elektrotypie elɛktroty'pi:
Elektrum e'lɛktrʊm
Element ele'mɛnt
elementar elemɛn'ta:ɐ
elementarisch elemɛn'ta:-
rɪʃ
Elementarität elemɛntari-
'tɛ:t
Elemér *ung.* 'ɛlɛme:r

Elemi e'le:mi
Elen 'e:lɛn
Elena *it.* 'ɛ:lena, *span.*
e'lena, *bulgar.* ɛ'lɛnɐ, *port.*
i'lenɐ, *bras.* e'lena
Elenchus e'lɛnçʊs, ...**chi**
...çi
elend 'e:lɛnt, -e ...ndə
Elend 'e:lɛnt, -es ...ndəs
elendig 'e:lɛndɪç, *nach-
drücklich* '-'--, -e ...ɪgə
elendiglich 'e:lɛndɪklɪç,
nachdrücklich '-'---
Elenktik e'lɛŋktɪk
Elentier 'e:lɛnti:ɐ
Eleonora eleo'no:ra, *engl.*
ɛlɪə'nɔ:rə
Eleonore eleo'no:rə
Éléonore *fr.* eleɔ'nɔ:r
Elephanta ele'fanta
Elephantiasis elefan'ti:azɪs,
...**asen** ...'tja:zn̩
Elephantine elefan'ti:nə
Elephas 'e:lefas
Elert 'e:lɐt
Eleudron elɔy'dro:n
Eleusa ele'u:za
Eleusinien elɔy'zi:njən
eleusinisch elɔy'zi:nɪʃ
Eleusis e'lɔyzɪs
Eleuthera *engl.* ɪ'lju:θərə
Eleutherius elɔy'te:rjʊs
Eleutheronomie elɔytero-
no'mi:
Eleutherus e'lɔyterʊs
Elevation eleva'tsjo:n
Elevator ele'va:to:ɐ, -en ele-
va'to:rən
Eleve e'le:və
elf, Elf ɛlf
El-Fajum ɛlfaj'ju:m
Elfas 'ɛlfas
Elfe 'ɛlfə
elfeinhalb 'ɛlf|ain'halp
Elfeld 'ɛlfɛlt
Elfenbein 'ɛlfn̩bain
Elfenbeinküste 'ɛlfn̩bain-
kʏstə
elferlei 'ɛlfɐ'lai
elffach 'ɛlffax
Elfgen 'ɛlfgn̩
Elfi[e] 'ɛlfi
elfmal 'ɛlfma:l
elfmalig 'ɛlfma:lɪç, -e ...ɪgə
Elfmeter ɛlf'me:tɐ
Elfort 'ɛlfɔrt
Elfriede ɛl'fri:də
elftausend 'ɛlf'tauzn̩t
elfte 'ɛlftə
elftel, E... 'ɛlftl̩

elftens 'ɛlftn̩s
elfundeinhalb 'ɛlf|ʊnt-
|ain'halp
Elga 'ɛlga
Elgar 'ɛlga:ɐ, *engl.* 'ɛlga:
Elgg ɛlk
¹**Elgin** (britischer Name)
engl. 'ɛlgɪn
²**Elgin** (Illinois) *engl.* 'ɛldʒɪn
El-Goléa *fr.* ɛlgɔle'a
Elgon *engl.* 'ɛlgɔn
El Greco ɛl 'grɛko, *span.* ɛl
'ɣreko
Elhafen 'ɛlha:fn̩
El-Harrach *fr.* ɛlar'ra:ʃ
Elhen 'ɛlhɛn
Eli 'e:li, *engl.* 'i:lai
Elia *it.* e'li:a, *engl.* 'i:lɪə
Eliade *rumän.* eli'ade
Eliakim e'li:a:kɪm
Eliane e'li:nə
Elias e'li:as, *engl.* ɪ'laɪəs,
schwed. ɛ.li:as, *niederl.*
e'li:as
Elías *span.* e'lias
elidieren eli'di:rən
Elie *engl.* 'i:lɪ
Élie *fr.* e'li
Elieser e'lje:zɐ
Eliezer *engl.* ɛlɪ'i:zə
Eligio *it.* e'li:dʒo
Eligius e'li:gjʊs
Elihu *engl.* ɪ'laɪhju:
Elija e'li:ja
Elijah *engl.* ɪ'laɪdʒə
Elimar 'e:limar
Elimeia eli'maia
Elimination elimina'tsjo:n
eliminieren elimi'ni:rən
Elin *schwed.* 'e:lin
Eline e'li:nə
Elinor *engl.* 'ɛlɪnə
Elin Pelin *bulgar.* ɛ'limpɛ'lin
Elio *span.* 'eljo
Eliot[t] *engl.* 'ɛlɪət
Elipandus eli'pandʊs
Eliphalet *engl.* ɪ'lɪfəlɪt
Elis 'e:lɪs
Elisa e'li:za
Elisabeta *rumän.* elisa'beta
Elisabeth e'li:zabɛt, *engl.*
ɪ'lɪzəbəθ, *schwed.* e'li:sabɛt
Élisabeth *fr.* eliza'bɛt
Elisabethanisch elizabe-
'ta:nɪʃ
Elisabethinerin elizabe'ti:-
nərɪn
Élisabethville *fr.* elizabɛt'vil
Elisabetta *it.* eliza'bɛtta
elisch 'e:lɪʃ

Elischen e'li:sçən
Elise e'li:zə
Eliseit 'e:lizaɪt
Elisha *engl.* ɪ'laɪʃə
Elísio *port.* i'liziu
Elision eli'zio:n
Elista *russ.* e'listɐ
elitär eli'tɛ:ɐ̯
Elite e'li:tə
Elitis *neugr.* ɛ'litis
Elitisierung eliti'zi:rʊŋ
Elitismus eli'tɪsmʊs
Elixier elɪ'ksi:ɐ̯
Eliza *engl.* ɪ'laɪzə, *poln.* ɛ'liza
Elizabeth *engl.* ɪ'lɪzəbəθ
Elizabethan *engl.* ɪlɪzə'bi:-θən
Elizabethton *engl.* ɪlɪzə'bɛθtən
Elizabethtown *engl.* ɪ'lɪzəbəθtaʊn
elizitieren elitsi'ti:rən
El-Jadida *fr.* ɛlʒadi'da
eljen! 'ɛljɛn, 'e:ljən
Elk *niederl.* ɛlk
Elkab ɛl'ka:p
Elkan 'ɛlkan, *engl.* 'ɛlkən
Elke 'ɛlkə
Elkhart *engl.* 'ɛlkhɑ:t
Elkin[s] *engl.* 'ɛlkɪn[z]
Elko 'ɛlko, *engl.* 'ɛlkoʊ
Ella 'ɛla, *engl.* 'ɛlə
Ellas *neugr.* ɛ'las
Ellbogen 'ɛlbo:gn̩
Elle 'ɛlə
Ellef Ringnes Island *engl.* 'ɛləf 'rɪŋnɛs 'aɪlənd
Ellegaard *dän.* 'eləgɔ:'ɐ̯
Ellen 'ɛlən
Ellenbogen 'ɛlənbo:gn̩
Ellenrieder 'ɛlənri:dɐ
Ellensburg *engl.* 'ɛlɪnzbə:g
Eller[t] 'ɛlɐ[t]
Ellery *engl.* 'ɛlərɪ
Ellesmere *engl.* 'ɛlzmɪə
Elli 'ɛli
Ellice *engl.* 'ɛlɪs
Ellicott *engl.* 'ɛlɪkət
Ellida ɛ'li:da
Ellingen 'ɛlɪŋən
Ellington *engl.* 'ɛlɪŋtən
Ellinor 'ɛlino:ɐ̯, *engl.* 'ɛlɪnə
Elliot[t] *engl.* 'ɛlɪət
Ellipse ɛ'lɪpsə
ellipsoid, E... ɛlɪpso'i:t, -e ...i:də
elliptisch ɛ'lɪptɪʃ
Elliptizität ɛlɪptitsi'tɛ:t
Ellis[on] *engl.* 'ɛlɪs[n]
Ellok 'ɛlɔk

Ellora *engl.* ɛ'lɔ:rə
Ellrich 'ɛlrɪç
Ellsworth *engl.* 'ɛlzwə[:]θ
Ellwangen 'ɛlvaŋən
Ellwood *engl.* 'ɛlwʊd
Elly 'ɛli
Elm ɛlm
Elman 'ɛlman, *engl.* 'ɛlmən
Elmar 'ɛlmar
Elmendorf[f] 'ɛlməndɔrf
Elmer *schwed.* 'ɛlmər
Elmhurst *engl.* 'ɛlmhə:st
Elmira ɛl'mi:ra, *engl.* ɛl'maɪərə
Elmire ɛl'mi:rə
Elmo 'ɛlmo
Elmont *engl.* 'ɛlmɔnt
El Monte *engl.* ɛl'mɔntɪ
Elmsfeuer 'ɛlmsfɔyɐ
Elmshorn ɛlms'hɔrn
Elmwood *engl.* 'ɛlmwʊd
Eloah e'lo:a, Elohim elo-'hi:m
Elodea e'lo:dea
Eloesser 'e:lolɛsɐ
Eloge e'lo:ʒə
Elogium e'lo:giʊm, ...ia ...ia
Elohim *vgl.* Eloah
Elohist elo'hɪst
Éloi *fr.* e'lwa
E-Lok *engl.* e:'lɔk
Elongation elɔŋga'tsio:n
eloquent elo'kvɛnt
Eloquenz elo'kvɛnts
El-Oued *fr.* ɛl'wɛd
Eloxal® elɔ'ksa:l
eloxieren elɔ'ksi:rən
Eloy *span.* e'lɔi
Éloy *fr.* e'lwa
El Paso *span.* ɛl'paso, *engl.* ɛl'pæsoʊ
Elpenor ɛl'pe:no:ɐ̯
Elphinstone *engl.* 'ɛlfɪnstən
Elpidio *it.* el'pi:dio
Elpore ɛl'po:rə
El Reno *engl.* ɛl'ri:noʊ
Elritze 'ɛlrɪtsə
Elroy *engl.* 'ɛlrɔɪ
Elsa 'ɛlza, *engl.* 'ɛlsə, *it.* 'elsa, *schwed.* ˌɛlsa
Elsabe 'ɛlzabə, ɛl'za:bə
El Salvador ɛl zalva'do:ɐ̯, *span.* ɛl salβa'ðɔr
Elsan 'ɛlzan
Elsass 'ɛlzas, Elsasses 'ɛlzasəs
Elsässer, Elsaesser 'ɛlzɛsɐ
elsässisch 'ɛlzɛsɪʃ
Elsbe 'ɛlsbə
Elsbeth 'ɛlsbɛt

El Segundo *engl.* ɛl sə'gʌndoʊ
Else[lein] 'ɛlzə[laɪn]
Elseke 'ɛlzəkə
Elsene *niederl.* 'ɛlsənə
Elsevier *niederl.* 'ɛlzəvi:r
Elsfleth 'ɛlsfle:t
Elsgau 'ɛlsgaʊ
Elsheim[er] 'ɛlshaɪm[ɐ]
Elshol[t]z 'ɛlshɔlts
Elsi 'ɛlzi
Elsie 'ɛlzi, *engl.* 'ɛlsɪ
Elsing *niederl.* 'ɛlsɪŋ
Elsinore *engl.* ɛlsɪ'nɔ:, '---
Elskamp *niederl.* 'ɛlskɑmp
Elslein 'ɛlslaɪn
Elsner 'ɛlsnɐ, *poln.* 'ɛlsnɛr
Elson *engl.* ɛlsn
Elspe 'ɛlspə
Elspeet *niederl.* 'ɛlspe:t
Elspeth *engl.* 'ɛlspɛθ
Elsschott *niederl.* 'ɛlsxɔt
Elsler, Elßler 'ɛlslɐ
Elst *niederl.* ɛlst
Elster 'ɛlstɐ, *norw.* 'ɛlstər
Elsterberg 'ɛlstɐbɛrk
Elsterwerda ɛlstɐ'vɛrda
Elstra 'ɛlstra
Elsy 'ɛlzi
Elten 'ɛltn̩, *niederl.* 'ɛltə
Elter[lein] 'ɛltɐ[laɪn]
Eltern 'ɛltɐn
Eltmann 'ɛltman
Elton *engl.* 'ɛltən, *russ.* elj'tɔn
Eltville ɛlt'vɪlə, '---
eltvillerisch ɛlt'vɪlərɪʃ, '----
Eltz ɛlts
Éluard *fr.* e'lya:r
Eluat e'lya:t
eluieren elu'i:rən
Elukubration elukubra-'tsio:n
Eluru *engl.* e'lʊru:
Elution elu'tsio:n
Eluvial elu'via:l...
Eluvium e'lu:viʊm, ...ien ...iən
Elvas *port.* 'ɛlvɐʃ
Elvestad *norw.* 'ɛlvəsta
Elvira ɛl'vi:ra, *it.* el'vi:ra, *span.* ɛl'βira, *engl.* ɛl'vaɪərə
Elvire *fr.* ɛl'vi:r
Elvis *engl.* 'ɛlvɪs
Elvsted 'ɛlfste:t
Elwenspoek 'ɛlvn̩spø:k
Elwert 'ɛlvɛrt
Elwood *engl.* 'ɛlwʊd
Elwyn *engl.* 'ɛlwɪn

Ely 'e:li, *engl.* 'i:lɪ
Ély *fr.* e'li
Elymas 'e:lymas
Elymer 'e:lymɐ
Elyot *engl.* 'ɛlɪət
Elyria *engl.* ɪ'lɪərɪə
elysäisch ely'zɛ:ɪʃ
Elysee eli'ze:
Élysée *fr.* eli'ze
elysieren ely'zi:rən
elysisch e'ly:zɪʃ
Elysium e'ly:zjʊm
Elytron 'e:lytrɔn, Elytren e'ly:trən
Elz[ax] 'ɛlts[ax]
Elżbięta *poln.* ɛlʒ'bjɛta
Elze (Alfeld) 'e:ltsə
Elzevier *niederl.* 'ɛlzəvi:r
Elzevir 'ɛlzəvi:ɐ
Elzeviriana ɛlzəvi'rɪa:na
Elzie *engl.* 'ɛlzɪ
Email e'maɪ
E-Mail 'i:me:l
Email brun e'maɪ 'brœ̃:
Emaille e'maljə, e'maɪ, -n e'maljən, e'maɪən
Emailleur ema'jø:ɐ̯, emal-'jø:ɐ̯
emaillieren ema'ji:rən, emal'ji:rən
Eman e'ma:n
Emanation emana'tsio:n
Emanatismus emana'tɪs-mʊs
emanieren ema'ni:rən
Emanometer emano'me:tɐ
Emants *niederl.* 'e:mɑnts
Emanuel e'ma:nu̯e:l, *auch:* ...u̯ɛl
Emanuela ema'nu̯e:la
Emanuele *it.* emanu'ɛ:le
Emanze e'mantsə
Emanzipation emantsipa-'tsio:n
emanzipativ emantsipa'ti:f, -e ...i:və
emanzipatorisch emantsipa'to:rɪʃ
emanzipieren emantsi'pi:-rən
Emaskulation emaskula-'tsio:n
Emaskulator emasku'la:-to:ɐ̯, -en ...la'to:rən
emaskulieren emasku'li:-rən
Emba *russ.* 'ɛmbɐ
Embach 'ɛmbax
Emballage ãba'la:ʒə
emballieren ãba'li:rən

Embargo ɛm'bargo
Embarras ãba'ra, des - ...ra[s], die - ...ras
embarrassieren ãbara'si:rən
Embaterien ɛmba'te:rɪən
Embden 'ɛmpdn̩
embetieren ãbe'ti:rən
Embla 'ɛmbla
Emblem ɛm'ble:m, *auch:* ã'ble:m
Emblematik ɛmble'ma:tɪk, *auch:* ãble'ma:tɪk
emblematisch ɛmble'ma:-tɪʃ, *auch:* ãb...
Embolie ɛmbo'li:, -n ...i:ən
emboliform ɛmboli'fɔrm
Embolismus ɛmbo'lɪsmʊs
Embolophrasie ɛmbolo-fra'zi:, -n ...i:ən
Embolus 'ɛmbolʊs, ...li ...li
Embonpoint ãbõ'pŏɛ̃:
Embouchure ãbu'ʃy:rə
embrassieren ãbra'si:rən
Embros 'ɛmbrɔs
embrouillieren ãbru'ji:rən
Embrun *fr.* ã'brœ̃
Embrunais *fr.* ãbry'nɛ
Embryo 'ɛmbryo, -nen ...y'o:nən
Embryogenese ɛmbryoge-'ne:zə
Embryogenie ɛmbryoge'ni:
embryonal ɛmbryo'na:l
embryonisch ɛmbry'o:nɪʃ
Embryopathie ɛmbryopa'ti:
Embryotomie ɛmbryoto'mi:
Emd e:mt, Emdes 'e:mdəs
Emde 'ɛmdə
emden 'e:mdn̩, emd! e:mt
Emden 'ɛmdn̩
Emdet 'e:mdət
Emendation emɛnda'tsio:n
emendieren emɛn'di:rən
Emeran ema'ra:n
Emerentia eme'rɛntsɪa
Emerenz eme'rɛnts
Emergenz emɛr'gɛnts
emergieren emɛr'gi:rən
Emerich 'ɛmərɪç
Emerit eme'ri:t
emeritieren emeri'ti:rən
emeritus e'me:ritʊs
Emeritus e'me:ritʊs, ...ti ...ti
emers e'mɛrs, -e e'mɛrzə
Emersion emɛr'zio:n
Emerson *engl.* 'ɛməsn̩
Emery *engl.* 'ɛmərɪ
Emesa 'e:meza
Emesis 'e:mezɪs

Emetikum e'me:tikʊm, ...ka ...ka
emetisch e'me:tɪʃ
Emeute e'mø:t[ə], -n ...tn̩
Emge 'ɛmgə
EMI 'e:mi
Emich 'e:mɪç
Emigrant emi'grant
Emigration emigra'tsio:n
emigrieren emi'gri:rən
Émi Koussi *fr.* emiku'si
Emi Kussi 'e:mi 'ku:si
Emil 'e:mi:l, *engl.* eɪ'mi:l, *dän.* i'mi:'l, *schwed.* 'e:mil
Émile *fr.* e'mil
Emilia *dt., it.* e'mi:lɪa, *engl.* ɪ'mɪlɪə, *span.* e'milɪa
Emilie e'mi:lɪə, *engl.* 'ɛmɪlɪ, *schwed.* 'ɛmili
Emilio *it.* e'mi:lɪo
Emilio *port.* i'milɪu, *bras.* e'm...
Emily *engl.* 'ɛmɪlɪ
Emin *serbokr.* ˌɛmin, *türk.* ɛ'min
Emine *bulgar.* 'ɛminɛ
eminent emi'nɛnt
Eminenz emi'nɛnts
Eminescu *rumän.* emi-'nesku
Eminovici *rumän.* e'mino-vitʃ
Emin Pascha e'mi:n 'paʃa
Emir 'e:mɪr, *auch:* e'mi:ɐ̯, -e 'e:mi:rə, e'mi:rə
Emirat emi'ra:t
emisch 'e:mɪʃ
Emissär emi'sɛ:ɐ̯
Emission emi'sio:n
Emittent emi'tɛnt
Emitter e'mɪtɐ
emittieren emi'ti:rən
Emlin, ...lyn *engl.* 'ɛmlɪn
Emma 'ɛma, *engl.* 'ɛmə, *fr.* ɛm'ma, *niederl.* 'ɛmɑ
Emmanuel *fr.* ɛma'nu̯ɛl, *engl.* ɪ'mænjʊəl
Emmaus 'ɛmaʊs, *engl.* ɛ'meɪəs
Emmchen 'ɛmçən
Emme 'ɛmə
Emmeline ɛmə'li:nə, *engl.* 'ɛmɪli:n
Emmeloord *niederl.* 'ɛmələ:rt
Emmelsum 'ɛmlzʊm
Emmen 'ɛmən, *niederl.* 'ɛmə
Emmenagogum ɛmena'go:-gʊm, ...ga ga
Emmendingen 'ɛməndɪŋən

Ẹmmental[er] 'ɛmənta:l[ɐ]
Ẹmmer 'ɛmɐ
Ẹmmeram 'ɛməram
Ẹmmeran 'ɛməra:n
Ẹmmerich 'ɛmərɪç
Ẹmmerick 'ɛmərɪk
Ẹmmeritze 'ɛmərɪtsə
Ẹmmerling 'ɛmɐlɪŋ
Ẹmmet engl. 'ɛmɪt
Emmetropie ɛmetro'pi:
Ẹmmi 'ɛmi
Ẹmmich 'ɛmɪç
Ẹmmie engl. 'ɛmɪ
Ẹmmius 'ɛmi̯ʊs
Ẹmmo 'ɛmo
Ẹmmy 'ɛmi, engl. 'ɛmɪ
ẸMNID 'ɛmni:t, ...nɪt
Ẹmo it. 'ɛ:mo
e-Moll 'e:mɔl, auch: '−'−
Emọlliens e'mɔli̯ɛns, ...i̯en-
tia ...'li̯ɛntsi̯a, ...i̯enzien
emə'li̯entsi̯ən
Emolumẹnt emolu'mɛnt
Emotion emo'tsi̯o:n
emotional emotsi̯o'na:l
Emotionale emotsi̯o'na:lə
emotionalisieren emotsi̯o-
nali'zi:rən
Emotionalịsmus emotsi̯o-
na'lɪsmʊs
Emotionalität emotsi̯onali-
'tɛ:t
emotionẹll emotsi̯o'nɛl
emotịv emo'ti:f, -e ...i:və
Emotivität emotivi'tɛ:t
ẸMPA 'ɛmpa
Empathie ɛmpa'ti:
Empẹdocle it. ɛm'pɛ:dokle
Empẹdokles ɛm'pe:doklɛs
Empereur ɑ̃pə'røːɐ̯
empfạhl ɛm'pfa:l
empfạ̈hle ɛm'pfɛ:lə
empfạnd ɛm'pfant
empfạ̈nde ɛm'pfɛndə
empfạnden ɛm'pfandn̩
Empfạng ɛm'pfaŋ, Empf-
fạ̈nge ɛm'pfɛŋə
empfạngen ɛm'pfaŋən
Empfạ̈nger ɛm'pfɛŋɐ
empfạ̈nglich ɛm'pfɛŋlɪç
Empfạ̈ngnis ɛm'pfɛŋnɪs,
-se ...ɪsə
empfẹhlen ɛm'pfe:lən
empfịehl! ɛm'pfi:l
Empfindelei ɛmpfɪndə'lai
empfịnden ɛm'pfɪndn̩,
empfịnd! ɛm'pfɪnt
empfịndlich ɛm'pfɪntlɪç
empfịndsam ɛm'pfɪntza:m
Ẹmpfingen 'ɛmpfɪŋən

empfọ̈hle ɛm'pfø:lə
empfọhlen ɛm'pfo:lən
empfụnden ɛm'pfʊndn̩
Emphase ɛm'fa:zə
emphạtisch ɛm'fa:tɪʃ
Emphysẹm ɛmfy'ze:m
emphysemạtisch ɛmfyze-
'ma:tɪʃ
Emphytẹuse ɛmfy'tɔyzə
Empịre ɑ̃'pi:ɐ̯, 'ɛmpai̯ɐ
Empịrem ɛmpi're:m
Empịricus ɛm'pi:rikʊs
Empirịe ɛmpi'ri:
Empịriker ɛm'pi:rikɐ
Empiriokritizịsmus ɛmpi-
ri̯okriti'tsɪsmʊs
Empiriokritizịst ɛmpiri̯okri-
ti'tsɪst
empịrisch ɛm'pi:rɪʃ
Empirịsmus ɛmpi'rɪsmʊs
Empịrist ɛmpi'rɪst
Emplacement ɑ̃plasə'mɑ̃:
Emplạstrum ɛm'plastrʊm,
...ra ...ra
Employé ɑ̃plo̯a'je:
employịeren ɑ̃plo̯a'ji:rən
Ẹmpoli it. 'empoli
empọr ɛm'po:ɐ̯
Empọre ɛm'po:rə
empọ̈ren ɛm'pø:rən
Empọria engl. ɛm'pɔ:ri̯a
Empọrium ɛm'po:ri̯ʊm,
...ien ...i̯ən
empọrkommen ɛm'po:ɐ̯-
kɔmən
Empress engl. 'ɛmprɪs
Empressement ɑ̃prɛsə'mɑ̃:
Ẹmpson engl. ɛmpsn̩
Empụsa ɛm'pu:za
Empyẹm ɛm'pỹe:m
empyrẹisch ɛmpy're:ɪʃ
Empyrẹum ɛmpy're:ʊm
empyreumạtisch ɛmpyrɔy-
'ma:tɪʃ
Ẹms ɛms
Ẹmscher 'ɛmʃɐ
Emsdẹtten ɛms'dɛtn̩
Ẹmser 'ɛmzɐ
ẹmsig 'ɛmzɪç, -e ...ɪgə
Ẹmsland 'ɛmslant
Ẹmu 'e:mu
Emulation emula'tsi̯o:n
Emulgạtor emʊl'ga:to:ɐ̯,
-en ...ga'to:rən
emulgịeren emʊl'gi:rən
Emulsịn emʊl'zi:n
Emulsịon emʊl'zi̯o:n
Emundạntia emʊn'dantsi̯a
Ẹ-Musik 'e:muzi:k
Ẹn rät. e:n

Enakịter ena'ki:tɐ
Ẹnakskinder 'e:nakskɪndɐ
Enallage ɛn'lalage, e'na...;
ɛn|ala'ge:, ena...
Enanthẹm ɛn|an'te:m,
ena...
enantiotrọp ɛn|anti̯o'tro:p,
ena...
Enantiotropịe ɛn-
|anti̯otro'pi:, ena...
Enargịt enar'gi:t
Enạrthron ɛn|'artrɔn
Enạrthrose ɛn|ar'tro:zə,
ena...
Enatiọn ena'tsi̯o:n
en avant ɑ̃: na'vɑ̃:
en blọc ɑ̃: 'blɔk
en cabochon ɑ̃: kabɔ'ʃõ:
en canạille ɑ̃: ka'nai̯
encanaillịeren ɑ̃kana'ji:rən
Encarnación span. eŋkar-
na'θi̯ɔn
en carrière ɑ̃: ka'rjɛ:ɐ̯
Enceinte ɑ̃'sɛ̃:t[ə], -n ɑ̃'sɛ̃:tn̩
Encẹladus ɛn'tse:ladʊs
Encephalịtis ɛntsefa'li:tɪs,
...litịden ...li'ti:dn̩
Encẹphalon ɛn'tse:falɔn,
...la ...la
enchantịert ɑ̃ʃa'ti:ɐ̯t
enchassịeren ɑ̃ʃa'si:rən
Enchassure ɑ̃ʃa'sy:rə
Encheirẹse ɛnçai̯'re:zə
Encheirẹsis Naturae
ɛn'çai̯rezis na'tu:rɛ
Enchiridion ɛnçi'ri:di̯ɔn,
...dien ...di̯ən
enchondrạl ɛnçɔn'dra:l
Enchondrọm ɛnçɔn'dro:m
Encịna span. en'θina
Ẹncke 'ɛŋkə
Ẹnckell schwed. 'ɛŋkəl
Encoder ɛn'ko:dɐ
Encoding ɛn'ko:dɪŋ
Encounter ɛn'kauntɐ
encouragịeren ɑ̃kura'ʒi:rən
Encrịnus ɛn'kri:nʊs, ...ni
...ni
Encruzilhạda bras. iŋkruzi-
'ʎada
Encyclopédie fr. ãsiklɔpe'di
Endaortịtis endaɔr'ti:tɪs,
...rtitịden ...rti'ti:dn̩
Endarteriịtis ɛndarteri'i:tɪs,
...riitịden ...rii'ti:dn̩
Ẹndchen 'ɛntçən
Ẹnde 'ɛndə
Endeavo[u]r engl. ɪn'dɛvə
Endecasịllabo ɛndeka'zɪ-
labo, ...bi ...bi

Endecha ɛn'dɛtʃa
Endeffekt 'ɛntlɛfɛkt
Endel[l] 'ɛndl̩
endeln 'ɛndl̩n, endle 'ɛndlə
Endemie ɛnde'mi:, -n ...i:ən
endemisch ɛn'de:mɪʃ
Endemismus ɛnde'mɪsmʊs
Endemiten ɛnde'mi:tn̩
enden 'ɛndn̩, end! ɛnt
Enden niederl. 'ɛndə
Ender 'ɛndɐ
...ender ....|ɛndɐ
Enderby engl. 'ɛndəbɪ
Enderle 'ɛndɐlə
Enderlein 'ɛndɐlaɪn
endermal ɛndɐr'ma:l
Enders 'ɛndɐs, engl. 'ɛndəz
endesmal ɛndɛs'ma:l
en détail ã: de'taɪ
Endicott engl. 'ɛndɪkɔt
endigen 'ɛndɪɡn̩, endig!
'ɛndɪç, endigt 'ɛndɪçt
Endingen 'ɛndɪŋən
Endivie ɛn'di:vɪə
Endler 'ɛndlɐ
endlich 'ɛntlɪç
Endlicher 'ɛntlɪçɐ
Endobiont ɛndo'bɪɔnt
Endobiose ɛndo'bɪo:zə
Endocarditis ɛndokar'di:tɪs,
...ditiden ...di'ti:dn̩
Endocardium ɛndo'kar-
dɪʊm, ...ien ...ɪən
endochondral ɛndoçɔn-
'dra:l
Endocranium ɛndo'kra:-
nɪʊm, ...ien ...ɪən
Endodermis ɛndo'dɛrmɪs
Endoenzym ɛndolɛn'tsy:m
endogen ɛndo'ge:n
Endoios ɛn'dɔyɔs
Endokannibalismus ɛndo-
kaniba'lɪsmʊs
Endokard ɛndo'kart, -e
...rdə
Endokarditis ɛndokar'di:tɪs,
...ditiden ...di'ti:dn̩
Endokardium ɛndo'kar-
dɪʊm, ...ien ...ɪən
Endokardose ɛndokar-
'do:zə
Endokarp ɛndo'karp
Endokranium ɛndo'kra:-
nɪʊm, ...ien ...ɪən
endokrin ɛndo'kri:n
Endokrinie ɛndokri'ni:
Endokrinologe ɛndokrino-
'lo:gə

Endokrinologie ɛndokrino-
lo'gi:
Endolymphe ɛndo'lʏmfə
Endolysine ɛndoly'zi:nə
Endometriose ɛndome-
tri'o:zə
Endometritis ɛndome'tri:-
tɪs, ...ritiden ...ri'ti:dn̩
Endometrium ɛndo'me:-
trɪʊm, ...ien ...ɪən
endomorph ɛndo'mɔrf
Endomorphie ɛndomɔr'fi:
Endomorphismus ɛndo-
mɔr'fɪsmʊs
Endomorphose ɛndomɔr-
'fo:zə
Endomyces, ...yzes ɛndo-
'my:tsɛs
Endophlebitis ɛndofle'bi:-
tɪs, ...bitiden ...bi'ti:dn̩
Endophyt ɛndo'fy:t
Endoplasma ɛndo'plasma
endoplasmatisch ɛndo-
plas'ma:tɪʃ
Endor 'ɛndo:ɐ̯
Endorphin ɛndɔr'fi:n
Endoprothese ɛndopro-
'te:zə
Endoskelett ɛndoske'lɛt
Endoskop ɛndo'sko:p
Endoskopie ɛndosko'pi:, -n
...i:ən
endosmatisch ɛndɔs'ma:tɪʃ
Endosmose ɛndɔs'mo:zə
Endosperm ɛndo'spɛrm
Endospore ɛndo'spo:rə
Endost ɛn'dɔst
Endothel ɛndo'te:l
Endotheliom ɛndote'lɪo:m
Endotheliose ɛndote'lɪo:zə
Endothelium ɛndo'te:lɪʊm,
...ien ...ɪən
endotherm ɛndo'tɛrm
endothym ɛndo'ty:m
Endotoxine ɛndotɔ'ksi:nə
endotroph ɛndo'tro:f
endozentrisch ɛndo'tsɛn-
trɪʃ
Endre ung. 'ɛndrɛ
Endres 'ɛndrəs
Endrikat 'ɛndrikat
Endrőd[i] ung. 'ɛndrø:d[i]
Endrödy 'ɛndrødi
Endter 'ɛntɐ
Enduro ɛn'du:ro
Endymion ɛn'dy:mɪɔn
Enea it. e'nɛ:a
Energeia e'nɛrɡaɪa
Energetik enɛr'ge:tɪk
Energetiker enɛr'ge:tikɐ

energetisch enɛr'ge:tɪʃ
energico e'nɛrdʒiko
Energide enɛr'gi:də
Energie enɛr'gi:, -n ...i:ən
energisch e'nɛrɡɪʃ
energochemisch enɛrɡo-
'çe:mɪʃ
Enervation enɛrva'tsɪo:n
enervieren enɛr'vi:rən
Enesco e'nɛsko, fr. enɛs'ko
Enescu rumän. e'nɛsku
Enez türk. 'ɛnɛz
en face ã: 'fas
en famille ã: fa'mi:
Enfantin fr. ãfã'tɛ̃
Enfant terrible, -s -s ã'fã:
tɛ'ri:bl̩
Enfield engl. 'ɛnfi:ld
enfilieren ãfi'li:rən
enflammieren ãfla'mi:rən
Enfle 'ã:fl̩, des -s ...l[s], die
-s ...l̩s
Enfleurage ãflø'ra:ʒə
eng ɛŋ
Engadin 'ɛŋgadi:n, auch:
– –'–
Engadina it. ɛŋga'di:na
Engadiner ɛŋga'di:nɐ
¹Engagement ãgaʒə'mã:
²Engagement (politische
und/oder militärische Ver-
pflichtung, Interessiert-
heit) ɛn'ge:tʃmənt
engagieren ãga'ʒi:rən
en garde ã: 'gart
Engastrimant ɛŋgastri-
'mant
engbrüstig 'ɛŋbrʏstɪç, -e
...ɪgə
Enge 'ɛŋə
Engel[berg] 'ɛŋl̩[bɛrk]
Engelbert 'ɛŋl̩bɛrt
Engelberta ɛŋl̩'bɛrta
Engelbrecht 'ɛŋl̩brɛçt,
schwed. .ɛŋəlbrɛkt, niederl.
'ɛŋəlbrɛxt
Engelbrechtsen niederl.
'ɛŋəlbrɛxtsə
Engelbrechtson schwed.
.ɛŋəlbrɛktsɔn
Engelbrekt[sson] schwed.
'ɛŋəlbrɛkt[sɔn]
Engelhard[t] 'ɛŋl̩hart
Engelhart 'ɛŋl̩hart
Engelhorn 'ɛŋl̩hɔrn
Engelhus 'ɛŋl̩hu:s
Engelke 'ɛŋl̩kə
Engelland 'ɛŋl̩lant
Engelman niederl. 'ɛŋəlman

Engelmann 'ɛŋlman
¹Engels (dt. Name) 'ɛŋls
²Engels (Stadt) 'ɛŋls, russ.
  'ɛngɪljs
Engelsburg 'ɛŋlsbʊrk
engelschön 'ɛŋl'ʃøːn
Engelszell ɛŋls'tsɛl
engen, Ę... 'ɛŋən
Enger 'ɛŋɐ
Engerling 'ɛŋɐlɪŋ
Engern 'ɛŋɐn
Engers 'ɛŋɐs
Engert[h] 'ɛŋɐt
Engesser 'ɛŋəsɐ
Enghaus 'ɛŋhaʊs
Enghien fr. ã'gɛ̃, belg.-fr.
  auch: ã'gjɛ̃
Engholm 'ɛŋhɔlm
Engiadina rät. ɛndzɐ'dinɐ
Engineering ɛndʒi'niːrɪŋ
Engischiki ɛŋgi'ʃiːki
England 'ɛŋlant, engl.
  'ɪŋglənd
Engländer 'ɛŋlɛndɐ
Englein 'ɛŋlaɪn
Engler 'ɛŋlɐ
Englewood engl. 'ɛŋglwʊd
englisch, Ę... 'ɛŋlɪʃ
English [spoken] 'ɪŋlɪʃ
  ['spoːkn̩]
Englishwaltz 'ɪŋlɪʃ'voːlts
englisieren ɛŋ[g]li'ziːrən
engmaschig 'ɛŋmaʃɪç
Engobe ã'goːbə
engobieren ãgo'biːrən
Engorgement ãgɔrʒə'mã:
Engramm ɛn'gram
en gros ã: 'groː
Engrossist ãgrɔ'sɪst
engstirnig 'ɛŋʃtɪrnɪç, -e
  ...ɪgə
Engstrand 'ɛŋstrant
Engström schwed. ,ɛŋstrœm
Enharmonik ɛnhar'moːnɪk
enharmonisch ɛnhar'moː-
  nɪʃ
Enhuber 'ɛnhuːbɐ
ENIAC engl. 'ɛnɪæk
Enid engl. 'iːnɪd
Enigma e'nɪgma
enigmatisch ɛnɪ'gmaːtɪʃ
Enite e'niːtə
Eniwetok engl. ɛ'niːwətɔk,
  ɛnɪ'wiːtɔk
Enjambement ãʒãbə'mã:
enkaustieren ɛnkaʊs'tiːrən
Enkaustik ɛn'kaʊstɪk
enkaustisch ɛn'kaʊstɪʃ
Enk[e] 'ɛŋk[ə]
Enkel 'ɛŋkl̩

Enkenbach 'ɛŋkn̩bax
Enkhuizen niederl. ɛŋk-
  'hœɪzə
Enkidu ɛŋ'kiːdu
Enking 'ɛŋkɪŋ
Enklave ɛn'klaːvə
Enklise ɛn'kliːzə
Enklisis 'ɛnklɪzɪs, Enklisen
  ɛn'kliːzn̩
Enklitikon ɛn'kliːtikɔn, ...ka
  ...ka
enklitisch ɛn'kliːtɪʃ
enkodieren ɛnko'diːrən
Enkolpion ɛn'kɔlpɪ̯ɔn, ...ien
  ...i̯ən
Enkomiast[ik] ɛnko'mi̯-
  ast[ɪk]
Enkomion ɛn'koːmi̯ɔn, ...ien
  ...i̯ən
Enkomium ɛn'koːmi̯ʊm,
  ...ien ...i̯ən
Enköping schwed. 'e:nçøːpiŋ
Enkulturation ɛnkʊltura-
  'tsi̯oːn
en masse ã: 'mas
en miniature ã: mini̯a'tyːɐ̯
Enna it. 'ɛnna, dän. 'ɛnæ
Enneccerus ɛn'ɛk'tseːrʊs
Ennepe 'ɛnəpə
Ennery fr. ɛn'ri
ennet 'ɛnət
ennetbergisch 'ɛnətbɛrgɪʃ
ennetbirgisch 'ɛnətbɪrgɪʃ
Enniger[loh] 'ɛnɪgɐ[loː]
Ennis engl. 'ɛnɪs
Enniskillen engl. ɛnɪs'kɪlɪn
Ennius 'ɛnɪ̯ʊs
Enno 'ɛno
Ennodius ɛ'noːdi̯ʊs
Enns ɛns
Ennui ã'nɥiː
ennuyant ãnɥ'jant, an...,
  ...jã:; -e ...jantə
ennuyieren ãnɥ'jiːrən, an...
Enobarbus eno'barbʊs
Enoch 'eːnɔx, engl. 'iːnɔk
enophthalmisch ɛn-
  |ɔf'talmɪʃ, ɛnɔ...
Enophthalmus ɛn-
  |ɔf'talmʊs, ɛnɔ...
enorm e'nɔrm
Enormität enɔrmi'tɛ:t
Enosis neugr. 'ɛnɔsis
Enostose ɛnɔs'toːzə, enɔ...
en passant ã: pa'sã:
en pleine carrière ã: 'plɛ:n
  ka'ri̯ɛːɐ̯
en profil ã: pro'fiːl
Enquelines fr. ã'klin

Enquete ã'ke:t[ə], ã'kɛ:t[ə],
  -n ...tn
Enquist schwed. 'e:nkvist
enragiert ãra'ʒiːɐ̯t
enrhümiert ãry'miːɐ̯t
Enrica it. en'riːka
Enrico it. en'riːko
Enright engl. 'ɛnraɪt
Enrique span. en'rrike
Enriques it. en'riːkɥes
Enríquez span. en'rrikeθ
enrollieren ãrɔ'liːrən
en route ã: 'ruːt
Ens (das Seiende) ɛns
Enschede niederl. 'ɛnsxədə
Ensdorf 'ɛnsdɔrf
Ensemble ã'sãːbl̩, des -s
  ...l[s], die -s ...l[s]
Ensenada span. ense'naða
Ensheim 'ɛnshaɪm
Ensilage ãsi'laːʒə
Ensingen 'ɛnzɪŋən
Ensinger 'ɛnzɪŋɐ
Ensisheim 'ɛnzishaɪm
Enslin 'ɛnsliːn
Ensor niederl. 'ɛnsɔr
Enßlin 'ɛnsliːn
Enstatit ɛnsta'tiːt
en suite ã: 'svi:t
Entamöben ɛnta'møːbn̩
entanonymysieren ɛnt-
  |anonymi'ziːrən
Entari ɛnta'ri:
entaschen ɛn'taʃn̩
Entase ɛn'taːzə
Entasis 'ɛntazɪs, Entasen
  ɛn'taːzn̩
entbehren ɛnt'beːrən
entbeinen ɛnt'baɪnən
entblöden ɛnt'bløːdn̩, ent-
  blöd! ɛnt'bløːt
entblößen ɛnt'bløːsn̩
Entchen 'ɛntçən
Entdecker ɛnt'dɛkɐ
Ente 'ɛntə
Entebbe engl. ɛn'tɛbɪ
enteisen ɛnt'|aɪzn̩, enteis!
  ɛnt'|aɪs, enteist ɛnt'|aɪst
enteisenen ɛnt'|aɪzənən
Entelechie ɛntelɛ'çi:, -n
  ...iːən
entelechisch ɛnte'leçɪʃ
Entenbühl 'ɛntn̩byːl
Entente ã'tãːt[ə], -n ...tn̩
Entente cordiale ã'tãːt kɔr-
  di̯al
Enter 'ɛntɐ
Entera vgl. Enteron
enteral ɛnte'raːl

Enteralgie ɛnteral'gi:, -n
...i:ən
Enterich 'ɛntərɪç
Enteritis ɛnte'ri:tɪs, Enteri-
tiden ɛnteri'ti:dn̩
entern 'ɛntɐn
Enteroanastomose ɛntero-
lanasto'mo:zə
enterogen ɛntero'ge:n
Enterokinase ɛnteroki-
'na:zə
Enteroklyse ɛntero'kly:zə
Enteroklysma ɛntero-
'klysma, -ta -ta
Enterokokken ɛntero'kɔkn̩
Enterokolitis ɛnteroko'li:-
tɪs, ...litiden ...li'ti:dn̩
Enterolith ɛntero'li:t
Enteromyiase ɛntero-
myi'a:zə
Enteron 'ɛnterɔn, ...ra ...ra
Enteroneurose ɛnteronɔy-
'ro:zə
Enteroptose ɛnterɔp'to:zə
Enterorrhagie ɛnterɔra'gi:,
-n ...i:ən
Enterosit ɛntero'zi:t
Enteroskop ɛntero'sko:p
Enteroskopie ɛnterosko'pi:,
-n ...i:ən
Enterostomie ɛnterosto-
sto'mi:, -n ...i:ən
Enterotomie ɛnteroto'mi:,
-n ...i:ən
Enterovirus ɛntero'vi:rʊs
Enterozele ɛntero'tse:lə
Enterozoon ɛntero'tso:ɔn,
-zoen ...o:ən, -zoa ...o:a
Enterprise engl. 'ɛntəpraɪz
Enters engl. 'ɛntəz
Entertainer 'ɛntɐte:nɐ,
--'--
Entertainment ɛntɐ-
'te:nmənt
entetiert äte'ti:ɐt
Entfelder 'ɛntfɛldɐ
entfernen ɛnt'fɛrnən
entgegen ɛnt'ge:gn̩
entgegengesetzt ɛnt-
'ge:gŋgəzɛtst
entgegengesetztenfalls
ɛnt'ge:gŋgəzɛtstn̩'fals
entgegenkommen ɛnt-
'ge:gŋkɔmən
entgegnen ɛnt'ge:gnən
entgeistert ɛnt'gaɪstɐt
Entgelt ɛnt'gɛlt
entgleisen ɛnt'glaɪzn̩, ent-
gleis! ɛnt'glaɪs, entgleist
ɛnt'glaɪst

entgotten ɛnt'gɔtn̩
entgöttern ɛnt'gœtɐn
entgraten ɛnt'gra:tn̩
entgräten ɛnt'grɛ:tn̩
Enthalpie ɛntal'pi:
enthaltsam ɛnt'haltza:m
enthaupten ɛnt'haʊptn̩
Enthelminthen ɛnthɛl-
'mɪntn̩
enthumanisieren ɛnthuma-
ni'zi:rən
enthusiasmieren ɛntuzias-
'mi:rən
Enthusiasmus ɛntu'zias-
mʊs
Enthusiast ɛntu'ziast
Enthymem ɛnty'me:m
entideologisieren ɛnt-
lideologi'zi:rən
Entität ɛnti'tɛ:t
entjungfern ɛnt'jʊnfɐn
entkoffeinieren ɛnt-
kɔfei'ni:rən
entkorken ɛnt'kɔrkn̩
entkräften ɛnt'krɛftn̩
entlang ɛnt'laŋ
entlarven ɛnt'larfn̩
entlauben ɛnt'laʊbn̩, ent-
laub! ɛnt'laʊp, entlaubt
ɛnt'laʊpt
Entlebuch 'ɛntləbu:x
entledigen ɛnt'le:dɪgn̩, ent-
ledig! ɛnt'le:dɪç, entledigt
ɛnt'le:dɪçt
entlegen ɛnt'le:gn̩
entleiben ɛnt'laɪbn̩, ent-
leib! ɛnt'laɪp, entleibt ɛnt-
'laɪpt
entmachten ɛnt'maxtn̩
entmenschen ɛnt'mɛnʃn̩
entmilitarisieren ɛnt'militari'zi:rən
entminen ɛnt'mi:nən
entmündigen ɛnt'mʏndɪgn̩,
entmündig! ɛnt'mʏndɪç,
entmündigt ɛnt'mʏndɪçt
entmutigen ɛnt'mu:tɪgn̩,
entmutig! ɛnt'mu:tɪç, ent-
mutigt ɛnt'mu:tɪçt
entmythisieren ɛntmyti'zi:-
rən
entmythologisieren ɛnt-
mytologi'zi:rən
Entnahme ɛnt'na:mə
entnazifizieren ɛntnatsifi-
'tsi:rən
Entoblast ɛnto'blast
Entoderm ɛnto'dɛrm
entodermal ɛntodɐr'ma:l
entomogam ɛntomo'ga:m

Entomogamie ɛntomo-
ga'mi:
Entomologe ɛntomo'lo:gə
Entomologie ɛntomolo'gi:
entomologisch ɛntomo'lo:-
gɪʃ
Entoparasit ɛntopara'zi:t
Entophyten ɛnto'fy:tn̩
entopisch ɛn'to:pɪʃ
Entoplasma ɛnto'plasma
entoptisch ɛn'tɔptɪʃ
Entoskopie ɛntosko'pi:, -n
...i:ən
entotisch ɛn'to:tɪʃ
Entourage ãtu'ra:ʒə
En-tout-Cas ãtu'ka:, des -
...a:[s], die - ...a:s
Entoxismus ɛntɔ'ksɪsmʊs
Entozoon ɛnto'tso:ɔn,
...zoen ...tso:ən, ...zoa
...tso:a
entpflichten ɛnt'pflɪçtn̩
entpulpen ɛnt'pʊlpn̩
Entr'acte ã'trakt
Entrada ɛn'tra:da
Entreacte, Entreakt ãtrə-
'lakt, ã'trakt
Entrecasteaux fr. ãtrə-
kas'to
Entrechat ãtrə'ʃa[:]
Entrecote ãtrə'ko:t
Entree ã'tre:
Entrefilet ãtrəfi'le:
Entrelacs ãtrə'la[:], des -
...a:[s], ...a[s]; die - ...a[:]s
Entremés ɛntre'mɛs
Entremetier ãtrame'tie:
Entremets ãtrə'me:, des -
...e:[s], die - ...e:s
Entremont fr. ãtrə'mõ
entre nous 'ã:trə 'nu:
Entrepeñas span. entre'pe-
ɲas
Entrepot ãtrə'po:
Entrepreneur ãtrəprə'nø:ɐ̯
Entreprise ãtrə'pri:zə
Entre Ríos span. 'ɛntrɛ
'rrios
Entresol ãtrə'sɔl
Entrevue ãtrə'vy:, ...uen
...y:ən
entrez! ã'tre:
entrieren ã'tri:rən
entrinden ɛnt'rɪndn̩, ...d!
...nt
entrisch 'ɛntrɪʃ
Entropie ɛntro'pi:, -n ...i:ən
Entropium ɛn'tro:piʊm,
...pien ...piən
entrümpeln ɛnt'rʏmpl̩n

Entscheid ɛntˈʃait, -e ...ˈaidə
entscheidend ɛntˈʃaidn̩t, -e
...n̩də
entschieden ɛntˈʃiːdn̩
entschleiern ɛntˈʃlaiɐn
entschlossen ɛntˈʃlɔsn̩
Entschluss ɛntˈʃlʊs
entschuldbar ɛntˈʃʊltbaːɐ̯
entschuldigen ɛntˈʃʊldɪɡn̩,
entschuldig! ɛntˈʃʊldɪç,
entschuldigt ɛntˈʃʊldɪçt
entschweren ɛntˈʃveːrən
entseelt ɛntˈzeːlt
entsetzlich ɛntˈzɛtslɪç
entseuchen ɛntˈzɔyçn̩
entsittlichen ɛntˈzɪtlɪçn̩
entsprechend ɛntˈʃprɛçn̩t,
-e ...n̩də
entstalinisieren ɛntstalini-
ˈziːrən, ɛntʃt...
entstofflichen ɛntˈʃtɔflɪçn̩
enttrümmern ɛntˈtrymɐn
entvölkern ɛntˈfœlkɐn
entweder ˈɛntveːdɐ, auch:
–ˈ––
Entweder-oder ˈɛntveːdɐ-
ˈloːdɐ
Entwistle engl. ˈɛntwɪsl
entwöhnen ɛntˈvøːnən
entziffern ɛntˈtsɪfɐn
entzückend ɛntˈtsʏkn̩t, -e
...n̩də
entzundern ɛntˈtsʊndɐn,
...dre ...drə
entzündlich ɛntˈtsʏntlɪç
entzwei[en] ɛntˈtsvai[ən]
Enugu engl. ɛˈnuːɡuː
Enukleation enuklea'tsi̯oːn
enukleieren enukleˈiːrən
Enumeration enumera-
ˈtsi̯oːn
enumerieren enumeˈriːrən
Enunziation enʊntsi̯aˈtsi̯oːn
Enurese enuˈreːzə
Envelope engl. ˈɛnvəloup
Enveloppe ãvəˈlɔp[ə], -n ...
pn̩
Enver alban. enˈver, türk.
ɛnˈvɛr
Envers ãˈveːɐ̯, ãˈvɛːɐ̯, des -
...ɐ̯[s], die - ...ɐ̯s
Environment ɛnˈvairən-
mənt
environmental ɛnvirən-
mɛnˈtaːl
Environtologie ɛnvirɔnto-
loˈɡiː
en vogue ã: ˈvoːk
Envoyé ãvɔaˈjeː
Enz ɛnts

Enzensberger ˈɛntsn̩sbɛrɡɐ
Enzephala vgl. Enzephalon
Enzephalitis ɛntsefaˈliːtɪs,
...litiden ...liˈtiːdn̩
Enzephalogramm ɛntsefa-
loˈɡram
Enzephalographie ɛntsefa-
loɡraˈfiː, -n ...i̯oːn
Enzephalomalazie ɛntsefa-
lomalaˈtsiː, -n ...i̯ən
Enzephalon ɛnˈtseːfalɔn,
...la ...la
Enzephalorrhagie ɛntsefa-
lɔraˈɡiː, -n ...i̯ən
Enzephalozele ɛntsefalo-
ˈtseːlə
Enzian ˈɛntsi̯aːn
Enzinas span. enˈθinas
Enz[i]o ˈɛnts[i]o
Enzyklika ɛnˈtsyːklika
enzyklisch ɛnˈtsyːklɪʃ
Enzyklopädie ɛntsyklo-
pɛˈdiː, -n ...i̯ən
Enzyklopädiker ɛntsyklo-
ˈpɛːdikɐ
enzyklopädisch ɛntsyklo-
ˈpɛːdɪʃ
Enzyklopädist ɛntsyklopɛ-
ˈdɪst
Enzym ɛnˈtsyːm
enzymatisch ɛntsyˈmaːtɪʃ
Enzymologie ɛntsymoloˈɡiː
enzystieren ɛntsʏsˈtiːrən
Eoban[us] eoˈbaːn[ʊs]
Eobiont eoˈbi̯ɔnt
eo ipso ˈeːo ˈɪpso
Eolienne eoˈli̯ɛn
Eolith eoˈliːt
Eolithikum eoˈliːtikʊm
Eos ˈeːɔs
Eosander eoˈzandɐ
eosinieren eoziˈniːrən
eosinophil eozinoˈfiːl
Eötvös ung. ˈøtvøʃ
eozän, E... eoˈtsɛːn
Eozoikum eoˈtsoːikʊm
eozoisch eoˈtsoːɪʃ
Eozoon eoˈtsoːɔn
Epagoge epagoˈɡeː
epagogisch epaˈɡoːɡɪʃ
Epakme epakˈmeː
Epakris ˈeːpakrɪs
Epakte eˈpaktə
Epameinondas epamai-
ˈnɔndas
Epaminondas epamiˈnɔn-
das
Epanalepse epanaˈlɛpsə
Epanalepsis epaˈnaːlɛpsɪs,
...epsen ...naˈlɛpsn̩

Epanaphora epaˈnaːfora,
...rä ...rɛ
Epanodos eˈpaːnodɔs, ...doi
...dɔy
Eparch eˈparç
Eparchie eparˈçi:, -n ...i̯ən
Epaulett[e] epoˈlɛt[ə]
Epave eˈpaːvə
Epe dt., niederl. ˈeːpə
Épée fr. eˈpe
Epeirogenese epairoɡe-
ˈneːzə
Epeirophorese epairofo-
ˈreːzə
Epeiros eˈpairɔs
Epeisodion epaiˈzoːdi̯ɔn,
...dia ...dia
Ependym epɛnˈdyːm
Ependymom epɛndyˈmoːm
Epenthese epɛnˈteːzə
Epenthesis eˈpɛntezɪs,
..thesen ...ˈteːzn̩
epenthetisch epɛnteˈtɪʃ
Eperies ˈɛpɛrɪeʃ
Eperjes ung. ˈɛpɛrjɛʃ
Épernay fr. epɛrˈnɛ
Epexegese epɛkseˈɡeːzə
epexegetisch epɛkseˈɡeːtɪʃ
Ephebe eˈfeːbə
Ephebie efeˈbiː
ephebisch eˈfeːbɪʃ
Ephedra ˈeːfedra, ...drae
...rɛ
Ephedrin® efeˈdriːn
Epheliden efeˈliːdn̩
ephemer efeˈmeːɐ̯
Ephemera eˈfeːmera
Ephemeride efemeˈriːdə
Ephemeris eˈfeːmerɪs
ephemerisch efeˈmeːrɪʃ
Ephemerophyt efemeroˈfyːt
Epheser ˈeːfezɐ
ephesisch eˈfeːzɪʃ
Ephesos ˈeːfezɔs
Ephesus ˈeːfezʊs
Ephete eˈfeːtə
Ephialtes eˈfialtes
Ephidrose efiˈdroːzə
Ephippium eˈfɪpi̯ʊm, ...ien
...i̯ən
Ephor eˈfoːɐ̯
Ephorat efoˈraːt
Ephorie efoˈriː, -n ...i̯ən
Ephoros ˈeːforɔs, ...ren
eˈfoːrən
Ephorus ˈeːforʊs, ...ren
eˈfoːrən
Ephraim ˈeːfraim
Ephräm eˈfrɛːm, ˈeːfrɛm
Epi engl. ˈeɪpɪ, fr. eˈpi

Epibiont epi'bjɔnt
Epibiose epi'bjo:zə
Epibolie epibo'li:
Epicedium epi'tse:diʊm,
...ia ...ia
Epicharm[os] epi'çarm[ɔs]
Epicondylus epi'kɔndylʊs,
-li ...li
Epicōnum epi'tsø:nʊm,
...na ...na
Epidamnos epi'damnɔs
Epidamnus epi'damnʊs
Epidauros epi'daʊrɔs
Epidaurus epi'daʊrʊs
Epidawros neugr. εpi'ðav-
rɔs
Epideiktik epi'daiktɪk
epideiktisch epi'daiktɪʃ
Epidemie epide'mi:, -n
...i:ən
Epidemiologe epidemio-
'lo:gə
Epidemiologie epidemio-
lo'gi:
epidemiologisch epidemio-
'lo:gɪʃ
epidemisch epi'de:mɪʃ
epidermal epidεr'ma:l
Epidermis epi'dεrmɪs
Epidermoid epidεrmo'i:t, -e
...i:də
epidermoidal epidεrmoi-
'da:l
Epidermophyt epidεrmo-
'fy:t
Epidermophytie epidεrmo-
fy'ti:, -n ...i:ən
Epidiaskop epidia'sko:p
Epididymis epi'di:dymɪs,
...miden epididy'mi:dn
Epididymitis epididy'mi:tɪs,
...mitiden ...mi'ti:dn
Epidot epi'do:t
Epigaion epi'gaiɔn
epigäisch epi'gε:ɪʃ
Epigastrium epi'gastriʊm,
...ien ...iən
Epigenes e'pi:genεs
Epigenese epige'ne:zə
epigenetisch epige'ne:tɪʃ
Epiglottis epi'glɔtɪs
Epiglottitis epiglɔ'ti:tɪs,
...ottitiden ...ɔti'ti:dn
epigonal epigo'na:l
Epigonation epigo'na:tiɔn,
...ien ...iən
Epigone epi'go:nə
Epigonos e'pi:gonɔs
Epigramm epi'gram

Epigrammatik epigra-
'ma[:]tɪk
Epigrammatiker epigra-
'ma[:]tɪk
epigrammatisch epigra-
'ma[:]tɪʃ
Epigrammatist epigrama-
'tɪst
Epigraph[ik] epi'gra:f[ɪk]
Epigraphiker epi'gra:fikɐ
epigyn epi'gy:n
Epik 'e:pɪk
Epikanthus epi'kantʊs
Epikard epi'kart, -es ...rdəs
Epikarp epi'karp
Epikarpium epi'karpiʊm,
...ien ...iən
Epikedeion epi'ke:daiɔn,
...deia ...daia
Epiker 'e:pikɐ
Epikie epi'ki:
Epiklese epi'kle:zə
Epikondylitis epikɔndy'li:-
tɪs, ...litiden ...li'ti:dn
epikontinental epikɔnti-
nεn'ta:l
Epikotyl epiko'ty:l
Epikrise epi'kri:zə
Epiktet[os] epɪk'te:t[ɔs]
Epikur epi'ku:ɐ
Epikureer epiku're:ɐ
Epikureisch, E... epiku're:ɪʃ
Epikureismus epikure'ɪs-
mʊs
epikurisch, E... epi'ku:rɪʃ
Epikuros epi'ku:rɔs
Epilation epila'tsio:n
Epilepsie epilε'psi:, -n
...i:ən
epileptiform epilεpti'fɔrm
Epileptiker epi'lεptikɐ
epileptisch epi'lεptɪʃ
epileptoid epilεpto'i:t, -e
...i:də
epilieren epi'li:rən
Epilimnion epi'lɪmniɔn,
...ien ...iən
Epilimnium epi'lɪmniʊm,
...ien ...iən
Epilog epi'lo:k, -e ...o:gə
Epimeleia epime'laia
Epimelet epime'le:t
Epimenides epi'me:nidεs
epimetheisch epime'te:ɪʃ
Epimetheus epi'me:tɔys
Épinal fr. epi'nal
Epinastie epinas'ti:
epinastisch epi'nastɪʃ
Épinay fr. epi'nε

Epinephritis epine'fri:tɪs,
...ritiden ...ri'ti:dn
Epinglé epε̃'gle:
Epinikion epi'ni:kiɔn, ...ien
...iən
Epipaläolithikum epipalε-
o'li:tikʊm
Epiphanes e'pi:fanεs
Epiphania epi'fa:nia,
...fa'ni:a
Epiphanias epi'fa:nias
Epiphanie epifa'ni:
Epiphanien... epi'fa:niən...
Epiphanius epi'fa:niʊs
Epiphänomen epifεno'me:n
Epipharynx epi'fa:ryŋks
Epiphora epi'fora, ...rä ...rε
Epiphyllum epi'fylʊm
Epiphyse epi'fy:zə
Epiphyt epi'fy:t
Epiploon e'pi:plɔɔn, ...loa
...loa
epirogen epiro'ge:n
Epirogenese epiroge'ne:zə
epirogenetisch epiroge-
'ne:tɪʃ
Epirot epi'ro:t
Epirrhem epɪ're:m
Epirrhema e'pɪrema, -ta
epɪ're:mata
Epirus e'pi:rʊs
episch 'e:pɪʃ
Episcopus e'pɪskopʊs
Episem epi'ze:m
Episemem epize'me:m
Episiotomie epiziɔto'mi:, -n
...i:ən
Episit epi'zi:t
Episkleritis episkle'ri:tɪs,
...ritiden ...ri'ti:dn
Episkop epi'sko:p
episkopal episko'pa:l
Episkopale epɪsko'pa:lə
Episkopalismus epɪskopa-
'lɪsmʊs
Episkopalist epɪskopa'lɪst
Episkopat epɪsko'pa:t
Episkopus e'pɪskopʊs, ...pi
...pi
Episode epi'zo:də
episodisch epi'zo:dɪʃ
Epispadie epispa'di:, -n
...i:ən
Epispastikum epi'spasti-
kʊm, ...ka ...ka
Epistase epi'sta:zə
Epistasie epista'zi:, -n
...i:ən
Epistasis epi'sta:zɪs
epistatisch epi'sta:tɪʃ

Epistaxis epi'staksıs
Epistel e'pıstl
Epistemologie epıstemo-
lo'gi:
epistemologisch epıstemo-
'lo:gıʃ
Epistolae obscurorum
virorum e'pıstolɛ ɔpsku-
'ro:rʊm vi'ro:rʊm
Epistolar epısto'la:ɐ̯
Epistolarium epısto'la:-
rjʊm, ...ien ...jən
Epistolographie epıstolo-
gra'fi:, -n ...i:ən
epistomatisch episto'ma:-
tıʃ
Epistropheus e'pıstrofɔys,
epi'stro:feʊs
Epistyl epi'sty:l
Epistylion epi'sty:ljɔn, ...ien
...jən
Epitaph epi'ta:f
Epitaphium epi'ta:fjʊm,
...ien ...jən
Epitasis e'pi:tazıs, ...asen
epi'ta:zn̩
Epitaxie epita'ksi:, -n ...i:ən
Epithalamion epita'la:mjɔn,
...ien ...jən
Epithalamium epita'la:-
mjʊm, ...ien ...jən
Epithel epi'te:l
epithelial epite'lja:l
Epitheliom epite'ljo:m
Epithelisation epiteliza-
'tsjo:n
Epithelium epi'te:ljʊm,
...ien ...jən
Epithem epi'te:m
Epithese epi'te:zə
Epitheton e'pi:tetɔn, ...ta
...ta
Epitheton ornans e'pi:tetɔn
'ɔrnans, ...ta ...antia ...ta
ɔr'nantsja
epitok epi'to:k
Epitokie epito'ki:
Epitomator epito'ma:to:ɐ̯,
-en ...ma'to:rən
Epitome e'pi:tome, -n epi-
'to:mən
Epitrachelion epitra'xe:ljɔn,
...ien ...jən
Epitrit epi'tri:t
Epitrope epi'tro:pə
Epizentral... epitsɛn'tra:l...
Epizentrum epi'tsɛntrʊm
Epizeuxis epi'tsɔyksıs
epizoisch epi'tso:ıʃ
Epizone epi'tso:nə

Epizoon epi'tso:ɔn, ...zoen
...tso:ən, ...zoa ...'tso:a
Epizoonosen epitsoo'no:zn̩
Epizootie epitsoo'ti:, -n
...i:ən
Epizykel epi'tsy:kl̩
Epizykloide epitsyklo'i:də
epochal epɔ'xa:l
[1]Epoche (Zeit) e'pɔxə
[2]Epoche (Zurückhaltung)
epɔ'xe:
Epode e'po:də
epodisch e'po:dıʃ
Epona 'e:pona
Eponym epo'ny:m
Eponymos e'po:nymɔs
Epopöe epo'pø:ə, auch:
...'pø:, -n ...ø:ən
Epopt e'pɔpt
Epos 'e:pɔs
Epoxid epɔ'ksi:t, -e ...i:də
Epoxyd epɔ'ksy:t, -e ...y:də
Epp[an] 'ɛp[an]
Eppelheim 'ɛpl̩haim
Eppelsheimer 'ɛpl̩shaimɐ
Eppendorf 'ɛpn̩dɔrf
Epper 'ɛpɐ
Eppich 'ɛpıç
Epping dt., engl. 'ɛpıŋ
Eppingen 'ɛpıŋən
Eppler 'ɛplɐ
Eppstein 'ɛpʃtain
Eprouvette epru'vɛt, -n
...tn̩
Epsilon 'ɛpsilɔn
Epsom engl. 'ɛpsəm
Epstein 'ɛpʃtain, engl. 'ɛp-
stain, fr. ɛp'stɛn
Epte fr. ɛpt
Epulis e'pu:lıs, ...liden epu-
'li:dn̩
Equalizer 'i:kvəlaizɐ
Equerre 'ɛkɛrə
Equestrik e'kvɛstrık
Equicola it. e'kui:kola
Equidae 'e:kvidɛ
Equiden e'kvi:dn̩
equilibrieren ekvili'bri:rən
Equilibrist[ik] ekvili-
'brıst[ık]
Equipage ek[v]i'pa:ʒə
Equipe e'ki:p, e'kıp, -n ...pn̩
equipieren ek[v]i'pi:rən
Equipment i'kvıpmənt
Equisetum ekvi'ze:tʊm
Equites 'e:kvite:s
er, Er e:ɐ̯
erachten ɛɐ̯'laxtn̩
Eranos 'e:ranɔs
Erard fr. e'ra:r

Erasistratos era'zıstratɔs
erasmisch, E... e'rasmıʃ
Erasmus e'rasmʊs, engl.
ı'ræzməs
Erast[us] e'rast[ʊs]
Erath 'e:rat
Erato e'ra:to, auch: 'e:rato
Eratosthenes era'tɔstenɛs
Erb ɛrp, fr. ɛrb
Erba it. 'ɛrba
Erbach 'ɛrbax
Erbadel 'ɛrpla:dl̩
Erbakan türk. 'ɛrbakan
Erbarmedich ɛɐ̯'barmədıç
erbarmen, E... ɛɐ̯'barmən
erbärmlich ɛɐ̯'bɛrmlıç
erbarmungslos ɛɐ̯'bar-
mʊŋslo:s
Erbe 'ɛrbə
erben 'ɛrbn̩, erb! ɛrp, erbt
ɛrpt
Erben 'ɛrbn̩, tschech. ...bɛn
Erbendorf 'ɛrbn̩dɔrf
Erbeskopf 'ɛrbəskɔpf
erbeten ɛɐ̯'be:tn̩
erbeuten ɛɐ̯'bɔytn̩
erbfähig 'ɛrpfɛ:ıç
Erbgroßherzog ɛrp'gro:s-
hɛrtso:k, '-,---
Erbil ɛr'bi:l, türk. ɛr'bil
erbittern ɛɐ̯'bıtɐn
Erbium 'ɛrbjʊm
Erblassenschaft
'ɛrplasn̩ʃaft
Erblasser 'ɛrplasɐ
erblich 'ɛrplıç
erblich[en] (von: erblei-
chen) ɛɐ̯'blıç[n̩]
erblinden ɛɐ̯'blındn̩,
erblind! ɛɐ̯'blınt
erblos 'ɛrplo:s
erbosen ɛɐ̯'bo:zn̩, erbos!
ɛɐ̯'bo:s, erbost ɛɐ̯'bo:st
erbötig ɛɐ̯'bø:tıç, -e ...ıgə
Erbschaft 'ɛrpʃaft
Erbse 'ɛrpsə
Erchanger 'ɛrçaŋɐ
Ercilla span. ɛr'θiʎa
Erciyas dağı türk. 'ɛrdʒijas
da:'ı
Erckmann-Chatrian fr. ɛrk-
manʃatri'ã
Ercolani it. erko'la:ni
Ercolano it. erko'la:no
Ercole it. 'ɛrkole
Erda 'e:ɐ̯da
erdacht ɛɐ̯'daxt
Erdbeere 'ɛɐ̯tbe:rə
Erde 'e:ɐ̯də
Erdély[i] ung. 'ɛrde:j[i]

erden 'e:ɐ̯dn̩, ẹrd! e:ɐ̯t
erdenkbar ɛɐ̯'dɛŋkba:ɐ̯
ẹrdig 'e:ɐ̯dɪç, -e ...ɪɡə
Erding 'e:ɐ̯dɪŋ, 'ɛrdɪŋ
Ẹrdlen 'e:ɐ̯dlən
Ẹrdmann 'e:ɐ̯tman
Ẹrdmännchen 'e:ɐ̯tmɛnçən
Ẹrdmannsdorf[f] 'e:ɐ̯tmans-
dɔrf
Ẹrdmannsdörffer 'e:ɐ̯t-
mansdœrfɐ
Ẹrdmut 'e:ɐ̯tmu:t
Erdmụt[h]e e:ɐ̯t'mu:tə
erdọlchen ɛɐ̯'dɔlçn̩
ẹrdölhöffig 'e:ɐ̯tlø:l.hœfɪç,
-e ...ɪɡə
erdrẹisten ɛɐ̯'draɪstn̩
Erdrụsch ɛɐ̯'druʃ
Ẹrebos 'e:rebɔs
Ẹrebus 'e:rebʊs, engl. 'ɛrɪ-
bəs
Ẹrec 'e:rɛk
Erechthẹion erɛç'taɪɔn
Erechthẹum erɛç'te:ʊm
Erẹchtheus e'rɛçtɔys
Erẹde it. e're:de
Ẹreğli türk. 'ɛreɪli
Erẹignis ɛɐ̯'laɪɡnɪs, -se ...ɪsə
Ẹrek 'e:rɛk
erektịl erɛk'ti:l
Erektion erɛk'tsi̯o:n
Erembọdegem niederl.
e:rəm'bo:dəɣɛm
erẹmisch e're:mɪʃ
Eremịt ere'mi:t
Eremitạge eremi'ta:ʒə
Eremitạgen dän. ɪrɐmi-
'tɛ:sjɔn
Eremitẹi eremi'taɪ
Eremụrus ere'mu:rʊs
Ẹren 'e:rən
Erenbụrg russ. erɪn'burk
Erepsịn erɛ'psi:n
Ẹresburg 'e:rəsbʊrk
Ẹresos 'e:rezɔs
erẹthisch e're:tɪʃ
Erethịsmus ere'tɪsmʊs
Erẹtria e're:tria
Erewan ere'va:n, ...van
Ẹrez Jisraẹl 'e:rɛts jɪsra'e:l
erfạhren ɛɐ̯'fa:rən
Erfịnder ɛɐ̯'fɪndɐ
erfịnderisch ɛɐ̯'fɪndərɪʃ
Erfọlg ɛɐ̯'fɔlk, -e ...ɪɡə
Erfolghascherẹi ɛɐ̯fɔlkha-
ʃə'raɪ
erfọlglos ɛɐ̯'fɔlklo:s
erfọrderlich ɛɐ̯'fɔrdɐlɪç
Erfọrdernis ɛɐ̯'fɔrdɐnɪs, -se
...ɪsə

erfrẹchen ɛɐ̯'frɛçn̩
erfrẹulich ɛɐ̯'frɔylɪç
Erftạl ® ɛrf'ta:l
Ẹrft[stadt] 'ɛrft[ʃtat]
Ẹrfurt 'ɛrfʊrt, -er -ɐ
Ẹrfurth 'ɛrfʊrt
Ẹrg ɛrk
Ẹrgani türk. 'ɛrɡɑni
ergạnzen ɛɐ̯'ɡɛntsn̩
Ergasiolipophỵt ɛrɡazi̯oli-
po'fy:t
Ergasiophygophỵt ɛrɡazi̯o-
fyɡo'fy:t
Ergasiophỵt ɛrɡazi̯o'fy:t
ergạstisch ɛr'ɡastɪʃ
Ergastoplạsma ɛrɡasto-
'plasma
Ẹrgativ 'ɛrɡati:f, -e ...i:və
ergạttern ɛɐ̯'ɡatɐn
Ergẹbnis ɛɐ̯'ɡe:pnɪs, -se
...ɪsə
ergẹbig ɛɐ̯'ɡi:bɪç, -e ...ɪɡə
ẹrgo bibạmus 'ɛrɡo bi'ba:-
mʊs
Ergọden ɛr'ɡo:dn̩
Ergogrạph ɛrɡo'ɡra:f
Ergographịe ɛrɡoɡra'fi:
Ergologịe ɛrɡolo'ɡi:
Ergomẹter ɛrɡo'me:tɐ
Ergọn ɛr'ɡo:n
Ergonọm[ik] ɛrɡo'no:m[ɪk]
Ergonomịe ɛrɡono'mi:
Ergostạt ɛrɡo'sta:t
Ergostẹrin ɛrɡoste'ri:n
Ergotamịn ɛrɡota'mi:n
Ergotherapẹut ɛrɡotera-
'pɔyt
Ergotherapịe ɛrɡotera'pi:,
-n ...i:ən
Ergotịn ® ɛrɡo'ti:n
Ergotịsmus ɛrɡo'tɪsmʊs
Ergotoxịn ɛrɡotɔ'ksi:n
ergotrọp ɛrɡo'tro:p
ergọtzen ɛɐ̯'ɡœtsn̩
Ergrịffensein ɛɐ̯'ɡrɪfn̩zaɪn
erhạben ɛɐ̯'ha:bn̩
erhạltlich ɛɐ̯'hɛltlɪç
Erhạrd[t], ...rt 'e:ɡhart
erhẹblich ɛɐ̯'he:plɪç
erhẹitern ɛɐ̯'haɪtɐn
erhịtzen ɛɐ̯'hɪtsn̩
erhọlsam ɛɐ̯'ho:lza:m
Eric engl. 'ɛrɪk, schwed.
.e:rik
Ericeira port. iri'seɪrɐ
Ẹrich 'e:rɪç
Erịchtho e'rɪçto
Erichthọnios erɪç'to:ni̯os
Ericsson schwed. .e:riksɔn
Ẹridanos e'ri:danɔs

Eridanus e'ri:danʊs
Ẹridon 'e:ridɔn
Ẹridu 'e:ridu
Erie engl. 'ɪərɪ
Erigeron e'ri:ɡerɔn
erigịbel eri'ɡi:bl̩, ...ble ...blə
erigịeren eri'ɡi:rən
Erik 'e:rɪk, schwed. .e:rik
¹Ẹrika (Vorn.) 'e:rika
²Ẹrika (Pflanze) 'e:rika, sel-
ten: e'ri:ka
Erikazẹe erika'tse:ə
Ẹriksson schwed. .e:riksɔn
Ẹrin 'e:rɪn, engl. 'ɪərɪn
Ẹringer 'e:rɪŋɐ
Erịnna e'rɪna
erịnnerlich ɛɐ̯'lɪnɐlɪç
erịnnern ɛɐ̯'lɪnɐn
Erinnophilịe erɪnofi'li:
Erịnnye e'rɪnỹə
Erịnnys e'rɪnys, ...yen e'rɪ-
nỹən
Ẹris 'e:rɪs
Ẹriskirch 'e:rɪskɪrç
Ẹrismann 'e:rɪsman
Ẹristhawi georg. 'erɪsthawi
Erịstik e'rɪstɪk
Erịstiker e'rɪstɪkɐ
erịstisch e'rɪstɪʃ
Erith engl. 'ɪərɪθ
erịtis sicut Dẹus 'e:ritɪs
'zi:kʊt 'de:ʊs
Eritrẹa eri'tre:a, it. eri'trɛ:a
Eritrẹer eri'tre:ɐ
eritrẹisch eri'tre:ɪʃ
Eriugena e'rju:ɡena
Eriwan eri'va:n, ...van
Ẹrizzo it. 'ɛ:rittso
Ẹrk[a] 'ɛrk[a]
erkạhlen ɛɐ̯'ka:lən
erkạlten ɛɐ̯'kaltn̩
erkẹcken ɛɐ̯'kɛkn̩
Ẹrkel ung. 'ɛrkɛl
Ẹrkelenz 'ɛrkələnts
erkẹnntlich ɛɐ̯'kɛntlɪç
Erkẹnntnis ɛɐ̯'kɛntnɪs, -se
...ɪsə
Ẹrker 'ɛrkɐ
Ẹrkko finn. 'ɛrkkɔ
erklẹcklich ɛɐ̯'klɛklɪç
Ẹrkrath 'ɛrkra:t
erkühnen ɛɐ̯'ky:nən
erkụnden ɛɐ̯'kʊndn̩,
erkụnd! ɛɐ̯'kʊnt
erkụndigen ɛɐ̯'kʊndɪɡn̩,
erkụndig! ɛɐ̯'kʊndɪç,
erkụndigt ɛɐ̯'kʊndɪçt
Ẹrl ɛrl
Ẹrlach 'ɛrlax

Erlag εɐ'la:k, -es ...a:gəs,
Erläge εɐ'lε:gə
Erlander schwed. ær'landər
erlangen εɐ'laŋən
Erlangen 'εrlaŋən
Erlanger (Name) 'εrlaŋɐ, fr.
εrlã'ʒe, engl. 'ɔ:læŋə
Erlass εɐ'las, Erlässe εɐ'lεsə
erlässlich εɐ'lεslıç
Erlau 'εrlau
erlauben εɐ'laubn̩, erlaub!
...aup, erlaubt ...aupt
erlaucht, E... εɐ'lauxt
Erlauf 'εrlauf
¹Erle 'εrlə
²Erle (Vorn.) engl. ɔ:l
Erlebach 'εrləbax
Erlebnis εɐ'le:pnıs, -se ...ısə
erledigen εɐ'le:dıgn̩, erle-
dig! εɐ'le:dıç, erledigt
εɐ'le:dıçt
Erlembald 'εrləmbalt
erlen 'εrlən
Erlenmeyer 'εrlənmaiɐ
Erler 'εrlɐ
erlernbar εɐ'lεrnba:ɐ
Erlingsson isl. 'εrlıŋsɔn
Erlkönig 'εrlkø:nıç
erlogen εɐ'lo:gn̩
Erlös εɐ'lø:s, -e ...ø:zə
erlustigen εɐ'lustıgn̩, erlus-
tig! εɐ'lustıç, erlustigt
εɐ'lustıçt
Erlynne engl. 'ɔ:lın
Erma 'εrma
ermächtigen εɐ'mεçtıgn̩,
ermächtig! εɐ'mεçtıç,
ermächtigt εɐ'mεçtıçt
Erman 'εrman
Ermanarich 'εrmanarıç,
εr'ma:narıç
Ermanrich 'εrmanrıç
Ermatinger 'εrmatıŋɐ
ermatten εɐ'matn̩
Ermeland 'εrmələnt
Ermelind 'εrməlınt
Ermelinde εrmə'lındə
Ermelo niederl. 'εrmɑlo
Ermenonville fr. εrmənõ'vil
Ermes 'εrmɔs
ermessbar εɐ'mεsba:ɐ
Ermina εr'mi:na
Erminio it. εr'mi:njo
Erminold 'εrminɔlt
Erminone εrmi'no:nə
Ermitage εrmi'ta:ʒə
Ermitasch russ. ermi'taʃ
Ermland 'εrmlant
Ermländer 'εrmlεndɐ
ermländisch 'εrmlεndıʃ

ermöglichen εɐ'mø:klıçn̩
Ermos 'εrmɔs
Ermsleben 'εrmsle:bn̩
ermüden εɐ'my:dn̩, ermüd!
εɐ'my:t
Ermundure εrmʊn'du:rə
ermuntern εɐ'mʊntɐn
Ermupolis neugr. εr'mupɔlis
ermutigen εɐ'mu:tıgn̩,
ermutig! εɐ'mu:tıç, ermu-
tigt εɐ'mu:tıçt
Ern e:ɐn
Erna 'εrna
Ernährer εɐ'nε:rɐ
Ernakulam engl. ɔ:'nɑ:kə-
ləm
Ernani fr. εrna'ni, it. εr'na:ni
Erne 'εrnə, engl. ɔ:n
Erné εr'ne:
Ernemann 'εrnəman
Ernest 'εrnεst, fr. εr'nεst,
engl. 'ɔ:nıst
Ernesta εr'nεsta, span.
εr'nεsta
Ernestine εrnεs'ti:nə, engl.
'ɔ:nısti:n
ernestinisch εrnεs'ti:nıʃ
Ernesto it. εr'nεsto, span.
εr'nεsto, port. ir'nεʃtu,
bras. εr'nεstu
Ernestus εr'nεstʊs
erneuen εɐ'nɔyən
Erni 'εrni
erniedrigen εɐ'ni:drıgn̩,
erniedrig! εɐ'ni:drıç,
erniedrigt εɐ'ni:drıçt
Erno 'εrno
Ernő ung. 'εrnø:
ernst εrnst
Ernst dt., niederl. εrnst,
schwed. ær:rnst, engl. ɔ:nst
Ernte 'εrntə
ernten 'εrntn̩
ernüchtern εɐ'nyçtɐn
erobern εɐ'lo:bɐn, erobre
εɐ'lo:brə
Erode engl. ε'rʊʊd
erodieren ero'di:rən
erogen ero'ge:n
Erogenität erogeni'tε:t
Eroica, ...ka e'ro:ika
eroico e'ro:iko
Eros 'e:rɔs
Erosion ero'zjo:n
erosiv ero'zi:f, -e ...i:və
Erostess erɔs'tεs
Erotema e'ro:tema, -ta ero-
'te:mata
Erotematik erote'ma:tık
erotematisch erote'ma:tıʃ

Eroten e'ro:tn̩
Erotica e'ro:tika
Erotical e'ro:tikl̩
Erotik e'ro:tık
Erotiker e'ro:tikɐ
Erotikon e'ro:tikɔn, ...ka
...ka
erotisch e'ro:tıʃ
erotisieren eroti'zi:rən
Erotismus ero'tısmʊs
Erotizismus eroti'tsısmʊs
Erotokritos neugr. εrɔ'tɔkri-
tɔs
Erotologie erotolo'gi:
Erotomane eroto'ma:nə
Erotomanie erotoma'ni:
Erpel 'εrpl̩
Erpf εrpf
erpicht εɐ'pıçt
Erpingham engl. 'ɔ:pıŋəm,
...ŋhæm
erpresserisch εɐ'prεsərıʃ
erquicken εɐ'kvıkn̩
Errachidia fr. εrraʃi'dja
Errante it. εr'rante
Errard fr. ε'ra:r
errare humanum est
ε'ra:rə hu'ma:nʊm 'εst
erratbar εɐ'ra:tba:ɐ
erratisch ε'ra:tıʃ
Erratum ε'ra:tʊm ...ta ...ta
Errhinum ε'ri:nʊm, ...na
...na
Er-Riad ε'rja:t
Errol engl. 'εrəl
Errungenschaft εɐ'rʊŋən-
ʃaft
Ersatz εɐ'zats
Ersch εrʃ
erschlaffen εɐ'ʃlafn̩
erschröcklich εɐ'ʃrœklıç
erschweren εɐ'ʃve:rən
Erschwernis εɐ'ʃve:ɐnıs,
-se ...ısə
erschwinglich εɐ'ʃvıŋlıç
Erse 'εrzə, engl. ɔ:s
ersetzbar εɐ'zεtsba:ɐ
ersisch 'εrzıʃ
Erskine engl. 'ɔ:skın
Ersoy türk. εr'sɔj
Ersparnis εɐ'ʃpa:ɐnıs, -se
...ısə
ersprießlich εɐ'ʃpri:slıç
erst εɐst
erstarken εɐ'ʃtarkn̩
erstatten εɐ'ʃtatn̩
erstaunlich εɐ'ʃtaunlıç
erste 'e:ɐstə
erstehen εɐ'ʃte:ən
Erste-Hilfe-... e:ɐstə'hılfə...

erstens 'eːɐ̯stn̩s
erstklassig 'eːɐ̯stklasɪç
Erstling 'eːɐ̯stlɪŋ
erstmalig 'eːɐ̯stmaːlɪç, -e
...ɪɡə
erstmals 'eːɐ̯stmaːls
erstrangig 'eːɐ̯straŋɪç
erstrebenswert
ɛɐ̯'ʃtreːbn̩sveːɐ̯t
erststellig 'eːɐ̯stʃtɛlɪç
erstunken ɛɐ̯'ʃtʊŋkn̩
Ertebølle dän. 'ɛɐ̯dəbylə
Ertem türk. ɛr'tɛm
Erthal 'ɛrtaːl
Ertheneburg 'ɛrteːnəbʊrk
Ertl 'ɛrtl̩
Ertler 'ɛrtlɐ
Etrag ɛɐ̯'traːk, -es ɛɐ̯'traː-
ɡəs, Erträge ɛɐ̯'trɛːɡə
erträglich ɛɐ̯'trɛːklɪç
Ertrāgnis ɛɐ̯'trɛːknɪs, -se
...ɪsə
ertüchtigen ɛɐ̯'tʏçtɪɡn̩,
ertüchtig! ɛɐ̯'tʏçtɪç,
ertüchtigt ɛɐ̯'tʏçtɪçt
erübrigen ɛɐ̯'lyːbrɪɡn̩, erüb-
rig! ɛɐ̯'lyːbrɪç, erübrigt ɛɐ̯-
'lyːbrɪçt
Erudition erudiˈtsi̯oːn
eruieren eruˈiːrən
Eruktation erʊktaˈtsi̯oːn
eruktieren erʊkˈtiːrən
eruptieren erʊpˈtiːrən
Eruption erʊpˈtsi̯oːn
eruptiv erʊpˈtiːf, -e ...iːvə
Erve 'ɛrvə
Ervi finn. 'ɛrvi
Ervin[e] engl. 'əːvɪn
erwachsen ɛɐ̯'vaksn̩
erwarmen ɛɐ̯'varmən
Erwein 'ɛrvain
Erweis ɛɐ̯'vais, -e ɛɐ̯'vaizə
erweislich ɛɐ̯'vaislɪç
Erwerb ɛɐ̯'vɛrp, -es ɛɐ̯'vɛr-
bəs
erwidern ɛɐ̯'viːdɐn, ...dre
...drə
erwiesen ɛɐ̯'viːzn̩
erwiesenermaßen ɛɐ̯'viːzə-
nɐ'maːsn̩
Erwin 'ɛrviːn, engl. 'əːwɪn
Erwine ɛr'viːnə
erwirken ɛɐ̯'vɪrkn̩
erwischen ɛɐ̯'vɪʃn̩
Erwitte 'ɛrvɪtə
Erxleben 'ɛrksleːbn̩
Erycin® ery'tsiːn
erymanthisch ery'mantɪʃ
Erymanthos ery'mantɔs
Erymanthus ery'mantʊs

Erysichthon ery'zɪçtɔn
Erysipel eryzi'peːl
Erysipelas ery'ziːpelas
Erysipeloid eryzipelo'iːt,
-es ...iːdəs
Erythea ery'teːa, ...theen
...teːən
Erythem ery'teːm
Erythematodes erytema-
'toːdɛs
Erythräa ery'trɛːa
Erythrai 'eːrytrai
erythräisch ery'trɛːɪʃ
Erythrämie erytrɛ'miː, -n
...iːən
Erythrasma ery'trasma
Erythrin ery'triːn
Erythrismus ery'trɪsmʊs
Erythrit ery'triːt
Erythroblast erytro'blast
Erythroblastose erytro-
blas'toːzə
Erythrodermie erytro-
dɛr'miː, -n ...iːən
Erythrokonten erytro'kɔntn̩
Erythrolyse erytro'lyːzə
Erythromelalgie erytro-
melal'giː, -n ...iːən
Erythromelie erytrome'liː,
-n ...iːən
Erythromit erytro'miːt
Erythropathie erytropa'tiː,
-n ...iːən
Erythrophage erytro'faːɡə
Erythrophobie erytrofo'biː
Erythroplasie erytropla'ziː,
-n ...iːən
Erythropoese erytropo'eːzə
Erythropsie erytro'psiː, -n
...iːən
Erythrosin erytro'ziːn
Erythrozyt erytro'tsyːt
Erythrozytolyse erytrotsy-
to'lyːzə
Erythrozytose erytrotsy-
'toːzə
Eryx 'eːryks
Erz (Mineral) eːɐ̯ts, ɛrts
erz..., Erz... 1. bei Titeln
'ɛrts..., Betonung '--, '---
usw., z. B. Erzabt 'ɛrtslapt,
Erzpriester 'ɛrtsspriːstɐ;
2. zur Verstärkung 'ɛrts...,
Betonung '-'-, '-'--, '--'--,
'-'--- usw. z. B. erzdumm
'ɛrts'dʊm, Erzhalunke
'ɛrtsha'lʊŋkə
Erzabt 'ɛrtslapt
Erzähler ɛɐ̯'tsɛːlɐ
Erzamt 'ɛrtslamt

Erzberger 'eːɐ̯tsbɛrɡɐ,
'ɛrts...
Erzbischof 'ɛrtsbɪʃɔf
erzböse 'ɛrts'bøːzə
Erzdiözese 'ɛrtsdi̯øtseːzə
erzdumm 'ɛrts'dʊm
¹erzen (mit „Er" anreden)
'eːɐ̯tsn̩
²erzen (von Erz) 'eːɐ̯tsn̩,
'ɛrtsn̩
Erzen alban. er'zen
Erzengel 'ɛrtslɛŋl̩
Erzeugnis ɛɐ̯'tsɔyknɪs, -se
...ɪsə
erzfaul 'ɛrts'faul
Erzgebirge 'eːɐ̯tsɡəbɪrɡə,
'ɛrts...
Erzhalunke 'ɛrtsha'lʊŋkə
Erzherzog 'ɛrtshɛrtsoːk
Erzherzogin 'ɛrtshɛrtsoːɡɪn
Erzherzog-Thronfolger
'ɛrtshɛrtsoːk'troːnfɔlɡɐ
Erzherzogtum 'ɛrtshɛr-
tsoːktuːm
Erzieher ɛɐ̯'tsiːɐ
Erzincan türk. 'ɛrzindʒan
Erzlump 'ɛrts'lʊmp
Erzpriester 'ɛrtspriːstɐ
Erzschelm 'ɛrts'ʃɛlm
Erzsébet ung. 'ɛrʒeːbɛt
Erzurum türk. 'ɛrzurum
Erzvater 'ɛrtsfaːtɐ
es, Es ɛs
ESA (European Space
Agency) 'eːza
Esajas schwed. e.sajas
Esaki engl. ɪ'saːki
Esau 'eːzau
Esbjerg dän. 'esbjɛɐ̯'u̯
Esbo schwed. 'ɛsbo
Escalopes ɛska'lɔp[s]
Escalus 'ɛskalus, engl.
'ɛskələs
Escamillo ɛska'mɪljo, span.
eska'miʎo
Escanaba engl. ɛska'nɑːbə
Escanes 'ɛskanɛs
Escape ɪs'keːp
Escartefigue fr. ɛskartə'fig
Escaut fr. ɛs'ko
Esch[ax] ɛʃ[ax]
Eschatologie ɛsçatolo'giː,
-n ...iːən
eschatologisch ɛsçato'loː-
gɪʃ
Eschborn ɛʃ'bɔrn
Esche[de] 'ɛʃə[də]
Eschen[bach] 'ɛʃn̩[bax]
Eschenburg 'ɛʃn̩bʊrk
Escher 'ɛʃɐ, niederl. 'ɛsər

Escherich 'ɛʃərɪç
Eschershausen 'ɛʃɐshạuzn̩, __'__
Eschkol *hebr.* ɛʃ'kɔl
Eschmann 'ɛʃman
Eschpai *russ.* ɪʃ'paj
Eschscholtz 'ɛʃɔlts
Eschschol[t]zia ɛ'ʃɔltsi̯a, ...ien ...i̯ən
Eschstruth 'ɛʃʃtruːt
Eschwege 'ɛʃveːgə
Eschweiler 'ɛʃvailɐ
Escobar *span.* esko'βar, *port.* ɪʃku'βar
Escondido *engl.* ɛskən'diː-doʊ
Escorial ɛsko'ri̯aːl, *span.* esko'ri̯al
Escosura *span.* esko'sura
Escoublac *fr.* ɛsku'blak
Escudero *span.* esku'ðero
Escuintla *span.* es'kuintla
Escudo ɛs'kuːdo, *port.* ɪʃ'kuðu
Esdras 'ɛsdras
Esdrelon ɛs'dreːlɔn
Es-Dur 'ɛsduːɐ̯, *auch:* '–'–
Esel 'eːzl̩
Eselei eːzə'lai
Eseler 'eːzəlɐ
Esens 'eːzn̩s
Esero *bulgar.* 'ɛzɛro
Esfahan *pers.* esfæ'haːn
Esher *engl.* 'ɛʃə
Eskader ɛs'kaːdɐ
Eskadra ɛs'kaːdra
Eskadron ɛska'droːn
Eskalade ɛska'laːdə
eskaladieren ɛskala'diːrən
Eskalation ɛskala'tsi̯oːn
eskalieren ɛska'liːrən
Eskamotage ɛskamo'taːʒə
Eskamoteur ɛskamo'tøːɐ̯
eskamotieren ɛskamo'tiː-rən
Eskapade ɛska'paːdə
Eskapismus ɛska'pɪsmʊs
eskapistisch ɛska'pɪstɪʃ
Eskariol ɛska'ri̯oːl
Eskarpe ɛs'karpə
eskarpieren ɛskar'piːrən
Eskarpin ɛskar'pɛ̃ː
Esker 'ɛskɐ
Eskil *schwed.* ˌɛskil, *dän.* 'esgil
Eskilstuna *schwed.* ˌɛs-kilstɐːna
Eskimo 'ɛskimo
eskimoisch ɛski'moːɪʃ
Eskimonna ɛski'mɔna

eskimotieren ɛskimo'tiːrən
Eskişehir *türk.* ɛs'kiʃɛˌhir
Eskompte ɛs'kõːt
eskomptieren ɛskõ'tiːrən
Eskorial ɛsko'ri̯aːl
Eskorte ɛs'kɔrtə
eskortieren ɛskɔr'tiːrən
Eskudo ɛs'kuːdo
Eslava *span.* ez'laβa
Esmarch 'ɛsmarç
Esmeralda ɛsme'ralda
Esmeraldas *span.* ezme'raldas
es-Moll 'ɛsmɔl, *auch:* '–'–
Esna 'ɛsna
Esne 'ɛsnə
Esnik 'ɛsnɪk, –'–
Esoterik ezo'teːrɪk
Esoteriker ezo'teːrikɐ
esoterisch ezo'teːrɪʃ
Espada ɛs'paːda
Espadrille ɛspa'driːjə
Espagne *fr.* ɛs'paɲ
Espagnole ɛspan'joːlə
Espagnolette ɛspanjo'lɛtə
Espan 'ɛspan
España *span.* es'paɲa
Española *span.* espa'ɲola
Esparbès *fr.* ɛspar'bɛs
Esparsette ɛspar'zɛtə
Espartero *span.* espar'tero
Esparto ɛs'parto
Espe 'ɛspə
Espelkamp 'ɛspl̩kamp
espen 'ɛspn̩
Espérance ɛspe'rãːs, -n ...sn̩
Esperantist ɛsperan'tɪst
Esperanto ɛspe'ranto
Esperantologe ɛsperanto-'loːgə
Esperantologie ɛsperanto-lo'giː
Espina *span.* es'pina
Espinel *span.* espi'nɛl
Espinela ɛspi'neːla
espirando ɛspi'rando
Espírito Santo *port.* ɪʃ'pi-ritu 'sɛntu, *bras.* is'piritu 'sɛntu
Espiritu Santo *engl.* eɪs'piː-ritu: 'sɑːntoʊ
Espíritu Santo *span.* es'pi-ritu 'santo
Esplá *span.* es'pla
Esplanade ɛspla'naːdə
Espoo *finn.* 'ɛspɔː
Esposito *it.* es'pɔːzito
Espressivo ɛsprɛ'siːvo, ...vi ...vi
Espresso ɛs'prɛso, ...ssi ...si

Esprit ɛs'priː, *fr.* ɛs'pri
Esprit de Corps ɛs'priː də 'koːɐ̯
Espriu *kat.* əs'priu̯
Espronceda *span.* esprɔn-'θeða
Espy *engl.* 'ɛspɪ
Esquilin ɛskvi'liːn
Esquilino *it.* eskui̯'liːno
Esquire ɛs'kvaiɐ̯
Esquivel *span.* eski'βɛl
Esra 'ɛsra
ESRO 'ɛsro
Esrum *dän.* 'esrʊm
Ess ɛs
Essäer ɛ'sɛːɐ̯
Essai 'ɛse, ɛ'seː
Essaouira *fr.* ɛsawi'ra
Essay 'ɛse, ɛ'seː
Essayist[ik] ɛse'ɪst[ɪk]
Esse 'ɛsə
Esseg 'ɛsɛk
Esseger 'ɛsɛgɐ
essen, ¹E... 'ɛsn̩
²Essen (Name) 'ɛsn̩, *niederl.* 'ɛsə
essendisch ɛ'sɛndɪʃ
Essendon *engl.* 'ɛsndən
¹Essener (zu: ²Essen) 'ɛsənɐ
²Essener (Essäer) ɛ'seːnɐ
Essential[s] ɛ'sɛnʃl̩[s]
Essenwein 'ɛsnvain
Essenz ɛ'sɛnts
Essenzia ɛ'sɛntsi̯a
essenzial ɛsɛn'tsi̯aːl
Essenzialien ɛsɛn'tsi̯aːli̯ən
essenziell ɛsɛn'tsi̯el
Esser 'ɛsɐ, *niederl.* 'ɛsər
Esserei ɛsə'rai
Essex *engl.* 'ɛsɪks
Essexit ɛsɛ'ksiːt
Essig 'ɛsɪç, -e ...ɪgə
Essiv 'ɛsiːf
Eßling[en] 'ɛslɪŋ[ən]
Esso® 'ɛso
Essonne[s] *fr.* ɛ'sɔn
Esswood *engl.* 'ɛswʊd
Est *fr.* ɛst
Establishment ɪs'tɛblɪʃ-mənt
Estado do Rio *bras.* is'tadu du 'rriu
Estados Unidos do Brasil *bras.* is'taduz u'niduz du bra'zil
Estafette ɛsta'fɛtə
Estahbanat *pers.* ɛstæhbɑ-'nɑːt
Estakade ɛsta'kaːdə

Estamịn εsta'mi:n
Estaminet εstami'ne:
Estampe εs'tã:p[ə], -n ...pn
Estạncia *span.* εs'tanθịa
Estância *bras.* is'tẽsịa
Estang *fr.* εs'tã
Estanislạo *span.* estaniz'lao
Estạnzia εs'tantsịa, ...nsịa
Estaunié *fr.* εsto'nje
Estavayẹr *fr.* εstava'je
¹Este (zu: Estland) 'e:stə,
  auch: 'εstə
²Ẹste (it. Name) *it.* 'εste
³Ẹste (Fluss) 'εstə
Estẹban *span.* es'teβan
Estébanez *span.* es'teβaneθ
Estelí *span.* este'li
Estẹll *engl.* εs'tεl
Estẹlla εs'tεla, *span.* es'teʎa
Estẹlle *engl., fr.* εs'tεl
Estenssọro *span.* esten'soro
Estepọna *span.* este'pona
Ẹster 'εstɐ, *span.* es'tεr
Esterạse este'ra:zə
Ẹsterházy 'εstɐha:zi
Ẹstes *engl.* 'εstɪz, ...tɪs
Ẹstevan *engl.* 'εstɪvæn
Estẹvão *port.* ɪʃtεvɐ̃ʊ, *bras.*
  is'tεvẽʊ
Estève *fr.* εs'tε:v
Ẹsther 'εstɐ, *engl.* 'εstə,
  'εsθə, *fr.* εs'tε:r
Estịenne *fr.* e'tjεn
Estịl ® εs'ti:l
estinguẹndo εstɪŋ'gʊendo
estịnto εs'tɪnto
Estland 'e:stlant, *auch:* 'εs...
Estländer 'e:stlεndɐ, *auch:*
  'εs...
estländisch 'e:stlεndɪʃ,
  auch: 'εs...
estnisch εs'stnɪʃ, *auch:* 'εs...
Estomịhi εsto'mi:hi
Estọnia εs'to:nịa
Estorịl *port.* ɪʃtu'ril
Estournẹlles *fr.* εstur'nεl
Estrạda *span.* es'traða
Estrạde εs'tra:də
Ẹstragon 'εstragɔn
Estrangelo εs'trangelo
Estrée[s] *fr.* e'tre, εs'tre
Estrées-Saint-Denịs *fr.*
  εstresẽd'ni
Estrêla *port.* ɪʃ'trelɐ
Estrẹlla εs'trεla, *span.*
  es'treʎa, *port.* ɪʃ'trelɐ, *bras.*
  is'trela
Estremadụra εstrema-
  'du:ra, *span.* estrema'ðura,
  port. ɪʃtramɐ'ðurɐ

Ẹstrich 'εstrɪç
Ẹstrup *dän.* 'esdrʊb
Ẹszék *ung.* 'εse:k
Eszẹtt εs'tset
Ẹsztergom *ung.* 'εstεrgom
Ẹszterházy *ung.* 'εstεrha:zi
ẹt εt, *fr.* e
Ẹta 'e:ta
ẸTA *span.* 'eta
etablịeren eta'bli:rən
Etablissement etablɪsə'mã:
Etạge e'ta:ʒə
Etagẹre eta'ʒe:rə
Etalạge eta'la:ʒə
etalịeren eta'li:rən
et alii εt 'a:lii
Etalon eta'lõ:
Etalonnạge etalɔ'na:ʒə
Etamịn[e] eta'mi:n[ə]
Étampes *fr.* e'tã:p
Etạppe e'tapə
Etạt e'ta:
etatisịeren etati'zi:rən
Etatịsmus eta'tɪsmʊs
etatịstisch eta'tɪstɪʃ
États généraux e'ta:
  ʒene'ro:
Etạts provinciaux e'ta: pro-
  vε̃'sịo:
Etazịsmus eta'tsɪsmʊs
et cetera εt 'tse:tera
Etcherellị *fr.* εtʃerε'li
et cum spịritu tụo εt kʊm
  'spi:ritu 'tu:o
Ẹtelka *engl.* 'εtεlkɔ
Étendạrd *fr.* etã'da:r
Eteọkles e'te:oklεs
Eteokrẹter eteo'kre:tɐ
etepetẹte e:təpe'te:tə,
  ...pə't...
eternisịeren etεrni'zi:rən
Eternịt ® etεr'ni:t
Etesami *pers.* etesa'mi:
Etẹsien e'te:zịən
Étẹx *fr.* e'tεks
Ethan *engl.* 'i:θən
Ethanogrạph etano'gra:f
Ẹthel 'e:tl, *engl.* 'εθəl
Ethelbert e:tl̩bεrt, *engl.*
  'εθəlbə:t
Ethelred e:tl̩re:t, *engl.* 'εθəl-
  red
Ethelrẹda e:tl̩'re:da, *engl.*
  εθəl'ri:də
Ether 'e:tɐ
Ẹthere[d]ge *engl.* 'εθərɪdʒ
Ẹthik 'e:tɪk
Ẹthiker 'e:tikɐ
Ethikotheologịe etikoteo-
  lo'gi:

ẹthisch 'e:tɪʃ
Ethnạrch εt'narç
Ethnịe εt'ni:, -n ...i:ən
ẹthnisch 'εtnɪʃ
Ethnograf usw. vgl. Ethno-
  graph usw.
Ethnogrạph εtno'gra:f
Ethnographịe εtnogra'fi:
ethnogrạphisch εtno'gra:-
  fɪʃ
Ethnolọge εtno'lo:gə
Ethnologịe εtnolo'gi:
ethnolọgisch εtno'lo:gɪʃ
Ethnos 'εtnɔs
Ethnozentrịsmus εtnotsεn-
  'trɪsmʊs
Ethologe eto'lo:gə
Ethologịe etolo'gi:
etholọgisch eto'lo:gɪʃ
Ethos 'e:tɔs
Ethyl e'ty:l
Etichọnen etɪ'ço:nən
Étiemble *fr.* e'tjã:bl
Etịenne e'tịεn, *fr.* e'tjεn
Étịenne *fr.* e'tjεn
Etikẹtt[e] eti'kεt[ə]
etikettịeren etike'ti:rən
Etiolement etịolə'mã:
etiolịeren etịo'li:rən
ẹtisch 'e:tɪʃ
Ẹtkin *span.* 'etkin
Ẹtlar *dän.* 'edla
ẹtliche 'εtlɪçə
Ẹtmal 'εtma:l
Ẹtna *it.* 'εtna, *engl.* 'εtnə
Étoile *fr.* e'twal
Eton *engl.* i:tn
Etonian *engl.* i:'toʊnịən
Etọscha e'tɔʃa
Ẹtowah *engl.* 'εtəwɑ:
Étretạt *fr.* etrə'ta
Ẹtrich 'εtrɪç
Ẹtropole *bulgar.* 'εtropolε
Etrụria e'tru:rịa
Etrurien e'tru:rịən
Etrụsker e'trʊskɐ
etrụskisch e'trʊskɪʃ
Etsch εtʃ
Ẹtt[a] *it.* 'εt[a]
Ẹttal 'εtta:l
Ẹttelbrück 'εtl̩brʏk
Ẹtten *niederl.* 'εtə
Ẹttenheim 'εtnhaịm
Ẹtter 'εtɐ
Ẹtterbeek *niederl.* 'εtərbe:k,
  fr. εtεr'bεk
Ẹttingshausen 'εtɪŋshaʊzn̩
Ẹttling[en] 'εtlɪŋ[ən]
Ẹttlinger 'εtlɪŋɐ
Ẹttore *it.* 'εttore

Ętty *engl.* 'ɛtı
Etüde e'ty:də
Etui ɛt'vi:, e'tŷi:
ętwa 'ɛtva
etwaig 'ɛtvaıç, ɛt'va:ıç, -e
...ıgə
ętwas, Ę... 'ɛtvas
ętwelche 'ɛtvɛlçə
Etyma *vgl.* Etymon
etymisch e'ty:mıʃ
Etymologe etymo'lo:gə
Etymologie etymolo'gi:, -n
...i:ən
etymologisch etymo'lo:gıʃ
etymologisieren etymolo-
gi'zi:rən
Ętymon 'e:tymɔn, ...ma
...ma
Ęt-Zeichen 'ɛttsaiçn̩
Ętzel 'ɛtsl̩
Ętzenbach 'ɛtsn̩bax
Ętzlaub 'ɛtslaup
Etzná *span.* edz'na
Eu (Name) *fr.* ø
Euagoras ɔy'a:goras
Euagrius ɔy'a:griʊs
Eubakterie ɔybakte'ri:
Eubakterien ɔybak'te:rjən
Eubigheim 'ɔybıçhaim
Eubiotik ɔy'bjo:tık
Euböa ɔy'bø:a
Euboia 'ɔybɔya
euböisch ɔy'bø:ıʃ
Eubuleus ɔy'bu:lɔys
Eubulides ɔy'bu:lidɛs
Eubulie ɔybu'li:
Eubulos ɔy'bu:lɔs
euch, Euch ɔyç
Eucharistie ɔyçarıs'ti:, -n
...i:ən
Eucharistiner ɔyçarıs'ti:nɐ
eucharistisch ɔyça'rıstıʃ
Euchologion ɔyço'lo:giɔn
Eucken 'ɔykn̩
Euclid *engl.* 'ju:klıd
Eudämonie ɔydɛmo'ni:
Eudämonismus ɔydɛmo-
'nısmʊs
Eudämonist ɔydɛmo'nıst
Eudemos ɔy'de:mɔs
Eudes *fr.* ø:d
Eudiometer ɔydio'me:tɐ
Eudiometrie ɔydiome'tri:
Eudist ø'dıst
Eudokia ɔy'do:kia
Eudoxia ɔy'dɔksia, *span.*
eu'ðɔksia
Eudoxie ɔydɔ'ksi:, -n ...i:ən
Eudoxius ɔy'dɔksiʊs
Eudoxos ɔy'dɔksɔs

euer 'ɔyɐ
euere 'ɔyərə
Euergie ɔyɛr'gi:
euerseits 'ɔyɐ'zaits
euersgleichen 'ɔyɐs'glaiçn̩
euerthalben 'ɔyɐt'halbn̩
euertwegen 'ɔyɐt've:gn̩
euertwillen 'ɔyɐt'vılən
Eufaula *engl.* ju:'fɔ:lə
Euganeen ɔyga'ne:ən
Euganei *it.* eu'ga:nei
Eugen 'ɔyge:n, *auch:* –'–
Eugen, Prinz 'prınts ɔy'ge:n
Eugene *engl.* ju:'dʒeın,
'ju:dʒi:n, –'–
Eugène *fr.* ø'ʒɛn
Eugenetik ɔyge'ne:tık
eugenetisch ɔyge'ne:tıʃ
Eugenia ɔy'ge:nia, *span.*
eu'xenia
Eugenie ɔy'ge:niə
Eugénie *fr.* øʒe'ni
Eugenik ɔy'ge:nık
Eugeniker ɔy'ge:nikɐ
Eugenio *it.* eu'dʒe:nio, *span.*
eu'xenio
Eugénio *port.* eu'ʒeniu
eugenisch ɔy'ge:nıʃ
Eugenius ɔy'ge:niʊs
Euglena ɔy'gle:na
Eugnathie ɔygna'ti:
euhedral ɔyhe'dra:l
Euhemerismus ɔyheme'rıs-
mʊs
euhemeristisch ɔyheme-
'rıstıʃ
Euhemeros ɔy'he:merɔs
Euhominine ɔyhomi'ni:nə
Eukalyptus ɔyka'lyptʊs
Eukaryonten ɔyka'rŷɔntn̩
Eukinetik ɔyki'ne:tık
Euklas ɔy'kla:s, -es ...a:zəs
Eukleides ɔy'klaides
Euklid ɔy'kli:t
euklidisch ɔy'kli:dıʃ
Eukolie ɔyko'li:
eukon ɔy'ko:n
Eukrasie ɔykra'zi:
Eulalia ɔy'la:lia, *span.* eu'la-
lia
Eulalie ɔy'la:liə
Eulalius ɔy'la:liʊs
Eulan ® ɔy'la:n
eulanisieren ɔylani'zi:rən
Eule 'ɔylə
Eulenberg 'ɔylənbɛrk
Eulenburg 'ɔylənbʊrk
Eulengebirge 'ɔyləngəbırgə
Eulenspiegel 'ɔylənʃpi:gl̩

Eulenspiegelei ɔylənʃpi:-
gə'lai
Euler 'ɔylɐ
Euler-Chelpin 'ɔylɐ'kɛlpi:n
Euless *engl.* 'ju:lıs
Eulogie ɔylo'gi:, -n ...i:ən
Eulogius ɔy'lo:giʊs
Eumaios ɔy'maios
Eumäus ɔy'mɛ:ʊs
Eumel 'ɔyml̩
Eumelos ɔy'me:lɔs
Eumenes 'ɔymenɛs
Eumenide ɔyme'ni:də
Eumolpide ɔymɔl'pi:də
Eunapios ɔy'na:piɔs
Eunice *engl.* 'ju:nıs
Eunomia ɔy'no:mia, ɔyno-
'mi:a
Eunuch ɔy'nu:x
Eunuchismus ɔynu'xısmʊs
Eunuchoidismus ɔynuxoi-
'dısmʊs
Euonymus ɔy'o:nymʊs
Eupathe[o]skop ɔypa-
te[o]'sko:p
Eupator 'ɔypato:ɐ, ɔy'pa:-
to:ɐ
Eupatoria ɔypa'to:ria
Eupatride ɔypa'tri:də
eupelagisch ɔype'la:gıʃ
Eupen 'ɔypn̩, *fr.* ø'pɛn, *nie-
derl.* 'ø:pə
Euphanie ɔy'fa:niə
Euphemia ɔy'fe:mia
Euphemismus ɔyfe'mısmʊs
euphemistisch ɔyfe'mıstıʃ
Euphonie ɔyfo'ni:, -n ...i:ən
euphonisch ɔy'fo:nıʃ
Euphonium ɔy'fo:niʊm,
...ien ...iən
Euphorbia ɔy'fɔrbia, ...ien
...iən
Euphorbie ɔy'fɔrbiə
Euphorbium ɔy'fɔrbiʊm
Euphorie ɔyfo'ri:, -n ...i:ən
Euphorion ɔy'fo:riɔn
euphorisch ɔy'fo:rıʃ
euphorisieren ɔyfori'zi:rən
euphotisch ɔy'fo:tıʃ
Euphrat 'ɔyfrat
Euphronios ɔy'fro:niɔs
Euphronius ɔy'fro:niʊs
Euphrosyne ɔyfro'zy:nə
Euphues *engl.* 'ju:fʊi:z
Euphuismus ɔyfu'ısmʊs
euphuistisch ɔyfu'ıstıʃ
euploid ɔyplo'i:t, -e ...i:də
Euploidie ɔyploi'di:
Eupnoe ɔy'pno:ə
Eupolis 'ɔypolis

Eupraxie ɔypraˈksi:
eurafrikanisch ɔyrafriˈkaː-
nɪʃ
eurasiatisch ɔyraˈzi̯aːtɪʃ
Eurasien ɔyˈraːzi̯ən
Eurasier ɔyˈraːzi̯ɐ
eurasisch ɔyˈraːzɪʃ
Euratom ɔyraˈtoːm
eure ˈɔyrə
Eure fr. œːr
Eure-et-Loire fr. œreˈlwaːr
Eureka ˈɔyreka, engl. ju̯ə-
ˈriːkə
eurerseits ˈɔyrɐˈzaits
euresgleichen ˈɔyrəsˈglai̯çn̩
eurethalben ˈɔyrət'halbn̩
euretwegen ˈɔyrətˈveːgn̩
euretwillen ˈɔyrətˈvɪlən
Eurhythmie ɔyrʏtˈmi:
Eurhythmik ɔyˈrʏtmɪk
Eurich ˈɔyrɪç, engl. ˈju̯ərɪk
Euridice it. euriˈdiːtʃe
eurige ˈɔyrɪgə
Euriphile ɔyˈriːfile
euripideisch ɔyripiˈdeːɪʃ
Euripides ɔyˈriːpidɛs
Euripos ɔyˈriːpɔs
Euristeo ɔyrɪsˈteːo
Euro ˈɔyro
Euro... ˈɔyro...
Eurocity ˈɔyroˈsɪti
Eurokrat ɔyroˈkraːt
EUROP ɔyˈroːp
Europa ɔyˈroːpa
Europäer ɔyˈroːpɛːɐ
europäid ɔyropɛˈi:t, -e
...i:də
europäisch ɔyroˈpɛːɪʃ
europäisieren ɔyropɛiˈzi:-
rən
europid ɔyroˈpi:t, -e ...i:də
Europide ɔyroˈpi:də
Europium ɔyˈroːpi̯ʊm
Europol ˈɔyropo:l
Europoort niederl. ˈøːro-
po:rt
Europos ɔyroˈpɔs
eurosibirisch ɔyroziˈbi:rɪʃ
Eurospace ˈjuːrospeːs
Eurotas ɔyˈro:tas
Eurotel ɔyroˈtɛl
Eurotron ˈɔyrotro:n
Eurovision ɔyroviˈzi̯o:n
Euryalos ɔyˈry:alɔs
Euryanthe ɔyrʏˈlantə
Eurybiades ɔyrybiˈadɛs
eurychor ɔyrʏˈko:ɐ̯
Eurydice ɔyˈry:ditse, ɔyry-
ˈdi:tsə

Eurydike ɔyˈry:dike, ɔyry-
ˈdi:kə
euryhalin ɔyryhaˈli:n
Euryklea ɔyryˈkle:a
Euryklеia ɔyryˈklai̯a
Eurymedon ɔyˈry:medɔn
euryök ɔyryˈløːk
euryoxybiont ɔyry-
lɔksyˈbi̯ɔnt
euryphag ɔyryˈfa:k, -e
...aˈgə
Euryprosopie ɔyryprozoˈpi:
eurysom ɔyryˈzo:m
Eurystheus ɔyˈrystɔys
eurytherm ɔyryˈtɛrm
Eurythmie ɔyrʏtˈmi:
eurytop ɔyryˈto:p
Eusebianer ɔyzeˈbi̯a:nɐ
Eusebie ɔyzeˈbi:
Eusebio span. eu̯ˈseβi̯o
Eusébio port. eu̯ˈzɐβi̯u
Eusebius ɔyˈze:bi̯ʊs
Euskirchen ˈɔyskɪrçn̩
Eußerthal ˈɔysɐtaːl
Eustacchio it. eusˈtakki̯o
Eustach ɔysˈtax
Eustache fr. øsˈtaʃ
Eustachi it. eusˈta:ki
Eustachi...ɔysˈtaxi...
Eustachio it. eusˈta:ki̯o
eustachisch ɔysˈtaxɪʃ
Eustachius ɔysˈtaxi̯us
Eustaquio span. eusˈtaki̯o
Eustasie ɔystaˈzi:, -n ...i:ən
Eustathios ɔysˈta:ti̯ɔs
Eustathius ɔysˈta:ti̯us
eustatisch ɔyˈsta:tɪʃ
Eustochium ɔyˈstɔxi̯ʊm
Eustress ˈɔystrɛs
Eutektikum ɔyˈtɛktikʊm,
...ka ...ka
eutektisch ɔyˈtɛktɪʃ
Eutektoid ɔytɛktoˈi:t, -e
...i:də
EUTELSAT ˈɔytɛlzat
Euter ˈɔytɐ
Euterpe ɔyˈtɛrpə
Euthanasie ɔytanaˈzi:
Euthydemos ɔytyˈde:mɔs
Euthymides ɔyˈty:midɛs
Euthymie ɔytyˈmi:
Euthymios ɔyˈty:mi̯ɔs
Eutin ɔyˈti:n
Eutokie ɔytoˈki:
Eutonie ɔytoˈni:
Eutopie ɔytoˈpi:
eutrop ɔyˈtro:p
eutroph ɔyˈtro:f
Eutrophie ɔytroˈfi:
eutrophieren ɔytroˈfi:rən

Eutropius ɔyˈtro:pi̯ʊs
Eutyches ˈɔytʏçes
Eutychides ɔyˈtyçidɛs
Euwe niederl. ˈøːwə
Euxeinos ɔyˈksai̯nɔs,
ˈɔyksai̯nɔs
Euxinus ɔyˈksi:nʊs, ˈɔyksi-
nʊs
Euzkadi bask. euskaði
Euzone ɔyˈtso:nə
Ev eːf
Eva eːfa, auch: ˈeːva, engl.
ˈiːvə, span. ˈeβa, it. ˈɛːva
Éva ung. ˈeːvɔ
Evadne eˈvadnə, ...atnə
Evagrius eˈva:gri̯us
Evakuation evaku̯aˈtsi̯o:n
evakuieren evakuˈi:rən
Evald schwed. ˈeːvald
Evaluation evalu̯aˈtsi̯o:n
evaluativ evalu̯aˈti:f, -e
...i:və
evaluieren evaluˈi:rən
Evalvation evalu̯aˈtsi̯o:n
evalvieren evalˈvi:rən
Evander eˈvandɐ, engl.
ɪˈvændə
Evangele evaŋˈge:lə
Evangeliar evaŋgeˈli̯a:ɐ̯,
-ien ...ri̯ən
Evangeliarium evaŋgeˈli̯a:-
ri̯ʊm, -ien ...i̯ən
evangelikal evaŋgeliˈka:l
Evangelimann evaŋˈge:li-
man
Evangelisation evaŋgeliza-
ˈtsi̯o:n
evangelisch evaŋˈge:lɪʃ
evangelisieren evaŋgeli-
ˈzi:rən
Evangelist evaŋgeˈlɪst
Evangelistar evaŋgelɪsˈta:ɐ̯
Evangelistarium evaŋgelɪs-
ˈta:ri̯ʊm
Evangelistas span. eβaŋxe-
ˈlistas
Evangelisti it. evandʒeˈlisti
Evangelium evaŋˈge:li̯ʊm,
...ien ...i̯ən
Evans ˈevans, engl. ˈɛvənz
Evanston engl. ˈevənstən
Evansville engl. ˈevənzvɪl
Evaporation evaporaˈtsi̯o:n
Evaporator evapoˈra:to:ɐ̯,
-en ...aˈto:rən
evaporieren evapoˈri:rən
Evaporimeter evapori-
ˈme:tɐ
Evaporographie evaporo-
graˈfi:

Evasion eva'zi̯o:n
evasiv eva'zi:f, **-e** ...i:və
evasorisch eva'zo:rɪʃ
Evatt *engl.* 'ɛvət
Evchen 'e:fçən
Eve 'e:fə, 'e:və, *engl.* i:v
Ève *fr.* ɛ:v
Evektion evɛk'tsi̯o:n
Evelin 'e:vəli:n
Eveline 'e:vəli:n; evə'li:nə, eve'l..., *engl.* 'i:vlɪn, 'ɛvlɪn, 'ɛvɪli:n
Éveline *fr.* e'vlin
Evelyn 'e:vəli:n, *engl.* 'i:vlɪn, 'ɛvlɪn
Evenement evenə'mã:
Evenepoel *niederl.* 'e:vənəpul
Evening News *engl.* 'i:vnɪŋ 'nju:z
Evensmo *norw.* 'e:vənsmu:
Event i'vɛnt
Eventail evã'tai̯
Eventration evɛntra'tsi̯o:n
eventual evɛn'tu̯a:l
Eventualität evɛntu̯ali'tɛ:t
eventualiter evɛn'tu̯a:litɐ
eventuell evɛn'tu̯ɛl
Everaert *niederl.* 'e:vəra:rt
Everding 'e:vɐdɪŋ
Everdingen *niederl.* 'e:vərdɪŋə
Everest *dt., engl.* 'evərɛst
Everett *engl.* 'evrɛt
Evergem *niederl.* 'e:vəryəm
Everglades *engl.* 'evəgleɪdz
Everglaze® 'evɛgle:s
Evergood *engl.* 'evəgud
evergreen, E... 'evɛgri:n
Everl[e]y *engl.* 'evəli
Everling 'e:vɐlɪŋ
Evers 'e:vɐs, *engl.* 'evəz
Eversberg 'e:vɐsbɛrk
Everstein 'e:vɐʃtai̯n
Evertebrat evɐrte'bra:t
Evert[on] *engl.* 'evɐt[n]
Everybody's Darling 'evribɔdi:s 'da:ɐlɪŋ
Everyman *engl.* 'evrimæn
Evesham *engl.* 'i:vʃəm
Evi 'e:fi
Évian-les-Bains evjäle'bɛ̃
Evidement evidə'mã:
evident evi'dɛnt
Evidenz evi'dɛnts
Eviktion evɪk'tsi̯o:n
evinzieren evɪn'tsi:rən
Evipan® evi'pa:n
Eviration evira'tsi̯o:n
Eviszeration evɪstsera'tsi̯o:n

Evita e'vi:ta, *span.* e'βita
evoe 'e:voe
Evokation evoka'tsi̯o:n
evokativ evoka'ti:f, **-e** ...i:və
evokatorisch evoka'to:rɪʃ
Évolène *fr.* evo'lɛn
Evolute evo'lu:tə
Evolution evolu'tsi̯o:n
evolutionär evolutsi̯o'nɛ:ɐ
Evolutionismus evolutsi̯o'nɪsmʊs
Evolutionist evolutsi̯o'nɪst
Evolvente evɔl'vɛntə
evolvieren evɔl'vi:rən
Evonymus e'vo:nymʊs
Évora *port.* 'evurɐ
Evorsion evɔr'zi̯o:n
evozieren evo'tsi:rən
Evren *türk.* ɛv'rɛn
Évreux *fr.* e'vrø
Évry *fr.* e'vri
evviva! ɛ'vi:va
Evzone ɛf'tso:nə
Ewald *engl.* e'valt, *dän.* 'ɪ:væl'
Ewangelatos *neugr.* evaŋge'latɔs
Ewe 'e:ve
Ewell *engl.* 'ju:əl
Ewene e've:nə
Ewenke e'vɛŋkə
ewenkisch e'vɛnkɪʃ
Ewer 'e:vɐ
Ewers 'e:vɐs, *niederl.* 'e:wərs
EWG e:ve:'ge:
ewig 'e:vɪç, **-e** ...ɪgə
Ewigkeit 'e:vɪçkai̯t
ewiglich 'e:vɪklɪç
Ewigweibliche e:vɪç'vai̯plɪçə
Ewing *engl.* 'ju:ɪŋ
Eworth *engl.* 'ju:əθ
Ewtimi *bulgar.* ɛf'timi
ex ɛks
ex abrupto ɛks ap'rʊpto, – a'br...
ex aequo ɛks 'ɛ:kvo
Exaggeration ɛksagera'tsi̯o:n
exaggerieren ɛksage'ri:rən
Exairese ɛksai̯'re:zə, ɛkslai̯...
exakt ɛ'ksakt
Exaltation ɛksalta'tsi̯o:n
exaltieren ɛksal'ti:ren
Examen ɛ'ksa:mən,
   Examina ɛ'ksa:mina
Examinand ɛksami'nant, **-en** ...ndn̩

Examinator ɛksami'na:to:ɐ, **-en** ...na'to:rən
Examinatorium ɛksamina'to:ri̯ʊm, **...ien** ...i̯ən
examinieren ɛksami'ni:rən
Exanie ɛksa'ni:, **-n** ...i:ən
ex ante ɛks 'antə
Exanthem ɛksan'te:m, ɛksla...
exanthematisch ɛksante-'ma:tɪʃ, ɛksla...
Exanthropie ɛksantro'pi:, ɛksla...
Exaration ɛksara'tsi̯o:n
Exarch ɛ'ksarç, ɛks'larç
Exarchat ɛksar'ça:t, ɛksla...
Exartikulation ɛksartikula-'tsi̯o:n, ɛksla...
Exaudi ɛ'ksau̯di, ɛks'lau̯di
Exazerbation ɛksatsɛrba-'tsi̯o:n
ex cathedra ɛks 'ka:tedra
Excelsior ɛks'tsɛlzi̯o:ɐ, *engl.* ɪk'sɛlsɪə
Exceptio ɛks'tsɛptsi̯o, **-nes** ...'tsi̯o:ne:s
Exceptio Doli ɛks'tsɛptsi̯o 'do:li
Exceptio plurium ɛks'tsɛptsi̯o 'plu:ri̯ʊm
Exchange ɪks'tʃe:ntʃ, **-n** ...ndʒn
Exchequer ɪks'tʃɛkɐ
Excitans 'ɛkstsitans, **...ntia** ...'tantsi̯a, **...nzien** ...'tantsi̯ən
excudit ɛks'ku:dɪt
ex definitione ɛks defini'tsi̯o:nə
Exe *engl.* ɛks
exeat 'ɛkseat
Exedra 'ɛksedra, **Exedren** ɛ'kse:drən
Exegese ɛkse'ge:zə
Exeget[ik] ɛkse'ge:t[ɪk]
exegieren ɛkse'gi:rən
Exekias ɛ'kse:ki̯as
Exekration ɛkskra'tsi̯o:n
exekrieren ɛkse'kri:rən
Exekutant ɛkseku'tant
exekutieren ɛkseku'ti:rən
Exekution ɛkseku'tsi̯o:n
exekutiv ɛkseku'ti:f, **-e** ...i:və
Exekutive ɛkseku'ti:və
Exekutor ɛkse'ku:to:ɐ, **-en** ...ku'to:rən
exekutorisch ɛkseku'to:rɪʃ
Exempel ɛ'ksɛmpl̩
Exemplar ɛksɛm'pla:ɐ

exemplarisch ɛksɛm'pla:rɪʃ
Exemplarismus ɛksɛmpla-
'rɪsmʊs
exempli causa ɛ'ksɛmpli
'kauza
Exemplifikation ɛksɛmplifi-
ka'tsi̯o:n
exemplifikatorisch ɛksɛm-
plifika'to:rɪʃ
exemplifizieren ɛksɛmplifi-
'tsi:rən
exemt ɛ'ksɛmt
Exemtion ɛksɛm'tsi̯o:n
exen 'ɛksn̩
Exenteration ɛksɛntera-
'tsi̯o:n
exenterieren ɛksɛnte'ri:rən
Exequatur ɛkse'kva:tʊr
Exequien ɛ'kse:kvi̯ən
exequieren ɛkse'kvi:rən
Exercitium ɛksɛr'tsi:tsi̯ʊm,
...ien ...i̯ən
Exergie ɛksɛr'gi:, -n ...i:ən
exergon[isch] ɛksɛr-
'go:n[ɪʃ]
exerzieren ɛksɛr'tsi:rən
Exerzitium ɛksɛr'tsi:tsi̯ʊm,
...ien ...i̯ən
ex est 'ɛks 'ɛst
exeunt 'ɛkseʊnt
Exeter engl. 'ɛksɪtə
ex falso quodlibet ɛks
'falzo 'kvɔtlibɛt
Exfoliation ɛksfoli̯a'tsi̯o:n
Exhairese ɛkshai̯'re:zə
Exhalation ɛkshala'tsi̯o:n
exhalieren ɛksha'li:rən
Exhärese ɛkshɛ're:zə
Exhaustion ɛkshaus'ti̯o:n
exhaustiv ɛkshaus'ti:f, -e
...i:və
Exhaustor ɛks'hausto:ɐ̯, -en
...'to:rən
Exheredation ɛkshereda-
'tsi̯o:n
exheredieren ɛkshere'di:-
rən
exhibieren ɛkshi'bi:rən
Exhibition ɛkshibi'tsi̯o:n
exhibitionieren ɛkshibitsi̯o-
'ni:rən
Exhibitionismus ɛkshibi-
tsi̯o'nɪsmʊs
Exhibitionist ɛkshibitsi̯o-
'nɪst
Exhorte ɛks'hɔrtə
Exhumation ɛkshuma'tsi̯o:n
exhumieren ɛkshu'mi:rən
Exi 'ɛksi
Exigenz ɛksi'gɛnts

exigieren ɛksi'gi:rən
Exiguität ɛksigui'tɛ:t
Exiguus ɛ'ksi:guʊs
Exil ɛ'ksi:l
exilieren ɛksi'li:rən
exilisch ɛ'ksi:lɪʃ
eximieren ɛksi'mi:rən
Exin[e] ɛ'ksi:n[ə]
existent ɛksɪs'tɛnt
Existenz ɛksɪs'tɛnts
Existenzia ɛksɪs'tɛntsi̯a
existenzial ɛksɪsten'tsi̯a:l
Existenzial... ɛksɪsten-
'tsi̯a:l...
Existenzialien ɛksɪsten-
'tsi̯a:li̯ən
Existenzialismus ɛksɪsten-
tsi̯a'lɪsmʊs
Existenzialist ɛksɪstentsi̯a-
'lɪst
Existenzialität ɛksɪstentsi̯a-
li'tɛ:t
existenziell ɛksɪsten'tsi̯ɛl
existieren ɛksɪs'ti:rən
Exitus 'ɛksitʊs
ex juvantibus ɛks ju'vanti-
bʊs
Exkaiser 'ɛkskai̯zɐ
Exkardination ɛkskardina-
'tsi̯o:n
Exkavation ɛkskava'tsi̯o:n
Exkavator ɛkska'va:to:ɐ̯,
-en ...va'to:rən
exkavieren ɛkska'vi:rən
Exklamation ɛksklama-
'tsi̯o:n
exklamatorisch ɛksklama-
'to:rɪʃ
exklamieren ɛkskla'mi:rən
Exklave ɛks'kla:və·
exkludieren ɛksklu'di:rən
Exklusion ɛksklu'zi̯o:n
exklusiv ɛksklu'zi:f, -e
...i:və
exklusive ɛksklu'zi:və
Exklusivität ɛkskluzivi'tɛ:t
Exkommunikation ɛkskɔ-
munika'tsi̯o:n
exkommunizieren ɛkskɔ-
muni'tsi:rən
Exkoriation ɛkskɔri̯a'tsi̯o:n
Exkrement ɛkskre'mɛnt
Exkreszenz ɛkskrɛs'tsɛnts
Exkret ɛks'kre:t
Exkretion ɛkskre'tsi̯o:n
exkretorisch ɛkskre'to:rɪʃ
Exkulpation ɛkskʊlpa'tsi̯o:n
exkulpieren ɛkskʊl'pi:rən
Exkurs ɛks'kʊrs, -e ...rzə
Exkursion ɛkskʊr'zi̯o:n

Exkusation ɛkskuza'tsi̯o:n
Exl 'ɛksl̩
exlex ɛks'lɛks
Exlibris ɛks'li:bri:s
Exlo niederl. 'ɛkslo
Exmatrikel ɛksma'tri:kl̩
Exmatrikulation ɛksmatri-
kula'tsi̯o:n
exmatrikulieren ɛksmatri-
ku'li:rən
Exminister 'ɛksminɪstɐ
Exmission ɛksmɪ'si̯o:n
exmittieren ɛksmɪ'ti:rən
Exmoor engl. 'ɛksmɔ:
Exmouth engl. 'ɛksmauθ
Exner 'ɛksnɐ
ex nexu ɛks 'nɛksu
ex nunc ɛks 'nʊŋk
Exobiologie ɛksobiolo'gi:
Exocet engl. 'ɛksousɛt
Exodermis ɛkso'dɛrmɪs
Exodos 'ɛksodɔs, ...doi
...dɔy
Exodus 'ɛksodʊs, -se ...ʊsə
ex officio ɛks ɔ'fi:tsi̯o
Exogamie ɛksoga'mi:
exogen ɛkso'ge:n
Exokannibalismus ɛksoka-
niba'lɪsmʊs
Exokarp ɛkso'karp
exokrin ɛkso'kri:n
exomorph ɛkso'mɔrf
Exoneration ɛksonera-
'tsi̯o:n
exonerieren ɛksone'ri:rən
Exonym ɛkso'ny:m
Exonymon ɛ'kso:nymɔn,
...ma ...ma
ex opere operato ɛks
'o:pere ope'ra:to
Exophorie ɛksofo'ri:
exophthalmisch ɛksɔf'tal-
mɪʃ, ɛkslɔ...
Exophthalmus ɛksɔf'tal-
mʊs, ɛkslɔ...
exophytisch ɛkso'fy:tɪʃ
exorbitant ɛksɔrbi'tant
Exorbitanz ɛksɔrbi'tants
Exordium ɛ'ksɔrdi̯ʊm, ...ia
...i̯a
ex oriente lux ɛks o'ri̯ɛntə
'lʊks
exorzieren ɛksɔr'tsi:rən
exorzisieren ɛksɔrtsi'zi:rən
Exorzismus ɛksɔr'tsɪsmʊs
Exorzist ɛksɔr'tsɪst
Exoskelett ɛksoske'lɛt
Exosmose ɛksɔs'mo:zə,
ɛkslɔ...
Exosphäre ɛkso'sfɛ:rə

Exostose ɛksɔs'to:zə, ɛks-|ɔ...
Exot[e] ɛ'kso:t[ə]
Exotarium ɛkso'ta:rɪʊm, ...ien ...jən
Exoteriker ɛkso'te:rikɐ
exoterisch ɛkso'te:rɪʃ
exotherm ɛkso'tɛrm
Exotik ɛ'kso:tɪk
Exotika ɛ'kso:tika
exotisch ɛ'kso:tɪʃ
Exotismus ɛkso'tɪsmʊs
ex ovo ɛks 'o:vo
Exozentrikum ɛkso'tsɛntrikʊm, ...ka ...ka
exozentrisch ɛkso'tsɛntrɪʃ
Expander ɛks'pandɐ
expandieren ɛkspan'di:rən
expansibel ɛkspan'zi:bl̩, ...ble ...blə
Expansion ɛkspan'zjo:n
Expansionist ɛkspanzjo-'nɪst
expansiv ɛkspan'zi:f, -e ...i:və
Expatriation ɛkspatria-'tsjo:n
expatriieren ɛkspatri'i:rən
Expedient ɛkspe'djɛnt
expedieren ɛkspe'di:rən
Expedit ɛkspe'di:t
Expedition ɛkspedi'tsjo:n
expeditiv ɛkspedi'ti:f, -e ...i:və
Expeditor ɛkspe'di:to:ɐ, -en ...di'to:rən
Expeditus ɛkspe'di:tʊs
Expektorans ɛks'pɛktorans, ...ntia ...'rantsi̯a, ...nzien ...'rantsi̯ən
Expektorantium ɛkspɛkto-'rantsi̯ʊm, ...ia ...i̯a
Expektoration ɛkspɛktora-'tsjo:n
expektorieren ɛkspɛkto-'ri:rən
expellieren ɛkspɛ'li:rən
Expensen ɛks'pɛnzn̩
expensiv ɛkspɛn'zi:f, -e ...i:və
Experiment ɛksperi'mɛnt
experimental ɛksperimɛn-'ta:l
Experimentator ɛksperimɛn'ta:to:ɐ, -en ...ta'to:rən
experimentell ɛksperimɛn-'tɛl
experimentieren ɛksperimɛn'ti:rən

Experimentismus ɛksperimɛn'tɪsmʊs
Experimentum Crucis ɛksperi'mɛntʊm 'kru:tsɪs
expert ɛks'pɛrt
Experte ɛks'pɛrtə
Expertise ɛkspɛr'ti:zə
expertisieren ɛkspɛrti'zi:-rən
Explanation ɛksplana'tsjo:n
explanativ ɛksplana'ti:f, -e ...i:və
explanieren ɛkspla'ni:rən
Explantat ɛksplan'ta:t
Explantation ɛksplanta-'tsjo:n
Expletiv ɛksple'ti:f, -e ...i:və
explicit, E... 'ɛksplitsɪt
Explikation ɛksplika'tsjo:n
explizieren ɛkspli'tsi:rən
explizit ɛkspli'tsi:t
explizite ɛks'pli:tsite
explodieren ɛksplo'di:rən
Exploit ɛks'plɔa
Exploitation ɛksplɔata-'tsjo:n
Exploiteur ɛksplɔa'tø:ɐ
exploitieren ɛksplɔa'ti:rən
Explorand ɛksplo'rant, -en ...ndn̩
Exploration ɛksplora'tsjo:n
Explorator ɛksplo'ra:to:ɐ, -en ...ra'to:rən
exploratorisch ɛksplora-'to:rɪʃ
Explorer ɛks'plo:rɐ
explorieren ɛksplo'ri:rən
explosibel ɛksplo'zi:bl̩, ...ble ...blə
Explosibilität ɛksplozibili-'tɛ:t
Explosion ɛksplo'zjo:n
explosiv ɛksplo'zi:f, -e ...i:və
Explosiva ɛksplo'zi:va
Explosive ɛksplo'zi:və
Explosivität ɛksplozivi'tɛ:t
Exponat ɛkspo'na:t
Exponent ɛkspo'nɛnt
Exponential... ɛksponɛn-'tsi̯a:l...
exponentiell ɛksponɛn'tsi̯ɛl
exponieren ɛkspo'ni:rən
Export ɛks'pɔrt
Exporteur ɛkspɔr'tø:ɐ
exportieren ɛkspɔr'ti:rən
Exposé ɛkspo'ze:
Expositi vgl. Expositus
Exposition ɛkspozi'tsjo:n
expositorisch ɛkspozi'to:rɪʃ

Expositur ɛkspozi'tu:ɐ
Expositus ɛks'po:zitʊs, ...ti ...ti
ex post [facto] ɛks 'pɔst ['fakto]
express ɛks'prɛs
Express ɛks'prɛs, engl. ɪks'prɛs, fr. ɛks'prɛs
Expression ɛksprɛ'sjo:n
Expressionismus ɛksprɛsjo'nɪsmʊs
Expressionist ɛksprɛsjo-'nɪst
expressis verbis ɛks'prɛsi:s 'vɛrbi:s
expressiv ɛksprɛ'si:f, -e ...i:və
Expressivität ɛksprɛsivi'tɛ:t
ex professo ɛks pro'fɛso
Expromission ɛkspromɪ-'sjo:n
Expropriateur ɛkspropria-'tø:ɐ
Expropriation ɛkspropria-'tsjo:n
expropriieren ɛkspropri'i:-rən
Expulsion ɛkspʊl'zjo:n
expulsiv ɛkspʊl'zi:f, -e ...i:və
exquisit ɛkskvi'zi:t
Exsekration ɛksezekra'tsjo:n
exsekrieren ɛksze'kri:rən
Exsikkans ɛks'zɪkans, ...kkanzien ...'kantsjən, ...kkantia ...'kantsi̯a
Exsikkat ɛkszɪ'ka:t
Exsikkation ɛkszɪka'tsjo:n
exsikkativ ɛkszɪka'ti:f, -e ...i:və
Exsikkator ɛkszɪ'ka:to:ɐ, -en ...ka'to:rən
Exsikkose ɛkszɪ'ko:zə
ex silentio ɛks zi'lɛntsjo
Exspektant ɛkspɛk'tant
Exspektanz ɛkspɛk'tants
exspektativ ɛkspɛkta'ti:f, -e ...i:və
Exspiration ɛkspira'tsjo:n
exspiratorisch ɛkspira'to:-rɪʃ
exspirieren ɛkspi'ri:rən
Exspoliation ɛkspolja'tsjo:n
exspoliieren ɛkspoli'i:rən
Exstirpation ɛkstɪrpa'tsjo:n
Exstirpator ɛkstɪr'pa:to:ɐ, -en ...pa'to:rən
exstirpieren ɛkstɪr'pi:rən
Exsudat ɛkszu'da:t
Exsudation ɛkszuda'tsjo:n

exsudativ ɛkszuda'ti:f, -e
...i:və
ex tacendo ɛks ta'tsɛndo
Extemporale ɛkstɛmpo-
'ra:lə, ...lien ...liən
ex tempore ɛks 'tɛmpore
Extempore ɛks'tɛmpore
extemporieren ɛkstɛmpo-
'ri:rən
Extended ɛks'tɛndɪt
Extender ɛks'tɛndɐ
extendieren ɛkstɛn'di:rən
extensibel ɛkstɛn'zi:bl̩,
...ble ...blə
Extensibilität ɛkstɛnzibili-
'tɛ:t
Extension ɛkstɛn'zi̯o:n
extensional ɛkstɛnzi̯o'na:l
Extensität ɛkstɛnzi'tɛ:t
extensiv ɛkstɛn'zi:f, -e
...i:və
extensivieren ɛkstɛnzi'vi:-
rən
Extensivität ɛkstɛnzivi'tɛ:t
Extensor ɛks'tɛnzo:ɐ̯, -en
...'zo:rən
Exter 'ɛkstɐ
Exterieur ɛkste'ri̯ø:ɐ̯
Exteriorität ɛksteri̯ori'tɛ:t
Extermination ɛkstɛrmina-
'tsi̯o:n
exterminieren ɛkstɛrmi'ni:-
rən
extern ɛks'tɛrn
Externa vgl. Externum
Externalisation ɛkstɛrnali-
za'tsi̯o:n
externalisieren ɛkstɛrnali-
'zi:rən
Externat ɛkstɐr'na:t
Externe ɛks'tɛrnə
Externist ɛkstɐr'nɪst
Externsteine 'ɛkstɐnʃtai̯nə
Externum ɛks'tɛrnʊm, ...na
...na
exterozeptiv ɛksterotsɛp-
'ti:f, -e ...i:və
exterrestrisch ɛkstɛ'rɛstrɪʃ
exterritorial ɛkstɛrito'ri̯a:l
exterritorialisieren ɛkstɛri-
tori̯ali'zi:rən
Exterritorialität ɛkstɛrito-
ri̯ali'tɛ:t
Extinkteur ɛkstɪŋk'tø:ɐ̯
Extinktion ɛkstɪŋk'tsi̯o:n
Exton engl. 'ɛkstən
extorquieren ɛkstɔr'kvir:ən
Extorsion ɛkstɔr'zi̯o:n
extra, E... 'ɛkstra
extra ecclesiam nulla

salus 'ɛkstra ɛ'kle:zi̯am
'nʊla 'za:lʊs
extrafein 'ɛkstrafai̯n
extrafloral ɛkstraflo'ra:l
extragalaktisch ɛkstraga-
'laktɪʃ
extragenital ɛkstrageni'ta:l
Extrahent ɛkstra'hɛnt
extrahieren ɛkstra'hi:rən
extraintestinal ɛkstra-
|ɪntɛsti'na:l
extrakorporal ɛkstrakɔrpo-
'ra:l
Extrakt ɛks'trakt
Extrakteur ɛkstrak'tø:ɐ̯
Etraktion ɛkstrak'tsi̯o:n
extraktiv ɛkstrak'ti:f, -e
...i:və
extralingual ɛkstralɪŋ'gu̯a:l
extramundan ɛkstramʊn-
'da:n
extramural ɛkstramu'ra:l
extra muros 'ɛkstra
'mu:ro:s
extran ɛks'tra:n
Extraneer ɛks'tra:neɐ
Extraneus ɛks'tra:neʊs,
...neer ...neɐ
extraordinär ɛkstra-
|ɔrdi'nɛ:ɐ̯
Extraordinariat ɛkstra-
|ɔrdina'ri̯a:t
Extraordinarium ɛkstra-
|ɔrdi'na:ri̯ʊm, ...ien ...i̯ən
Extraordinarius ɛkstra-
ɔrdi'na:ri̯ʊs, ...ien ...i̯ən
extra ordinem 'ɛkstra 'ɔrdi-
nɛm
extraperitoneal ɛkstraperi-
tone'a:l
extrapleural ɛkstraplɔy'ra:l
Extrapolation ɛkstrapola-
'tsi̯o:n
extrapolieren ɛkstrapo'li:-
rən
Extraposition ɛkstrapozi-
'tsi̯o:n
Extrapunitivität ɛkstrapu-
nitivi'tɛ:t
Extrasystole ɛkstra'zystole,
auch: ...zys'to:lə, -n ...zys-
'to:lən
extratensiv ɛkstratɛn'zi:f,
-e ...i:və
Extraterrestrik ɛkstratɛ-
'rɛstrɪk
extraterrestrisch ɛkstratɛ-
'rɛstrɪʃ
extrauterin ɛkstra|ute'ri:n

extravagant ɛkstrava'gant,
auch: '----
Extravaganz ɛkstrava-
'gants, auch: '----
Extravaganza engl. ɛkstræ-
və'gænzə
extravagieren ɛkstrava'gi:-
rən
Extravasat ɛkstrava'za:t
Extravasation ɛkstravaza-
'tsi̯o:n
Extraversion ɛkstravɛr-
'zi̯o:n
extravertiert ɛkstravɛr'ti:ɐ̯t
extrazellulär ɛkstratsɛlu-
'lɛ:ɐ̯
extrem, E... ɛks'tre:m
Extrema vgl. Extremum
Extremadura span. estre-
ma'ðura
extremisieren ɛkstremi'zi:-
rən
Extremismus ɛkstre'mɪs-
mʊs
Extremist ɛkstre'mɪst
Extremität ɛkstremi'tɛ:t
Extremum ɛks'tre:mʊm,
...ma ...ma
extrinsisch ɛks'trɪnzɪʃ
Extrophie ɛkstro'fi:, -n
...i:ən
extrors ɛks'trɔrs, -e ...rzə
extrovertiert ɛkstrovɛr'ti:ɐ̯t
Extruder ɛks'tru:dɐ
extrudieren ɛkstru'di:rən
Extrusion ɛkstru'zi̯o:n
extrusiv ɛkstru'zi:f, -e
...i:və
ex tunc ɛks 'tʊŋk
exuberans ɛ'ksu:berans
exuberant ɛksube'rant
Exuberanz ɛksube'rants
Exulant ɛksu'lant
exulieren ɛksu'li:rən
Exulzeration ɛksʊltsera-
'tsi̯o:n, ɛks|ʊ...
exulzerieren ɛksʊltse'ri:-
rən, ɛks|ʊ...
Exundation ɛksʊnda'tsi̯o:n,
ɛks|ʊ...
exundieren ɛksʊn'di:rən,
ɛks|ʊ...
ex ungue leonem ɛks
'ʊŋgu̯ə le'o:nɛm
ex usu ɛks 'u:zu
Exuvial... ɛksu'vi̯a:l...
Exuvie ɛ'ksu:vi̯ə
ex voto ɛks 'vo:to
Exvoto ɛks'vo:to
Exxon engl. 'ɛksɔn

Exzedént ɛkstse'dɛnt
exzedieren ɛkstse'di:rən
exzellént ɛkstsɛ'lɛnt
Exzellénz ɛkstsɛ'lɛnts
exzellieren ɛkstsɛ'li:rən
exzélsior!, Exzélsior
ɛks'tsɛlzio:ɐ̯
Exzénter ɛks'tsɛntɐ
Exzéntrik ɛks'tsɛntrɪk
Exzéntriker ɛks'tsɛntrikɐ
exzéntrisch ɛks'tsɛntrɪʃ
Exzentrizität ɛkstsɛntritsi-
'tɛ:t
Exzeption ɛkstsɛp'tsio:n
Exzeptionalismus ɛkstsɛp-
tsiona'lɪsmʊs
exzeptionéll ɛkstsɛptsio'nɛl
exzeptiv ɛkstsɛp'ti:f, -e
...i:və
exzerpieren ɛkstsɛr'pi:rən
Exzérpt ɛks'tsɛrpt
Exzerption ɛkstsɛrp'tsio:n
Exzérptor ɛks'tsɛrpto:ɐ̯, -en
...'to:rən
Exzéss ɛks'tsɛs
exzessiv ɛkstsɛ'si:f, -e ...i:və
exzidieren ɛkstsi'di:rən
exzipieren ɛkstsi'pi:rən
Exzision ɛkstsi'zio:n
exzitabel ɛkstsi'ta:bl̩, ...ble
...blə
Exzitabilität ɛkstsitabili'tɛ:t
Exzitans 'ɛkstsitans, ...ntia
...'tantsia, ...nzien ...'tan-
tsiən
Exzitation ɛkstsita'tsio:n
exzitativ ɛkstsita'ti:f, -e
...i:və
Exzitatorium ɛkstsita'to:-
rium, ...ien ...iən
exzitieren ɛkstsi'ti:rən
Eyach 'aiax
Eyadéma fr. ejade'ma
Eyb aip
Eybers afr. 'ɔibərs
Eybl 'aibl̩
Eybler 'aiblɐ
Eyck aik, niederl. ɛik
Eydtkau 'aitkau
Eydtkuhnen ait'ku:nən
Eyecatcher 'aikɛtʃɐ
Eyeliner 'ailainɐ
Eyeword 'aivə:ɐ̯t, ...vœrt
Eyjafjallajökull isl. 'ɛijafjad-
lajœ:kʏdl
Eyk niederl. ɛik
Eyke 'aikə
Eylert 'ailɐt
Eymericus aime'ri:kʊs
Eynard fr. ɛ'na:r

Eynsford engl. 'einsfəd
Eyolf 'aiɔlf
Eyra 'aira
Eyre engl. ɛə
Eyrir 'airɪr, **Aurar** 'aurar
Eyskens niederl. 'ɛiskəns
Eysler 'aislɐ
Eysoldt 'aizɔlt
Eysselsteijn niederl. 'ɛisəl-
stɛin
Eysturoy fär. 'ɛstʊrɔ:i
Eyth[ra] 'ait[ra]
Eyvind Skaldaspillir norw.
'ɛivin 'skaldaspilir
Eyzinger 'aitsiŋɐ
Ezechias e'tse:çias
Ezechiel e'tse:çie:l, auch:
...iɛl
Ezekiel engl. ɪ'zi:kiəl
Ezeriņš lett. 'ezeriņʃ
Ezinge niederl. 'e:zıŋə
Ezio it. 'ɛttsio
Ezjon 'ɛtsjɔn
Ezra engl. 'ɛzrə
Ezzelin ɛtsə'li:n
Ezzelino it. ettse'li:no
Ezzes 'ɛtsəs
Ezzo 'ɛtso

F

f, F dt., engl., fr. ɛf, it. 'ɛffe,
span. 'efe
fa fa:
Faak fa:k
Fabbri it. 'fabbri
Fabbrizzi it. fab'brittsi
Fabel 'fa:bl̩
fabelhaft 'fa:bl̩haft
fabeln 'fa:bl̩n, **fable** 'fa:blə
Faber 'fa:bɐ, engl. 'feibə,
dän. 'fɛ:'bɐ
Faber du Faur 'fa:bɐ dy:
'fo:ɐ̯
Fabert fr. fa'bɛ:r
Fabia 'fa:bia
Fabian 'fa:bia:n, engl.
'feibiən
Fabiani it. fa'bia:ni
Fabianist fabia'nɪst
Fabianus fa'bia:nʊs
Fabier 'fa:biɐ

Fabio 'fa:bio, span. 'faβio
¹Fabiola (Vorname)
fa'bio:la
²Fabiola (Heilige) fa'bi:ola
Fabismus fa'bɪsmʊs
Fabius 'fa:bius, fr. fa'bjys
Fable 'fa:bl̩
Fableau, -x fa'blo:
Fable convenue, -s -s
'fa:blə kõvə'ny:
Fabliau, -x fabli'o:
Fabre fr. fabr
Fabri dt., it. 'fa:bri, fr. fa'bri
Fábri ung. 'fa:bri
Fabriano it. fabri'a:no
Fabrice fr. fa'bris
Fabricius fa'bri:tsius, nie-
derl. fɑ'britsiys
Fabrik fa'bri:k
Fabrikant fabri'kant
Fabrikat fabri'ka:t
Fabrikation fabrika'tsio:n
fabrikatorisch fabrika'to:-
rıʃ
Fabris it. 'fa:bris
Fabritius fa'bri:tsius, nie-
derl. fɑ'britsiys
Fabrizi it. fa'brittsi
fabrizieren fabri'tsi:rən
Fabrizio it. fa'brittsio
Fabry 'fa:bri, fr. fa'bri, slo-
wak. 'fabri
Fábry ung. 'fa:bri
fabula docet 'fa:bula
'do:tsɛt
Fabulant fabu'lant
fabulieren fabu'li:rən
Fabulist fabu'lɪst
fabulös fabu'lø:s, -e ...ø:zə
Faburden 'fɛbɐdn̩
Fabvier fr. fa'vje
Fabvre fr. fɑ:vr
Fabyan engl. 'feibiən
fac fak
Faccio it. 'fattʃo
Face fa:s, -n 'fa:sn̩
Facelifting 'fe:sliftıŋ
Facette fa'sɛtə
facettieren fasɛ'ti:rən
Fach fax, **Fächer** 'fɛçɐ
...**fach** ....fax
fächeln 'fɛçl̩n
fachen 'faxn̩
Fächer 'fɛçɐ
fächern 'fɛçɐn
Fachingen 'faxıŋən
Fachsimpel 'faxsɪmpl̩
Fachsimpelei faxsɪmpə'lai
fachsimpeln 'faxsɪmpl̩n
Facialis fa'tsia:lıs

Facies 'fa:tsi̯ɛs, *Plural* 'fa:tsi̯e:s
Facies abdominalis 'fa:tsi̯ɛs apdomi'na:lıs
Facies gastrica 'fa:tsi̯ɛs 'gastrika
Facies hippocratica 'fa:tsi̯ɛs hıpo'kra:tika
Facies leonina 'fa:tsi̯ɛs leo'ni:na
Fackel 'fakl̩
fackeln 'fakl̩n
Façon fa'sõ:
Façon de parler fa'sõ: də par'le:
Façonné faso'ne:
Fact fɛkt
Faction 'fɛkʃn̩
Factoring 'fɛktərıŋ
Facture fak'ty:rə
Facultas Docendi fa'kʊltas do'tsɛndi
fad fa:t, -e 'fa:də
Fadaise fa'dɛ:zə
Fada n'Gourma *fr.* fadan-gur'ma
Fädchen 'fɛ:tçən
Faddei *russ.* fad'djej
fade 'fa:də
Fadejew *russ.* fa'djejıf
fädeln 'fɛ:dl̩n, fädle 'fɛ:dlə
Faden 'fa:dn̩, Fäden 'fɛ:dn̩
fadendünn 'fa:dn̩'dyn
fadenscheinig 'fa:dn̩ʃai̯nıç, -e ...ıgə
Fader *span.* fa'ðɛr
Fadesse fa'dɛs
Fadheit 'fa:thai̯t
fädig 'fa:dıç, -e ...ıgə
Fadiman *engl.* 'fædımən
Fading 'fe:dıŋ
Fadinger 'fa:dıŋɐ
fadisieren fadi'zi:rən
Fädlerin 'fɛ:dlərın
Fado 'fa:do, *port.* 'faðu
Fadrus 'fa:drʊs
Faeces 'fɛ:tse:s
Faenza *it.* fa'ɛntsa
Faesi 'fɛ:zi
Fafner 'fa:fnɐ
Fafnir 'fa:fnır
Făgăraş *rumän.* fəgə'raʃ
Fagaraseide fa'ga:razai̯də
Fagerberg *schwed.* ˌfa:gər-bærj
Fagerholm *schwed.* ˌfa:gər-hɔlm
Fagersta *schwed.* ˌfa:gərsta
Fagiuoli *it.* fa'dʒu̯ɔ:li

Fagnano *it.* faɲ'na:no, *span.* faɣ'nano
Fagott fa'gɔt
Fagottino fagɔ'ti:no
Fagottist fagɔ'tıst
Faguet *fr.* fa'gɛ
Fagunwa *engl.* fa:'gu:nwa:
Fagus *fr.* fa'gys
Fahd (saud. König) faxt
Fähe 'fɛ:ə
fahen 'fa:ən
fähig 'fɛ:ıç, -e ...ıgə
fahl fa:l
Fahlbeck *schwed.* ˌfa:lbɛk
Fahlström *schwed.* ˌfa:l-strœm
Fähnchen 'fɛ:nçən
fahnden 'fa:ndn̩, fahnd! fa:nt
Fahne 'fa:nə
Fähnrich 'fɛ:nrıç
Fahr fa:ɐ̯
Fåhraeus *schwed.* fo:'re:ʊs
Fährde 'fɛ:ɐ̯də
Fähre 'fɛ:rə
fahren 'fa:rən
Fahrenheit 'fa:rənhai̯t
Fahrenkamp 'fa:rənkamp
Fahrer 'fa:rɐ
Fahrerei fa:rə'rai̯
fahrig 'fa:rıç, -e ...ıgə
fahrlässig 'fa:ɐ̯lɛsıç
Fahrnis 'fa:ɐ̯nıs, -se ...ısə
Fährnis 'fɛ:ɐ̯nıs, -se ...ısə
Fahrrad 'fa:ɐ̯ra:t
Fahrt fa:ɐ̯t
fährt fɛ:ɐ̯t
Fährte 'fɛ:ɐ̯tə
Faial *port.* fɐ'i̯al
Faible 'fɛ:bl̩
Faichtmayr 'fai̯çtmai̯ɐ
Faidherbe *fr.* fɛ'dɛrb
Faidit *fr.* fɛ'di
Faido *it.* fa'i:do
Faijum fai̯'ju:m
Faille fai̯, 'fali̯ə
Failletine fai̯ə'ti:nə, fali̯ə-'ti:nə
Fainéant fɛne'ã:
fair fɛ:ɐ̯
Fairbairn *engl.* 'fɛəbɛən
Fairbank[s] *engl.* 'fɛə-bæŋk[s]
Fairborn *engl.* 'fɛəbɔ:n
Fairfax *engl.* 'fɛəfæks
Fairfield *engl.* 'fɛəfi:ld
Fairhaven *engl.* 'fɛəhei̯vən
Fairmont *engl.* 'fɛəmɔnt
Fairness 'fɛ:ɐ̯nɛs
Fairplay 'fɛ:ɐ̯'ple:

Fairport *engl.* 'fɛəpɔ:t
Fairview *engl.* 'fɛəvju:
Fairway 'fɛ:ɐ̯ve:
Fairweather *engl.* 'fɛəwɛðə
Fairychess 'fɛ:ri'tʃɛs
Faisal 'fai̯zal
Faiseur fɛ'zø:ɐ̯
Faisi *pers.* fei̯'zi:
Faistauer 'fai̯stau̯ɐ
Faistenberger 'fai̯stn̩bɛrgɐ
Fait accompli 'fɛ: takõ'pli:, -s -s 'fɛ: zakõ'pli:
Faith and Order *dt.-engl.* 'fe:θ ɛnt 'ɔ:ɐ̯dɐ
Faizabad *afgh.* fæi̯za'bad
Fajans *poln.* 'fajans
Fajardo *span.* fa'xarðo
fäkal fɛ'ka:l
Fäkalien fɛ'ka:li̯ən
Fakfak *indon.* 'fakfak
Fakih 'fa:kıç
Fakir 'fa:ki:ɐ̯
Fakse *dän.* 'fagsə
Faksimile fak'zi:mile
faksimilieren fakzimi'li:rən
Fakt fakt
Fakta vgl. Faktum
Faktage fak'ta:ʒə
Faktion fak'tsi̯o:n
faktiös fak'tsi̯ø:s, -e ...ø:zə
Faktis 'faktıs
faktisch 'faktıʃ
faktitiv fakti'ti:f, *auch:* '---; -e ...i:və
Faktitiv 'faktiti:f, -e ...i:və
Faktitivum fakti'ti:vʊm, ...va ...va
Faktizität faktitsi'tɛ:t
Faktographie faktogra'fi:
faktologisch fakto'lo:gıʃ
Faktor 'fakto:ɐ̯, -en fak'to:-rən
Faktorei fakto'rai̯
faktoriell fakto'ri̯ɛl
Faktotum fak'to:tʊm
Faktum 'faktʊm, Fakta 'fakta
Faktur fak'tu:ɐ̯
Faktura fak'tu:ra
fakturieren faktu'ri:rən
Fakturist faktu'rıst
fäkulent fɛku'lɛnt
Fäkulom fɛku'lo:m
Fakultas fa'kʊltas, ...täten ...'tɛ:tn̩
Fakultät fakʊl'tɛ:t
fakultativ fakʊlta'ti:f, -e ...i:və
Falaise[s] *fr.* fa'lɛ:z
Falaisen fa'lɛ:zn̩

Falange fa'laŋə, *span.*
fa'laŋxe
Falangist falaŋ'gɪst
Falasche fa'laʃə
Falat *poln.* 'fauat
falb falp, -e 'falbə
Falbe 'falbə
Falbel 'falbl̩
fälbeln 'fɛlbl̩n, **fälble** 'fɛlblə
Falcão *port., bras.* fal'kɐ̃u̯
Falco *dt., it.* 'falko
Falcon *engl.* 'fɔ:lkən, *fr.* fal'kõ
Falcón *span.* fal'kɔn
Falcone *it.* fal'ko:ne
Falconer *engl.* 'fɔ:[l]knə
Falconet *fr.* falkɔ'nɛ
Falconetto *it.* falko'netto
Falconieri *it.* falko'niɛ:ri
Faldella *it.* fal'dɛlla
Faldistorium faldɪs'to:riυm,
...**ien** ...i̯ən
Faleński *poln.* fa'lɛi̯ski
Falerii fa'le:rii
Falerner fa'lɛrnɐ
Falguière *fr.* fal'gjɛ:r
Falieri *it.* fa'li̯ɛ:ri
Faliero *it.* fa'li̯e:ro
fälisch 'fɛ:lɪʃ
Falisker fa'lɪskɐ
Falk *dt., norw.* falk, *ung.*
fɔlk, *engl.* fɔ:[l]k
Falkberget *norw.* ˌfalkbærgə
Falke[nau] 'falkə[nau̯]
Falkenberg 'falknbɛrk,
schwed. ˌfalkənbærj
Falkenburg 'falknbυrk
Falkenhagen falkn'ha:gn̩
Falkenhausen 'falknhau̯zn̩
Falkenhayn 'falknhai̯n
Falkenhorst 'falknhɔrst
Falkenier falkə'ni:ɐ̯
Falkenrehde falkn're:də
Falkensee 'falknze:
Falkenstein 'falknʃtai̯n
Falkirk *engl.* 'fɔ:lkə:k
Falkland [Dependency]
engl. 'fɔ:[l]klənd [dɪ'pɛn-
dənsɪ]
Falklandinseln 'falklant-
ˌɪnzl̩n
¹Falkner 'falknɐ
²Falkner (Name) 'falknɐ,
engl. 'fɔ:[l]knə
Falknerei falknə'rai̯
Falko 'falko
Falkonett falko'nɛt
Falköping *schwed.* 'fɑ:lçø:-
piŋ
Fall fal, **Fälle** 'fɛlə

Falla 'falja, *span.* 'faʎa
Fallaci *it.* fal'la:tʃi
Fallada 'falada
Fallas *engl.* 'fæləs, *span.*
'faʎas
Fallazien fa'la:tsi̯ən
Fälldin *schwed.* fɛl'di:n
Falle 'falə
Fälle vgl. Fall
fallen 'falən
fällen 'fɛlən
Fallenter 'faləntɐ
Fallen Timbers *engl.* 'fɔ:lən
'tɪmbəz
Fallersleben 'falɐsle:bn̩
Fallet *fr.* fa'lɛ
fallibel fa'li:bl̩, ...**ble** ... blə
Fallibilismus falibi'lɪsmυs
Fallibilität falibili'tɛ:t
fallieren fa'li:rən
Fallières *fr.* fa'lje:r
fällig 'fɛlɪç, -e ...ɪgə
Falliment fali'mɛnt
Fallingbostel falɪŋ'bɔstl̩
Fallissement falɪsə'mãː
fallit, F... fa'li:t, *auch:* ...lɪt
Fallmerayer 'falmərai̯ɐ
Falloppio *it.* fal'lɔppi̯o
Falloppius fa'lɔpi̯υs
Fallot[t] fa'lɔt
Falloux *fr.* fa'lu
Fallout fo:l'lau̯t, '– –
Fallreep 'falre:p
Fall River *engl.* 'fɔ:l 'rɪvə
falls fals
Falls fals, *engl.* fɔ:lz
fällt fɛlt
Falmouth *engl.* 'fælməθ
Falott fa'lɔt
Falsa vgl. Falsum
falsch, F... falʃ
fälschen 'fɛlʃn
Falschmünzerei falʃmʏn-
tsə'rai̯
False Bay *engl.* 'fɔ:ls 'beɪ
Falsett fal'zɛt
falsettieren falzɛ'ti:rən
Falsettist falzɛ'tɪst
Falsifikat falzifi'ka:t
Falsifikation falzifika'tsi̯o:n
falsifizieren falzifi'tsi:rən
Falsobordone falzobɔr-
'do:nə, ...**si**...**ni** ...zi...ni
Falstaff *dt., it.* 'falstaf, *engl.*
'fɔ:lsta:f
Falster 'falstɐ, *dän.* 'fæl'sdɐ
Falsum 'falzυm, **Falsa** 'falza
Falte 'faltə
fälteln 'fɛltl̩n
falten 'faltn̩

Falter 'faltɐ
Fälticeni *rumän.* fəlti'tʃenj
faltig 'faltɪç, -e ...ɪgə
...**fältig** ...'fɛltɪç, -e ...ɪgə
Faltings 'faltɪŋs
Faludi *ung.* 'fɔludi
Falun *schwed.* ˌfɑ:lυn
Falz falts
falzen 'faltsn̩
falzig 'faltsɪç, -e ...ɪgə
Fama 'fa:ma
Famagusta fama'gυsta
Famenne *fr.* fa'mɛn
Famiglia Pontificia *it.*
fa'miʎʎa ponti'fi:tʃa
familiar fami'li̯ɐ:ɐ̯
Familiare fami'li̯a:rə
familiarisieren familiari'zi:-
rən
Familiarität familiari'tɛ:t
Familie fa'mi:li̯ə
Familismus fami'lɪsmυs
Faminzyn *russ.* 'famintsɪn
famos fa'mo:s, -e ...o:zə
Famula 'fa:mula, ...**lä** ...lɛ
Famulant famu'lant
Famulatur famula'tu:ɐ̯
famulieren famu'li:rən
Famulus 'fa:mulυs, -se
...υsə, ...**li** 'fa:muli
Fan fɛn
Fana *norw.* ˌfa:na
Fanal fa'na:l
Fanariote fana'ri̯o:tə
Fanatiker fa'na:tikɐ
fanatisch fa'na:tɪʃ
fanatisieren fanati'zi:rən
Fanatismus fana'tɪsmυs
Fancelli *it.* fan'tʃɛlli
Fanck faŋk
Fanconi *it.* faŋ'ko:ni
Fancy 'fɛnsi
fand fant
Fandango fan'daŋgo
Fandarole fanda'ro:lə
fände 'fɛndə
fanden 'fandn̩
Fándly *slowak.* 'fa:ndli
Fanega fa'ne:ga
Fáñez *span.* 'faɲeθ
Fanfani *it.* fan'fa:ni
Fanfare fan'fa:rə
Fanfaron fãfa'rõ:
Fanfaronade fãfaro'na:də
Fang faŋ, **Fänge** 'fɛŋə
fangen 'faŋən
Fangen *norw.* ˌfaŋən
Fänger 'fɛŋɐ
Fangio *it.* 'fandʒo
fängisch 'fɛŋɪʃ

Fanglomerat fanglome'ra:t
Fango 'faŋgo
fängt fɛŋt
Faninal 'faninal
Fan Kuan chin. fanku̯an 41
Fanni 'fani
Fannie engl. 'fænɪ
Fanning engl. 'fænɪŋ
Fannings 'fɛnɪŋs
Fanny 'fani, engl. 'fænɪ, fr. fa'ni
Fano it. 'fa:no
Fanø dän. 'fɛ:nʏ:'
Fanon fa'nõ:
Fanone fa'no:nə, ...ni ...ni
Fansago it. fan'sa:go
Fant fant
Fantasia fanta'zi:a
Fantasie fanta'zi:, -n ...i:ən
fantasieren fanta'zi:rən
Fantasterei fantastə'rai̯
Fantast[ik] fan'tast[ɪk]
fantastico fan'tastiko
fantastisch fan'tastɪʃ
Fantasy 'fɛntəzi
Fanti it. 'fanti
Fantin-Latour fr. fãtɛ̃la'tu:r
Fantuzzi it. fan'tuttsi
Fanzago it. fan'tsa:go
Fanzine 'fɛnzi:n
FAO ɛfʔa:'|o:, engl. ɛf-ei̯'oʊ
Farabi fa'ra:bi
Farad fa'ra:t
Faraday 'farade, engl. 'færədɪ
Faradisation faradiza'tsi̯o:n
faradisch fa'ra:dɪʃ
faradisieren faradi'zi:rən
Faradotherapie faradotera'pi:
Farafangana mad. farəfaŋ-'ganə
Farafra fa'ra:fra
Farah Diba 'fa:ra 'di:ba
Farandole faran'do:lə
Farasan fara'za:n
Farasdak fa'rasdak
Farbe 'farbə
...farben ....farbn̩
färben 'fɛrbn̩, **färb!** fɛrp, **färbt** fɛrpt
Färber 'fɛrbɐ
Färberei fɛrbə'rai̯
farbig 'farbɪç, -e ...ɪgə
farblich 'farplɪç
farblos 'farplo:s
Farce 'farsə
Farceur far'sø:ɐ̯
Farchi 'farçi
farcieren far'si:rən

Far East Rand engl. 'fɑ: 'i:st 'rænd
Fareham engl. 'fɛərəm
Farel fr. fa'rɛl
farewell fɛ:ɐ̯'vɛl
Farewell engl. 'fɛəwɛl
Farfa it. 'farfa
Farfalle far'falə
Farge 'fargə
Farghani far'ga:ni
Fargo engl. 'fɑ:goʊ
Fargue[s] fr. farg
Faria port. fɐ'riɐ
Faribault engl. 'færɪboʊ
Farin fa'ri:n
Farina it. fa'ri:na
Farinacci it. fari'nattʃi
Farinade fari'na:də
Farinata it. fari'na:ta
Farinati it. fari'na:ti
Farinelli it. fari'nɛlli
Färinger 'fɛ:rɪŋɐ
färingisch 'fɛ:rɪŋɪʃ
Farini it. fa'ri:ni
Färinseln 'fɛ:ɐ̯|ɪnzl̩n
Farkas 'farkas, ung. 'fɔrkɔʃ
Farley engl. 'fɑ:lɪ
Farlow engl. 'fɑ:loʊ
Farm farm
Farman engl. 'fɑ:mən, fr. far'mã
¹Farmer 'farmɐ
²Farmer (Name) engl. 'fɑ:mə
Farmington engl. 'fɑ:mɪŋtən
Farn farn
Farnaby engl. 'fɑ:nəbɪ
Farnborough engl. 'fɑ:n-bərə
Farn[e] engl. fɑ:n
Farnese it. far'ne:se
Farnesina it. farne'zi:na
farnesisch far'ne:zɪʃ
Farnham engl. 'fɑ:nəm
Farn[s]worth engl. 'fɑ:n[z]wə[:]θ
¹Faro (Pharus) 'fa:ro
²Faro (Name) port., bras. 'faru
Fårö schwed. .fo:rø:
Färöer fɛ'rø:ɐ, auch: 'fɛ:røɐ
färöisch fɛ'rø:ɪʃ, auch: 'fɛ:røɪʃ
Farquhar engl. 'fɑ:k[w]ə
Farragut engl. 'færəgət
¹Farrar engl. 'færə
²Farrar (Geraldine) engl. fə'ra:
Farre 'farə

Farrell engl. 'færəl, span. fa'rrɛl
Farrère fr. fa'rɛ:r
Farrochi pers. færro'xi:
Farrow engl. 'færoʊ
Farrukhabad engl. fə'rʊkə-bæd
Fars pers. fɑ:rs
Färse 'fɛrzə
Farsestan pers. fɑrses'tɑ:n
Farthing dt.-engl. 'fa:ɐ̯ðɪŋ
Faruffini it. faruf fi:ni
Faruk fa'ru:k
Farvel, Kap dän. kab faɐ̯'vɛl
Farwell engl. 'fɑ:wɛl
Fas fa:s
Fasa pers. fæ'sɑ:
Fasan fa'za:n
Fasänchen fa'zɛ:nçən
Fasanerie fazanə'ri:, -n ...i:ən
Fasano it. fa'za:no
Fasces 'fastsɛ:s
Fasch[e] 'faʃ[ə]
faschen 'faʃn̩
Fäschen 'fɛ:sçən
faschieren fa'ʃi:rən
Faschine fa'ʃi:nə
Fasching 'faʃɪŋ
Faschingsdienstag 'faʃɪŋs-'di:nsta:k
Faschir 'fa:ʃɪr
faschisieren faʃi'zi:rən
Faschismus fa'ʃɪsmʊs
Faschist fa'ʃɪst
faschistisch fa'ʃɪstɪʃ
faschistoid faʃɪsto'i:d, -e ...i:də
Faschoda fa'ʃo:da
Fasci it. 'faʃʃi
Fascio it. 'faʃʃo
Fase 'fa:zə
Fasel 'fa:zl̩
Faselei fa:zə'lai̯
faseln 'fa:zl̩n, **fasle** 'fa:zlə
fasen 'fa:zn̩, **fas!** fa:s, **fast** fa:st
fasennackt 'fa:zn̩'nakt
Faser 'fa:zɐ
Fäserchen 'fɛ:zɐçən
faserig 'fa:zərɪç, -e ...ɪgə
fasern 'fa:zɐn, **fasre** 'fa:zrə
fasernackt 'fa:zɐ'nakt
Fashion 'fɛʃn̩
fashionabel faʃi̯o'na:bl̩, **...ble** ...blə
fashionable 'fɛʃənəbl̩
Fashionable Novel engl. 'fɛʃənəbl̩ 'nɔvl̩
Fäslein 'fɛ:slai̯n

Fasler 'faːzlɐ
Fasnacht 'fasnaxt
Fasolo *it.* faˈzɔːlo
Fasolt 'faːzɔlt
fasrig 'faːzrɪç, -e ...ɪgə
Fass fas, **Fässer** 'fɛsɐ
Fassa *it.* 'fassa
Fassade faˈsaːdə
Fassatal 'fasataːl
Faßbaender, ...bänder,
...**bender** 'fasbɛndɐ
Fassbind 'fasbɪnt
Faßbinder 'fasbɪndɐ
Fässchen 'fɛsçən
fassen 'fasn̩
Fässer vgl. Fass
Fassette faˈsɛtə
Fassion faˈsi̯oːn
fasslich 'faslɪç
Fasson faˈsõː
fassonieren fasoˈniːrən
fast fast
Fast *engl.* fɑːst
Fastage fasˈtaːʒə
Fastback 'faːstbɛk
Fastbreak 'faːstbreːk
Fastelabend 'fastl̩ˌaːbn̩t
fasten, F... 'fastn̩
Fastenrath 'fastn̩raːt
Fastfood 'faːstfuːt
Fasti 'fasti
fastidiös fastiˈdi̯øːs, -e
...øːzə
Fasting *norw.* 'fastɪŋ
Fastnacht 'fastnaxt
Fastow *russ.* 'fastɐf
Fastrada fasˈtraːda
Faszes 'fastseːs
faszial fasˈtsi̯aːl
Fasziation fastsi̯aˈtsi̯oːn
Faszie 'fastsi̯ə
Faszikel fasˈtsiːkl̩
faszikulieren fastsikuˈliːrən
Faszination fastsinaˈtsi̯oːn
faszinieren fastsiˈniːrən
Faszinosum fastsiˈnoːzʊm
Fasziolose fastsi̯oˈloːzə
Fata vgl. Fatum
Fatah, Al alˈfata
fatal faˈtaːl
Fatalismus fataˈlɪsmʊs
Fatalist fataˈlɪst
Fatalität fataliˈtɛːt
Fata Morgana 'faːta mɔrˈ
'gaːna
Fatemide fateˈmiːdə
Fath *fr.* fat
Fathom *dt.-engl.* 'fɛðm̩
fatieren faˈtiːrən
fatigant fatiˈgant

Fatige faˈtiːgə
fatigieren fatiˈgiːrən
Fatigue faˈtiːgə
Fatiha 'faːtiha
Fatima 'faːtima
Fátima *port.* 'fatimɐ
Fatime 'faːtimə
Fatimide fatiˈmiːdə
Fatinitza fatiˈnɪtsa
Fatio *fr.* faˈsi̯o
Fatjanowo *russ.* fatj̩ˈanɐvɐ
Fatra *slowak.* 'fatra
Fatsia 'fatsi̯a, ...ien ...i̯ən
Fattore *it.* fatˈtoːre
Fattori *it.* fatˈtoːri
Fatuität fatuiˈtɛːt
Fatum 'faːtʊm, **Fata** 'faːta
Fatwa 'fatva
Fatzke 'fatskə
Faubourg foˈbuːɐ̯
Fauces 'fau̯tseːs
fauchen 'fau̯xn̩
Fauchet *fr.* foˈʃɛ
Faucille[s] *fr.* foˈsij
faukal fau̯ˈkaːl
faukalisieren fau̯kaliˈziːrən
faul fau̯l
Faulconbridge *engl.*
'fɔː[l]kənbrɪdʒ
Fäule 'fɔy̯lə
faulen 'fau̯lən
Faulenbach 'fau̯lənbax
faulenzen 'fau̯lɛntsn̩
Faulenzer 'fau̯lɛntsɐ
Faulenzerei fau̯lɛntsəˈrai̯
Faulhaber 'fau̯lhaːbɐ
faulig 'fau̯lɪç, -e ...ɪgə
Faulk[ner] *engl.* fɔːk[nə]
Faulmann 'fau̯lman
Fäulnis 'fɔy̯lnɪs
Faun[a] 'fau̯n[a]
Faune *fr.* foːn
faunisch 'fau̯nɪʃ
Faunist[ik] fau̯ˈnɪst[ɪk]
Faunus 'fau̯nʊs
Faupel 'fau̯pl̩
Faure *fr.* fɔːr
Fauré *fr.* fɔˈre
Fauresmith *engl.* 'fau̯əsmɪθ
Fauriel *fr.* fɔˈrjɛl
Faurndau 'fau̯ɐ̯ndau̯
Fauske *norw.* .fœy̯skə
Fausse foːs, -n 'foːsn̩
Fausset *engl.* 'fɔsɪt
¹Faust fau̯st, **Fäuste** 'fɔy̯stə
²Faust (Name) fau̯st, *fr.*
foːst
Fausta 'fau̯sta, *it.* 'fau̯sta
Fäustchen 'fɔy̯stçən
faustdick 'fau̯st'dɪk

Fäuste vgl. Faust
Fäustel 'fɔy̯stl̩
fausten 'fau̯stn̩
faustgroß 'fau̯stgroːs
Faustin *fr.* fosˈtɛ̃
Faustina fau̯sˈtiːna, *it.* fau̯s-
'tiːna, *span.* fau̯sˈtina
Faustino *it.* fau̯sˈtiːno, *span.*
...tino
faustisch 'fau̯stɪʃ
Fäustling 'fɔy̯stlɪŋ
Fausto *it., span.* 'fau̯sto
Faustulus 'fau̯stulʊs
Faustus 'fau̯stʊs
faute de mieux *fr.* 'foːt də
'mi̯øː
Fauteuil *fr.* foˈtœj
Fautfracht 'fau̯tfraxt
Fautrier *fr.* fotri̯ˈe
Fauves *fr.* foːv
Fauvismus foˈvɪsmʊs
Fauvist foˈvɪst
Faux Ami[s] *fr.* 'foːzaˈmi:
Fauxbourdon fobʊrˈdõː
Faux-Monnayeurs *fr.*
fomɔnɛˈjœːr
Fauxpas foˈpa, **des -**
...pa[s], **die -** ...pas
Favart *fr.* faˈvaːr
Favela faˈveːla
Favenz faˈvɛnts
Faverolleshuhn faˈvrɔlhuːn
Faversham *engl.* 'fævəʃəm
Favi vgl. Favus
Favignana *it.* faviɲˈɲaːna
Favismus faˈvɪsmʊs
favorabel favoˈraːbl̩, ...ble
...blə
Favorinus favoˈriːnʊs
Favoris favoˈriː
favorisieren favoriˈziːrən
Favorit favoˈriːt
Favorita *it.* favoˈriːta
Favorite favoˈriːtə
Favoriten favoˈriːtn̩
Favre *fr.* fɑːvr
Favretto *it.* faˈvretto
Favus 'faːvʊs, **Favi** 'faːvi
Fawkes *engl.* fɔːks
Faworski *russ.* faˈvɔrskij
Fax faks
Faxabucht 'faksabʊxt
Faxaflói *isl.* 'faksaflou̯i
Faxe 'faksə
faxen 'faksn̩
Fay *engl.* fei
Faydherbe *fr.* fɛˈdɛrb
Faye *fr.* faj
Fayence faˈjãːs, -n ...sn̩

Fayencerie fajãsə'ri:, -n ...i:ən
Fayette engl. feɪ'ɛt
Fayetteville engl. 'feɪɛtvɪl
Fayol[le] fr. fa'jɔl
Fayrfax engl. 'fɛəfæks
Fazelet fatsə'lɛt
Fazenda fa'zɛnda, fa'tsɛnda
Fazenet fatsə'nɛt
Fäzes 'fɛ:tse:s
Fazetie fa'tse:tsiə
fazial fa'tsia:l
Fazialis fa'tsia:lɪs
faziell fa'tsiɛl
Fazies 'fa:tsies, Plural 'fa:tsie:s
Fazilettlein fatsi'lɛtlain
Fazilität fatsili'tɛ:t
Fazinettlein fatsi'nɛtlain
Fazio it. 'fattsio
Fazit 'fa:tsɪt
Fazzini it. fat'tsi:ni
FBI engl. ɛfbi:'aɪ
F'Deri[c]k fr. fde'rik
FDJ ɛfde:'jɔt
FDP ɛfde:'pe:
F-Dur 'ɛfdu:ɐ, auch: '–'–
Fearnley norw. 'færnli
Feather engl. 'fɛðə
Feature 'fi:tʃɐ
featuren 'fi:tʃɐn
Feber 'fe:bɐ
febril fe'bri:l
Febris 'fe:brɪs
Februar 'fe:brua:ɐ
Febvre fr. fɛ:vr
Fécamp fr. fe'kã
Fechner 'fɛçnɐ
Fechser 'fɛksɐ
fechten 'fɛçtn̩
Fechter 'fɛçtɐ, engl. 'fɛktə
fecit 'fe:tsɪt
Feckes 'fɛkəs
Fedajin feda'ji:n
Feddersen 'fɛdɐzn̩
Feddo 'fɛdo
Feder 'fe:dɐ
Federal Bureau of Investigation 'fɛdərəl bju'ro: ɔf ɪnvɛsti'ge:ʃn̩
Federal District engl. 'fɛdərəl 'dɪstrɪkt
Federativna Narodna Republika Jugoslavija serbokr. 'fɛdɛrati:vna: ,na:rɔdna: rɛ.publika ju.gɔsla:vija
Federer 'fe:dərɐ
Fédéric fr. fede'rik

Federico it. fede'ri:ko, span. feðe'riko
federig 'fe:dərɪç, -e ...ɪgə
Federighi it. fede'ri:gi
Federigo it. fede'ri:go, span. feðe'riyo
federleicht 'fe:dɐ'laiçt
Federling 'fe:dɐlɪŋ
Federmann 'fe:dɐman
federn 'fe:dɐn, fedre 'fe:drə
Federn 'fe:dɐn
Federsee 'fe:dɐze:
Federspiel 'fe:dɐʃpi:l
federweiß 'fe:dɐ'vais
Federzoni it. feder'tso:ni
Fedi it. 'fe:di
Fedin russ. 'fjedin
Fedja russ. 'fjedjɐ
Fedka russ. 'fjetjkɐ
Fedkowytsch ukr. fɛtj'ko-vitʃ
Fedor 'fe:do:ɐ
Fedora fe'do:ra
Fedorenko russ. fıda'rjɛnkɐ
Fedorowski russ. fıda'rɔf-skij
Fedossejew russ. fıda'sjejıf
Fedot russ. fı'dɔt
Fedotow russ. fı'dɔtɐf
Fedotowitsch russ. fı'dɔtɐ-vitʃ
Fedotow[n]a russ. fı'dɔ-tɐv[n]ɐ
Fedra it. 'fɛ:dra, span. 'feðra
Fedrico fe'dri:ko
fedrig 'fe:drɪç, -e ...ɪgə
Fedtschenko russ. 'fjet-tʃ inkɐ
Fee fe:, -n 'fe:ən
Feedback 'fi:tbɛk
feeden 'fi:dn̩, feed! fi:t
Feeder 'fi:dɐ
Feelie 'fi:li
Feeling 'fi:lɪŋ
Feer fe:ɐ, fr. fɛ:r
Feerie feə'ri:, fe'ri:; -n ...i:ən
Feet vgl. Foot
Fefe 'fe:fə
Fege 'fe:gə
fegen 'fe:gn̩, feg! fe:k, fegt fe:kt
Fegnest 'fe:knɛst
fegnesten 'fe:knɛstn̩
Fegsel 'fe:ksl̩
Feh[de] 'fe:[də]
Fehenberger 'fe:ənbɛrgɐ
Fehér ung. 'fɛhe:r
fehl, F... fe:l
fehlen 'fe:lən
Fehler 'fe:lɐ

Fehling 'fe:lɪŋ
Fehmarn[belt] 'fe:marn[bɛlt]
Fehn fe:n
Fehr fe:ɐ
Fehrbellin fe:ɐbɛ'li:n
Fehrenbach 'fe:rənbax
Fehrle 'fe:ɐlə
Fehrs fe:ɐs
Fehse 'fe:zə
Fei it. 'fɛ:i
Feichtmayr 'faiçtmaiɐ
feien 'faiən
Feier 'faiɐ
Feierabend 'faiɐla:bn̩t
feierlich 'faiɐlıç
feiern 'faiɐn
Feiertag 'faiɐta:k
feiertäglich 'faiɐtɛ:klıç
feiertags 'faiɐta:ks
feig faik, -e 'faigə
Feige 'faigə
Feigenwinter 'faignvIntɐ
Feigling 'faiklıŋ
Feijenoord niederl. 'fɛiən-o:rt
Feijó port. fɐi'ʒɔ, bras. fɐi'ʒɔ
Feijóo span. fɛi'xoo
feil fail
Feilchen 'failçən
Feilding engl. 'fi:ldıŋ
Feile 'failə
feilen 'failən
Feiler 'failɐ
Feilicht 'failıçt
Feilner 'failnɐ
feilschen 'failʃn̩
Feim[e] 'faim[ə]
Feimen 'faimən
fein[d] 'fain[t]
Feind faint, -e 'faindɐ
feindlich 'faintlıç
feindselig 'faintze:lıç
Feine 'fainə
feinen 'fainən
feinfühlig 'fainfy:lıç, -e ...ıgə
feinglied[e]rig 'fain-gli:d[ə]rıç
Feininger 'faininɐ, engl. 'fai-nıŋə
Feinsliebchen fains'li:pçən
Feinstwaage 'fainstva:gə
Feira port. 'fɐirɐ, bras. 'feira
Feirefiz 'fairəfi:ts
Feisal 'faizal
feiß fais
feist, F... faist
Feistmantel 'faistmantl̩
Feistritz 'faistrıts

Feitel 'faitl̩
Feith *niederl.* fɛit
Feito *span.* 'fɛito
feixen 'faiksn̩
Fejér *ung.* 'fɛjeːr
Fejes *ung.* 'fɛjɛʃ
Feješ *serbokr.* 'fɛjɛʃ
Feke *engl.* fiːk, *türk.* 'fɛkɛ
Fekete *ung.* 'fɛkɛtɛ
fekund fe'kʊnt, **-e** ...ndə
Fekundation fekʊnda'tsi̯oːn
Fekundität fekʊndi'tɛːt
Felbel 'fɛlbl̩
Felber 'fɛlbɐ
Felbiger 'fɛlbɪgɐ
Felchen 'fɛlçn̩
Feld fɛlt, **-er** 'fɛldɐ
feldaus fɛlt'l̩aus
Feldbach 'fɛltbax
Feldbauer 'fɛltbau̯ɐ
Feldberg 'fɛltbɛrk
feldein fɛlt'l̩ain
Felder 'fɛldɐ
Feldes 'fɛldəs
Feldhaus 'fɛlthau̯s
Feldkeller 'fɛltkɛlɐ
Feldkirch 'fɛltkɪrç
Feldkirchen fɛlt'kɪrçn̩
Feldman *poln.* 'fɛldman,
serbokr. ˌfɛldman, *engl.*
'fɛldmən
Feldmarschall 'fɛltmarʃal
Feldmarschalleutnant
'fɛltmarʃal'lɔytnant
Feldmoching fɛlt'mɔxɪŋ
Feldsberg 'fɛltsbɛrk
Feldscher 'fɛltʃeːɐ
Feldscherer 'fɛltʃeːrɐ
Feldspat 'fɛltʃpaːt
Feldtkeller 'fɛltkɛlɐ
Feld-Wald-und-Wiesen-...
'fɛlt'valt|ʊnt'viːzn̩...
Feldwebel 'fɛltveːbl̩
Feldweibel 'fɛltvai̯bl̩
Felge 'fɛlgə
felgen 'fɛlgn̩, **felg!** fɛlk,
felgt fɛlkt
Félibien *fr.* feli'bjɛ̃
Félibres *fr.* fe'libr
Felice *it.* fe'liːtʃe
Felicia fe'liːtsi̯a, *engl.* fɪ'lısıə,
span. fe'liθi̯a
Feliciano *span.* feli'θi̯ano,
port. fəli'si̯ɐnu
Felicidad *span.* feliθi'ðað
Félicien *fr.* feli'sjɛ̃
Felicitas fe'liːtsitas
Félicité *fr.* felisi'te
Feliden fe'liːdn̩
Feliks *poln.* 'fɛliks

Feliński *poln.* fɛ'liĩski
Felipa *span.* fe'lipa
Felipe *span.* fe'lipe
Feliu i Codina *kat.* fə'liu̯ i
ku'ðinə
Felix 'feːlıks, *engl.* 'fiːlıks
Félix *fr.* fe'liks, *span.* 'feliks,
port. 'fɛliʃ
Felixmüller 'feːlıksmʏlɐ
Felixstowe *engl.* 'fiːlıkstoʊ
Felizia fe'liːtsi̯a
Felizian fe'liːtsi̯aːn
Felizitas fe'liːtsitas
Felke 'fɛlkə
Fell fɛl
Fellache fɛ'laxə
Fellagha *fr.* fɛlla'ga
Fellah fɛ'la:
Fellatio fɛ'la:tsi̯o
fellationieren fɛlatsi̯o'ni:-
rən
Fellatrix fɛ'la:trıks, **...izen**
fɛla'tri:tsn̩
Fellbach 'fɛlbax
Felleisen 'fɛll̩ai̯zn̩
Fellenberg 'fɛlənbɛrk
Feller 'fɛlɐ
Fellerer 'fɛlərɐ
fellieren fɛ'li:rən
Fellin fe'li:n
Felling *engl.* 'fɛlıŋ
Fellini *it.* fel'li:ni
Fellner 'fɛlnɐ
Fellow 'fɛlo
Fellowship 'fɛloʃıp
Fellowtraveller 'fɛlotrɛvəlɐ
Felmayer 'fɛlmai̯ɐ
Felmy 'fɛlmi
Felonie felo'ni:, **-n** ...i:ən
Fels fɛls, **-en** 'fɛlzn̩
Felsberg 'fɛlsbɛrk
felsenfest 'fɛlzn̩fɛst
Felsenstein 'fɛlzn̩ʃtain
felsig 'fɛlzıç, **-e** ...ıgə
Felsina *it.* 'fɛlsina
Felsing 'fɛlzıŋ
Felsit fɛl'zi:t
Felten 'fɛltn̩
Feltham (Ort) *engl.* 'fɛltəm
Feltin *fr.* fɛl'tɛ̃
Felton *engl.* 'fɛltən
Feltre *it.* 'fɛltre
Feltrinelli *it.* feltri'nɛlli
Feluke fe'luːkə
Feme 'fe:mə
Femel 'fe:ml̩
femeln 'fe:ml̩n
Femgericht 'fe:mgərıçt
Femidom femi'do:m
Feminat femi'na:t

Feminell femi'nɛl
feminieren femi'ni:rən
feminin femi'ni:n
Femininum 'fe:mini:nʊm,
...na ...na
Feminisation feminiza-
'tsi̯o:n
feminisieren femini'zi:rən
Feminismus femi'nısmʊs
Feminist femi'nıst
Feminität femini'tɛ:t
femisch fe:mıʃ
Femme fatale, -s -s 'fam
fa'tal
Femmes savantes *fr.* fam-
sa'vɑ̃:t
Femø *dän.* 'femY:'
femoral femo'ra:l
Femto... femto...
Femunden *norw.* ˌfe:mʉnən
Femur 'fe:mʊr, **Femora**
'fe:mora
[1]Fen (Moor) fɛn
[2]Fen (Name) *engl.* fɛn
Fenaroli *it.* fena'rɔ:li
Fench[el] 'fɛnç[l̩]
Fendant fã'dã:
Fender 'fɛndɐ
Fendi 'fɛndi
Fendrich 'fɛndrıç
Fenek 'fɛnɛk
Fenella fe'nɛla, *engl.* fı'nɛlə
Fénelon *fr.* fen'lõ
Fenerbahçe *türk.* fɛ'nɛr-
bah.tʃe
Fengjie *chin.* fəŋdʒi̯ɛ 42
Fengshui fɛŋ'ʃui̯
Feng Yuxiang *chin.* fəŋ-i̯y-
çi̯aŋ 242
Fenhe *chin.* fənxʌ 22
Fenier 'fe:ni̯ɐ
Fenimore *engl.* 'fɛnımɔ:
Fenis 'fe:nis
Feniso *span.* fe'niso
Fenn[ek] 'fɛn[ɛk]
Fennich 'fɛnıç
Fennosarmatia fɛnozar-
ˌma:tsi̯a
fennosarmatisch fɛnozar-
ˌma:tıʃ
Fennoskandia fɛno'skandi̯a
fennoskandisch fɛno'skan-
dıʃ
Fenoglio *it.* fe'nɔʎʎo
Fenrir 'fɛnrır
Fenriswolf 'fɛnrısvɔlf
Fens, The *engl.* ðə 'fɛnz
Fenster 'fɛnstɐ
fensterln 'fɛnstɐln

...fenstrig ....fɛnstrɪç, -e ...ɪgɐ

Fenton 'fɛntɔn, engl. 'fɛntən

Fényes ung. 'fe:njɛs

Fenz fɛnts̩

fenzen 'fɛnts̩n̩

Feo it. 'fɛ:o

Feodor 'fe:odo:ɐ̯, russ. fɪ'ɔdɐr

Feodora russ. fɪa'dɔrɐ

Feodorowitsch russ. fɪ'ɔdɐrevɪtʃ

Feodorowna russ. fɪ'ɔdɐrɐvnɐ

Feodossij russ. fɪa'dɔsij

Feodossija russ. fɪa'dɔsijɐ

Feodossijewitsch russ. fɪa'dɔsijɪvɪtʃ

Feodossijewna russ. fɪa'dɔsijɪvnɐ

Feodot russ. fɪa'dɔt

Feodotija russ. fɪa'dɔtijɐ

Feodum 'fe:odʊm

Feofan russ. fɪa'fan

Feralien fe'ra:lɪən

Feramors 'fe:ramɔrs

Feraoun fr. fera'un

Ferber 'fɛrbɐ, engl. 'fə:bə

Ferch fɛrç

Ferdausi pers. ferdoʊ̯'si:

Ferdi 'fɛrdi

Ferdinand 'fɛrdinant, engl. 'fə:dɪnænd, fr. fɛrdi'nã, schwed. 'fæ:rdinand

Ferdinánd ung. 'fɛrdina:nd

Ferdinande fɛrdi'nandə, fr. fɛrdi'nã:d

Ferdinando it. ferdi'nando

Ferdl 'fɛrdl̩

Ferdynand poln. fɛr'dinant

Ferenc ung. 'fɛrɛnts

Ferencsik ung. 'fɛrɛntʃik

Ferencz[i] ung. 'fɛrɛnts[i]

Ferenczy ung. 'fɛrɛntsi

Fergana fɛr'ga:na russ. fɪrga'na

Ferge 'fɛrgə

ferggen 'fɛrgn̩, fergg! fɛrk, ferggt fɛrkt

Fergie engl. 'fə:gɪ

Fergus engl. 'fə:gəs

Fergus[s]on engl. 'fə:gəsn

Feri ung. 'fɛri

Feria 'fe:rɪa, Feriae 'fe:rɪɛ

ferial fe'rɪa:l

Fériana fr. ferja'na

Ferien 'fe:rɪən

Ferienčik slowak. 'fɛrɪentʃi:k

Feriman pers. feri'mɑ:n

Ferkel 'fɛrkl̩

ferkeln 'fɛrkl̩n

Ferkéssédougou fr. fɛrkesedu'gu

Ferlach 'fɛrlax

Ferleiten fɛr'lai̯tn̩

Ferlin schwed. fær'li:n

Ferlinghetti engl. fə:lɪŋ'gɛtɪ

Ferlosio span. fɛr'losio̯

ferm fɛrm

fermamente fɛrma'mɛntə

Ferman fɛr'ma:n

Fermanagh engl. fə'mænə

Fermat fr. fɛr'ma

Fermate fɛr'ma:tə

Ferme fɛrm, -n ...mən

Ferment fɛr'mɛnt

Fermentation fɛrmɛnta'tsio̯:n

fermentativ fɛrmɛnta'ti:f, -e ...i:və

fermentieren fɛrmɛn'ti:rən

Fermi it. 'fermi

Fermion fɛr'mio̯:n

Fermium 'fɛrmiʊm

Fermo it. 'fermo

fern fɛrn

Fern engl. fə:n

fernab fɛrn'lap

Fernambuk... fɛrnam'bu:k...

Fernán span. fɛr'nan

Fernand fr. fɛr'nã

Fernandel fr. fɛrnã'dɛl

Fernandes, ...es port. fər'nɐndɪʃ, bras. fer'nɐndis

Fernandez fr. fɛrnã'dɛ:z

Fernández span. fɛr'nandeθ

Fernando dt., span. fɛr'nando, it. fer'nando, port. fər'nɐndu, bras. fer'nɐndu

Fernando de Noronha bras. fer'nɐndu di no'roɲa

Fernando Póo span. fɛr'nando 'poo

Fernão port. fər'nɐ̃ṵ, bras. fer'nɐ̃ṵ

Fernau 'fɛrnau̯

Ferndale engl. 'fə:ndeɪl

Ferne 'fɛrnə

ferner, F... 'fɛrnɐ

fernerhin 'fɛrnɐhɪn, auch: '—'—

fernerweitig 'fɛrnɐvai̯tɪç

Ferney fr. fɛr'nɛ

Ferneyhough engl. 'fə:nɪhoʊ

fernher fɛrn'he:ɐ̯

fernhin fɛrn'hɪn

Fernkorn 'fɛrnkɔrn

Fernost fɛrn'lɔst

fernöstlich 'fɛrn|œstlɪç

Fernow 'fɛrno, engl. 'fɛənoʊ

Fernpass 'fɛrnpas

fernsehen 'fɛrnze:ən

fernsprechen 'fɛrnʃprɛçn̩

feroce fe'ro:tʃə

Feronia fe'ro:nia

Ferozepur engl. fə'rouzpɔ:

Ferraghan fɛra'ga:n

Ferrand fr. fɛ'rã

Ferrando it. fer'rando

Ferrandus fe'randʊs

Ferrani it. fer'ra:ni

Ferrant span. fɛ'rran

Ferrante it. fer'rante

Ferranti engl. fə'rænti

Ferrara fɛ'ra:ra, it. fer'ra:ra, span. fɛ'rrara

Ferrari it. fer'ra:ri, fr. fɛra'ri

Ferraris it. fer'ra:ris

Ferras fr. fɛ'ra:s

Ferrassie, La fr. lafɛra'si

Ferrata it. fer'ra:ta

Ferrater kat. fərrə'te

Ferravilla it. ferra'villa

Ferreira port. fə'rrɐi̯rɐ, bras. fe'rreira

Ferreiro span. fɛ'rrei̯ro

Ferrer kat. fə'rre, fr. fɛ'rɛ:r, span. fɛ'rrɛr, engl. fə'rɛə

Ferreri it. fer'rɛ:ri

Ferrero it. fer'rɛ:ro

Ferret[te] fr. fɛ'rɛ[t]

Ferretti it. fer'retti

Ferri it. 'fɛrri

Ferrié fr. fɛ'rje

Ferrier engl. 'fɛrɪə, fr. fɛ'rje

Ferrière[s] fr. fɛ'rjɛ:r

Ferrini it. fer'ri:ni

Ferris engl. 'fɛrɪs

Ferrisalz 'fɛrizalts̩

Ferrit fɛ'ri:t

Ferro 'fɛro, it. 'fɛrro, port. 'fɛrru

ferro..., F... 'fɛro...

Ferrograph fero'gra:f

Ferrol span. fɛ'rrɔl

Ferromagnetika fɛroma'gne:tika

ferromagnetisch fɛroma'gne:tɪʃ

Ferromagnetismus fɛromagne'tɪsmʊs

Ferronnerie fr. fɛrɔn'ri

Ferroniere fero'nie̯:rə

Ferrosalz 'fɛrozalts̩

Ferrosilit ferozi'li:t

Ferroskop fero'sko:p

Ferrotypie fɛroty'piː, **-n** ...iːən
Ferrucci *it.* fer'ruttʃi
Ferruccio *it.* fer'ruttʃo
Ferrum 'fɛrʊm
Ferry 'fɛri, *fr.* fɛ'ri, *engl.* 'fɛrɪ
Ferse 'fɛrzə
Fersen *schwed.* 'færsən
Ferstel 'fɛrstḷ
fertig 'fɛrtɪç, **-e** ...ɪɡə
fertigen 'fɛrtɪɡn̩, **fertig!**
'fɛrtɪç, **fertigt** 'fɛrtɪçt
fertil fɛr'tiːl
Fertilisation fɛrtiliza'tsi̯oːn
Fertilität fɛrtili'tɛːt
Fertö[d] *ung.* 'fɛrtø:[d]
fervent fɛr'vɛnt
Féry *fr.* fe'ri
fes, [1]Fes (Tonbezeichnung)
fɛs
[2]Fes (Kopfbedeckung) feːs,
-e 'feːzə
[3]Fes (Ort) feːs, *auch:* fɛːs
Fescennium fɛs'tsɛni̯ʊm
fesch fɛʃ
Fesch *fr.* fɛʃ, *niederl.* fɛs
Feschak 'fɛʃak
Fescoggia *it.* fes'kɔddʒa
Fessan fɛ'saːn
Fessel 'fɛsḷ
fesseln 'fɛsḷn
Fessenden *engl.* 'fɛsndən
Fessenheim 'fɛsn̩haim
Fessler 'fɛslɐ
fest, Fest fɛst
Festa *it.* 'fɛsta
Feste 'fɛstə
festen 'fɛstn̩
Festenburg 'fɛstn̩bʊrk
festigen 'fɛstɪɡn̩, **festig!**
'fɛstɪç, **festigt** 'fɛstɪçt
Festigkeit 'fɛstɪçkait
festina lente! fɛs'tiːna 'lɛntə
Festival 'fɛstivḷ, 'fɛstival
Festivalier fɛstiva'li̯eː
Festivität fɛstivi'tɛːt
festivo fɛs'tiːvo
Festland 'fɛstlant
festländisch 'fɛstlɛndɪʃ
Festnahme 'fɛstnaːmə
Feston fɛs'tõ
festonieren fɛsto'niːrən
festoso fɛs'toːzo
Festung 'fɛstʊŋ
Festus 'fɛstʊs, *engl.* 'fɛstəs
Feszenninen fɛstsɛ'niːnən
[1]Fet (Fötus) feːt
[2]Fet (Name) *russ.* fjɛt
Feta 'feːta
fetal fe'taːl

Fete 'feːtə, *auch:* 'fɛːtə
Fetești *rumän.* fe'teʃtj
Fethiye *türk.* 'fɛthiːjɛ
Fetialen fe'tsi̯aːlən
fetieren fe'tiːrən
Fétis *fr.* fe'tis
Fetisch 'feːtɪʃ
fetischisieren fetiʃi'ziːrən
Fetischismus fetiˈʃismʊs
Fetischist fetiˈʃist
Fetogenese fetoge'neːzə
Fetometrie fetome'triː
fett, F... fɛt
Fette 'fɛtə
fetten 'fɛtn̩
Fetti *it.* 'fetti
fettig 'fɛtɪç, **-e** ...ɪɡə
fettleibig 'fɛtlaibɪç, **-e** ...ɪɡə
Fettuccine fɛtʊ'tʃiːnə
Fetus 'feːtʊs, **-se** ...ʊsə
Fetwa 'fɛtva
Fetzchen 'fɛtsçən
fetzeln 'fɛtsḷn
fetzen, F... 'fɛtsn̩
fetzig 'fɛtsɪç, **-e** ...ɪɡə
feucht, F... fɔyçt
Feuchte 'fɔyçtə
feuchten, F... 'fɔyçtn̩
Feuchtersleben 'fɔyçtɐs-
leːbn̩
feuchtfröhlich 'fɔyçt'frøːlıç
Feuchtigkeit 'fɔyçtɪçkait
Feuchtmayer 'fɔyçtmaiɐ
Feuchtwangen 'fɔyçtvaŋən
Feuchtwanger 'fɔyçtvaŋɐ
feudal fɔy'daːl
feudalisieren fɔydali'ziːrən
Feudalismus fɔyda'lısmʊs
feudalistisch fɔyda'lıstıʃ
Feudalität fɔydali'tɛːt
Feudel 'fɔydḷ
feudeln 'fɔydḷn, **feudle**
'fɔydlə
Feuer 'fɔyɐ
Feuerbach 'fɔyɐbax
feuerjo 'fɔyɐjo
Feuerland 'fɔyɐlant, **...län-**
der ...lɛndɐ
feuerrot 'fɔyɐ'roːt
feuersicher 'fɔyɐzıçɐ
feuerwerken 'fɔyɐvɛrkn̩
Feuillade *fr.* fœ'jad
Feuillage fø'jaːʒə
Feuillanten fø'jantn̩
Feuillants fø'jã
Feuillère *fr.* fœ'jɛːr
Feuillet *fr.* fœ'jɛ
Feuilleton føjə'tõː, *auch:*
'fø:jətõ

feuilletonisieren føjətoni-
'ziːrən
Feuilletonismus føjəto'nıs-
mʊs
Feuilletonist føjəto'nıst
Feuilletonistik føjəto'nıstık
Feulner 'fɔylnɐ
Feure *fr.* fœːr
feurig 'fɔyrıç, **-e** ...ıɡə
feurio 'fɔyri̯o
Féval *fr.* fe'val
Fex (Narr) fɛks
Fey fai
Feydeau *fr.* fɛ'do
Feyder *fr.* fɛ'dɛːr
Feyerabend 'faiɐla:bn̩t
Feynman *engl.* 'fainmən
[1]Fez (Spaß) feːts
[2]Fez (Kopfbedeckung) feːts,
feːs
[3]Fez (Stadt) *fr.* fɛːz
Fezensac *fr.* fəzã'sak
ff ɛf'ɛf
Ffestiniog *engl.* fɛs'tınıɔg
FFI *fr.* ɛfɛ'fi
Fiacre *fr.* fjakr
Fiacrius 'fi̯a:kri̯ʊs
Fiaker 'fi̯akɐ
Fial[k]a *tschech.* 'fial[k]a
Fiale 'fi̯a:lə
Fialho *port.* 'fi̯aʎu
Fiammetta fi̯a'mɛta, *it.*
fi̯am'metta
Fianarantsoa *mad.* fi̯ana-
rən'tsu
fianchettieren fi̯aŋkɛ'tiːrən
Fianchetto fi̯aŋ'keto
Fianna Fail *engl.* 'fiːənə 'fɔil
fiant 'fiːant
Fiasco 'fi̯asko, **...chi** ...ki
Fiasella *it.* fi̯a'zɛlla
Fiasko 'fi̯asko
fiat 'fiːat
Fiat® *it.* 'fiːat
fiat justitia, et pereat
mundus 'fiːat jʊs'tiːtsi̯a ɛt
'peːreat 'mʊndʊs
Fibel 'fiːbḷ
Fiber 'fiːbɐ
Fibich *tschech.* 'fibix
Fibiger *dän.* 'fiː'biɡɐ
Fibonacci *it.* fibo'nattʃi
fibrillär fibrı'lɛːɐ
Fibrille fi'brılə
fibrillieren fibrı'liːrən
Fibrin fi'briːn
Fibrinogen fibrino'geːn
fibrinös fibri'nøːs, **-e** ...øːzə
Fibrinurie fibrinu'riː
Fibroblast fibro'blast

Fibrocartilago fibrokarti-
'la:go
Fibroelastose fibro-
lelas'to:sǝ
Fibroin fibro'i:n
Fibrom fi'bro:m
Fibromatose fibroma'to:zǝ
Fibromyom fibromy'o:m
fibrös fi'brø:s, -e ...ø:zǝ
Fibrozyt fibro'tsy:t
¹Fibula (Fibel, Spange)
'fi:bula, Fibuln 'fi:buln
²Fibula (Wadenbein)
'fi:bula, ...lae ...lɛ
Ficaria fi'ka:rja, ...iae ...jɛ
Fichard 'fiçart
Fiche (Spiel, Filmmarke)
fi:ʃ
ficht fiçt
Fichte 'fiçtǝ
Fichtelberg 'fiçtļbɛrk
fichten 'fiçtņ
Fichu fi'ʃy:
Fici vgl. Ficus
Ficino it. fi'tʃi:no
Fick fik
ficken 'fikņ
Ficker 'fikɐ
Fickfack 'fikfak
fickfacken 'fikfakņ
Fickfackerei fikfakǝ'raį
Ficksburg engl. 'fiksbǝ:g
Fiction 'fikʃņ
Ficus 'fi:kʊs, ...ci 'fi:tsi
Fideikommiss fideikɔ'mıs,
'fi:dei...
Fideismus fide'ısmʊs
Fideist fide'ıst
fidel fi'de:l
¹Fidel (Violine) 'fi:dļ
²Fidel (Name) span. fi'ðɛl
Fidelio fi'de:ljo
Fidelis fi'de:lıs
Fidelismo fide'lısmo
Fidelismus fide'lısmʊs
Fidelist fide'lıst
Fidelitas fi'de:litas
Fidelität fideli'tɛ:t
Fidenae fi'de:nɛ
Fidenza it. fi'dɛntsa
Fides 'fi:dɛs
FIDESZ ung. 'fidɛs
Fidibus 'fi:dibʊs
FIDO engl. 'faıdoʊ
Fidschi 'fıdʒi
Fidschianer fı'dʒia:nɐ
fidschianisch fı'dʒia:nıʃ
Fidulität fiduli'tɛ:t
Fidus 'fi:dʊs
Fiduz fi'du:ts

Fiduziant fidu'tsiant
Fiduziar fidu'tsia:ɐ
fiduzit!, Fiduzit fi'du:tsıt
Fieber 'fi:bɐ
Fieberbrunn fi:bɐ'brʊn
fieberig 'fi:bǝrıç, -e ...ıgǝ
fiebern 'fi:bɐn, fiebre
'fi:brǝ
Fiebig 'fi:bıç
fiebrig 'fi:brıç, -e ...ıgǝ
Fiecht[er] 'fi:çt[ɐ]
Fiedel 'fi:dļ
fiedeln 'fi:dļn, fiedle 'fi:dlǝ
Fieder 'fi:dɐ
Fiedler 'fi:dlɐ, engl. 'fi:dlǝ
Fiekchen 'fi:kçǝn
Fieke 'fi:kǝ
fiel fi:l
Field... 'fi:lt...
Field[ing] engl. 'fi:ld[ıŋ]
Fieldistor 'fi:ldısto:ɐ, auch:
-'--, -en ...'to:rǝn
Fiene 'fi:nǝ
fiepen 'fi:pņ
Fier alban. 'fier
Fierabras 'fje:rabras, fr. fjɛ-
ra'bra
Fierant fjǝ'rant, fje'rant
Fieravanti it. fjera'vanti
Fierboys fr. fjɛr'bwa
fieren 'fi:rǝn
Fierlinger 'fi:ɐlıŋɐ, tschech.
'fi:rlıŋɐr
fiero 'fje:ro
Fierro span. 'fjɛrro
fies fi:s, -e 'fi:zǝ
Fiesch fi:ʃ
Fieschi it. 'fjeski
Fiesco 'fjesko, it. 'fjesko
Fieseler 'fi:zǝlɐ
Fiesling 'fi:slıŋ
Fiesole it. 'fjɛ:zole
Fiesta [de la Raza] 'fjɛsta
[de: la 'rasa]
Fiet[j]e 'fi:t[j]ǝ
Fietz fi:ts
Fifa, FIFA 'fi:fa
Fife engl. faıf
Fiffi 'fifi
Fifth Avenue engl. 'fıfθ
'ævınju:
fifty-fifty 'fıfti'fıfti
Figaro it., it. 'fi:garo, fr.
figa'ro
Fight faıt
fighten 'faıtņ
Fighter 'faıtɐ
Figini it. fi'dʒi:ni
Figl 'fi:gļ

Figline Valdarno it. fiʎ'ʎi:ne
val'darno
Figner russ. 'fignır
Figueira span. fi'ɣeira
Figueira da Foz port.
fi'ɣeirɐ ðɐ 'fɔʃ
Figueiredo port. fiɣeį'reðu,
bras. figeį'redu
Figueras span. fi'ɣeras
Figueredo span. fiɣe'reðo
Figueres span. fi'ɣeres
Figueroa span. fiɣe'roa
Figuig fr. fi'gig
Figuli slowak. 'figuli
Figulus 'fi:gulʊs
Figur fi'gu:ɐ
Figura etymologica fi'gu:ra
etymo'lo:gika, ...ae ...ae
...rɛ ...tsɛ
figural figu'ra:l
Figuralität figurali'tɛ:t
Figurant figu'rant
Figuration figura'tsio:n
figurativ figura'ti:f, -e ...i:vǝ
Figürchen fi'gy:ɐçǝn
figurieren figu'ri:rǝn
...figurig ...fi'gu:rıç, -e ...ıgǝ
Figurine figu'ri:nǝ
figürlich fi'gy:ɐlıç
Fiji engl. 'fi:dʒi:
Fike 'fi:kǝ
Fiken 'fi:kņ
Fikh fik
Fiktion fık'tsio:n
fiktional fıktsio'na:l
fiktionalisieren fıktsionali-
'zi:rǝn
Fiktionalismus fıktsiona-
'lısmʊs
fiktiv fık'ti:f, -e ...i:vǝ
Fil-à-Fil fila'fıl
Filage fi'la:ʒǝ
Filament fila'mɛnt
Filanda fi'landa
Filaret[a] russ. fila'rjɛt[ɐ]
Filarete it. fila'rɛ:te
Filaria fi'la:rja; ...iae ...jɛ,
...ien ...jǝn
filar il tuono fi'la:ɐ ıl 'tųo:no
Filariose fila'rjo:zǝ
Filatow russ. fi'latɐf
Filbinger 'fılbıŋɐ
Filchner 'fılçnɐ
Filder[stadt] 'fıldɐ[ʃtat]
fil di voce 'fıl di: 'vo:tʃǝ
File faıl
Filelfo it. fi'lɛlfo
Filet fi'le:
Filete fi'le:tǝ
filetieren file'ti:rǝn

Filho *bras.* 'fiʌu
Filia hospitalis 'fi:li̯a hɔspi-
'ta:lɪs, ...**ae** ...**les** ...li̯ɛ ...le:s
Filial... fi'li̯a:l...
Filiale fi'li̯a:lə
Filialist fili̯a'lɪst
Filiation fili̯a'tsi̯o:n
Filibert 'fi:libɛrt
Filiberta fili'bɛrta
Filiberto *it.* fili'bɛrto, *span.*
fili'βɛrto
¹**Filibuster** (Pirat) fili'bʊstɐ
²**Filibuster** (Verschlep-
pungstaktik) fili'bastɐ
Filicaia *it.* fili'ka:i̯a
filieren fi'li:rən
filiform fili'fɔrm
Filigran fili'gra:n
Filii vgl. Filius
Filimon *russ.* fili'mɔn,
rumän. fili'mon
Filinto *port.* fi'lintu
Filip *tschech.* 'filip
Filipe *port.* fə'lipə
Filipescu *rumän.* fili'pesku
Filipina fili'pi:na
Filipinas *span.* fili'pinas
Filipino fili'pi:no
Filipović *serbokr.* 'filipɔvitɕ
Filipow *bulgar.* 'filipof
Filipowicz *poln.* fili'pɔvitʃ
Filipp *russ.* fi'lipp
Filippo *it.* fi'lippo
Filippone fili'po:nə
Filippowitsch *russ.* fi'lippɐ-
vitʃ
Filippowna *russ.* fi'lippɐvnɐ
Filipstad *schwed.* filip'sta:d
Filius 'fi:li̯ʊs, ...**lii** ...lii
Fillebrown *engl.* 'fɪlbraʊn
Fillér 'fɪlɐ, 'fɪle:ɐ
Filling 'fɪlɪŋ
Filliou *fr.* fi'li̯u
Fillmore *engl.* 'fɪlmɔ:
Filloy *span.* fi'ʎɔi̯
Film fɪlm
filmen 'fɪlmən
Filmer (Name) *engl.* 'fɪlmə
filmisch 'fɪlmɪʃ
filmogen fɪlmo'ge:n
Filmographie fɪlmogra'fi:,
-**n** ...i:ən
Filmothek fɪlmo'te:k
Filo 'fi:lo
Filosel filo'zɛl
Filou fi'lu:
Filow *bulgar.* 'filof
¹**Fils** (Name, Münze) fɪls
²**Fils** (Sohn) fɪs
Filter 'fɪltɐ

filtern 'fɪltɐn
Filtrat fɪl'tra:t
Filtration fɪltra'tsi̯o:n
filtrieren fɪl'tri:rən
Filüre fi'ly:rə
Fil[t]z fɪlts
filzen 'fɪltsn̩
Filzokrat fɪltso'kra:t
Filzokratie fɪltsokra'ti:, -**n**
...i:ən
Fimbrie 'fɪmbri̯ə
Fimbulwinter 'fɪmbʊlvɪntɐ
Fimmel 'fɪml̩
Fina, FINA 'fi:na
final, F... fi'na:l
Finaldecay 'fai̯nl̩di'ke:
Finale fi'na:lə
Finale Ligure *it.* fi'na:le
'li:gure
Finalis fi'na:lɪs, ...**les** ...le:s
Finalismus fina'lɪsmʊs
Finalist fina'lɪst
Finalität finali'tɛ:t
Financial Times *engl.* fai-
'nænʃəl 'tai̯mz
Financier finã'si̯e:
Finanz[en] fi'nants[n̩]
Finanzer fi'nantsɐ
finanziell finan'tsi̯ɛl
Finanzier finan'tsi̯e:
finanzieren finan'tsi:rən
finassieren fina'si:rən
Finca 'fɪŋka
Finch[ley] *engl.* 'fɪntʃ[lɪ]
Finck[en] 'fɪŋk[n̩]
Finckenstein 'fɪŋkn̩ʃtai̯n
Finckh fɪŋk
Findeisen 'fɪntlai̯zn̩
Findel[kind] 'fɪndl̩[kɪnt]
finden 'fɪndn̩, **find!** fɪnt
Fin de Siècle 'fɛ̃: də 'zi̯ɛ:kl̩
findig 'fɪndɪç, -**e** ...ɪgə
Findlay *engl.* 'fɪndlei̯
Findling 'fɪntlɪŋ
Fine 'fi:nə, *engl.* fai̯n, *fr.* fin
Fine Gael *engl.* 'fɪn 'gei̯l
Finelli *it.* fi'nɛlli
Fines Herbes 'fi:n 'zɛrp
Finesse fi'nɛsə
Finette fi'nɛt
fing fɪŋ
Fingal 'fɪŋgal, *engl.* 'fɪŋgəl
Finger 'fɪŋɐ
...**fingerig** ....fɪŋərɪç, -**e** ...ɪgə
Fingerling 'fɪŋɐlɪŋ
fingern 'fɪŋɐn
Fingerzeig 'fɪŋɐtsai̯k, -**e**
...ai̯gə
fingieren fɪŋ'gi:rən
Fini 'fi:ni, *it.* 'fi:ni, *span.* 'fini

Finiguerra *it.* fini'gu̯ɛrra
Finimeter fini'me:tɐ
Finis 'fi:nɪs
Finish 'fɪnɪʃ
finishen 'fɪnɪʃn̩
finishieren fɪnɪ'ʃi:rən
Finissage fɪnɪ'sa:ʒə
Finisseur fɪnɪ'sø:ɐ̯
Finistère *fr.* finis'tɛ:r
Finisterre *span.* finis'tɛrrɛ
finit fi'ni:t
Finitismus fini'tɪsmʊs
Finitum fi'ni:tʊm, ...**ta** ...ta
Fink[e] 'fɪŋk[ə]
Finkelstein 'fɪŋkl̩ʃtai̯n
Finken 'fɪŋkn̩
Finkenwerder fɪŋkn̩'vɛrdɐ
Finkenzeller 'fɪŋkn̩tsɛlɐ
Finkler 'fɪŋklɐ
Finland *schwed.* 'finland
Finlandia fɪn'landi̯a
Finlay *engl.* 'fɪnlei̯
Finley *engl.* 'fɪnlɪ
Finn *dt.*, *engl.* fɪn, *dän.* fɪn'
Finnair 'fɪnɛ:ɐ̯
Finnbogadóttir *isl.* 'fɪnbɔ:-
yadouhtɪr
Finn-Dingi, ...ghy 'fɪndɪŋgi
Finne 'fɪnə
Finnegan *engl.* 'fɪnɪgən
Finney *engl.* 'fɪnɪ
Finni 'fɪni
finnig 'fɪnɪç, -**e** ...ɪgə
Finnin 'fɪnɪn
finnisch 'fɪnɪʃ
Finnissy *engl.* 'fɪnɪsɪ
Finnland 'fɪnlant
Finnländer 'fɪnlɛndɐ
finnländisch 'fɪnlɛndɪʃ
finnlandisieren fɪnlandi'zi:-
rən
Finnmark 'fɪnmark, *norw.*
.finmark
Finnmarksvidda *norw.* .fin-
marksvida
finnougrisch fɪno'lu:grɪʃ
Finnougrist[ik] fɪno-
lu'grɪst[ɪk]
Finnwal 'fɪnva:l
Finow[furt] 'fi:no[fʊrt]
Finsbury *engl.* 'fɪnzbərɪ
Finsch fɪnʃ
Finsen *dän.* 'fɪn'sn̩
Finspång *schwed.* .fɪnspɔŋ
finster 'fɪnstɐ
Finsteraarhorn fɪnstɐ-
'la:ɐ̯hɔrn
Finsterer 'fɪnstərə
Finsterling 'fɪnstɛlɪŋ
Finsterlohr 'fɪnstɛlo:ɐ̯

Finstermünz 'fɪnstɐmʏnts̩
finstern 'fɪnstɐn
Finsternis 'fɪnstɐnɪs, **-se**
...ɪsə
Finsterwalde fɪnstɐ'valdə
Finsterwalder (Nachn.)
'fɪnstɐvaldɐ
Finte 'fɪntə
fintieren fɪn'tiːrən
finzelig 'fɪntsəlɪç, **-e** ...ɪgə
Finžgar slowen. 'fiːnʒgar
finzlig 'fɪntslɪç, **-e** ...ɪgə
fioco 'fjoːko
Fioravanti it. fjora'vanti
Fiordiligi it. fjordi'liːdʒi
Fiorelli it. fjo'rɛlli
Fiorenzo it. fjo'rɛntso
Fiorette fjo'rɛtə
Fiori it. 'fjoːri
Fiorillo fjo'rɪlo, it. fjo'rillo
Fioritur fjori'tuːɐ̯
Fips fɪps
fipsen 'fɪps̩n
fipsig 'fɪpsɪç, **-e** ...ɪgə
Fiqh fɪk
Firat türk. fi'rat
Firbank engl. 'fəːbæŋk
Firdausi fɪr'dauzi
Firenze it. fi'rɛntse
Firenzuola it. firen'tsu̯oːla
Firestone engl. 'faɪəstoun
Firkusny fɪr'kʊsni
Firkušný tschech. 'fɪrkuʃni
Firlefanz 'fɪrləfants
Firlefanzerei fɪrləfantsə'raɪ
firm fɪrm
Firma 'fɪrma
Firmament fɪrma'mɛnt
Firmelung 'fɪrməlʊŋ
firmen 'fɪrmən
Firmian 'fɪrmi̯aːn
Firmicus 'fɪrmikʊs
firmieren fɪr'miːrən
Firmilian fɪrmi'li̯aːn
Firmin fr. fɪr'mɛ̃
Firminy fr. fɪrmi'ni
Firmling 'fɪrmlɪŋ
Firmware 'fəːɐ̯mvɛːɐ̯,
'fœrm...
firn, F... fɪrn
Firne 'fɪrnə
Firner 'fɪrnɐ
Firnis 'fɪrnɪs, **-se** ...ɪsə
firnissen 'fɪrnɪs̩n
Firs russ. firs
First fɪrst
first class 'fəːɐ̯st 'klaːs,
'fœrst -
First-Day-Cover 'fəːɐ̯st'deː-
'kavɐ, 'fœrst...

First Lady 'fəːɐ̯st 'leːdi, -
...dies - ...diːs
Firth engl. fəːθ
Firusabad pers. firuza'baːd
fis, Fis, FIS fɪs
Fisch fɪʃ
Fischart (Name) 'fɪʃart
Fischbach[er] 'fɪʃbax[ɐ]
Fischbeck 'fɪʃbɛk
fischen, F... 'fɪʃn̩
Fischenz 'fɪʃɛnts
Fischer 'fɪʃɐ, tschech., ung.
'fɪʃɛr
Fischerei fɪʃə'raɪ
Fischhausen fɪʃ'hauzn̩
Fischhof 'fɪʃhoːf
fischig 'fɪʃɪç, **-e** ...ɪgə
Fischinger 'fɪʃɪŋɐ
Fischland 'fɪʃlant
Fis-Dur 'fɪsduːɐ̯, auch: '–'–
Fisettholz fi'zɛthɔlts
Fish engl. fɪʃ
Fishbourne engl. 'fɪʃbən
Fisher engl. 'fɪʃɐ
Fishguard engl. 'fɪʃgaːd
Fishing for Compliments
'fɪʃɪŋ foːɐ̯ 'komplimənts
Fishta alban. 'fɪʃta
Fisimatenten fizima'tɛntn̩
Fiskal fɪs'kaːl
Fiskaline fɪska'liːnə
fiskalisch fɪs'kaːlɪʃ
Fisk[e] engl. fɪsk
Fiskus 'fɪskʊs
Fismes fr. fim
fis-Moll 'fɪsmɔl, auch: '–'–
Fisole fi'zoːlə
fisselig 'fɪsəlɪç, **-e** ...ɪgə
fissil fɪ'siːl
Fissilität fɪsili'tɛːt
Fission fɪ'sjoːn
Fissur fɪ'suːɐ̯
Fist[el] 'fɪst[l̩]
fisteln 'fɪstl̩n
Fistfucking 'fɪstfakɪŋ
Fistoulari engl. fɪstu'laːri
Fistula 'fɪstula, ...lae ...lɛ
fit fɪt
Fita 'fiːta
Fitch[burg] engl. 'fɪtʃ[bəːg]
Fitger 'fɪtgɐ
Fitis 'fiːtɪs, **-se** ...ɪsə
Fitness 'fɪtnɛs
Fitsche 'fɪtʃə
fitten, F... 'fɪtn̩
Fittich, ...ig 'fɪtɪç
[1]Fitting (Verbindungsstück)
'fɪtɪŋ
[2]Fitting (Name) engl. 'fɪtɪŋ
Fitzalan engl. fɪts'ælən

Fitzbohne 'fɪts̩boːnə
Fitzcharles engl. fɪts'tʃɑːlz
Fitzclarence engl. fɪts'klæ-
rəns
Fitzdottrel engl. fɪts'dɔtrəl
Fitze 'fɪtsə
Fitzedward engl. fɪts'ɛdwəd
fitzen 'fɪtsn̩
Fitzgeorge engl. fɪts'dʒɔ:dʒ
Fitzgerald engl. fɪts'dʒɛrəld
FitzGerald engl. fɪts'dʒɛrəld
Fitzgibbon engl. fɪts'gɪbən
Fitzgreene engl. fɪts'griːn
Fitzhardinge engl. fɪts'hɑ:-
dɪŋ
Fitzharris engl. fɪts'hærɪs
Fitzherbert engl. fɪts'həːbət
Fitzhugh engl. fɪts'hju:
Fitzjames engl. fɪts'dʒeɪmz
Fitzjohn engl. fɪts'dʒɔn
Fitzmaurice engl. fɪts'mɔrɪs
Fitzpatrick engl. fɪts'pætrɪk
Fitzrandolph engl. fɪts'ræn-
dɔlf
[1]Fitzroy (Nachn.) engl. fɪts-
'rɔɪ
[2]Fitzroy (erdk. Name) engl.
'fɪtsrɔɪ, –'–
Fitzsimmons engl. fɪts'sɪ-
mənz
Fitzstephen engl. fɪts'sti:-
vən
Fitzurse engl. fɪts'ɔːs
Fitzwalter engl. fɪts'wɔ:ltə
Fitzwater engl. fɪts'wɔ:tə
Fitzwilliam engl. fɪts'wɪljəm
Fitzwygram engl. fɪts'waɪ-
grəm
Fiumaner fju'maːnɐ
Fiumara fju'maːra
Fiumare fju'maːrə
Fiume 'fju:mə, it. 'fju:me
Fiumer 'fju:mɐ
Fiumicino it. fjumi'tʃi:no
fiumisch 'fju:mɪʃ
Five Forks 'faɪv 'fɔ:ks
Five o'Clock 'faɪf o'klɔk
Five o'Clock Tea 'faɪf
o'klɔk'ti:
Fives faɪfs
fix fɪks
Fixa vgl. Fixum
Fixage fɪ'ksa:ʒə
Fixateur fɪksa'tøːɐ̯
Fixation fɪksa'tsjo:n
Fixativ fɪksa'ti:f, **-e** ...i:və
Fixator fɪ'ksa:to:ɐ̯, **-en** fɪ-
ksa'to:rən
fixen 'fɪksn̩
Fixer 'fɪksɐ

fixieren fɪ'ksi:rən
Fixing 'fɪksɪŋ
Fixismus fɪ'ksɪsmʊs
Fixum 'fɪksʊm, Fixa 'fɪksa
Fizeau fr. fi'zo
Fizz fɪs
Fjäll fjɛl
Fjärd fjɛrt, -es 'fjɛrdəs
Fjeld fjɛlt, -es 'fjɛldəs
Fjell fjɛl
Fjodor 'fjo:do:ɐ̯, russ. 'fjɔdɐr
Fjodorow russ. ' fjɔdɐrɛf
Fjodorowitsch russ. 'fjɔdɐ-
  rɐvitʃ
Fjodorowna russ. 'fjɔdɐ-
  rɐvnɐ
Fjokla russ. 'fjɔklɐ
Fjord fjɔrt, -e 'fjɔrdə
FKK[ler] ɛfka:'ka:[lɐ]
Fla-... 'fla:...
Flab flap
Flaccus 'flakʊs
flach, F... flax
...flach ....flax
Fläche 'flɛçə
flächig 'flɛçɪç, -e ...ɪgə
...flächner ....flɛçnɐ
Flachs[e] 'flaks[ə]
flachsen 'flaksn̩
flächsen 'flɛksn̩
Flacius 'fla:tsi̯ʊs
Flack engl. flæk
flacken 'flakn̩
flackerig 'flakərɪç, -e ...ɪgə
flackern 'flakɐn
flackrig 'flakrɪç, -e ...ɪgə
Flacon fla'kõ:
Flacourt fr. fla'ku:r
Flacourtie fla'kʊrtsi̯ə
Flad fla:t
Fladen 'fla:dn̩
Flader 'fla:dɐ
fladerig 'fla:dərɪç -e ...ɪgə
fladern 'fla:dɐn, ...dre ...drə
Flädle 'flɛ:tlə
fladrig 'fla:drɪç, -e ...ɪgə
Fladungen 'fla:dʊŋən
Flagellant flagɛ'lant
Flagellantismus flagɛlan-
  'tɪsmʊs
Flagellat flagɛ'la:t
Flagellation flagɛla'tsi̯o:n
Flagelle fla'gɛlə
Flagellomanie flagɛlo-
  ma'ni:
Flagellum fla'gɛlʊm, ...lien
  ...li̯ən
Flageolett flaʒo'lɛt
Flagg engl. flæg
Flagge 'flagə

flaggen 'flagn̩, flaggt! flak,
  flaggt flakt
flagrant fla'grant
Flagstad 'flakʃtat, norw.
  .flaksta
Flagstaff engl. 'flægstɑ:f
Flahau[l]t fr. fla'o
Flaherty engl. 'flɛəti
Flaiano it. fla'i̯a:no
Flair flɛ:ɐ̯
Flaischlen 'flai̯ʃlən
Flak flak
Flake 'fla:kə
Flakon fla'kõ:
Flamand fr. fla'mã
Flambeau flã'bo:
Flambee flã'be:
Flamberg 'flambɛrk, -e
  ...rgə
flambieren flam'bi:rən
flamboyant flãbo̯a'jant
Flamboyant flãbo̯a'jã:
Flame 'fla:mə
Flamen 'fla:me:n, ...mines
  'fla:mine:s
Flamenco fla'mɛŋko
Flameng fr. fla'mɛ̃:g
Flamenga fla'mɛŋga
Flamengo fla'mɛŋgo
Flame-out fle:m'lau̯t, '--
Flamin 'fla:mɪn
Flämin 'flɛ:mɪn
Flamines vgl. Flamen
Fläming 'flɛ:mɪŋ
Flamingo fla'mɪŋgo
Flaminio it. fla'mi:ni̯o
Flaminius fla'mi:ni̯ʊs
flämisch 'flɛ:mɪʃ
Flamisol flami'zo:l
Flamländer 'fla:mlɛndɐ
flamländisch 'fla:mlɛndɪʃ
Flammarion fr. flama'rjõ
Flamme 'flamə
Flammé fla'me:
flammen 'flamən
flämmen 'flɛmən
Flammeri 'flaməri
flammig 'flamɪç, -e ...ɪgə
Flamsteed engl. 'flæmsti:d
Flanagan engl. 'flænəgən
Flandern 'flandɐn
Flandes span. 'flandes
Flandin fr. flã'dɛ̃
Flandre fr. flã:dr
Flandrin fr. flã'drɛ̃
flandrisch 'flandrɪʃ
Flanell fla'nɛl
flanellen fla'nɛlən
Flaneur fla'nø:ɐ̯
flanieren fla'ni:rən

Flanke 'flaŋkə
flanken 'flaŋkn̩
Flankerl 'flaŋkɐl
flankieren flaŋ'ki:rən
Flannagan engl. 'flænəgən
Flansch flanʃ
flanschen 'flanʃn̩
Flap flɛp
Flappe 'flapə
flappen 'flapn̩
Flapper 'flɛpɐ
Flaps flaps
flapsig 'flapsɪç, -e ...ɪgə
Flare flɛ:ɐ̯
Fläschchen 'flɛʃçən
Flasche 'flaʃə
Flaser 'fla:zɐ
Flash flɛʃ
Flash-back 'flɛʃbɛk
Flashlight 'flɛʃlai̯t
Flaška tschech. 'flaʃka
flasrig 'fla:zrɪç, -e ...ɪgə
flat, F... flɛt
Flathead[s] engl. 'flæthɛd[z]
Flatsche 'flatʃə, auch:
  'fla:tʃə
Flatschen 'flatʃn̩, auch:
  'fla:tʃn̩
Flatter 'flatɐ
Flatterie flatə'ri:, -n ...i:ən
flatterig 'flatərɪç, -e ...ɪgə
flattern 'flatɐn
Flatteur fla'tø:ɐ̯
flattieren fla'ti:rən
flattrig 'flatrɪç, -e ...ɪgə
Flatulenz flatu'lɛnts
Flatus 'fla:tʊs, die - ...tu:s
flau flau̯
Flaubert fr. flo'bɛ:r
Flaum[er] 'flau̯m[ɐ]
flaumig 'flau̯mɪç, -e ...ɪgə
Flaus flau̯s, -e 'flau̯zə
Flausch flau̯ʃ
Flause 'flau̯zə
flautando flau̯'tando
flautato flau̯'ta:to
Flaute 'flau̯tə
Flauto 'flau̯to, ...ti ...ti
Flauto piccolo 'flau̯to
  'pɪkolo, ...ti ...li ...ti ...li
Flauto traverso 'flau̯to tra-
  'vɛrzo, ...ti ...si ...ti ...zi
Flavia 'fla:vi̯a
Flavian fla'vi̯a:n
Flavier 'fla:vi̯ɐ
Flavio it. 'fla:vi̯o
Flavius 'fla:vi̯ʊs
Flavon fla'vo:n
Flavus 'fla:vʊs
Flavy fr. fla'vi

Flawil 'fla:vi:l, fla'vi:l
Flaxman engl. 'flæksmən
Fläz flɛ:ts
fläzen 'flɛ:tsn̩
fläzig 'flɛ:tsɪç, -e ...ɪɡə
Fleance engl. 'fli:əns
Flebbe 'flɛbə
Flèche fr. flɛʃ
Fléchier fr. fle'ʃje
Flechse 'flɛksə
flechsig 'flɛksɪç, -e ...ɪɡə
Flechsig 'flɛksɪç
Flechte 'flɛçtə
flechten 'flɛçtn̩
Flechtheim 'flɛçthaim
Fleck flɛk
flecken, F... 'flɛkn̩
Flecker engl. 'flɛkə
Fleckerl 'flɛkɐl
fleckig 'flɛkɪç, -e ...ɪɡə
Fledderer 'flɛdərɐ
fleddern 'flɛdɐn, fleddre
'flɛdrə
Fledermaus 'fle:dɐmaus
Fleece fli:s
¹Fleet (Kanal) fle:t
²Fleet (Name) engl. fli:t
Fleet Street engl. 'fli:tstri:t
Fleetwood engl. 'fli:twʊd
Fleg fr. flɛɡ
Flegel 'fle:ɡl̩
Flegelei fle:ɡə'lai
flegeln 'fle:ɡl̩n, flegle
'fle:ɡlə
flehen 'fle:ən
flehentlich 'fle:əntlɪç
Fleier 'flaiɐ
Fleimstal 'flaimsta:l
Flein[er] 'flain[ɐ]
Fleisch[er] 'flaiʃ[ɐ]
Fleischerei flaiʃə'rai
fleischern 'flaiʃɐn
fleischig 'flaiʃɪç, -e ...ɪɡə
Fleischmann 'flaiʃman
Fleiß flais
Fleißer 'flaisɐ
fleißig 'flaisɪç, -e ...ɪɡə
Fleiverkehr 'flaifɐke:ɐ̯
Flekkefjord norw. 'flɛkəfju:r
flektieren flɛk'ti:rən
Flémal[le] fr. fle'mal
Fleming fle:mɪŋ, engl. 'flɛ-
mɪŋ, schwed. .fle:mɪŋ
Flemming 'flɛmɪŋ, dän. 'fle-
mɪŋ
Flen schwed. fle:n
flennen 'flɛnən
Flennerei flɛnə'rai
Flensburg 'flɛnsbʊrk
Flers fr. flɛ:r

Flesch flɛʃ
Flesserl 'flɛsɐl
Fletcher engl. 'flɛtʃə
fletschen 'flɛtʃn̩
fletschern 'flɛtʃɐn
Flett[ner] 'flɛt[nɐ]
Fletz fle:ts, auch: flɛts
fleucht flɔyçt
fleugt flɔykt
Fleur flø:ɐ̯
Fleuret flø're:
Fleurette flø'rɛt
Fleurin flø'ri:n
Fleuriot fr. flœ'rjo
Fleurist flø'rɪst
¹Fleuron (Blumenzierat)
flø'rõ:
²Fleuron (Name) dän. fly-
'rɔŋ
Fleurop 'flɔyrɔp, 'flø:rɔp,
flɔy'ro:p, flø'ro:p
Fleurs du mal fr. flœrdy'mal
Fleury fr. flœ'ri
fleußt flɔyst
Fleute 'flø:tə
Fléville fr. fle'vil
Flevoland niederl. 'fle:vo-
lant
Flex flɛks
Flexaton 'flɛksatɔn
Flexen 'flɛksn̩
flexibel fle'ksi:bl̩, ...ble
...blə
Flexibilität flɛksibili'tɛ:t
Flexible Response 'flɛksəbl̩
rɪs'pɔns
Flexiole® flɛ'ksjo:lə
Flexion flɛ'ksi̯o:n
Flexiv flɛ'ksi:f, -e ...i:və
flexivisch flɛ'ksi:vɪʃ
Flexner engl. 'flɛksnə
Flexodruck 'flɛksodrʊk
Flexor 'flɛkso:ɐ̯, -en flɛ-
'kso:rən
Flexur flɛ'ksu:ɐ̯
Flibustier fli'bʊsti̯ɐ
Flic flɪk
Flicflac flɪk'flak
flicht flɪçt
Flick flɪk
Flickel 'flɪkl̩
flicken 'flɪkn̩
Flickenschildt 'flɪkn̩ʃɪlt
Flickerei flɪkə'rai
Flickflack 'flɪkflak
Flida 'fli:da
Flieboot 'fli:bo:t
Flieden 'fli:dn̩
Flied[n]er 'fli:d[n]ɐ
Flieg fli:k

Fliege 'fli:ɡə
fliegen 'fli:ɡn̩, flieg! fli:k,
fliegt fli:kt
Fliegerei fli:ɡə'rai
fliehen 'fli:ən
Fliese 'fli:zə
Fließ fli:s
fliesen 'fli:zn̩, flies! fli:s,
fliest fli:st
fließen 'fli:sn̩
Fliffis 'flɪfɪs
Flight... 'flait...
Flijer russ. fli'jɛr
flimmern 'flɪmɐn
Flims flɪms
Flinck niederl. flɪŋk
Flinders engl. 'flɪndəz
Flindt flɪnt, dän. flɪn'd
Flin Flon engl. 'flɪnflɔn
flink flɪŋk
Flinsberg 'flɪnsbɛrk
Flinse 'flɪnzə
Flinserl 'flɪnzɐl
Flint dt., engl. flɪnt
Flinte 'flɪntə
Flintshire engl. 'flɪntʃiɐ
Flinz flɪnts
Flip flɪp
Flipchart 'flɪptʃart,
...tʃa:ɐ̯t; auch: ...pʃ...
Flipflop 'flɪpflɔp
flippen 'flɪpn̩
Flipper 'flɪpɐ
flippern 'flɪpɐn
flirren 'flɪrən
Flirt flø:ɐ̯t, flœrt, flɪrt
flirten 'flø:ɐ̯tn̩, 'flœrtn̩,
'flɪrtn̩
Flit[ner] 'flɪt[nɐ]
Flitscherl 'fli:tʃɐl
Flittchen 'flɪtçən
Flitter 'flɪtɐ
flittern 'flɪtɐn
Flitz flɪts
flitzen 'flɪtsn̩
FLN fr. ɛfɛ'lɛn
Float flo:t
floaten 'flo:tn̩
Floating 'flo:tɪŋ
Flobertgewehr 'flo:bɛrtɡə-
ve:ɐ̯; auch: flo'be:ɐ̯..., flo-
'bɛ:ɐ̯...
flocht flɔxt
flöchte 'flœçtə
Flöckchen 'flœkçən
Flocke 'flɔkə
flocken 'flɔkn̩
flockig 'flɔkɪç, -e ...ɪɡə
Flockprint 'flɔkprɪnt
Floconné flokɔ'ne:

Flodden *engl.* flɔdn
Flödel 'flø:dl̩
Flodoard 'flo:doart, *fr.* flɔ-dɔ'a:r
Floericke 'flø:rɪkə
flog flo:k
flöge 'flø:gə
Flögel 'flø:gl̩
flogen 'flo:gn̩
Fløgstad *norw.* ˌflœksta
flogt flo:kt
flögt flø:kt
floh flo:
Floh flo:, **Flöhe** 'flø:ə
Flöha 'flø:a
flöhe[n] 'flø:ə[n]
Flokati flo'ka:ti
Flóki Vilgerdarson *norw.* 'flo:ki 'vilgərdarsɔn
Flokkulation flɔkula'tsi̯o:n
Flomborn 'flɔmbɔrn
Flom[en] 'flo:m[ən]
Flood *engl.* flʌd
Floor flo:ɐ
Flop flɔp
floppen 'flɔpn̩
Floppy[disk] 'flɔpi[dɪsk]
Floquet *fr.* flɔ'kɛ
Flor flo:ɐ
¹Flora (Pflanzenwelt) 'flo:ra
²Flora (Name) 'flo:ra, *engl.* 'flɔ:rə, *it.* 'flɔ:ra, *span.* 'flora, *norw.* ˌflu:ra
Floral Park *engl.* 'flɔ:rəl 'pɑ:k
Flörchinger 'flœrçɪŋɐ
Flore *fr.* flɔ:r
Floreal flore'a:l
floreat 'flo:reat
Florence *engl.* 'flɔrəns, *fr.* flɔ'rã:s
Florencia *span.* flo'renθi̯a
Florencio *span.* flo'renθi̯o
Florens 'flo:rɛns
Florent *fr.* flɔ'rã
Florentin 'flo:rɛnti:n, *fr.* flɔ-rã'tɛ̃
Florentine florɛn'ti:nə
Florentiner florɛn'ti:nɐ
Florentini florɛn'ti:ni
florentinisch florɛn'ti:nɪʃ
Florentino *it.* florɛn'ti:no
Florentinum florɛn'ti:nʊm
¹Florenz (Ort) flo'rɛnts
²Florenz (Nach-, Vorname) 'flo:rɛnts
Florenze flo'rɛntsə
flore pleno 'flo:rə 'ple:no
¹Flores (Blüten) 'flo:re:s
²Flores (Name) 'flo:rɛs,

span. 'flores, *port.* 'florɪʃ, *bras.* 'floris, *indon.* 'florɛs
Florestan 'flo:rɛsta:n, *fr.* flɔrɛs'tã
Florestano *it.* flores'ta:no
Floreszenz florɛs'tsɛnts
Florett[a] flo'rɛt[a]
florettieren florɛ'ti:rən
Florey *engl.* 'flɔ:rɪ
Flori 'flo:ri
Florian 'flo:ri̯a:n, *engl.* 'flɔ:-ri̯ən, *fr.* flɔ'rjã, *tschech.* 'florijan
Florián *span.* flo'ri̯an
Floriano *port.* flu'ri̯ɐnu, *bras.* flo'r...
Florianópolis *bras.* flori̯ɐ-'nɔpulis
florid flo'ri:t, -e ...i:də
Florida 'flo:rida, *engl.* 'flɔ-ridə, *span.* flo'riða
Floridablanca *span.* flori-ða'βlaŋka
Floridsdorf 'flo:rɪtsdɔrf
florieren flo'ri:rən
Florileg flori'le:k, -e ...e:gə
Florilegium flori'le:gi̯ʊm, ...ien ...i̯ən
Florimund 'flo:rimʊnt
¹Florin (Gulden) flo'ri:n, *engl.* 'flɔrɪn
²Florin (Name) 'flo:ri:n, flo-'ri:n, *fr.* flɔ'rɛ̃
Florina *neugr.* 'florina
Florio *engl.* 'flo:ri̯ou, *it.* 'flɔ:-ri̯o
Floris *fr.* flɔ'ris, *niederl.* 'flo:ris
Florissant *engl.* 'flɔrɪsənt
Florist[ik] flo'rɪst[ɪk]
Florizel 'flo:rizɛl, *engl.* 'flɔ-rɪzɛl
Floro 'flo:ro, *span.* 'floro
Flörsheim 'flø:ɐshai̯m
Florus 'flo:rʊs
Flory *engl.* 'flɔ:rɪ
Floskel 'flɔskl̩
Floß flo:s, **Flöße** 'flø:sə
floss flɔs
Flosse 'flɔsə
flösse 'flœsə
flossen 'flɔsn̩
flößen 'flø:sn̩
Flossenbürg 'flɔsn̩byrk
...**flosser** ...flɔsɐ
Flößerei flø:sə'rai̯
...**flossig** ....flɔsɪç, -e ...i̯gə
Flotation flota'tsi̯o:n
flotativ flota'ti:f, -e ...i:və
Flote *fr.* flɔt

Flöte 'flø:tə
flöten 'flø:tn̩
Flothuis *niederl.* 'flɔthœi̯s
flotieren flo'ti:rən
Flotigol floti'go:l
Flötist flø'tɪst
Flötner 'flø:tnɐ
Flotol flo'to:l
Flotow 'flo:to
flott, F... flɔt
Flotte 'flɔtə, *fr.* flɔt
flottieren flɔ'ti:rən
Flottille flɔ'tɪl[j]ə
flottweg 'flɔt'vɛk
Flotzmaul 'flɔtsmau̯l
Flourens *fr.* flu'rɛ̃:s
Flournoy *fr.* flur'nwa
Flow flo:
Flowerpower 'flau̯ɐ'pau̯ɐ
Flower[s] *engl.* 'flau̯ə[z]
Floyd[d] *engl.* flɔɪ[d]
Fløyen *norw.* 'flœi̯ən
Flöz flø:ts
Fluat flu'a:t
fluatieren flua'ti:rən
Fluch flu:x, **Flüche** 'fly:çə
fluchen 'flu:xn̩
Flucht flʊxt
fluchten 'flʊxtn̩
flüchten 'flʏçtn̩
fluchtig 'flʊxtɪç, -e ...ɪgə
flüchtig 'flʏçtɪç, -e ...ɪgə
Flüchtling 'flʏçtlɪŋ
Flück[iger] 'flʏk[igɐ]
Flud flu:t, -e 'flu:də
Fludd *engl.* flʌd
Flüe 'fly:[ə]
Flüela 'fly:ɛla
Flüelen 'fly:ɛlən
Flüeli 'fly:ɛli
Fluellen flu'ɛlən, *engl.* flu'ɛlɪn
Flug flu:k, -es 'flu:gəs, **Flüge** 'fly:gə
Flügel 'fly:gl̩
...**flügelig** ....fly:gəlɪç, -e ...ɪgə
flügeln 'fly:gl̩n, **flügle** 'fly:-glə
flügge, F... 'flʏgə
Flüggen 'flʏgn̩
flugs flʊks
Fluh flu:, **Flühe** 'fly:ə
Flüh[li] 'fly:[li]
Flühvogel 'fly:fo:gl̩
fluid flu'i:t, -e ...i:də
Fluid 'flu:i:t, *auch:* flu'i:t, -e ...i:də
fluidal flui'da:l
Fluidics flu'i:dɪks

Fluidik flu'i:dɪk
Fluidum 'flu:idʊm, ...da
...da
Fluke 'flu:kə
Fluktuation flʊktua'tsi̯o:n
fluktuieren flʊktu'i:rən
Flums flʊms
Flunder 'flʊndɐ
Flunkerei flʊŋkə'rai̯
flunkern 'flʊŋkɐn
Flunsch flʊnʃ
Fluor 'flu:o:ɐ̯
Fluor albus 'flu:o:ɐ̯ 'albʊs
Fluorescein fluorɛs'tse'i:n
Fluoreszenz fluorɛs'tsɛnts
fluoreszieren fluorɛs'tsi:-
rən
Fluoreszin fluorɛs'tsi:n
Fluorid fluo'ri:t, -e ...i:də
fluorieren fluo'ri:rən
Fluorit fluo'ri:t
fluorogen fluoro'ge:n
Fluorometer fluoro'me:tɐ
Fluorometrie fluorome'tri:
fluorometrisch fluoro'me:-
trɪʃ
fluorophor, F... fluoro'fo:ɐ̯
Fluorose fluo'ro:zə
fluppen 'flʊpn̩
Flur flu:ɐ̯
Flürscheim 'fly:ɐ̯ʃai̯m
fluschen 'flu:ʃn̩
Fluse 'flu:zə
Flush flaʃ
Flushing engl. 'flʌʃɪŋ
Fluss flʊs, Flüsse 'flysə
flussab[wärts] flʊs-
'lap[vɛrts]
Flussal... flʊ'sa:l...
flussauf[wärts] flʊs-
'lau̯f[vɛrts]
Flüsschen 'flysçən
Flüsse vgl. Fluss
flüssig 'flysɪç, -e ...ɪgə
Flussspat 'flʊsʃpa:t
Flüsterer 'flystərɐ
flüstern 'flystɐn
Flut flu:t
Flüte 'fly:tə
fluten 'flu:tn̩
flutschen 'flʊtʃn̩
Flutter 'flatɐ
fluvial flu'vi̯a:l
fluviatil fluvi̯a'ti:l
fluvioglazial fluvi̯ogla'tsi̯a:l
Fluviograph fluvi̯o'gra:f
Flux[us] 'flʊks[ʊs]
Fluxion flʊ'ksi̯o:n
Fly[-by] 'flai̯[bai̯]
Flyer 'flai̯ɐ

Flygare schwed. ˌfly:garə
Flying Dutchman, - ...men
'flai̯ɪŋ 'datʃmɛn
Flymobil 'flai̯mobi:l, --'-
Flynn engl. flɪn
Flynt engl. flɪnt
Fly-over flai̯'lo:vɐ, '---
Fly River engl. 'flai̯ 'rɪvə
Flysch flɪʃ
f-Moll 'ɛfmɔl, auch: '-'-
Fo it. fɔ
fob fɔp
Foce del Sele it. 'fo:tʃe del
'sɛ:le
Foch fr. fɔʃ
focht fɔxt
föchte 'fœçtə
Focillon fr. fɔsi'jõ
Fock fɔk, ung. fok
Focke 'fɔkə, engl. fɔk
Focsani rumän. fok'ʃanj
föderal føde'ra:l
föderalisieren føderali'zi:-
rən
Föderalismus fødera'lɪsmʊs
Föderalist fødera'lɪst
Föderat føde'ra:t
Föderation fødera'tsi̯o:n
föderativ fødera'ti:f, -e
...i:və
föderieren føde'ri:rən
Foerster 'fœrstɐ, engl.
'fɔ:stɐ, tschech. 'fɛrstɛr
Foertsch fœrtʃ
Fofanow russ. 'fɔfɐnɛf
Fog fɔk
Fogarasch foga'raʃ
Fogazzaro it. fogat'tsa:ro
Fogelberg schwed. ˌfo:gəl-
bærj
Fogelström schwed. ˌfo:gəl-
strœm
Foggia it. 'fɔddʒa
Fogo port. 'foɣu
Fogosch 'fɔgɔʃ
fohlen, F... 'fo:lən
Föhn fø:n
föhnen 'fø:nən
föhnig 'fø:nɪç, -e ...ɪgə
Fohnsdorf 'fo:nsdɔrf
Föhr fo:ɐ̯
Föhr fø:ɐ̯
Föhre 'fø:rə
föhren 'fø:rən
Foiano it. fo'ja:no
Foidl 'fɔy̯dl̩
Foie[s] gras 'fo̯a 'gra:
Foix fr. fwa
Foka russ. 'fɔkɐ
fokal fo'ka:l

Fokin russ. 'fɔkin
Fokine fr. fɔ'kin, engl.
'fɔ:kɪn
Fokker niederl. 'fɔkər
Fokometer foko'me:tɐ
Fokus 'fo:kʊs, -se ...ʊsə
fokussieren fokʊ'si:rən
Folchart 'fɔlçart
Foldal 'fɔldal
Folder 'fo:ldɐ
Foldes 'fɔldɛs
Földes ung. 'fœldɛʃ
Folengo it. fo'leŋgo
Foley engl. 'foʊlɪ
Folge 'fɔlgə
folgen 'fɔlgn̩, folg! fɔlk,
folgt fɔlkt
folgend 'fɔlgn̩t, -e ...n̩də
folgendergestalt 'fɔlgn̩dɐ-
gə'ʃtalt
folgendermaßen 'fɔlgn̩dɐ-
'ma:sn̩
folgenderweise 'fɔlgn̩dɐ-
'vai̯zə
folgern 'fɔlgɐn, folgre
'fɔlgrə
folglich 'fɔlklɪç
Folgore (San Gimignano)
it. fol'go:re
Folgore it. 'folgore
folgsam 'fɔlkza:m
Folia (Tanzmelodie) fo'li:a,
...ien fo'li:ən
Folia vgl. Folium
Foliant fo'li̯ant
Folie ([Metall]blatt) 'fo:li̯ə
Folie (Torheit) fo'li:, -n
...i:ən
Folies-Bergère fr. fɔlibɛr-
'ʒɛ:r
Foligno it. fo'lɪɲɲo
foliieren foli'i:rən
Folinsäure fo'li:nzɔyrə
folio, F... 'fo:li̯o
Folium fo'li̯ʊm, ...ia ...i̯a
Folk fo:k
Folke 'fɔlkə, schwed. ˌfɔlkə
Folkestone engl. 'foʊkstən
Folketing 'fɔlkətɪŋ, dän. 'fɔl-
gətɪŋ'
Folkevise 'fɔlkəvi:zə
Folklore fɔlk'lo:rə, auch:
'---
Folklorist[ik] fɔlklo'rɪst[ɪk]
Folkmusic 'fo:kmju:zɪk
Folko 'fɔlko
Folksong 'fo:kzɔŋ
Folkung[er] 'fɔlkʊŋ[ɐ]
Folkwang 'fɔlkvaŋ
Follain fr. fɔ'lɛ̃

Follen 'fɔlən, engl. 'fɔlın
Follette fɔ'lɛtə
Folliculitis fɔliku'li:tıs, ...**iti-den** ...li'ti:dn̩
Follikel fɔ'li:kl̩
follikular fɔliku'la:ɐ̯
follikulär fɔliku'lɛ:ɐ̯
Follikulitis fɔliku'li:tıs, ...**iti-den** ...li'ti:dn̩
Folquet fr. fɔl'kɛ
Folsäure 'fo:lzɔyrə
Folsom engl. 'foʊlsəm
Folter 'fɔltɐ
foltern 'fɔltɐn
Foltz, Folz fɔlts
Foma russ. fa'ma
Fomalhaut fomal'haʊt
Foment fo'mɛnt
Fomentation fomɛnta-'tsjo:n
Fomin russ. fa'min
Fon fo:n
Fön® fø:n
foncé fõ'se:
Fonck fɔŋk, fr. fõ:k
Fond fõ:
Fonda engl. 'fɔndə
Fondaco 'fɔndako, ...**chi** ...ki
Fondant fõ'dã:
Fond du Lac engl. 'fɔndʒə-læk
Fondi it. 'fondi
Fonds fõ:, des - fõ:[s], die - fõ:s
Fondue fõ'dy:
Fønhus norw. 'fø:nhʉ:s
fono, F... fo:no...
Fons fɔns
Fonseca span. fɔn'seka, port. fõ'sekɐ, bras. fõ'seka
Fontainas fr. fõtɛ'nɑ:s
Fontaine fr. fõ'tɛn, engl. fɔn'teın, '--
Fontainebleau fr. fõtɛn'blo
Fontana fɔn'ta:na, it. fon-'ta:na, span. fɔn'tana, engl. fɔn'tænə
Fontane fɔn'ta:nə, fr. fõ'tan
Fontäne fɔn'tɛ:nə
Fontanelle fɔnta'nɛlə
Fontanes fr. fõ'tan
Fontanesi it. fonta'ne:si
Fontange fõ'tã:ʒə
Fontanges fr. fõ'tã:ʒ
Font-de-Gaume fr. fõd-'go:m
Fonte [Avellana] it. 'fonte [avel'la:na]
Fontebasso it. fonte'basso

Fontéchevade fr. fõteʃ'vad
Fontenay fõt'nɛ
Fontenay-sous-Bois fr. fõtnɛsu'bwa
Fontenelle fr. fõt'nɛl
Fontenoy fr. fõtə'nwa
Fontes port. 'fontıʃ, bras. 'fontis
Fontevrault fr. fõtə'vro
Fonteyn engl. fon'teın
Fonteyne niederl. fɔn'tɛjnə
Fonwisin russ. fan'vizin
Fooddesigner 'fu:tdizainɐ
[1]Foot (Maß) fʊt, **Feet** fi:t
[2]Foot (Name) engl. fʊt
Football 'futbo:l
Footcandle 'fʊtkɛndl̩
Foote engl. fʊt
Footing 'fʊtıŋ
Footscray engl. 'fʊtskreı
Footsie 'fʊtsi
Foppa it. 'fɔppa
foppen 'fɔpn̩
Fopperei fɔpə'rai
Föppl 'fœpl̩
Fora vgl. Forum
Forain fr. fɔ'rɛ̃
Foraker engl. 'fɔrıkə
Foramen fo'ra:mən, ...**mina** ...mina
Foraminifere foramini'fe:rə
Foramiti fora'mi:ti
FORATOM fora'to:m
Forbach 'fɔrbax, fr. fɔr'bak
Forberg 'fɔrbɛrk
Forbes engl. fɔ:bz
Forbin fr. fɔr'bɛ̃
Forcados engl. fɔ:k'ɑ:doʊs
[1]Force (Kraft) fɔrs, -n ...sn̩
[2]Force (Name) engl. fɔ:s
Force de Frappe 'fɔrs də 'frap
Forcellini it. fortʃel'li:ni
Force majeure 'fɔrs ma'ʒø:ɐ̯
Force Ouvrière 'fɔrs uvri'ɛ:ɐ̯
Forceps 'fɔrtsɛps, ...**cipes** ...tsipe:s
Forch[e] 'fɔrç[ə]
Forchhammer 'fɔrçhamɐ
Forchheim 'fɔrçhaim
Forchtenberg 'fɔrçtn̩bɛrk
Forchtenstein 'fɔrçtn̩ʃtain
forcieren fɔr'si:rən
Forckenbeck 'fɔrkn̩bɛk
Ford fɔrt, engl. fɔ:d, poln. fɔrt
Förde 'fø:ɐ̯də
fordern 'fɔrdɐn, **fördre** 'fœrdrə

fördern 'fœrdɐn, **fördre** 'fœrdrə
Fördernis 'fœrdɐnıs, -se ...ısə
Fordismus fɔr'dısmʊs
Fordyce engl. 'fɔ:dais
Före 'fø:rə
Forecaddie 'fo:ɐ̯kɛdi
Forechecking 'fo:ɐ̯tʃɛkıŋ
Forehand 'fo:ɐ̯hɛnt
Foreign Office engl. 'fɔrın 'ɔfıs
Forel fr. fɔ'rɛl
Forelle fo'rɛlə
Foreman engl. 'fɔ:mən
Forensalbesitz forɛn'za:l-bəzıts
forensisch fo'rɛnzıʃ
Forest 'fo:rɛst, engl. 'fɔrıst, fr. fɔ'rɛ
Forester engl. 'fɔrıstə
Forestier fr. fɔrɛs'tje
Forestville engl. 'fɔrıstvıl
Forêt, ...ey, ...ez fr. fɔ'rɛ
Forfait fɔr'fɛ:
forfaitieren fɔrfɛ'ti:rən
Forfar engl. 'fɔ:fə
Forfeit 'fɔ:ɐ̯fıt
Forggensee 'fɔrgn̩ze:
Forint 'fo:rınt
Forke 'fɔrkə
Forkel 'fɔrkl̩
forkeln 'fɔrkl̩n
Forkenbeck 'fɔrkn̩bɛk
Forks engl. fɔ:ks
Forlana fɔr'la:na
Forlane fɔr'la:nə
Forlani it. for'la:ni
Forle 'fɔrlə
Forlì it. for'li
Form form
Formaggio fɔr'madʒo
formal, F... fɔr'ma:l
Formaldehyd 'fɔrm-|aldehy:t, auch: ...'hy:t, -es ...y:dəs
Formalien fɔr'ma:ljən
Formalin® fɔrma'li:n
formalisieren fɔrmali'zi:rən
Formalismus fɔrma'lısmʊs
Formalist fɔrma'lıst
Formalität fɔrmali'tɛ:t
formaliter fɔr'ma:litɐ
Formamid fɔrma'mi:t, -es ...i:dəs
Forman engl. 'fo:mən, tschech. 'fɔrman
Formans 'fɔrmans, ...**ntia** fɔr'mantsia, ...**nzien** fɔr'mantsiən

Formant fɔrˈmant
Format fɔrˈmaːt
formatieren fɔrmaˈtiːrən
Formation fɔrmaˈtsi̯oːn
formativ, F... fɔrmaˈtiːf, -e
...iːvə
Formbach ˈfɔrmbax
Forme fruste ˈfɔrm ˈfrʏst
Formel ˈfɔrml̩
Formel-1-... ˌfɔrml̩ˈ|ains...
formell fɔrˈmɛl
formen ˈfɔrmən
Forment kat. furˈmen
Formentera span. fɔrmen-
ˈtera
Formerei fɔrməˈrai̯
Formia it. ˈfɔrmi̯a
Formiat fɔrˈmi̯aːt
formidabel fɔrmiˈdaːbl̩,
...ble ...blə
formieren fɔrˈmiːrən
Formikarium fɔrmiˈkaːri̯ʊm
Formikatio fɔrmiˈkaːtsi̯o
förmlich ˈfœrmlɪç
Formol® fɔrˈmoːl
Formosa fɔrˈmoːza, span.
fɔrˈmosa, bras. fɔrˈmoza
Formosus fɔrˈmoːzʊs
Formschneyder ˈfɔrm-
ʃnai̯dɐ
Formular fɔrmuˈlaːɐ̯
formulieren fɔrmuˈliːrən
Formyl fɔrˈmyːl
Fornarina it. fornaˈriːna
Fornæs dän. ˈfɔɐ̯nes
Forner span. fɔrˈnɛr
Fornix ˈfɔrnɪks, ...ices
...nit̯seːs
Forqueray fr. fɔrkəˈrɛ
Foro romano it. ˈfɔːro
roˈmaːno
Forrer ˈfɔrɐ
Forres[t] engl. ˈfɔrɪs[t]
Forrestal engl. ˈfɔrəstl
Forrester engl. ˈfɔrɪstə
forsch fɔrʃ
Forsch russ. fɔrʃ
Forsche ˈfɔrʃə
förscheln ˈfœrʃl̩n
forschen ˈfɔrʃn̩
Forseti ˈfɔrzeti
Forssell schwed. fɔrˈsɛl
Forßmann ˈfɔrsman
Forst fɔrst
Forster ˈfɔrstɐ, engl. ˈfɔːstə
Förster ˈfœrstɐ
Försterei fœrstəˈrai̯
Forsthoff ˈfɔrsthɔf
Forsting ˈfɔrstɪŋ

Forsyte Saga engl. ˈfɔːsaɪt
ˈsaːgə
Forsyth engl. fɔːˈsaɪθ, ˈ--
Forsythie fɔrˈzyːtsi̯ə, auch:
fɔrˈzyːti̯ə
fort fɔrt
[1]Fort (Festungswerk) foːɐ̯,
engl. fɔːt, fr. fɔːr
[2]Fort (Name) fr. fɔːr
fortab fɔrtˈ|ap
Fortaleza bras. fortaˈleza
fortan fɔrtˈ|an
Fort Beauséjour fr. fɔrbo-
seˈʒuːr, engl. ˈfɔːt bouseɪ-
ˈʒuə
fortbringen ˈfɔrtbrɪŋən
Fort-Dauphin fr. fɔrdoˈfɛ̃
Fort-de-France fr. fɔrdə-
ˈfrɑ̃ːs
forte ˈfɔrtə
Forte ˈfɔrtə, Forti ˈfɔrti
Forteguerri it. forteˈgu̯ɛrri
fortepiano fɔrtəˈpi̯aːno
Fortepiano fɔrtəˈpi̯aːno,
...ni ...ni
Fortes vgl. Fortis
Fortescue engl. ˈfɔːtɪskjuː
fortes fortuna adjuvat ˈfɔr-
teːs fɔrˈtuːna ˈatjuvat
Fortezza it. forˈtettsa
Fort-Gouraud fr. fɔrguˈro
Forth fɔrt, engl. fɔːθ
forthin fɔrtˈhɪn
Forti vgl. Forte
Fortifikation fɔrtifikaˈtsi̯oːn
fortifikatorisch fɔrtifika-
ˈtoːrɪʃ
fortifizieren fɔrtifiˈtsi̯ːrən
Fortin fr. fɔrˈtɛ̃
Fortinbras ˈfɔrtɪnbras, engl.
ˈfɔːtɪnbræs
Fortis ˈfɔrtɪs, Fortes ˈfɔrteːs
fortissimo fɔrˈtisimo
Fortissimo fɔrˈtisimo, ...mi
...mi
Fort-Lamy fr. fɔrlaˈmi
Fortner ˈfɔrtnɐ
FORTRAN ˈfɔrtran
Förtsch fœrtʃ
Fort Schewtschenko russ.
ˈfɔrt ʃɔfˈtʃɛnkɐ
Fortschritt ˈfɔrtʃrɪt
Fortsetzung ˈfɔrtsɛtsʊŋ
Fortuna fɔrˈtuːna
Fortunat fɔrtuˈnaːt, fr. fɔr-
tyˈna, russ. fɐrtuˈnat
Fortunata fɔrtuˈnaːta
Fortunato it. fortuˈnaːto
Fortunatow russ. fɐrtuˈna-
tɐf

Fortunatus fɔrtuˈnaːtʊs
Fortune fɔrˈtyːn, fr. fɔrˈtyn,
engl. ˈfɔːtʃuːn, ˈfɔːtʃən
Fortüne fɔrˈtyːnə
Fortuné fr. fɔrtyˈne
Fortunio fɔrˈtuːni̯o, fr. fɔr-
tyˈnjo
Fortuny kat. furˈtuɲ, span.
fɔrˈtuni
fortwährend ˈfɔrtvɛːrənt,
-e ...ndə
Forum ˈfoːrʊm, Fora ˈfoːra
Forward ˈfoːɐ̯vɐt
Forza del destino it. ˈfɔrtsa
del desˈtiːno
forzando fɔrˈtsando
Forzano it. forˈtsaːno
forzato fɔrˈtsaːto
Forzeps ˈfɔrtsɛps, ...zipes
...tsipeːs
Fos fr. foːs, fɔs
Fosbury engl. ˈfɔzbərɪ
Fosbury... ˈfɔsbəri...
Foscari it. ˈfoskari
Foscarini it. foskaˈriːni
Foscolo it. ˈfoskolo
Fosdick engl. ˈfɔzdɪk
Fose ˈfoːzə
Foshan chin. fɔʃan 21
Fosna norw. ˈfuːsna
Foss engl. fɔs
Fossa ˈfɔsa, Fossae ˈfɔsɛ
Fossano it. fosˈsaːno
Fossanova it. fossaˈnɔːva
Foße ˈfoːsə
Fosse fr. foːs, engl. fɔs
fossil fɔˈsiːl
Fossil fɔˈsiːl, -ien -i̯ən
Fossilisation fɔsilizaˈtsi̯oːn
fossilisieren fɔsiliˈziːrən
Fossula ˈfɔsula, ...lae ...lɛ
Foster engl. ˈfɔstə
Fot russ. fɔt
Föt føːt
fötal føˈtaːl
Fothergill engl. ˈfɔðəgɪl
Fotheringhay engl. ˈfɔðərɪŋ-
geɪ
Foti russ. ˈfɔtij
fötid føˈtiːt, -e ...iːdə
Fotina russ. faˈtinɐ
Foto ˈfoːto
fotogen fotoˈgeːn
Fotogenität fotogeniˈtɛːt
Fotograf fotoˈgraːf
Fotografie fotograˈfiː, -n
...iːən
fotografieren fotograˈfiːrən
fotografisch fotoˈgraːfɪʃ

Fotokopie fotoko'pi:, **-n**
...i:ən
fotokopieren fotoko'pi:rən
Fotomodell 'fo:tomodɛl
Fötor 'føː:to:ɐ̯
Fothek foto'te:k
fototrop foto'tro:p
Fototropie fototro'pi:
Fotovoltaik fotovɔl'ta:ɪk
Fotozinkographie fototsɪŋ-
kogra'fi:, **-n** ...i:ən
Fötus 'føː:tʊs, **-se** ...ʊsə
Fotze 'fɔtsə
Fötzel 'fœtsl̩
fotzen 'fɔtsn̩
Foucauld, ...lt fr. fu'ko
Fouché, ...cher fr. fu'ʃe
Fouchet fr. fu'ʃe
Foucquet fr. fu'kɛ
foudroyant fudrɔa'jãː,
...jant, **-e** ...jantə
Fougère[s] fr. fu'ʒɛ:r
foul, Foul faul
Foulard fu'la:ɐ̯
Foulardine fular'di:n
Fould fr. fuld
Foulé fu'le:
Foulelfmeter 'faul|ɛlfme:tɐ
foulen 'faulən
Foulis engl. faʊlz
Foullon fr. fu'lõ
Foulque[s] fr. fulk
Foumban fr. fum'ban
Fountain engl. 'faʊntɪn
Fouqué fu'ke:, fr. fu'ke
Fouquet fr. fu'kɛ
Fouquier fr. fu'kje
Fourage fu'ra:ʒə
Fourberies de Scapin fr.
furbəridska'pɛ̃
Fourcroy fr. fur'krwa
Fourdrinier engl. fʊə'drɪnɪə
Fourestier fr. furɛs'tje
Fourgon fʊr'gõ:
[1]Fourier (Unteroffizier)
fu'ri:ɐ̯
[2]Fourier (Name) fr. fu'rje
Fourierismus furje'rɪsmʊs
Fourletterword engl. 'fɔ:lɛ-
tə'wɔ:d
Fourmies fr. fur'mi
Fournet fr. fur'nɛ
Fourneyron fr. furnɛ'rõ
Fournié, ...ier fr. fur'nje
Fourniture fʊrni'ty:ɐ̯, **-n**
...rən
Fourquet fr. fur'kɛ
Fourrure fʊ'ry:ɐ̯
Fouta-Djalon fr. futadʒa'lõ

Fovea 'fo:vea, **Foveae**
'fo:veɛ
Foveola fo've:ola, ...**lae** ...lɛ
Fowler engl. 'faʊlə
Fowles engl. faʊlz
Fox dt., engl., span. fɔks
Foxborough engl. 'fɔksbərə
Foxe engl. fɔks
Foxhound 'fɔkshaʊnt
Foxterrier 'fɔkstɛrɪɐ̯
Foxtrott 'fɔkstrɔt
Foyatier fr. fwaja'tje, fɔja...
Foyer fɔa'je:
Fpolisario fpoli'za:rio, span.
fpoli'sarjo
Fra fra:
Fraças fra'ka, **des -** ...ka[s]
Fracastoro it. frakas'to:ro
Fracchia it. 'frakkia
Fracht[er] 'fraxt[ɐ]
Frack frak, **Fräcke** 'frɛkə
Fraenkel 'frɛŋkl̩
Fraga span. 'fraɣa
Frage 'fra:gə
frägeln 'frɛ:gl̩n, **frägle** 'frɛ:-
glə
fragen 'fra:gn̩, **frag!** fra:k,
fragt fra:kt
Fragerei fra:gə'rai
Frage-und-Antwort-Spiel
'fra:gəlʊnt'|antvɔrtʃpi:l
fragil fra'gi:l
Fragilität fragili'tɛ:t
fraglich 'fra:klɪç
fraglos 'fra:klo:s
Fragment fra'gmɛnt
fragmentär fragmɛn'tɛ:ɐ̯
fragmentarisch fragmɛn-
'ta:rɪʃ
Fragmentation fragmɛnta-
'tsio:n
fragmentieren fragmɛn'ti:-
rən
Fragner 'fra:gnɐ
Fragonard fr. fragɔ'na:r
fragwürdig 'fra:kvʏrdɪç
Frähn frɛ:n
frais frɛ:s
Frais frɛs, **-en** 'fraizn̩
fraise 'frɛ:s, ...ɛ:zə
[1]Fraise 'frɛ:s, ...ɛ:zə
[2]Fraise (Halskrause;
Backenbart) 'frɛ:zə
Fraisen 'fraizn̩
Fraize fr. frɛ:z
fraktal, F... frak'ta:l
Fraktion frak'tsio:n
fraktionell fraktsio'nɛl
fraktionieren fraktsio'ni:-
rən

Fraktur frak'tu:ɐ̯
Fram norw. fram
Fra Mauro it. fram'ma:ʊro
Frambösie frambø'zi:, **-n**
...i:ən
Frame frɛ:m, **-n** ...mən
Framingham (USA) engl.
'freimɪŋhæm
Frana 'fra:na, **Frane** 'fra:nə
[1]Franc, **-s** frã:
[2]Franc (Name) fraŋk
Franca it., span. 'fraŋka,
bras. 'frɐŋka
Français fr. frã'sɛ
Française frã'sɛ:zə
Français fondamental
frã'sɛ: fõdamã'tal
Français fr. frã'sɛ
Francavilla it. fraŋka'villa
France fr. frã:s
France-Presse fr. frãs'prɛs
Frances engl. 'frɑ:nsɪs
Francés span. fran'θes
Francesca fran'tʃeska, it.
fran'tʃeska
Francescatti it. frantʃes-
'katti, fr. frãseska'ti
Francesch span. fran'θesk
Franceschini it. frantʃes-
'ki:ni
Francesco fran'tʃesko, it.
fran'tʃesko
France-Soir fr. frãs'swa:r
Franceville fr. frãs'vil
Franche-Comté fr. frãʃ-
kõ'te
Franches-Montagnes fr.
frãʃmõ'taɲ
Franchet d'Esperey fr. frã-
ʃedɛspə're
Franchetti it. fraŋ'ketti
Francheville fr. frãʃ'vil
[1]Franchise frã'ʃi:zə
[2]Franchise (Vertrieb) 'frɛn-
tʃais
Franchising 'frɛntʃaizɪŋ
Franchy 'fraŋki
Francia 'frantsia, it.
'frantʃa, span. 'franθia
Franciabigio it. frantʃa-
'bi:dʒo
Franciade fr. frã'sjad
Francien fr. frã'sjɛ̃
Francine fr. frã'sin
Francis engl. 'frɑːnsɪs, fr.
frã'sis
Francisca span. fran'θiska,
port. frẽ'siʃkɐ, bras. ...siska
Francisco span. fran'θisko,
port. frẽ'siʃku, bras. ...sisku

Francisque *fr.* frɑ̃ˈsisk
Francistown *engl.* ˈfrɑːnsɪs-
  taʊn
Franciszek *poln.* franˈtɕiʃɛk
Francium ˈfrantsjʊm
Franck *frank, fr.* frɑ̃ːk, *nie-
derl.* fraŋk, *engl.* fræŋk
Francke ˈfraŋkə
Francken *niederl.* ˈfraŋkə
Franckenstein ˈfraŋknˌʃtaɪn
Franc-Nohain *fr.* frɑ̃nɔˈɛ̃
franco ˈfraŋko
Franco *it., span.* ˈfraŋko,
port., bras. ˈfrɐ̃ku
François *fr.* frɑ̃ˈswa
Françoise *fr.* frɑ̃ˈswaːz
Franconia fraŋˈkoːnja
Franc-Tireur *fr.* frɑ̃ˈtiˈrœːr
Frane *vgl.* Frana
Franek *poln.* ˈfranɛk
Frangipane *it.* frandʒiˈpaːne
Franglais *fr.* frɑ̃ˈglɛ
Franičević *serbokr.* fra-
  ˈnitʃɛvitɕ
Franje ˈfranjə
Franjo *serbokr.* ˌfraːnjɔ
Franju *fr.* frɑ̃ˈʒy
frank, ¹Frank fraŋk
²Frank (Name) fraŋk, *engl.*
  fræŋk, *fr.* frɑ̃ːk, *russ.* frank
Franka ˈfraŋka
Frankatur fraŋkaˈtuːɐ̯
Franke ˈfraŋkə
Fränkel ˈfrɛŋkl̩
Franken ˈfraŋkn̩
Frankenalb ˈfraŋkn̩ˌalp
Frankenau ˈfraŋkənaʊ
Frankenberg ˈfraŋkn̩bɛrk
Frankenfeld ˈfraŋkn̩fɛlt
Frankenhausen fraŋkn̩-
  ˈhaʊzn̩
Frankenhöhe ˈfraŋkn̩høːə
Frankenstein ˈfraŋkn̩ʃtaɪn
Frankenthal ˈfraŋkn̩taːl
Frankenwald ˈfraŋkn̩valt
Frankfort *engl.* ˈfræŋkfət
Frankfurt ˈfraŋkfʊrt
Frankfurter ˈfraŋkfʊrtɐ,
engl. ˈfræŋkfɔːtə
frankfurtisch ˈfraŋkfʊrtɪʃ
frankieren fraŋˈkiːrən
Fränkin ˈfrɛŋkɪn
fränkisch ˈfrɛŋkɪʃ
Frankl ˈfraŋkl̩
Frankland *engl.* ˈfræŋklənd
Franklin *engl.* ˈfræŋklɪn, *fr.*
  frɑ̃ˈklɛ̃
Franklinisation fraŋkliniza-
  ˈtsjoːn
franko ˈfraŋko

Franko ˈfraŋko, *ukr.* franˈkɔ
Frankobert ˈfraŋkobɛrt
Frankokanadier ˈfraŋkoka-
  naːdiɐ̯
Frankomane fraŋkoˈmaːnə
Frankomanie fraŋkomaˈniː
Frankopan *serbokr.* franˌkɔ-
  paːn
frankophil fraŋkoˈfiːl
Frankophilie fraŋkofiˈliː
frankophob fraŋkoˈfoːp, -e
  ...oːbə
Frankophobie fraŋkoˈbiː
frankophon fraŋkoˈfoːn
Frankophonie fraŋkofoˈniː
Frankreich ˈfraŋkraɪç
Franks[ton] *engl.*
  ˈfræŋks[tən]
Franktireur frɑ̃tiˈrøːɐ̯, *auch:*
  fraŋkt...
Franqueville *fr.* frɑ̃kˈvil
Frans *niederl.* frans
Fränschen ˈfrɛnsçən
Franse ˈfranzə
fransen ˈfranzn̩, frans!
  frans, franst franst
fransig ˈfranzɪç, -e ...ɪgə
František *tschech.* ˈfrantji-
  ʃɛk
Františkovy Lázně *tschech.*
  ˈfrantjiʃkɔvi ˈlaːznjɛ
Frantz[en] ˈfrants[n̩]
Franz frants, *fr.* frɑ̃ːs
Franzburg ˈfrantsbʊrk
Fränzchen ˈfrɛntsçən
Fränze ˈfrɛntsə
franzen ˈfrantsn̩
Franzén *schwed.* franˈseːn
Franzensbad ˈfrantsn̩sbaːt
Franzensfeste ˈfrantsn̩s-
  fɛstə
Franzi ˈfrantsi
Fränzi ˈfrɛntsi
Franzien ˈfrantsjən
Franziska franˈtsɪska
Franziskaner frantsɪsˈkaːnɐ
Franziskus franˈtsɪskʊs
Franzius ˈfrantsjʊs
Franz Joseph ˌfrants ˈjoːzɛf
Fränzl ˈfrɛntsl̩
Franzmann ˈfrantsman
Franzos (Name) franˈtsoːs,
  ˈ--
Franzose franˈtsoːzə
Französelei frantsøːzəˈlaɪ
französeln franˈtsøːzl̩n,
  französle franˈtsøːzlə
französieren frantsøˈziːrən
Französin franˈtsøːzɪn
französisch franˈtsøːzɪʃ

französisieren frantsøzi-
  ˈziːrən
Frapan ˈfraːpan
Frapié *fr.* fraˈpje
frappant fraˈpant
Frappé, Frappee fraˈpeː
frappieren fraˈpiːrən
Frascati *it.* frasˈkaːti
Frasch fraʃ, *engl.* frɑːʃ
Fräsdorn ˈfrɛːsdɔrn
Fräse ˈfrɛːzə
fräsen ˈfrɛːzn̩, fräs! frɛːs,
  fräst frɛːst
Fraser *engl.* ˈfreɪzə
Fräser ˈfrɛːzɐ
Frash *engl.* fræʃ
Frashër[i] *alban.* ˈfraʃər[i]
Frasne[s] *fr.* frɑːn
Frasquita *span.* frasˈkita
fraß, F... frɑːs
fräße ˈfrɛːsə
Frastanz ˈfrastants
Frate ˈfraːtə
Fratellini *it.* fratelˈliːni
Frater ˈfraːtɐ, Fratres ˈfraː-
  treːs
Fraternisation fratɛrniza-
  ˈtsjoːn
fraternisieren fratɛrniˈziː-
  rən
Fraternität fratɛrniˈtɛːt
Fraternité fratɛrniˈteː
Frati *it.* ˈfraːti
Fratres *vgl.* Frater
Fratres minores ˈfraːtreːs
  miˈnoːreːs
Fratz frats
Frätzchen ˈfrɛtsçən
Fratze ˈfratsə
Frau fraʊ
Fraubrunnen fraʊˈbrʊnən
Frauchen ˈfraʊçən
fraudulös fraʊduˈløːs, -e
  ...øːzə
Frauenalb fraʊənˈalp
Frauenburg ˈfraʊənbʊrk
Frauenchiemsee fraʊən-
  ˈkiːmzeː
Frauenfeld ˈfraʊənfɛlt
Fraueninsel ˈfraʊənˌɪnzl̩
Frauenlob ˈfraʊənloːp
Frauenrechtlerin ˈfraʊən-
  rɛçtlərɪn
Frauenroth ˈfraʊənˈroːt
Frauenstein ˈfraʊənʃtaɪn
Frauenzell ˈfraʊəntsɛl
Frau Holle fraʊ ˈhɔlə
Frauke ˈfraʊkə
Fraulautern fraʊˈlaʊtɐn
Fräulein ˈfrɔylaɪn

fraulich 'fraulıç
Fraunhofer 'fraunho:fɐ
Fraustadt 'frauʃtat
Frawaschi fra'vaʃi
Fray Bentos *span.* 'frai
  'βentos
Frayn *engl.* frein
Frazer *engl.* 'freızə
Frazier *engl.* 'freızıə
Freak fri:k
frech, F... frɛç
Frechen 'frɛçn̩
Fréchette *fr.* fre'ʃɛt
Frechling 'frɛçlıŋ
Frechulf 'frɛçʊlf
Freckenhorst 'frɛknhɔrst
Freckleben 'frɛkle:bn̩
Fred fre:t, frɛt, *engl.* frɛd
Freddy 'frɛdi
Fredeburg 'fre:dəbʊrk
Fredegar 'fre:dəgar
Fredegund 'fre:dəgʊnt
Fredegunde fre:də'gʊndə
Fredensborg *dän.*
  'frɪ:'ɔ̃nsbɔɐ̯'
Frederic *engl.* 'frɛdrık
Frédéric *fr.* frede'rik
Fredericia *dän.* frɪðə'rıdsjæ
Frederick *engl.* 'frɛdrık
Fredericksburg *engl.* 'frɛ-
  drıksbə:g
Frederico *port.* frəðə'riku
Fredericton *engl.* 'frɛdrık-
  tən
Frederik *dt., niederl.* 'fre:də-
  rık, *dän.* 'freðərəg
Frederiksberg *dän.* freðə-
  rəgs'bɛɐ̯'ɐ
Frederiksborg *dän.* freðə-
  rəgs'bɔɐ̯'
Frederikshåb *dän.* freðə-
  rəgs'ho:'b
Frederikshavn *dän.* freðə-
  rəgs'hau̯'n
Frederikssund *dän.* freðə-
  rəgs'sʊn'
Frederikstad *norw.* 'fre:də-
  riksta:d
Frederiksværk *dän.* freðə-
  rəgs'vɛɐ̯g
Fredeswitha fredɛs'wi:ta
Fredholm *schwed.* ˌfre:d-
  hɔlm
Fredi *it.* 'fre:di
Fredonia *engl.* fri:'dounıə
Fredrik *schwed.* 'fre:drik
Fredrika *schwed.* fredˌri:ka
Fredrikshamn *schwed.* fre:-
  driks'hamn

Fredrikstad *norw.* 'frɛ-
  driksta
Fredro *poln.* 'frɛdrɔ
free alongside ship 'fri:
  ɛ'lɔŋzait̯ 'ʃɪp
Freeclimber 'fri:klaimɐ
Freeclimbing 'fri:klaimıŋ
Freeden 'fre:dn̩
Freedom *engl.* 'fri:dəm
Freehold 'fri:ho:lt
Freeholder 'fri:ho:ldɐ
Freelance 'fri:la:ns
Freeling *engl.* 'fri:lıŋ
Freeman *engl.* 'fri:mən
free on board 'fri: ɔn 'bo:ɐ̯t
free on waggon 'fri: ɔn
  'vɛgn̩
Freeport *engl.* 'fri:pɔ:t
Freese 'fre:zə
Freesie 'fre:zɪə
Freestyle 'fri:stai̯l
Freetown *engl.* 'fri:taʊn
Freeze fri:s
Fregatte fre'gatə
Fregattvogel fre'gatfo:gl̩
Frege 'fre:gə
Fregellae fre'gɛlɛ
Fréhel *fr.* fre'ɛl
Frehne 'fre:nə
frei frai̯
Frei frai̯, *engl.* frai, *fr.* frɛ,
  span. frɛi̯
Freia 'frai̯a
Freiberg 'frai̯bɛrk
Freiberge 'frai̯bɛrgə
Freibeuter 'frai̯bɔy̯tɐ
Freiburg 'frai̯bʊrk
Freidank 'frai̯daŋk
freien 'frai̯ən
Freienhagen frai̯ən'ha:gn̩
Freienwalde frai̯ən'valdə
freigebig 'frai̯ge:bıç, -e
  ...ıgə
Freigeisterei frai̯gaistə'rai̯
Freigrafschaft 'frai̯ˌgra:f-
  ʃaft
Freiham 'frai̯ham
Freihandbücherei 'frai̯-
  hantby:çərai̯
freihändig 'frai̯hɛndıç
Freiheit 'frai̯hai̯t
freiheraus frai̯hɛ'rau̯s
Freihung 'frai̯ʊŋ
Freiin 'frai̯ın
Freilassing frai̯'lasıŋ
freilich 'frai̯lıç
Freiligrath 'frai̯ligra:t,
  ...lıç...
Freilitzsch 'frai̯lıtʃ
Freimann (Ort) frai̯'man

Freimaurer 'frai̯mau̯rɐ
Freimaurerei frai̯mau̯rə'rai̯
freimaurerisch 'frai̯mau̯rə-
  rıʃ
Freimut 'frai̯mu:t
freimütig 'frai̯my:tıç, -e
  ...ıgə
Freinet *fr.* frɛ'nɛ
Freinsheim 'frai̯nshai̯m
Freir 'frai̯ɐ
Freire *port.* 'frei̯rə, *bras.*
  'frei̯ri, *span.* 'frei̯re
Freisass[e] 'frai̯zas[ə]
Freischärler 'frai̯ʃɛ:ɐ̯lɐ
Freischütz[e] 'frai̯ʃʏts[ə]
Freising 'frai̯zıŋ
Freisinn 'frai̯zın
Freisler 'frai̯slɐ
Freistadt 'frai̯ʃtat
Freistett 'frai̯ʃtɛt
Freitag 'frai̯ta:k
freitags 'frai̯ta:ks
Freital 'frai̯ta:l
Freitas *port.* 'frei̯tɛʃ, *bras.*
  'frei̯tas
Freite 'frai̯tə
Freiung 'frai̯ʊŋ
Freiwaldau 'frai̯valdau̯
freiwillig 'frai̯vılıç
Freiwillige 'frai̯vılıgə
Fréjus *fr.* fre'ʒys
Frelimo fre'li:mo, *port.* frɛ-
  'limu
Frelinghuysen *engl.* 'fri:lıŋ-
  hai̯zn
Fremantle *engl.* 'fri:mæntl
fremd frɛmt, -e 'frɛmdə
fremdartig 'frɛmtˌla:ɐ̯tıç
Fremde 'frɛmdə
fremdeln 'frɛmdl̩n, **fremdle**
  'frɛmdlə
fremden 'frɛmdn̩, **fremd!**
  frɛmt
fremdländisch 'frɛmtlɛndıʃ
Fremdling 'frɛmtlıŋ
Fremdtümelei frɛmtty:-
  mə'lai̯
fremdwörteln 'frɛmtvœrtl̩n
Fremdwörterei frɛmtvœr-
  tə'rai̯
Frémiet *fr.* fre'mjɛ
Fréminet *fr.* fremi'nɛ
Fremitus 'fre:mitʊs
Fremont *engl.* fri:mɔnt
Frénaud *fr.* fre'no
Frenay *fr.* frə'nɛ
French *engl.* frɛntʃ
Frenchknicker 'frɛntʃnıkɐ
Freneau *engl.* frı'nou̯
Frénet *fr.* frɛ'nɛ

frenetisch fre'ne:tıʃ
Freni *it.* 're:ni
Frens frɛns
Frenssen 'frɛnsn̩
Fren[t]zel 'frɛntsl̩
Frenulum 're:nulʊm, ...la
...la
frequent fre'kvɛnt
Frequenta® fre'kvɛnta
Frequentant frekvɛn'tant
Frequentation frekvɛnta-
'tsɪo:n
Frequentativ 'fre:kvɛnta-
ti:f, -e ...i:və
Frequentativum frekvɛnta-
'ti:vʊm, ...va ...va
frequentieren frekvɛn'ti:-
rən
Frequenz fre'kvɛnts
Frere *engl.* frıə
Frère *fr.* frɛ:r
Freren 'fre:rən
Frère-Orban *fr.* frɛrɔr'bã
Frères *fr.* frɛ:r
Frescobaldi *it.* fresko'baldi
Frese 'fre:zə
Fresenius fre'ze:nɪʊs
Freske 'frɛskə
Fresko 'frɛsko
Fresnay[e] *fr.* frɛ'nɛ
Fresnel *fr.* frɛ'nɛl
Fresnes *fr.* frɛn
Fresno *engl.* 'frɛznoʊ
Fressalien frɛ'sa:lɪən
Fresse 'frɛsə
fressen 'frɛsn̩
Fresserei frɛsə'raı
Fret frɛt
Freteur fre'tø:ɐ̯
fretieren fre'ti:rən
Frett[chen] 'frɛt[çən]
fretten 'frɛtn̩
frettieren frɛ'ti:rən
Freuchen 'frɔyçn̩, *dän.*
'frɔı'gn̩
Freud frɔyt
Freude 'frɔydə
Freudenberg 'frɔydn̩bɛrk
Freudenberger
'frɔydn̩bɛrgɐ
Freudenstadt 'frɔydn̩ʃtat
Freudent[h]al 'frɔydn̩ta:l
Freudianer frɔy'dia:nɐ
freudig 'frɔydıç, -e ...ıgə
freudlos 'frɔytlo:s
freuen 'frɔyən
Freuler 'frɔylɐ
Freumbichler 'frɔymbıçlɐ
[1]Freund frɔynt, -e 'frɔyndə

[2]Freund (Name) frɔynt,
dän. frɔı'nd
Freundin 'frɔyndın
freundlich 'frɔyntlıç
Freundt frɔynt
frevel, F... 're:fl̩
Freveln 're:fln
freventlich 're:fn̩tlıç
Frevler 're:flɐ
frevlerisch 're:flərıʃ
Frey frai, *fr.* frɛ
Freya 'fraia
Freyburg 'fraibʊrk
Freycinet *fr.* frɛsi'nɛ
Freyenstein 'fraiənʃtain
Freyer 'fraiɐ
Freyja 'fraija
Freylinghausen 'frailıŋ-
hauzn̩
Freyr 'fraiɐ
Freyre *span.* 'frɛire, *bras.*
'freiri
Freyssinet *fr.* frɛsi'nɛ
Freystadt 'fraiʃtat
Freytag[h] 'fraita:k
Freyung 'fraiʊŋ
Frezzi *it.* 'frettsi
Fria *fr.* fri'a
Friaul fri'aul
Fribourg *fr.* fri'bu:r
Frič *tschech.* fritʃ
Frick *dt., engl.* frık
Fricka 'frıka
Fricke 'frıkə
Fricker 'frıkɐ, *engl.* 'frıkə
Fricsay 'frıtʃai, *ung.* 'frıtʃoi
Frida 'fri:da
Frida *tschech.* 'fri:da
Fridatte fri'datə
Fridegård *schwed.* .fri:də-
go:rd
Fridell *schwed.* fri'dɛl
Friderici fride'ri:tsi
Fridericus fride'ri:kʊs
friderizianisch frideri'tsia:-
nıʃ
Fridingen 'fri:dıŋən
Fridjónsson *isl.* 'friðjounsɔn
Fridley *engl.* 'frıdlı
Fridolin 'fri:doli:n
Fridtjof *dän.* 'fridjɔf
Fried *dt., tschech.* fri:t, *engl.*
fri:d
Frieda 'fri:da
Friedan *engl.* fri:'dæn
Friedberg 'fri:tbɛrk
Friedbert 'fri:tbɛrt
Friedburg 'fri:tbʊrk
Friede 'fri:də
Friedeberg 'fri:dəbɛrk

Friedebert 'fri:dəbɛrt
Friedeburg 'fri:dəbʊrk
Friedegund 'fri:dəgʊnt
Friedegunde fri:də'gʊndə
Friedek 'fri:dɛk
Friedel 'fri:dl̩
Friedell 'fri:dɛl, fri'dɛl, *fr.*
fri'dɛl
Friedemann 'fri:dəman
Frieden 'fri:dn̩
Friedenau fri:də'nau
Friedensburg 'fri:dn̩sbʊrk
Frieder 'fri:dɐ
Friederich[s] 'fri:dərıç[s]
Friederici fride'ri:tsi
Friederike fri:də'ri:kə
Friedersdorf 'fri:dɛsdɔrf
Friedewalde fri:də'valdə
Friedgar 'fri:tgar
Friedger 'fri:tgɛr
Friedgund 'fri:tgʊnt
Friedhelm 'fri:thɛlm
Friedhof 'fri:tho:f
Friedjung 'fri:tjʊŋ
Friedkin *engl.* 'fri:dkın
Friedl 'fri:dl̩
Friedlaender 'fri:tlɛndɐ
Friedland 'fri:tlant
Friedländer 'fri:tlɛndɐ
friedländisch 'fri:tlɛndıʃ
friedlich 'fri:tlıç
Friedlieb 'fri:tli:p
friedlos 'fri:tlo:s
Friedman *engl.* 'fri:dmən
Friedmann 'fri:tman
Friedo[lin] 'fri:do[li:n]
Friedreich 'fri:traiç
Friedrich 'fri:drıç
Friedrichroda fri:drıç'ro:da
Friedrichsdor 'fri:drıçsdo:ɐ̯
Friedrichsdorf 'fri:drıçsdɔrf
Friedrichshafen 'fri:-
drıçsha:fn̩
Friedrichshagen fri:-
drıçs'ha:gn̩
Friedrichshall 'fri:drıçshal,
—'—
Friedrichsruh fri:drıçs'ru:
Friedrichsstadt 'fri:drıçs-
ʃtat
Friedrichsthal 'fri:drıçsta:l
friedsam 'fri:tza:m
friedselig 'fri:tze:lıç
Friel *engl.* fri:l
friemeln 'fri:mln
Friendly *engl.* 'frɛndlı
Friendswood *engl.*
'frɛndzwʊd
frieren 'fri:rən

¹Fries (Gesimsstreifen) fri:s, -e 'fri:zə
²Fries (Name) *dt., engl.* fri:s
Friesach 'fri:zax
Friesack 'fri:zak
Friese 'fri:zə
Friesel 'fri:zl̩
Friesen 'fri:zn̩
friesisch 'fri:zɪʃ
Friesland 'fri:slant, *niederl.* 'frislɑnt
Friesländer 'fri:slɛndɐ
friesländisch 'fri:slɛndɪʃ
Frieso 'fri:zo
Friesoythe fri:s'lɔytə
Friesz *fr.* fri'ɛs
Frigen ® fri'ge:n
Frigg frɪk
frigid fri'gi:t, -e ...i:də
Frigidaire ® friʒi'dɛ:ɐ̯, *auch:* frigi'dɛ:ɐ̯, fridʒi...
Frigidär friʒi'dɛ:ɐ̯
Frigidarium frigi'da:ri̯ʊm, ...ien ...i̯ən
frigide fri'gi:də
Frigidität frigidi'tɛ:t
Frigorimeter frigori'me:tɐ
Frigyes *ung.* 'fridjɛʃ
Friis *norw.* fri:s, *dän.* fri:'s
Frija 'fri:ja
Frikadelle frika'dɛlə
Frikandeau frikan'do:
Frikandelle frikan'dɛlə
Frikassee frika'se:
frikassieren frika'si:rən
frikativ, F... frika'ti:f, -e ...i:və
Frikativum frika'ti:vʊm, ...va ...va
Friktiograph frɪktsi̯o'gra:f
Friktion frɪk'tsi̯o:n
Frimaire fri'mɛ:ɐ̯
Friml *engl.* 'frɪməl
Frimley *engl.* 'frɪmlɪ
Frimmersdorf 'frɪmɐsdɔrf
Fringeli 'frɪŋgeli
Frings frɪŋs
Friquet *fr.* fri'kɛ
Frisbee ® 'frɪsbi
frisch, F... frɪʃ
frischauf! frɪʃ'lauf
frischbacken 'frɪʃbakn̩
Frische 'frɪʃə
frischen 'frɪʃn̩
Frisching 'frɪʃɪŋ
Frischlin 'frɪʃli:n
Frischling 'frɪʃlɪŋ
Frischmann 'frɪʃman
Frischmuth 'frɪʃmu:t
frischweg frɪʃ'vɛk

Frisco 'frɪsko, *engl.* 'frɪskoʊ
Frisé[e] fri'ze:
Frisella fri'zɛla
Friseur fri'zø:ɐ̯
Friseuse fri'zø:zə
frisieren fri'zi:rən
Frisoni *it.* fri'zo:ni
Frisör fri'zø:ɐ̯
friss! frɪs
frisst, Frist frɪst
fristen 'frɪstn̩
Frisur fri'zu:ɐ̯
Fritfliege 'frɪtfli:gə
Frith *engl.* frɪθ
Frithigern 'fri:tigɛrn
Frithjof 'frɪtjɔf, *norw.* 'fritjɔf
Fritillaria fritɪ'la:ri̯a, ...ien ...i̯ən
Fritjof *schwed.* 'fritjɔf
Frits *niederl.* frɪts
Fritsch frɪtʃ
Frittate frɪ'ta:tə
Fritte 'frɪtə
fritten 'frɪtn̩
Fritter 'frɪtɐ
Fritteuse frɪ'tø:zə
frittieren frɪ'ti:rən
Frittung 'frɪtʊŋ
Frittüre frɪ'ty:rə
Fritz[i] 'frɪts[i]
...fritze ...frɪtsə
Fritzlar 'frɪtslar
Fritzsche 'frɪtʃə
Friuli *it.* fri'u:li
frivol fri'vo:l
Frivolität frivoli'tɛ:t
Fro fro:
Fröbe 'frø:bə
Fröbel 'frø:bl̩
Froben 'fro:bn̩
Frobenius fro'be:ni̯ʊs
Froberger 'fro:bɛrgɐ
Frobisher *engl.* 'froʊbɪʃə
Froburg 'fro:bʊrk
Frode *dän.* 'fro:ðə
Fröding *schwed.* ˌfrø:dɪŋ
Froebel 'frø:bl̩
Froelich 'frø:lɪç
Frög frø:k
froh fro:
Frohburg 'fro:bʊrk
Froheit 'fro:hait
fröhlich, F... 'frø:lɪç
Fröhlichianer frø:lɪ'çi̯a:nɐ
frohlocken fro'lɔkn̩
Frohman *engl.* 'froʊmən
Frohmut 'fro:mu:t
frohmütig 'fro:my:tɪç, -e ...igə
Frohner 'fro:nɐ

Frohnleiten fro:n'laitn̩
Frohschammer 'fro:ʃamɐ
Froissart *fr.* frwa'sa:r
Froissé frɔa'se:
froissieren frɔa'si:rən
Frol *russ.* frɔl
Frolenko *russ.* fra'ljɛnkɐ
Frölich[er] 'frø:lɪç[ɐ]
Fromage fro'ma:ʒə
Fromage de Brie, -s - - fro- 'ma:ʒə də 'bri:
Frombork *poln.* 'frɔmbɔrk
Frome (UK) *engl.* fru:m
Froment *fr.* frɔ'mã
Fromentin *fr.* frɔmã'tɛ̃
Fromiller 'fro:mɪlɐ
fromm frɔm, **frömmer** 'frœmɐ
Fromm *dt., engl.* frɔm
Frommel 'frɔml̩
Frömmelei frœmə'lai
frömmeln 'frœml̩n
frommen 'frɔmən
frömmer vgl. fromm
Frömmigkeit 'frœmɪçkait
Fron fro:n
¹Fronde (Fron) 'fro:ndə
²Fronde (Auflehnung) 'frõ:də
fronden 'fro:ndn̩, **frond!** fro:nt
Fröndenberg 'frœndn̩bɛrk
Frondeszenz frɔndɛs'tsɛnts
Frondeur frõ'dø:ɐ̯
Frondienst 'fro:ndi:nst
frondieren frõ'di:rən
Frondizi *span.* frɔn'di:θi
frondos frɔn'do:s, -e ...o:zə
fronen 'fro:nən
frönen 'frø:nən
Fronleichnam fro:n-'laiçna:m
Frons frɔns, **Frontes** 'frɔn-te:s
Front frɔnt
frontal frɔn'ta:l
Frontale frɔn'ta:lə, ...lien ...li̯ən
Frontalität frɔntali'tɛ:t
Frontenac *fr.* frõt'nak
Frontera[s] *span.* frɔn'te-ra[s]
Frontes vgl. Frons
Frontfrau 'frɔntfrau
Frontier *engl.* 'frʌntɪə, –'–
Frontignan *fr.* frõti'ɲã
Frontinus frɔn'ti:nʊs
Frontismus frɔn'tɪsmʊs
Frontispiz frɔnti'spi:ts

Frontman, -men 'frɔntmɛn, auch: 'frant...
Frontmann 'frɔntman
Fronto 'frɔnto
Frontogenese frɔntoge-'ne:zə
Frontolyse frɔnto'ly:zə
Front Range engl. 'frʌnt 'reɪndʒ
fror fro:ɐ̯
fröre 'frø:rə
Frosch frɔʃ, Frösche 'frœʃə
Froschauer 'frɔʃaʊɐ̯
Fröschchen 'frœʃçən
Fræschviller fr. frɛʃvi'lɛ:r
Fröschweiler 'frœʃvaɪlɐ̯
Frosinone it. frozi'no:ne
¹Frost frɔst, Fröste 'frœstə
²Frost (Name) engl. frɔst
fröstelig 'frœstəlɪç, -e ...ɪgə
frösteln 'frœstl̩n
Froster 'frɔstɐ̯
frostig 'frɔstɪç, -e ...ɪgə
fröstlig 'frœstlɪç, -e ...ɪgə
Fröstling 'frœstlɪŋ
Frottage frɔ'ta:ʒə
Frotté, Frottee frɔ'te:
Frotteur frɔ'tø:ɐ̯
frottieren frɔ'ti:rən
Frottola 'frɔtola, ...olen frɔ-'to:lən
Frotzelei frɔtsə'laɪ
frotzeln 'frɔtsl̩n
Froude engl. fru:d
Froufrou fru'fru:
Froumund 'fraʊmʊnt
Frowin 'fro:vi:n
Frucht frʊxt, Früchte 'frʏçtə
fruchtbar 'frʊxtba:ɐ̯
fruchten 'frʊxtn̩
fruchtig 'frʊxtɪç, -e ...ɪgə
Fructose frʊk'to:zə
Fructuosus frʊk'tʊo:zʊs
Frueauf 'fry:laʊf
Frug russ. fruk
frugal fru'ga:l
Frugalität frugali'tɛ:t
Frugivore frugi'vo:rə
Frugoni it. fru'go:ni
früh, Früh fry:
Frühe 'fry:ə
Früher 'fry:ɐ̯
Frühjahr 'fry:ja:ɐ̯
Früling 'fry:lɪŋ
frühmorgens fry:'mɔrgn̩s
Frühstück 'fry:ʃtʏk
frühstücken 'fry:ʃtʏkn̩
frühzeitig 'fry:tsaɪtɪç
Fruin niederl. frœɪn

Fruktidor frʏkti'do:ɐ̯
Fruktifikation frʊktifika-'tsio:n
fruktifizieren frʊktifi'tsi:rən
Fruktivore frʊkti'vo:rə
Fruktose frʊk'to:zə
Frumentius fru'mɛntsiʊs
Frumerie schwed. ‚frʊməri
Frumkin russ. 'frumkin
Frundsberg 'frʊntsbɛrk
Frunse russ. 'frunzɪ
Fruote fru'o:tə
Fruška gora serbokr.) 'fruʃka: ‚gora
Frust frʊst
fruste frʏst
frustran frʊs'tra:n
Frustration frʊstra'tsio:n
frustratorisch frʊstra'to:rɪʃ
frustrieren frʊs'tri:rən
Frute 'fru:tə
Frutigen 'fru:tign̩
Frutolf 'fru:tɔlf
Frutt frʊt
Frutti 'frʊti, it. 'frutti
Frutti di Mare 'fruti di 'ma:rə
Fruttuaria it. frut'tua:ria
Fry engl. fraɪ
Frycz poln. frɪtʃ
Frýd tschech. fri:t
Frýdek-Mistek tschech. 'fri:dɛk'mi:stɛk
Fryderyk poln. fri'dɛrik
Frýdlant tschech. 'fri:dlant
Frye engl. fraɪ
Fryxell schwed. fryk'sɛl
FT-SE 'fʊtsi
Fuà it. fu'a
Fuad fu'a:t
¹Fuchs (Tier) fʊks, Füchse 'fʏksə
²Fuchs (Name) fʊks, engl. fu:ks
Füchschen 'fʏksçən
fuchsen 'fʊksn̩
Fuchsie 'fʊksiə
fuchsig 'fʊksɪç, -e ...ɪgə
Fuchsin fʊ'ksi:n
Füchsin 'fʏksɪn
Fuchskauten 'fʊkskaʊtn̩
fuchsrot 'fʊksro:t
fuchsschwänzeln 'fʊks-ʃvɛntsl̩n
fuchsschwänzen 'fʊks-ʃvɛntsn̩
fuchsteufelswild 'fʊks-tɔʏfl̩s'vɪlt
fuchswild 'fʊks'vɪlt
Fuchtel 'fʊxtl̩

fuchteln 'fʊxtl̩n
fuchtig 'fʊxtɪç, -e ...ɪgə
Fučik tschech. 'futʃi:k
Fuciner fu'tʃi:nɐ̯
Fucini it. fu'tʃi:ni
Fucino it. 'fu:tʃino
fuddeln 'fʊdl̩n, fuddle 'fʊdlə
fudeln 'fu:dl̩n, fudle 'fu:dlə
Fuder 'fu:dɐ̯
fudit 'fu:dɪt
Fudschaira fu'dʒaɪra
Fudschi jap. 'fu.dʒi
Fudschieda jap. fu'dʒieda
Fudschijama fudʒi'ja:ma
Fudschijoschida jap. 'fudʒi-joʃida
Fudschinomija jap. fu'dʒi-nomija
Fudschisan jap. 'fu.dʒisan
Fudschisawa jap. fu'dʒi-sawa
Fudschiwara fudʒi'va:ra, jap. fu'dʒiwara
Fuego span. 'fueɣo
Fuel engl. fjʊəl, 'fju:əl
Fuengirola span. fueŋxi'rola
Fuenllana span. fuen'ʎana
Fuente Obejuna span. 'fuente oβe'xuna
Fuenteovejuna span. fuen-teoβe'xuna
Fuentes span. 'fuentes
Fuero 'fue:ro
Fuertes span. fuɛrtes, engl. 'fjʊəti:z
Fuerteventura span. fuɛrte-βen'tura
Füessli 'fy:ɛsli
Fueter 'fu:ɛtɐ̯
Füetrer 'fy:ɛtrɐ̯
Fuffzehn 'fʊftse:n
Fuffziger 'fʊftsɪgɐ̯
Fufu 'fu:fu
Fug fu:k
Fuga it. 'fu:ga
fugal fu'ga:l
Fugard engl. 'f[j]u:gɑ:d
fugato fu'ga:to, ...ti ...ti
Fugazität fugatsi'tɛ:t
Fuge 'fu:gə
fugen 'fu:gn̩, fug! fu:k, fugt fu:kt
fügen 'fy:gn̩, füg! fy:k, fügt fy:kt
Füger 'fy:gɐ̯
Fugette fu'gɛtə
Fugger 'fʊgɐ̯
Fuggerei fʊgə'raɪ

Fughetta fu'gɛta, ...tten
...ɛtn̩
fugieren fu'gi:rən
füglich 'fy:klɪç
fügsam 'fy:kza:m
Fugu 'fu:gu
fühlen 'fy:lən
Fuhlrott 'fu:lrɔt
Fuhlsbüttel 'fu:lsbʏtl̩
Fühmann 'fy:man
Fühner 'fy:nɐ
fuhr, F... fu:ɐ̯
Fuhre 'fu:rə
führen 'fy:rən
Führer 'fy:rɐ
Führich 'fy:rɪç
Fuji engl. 'fu:dʒɪ
Fujian chin. fudʒiɛn 24
Fujimori span. fuxi'mori
Fukazeen fuka'tse:ən
Fukien 'fu:kiɛn
Fuks tschech. fuks
Fukui jap. fɯ'kui
Fukujama jap. fɯ'ku.jama
Fukuoka jap. fɯ'ku.oka
Fukusawa jap. fɯ'kuzawa
Fukuschima jap. fɯ'ku.ʃima
Fulbe 'fulbə
Fulbert 'fulbɛrt, fr. fyl'bɛ:r
Fulbright engl. 'fulbraɪt
Fulcher 'fulkɐ
Fulda 'fulda
Fuldaer 'fuldaɐ
fuldisch 'fuldɪʃ
Fulgencio span. ful'xenθi̯o
Fulgentius ful'gɛntsi̯ʊs
Fulgurant[e] fulgu'rant[ə]
Fulgurit fulgu'ri:t
Fulham engl. 'fuləm
Fuligo fu'li:go, ...gines
...gine:s
Fulldress 'ful'drɛs
Fülle 'fylə
füllen, F... 'fylən
Fuller engl. 'fulə
Füller 'fylɐ
Fullerene fulɐ're:nə
Fullerton engl. 'fulətən
füllig 'fylɪç, -e ...ɪgə
Fullhouse 'ful'haʊs
Füllsel 'fylzl̩
Fullservice 'ful'zø:ɐ̯vɪs,
...zœrvɪs
Fullspeed 'ful'spi:t
Full-Time... 'fultaɪm...
fully fashioned 'fuli 'fɛʃn̩t
fulminant fulmi'nant
Fulminat fulmi'na:t
Fulminanz fulmi'nants
Fülöp 'fy:lœp, ung. 'fyløp

Fulpmes 'fulpmɛs
Fulton engl. 'fultən
Fulvia 'fulvi̯a
Fulvius 'fulvi̯ʊs
Fulwood engl. 'fulwʊd
Fumarole fuma'ro:lə
Fumé fy'me:
Fummel 'fuml̩
fummeln 'fuml̩n
Fumoir fy'mo̯a:ɐ̯
Funabaschi jap. fu'na.baʃi
Funafuti funa'fu:ti, engl.
fu:nə'fu:tɪ
Funchal port. fũ'ʃal
Fund funt, -e 'fundə
Funda 'funda, ...dae ...dɛ
Fundament funda'mɛnt
fundamental fundamɛn'ta:l
Fundamentalismus funda-
mɛnta'lɪsmʊs
Fundamentalist fundamɛn-
ta'lɪst
fundamentieren funda-
mɛn'ti:rən
Fundation funda'tsi̯o:n
Fündchen 'fʏntçən
Funder 'fundɐ, dän. 'fun'dɐ,
'funɐ
Fundi 'fundi
fundieren fun'di:rən
fündig 'fʏndɪç, -e ...ɪgə
Fundus [dotalis, instruc-
tus] 'fundʊs [do'ta:lɪs,
ɪn'strʊktʊs]
Fundy engl. 'fʌndɪ
funebre fy'ne:brə
Fünen 'fy:nən
funerale fune'ra:lə
Funeralien fune'ra:li̯ən
Funes span. 'funes
Funès fr. fy'nɛs
fünf fynf
fünfeinhalb 'fynfˌlaɪn'halp
Fünfer 'fynfɐ
fünferlei 'fynfɐ'lai̯
fünffach 'fynffax
fünffältig 'fynffɛltɪç
Fünffrankenstück fynf-
'fraŋkn̩ʃtʏk
Fünfhaus fynf'haʊs
fünfhundert 'fynf'hundɐt
Fünfjahresplan fynf'ja:rəs-
pla:n
Fünfjahrplan fynf'ja:ɐ̯pla:n
Fünfkirchen fynf'kɪrçn̩
Fünfliber fynf'li:bɐ
Fünfmarkstück fynf'mark-
ʃtʏk
fünfmarkstückgroß fynf-
'markʃtʏkgro:s

Fünfpfennigstück fynf'pfɛnɪçʃtʏk
Fünfstetten 'fynfʃtɛtn̩
Fünfstromland fynf'ʃtro:m-
lant
fünft fynft
Fünftagefieber fynf'ta:gə-
fi:bɐ
fünftausend 'fynf'tauzn̩t
fünfte 'fynftə
fünftel, F... 'fynftl̩
fünftens 'fynftn̩s
Fünfuhrtee 'fynfˌlu:ɐ̯te:,
-'--
fünfundzwanzig 'fynf-
ˌlʊnt'tsvantsɪç
Funfur 'fanfø:ɐ̯, ...fœr
fünfzehn 'fynftse:n
fünfzig 'fynftsɪç
Fünfziger 'fynftsɪgɐ
Fungi vgl. Fungus
fungibel fuŋ'gi:bl̩, ...ble
...blə
Fungibilien fuŋgi'bi:li̯ən
Fungibilität fuŋgibili'tɛ:t
fungieren fuŋ'gi:rən
Fungistatikum fuŋgi'sta:ti-
kʊm, ...ka ...ka
fungizid, F... fuŋgi'tsi:t, -e
...i:də
fungös fuŋ'gø:s, -e ...ø:zə
Fungosität fuŋgozi'tɛ:t
Fungus 'fuŋgʊs, ...gi ...gi
Funhof fu:nho:f
Funi dt., it. 'fu:ni
Funiculaire funiky'lɛ:ɐ̯
Funiculus fu'ni:kulʊs, ...li
...li
funikulär funiku'lɛ:ɐ̯
Funikular... funiku'la:ɐ̯...
Funikulitis funiku'li:tɪs,
...litiden ...li'ti:dn̩
¹Funk (Rundfunk) fuŋk
²Funk (Musik) faŋk
³Funk (Name) fuŋk, poln.
fuŋk, engl. fʌŋk
Funke 'fuŋkə
funkeln 'fuŋkl̩n
funkelnagelneu 'fuŋkl̩-
'na:gl̩'nɔy
funken, F... 'fuŋkn̩
Funkie 'fuŋki̯ə
funkig (zu: ²Funk) 'faŋkɪç,
-e ...ɪgə
funkisch 'fuŋkɪʃ
Funktiolekt fuŋktsi̯o'lɛkt
Funktion fuŋk'tsi̯o:n
funktional fuŋktsi̯o'na:l
Funktionalismus fuŋktsi̯o-
na'lɪsmʊs

Funktionalität fʊŋktsionali-'tɛ:t
Funktionar fʊŋktsio'na:ɐ̯
Funktionär fʊŋktsio'nɛ:ɐ̯
funktionell fʊŋktsio'nɛl
funktionieren fʊŋktsio'ni:-rən
Funktiv fʊŋk'ti:f, -e ...i:və
Funktor 'fʊŋkto:ɐ̯, -en ...'to:rən
Funsel 'fʊnzl
Funzel 'fʊntsl̩
Fuoruscito fu̯oru'ʃi:to, ...ti ...ti
für fy:ɐ̯
Furage fu'ra:ʒə
furagieren fura'ʒi:rən
Furan fu'ra:n
fürbass fy:ɐ̯'bas
Fürbitte 'fy:ɐ̯bɪtə
fürbitten, F... 'fy:ɐ̯bɪtn̩
Furca 'fʊrka, Furcae 'fʊrtsɛ
Furche 'fʊrçə
furchen 'fʊrçn̩
furchig 'fʊrçɪç, -e ...ɪgə
Furcht fʊrçt
Fürchtegott 'fʏrçtəgɔt
fürchten 'fʏrçtn̩
furchtsam 'fʊrçtza:m
Furck fʊrk
fürder[hin] 'fʏrdɐ[hɪn]
füreinander fy:ɐ̯lai̯'nandɐ
Furetière fr. fyr'tjɛ:r
Furgler 'fʊrglɐ
Furiant fu'ri̯ant, 'fu:r...
furibund furi'bʊnt, -e ...ndə
Furie 'fu:ri̯ə
Furier fu'ri:ɐ̯
Furini it. fu'ri:ni
Furio it. 'fu:ri̯o
fürio! 'fy:ri̯o
furios fu'ri̯o:s, -e ...o:zə
furioso fu'ri̯o:zo
Furioso fu'ri̯o:zo, ...si fu'ri̯o:zi
Furius 'fu:ri̯ʊs
Furler 'fʊrlɐ
Furka 'fʊrka
Furlana fʊr'la:na
Furlane fʊr'la:nə
fürlieb fy:ɐ̯'li:p
Furmanow russ. 'furmɐnɐf
Furnadschiew bulgar. fur-'nadʒiɛf
Fürnberg 'fʏrnbɛrk
Furneaux engl. 'fə:noʊ
fürnehm 'fy:ɐ̯ne:m
Furness engl. 'fə:nɪs
Furnier fʊr'ni:ɐ̯
furnieren fʊr'ni:rən

Furniss engl. 'fə:nɪs
Furnival[l] engl. 'fə:nɪvəl
Furor 'fu:ro:ɐ̯
Furore fu'ro:rə
Furor poeticus, - teutonicus 'fu:ro:ɐ̯ po'e:tikʊs, -tɔy'to:nikʊs
Furphy engl. 'fə:fɪ
Furrer 'fʊrɐ
fürs fy:ɐ̯s
Fürsorge 'fy:ɐ̯zɔrgə
fürsorgerisch 'fy:ɐ̯zɔrgərɪʃ
fürsorglich 'fy:ɐ̯zɔrklɪç
Fürsprache 'fy:ɐ̯ʃpra:xə
Fürsprech[er] 'fy:ɐ̯ʃprɛç[ɐ]
Fürst fʏrst
Fürstabt 'fʏrst'lapt
Fürstbischof 'fʏrst'bɪʃɔf
fürsten 'fʏrstn̩
Fürstenau 'fʏrstənaʊ
Fürstenberg 'fʏrstn̩bɛrk
Fürstenfeld 'fʏrstn̩fɛlt
Fürstenfeldbruck 'fʏrstn̩fɛlt'brʊk
Fürstenzell fʏrstn̩'tsɛl
Fürsterzbischof 'fʏrst-'lɛrtsbɪʃɔf
Fürstinmutter 'fʏrstɪn'mʊtɐ
fürstlich 'fʏrstlɪç
Furt[er] 'fʊrt[ɐ]
Furta ung. 'furtɔ
Furth fʊrt
Fürth fʏrt
Furtmeyr 'fʊrtmai̯ɐ
Furttenbach 'fʊrtn̩bax
Furtwangen 'fʊrtvaŋən
Furtwängler 'fʊrtvɛŋlɐ
Furunkel fu'rʊŋkl̩
Furunkulose furʊŋku'lo:zə
Füruzan türk. fyru'zan
fürwahr fy:ɐ̯'va:ɐ̯
Fürwitz 'fy:ɐ̯vɪts
Fürwort 'fy:ɐ̯vɔrt
Furz fʊrts, Fürze 'fʏrtsə
furzen 'fʊrtsn̩
Furzewa russ. 'furtsɵvɐ
Fusa 'fu:za, Fusae 'fu:zɛ
Fusariose fuza'ri̯o:zə
Fusarium fu'za:ri̯ʊm, ...ien ...i̯ən
fuscheln 'fʊʃln̩
Fuschelei fʊʃə'lai̯
fuschen 'fʊʃn̩
fuschern 'fʊʃɐn
Fusel 'fu:zl̩
fuseln 'fu:zln̩, fusle 'fu:zlə
Fushun chin. fʊʃu̯an 34
fusiform fuzi'fɔrm
Füsilier fyzi'li:ɐ̯
füsilieren fyzi'li:rən

Füsillade fyzi'ja:də
Fusilli fu'zɪli
Fusinato it. fuzi'na:to
Fusion fu'zi̯o:n
fusionieren fuzi̯o'ni:rən
Fusit fu'zi:t
Fuß fu:s, Füße 'fy:sə
Fuss fu:s
Fußball[er] 'fu:sbal[ɐ]
fußbreit, F... 'fu:sbrai̯t
Füßchen 'fy:sçən
Fussel 'fʊsl̩
fusselig 'fʊsəlɪç, -e ...ɪgə
fusseln 'fʊsln̩
fußeln 'fu:sln̩
füßeln 'fy:sln̩
fußen 'fu:sn̩
Füssen 'fʏsn̩
Fussenegger 'fʊsənɛgɐ
...füßer ...fy:sɐ
fußhoch 'fu:sho:x
...füßig ...fy:sɪç, -e ...ɪgə
fußlang 'fu:slaŋ
...füßler ...fy:slɐ
Füßli 'fy:sli
fusslig 'fʊslɪç, -e ...ɪgə
Fußling 'fy:slɪŋ
Fuß[s]tapfe 'fu:s[ʃ]tapfə
fußtief 'fu:sti:f
Fust fʊst, fu:st
Füst ung. fyʃt
Fustage fʊs'ta:ʒə
Fustanella fʊsta'nɛla
Fustel fr. fys'tɛl
Fusti 'fʊsti
Fustikholz 'fʊstɪkhɔlts
Fusuma 'fu:zuma
Füterer 'fy:tərɐ
Futhark 'fu:θark
futieren fu'ti:rən
futil fu'ti:l
Futilität futili'tɛ:t
Futon 'fu:tɔn
futsch fʊtʃ
Futschu jap. 'fu.tʃu:
Futter 'fʊtɐ
Futterage fʊtə'ra:ʒə
Futteral fʊtə'ra:l
futtern 'fʊtɐn
füttern 'fʏtɐn
Futur fu'tu:ɐ̯
[1]Futura (Schrift) fu'tu:ra
[2]Futura vgl. Futurum
Futura exakta vgl. Futurum exaktum
Future 'fju:tʃɐ
futurisch fu'tu:rɪʃ
Futurismus futu'rɪsmʊs
Futurist[ik] futu'rɪst[ɪk]
Futurologe futuro'lo:gə

Futurologie futurolo'gi:
futurologisch futuro'lo:gɪʃ
Futurum fu'tu:rʊm, **...ra**
  ...ra
Futurum exaktum fu'tu:-
  rʊm ɛ'ksaktʊm, **...ra ...ta**
  ...ra ...ta
Fux fʊks
Fuxin *chin.* fuͼɪn 41
Fuzel 'fu:ts̩l
fuzeln 'fu:ts̩ln
Fuzerl 'fu:tsɐl
Fuzhou *chin.* fudʒoʊ 21
Fuzulî *türk.* fuzu:'li
Fuzz... 'fas...
Fuzzi 'fʊtsi
Fuzzy... 'fazɪ...
Fylgja 'fʏlgja, **...jur** ...jʊr
Fylke 'fʏlkə
Fyn *dän.* fy:'n
Fyt *niederl.* fɛịt

G

g, G ge:, *engl.* dʒi:, *fr.* ʒe, *it.*
  dʒi, *span.* xe
γ, Γ 'gama
Gãa 'gɛ:a
Gaál *ung.* ga:l
gab ga:p
Gabardine 'gabardi:n, *auch:*
  gabar'di:n[ə]
Gabaschwili *georg.* 'gaba-
  ʃwili
Gabbatha 'gabata
¹Gabbro (Gestein) 'gabro
²Gabbro (Name) *it.* 'gabbro
¹Gabe 'ga:bə
²Gabe (Name) *bulgar.* 'gabɛ
gäbe 'gɛ:bə
Gabel 'ga:bl̩
Gabelentz 'ga:bələnts
gabelig 'ga:bəlɪç, **-e** ...ɪgə
Gabelle ga'bɛlə
gabeln 'ga:bl̩n, **gable**
  'ga:blə
Gabelsberger 'ga:bl̩sbɛrgɐ
Gabelung 'ga:bəlʊŋ
gaben 'ga:bn̩
Gabes 'ga:bɛs
Gabès *fr.* ga'bɛs
Gabi 'ga:bi

Gabicce *it.* ga'bittʃe
Gabin *fr.* ga'bɛ̃
Gabinius ga'bi:njʊs
Gabirol gabi'ro:l, *span.*
  gaβi'rɔl
Gabitschwadse *georg.*
  'gabitʃhwadze
Gable *engl.* geɪbl
Gäblein (Gäbelchen)
  'gɛ:blaịn
Gablen[t]z 'ga:blɛnts
Gabler 'ga:blɐ
gablig 'ga:blɪç, **-e** ...ɪgə
Gablonz 'ga:blɔnts
Gablung 'ga:blʊŋ
Gabo *engl.* 'ga:bə, 'ga:boʊ
Gabon *fr.* ga'bõ
Gabor *engl.* 'ga:bɔ:, gə'bɔ:
Gábor *ung.* 'ga:bor
Gaboriau *fr.* gabɔ'rjo
Gaborone gabɔ'ro:nə, *engl.*
  gæbə'roʊnɪ
Gabriel 'ga:brie:l, *auch:*
  ...iɛl, *engl.* 'geɪbrɪəl, *fr.*
  gabri'ɛl, *span.* ga'βri̯ɛl,
  port. gɐ'βri̯ɛl, *schwed.*
  ˌga:briəl
Gabriela gabri'e:la, *span.*
  ga'βri̯ela, *port.* ga'βri̯ɛlɐ
Gabriele gabri'e:lə, *it.*
  gabri'ɛ:le
Gabrieli *it.* gabri'ɛ:li
Gabrielle *fr.* gabri'ɛl
Gabrielli *it.* gabri'ɛlli
Gabriello *it.* gabri'ɛllo
Gabrilowitsch *russ.* gɐbri-
  'lɔvitʃ
Gabrowo *bulgar.* 'gabrovo
gabst ga:pst
gabt ga:pt
Gabun[er] ga'bu:n[ɐ]
gabunisch ga'bu:nɪʃ
Gaby 'ga:bi, *fr.* ga'bi, *engl.*
  'gæbɪ, ga:bɪ
Gace Brulé *fr.* gasbry'le
Gachard *fr.* ga'ʃa:r
Gachet *fr.* ga'ʃɛ
Gackelei gakə'laị
gackeln 'gakl̩n
gackern 'gakɐn
gacksen 'gaksn̩
Gad ga:t
Gadamer 'ga:damɐ
Gadames ga'da:mɛs
Gadara 'ga:dara
Gadda *it.* 'gadda
Gadd[h]afi ga'da:fi
Gaddi *it.* 'gaddi
Gaddis *engl.* 'gædɪs
Gade *dän.* 'gɛ:ðə

Gadebusch 'ga:dəbʊʃ
Gaden 'ga:dn̩
Gadenne *fr.* ga'dɛn
Gadget 'gɛdʒɪt
Gadijew *russ.* ga'dijɪf
Gadolinit gadoli'ni:t
Gadolinium gado'li:njʊm
Gadschibekow *russ.* gɐ-
  dʒi'bjɛkɐf
Gadsden *engl.* 'gædzdən
Gadshill *engl.* 'gædzhɪl
Gaede 'gɛ:də
Găeşti *rumän.* gə'i̯eʃtj
Gaeta *it.* ga'e:ta
Gaétan *fr.* gae'tã
Gaetani *it.* gae'ta:ni
Gaetano *it.* gae'ta:no
Gaewolf 'gɛ:vɔlf
Gafencu *rumän.* ga'feŋku
Gaffel 'gafl̩
gaffen 'gafn̩
Gafferei gafə'raị
Gaffky 'gafki
Gaffney *engl.* 'gæfnɪ
Gaffori *it.* gaf'fɔ:ri
Gaffron 'gafrɔn
Gaffurio *it.* gaf'fu:ri̯o
Gafsa 'gafsa, *fr.* gaf'sa
Gafuri *russ.* gɐfu'ri
Gag gɛk
gaga ga'ga
Gagaku 'ga:gaku
Gagarin *russ.* ga'garin
Gagat ga'ga:t
Gagause gaga'u:zə
Gagausien gaga'u:zi̯ən
gagausisch gaga'u:zɪʃ
¹Gage 'ga:ʒə
²Gage (Name) *engl.* geɪdʒ
Gagern 'ga:gɐn
Gaggenau gagə'naụ
Gagger 'gɛgɐ
Gagini *it.* ga'dʒi:ni
Gagliano *it.* gaʎ'ʎa:no
Gagliarde gal'jardə
Gagliardi gal'jardi, *it.* gaʎ-
  'ʎardi
Gagman, Gagmen 'gɛkmɛn
Gagnebin *fr.* gaɲ'bɛ̃
Gagnoa *fr.* gaɲɔ'a
Gagra *russ.* 'gagrɐ
Gaguin *fr.* ga'gɛ̃
Gahanna *engl.* gə'hænə
Gahmuret 'ga:murɛt,
  'gaxm...
Gahn *schwed.* ga:n
gähnen 'gɛ:nən
Gahnit ga'ni:t
Gahse 'ga:zə

Gaia 'gaia
Gaibach 'gaibax
Gaidar *russ.* gaj'dar
gaiement ge'mã:
Gail gail, *engl.* geil, *fr.* gaj
Gaildorf 'gaildɔrf
Gaillac *fr.* ga'jak
¹Gaillard (Bruder Lustig) ga'ja:r
²Gaillard (Name) *fr.* ga'ja:r, *engl.* gɪl'ja:d
Gaillarde ga'jardə
Gaillardia ga'jardia, ...ien ...iən
gaîment ge'mã:
Gaines[ville] *engl.* 'geɪnz[vɪl]
Gainsborough *engl.* 'geɪnzbərə
Gainsbourg *fr.* gɛz'bu:r
gaio 'gaio
Gairdner *engl.* 'gɛədnə
Gai saber 'gai za'be:ɐ̯
Gai savoir 'gɛ: za'vṵa:ɐ̯
Gaiser 'gaizɐ
Gaisford *engl.* 'geɪsfəd
Gaismair, ...ayr 'gaismaiɐ̯
Gaita 'gaita
Gaithersburg *engl.* 'geɪθəzbə:g
Gaitskell *engl.* 'geɪtskəl
Gaius 'gaiʊs
Gaj *slowen.* ga:j
Gajda 'gaida
Gajdusek *engl.* 'gaɪdʊʃɛk
Gajomart ga'jo:mart
Gajus 'ga:jʊs
Gal (Galilei) gal
Gál ga:l
Gala 'ga:la, *auch:* 'gala
Galaad *fr.* gala'ad
Galabija gala'bi:ja
Galabow *bulgar.* 'gələbof
Galaction *rumän.* galak't[s]ion
Galago ga'la:go
Galahad *engl.* 'gæləhæd
Galaktagogum galakta-'go:gʊm, ...ga ...ga
Galaktionow *russ.* gɐlɐkti'ɔnɐf
galaktisch ga'laktɪʃ
Galaktologie galakto'lo'gi:
Galaktometer galakto-'me:tɐ
Galaktorrhö, ...öe galak-tɔ'rø:, ...rrhöen ...'rø:ən
Galaktose galak'to:zə
Galaktosidase galaktozi-'da:zə

Galaktostase galakto-'sta:zə
Galaktosurie galaktozu'ri:, -n ...i:ən
Galaktozele galakto'tse:lə
Galalith® gala'li:t
¹Galan (Liebhaber) ga'la:n
²Galan (Name) *russ.* ga'lan
Galán *span.* ga'lan
galant ga'lant
Galanta *slowak.* 'galanta
Galánta *ung.* 'gɔla:ntɔ
Galanterie galantə'ri:, -n ...i:ən
Galanthomme, -s galan'tɔm
Galantine galan'ti:nə
Galantuomo galan'tṵo:mo, ...mini ...mini
Galápagos *span.* ga'lapayos
Galapagosinseln ga'la[:]pagɔs|ɪnz|n
Galashiels *engl.* gælə'ʃi:lz
Galata 'ga:lata, *türk.* ga'lata
Galatea gala'te:a
Galateia gala'taia
Galateo *it.* gala'tɛ:o
Galater 'ga:latɐ
Galathea gala'te:a
Galathee gala'te:
Galați *rumän.* ga'latsj
Galatien ga'la:tsiən
galatisch ga'la:tiʃ
Galatz ga'lats, 'gal..., 'ga:l...
Galax *engl.* 'geɪlæks
Galaxias gala'ksi:as
Galaxie gala'ksi:, -n gala'ksi:ən
Galaxis ga'laksɪs, ...ien gala'ksi:ən
Galaxy *engl.* 'gæləksɪ
Galba 'galba
Galban[um] 'galban[ʊm]
Galbraith (USA) *engl.* 'gælbreɪθ
Gałczyński *poln.* gau̯'tʃĩiski
Galdhöpigg *norw.* ˌgalhø:-pig
Galdino *it.* gal'di:no
Galdós *span.* gal'dɔs
Gale *engl.* geɪl
Gâle 'gɛ:lə
Galeasse gale'asə
Galeazzo *it.* gale'attso
Galeere ga'le:rə
¹Galen (Name) 'ga:lən, *engl.* 'geɪln
²Galen (altgr. Arzt) ga'le:n
Galenik ga'le:nɪk

Galenikum ga'le:nikʊm, ...ka ...ka
galenisch, G... ga'le:nɪʃ
Galenit gale'ni:t
Galenus ga'le:nʊs
Galeone gale'o:nə
Galeota *it.* gale'o:ta
Galeot[e] gale'o:t[ə]
Galeotto *it.* gale'ɔtto
Galera ga'le:ra
Galerie galə'ri:, -n ...i:ən
Galerist galə'rɪst
Galerius ga'le:riʊs
Galesburg *engl.* 'geɪlzbɐ:g
Galette ga'lɛtə
Galgant gal'gant
Galgen 'galgn̩
Galiani *it.* ga'lia:ni
Galibier *fr.* gali'bje
Galicia *span.* ga'li:θia
Galicien ga'li:tsiən
Galicier ga'li:tsiɐ
galicisch ga'li:tsɪʃ
Galicja *poln.* ga'litsja
Galiläa gali'lɛ:a
Galiläer gali'lɛ:ɐ
galiläisch gali'lɛ:ɪʃ
Galilei gali'lɛ:i, *it.* gali'lɛ:i̯
Galileo gali'le:o
Galimard *fr.* gali'ma:r
Galimathias galima'ti:as
Galimberti *it.* galim'bɛrti
Galina *russ.* ga'linɐ
Galinde ga'lɪndə
Galindo *span.* ga'lindo
¹Galion (Schiffsteil) ga'lio:n
²Galion (Name) *engl.* 'gælɪon
Galione ga'lio:nə
Galiote ga'lio:tə
Galipot gali'po:
gälisch 'gɛ:lɪʃ
Galitsch *russ.* 'galitʃ
Galitzin ga'lɪtsɪn, 'galɪtsɪn
Galium ga'li:ʊm
Galivate gali'va:tə
Galizien ga'li:tsiən
Galizier ga'li:tsiɐ
galizisch ga'li:tsɪʃ
Galizyn ga'lɪtsɪn, 'galɪtsɪn
Galja *russ.* 'galiɐ
Galjass gal'jas
Galjon gal'jo:n
Galjot gal'jo:t
Gall[a] 'gal[a]
Galla[g]her *engl.* 'gæləhə
Gallaktion *russ.* gɐllɐkti'ɔn
Galland galant, *fr.* ga'lã
Gallarate *it.* galla'ra:te
Gallarati *it.* galla'ra:ti

Gallardo *span.* ga'ʎarðo
Gallas 'galas
Gallat ga'la:t
Gallatin *engl.* 'gælətın
Gallaudet *engl.* gælə'dɛt
¹Galle 'galə
²Galle (Name) 'galə, *fr.* gal, *niederl.* 'ɣalə, *engl.* ga:l, gæl
Gallé *fr.* ga'le
Galléglas ga'le:gla:s
Gallego *span.* ga'ʎeɣo
Gállego *span.* 'gaʎeɣo
Gallegos *span.* ga'ʎeɣos
Gallehus *dän.* 'gælǝhu:'s
Gallén *schwed.* ga'le:n
gallenbitter 'galǝn'bıtɐ
Gallenga *it.* gal'leŋga
Gallén-Kallela *schwed.* ga'le:n'kalǝla
Galleria gale'ri:a
Gallert 'galɐt, *auch:* ga'lɛrt
Gallerte ga'lɛrtǝ, *auch:* 'galɐtǝ
gallertig ga'lɛrtıç, *auch:* 'galɐtıç, -e ...ıgǝ
Galli *it.* 'galli
Galliarde ga'jardǝ
Gallicius ga'li:tsi̯ʊs
Gallico *it.* 'galliko, *engl.* 'gælıkoʊ
Galliculus ga'li:kulʊs
Gallien 'gali̯ǝn
Gallieni *fr.* galje'ni
Gallienus ga'li̯e:nʊs
Gallier 'gali̯ɐ
Galliera *it.* gal'li̯ɛ:ra
gallieren ga'li:rǝn
gallig 'galıç, -e ...ıgǝ
gallikanisch gali'ka:nıʃ
Gallikanismus galika'nısmʊs
Gallimard *fr.* gali'ma:r
Gallin ga'li:n
Gallina *it.* gal'li:na
Galling[er] 'galıŋ[ɐ]
Gallio 'gali̯o
Gallion ga'li̯o:n
Gallipoli ga'li:poli, *it.* gal'li:poli
gallisch 'galıʃ
gallisieren gali'zi:rǝn
Gallitzin ga'lıtsın, 'galitsın
Gallium 'gali̯ʊm
Gallivare *schwed.* 'jɛliva:rǝ
Gallizismus gali'tsısmʊs
Galljambus gal'jambʊs
Gallmeyer 'galmai̯ɐ
Gallo *it.* 'gallo, *span.* 'gaʎo
Gallois *fr.* ga'lwa

Gallomane galo'ma:nǝ
Gallomanie galoma'ni:
Gallon 'gɛlǝn
Gallone ga'lo:nǝ
gallophil galo'fi:l
Gallophilie galofi'li:
gallophob galo'fo:p, -e ...o:bǝ
Gallophobie galofo'bi:
galloromanisch, G... galo-ro'ma:nıʃ
Galloromania galoro-'ma:ni̯a
Galloway *engl.* 'gælǝwei
Gallup 'galʊp, *auch:* 'gɛlǝp; *engl.* 'gælǝp
Galluppi *it.* gal'luppi
Gallura *it.* gal'lu:ra
Gallus 'galʊs
Gallwitz 'galvıts
Galmei gal'mai̯, *auch:* '--
Galois *fr.* ga'lwa
Galomir 'ga:lomi:ɐ
Galon ga'lõ:
Galone ga'lo:nǝ
galonieren galo'ni:rǝn
Galopin galo'pɛ̃:
Galopp ga'lɔp
Galoppade galɔ'pa:dǝ
Galopper ga'lɔpɐ
galoppieren galɔ'pi:rǝn
Galosche ga'lɔʃǝ
Galotti ga'lɔti
Galswintha gal'svınta
Galsworthy *engl.* 'gɔ:lz-wǝ:ðı
galt, G... galt
Galt[on] *engl.* gɔ:lt[n]
gälte 'gɛltǝ
Galtgarben 'galtgarbn̩
Galtonie gal'to:ni̯ǝ
Galtür gal'ty:ɐ
Galtvieh 'galtfi:
Galuppi *it.* ga'luppi
Galuth ga'lu:t
Galvani *it.* gal'va:ni
Galvanisation galvaniza-'tsi̯o:n
galvanisch gal'va:nıʃ
Galvaniseur galvani'zø:ɐ
galvanisieren galvani'zi:rǝn
Galvanismus galva'nısmʊs
Galvano gal'va:no
Galvanographie galvano-gra'fi:
Galvanokaustik galvano-'kaʊstık
Galvanokauter galvano-'kaʊtɐ

Galvanometer galvano-'me:tɐ
galvanometrisch galvano-'me:trıʃ
Galvanoplastik galvano-'plastık
galvanoplastisch galvano-'plastıʃ
Galvanopunktur galvano-pʊŋk'tu:ɐ
Galvanoskop galvano'sko:p
Galvanostegie galvano-ste'gi:
Galvanotaxis galvano'tak-sıs
Galvanotechnik galvano-'tɛçnık
Galvanotherapie galvano-tera'pi:
Galvanotropismus galva-notro'pısmʊs
Galvanotypie galvanoty'pi:
Galvão *port., bras.* gal'vẽu̯
Galveston *engl.* 'gælvıstǝn
Gálvez *span.* 'galβeθ
Galway *engl.* 'gɔ:lwei
Gama 'ga:ma, *span.* 'gama, *port.* 'gɐmɐ, *bras.* 'gɐma
Gamaliel ga'ma:li̯e:l, *auch:* ...i̯ɛl
Gamander ga'mandɐ
Gamasche ga'maʃǝ
Gamasidiose gamazi'di̯o:zǝ
Gamay *fr.* ga'mɛ
Gambade gam'ba:dǝ, *auch:* gã'b...
Gambang 'gambaŋ
Gambara *it.* 'gambara
Gambe 'gambǝ
Gambetta gam'bɛta, *fr.* gãbɛ'ta
Gambia 'gambi̯a, *engl.* 'gæmbıǝ
Gambie *fr.* gã'bi
¹Gambier (Staatsangehöriger von Gambia) 'gambi̯ɐ
²Gambier (Name) *engl.* 'gæmbıǝ, *fr.* gã'bje
Gambir 'gambır
gambisch 'gambıʃ
Gambist gam'bıst
Gambit gam'bıt
Gamble *engl.* gæmbl
Gamboa *span.* gam'boa
Gambrinus gam'bri:nʊs
Gameboy 'ge:mbɔy
Gamelan 'ga:mǝlan
Gamelang 'ga:mǝlaŋ
Gamelin *fr.* gam'lɛ̃
Gamelle ga'mɛlǝ

Gameshow 'geːmʃoː
Gamet ga'meːt
Gametangiogamie game-tangioga'miː
Gametangium game'tangiʊm, ...ien ...i̯ən
Gametogamie gametoga'miː
Gametogenese gametoge-'neːzə
Gametopathie gametopa'tiː, -n ...iːən
Gametophyt gameto'fyːt
Gametozyt gameto'tsyːt
Gamillscheg 'gamɪlʃɛk
Gamin ga'mɛ̃ː
Gaming 'gamɪŋ
Gamle by dän. 'gamlə 'byː'
Gamma[rus] 'gama[rʊs]
Gammazismus gama'tsɪsmʊs
Gamme 'gamə
Gammel 'gaml̩
gammelig 'gaməlɪç, -e ...ɪgə
Gammelin gamə'liːn
gammeln 'gaml̩n
Gammertingen 'gamɐtɪŋən
Gammler 'gamlɐ
gammlig 'gamlɪç, -e ...ɪgə
Gammon 'gɛmən
Gamone ga'moːnə
Gamont ga'mɔnt
gamophob gamo'foːp, -e ...oːbə
gamotrop gamo'troːp
Gamow engl. 'gæmaʊ
Gampsodaktylie gampsodakty'liː, -n ...iːən
Gams gams
Gamsachurdia georg. 'gamsaxurdia
Gamsatow russ. gam'zatɐf
Gämsbock 'gɛmsbɔk
Gämse 'gɛmzə
Gan gaːn, fr. gã
Gana 'gaːna, span. 'gana
Ganache ga'naʃ
Ganasche ga'naʃə
Ganassi it. ga'nassi
Ganauser 'ganaʊzɐ
Gance fr. gãːs
¹Gand (Schuttfeld) gant, -en 'gandn̩, Gänder 'gɛndɐ
²Gand (Name) fr. gã
Ganda 'ganda
Gandak engl. 'gændək
Gander engl. 'gændə
Ganderkesee 'gandɐkəzeː
Gandersheim 'gandɐshaim
Gandhara gan'daːra

Gandharwa gan'daːɐ̯va
Gandhi 'gandi, engl. 'gændɪ, 'gaːndiː
Gandhinagar engl. 'gaːndiː-:nəgə
Gandía span. gan'dia
Gandinus gan'diːnʊs
Gandscha russ. gan'dʒa
Gane rumän. 'gane
Ganeff 'ganɛf
Ganelon fr. gan'lõ
Ganerbe 'gaːnlɛrbə
Ganescha ga'neːʃa
Ganew bulgar. 'ganɛf
gäng gɛŋ
¹Gang gaŋ, Gänge 'gɛŋə
²Gang (Bande) gɛŋ
Ganganagar engl. 'gæŋga:-nəgə
Ganganelli it. gaŋga'nɛlli
Gängelei gɛŋə'lai
gängeln 'gɛŋl̩n
Ganges 'gaŋgɛs, auch: 'gaŋəs; fr. gãːʒ
Ganghofer 'gaŋhoːfɐ
gängig 'gɛŋɪç, -e ...ɪgə
Gangliom gaŋgli'oːm
Ganglion 'gaŋ[g]liɔn, ...ien ...iən
ganglionär gaŋglio'nɛːɐ̯
Ganglionitis gaŋglio'niːtɪs, ...nitiden ...ni'tiːdn̩
Ganglioplegikum gaŋglio-'pleːgikʊm, ...ka ...ka
Ganglitis gaŋ'gliːtɪs, ...litiden ...li'tiːdn̩
Gangolf 'gaŋɡɔlf
Gangrän[e] gaŋ'grɛːn[ə]
gangräneszieren gaŋgrɛnɛs'tsiːrən
gangränös gaŋgrɛ'nøːs, -e ...øːzə
Gangspill 'gaŋʃpɪl
Gangster 'gɛŋstɐ
Gangtok engl. 'gaːŋtɔk, 'gæŋ...
gang und gäbe 'gaŋ ʊnt 'gɛːbə
Gangway 'gɛŋveː
Ganivet span. gani'βɛt
Ganjiang chin. gandzi̯aŋ
Ganoblast gano'blast
Ganoid... gano'iːt...
Ganoiden gano'iːdn̩
Ganoin gano'iːn
Ganosis 'ga:nozɪs, ...osen ga'noːzn̩
Ganove ga'noːvə
Gans gans, Gänse 'gɛnzə
Gänsbacher 'gɛnsbaxɐ

Gansberg 'gansbɛrk
Gänschen 'gɛnsçən
Ganser 'ganzɐ
Gänserich 'gɛnzərɪç
Gänserndorf 'gɛnzɐndɔrf
Gansevoort engl. 'gænzvɔːt
Gansfort 'gansfɔrt, niederl. 'ɣansfɔrt
Ganshof niederl. 'ɣanshɔf
Ganshoren niederl. 'ɣansho:rə, fr. gãsɔ'rɛn
Gansljunge 'ganzljʊŋə
Gansu chin. gansu 14
Gant gant
Ganteaume fr. gã'toːm
Ganter 'gantɐ
Ganvié fr. gã'vje
Ganymed gany'meːt, auch: 'gaː...
Ganymedes gany'meːdɛs
ganz, Ganz gants
Gänze 'gɛntsə
ganzgar 'gantsgaːɐ̯
Ganzhorn 'gantshɔrn
gänzlich 'gɛntslɪç
Gao fr. ga'o
Gap fr. gap, engl. gæp
Gapon russ. ga'pɔn
gar ga:ɐ̯
Garage ga'raːʒə
garagieren gara'ʒiːrən
Garagist gara'ʒɪst
Garai ung. 'gɔrɔi
Garamante gara'mantə
Garamond gara'mõː
Garand engl. 'gærənd
Garanhuns bras. garɐ'ɲũs
Garant ga'rant
Garantie garan'tiː, -n ...iːən
garantieren garan'tiːrən
Garašanin serbokr. ga'raʃanin
Garaudy fr. garo'di
Garaus 'gaːɐ̯laus
Garay span. ga'rai, ung. 'gɔrɔi
Garbe 'garbə
Garbo dt., it. 'garbo, schwed. 'garbu
Garborg norw. 'gaːrbɔr[g]
Garbsen 'garpsn̩
Garção port. gɐr'sẽu̯
Garching 'garçɪŋ
Garcia fr. gar'sja, port. gɐr'siɐ, kat. gar'siə
García [Villada] span. gar-'θia [βi'ʎaða]
Garcilaso span. garθi'laso
Garcin fr. gar'sɛ̃
Garçon gar'sõː

Garçonne gar'sɔn, -n ...nən
Garçonnière garsɔ'njɛːrə, ...jɛːrə
Gard gart, *fr.* ga:r, *schwed.* gɑːrd
Garda *it.* 'garda
Gardanne *fr.* gar'dan
Gardariki 'gardari:ki
¹Garde (Wache) 'gardə
²Garde (Name) *fr.* gard
Gardedukorps gardədy-'koːɐ̯, des - ...ɐ̯[s]
Gardekorps gardə'koːɐ̯, '---, des - ...ɐ̯[s]
Gardelegen 'gardəle:gn̩
Gardel[le] *fr.* gar'dɛl
Gardelli *it.* gar'dɛlli
Gardemanger gardəmãˈʒe:
Garden *engl.* gɑːdn
Gardena *engl.* gɑːˈdiːnə, *it.* gar'de:na
Gardenie gar'de:njə
Garden of the Gods *engl.* 'gɑːdn əv ðə 'gɔdz
Garderobe gardə'ro:bə
Garderobier gardəro'bje:
Garderobiere gardəro-'bjeːrə
Garder See 'gardɐ 'ze:
gardez! gar'de:
Gardine gar'di:nə
Gardiner *engl.* 'gɑːdnə
Garding 'gardɪŋ
Gardist gar'dɪst
Gardner *engl.* 'gɑːdnə
Gardon *fr.* gar'dõ
Gardone *it.* gar'do:ne
Gárdony[i] *ung.* 'gɑːrdonj[i]
Gare 'gaːrə
garen 'ga:rən
gären 'gɛ:rən
Gareth *it.* ga'rɛt, *kat.* gə'rɛt
Garfagnana *it.* garfaɲ-'ɲa:na
Garfield [Heights] *engl.* 'gɑːfiːld ['haɪts]
Gargallo *span.* gar'ɣaʎo
Gargano *it.* gar'ga:no
Gargantua *it.* gar'gantu̯a, *fr.* gargãˈtɥa
gargarisieren gargari'zi:-rən
Gargarisma garga'rɪsma, -ta -ta
Gargas *fr.* gar'gɑːs
Gargiullo *it.* gar'dʒullo
Gargrave *engl.* 'gɑːgreɪv
Garibaldi *it.* gari'baldi
Garigliano *it.* gariʎ'ʎa:no
Garigue *fr.* ga'rig

Garin *russ.* 'garin
Garizim gari'tsi:m
Garland *engl.* 'gɑːlənd
Garlanda *it.* gar'landa
Garlandia gar'landi̯a
Garmisch 'garmɪʃ
Garmond gar'mõː
Garn garn
Garnasch gar'naʃ
Garneau *fr.* gar'no
Garnele gar'ne:lə
Garner *engl.* 'gɑːnə
Garnet[t] *engl.* 'gɑːnɪt
garni gar'ni:
¹Garnier (Marine) gar'ni:ɐ̯
²Garnier (Name) *fr.* gar'nje
garnieren gar'ni:rən
Garnierit garnie'ri:t
Garnison garni'zo:n
garnisonieren garnizo'ni:-rən
Garnitur garni'tu:ɐ̯
Garofalo *it.* ga'rɔːfalo
Garo Hills *engl.* 'gɑːroʊ 'hɪlz
Garonne *fr.* ga'rɔn
Garotte ga'rɔtə
garottieren garɔ'ti:rən
Garoua *fr.* ga'rwa
Garouille ga'ru:jə
Garrel 'garəl
Garrett *port.* gɐ'rrɛt, *engl.* 'gærət
Garrick *engl.* 'gærɪk
Garrido *span.* ga'rriðo
Garrigou *fr.* gari'gu
Garrigue[s] *fr.* ga'rig
Garrison *engl.* 'gærɪsn
Garrit 'garɪt
Garron *fr.* 'gærən
Garros *fr.* ga'ro:s
Garrotte ga'rɔtə
garrottieren garɔ'ti:rən
Garry *engl.* 'gærɪ
Garschin *russ.* 'garʃin
Garseran garze'ran
Garson *engl.* gɑːsn
Garstedt 'garʃtɛt
garstig 'garstɪç, -e ...ɪgə
Gart gart
gärteln 'gɛrtl̩n
Garten 'gartn̩, Gärten 'gɛrtn̩
Gartenaere 'gartənɛːrə
Garter 'gartɐ, *engl.* 'gɑːtə
Garth *engl.* gɑːθ
Gartner 'gartnɐ
Gärtner 'gɛrtnɐ
Gärtnerei gɛrtnə'raɪ
gärtnern 'gɛrtnɐn
Gartz gartṣ

Garúa *span.* ga'rua
Garuda 'ga:ruda
Gärung 'gɛ:rʊŋ
Garve 'garvə
Garvey *engl.* 'gɑːvɪ
Garvin *engl.* 'gɑːvɪn
Gary *engl.* 'gærɪ, *fr.* ga'ri
Garz garts, ga:ɐ̯ts
Garzweiler 'ga[ː]rtsvaɪlɐ
Gas ga:s, -e 'ga:zə
Gasa 'ga:za
Gascar *fr.* gas'kar
Gasch *amh.* gaʃ
Gaschurn ga'ʃurn
Gascogne *fr.* gas'kɔɲ
Gascoigne, ...oyne *engl.* 'gæskɔɪn
Gasel[e] ga'ze:l[ə]
gasen 'ga:zn̩, gas! ga:s, gast ga:st
Gasherbrum *engl.* 'gæʃəbrʊm
gasieren ga'zi:rən
gasifizieren gazifi'tsi:rən
gasig 'ga:zɪç, -e ...ɪgə
Gaskell *engl.* 'gæskəl
Gaskogner gas'kɔnjɐ
Gaskonade gasko'na:də
Gasli *russ.* gaz'li
Gaslini *it.* gaz'li:ni
Gasnawide gasna'vi:də
Gasolin® gazo'li:n
Gasometer gazo'me:tɐ
Gaspar *span., bras.* gas'par, *port.* gɐʃ'par, *niederl.* 'ɣas-par
Gáspár *ung.* 'ga:ʃpa:r
Gaspara *it.* 'gaspara
Gasparini *it.* gaspa'ri:ni
Gasparo gas'pa:ro, *it.* 'gas-paro
Gasparone *it.* gaspa'ro:ne
Gasparri *it.* gas'parri
Gaspé *fr.* gas'pe, *engl.* 'gæs-peɪ, -'-
Gasperi *it.* 'gasperi
Gaspra *russ.* 'gasprɐ
Gasquet *fr.* gas'kɛ, *engl.* gæs'keɪ
Gass gas, *engl.* gæs
gassaus gas'laʊs
Gässchen 'gɛsçən
Gasse 'gasə
gassein gas'laɪn
Gassendi *fr.* gasɛ̃'di
Gasser 'gasɐ, *engl.* 'gæsə
Gasset *span.* ga'sɛt
Gassi 'gasi
Gässlein 'gɛslaɪn
Gaßmann 'gasman

Gassmann 'gasman, *it.*
'gazman
Gast gast, Gäste 'gɛstə
Gastein gas'tain
Gaster 'gastɐ, *fr.* gas'tɛ:r,
engl. 'gɑ:stə, *rumän.* 'gas-
ter
Gasterei gastə'rai
Gastew *russ.* 'gastɪf
gastieren gas'ti:rən
gastlich 'gastlɪç
Gastoldi *it.* gas'tɔldi
Gaston *fr.* gas'tõ
Gastone *it.* gas'to:ne
Gastonia *engl.* gæs'tounɪə
Gasträa gas'trɛ:a, ...äen
...ɛ:ən
gastral gas'tra:l
Gastralgie gastral'gi:, -n
...i:ən
Gastrektasie gastrɛkta'zi:,
-n ...i:ən
Gastrektomie gastrɛk-
to'mi:, -n ...i:ən
Gästrikland *schwed.*
'jɛstriklan[d]
Gastrin gas'tri:n
gastrisch 'gastrɪʃ
Gastritis gas'tri:tɪs, ...riti-
den ...ri'ti:dn̩
Gastrizismus gastri'tsɪsmʊs
Gastroanastomose gastro-
|anasto'mo:zə
Gastrodiaphanie gastro-
diafa'ni:, -n ...i:ən
gastroduodenal gastroduo-
de'na:l
Gastroduodenitis gastro-
duode'ni:tɪs, ...itiden
...ni'ti:dn̩
Gastrodynie gastrody'ni:,
-n ...i:ən
gastroenterisch gastro-
|ɛn'te:rɪʃ
Gastroenteritis gastro-
|ɛnte'ri:tɪs, ...ritiden
...ri'ti:dn̩
Gastroenterokolitis
gastro|ɛnteroko'li:tɪs, ...liti-
den ...li'ti:dn̩
Gastroenterologe gastro-
|ɛntero'lo:gə
Gastroenterostomie
gastro|ɛnterosto'mi:, -n
...i:ən
gastrogen gastro'ge:n
gastrointestinal gastro-
|ɪntɛsti'na:l
Gastrolith gastro'li:t
Gastrologie gastrolo'gi:

Gastrolyse gastro'ly:zə
Gastromalazie gastroma-
la'tsi:, -n ...i:ən
Gastromant gastro'mant
Gastromegalie gastrome-
ga'li:, -n ...i:ən
Gastromyzet gastromy-
'tse:t
Gastronom gastro'no:m
Gastronomie gastrono'mi:
Gastroparese gastropa-
're:zə
Gastropathie gastropa'ti:,
-n ...i:ən
Gastropexie gastropɛ'ksi:,
-n ...i:ən
Gastroplastik gastro'plas-
tɪk
Gastroplegie gastrople'gi:,
-n ...i:ən
Gastropode gastro'po:də
Gastroptose gastrɔp'to:zə
Gastrorrhagie gastrɔra'gi:,
-n ...i:ən
Gastrose gas'tro:zə
Gastroskop gastro'sko:p
Gastroskopie gastrosko'pi:,
-n ...i:ən
Gastrosoph gastro'zo:f
Gastrosophie gastrozo'fi:
Gastrospasmus gastro-
'spasmʊs
Gastrostomie gas-
trosto'mi:, -n ...i:ən
Gastrotomie gastroto'mi:,
-n ...i:ən
Gastrotrichen gastro'trɪçn̩
Gastrozöl gastro'tsø:l
Gastrula 'gastrula
Gastrulation gastrula'tsio:n
Gat gat
Gate ge:t
Gatefold 'ge:tfo:lt
Gatersleben 'ga:tɐsle:bn̩
Gates *engl.* geɪts
Gateshead *engl.* 'geɪtshɛd
Gathas 'ga:tas
Gâtinais *fr.* gɑti'nɛ
Gatineau *fr.* gati'no, *engl.*
'gætnoʊ
Gatlinburg *engl.* 'gætlɪnbə:g
Gatling *engl.* 'gætlɪŋ
Gatooma *engl.* gə'tu:mə
Gatow 'ga:to
Gatsch gatʃ
Gatt gat
GATT gat, *engl.* gæt
Gattamelata *it.* gattame-
'la:ta
Gatte 'gatə

gatten 'gatn̩
Gatter 'gatɐ
Gatterer 'gatərɐ
Gatterich 'gatərɪç
Gattermann 'gatɐman
Gatti *it.* 'gatti, *fr.* gat'ti
gattieren ga'ti:rən
Gattinara *it.* gatti'na:ra
Gattschina *russ.* 'gattʃinɐ
Gattung 'gatʊŋ
Gätuler gɛ'tu:lɐ
Gatún *span.* ga'tun
Gatwick *engl.* 'gætwɪk
Gau, GAU gaʊ
Gäu gɔy
Gau-Algesheim gaʊ-
|algəshaim
Gaube 'gaʊbə, *fr.* go:b
Gaubert *fr.* go'bɛ:r
Gaucelm *fr.* go'sɛlm
Gauch gaʊx, Gäuche 'gɔyçə
Gaucher 'gaʊxɐ, *fr.* go'ʃe
Gauchheil 'gaʊxhail
Gauchismus go'ʃɪsmʊs
Gauchist go'ʃɪst
Gaucho 'gaʊtʃo
Gauck gaʊk
Gaudeamus gaʊde'a:mʊs
Gaudee gaʊ'de:
Gaudefroy *fr.* god'frwa
Gaudentius gaʊ'dɛntsiʊs
Gaudenz 'gaʊdɛnts
Gaudi 'gaʊdi
Gaudí *span.* gaʊ'ði, *kat.*
gəʊ'ði
gaudieren gaʊ'di:rən
Gaudig 'gaʊdɪç
Gaud[i]o *it.* 'ga:ʊd[i]o
Gaudium 'gaʊdiʊm
Gaudy 'gaʊdi
Gäuer 'gɔyɐ
Gauermann 'gaʊɐman
Gaufe 'gaʊfə
Gaufel 'gaʊfl̩
Gaufrage go'fra:ʒə
Gaufré go'fre:
gaufrieren go'fri:rən
Gaugain *fr.* go'gɛ̃
Gaugamela gaʊga'me:la
Gauge ge:tʃ
Gauguin *fr.* go'gɛ̃
Gauhati *engl.* gaʊ'hɑ:tɪ
Gaukelei gaʊkə'lai
gaukeln 'gaʊkln̩
Gaukler 'gaʊklɐ
¹Gaul gaʊl, Gäule 'gɔylə
²Gaul gaʊl, *fr.* go:l
Gaula 'gaʊla, *span.* 'gaʊla,
norw. ˌgœ̈yla
Gaulanitis gaʊla'ni:tɪs

Gaulhofer 'gaʊlhoːfɐ
Gaulle, de fr. də'goːl
Gaullismus go'lɪsmʊs
Gaullist go'lɪst
¹Gault (Geol.) goːlt
²Gault (Name) engl. gɔːlt
Gaultheria gɔl'teːrɪa
Gaultier fr. goˈtje
Gaumata gaʊˈmaːta
gaumen, G... 'gaʊmən
Gaumont fr. goˈmõ
Gauner 'gaʊnɐ
Gaunerei gaʊnəˈraɪ
gaunern 'gaʊnɐn
Gaunt engl. gɔːnt
Gaupe 'gaʊpə
Gaupp gaʊp
Gaur 'gaʊɐ, engl. 'gaʊə
Gaurisankar gaʊriˈzaŋkar
Gauß[berg] 'gaʊs[bɛrk]
Gausta[d] norw. ˌgœÿsta
Gautama 'gaʊtama
Gautar 'gaʊtar
Gaute 'gaʊtə
Gautesön 'gaʊtəzœn
Gaut[h]ier fr. goˈtje
Gauting 'gaʊtɪŋ
Gautsch[brief] 'gaʊtʃ[briːf]
Gautsche 'gaʊtʃə
gautschen 'gaʊtʃn̩
Gauvain fr. goˈvɛ̃
Gáva ung. 'gaːvɔ
Gavarni[e] fr. gavarˈni
Gavault, ...veaux fr. gaˈvo
Gavazzeni it. gavatˈtsɛːni
Gave fr. gaːv
Gaveston engl. 'gævɪstən
Gavial gaˈvjaːl
Gavidia span. gaˈβiðia
Gaviniès fr. gaviˈnjɛs
Gävle schwed. 'jɛːvlə
Gävleborg schwed. jɛːvlə-
　　'bɔrj
Gavlovič slowak. 'gaʊlɔvitʃ
Gavotte gaˈvɔt[ə], **-n** ...tn̩
Gavroche fr. gaˈvrɔʃ
Gawain 'gaːvaɪn
Gawan 'gaːvan
Gawein[stal] 'gaːvaɪn[staːl]
Gawler engl. 'gɔːlə
Gawriil russ. gavriˈil
Gawrila russ. gaˈvrilɐ
Gawrilow russ. gaˈvrilɐf
Gawrilowitsch russ. gaˈvri-
　　lɐvitʃ
Gawrilowna russ. gaˈvri-
　　lɐvnɐ
Gawrjuscha russ. gaˈvrjuʃɐ
gay, ¹Gay geː:

²Gay (Name) engl. geɪ, fr. ge
Gaya engl. 'gaɪə, fr. gaˈja
Gaya ciencia 'gaːja 'tsɪɛn-
　　tsɪa
Gayal 'gaːjal, gaˈjaːl
Gaylord engl. 'geɪlɔːd
Gay-Lussac fr. gɛlyˈsak
Gaynor engl. 'geɪnə
Gaza 'gaːza
Gazankulu engl. gɑːzɑːn-
　　'kuːlu
Gaze 'gaːzə
Gazelle gaˈtsɛlə
Gazes 'gaːtsɛs
Gazette gaˈtsɛtə, auch:
　　gaˈzɛtə
Gazi 'gaːzi
Gaziantep türk. gɑːˈzian.tɛp
Gazpacho gasˈpatʃo
Gazzaniga it. gaddzaˈniːga
Gazzeloni it. gaddzeˈloːni
Gbell gbɛl
G.B.S. engl. dʒiːbiːˈɛs
Gdańsk poln. gdaɪsk
Gdingen 'gdɪŋən
G-Dur 'geːduːɐ, auch: '–'–
Gdynia poln. 'gdɪnja
¹Ge (Göttin) geː
²Ge (Maler) russ. gjɛ
Geächtete gəˈlɛçtatə
Geächze gəˈlɛçtsə
Geäder gəˈlɛːdɐ
Geäfter gəˈlɛftɐ
Gealbere geˈlalbərə
Geantiklinale ge-
　　lantikliˈnaːlə
geartet gəˈlaːɐtət
Geäse gəˈlɛːzə
Geäst gəˈlɛst
Geb geːp
Gebabbel gəˈbabl̩
Gebäck gəˈbɛk
Gebalge gəˈbalgə
Gebälk[e] gəˈbɛlk[ə]
Gebände gəˈbɛndə
gebar gəˈbaːɐ
Gebärde gəˈbɛːɐdə
gebärden gəˈbɛːɐdn̩,
　　gebärd! geˈbɛːɐt
gebaren, G... gəˈbaːrən
gebären gəˈbɛːrən
Gebarung gəˈbaːrʊŋ
gebauchpinselt gəˈbaʊx-
　　pɪnzl̩t
Gebäude gəˈbɔʏdə
Gebein gəˈbaɪn
¹Gebel (dt. Name) 'geːbl̩
²Gebel (Berg; arab.) 'geːbl̩,
　　'gɛbl̩, ...bɛl
Gebelfer gəˈbɛlfɐ

Gebell[e] gəˈbɛl[ə]
geben 'geːbn̩, **gebt** geːpt
Gebende gəˈbɛndə
Gebenedeite gəbeneˈdaɪtə
Gebeno 'geːbəno
Geber (arab.) 'geːbɛr
Gebesee geˈbəːzeː
Gebet gəˈbeːt
gebeten gəˈbeːtn̩
Gebettel gəˈbɛtl̩
gebeut gəˈbɔʏt
Gebhard[t] 'geˑphart
Gebhart 'gɛphart, fr.
　　geˈbaːr
gebier! gəˈbiːɐ
gebiert gəˈbiːɐt
Gebiet gəˈbiːt
gebieterisch gəˈbiːtərɪʃ
Gebild gəˈbɪlt, **-e** ...ldə
Gebilde gəˈbɪldə
Gebimmel gəˈbɪml̩
Gebinde gəˈbɪndə
Gebirge gəˈbɪrgə
gebirgig gəˈbɪrgɪç, **-e** ...ɪgə
Gebirgler gəˈbɪrklɐ
Gebirol gebiˈroːl
Gebiss gəˈbɪs
gebissen gəˈbɪsn̩
Geblaffe gəˈblafə
Geblase gəˈblaːzə
Gebläse gəˈblɛːzə
Gebler 'geːblɐ
geblichen gəˈblɪçn̩
geblieben gəˈbliːbn̩
Geblödel gəˈbløːdl̩
Geblök[e] gəˈbløːk[ə]
geblumt gəˈbluːmt
geblümt gəˈblyːmt
Geblüt gəˈblyːt
gebogen gəˈboːgn̩
gebogt gəˈboːkt
geboren gəˈboːrən
geborgen gəˈbɔrgn̩
geborsten gəˈbɔrstn̩
Gebot gəˈboːt
geboten gəˈboːtn̩
Gebräch[e] gəˈbrɛːç[ə]
gebracht gəˈbraxt
Gebräme gəˈbrɛːmə
gebrannt gəˈbrant
Gebräu gəˈbrɔʏ
gebrauchen gəˈbraʊxn̩
gebräuchlich gəˈbrɔʏçlɪç
Gebrauus gəˈbraʊs, **-es**
　　...aʊzəs
Gebrause gəˈbraʊzə
Gebrech[e] gəˈbrɛç[ə]
Gebrechen gəˈbrɛçn̩
gebrechlich gəˈbrɛçlɪç
Gebresten gəˈbrɛstn̩

gebrochen gə'brɔxṇ
Gebröckel gə'brœkḷ
Gebrodel gə'bro:dḷ
Gebrüder gə'bry:dɐ
Gebrüll gə'brʏl
Gebrumm[e] gə'brʊm[ə]
Gebrummel gə'brʊmḷ
Gebsattel 'gɛpzatḷ
Gebser 'gɛpsɐ
Gebück gə'bʏk
Gebühr gə'by:ɐ
gebühren gə'by:rən
gebührlich gə'by:ɐlɪç
Gebührnis gə'by:ɐnɪs, -se
...ɪsə
Gebums gə'bʊms, -es
...mzəs
Gebumse gə'bʊmzə
Gebund gə'bʊnt, -es ...ndəs
gebunden gə'bʊndṇ
Geburt gə'bu:ɐt
gebürtig gə'bʏrtɪç, -e ...ɪgə
Gebüsch gə'bʏʃ
Gebweiler 'ge:pvailɐ
Gebze türk. 'gɛbzɛ
gechintzt gə'tʃɪntst
Geck gɛk
Gecko 'gɛko, -nen gɛ'ko:-
nən
Géczy ung. 'ge:tsi
Ged engl. gɛd, dʒɛd
gedacht gə'daxt
Gedächtnis gə'dɛçtnɪs, -se
...ɪsə
gedackt gə'dakt
Gedalja ge'dalja
Gedanke gə'daŋkə
Gedanken gə'daŋkṇ
gedanklich gə'daŋklɪç
Gedärm[e] gə'dɛrm[ə]
Gedat ge'da:t
Gedda schwed. .jɛda, it.
'dʒɛdda
Geddes engl. 'gɛdɪs
Gedeck gə'dɛk
Gedeih gə'dai
gedeihen, G... gə'daiən
gedeihlich gə'dailɪç
Gedeler 'ge:dəlɐ
Gedenkemein gə'dɛŋkə-
main
Gedeon 'ge:deɔn, russ.
gɪdɪˈɔn
Gedern 'ge:dɐn
gedeucht gə'dɔyçt
Gedicht gə'dɪçt
gediegen gə'di:gṇ
gedieh[en] gə'di:[ən]
Gedimin ge'di:mɪn
Gediminas lit. gædɪ'mɪnas

Gedinge gə'dɪŋə
Gédinne fr. ʒe'din
Gediz türk. 'gɛdiz
Gedok 'ge:dɔk
Gedon 'ge:dɔn
Gedöns gə'dø:ns, -es ...zəs
Gedränge gə'drɛŋə
Gedrängel gə'drɛŋḷ
Gedröhn[e] gə'drø:n[ə]
gedroschen gə'drɔʃṇ
Gedrosia gə'dro:zia
Gedrosien gə'dro:ziən
gedrungen gə'drʊŋən
Gedser dän. 'gɪsɐ, 'gɛsɐ
Gedudel gə'du:dḷ
Geduld gə'dʊlt
geduldig gə'dʊldɪç, -e ...ɪgə
gedungen gə'dʊŋən
gedunsen gə'dʊnzṇ
gedurft gə'dʊrft
Gedymin poln. gɛ'dimin
Geehrte gə'le:ɐtə
geeignet gə'laignət
Geel niederl. ɣe:l
Geelong engl. dʒi:'lɔŋ
Geer niederl. ɣe:r
Geeraerts niederl. 'ɣe:ra:rts
Geerd ge:ɐt
Geerken 'ge:ɐkṇ
Geert ge:ɐt, niederl. ɣe:rt
Geertgen niederl. 'ɣe:rtxə
Geest[e] 'ge:st[ə]
Geesthacht ge:st'haxt
Geez ge:ts, ge'e:ts, ge:s,
amh. gə'əz
Gefach gə'fax, Gefächer
gə'fɛçɐ
Gefahr gə'fa:ɐ
gefährden gə'fɛ:ɐdṇ,
gefährd! gə'fɛ:ɐt
Gefahre gə'fa:rə
gefährlich gə'fɛ:ɐlɪç
gefahrlos gə'fa:ɐlo:s
Gefährt[e] gə'fɛ:ɐt[ə]
Gefälle gə'fɛlə
gefällig gə'fɛlɪç
gefälligst gə'fɛlɪçst
Gefältel gə'fɛltḷ
gefangen gə'faŋən
Gefängnis gə'fɛŋnɪs, -se
...ɪsə
Gefasel gə'fa:zḷ
Gefaser gə'fa:zɐ
Gefäß gə'fɛ:s
Gefecht gə'fɛçt
Gefege gə'fe:gə
Gefeilsche gə'failʃə
gefeit gə'fait
Gefell gə'fɛl
Gefels gə'fɛls, -es ...lzəs

gefenstert gə'fɛnstɐt
Gefertigte gə'fɛrtɪçtə
Geffcken 'gɛfkṇ
Geffrey engl. 'dʒɛfrɪ
Geffroy fr. ʒe'frwa
Gefiedel gə'fi:dḷ
Gefieder gə'fi:dɐ
gefiedert gə'fi:dɐt
Gefilde gə'fɪldə
gefinkelt 'gə'fɪŋkḷt
Gefion 'ge:fiɔn
Geflacker gə'flakɐ
Geflatter gə'flatɐ
Geflecht gə'flɛçt
Geflenne gə'flɛnə
Geflimmer gə'flɪmɐ
Geflissenheit gə'flɪsṇhait
geflissentlich gə'flɪsṇtlɪç
geflochten gə'flɔxtṇ
geflogen gə'flo:gṇ
geflohen gə'flo:ən
geflossen gə'flɔsṇ
Gefluche gə'flu:xə
Gefluder gə'flu:dɐ
Geflügel gə'fly:gḷ
geflügelt gə'fly:gḷt
Geflunker gə'flʊŋkɐ
Geflüster gə'flʏstɐ
gefochten gə'fɔxtṇ
Gefolge gə'fɔlgə
Gefrage gə'fra:gə
gefräßig gə'frɛ:sɪç, -e ...ɪgə
Gefrees gə'fre:s
Gefreite gə'fraitə
gefressen gə'frɛsṇ
Gefrett gə'frɛt
Gefrieß gə'fri:s
gefroren gə'fro:rən
Gefrotzel gə'frɔtsḷ
Gefüge gə'fy:gə
gefügig gə'fy:gɪç, -e ...ɪgə
Gefühl gə'fy:l
geführig gə'fy:rɪç, -e ...ɪgə
Gefummel gə'fʊmḷ
gefunden gə'fʊndṇ
Gefunkel gə'fʊŋkḷ
gefürstet gə'fʏrstət
Gegacker gə'gakɐ
gegangen gə'gaŋən
gegeben gə'ge:bṇ
gegebenenfalls gə'ge:bə-
nən'fals
gegen 'ge:gṇ
Gegenbau[e]r 'ge:gṇbauɐ
Gegend 'ge:gṇt, -en ...ṇdən
gegeneinander ge:gṇ-
lai'nandɐ
gegenlenken 'ge:gṇlɛŋkṇ
gegensätzlich 'ge:gṇzɛtslɪç
gegenseitig 'ge:gṇzaitɪç

gegenständig 'ge:gn̩ʃtɛndɪç
gegenständlich 'ge:gn̩-
 ʃtɛntlɪç
gegenstimmig 'ge:gn̩ʃtɪmɪç
gegenstromig 'ge:gn̩ʃtro:-
 mɪç -e …ɪgə
gegenströmig 'ge:gn̩ʃtrø:-
 mɪç, -e …ɪgə
Gegenteil 'ge:gn̩taɪl
gegenteilig 'ge:gn̩taɪlɪç
gegenüber, G… ge:gn̩'ly:bɐ
Gegenwart 'ge:gn̩vart
gegenwärtig 'ge:gn̩vɛrtɪç,
 auch: --'--, -e …ɪgə
gegessen gə'gɛsn̩
Gegirre gə'gɪrə
geglichen gə'glɪçn̩
geglitten gə'glɪtn̩
Geglitzer gə'glɪtsɐ
geglommen gə'gləmən
Gegner 'ge:gnɐ
gegolten gə'gɔltn̩
gegoren gə'go:rən
gegossen gə'gɔsn̩
gegriffen gə'grɪfn̩
Gegrinse gə'grɪnzə
Gegröle gə'grø:lə
Gegrunze gə'gruntsə
Gehabe gə'ha:bə
gehaben, G… gə'ha:bn̩
gehabt gə'ha:pt
Gehader gə'ha:dɐ
Gehalt gə'halt, **Gehälter**
 gə'hɛltɐ
Gehämmer gə'hɛmɐ
Gehampel gə'hampl̩
gehandikapt gə'hɛndikɛpt
Gehänge gə'hɛŋə
gehangen gə'haŋən
geharnischt gə'harnɪʃt
gehässig gə'hɛsɪç, -e …ɪgə
Gehäuse gə'hɔyzə
gehaut gə'haut
Geheck[e] gə'hɛk[ə]
Geheeb gə'he:p
Gehege gə'he:gə
geheim gə'haɪm
Geheimbündelei gəhaɪm-
 byndə'laɪ
Geheimbündler gə'haɪm-
 byntlɐ
Geheimnis gə'haɪmnɪs, -se
 …ɪsə
Geheimniskrämerei
 gəhaɪmnɪskrɛ:mə'raɪ
Geheimnistuerei gəhaɪm-
 nɪstu:ə'raɪ
Geheimtuer gə'haɪmtu:ɐ
Geheimtuerei gəhaɪm-
 tu:ə'raɪ

Geheiß gə'haɪs
gehen 'ge:ən
Gehenk gə'hɛŋk
gehenkelt gə'hɛŋkl̩t
Gehenna ge'hɛna
Geher 'ge:ɐ
Gehetze gə'hɛtsə
geheuer gə'hɔyɐ
Geheul gə'hɔyl
Gehilfe gə'hɪlfə
Gehirn gə'hɪrn
gehl ge:l
Gehlchen 'ge:lçən
Gehlen[burg] gə'lən[burk]
Gehlhaar 'ge:lha:ɐ
gehoben gə'ho:bn̩
Gehöft gə'hœft, gə'hø:ft
Gehöhne gə'hø:nə
geholfen gə'hɔlfn̩
Gehölz gə'hœlts
Geholze gə'hɔltsə
Gehopse gə'hɔpsə
Gehör gə'hø:ɐ
gehörig gə'hø:rɪç, -e …ɪgə
Gehörn gə'hœrn
gehorsam, G… gə'ho:ɐza:m
Gehrcke 'ge:ɐrkə
Gehrden 'ge:ɐdn̩
Gehre 'ge:rə
gehren, G… 'ge:rən
Gehrts ge:ɐts
Gehrung 'ge:ruŋ
Gehtnichtmehr 'ge:tnɪçt-
 me:ɐ
Gehudel gə'hu:dl̩
Gehupe gə'hu:pə
Gehüpfe gə'hypfə
Gei[bel] gaɪ[bl̩]
geien 'gaɪən
Geier[sberg] gaɪɐ[sbɛrk]
Geifer 'gaɪfɐ
geif[e]rig 'gaɪf[ə]rɪç, -e
 …ɪgə
geifern 'gaɪfɐn
Geige 'gaɪgə
geigen 'gaɪgn̩, **geig!** gaɪk,
 geigt gaɪkt
Geiger 'gaɪgɐ
Geigy® 'gaɪgi
Geijer *schwed.* 'jɛiɐr
Geijerstam *schwed.*
 'jɛiɐrstam
Geikie *engl.* 'gi:kɪ
geil gaɪl
Geilamir 'gaɪlami:ɐ
Geile 'gaɪlə
geilen 'gaɪlən
Geilenkirchen 'gaɪlənkɪrçn̩
Geiler 'gaɪlɐ
Geilinger 'gaɪlɪŋɐ

Geilo *norw.* 'jɛilu
Gein (Stoff) ge'i:n
Geinitz 'gaɪnɪts
Geiranger *norw.* 'gɛiraŋər,
 jɛi…
¹Geisa vgl. Geison
²Geisa (Name) 'gaɪza
Geisberg 'gaɪsbɛrk
Geise 'gaɪzə
Geisel 'gaɪzl̩, *bras.* 'gaɪzɛl
Geiselgasteig gaɪzl̩-
 gas'taɪk, --'--
Geiselhöring gaɪzl̩'hø:rɪŋ
Geiselmann 'gaɪzlman
Geiseltal 'gaɪzl̩ta:l
Geisenfeld 'gaɪznfɛlt
Geisenheim 'gaɪznhaɪm
Geiser 'gaɪzɐ
Geiserich 'gaɪzərɪç
Geisha 'ge:ʃa, *auch:* 'gaɪʃa
Geising[en] 'gaɪzɪŋ[ən]
Geisler 'gaɪslɐ
Geislingen 'gaɪslɪŋən
Geismar 'gaɪsmar
Geison 'gaɪzɔn, **Geisa**
 'gaɪza
Geiß gaɪs
Geißel, Geissel 'gaɪsl̩
geißeln 'gaɪsln̩
Geissendörfer 'gaɪsndœrfɐ
Geißler, Geissler 'gaɪslɐ
Geist gaɪst
geistern 'gaɪstɐn
geistig 'gaɪstɪç, -e …ɪgə
geistig-seelisch 'gaɪstɪç-
 'ze:lɪʃ
Geistinger 'gaɪstɪŋɐ
geistlich 'gaɪstlɪç
Geitau 'gaɪtau
Geitel 'gaɪtl̩
Geithain 'gaɪthaɪn
Geitler 'gaɪtlɐ
Geitlinger 'gaɪtlɪŋɐ
Geitonogamie gaɪtono-
 ga'mi:
Geiz gaɪts
geizen 'gaɪtsn̩
geizig 'gaɪtsɪç, -e …ɪgə
Gejammer gə'jamɐ
Gejauchze gə'jauxtsə
Gejaule gə'jaulə
Gejiu *chin.* gʌdzjou 44
Gejodel gə'jo:dl̩
Gejohle gə'jo:lə
Gekälk gə'kɛlk
gekannt gə'kant
Gekeife gə'kaɪfə
Gekicher gə'kɪçɐ
Gekläff[e] gə'klɛʃ[ə]
Geklapper gə'klapɐ

Geklatsche gə'klatʃə
Geklimper gə'klɪmpɐ
Geklingel gə'klɪŋl̩
Geklirr[e] gə'klɪr[ə]
geklommen gə'klɔmən
Geklopfe gə'klɔpfə
Geklüft[e] gə'klʏft[ə]
geklungen gə'kluŋən
Geknatter gə'knatɐ
gekniffen gə'knɪfn̩
Geknirsche gə'knɪrʃə
Geknister gə'knɪstɐ
gekonnt gə'kɔnt
geköpert gə'køːpɐt
gekoren gə'koːrən
Gekrächze gə'krɛçtsə
Gekrakel gə'kraːkl̩
Gekrätz gə'krɛts
Gekratze gə'kratsə
Gekräusel gə'krɔyzl̩
Gekreisch[e] gə'kraiʃ[ə]
gekrischen gə'krɪʃn̩
Gekritzel gə'krɪtsl̩
gekrochen gə'krɔxn̩
Gekröse gə'krøːzə
Gel geːl
Gela 'geːla, it. 'dʒɛːla, russ.
'gjɛlɐ
Gelabber gə'labɐ
Gelaber gə'laːbɐ
Gelächter gə'lɛçtɐ
gelackmeiert gə'lakmaiɐt
Gelage gə'laːgə
Geläger gə'lɛːgɐ
gelahrt gə'laːɐt
Gelände gə'lɛndə
Geländer gə'lɛndɐ
gelang gə'laŋ
gelänge gə'lɛŋə
Gelar ge'laːɐ
Gelärme gə'lɛrmə
Gelasius ge'laːziʊs
Gelasma ge'lasma, -ta -ta
Gelass gə'las
gelassen gə'lasn̩
Gelassi russ. gɪ'lasij
Gelatine ʒela'tiːnə
gelatinieren ʒelati'niːrən
gelatinös ʒelati'nøːs, -e
...øːzə
Gelatit ʒela'tiːt
Geläuf gə'lɔyf
Geläufe gə'lɔyfə
geläufig gə'lɔyfɪç
gelaunt gə'launt
Geläut[e] gə'lɔyt[ə]
gelb gɛlp, -e 'gɛlbə
Gelbe 'gɛlbə
Gelber 'gɛlbɐ
gelblich 'gɛlplɪç

Gelbling 'gɛlplɪŋ
Gelbveigelein gɛlp'faigə-
lain
Gelcoat 'geːlkoːt, 'dʒɛlkoːt
Geld gɛlt, -er 'gɛldɐ
Gelder[land] niederl. 'gɛl-
dɐr[lant]
Geldern 'gɛldɐn
geldlich 'gɛltlɪç
Geldner 'gɛldnɐ
geldrisch 'gɛldrɪʃ
Geldrop niederl. 'gɛldrɔp
Gelee ʒe'leː, auch: ʒə'leː
Gelée fr. ʒə'leː
Geleen niederl. ɣə'leːn
Gelée royale ʒe'leː rɔa'jal,
ʒə... -
Gelege gə'leːgə
gelegen gə'leːgn̩
Gelegenheit gə'leːgn̩hait
gelegentlich gə'leːgn̩tlɪç
gelehrig gə'leːrɪç, -e ...ɪgə
Geleier gə'laiɐ
Geleise gə'laizə
...geleisig ...gə'laizɪç, -e
...ɪgə
Geleit[e] gə'lait[ə]
gelenk, G... gə'lɛŋk
gelenkig gə'lɛŋkɪç, -e ...ɪgə
Geleucht[e] gə'lɔyçt[ə]
Gelibolu türk. gɛ'libolu
Gelichter gə'lɪçtɐ
Gelidium ge'liːdiʊm
geliehen gə'liːən
gelieren ʒe'liːrən, auch: ʒə...
Gelifraktion gelifrak'tsioːn
Gelimer 'geːlimɛr
Gélin fr. ʒe'lɛ̃
gelind gə'lɪnt, -e ...ndə
gelinde gə'lɪndə
Gelindigkeit gə'lɪndɪçkait
gelingen, G... gə'lɪŋən
Gelispel gə'lɪspl̩
gelitten gə'lɪtn̩
gell, gell? gɛl
Gell engl. gɛl, dʒɛl
gelle? 'gɛlə
Gellée fr. ʒə'leː
gellen, G... 'gɛlən
Golléri ung. 'gɛlːe:ri
Gellerstedt schwed.
.jɛlərstɛt
Gellert 'gɛlɐt
Gellért[hegy] ung. 'gɛl-
leːrt[hɛdj]
Gelli it. 'dʒɛlli
Gelligaer engl. gɛθlɪ'gɛə
Gellius 'gɛliʊs
Gellner tschech. 'gɛlnɛr

Gelman russ. 'gjɛlmɐn,
span. 'xɛlman
Gelnhausen gɛln'hauzn̩
Gelnica slowak. 'gɛlnjitsa
Gelo 'geːlo
Gelöbnis gə'løːpnɪs, -se
...ɪsə
Gelobtland gə'loːptlant
Gelock[e] gə'lɔk[ə]
gelogen gə'loːgn̩
Gelolepsie gelolɛ'psiː, -n
...iːən
Gelon 'geːlɔn
Geloplegie gelople'giː, -n
...iːən
geloschen gə'lɔʃn̩
Gelotripsie gelotrɪ'psiː, -n
...iːən
Gelse (Mücke) 'gɛlzə
Gelsenberg 'gɛlzn̩bɛrk
Gelsenkirchen gɛlzn̩'kɪrçn̩
Gelsted dän. 'gɛlsdeð
gelt, gelt? gɛlt
gelten 'gɛltn̩
Geltinger Birk 'gɛltɪŋɐ 'bɪrk
Geltrú span. xɛl'tru
Gelübde gə'lʏpdə
Gelumpe gə'lʊmpə
Gelünge gə'lʏŋə
gelungen gə'lʊŋən
Gelüst[e] gə'lʏst[ə]
gelüsten, G... gə'lʏstn̩
gelüstig gə'lʏstɪç, -e ...ɪgə
Gelze 'gɛltsə
gelzen 'gɛltsn̩
Gelzer 'gɛltsɐ
GEMA 'geːma
gemach gə'maːx
Gemach gə'maːx, Gemä-
cher gə'mɛːçɐ
gemächlich gə'mɛːçlɪç,
auch: ...mɛç...
Gemächt[e] gə'mɛçt[ə]
Gemahl gə'maːl
Gemälde gə'mɛːldə
Gemara ge'maːra, gema'raː
Gemärchen gə'marçn̩
Gemarkung gə'markʊŋ
gemäß gə'mɛːs
...gemäß ...gə.mɛːs
Gematrie gema'triː
Gemäuer gə'mɔyɐ
Gemauschel gə'mauʃl̩
Gembloux fr. ʒã'blu
Gemecker gə'mɛkɐ
Gemeck[e]re gə'mɛk[ə]rə
gemein gə'main
Gemeinde gə'maində
Gemeindeutsch gə'main-
dɔytʃ

gemeindlich gəˈmaintlɪç
Gemeine gəˈmainə
gemeinhin gəˈmainhɪn
gemeiniglich gəˈmainɪklɪç
Gemeinlebarn gəmainˈleːbarn
Gemeinnutz gəˈmainnʊts
gemeinnützig gəˈmainnytsɪç, -e …ɪɡə
gemeinplätzlich gəˈmainplɛtslɪç
gemeinsam gəˈmainzaːm
Gemelli it. dʒeˈmɛlli
Gemellus geˈmɛlʊs, …lli …li
Gemen ˈgeːmən
Gemenge gəˈmɛŋə
Gemengsel gəˈmɛŋzl̩
gemessen gəˈmɛsn̩
Gemetzel gəˈmɛtsl̩
gemieden gəˈmiːdn̩
Geminata gemiˈnaːta, …tä …tɛ
Gemination geminaˈtsioːn
Geminiani it. dʒemiˈnjaːni
geminieren gemiˈniːrən
Geminos ˈgeːminɔs
Geminus ˈgeːminʊs, …ni …ni
Gemisch gəˈmɪʃ
Gemlik türk. ˈgɛmlik
¹Gemma (Stern) ˈgɛma
²Gemma (Name) ˈgɛma, it. ˈdʒɛmma
Gemme ˈgɛmə
Gemmi ˈgɛmi
Gemmingen ˈgɛmɪŋən
Gemmoglyptik gɛmoˈglyptɪk
Gemmologe gɛmoˈloːgə
Gemmologie gɛmoloˈgiː
Gemmula ˈgɛmula, …lae …lɛ
gemocht gəˈmɔxt
gemolken gəˈmɔlkn̩
Gemünd gəˈmʏnt
Gemünden gəˈmʏndn̩
Gemunkel gəˈmʊŋkl̩
Gemurmel gəˈmʊrml̩
Gemurre gəˈmʊrə
Gemüse gəˈmyːzə
gemusst gəˈmʊst
Gemüt gəˈmyːt
gen gɛn
Gen geːn
genannt gəˈnant
genant ʒeˈnant
Genantin ® genanˈtiːn
Genappe fr. ʒəˈnap
genas gəˈnaːs
genäschig gəˈnɛʃɪç, -e …ɪɡə

genäse gəˈnɛːzə
genasen gəˈnaːzn̩
Genast ˈgeːnast
genau gəˈnau
Genauigkeit gəˈnauɪçkait
genauso gəˈnauzoː
Genazino genaˈtsiːno
Gendarm ʒanˈdarm, auch: ʒãˈd…
Gendarmerie ʒandarməˈriː, auch: ʒãd…, -n …iːən
Gendebien fr. ʒãdəˈbjẽ
Gendringen niederl. ˈɣɛndrɪŋə
Gendron fr. ʒãˈdrõ
¹Gene (Zwang, Unbehagen) ʒɛːn, auch: ˈʒɛːnə, ˈʒɛːnə
²Gene (Name) dʒiːn
Genealoge geneaˈloːgə
Genealogie genealoˈgiː, -n …iːən
genealogisch geneaˈloːgɪʃ
Genée fr. ʒəˈne
genehm gəˈneːm
genehmigen gəˈneːmɪgn̩, **genehmig!** … ɪç, **genehmigt** …ɪçt
Geneleos geˈneːleɔs
Genelli dʒeˈnɛli
Genera vgl. **Genus**
General genəˈraːl, **Generäle** genəˈrɛːlə
General … span. xeneˈral …
Generalat genəraˈlaːt
Generale genəˈraːlə; …lien …ljən, …lia …lia
Generalfeldmarschall genəraːlˈfɛltmarʃal
Generalgouverneur genəˈraːlɡuvɛrnøːɐ̯
Generalife span. xeneraˈlife
Generalisation genəralizaˈtsioːn
generalisieren genəraliˈziːrən
Generalissimus genəraˈlɪsimʊs, -se …ʊsə, …mi …mi
Generalist genəraˈlɪst
Generalität kat. ʒənərəliˈtat
Generalität genəraliˈtɛːt
generaliter genəˈraːlitɐ
Generalleutnant genəˈraːllɔytnant
Generalmajor genəˈraːlmajoːɐ̯
General Motors [Corporation] engl. ˈdʒɛnərəl ˈmoutəz [kɔːpəˈreiʃən]
Generaloberst genəˈraːloːbɐst

Generalstäbler genəˈraːlʃtɛːplɐ
Generatianismus genəratsiaˈnɪsmʊs
Generatio aequivoca genəˈraːtsio ɛˈkviːvoka
Generation genəraˈtsioːn
Generatio primaria genəˈraːtsio priˈmaːria
Generatio spontanea genəˈraːtsio spɔnˈtaːnea
generativ genəraˈtiːf, -e …iːvə
Generativist genəratiˈvɪst
Generativität genərativiˈtɛːt
Generator genəˈraːtoːɐ̯, -en genəraˈtoːrən
Genera Verbi vgl. **Genus Verbi**
generell genəˈrɛl
generieren genəˈriːrən
generisch geˈneːrɪʃ
Género chico span. ˈxenero ˈtʃiko
generös genəˈrøːs, auch: ʒe…, -e …øːzə
Generosität genəroziˈtɛːt, auch: ʒe…
Generoso it. dʒeneˈroːso
Genese geˈneːzə
genesen geˈneːzn̩, **genes!** gəˈneːs, **genest** gəˈneːst
Genesios geˈneːziɔs
Genesis geˈnezɪs, auch: ˈgɛn…; engl. ˈdʒɛnəsɪs
Genesius geˈneːziʊs
Genestet niederl. ˈɣeːnəstɛt
Genesung geˈneːzʊŋ
Genet, Genêt fr. ʒəˈnɛ
Genethliakon geneˈtliːakɔn, …ka …ka
Genetik geˈneːtɪk
Genetiker geˈneːtikɐ
genetisch geˈneːtɪʃ
Genetiv ˈgeːnetiːf, -e …iːvə
Genette ʒəˈnɛt[ə], ʒeˈn…, -n …tn̩
Geneva engl. dʒəˈniːvə
Genève fr. ʒəˈnɛːv
Genever ʒeˈneːvɐ, ʒəˈn…, geˈn…
Geneviève fr. ʒənˈvjɛːv
Genevois, …ix fr. ʒənˈvwa
Genèvre fr. ʒəˈnɛːvr
Genezareth geˈneːtsarɛt
Genf[er] ˈgɛnf[ɐ]
genferisch ˈgɛnfərɪʃ
Geng gɛŋ
Genga it. ˈdʒɛŋga, ˈdʒɛŋga

Gengenbach 'gɛŋənbax
genial[isch] ge'nia:l[ɪʃ]
Genialität genjali'tɛ:t
Géniaux *fr.* ʒe'njo
Genick gə'nɪk
Genie ʒe'ni:
Genien vgl. Genius
genieren ʒe'ni:rən
genießen gə'ni:sn̩
Genil *span.* xe'nil
Genisa ge'ni:za
Génissiat *fr.* ʒeni'sja
Genista ge'nɪsta
genital geni'ta:l
Genitale geni'ta:lə, ...lien
...ljən
Genitalität genitali'tɛ:t
Genitiv 'ge:niti:f, -e ...i:və
Genitivus geni'ti:vʊs, ...vi
...vi
Genitschesk *russ.* gɪ'nitʃɪsk
Genius 'ge:njʊs, ...ien ...jən
Genius epidemicus
'ge:njʊs epi'de:mikʊs
Genius Loci 'ge:njʊs 'lo:tsi
Genius Morbi 'ge:njʊs
'mɔrbi
Geniza ge'ni:za
Genk *niederl.* ɣɛŋk
Genkinger 'gɛŋkɪŋɐ
Genlis *fr.* ʒã'lis
Gennadi *russ.* gɪn'nadij
Gennadios gɛ'na:djɔs
Gennadius gɛ'na:djʊs
Gennargentu *it.* dʒennar-
'dʒɛntu
Gennaro *it.* dʒɛn'na:ro
gennematisch gɛne'ma:tɪʃ
gennemisch ge'ne:mɪʃ
Gennep 'gɛnəp, *niederl.*
'ɣɛnəp
Gennesaret gɛ'ne:zarɛt
Gennevilliers *fr.* ʒɛnvi'lje
Genofefa geno'fe:fa
Génolhac *fr.* ʒenɔ'lak
Genom ge'no:m
genommen gə'nɔmən
Genörgel gə'nœrgl
Genos 'gɛnɔs, *auch:* 'ge:nɔs
genoss gə'nɔs
Genosse gə'nɔsə
genösse gə'nœsə
genossen gə'nɔsn̩
Genossenschaft
gə'nɔsn̩ʃaft
Genosssame gə'nɔsza:mə
Genotyp[us] geno'ty:p[ʊs]
Genova *it.* 'dʒe:nova
Genovefa geno'fe:fa, *auch:*
...ve:fa

Genovés *span.* xeno'βes
Genovese *it.* dʒeno've:se
Genoveva geno'fe:fa, *auch:*
geno've:va; *span.* xeno-
'βeβa
Genozid geno'tsi:t, -e
...i:də, -ien ...i:djən
Genre 'ʒã:rə, *auch:* ʒã:ɐ̯,
'ʒaŋɐ
Genro 'gɛnro
Gens gɛns, Gentes 'gɛnte:s
Genscher 'gɛnʃɐ
Genserich 'gɛnzərɪç
Gensfleisch 'gɛnsflaiʃ
Gensler 'gɛnslɐ
¹Gent (Stutzer) dʒɛnt
²Gent (Stadt) gɛnt, *niederl.*
ɣɛnt
Gentbrugge *niederl.* ɣɛnd-
'brʏxə
Gentes vgl. Gens
Genthin gɛn'ti:n
Gentiana gɛn'tsja:na
gentil ʒɛn'ti:l, ʒã'ti:l
Gentil *fr.* ʒã'ti, *port.* ʒɛn'til
Gentile *it.* dʒɛn'ti:le
Gentilen gɛn'ti:lən
Gentileschi *it.* dʒɛnti'leski
Gentilhomme ʒãti'jɔm
Gentilini *it.* dʒɛnti'li:ni
Gentilly *fr.* ʒãti'ji
Gentleman, ...men
'dʒɛntlmɛn
gentlemanlike 'dʒɛntlmɛn-
laik
Gentleman's Agreement
'dʒɛntlmɛns ɛ'gri:mənt
Gentlemen vgl. Gentleman
Gentlemen's Agreement
'dʒɛntlmɛns ɛ'gri:mənt
Gentofte *dän.* 'gɛntɔfdə
Gentry 'dʒɛntri
Gentz gɛnts
Genua 'ge:nua
Genuese ge'nu̯e:zə
Genueser ge'nu̯e:zɐ
genuesisch ge'nu̯e:zɪʃ
genug gə'nu:k
Genüge gə'ny:gə
genügen gə'ny:gn̩, genüg!
gə'ny:k, genügt gə'ny:kt
genügend gə'ny:gn̩t, -e
...n̩də
genugsam gə'nu:kza:m
genügsam gə'ny:kza:m
Genugtuung gə'nu:ktu:ʊŋ
genuin genu'i:n
Genu recurvatum 'ge:nu
rekʊr'va:tʊm
Genus 'ge:nʊs, *auch:* 'gɛn...,

Genera 'ge:nera, *auch:*
'gɛn...
Genus proximum 'ge:nʊs
'prɔksimʊm, *auch:* 'gɛn...
--
Genuss gə'nʊs, Genüsse
gə'nʏsə
Genüssling gə'nʏslɪŋ
Genusssucht gə'nʊszʊxt
Genus Verbi 'ge:nʊs 'vɛrbi,
auch: 'gɛn... -, Genera -
'ge:nera -, *auch:* 'gɛn... -
Genzmer 'gɛntsmɐ
Geo 'ge:o
geoantiklinal geo-
|antikli'na:l
Geoantiklinale geo-
|antikli'na:lə
Geobiont geo'bjɔnt
Geobotanik geobo'ta:nɪk
geobotanisch geobo'ta:nɪʃ
Geochemie geoçe'mi:
geochemisch geo'çe:mɪʃ
Geochronologie geokrono-
lo'gi:
Geodäsie geodɛ'zi:
Geodät geo'dɛ:t
Geode ge'o:də
Geodepression geodeprɛ-
'sjo:n
Geodreieck 'ge:odrailɛk
Geodynamik geody'na:mɪk
Geoffrey *engl.* 'dʒɛfrɪ
Geoffrin *fr.* ʒɔ'frɛ̃
Geoffroi, ...oy *fr.* ʒɔ'frwa
Geofraktur geofrak'tu:ɐ̯
Geofredo *span.* xeo'freðo
Geogenese geoge'ne:zə
Geogenie geoge'ni:
Geognosie geogno'zi:
Geognost geo'gnɔst
Geogonie geogo'ni:
Geograf usw. vgl. Geo-
graph usw.
Geograph geo'gra:f
Geographie geogra'fi:
geographisch geo'gra:fɪʃ
geöhrt gə'lø:ɐ̯t
Geoid geo'i:t, -es ...i:dəs
Geoisotherme geo-
|izo'tɛrmə
Geojurisprudenz geojurɪs-
pru'dɛnts
geojuristisch geoju'rɪstɪʃ
geokarp geo'karp
Geokarpie geokar'pi:
Geokorona geoko'ro:na
geokrat geo'kra:t
Geologe geo'lo:gə
Geologie geolo'gi:

geologisch geo'lo:gıʃ
Geomantie geoman'ti:
Geomantik geo'mantık
Geomedizin geomedi'tsi:n
Geometer geo'me:tɐ
Geometrie geome'tri:, **-n**
...i:ən
geometrisch geo'me:trıʃ
Geomontographie geomɔntogra'fi:
Geomorphologie geomɔrfolo'gi:
Geonym geo'ny:m
Geoökonomie geoløkono'mi:
geopathisch geo'pa:tıʃ
Geophage geo'fa:gə
Geophagie geofa'gi:
Geophon geo'fo:n
Geophysik geofy'zi:k
geophysikalisch geofyzi-'ka:lıʃ
Geophysiker geo'fy:zikɐ
Geophyt geo'fy:t
Geoplastik geo'plastık
Geopolitik geopoli'ti:k
geopolitisch geopo'li:tıʃ
Geoponici geo'po:nitsi
Geopsychologie geɔpsyçolo'gi:
Georg 'ge:ɔrk, ge'ɔrk; *schwed.* 'je:ɔrj
¹George (dt. Vorn.) ʒɔrʃ
²George (dt. Nachn.) ge'ɔrgə
³George (Name) *engl.* dʒɔ:dʒ, *fr.* ʒɔrʒ
¹Georges (Vorn.) *fr.* ʒɔrʒ
²Georges (Nachn.) ge'ɔrgəs, *fr.* ʒɔrʒ
Georgescu *rumän.* dʒɛor-'dʒesku
Georgetown, George Town *engl.* 'dʒɔ:dʒtaʊn
Georgette *fr.* ʒɔr'ʒɛt
Georgi ge'ɔrgi, *russ.* gɪ'ɔrgij, *bulgar.* 'gjɔrgi
¹Georgia (Vorn.) ge'ɔrgia
²Georgia (USA) *engl.* 'dʒɔ:dʒə
Georgia Augusta ge'ɔrgia aʊ'gʊsta
Georgiades geɔr'gia:dɛs
Georgian Bay *engl.* 'dʒɔ:dʒən 'beɪ
Georgie *engl.* 'dʒɔ:dʒɪ
Georgien ge'ɔrgiən
Georgier ge'ɔrgiɐ
Georgiew *bulgar.* gjor'giɛf
Georgii ge'ɔrgi

Georgijewitsch *russ.* gɪ'ɔr-gijıvitʃ
Georgijewna *russ.* gɪ'ɔrgijıvnɐ
Georgijewsk *russ.* gɪ'ɔrgijıfsk
Georgika ge'ɔrgika
Georgina *engl.* dʒɔ:'dʒi:nə
Georgine geɔr'gi:nə
Georgios ge'ɔrgiɔs
georgisch ge'ɔrgıʃ
Georgiu-Desch *russ.* gɪar-'giu'dɛʃ
Georgius ge'ɔrgiʊs
Georgsmarienhütte geɔrksma'ri:ənhytə,
-----'--
Geosphäre geo'sfɛ:rə
Geostatik geo'sta:tık
geostationär geoʃtatsio-'nɛ:ɐ
geostatisch geo'sta:tıʃ
geostrophisch geo'stro:fıʃ
Geosutur geozu'tu:ɐ
geosynklinal geozynkli'na:l
Geosynklinale geozynkli-'na:lə
Geotaxis geo'taksıs
Geotektonik geotɛk'to:nık
geotektonisch geotɛk'to:-nıʃ
Geotherapie geotera'pi:
geothermisch geo'tɛrmıʃ
Geothermometer geotɛrmo'me:tɐ
geotrop geo'tro:p
Geotropismus geotro'pısmʊs
Geotroposkop geotropo-'sko:p
Geotumor geo'tu:mo:ɐ
Geozentrik geo'tsɛntrık
geozentrisch geo'tsɛntrıʃ
Geozoologie geotsoolo'gi:
geozyklisch geo'tsy:klıʃ
Gepa 'ge:pa
Gepäck gə'pɛk
Gepard 'ge:part, **-e** ...rdə
Gepfeife gə'pfaifə
gepfiffen gə'pfıfn̩
gepflogen gə'pflo:gn̩
Gephyrophobie gefyrofo'bi:, **-n** ...i:ən
Gepide ge'pi:də
Gepiep[s]e gə'pi:p[s]ə
Geplänkel gə'plɛŋkl̩
Geplapper gə'plapɐ
Geplärr[e] gə'plɛr[ə]
Geplätscher gə'plɛtʃɐ
Geplauder gə'plaʊdɐ

Gepoche gə'pɔxə
Gepolter gə'pɔltɐ
Gepräge gə'prɛ:gə
Geprahle gə'pra:lə
Gepränge gə'prɛŋə
Geprassel gə'prasl̩
gepriesen gə'pri:zn̩
Gequake gə'kva:kə
Gequäke gə'kvɛ:kə
Gequassel gə'kvasl̩
Gequatsche gə'kvatʃə
Gequengel gə'kvɛŋl̩
Gequeng[e]le gə'kvɛŋ[ə]lə
Gequieke gə'kvi:kə
Gequietsche gə'kvi:tʃə
gequollen gə'kvɔlən
¹Ger (Spieß) ge:ɐ
²Ger (Name) *fr.* ʒɛ:r
Gera 'ge:ra
Gerabronn ge:ra'brɔn
gerad..., G... gə'ra:t...
gerade, G... gə'ra:də
geradeaus gəra:də'laʊs
geradeheraus gəra:dəhɛ-'raʊs
geradehin gəra:də'hın
geradenwegs gə'ra:dn̩ve:ks
geradeso gə'ra:dəzo:
gerade[s]wegs gə'ra:-də[s]ve:ks
geradezu gə'ra:dətsu:,
---'--
geradsinnig gə'ra:tzınıç
Geragoge gera'go:gə
Geragogik gera'go:gık
Gerald 'ge:ralt, *engl.* 'dʒɛ-rəld
Geralde ge'raldə
Geraldin 'ge:raldi:n
Geraldine geral'di:nə, *engl.* 'dʒɛrəldi:n
Geraldton *engl.* 'dʒɛrəltn̩
Géraldy *fr.* ʒeral'di
Gerangel gə'raŋl̩
Geranie ge'ra:niə
Geraniol gera'nio:l
Geranium ge'ra:niʊm, **...ien** ...iən
Gerank[e] gə'raŋk[ə]
gerannt gə'rant
Gerant ʒe'rant
Gérard ge'rart, *engl.* 'dʒɛ-ra:d, -'-, *niederl.* 'ɣe:rart
Gérard *fr.* ʒe'ra:r
Gérardmer *fr.* ʒerar'me:r
Gerardo *span.* xe'rarðo
Gerardus ge'rardʊs
Geras 'ge:ras
Gerasa 'ge:raza

Geraschel gəˈraʃl̩
Gerassel gəˈrasl̩
Gerassim *russ.* gɪˈrasim
Gerassimow *russ.* gɪˈrasi-
mɐf
Gerassimowitsch *russ.*
gɪˈrasimɐvitʃ
Gerassimowna *russ.* gɪˈra-
simɐvnɐ
Gerät gəˈrɛːt
Geratewohl gəra:təˈvoːl,
auch: -ˈ---
Geratter gəˈratɐ
Geraufe gəˈraʊfə
geraum gəˈraʊm
Geräumde gəˈrɔymdə
geräumig gəˈrɔymɪç, -e
...ɪgə
Geraune gəˈraʊnə
Geräusch gəˈrɔyʃ
Geräusper gəˈrɔyspɐ
gerben ˈɡɛrbn̩, gerb! gɛrp,
gerbt gɛrpt
Gerber ˈɡɛrbɐ, *engl.* ˈɡəːbə
Gerbera ˈɡɛrbera
Gerberei gɛrbəˈraɪ
Gerberga gɛrˈbɛrga
Gerbert ˈɡɛrbɛrt, *fr.* ʒɛrˈbɛːr
Gerbino *it.* dʒɛrˈbiːno
Gerborg ˈɡeːɡbɔrk
Gerbrandy *niederl.* ɣɛrˈ-
ˈbrandi
Gerbstedt ˈɡɛrpʃtɛt
gerbulieren gɛrbuˈliːrən
Gerbulur gɛrbuˈluːɡ
Gerburg ˈɡeːɡbʊrk
Gerchunoff *span.* xɛrtʃuˈnɔf
Gerd gɛrt
Gerda ˈɡɛrda
Gerdauen gɛrˈdaʊən
gerecht gəˈrɛçt
Gerechtigkeit gəˈrɛçtɪçkaɪt
Gerechtsame gəˈrɛçtzaːmə
Gerecse *ung.* ˈɡɛrɛtʃɛ
Gerede gəˈreːdə
Gereime gəˈraɪmə
Geremia *it.* dʒereˈmiːa
Gerenne gəˈrɛnə
Gerenot ˈɡeːrənoːt
Gerenuk ˈɡeːrənʊk
Gereon ˈɡeːreɔn
Geretsried ˈɡeːrətsˈriːt
Gerfalke ˈɡeːɡfalkə
Gergely *ung.* ˈɡɛrgɛj
Gergovia gɛrˈgoːvia
Gerhaert *niederl.* ˈɣeːraːrt
Gerhard ˈɡeːɡhart, *engl.*
ˈɡɛrəd
Gerharde geːɡˈhardə
Gerhardine geːˈɡharˈdiːnə

Gerhardsen *norw.* ˈɡæːr-
hartsən
Gerhardt ˈɡeːɡhart, *fr.*
ʒeˈraːr
Gerhart ˈɡeːɡhart
Gerhild ˈɡeːɡhɪlt
Gerhilde geːɡˈhɪldə
Gerhoh ˈɡeːɡhoː
Geri ˈɡeːri
Geriater geˈrɪaːtɐ
Geriatrie geˈrɪaˈtriː
Geriatrikum geˈrɪaːtrikʊm,
...ka ...ka
geriatrisch geˈrɪaːtrɪʃ
Géricault *fr.* ʒeriˈko
Gericht gəˈrɪçt
gerieben gəˈriːbn̩
geriehen gəˈriːən
gerieren geˈriːrən
Geriesel gəˈriːzl̩
gering gəˈrɪŋ
Gering ˈɡeːrɪŋ
geringfügig gəˈrɪŋfyːgɪç,
-e ...ɪgə
geringschätzig gəˈrɪŋʃɛtsɪç,
-e ...ɪgə
Geringswalde geːˈrɪŋsˈvaldə
Gerinne gəˈrɪnə
Gerinnsel gəˈrɪnzl̩
Gerippe gəˈrɪpə
Geriss gəˈrɪs
gerissen gəˈrɪsn̩
geritten gəˈrɪtn̩
Gerkan ˈɡɛrkan
Gerke (Vorn.) ˈɡeːɡkə
Gerko ˈɡeːɡko
Gerl[ach] ˈɡɛrl[ax]
Gerlache *fr.* ʒɛrˈlaʃ
Gerlafingen ˈɡɛrlafɪŋən
Gerland ˈɡɛrlant
Gerle ˈɡɛrlə
Gerlier *fr.* ʒɛrˈlje
Gerlind geːɡˈlɪnt
Gerlinde geːˈɡˈlɪndə
Gerling[en] ˈɡɛrlɪŋ[ən]
Gerloff ˈɡɛrlɔf
Gerlos ˈɡɛrlɔs
Germ gɛrm
Germain *fr.* ʒɛrˈmɛ̃
Germaine *fr.* ʒɛrˈmɛn
German ˈɡɛrman, *engl.*
ˈdʒəːmən, *russ.* ˈgjɛrmɐn
Germán *span.* xɛrˈman
Germana gɛrˈmaːna
Germane gɛrˈmaːnə
Germani *it.* dʒɛrˈmaːni
Germania gɛrˈmaːnia
Germanicum gɛrˈmaːnikʊm
Germanicus gɛrˈmaːnikʊs

Germanien gɛrˈmaːnɪən
Germaniker gɛrˈmaːnikɐ
¹Germanin (weibl. Ger-
mane) gɛrˈmaːnɪn
²Germanin® (Arznei) gɛr-
maˈniːn
germanisch gɛrˈmaːnɪʃ
germanisieren gɛrmaniˈziː-
rən
Germanismus gɛrmaˈnɪs-
mʊs
Germanist[ik] gɛrma-
ˈnɪst[ɪk]
Germanium gɛrˈmaːnɪʊm
germanophil gɛrmanoˈfiːl
Germanophilie gɛrmano-
fiˈliː
germanophob gɛrmano-
ˈfoːp, -e ...oːbə
Germanophobie gɛrmano-
foˈbiː
Germanos gɛrˈmaːnɔs
germanotyp gɛrmanoˈtyːp
Germantown *engl.* ˈdʒəː-
məntaʊn
Germanus gɛrˈmaːnʊs
Germany *engl.* ˈdʒəːmənɪ
Germar ˈɡɛrmar
Germer ˈɡɛrmɐ, *fr.* ʒɛrˈmɛːr,
engl. ˈɡəːmə
Germering ˈɡɛrmərɪŋ
Germersheim ˈɡɛrmɐshaɪm
Germi *it.* ˈdʒɛrmi
germinal gɛrmiˈnaːl
Germinal ʒɛrmiˈnal
Germinalie gɛrmiˈnaːlɪə
Germination gɛrminaˈtsɪoːn
germinativ gɛrminaˈtiːf, -e
...iːvə
Germiston *engl.* ˈdʒəːmɪstən
Germonprez *niederl.* ˈɣɛr-
mɔnpre
Germont *fr.* ʒɛrˈmõ
Germund ˈɡɛrmʊnt
gern[e] ˈɡɛrn[ə]
Gernhardt ˈɡɛrnhart
Gernot ˈɡeːɡnoːt, ˈɡɛr...
Gernrode gɛrnˈroːdə
Gernsbach ˈɡɛrnsbax
Gernsheim ˈɡɛrnshaɪm
Gero ˈɡeːro
Gerö ˈɡeːrø
Gerő *ung.* ˈɡɛrøː
Geröchel gəˈrœçl̩
gerochen gəˈrɔxn̩
Geroderma gero ˈdɛrma
Gerohygiene gerohyˈɡɪeːnə
Gerok ˈɡeːrɔk
Gerolamo *it.* dʒeˈrɔːlamo
Gerold ˈɡeːrɔlt

Geroldseck 'geːrɔltsĺɛk
Gerolf 'geːrɔlf
Geröll[e] ɡəˈrœl[ə]
Gerolstein 'geːrɔlˌʃtain
Gerolzhofen geːrɔltsˈhoːfn̩
Gerolzhöfer geːrɔltsˈhøːfɐ
Gérome *fr.* ʒeˈrɔm
Gerona *span.* xeˈrona
Geronimo *it.* dʒeˈrɔːnimo
Gerónimo *span.* xeˈronimo
geronnen ɡəˈrɔnən
Geront geˈrɔnt
Géronte *fr.* ʒeˈrõːt
Gerontokratie gerɔnto-
kraˈtiː, -n ...iːən
Gerontologe gerɔntoˈloːgə
Gerontologie gerɔntoloˈgiː
Gerow *bulgar.* 'geːrof
Gerresheim 'gerəshaim
Gerretson *niederl.* 'ɣɛrətsɔn
Gerrit 'gɛrɪt, *niederl.* 'ɣɛrɪt
Gerry *engl.* 'gɛrɪ, 'dʒɛrɪ
Gers *fr.* ʒeːr, ʒɛrs
Gersau 'gɛrzau
Gerschom 'gɛrʃɔm
Gersdorf[f] 'gɛrsdɔrf
Gersfeld 'gɛrsfɛlt
Gershwin *engl.* 'gəːʃwɪn
Gerson 'gɛrzɔn, *poln.* 'gɛr-
sɔn, *russ.* 'gjɛrsɐn, *fr.*
ʒɛrˈsõ, *niederl.* 'ɣɛrsɔn
Gerstäcker 'gɛrstɛkɐ
Gerste 'gɛrstə
Gerstel 'gɛrstl̩
Gerstenberg 'gɛrstn̩bɛrk
Gerstenmaier 'gɛrstn̩maiɐ
Gerster 'gɛrstɐ
Gersthof[en] gɛrstˈhoːf[n̩]
Gerstl 'gɛrstl̩
Gerstner 'gɛrstnɐ
Gert[a] 'gɛrt[a]
Gerte 'gɛrtə
Gertel 'gɛrtl̩
Gerti 'gɛrti
gertig 'gɛrtɪç, -e ...ɪgə
Gertler 'gɛrtlɐ
Gertraud 'gɛrtraut
Gertraude gɛrˈtraudə
Gertraut 'gɛrtraut
Gertrud 'gɛrtruːt
Gertrude gɛrˈtruːdə, *engl.*
'gəːtruːd, *fr.* ʒɛrˈtryd
Gertrudis *span.* xɛrˈtruðis
Gerty 'gɛrti
Geruch gəˈrʊx, Gerüche
gəˈryçə
Gerücht gəˈryçt
Gerufe gəˈruːfə
Gerumpel gəˈrʊmpl̩
Gerümpel gəˈrympl̩

Gerundium geˈrʊndi̯ʊm,
...ien ...i̯ən
Gerundiv gerʊnˈdiːf, -e
...iːvə
gerundivisch gerʊnˈdiːvɪʃ
Gerundivum gerʊnˈdiːvʊm,
...va ...va
Gerung 'geːrʊŋ
gerungen gəˈrʊŋən
Gerusalemme liberata *it.*
dʒeruzaˈlɛmme libeˈraːta
Gerusia geruˈziːa
Gerusie geruˈziː
Gerüst gəˈryst
Gerüttel gəˈrytl̩
¹Gervais® (Käse) ʒɛrˈvɛː,
des - ...ɛː[s], die - ...ɛːs
²Gervais (Name) *fr.* ʒɛrˈvɛ
Gervase *engl.* 'dʒəːvəs
Gervasio *it.* dʒɛrˈvaːzi̯o,
span. xɛrˈβasi̯o
Gervasius gɛrˈvaːzi̯ʊs
Gervinus gɛrˈviːnʊs
Gerwald 'geːɐ̯valt
Gerwassi *russ.* gɪrˈvasij
Gerwig 'gɛrvɪç
Gerwin 'gɛrviːn
Geryon 'geːryɔn
Gerzen 'gɛrtsn̩, *russ.*
'gjɛrtsɔn
ges, Ges gɛs
Gês *bras.* ʒes
Gesa 'geːza
Gesabber gəˈzabɐ
Gesäge gəˈzɛːgə
gesalzen gəˈzaltsn̩
gesamt, G... gəˈzamt
gesamtdeutsch gəˈzamt-
dɔytʃ
Gesamtdeutschland gə-
'zamtdɔytʃlant
gesamthaft gəˈzamthaft
gesandt gəˈzant
Gesandte gəˈzantə
Gesandtschaft gəˈzantʃaft
Gesang gəˈzaŋ, Gesänge
gəˈzɛŋə
Gesarol gezaˈroːl
Gesäß gəˈzɛːs
Gesätz gəˈzɛts
Gesäuge gəˈzɔygə
Gesäuse gəˈzauzə
Gesäuse gəˈzɔyzə
Gesäusel gəˈzɔyzl̩
Geschäft gəˈʃɛft
geschäftig gəˈʃɛftɪç, -e
...ɪgə
Geschäftlhuber
gəˈʃaftl̩huːbɐ
geschäftlich gəˈʃɛftlɪç

geschah gəˈʃaː
geschähe gəˈʃɛːə
Geschäker gəˈʃɛːkɐ
geschamig gəˈʃaːmɪç, -e
...ɪgə
geschämig gəˈʃɛːmɪç, -e
...ɪgə
Gescharre gəˈʃarə
Geschaukel gəˈʃaukl̩
gescheckt gəˈʃɛkt
geschehen, G... gəˈʃeːən
Geschehnis gəˈʃeːnɪs, -se
...ɪsə
Gescheide gəˈʃaidə
Geschein gəˈʃain
gescheit gəˈʃait
Geschenk gəˈʃɛŋk
Gescher 'gɛʃɐ
geschert gəˈʃeːɐ̯t
Geschichte gəˈʃɪçtə
geschichtlich gəˈʃɪçtlɪç
Geschick gəˈʃɪk
Geschiebe gəˈʃiːbə
geschieden gəˈʃiːdn̩
geschieht gəˈʃiːt
geschienen gəˈʃiːnən
Geschieße gəˈʃiːsə
Geschimpfe gəˈʃɪmpfə
Geschirr gəˈʃɪr
Geschiss gəˈʃɪs
geschissen gəˈʃɪsn̩
Geschlabber gəˈʃlabɐ
Geschlecht gəˈʃlɛçt
...geschlechtig ...gəˈʃlɛçtɪç,
-e ...ɪgə
geschlechtlich gəˈʃlɛçtlɪç
Geschleck[e] gəˈʃlɛk[ə]
Geschleife gəˈʃlaif[ə]
Geschleppe gəˈʃlɛpə
geschlichen gəˈʃlɪçn̩
geschliffen gəˈʃlɪfn̩
Geschlinge gəˈʃlɪŋə
geschlissen gəˈʃlɪsn̩
geschlossen gəˈʃlɔsn̩
Geschluchze gəˈʃlʊxtsə
geschlungen gəˈʃlʊŋən
Geschmack gəˈʃmak,
Geschmäcke gəˈʃmɛkə,
Geschmäcker gəˈʃmɛkɐ
Geschmatze gəˈʃmatsə
Geschmause gəˈʃmauzə
Geschmeichel gəˈʃmaiçl̩
Geschmeide gəˈʃmaidə
geschmeidig gəˈʃmaidɪç, -e
...ɪgə
Geschmeiß gəˈʃmais
Geschmetter gəˈʃmetɐ
Geschmier gəˈʃmiːɐ̯
Geschmiere gəˈʃmiːrə
geschmissen gəˈʃmɪsn̩

geschmolzen gə'ʃmɔltsn̩
Geschmunzel gə'ʃmʊntsl̩
Geschmus gə'ʃmuːs, -es
...uːzəs
Geschmuse gə'ʃmuːzə
Geschnäbel gə'ʃnɛːbl̩
Geschnatter gə'ʃnatɐ
geschniegelt gə'ʃniːɡlt
geschnitten gə'ʃnɪtn̩
geschnoben gə'ʃnoːbn̩
Geschnörkel gə'ʃnœrkl̩
Geschnüffel gə'ʃnʏfl̩
geschoben gə'ʃoːbn̩
gescholten gə'ʃɔltn̩
Geschonneck 'ɡɛʃɔnɛk,
–'––
Geschöpf gə'ʃœpf
geschoren gə'ʃoːrən
Geschoß gə'ʃoːs
Geschoss gə'ʃɔs
geschossen gə'ʃɔsn̩
...geschoßig ...gə.ʃoːsɪç, -e
...ɪɡə
...geschossig ...gə.ʃɔsɪç, -e
...ɪɡə
Geschow bulgar. 'ɡɛʃɔf
Geschrei[be] gə'ʃraɪ[bə]
Geschreibsel gə'ʃraɪpsl̩
geschrieben gə'ʃriːbn̩
geschrie[e]n gə'ʃriː[ə]n
geschritten gə'ʃrɪtn̩
geschrocken gə'ʃrɔkn̩
Geschühe gə'ʃyːə
geschunden gə'ʃʊndn̩
Geschütz gə'ʃʏts
Geschwader gə'ʃvaːdɐ
Geschwafel gə'ʃvaːfl̩
...geschwänzt ...gə.ʃvɛntst
Geschwatze gə'ʃvatsə
Geschwätz[e] gə'ʃvɛts[ə]
geschwätzig gə'ʃvɛtsɪç, -e
...ɪɡə
geschweige gə'ʃvaɪɡə
geschwiegen gə'ʃviːɡn̩
geschwind gə'ʃvɪnt, -e
...ndə
Geschwindigkeit gə'ʃvɪn-
dɪçkaɪt
Geschwirr gə'ʃvɪr
Geschwister gə'ʃvɪstɐ
geschwollen gə'ʃvɔlən
geschwommen gə'ʃvɔmən
geschworen gə'ʃvoːrən
Geschwulst gə'ʃvʊlst,
Geschwülste gə'ʃvʏlstə
geschwunden gə'ʃvʊndn̩
geschwungen gə'ʃvʊŋən
Geschwür gə'ʃvyːɐ
geschwürig gə'ʃvyːrɪç, -e
...ɪɡə

Ges-Dur 'ɡɛsduːɐ, auch: '–'–
Gese 'ɡeːzə
Geseich gə'zaɪç
Geseier gə'zaɪɐ
Geseire[s] gə'zaɪrə[s]
Geseke 'ɡeːsəkə
Gesell dt., engl. gə'zɛl
Geselle gə'zɛlə
gesellen gə'zɛlən
gesellig gə'zɛlɪç, -e ...ɪɡə
Gesellschaft gə'zɛlʃaft
Gesemann 'ɡeːzəman
Gesenius ɡe'zeːniʊs
Gesenk[e] gə'zɛŋk[ə]
Geser 'ɡeːzɐ
Geserichsee 'ɡeːzərɪçzeː:
gesessen gə'zɛsn̩
Gesetz gə'zɛts
gesetzlich gə'zɛtsˌlɪç
Geseufze gə'zɔyftsə
Gesicht gə'zɪçt
Gesims gə'zɪms, -e ...mzə
Gesina ɡe'ziːna
Gesinde gə'zɪndə
Gesindel gə'zɪndl̩
Gesine ɡe'ziːnə
Gesinge gə'zɪŋə
gesinnt gə'zɪnt
gesittet gə'zɪtət
Gesius 'ɡeːzjʊs
Gesner 'ɡɛsnɐ
Gesocks gə'zɔks
Gesöff gə'zœf
gesoffen gə'zɔfn̩
gesogen gə'zoːɡn̩
gesondert gə'zɔndɐt
gesonnen gə'zɔnən
gesotten gə'zɔtn̩
gespalten gə'ʃpaltn̩
Gespan gə'ʃpaːn
Gespänge gə'ʃpɛŋə
Gespann gə'ʃpan
Gespanschaft gə'ʃpaːnʃaft
Gespärre gə'ʃpɛrə
Gespenst gə'ʃpɛnst
Gespensterchen gə'ʃpɛns-
tɐçən
gespenstern gə'ʃpɛnstɐn
gespenstig gə'ʃpɛnstɪç, -e
...ɪɡə
gespenstisch gə'ʃpɛnstɪʃ
gesperbert gə'ʃpɛrbɐt
Gesperre gə'ʃpɛrə
gespie[e]n gə'ʃpiː[ə]n
Gespiele gə'ʃpiːlə
Gespinst gə'ʃpɪnst
gesplissen gə'ʃplɪsn̩
gesponnen gə'ʃpɔnən
Gespons gə'ʃpɔns, -e ...nzə
Gespött[el] gə'ʃpœt[l̩]

Gespräch gə'ʃprɛːç
gesprächig gə'ʃprɛːçɪç, -e
...ɪɡə
Gesprenge gə'ʃprɛŋə
gesprochen gə'ʃprɔxn̩
gesprossen gə'ʃprɔsn̩
Gesprudel gə'ʃpruːdl̩
gesprungen gə'ʃprʊŋən
Gespür gə'ʃpyːɐ
Gessele 'ɡɛsələ
Gessen 'ɡɛsn̩
Gessius 'ɡɛsjʊs
Geßler, Gessler 'ɡɛslɐ
Geßner, Gessner 'ɡɛsnɐ
Gesso... 'dʒɛso...
Gest[a] 'ɡɛst[a]
Gestade gə'ʃtaːdə
Gestagen ɡɛsta'ɡeːn
Gestalt gə'ʃtalt
...gestalt ...gə.ʃtalt
gestalten gə'ʃtaltn̩
gestalterisch gə'ʃtaltərɪʃ
...gestaltet ...gə.ʃtaltət
...gestaltig ...gə.ʃtaltɪç, -e
...ɪɡə
Gestammel gə'ʃtaml̩
Gestampfe gə'ʃtampfə
Gestände gə'ʃtɛndə
gestanden gə'ʃtandn̩
geständig gə'ʃtɛndɪç
Geständnis gə'ʃtɛntnɪs, -se
...ɪsə
Gestänge gə'ʃtɛŋə
Gestank gə'ʃtaŋk
Gestapo ɡe'staːpo, auch:
gə'ʃtaːpo
Gesta Romanorum 'ɡɛsta
roma'noːrʊm
Gestation ɡɛsta'tsɪo:n
gestatten gə'ʃtatn̩
Geste 'ɡɛstə, auch: 'ɡeːstə
Gesteck gə'ʃtɛk
Gestein gə'ʃtaɪn
Gestell gə'ʃtɛl
gestern, G... 'ɡɛstɐn
Gestichel gə'ʃtɪçl̩
gestiegen gə'ʃtiːɡn̩
Gestik 'ɡɛstɪk, auch: 'ɡeːstɪk
Gestikulation ɡɛstikula-
'tsɪo:n
gestikulieren ɡɛstiku'liːrən
Gestion ɡɛs'tɪo:n
Gestirn gə'ʃtɪrn
gestisch 'ɡɛstɪʃ, auch:
'ɡeːstɪʃ
gestoben gə'ʃtoːbn̩
gestochen gə'ʃtɔxn̩
gestohlen gə'ʃtoːlən
Gestöhn[e] gə'ʃtøːn[ə]
Gestolper gə'ʃtɔlpɐ

Gestör gǝ'stø:ɐ̯
gestorben gǝ'ʃtɔrbn̩
Gestose gɛs'to:zǝ
gestoßen gǝ'ʃto:sn̩
Gestotter gǝ'ʃtɔtɐ
Gestrampel gǝ'ʃtrampl̩
Gesträuch gǝ'ʃtrɔyç
Gestreite gǝ'ʃtrai̯tǝ
gestreng gǝ'ʃtrɛŋ
Gestreu gǝ'ʃtrɔy
gestrichen gǝ'ʃtrɪçn̩
gestrig 'gɛstrɪç, -e ...ɪgǝ
gestritten gǝ'ʃtrɪtn̩
Geström gǝ'ʃtrø:m
gestromt gǝ'ʃtro:mt
Gestrüpp gǝ'ʃtrʏp
Gestübe gǝ'ʃty:bǝ
Gestüber gǝ'ʃty:bɐ
Gestühl[e] gǝ'ʃty:l[ǝ]
Gestümper gǝ'ʃtʏmpɐ
gestunken gǝ'ʃtʊŋkn̩
Gestürm gǝ'ʃtʏrm
Gestus 'gɛstʊs
Gestüt gǝ'ʃty:t
Gesù it. dʒe'zu
Gesualdo it. dʒezu'aldo
Gesuch gǝ'zu:x
Gesudel gǝ'zu:dl̩
Gesülze gǝ'zʏltsǝ
Gesumm[e] gǝ'zʊm[ǝ]
Gesums gǝ'zʊms, -es
  ...mzǝs
gesund gǝ'zʊnt, -e ...ndǝ,
  gesünder gǝ'zʏndɐ
gesunden gǝ'zʊndn̩,
  gesund! gǝ'zʊnt
gesungen gǝ'zʊŋǝn
gesunken gǝ'zʊŋkn̩
Geszti, Geszty ung. 'gɛsti
Geta 'ge:ta
Getafe span. xe'tafe
Getäfel gǝ'tɛ:fl̩
Getäfer gǝ'tɛ:fɐ
getan gǝ'ta:n
Getändel gǝ'tɛndl̩
Getaumel gǝ'tau̯ml̩
Gete 'ge:tǝ
Getelen 'ge:tǝlǝn
Gethsemane ge'tse:mane
Gethsemani ge'tse:mani
Getier gǝ'ti:ɐ̯
Getön[e] gǝ'tø:n[ǝ]
Getös gǝ'tø:s, -es ...ø:zǝs
Getose gǝ'to:zǝ
Getöse gǝ'tø:zǝ
getragen gǝ'tra:gn̩
Getrampel gǝ'trampl̩
Getränk gǝ'trɛŋk
Getrappel gǝ'trapl̩
Getratsch[e] gǝ'tra:tʃ[ǝ]

Getreide gǝ'trai̯dǝ
getreu gǝ'trɔy
Getriebe gǝ'tri:bǝ
getrieben gǝ'tri:bn̩
Getriller gǝ'trɪlɐ
Getrippel gǝ'trɪpl̩
getroffen gǝ'trɔfn̩
getrogen gǝ'tro:gn̩
Getrommel gǝ'trɔml̩
getrost gǝ'tro:st
getrunken gǝ'trʊŋkn̩
Getsemani ge'tse:mani
Gette fr. ʒɛt
Getter 'gɛtɐ
gettern 'gɛtɐn
Getto 'gɛto
gettoisieren gɛtoi'zi:rǝn
Getty engl. 'gɛti
Gettysburg engl. 'gɛtɪzbǝ:g
Getue gǝ'tu:ǝ
Getúlio bras. ʒe'tulju
Getümmel gǝ'tʏml̩
Getuschel gǝ'tʊʃl̩
Getz engl. gɛts
Geübtheit gǝ'ly:pthai̯t
Geulincx niederl. 'ɣø:lɪŋks
Geum 'ge:ʊm
Geuse 'gɔyzǝ
Geuzen niederl. 'ɣø:zǝ
Gevaert niederl. 'ɣe:va:rt
Gevatter gǝ'fatɐ
Gevelsberg 'ge:vl̩sbɛrk,
  'ge:f...
Gevers niederl. 'ɣe:vǝrs
Gevgelija mak. ɣɛv'gelija
geviert, G... gǝ'fi:ɐ̯t
Gewächs gǝ'vɛks
Gewackel gǝ'vakl̩
Gewack[e]lle gǝ'vak[ǝ]lǝ
Gewaff[en] gǝ'vaf[n̩]
gewahr gǝ'va:ɐ̯
Gewähr gǝ'vɛ:ɐ̯
gewahren gǝ'va:rǝn
gewähren gǝ'vɛ:rǝn
gewährleisten gǝ'vɛ:ɐ̯lai̯stn̩
Gewahrsam gǝ'va:ɐ̯za:m
Gewährschaft gǝ'vɛ:ɐ̯ʃaft
gewalmt gǝ'valmt
Gewalt gǝ'valt
gewaltig gǝ'valtɪç, -e ...ɪgǝ
gewältigen gǝ'vɛltɪgn̩,
  gewältig! gǝ'vɛltɪç,
  gewältigt gǝ'vɛltɪçt
gewaltsam gǝ'valtza:m
Gewand gǝ'vant, Gewän-
  der gǝ'vɛndɐ
Gewände gǝ'vɛndǝ
gewanden gǝ'vandn̩,
  gewand! gǝ'vant
Gewandhaus gǝ'vanthau̯s

gewandt gǝ'vant
gewann gǝ'van
Gewann[e] gǝ'van[ǝ]
gewänne gǝ'vɛnǝ
gewärtig gǝ'vɛrtɪç, -e ...ɪgǝ
gewärtigen gǝ'vɛrtɪgn̩,
  gewärtig! gǝ'vɛrtɪç,
  gewärtigt gǝ'vɛrtɪçt
Gewäsch gǝ'vɛʃ
Gewässer gǝ'vɛsɐ
Gewebe gǝ've:bǝ
Gewehr gǝ've:ɐ̯
Geweih gǝ'vai̯
Gewende gǝ'vɛndǝ
Gewerbe gǝ'vɛrbǝ
gewerblich gǝ'vɛrplɪç
Gewerk[e] gǝ'vɛrk[ǝ]
Gewerkschaft gǝ'vɛrkʃaft
Gewerkschaft[l]er gǝ'vɛrk-
  ʃaft[l]ɐ
Gewese gǝ've:zǝ
gewesen gǝ've:zn̩
gewichen gǝ'vɪçn̩
Gewicht gǝ'vɪçt
gewichtig gǝ'vɪçtɪç, -e ...ɪgǝ
gewieft gǝ'vi:ft
Gewieher gǝ'vi:ɐ
gewiesen gǝ'vi:zn̩
gewillt gǝ'vɪlt
Gewimmel gǝ'vɪml̩
Gewimmer gǝ'vɪmɐ
Gewinde gǝ'vɪndǝ
Gewinn gǝ'vɪn
gewinnen gǝ'vɪnǝn
Gewinsel gǝ'vɪnzl̩
Gewinst gǝ'vɪnst
Gewirk[e] gǝ'vɪrk[ǝ]
Gewirr gǝ'vɪr
Gewisper gǝ'vɪspɐ
gewiss gǝ'vɪs
Gewissen gǝ'vɪsn̩
Gewitsch 'ge:vɪtʃ
Gewitter gǝ'vɪtɐ
gewitt[e]rig gǝ'vɪt[ǝ]rɪç, -e
  ...ɪgǝ
Gewitzel gǝ'vɪtsl̩
gewitzigt gǝ'vɪtsɪçt
gewitzt gǝ'vɪtst
gewoben gǝ'vo:bn̩
Gewoge gǝ'vo:gǝ
gewogen gǝ'vo:gn̩
gewöhnen gǝ'vø:nǝn
gewöhnlich gǝ'vø:nlɪç
gewohnt gǝ'vo:nt
gewöhnt gǝ'vø:nt
Gewölbe gǝ'vœlbǝ
Gewölk gǝ'vœlk
Gewölle gǝ'vœlǝ
Gewönne gǝ'vœnǝ
gewonnen gǝ'vɔnǝn

geworben gə'vɔrbn̩
geworden gə'vɔrdn̩
geworfen gə'vɔrfn̩
gewrungen gə'vrʊŋən
Gewühl gə'vy:l
gewunden gə'vʊndn̩
Gewürm gə'vʏrm
Gewürz gə'vʏrts
gewürzig gə'vʏrtsɪç, -e
...ɪgə
Gewusel gə'vu:zl̩
gewusst gə'vʊst
Geyer[sberg] 'gaiɐ[sbɛrk]
Geyl niederl. ɣɛil
Geymüller 'gaimylɐ
Geyser 'gaizɐ
¹Geysir (Quelle) 'gaizɪr
²Geysir (Name) isl. 'gjeisɪr
Geyter niederl. 'ɣɛitər
Géza ung. 'ge:zɔ
Gezähe gə'tsɛ:ə
Gezänk gə'tsɛŋk
Gezanke gə'tsaŋkə
Gezappel gə'tsapl̩
Gezeit gə'tsait
Gezelle niederl. ɣə'zɛlə
Gezerre gə'tsɛrə
Gezeter gə'tse:tɐ
Geziefer gə'tsi:fɐ
geziehen gə'tsi:ən
Geziere gə'tsi:rə
Gezira ge'zi:ra
Gezirp[e] gə'tsɪrp[ə]
Gezisch[e] gə'tsɪʃ[ə]
Gezischel gə'tsɪʃl̩
gezogen gə'tso:gn̩
Gezücht gə'tsʏçt
Gezüngel gə'tsʏŋl̩
Gezweig gə'tsvaik, -es
...gəs
Gezwitscher gə'tsvɪtʃɐ
gezwungen gə'tsvʊŋən
Gfeller 'kfɛlɐ
Gfrast kfrast
Gfrett kfrɛt
Gfrieß kfri:s
Gfrörer 'kfrø:rɐ
Ghaani pers. ɣa'ɑ'ni:
Ghadames ga'da:mɛs
Ghali 'ga:li
Ghana 'ga:na, engl. 'gɑ:nə
Ghanaer ga:naɐ
ghanaisch 'ga:naiʃ
Gharb garp, fr. garb
Ghardaïa fr. garda'ja
Gharjan gar'ja:n
Ghasali ga'za:li
Ghasel[e] ga'ze:l[ə]
Ghasi 'ga:zi
Ghasnawide gasna'vi:də

Ghasr e Schirin pers. 'ɣæs-
reʃi'ri:n
Ghassanide gasa'ni:də
Ghaswin pers. ɣæz'vi:n
Ghats engl. gɔ:ts, gɑ:ts
Ghazaouet fr. gaza'wɛt
Ghazi 'ga:zi
Ghaziabad engl. 'gɑ:zɪɑ:-
 bɑ:d
Ghazni afgh. ɣæz'ni
Ghedini it. ge'di:ni
Ghega 'ge:ga
Ghelderode fr. gɛldə'rɔd
Ghéon fr. ge'õ
Gheorghiu rumän. gɛor'giu
Gherardesca it. gerar-
'deska
Gherardi it. ge'rardi
Gherardino it. gerar'di:no
Gherardo it. ge'rardo
Gherea rumän. 'gerɛa
Gherla rumän. 'gerla
Ghetto 'geto
Gheyn niederl. ɣɛin
Ghia® 'gi:a
Ghiață rumän. 'gjatsə
Ghiaurov vgl. Gjaurow
Ghibelline gibɛ'li:nə
Ghibellini it. gibel'li:ni
Ghiberti it. gi'bɛrti
Ghibli 'gɪbli
Ghica rumän. 'gika
Ghil fr. gil
Ghilly... 'gɪli...
Ghirlandaio it. girlan'da:io
Ghisi it. 'gi:zi
Ghislandi it. giz'landi
Ghislanzoni it. gizlan'tso:ni
Ghislieri it. giz'liɛ:ri
Ghismonda it. giz'monda
Ghom pers. ɣom
Ghostword 'go:stvø:ɐt,
...vœrt
Ghostwriter 'go:straitɐ
Ghudamis gu'da:mɪs
Ghur afgh. ɣor
Ghuride gu'ri:də
Ghutschan pers. ɣu'tʃɑ:n
G. I., GI engl. dʒi:'ai
Giacinto it. dʒa'tʃinto
Giacometti dʒako'mɛti, it.
dʒako'metti
Giacometto it. dʒako'metto
Giacomino it. dʒako'mi:no
Giacomo it. 'dʒa:komo
Giacomuzzo it. dʒako-
'muttso
Giacopo it. 'dʒa:kopo
Giacosa it. dʒa'kɔ:za
Giaever engl. 'jeivə

Giambattista it. dʒambat-
'tista
Giamboni it. dʒam'bɔ:ni
Giambono it. dʒam'bɔ:no
Giambullari it. dʒambul-
'la:ri
Giammaria it. dʒamma'ri:a
Gian it. dʒan
Gianettino it. dʒanet'ti:no
Gianfrancesco it. dʒan-
fran'tʃesko
Giangaleazzo it. dʒaŋgale-
'attso
Giangiorgio it. dʒan-
'dʒordʒo
Gianicolo it. dʒa'ni:kolo
Gianmaria it. dʒamma'ri:a
Gianna it. 'dʒanna
Gianneo span. xia'neo
Giannetti it. dʒan'netti
Gianni it. 'dʒanni
Giannina it. dʒan'ni:na
Giannini it. dʒan'ni:ni
Giannino it. dʒan'ni:no
Giannone it. dʒan'no:ne
Giannotti it. dʒan'nɔtti
Gianoli fr. ʒjanɔ'li
Giant's Causeway engl.
'dʒaiənts 'kɔ:zwei
Giantturco it. dʒan'turko
Giaquinto it. dʒa'kуinto
Giard fr. ʒja:r
Giardini it. dʒar'di:ni
Giardiniera it. dʒardi'niɛ:ra
Giasone it. dʒa'zo:ne
Giauque engl. dʒɪ'oʊk
Giaur 'giauɐ
gib! gi:p
Gibara span. xi'βara
Gibb engl. gɪb
¹Gibbon (Affe) 'gɪbɔn
²Gibbon (Name) engl.
'gɪbən
Gibbons engl. 'gɪbənz
Gibbs engl. gɪbz
Gibbus 'gɪbʊs
Gibea 'gi:bea
Gibelline gibɛ'li:nə
Gibeon 'gi:beɔn
Gibert fr. ʒi'bɛ:r
Giberti it. dʒi'bɛrti
Gibich 'gi:bɪç
Gibli 'gɪbli
Gibraltar gi'braltar, auch:
gibral'ta:ɐ, engl. dʒɪ'brɔ:ltə,
span. xiβral'tar
Gibson [Desert] engl.
'gɪbsn ['dɛzət]
gibt gi:pt
Gicht[el] gɪçt[l̩]

gichtig 'gıçtıç, -e ...ıgə
gichtisch 'gıçtıʃ
Gickel 'gıkḷ
gickeln 'gıkḷn
gickern 'gıkɐn
gicks[en] 'gıks[n̩]
Giddings *engl.* 'gıdıŋz
Gide *fr.* ʒid
Gideon 'gi:deɔn, *engl.* 'gıdıən
Giebel 'gi:bḷ
Giech gi:ç
Giedi 'gi̯e:di
Giehse 'gi:zə
Giekbaum 'gi:kba̯um
Gielen 'gi:lən
Gielgood, ...gud *engl.* 'gi:lgud
Gielow 'gi:lo
Giemen 'gi:mən
Giemsa 'gi̯ɛmza
¹Gien (Takel) gi:n
²Gien (Name) *fr.* ʒjɛ̃
gienen 'gi:nən
Gieng 'gi:ɛŋ
Giengen 'gıŋən
Gieper 'gi:pɐ
giepern 'gi:pɐn
gieprig 'gi:prıç, -e ...ıgə
¹Gier gi:ɐ̯
²Gier (Name) *fr.* ʒjɛ:r
Gierach 'gi:rax
Gierek *poln.* 'gjɛrɛk
gieren 'gi:rən
gierig 'gi:rıç, -e ...ıgə
Gierke 'gi:ɐ̯kə
Gierow *schwed.* 'gi:rɔv
Giersch 'gi:ɐ̯ʃ
Gierster 'gi:ɐ̯stɐ
Giertz *schwed.* jærts
Gierymski *poln.* gjɛ'rimski
Gies gi:s
Giese[brecht] 'gi:zə[brɛçt]
Giesecke 'gi:zəkə
Gieseking 'gi:zəkıŋ
Giesel 'gi:zḷ
Gieseler 'gi:zəlɐ
Giesen 'gi:zn̩
Gieß[bach] 'gi:s[bax]
gießen, G... 'gi:sn̩
Gießener 'gi:sənɐ
Gießerei 'gi:sə'ra̯i
Giffard *engl.* 'dʒıfəd, 'gıf..., *fr.* ʒi'fa:r
Gifford *engl.* 'gıfəd
Gifhorn 'gıfhɔrn
Gift gıft
giften 'gıftn̩
giftig 'gıftıç, -e ...ıgə
Gifu *jap.* gi'fu

Gig gık
Giga... 'gi:ga...
Gigahertz 'gi:gahɛrts̩, giga'hɛrts̩
Gigameter 'gi:game:tɐ, giga'me:tɐ
Gigant *dt., russ.* gi'gant
gigantesk gigan'tɛsk
Giganthropus gi'gantropʊs, ...pi ...pi
gigantisch gi'gantıʃ
Gigantismus gigan'tısmʊs
Gigantographie gigantogra'fi:, -n ...i:ən
Gigantomachie gigantoma'xi:
Gigantomanie gigantoma'ni:
gigantomanisch gigantoma:nı̩ʃ
Gige *ung.* 'gigɛ
Gigerl 'gi:gɐl
Gigi *fr.* ʒi'ʒi
Gigli *it.* 'dʒiʎʎi
Gigola *it.* 'dʒi:gola
Gigolo 'ʒi:golo, *auch:* 'ʒıg...
Gigot ʒi'go:
Gigout, ...oux *fr.* ʒi'gu
Gigue ʒi:k, -n 'ʒi:gn̩
Gijón *span.* xi'xɔn
Gijsen *niederl.* 'ɣɛ̯isə
giksen 'gi:ksn̩
Gil gıl, *span.* xil, *port.* ʒil
Gil, Jack and *engl.* 'dʒæk ənd 'dʒıl
Gila 'gi:la, *engl.* 'hi:lə
Gilan *pers.* gi'la:n
gilben 'gılbn̩, **gilb!** gılp, **gilbt** gılpt
Gilbert 'gılbɛrt, *engl.* 'gılbət, *fr.* ʒil'bɛ:r, *span.* xil'βɛr
Gilberte *fr.* ʒil'bɛrt
Gilbertiner gılbɛr'ti:nɐ
Gilberto *span.* xil'βɛrto
Gilbertus gıl'bɛrtʊs
Gilbhard, ...rt 'gılphart
Gil Blas *fr.* ʒil'bla:s
Gilboa gıl'bo:a
Gilbreth *engl.* 'gılbrɛθ
Gilchrist *engl.* 'gılkrıst
Gilda *it.* 'dʒilda
Gildas 'gıldas, *engl.* 'gıldæs, *fr.* ʒil'da
Gilde[meister] 'gıldə[ma̯istɐ]
Gilead 'gi:leat
Gilels *russ.* 'gililjs
Giles *engl.* dʒa̯ilz
Gilet ʒi'le:
Gilette *engl.* ʒı'lɛt

Gilgal 'gılgal
Gilgamesch 'gılgamɛʃ
Gilge 'gılgə
Gilgit *engl.* 'gılgıt
Giljake gıl'ja:kə
Gilka® 'gılka
Gilkin *fr.* ʒil'kɛ̃
Gill *dt., engl.* gıl, dʒıl, *norw.* gil
Gille 'gılə, *fr.* ʒil
Gillebert *fr.* ʒil'bɛ:r
Gilleleje *dän.* gilə'la̯iə
Gilles gıləs, *fr.* ʒil
Gillespie *engl.* gı'lɛspı
Gillet *fr.* ʒi'lɛ
Gillette® ʒı'lɛt
Gillhoff 'gılhɔf
Gilliams *niederl.* 'ɣıliams
Gilliard *fr.* ʒi'ja:r
Gilliéron *fr.* ʒilje'rõ
Gillingham *engl.* 'dʒılıŋəm
Gillot *fr.* ʒi'lo
Gillray *engl.* 'gılra̯i
Gilling 'gılıŋ
Gillung 'gılʊŋ
Gilly 'ʒıli, *fr.* ʒi'li
Gilm gılm
Gilman *engl.* 'gılmən
Gilmore *engl.* 'gılmɔ:
Gilroy *engl.* 'gılrɔı
Gilson *fr.* ʒil'sõ
gilt gılt
giltig 'gıltıç, -e ...ıgə
Gil Vicente *port.* 'ʒil vi'sɛntə, *span.* 'xil βi'θɛnte
Gilze *niederl.* 'ɣılzə
Giménez *span.* xi'meneθ
Gimignani *it.* dʒimiɲ'ɲa:ni
Gimmi 'gımi
Gimmick 'gımık
Gimpe 'gımpə
Gimpel 'gımpḷ, *poln.* 'gimpɛl
Gimpera *kat.* ʒim'pɛrə
Gimson *engl.* gımsn, dʒımsn
Gin dʒın
Gina 'gi:na, *it.* 'dʒi:na
Ginastera *span.* xinas'tera
Giner de los Ríos *span.* xi'nɛr ðe lɔr 'rrios
Ginevra gi'ne:vra
Ginfizz 'dʒınfıs
ging gıŋ
Gingan 'gıŋgan
Ginger 'dʒındʒɐ
Gingerale 'dʒındʒɐ|e:l
Gingerbeer 'dʒındʒɐ'bi:ɐ̯
Gingham 'gıŋɛm
Gingivitis gıŋgi'vi:tıs, ...viti-den ...vi'ti:dn̩
Gingkjo 'gıŋkjo

Ginkgo 'gɪŋko
Ginneken *niederl.* 'xɪnəkə
Gino *it.* 'dʒi:no
Ginsberg 'gɪnsbɛrk, *engl.*
　'gɪnzbə:g
Ginsburg 'gɪnsburk, *poln.,*
　russ. 'gɪnzburk
Ginseng 'gɪnzɛŋ, *auch:* 'ʒɪn-
　zɛŋ
Ginsheim 'gɪnshaim
Ginster 'gɪnstɐ
Gintl 'gɪntl̩
Ginzberg 'gɪntsbɛrk
Ginzburg *it.* 'gintsburg
Ginzkey 'gɪntskai
Gioac[c]hino *it.*
　dʒoa[k]'ki:no
Gioberti *it.* dʒo'bɛrti
Gioconda *it.* dʒo'konda
Giocondo *it.* dʒo'kondo
giocoso dʒo'ko:zo
Gioda *jap.* 'gjo.:da
Gioia *it.* 'dʒɔ:ja
Gioia del Colle *it.* 'dʒɔ:ja del
　'kɔlle
Giolitti *it.* dʒo'litti
Giono *fr.* ʒjo'no
Giordani *it.* dʒor'da:ni
Giordano *it.* dʒor'da:no
Giorgi *it.* 'dʒordʒi
Giorgio *it.* 'dʒordʒo
Giorgione *it.* dʒor'dʒo:ne
Giornico *it.* dʒor'ni:ko
Giorno *it.* 'dʒorno
Giosuè *it.* dʒozu'ɛ
Giotto *it.* 'dʒɔtto
Giovagnoli *it.* dʒovaɲ'ɲɔ:li
Giovanna *it.* dʒo'vanna
Giovanni *it.* dʒo'vanni
Giovannino *it.* dʒovan'ni:no
Giovinazzo *it.* dʒovi'nattso
Giovinezza *it.* dʒovi'nettsa
Giovio *it.* 'dʒɔ:vjo
Giovo *it.* 'dʒɔ:vo
Gipfel 'gɪpfl̩
gipf[e]lig 'gɪpf[ə]lɪç, -e ...ɪgə
gipfeln 'gɪpfl̩n
Gipps[land] *engl.*
　'gɪps[lænd]
Gips gɪps
gipsen 'gɪpsn̩
gipsern 'gɪpsɐn
Gipsy *engl.* 'dʒɪpsɪ
Gipüre gi'py:rə
Giraffe gi'rafə, *auch:* ʒi...
Giral *fr.* ʒi'ral, *span.* xi'ral
Giral... ʒi'ra:l...
Giralda *span.* xi'ralda
Giraldi *it.* dʒi'raldi
Giraldoni *it.* dʒiral'do:ni

Giraldus gi'raldʊs
Girandola dʒi'randola,
　...olen ...'do:lən
Girandole ʒiran'do:lə, ʒirã...
Girant ʒi'rant
Girard *fr.* ʒi'ra:r, *engl.* dʒɪ-
　'ra:d
Girardet *fr.* ʒirar'dɛ
Girardi ʒi'rardi
Girardin *fr.* ʒirar'dɛ̃
Girardon *fr.* ʒirar'dõ
Girardot *fr.* ʒirar'do, *span.*
　xirar'ðɔt
Girart *fr.* ʒi'ra:r
Girat ʒi'ra:t
Giratar ʒira'ta:ɐ̯
Giraud *fr.* ʒi'ro, *it.* dʒi'ra:ud
Giraudoux *fr.* ʒiro'du
Girault *fr.* ʒi'ro
Giresun *türk.* 'girɛsun
Giretti *it.* dʒi'retti
Girgeh 'gɪrge
Girgensohn 'gɪrgn̩zo:n
Girgenti *it.* dʒir'dʒɛnti
Giri vgl. Giro
girieren ʒi'ri:rən
Girishk *afgh.* gi'rɪʃk
Girke 'gɪ:ɐ̯kə
Girl gø:ɐ̯l, gœrl
Gîrla Mare *rumän.* 'gɪrla
　'mare
Girlande gɪr'landə
Girlie 'gø:ɐ̯li, 'gœrli
Girlitz 'gɪrlɪts
Giro 'ʒi:ro, Giri 'ʒi:ri
Girod *fr.* ʒi'ro
Girodet *fr.* ʒiro'dɛ
Giro [d'Italia] *it.* 'dʒi:ro
　[di'ta:lja]
Girolamo *it.* dʒi'rɔ:lamo
Girometti *it.* dʒiro'metti
Gironde *fr.* ʒi'rõ:d
Girondins *fr.* ʒirõ'dɛ̃
Girondist ʒirõ'dɪst
Gironella *span.* xiro'neʎa
girren 'gɪrən
Girri *span.* 'xirri
Girtin *engl.* 'gə:tɪn
gis, Gis gɪs
Gisa 'gi:za
Gisbert 'gɪsbɛrt
Gisberta gɪs'bɛrta
Gisborne *engl.* 'gɪzbən
Giscard d'Estaing *fr.* ʒis-
　kardɛs'tɛ̃
gischen 'gɪʃn̩
Gischia *fr.* gi'ʃja
Gischt gɪʃt
gischten 'gɪʃtn̩
Gise[h] 'gi:ze

Giseke 'gi:zəkə
Gisela 'gi:zəla
Giselbert 'gi:zl̩bɛrt
Giselberta gi:zl̩'bɛrta
Gisèle *fr.* ʒi'zɛl
Giselher 'gi:zl̩he:ɐ̯
Giselle *fr.* ʒi'zɛl
Giselmar 'gi:zl̩mar
Gisgon 'gɪsgɔn
Giskra 'gɪskra
Gislason *isl.* 'gjislasɔn
Gislaved *schwed.* 'jislave:d
Gislebert 'gɪsləbɛrt
gis-Moll 'gɪsmɔl, *auch:* '-'-
Gisors *fr.* ʒi'zɔ:r
gissen 'gɪsn̩
Gissing *engl.* 'gɪsɪŋ
Gita 'gi:ta
Gitana xi'ta:na
Gitarre gi'tarə
Gitarrist gita'rɪst
Gits *niederl.* ɣɪts
Gitschin 'jɪtʃi:n, *Schiller*
　'gɪtʃin
Gitta 'gɪta
Gitte 'gɪtə
Gitter 'gɪtɐ
gittern 'gɪtɐn
Gittings *engl.* 'gɪtɪŋz
Giudecca *it.* dʒu'dɛkka
Giudici *it.* 'dʒu:ditʃi
Giuditta *it.* dʒu'ditta
Giulia *it.* 'dʒu:lja
Giuliana *it.* dʒu'lja:na
Giuliani *it.* dʒu'lja:ni
Giuliano *it.* dʒu'lja:no
Giulietta *it.* dʒu'lietta
Giulini *it.* dʒu'li:ni
Giulio *it.* 'dʒu:ljo
Giunta *it.* 'dʒunta
Giunti *it.* 'dʒunti
Giuoco piano 'dʒuo:ko
　'pja:no, Giuochi piani
　'dʒuo:ki 'pja:ni
Giurgiu *rumän.* 'dʒurdʒu
Giuseppe *it.* dʒu'zɛppe
Giuseppina *it.* dʒuzep'pi:na
Giusti *it.* 'dʒusti
Giustinian *it.* dʒusti'njan
Giustiniani *it.* dʒusti'nja:ni
giusto 'dʒusto
Giusto *it.* 'dʒusto
Givatayim *hebr.* giva'tajim
Givet *fr.* ʒi'vɛ
Givors *fr.* ʒi'vɔ:r
Givrine ʒi'vri:n
Givry *fr.* ʒi'vri
Giza 'gi:za
Gizeh 'gi:ze
Gizella *ung.* 'gizɛllɔ

Giżycko *poln.* gi'ʒitskɔ
Gjandschą *russ.* gɪn'dʒa
Gjąta *alban.* 'gjata
Gjaurow *bulgar.* gjɐ'urof
Gjellerup *dän.* 'gel'ɔrʊb
Gjerstad *schwed.* 'jæ:rstɑ:d
Gjinokąstёr *alban.* gjino-
 'kastər
Gjirokąstёr *alban.* gjiro-
 'kastər
Gjøa *norw.* .jø:a
Gjøll gjœl
Gjøvik *norw.* .jø:vi:k
Glabella gla'bɛla
Glące, -s gla:s, -n ...sn̩
Glacé gla'se:
Glace Bay *engl.* 'gleɪs 'beɪ
Glacee gla'se:
glacieren gla'si:rən
Glacis gla'si:, des - gla-
 'si:[s], die - gla'si:s
Glądbeck 'glatbɛk
Gladenbach 'gla:dn̩bax
Gladiator gla'dia:to:ɐ̯, -en
 gladia'to:rən
Gladilin *russ.* gla'dilin
Glądio *it.* 'gla:dio
Gladiole gla'dio:lə
Glądius 'gla:dius
Glądkow *russ.* 'glatkɐf
Glądsakse *dän.* 'glæðsagsə
Gladstone *engl.* 'glædstən
Gladwin *engl.* 'glædwɪn
Gladys *engl.* 'glædɪs
Glaeser 'glɛ:zɐ
Glafira *russ.* gla'firɐ
Glagolismus glago'lɪsmʊs
glagolitisch glago'li:tɪʃ
Glagoliza gla'gɔlitsa
Glaise 'glaɪzə
Glaisher *engl.* 'gleɪʃə
Glåma *norw.* .glo:ma
Glamis 'gla:mɪs, *engl.*
 glɑ:mz, *Shakespeare* 'glæ-
 mɪs
Glamorgan *engl.* glə'mɔ:-
 gən
Glamour 'glɛmɐ
glamourös glamu'rø:s, -e
 ...ø:zə
Glan gla:n, *schwed.* glɑ:n
Glandel 'glandl̩
Glandes vgl. Glans
glandotrop glando'tro:p
Glandula 'glandula, ...lae
 ...lɛ
glandulär glandu'lɛ:ɐ̯
Glåne, La *fr.* la'glɑ:n
Glans glans, ...ndes ...nde:s
Glansdale *engl.* 'glænzdeɪl

Glanvill[e] *engl.* 'glænvɪl
Glanz glants
glänzen 'glɛntsn̩
glänzend 'glɛntsn̩t, -e ...n̩də
Glarean[us] glare'a:n[ʊs]
Glarner 'glarnɐ
glarnerisch 'glarnərɪʃ
Glärnisch 'glɛrnɪʃ
Glarus 'gla:rʊs
Glas gla:s, -es 'gla:zəs, Glä-
ser 'glɛ:zɐ
Gläschen 'glɛ:sçən
glasen 'gla:zn̩, glas! gla:s,
glast gla:st
Glasenapp 'gla:zənap
Glaser 'gla:zɐ, *engl.* 'gleɪzə
Gläser 'glɛ:zɐ
Glaserei gla:zə'raɪ
gläsern 'glɛ:zɐn
Glasgow *engl.* 'glɑ:zgoʊ
Glashütte 'gla:shʏtə
glasieren gla'zi:rən
glasig 'gla:zɪç, -e ...ɪgə
Glasnost 'glasnɔst
Glasow *russ.* 'glazɐf
Glaspell *engl.* 'glæspəl
Glass glas, *engl.* glɑ:s
Glassboro *engl.* 'glɑ:sbərə
Glaßbrenner 'gla:sbrɛnɐ
Glast glast
glastig 'glastɪç, -e ...ɪgə
Glastonbury *engl.* 'glæstən-
bərɪ
Glasunow *russ.* glɐzu'nɔf
Glasur gla'zu:ɐ̯
glatt glat, glätter 'glɛtɐ
Glätte 'glɛtə
glätten 'glɛtn̩
glätter vgl. glatt
glatterdings 'glatɐdɪŋs
glattweg 'glatvɛk
glattzüngig 'glattsʏŋɪç, -e
...ɪgə
Glatz gla:ts
Glätze 'glatsə
Glätzer 'gla:tsɐ
glatzig 'glatsɪç, -e ...ɪgə
glatzköpfig 'glatskœpfɪç
Glaube 'glaʊbɐ
glauben, G... 'glaʊbn̩,
glaub! glaʊp, glaubt
glaʊpt
Glauber 'glaʊbɐ
gläubig 'glɔybɪç, -e ...ɪgə
Gläubiger 'glɔybɪgɐ
Glaubrecht 'glaʊprɛçt
Glauchau 'glaʊxaʊ
Glaucus 'glaʊkʊs
Glauke 'glaʊkə
Glaukochroit glaʊkokro'i:t

Glaukodot glaʊko'do:t
Glaukom glaʊ'ko:m
Glaukonit glaʊko'ni:t
Glaukophan glaʊko'fa:n
Glaukopis glaʊ'ko:pɪs
Glaukos 'glaʊkɔs
Glaux glaʊks
Gläve 'glɛ:fə
Glavendrup *dän.*
 'glɛ:'vndrʊb
Glawari gla'va:ri
Glązarová *tschech.* 'glaza-
rɔva:
glazial, G... gla'tsia:l
glaziär gla'tsiɛ:ɐ̯
glazigen glatsi'ge:n
Glaziologe glatsio'lo:gə
Glaziologie glatsiolo'gi:
glaziologisch glatsio'lo:gɪʃ
Gleason *engl.* gli:sn̩
Gleb glɛp, *russ.* gljɛp
Glebka *russ.* 'gljɛpkɐ
Glebowitsch *russ.* 'gljɛbɐ-
vitʃ
Glebowna *russ.* 'gljɛbɐvnɐ
Gleditsch 'gle:dɪtʃ
Gleditschia gle'dɪtʃia
Glee gli:
Glefe 'gle:fə
Gleiboden 'glaɪbo:dn̩
gleich, G... glaɪç
gleichalt[e]rig 'glaɪç-
 |alt[ə]rɪç
Gleichberge 'glaɪçbɛrgə
Gleiche 'glaɪçə
gleichen, G... 'glaɪçn̩
Gleichenberg 'glaɪçn̩bɛrk
Gleichförmigkeit 'glaɪçfœr-
 mɪçkaɪt
Gleichgültigkeit 'glaɪçgʏl-
 tɪçkaɪt
Gleichmacherei glaɪçma-
 xə'raɪ
Gleichmäßigkeit 'glaɪç-
 mɛ:sɪçkaɪt
gleichmütig 'glaɪçmy:tɪç, -e
 ...ɪgə
Gleichnis 'glaɪçnɪs, -se ...ɪsə
gleichsam 'glaɪçza:m
gleichschenk[e]lig
 'glaɪçʃɛŋk[ə]lɪç, -e ...ɪgə
gleichseitig 'glaɪçzaɪtɪç
Gleichung 'glaɪçʊŋ
gleichviel glaɪç'fi:l
gleichwie glaɪç'vi:
gleichwohl glaɪç'vo:l
Gleim[a] 'glaɪm[a]
Gleis glaɪs, -e 'glaɪzə
Gleisdorf 'glaɪsdɔrf
...gleisig ...'glaɪzɪç, -e ...ɪgə

Gleisner 'glaɪsnɐ
Gleisnerei glaɪsnə'raɪ
Gleiß[e] 'glaɪs[ə]
gleißen, G... 'glaɪsn̩
Gleissner, Gleißner
 'glaɪsnɐ
gleiten 'glaɪtn̩
Gleiwitz 'glaɪvɪts
Gleizes fr. glɛ:z
Glemp poln. glɛmp
Glen engl. glɛn
Glénard fr. gle'na:r
Glen Burnie engl. 'glɛn
 'bə:nɪ
Glencheck 'glɛntʃɛk
Glendale engl. 'glɛndeɪl
Glendalough engl. 'glɛndə-
 lɔk
Glendora engl. glɛn'dɔ:rə
Glendower engl. glɛn'daʊə
Glenelg engl. glɛn'ɛlg
Glen Ellyn engl. 'glɛn 'ɛlɪn
Glenmore, Glen More engl.
 glɛn'mɔ:
Glenn[an] engl. 'glɛn[ən]
Glenner 'glɛnɐ
Glenrothes engl. glɛn'rɔθɪs
Glens Falls engl. 'glɛnz
 'fɔ:lz
Glenview engl. 'glɛnvju:
Glessker 'glɛskɐ
Gletsch[er] 'glɛtʃ[ɐ]
Gleve 'gle:fə
Glewe 'gle:və
Gley[re] fr. glɛ[:r]
Glia 'gli:a
Gliadin glia'di:n
Glibber 'glɪbɐ
glich glɪç
Glichesaere 'gli:çəzɛ:rə
Glider 'glaɪdɐ
Glied gli:t, -es 'gli:dəs
gliedern 'gli:dɐn, gliedre
 'gli:drə
...glied[e]rig ....gli:d[ə]rɪç,
 -e ...ɪgə
Glier russ. gli'ɛr
Glière[s] fr. gli'ɛ:r
Gligorov mak. 'gligɔrɔf
Glima 'gli:ma
glimmen 'glɪmən
Glimmer 'glɪmɐ
glimm[e]rig 'glɪm[ə]rɪç, -e
 ...ɪgə
glimmern 'glɪmɐn
glimpflich 'glɪmpflɪç
Glin gli:n
Glina rumän. 'glina
Glinde 'glɪndə
Glinka 'glɪŋka, russ. 'glinkɐ

Glinski russ. 'glinskij
Glinz glɪnts
Glioblastom glioblas'to:m
Gliom gli'o:m
Gliosarkom gliozar'ko:m
Glišič serbokr. ,gli:ʃitɕ
Glissade glɪ'sa:də
glissando glɪ'sando
Glissando glɪ'sando, ...di
 ...di
Glissant fr. gli'sã
Glisson engl. glɪsn
Glitsche 'glɪtʃə
glitschen 'glɪtʃn̩
glitsch[e]rig 'glɪtʃ[ə]rɪç, -e
 ...ɪgə
glitschig 'glɪtʃɪç, -e ...ɪgə
glitt glɪt
Glittertind norw. ,glitɐrtin
Glitzer 'glɪtsɐ
glitz[e]rig 'glɪts[ə]rɪç, -e
 ...ɪgə
glitzern 'glɪtsɐn
Gliwice poln. gli'vitsɛ
global glo'ba:l
globalisieren globali'zi:rən
Globe engl. gloʊb
Globetrotter 'glo:bətrɔtɐ,
 'glo:ptrɔtɐ
Globigerine globige'ri:nə
Globin glo'bi:n
Globke 'glɔpkə
Globoid globo'i:t, -e ...i:də
Globokar slowen. glɔ'bo:kar
Globularia globu'la:rja,
 ...ien ...jən
Globulin globu'li:n
Globulus 'glo:bulʊs, ...li ...li
Globus 'glo:bʊs, -se ...ʊsə
Glochidium glɔ'xi:djʊm,
 ...ien ...jən
Glöckchen 'glœkçən
Glocke 'glɔkə
Glöckel 'glœkl̩
Glockendon 'glɔkn̩do:n
Glockenist glɔkə'nɪst
glockig 'glɔkɪç, -e ...ɪgə
Glöckner 'glɔknɐ
Glöckner 'glœknɐ
Glogau 'glo:gaʊ
Gloggnitz 'glɔgnɪts
Głogów poln. 'gʊoguf
Głogówek poln. gʊo'guvɛk
Glomera vgl. Glomus
glomerulär glomeru'lɛ:ɐ̯
Glomerulum glo'me:rulʊm,
 ...la ...la
Glomerulus glo'me:rulʊs,
 ...li ...li
Glomfjord norw. 'glɔmfju:r

glomm glɔm
Glomma norw. ,glɔma
glömme 'glœmə
Glomus 'glo:mʊs, Glomera
 'glo:mera
Gloria 'glo:rja, engl. 'glɔ:rɪə,
 span. 'glɔrja
Gloria in excelsis Deo
 'glo:rja ɪn ɛks'tselzi:s 'de:o
Gloria Patri et Filio et Spi-
 ritu Sancto 'glo:rja 'pa:tri
 ɛt 'fi:ljo ɛt 'spi:ritu 'zaŋkto
Glorie 'glo:rjə
Gloriette glo'rjɛtə
Glorifikation glorifika-
 'tsjo:n
glorifizieren glorifi'tsi:rən
Gloriole glo'rjo:lə
glorios glo'rjo:s, -e ...o:zə
glosen 'glo:zn̩, glos! glo:s,
 glost glo:st
Glossa 'glɔsa
Glossalgie glɔsal'gi:, -n
 ...i:ən
Glossanthrax glɔ'santraks
Glossar glɔ'sa:ɐ̯
Glossarium glɔ'sa:rjʊm,
 ...ien ...jən
Glossator glɔ'sa:to:ɐ̯, -en
 glɔsa'to:rən
Glosse 'glɔsə, auch: 'glo:sə
Glossem glɔ'se:m
Glossematik glɔse'ma:tɪk
Glossematist glɔsema'tɪst
glossieren glɔ'si:rən
Glossina glɔ'si:na
Glossitis glɔ'si:tɪs, ...itiden
 glɔsi'ti:dn̩
Glossodynie glɔsody'ni:, -n
 ...i:ən
Glossograph glɔso'gra:f
Glossographie glɔsogra'fi:
Glossolale glɔso'la:lə
Glossolalie glɔsola'li:
Glossop engl. 'glɔsəp
Glossoplegie glɔsople'gi:,
 -n ...i:ən
Glossopteris glɔ'sɔpterɪs
Glossoptose glɔsɔp'to:zə
Glossoschisis glɔso'sçi:zɪs
Glossospasmus glɔso-
 'spasmʊs
Glossozele glɔso'tse:lə
Glossy 'glɔsi
glosten 'glɔstn̩
Gloster engl. 'glɔstə
Glostrup dän. 'glʊ:'sdrʊb
glottal, G... glɔ'ta:l
Glotter[tal] 'glɔtɐ[ta:l]

Glọttis 'glɔtɪs, Glọttides
'glɔtide:s
Glottochronologie glɔto-
kronolo'gi:
glottogọn glɔto'go:n
Glottogonie glɔtogo'ni:
Glottolale glɔto'la:lə
Glottolalie glɔtola'li:
glotzäugig 'glɔtslɔygɪç
Glọtze 'glɔtsə
glọtzen 'glɔtsn̩
Gloucester[shire] engl.
'glɔstə[ʃɪə]
Glover engl. 'glʌvə
Gloversville engl. 'glʌvəzvɪl
Głowạcki poln. gu̯ɔ'vatski
Głọwno poln. 'gu̯ɔvnɔ
Gloxin 'glɔksi:n
Gloxinie glɔ'ksi:ni̯ə
Glozel fr. glo'zɛl
Glubb engl. glʌb
Głubczyce poln. gu̯up'tʃɪtsɛ
glubschen 'glʊpʃn̩
Głuchołązy poln. gu̯uxɔ'u̯azɪ
Głuchow russ. 'gluxɐf
Glucinium glu'tsi:ni̯ʊm
gluck!, G... glʊk
Glück glʏk
Glück ạb! 'glʏk 'ap
Glückạb glʏk'lap
Glück auf! 'glʏk 'au̯f
Glückauf glʏk'lau̯f
Glụcke 'glʊkə
Glụckel 'glʏkl̩
glụcken 'glʊkn̩
glụcken 'glʏkn̩
glụckern 'glʊkɐn
glụcklich 'glʏklɪç
Glụcksburg 'glʏksbʊrk
glückselig glʏk'ze:lɪç, '---,
-e ...ɪgə
glụcksen 'glʊksn̩
Glụckstadt 'glʏk-ʃtat
Glück zụ! 'glʏk 'tsu:
Glụckzu glʏk'tsu:
Glucọse glu'ko:zə
Glucoside gluko'zi:də
Glụd dän. glu:'ð
glühen 'gly:ən
glühheiß 'gly:'hai̯s
Glukọse glu'ko:zə
Glukoside gluko'zi:də
Glukosurie glukozu'ri:, -n
...i:ən
Glụme 'glu:mə
Glụmpert 'glʊmpɐt
Glụmse 'glʊmzə
glụpen 'glu:pn̩
glụpsch[en] 'glʊpʃ[n̩]
Glụrns glʊrns

Glụt glu:t
Glutamạt gluta'ma:t
Glutamin gluta'mi:n
gluten 'glu:tn̩
Gluten glu'te:n
Glụth glu:t
Glutin glu'ti:n
Glycerid glytse'ri:t, -e ...i:də
Glycerin glytse'ri:n
Glycerol glytse'ro:l
Glycin® gly'tsi:n
Glykämie glykɛ'mi:
Glykocholie glykoço'li:
Glykogen glyko'ge:n
Glykogenie glykoge'ni:
Glykogenolyse glykogeno-
'ly:zə
Glykogenọse glykoge'no:zə
Glykokọll glyko'kɔl
Glykọl gly'ko:l
Glykolyse glyko'ly:zə
Glykon 'gly:kɔn
Glykoneogenie glykoneo-
ge'ni:
Glykonẹus glyko'ne:ʊs,
...ẹen ...e:ən
Glykọse gly'ko:zə
Glykosid glyko'zi:t, -e ...i:də
Glykosurie glykozu'ri:, -n
...i:ən
Glyn engl. glɪn
Glyndebourne engl.
'glaɪndbɔ:n
Glyphe 'gly:fə
Glyphik 'gly:fɪk
Glyphographie glyfogra'fi:
Glypte 'glyptə
Glyptik 'glyptɪk
Glyptographie glypto-
gra'fi:
Glyptothek glypto'te:k
Glysantin® glyzan'ti:n
Glyzerid glytse'ri:t, -e
...ri:də
Glyzerin glytse'ri:n
Glyzine gly'tsi:nə
Glyzinie gly'tsi:ni̯ə
Glyzyrrhizin glytsʏri'tsi:n
G-Man, G-Men 'dʒi:mɛn
GmbH ge:lɛmbe:'ha:
Gmelin gme:li:n
Gminder 'gmɪndɐ
g-Moll 'ge:mɔl, auch: '-'-
gna:t

gnädig 'gnɛ:dɪç, -e ...ɪgə
Gnaeus 'gnɛ:ʊs
Gnagi 'gna:gi
Gnägi 'gnɛ:gi
Gnaphäus gna'fɛ:ʊs
Gnathologie gnatolo'gi:
Gnathoschisis gnato'sçi:zɪs
Gnathostọmen gnato'sto:-
mən
Gnạtz gnats
gnạtzen 'gnatsn̩
gnạtzig 'gnatsɪç, -e ...ɪgə
Gnauck gnau̯k
Gneditsch russ. 'gnjeditʃ
Gneis gnai̯s, -e 'gnai̯zə
Gneisenau 'gnai̯zənau̯
gneißen 'gnai̯sn̩
Gneist gnai̯st
Gnesen 'gne:zn̩
Gnessin[a] russ. 'gnjesin[ɐ]
Gniewkọwo poln. gnjɛf-
'kɔvɔ
Gniẹzno poln. 'gnjɛznɔ
Gnitte 'gnɪtə
Gnitze 'gnɪtsə
Gnjilane serbokr. ˌgnjilanɛ
Gnọcchi 'njɔki
Gnọien gnɔyn
Gnọli it. 'nɔ:li
Gnom[e] 'gno:m[ə]
Gnomiker 'gno:mikɐ
gnọmisch 'gno:mɪʃ
Gnomologie gnomolo'gi:,
-n ...i:ən
gnomolọgisch gnomo'lo:-
gɪʃ
Gnọmon 'gno:mɔn, -e gno-
'mo:nə
gnomọnisch gno'mo:nɪʃ
Gnoseologie gnozeolo'gi:
gnoseolọgisch gnozeo'lo:-
gɪʃ
Gnosis 'gno:zɪs
Gnọstik 'gnɔstɪk
Gnọstiker 'gnɔstikɐ
gnọstisch 'gnɔstɪʃ
Gnostizismus gnɔsti'tsɪs-
mʊs
Gnostologie gnɔstolo'gi:
Gnotobiologie gnotobio-
lo'gi:
Gnụ gnu:
Gọ go:
Gọa 'go:a, engl. 'goʊə, port.
'goɐ
Goajiro span. goa'xiro
Goal go:l
Goalgetter 'go:lgɛtɐ
Goalie 'go:li
Goanẹse goa'ne:zə

goanesisch goa'ne:zɪʃ
Goar goˈaːɐ̯, ˈgoːar
Gobabis goˈbaːbɪs
Gobat fr. goˈba
Gobbi it. ˈgɔbbi
Gobbo ˈgɔbo
Göbel gøːbl̩
Gobelet gobəˈleː
Gobelin gobəˈlɛ̃ː
Gobert ˈgoːbɐt
Gobetti it. goˈbetti
Gobi ˈgoːbi
Gobineau fr. gobiˈno
Goch gɔx
Göchhausen ˈgœçhau̯zn̩
Gochsheim ˈgɔkshai̯m
Gockel[n] ˈgɔkl̩[n]
Go Công vietn. gɔ koŋ 31
Godalming engl. ˈgɔdlmɪŋ
Godard fr. goˈdaːr
Godavari engl. gouˈdaːvəri
Godbout fr. gɔdˈbu
Goddard engl. ˈgɔdəd
Godden engl. gɔdn
Gode ˈgoːdə
Godeffroy fr. gɔdˈfrwa
Godefroi[d], ...oy fr. gɔdˈfrwa
Godegisel ˈgoːdəgiːzl̩
Godehard ˈgoːdəhart
Gödel ˈgøːdl̩
Godel[heim] ˈgoːdl̩[hai̯m]
Godemiché goːtmiˈʃeː
Goden ˈgoːdn̩
Goder ˈgoːdɐ
Goderl ˈgoːdɐl
Godesberg ˈgoːdəsbɛrk
¹Godet (Kleidung) goˈdeː
²Godet (Name) fr. gɔˈdɛ
Godfrey engl. ˈgɔdfrɪ
Godhavn dän. ˈguðhau̯ˈn
Godin fr. gɔˈdɛ̃
Göding ˈgøːdɪŋ
Godiva goˈdiːva
Godkin engl. ˈgɔdkɪn
Godl ˈgoːdl̩
Gödöllő ung. ˈgødølløː
Godolphin engl. gɔˈdɔlfɪn
Godomar ˈgoːdomar
Godot fr. gɔˈdo
Godoy span. goˈðɔi̯
Godron goˈdrõː
godronnieren godrɔˈniːrən
Godthåb dän. ˈgɔdhoːˈb
Godunow russ. gɐduˈnɔf
Godwin ˈgɔtviːn, engl. ˈgɔdwɪn
Goebbels ˈgœbl̩s
Goebel ˈgøːbl̩
Goeben ˈgøːbn̩

Goeckingk ˈgœkɪŋ
Goedeke ˈgøːdəkə
Goehr gøːɐ̯
Goeppert ˈgœpɐt
Goerdeler ˈgœrdəlɐ
Goeree niederl. ɣuˈre:
Goerg fr. gɔˈɛrg
Goering ˈgøːrɪŋ
Goer[t]z gœrts
Goes gøːs, goːs, port. gɔiʃ, niederl. ɣus
Góes port. gɔiʃ
Goetel poln. ˈgɛtɛl
Goethals engl. ˈgouθəlz
Goethe ˈgøːtə
Goetheana gøteˈaːna
Goethenum gøteˈaːnʊm
goethesch, G... ˈgøːtəʃ
goethisch, G... ˈgøːtɪʃ
Goetz[e] ˈgœts[ə]
Goeyvaerts niederl. ˈɣui̯va:rts
Goeze ˈgœtsə
Gof goːf
Goffiné gɔfiˈneː
Goffstown engl. ˈgɔfstaun
Gofredo span. goˈfreðo
Gog goːk
Goga rumän. ˈgoga
Gogarten ˈgoːgartn̩
Gogarty engl. ˈgougəti
Gögging[en] ˈgœgɪŋ[ən]
Goggomobil® gogomoˈbiːl
Gogh, van fan ˈgoːk, -ˈgɔx, niederl. van ˈɣɔx
Go-go-... ˈgoːgo...
Go-go-Funds ˈgoːgofants
Gogol ˈgoːgɔl, russ. ˈgɔgəlj
Gogra engl. ˈgougrə
Gohlis ˈgoːlɪs
Göhre[n] ˈgøːrə[n]
Goi ˈgoːi, Gojim ˈgoːjiːm, goˈjiːm
Goiânia bras. goˈi̯ɛnia
Goiás, Goiaz bras. goˈi̯as
goidelisch gɔi̯ˈdeːlɪʃ
Go-in goːˈɪn, --
Goings engl. ˈgouɪŋz
Góis port. gɔiʃ
Goiserer ˈgɔi̯zərɐ
Goisern ˈgɔi̯zɐn
Gojawiczyńska poln. gɔjaviˈt͡ʃi̯iska
Gojim vgl. Goi
Gokart goˈkart
gokeln ˈgoːkl̩n
Gokstad norw. ˈgɔksta
Gol norw. guːl
Golan goˈla:n
Gołańcz poln. ˈgou̯ai̯ntʃ

Golasecca it. golaˈsekka
Golatsche goˈlaːtʃə
Golaw ˈgoːlaf
Gölbaşı türk. ˈgœlbaˌʃi
Gölcük türk. ˈgœldʒyk
Gold gɔlt, -es ˈgɔldəs
Golda[ch] ˈgɔlda[x]
Goldammer ˈgɔltlamɐ
Goldap ˈgɔldap
Gołdap poln. ˈgou̯dap
Goldast ˈgɔldast
Goldau ˈgɔldau̯
Goldbach ˈgɔltbax
Goldbarth engl. ˈgouldbaːθ
Goldberg ˈgɔltbɛrk, engl. ˈgouldbəːg
Goldberger ˈgɔltbɛrgɐ
Gold Coast engl. ˈgould ˈkoust
Golde ˈgɔldə
golden ˈgɔldn̩
Golden engl. ˈgouldən
Golden Delicious ˈgoːldn̩ diˈlɪʃəs
Golden Gate engl. ˈgouldən ˈgeɪt
Goldenkron ˈgɔldn̩kroːn
Golden Twenties ˈgoːldn̩ ˈtvɛntɪs
Goldfaden ˈgɔltfaːdn̩
goldig ˈgɔldɪç, -e ...ɪgə
Golding engl. ˈgouldɪŋ
Goldino it. gɔlˈdiːno
Goldkronach gɔltˈkroːnax
Goldmann ˈgɔltman
Goldmark ˈgɔltmark, engl. ˈgouldmaːk
Goldoni it. gɔlˈdoːni
Goldsboro engl. ˈgouldzbərə
Goldscheid ˈgɔltʃai̯t
Goldscheuer ˈgɔltʃɔi̯ɐ
Goldschmidt ˈgɔltʃmɪt, dän. ˈgɔlsmɪd
Goldsmith engl. ˈgouldsmɪθ
Goldstein ˈgɔltʃtai̯n
Goldstone engl. ˈgouldstoun
Goldstücker ˈgɔltʃtykɐ
Goldwater engl. ˈgouldwɔːtə
Goldwyn engl. ˈgouldwɪn
Goldziher ˈgɔlttsiːɐ
Golem ˈgoːlɛm
Goleniów poln. gɔˈlɛnjuf
Golenischtschew russ. gɐlˈniʃtʃif
Golf gɔlf
golfen ˈgɔlfn̩
Golfer ˈgɔlfɐ

Golfito *span.* gɔl'fito
Golgatha 'gɔlgata
Golgi *it.* 'gɔldʒi
Golgot[h]a 'gɔlgota
Goliard go'li̯art, **-en** ...rdn̩
Goliarde go'li̯ardə
Goliat[h] 'go:li̯at
Golikow *russ.* 'gɔlikɐf
Golilla go'lɪlja
Golizyn *russ.* ga'litsɪn
Golk[e] 'gɔlk[ə]
Goll *dt., tschech., fr.* gɔl
Gollancz *engl.* gə'lænts
Goller 'gɔlɐ
Göller 'gœlɐ
Göllheim 'gœlhai̯m
Golling 'gɔlɪŋ
Göllnitz 'gœlnɪts
Gollnow 'gɔlno
Gollwitzer 'gɔlvɪtsɐ
Golo 'go:lo
Golodkowski golɔt'kɔfski
Golon *fr.* gɔ'lõ
Golowanjuk *schwed.* golo-van'ju̯k
Golowanow *russ.* gɐla'va-nɐf
Golowin *russ.* gɐla'vin
Golowkin *russ.* ga'lɔfkin
Golowko *russ.* gɐlaf'kɔ
Golownin *russ.* gɐlav'nin
Golschman 'gɔlʃman, *engl.* 'goulʃmən, *fr.* gɔlʃ'man
Golspie *engl.* 'gɔlspɪ
Golßen 'go:lsn̩, 'gɔlsn̩
Goltermann 'gɔltɐman
Golther 'gɔltɐ
Goltz gɔlts, *poln.* gɔlts
Goltzius *niederl.* 'ɣɔltsiy̆s
Golub *poln.* 'gɔlup
Golubac *serbokr.* gɔ.lu:bats
Golubkina *russ.* ga'lupkinɐ
Gołuchowski *poln.* gɔu̯u-'xɔfski
Gomá *span.* go'ma
Gomar *fr.* gɔ'ma:r, *niederl.* 'ɣo:mar
Gómara *span.* 'gomara
Gomarus go'ma:rus
Gombauld *fr.* gõ'bo
Gombert *fr.* gõ'bɛ:r, *niederl.* 'ɣɔmbərt
Gomberville *fr.* gõbɛr'vil
Gombocz *ung.* 'gombots
Gömbös *ung.* 'gømbøʃ
Gombrowicz *poln.* gɔm'brɔ-vitʃ
Gomel *russ.* 'gɔmɪlj
Gomera *span.* go'mera

Gomes *port.* 'gomɪʃ, *bras.* 'gomis
Gómez *span.* 'gomeθ
Gommern 'gɔmɐn
Gomorr[h]a go'mɔra
Gompers *engl.* 'gɔmpəz
Gomperz 'gɔmpɐts
Gomringer 'gɔmrɪŋɐ
Goms gɔms
Gomulicki *poln.* gɔmu'litski
Gomułka *poln.* gɔ'muu̯ka
Gon go:n
Gonade go'na:də
gonadotrop gonado'tro:p
Gonagra 'go:nagra
Gonaïves *fr.* gɔna'i:v
Gonarthritis gonar'tri:tɪs, ...**ritiden** ...ri'ti:dn̩
Gonatas *neugr.* ɣona'tas
Gonbad e Ghabus *pers.* gom'bædeɣa'bu:s
Gonçalo *port.* gõ'salu
Gonçalves *port.* gõ'salvɪʃ, *bras.* gõ'salvis
Goncourt *fr.* gõ'ku:r
Göncz *ung.* gønts
Gond gɔnt
Gondar 'gɔndar, *amh.* gɔn-dɛr
Gondel 'gɔndl̩
gondeln 'gɔndl̩n, **gondle** 'gɔndlə
Gondia *engl.* 'goʊndjə
Gondola *it.* 'gɔndola
Gondoletta gɔndo'lɛta
Gondoliera gɔndo'li̯e:ra
Gondoliere gɔndo'li̯e:rə, ...**ri** ...ri
Gondomar *span.* gɔndo-'mar, *port.* gondu'mar
Gondwana gɔnt'va:na
Gonella *it.* go'nɛlla
Goneril *engl.* 'gɔnərɪl
Gonesse *fr.* gɔ'nɛs
Gonfalonier gɔnfalo-'ni̯e:rə, ...**ri** ...ri
Gonfaloniere della chiesa gɔnfalo'ni̯e:rə 'dɛla 'ki̯e:za
Gonfaloniere della giustizia gɔnfalo'ni̯e:rə 'dɛla dʒus'ti:tsi̯a
Gonfreville-l'Orcher *fr.* gõfrəvillɔr'ʃe
Gong gɔŋ
gongen 'gɔŋən
Góngora *span.* 'gɔŋgora
Gongorismus gɔŋgo'rɪsmus
Gongorist gɔŋgo'rɪst
Goniatit gɔnia̯'ti:t
Goniometer gonio̯'me:tɐ

Goniometrie gonio̯ome'tri:
goniometrisch gonio̯'me:-trɪʃ
Gonitis go'ni:tɪs, **Gonitiden** goni'ti:dn̩
gönnen 'gœnən
Gönner 'gœnɐ
Gonoblennorrhö, ...**öe** gonoblɛnɔ'rø:, ...**rrhöen** ...'rø:ən
Gonochorismus gonoko-'rɪsmus
Gonochoristen gonoko-'rɪstn̩
Gonokokkus gono'kɔkus
Gonophor gono'fo:ɐ̯
Gonorrhö, ...**öe** gono'rø:, ...**rrhöen** ...'rø:ən
gonorrhoisch gono'ro:ɪʃ
Gonsalvo *it.* gon'salvo
Gontard 'gɔntart, *fr.* gõ'ta:r
Gontscharow *russ.* gɐntʃi-'rɔf
Gontscharowa *russ.* gɐntʃi-'rɔvɐ
Gonzaga *it.* gon'dza:ga, *bras.* gõ'zaga
González *span.* gɔn'θaleθ
Gonzalo *span.* gɔn'θalo
Gooch *engl.* gu:tʃ
goodbye! gʊt'bai̯
Goodenough *engl.* 'gʊdɪnʌf
Goodhue *engl.* 'gʊdhju:
Goodman *engl.* 'gʊdmən
Goodrich *engl.* 'gʊdrɪtʃ
Goodwill 'gʊt'vɪl
Goodwin [Sands] *engl.* 'gʊdwin ['sændz]
Goodyear *engl.* 'gʊdjə:
Googe *engl.* gu:dʒ, gʊdʒ
Gooi[k] *niederl.* ɣo:i̯[k]
Goole *engl.* gu:l
Goose *engl.* gu:s
Goossens *niederl.* 'ɣo:səns, *engl.* gu:snz
Gopak *engl.* 'go:pak
Göpel 'gø:pl̩
Gopło *poln.* 'gɔpu̯ɔ
Goppel 'gɔpl̩
Göppert 'gœpɐt
Göppingen 'gœpɪŋən
Gör gø:ɐ̯
Gora *russ.* ga'ra
Góra *poln.* 'gura
Góra Kalwaria *poln.* 'gura kal'varja
Gorakhpur *engl.* 'gɔ:rəkpʊɐ̯
Gorale go'ra:lə
Göran *schwed.* ˌjœ:ran
Goražde *serbokr.* ˌgɔraӡdɛ

Gorbach 'gɔrbax
Gorbatow *russ.* gar'batɐf
Gorbatschow gɔrba'tʃɔf, *russ.* gɐrba'tʃɔf
Gorbi 'gɔrbi
Gorboduc *engl.* 'gɔ:bədʌk
Gorbunow *russ.* gɐrbu'nɔf
Gorch gɔrç
Gördes *türk.* 'gœrdɛs
Gordian[us] gɔr'dįa:n[ʊs]
Gordimer *engl.* 'gɔ:dɪmə
Gordin 'gɔrdɪn
Gording 'gɔrdɪŋ
Gordion 'gɔrdįɔn
Gordios 'gɔrdįɔs
gordisch 'gɔrdɪʃ
Gordium 'gɔrdįʊm
Gordon 'gɔrdɔn, *engl.* gɔ:dn
Gordone *engl.* gɔ:dn
Gore *engl.* gɔ:, *amh.* gore
Göre 'gø:rə
Górecki *poln.* gu'rɛtski
Gorée *fr.* gɔ're
Göreme *türk.* 'gœrɛmɛ
Goremykin *russ.* gɐrɪ'mikin
Gorenjsko *slowen.* gɔ're:njskɔ
Gorenko *russ.* ga'rjɛnkɐ
Goretti *it.* go'retti
Goręzki *russ.* ga'rjɛtskij
Gorgan *pers.* gor'gaːn
Gorgani *pers.* gorgaˈniː
Görges 'gœrgəs
Görgey *ung.* 'gørgɛi
Gorgias 'gɔrgįas
Gorgo 'gɔrgo, -nen gɔr'go:-nən
Gorgona *it.* gor'go:na
¹Gorgonzola (Käse) gɔr-gɔn'tso:la
²Gorgonzola (Name) *it.* gorgon'dzɔ:la
Gorham *engl.* 'gɔ:rəm
Gori *russ.* 'gɔri
Goria *it.* go'ri:a
Gorica *serbokr.* ˌgɔritsa
Gorilla go'rɪla
Gorina *kat.* gu'rinə
Gorinchem *niederl.* 'ɣɔrkəm
Goring *engl.* 'gɔ:rɪŋ
Göring 'gø:rɪŋ
Gorion 'go:rįɔn
Goriot *fr.* gɔ'rjo
Gorizia *it.* go'rittsįa
Gorj *rumän.* gorʒ
Górka *poln.* 'gurka
Görkau 'gœrkau
Gorki 'gɔrki, *russ.* 'gɔrjkij
Gorky *engl.* 'gɔ:kɪ
Gorleben 'gɔrle:bn̩

Gorlice *pobn.* gɔr'litsɛ
Görlitz 'gœrlɪts
Gorlowka *russ.* 'gɔrlɐfkɐ
Gorm *dän.* gɔɐ̯'m
Gorna Orjachowiza *bulgar.* 'gɔrnɐ o'rjaxovitsɐ
Gornergletscher 'gɔrnɐ-glɛtʃɐ
Górnicki *poln.* gur'nitski
Gornji Milanovac *serbokr.* 'gɔ:rnji: ˌmilanɔvats
Gorno-Altaisk *russ.* 'gɔrnɐal'tajsk
Górny Śląsk *poln.* 'gurni 'clõsk
Goro 'go:ro
Gorodez[ki] *russ.* gɐra-'djɛts[kij]
Gorodischtsche *russ.* gɐra-'diʃtʃɛ
Gorodki gorɔt'ki:
Gorodok *russ.* gɐra'dɔk
Gorodsk *russ.* 'gɔrɐtsk
Gorontalo *indon.* gɔrɔn'talo
Gorostiza *span.* gorɔs'tiθa
Görr[i]es 'gœr[i]əs
Górski *poln.* 'gurski
Gorski Kotar *serbokr.* ˌgɔrski: ˌkɔtar
Gorskoje *russ.* 'gɔrskɐjɐ
Gort *engl.* gɔ:t
Gorter *niederl.* 'ɣɔrtər
Gorton *engl.* gɔ:tn
Gortschakow *russ.* gɐrtʃɪ-'kɔf
Gortyn 'gɔrty:n
Gortys 'gɔrtys
Görtz gœrts
Gorze 'gɔrtsə
Gorzów Wielkopolski *poln.* 'gɔʒuf vjelkɔ'polski
Gosain go'za:ɪn
Gosan 'go:zan
Gosau 'go:zau
Gösch gœʃ
Gosche 'gɔʃə
Göschel 'gœʃl
Goschen 'gɔʃn̩, *engl.* 'gou-ʃən
Göschen 'gœʃn̩
Göschenen 'gœʃənən
Göschwitz 'gœʃvɪts
Gose 'go:zə
Gosen 'go:zn̩
Gosford *engl.* 'gɔsfəd
Gosforth *engl.* 'gɔsfɔ:θ
Gösgen 'gœsgn, 'gø:sgn̩

Goshen *engl.* 'gouʃən
Goslar 'gɔslar
Go-slow go:'slo:
Gospel 'gɔspl
Gosplan *russ.* gɔs'plan
Gospodar gɔspo'da:ɐ̯
Gospodin gɔspo'di:n, ...da ...'da
Gosport *engl.* 'gɔspɔ:t
goss gɔs
Göß (Leoben) gœs
Gossaert *niederl.* 'ɣɔsa:rt
Gossau 'gɔsau
¹Gosse 'gɔsə
²Gosse (Name) *engl.* gɔs
gösse 'gœsə
Gossec *fr.* gɔ'sɛk
Gössel 'gœsl
Gosselies *fr.* gɔ'sli
Gosselin *fr.* gɔ'slɛ̃
gossen, G... 'gɔsn̩
Gossens *span.* 'gosens
Gossensass 'gɔsnzas
Gosset *fr.* gɔ'sɛ, *engl.* 'gɔsɪt
Gößl 'gœsl
Goßler 'gɔslɐ
Goßner 'gɔsnɐ
Gößnitz 'gœsnɪts
Gosson *engl.* gɔsn
Goßweinstein 'gœsvain-ʃtain
Gossypium gɔ'sy:pįʊm
Gösta [Berling] *schwed.* jœsta [ˌbæ:rlɪŋ]
Gostivar *mak.* 'gɔstivar
Göstling 'gœstlɪŋ
Gostyń *poln.* 'gɔstįin
Gostynin *poln.* gɔs'tɪnin
Goswin 'gɔsvɪn
Goszczyński *poln.* gɔʃ'tʃįiski
Got *fr.* go
Gōta *schwed.* ˌjø:ta
Götaälv *schwed.* ˌjø:ta'ɛlv
Götaland *schwed.* ˌjø:ta'taland
Gotama 'go:tama
Gotcha 'gɔtʃa
Gote 'go:tə
Göteborg gø:təbɔrk, *schwed.* jœtəˈbɔrj
Gotelind 'go:təlɪnt
Gotenhafen 'go:tnha:fn̩
Gotha[er] 'go:ta[ɐ]
gothaisch 'go:taiʃ
Göthe 'gø:tə
Gothein 'go:thain
Gothem *schwed.* ˌgu:thɛm
Gothenburg 'go:tnbʊrk
Gothofredus goto'fre:dʊs
Gotik 'go:tɪk

gotisch, G... 'goːtɪʃ
Gotizismus goti'tsɪsmʊs
gotizistisch goti'tsɪstɪʃ
Gotland 'goːtlant, *schwed.*
'ɡɔtlan[d]
Gotlandium goːt'landiʊm
Gotovac *serbokr.* ˌɡɔtɔvats
Gotsche 'ɡɔtʃə
Gotska Sandön *schwed.*
ˌɡɔtska ˌsandøːn
Gott ɡɔt, **Götter** 'ɡœtɐ
Gött ɡœt
Gotta *it.* 'ɡɔtta
Gottardo *it.* ɡɔt'tardo
Gottberg 'ɡɔtbɛrk
Gottbert 'ɡɔtbɛrt
Gottberta ɡɔt'bɛrta
gottbewahre! ɡɔtbə'vaːrə
Gotte 'ɡɔtə
Gotter 'ɡɔtɐ
Götter vgl. Gott
Gottersdorf 'ɡɔtɐsdɔrf
Gottesberg 'ɡɔtəsbɛrk
gottesfürchtig 'ɡɔtəs-
fYrçtɪç, -e ...ɪɡə
Gottfried 'ɡɔtfriːt, *schwed.*
'ɡɔtfriːd
Gotthard 'ɡɔthart
Gotthelf 'ɡɔthɛlf
Gotthilf 'ɡɔthɪlf
Gotthold 'ɡɔthɔlt
Götti 'ɡœti
Göttin 'ɡœtɪn
Göttingen 'ɡœtɪŋən
Göttinger 'ɡœtɪŋɐ
Gottl 'ɡɔtl̩
Gottland[t] 'ɡɔtlant
Gottleuba ɡɔt'lɔyba
göttlich 'ɡœtlɪç
Gottlieb 'ɡɔtliːp, *engl.* 'ɡɔt-
liːb
Gottlieben 'ɡɔtliːbn̩
gottlob! ɡɔt'loːp
Gottlob 'ɡɔtloːp
Gottmensch 'ɡɔtmɛnʃ
Gottorf 'ɡɔtɔrf
Gottorp 'ɡɔtɔrp
Gottram 'ɡɔtram
Göttri[c]k 'ɡœtrɪk
Gottschalk 'ɡɔtʃalk
Gottschall 'ɡɔtʃal
Gottsched 'ɡɔtʃeːt
Gottschee ɡɔ'tʃeː
Gottseibeiuns ɡɔtzaĭ'baĭ-
|ʊns, *auch:* -'---
gottselig ɡɔt'zeːlɪç, *auch:*
'---
gottserbärmlich 'ɡɔts-
lɛɐ̯'bɛrmlɪç

gottsjämmerlich 'ɡɔts-jɛ-
mɐlɪç
Gottstein 'ɡɔtʃtaĭn
Gottvater ɡɔt'faːtɐ
Gottwald *dt., tschech.* 'ɡɔt-
valt
Gottwaldov *tschech.* 'ɡɔt-
valdɔf
Göttweig 'ɡœtvaĭk
Gottwin 'ɡɔtviːn
Götz[e] 'ɡœts[ə]
Götzinger 'ɡœtsɪŋɐ
Götzloff 'ɡœtslɔf
Gouache ɡu̯a[ː]ʃ, -n
'ɡu̯a[ː]ʃn
Gouadeloupe *fr.* ɡwa'dlup
¹Gouda (Käse) 'ɡaŭda,
'xaŭda
²Gouda (Name) *niederl.*
'ɣɔŭda
Goudelin *fr.* ɡu'dlɛ̃
Goudge *engl.* ɡuːdʒ
Goudimel *fr.* ɡudi'mɛl
Goudron ɡu'drõː
Goudsmit *niederl.* 'ɣɔŭtsmɪt
Goudt *niederl.* ɣɔŭt
Goudy *engl.* 'ɡaŭdɪ
Gough *engl.* ɡɔf
Gouhier *fr.* ɡu'je
Gouin *fr.* ɡwɛ̃
Goujon *fr.* ɡu'ʒõ
Goulard, ...rt *bras.* ɡu'lar
Goulasch 'ɡuːlaʃ, 'ɡʊlaʃ
Goulburn (Ort) *engl.* 'ɡɔʊl-
bəːn
Gould *engl.* ɡuːld
Goulette *fr.* ɡu'lɛt
Gounod *fr.* ɡu'no
Gourara *fr.* ɡura'ra
Gouraud *fr.* ɡu'ro
Gourde ɡʊrt
Gourmand ɡʊr'maː
Gourmandise ɡʊrma'diːzə
Gourmet ɡʊr'meː
Gourmont *fr.* ɡur'mõ
Gournay *fr.* ɡur'nɛ
Gourock *engl.* 'ɡʊərək
Goursat *fr.* ɡur'sa
Goussainville *fr.* ɡusɛ̃'vil
Gout, Goût ɡuː
goutieren ɡu'tiːrən
Gouvernante ɡuvɛr'nantə
Gouvernement ɡuvɛr-
nə'maː
gouvernemental ɡuvɛrnə-
mã'taːl
Gouverneur ɡuvɛr'nøːɐ̯
Gove *engl.* ɡoʊv
Govekar *slowen.* ɡɔ've:kar
Govoni *it.* ɡo'voːni

Gower *engl.* 'ɡaʊə, ɡɔː
Gowers *engl.* 'ɡaʊəz
Gowon *engl.* 'ɡaʊən, 'ɡoʊən
Goworow *russ.* 'ɡɔvɐrɐf
Goya 'ɡoːja, *span.* 'ɡoja
Goyen *niederl.* 'ɣoːi̯ə, *engl.*
'ɡɔĭən
Gozo *it.* 'ɡɔddzo, *engl.* 'ɡoʊ-
zoʊ
Gozzano *it.* ɡod'dzaːno
Gozzi *it.* 'ɡɔddzi
Gozzo *it.* 'ɡɔddzo
Gozzoli *it.* 'ɡɔttsoli
GPU ɡeːpeː'|uː
γ-Quant 'ɡamakvant
Graaf ɡraːf, *niederl.* ɣraːf
Graaf-Reinet *afr.* xrafrə'nɛt
Graal-Müritz ɡraːl'myːrɪts
Grab ɡraːp, -es 'ɡraːbəs,
Gräber 'ɡrɛːbɐ
Grabar *russ.* ɡra'barj
Grabau 'ɡraːbaŭ, *engl.* 'ɡreĭ-
boʊ
Grabbe 'ɡrabə
Grabbelei ɡrabə'laĭ
grabbeln 'ɡrabln̩, **grabble**
'ɡrablə
Gräbchen 'ɡrɛːpçən
graben 'ɡraːbn̩, **grab!** ɡraːp,
grabt ɡraːpt
Graben 'ɡraːbn̩, **Gräben**
'ɡrɛːbn̩
Grabenhorst 'ɡraːbn̩hɔrst
Gräber 'ɡraːbɐ
Gräber vgl. Grab
Gråberg 'ɡroːbɛrk
Grabfeld 'ɡraːpfɛlt
Grabiński *poln.* ɡra'biĭski
Grabmann 'ɡraːpman
Grabner 'ɡraːbnɐ
Gräbner 'ɡrɛːbnɐ
Grabow 'ɡraːbo
Grabowski *russ.* ɡra'bɔfskij
Grabowsky ɡra'bɔfski
Grabs ɡraps
grabschen 'ɡrapʃn̩
Grabski *poln.* 'ɡrapski
gräbt ɡrɛːpt
Gracche 'ɡraxə
Gracchus 'ɡraxʊs
Grace ɡreːs, *engl.* ɡreĭs
Grächen 'ɡrɛçn̩
Gracht ɡraxt
Gracia 'ɡraːtsi̯a, *engl.*
'ɡreĭʃə, *span.* 'ɡraθi̯a
Gracián *span.* ɡra'θi̯an
Graciosa *port.* ɡrɐ'si̯ɔzɐ
Gracioso ɡra'si̯oːzo
Gracis *it.* 'ɡraːtʃis
Gracq *fr.* ɡrak

Grad gra:t, -e 'gra:də
Gradara *it.* gra'da:ra
gradatim gra'da:tɪm
Gradation grada'tsi̯o:n
grade, G... 'gra:də
Gradel 'gra:dl̩
Gradenigo *it.* grade'ni:go
Gradenwitz 'gra:dn̩vɪts
Grades 'gra:dəs
Gradient[e] gra'di̯ɛnt[ə]
gradieren gra'di:rən
...gradig ...gra:dɪç, -e ...ɪgə
...grädig ...grɛ:dɪç, -e ...ɪgə
Gradisca *it.* gra'diska
Graditz[er] 'gra:dɪts[ɐ]
Gradl 'gra:dl̩
Gradmann 'gra:tman
Gradnik *slowen.* 'gra:dnik
Grado *it.* 'gra:do, *span.*
  'graðo
gradual gra'du̯a:l
Graduale gra'du̯a:lə, ...lien
  ...li̯ən
Graduation gradu̯a'tsi̯o:n
graduell gra'du̯ɛl
graduieren gradu'i:rən
Gradus ad Parnassum
  'gra:dʊs at par'nasʊm, die
  – – – ...du:s – –
Graeb grɛ:p
Graebe 'grɛ:bə
Graecia 'grɛ:tsi̯a
Graecum 'grɛ:kʊm
Graefe 'grɛ:fə
Grael grɛ:l
Graes gra:s
Graesse 'grɛsə
Graetz grɛ:ts
Graevenitz 'grɛ:vənɪts
Graf gra:f, *it.* graf
Grafe gra:fə
Gräf[e] 'grɛ:f[ə]
Gräfelfing 'grɛ:fl̩fɪŋ
Grafenau gra:fə'nau
¹Grafenberg (Wirnt von
  Grafenberg) 'gra:fn̩bɛrk
²Grafenberg (Wien, Düs-
  seldorf) gra:fn̩'bɛrk
Gräfenberg 'grɛ:fn̩bɛrk
Gräfenhainichen
  grɛ:fn̩'hai̯nɪçn̩
Grafenhausen
  gra:fn̩'hau̯zn̩
Grafenrheinfeld gra:fn̩-
  'rai̯nfɛlt
Gräfenthal 'grɛ:fn̩ta:l
Grafenwöhr gra:fn̩'vø:ɐ̯
Graff[el] 'graf[l̩]
Graffiato gra'fi̯a:to
Graffigny *fr.* grafi'ɲi

Graffito gra'fi:to, *auch:*
  ...fɪto, ...ti ...ti
Grafiny *fr.* grafi'ɲi
Grafik 'gra:fɪk
Grafiker 'gra:fikɐ
Gräfin 'grɛ:fɪn
Grafing 'gra:fɪŋ
Gräfinwitwe 'grɛ:fɪn'vɪtvə
grafisch 'gra:fɪʃ
gräflich 'grɛ:flɪç
Grafothek grafo'te:k
Graft *niederl.* ɣraft
Grafton *engl.* 'grɑ:ftən
Graham[e] *engl.* 'grei̯əm
Grahambrot 'gra:hambro:t
Grahamstown *engl.* 'grei̯-
  əmztau̯n
Graien 'grai̯ən
Grailly *fr.* gra'ji
¹Grain (Gewicht) grɛ:n
²Grain (Gewebe) grɛ̃:
Grainger[s] *engl.*
  'grei̯ndʒɐ[z]
grainieren grɛ'ni:rən
Graisivaudan *fr.* grɛzi-
  vo'dã
Grajewo *poln.* gra'jɛvɔ
grajisch 'gra:jɪʃ
gräkolateinisch 'grɛ:kola-
  'tai̯nɪʃ
Gräkomane grɛko'ma:nə
Gräkomanie grɛkoma'ni:
Gräkum 'grɛ:kʊm
Gral gra:l
gram, ¹Gram gra:m
²Gram (Name) *dän.* gram'
Gramatté grama'te:
grämeln 'grɛ:ml̩n
grämen 'grɛ:mən
Gramfärbung 'gramfɛrbʊŋ
Gramineen grami'ne:ən
grämlich 'grɛ:mlɪç
Gramm gram
Grammateus grama'te:ʊs
Grammatik gra'matɪk
Grammatikalisation gra-
  matikaliza'tsi̯o:n
grammatikalisch gramati-
  'ka:lɪʃ
grammatikalisieren gra-
  matikali'zi:rən
Grammatikalität gramati-
  kali'tɛ:t
Grammatiker gra'matikɐ
grammatisch gra'matɪʃ
Grammatizität gramatitsi-
  'tɛ:t
Grammatur grama'tu:ɐ̯
Gramme *fr.* gram
Grammel 'graml̩

Grammem gra'me:m
...grämmig ...grɛmɪç, -e
  ...ɪgə
Grammmol 'grammo:l
Grammont *fr.* gra'mõ
Grammophon® gramo'fo:n
Grammos *neugr.* 'ɣramɔs
Grammy 'grɛmi
gramnegativ gram'ne:gati:f
Gramolata gramo'la:ta
Gramont *fr.* gra'mõ
Grampian[s] *engl.*
  'græmpi̯ən[z]
grampositiv gram'po:ziti:f
Gramsci *it.* 'gramʃi
Gramsh *alban.* gramʃ
Gran gra:n
Grän grɛ:n
Grana 'gra:na
Granada gra'na:da, *span.*
  gra'naða
Granadille grana'dɪlə
Granados *span.* gra'naðos
Granalien gra'na:li̯ən
Granat[e] gra'na:t[ə]
Granby *engl.* 'grænbɪ
Gran Canaria *span.* graŋ
  ka'narja
Gran Cassa gran 'kasa
Gran Chaco *span.* gran
  'tʃako
Grancino *it.* gran'tʃi:no
¹Grand (Kies, Wasser-
  behälter) grant, -es 'gran-
  dəs
²Grand (Großspiel im Skat)
  grã:, *auch:* graŋ
³Grand (Name) *engl.*
  grænd, *fr.* grã
Grand-Bassam *fr.* grãba-
  'sam
Grandbois *fr.* grã'bwa
Grand-Bourg *fr.* grã'bu:r
Grand Canal d'Alsace *fr.*
  grãkanaldal'zas
Grand Canyon *engl.* 'grænd
  'kænjən
Grand Combin *fr.* grãkõ'bɛ̃
Grand Coulee *engl.* 'grænd
  'ku:lɪ
Grand Cru, -s -s 'grã: 'kry:
Grande 'grandə, *it.* 'grande
Grande Armée *fr.*
  grãdar'me
Grande Chartreuse *fr.*
  grãdʃar'trø:z
Grande Comore *fr.* grãdkɔ-
  'mɔ:r
Grandel 'grandl̩

Grande Nation *fr.* grãd-na'sjõ
Grande Prairie *engl.* 'grænd 'prɛərɪ
Grande, Rio *bras.* 'rriu 'grɛndi
Grande, Río 'ri:o 'grandə, *span.* 'rrio 'ɣrande
Grandes Rousses *fr.* grã'drus
Grandet *fr.* grã'dɛ
Grandeur grã'dø:ɐ̯
Grandezza gran'dɛtsa
Grandgent *engl.* 'grænd-dʒənt
Grand-Guignol grãgɪn'jɔl
Grandhotel 'grã:hotɛl
Grandi *it.* 'grandi
grandig 'grandɪç, -e ...ɪgə
grandios gran'dio:s, -e ...o:zə
grandioso gran'dio:zo
Grand Lit, -s -s 'grã: 'li:
Grand-Mal grã'mal
Grand Manan *engl.* 'grænd mə'næn
Grand'Mère *fr.* grã'mɛ:r
Grand Old Lady 'grɛnt 'o:lt 'le:di, - - **Ladies** - - 'le:di:s
Grand Old Man 'grɛnt 'o:lt 'mɛn, - - **Men** - - 'mɛn
Grand ouvert 'grã: u've:ɐ̯, - u've:ɐ̯, - -[s] -...ɐ̯[s], - -s -...ɐ̯s
Grandpré *engl.* grænd'preɪ, *fr.* grã'pre
Grand-Quevilly *fr.* grãkevi'ji
Grand Rapids *engl.* 'grænd 'ræpɪdz
Grand[s] Prix 'grã: 'pri:
Grandseigneur grãsen'jø:ɐ̯
Grandslam 'grɛnt'slɛm
Grandson *fr.* grã'sõ
Grand-Tourisme *fr.* grãtu-'rism
Grand Turk *engl.* 'grænd 'tə:k
Grandval *fr.* grã'val
Grandview *engl.* 'grændvju:
Grandville *fr.* grã'vil, *engl.* 'grændvɪl
Gräne 'grɛ:nə
Granet *fr.* gra'nɛ
Grangemouth *engl.* 'greɪndʒməθ
Granger *engl.* 'greɪndʒə
Grängesberg *schwed.* grɛ-ŋəs'bærj, ,---

Granichstaedten 'gra:-nɪçʃtɛtn
Granier *fr.* gra'nje
granieren gra'ni:rən
Granikos gra'ni:kɔs
Granin *russ.* 'granin
¹Granit gra'ni:t
²Granit (Name) *schwed.* gra'ni:t
Granita gra'ni:ta
Granite City *engl.* 'grænɪt 'sɪtɪ
graniten gra'ni:tn̩
Granitisation granitiza-'tsio:n
Granitit grani'ti:t
Granjon *fr.* grã'ʒõ
Gränna *schwed.* ,grɛna
Granne 'granə
grannig 'granɪç, -e ...ɪgə
Granny Smith *dt.-engl.* 'grɛni 'smɪθ
Granö *schwed.* ,gra:nø:
Granodiorit granodio'ri:t
Granollers *span.* grano'ʎɛrs
Granowski *russ.* gra'nɔfskij
Gran Paradiso *it.* gram para'di:zo
Grans grans, **Gränse** 'grɛnzə
Gran Sasso d'Italia *it.* gran 'sasso di'ta:lja
Gransee 'granze:
Gransen 'granzn̩
¹Grant grant
²Grant (Name) *engl.* gra:nt
Grantham *engl.* 'grænθəm
grantig 'grantɪç, -e ...ɪgə
Grants Pass *engl.* 'gra:nts 'pa:s
Granula vgl. Granulum
granulär granu'lɛ:ɐ̯
Granular granu'la:ɐ̯
Granulat granu'la:t
Granulation granula-'tsio:n
Granulator granu'la:to:ɐ̯, -en ...'to:rən
Granulen gra'nu:lən
granulieren granu'li:rən
Granulit granu'li:t
Granulom granu'lo:m
granulomatös granuloma-'tø:s, -e ...ø:zə
Granulomatose granulo-ma'to:zə
granulös granu'lø:s, -e ...ø:zə
Granulose granu'lo:zə
Granulozyt granulo'tsy:t

Granulum 'gra:nulʊm, ...la ...la
Granvela *span.* gram'bela
Granvelle *fr.* grã'vɛl
Granville *engl.* 'grænvɪl, *fr.* grã'vil
Granz *engl.* grænz
Grao *span.* 'grao
Grapefruit 'gre:pfru:t
Grapevine 'gre:pvaɪn
Graph gra:f
Graphematik grafe'ma:tɪk
Graphem[ik] gra'fe:m[ɪk]
Grapheologie grafeolo'gi:
Graphie gra'fi:, -n ...i:ən
Graphik 'gra:fɪk
Graphiker 'gra:fikɐ
graphisch 'gra:fɪʃ
Graphit gra'fi:t
graphitieren grafi'ti:rən
graphitisch gra'fi:tɪʃ
Graphologe grafo'lo:gə
Graphologie grafolo'gi:
graphologisch grafo'lo:gɪʃ
Graphospasmus grafo-'spasmʊs
Graphostatik grafo'sta:tɪk
Graphothek grafo'te:k
Graphotherapie grafote-ra'pi:
Grapow 'gra:po
Grappa 'grapa
Grappelly *fr.* grapɛ'li
grapschen 'grapʃn̩
grapsen 'grapsn̩
Graptolith grapto'li:t
¹Gras gra:s, -es 'gra:zəs, **Gräser** 'grɛ:zɐ
²Gras (Name) *fr.* gra
Gräschen 'grɛ:sçən
grasen 'gra:zn̩, **gras!** gra:s, **grast** gra:st
Graser 'gra:zɐ
Gräserchen 'grɛ:zɐçən
Grashof 'gra:sho:f
grasig 'gra:zɪç, -e ...ɪgə
Graslitz 'gra:slɪts, 'gras...
Graß, ¹Grass (Name) gras
²Grass (Marihuana) gra:s
Grasse *fr.* gra:s
Grässel 'grɛsl̩
Grasser 'grasɐ
Grasset *fr.* gra'sɛ
Graßhoff 'grashɔf
Grassi 'grasi, *it.* 'grassi
grassieren gra'si:rən
grässlich 'grɛslɪç
Graßmann 'grasman

Grass Valley engl. 'grɑ:s
'vælı
Grat gra:t
Gräte 'grɛ:tə
Gräter 'grɛ:tɐ
Gratial[e] gra'tsia:l[ə],
...lien ...li̯ən
Gratian[o] gra'tsi̯a:n[o]
Gratianus gra'tsi̯a:nʊs
Gratias 'gra:tsi̯as
Gratifikation gratifika-
'tsi̯o:n
gratifizieren gratifi'tsi:rən
grätig 'grɛ:tıç, -e ...ıɡə
Gratignan fr. grati'n̄ā
Gratin gra'tɛ̃:
Gräting 'grɛ:tıŋ
gratinieren grati'ni:rən
gratis 'gra:tıs
Gratius 'gra:tsi̯ʊs
Gratry fr. gra'tri
Grätsche 'grɛ:tʃə
grätschen 'grɛ:tʃn
Gratschow russ. gra'tʃɔf
Grattan engl. grætn
Grattius 'gratsi̯ʊs
Gratulant gratu'lant
Gratulation gratula'tsi̯o:n
gratulieren gratu'li:rən
Gratz grats
Grätz grɛ:ts
Grätzel 'grɛtsl̩
Gratzik 'gratsık
grau grau
Grau grau, span. grau, engl.
grɔ:
grauäugig 'grauˌɔygıç
Graubner 'graubnɐ
Graubünden grau'byndn̩
Graubündner grau'byndnɐ
graubündnerisch grau-
'byndnərıʃ
Grauchen 'grauçən
Graudenz 'graudɛnts
Gräuel 'grɔyəl
grauen, G... 'grauən
Grauert 'grauɐt
Graul graul
graulen 'graulən
gräulich 'grɔylıç
Graun graun
Graunt engl. grænt
Gräupchen 'grɔypçən
Graupe 'graupə
Graupel 'graupl̩
graupeln 'graupl̩n
Graupen 'graupn
Graupner 'graupnɐ
graus graus, -e 'grauzə
Graus graus, -es 'grauzəs

grausam 'grauza:m
grausen 'grauzn̩, graus!
graus, graust graust
grausig 'grauzıç, -e ...ıɡə
Gravamen gra'va:mən,
...mina ...mina
Gravation grava'tsi̯o:n
grave, ¹G... 'gra:və
²Grave (Name) niederl.
'γra:və, fr. gra:v, schwed.
ˌgrɑ:və
Gravelines fr. gra'vlin
Gravelot fr. gra'vlo
Gravelotte fr. gra'vlɔt
Gravenberg 'gra:vnbɛrk
Gravensteiner 'gra:vn̩-
ʃtainɐ
Graves engl. greıvz, fr.
gra:v
Gravesend engl. 'greıvz'ɛnd
Gravette, La fr. lagra'vɛt
Gravettien grave'ti̯ɛ̃:
Graveur gra'vø:ɐ̯
gravid gra'vi:t, -e ...i:də
Gravida 'gra:vida, ...dae
...dɛ
Gravidität gravidi'tɛ:t
gravieren gra'vi:rən
Gravimeter gravi'me:tɐ
Gravimetrie gravime'tri:
gravimetrisch gravi'me:trıʃ
Gravina it. gra'vi:na
Gravis 'gra:vıs
Gravisphäre gravi'sfɛ:rə
Gravität gravi'tɛ:t
Gravitation gravita'tsi̯o:n
gravitätisch gravi'tɛ:tıʃ
gravitieren gravi'ti:rən
Graviton 'gra:vitɔn, -en
gravi'to:nən
Grävius 'grɛ:vi̯ʊs
Gravur gra'vu:ɐ̯
Gravüre gra'vy:rə
Grawitz 'gra:vıts
¹Gray engl. greı, fr. grɛ
²Gray (Maßeinheit) gre:
Grayson engl. greısn
Grays Peak engl. 'greız 'pi:k
Graz gra:ts
Grazia it. 'grattsi̯a
Graziadio it. grattsi̯a'di:o
Graziani it. grat'tsi̯a:ni
Grazie 'gra:tsi̯ə
Graziella it. grat'tsi̯ɛlla
grazil gra'tsi:l
Grazilität gratsili'tɛ:t
graziös gra'tsi̯ø:s, -e ...ø:zə
grazioso gra'tsi̯o:zo
Grazioso gra'tsi̯o:zo, ...si
...zi

gräzisieren grɛtsi'zi:rən
Gräzismus grɛ'tsısmʊs
Gräzist[ik] grɛ'tsıst[ık]
Gräzität grɛtsi'tɛ:t
Grażyna poln. gra'ʒina
Grazzini it. grat'tsi:ni
Great Barrier Reef engl.
'greıt 'bærıə 'ri:f
Great Bend engl. 'greıt
'bɛnd
Great Britain engl. 'greıt
'brıtn
Great Dividing Range engl.
'greıt dı'vaidıŋ 'reındʒ
Greater London engl.
'greıtɐ 'lʌndən
Great Lakes engl. 'greıt
'leıks
Great Neck engl. 'greıt 'nɛk
Great Plains engl. 'greıt
'pleınz
Great Sandy Desert engl.
'greıt 'sændı 'dɛzət
Great Slave Lake engl.
'greıt 'sleıv 'leık
Great Victoria Desert engl.
'greıt vık'tɔ:rıə 'dɛzət
Greaves engl. gri:vz
Gréban fr. gre'bã
Grebbe[r] niederl. 'γrɛbə[r]
Grebe[nau] 'gre:bə[nau]
Grebenstein 'gre:bn̩ʃtain
Greco 'greko, it. 'grɛ:ko,
span. 'greko
Gréco fr. gre'ko
Grécourt fr. gre'ku:r
Greding 'gre:dıŋ
Gredos span. 'greðos
Greel[e]y engl. 'gri:lı
Green engl. gri:n, fr. grin
Greenager 'gri:nle:dʒɐ
Greenaway engl. 'gri:nəweı
Greenback 'gri:nbɛk
Greenbelt engl. 'gri:nbɛlt
Greendale engl. 'gri:ndeıl
Greene 'gre:nə, engl. gri:n
Greeneville engl. 'gri:nvıl
Greenfield engl. 'gri:nfi:ld
Greenhill engl. 'gri:nhıl
Greenhorn 'gri:nhɔrn
Greenlawn engl. 'gri:nlɔ:n
Greenleaf engl. 'gri:nli:f
Greenock engl. 'gri:nək
Greenough engl. 'gri:noʊ
Greenpeace 'gri:npi:s
Greensboro engl. 'gri:nz-
bərə
Greensburg engl. 'gri:nz-
bə:g
Greenville engl. 'gri:nvıl

Greenwich *engl.* 'grınıdʒ,
...ıtʃ, *Connecticut* 'grɛnıtʃ,
'grınıtʃ
Greenwicher 'grınıdʒɐ, ...
ıtʃɐ
Greenwood *engl.* 'gri:nwʊd
Greer *engl.* grıɐ
Greffe 'grɛfə
Gref[l]inger 'gre:f[l]ıŋɐ
Grefrath 'gre:fra:t
Greg *engl.* grɛg
Gregarine grega'ri:nə
Grège grɛ:ʃ
Greger 'gre:gɐ
Gregg *engl.* grɛg
Gregh *fr.* grɛg
Grégoire *fr.* gre'gwa:r
Gregor 'gre:go:ɐ, *engl.*
'grɛgə
Gregoras 'gre:goras
Gregorčič *slowen.* grɛ-
'go:rtʃitʃ
Gregori gre'go:ri
Gregorianik grego'rịa:nık
gregorianisch grego'rịa:nıʃ
gregorianisieren gregorịa-
ni'zi:rən
Gregorianus grego'rịa:nʊs
Gregorio *it.* gre'gɔ:rịo,
span. gre'ɣorịo
Gregorios gre'go:rịɔs
Gregorius gre'go:rịʊs
Gregorovius grego'ro:vịʊs
Gregor-Tajovský *slowak.*
'grɛgɔr'tajoụski:
Gregory *engl.* 'grɛgərı
Greif graif
greifen, G... 'graifn̩
Greifenberg 'graifn̩bɛrk
Greifenhagen graifn̩'ha:gn̩
Greifensee 'graifnze:
Greiffenberg 'graifn̩bɛrk
Greifswald 'graifsvalt
Greifswalder 'graifsvaldɐ
Grein grain
Greindl 'graindl̩
greinen 'grainən
Greiner 'grainɐ
Greinz graints
greis, G... grais, -e 'graizə
Greiser 'graizɐ
Greising 'graizıŋ
Greißler 'graislɐ
Greiz graits
Grekow *russ.* 'grjɛkɐf
grell, G... grɛl
Grelle 'grɛlə
Grelots grə'lo:
Gremiale gre'mịa:lə, ...lien
...lịən

Gremin *russ.* 'grjemin
Gremio 'gre:mịo
Gremium 'gre:mịʊm, ...ien
...ịən
Gremjatschinsk *russ.*
grı'mjatʃinsk
Gremsmühlen grɛms'my:-
lən
Gren *dt., schwed.* gre:n
Grenå *dän.* 'grı:no:'
Grenada gre'na:da, *engl.*
grə'neıdə
Grenadier grena'di:ɐ
Grenadill[e] grena'dıl[ə]
Grenadin grena'dɛ̃:
Grenadine grena'di:nə,
engl. grɛnə'di:n
Grenchen 'grɛnçn̩
Grendel 'grɛndl̩
Grenelle *fr.* grə'nɛl
Grenfell *engl.* 'grɛnfɛl
Grengg grɛŋk
Grenier *fr.* grə'nje
Grenoble *fr.* grə'nɔbl
Grenon *fr.* grə'nõ
Grenville *engl.* 'grɛnvıl
Grenze 'grɛntsə
grenzen 'grɛntsn̩
Gréoux-les-Bains *fr.* greu-
le'bɛ̃
Gresham *engl.* 'grɛʃəm
Greshoff *niederl.* 'ɣrɛshɔf
Gresik *indon.* grə'sik
Grésivaudan *fr.* grezivo'dã
Gresse 'grɛsə
Gresset *fr.* grɛ'sɛ
Greßmann 'grɛsman
Gressoney *fr.* grɛsɔ'nɛ
Greta 'gre:ta
Gretchen 'gre:tçən
Grete 'gre:tə
Gretel 'gre:tl̩
Greti 'gre:ti
Gretna *engl.* 'grɛtnə
Grétry *fr.* gre'tri
Gretschaninow *russ.* grıtʃı-
'ninɐf
Gretschko *russ.* 'grjɛtʃkɐ
Gretser 'grɛtsɐ
Greußen 'grɔysn̩
Greutungen 'grɔytʊŋən
Greuze *fr.* grə:z
Greve 'gre:və, *it.* 'grɛ:ve
Grève *fr.* grɛ:v
Grevelingen *niederl.* 'ɣre:-
vəlıŋə
Greven 'gre:vn̩
Grevenbroich gre:vn̩'bro:x
Grevenmacher
gre:vn̩'maxɐ

Grevesmühlen gre:vəs'my:-
lən
Greville *engl.* 'grɛvıl
Grévin *fr.* gre'vɛ̃
Greving 'gre:vıŋ
Grévy *fr.* gre'vi
Grew *engl.* gru:
Grewe 'gre:və
Grewena *neugr.* ɣrɛvɛ'na
Grey *engl.* greı
Greyerz 'graiɐts
Greyhound 'gre:haʊnt
Greylock *engl.* 'greılɔk
Greymouth *engl.* 'greımaʊθ
Greynville *engl.* 'grɛnvıl
Gribatschow *russ.* gri-
ba'tʃɔf
Gribeauval *fr.* gribo'val
Griblette gri'blɛtə
Gribojedow *russ.* griba'jɛ-
dɐf
Griebe 'gri:bə
Grieben 'gri:bn̩
Griebs gri:ps
Grieche 'gri:çə
Griechenland 'gri:çn̩lant
griechisch 'gri:çıʃ
griechisch-orthodox
'gri:çıʃ'ɔrto'dɔks
Griefe 'gri:fə
Grieg gri:k, *norw.* gri:g
griemeln 'gri:ml̩n
Grien gri:n
grienen 'gri:nən
Griepenkerl 'gri:pn̩kerl
Griera *span.* 'grịera, *kat.*
gri'erə
Grierson *engl.* grıəsn̩
gries gri:s, -e 'gri:zə
Gries gri:s, *it.* 'gri:es
Griesbach[er] 'gri:sbax[ɐ]
Griesel 'gri:zl̩
Griese 'gri:zə
grieseln 'gri:zl̩n, griesle
'gri:zlə
Griesgram 'gri:sgra:m
griesgrämig 'gri:sgrɛ:mıç,
-e ...ıgə
griesgrämisch 'gri:sgrɛ:mıʃ
griesgrämlich 'gri:sgrɛ:mlıç
Grieshaber 'gri:sha:bɐ
Griesheim 'gri:shaim
Grieskirchen gri:s'kırçn̩
Grieß gri:s
grießeln 'gri:sl̩n
grießig 'gri:sıç, -e ...ıgə
Grießig 'gri:sıç, -es ...ıgəs
Grieve *engl.* gri:v
Grieux *fr.* gri'ø
griff, Griff grıf

Griffel 'grıfl̩
Griffes engl. 'grıfıs
griffig 'grıfıç, -e ...ıgə
Griffin engl. 'grıfın
Griffith[s] engl. 'grıfıθ[s]
Griffo it. 'griffo
Griffon grı'fõː
Grigioni it. grı'dʒoːni
Grignard fr. grı'ɲaːr
grignardieren grınjar'diːrən
Grign[i]on fr. grı'ɲõ
Grigorescu rumän. grigo-
   'resku
Grigori russ. gri'gɔrij
Grigorjew russ. gri'gɔrjıf
Grigorjewitsch russ. gri-
   'gɔrjıvitʃ
Grigorjewna russ. gri'gɔr-
   jıvnɐ
Grigorowitsch russ. griga-
   'rɔvitʃ
Grijalva span. gri'xalβa
Grill grıl
Grillade gri'jaːdə
Grille 'grılə
grillen 'grılən
Grillette grı'lɛtə
grillieren grı'liːrən, auch:
   gri'jiːrən
grillig 'grılıç, -e ...ıgə
Grillparzer 'grılpartsɐ
Grillroom 'grılruːm
Grimald 'griːmalt
Grimaldi fr. grimal'di, it.
   gri'maldi
Grimani it. gri'maːni
Grimasse gri'masə
grimassieren grima'siːrən
Grimaud fr. gri'mo
Grimbart 'grımbaːɐ̯t
Grimes engl. graımz
grimm grım
Grimm grım, fr. grim
Grimma 'grıma
Grimmdarm 'grımdarm
Grimme 'grımə
Grimmelshausen 'grımls-
   hauzn̩
grimmen, G... 'grımən
grimmig 'grımıç, -e ...ıgə
grimmsch grımʃ
Grimoald gri'moalt
Grimod de la Reynière fr.
   grimodlarɛ'njɛːr
Grimou[x] fr. gri'mu
Grimsby engl. 'grımzbı
Grimsel 'grımzl̩
Grimshaw engl. 'grımʃɔː
Grimstad norw. 'grimsta
Grin russ. grin

Grind grınt, -e 'grındə
Grindavík isl. 'grındaviːk
Grindelwald 'grındl̩valt
grindig 'grındıç, -e ...ıgə
Grindwal 'grıntvaːl
Gringo 'grıŋgo
Gringoire fr. grɛ̃'gwaːr
Gringore fr. grɛ̃'gɔːr
Grinsel 'grınzl̩
grinsen 'grınzn̩, grins!
   grıns, grinst grınst
Grinzing 'grıntsıŋ
Griot gri'o:
Gripenberg schwed. gri:-
   pən'bɛrj
grippal grı'paːl
Grippe 'grıpə
grippoid grıpo'iːt, -e ...iːdə
grippös grı'pøːs, -e ...øːzə
Grips grıps
Gripsholm schwed. 'grips-
   hɔlm
Griqualand engl. 'grıkwə-
   lænd
Gris span. gris
Grisaille gri'zaj, -n ...ajən
Grisar 'griːzar, fr. gri'zaːr
Grisch[k]a russ. 'grıʃ[k]ɐ
Grischow 'grıʃo
Grisebach 'griːzəbax
Griselda it. gri'zelda
Griseldis gri'zɛldıs
Grisette gri'zɛtə
Grisi it. 'griːzi
Grislibär 'grıslibɛːɐ̯
Gris-Nez fr. gri'ne
Grison gri'zõː
Grissom engl. 'grısəm
Grist engl. grıst
Griswold engl. 'grızwoʊld
Grit[t] grıt
Gritti it. 'gritti
Griwas neugr. 'ɣrivas
Grivegnée fr. griv'ɲe
Grizzlybär 'grıslibɛːɐ̯
Grjasi russ. 'grjazi
grob gro:p, unflektiert auch:
   grɔp; -e ...o:bə; gröber
   'grø:bɐ; gröbste 'grø:psta,
   auch: 'grœpstə
Grob gro:p
gröber vgl. grob
Gröber[s] 'grø:bɐ[s]
Grobian 'gro:bja:n
grobianisch gro'bja:nıʃ
Grobianismus grobja'nıs-
   mʊs
gröblich 'grø:plıç
gröbste vgl. grob
Gröbzig 'grœptsıç

Grochowiak poln. grɔ-
   'xɔvjak
Grock grɔk
Gröde 'grø:də
Grödeln 'grø:dl̩n
Groden 'gro:dn̩
Gröden 'grø:dn̩
Gröditz[berg] 'grø:-
   dıts[bɛrk]
Grodków poln. 'grɔtkuf
Grödner 'grø:dnɐ
Grodno russ. 'grɔdnɐ
Grodzisk Mazowiecki poln.
   'grɔdzisk mazɔ'vjɛtski
Groenendaal niederl. 'ɣru-
   nəndaːl
Groener 'grø:nɐ
Groenhoff 'grø:nhɔf
Groen van Prinsterer nie-
   derl. 'ɣrun vɑn 'prınstərər
Groesbeek niederl. 'ɣruz-
   beːk
Groethuysen niederl. 'ɣrut-
   hœizə
Grof gro:f
Grog grɔk
Grögerová tschech. 'grɛgɐ-
   rɔva:
Grogger 'grɔgɐ
groggy 'grɔgi
Grohnde 'gro:ndə
Großmeier 'grɔysmaiɐ
Groitzsch grɔytʃ
Grójec poln. 'grujɛts
grölen 'grø:lən
Grolier fr. grɔ'lje
grolieresk grolje'rɛsk
Groll grɔl
grollen 'grɔlən
Grolmann 'gro:lman
Gromaire fr. grɔ'mɛːr
Grömitz 'grø:mıts
Gromyko russ. gra'mikɐ
Gronau 'gro:nau
Grønbech dän. 'grœnbeg
Gronchi it. 'groŋki
Grøndal isl. 'grœndal
Grone 'gro:nə
Grönenbach 'grø:nənbax
Groner 'gro:nɐ
Gröner 'grø:nɐ
Groningen 'gro:nıŋən, nie-
   derl. 'ɣro:nıŋə
Gröningen 'grø:nıŋən
Gröninger 'grø:nıŋɐ
Grönland 'grø:nlant
Grønland dän. 'grœnlæn'
Grönländer 'grø:nlɛndɐ
grönländisch 'grø:nlɛndıʃ
Gronon fr. grɔ'nõ

Groom gru:m
Groot[e] *niederl.* 'ɣro:t[ə]
Grootfontein 'gro:tfɔntain
Groove gru:f
grooven 'gru:vn̩, groov!
gru:f, groovt gru:ft
Grooving 'gru:vɪŋ
Gropius 'gro:pjʊs
Groppe 'grɔpə
Groppel 'grɔpl̩
Gropper *engl.* 'grɔpə
¹Gros (Hauptmasse) gro:,
des – gro:[s], die – gro:s
²Gros (12 Dutzend) grɔs
³Gros (Name) *fr.* gro
Grosche 'grɔʃə
Groschen 'grɔʃn̩
Grosjean *fr.* gro'ʒã
Grosny *russ.* 'grɔznij
groß gro:s, größer 'grø:sɐ,
größte 'grø:stə
Groß gro:s
Gross gro:s, grɔs, *engl.*
grɔʊs, grɔs
großartig 'gro:sla:ɐ̯tɪç
Großauheim gro:s'lauhaim
Großbeeren gro:s'be:rən
Grossberg 'grɔsbɛrk
Groß-Berlin gro:s'bɛr'li:n,
'---
Groß-Berliner gro:s'bɛr-
'li:nɐ, '----
Großbetschkerek gro:s-
'bɛtʃkərɛk
Großbieberau gro:s'bi:-
bərau
Großbottwar gro:s'bɔtvar
Großbreitenbach gro:s-
'braitn̩bax
Großbritannien gro:sbri'ta-
niən, '----
großbritannisch gro:sbri-
'tanıʃ, '----
Grosse 'grɔsə, 'gro:sə
Größe 'grø:sə
Großenhain 'gro:sn̩hain
Großenkneten gro:sn̩-
'kne:tn̩
Großen-Linden
gro:sn̩'lɪndn̩
größer vgl. groß
Grossesse nerveuse grɔ-
'sɛs nɛr'vø:s
Grosseteste *engl.* 'grɔus-
tɛst
Grosseto *it.* grɔs'se:to
Großfürst 'gro:sfʏrst
Großfürstin-Mutter 'gro:s-
fʏrstɪn'mʊtɐ
Groß-Gerau gro:s'ge:rau

Großglockner 'gro:sglɔknɐ,
auch: -'--
Großgörschen gro:s'gœrʃn̩
Großherzog 'gro:shɛrtso:k
großherzoglich 'gro:shɛr-
tso:klıç
Großhundert 'gro:s'hʊndɐt
Grossi *it.* 'grɔssi
Grossist grɔ'sıst
großkalib[e]rig 'gro:ska-
li:b[ə]rıç
Großkanischa gro:s'kanıʃa
Großkopfete 'gro:skɔpfətə
Großkopferte 'gro:skɔpfɛtə
großköpfig 'gro:skœpfıç
Grossman 'grɔsman, *russ.*
'grɔsmɐn
Großmann 'gro:sman
großmäulig 'gro:smɔylıç, -e
...ıgə
großmütig 'gro:smy:tıç, -e
...ıgə
Grosso *span.* 'groso
Grossohandel 'grɔsohandl̩
grosso modo 'grɔso 'mo:do
Großostheim
gro:s'lɔsthaim
Großpolen 'gro:spo:lən
Großräschen gro:s'rɛʃn̩
Großrein[e]machen gro:s-
'rain[ə]maxn̩
Großröhrsdorf gro:s'rø:ɐ̯s-
dorf
Großrussland 'gro:sruslant
Großsachsen gro:s'zaksn̩
Großschlatten gro:s'ʃlatn̩
Großschönau gro:s'ʃø:nau
Großsiegelbewahrer gro:s-
'zi:glbəva:rɐ
Großstadt 'gro:sʃtat
Großstädter 'gro:sʃtɛ:tɐ,
auch: ...ʃtɛtɐ
großstädtisch 'gro:sʃtɛ:tıʃ,
auch: ...ʃtɛtıʃ
Großsteffelsdorf gro:s-
'ʃtɛflsdorf
Groß Strehlitz gro:s'ʃtre:lıts
größte vgl. groß
größtmöglich 'grø:st'mø:k-
lıç
Großtuerei gro:stu:ə'rai
großtuerisch gro:stu:ərıʃ
Grossular grɔsu'la:ɐ̯
Großullersdorf
gro:s'lʊlɐsdorf
Groß-Umstadt
gro:s'lʊmʃtat
Großvenediger 'gro:s-
ve.ne:dıgɐ, *auch:* --'---
Großwardein gro:svar'dain

Groß Wartenberg gro:s-
'vartn̩bɛrk
Großwelzheim gro:s'vɛlts-
haim
Großwusterwitz gro:s'vʊs-
tɐvıts, ...vu:s...
großziehen 'gro:stsi:ən
Grosvenor *engl.* 'grɔʊvnə
¹Grosz (Name) grɔs, *engl.*
grɔʊs, *ung.* gro:s
²Grosz (Münze) grɔʃ, -e
'grɔʃə
Grósz *ung.* gro:s
grotesk, G... gro'tɛsk
Groteske gro'tɛskə
Grotewohl 'gro:təvo:l
Groth[e] 'gro:t[ə]
Grotius 'gro:tsiʊs
Grotjahn gro:tja:n
Groto *it.* 'grɔ:to
Groton *engl.* grɔtn
Grotowski *poln.* grɔ'tɔfski
Grotrian 'gro:trian
Grotta Azzurra *it.* 'grɔtta
ad'dzurra
Grotte 'grɔtə
Grottger *poln.* 'grɔdgɛr
Grottkau 'grɔtkau
Grotthuß 'grɔthu:s
Grotto 'grɔto, ...ti ...ti
Grotto[le] (Name) *it.* 'grɔt-
to[le]
Grotzen 'grɔtsn̩
Grötzingen 'grœtsıŋən
Grouchy *fr.* gru'ʃi
Groult *fr.* gru
Ground *engl.* graʊnd
Ground... 'graʊnt...
Groundhostess 'graʊnthɔs-
tɛs
Groupie 'gru:pi
Groussard *fr.* gru'sa:r
Grousset *fr.* gru'sɛ
Grove *engl.* grɔʊv
Grovers Corners *engl.*
'grɔʊvəz 'kɔ:nəz
Groves *engl.* grɔʊvz
Growl graul
Groza *rumän.* 'groza
grub, G... gru:p
grübchen 'grʊbn̩, grubb!
grʊp, grübbt grʊpt
Grübber 'grubɐ
grübbern 'grubɐn, grübbre
'grubrə
Grübchen 'gry:pçən
Grube 'gru:bə
grübe 'gry:bə

Grübel 'gry:bļ
Grübelei gry:bə'laɪ
grübeln 'gry:bļn, grüble
 'gry:blə
gruben, G... 'gru:bn̩
Grubenhagen gru:bn̩'ha:gn̩
Gruber 'gru:bɐ, fr. gry'bɛ:r
Grüber 'gry:bɐ
Gruberová slowak. 'grubɛ-
 rɔva:
Grubeschljewa bulgar. gru-
 bɛʃ'liɛvɐ
Grubiński poln. gru'biȷ̈ski
Grübler 'gry:blɐ
grüblerisch 'gry:blərɪʃ
grubt gru:pt
Grude 'gru:də
Grudziądz poln. 'grudzɔnts
Grudziński poln. gru'dziȷ̈ski
Gruenberg 'gry:nbɛrk engl.
 'gru:ənbɔ:g
Gruenther 'grʏntɐ, engl.
 'grʌnθə
grüezi 'gry:ɛtsi
Gruft gruft, Grüfte 'grʏftə
Grufti 'grufti
Gruga 'gru:ga
Grügelborn 'gry:gļbɔrn
Grujić serbokr. 'gru:jitɕ
Grumbach 'grumbax, fr.
 grum'bak
Grumbkow 'grumpko
Grumiaux fr. gry'mjo
Grumio 'gru:mi̯o
grummeln 'gruml̩n
Grümmer 'grʏmɐ
Grumme[t] 'grumə[t]
Grumpen 'grumpn̩
Grumt grumt
grün, G... gry:n
Grunau 'gru:naʊ
¹Grünau (Berlin, Sankt Pöl-
 ten) gry'naʊ
²Grünau (Almtal, Tsche-
 choslowakei) 'gry:naʊ
Grünbach 'gry:nbax
Grünberg 'gry:nbɛrk
¹Grund grunt, -es 'grundəs,
 Gründe 'grʏndə
²Grund (Name) grunt, isl.
 grʏnd
grundehrlich 'grunt'|e:ɐlɪç
Grundel 'grundļ
Gründel 'grʏndļ
gründeln 'grʏndļn, gründle
 'grʏndlə
gründen 'grʏndn̩, gründ!
 grʏnt
grundfalsch 'grunt'falʃ
Gründgens 'grʏntgn̩s

grundhässlich 'grunt'hɛslɪç
grundieren grun'di:rən
Grundig 'grundɪç
...gründig ...'grʏndɪç, -e
 ...ɪgə
gründlich 'grʏntlɪç
Gründling 'grʏntlɪŋ
Grundlsee 'grundļze:
Gründonnerstag gry:n'dɔ-
 nɐsta:k
Grundsatz 'gruntzats
grundsätzlich 'gruntzɛtslɪç
Grundtvig dän. 'grundvi
grundverschieden 'grunt-
 fɛɐ̯'ʃi:dn̩
Grundy engl. 'grʌndɪ
Grüne[bach] 'gry:nə[bax]
Grüneberg 'gry:nəbɛrk
Grüneisen 'gry:n|aɪzn̩
grünen 'gry:nən
Grünenberg 'gry:nənbɛrk
Grunenwald fr. grynən'vald
Grüneplan 'gry:nəpla:n
Gruner[n] 'gru:nɐ[n]
Grünewald 'gru:nəvalt
Grünewald 'gry:nəvalt
Grünfeld 'gry:nfɛlt
Grunge grantʃ
Grünhain 'gry:nhaɪn
Grüningen 'gry:nɪŋən
Grüninger 'gry:nɪŋɐ
Grunitzky fr. grynits'ki
grünlich 'gry:nlɪç
Grünling 'gry:nlɪŋ
Grünsfeld 'gry:nsfɛlt
Grünspan 'gry:nʃpa:n
Grünstadt 'grʏnʃtat
Grünten 'grʏntn̩
Grünwedel 'gry:nve:dļ
grunzen 'gruntsn̩
Grünzweig 'gry:ntsvaɪk
Grupello it. gru'pɛllo
Grupp grup
Grüppchen 'grʏpçən
Gruppe 'grupə
Grüppe 'grʏpə
grüppeln 'grʏpļn
gruppen 'grupn̩
gruppieren gru'pi:rən
Grus gru:s, -e 'gru:zə
Gruša tschech. 'gruʃa
Grušas lit. 'gruʃas
Grüsch grʏʃ
Gruschel 'gruʃļ
Gruschewski russ. gru'ʃɛfs-
 kij
gruselig 'gru:zəlɪç, -e ...ɪgə
gruseln 'gru:zļn, grusle
 'gru:zlə
Grusical 'gru:zikļ

Grusien 'gru:ziən
grusig 'gru:zɪç, -e ...ɪgə
Grusinier gru'zi:ni̯ɐ
grusinisch, G... gru'zi:nɪʃ
gruslig 'gru:zlɪç, -e ...ɪgə
Gruson 'gru:zɔn
Gruß gru:s, Grüße 'gry:sə
grüßen 'gry:sn̩
Grützbeutel 'grʏtsbɔʏtļ
Grütze 'grʏtsə
Grutzen 'grutsn̩
Grützmacher 'grʏtsmaxɐ
Grützner 'grʏtsnɐ
Gruyère gry'jɛ:ɐ̯, ...jɛ:ɐ̯
Gruyères fr. gry'jɛ:r
Gruyter 'grɔytɐ, niederl.
 'ɣrœitər
Gryce engl. graɪs
Gryfice poln. gri'fitsɛ
Gryfino poln. gri'fino
Gryfów poln. 'grifuf
Grynäus gry'nɛ:ʊs
Gryphius 'gry:fiʊs
Grzesiński kʃe'zɪnski
Grzimek 'gʒɪmɛk, 'kʃ...
Grzymała Siedlecki poln.
 gʒi'maṷa cɛ'dlɛtski
Gschaftlhuber 'kʃaftlhu:bɐ
gschamig 'kʃa:mɪç, -e ...ɪgə
gschämig 'kʃɛ:mɪç, -e ...ɪgə
gschert kʃe:ɐ̯t
Gschnasfest 'kʃna:sfɛst
Gschnitz[er] 'kʃnɪts[ɐ]
gschupft kʃupft
Gschütt kʃʏt
Gschwend kʃvɛnt
Gsell ksɛl
Gsovsky 'ksɔfski
gspaßig 'kʃpa:sɪç, -e ...ɪgə
Gspusi 'kʃpu:zi
Gstaad kʃta:t
Gstanzel, ...zl 'kʃtantsļ
Gstätten 'kʃtɛtn̩
G-String 'dʒi:strɪŋ
Guadagnini it. guadaȵ'ȵi:ni
Guadalajara span. guaðala-
 'xara
Guadalcanal span. guaðal-
 ka'nal, engl. gwɔdlkə'næl
Guadalquivir span. guaðal-
 ki'βir
Guadalupe span. guaða-
 'lupe, port. guɐðɐ'lupə,
 engl. 'gwɔdlu:p
Guadarrama span. gua-
 ða'rrama
Guadeloupe fr. gwa'dlup
Guadiana span. gua'ðiana,
 port. guɐ'ðiɐnɐ
Guadix span. gua'ðiks

Guainía *span.* gu̯ai̯'nia
Guaíra *span.* 'gu̯ai̯ra
Guairá *span.* gu̯ai̯'ra
Guajak... gu̯a'jak...
Guajakol gu̯aja'ko:l
Guajana gu̯a'ja:na
Guajave gu̯a'ja:və
Guajira *span.* gu̯a'xira
Gualbertus gu̯al'bɛrtus
Gualdo Tadino *it.* 'gu̯aldo ta'di:no
Gualeguaychú *span.* gu̯ale-yu̯ai̯'tʃu
Gualterio *span.* gu̯al'teri̯o
Gualtério *port., bras.* gu̯al-'teri̯u
Gualterus gu̯al'te:rʊs
Guam gu̯am, *engl.* gwɑ:m
Guami *it.* 'gu̯a:mi
Guanabacoa *span.* gu̯ana-βa'koa
Guanabara *bras.* gu̯ɐna-'bara
Guanahani *engl.* gwɑ:nə-'hɑ:nɪ
Guanajuato *span.* gu̯ana-'xu̯ato
Guanako gu̯a'nako
Guanare *span.* gu̯a'nare
Guanche 'gu̯antʃə
Guangdong *chin.* gu̯aŋdʊŋ 31
Guangxi *chin.* gu̯aŋçi 31
Guangzhou *chin.* gu̯aŋdʒou̯ 31
Guanidin gu̯ani'di:n
Guanin gu̯a'ni:n
Guano gu̯a'no
Guanta *span.* 'gu̯anta
Guantánamo *span.* gu̯an'ta-namo
Guantsche 'gu̯antʃə
Guaporé *bras.* gu̯apo'rɛ
Guara *span.* 'gu̯ara
Guarana gu̯a'ra:na
Guaranda *span.* gu̯a'randa
Guarani gu̯a'ra:ni
Guaraní *span.* gu̯ara'ni, *bras.* gu̯arɐ'ni
Guarapuava *bras.* gu̯ara-'pu̯ava
Guaratinguetá *bras.* gu̯ara-tiŋge'ta
Guarda *port.* 'gu̯ardɐ
Guardafui *it.* gu̯arda'fu:i̯
Guardi *it.* 'gu̯ardi
Guardia *it.* 'gu̯ardi̯a, *span.* 'gu̯arði̯a
Guardia civil 'gu̯ardi̯a si'vɪl

Guardian gu̯ar'di̯a:n, *engl.* 'gɑ:djən
Guardini *it.* gu̯ar'di:ni
Guareschi *it.* gu̯a'reski
Guárico *span.* 'gu̯ariko
Guariento *it.* gu̯a'ri̯ɛnto
Guarini *it.* gu̯a'ri:ni
Guarino *it.* gu̯a'ri:no
Guarneri *it.* gu̯ar'nɛ:ri
Guarnerius gu̯ar'ne:ri̯ʊs, ...**rii** ...'ri:
Guarnieri *it.* gu̯ar'ni̯ɛ:ri
Guarulhos *bras.* gu̯a'ruʎus
Guasch gu̯a[:]ʃ
Guastalla *it.* gu̯as'talla
Guatemala gu̯ate'ma:la, *span.* gu̯ate'mala
Guatemalteke gu̯atemal-'te:kə
guatemaltekisch gu̯ate-mal'te:kɪʃ
Guatimozín *span.* gu̯atimo-'θin
Guave 'gu̯a:və
Guaviare *span.* gu̯a'βi̯are
Guayama *span.* gu̯a'jama
Guayana gu̯a'ja:na, *span.* gu̯a'jana
Guayaner gu̯a'ja:nɐ
guayanisch gu̯a'ja:nɪʃ
Guayaquil *span.* gu̯aja'kil
Guayas *span.* 'gu̯ajas
Guaymas *span.* 'gu̯ai̯mas
Guaynabo *span.* gu̯ai̯'naβo
Gubacha *russ.* gu'baxɐ
Gubbio *it.* 'gubbi̯o
Guben 'gu:bn̩
Guber 'gu:bɐ, *poln.* 'gubɛr
Gubernium gu'bɛrni̯ʊm, ...**ien** ...i̯ən
Gubin *poln.* 'gubin
Gubitz 'gu:bɪts
Gubkin *russ.* 'gupkin
Gubler 'gu:blɐ
gucken 'gʊkn̩
Gucker 'gʊkɐ
Gucki 'gʊki
Guckindieluft 'gʊk|ɪndi:lʊft
Gudbrandsdal *norw.* ˌgu̯d-bransda:l
Gudbrandsdalslågen *norw.* ˌgu̯dbransda:lslo:gən
Gudbrandstal 'gu̯tbrants̩-ta:l
Gudden 'gu̯dn̩
Gude *norw.* ˌgu:də
Güde 'gy:də
Gudea gu'de:a
Gudelmontag 'gy:dl̩mo:n-ta:k

Güdemann 'gy:dəman
Güden 'gy:dn̩
Gudenå *dän.* 'gu:ðəno:', 'gu:'ð...
Gudensberg 'gu:dn̩sbɛrk
Guderian gu'de:ri̯an
Gudermes *russ.* gudɪr'mjɛs
Gudila 'gu:dila
Gudin *fr.* gy'dɛ̃
Gudismontag 'gy:dɪsmo:n-ta:k
Gudmund 'gʊtmʊnt
Guðmundsson *isl.* 'gvyð-myndsɔn
Guðmundur *isl.* 'gvyðmyn-dʏr
Gudok *russ.* gu'dɔk
Gudrun 'gu:dru:n
Gudscharat gʊdʒa'ra:t
Gudscharati gʊdʒa'ra:ti
Gudschrat gʊ'dʒra:t
Gudula 'gu:dula
Guebwiller *fr.* gebvi'lɛ:r
Guedalla *engl.* gwɪ'dælə
Guédron *fr.* ge'drõ
Guéhenno *fr.* gee'no
Guelfe 'gu̯ɛlfə, *auch:* 'gɛlfə
Guelfi *it.* 'gu̯ɛlfi
Guelma *fr.* gɛl'ma, gu̯ɛ...
Guelph *engl.* gwɛlf
Gueltar 'gu̯ɛltar
Guenther 'gʏntɐ
Guêpière *fr.* gɛ'pjɛ:r
Guéranger *fr.* gerã'ʒe
Guercino *it.* gu̯er'tʃi:no
Guéret *fr.* ge'rɛ
Guericke 'ge:rɪkə
Guerilla ge'rɪlja
Guerillero gerɪl'je:ro
Guérin *fr.* ge'rɛ̃
Guernes *fr.* gɛrn
Guernesey *fr.* gɛrnə'ze
Guernica *span.* gɛr'nika
Guernsey *engl.* 'gə:nzɪ
Guerra *it.* 'gu̯ɛrra, *span., bras.* 'gɛrra, *port.* 'gɛrrɐ
Guerrazzi *it.* gu̯er'rattsi
Guerrero *span.* gɛ'rrɛro
Guerrigliero gu̯erɪl'je:ro, ...**ri** ...ri
Guerrini *it.* gu̯er'ri:ni
Guesclin *fr.* ge'klɛ̃
Guesde *fr.* gɛd
Guesmer 'gy:smɐ
Guess *engl.* gɛs
Guest *engl.* gɛst
Gueugnon *fr.* gø'ɲõ
Guevara *span.* ge'βara
Gugelhopf 'gu:gl̩hɔpf
Gugelhupf 'gu:gl̩hʊpf

Güggel 'gʏɡl
Güggeli 'gʏɡəli
Guggenbichler 'ɡʊɡn̩bɪçlɐ
Guggenheim 'ɡʊɡn̩haim,
engl. 'ɡʊɡənhaim
Guggenmoos 'ɡʊɡn̩mo:s
Guggisberg 'ɡʊɡɪsbɛrk
Guglielmi it. ɡuʎʎɛlmi
Guglielminetti it. ɡuʎʎɛlmi-
'netti
Guglielmo it. ɡuʎʎɛlmo
Güglingen 'ɡy:ɡlɪŋən
Guhrau 'ɡu:rau
Gui fr. ɡi, it. ɡu:i
Guiana engl. ɡi'ɑ:nə
Guibert fr. ɡi'bɛ:r
Guicciardi it. ɡuit'tʃardi
Guicciardini it. ɡuittʃar-
'di:ni
Guichard fr. ɡi'ʃa:r
Guide ɡi:t, ɡaid
Guiderius ɡui'de:riʊs, engl.
ɡwɪ'dɪərɪəs
Guidi it. 'ɡui:di
Guidiccioni it. ɡuidit'tʃo:ni
Guido 'ɡi:do, 'ɡui:do, it.
'ɡui:do, span. 'ɡiðo
Guidonische Hand ɡui'do:-
nɪʃə 'hant
Guiengola span. ɡi̯eŋ'ɡola
Guignol fr. ɡi'nɔl
Guigou fr. ɡi'ɡu
Guilbert fr. ɡil'bɛ:r
Guildford engl. 'ɡɪlfəd
Guildhall 'ɡɪltho:l
Guilford 'ɡɪlfɔrt, engl. 'ɡɪl-
fəd
Guilherme port. ɡi'ʎɛrmə
Guilin chin. ɡue̯ilɪn 42
Guillain fr. ɡi'lɛ̃
Guillaumat fr. ɡijo'ma
Guillaume fr. ɡi'jo:m
Guillaumet fr. ɡijo'mɛ
Guillaumin fr. ɡijo'mɛ̃
Guillelmo span. ɡi'ʎɛlmo
Guillemet fr. ɡij'mɛ
Guillemin fr. ɡij'mɛ̃
Guillén span. ɡi'ʎen
Guilleragues fr. ɡij'rag
Guillermo span. ɡi'ʎɛrmo
Guillevic fr. ɡil'vik
Guilloche ɡɪl'jɔʃ, ɡi'jɔʃ, -n
...ʃn
Guillocheur ɡɪljɔ'ʃø:ɐ, ɡij...
guillochieren ɡɪljɔ'ʃi:rən,
ɡij...
Guillot fr. ɡi'jo
Guillotin fr. ɡijo'tɛ̃
Guillotine ɡɪljo'ti:nə, auch:
ɡijo'ti:nə

guillotinieren ɡɪljoti'ni:rən,
auch: ɡijo...
Guilloux fr. ɡi'ju
Guilmant fr. ɡil'mã
Guilvinec fr. ɡilvi'nɛk
Güimar span. ɡui'mar
Guimarães port. ɡimɐ'rɐ̃i̯ʃ,
bras. ɡima'rɐ̃i̯s
Guimard fr. ɡi'ma:r
Guimerà kat. ɡimə'ra
¹Guinea (Münze) engl. 'ɡɪnɪ
²Guinea (Name) ɡi'ne:a,
span. ɡi'nea
Guinea-Bissau ɡi'ne:a-
bɪ'sau
Guinee ɡi'ne:[ə], ...een
...e:ən
Guinée fr. ɡi'ne
Guineer ɡi'ne:ɐ
Guinegate fr. ɡin'ɡat
guineisch ɡi'ne:ɪʃ
Güines span. 'ɡuines
Guiney engl. 'ɡaɪnɪ
Guingamp fr. ɡɛ̃'ɡã
Guinicelli it. ɡuini'tʃɛlli
Guinier fr. ɡi'nje
Guinizelli it. ɡuinit'tsɛlli
Guinness engl. 'ɡɪnɪs
Guiot fr. ɡi'jo, ɡɥi'jo
Guipure ɡi'py:ɐ, -n ...y:rən
Guipúzcoa span. ɡi'puθkoa
Güiraldes span. ɡui'raldes
Guiraud, ...ut fr. ɡi'ro
Guirlande ɡɪr'landə
Guisan fr. ɡi'zã
Guiscard fr. ɡis'ka:r
¹Guise (Personenname) fr.
ɡi:z, ɡɥi:z
²Guise (Ort) fr. ɡɥi:z
Guiskard 'ɡɪskart
Guitarre ɡi'tarə
Guitmund 'ɡu:ɪtmʊnt
Guitry fr. ɡi'tri
Guittone it. ɡuit'to:ne
Guiyang chin. ɡue̯i-jaŋ 42
Guizhou chin. ɡue̯idʒou̯ 21
Guizot fr. ɡi'zo
Gujarat engl. ɡu:dʒə'ra:t
Gujarati ɡʊdʒə'ra:ti
Gujranwala engl. ɡʊdʒrən-
'wa:lə
Gujrat engl. ɡu:dʒə'ra:t
Gukowo russ. 'ɡukɐvɐ
Gulag 'ɡu:lak, russ. ɡu'lak
Gulasch 'ɡu:laʃ, 'ɡʊlaʃ
Gulbarga engl. 'ɡʊlbəɡə
Gulbene lett. 'ɡʊlbene
Gulbenkian ɡʊlbɛŋ'kịa:n,
engl. ɡʊl'bɛŋkɪən

Gulbrans[s]en norw. 'ɡʉl-
bransən
Gulbransson norw. 'ɡʉl-
bransən
Gulda 'ɡʊlda
Guldberg norw. 'ɡʉlbærɡ
Guldborgsund dän. ɡul-
bɔɐ̯'sʊn'
Gulde 'ɡʊldə
Gulden 'ɡʊldn̩
gülden 'ɡʏldn̩
Güldenstern 'ɡʏldn̩ʃtɛrn
Guldin 'ɡʊldi:n
güldisch 'ɡʏldɪʃ
Gulf engl. ɡʌlf
Gulfport engl. 'ɡʌlfpɔ:t
¹Gulistan ɡulɪs'ta:n, pers.
ɡoles'ta:n
²Gulistan (Ort) russ. ɡulis-
'tan
Gülistane ɡylɪs'ta:nə
Gullberg schwed. .ɡʊlbærj
Güll[e] 'ɡʏl[ə]
güllen, G... 'ɡʏlən
Gullfoss isl. 'ɡʏdlfɔs
Gulliver 'ɡʊlivɐ, engl. 'ɡʌlɪvɐ
Gullstrand schwed. .ɡʊl-
strand
Gullvaag norw. .ɡʉlvo:ɡ
Gully 'ɡʊli
Gülnare ɡʏl'na:rə
Güls ɡʏls
Gült[e] 'ɡʏlt[ə]
gültig 'ɡʏltɪç, -e ...ɪɡə
Gulyás 'ɡʊlaʃ, ɡu'laʃ
Gum engl. ɡʌm
GUM russ. ɡum
Gumbinnen ɡʊm'bɪnən
Gumelniţa rumän. ɡu'mel-
nitsa
Gumiljow russ. ɡumi'ljɔf
¹Gumma 'ɡʊma, -ta -ta
²Gumma jap. 'ɡu.m̩ma
Gummersbach 'ɡʊmɐsbax
Gummi 'ɡʊmi
Gummiarabikum
ɡʊmila'ra:bikʊm
Gummielastikum
ɡʊmile'lastikʊm
gummieren ɡʊ'mi:rən
Gummigutt 'ɡʊmiɡʊt
gummös ɡʊ'mø:s, -e ...ø:zə
Gummose ɡʊ'mo:zə
Gump[e] 'ɡʊmp[ə]
Gumpel[t]zhaimer
'ɡʊmpl̩tshaimɐ
Gumpert 'ɡʊmpɐt
Gumplowicz ɡʊm'plo:vɪtʃ
Gumpoldskirchen ɡʊm-
pɔlts'kɪrçn̩

Gumppenberg 'gompn̩bɛrk
Gümüşane *türk.* gy'my-
ʃɑ:ˌnɛ
Gun gan
Gynaris *neugr.* 'ɣunaris
Gynda[cker] 'gʊnda[kɐ]
Gyndamund 'gʊndamʊnt
Gyndel 'gʊndl̩
Gyndelfingen 'gʊndl̩fɪŋən
Gyndelfinger 'gʊndl̩fɪŋɐ
Gyndelsheim 'gʊndl̩shaɪm
Gyndermann 'gʊndɐman
Günderode gyndə'ro:də
Gundersen *norw.* 'gɛndər-
sən
Gyndestrup *dän.* 'gʊ-
nəsdrʊb
Gyndhelm 'gʊnthɛlm
Gundhilde gʊnt'hɪldə
Gyndikar 'gʊndikar
Gyndinci *serbokr.* 'gu:n-
di:ntsi
Gundisalvo *span.* gundi-
'salβo
Gyndlach 'gʊndlax
Gyndoba[l]d 'gʊndoba[l]t
Gyndobert 'gʊndobɛrt
Gyndolf 'gʊndɔlf
Gyndowech 'gʊndovɛç
Gundremmingen gʊnt'rɛ-
mɪŋən
Gyndula 'gʊndula
Gyndulić *serbokr.* ˌgundulitɕ
Gynhild 'gu:nhɪlt
Gynkel 'gʊŋkl̩
Gunman, ...men 'ganmɛn
Gynn gʊn, *engl.* gʌn
Gynnar *dt.*, *schwed.* 'gʊnar,
dän. 'gʊn'ɐ, *isl.* 'gɤnar
Gynnarn *schwed.* 'gʊnarn
Gunnarsson *isl.* 'gɤnarsɔn
Günne 'gynə
Gunning *niederl.* 'ɣʏnɪŋ
Güns gyns
Gunsaulus *engl.* gʌn'sɔ:ləs
Günsel 'gynzl̩
Gynst gʊnst
günstig 'gynstɪç, -e ...ɪgə
Günstling 'gynstlɪŋ
Gyntbald 'gʊntbalt
Gyntbert 'gʊntbɛrt
Güntekin *türk.* gyntɐ'kin
Gynter 'gʊntɐ, *engl.* 'gʌntə
Günter 'gyntɐ
Guntersblum gʊntɐs'blu:m
Gynther 'gʊntɐ, *engl.*
'gʌnθə
Günther 'gyntɐ
Gynthild 'gʊnthɪlt
Gynthilde gʊnt'hɪldə

Gyntram 'gʊntram
Guntur *engl.* gʊn'tʊə, *indon.*
'gʊntʊr
Günz[ach] 'gʏnts[ax]
Günzburg 'gʏntsbʊrk
Gunzenhausen
gʊntsn̩'hauzn̩
Gypf gʊpf, Güpfe 'gypfə
Gyppy 'gʊpi
Gypta 'gʊpta
Gyr gu:ɐ
Gyra Humorului *rumän.*
'gura hu'moruluɪ
Gyrde 'gʊrdə
Gyrgel 'gʊrgl̩
gurgeln 'gʊrgl̩n, gyrgle
'gʊrglə
Gyrgler 'gʊrglɐ
Gyride gu'ri:də
Gyriljow *russ.* guri'ljɔf
Gyrjew *russ.* 'gurjif
Gyrjewitsch *russ.* 'gurjɪvitʃ
Gyrjewna *russ.* 'gurjɪvnɐ
Gyrk[e] 'gʊrk[ə]
Gyrkha 'gʊrka
Gyrko *russ.* 'gurkɐ
Gyrktal 'gʊrkta:l
Gyrlitt 'gʊrlɪt
Gyrma 'gʊrma
Gyrnemanz 'gʊrnəmants
Gurney *gœrni, engl.* 'gə:nɪ
Gürpınar *türk.* gyrpɨ'nar
gyrren 'gʊrən
Gürsel *türk.* gyr'sɛl
Gursuf *russ.* gur'zuf
Gyrt gʊrt
Gyrte 'gʊrtə
Gürtel 'gyrtl̩
gyrten 'gʊrtn̩
gürten 'gyrtn̩
Gürtler 'gyrtlɐ
Gürtner 'gyrtnɐ
Gyru 'gu:ru
Gürzenich 'gyrtsənɪç
Gys gʊs, *engl.* gʌs
GYS gʊs, *auch:* ge:lu:'|ɛs
Gysai *jap.* 'gu.sai
Gusana gu'za:na
Gusau *engl.* gu:'zau
Gysche 'gʊʃə
Gys-Chrustalny *russ.*
'gusjxrus'taljnij
Gusinde gu'zɪndə
Gysla 'gʊsla
Guslar gʊs'la:ɐ
Gysle 'gʊslə
Gysli 'gʊsli
Gusman gʊs'man
Gusmão *port.* guʒ'mɐ̃u̯
Gyss gʊs, Güsse 'gysə

Gyssew *russ.* 'gusɪf
Güssing 'gysɪŋ
Gussinoosjorsk *russ.* gusi-
nɐa'zjɔrsk
Gyssow 'gʊso
Gyssy 'gʊsi, *engl.* 'gʌsɪ
güst gyst
Gystaf *schwed.* ˌgʊstav
Gystafs[s]on *schwed.* ˌgʊs-
tafsən
Gystav 'gʊstaf, *schwed.*
ˌgʊstav, *tschech.* 'gustaf
Gystave *fr.* gys'ta:v
Gystavo *it.* gus'ta:vo, *span.*
gus'taβo, *port.* guʃ'tavu
Gustavsberg *schwed.* gʊs-
tafs'bærj
Gustavson *engl.* 'gʌstəfsən
Gustavus *engl.* gʊs'ta:vəs
Gyste 'gʊstə
Gystel 'gʊstl̩
Gysten 'gystn̩
Güster 'gystɐ
Gysti 'gusti
gustieren gʊs'ti:rən
gustiös gʊs'tjø:s, -e ...ø:zə
Gysto 'gusto
Gustometer gusto'me:tɐ
Gustometrie gʊstome'tri:
Guston *engl.* 'gʌstən
Güstrow 'gystro
gyt gu:t
Gyt gu:t, Güter 'gy:tɐ
Gytach 'gu:tax
Gytachten 'gu:t|axtn̩
gutachtlich 'gu:t|axtlɪç
Gutäer gu'tɛ:ɐ
Gytberlet 'gu:tbɛrlət
gytbürgerlich 'gu:t'bʏrgɐlɪç
Gütchen 'gy:tçən
Güte 'gy:tə
Gutenachtkuss gu:tə'naxt-
kʊs
Gutenberg 'gu:tn̩bɛrk
Gytenburg 'gu:tn̩bʊrk
Gutenmorgengruß gu:tn̩-
'mɔrgn̩gru:s
Güter *vgl.* Gut
Guterres *port.* gu'tɛrriʃ
Gütersloh 'gy:tɐslo
Gytfreund *tschech.* 'gut-
frɔjnt
Gyt Freund! 'gu:t 'frɔynt
Gyth gu:t, *fr.* gyt
Gyt Heil! 'gu:t 'haɪl
Gythnick 'gu:tnɪk
Gyt Holz! 'gu:t 'hɔlts
Guthrie *engl.* 'gʌθrɪ
Gutiérrez *span.* gu'tjɛrrɛθ
gütig 'gy:tɪç, -e ...ɪgə

Gutland 'guːtlant
Gutleuthaus guːt'lɔythaus
gütlich 'gyːtlɪç
Gutmann 'guːtman
gutmütig 'guːtmyːtɪç, -e
...ɪgə
Gutolf 'guːtɔlf
Gutorm 'guːtɔrm
Gutrune 'guːtruːnə
Gutschkow russ. gutʃ'kɔf
Gutschmid 'guːtʃmɪt
Gutsel 'guːtsḷ
GutsMuths 'guːts 'muːts
Guttapercha guta'pɛrça
Guttation guta'tsjoːn
Guttempler 'guːttɛmplɐ
Guttenberg 'gutṇbɛrk, engl.
'gʌtnbəːg
Guttenbrunn[er] 'gutṇ-
brʊn[ɐ]
Guttentag 'gʊtṇtaːk
Gutti 'guti
guttieren gʊ'tiːrən
Guttiferen guti'feːrən
Guttiole® gʊ'tjoːlə
Güttler 'gytlɐ
Guttmann 'gʊtman
Guttstadt 'gʊtʃtat
guttural, G... gʊtu'raːl
Gutturalis gʊtu'raːlɪs, ...les
...leːs
Guttuso it. gut'tuːzo
Gutwetterzeichen gu:t'vɛ-
tɐtsaiçṇ
Gutzeit 'guːt:tsait
Gutzkow 'gʊtsko
Gützkow 'gytsko
Guy fr. gi, engl. gaɪ
Guyana gu'jaːna
Guyane fr. gɥi'jan
Guyaner gu'jaːnɐ
guyanisch gu'jaːnɪʃ
Guyau fr. gɥi'jo
Guyenne fr. gɥi'jɛn
Guyon fr. gɥi'jõ
¹Guyot (Name) fr. gɥi'jo,
engl. 'giːoʊ
²Guyot (Geol.) gÿi'joː
Guys fr. gis
Guyton de Morveau fr.
gitõdmɔr'vo
Guzmán span. guθ'man
Guzzard engl. 'gʌzəd
Gwalior engl. 'gwaːljɔː
Gwardeisk russ. gvar'djɛjsk
Gwelo engl. 'gwiːloʊ
Gwendolin gvɛndoli:n
Gwendoline engl. 'gwɛndə-
lɪn
Gwent engl. gwɛnt

Gwerder 'gvɛrdɐ
Gweru engl. 'gweiru:
Gwladys engl. 'glædɪs
Gwirkst gvɪrkst
Gwynedd engl. 'gwɪnɛð
Gwyn[ne] engl. gwɪn
Gyarmat[hi] ung. 'djɔr-
mɔt[i]
Gygax 'giːgaks
Gyger 'giːgɐ
Gyges 'gyːgɛs
Gyldén schwed. jyl'deːn
Gyllenborg schwed. ˌjylən-
bɔrj
Gyllensten schwed. ˌjylən-
steːn
Gymkhana gym'kaːna
Gymnaestrada gym-
nɛs'traːda
gymnasial gymna'zjaːl
Gymnasiarch gymna'zjarç
Gymnasiast gymna'zjast
Gymnasium gym'naːzjʊm,
...ien ...jən
Gymnast[ik] gym'nast[ɪk]
Gymnastiker gym'nastɪkɐ
gymnastizieren gymnasti-
'tsiːrən
Gymnologie gymnolo'giː
Gymnosophist gymnozo-
'fist
Gymnosperme gymno-
'spɛrmə
Gympie engl. 'gɪmpɪ
Gynaeceum gynɛ'tseːʊm,
...ceen ...tseːən
Gynäkeion gynɛ'kaiɔn
Gynäkokratie gynɛkokra'tiː;
Gynäkologe gynɛko'loːgə
Gynäkologie gynɛkolo'giː
gynäkologisch gynɛko'loː-
gɪʃ
Gynäkomastie gynɛko-
mas'tiː, -n ...iːən
Gynäkophobie gynɛkofo'biː
Gynäkospermium gynɛko-
'spɛrmjʊm, ...ien ...jən
Gynander gy'nandɐ
Gynandrie gynan'driː
gynandrisch gy'nandrɪʃ
Gynandrismus gynan'drɪs-
mʊs
Gynandromorphismus
gynandromɔr'fɪsmʊs
Gynanthropos gy'nantro-
pɔs, Gynanthropen
gynan'troːpṇ, Gynanthro-
poi gy'nantropɔy
Gynatresie gynatre'ziː, -n
...iːən

Gynäzeum gynɛ'tseːʊm,
...een ...tseːən
Gynogamet gynoga'meːt
Gynogenese gynoge'neːzə
Gynophor gyno'foːɐ
Gynostemium gyno'steː-
mjʊm, ...ien ...jən
Gynt gynt, norw. jynt, Ibsen
auch: gynt
Gyöngyös[i] ung.
'djøndjøʃ[i]
Győr ung. djøːr
György ung. djørdj
Gyp fr. ʒip
Gyri vgl. Gyrus
Gyrobus 'gyːrobʊs
gyromagnetisch gyroma-
'gneːtɪʃ
Gyrometer gyro'meːtɐ
Gyros 'gyːrɔs
Gyroskop gyro'skoːp
Gyrovage gyro'vaːgə
Gyrowetz 'giːrovɛts
Gyrus 'gyːrʊs, ...ri 'gyːri
Gysi 'giːzi
Gysin 'giːziːn
Gysis 'gyːzɪs
Gyula[i] ung. 'djulɔ[i]

H

h, H haː, engl. eɪtʃ, fr. aʃ, it.
'akka, span. 'atʃe
ha! ha, ha:
Haab haːp
Haack[e] 'haːk[ə]
Haag haːk, niederl. haːx, fr.
ag, engl. haːg
Haag, Den deːn 'haːk, nie-
derl. dɛn 'haːx
Haagen niederl. 'haːɣə
Haager 'haːgɐ
Haakon norw. ˌhoːkɔn, '––
Haaksbergen niederl.
'haːgzbɛrɣə
Haan dt., niederl. haːn
Haanpää finn. 'haːmpæː
Haapajärvi finn. 'haːpa-
jærvi
Haapsalu estn. 'haːpp:salu
Haar haːɐ, niederl., ung. haːr
Haard[t] haːɐt, auch: hart

haaren 'ha:rən
haarfein 'ha:ɐ̯'faịn
haarig 'ha:rɪç, -e ...ɪgə
haarklein 'ha:ɐ̯'klaịn
Haarlem 'ha:ɐ̯lɛm, *niederl.*
  'ha:rlɛm
Haarlemer 'ha:ɐ̯lɛmɐ
Haarlemmermeer *niederl.*
  ha:rlɛmər'me:r
Haarling 'ha:ɐ̯lɪŋ
Haarspalterei ha:ɐ̯ʃpal-
  tə'raị
Haarstrang 'ha:ɐ̯ʃtraŋ
haarsträubend 'ha:ɐ̯-
  ʃtrɔy̯bn̩t, -e ...ndə
Haas *dt., niederl.* ha:s, *engl.*
  ha:s, ha:z, *fr.* a:s
Haase 'ha:zə
Haasse *niederl.* 'ha:sə
Haavardsholm *norw.*
  'ho:varshɔlm
Haavikko *finn.* 'ha:vikkɔ
Haavio *finn.* 'ha:viɔ
hab! ha:p
Hába *tschech.* 'ha:ba
Habakuk 'ha:bakʊk
Habana ha'ba:na, *span.*
  a'βana
Habaner ha'ba:nɐ
Habanera haba'ne:ra
Habasch 'habaʃ
Habbema *niederl.* 'habəma
Habberton *engl.* 'hæbətən
Habdala hapda'la:, 'hapdala
Habdank 'ha:pdaŋk, *auch:*
  –'–
Habe 'ha:bə
Habeas Corpus 'ha:beas
  'kɔrpʊs
Habeaskorpusakte
  ha:beas'kɔrpʊs|aktə
Habeck 'ha:bɛk
Habedank 'ha:bədaŋk,
  auch: – –'–
Habel 'ha:bl̩
Habelschwerdt ha:bl̩-
  'ʃve:ɐ̯t, '– – –
habemus Papam ha'be:mʊs
  'pa:pam
haben 'ha:bn̩, **hab!** ha:p,
  habt ha:pt, **gehabt**
  gə'ha:pt
Habeneck *fr.* ab'nɛk
Habenichts 'ha:bənɪçts
habent sua fata libelli
  'ha:bɛnt 'zu:a 'fa:ta li'bɛli
Haber[berg] 'ha:bɐ[bɛrk]
Haberer 'ha:bərɐ
Haberfeldtreiben 'ha:bɐ-
  fɛlt.traịbn̩

Habergeiß 'ha:bɐgaị̯s
Haberl[andt] 'ha:bɐl[ant]
Häberle 'hɛ:bɐlə
Häberlein 'hɛ:bɐlaị̯n
Haberler 'ha:bɐlɐ
Häberlin 'hɛ:bɐli:n
Habermann 'ha:bɐman
Habermas 'ha:bɐma:s
habern 'ha:bɐn, **habre**
  'ha:brə
Habernig 'ha:bɐnɪk
Habesch 'ha:bɛʃ
Habgier 'ha:pgi:ɐ̯
habgierig 'ha:pgi:rɪç
Habib ha'bi:p
Habibie *indon.* ha'bibi
Habich[t] 'ha:bɪç[t]
Habichtswald 'ha:bɪçts̯valt
habil ha'bi:l
Habilitand habili'tant, -en
  ...ndn̩
Habilitation habilita'ts̯io:n
habilitatus habili'ta:tʊs
habilitieren habili'ti:rən
Habima habi'ma:
Habington *engl.* 'hæbɪŋtən
[1]Habit (Kleidung) ha'bi:t
[2]Habit (Gewohnheit) 'hɛbɪt
Habitat habi'ta:t
habitualisieren habituali-
  'zi:rən
Habituation habitua'ts̯io:n
Habitué [h]abi'tỹe:
habituell habi'tu̯ɛl
Habitus 'ha:bitʊs
hablich 'ha:plɪç
Haboob ha'bu:p
Habré *fr.* a'bre
Habrecht 'ha:prɛçt
Habsburg 'ha:psbʊrk
Habsburger 'ha:psbʊrgɐ
habsburgisch 'ha:psbʊrgɪʃ
Habschaft 'ha:pʃaft
Habseligkeit 'ha:pze:lɪçkaịt
habsüchtig 'ha:pzʏçtɪç
habt ha:pt
Habtachtstellung
  ha:pt'|axtʃtɛlʊŋ
Habub ha'bu:p
Hab und Gut 'ha:p ʊnt 'gu:t
Habur *türk.* 'habur
Habutai 'ha:butaị̯
Háček *tschech.* 'ha:tʃɛk
hach! hax
Hácha *tschech.* 'ha:xa
Hachberg 'haxbɛrk
Haché [h]a'ʃe:
Hachel 'haxl̩
hacheln 'haxl̩n
Hachenburg 'haxn̩bʊrk

Hachette *fr.* a'ʃɛt
Hachi-Dan 'hatʃida:n
Hachse 'haksə
Hacı *türk.* ha'dʒɪ
Hacienda a'sịɛnda
Hacıendero asịɛn'de:ro
Hacılar *türk.* 'hadʒɪlar
Hack hɛk
Hackaert *niederl.* 'hɑka:rt
Hacke 'hakə
hacken, H... 'hakn̩
Hackenbruch 'hakn̩brʊx
Hackensack *engl.* 'hækən-
  sæk
Hacker (Computer) 'hakɐ
Häckerling 'hɛkɐlɪŋ
Hackert 'hakɐt
Hackett *engl.* 'hækɪt
Hackhofer 'hakho:fɐ
Hackländer 'haklɛndɐ
Hackman *engl.* 'hækmən
Hackney 'hɛkni
Hacks haks
Häcksel 'hɛksl̩
Häcks[e]ler 'hɛks[ə]lɐ
Hackzell *schwed.* hak'sɛl
Hadad 'ha:dat, ha'da:t
Hadal ha'da:l
Hadamar 'ha:damar
Hadamard *fr.* ada'ma:r
Hadassa hada'sa:
Haddelsey *engl.* 'hædlsɪ
Haddington *engl.* 'hædɪŋtən
Haddock 'hɛdɔk
Haddon[field] *engl.*
  'hædn[fi:ld]
[1]Haddsch (Mekka-Pilger-
  fahrt) hatʃ
[2]Haddsch (Mekka-Pilger)
  ha:tʃ
Haddschadsch ha'dʒa:tʃ
Hädecke 'hɛ:dəkə
Hadeland *norw.* 'ha:dəlan
Haden *engl.* heị̯dn
Hader 'ha:dɐ
Haderer 'ha:dərɐ
Haderlump 'ha:dɐlʊmp
hadern 'ha:dɐn, **hadre**
  'ha:drə
Hadersleben 'ha:dɐsle:bn̩
Haderslev *dän.* 'hɛ:'ðɐsleu̯
Hades 'ha:dɛs
Hadewig ha:dəvɪç
Hadewych *niederl.* 'ha:də-
  wɪx
Hadina 'ha:dina
Hadith[a] ha'di:t[a]
Hadlaub, ...loub 'ha:tlau̯p
Hadley *engl.* 'hædlɪ

Hadmersleben 'ha:dmɐsle:bn̩

Hadramaut hadra'maut

Hadrer 'ha:drɐ

Hadrian 'ha:dria:n, hadri'a:n

Hadrianus hadri'a:nʊs

Hadrom ha'dro:m

Hadron ha'drɔn, -en ha'dro:nən

hadrozentrisch hadro'tsɛntrɪʃ

Hadrumetum hadru'me:tʊm

Hadsch hatʃ

Hadschar 'hadʒar

Hadschi 'ha:dʒi

Hadubrand 'ha:dubrant

Häduer 'hɛ:dᵿɐ

Hadwig 'ha:tvɪç

Hadwiger 'ha:tvɪgɐ

Hadwigis hat'vi:gɪs

Haebler 'he:blɐ

Haeckel 'hɛkl̩

Haecker 'hɛkɐ

Haefliger 'hɛ:fligɐ

Haeften 'hɛftn̩

Haege 'hɛ:gə

Haeju korean. hɛ:dʒu

Haemanthus hɛ'mantʊs, ...thi ...ti

Haemoccult-... ® hɛmɔ'kʊlt...

Haenisch 'hɛ:nɪʃ

Haensel 'hɛnzl̩

Haerbin chin. xaʌrbɪn 131

Haese 'hɛ:zə

Haesler 'hɛ:slɐ

Hafelekar 'ha:fələka:ɐ̯

Hafen 'ha:fn̩, **Häfen** 'hɛ:fn̩

Häfen 'hɛ:fn̩

Hafer 'ha:fɐ

Haferl 'ha:fɐl

Häferl 'hɛ:fɐl

Hafes pers. hɑ'fez

Haff[en] 'haf[n̩]

Haffkrug 'hafkru:k

Haffner 'hafnɐ

Hafis 'ha:fɪs, pers. hɑ'fez

Hafling[er] 'ha:flɪŋ[ɐ]

Hafnarfjörður isl. 'habnarfjœrðvr

Hafner 'ha:fnɐ

Häfner 'hɛ:fnɐ

Hafnerei ha:fnə'rai̯

Hafnium 'ha:fniʊm, 'haf...

Hafside ha'fsi:də

Hafstein isl. 'hafstei̯n

Haft haft

Haftara[h] hafta'ra:, ...roth ...ro:t

Haftare haf'ta:rə

haftbar 'haftba:ɐ̯

Haftel 'haftl̩

häfteln 'hɛftl̩n

haften 'haftn̩

Hafter 'haftɐ

Haft Gel pers. hæft'gel

Häftling 'hɛftlɪŋ

Haftmann 'haftman

Haftung 'haftʊŋ

Hag ha:k, -e 'ha:gə

Hagada haga'da:, ...doth ...'do:t

Hagalín isl. 'ha:ɣali:n

Hagana haga'na:

Hagar 'ha:gar, engl. 'heigə

Hagberg schwed. 'ha:gbærj

Hagebuche 'ha:gəbu:xə

Hagedorn 'ha:gədɔrn, engl. 'hægɪdɔ:n

Hagel 'ha:gl̩

Hageladas hage'la:das

Hageland niederl. 'ha:ɣəlɑnt

hageldicht 'ha:gl̩'dɪçt

hageln 'ha:gl̩n, **hagle** 'ha:glə

Hagelstange 'ha:gl̩ʃtaŋə

Hagemann 'ha:gəman

Hagemeister 'ha:gəmai̯stɐ

Hagen 'ha:gn̩, niederl. 'ha:ɣə, engl. 'heigən

Hagenau[er] 'ha:gənau̯[ɐ]

Hagenbach 'ha:gn̩bax

Hagenbeck 'ha:gn̩bɛk

Hagenow 'ha:gəno

hager 'ha:gɐ, **hagre** 'ha:grə

Hagerstown engl. 'heigəztaʊn

Hagerup norw. 'ha:gərᵿp

Hagestolz 'ha:gəʃtɔlts

Hagfors schwed. 'ha:gfɔrs

Haggada[h] haga'da:, ...doth ...'do:t

Haggai ha'gai̯, ha'ga:i

Haggard engl. 'hægəd

Haggis engl. 'hægɪs

Hagi jap. 'ha.gi

Hagiasmos hagi̯as'mɔs

Hagia Sophia 'ha:gi̯a zo'fi:a

Hagia Triada 'ha:gi̯a tri'a:da

Hagiograph hagi̯o'gra:f

Hagiographa ha'gi̯o:grafa

Hagiographen hagi̯o'gra:fn̩

Hagiographie hagi̯ogra'fi:, -n ...i:ən

Hagiolatrie hagi̯ola'tri:, -n ...i:ən

Hagiologie hagi̯olo'gi:

Hagiologion hagi̯o'lo:gi̯ɔn, ...ien ...i̯ən

hagiologisch hagi̯o'lo:gɪʃ

Hagionym hagi̯o'ny:m

Hagondange fr. agõ'dã:ʒ

Hägstadt 'hɛ:kʃtat

Hague engl. heig, fr. ag

Haguenau fr. ag'no

haha! ha'ha:, ha'ha

hahaha! haha'ha:, ...'ha

Häher 'hɛ:ɐ

¹Hahn ha:n, **Hähne** 'hɛ:nə

²Hahn (Name) ha:n, fr. ɑ:n, an

Hähn[chen] 'hɛ:n[çən]

Hahne engl. hɑ:n

Hahnebampel 'ha:nəbampl̩

Hähnel 'hɛ:nl̩

Hahnemann 'ha:nəman

Hahnenkamm 'ha:nənkam

Hahnenklee-Bockswiese 'ha:nənkle:bɔks'vi:zə

Hahnepot 'ha:nəpo:t

Hahn-Hahn 'ha:n'ha:n

Hahnium 'ha:ni̯ʊm

Hahnrei 'ha:nrai̯

Hahotoé fr. aɔtɔ'e

Hai 'hai̯

Haida[r] 'hai̯da[r]

Haidarabad, Haider... engl. 'hai̯dərəbɑ:d

Haider 'hai̯dɐ

Haiding[er] 'hai̯dɪŋ[ɐ]

Haidu[c]k hai̯'dʊk

Haifa 'hai̯fa

Haifisch 'hai̯fɪʃ

Haig engl. heig

Haiger[loch] 'hai̯gɐ[lɔx]

Haihe chin. xai̯xʌ 32

Haik 'ha:ik

Hai[kai] 'hai̯[kai̯]

Haikal 'hai̯kal

Haikou chin. xai̯kou̯ 33

Haiku 'hai̯ku

Hail 'ha:il

Hailar 'hai̯lar

Haile Selassie 'hai̯lə ze'lasi

Hailey engl. 'heili

Haimo 'hai̯mo

Haimon 'hai̯mɔn

Hein[a] 'hai̯n[a]

Hainan 'hai̯nan, chin. xai̯nan 32

Hainau 'hai̯nau̯

Hainbund 'hai̯nbʊnt

Hainburg 'hai̯nbʊrk

Haines engl. heinz

Hainfeld 'hai̯n'felt

Hainich[en] 'hai̯nɪç[n̩]

Hainisch 'hai̯nɪʃ

Hainleite 'haɪnlaɪtə
Hainz haɪnts
Haiphong 'haɪfɔŋ
Hai Phong *vietn.* haɪ fɔŋ 43
Hairstylist 'hɛːɐstaɪlɪst
Haitang 'haɪtaŋ
Haiterbach 'haɪtɐbax
Haithabu 'haɪthabu
Haiti ha'iːti
Haïti *fr.* ai'ti
Haitianer haiˈtɪ̯aːnɐ
haitianisch haiˈtɪ̯aːnɪʃ
Haitienne haiˈtɪ̯ɛn
Haitink *niederl.* 'haːɪtɪŋk
haitisch ha'iːtɪʃ
Hajdu *fr.* aj'du
Hajdú *ung.* 'hɔjduː
Hajdúbihar *ung.* 'hɔjduːbi-
hɔr
Hajdúböszörmény *ung.*
'hɔjduːbøsørmeːnj
Hajduk *serbokr.* ˌhajduːk
Hajdúnánás *ung.* 'hɔjduː-
naːnaːʃ
Hajdúság *ung.* 'hɔjduːʃaːg
Hajdúszoboszló *ung.*
'hɔjduːsoboslɔː
Hajek 'haɪɛk
Hájek *tschech.* 'haːjɛk
Hajime 'hadʒime
Hajnówka *poln.* xajˈnufka
Hajo 'haːjo
Hakam[a] 'hakam[a]
Hakaphos® 'haːkafɔs
Häkchen 'hɛːkçən
Hakel 'haːkl̩
Häkelei hɛːkəˈlaɪ
hakeln 'haːkl̩n
häkeln 'hɛːkl̩n
haken, H... 'haːkn̩
hakig 'haːkɪç, -e ...ɪɡə
¹Hakim (Richter, Herr-
scher) 'haːkɪm
²Hakim (Weiser, Arzt)
ha'kiːm
Hakka 'haka
Hakkâri *türk.* hɑkˈkaːri
Hakluyt *engl.* 'hækluːt, ...lɪt
Hakodate *jap.* ha'koˌdate
Hakon *dän.* 'hɛːkɔn, *norw.*
ˌhaːkɔn, '--, *schwed.*
ˌhaːkɔn
Håkon *dän.* 'hoːkɔn, *norw.*
ˌhoːkɔn, '--
Hakone *jap.* ha'kone
Håkonsson *norw.* 'haːkɔn-
sɔn
Hal *fr.* al, *niederl.* hɑl
Halacha halaˈxaː, ...choth
...'xoːt

halachisch haˈlaxɪʃ
Halali halaˈliː
Halas *tschech.* 'halas
Halász *ung.* 'hɔlaːs
halb halp, -e 'halbə
Halbaffe 'halplafə
halbbürtig 'halpbʏrtɪç, -e
...ɪɡə
halbdunkel, H... 'halpdʊŋkl̩
Halbe 'halbə
halbe-halbe 'halbə'halbə
halber 'halbɐ
Halberstadt 'halbɐʃtat
Halbertsma *niederl.* 'hɑl-
bərtsma
Halbfranz 'halpfrants
halbieren hal'biːrən
Halbig 'halbɪç
Halbinsel 'halplɪnzl̩
Halbjahreskurs halp'jaːrəs-
kʊrs
halbjährig 'halpjɛːrɪç
halbjährlich 'halpjɛːɐlɪç
Halblinke halp'lɪŋkə
halbmast 'halpmast
halbmeterdick 'halp'meːtɐ-
dɪk
halbpart 'halppart
Halbrechte halp'rɛçtə
halbschürig 'halpʃyːrɪç, -e
...ɪɡə
Halbschwergewicht
'halpˌʃveːɐɡəvɪçt
halbseitig 'halpzaɪtɪç
halbstock 'halpʃtɔk
halbstündig 'halpʃtʏndɪç
halbstündlich 'halpʃtʏntlɪç
halbwegs 'halp've:ks
Halbwisserei halpvɪsəˈraɪ
Haldane *engl.* 'hɔːldeɪn
Halde 'haldə
Halden *norw.* 'haldən
Haldensleben 'haldn̩sleːbn̩
Halder 'haldɐ
Hale *engl.* heɪl
Haleakala *engl.* 'haːleɪaː-
kaːˈlaː
Haleb 'halɛp
Halecki *poln.* xaˈlɛtski
Hálek *tschech.* 'haːlɛk
Haléř *tschech.* 'halɛːrʃ, -e
...rʒɛ, -ů ...rʒuː
Hales[owen] *engl.*
'heɪlz[oʊɪn]
Halévy *fr.* ale'vi
Haley *engl.* 'heɪlɪ
half half
Half haːf
Halfa 'halfa
Halfback 'haːfbɛk

Halfcourt 'haːfkoːɐt
hälfe 'hɛlfə
Halffter 'halftɐ, *span.*
'[x]alftɛr
Halfpenny 'heːpəni
Hälfte 'hɛlftə
hälften 'hɛlftn̩
Halfter 'halftɐ
halftern 'halftɐn
hälftig 'hɛlftɪç, -e ...ɪɡə
Halftime 'haːftaɪm
Halfvolley 'haːfvɔli
Haliartos haˈlɪ̯artɔs
Haliburton *engl.* hælɪˈbɔːtn
Halid haˈliːt, -e ...iːdə
Halide *türk.* hɑːliˈdɛ
Halifax *engl.* 'hælɪfæks
Halikarnass halikarˈnas
Halikarnassos halikarˈna-
sɔs
Halisterese halisteˈreːzə
Halit haˈliːt
Halitus 'haːlitʊs
Halka *poln.* 'xalka
Halkin *hebr.* 'halkin
Halkyone hal'kyoːnə, hal-
'kyːone
halkyonisch halˈkyoːnɪʃ
Hall hal, *engl.* hɔːl
Hallam *engl.* 'hæləm
Halland *schwed.* 'halan[d]
Hallays *fr.* a'lɛ
Halldór *isl.* 'haldoʊr
Halle 'halə, *fr.* al, *niederl.*
'hɑlə
Hallé *fr.* a'le, *engl.* 'hæleɪ
Halleck *engl.* 'hælɪk
Hallein 'halaɪn, ha'laɪn
Hallel ha'leːl
halleluja, H... haleˈluːja
hallen 'halən
Hallenberg halənbɛrk
Hallenser haˈlɛnzɐ
Haller 'halɐ, *poln.* 'xalɛr
Hallerstein 'halɐʃtaɪn
Hallertau 'halɐtaʊ
hallesch 'haləʃ
Halley *engl.* 'hælɪ, 'hɔːlɪ
Halleysche Komet 'haleʃə
ko'meːt
Hallgarten 'halgartn̩
Hallgrímsson *isl.*
'hadlgrimsɔn
Halliburton *engl.* 'hælɪbɐːtn
Halliday *engl.* 'hælɪdeɪ
Hallig 'halɪç, -en ...ɪɡn̩
Hallimasch 'halimaʃ
Hallingdal *norw.* ˌhalɪŋdaːl
Hallingskarv *norw.* ˌhalɪŋs-
karv

hallisch 'halıʃ
hällisch 'hɛlıʃ
Halljahr 'halja:ɐ̯
Hallnäs schwed. 'halnɛ:s
hallo!, H... ha'lo:, auch:
'halo
hallochen!, H... ha'lo:çən
hallöchen!, H... ha'lø:çən
Hallodri ha'lo:dri
Hallore ha'lo:rə
Halloween hɛlo'vi:n
Hällristningar schwed. 'hɛl-
ristniŋar
Hallsberg schwed. 'halsbærj
Hallstadt, ...statt 'halʃtat
Hallstätter See 'halʃtɛtɐ
'ze:
Hallstein 'halʃtai̯n
Hallström schwed. 'hal-
strœm
Halluzinant halutsi'nant
Halluzination halutsina-
'tsio:n
halluzinativ halutsina'ti:f,
-e ...i:və
halluzinatorisch halutsina-
'to:rıʃ
halluzinieren halutsi'ni:rən
halluzinogen, H... halutsi-
no'ge:n
Hallwachs 'halvaks
Hallwil hal'vi:l
Hallyday fr. ali'dɛ
Halm[a] 'halm[a]
Halmahera indon. halma-
'hera
Hälmchen 'hɛlmçən
Halmstad schwed.
'halmsta, '––
halmyrogen halmyro'ge:n
Halmyrolyse halmyro'ly:zə
Halo 'ha:lo, -nen ha'lo:nən
Haloander halo'andɐ
halobiont, H... halo'bjɔnt
Haloeffekt 'ha:lo|ɛfɛkt,
auch: 'he:lo...
halogen, H... halo'ge:n
Halogenid haloge'ni:t, -e
...i:də
halogenieren haloge'ni:rən
Haloid halo'i:t, -e ...i:də
Halometer halo'me:tɐ
Halonen finn. 'halɔnɛn
haloniert halo'ni:ɐ̯t
Halopege halo'pe:gə
halophil halo'fi:l
Halophyt halo'fy:t
Halotherme halo'tɛrmə
Halotrichit halotrı'çi:t
haloxen halɔ'kse:n

¹Hals hals, -es 'halzəs,
Hälse 'hɛlzə
²Hals (Name) hals, niederl.
hɑls, dän. hæl's
Halsberge 'halsbɛrgə
halsbrecherisch 'halsbrɛ-
çərıʃ
Hälschen 'hɛlsçən
Halse 'halzə
halsen 'halzn̩, hals! hals,
halst halst
Hälsingborg schwed. hɛlsiŋ-
'bɔrj
Hälsingland schwed. 'hɛlsiŋ-
lan[d]
Halske 'halskə
halsstarrig 'halsʃtarıç, -e
...ıgə
Halste[a]d engl. 'hɔ:lstɛd
Halstenbek 'halstn̩be:k
halt, H..., halt! halt
hält hɛlt
haltbar 'haltba:ɐ̯
halten 'haltn̩
Haltere hal'te:rə
haltern, H... 'haltɐn
...haltig ...haltıç, -e ...ıgə
...hältig ...hɛltıç, -e ...ıgə
Haltom City engl. 'hɔ:ltəm
'sıtı
Haltung 'haltʊŋ
Halunke ha'lʊŋkə
Haluschka 'halʊʃka
Halver 'halvɐ
Halwa 'halva
Halys 'ha:lʏs
Ham ham, engl. hæm, fr.
am, niederl. hɑm
Häm hɛ:m
Hama 'hama
Hamada jap. 'ha.mada
¹Hamadan (Teppich) hama-
'da:n
²Hamadan (Stadt) pers.
hæmæ'dɑ:n
Hamadhani hama'da:ni
Hamadryade hamadry'a:də
Hämagglutination hɛma-
glutina'tsio:n
Hämagglutinin hɛmagluti-
'ni:n
Hämagogum hɛma'go:-
gʊm, ...ga ...ga
Hämäläiset finn. 'hæmælæi̯-
sɛt
Hämalops 'hɛ:malɔps
Hamam ha'ma:m
Hamamatsu jap. ha'ma-
.matsu
Hamamelis hama'me:lıs

Ham and Eggs 'hɛm ɛnt 'ɛks
Hamangia rumän.
haman'dʒia
Hämangiom hɛmaŋ'gio:m
Hamann 'ha:man
Hamar norw. .ha:mar
Hamari ung. 'hɔmɔri
Hämarthrose hɛmar'tro:zə
Hamartie hamar'ti:, -n
...i:ən
Hamartom hamar'to:m
Hamas 'hamas, ha'ma:s
Hamasa ha'ma:za
Hämatein hɛmate'i:n
Hämatemesis hɛma'te:me-
zıs
Hämathidrose hɛmathi-
'dro:zə
Hämatidrose hɛmati'dro:zə
Hämatin hɛma'ti:n
Hämatinon hɛmati'no:n
Hämatit hɛma'ti:t
Hämatoblast hɛmato'blast
Hämatochylurie hɛmato-
çylu'ri:, -n ...i:ən
hämatogen hɛmato'ge:n
Hämatogramm hɛmato-
'gram
Hämatoidin hɛmatoi'di:n
Hämatokokkus hɛmato'kɔ-
kʊs
Hämatokolpos hɛmato'kɔl-
pɔs
Hämatokonien hɛmato'ko:-
niən
Hämatokrit hɛmato'kri:t
Hämatologe hɛmato'lo:gə
Hämatologie hɛmatolo'gi:
Hämatom hɛma'to:m
Hämatometra hɛmato'me:-
tra
Hämatomyelie hɛmato-
mỹe'li:, -n ...i:ən
Hämatophagen hɛmato-
'fa:gn̩
Hämatophobie hɛmato-
fo'bi:, -n ...i:ən
Hämatopneumothorax
hɛmatopnɔymo'to:raks
Hämatopoese hɛmato-
po'e:zə
hämatopoetisch hɛmato-
po'e:tıʃ
Hämatorrhö, ...öe hɛma-
tɔ'rø:, ...rrhöen ...'rø:ən
Hämatose hɛma'to:zə
Hämatoskopie hɛmato-
sko'pi:
Hämatospermie hɛmato-
spɛr'mi:

Hämatothorax hɛmato'to:- raks
Hämatotoxikose hɛmato- tɔksi'ko:zə
Hämatoxylin hɛmatɔksy'li:n
Hämatozele hɛmato'tse:lə
Hämatozephalus hɛmato- 'tse:falʊs
Hämatozoon hɛmato- 'tso:ɔn, ...zoen ...'tso:ən
Hämatozytolyse hɛmato- tsyto'ly:zə
Hämaturie hɛmatu'ri:, -n ...i:ən
Hambach 'hambax
Hamborn 'hambɔrn
Hambraeus schwed. ham- 'bre:ʊs
Hambro norw. 'hambru
Hamburg 'hambʊrk, engl. 'hæmbə:g
Hamburger (Speise) 'ham- bʊrgɐ; 'hɛmbø:ɐgɐ, ...bœrgɐ
hamburgern 'hambʊrgɐn, ...gre ...grə
hamburgisch 'hambʊrgɪʃ
Hamdanide hamda'ni:də
Hamden engl. 'hæmdən
¹Häme 'hɛ:mə
²Häme (Gegend) finn. 'hæmɛ
Hämeenlinna finn. 'hæmɛ:nlinnɑ
Hamel 'ha:ml̩, niederl. 'ha:məl
Hamelin fr. am'lɛ̃
Hameln 'ha:ml̩n
Hämelschenburg hɛml̩ʃn̩'bʊrk
Hamen 'ha:mən
Hamerling 'ha:mɐlɪŋ
Hamersleben 'ha:mɐsle:bn̩
Hamhüng korean. hamhiŋ
Hämidrosis hɛmi'dro:zɪs
Hämiglobin hɛmiglo'bi:n
Hamilkar ha'mɪlkar
Hamilton engl. 'hæmɪltən
Hämin hɛ'mi:n
Hamina finn. 'hɑminɑ
hämisch 'hɛ:mɪʃ
Hamit ha'mi:t
Hamlet 'hamlɛt, engl. 'hæm- lɪt
Hamlin engl. 'hæmlɪn
Hämling 'hɛmlɪŋ
Hamm ham
Hammada ha'ma:da
Hammal ha'ma:l
Hammam ha'ma:m

Hammamet fr. amma'mɛt
Hammam-Lif fr. ammam'lif
Hammarskjöld schwed. ‚hamarʃœld
Hamme 'hamə, niederl. 'hɑmə
Hammel 'haml̩, Hämmel 'hɛml̩
Hammelburg 'haml̩bʊrk
Hammelsbeck 'haml̩sbɛk
Hammenhög schwed. ‚hamənhø:g
Hammer 'hamɐ, Hämmer 'hɛmɐ
Hämmerchen 'hɛmɐçən
Hammerfest norw. ‚hamər- fɛst
Hammerich dän. 'hamərɪg
Hammerling 'hamɐlɪŋ
Hämmerling 'hɛmɐlɪŋ
hämmern 'hɛmɐn
Hammerschmidt 'hamɐ- ʃmɪt
Hammershaimb dän. 'hamɐshai̯'m
Hammershøy dän. 'ham'ɐs- hɔi̯'
Hammersmith engl. 'hæməsmiθ
Hammerstein 'hamɐʃtai̯n, engl. 'hæməstaɪn
Hammet engl. 'hæmɪt
Hammond... 'hɛmənt...
Hammonton engl. 'hæmən- tən
Hammurabi hamu'ra:bi
Hammurapi hamu'ra:pi
Hämoblast hɛmo'blast
Hämochromatose hɛmo- kroma'to:zə
Hämochromometer hɛmo- kromo'me:tɐ
Hämodynamik hɛmody'na:- mɪk
hämodynamisch hɛmody- 'na:mɪʃ
Hämodynamometer hɛmo- dynamo'me:tɐ
Hämoglobin hɛmoglo'bi:n
hämoglobinogen hɛmoglo- bino'ge:n
Hämoglobinometer hɛmo- globino'me:tɐ
Hämoglobinurie hɛmoglo- binu'ri:, -n ...i:ən
Hämogramm hɛmo'gram
Hämokonien hɛmo'ko:niən
Hämolymphe hɛmo'lymfə
Hämolyse hɛmo'ly:zə
Hämolysin hɛmoly'zi:n

hämolytisch hɛmo'ly:tɪʃ
Hämometer hɛmo'me:tɐ
Hamon fr. a'mõ
Hämon 'hɛ:mɔn
Hämopathie hɛmopa'ti:, -n ...i:ən
Hämoperikard hɛmoperi- 'kart, -e ...rdə
Hämophilie hɛmofi'li:, -n ...i:ən
Hämophthalmus hɛmɔf'tal- mʊs
Hämoptoe hɛmɔp'to:ə
Hämoptyse hɛmɔp'ty:zə
Hämoptysis hɛmɔp'ty:zɪs
Hämorrhagie hɛmɔra'gi:, -n ...i:ən
hämorrhagisch hɛmɔ'ra:gɪʃ
hämorrhoidal hɛmɔroi̯'da:l
Hämorrhoide hɛmɔro'i:də
Hämorride hɛmɔ'ri:də
Hämosiderin hɛmozidɛ'ri:n
Hämosiderose hɛmozide- 'ro:zə
Hämosit hɛmo'zi:t
Hämospasie hɛmospa'zi:
Hämospermie hɛmo- spɛr'mi:
Hämosporidium hɛmospo- 'ri:djʊm, ...ia ...ia, ...ien ...iən
Hämostase hɛmo'sta:zə
Hämostaseologie hɛ- mostazeolo'gi:
Hämostatikum hɛmo'sta:ti- kʊm, ...ka ...ka
hämostatisch hɛmo'sta:tɪʃ
Hämostyptikum hɛmo- 'styptikʊm, ...ka ...ka
hämostyptisch hɛmo'styp- tɪʃ
Hämotherapie hɛmote- ra'pi:
Hämothorax hɛmo'to:raks
Hämotoxikose hɛmotɔksi- 'ko:zə
Hämotoxin hɛmotɔ'ksi:n
Hamoudia fr. amu'dja
Hämozyanin hɛmotsỹa'ni:n
Hämozyt hɛmo'tsy:t
Hämozytoblasten hɛmo- tsyto'blastn̩
Hamp hamp, engl. hæmp, fr. ã:p
Hampden engl. 'hæmpdən
Hampe 'hampə
Hampel 'hampl̩
Hampelei hampə'lai̯
Hampelmann 'hampl̩man
hampeln 'hampl̩n

Hampshire *engl.* 'hæmpʃɪə
Hampstead *engl.*
'hæmpstɛd
Hampton *engl.* 'hæmptən
Hamster 'hamstɐ
hamstern 'hamstɐn
Hamsun *norw.* ˌhamsʉn
Hamtramck *engl.* hæm'træ-
mɪk
Hamun *pers.* hɑ'mu:n
Hämus 'hɛ:mʊs
Hamy *fr.* a'mi
¹Han (Herberge) ha:n
²Han (Name) *dt., korean.*
ha:n, *engl.* hæn
³Han (chin. Dynastie) han,
chin. xan 4
Haná *tschech.* 'hana:
Hanafit hana'fi:t
Hanahan *engl.* 'hænəhæn
Hanak 'hanak
Hanamaki *jap.* ha'na.maki
Hananias hana'ni:as
Hanau 'ha:naʊ
Hanbalit hanba'li:t
Hancock *engl.* 'hænkɔk
Hand hant, Hände 'hɛndə
Handa *jap.* ha'nda
Handan *chin.* xandan 21
handbreit, H... 'hantbraɪt
Händchen 'hɛntçən
Handel 'handl̩
Händel 'hɛndl̩
¹handeln 'handl̩n, handle
'handlə
²handeln (handhaben, ver-
fahren) 'hɛndl̩n, handle
'hɛndlə
handelseins 'handl̩slaɪns
Handen *schwed.* 'handən
handgemein 'hantgəmaɪn
handgreiflich 'hantgraɪflɪç
handhaben 'hantha:bn̩,
handhab! 'hantha:p,
handhabt 'hantha:pt
Handheld 'hɛnthɛlt
Handicap, ...kap 'hɛndikɛp
handicapen, ...kapen 'hɛn-
dikɛpn̩
...händig ...hɛndɪç, -e ...ɪgə
handikapieren hɛndika'pi:-
rən
Hand-in-Hand-Arbeiten
'hantlɪn'hantlarbaɪtn̩
händisch 'hɛndɪʃ
Handke 'hantkə
handkehrum, H...
'hantke:ɐ|ʊm
Handl *dt., tschech.* 'handl̩
Händl 'hɛndl̩

handlang 'hantlaŋ
Handlanger 'hantlaŋɐ
handlangern 'hantlaŋɐn
Händler 'hɛndlɐ
handlich 'hantlɪç
Handling 'hɛndlɪŋ
Handlová *slowak.* 'hand-
lɔva:
Handlung 'handlʊŋ
Handout 'hɛntlaʊt
Hands hɛnts
Handschar han'dʒa:ɐ̯
Handschrift 'hantʃrɪft
Handumdrehen
'hantlʊmdre:ən
Handy 'hɛndi
Handyman, ...men 'hɛndi-
mɛn
Handzová *slowak.* 'han-
dzɔva:
hanebüchen 'ha:nəby:çn̩
Hanefit hane'fi:t
Hänel 'hɛ:nl̩
Hanf hanf
Han Feizi *chin.* xanfeɪdzɨ
213
hanfen 'hanfn̩
hänfen 'hɛnfn̩
Hänfling 'hɛnflɪŋ
Hanford *engl.* 'hænfəd
Hanfstaengl 'hanfʃtɛŋl̩
Hang haŋ, Hänge 'hɛŋə
Hangar 'haŋga:ɐ̯, *auch:* -'-
hangeln 'haŋl̩n
hangen, H... 'haŋən
hängen 'hɛŋən
Hangerl 'haŋɐl
hängig 'hɛŋɪç, -e ...ɪgə
Hangö *schwed.* ˌhaŋø:
Hang-over hɛŋ'|o:vɐ, '--
Hanguk *korean.* ha:nguk
Hangul 'haŋgʊl, *korean.*
hangil
Hangzhou *chin.* xaŋdʒoʊ 21
Hanjiang *chin.* xandzjaŋ 21
Hanka *tschech.* 'haŋka
Hankamer 'haŋkamɐ
Hanke 'haŋkə
Hankin *engl.* 'hæŋkɪn
Hanko *finn.* 'haŋkɔ
Hankou *chin.* xankoʊ 43
Hanks *engl.* hæŋks
Hanley *engl.* 'hænlɪ
Hann han
Hanna[h] 'hana, *engl.* 'hænə
Hannake ha'na:kə
Hannas 'hanas
Hannchen 'hançən
Hanne[bach] 'hanə[bax]
Hannelore 'hanəlo:rə

Hannemann 'hanəman
Hannes 'hanəs, *isl.* 'hanɛ:s
Hänneschen 'hɛnəsçən
Hannibal 'hanibal, *engl.*
'hænɪbəl
Hannibal ad portas,
- ante - 'hanibal at 'pɔrta:s,
- 'antə -
Hanno 'hano
Hannover ha'no:fɐ
Hannoveraner hanovə-
'ra:nɐ
hannoverisch ha'no:fərɪʃ
hannöverisch ha'nø:fərɪʃ
hannoversch ha'no:fɐʃ
hannöversch ha'nø:fɐʃ
Hannsman 'hansman
Hänny 'hɛni
Hanoi ha'nɔy, 'hanɔy
Ha Nôi *vietn.* ha nɔj̆ 36
Hanomag® 'hanomak
Hanotaux *fr.* ano'to
Hanover *engl.* 'hænoʊvə
Hans hans, *niederl.* hɑns,
dän. hæn's
Hansa 'hanza
Hanság *ung.* 'hɔnʃa:g
Hansaplast® hanza'plast,
'---
Hansberry *engl.* 'hænzbərɪ
Hänschen 'hɛnsçən
Hansdampf hans'dampf,
auch: '--
Hansdieter hans'di:tɐ
Hanse 'hanzə
Hanseat hanze'a:t
Hansel 'hanzl̩
Hänsel 'hɛnzl̩
Hanselmann 'hanzlman
hänseln 'hɛnzl̩n, hänsle
'hɛnzlə
Hansen 'hanzn̩, *niederl.*
'hɑnsə, *dän.* 'hæn'sn̩, *norw.*
'hansən, *engl.* hænsn
Hanser 'hanzɐ
Hansi 'hanzi, *fr.* ã'si
hansisch 'hanzɪʃ
¹Hansjakob (Vorn.) hans-
'ja:kɔp
²Hansjakob (Heinrich)
'hansja:kɔp
Hansl 'hanzl̩
Hansli[c]k 'hanslɪk
Hansnarr hans'nar, *auch:*
'--
¹Hansom (Kutsche) 'hɛnzm̩
²Hansom (Name) *engl.*
'hænsəm
Hanson *engl.* hænsn

Hanssen *dän.* 'hæn'sn̩
Hansson *schwed.* 'hɑːnsɔn
Hans Taps 'hans 'taps
Hanstein 'hanʃtai̯n
Hanstholm *dän.*
'hænsdhɔl'm
Han Suyin *engl.* 'hɑːn
'suːyɪn
Hanswurst hans'vʊrst,
auch: '--
Hanswursterei hansvʊrs-
tə'rai̯
Hanswurstiade hansvʊrs-
'tia̯:də
Hantel 'hantl̩
hanteln 'hantl̩n
hantieren han'tiːrən
hantig 'hantɪç, -e ...ɪɡə
Hants *engl.* hænts
Hanum ha'nʊm
Hanuš *tschech.* 'hanuʃ
Hanzlík *tschech.* 'hanzliːk
Haoma ha'oːma, 'hau̯ma
Hao Ran *chin.* xau̯ran 32
Haori 'haːori
Hapag 'hapak, 'haːpak
Haparanda *schwed.* hapa-
'randa
hapaxanth hapa'ksant
Hapaxlegomenon hapaks-
le'ɡoːmenɔn, ...**mena**
...mena
haperig 'haːpərɪç, -e ...ɪɡə
hapern 'haːpɐn
Haphalgesie hafalge'ziː
Haphtarah hafta'raː, ...**roth**
...roːt
haplodont, H... haplo'dɔnt
Haplographie haplogra'fiː,
-n ...iːən
haploid haplo'iːt, -e ...iːdə
haplokaulisch haplo'kau̯lɪʃ
Haplologie haplolo'ɡiː, -n
...iːən
Haplont ha'plɔnt
Haplophase haplo'faːzə
haplostemon haploste-
'moːn
Häppchen 'hɛpçən
Happel 'hapl̩
happen, H... 'hapn̩
Happening 'hɛpənɪŋ
Happenist hɛpə'nɪst
happig 'hapɪç, -e ...ɪɡə
happy 'hɛpi
Happyend hɛpi'|ɛnt, '--'-
happyenden hɛpi'|ɛndn̩,
'----
haprig 'haːprɪç, -e ...ɪɡə
Hapten hap'teːn

Haptere hap'teːrə
Haptik 'haptɪk
haptisch 'haptɪʃ
Haptonastie haptonas'tiː,
-n ...iːən
Haptotropismus haptotro-
'pɪsmʊs
Hapur *engl.* 'haːpʊə
har! haːɐ̯
Harakiri hara'kiːri
Harald 'haːralt, *schwed.*
'hɑːrald, *dän.* 'haːral
Haram 'haːram, ha'raːm
Harambašić *serbokr.*
'harambaʃitɕ
Haran ha'raːn
harangieren haraŋ'giːrən
Harappa ha'rapa
Harar 'haːrar, *amh.* harɛr
Harare ha'raːrə, *engl.*
həˈrɑːrɪ
Harasiewicz *poln.* xara'ɕɛ-
vitʃ
Harass 'haras, ...**asse** ...asə
Harasymowicz *poln.* xara-
si'mɔvitʃ
Harbig 'harbɪç
Harbin 'harbɪn
Harbor[d] *engl.* 'haːbə[d]
Harbou 'harbu, ar'buː
Härchen 'hɛːɐ̯çən
Harcourt *engl.* 'hɑːkət,
'hɑːkɔːt, *fr.* ar'kuːr
Hardanger *norw.* har'daŋər
Hardangerarbeit 'hardaŋɐ-
|arbai̯t
Hardangervidda *norw.* har-
'daŋɐvida
Hardbop 'haːɐ̯tbɔp
Hardcopy 'haːɐ̯tkɔpi
Hardcore 'haːɐ̯tkoːɐ̯
Hardcover 'haːɐ̯tkavɐ
Harddisk 'haːɐ̯tdɪsk
Harddrink 'haːɐ̯tdrɪŋk
Harddrug 'haːɐ̯tdrak
Harde (Bezirk) 'hardə
Hardecanute *engl.* 'hɑːdɪ-
kənjuːt
Hardedge 'haːɐ̯t|ɛtʃ
Harden 'hardn̩, *engl.* hɑːdn
Hardenberg 'hardn̩bɛrk,
niederl. 'hardənbɛrx
Hardenburg 'hardn̩bʊrk
Harder 'hardɐ
Harderwijk *niederl.* hardər-
'wɛi̯k
Hardheim 'harthai̯m
Hardi 'hardi
Hardie *engl.* 'hɑːdɪ
Hardin *engl.* 'hɑːdɪn

Harding[e] *engl.* 'hɑːdɪŋ
Hardinxveld *niederl.* 'har-
dɪŋksfɛlt
Hardliner 'haːɐ̯tlai̯nɐ
Hardouin *fr.* ar'dwɛ̃
Hardrock 'haːɐ̯trɔk
Hardselling 'haːɐ̯tzɛlɪŋ
Hardstuff 'haːɐ̯tstaf
Hardt hart, haːɐ̯t, *fr.* art
Hardtop 'haːɐ̯ttɔp
Harduin 'hardui̯n
Hardwar *engl.* 'hɛədwaː
Hardware 'haːɐ̯tvɛɐ̯
Hardy *engl.* 'hɑːdɪ, *fr.* ar'di
Hardybremse 'hardibrɛmzə
Hare *engl.* hɛə
Hare-Krischna... 'haːrə-
'krɪʃna...
Harelbeke *niederl.* 'haːrəl-
beːkə
Harem 'haːrɛm
Haremheb harɛm'heːp
Haren 'haːrən, *niederl.*
'haːrə
hären 'hɛːrən
Häresiarch hɛrɛ'ziarç
Häresie hɛrɛ'ziː, -n ...iːən
Häretiker hɛ're'tikɐ
häretisch hɛ're'tɪʃ
Harfe 'harfə
harfen 'harfn̩
Harfenist harfə'nɪst
Harfleur *fr.* ar'flœːr
Harfner 'harfnɐ
Hargeisa har'gai̯za
Harghita *rumän.* har'gita
Hargrave *engl.* 'hɑːgrei̯v
Hargreaves *engl.* 'hɑːgriːvz
Har Homa *hebr.* 'har xɔ'ma
Harich, ...ig 'haːrɪç
Haridschan, ...ijan
'haːridʒan
Häring 'hɛːrɪŋ
Haringer 'haːrɪŋɐ
Haringey *engl.* 'hærɪŋgei̯
Haringvliet *niederl.*
'haːrɪŋvlit
Hariri ha'riːri
Harjavalta *finn.* 'harjavalta
Härjedalen *schwed.* ˌhærjə-
daːlən
Harke 'harkə
harken 'harkn̩
Harkins *engl.* 'hɑːkɪnz
Harkness *engl.* 'hɑːknɪs
Harkort 'harkɔrt
Harkotten har'kɔtn̩
Harksheide harks'hai̯də
Harlan 'harlan, *engl.* 'hɑːlən
Harland *engl.* 'hɑːlənd

Harlekin 'harleki:n
Harlekinade harleki'na:də
harlekinisch 'harleki:nɪʃ,
__'__
Harlem 'harlɛm, *engl.*
'haːləm
Harless 'harlɛs
Harley *engl.* 'haːlɪ
Harlingen 'harlɪŋən, *engl.*
'haːlɪndʒən, *niederl.* 'har-
lɪŋə
Harlinger 'harlɪŋɐ
Harlunge 'harlʊŋə
Harm harm
Harmagedon harma'gɛdɔn
Harmattan harma'ta:n
härmen 'hɛrmən
Harmensz *niederl.* 'har-
məns
Harmodios har'mo:diɔs
Harmodius har'mo:diʊs
Harmonia har'mo:nia
Harmonie harmo'ni:, -n
...i:ən
harmonieren harmo'ni:rən
Harmonik har'mo:nɪk
Harmonika har'mo:nika
harmonikal harmoni'ka:l
Harmoniker har'mo:nikɐ
harmonisch har'mo:nɪʃ
Harmonische har'mo:nɪʃə
harmonisieren harmoni'zi:-
rən
harmonistisch harmo'nɪstɪʃ
Harmonium har'mo:niʊm,
...ien ...iən
Harmonogramm harmono-
'gram
Harmosis har'mo:zɪs
Harmost har'mɔst
Harms harms
Harmsworth *engl.*
'haːmzwə[:]θ
Harn[ack] 'harn[ak]
harnen 'harnən
Harnett *engl.* 'haːnɪt
Harney *engl.* 'haːnɪ
Harníček *tschech.* 'harnji:-
tʃɛk
Harnisch 'harnɪʃ
Harnoncourt *fr.* arnõ'ku:r
Härnösand *schwed.* hæːr-
nø:'sand
Haro *span.* 'aro, *engl.*
'hɛərou
Haroeris haro'e:rɪs
Harold 'haːrɔlt, *engl.*
'hærəld
Haroué *fr.* a'rwe

Harpagon 'harpagɔn, *fr.*
arpa'gõ
Harpalos 'harpalɔs
Harpeggio [h]ar'pɛdʒo
Harpen 'harpn̩
Harpenden *engl.* 'haːpən-
dən
Harper *engl.* 'haːpə
Harpignies *fr.* arpi'ɲi
Harpokrates har'po:kratɛs
Harpolith harpo'li:t
Harpsichord harpsi'kɔrt, -e
...rdə
Harpstedt 'harpʃtɛt
Harpune har'pu:nə
Harpunier harpu'ni:ɐ
harpunieren harpu'ni:rən
Harpyie har'py:jə
Harrach 'harax
Harrap *engl.* 'hærəp
Harras 'haras
Harrassowitz ha'rasovɪts
Harrell *engl.* 'hærəl
harren 'harən
Harrer 'harɐ
Harri 'hari
Harrie *schwed.* .harjə
Harriet *engl.* 'hærɪət
Harriman *engl.* 'hærɪmən
Harriot *engl.* 'hærɪət
Harris *engl.* 'hærɪs
Harris... 'hɛrɪs...
Harrisburg *engl.* 'hærɪsbə:g
Harrismith *engl.* 'hærɪsmɪθ
Harrison[burg] *engl.*
'hærɪsn[bə:g]
Harro 'haro
Harrod *engl.* 'hærəd
Harrogate *engl.* 'hærəgɪt
Harrow *engl.* 'hærou
¹Harry (Heroin) 'hɛri
²Harry (Name) 'hari, 'hɛri,
engl. 'hærɪ, *schwed.* 'hary
Harsányi *ung.* 'hɔrʃaːnji
harsch, H... harʃ
harschen 'harʃn̩
Harsdorff 'harsdɔrf, *dän.*
'haːɐsdɔɐf
Harsdörf[f]er 'harsdœrfɐ
Harsewinkel harzə'vɪŋkl̩
Harst harst
Harstad *norw.* .harsta
hart hart, **härter** 'hɛrtɐ
Hart hart, *engl.* haːt, *niederl.*
hart
Hartberg 'hartbɛrk
Harte *engl.* haːt
Härte 'hɛrtə
Hartebeest 'hartəbe:st
härten 'hɛrtn̩

Hartenau 'hartənaʊ
Hartenstein 'hartn̩ʃtaɪn
härter vgl. hart
Härterei hɛrtə'raɪ
Hartford *engl.* 'haːtfəd
Harth[a] 'hart[a]
Hartig 'hartɪç
Hartknoch 'hartknɔx
hartköpfig 'hartkœpfɪç
Hartlaub 'hartlaʊp
Hartleben 'hartle:bn̩
Hartlef 'hartlɛf
hartleibig 'hartlaɪbɪç, -e
...ɪgə
Hartlepool *engl.* 'haːtlɪpuːl
Hartley *engl.* 'haːtlɪ
Hartli[e]b 'hartli:p
Hartline *engl.* 'haːtlaɪn
Härtling 'hɛrtlɪŋ
Hartman *schwed.* 'hartman
Hartmann 'hartman
Hartmannsweilerkopf
hartmansvaɪlɐ'kɔpf
hartmäulig 'hartmɔylɪç, -e
...ɪgə
Hartmut 'hartmu:t
Hartmute hart'mu:tə
Hartnacke 'hartnakə
hartnäckig 'hartnɛkɪç, -e
..ɪgə
Hartog *niederl.* 'hartɔx
Hartold 'hartɔlt
Hartree *engl.* 'haːtrɪ
Hartriegel 'hartri:gl̩
Hartschier har'tʃi:ɐ
Hartung 'hartʊŋ
Härtung 'hɛrtʊŋ
Hartwich, ...ig 'hartvɪç
Hartwin 'hartvi:n
Hartz *niederl.* harts
Hartzenbusch 'hartsn̩buʃ,
span. arθem'butʃ
Harude ha'ru:də
Harun Ar Raschid ha'ru:n
ara'ʃi:t
Harunobu *jap.* ha'ru.nobu
Haruspex ha'rʊspɛks,
Haruspizes ha'rʊspitse:s
Haruspizium haru'spi:-
tsiʊm, ...ien ...iən
Harvard *engl.* 'haːvəd
Harvey *engl.* 'haːvɪ
Harwell *engl.* 'haːwəl
Harwich *engl.* 'hærɪdʒ
Hary 'haːri
Haryana *engl.* haːrɪ'aːnə
Harz ha:ɐ̯ts
Harzburg 'haːɐ̯tsbʊrk
harzen 'haːɐ̯tsn̩
Harzer 'haːɐ̯tsɐ

Harzgerode haːɐ̯tsgəˈroːdə
harzig ˈhaːɐ̯tsɪç, -e …ɪgə
Hasan ˈhasan, *pers.* hæˈsæn, *türk.* haˈsan
Hasanlu *pers.* hæsænˈluː
Hasard haˈzart
Hasardeur hazarˈdøːɐ̯
Hasardeuse hazarˈdøːzə
hasardieren hazarˈdiːrən
Hasbengau ˈhasbŋgaṵ
Hasch haʃ
Haschee haˈʃeː
Haschemite haʃeˈmiːtə
haschen, H… ˈhaʃn̩
Häschen ˈhɛːsçən
Häscher ˈhɛʃɐ
Hascher[l] ˈhaʃɐ[l]
haschieren haˈʃiːrən
Haschimide haʃiˈmiːdə
Haschimoto *jap.* haˈʃimoto
Haschisch ˈhaʃɪʃ
Haschmich ˈhaʃmɪç
Hasdeu *rumän.* hazˈdeṵ, haʒˈdeṵ, hiʒˈdiṵ
Hasdrubal ˈhasdrubal
Hase ˈhaːzə
Hasebroek *niederl.* ˈhaːzəbruk
Hašek *tschech.* ˈhaʃɛk
Hasel ˈhaːzl̩
Haselant hazəˈlant
haselieren hazəˈliːrən
Haselnuss haːzl̩nʊs
Haseloff ˈhaːzəlɔf
Haselünne haːzəˈlʏnə
Haselwander ˈhaːzl̩vandɐ
Hasemann ˈhaːzəman
Hasenauer ˈhaːzənaṵɐ
Hasenclever ˈhaːznkleːvɐ
hasenfüßig ˈhaːznfyːsɪç
Hasenkamp ˈhaːznkamp
Hasenöhrl ˈhaːznløːɐ̯l
Hash (Inform.) hɛʃ
Hasim *türk.* haːˈʃim
Häsin ˈhɛːzɪn
Häsitation hɛzitaˈtsio:n
häsitieren hɛziˈtiːrən
Haskil ˈhaskɪl
Hasko ˈhasko
Haslach (Baden) ˈhaslax
Hasler ˈhaːslɐ
Hasli ˈhaːsli
Haslinger ˈhaːslɪŋɐ
Haslund *norw.* ˌhaslʊn
Hasner ˈhasnɐ
Haspe ˈhaspə
Haspel ˈhaspl̩
haspeln ˈhaspl̩n
Haspen ˈhaspn̩

Haspengouw *niederl.* ˈhaspənɣoṵ
Haspinger ˈhaspɪŋɐ
Hass has
Hassan ˈhasan
Haßberge ˈhasbɛrgə
Hasse[brauck] ˈhasə[braṵk]
Hassegau ˈhasəgaṵ
Hassel ˈhasl̩
Hasselblatt ˈhasl̩blat
Hasselfelde hasl̩ˈfɛldə
Hassell ˈhasl̩
Hasselt *fr.* aˈsɛlt, *niederl.* ˈhasəlt
hassen ˈhasn̩
Hassenpflug ˈhasn̩pfluːk
Hassert ˈhasɐt
Haßfurt ˈhasfʊrt
Hassia ˈhasi̯a
hässig ˈhɛsɪç, -e …ɪgə
Hassi-Messaoud *fr.* asimɛsaˈud
Hassinger ˈhasɪŋɐ
Hassi-R'Mel *fr.* asirˈmɛl
Haßleben ˈhasleːbn̩
Hässleholm *schwed.* hɛsləˈhɔlm
Haßler ˈhaslɐ
hässlich ˈhɛslɪç
Haßloch ˈhaslɔx
Hasso ˈhaso
hast, Hast hast
hasten ˈhastn̩
Hastenbeck ˈhastn̩bɛk
hastig ˈhastɪç, -e …ɪgə
Hastings *engl.* ˈheɪstɪŋz
Haswell *engl.* ˈhæzwəl
hat hat
Hata *jap.* ˈhaˌta
Hatay *türk.* ˈhataḭ
Hatch[ett] *engl.* ˈhætʃ[ɪt]
Hatefi *pers.* hateˈfi:
Hateg *rumän.* ˈhatseg
Hatfield *engl.* ˈhætfi:ld
Hathaway *engl.* ˈhæθəweɪ
Hathor ˈhaːtoːɐ̯
Hatojama *jap.* haˈto.jama
Hatra ˈhaːtra
Hatschek ˈhatʃɛk
hätscheln ˈhɛːtʃl̩n
hatschen ˈhaːtʃn̩
Hatschepsut haˈtʃɛpsʊt
hatschi! haˈtʃiː, *auch:* ˈhatʃi
Hatschier haˈtʃiːɐ̯
Hatschinohe *jap.* haˈtʃino.he
Hatschiodschi *jap.* haˈtʃio.dʒi
Hatta *indon.* ˈhata
hatte ˈhatə

hätte ˈhɛtə
Hattenheim ˈhatn̩haɪm
Hatteras *engl.* ˈhætərəs
Hattersheim ˈhatɐshaɪm
Hattiesburg *engl.* ˈhætɪzbɔːɡ
Hattingen ˈhatɪŋən
Hatto ˈhato
Hatton *engl.* hætn
Hattrick ˈhɛtrɪk
Hattuscha ˈhatʊʃa
Hatvan *ung.* ˈhɔtvɔn
Hatz hats
Hätzer ˈhɛtsɐ
Hatzfeld[t] ˈhatsfɛlt
hatzi! haˈtsi:, *auch:* ˈhatsi
Hatzidakis *neugr.* xadziˈðakis
Hau haṵ
Haubach ˈhaṵbax
Haubarg ˈhaṵbark, -e …rgə
Häubchen ˈhɔỵpçən
Haube ˈhaṵbə
Hauberrisser ˈhaṵbɛrɪsɐ
Haubitze haṵˈbɪtsə
¹Hauch haṵx
²Hauch (Name) *dän.* ˈhaṵˈɡ
hauchdünn ˈhaṵxˈdʏn
hauchen ˈhaṵxn̩
hauchfein ˈhaṵxˈfaɪn
hauchzart ˈhaṵxˈtsaːɐ̯t
Hauck haṵk, *engl.* haṵk
Haudegen ˈhaṵdeːgn̩
Haue ˈhaṵə
Haueisen ˈhaṵlaɪzn̩
hauen ˈhaṵən
Hauenstein ˈhaṵənʃtaɪn
Hauer ˈhaṵɐ
Häuer ˈhɔỵɐ
Häufchen ˈhɔỵfçən
häufeln ˈhɔỵfl̩n
Haufen ˈhaṵfn̩
häufen ˈhɔỵfn̩
Hauff haṵf
häufig ˈhɔỵfɪç, -e …ɪgə
Haufs haṵfs
Haug haṵk, *fr.* oːɡ
Hauge *norw.* ˌhœỵɡə
Haugen *engl.* ˈhaṵgən
Haugesund *norw.* ˌhœỵɡəsʉn
Haughey *engl.* ˈhɔːhɪ, ˈhɔːkɪ
Haugwitz ˈhaṵkvɪts
Hauhechel ˈhaṵhɛçl̩
Hauke *norw.* ˈhaṵkə
Haukeli *norw.* ˌhœỵkəli
Haukivesi *finn.* ˈhaṵkivɛsi
Haukland *norw.* ˌhœỵklan
Hauma ˈhaṵma
Häunel ˈhɔỵnl̩

Haunstetten haun'ʃtɛtn̩
Hauppauge engl. 'ha:pɔ:g
Haupt haupt, **Häupter**
'hɔyptɐ
Häuptel 'hɔyptl̩
Häupten, zu 'tsu: 'hɔyptn̩
Häuptling 'hɔyptlɪŋ
häuptlings 'hɔyptlɪŋs
Hauptmann 'hauptman
Hauptsache 'hauptzaxə
hauptsächlich 'hauptzɛçlɪç
Hauptwörterei hauptvœr-
tə'rai
Hauran hau'ra:n
hau ruck! 'hau 'rʊk
Hauruck hau'rʊk
Haus haus, **-es** 'hauzəs,
Häuser 'hɔyzɐ
Hausa (Sprache, Volk)
'hausa
Hausach 'hauzax
hausbacken 'hausbakn̩
Häuschen 'hɔysçən
Hausdorf[f] 'hausdɔrf
Hausegger 'hauzɛgɐ, –'––
Häusel 'hɔyzl̩
hausen 'hauzn̩, **haus!** haus,
haust haust
Hausen[stein] 'hauzn̩[ʃtain]
Hauser 'hauzɐ
Häuser vgl. Haus
haushälterisch 'haushɛltə-
rɪʃ
haushoch 'haus'ho:x
Haushofer 'haushoːfɐ
hausieren hau'zi:rən
...häusig ...hɔyzɪç, **-e** ...ɪgə
Häusl 'hɔyzl̩
Häusler 'hɔyslɐ
Hausleute 'hauslɔytə
häuslich 'hɔyslɪç
Hausmacher... 'hausmaxɐ...
Hausmann 'hausman
Hausmannit hausma'ni:t
Hausner 'hausnɐ
Hausruck 'hausrʊk
Haussa 'hausa
Hausse 'hoːs[ə], oːs, **-n**
'[h]oːsn̩
Häusser 'hɔysɐ
Haussier [h]o'sje:
Haußmann 'hausman
Haussmann fr. os'man
Haustorium haus'to:rjʊm,
...ien ...jən
Haut haut, **Häute** 'hɔytə
Hautbois [h]oːˈbɔa, **des -**
...a[s], **die -** ...as
Häutchen 'hɔytçən

Haute Coiffure '[h]oːt
koaˈfyːɐ̯
Haute Couture '[h]oːt
kuˈtyːɐ̯
Haute Couturier '[h]oːt
kutyˈrje:
Hautefinance [h]oːtfiˈnãːs
Hautelisse [h]oːt'lɪs, **-n** ...sn̩
häuten 'hɔytn̩
Hauterive fr. ot'ri:v
Hauterivien [h]oːtri'vjɛ:
Hautes-Alpes fr. ot'zalp
Hautes Fagnes fr. ot'faɲ
Hauteville fr. ot'vil
Hautevolee [h]oːtvo'le:
Haute-Volta fr. otvɔl'ta
Hautflügler 'hautflyːglɐ
Hautgout o'gu:
häutig 'hɔytɪç, **-e** ...ɪgə
Haut Mal o'mal
Hautmont fr. o'mõ
Hautrelief '[h]oːtreljɛf, ore-
'ljɛf
Haut-Rhin fr. o'rɛ̃
Haut-Sauternes osoˈtɛrn
Hauts-de-Seine fr. od'sɛn
Haüy fr. a'ɥi
Haüyn hay'i:n
Havamal 'ha:vama:l
Havana, Havanna ha'vana
Havant engl. 'hævənt
Havarie hava'ri:, **-n** ...i:ən
havarieren hava'ri:rən
Havarist hava'rɪst
Havas fr. a'va:s
Havel 'ha:fl̩, tschech. 'havɛl
Havelberg 'ha:fl̩bɛrk
Havelland 'ha:fl̩lant
¹Havelock (Mantel) 'ha:və-
lɔk
²Havelock (Name) engl.
'hævlɔk
Havemann 'ha:vəman
Haven engl. heıvn
have, pia anima! 'ha:ve
'pi:a 'a:nima
Haverei havəˈrai
Haverford engl. 'hævəfəd
Haverhill engl. 'heıvərıl
Havering engl. 'heıvərıŋ
Havers 'ha:vɐs, engl. 'heıvəz
Haverschmidt niederl.
'ha:vɐrsmɪt
Havill[l]and engl. 'hævılənd
Havířov tschech. 'havi:rʒɔf
Havlíček tschech. 'havli:tʃɛk
Havlíčkův Brod tschech.
'havli:tʃku:v 'brɔt
Havre engl. 'hævə
Havre, Le fr. lə'aːvr

Havrevold norw. .havrəvɔl
Hawaii ha'vaii, ha'vai, engl.
hə'wɑ:i
hawaiisch ha'vaiiʃ
Hawelka ha'vɛlka, tschech.
'havɛlka
Hawes engl. hɔ:z
Hawick engl. 'hɔ:ık
Hawke[r] engl. 'hɔ:k[ə]
Hawkes engl. hɔ:ks
Hawking engl. 'hɔ:kıŋ
Hawkins engl. 'hɔ:kınz
Hawks[bee] engl. 'hɔ:ks[bı]
Hawksmoor engl. 'hɔ:ksmɔ:
Haworth engl. 'hɔ:əθ
Hawthorn[e] engl. 'hɔ:θɔ:n
Haxe 'haksə
Haxthausen 'haksthauzn̩
Hay engl. heı
Háy ung. 'ha:i
Haya de la Torre span. 'aja
ðe la 'tɔrrɛ
Hayakawa engl. hɑ:jə'kɑːwə
Hayange fr. a'jãːʒ
Haydarpaşa türk. hai'dar-
pa.ʃa
Haydée ai'de:
Hayden engl. heıdn
Haydn engl. heıdn
Haydock engl. 'heıdɔk
Haydon engl. heıdn
Haye fr. ɛ
Hayek 'haiɛk
Hayes engl. heız
Hayez it. 'a:jets
Hayingen 'haiŋ̩ən
Hayley engl. 'heılı
Haym haim
Hayman engl. 'heımən
Haymarket engl. 'heıma:kıt
Haymerle 'haimɐlə
Haymo 'haimo
Hayn[au] 'hain[au]
Hayneccius hai'nɛktsjʊs
Hayne[s] engl. heın[z]
Hays engl. heız
Hayward engl. 'heıwəd
Haywood engl. 'heıwʊd
Hayworth engl. 'heıwə[:]θ
Hazard engl. 'hæzəd, fr.
a'za:r
Hazaribagh engl. hə'za:rı-
ba:g
Hazaz hebr. xa'zaz
Hazebrouck fr. az'bruk,
niederl. 'ha:zəbruk
Hazel engl. heızl
Hazelwood engl. 'heızlwʊd
Hazienda ha'tsiɛnda
Haziendero hatsiɛn'de:ro

Hazleton *engl.* ˈheɪzltən
Hazlitt *engl.* ˈhæzlɪt, ˈheɪzlɪt
Hazor haˈtsoːɐ̯, ˈhaːtsoːɐ̯
H-Bombe ˈhaːbɔmbə
h. c. haːˈtseː
H-Dur ˈhaːduːɐ̯, *auch:* ˈ-ˈ-
he! heː
¹Head (Name) *engl.* hɛd
²Head (Träger im Satz) hɛt
Headlam *engl.* ˈhɛdləm
Headhunter ˈhɛthantɐ
Headline ˈhɛtlaɪn
Heal[e]y *engl.* ˈhiːlɪ
Heaney *engl.* ˈhiːnɪ
Heard *engl.* həːd
Hearing ˈhiːrɪŋ
Hearn[e] *engl.* həːn
Hearst *engl.* həːst
Heartfield *engl.* ˈhɑːtfiːld
Heath *engl.* hiːθ
Heather *engl.* ˈhɛðɐ
Heathrow *engl.* ˈhiːθroʊ
Heautognomie heaʊtoɡnoˈmiː
Heautonomie heaʊtonoˈmiː
Heautoskopie heaʊtoskoˈpiː
Heaviside *engl.* ˈhɛvɪsaɪd
Heaviside... ˈhɛvɪzaɪt...
Heavymetal hɛviˈmɛtl̩
Heavyrock ˈhɛviˈrɔk
heb! heːp
Hebamme ˈheːplamə, *auch:* ˈheːbamə
Hebbel ˈhɛbl̩
Hebble *engl.* hɛbl̩
Hebburn *engl.* ˈhɛbən
Hebdomadar hɛpdomaˈdaːɐ̯
Hebdomadarius hɛpdomaˈdaːriʊs, ...ien ...i̯ən
Hebe ˈheːbə
Hebebrand ˈheːbəbrant
Hebei *chin.* ˈxʌbei̯ 23
Hebel ˈheːbl̩
heben ˈheːbn̩, **heb!** heːp, **hebt** heːpt
Hebephrenie hebefreˈniː, -n ...iːən
¹Heber ˈheːbɐ
²Heber (Name) *engl.* ˈhiːbə
Heberden *engl.* ˈhɛbədən
Heberer ˈheːbərɐ
Hébert *fr.* eˈbɛːr
Hébertist hebɛrˈtɪst
Heboidophrenie heboidofreˈniː, -n ...iːən
Heb[oste]otomie heb[ɔsteˌ]otoˈmiː, -n ...iːən
Hebra ˈheːbra

Hebräer heˈbrɛːɐ̯
Hebraicum heˈbraːikʊm
Hebraika heˈbraːika
hebräisch heˈbrɛːɪʃ
Hebraismus hebraˈɪsmʊs
Hebraist[ik] hebraˈɪst[ik]
Hebräus heˈbrɛːʊs
Hebriden heˈbriːdn̩
Hebrides *engl.* ˈhɛbrɪdiːz
Hebron ˈheːbrɔn, *engl.* ˈhiːbrɔn
Hecataeus hekaˈtɛːʊs
Hechel ˈhɛçl̩
Hechelei hɛçəˈlai̯
hecheln ˈhɛçl̩n
Hechingen ˈhɛçɪŋən
Hechse ˈhɛksə
¹Hecht hɛçt
²Hecht (Name) hɛçt, *engl.* hɛkt
hechten ˈhɛçtn̩
Heck hɛk
¹Hecke ˈhɛkə
²Hecke (Name) *dt., niederl.* ˈhɛkə
Heckel[berg] ˈhɛkl̩[bɛrk]
Heckelphon hɛkl̩ˈfoːn
hecken ˈhɛkn̩
Heckengäu ˈhɛkŋɡɔy
Hecker ˈhɛkɐ, *engl.* ˈhɛkə
Hecklingen ˈhɛklɪŋən
Heckmann ˈhɛkman
Heckmeck ˈhɛkmɛk
Hečko *slowak.* ˈhɛtʃkɔ
Hector ˈhɛktoːɐ̯, *engl.* ˈhɛktə, *fr.* ɛkˈtɔːr
Héctor *span.* ˈɛktɔr
Hecuba ˈheːkuba
heda! heːˈda
Heda *niederl.* ˈheːda
Hedajat *pers.* hedɑˈjæt
Hedberg *schwed.* ˌheːdbærj
Hedborn *schwed.* ˌheːdbɔrn
Hedda ˈhɛda
Heddal *norw.* ˈheːdaːl
Hede ˈheːdə, *schwed.* ˌheːdə
Hedemora *schwed.* ˌheːdəmuːra
heden ˈheːdn̩
Hedenvind *schwed.* ˌheːdənvind
Hederich ˈheːdərɪç
Hedge... ˈhɛtʃ...
Hedge[s] *engl.* ˈhɛdʒ[ɪz]
Hedi ˈheːdi
Hedin *schwed.* heˈdiːn
Hedlinger ˈheːdlɪŋɐ
Hedmark *norw.* ˈheːdmark
Hedonik heˈdoːnɪk
Hedoniker heˈdoːnikɐ

Hedonismus hedoˈnɪsmʊs
Hedonist hedoˈnɪst
Hédouville *fr.* eduˈvil
Hedrozele hedroˈtseːlə
Hedschas ˈhɛdʒas
Hedschra ˈhɛdʒra
Hedtoft *dän.* ˈhiðtɔft
Hedwig heˈtvɪç
Hedy ˈheːdi
Heem *niederl.* heːm
Heemsker[c]k *niederl.* ˈheːmskɛrk
Heemstede *niederl.* ˈheːmsteːdə
Heenan *engl.* ˈhiːnən
Heer heːɐ̯
Heereman ˈheːrəman
Heeren ˈheːrən
Heerenveen *niederl.* heːrənˈveːn
Heeresma *niederl.* ˈheːrəsma
Heerich ˈheːrɪç
Heerlen *niederl.* ˈheːrlə
Heermann ˈheːɐ̯man
Heessen ˈheːsn̩
Heesters ˈheːstɐs
Heever *afr.* ˈheːvər
Hefe[le] ˈheːfə[lə]
Heffter ˈhɛftɐ
hefig ˈheːfɪç, -n ...ɪɡə
Hefner ˈheːfnɐ
Heft[el] ˈhɛft[l̩]
hefteln ˈhɛftl̩n
heften ˈhɛftn̩
heftig ˈhɛftɪç, -e ...ɪɡə
Hegar ˈheːgar
Hegau ˈheːgaʊ
Hege ˈheːgə
Hegedűs *ung.* ˈhɛgɛdyːʃ
Hegel ˈheːgl̩
Hegeler ˈheːgəlɐ
Hegelianer heːgəˈli̯aːnɐ
hegelianisch heːgəˈli̯aːnɪʃ
Hegelianismus heːgəli̯aˈnɪsmʊs
Hegeling ˈheːgəlɪŋ
hegelsch ˈheːgl̩ʃ
Hegemann ˈheːgəman
Hegemon ˈheːgemɔn, -en hegeˈmoːnən
Hegemonial... hegemoˈni̯aːl...
Hegemonie hegemoˈniː, -n ...iːən
Hegemonikon hegemoˈniːkɔn
hegemonisch hegeˈmoːnɪʃ
hegen ˈheːgn̩, **heg!** heːk, **hegt** heːkt

Hegenbarth 'he:gnba:ɐt
Heger 'he:gɐ
Hegesias he'ge:zias
Hegesipp[os] hege'zɪp[ɔs]
Hegewald 'he:gəvalt
Hegi 'he:gi
Hegius 'he:gius, *niederl.*
'he:yivs
Hegner 'he:gnɐ
Hegumenos he'gu:menɔs,
...**noi** ...nɔy
Hehe (Bantuvolk) 'he:he
Hehl he:l
hehlen 'he:lən
Hehlerei he:lə'rai
Hehn he:n
hehr he:ɐ
hei! hai
Heia 'haia
Heian 'he:an, *jap.* he':an
heiapopeia! haiapo'paia
Heiberg 'haibɛrk, *dän.* 'hai-
bɛɐ'u, *engl.* 'haibə:g, *norw.*
'hɛibærg
heida! hai'da:, 'haida
Heide 'haidə
Heideck 'haidɛk
Heidegger 'haidɛgɐ
Heidelbeere 'haidlbe:rə
Heidelberg 'haidlbɛrk, *engl.*
'haidlbə:g
Heideloff 'haidəlɔf
Heidelore 'haidəlo:rə
Heidelsheim 'haidlshaim
Heidemarie 'haidəmari:
Heiden 'haidn̩
Heidenangst 'haidn̩'laŋst
Heidenau 'haidənau
Heidenfeld 'haidn̩fɛlt
Heidenhain 'haidn̩hain
Heidenheim 'haidn̩haim
Heidenlärm 'haidn̩'lɛrm
heidenmäßig 'haidn̩mɛ:siç
Heidenreichstein
haidn̩raiç'ʃtain
Heidenstam *schwed.* ,hɛi-
dənstam
Heider 'haidɐ
Heiderose 'haidəro:zə
heidi! hai'di:, *auch:* 'haidi
Heidi 'haidi
Heidin 'haidɪn
Heidjer 'haidjɐ
heidnisch 'haidnɪʃ
Heidrich 'haidrɪç
Heidrun 'haidru:n
Heidschnucke 'haitʃnʊkə
Heiduck hai'dʊk
Heiermann 'haiɐman
Heifetz *engl.* 'haifɛts

Heights *engl.* haits
Heije[n] *niederl.* 'hɛiə
Heijermans *niederl.* 'hɛiər-
mans
Heijthuizen *niederl.* 'hɛit-
hœizə
Heike 'haikə
heikel 'haikl̩
Heiko 'haiko
heil, Heil hail
Heiland 'hailant, -e ...ndə
Heilborn 'hailbɔrn
Heilbron *afr.* 'həilbrɔn, *engl.*
'hailbrɔn
Heilbronn hail'brɔn
Heilbutt 'hailbʊt
heilen 'hailən
Heiler 'hailɐ
heilfroh 'hail'fro:
heilig 'hailɪç, -e ...ɪgə
Heiligabend hailɪç'la:bn̩t
Heiligedreikönigstag hailɪ-
gədrai'kø:nɪçsta:k
heiligen 'hailɪgn̩, **heilig!**
'hailɪç, **heiligt** 'hailɪçt
Heiligenbeil hailɪgn̩'bail
Heiligenberg 'hailɪgn̩bɛrk
Heiligenblut hailɪgn̩'blu:t
Heiligendamm hailɪgn̩'dam
Heiligengrabe hailɪgn̩-
'gra:bə
Heiligenhafen hailɪgn̩'ha:fn̩
Heiligenhaus 'hailɪgn̩haus
Heiligenkreuz hailɪgn̩-
'krɔyts
Heiligenstadt 'hailɪgn̩ʃtat
Heiligenwald 'hailɪgn̩valt
Heiliger 'hailɪgɐ
Heiliggeistkirche
hailɪç'gaistkɪrçə
Heiligtum 'hailɪçtu:m,
...**tümer** ...ty:mɐ
Heiling 'hailɪŋ
Heiller 'hailɐ
heillos 'haillo:s
Heilmann 'hailman
Heilmeyer 'hailmaiɐ
Heilo[o] *niederl.* 'hɛi'lo:
Heilongjiang *chin.* xei-
lʊŋdziaŋ 121
heilsam 'hailza:m
Heilsberg 'hailsbɛrk
Heilsbronn hails'brɔn, '--
Heilung 'hailʊŋ
Heim haim
Heimaey *isl.* 'hɛimaɛi
Heimann 'haiman
Heimarmene haimar'me:nə
Heimat 'haima:t
Heimbach 'haimbax

Heimburg 'haimbʊrk
Heimchen 'haimçən
Heimdal[l] 'haimdal
heimelig 'haiməlɪç, -e ...ɪgə
Heimen 'haimən
Heimeran 'haiməran
Heimesfurt 'haiməsfʊrt
Heimet 'haimət
heimfällig 'haimfɛlɪç
heimisch 'haimɪʃ
Heimito hai'mi:to
heimkehren 'haimke:rən
Heimkunft 'haimkʊnft
heimlich 'haimlɪç
Heimlichtuerei haim-
lɪçtu:ə'rai
Heimo 'haimo
Heimpel 'haimpl̩
Heimsheim 'haimshaim
Heimskringla 'haimskrɪŋla
Heimsoeth 'haimzø:t
heimsuchen 'haimzu:xn̩
Heimtücke 'haimtʏkə
heimtückisch 'haimtʏkɪʃ
heimwärts 'haimvɛrts
heimzu 'haimtsu:
Hein hain, *niederl.* hɛin,
dän. hai'n
Heindl 'haindl̩
Heine 'hainə
Heinemann 'hainəman,
engl. 'hainəmæn
Heiner 'hainɐ
heinesch, H... 'hainəʃ
Heinesen *dän.* 'hainəsn̩
Heini 'haini
Heinichen 'hainɪçn̩
Heinicke 'hainɪkə
Heiningen 'hainɪŋən
heinisch, H... 'hainɪʃ
Heinkel 'hainkl̩
Heinko 'hainko
Heinlein 'hainlain, *engl.*
'hainlain
Heino 'haino, *niederl.* 'hɛino
Heinola *finn.* 'hɛinɔlɑ
Heinrichau 'hainriçau
Heinrichsen 'hainrɪçsn̩
Heinrike hain'ri:kə
Heinroth 'hainro:t
Heinsberg 'hainsbɛrk
Heinse 'hainzə
Heinsius 'hainzius, *niederl.*
'hɛinsiys
Heintz[e] 'haints[ə]
Heintzelman 'haintslman,
engl. 'haintsəlmæn
Heinz[e] 'haints[ə]
Heinzel 'haintsl̩
Heinzelbank 'haintslbaŋk

Heinzelin 'haintsǝli:n
Heinzelmännchen 'haintslmɛnçǝn
Heinzen[berg] 'haintsn̩[bɛrk]
heiopopeio! haiopo'paio
Heirat 'hairaːt
heiraten 'hairaːtn̩
Heiri 'hairi
heisa! 'haiza, 'haisa
heischen 'haiʃn
Heise[ler] 'haizǝ[lɐ]
Heisenberg 'haizn̩bɛrk
heiser 'haizɐ
Heisig 'haiziç
heiß, H... hais
heißa! 'haisa
heißassa! 'haisasa
heißblütig 'haisblyːtiç, -e ...igǝ
heißen 'haisn
Heißenbüttel 'haisn̩bytl̩
heißspornig 'haisʃpɔrniç, -e ..igǝ
Heißwasserspeicher hais-'vasɐʃpaiçɐ
Heist *niederl.* hɛist
Heister[bach] 'haistɐ[bax]
heiter, H... 'haitɐ
Heitersheim 'haitɐshaim
Heiti 'haiti
Heitmann 'haitman
Heitmüller 'haitmylɐ
Heitor *port.* ɐi'tor, *bras.* ei'tor
heizbar 'haitsbaːɐ
heizen 'haitsn
Hekabe 'heːkabe
Hekataios heka'taiɔs
Hekatäus heka'tɛːʊs
Hekate 'heːkate
Hekatombe heka'tɔmbǝ
Hekla 'heːkla, *isl.* 'hɛhkla
Hektar hɛk'taːɐ, '––
Hektare 'hɛktaːrǝ, –'––
Hektik 'hɛktik
Hektiker 'hɛktikɐ
hektisch 'hɛktiʃ
Hektogramm hɛkto'gram, *auch:* '–––
Hektograph hɛkto'graːf
Hektographie hɛktogra'fiː, -n ...iːǝn
hektographieren hɛktogra-'fiːrǝn
Hektoliter hɛkto'liːtɐ, *auch:* '––––, ...liːtɐ
Hektometer hɛkto'meːtɐ, *auch:* '––––
Hektor 'hɛktoːɐ

Hektorović *serbokr.* hɛk.tɔ-rɔvitɕ
Hektoster hɛkto'steːɐ, *auch:* '–––
Hektowatt hɛkto'vat, *auch:* '–––
Hekuba 'heːkuba
Hel heːl, *poln.* xɛl
Hela 'heːla, *poln.* 'xɛla
Helanca® he'laŋka
Helander *schwed.* he'landɐr
helau! he'lau
Helbling 'hɛlbliŋ
Helche 'hɛlçǝ
¹Held hɛlt, **-en** 'hɛldn̩
²Held (Name) hɛlt, *engl.* hɛld
Heldburg 'hɛltburk
Helden *niederl.* 'hɛldǝ
heldenmütig 'hɛldn̩myːtiç, -e ...igǝ
Helder 'hɛldɐ, *niederl.* 'hɛldɐr
Helderenberg *niederl.* 'hɛldǝrǝnbɛrx
heldisch 'hɛldiʃ
Heldrungen 'hɛldruŋǝn
Heldt hɛlt
Helen 'hɛlǝn, 'heːlǝn, 'hɛlǝːn, *engl.* 'hɛlɪn
¹Helena (Vorname) 'heːlena, *engl.* 'hɛlɪnǝ, heː'liːnǝ, *span.* e'lena, *port.* i'lenɐ, *bras.* e'lena, *poln.* xɛ'lɛna, *tschech.* 'hɛlena
²Helena (Stadt) *engl.* 'hɛlɪnǝ
Helene he'leːnǝ
Hélène *fr.* e'lɛn
Helenos 'heːlenɔs
Helensburgh *engl.* 'hɛlɪnz-bǝrǝ
Helenus 'heːlenʊs, *schwed.* he'leːnʊs
Helfe 'hɛlfǝ
helfen 'hɛlfn
Helfer[t] 'hɛlfɐ[t]
Helffer 'hɛlfɐ, *fr.* ɛl'fɛːr
Helfferich 'hɛlfǝriç
Helfgott 'hɛlfgɔt
Helfta 'hɛlfta
Helga *dt., dän.* 'hɛlga, *schwed.* .hɛlga
Helgason *isl.* 'hɛlgasɔn
Helge 'hɛlgǝ, *norw., schwed.* .hɛlgǝ, *dän.* 'hɛljǝ
Helgeland *norw.* .hɛlgǝlan
Helgen 'hɛlgn
Helgi 'hɛlgi
Helgoland 'hɛlgolant
Helgoländer 'hɛlgolɛndɐ

helgoländisch 'hɛlgolɛndɪʃ
Heliade *rumän.* eli'ade
heliakisch he'liːa:kɪʃ
Heliand 'heːliant
Helianthemum he'liante-mʊm, ...themen ...'teːmǝn
Helianthus he'liantʊs
Heliar® he'liːaːɐ
Helicanus heli'kaːnʊs
Hélie *fr.* e'li
Helikes vgl. Helix
Helikogyre heliko'gyːrǝ
Helikon 'heːlikɔn
Helikopter heli'kɔptɐ
Hélinand *fr.* eli'nã
Heliobiologie helɪobio-lo'giː, 'heːl...
Heliodor helɪo'doːɐ
Heliodoros helɪo'doːrɔs
Heliodorus helɪo'doːrʊs
Heliogabal[us] helɪo'gaː-bal[ʊs]
Heliograph helɪo'graːf
Heliographie helɪogra'fiː
Heliogravüre helɪogra'vyːrǝ
Heliometer helɪo'meːtɐ
Hélion *fr.* e'ljõ
heliophil helɪo'fiːl
heliophob helɪo'foːp, -e ...oːbǝ
Heliopolis he'liːo:polɪs
Helios 'heːliɔs
Heliosis he'liːo:zɪs
Helioskop helɪo'skoːp
Heliostat helɪo'staːt
Heliotherapie helɪotera'piː
heliotrop, H... helɪo'troːp
Heliotropin helɪotro'piːn
Heliotropismus helɪotro-'pɪsmʊs
heliozentrisch helɪo'tsɛntrɪʃ
Heliozoon helɪo'tsoːɔn, ...zoen ...'tsoːǝn
Heliport heli'pɔrt
helisch 'heːlɪʃ
Heliskiing 'heːliskiːɪŋ
Helium 'heːlɪʊm
Helix 'heːlɪks, ...ikes ...like:s
Helizität helitsi'tɛːt
helkogen hɛlko'geːn
Helkologie hɛlkolo'giː
Helkoma hɛl'koːma, **-ta** ...ta
Helkose hɛl'koːzǝ
hell hɛl
Hell *dt., norw.* hɛl
Hella 'hɛla, *isl.* 'hɛdla
Hellaakoski *finn.* 'hɛllɑː-kɔski
Hellabrunn hɛla'brʊn
Helladikum hɛ'laːdikʊm

helladisch hɛ'la:dɪʃ
Hellanikos hɛ'la:nikɔs
Hellas 'hɛlas
hellauf hɛl'|auf
helläugig 'hɛl|ɔygɪç
Hellberge 'hɛlbɛrgə
Hellbrunn hɛl'brʊn
Helldorf[f] 'hɛldɔrf
¹Helle 'hɛlə
²Helle (altgr. Name) 'hɛlə, ...le
Hellebæk dän. 'helə̍beg
Hellebarde hɛlə'bardə
Hellebardier hɛlabar'di:ɐ̯
Helleborus hɛ'le:borʊs
Hellegat[t] 'hɛlə̍gat
Hellemmes fr. ɛ'lɛm
hellen, H... 'hɛlən
Hellene hɛ'le:nə
hellenisch hɛ'le:nɪʃ
hellenisieren hɛleni'zi:rən
Hellenismus hɛle'nɪsmʊs
Hellenist[ik] hɛle'nɪst[ɪk]
Hellenophilie hɛlenofi'li:
Hellens niederl. 'hɛləns, fr. ɛ'lɛ̃:s
Heller 'hɛlɐ, engl. 'hɛlə, schwed. 'hɛlər, ung. 'hɛllɛr
Hellerau 'hɛlərau̯
Helleristninger 'hɛlərɪst-nɪŋɐ
Hellespont hɛlɛs'pɔnt
Helleu fr. ɛ'lø
Hellgat[t] 'hɛlgat
hellhörig 'hɛlhø:rɪç
Helligen vgl. Helling
Hellín span. e'ʎin
Helling 'hɛlɪŋ, **Helligen** 'hɛlɪgn̩
Hellingen 'hɛlɪŋən
helllicht 'hɛllɪçt
Hellman engl 'hɛlmən
Hellmann 'hɛlman
Hellmesberger 'hɛlməs-bɛrgɐ
Hellmut[h] 'hɛlmu:t
Hello fr. ɛ'lo
Hellpach 'hɛlpax
Hellriegel 'hɛlri:gl̩
Hellseher 'hɛlze:ɐ̯
Hellseherei hɛlze:ə'rai̯
Hellström schwed. .hɛl-strœm
Hell-Ville fr. ɛl'vil
hellwach 'hɛl'vax
Hellweg 'hɛlve:k, -es 'hɛl-ve:gəs
Hellwege 'hɛlve:gə
Hellwig 'hɛlvɪç
Helm[a] 'hɛlm[a]

Helman niederl. 'hɛlmɑn
Helmand afgh. hil'mænd
Helmarshausen hɛlmars-'hau̯zn̩
Helmbold 'hɛlmbɔlt
Helmbrecht 'hɛlmbrɛçt
Helmbrechts 'hɛlmbrɛçt͜s
Helme 'hɛlmə
Helmer 'hɛlmɐ, dän. 'hel'mɐ
Helmerding 'hɛlmɐdɪŋ
Helmers niederl. 'hɛlmərs
Helmholtz 'hɛlmhɔlt͜s
Helmine hɛl'mi:nə
Helminthagogum hɛlmɪn-ta'go:gʊm, ...ga ...ga
Helminthe hɛl'mɪntə
Helminthiasis hɛlmɪn'ti:a-zɪs, ...asen ...'tia:zn
Helminthologie hɛlmɪntolo'gi:
Helminthose hɛlmɪn'to:zə
Helmold, ...lt 'hɛlmɔlt
Helmond niederl. 'hɛlmɔnt, fr. ɛl'mõ
Helmont niederl. 'hɛlmɔnt
Helmstedt 'hɛlmʃtɛt
Helmstorf 'hɛlmstɔrf
Helmtraud, Helmtraut 'hɛlmtrau̯t
Helmtrud 'hɛlmtru:t
Helmut[h] 'hɛlmu:t
Helmward 'hɛlmvart
Helobiae he'lo:bie̯
Helodea he'lo:dea
Helodes he'lo:dɛs
Heloise helo'i:zə
Héloïse fr. elɔ'i:z
Helophyt helo'fy:t
Helot[e] he'lo:t[ə]
Helotismus helo'tɪsmʊs
Hélou fr. e'lu
Helper engl. 'hɛlpə
Helprin engl. 'hɛlprɪn
Helsingfors 'hɛlzɪŋfɔrs, schwed. hɛlsɪŋ'fɔrs
Helsingin Sanomat finn. 'hɛlsiŋin 'sɑnɔmɑt
Helsingør dän. helsɪŋ'ʏ:'ɐ̯
Helsinki 'hɛlzɪŋki, finn. 'hɛl-siŋki
Helst niederl. hɛlst
Heltau 'hɛltau̯
Heluan he'lu̯a:n
Helvellyn engl. hɛl'vɛlɪn
Helvet hɛl've:t
Helvetia hɛl've:tsi̯a
Helvetica hɛ'lve:tika
¹Helvetien (Land) hɛl've:-tsi̯ən

²Helvetien (Geol.) hɛlve-'si̯ɛ:
Helvetier hɛl've:tsi̯ɐ
Helvetik hɛl've:tɪk
helvetisch hɛl've:tɪʃ
Helvetismus hɛlve'tɪsmʊs
Helvétius fr. ɛlve'sjys
Helwig 'hɛlvɪç
hem! həm, hm̩
Heman, ...men 'hi:mɛn
Hemans engl. 'hɛmənz
Hemau 'he:mau̯
Hemberg 'hɛmbɛrk
Hemd hɛmt, -es 'hɛmdəs
hemdsärmelig 'hɛmt͜slɛrməlɪç
Hemeldonck niederl. 'he:məldɔŋk
Hemel Hempstead engl. 'hɛməl 'hɛmpstɪd
Hemen vgl. Heman
Hemer 'he:mɐ
hemeradiaphor hemeradia-'fo:ɐ̯
Hemeralopie hemeralo'pi:
Hemerken 'he:mɐkn̩
Hemerocallis hemero'kalɪs
Hemerophil hemero'fi:l
hemerophob hemero'fo:p, -e ...o:bə
Hemessen niederl. 'he:məsə
Hemet engl. 'hɛmɪt
Hemialgie hemi|al'gi:, -n ...i:ən
Hemianästhesie hemi|an|ɛste'zi:, -n ...i:ən
Hemianopsie hemi|an|ɔ'psi:, -n ...i:ən
Hemiataxie hemi|ata'ksi:, -n ...i:ən
Hemiatrophie hemi|atro'fi:, -n ...i:ən
Hemiedrie hemi|e'dri:
Hemiepes hemi|e'pe:s
Hemignathie hemigna'ti:, -n ...i:ən
Hemikranie hemikra'ni:, -n ...i:ən
Hemikraniose hemikra-'nio:zə
Hemikryptophyt hemi-krypto'fy:t
Hemiksem niederl. 'he:mɪk-səm
Hemimelie hemime'li:, -n ...i:ən
Hemimetabolen hemime-ta'bo:lən
Hemimetabolie hemimeta-bo'li:

hemimorph hemi'mɔrf
Hemimorphit hemimɔr'fi:t
Heming[way] engl.
  'hɛmɪŋ[weɪ]
Hemiole he'mi̯o:lə
Hemiopie hemi̯o'pi:, -n
  ...i:ən
Hemiopsie hemi̯ɔ'psi:, -n
  ...i:ən
Hemiparese hemipa're:zə
hemipelagisch hemipe'la:-
  gɪʃ
Hemiplegie hemiple'gi:, -n
  ...i:ən
Hemiplegiker hemi'ple:gikɐ
Hemiplegische hemi'ple:-
  gɪʃə
Hemiptere hemɪp'te:rə
Hemispasmus hemi'spas-
  mʊs
Hemisphäre hemi'sfɛ:rə
hemisphärisch hemi'sfɛ:rɪʃ
Hemistichion hemi'stiçi̯ɔn,
  ...ien ...i̯ən
Hemistichium hemi'stɪ-
  çi̯ʊm, ...ien ...i̯ən
Hemistichomythie hemistɪ-
  çomy'ti:
Hemitonie hemito'ni:, -n
  ...i:ən
hemitonisch hemi'to:nɪʃ
Hemizellulose hemitsɛlu-
  'lo:zə
hemizyklisch hemi'tsy:klɪʃ
Hemlocktanne 'hɛmlɔktanə
Hemma 'hɛma
Hemmel 'hɛml̩
hemmen 'hɛmən
Hemmer schwed. 'hɛmər
Hemmerli[n] 'hɛmɐli[:n]
Hemmingstedt 'hɛmɪŋʃtɛt
Hemmnis 'hɛmnɪs, -se
  'hɛmnɪsə
Hemmo 'hɛmo
Hémon fr. e'mõ
Hempel 'hɛmpl̩
Hempstead engl. 'hɛmpstɛd
Hemsterhuis niederl.
  'hɛmstərhœis
Henade he'na:də
Henan chin. xʌnan 22
Henares span. e'nares
Henarez he'na:rɛs
Hénault fr. e'no
Hench engl. hɛntʃ
Henckel[l] 'hɛŋkl̩
Henckels 'hɛŋkl̩s
Hendaye fr. ã'daj
Hendekagon hɛndeka'go:n
Hendekasyllabus hɛndeka-

'zylabʊs, ...syllaben
...zy'la:bn̩, ...syllabi
...'zylabi
Hendel 'hɛndl̩
Henderson[ville] engl. 'hɛn-
  dəsn[vɪl]
Hendiadyoin hɛndiady'ɔyn
Hendiadys hɛndia'dys
Hending 'hɛndɪŋ
Hendl 'hɛndl̩
Hendon engl. 'hɛndən
Hendrich 'hɛndrɪç
Hendri[c]k niederl. 'hɛndrɪk
Hendricks, ...ix engl. 'hɛn-
  drɪks
Hendrych tschech. 'hɛndrix
Hendschel 'hɛntʃl̩
Henegouwen niederl.
  'he:nəɣɔuwə
Hengelo niederl. 'hɛŋəlo
Hengest 'hɛŋgɛst
Hengist 'hɛŋgɪst
Hengst hɛŋst
Hengstenberg 'hɛŋstn̩bɛrk
Hengsteysee 'hɛŋstai̯ze:
Hengyang chin. xəŋ-i̯aŋ 22
Henhöfer 'hɛnhø:fɐ
Henie engl. 'hɛni
Hénin-Liétard fr. enẽlje'ta:r
Henisch 'he:nɪʃ
Henismus he'nɪsmʊs
Henk[e] 'hɛŋk[ə]
Henkel 'hɛŋkl̩
...henk[e]lig ...'hɛŋk[ə]lɪç, -e
  ...ɪgə
Henkell® 'hɛŋkl̩
henken 'hɛŋkn̩
Henle 'hɛnlə
Henlein 'hɛnlai̯n
Henley engl. 'hɛnlɪ
Henna 'hɛna
Henne 'hɛnə
Henneberg 'hɛnəbɛrk
Hennebique fr. ɛn'bik
Hennebont fr. ɛn'bõ
Hennecke 'hɛnəkə
Hennef 'hɛnɛf
Hennegat[t] 'hɛnəgat
Hennegau 'hɛnəgau̯
Hennequin fr. ɛn'kẽ
Henner 'hɛnɐ, fr. ɛ'nɛ:r
Hennes 'hɛnəs
Hennessy engl. 'hɛnɪsɪ
Hennet 'hɛnət
Henni 'hɛni
Hennig[sdorf] 'hɛnɪç[sdɔrf]
Hennin ɛ'nẽ:
Henning dt., engl. 'hɛnɪŋ,
  dän. 'henɪŋ, schwed. ˌhɛnɪŋ
Henningsen dän. 'henɪŋsn̩

Henno 'hɛno
Henny 'hɛni, engl. 'hɛnɪ
Henoch 'he:nɔx
Henotheismus henote'ɪs-
  mʊs
henotheistisch henote'ɪstɪʃ
Henri ã'ri:, fr. ã'ri, engl.
  'hɛnrɪ, dän. 'henri
Henriade fr. ã'rjad
Henrici hɛn'ri:tsi
Henrideux fr. ãri'dø
Henrietta hɛnri'ɛta, engl.
  hɛnri'ɛtə
Henriette hɛnri'ɛtə, fr. ã'rjɛt
Henrik 'hɛnrɪk, dän.
  'hen'rɔg, schwed. 'hɛnrik
Henrike hɛn'ri:kə
Henriot fr. ã'rjo
Henriquatre, -s fr. ãri'katr
Henrique span. en'rrike,
  port. ẽ'rrikə, bras. ẽ'rriki
Henriques port. ẽ'rrikɪʃ
Henríquez span. en'rrikeθ
Henry 'hɛnri, engl. 'hɛnrɪ, fr.
  ã'ri
Henryetta engl. hɛnrɪ'ɛtə
Henryk poln. 'xɛnrɪk
Henryson engl. 'hɛnrɪsn
Henschel 'hɛnʃl̩, engl. 'hɛn-
  ʃəl
Henschke 'hɛnʃkə
Hensel 'hɛnzl̩
Henselt 'hɛnzl̩t
Hensen 'hɛnzn̩, niederl.
  'hɛnsə
Hensler 'hɛnslɐ
Henslow[e] engl. 'hɛnzloʊ
Hensoldt 'hɛnzɔlt
Henson engl. hɛnsn
Hentig 'hɛntɪç
Hentschel 'hɛntʃl̩
Henty engl. 'hɛntɪ
Hentzi 'hɛntsi
Henz[e] 'hɛnts[ə]
Henzi 'hɛntsi
Heortologie heɔrtolo'gi:
Heortologium heɔrto'lo:-
  gi̯ʊm, ...ien ...i̯ən
Hepar 'he:par, ...ata ...ata
Heparin hepa'ri:n
Hepatalgie hepatal'gi:, -n
  ...i:ən
hepatalgisch hepa'talgɪʃ
Hepatargie hepatar'gi:, -n
  ...i:ən
Hepaticae he'pa:titsɛ
Hepatika he'pa:tika
Hepatisation hepatiza-
  'tsi̯o:n
hepatisch he'pa:tɪʃ

Hepatitis hepaˈtiːtɪs, ...**itiden** hepatiˈtiːdn̩
Hepatoblastom hepatoblasˈtoːm
hepatogen hepatoˈgeːn
Hepatographie hepatograˈfiː
Hepatolith hepatoˈliːt
Hepatologe hepatoˈloːgə
Hepatomegalie hepatomegaˈliː, **-n** ...iːən
Hepatopankreas hepatoˈpankreas
Hepatopathie hepatopaˈtiː, **-n** ...iːən
Hepatoptose hepatɔpˈtoːzə
Hepatose hepaˈtoːzə
Hepatoxämie hepatɔksɛˈmiː, **-n** ...iːən
Hepburn engl. ˈhɛbə[ː]n
Hephaistos heˈfaistɔs
Hephäst heˈfɛːst
Hephästion, Hephaestion heˈfɛːstiɔn
Hephästus heˈfɛːstʊs
Hephthemimeres hɛftemiˈmeˈreːs
Hephzibah engl. ˈhɛfsɪbə, ˈhɛfzɪbə
Hepner engl. ˈhɛpnə
Heppenheim ˈhɛpn̩haim
Hepplewhite engl. ˈhɛplwait
Heptachord hɛptaˈkɔrt, **-e** ...rdə
Heptagon hɛptaˈgoːn
Heptameron hɛpˈtaːmerɔn
Heptameter hɛpˈtaːmetɐ
Heptan hɛpˈtaːn
Heptarchie hɛptarˈçiː
Heptateuch hɛptaˈtɔyç
Heptatonik hɛptaˈtoːnɪk
Heptode hɛˈptoːdə
Heptose hɛpˈtoːzə
Hepworth engl. ˈhɛpwə[ː]θ
her heːɐ̯
Hera ˈheːra
herab hɛˈrap
herabhängen hɛˈraphɛŋən
Heraclides heraˈkliːdɛs
Heraeus heˈrɛːʊs
Heraion heˈraiɔn
Heraklas ˈheːraklas
Heraklea heraˈkleːa
Herakleia heraˈklaia, heˈraːklaia
Herakleides heraˈklaidɛs
Herakleios heraˈklaiɔs, heˈraːklaiɔs
herakleisch heraˈkleːɪʃ

Herakleitos heˈraːklaitɔs, heraˈklaitɔs
Herakleopolis herakleˈoːpolɪs
Herakles ˈheːraklɛs
Heraklide heraˈkliːdə
Heraklides heraˈkliːdɛs
Heraklion heˈraːkliɔn
Heraklios heˈraːkliɔs
Heraklit heraˈkliːt
Herakliteer heraˈkliˈteːɐ
Heraklith ® heraˈkliːt
Heraklitus heraˈkliːtʊs
Herald engl. ˈhɛrəld
Heraldik heˈraldɪk
Heraldiker heˈraldikɐ
heraldisch heˈraldɪʃ
heran hɛˈran
heranbringen hɛˈranbrɪŋən
Heräon heˈrɛːɔn
Herat heˈraːt, afgh. hæˈrɑt
Heratimuster heˈraːtimʊstɐ
herauf hɛˈrauf
Hérault fr. eˈro
Hérault de Séchelles fr. erodseˈʃɛl
heraus hɛˈraus
herauskommen hɛˈrauskɔmən
herb hɛrp, **-e** ˈhɛrbə
Herbalist herbaˈlɪst
Herbar hɛrˈbaːɐ̯
Herbarium hɛrˈbaːriʊm, ...**ien** ...iən
Herbart ˈhɛrbart
Herbeck ˈhɛrbɛk
Herbe[de] ˈhɛrbə[də]
herbei hɛɐ̯ˈbai
herbeiführen hɛɐ̯ˈbaifyːrən
Herbelot fr. ɛrbəˈlo
Herber ˈhɛrbɐ
Herberge ˈhɛrbɛrgə
herbergen ˈhɛrbɛrgn̩, **herberg!** ˈhɛrbɛrk, **herbergt** ˈhɛrbɛrkt
Herberger ˈhɛrbɛrgɐ
Herbermann ˈhɛrbɐman
Herbern ˈhɛrbɐn
Herberstein ˈhɛrbɐʃtain
Herbert ˈhɛrbɛrt, engl. ˈhəːbət, poln. ˈxɛrbɛrt
Herbig ˈhɛrbɪç
Herbin fr. ɛrˈbɛ̃
herbivor hɛrbiˈvoːɐ̯
herbizid, H... hɛrbiˈtsiːt, **-e** ...iːdə
Herbling ˈhɛrplɪŋ
Herbois fr. ɛrˈbwa
Herbolzheim[er] ˈhɛrbɔltshaim[ɐ]

Herborn ˈhɛrbɔrn
Herbort ˈhɛrbɔrt
Herbrand ˈhɛrbrant, fr. ɛrˈbrɑ̃
Herbst hɛrpst
Herbstein ˈhɛrpʃtain
herbsteln ˈhɛrpstl̩n
herbsten ˈhɛrpstn̩
Herbster ˈhɛrpstɐ
herbstlich ˈhɛrpstlɪç
Herbstling ˈhɛrpstlɪŋ
Herbst-Tagundnachtgleiche ˈhɛrpstta:klʊntˈnaxtglaiçə
Herburger ˈhɛrbʊrgɐ
Herceghalom ung. ˈhɛrtsɛkhɔlom
Herceg-Novi serbokr. ˌhɛrtsɛɡˈnɔvi:
Hercegovina serbokr. ˌhɛrtsɛɡɔvina
Herculan[e]um hɛrkuˈlaːn[e]ʊm
Herculano port. irkuˈlɐnu
Herculano de Carvalho e Araújo port. irkuˈlɐnu ðə kɐrˈvaʎu i ɐrɐ̯ˈuʒu
Hercule fr. ɛrˈkyl
Hercules ˈhɛrkulɛs, engl. ˈhəːkjʊliːz
Herczeg ung. ˈhɛrtsɛɡ
Herd heːɐ̯t, **-e** ˈheːɐ̯də
Herdal dän. ˈhɛɐ̯dɛːˈl
Herde ˈheːɐ̯də
Herdecke ˈhɛrdəkə
Herder ˈhɛrdɐ
herderisch, H... ˈhɛrdərɪʃ
herdersch, H... ˈhɛrdɐʃ
Herðubreið isl. ˈhɛrðʏbrɛið
Here ˈheːrə
Héré de Corny fr. eredkɔrˈni
Heredia fr. ereˈdja, span. eˈreðja
heredieren hereˈdiːrən
hereditär herediˈtɛːɐ̯
Heredität herediˈtɛːt
Heredodegeneration heredodegeneraˈtsioːn
Heredopathie heredopaˈtiː, **-n** ...iːən
Hereford engl. ˈhɛrɪfəd, US ˈhəːfəd
herein hɛˈrain
hereinbrechen hɛˈrainbrɛçn̩
Hereke türk. ˈhɛrɛkɛ
Hérelle, d' fr. deˈrɛl
Heremans niederl. ˈheːrəmɑns

Herennius heˈrɛnjʊs
Hérens *fr.* eˈrã
Herent *niederl.* ˈheːrənt
Herentals *niederl.* ˈheːrən-
tals
Herero heˈreːro, *auch:*
ˈheːrero
Herford ˈhɛrfɔrt, *engl.*
ˈhɑːfəd, ˈhɑːfəd
Herfried ˈhɛrfriːt
Hergenröther ˈhɛrgn̩røːtɐ
Hergesell ˈhɛrgəzɛl
Hergesheimer *engl.*
ˈhəːgəshaɪmə
Hergiswald hɛrgɪsˈvalt
Hergot ˈhɛrgɔt
Herhaus ˈhɛrhaʊs
Hériat *fr.* eˈrja
Heribert ˈheːribɛrt
Herihor heriˈhoːɐ̯
Hering[en] ˈheːrɪŋ[ən]
Heringsdorf ˈheːrɪŋsdɔrf
herinnen hɛˈrɪnən
Heris ˈheːrɪs
Herisau ˈheːrizaʊ
Héristal *fr.* erisˈtal
Herking ˈhɛrkɪŋ
Herkner ˈhɛrknɐ
Herkogamie hɛrkogaˈmiː
Herkomer ˈheːɐ̯komɐ, *engl.*
ˈhəːkəmə
Herkommer ˈheːɐ̯kɔmɐ
herkömmlich ˈheːɐ̯kœmlɪç
Herkulaneum hɛrkuˈlaː-
neʊm
Herkules ˈhɛrkulɛs
herkulisch hɛrˈkuːlɪʃ
Herkunft ˈheːɐ̯kʊnft
Herlein ˈhɛrlaɪn
Herleshausen hɛrləsˈhaʊzn̩
Herlev *dän.* ˈhɛɐ̯leʊ
Herlihy *engl.* ˈhəːlɪhɪ
Herlin ˈhɛrliːn
Herlinde hɛrˈlɪndə
Herlindis hɛrˈlɪndɪs
Herling ˈhɛrlɪŋ, *poln.* ˈxɛr-
lɪŋk
Herlischka ˈhɛrlɪʃka
Herlitze ˈhɛrlɪtsə, *auch:* –ˈ– –
Herloß[son] ˈhɛrlɔs[zoːn]
Herma[gor] ˈhɛrma[goːɐ̯]
Her Majesty *engl.* hə:
ˈmædʒɪstɪ
Herman ˈhɛrman, *fr.* ɛrˈmã,
schwed. ˈhærman, *engl.*
ˈhəːmən
Hermandad hɛrmanˈdaːt,
span. ɛrmanˈdað
Hermann ˈhɛrman

Hermannsburg ˈhɛrmans-
bʊrk
Hermannsson *isl.* ˈhɛrman-
sɔn
Hermannstadt ˈhɛrmanʃtat
Hermans *niederl.* ˈhɛrmɑns
Hermant *fr.* ɛrˈmã
Hermanus *afr.* hɛrˈmɑːnʏs
Hermäon hɛrˈmɛːɔn
Hermaphrodismus hɛrma-
froˈdɪsmʊs
Hermaphrodit hɛrmafro-
ˈdiːt
Hermaphroditismus hɛr-
mafrodiˈtɪsmʊs
Hermas ˈhɛrmas
Herme ˈhɛrmə
Hermelin hɛrməˈliːn
Hermelink ˈhɛrməlɪŋk
Hermeneutik hɛrmeˈnɔytɪk
hermeneutisch hɛrmeˈnɔy-
tɪʃ
Hermengard ˈhɛrməngart
Hermengild ˈhɛrməngɪlt
Hermenigild ˈhɛrmenigɪlt
¹Hermes (Gott) ˈhɛrmɛs
²Hermes (dt. Name) ˈhɛr-
məs
Hermesianax hɛrmeˈziːa-
naks
Hermeskeil ˈhɛrməskaɪl
Hermetik hɛrˈmeːtɪk
Hermetiker hɛrˈmeːtikɐ
hermetisch hɛrˈmeːtɪʃ
hermetisieren hɛrmetiˈziː-
rən
Hermetismus hɛrmeˈtɪsmʊs
Hermi ˈhɛrmi
Hermia[s] ˈhɛrmja[s]
Hermine hɛrˈmiːnə
Herminone hɛrmiˈnoːnə
herminonisch hɛrmiˈnoːnɪʃ
¹Hermione (griech. Name)
hɛrˈmiːone
²Hermione (germ. Stam-
mesangehöriger) hɛr-
ˈmjoːnə
Hermitage [h]ɛrmiˈtaːʒə, *fr.*
ɛrmiˈtaːʒ
Hermite *fr.* ɛrˈmit
Hermlin hermˈliːn
Hermodsson *schwed.* ˌhær-
mɔdsɔn
Hermogenes hɛrˈmoːgenɛs
Hermokrates hɛrˈmoːkratɛs
Hermon ˈhɛrmɔn
Hermonax hɛrˈmoːnaks
Hermos ˈhɛrmɔs
Hermosa *engl.* həˈmoʊsə
Hermosillo *span.* ɛrmoˈsiʎo

Herms[dorf] ˈhɛrms[dɔrf]
Hermundure hɛrmʊnˈduːrə
Hermupolis hɛrˈmuːpolɪs
hernach hɛɐ̯ˈnaːx
Hernád[i] *ung.* ˈhɛrnaːd[i]
Hernals hɛrˈnals
Hernández *span.* ɛrˈnandeθ
Hernando *span.* ɛrˈnando
Hernani ɛrˈnaːni, *span.*
ɛrˈnani, *fr.* ɛrnaˈni
Herndon *engl.* ˈhəːndən
Herne ˈhɛrnə, *engl.* həːn
Hernie ˈhɛrnjə
hernieder hɛɐ̯ˈniːdɐ
Herning *dän.* ˈhɛɐ̯nɪŋ
Herniotomie hɛrnioˈtoˈmiː,
-n ...iːən
Hero ˈheːro
Heroa vgl. Heroon
heroben heˈroːbn̩
Herodas heˈroːdas
Herodes heˈroːdɛs
Herodian[os] heroˈdiːa:n[ɔs]
Herodias heˈroːdias
Herodot heroˈdɔt, *auch:*
...doːt
Herodotos heˈroːdotɔs
Heroe heˈroːə
Heroide heroˈiːdə
Heroik heˈroːɪk
¹Heroin (Heldin) heˈroːɪn
²Heroin (Medikament)
heroˈiːn
Heroine heroˈiːnə
Heroinismus heroiˈnɪsmʊs
heroisch heˈroːɪʃ
heroisieren heroiˈziːrən
Heroismus heroˈɪsmʊs
Herold ˈheːrɔlt, -e ...ldə
Hérold *fr.* eˈrɔld
Heron heˈrɔn, *engl.* ˈhɛrən
Herondas heˈrɔndas
Heroon heˈroːɔn, Heroa
heˈroːa
Herophilos heˈroːfilɔs
Heros ˈheːrɔs, Heroen
heˈroːən
Herostrat heroˈstraːt
herostratisch heroˈstraːtɪʃ
Herostratos hɛˈrɔstratɔs
Herotrickster ˈhiːroˈtrɪkstɐ
Héroult *fr.* eˈru
Herpály *ung.* ˈhɛrpaːj
Herpangina hɛrpaŋˈgiːna
Herpes ˈhɛrpɛs
herpetiform hɛrpetiˈfɔrm
herpetisch hɛrˈpeːtɪʃ
Herpetologie hɛrpetoloˈgiː
Herpf hɛrpf
Herr hɛr

Herrand 'hɛrant
Herre 'hɛrə
Herredia span. ɛ'rrɛðia
Herreise 'he:ṛraizə
Herreman niederl. 'hɛrə-
man
Herrenalb herən'|alp
Herrenberg 'hɛrənbɛrk
Herrenchiemsee hɛrən-
'ki:mze:
Herrenwörth hɛrən'vø:ṛt
Herrera span. ɛ'rrɛra
Herreshoff dt., engl. 'hɛrəs-
hɔf
Herreweghen niederl.
'hɛrəwe:ɣə
Herrgott 'hɛrgɔt
Herrgottsfrühe 'hɛrgɔts-
fry:ə
Herrhausen 'hɛrhauzṇ
Herrick engl. 'hɛrɪk
Herrieden he'ri:dṇ
Herrin (Ort) engl. 'hɛrɪn
Herriot fr. ɛ'rjo, engl. 'hɛrɪət
herrisch 'hɛrɪʃ
herrje! hɛr'je:
herrjemine! hɛr'je:mine
Herrmann 'hɛrman, engl.
'hɔ:mən
Herrnhut[er] 'hɛrnhu:t[ɐ]
Herrschaft 'hɛrʃaft
herrschen 'hɛrʃṇ
Herrsching 'hɛrʃɪŋ
Hersbruck hɛrs'brʊk
Hersch fr. ɛrʃ
Herschel 'hɛrʃl, engl. 'hɔ:ʃəl
Hersey engl. 'hɔ:sɪ, 'hɔ:zɪ
Hersfeld 'hɛrsfɛlt
Hershey engl. 'hɔ:ʃɪ
Herskovits engl. 'hɔ:skəvɪts
Herstal niederl. 'hɛrstal, fr.
ɛrs'tal
Herstmonceux engl. hɔ:st-
mən'zu:
Herta 'hɛrta
Hertel 'hɛrtḷ
Herten 'hɛrtṇ, niederl.
'hɛrtə
Herter 'hɛrtɐ, engl. 'hɔ:tə
¹Hertford (England) engl.
'hɑ:fəd
²Hertford (USA) engl. 'hɔ:t-
fəd
Hertfordshire engl. 'hɑ:fəd-
ʃɪə
Hertha 'hɛrta
Hertie 'hɛrti
Hertling 'hɛrtlɪŋ
Hertmann 'hɛrtman
Herts engl. hɑ:ts

Hertwig 'hɛrtvɪç
Hertz hɛrts, engl. hɔ:ts,
hɛəts, dän. hɛḓds, poln.
xɛrts
Hertzberg 'hɛrtsbɛrk
Hertziana hɛr'tsia:na
Hertzog 'hɛrtso:k, engl.
'hɔ:tsɔg, afr. 'hɛrtsɔx
Hertzsprung 'hɛrtsʃprʊŋ,
dän. 'hɛḓdsbrʊŋ'
herüber he'ry:bɐ
herüberkommen hɛ'ry:bɐ-
kɔmən
Heruler 'he:rulɐ, he'ru:lɐ
herum hɛ'rʊm
herumführen hɛ'rʊmfy:rən
herunten hɛ'rʊntṇ
herunter hɛ'rʊntɐ
herunterkommen hɛ'rʊntɐ-
kɔmən
Hervé fr. ɛr've
Herver 'hɛrvɐ
Hervieu fr. ɛr'vjø
hervor hɛṛ'fo:ɐ
hervorragen hɛṛ'fo:ṛra:gṇ
Herward, ...rt[h] 'hɛrvart
herwärts 'he:ṛvɛrts
Herwegen 'hɛrve:gṇ
Herwegh 'hɛrve:k
Herwig 'hɛrvɪç
Herwiga hɛr'vi:ga
Herz hɛrts
herzallerliebst 'hɛrtsḷalɐ-
'li:pst
Herzallerliebste 'hɛrtsḷalɐ-
'li:pstə
Herzberg 'hɛrtsbɛrk, nie-
derl. 'hɛrdzbɛrx
Herzebrock 'hɛrtsəbrɔk
Herzegowina hɛrtse'go:-
vina, auch: hɛrtsego'vi:na
Herzeloide hɛrtsə'lɔydə
herzen, H... 'hɛrtsṇ
herzensgut 'hɛrtsṇs'gu:t
Herzfeld 'hɛrtsfɛlt
Herzfelde 'hɛrtsfɛldə
herzig 'hɛrtsɪç, -e ...ɪgə
herzinnig hɛrts'|ɪnɪç
herzinniglich hɛrts'|ɪnɪklɪç
Herzl 'hɛrtsḷ
Herzlieb 'hɛrtsli:p
Herzliyya hebr. hɛrts'lija
Herzmanovsky hɛrtsma-
'nɔfski
¹Herzog 'hɛrtso:k, Herzöge
...tsø:gə
²Herzog (Name) 'hɛrtso:k,
fr. ɛr'zɔg
Herzogenaurach
hɛrtso:gṇ'laurax

Herzogenberg 'hɛr-
tso:gṇbɛrk
Herzogenburg 'hɛr-
tso:gṇbʊrk
Herzogenbusch hɛr-
tso:gṇ'bʊʃ
Herzogenrath hɛr-
tso:gṇ'ra:t, '----
Herzogin 'hɛrtso:gɪn
herzoglich 'hɛrtso:klɪç
Herzogstand 'hɛrtso:k-
ʃtant
herzu hɛṛ'tsu:
herzukommen hɛṛ'tsu:kɔ-
mən
herzynisch hɛr'tsy:nɪʃ
Hesbaye fr. ɛs'bɛ
Hesdin fr. e'dɛ̃
Hesekiel he'ze:kie:l, auch:
...iɛl
Hesiod he'zio:t, auch: ...iɔt
Hesiodos he'zi:odɔs
hesiodisch he'zio:dɪʃ
Heske 'hɛskə
Hesler 'hɛslɐ
Hesperetin hɛspere'ti:n
Hesperide hɛspe'ri:də
Hesperidin hɛsperi'di:n
Hesperien hɛs'pe:riən
Hesperis 'hɛsperɪs
Hesperos 'hɛsperɔs
Hesperus 'hɛsperʊs
Hespos 'hɛspɔs
Heß hɛs
Hess dt., engl. hɛs
Hesse 'hɛsə
Hessel 'hɛsḷ
Hesselbach[er] 'hɛsḷbax[ɐ]
Hessen 'hɛsṇ
Hessenberg 'hɛsṇbɛrk
Hessenthal hɛsṇ'ta:l
Hessian engl. 'hɛsiən
Hessing 'hɛsɪŋ
hessisch 'hɛsɪʃ
Hesso 'hɛso
Hessus 'hɛsʊs
Hester engl. 'hɛstə
Hestia 'hɛstia
Heston engl. 'hɛstən
Hesych he'zyç, ...'zy:ç
Hesychasmus hezy'çasmus
Hesychast hezy'çast
Hesychios he'zyçiɔs, he'zy:-
çiɔs
Hetäre he'tɛ:rə
Hetärie hete'ri:, -n ...i:ən
Hetel 'hetḷ
hetero, H... 'he:tero, 'hɛtero,
he'te:ro

Heteroauxin hetero|au-
'ksi:n
heteroblastisch hetero-
'blastɪʃ
heterochlamydeisch hete-
roçlamy'de:ɪʃ
Heterochromie hetero-
kro'mi:, -n ...i:ən
Heterochromosom hetero-
kromo'zo:m
Heterochylie heteroçy'li:
heterodont hetero'dɔnt
Heterodontie heterodɔn'ti:
heterodox hetero'dɔks
Heterodoxie heterodɔ'ksi:,
-n ...i:ən
heterodynamisch hetero-
dy'na:mɪʃ
heterofinal heterofi'na:l
heterogametisch heterog-
a'me:tɪʃ
Heterogamie heteroga'mi:,
-n ...i:ən
heterogen hetero'ge:n
Heterogenese heteroge-
'ne:zə
Heterogenität heterogeni-
'tɛ:t
Heterogonie heterogo'ni:
heterograd hetero'gra:t, -e
...a:də
Heterogramm hetero'gram
heterograph hetero'gra:f
Heterohypnose heterohyp-
'no:zə
Heterokarpie heterokar'pi:
heteroklin hetero'kli:n
Heteroklisie heterokli'zi:
heteroklitisch hetero'kli:tɪʃ
Heterokliton hete'ro:klitɔn,
...ta ...ta
Heterokotylie heterokoty-
'li:
heterolog hetero'lo:k, -e
...o:gə
heteromer hetero'me:ɐ
heteromesisch hetero'me:-
zɪʃ
heteromorph hetero'mɔrf
Heteromorphie hetero-
mɔr'fi:
Heteromorphismus hete-
romɔr'fɪsmʊs
Heteromorphopsie hetero-
mɔrfɔ'psi:, -n ...i:ən
Heteromorphose hetero-
mɔr'fo:zə
heteronom hetero'no:m
Heteronomie heterono'mi:

heteronym, H... hetero-
'ny:m
Heteronymie heterony'mi:
heterophag hetero'fa:k, -e
...a:gə
Heterophemie heterofe'mi:
Heterophobie heterofo'bi:,
-n ...i:ən
heterophon hetero'fo:n
Heterophonie heterofo'ni:
Heterophorie heterofo'ri:
Heterophyllie heterofy'li:
heteropisch hete'ro:pɪʃ
Heteroplasie heteropla'zi:,
-n ...i:ən
Heteroplastik hetero'plas-
tɪk
heteroploid heteroplo'i:t, -e
...i:də
heteropolar heteropo'la:ɐ
Heteroptera hete'rɔptera
Heteropteren heterɔp'te:-
rən
Heterorhizie heterori'tsi:
Heterosemie heteroze'mi:,
-n ...i:ən
Heterosexualität hetero-
zɛksuali'tɛ:t
heterosexuell hetero-
zɛ'ksuɛl
Heteroskedastizität hete-
roskedastitsi'tɛ:t
Heterosis hete'ro:zɪs
Heterosom hetero'zo:m
Heterospermie hetero-
spɛr'mi:
Heterosporie heterospo'ri:
Heterostereotyp heteroste-
reo'ty:p
Heterostylie heterosty'li:
Heterotaxie heterota'ksi:,
-n ...i:ən
Heteroteleologie heterote-
leolo'gi:
Heterotelie heterote'li:
heterotherm hetero'tɛrm
Heterotonie heteroto'ni:, -n
...i:ən
Heterotopie heteroto'pi:, -n
...i:ən
heterotopisch hetero'to:pɪʃ
heterotrop hetero'tro:p
heterotroph hetero'tro:f
Heterotrophie heterotro'fi:
heterozerk hetero'tsɛrk
Heterozetesis hetero'tse:-
tezɪs
heterözisch hete'rø:tsɪʃ
heterozygot heterotsy'go:t

Heterozygotie heterotsy-
go'ti:
heterozyklisch hetero'tsy:-
klɪʃ
Hetherington *engl.* 'hɛðə-
rɪŋtən
Het[h]iter he'ti:tɐ
Het[h]itien he'ti:tsiən
het[h]itisch he'ti:tɪʃ
Hethitologe hetito'lo:gə
Hethitologie hetitolo'gi:
Hetman 'hɛtman
Hetsch hɛtʃ
Hetschepetsch 'hɛtʃəpɛtʃ
Hetscherl 'hɛtʃɐl
Hettange *fr.* ɛ'tã:ʒ
Hettel 'hɛtl
Hetti 'hɛti
Hettingen 'hɛtɪŋən
Hettinger 'hɛtɪŋɐ
Hettiter hɛ'ti:tɐ
Hettlage 'hɛtla:gə
Hettner 'hɛtnɐ
Hettstedt 'hɛtʃtɛt
Hetty 'hɛti, *engl.* 'hɛtɪ
Hetz[e] 'hɛts[ə]
Hetzel 'hɛtsl, *engl.* hɛtsl, *fr.*
ɛt'sɛl
hetzen 'hɛtsn
Hetzendorf 'hɛtsn̩dɔrf
Hetzer 'hɛtsɐ
Heu hɔy
Heubach 'hɔybax
Heuberg 'hɔybɛrk
Heuberger 'hɔybɛrgɐ
Heubner 'hɔybnɐ
Heuchelberg 'hɔyçl̩bɛrk
Heuchelei hɔyçə'lai
heucheln 'hɔyçl̩n
Heuchera 'hɔyçera
Heuchler 'hɔyçlɐ
heuen 'hɔyən
heuer, H... 'hɔyɐ
heuern 'hɔyɐn
Heuert 'hɔyɐt
Heuet 'hɔyət
Heuff *niederl.* hø:f
Heuglin 'hɔygli:n
heulen 'hɔylən
Heuman 'hɔyman
Heuneburg 'hɔynəbʊrk
heureka! 'hɔyreka
heurig 'hɔyrɪç, -e ...ɪgə
Heuristik hɔy'rɪstɪk
heuristisch hɔy'rɪstɪʃ
Heurtebise *fr.* œrt'bi:z
Heuschele 'hɔyʃələ
Heuscheuer 'hɔyʃɔyɐ
Heuschrecke 'hɔyʃrɛkə
Heusde[n] *niederl.* 'hø:zdə

Heusenstamm 'hɔyznʃtam
Heuser 'hɔyzɐ, *engl.* 'hɔizə
Heusler 'hɔyslɐ
Heuss[i] 'hɔys[i]
heute, H... 'hɔytə
heutig 'hɔytɪç, **-e** ...ɪgə
heutigentags
  'hɔytɪgn̩'ta:ks, '----
Heutling 'hɔytlɪŋ
heutzutage 'hɔyttsuta:gə
Heuven-Goedhart *niederl.*
  'hø:vən'yuthɑrt
Hevea 'he:vea, **Heveae**
  'he:vee, **Heveen** he've:ən
Hevel 'he:vl̩
Hevelius he've:liʊs
Hevelke 'he:vl̩kə
Heveller he'vɛlɐ, 'he:vəlɐ
Heverlee *niederl.* 'he:vərle
Heves *ung.* 'hɛveʃ
Hevesi, ...sy *ung.* 'hɛvɛʃi
Hévíz *ung.* 'he:vi:z
Hewel 'he:vl̩
Hewel[c]ke 'he:vl̩kə
Hewett *engl.* 'hju:ɪt
Hewish *engl.* 'hju:ɪʃ
Hewit[t] *engl.* 'hju:ɪt
Hewlett *engl.* 'hju:lɪt
Hexachord hɛksa'kɔrt, **-e**
  ...rdə
hexadaktyl hɛksadak'ty:l
Hexadaktylie hɛksadak-
  ty'li:
hexadezimal hɛksadetsi-
  'ma:l
hexadisch hɛ'ksa:dɪʃ
Hexaeder hɛksa'|e:dɐ
hexaedrisch hɛksa'|e:drɪʃ
Hexaemeron hɛksa'|e:me-
  rɔn
Hexagon hɛksa'go:n
hexagonal hɛksago'na:l
Hexagramm hɛksa'gram
hexamer hɛksa'me:ɐ
Hexameron hɛ'ksa:merɔn
Hexameter hɛ'ksa:metɐ
hexametrisch hɛksa'me:trɪʃ
Hexamin hɛksa'mi:n
Hexan hɛ'ksa:n
hexangulär hɛksaŋgu'lɛ:ɐ
Hexapla 'hɛksapla
hexaploid hɛksaplo'i:t, **-e**
  ...i:də
Hexapode hɛksa'po:də
Hexastylos hɛ'ksastylos,
  ...ylen ...'sty:lən
Hexateuch hɛksa'tɔyç
Hexe 'hɛksə
hexen 'hɛksn̩

Hexentanzplatz
  'hɛksn̩.tantsplats
Hexerei hɛksə'rai
Hexis 'hɛksɪs
Hexit hɛ'ksi:t
Hexode hɛ'kso:də
Hexogen hɛkso'ge:n
Hexose hɛ'kso:zə
Hexyl hɛ'ksy:l
Hey[ck] hai[k]
Heyde[brand] 'haidə[brant]
Heydebreck 'haidəbrɛk
Heydekrug 'haidəkru:k
Heyden 'haidn̩, *niederl.*
  'hɛidə
Heydrich 'haidrɪç
Heydt hait
Heyduk *tschech.* 'hɛjduk
Heye 'haiə, *niederl.* 'hɛiə
Heyen 'haiən
Heyer 'haiɐ
Heyerdahl *norw.* 'hɛiərda:l
Heyking 'haikɪŋ
Heyl hail
Heyland[t] 'hailant
Heym haim
Heymann 'haiman
Heyman[s] *niederl.* 'hɛi-
  man[s]
Heymel 'haiml̩
Heyn *niederl.* hɛin
Heyne 'hainə
Heynicke 'hainɪkə
Heyrovský *tschech.*
  'hɛjrɔfski:
Heyse 'haizə
Heyward *engl.* 'hɛiwəd
Heywood *engl.* 'hɛiwʊd
hi! hi:
Hialeah *engl.* haiə'li:ə
Hiärne *schwed.* 'jæ:rnə
Hias 'hi:as
Hiasl 'hi:asl̩
Hiat hia:t
Hiatus 'hia:tʊs, **die -** ...tu:s
Hiawatha hia'va:ta, *engl.*
  haiə'wɔθə
Hibbard *engl.* 'hɪbəd
Hibben *engl.* 'hɪbən
Hibbert *engl.* 'hɪbət
Hibbing *engl.* 'hɪbɪŋ
Hibernakel hibɛr'na:kl̩
hibernal hibɛr'na:l
Hibernation hibɛrna'tsio:n
Hibernia hi'bɛrnia
Hibernien hi'bɛrniən
Hibis 'hi:bɪs
Hibiskus hi'bɪskʊs
hic et nunc 'hi:k ɛt 'nʊŋk
hick! hɪk

hickeln 'hɪkl̩n
Hichens *engl.* 'hɪtʃɪnz
Hicker[chen] 'hɪkɐ[çən]
Hickes *engl.* hɪks
Hickhack 'hɪkhak
Hickok *engl.* 'hɪkɔk
¹Hickory (Holz) 'hɪkori
²Hickory (Name) *engl.*
  'hɪkərɪ
hicksen 'hɪksn̩
Hicks[ville] *engl.* 'hɪks[vɪl]
hic Rhodus, hic salta 'hi:k
  'ro:dʊs 'hi:k 'zalta
Hidalgo hi'dalgo, *span.*
  i'ðalγo
Hidalgo y Costilla *span.*
  i'ðalγo i kɔs'tiʎa
Hiddensee 'hɪdn̩ze:
Hidradenitis hidrade'ni:tɪs,
  ...itiden ...ni'ti:dn̩
Hidraot hidra'o:t
Hidrenus hi'dre:nʊs
Hidroa hi'dro:a
Hidro[s]adenitis
  hidro[z]ade'ni:tɪs, ...itiden
  ...ni'ti:dn̩
Hidrose hi'dro:zə
Hidrosis hi'dro:zɪs
Hidrotikum hi'dro:tikʊm,
  ...ka ...ka
hidrotisch hi'dro:tɪʃ
Hidrozyste hidro'tsʏstə
Hidschra 'hɪdʒra
hie[b] hi:[p]
Hieb hi:p, **-e** 'hi:bə
hiebei 'hi:'bai, -'-, *hinweisend* '--
hieben 'hi:bn̩
hiebt hi:pt
hiedurch 'hi:'dʊrç, -'-, *hinweisend* '--
Hiefe 'hi:fə
Hieflau hi:f'lau
hiefür 'hi:'fy:ɐ, -'-, *hinweisend* '--
hiegegen 'hi:'ge:gn̩, -'--,
  hinweisend '---
hieher 'hi:'he:ɐ, -'-, *hinweisend* '--
Hielscher 'hi:lʃɐ
hielt hi:lt
hiemal hie'ma:l
hiemit 'hi:'mɪt, -'-, *hinweisend* '--
hienach 'hi:'na:x, -'-, *hinweisend* '--
hieneben 'hi:'ne:bn̩, -'--,
  hinweisend '---
Hienfong-... hiɛn'fɔŋ...

hienieden 'hi:'ni:dn̩, -'--, *hinweisend* '---
hier hi:ɐ̯
Hierakas hi̯e'ra:kas
Hierakonpolis hi̯era'kɔnpo-lɪs
hieramts 'hi:ɐ̯|amts, -'-, *hinweisend* '--
hieran 'hi:'ran, -'-, *hinweisend* '--
Hierapolis hi̯e'ra:polɪs
Hierarch hi̯e'rarç, hi'r...
Hierarchie hi̯erar'çi:, hir..., -n ...i:ən
hierarchisch hi̯e'rarçɪʃ, hi'r...
hierarchisieren hi̯erarçi'zi:-rən, hir...
hieratisch hi̯e'ra:tɪʃ
Hierax 'hi:eraks
hierauf 'hi:'rau̯f, -'-, *hinweisend* '--
hieraufhin 'hi:rau̯f'hɪn, --'-, *hinweisend* '---
hieraus 'hi:'rau̯s, -'-, *hinweisend* '--
hierbei 'hi:ɐ̯'bai̯, -'-, *hinweisend* '--
Hierden *niederl.* 'hi:rdə
hierdurch 'hi:ɐ̯'dʊrç, -'-, *hinweisend* '--
hierein 'hi:'rai̯n, -'-, *hinweisend* '--
hierfür 'hi:ɐ̯'fy:ɐ̯, -'-, *hinweisend* '--
hiergegen 'hi:ɐ̯'ge:gn̩, -'--, *hinweisend* '---
hierher 'hi:ɐ̯'he:ɐ̯, -'-, *hinweisend* '--
hierherauf 'hi:ɐ̯hɛ'rau̯f, --'-, *hinweisend* '---
hierherum 'hi:ɐ̯hɛ'rʊm, --'-, *hinweisend* '---
hierherwärts 'hi:ɐ̯'he:ɐ̯-vɛrts, -'--, *hinweisend* '---
hierhin 'hi:ɐ̯'hɪn, -'-, *hinweisend* '--
hierin 'hi:'rɪn, -'-, *hinweisend* '--
hierinnen 'hi:'rɪnən, -'--, *hinweisend* '---
Hierl hi:ɐ̯l
hierlands 'hi:ɐ̯'lants, -'-, *hinweisend* '--
hiermit 'hi:ɐ̯'mɪt, -'-, *hinweisend* '--
hiernach 'hi:ɐ̯'na:x, -'-, *hinweisend* '--
hierneben 'hi:ɐ̯'ne:bn̩, -'--, *hinweisend* '---

Hierodule hi̯ero'du:lə, hir...
Hieroglyphe hi̯ero'gly:fə, hir...
Hieroglyphik hi̯ero'gly:fɪk, hir...
hieroglyphisch hi̯ero'gly:-fɪʃ, hir...
Hierogramm hi̯ero'gram, hir...
Hierokles 'hi̯e:roklɛs
Hierokratie hi̯erokra'ti:, -n ...i:ən, hir...
Hieromant hi̯ero'mant, hir...
Hieromantie hi̯eroman'ti:, hir...
Hieromonachos hi̯ero'mo:-naxɔs, hir..., ...choi ...xɔy
Hieron 'hi:erɔn
Hieronym hi̯ero'ny:m, hir...
Hieronymie hi̯erony'mi:, hir...
Hieronymus hi̯e'ro:nymʊs
Hierophant hi̯ero'fant, hir...
hierorts 'hi:ɐ̯'lɔrts, -'-, *hinweisend* '--
Hieroskopie hi̯erosko'pi:, hir...
Hierosolyma hi̯ero'zo:lyma
Hierro *span.* 'jɛrro
hierselbst 'hi:ɐ̯'zɛlpst, -'-, *hinweisend* '--
Hiersemann 'hi:ɐ̯zəman
hierüber 'hi:'ry:bɐ, -'--, *hinweisend* '---
hierum 'hi:'rʊm, -'-, *hinweisend* '--
hierunter 'hi:'rʊntɐ, -'--, *hinweisend* '---
hiervon 'hi:ɐ̯'fɔn, -'-, *hinweisend* '--
hiervor 'hi:ɐ̯'fo:ɐ̯, -'-, *hinweisend* '--
hierwider 'hi:ɐ̯'vi:dɐ, -'--, *hinweisend* '---
hierzu 'hi:ɐ̯'tsu:, -'-, *hinweisend* '--
hierzulande 'hi:ɐ̯tsu'landə, *hinweisend* '----
hierzwischen 'hi:ɐ̯'tsvɪʃn̩, -'--, *hinweisend* '---
Hiesel 'hi:zl̩
hieselbst 'hi:'zɛlpst, -'-, *hinweisend* '--
hiesig 'hi:zɪç, -e ...ɪgə
Hiesl 'hi:zl̩
hieß hi:s
hieven 'hi:fn̩, *auch:* 'hi:vn̩; **hieft!** hi:f, **hieft** hi:ft

hievon 'hi:'fɔn, -'-, *hinweisend* '--
hievor 'hi:'fo:ɐ̯, -'-, *hinweisend* '--
hiewider 'hi:'vi:dɐ, -'--, *hinweisend* '---
hiezu 'hi:'tsu:, -'-, *hinweisend* '--
hiezulande 'hi:tsu'landə, *hinweisend* '----
hiezwischen 'hi:'tsvɪʃn̩, -'--, *hinweisend* '---
Hi-Fi 'hai̯fi, 'hai̯fai̯
Hifthorn 'hɪfthɔrn
Higaschimurajama *jap.* hi'gaʃimura.jama
Higaschiosaka *jap.* hi'ga-ʃio:saka
Higden *engl.* 'hɪgdən
Higgins *engl.* 'hɪgɪnz
Higginson *engl.* 'hɪgɪnsn̩
high hai̯
Highball 'hai̯bo:l
Highboard 'hai̯bo:ɐ̯t
Highbrow 'hai̯brau̯
High Church 'hai̯tʃø:ɐ̯tʃ, ...tʃœrtʃ
Highend... 'hai̯|ɛnt...
Highfidelity 'hai̯fi'dɛliti
Highgate *engl.* 'hai̯gɪt
Highheels 'hai̯'hi:ls
Highimpact 'hai̯|ɪmpɛkt
Highland[s] *engl.* 'hai̯-lənd[z]
Highlife 'hai̯lai̯f
Highlight 'hai̯lai̯t
Highnoon 'hai̯'nu:n
Highpoint 'hai̯pɔy̯nt
Highriser 'hai̯rai̯zɐ
Highschool 'hai̯sku:l
Highsmith *engl.* 'hai̯smɪθ
Highsnobiety *engl.* 'hai̯sno-'bai̯iti
Highsociety *engl.* 'hai̯zo-'sai̯iti
Hightech 'hai̯tɛk
Highway 'hai̯ve:
Higutschi *jap.* hi'gutʃi
hihi! hi'hi:
Hijacker 'hai̯dʒɛkɐ
Hijacking 'hai̯dʒɛkɪŋ
Hikmet *türk.* hik'mɛt
Hila vgl. Hilum
Hilaire *fr.* i'lɛ:r
Hilar 'hi:lar, *tschech.* 'hilar
Hilario *span.* i'lari̯o
Hilarion hi'la:ri̯ɔn
Hilarión *span.* ila'ri̯ɔn
Hilaris hi'larɪs
Hilarität hilari'tɛ:t

Hilarius hi'la:rịus
Hilarus 'hi:larʊs
Hilary engl. 'hılərı
Hilberseimer 'hılbɐzai̯mɐ
Hilbert 'hılbɐt, tschech. 'hilbɐrt
Hilbig 'hılbıç
Hilchenbach 'hılçn̩bax
Hilda 'hılda
Hildburg 'hıldbʊrk
Hildburghausen hıltbʊrk-'hau̯zn̩
Hildchen 'hıltçən
Hilde[bert] 'hıldə[bɐrt]
Hildebrand 'hıldəbrant, schwed. ˌhildəbrand
Hildebrandt 'hıldəbrant
Hildeburg 'hıldəbʊrk
Hildefons 'hıldəfɔns
Hildegard 'hıldəgart
Hildegarde hıldə'gardə
Hildegund 'hıldəgʊnt
Hildegunde hıldə'gʊndə
Hildemar 'hıldəmar
Hilden 'hıldn̩
Hilderich 'hıldərıç
Hilders 'hıldɐs
Hildesheim 'hıldəshai̯m
Hildesheimer 'hıldəshai̯mɐ
Hildreth engl. 'hıldrıθ
Hildrun 'hıldru:n
hilf!, H... hılf
Hilfe 'hılfə
Hilferding 'hılfɐdıŋ
hilflos 'hılflo:s
hilft hılft
Hili vgl. Hilus
Hilitis hi'li:tıs, Hilitiden hili-'ti:dn̩
Hilke 'hılkə
Hilker 'hılkɐ
Hill dt., engl. hıl
Hilla[rd] 'hıla[rt]
Hillary engl. 'hılərı
Hillbilly 'hılbıli
Hille[bille] 'hılə[bılə]
Hillebrand 'hıləbrant, engl. 'hıləbrænd
Hillebrandt 'hıləbrant
Hillegom niederl. 'hıləɣɔm
Hilleh 'hıle
Hillel hı'le:l, 'hılɛl
Hiller 'hılɐ, engl. 'hılə
Hillerheide hılɐ'hai̯də
Hillerød dän. 'hilərv:'ð
Hillery engl. 'hılərı
Hilliard engl. 'hılıəd
Hillingdon engl. 'hılıŋdən
Hillis engl. 'hılıs
Hillman engl. 'hılmən

Hillsboro[ugh] engl. 'hılzbə-rou̯
Hillsdale engl. 'hılzdei̯l
Hillside engl. 'hılsai̯d
Hillyer engl. 'hılıə
Hilma[r] 'hılma[r]
Hilman engl. 'hılmən
Hilmand afgh. hil'mænd
Hilo 'hi:lo, engl. 'hi:lou̯
Hilpert 'hılpɐt
Hilpoltstein 'hılpɔltʃtai̯n
Hilprecht 'hılprɛçt
Hils[bach] 'hıls[bax]
Hilsenrath 'hılzn̩ra:t
Hiltbrunner 'hıltbrʊnɐ
Hilton engl. hıltn
Hiltraud, ...aut 'hıltrau̯t
Hiltrud 'hıltru:t
Hiltrup 'hıltrʊp
Hilty 'hılti
Hilum 'hi:lʊm, ...la ...la
Hilus 'hi:lʊs, Hili 'hi:li
Hilverding 'hılfɐdıŋ
Hilversum niederl. 'hılvɐr-sym
Hilwan hıl'va:n
Himachal Pradesh engl. hı'ma:tʃəl pra:'dɛʃ
Himalaja hi'ma:laja, auch: hima'la:ja
Himalaya engl. hımə'lei̯ə
Himation hi'ma:tịɔn, ...ien ...ịən
Himbeere 'hımbe:rə
Himedschi jap. 'hi.medʒi, hi'medʒi
Himera 'hi:mera
Himerios hi'me:rịɔs
Himes engl. haımz
Himilco hi'mılko
Himilkon hi'mılkɔn
Himmel 'hıml̩
himmelan hıml̩'|an
himmelangst 'hıml̩'|aŋst
himmelauf hıml̩'|au̯f
himmelblau 'hıml̩blau̯
Himmeldonnerwetter! 'hıml̩'dɔnɐ'vɛtɐ
himmelhoch 'hıml̩'ho:x
Himmelkron 'hıml̩kro:n
himmeln 'hıml̩n
himmelwärts 'hıml̩vɛrts
himmelweit 'hıml̩'vai̯t
Himmerod 'hıməro:t
Himmler 'hımlɐ
himmlisch 'hımlıʃ
hin hın
hinab hı'nap
hinabfahren hı'napfa:rən
Hinajana hina'ja:na

hinan hı'nan
hinangehen hı'nange:ən
hinauf hı'nau̯f
hinaufblicken hı'nau̯fblıkn̩
hinaus hı'nau̯s
hinausgehen hı'nau̯sge:ən
Hinayana hina'ja:na
hinblicken 'hınblıkn̩
Hinckley engl. 'hıŋklı
Hind engl. haınd
Hinde 'hındə
Hindelang 'hındəlaŋ
Hindemith 'hındəmıt
Hindenburg 'hındn̩bʊrk
Hinderer 'hındərɐ
hinderlich 'hındɐlıç
hindern 'hındɐn, hindre 'hındrə
Hindernis 'hındɐnıs, -se ...ısə
Hindi 'hındi
Hindin 'hındın
Hindostan 'hındɔsta[:]n
Hindu 'hındu
Hinduismus hındu'ısmʊs
hinduistisch hındu'ıstıʃ
Hindukusch 'hındukʊʃ
hindurch hın'dʊrç
hindurchgehen hın-'dʊrçge:ən
Hindustan 'hındʊsta[:]n
Hindustani hındʊs'ta:ni
hindustanisch hındʊs'ta:nıʃ
Hindusthan Times engl. hındʊs'ta:n 'taımz
hinein hı'nai̯n
hineingeheimnissen hı'nai̯ŋɡəhai̯mnısn̩
Hines[ville] engl. 'haınz[vıl]
hinfort hın'fɔrt
hing hıŋ
hingegen hın'ge:gn̩
Hingham engl. 'hıŋəm
Hingis 'hıŋgıs
Hinkel[stein] 'hıŋkl̩[ʃtai̯n]
hinken 'hıŋkn̩
Hinkley engl. 'hıŋklı
Hinkmar 'hıŋkmar
Hinkunft 'hınkʊnft
hinnen 'hınən
Hinnerk 'hınɐk
Hinnøy norw. ˌhinœÿ
Hino jap. 'hi.no
Hinojosa span. inɔ'xosa
Hinrek niederl. 'hınrək
Hinrich[s] 'hınrıç[s]
Hinrick 'hınrık
Hinschius 'hınʃiʊs
Hinsdale engl. 'hınzdei̯l
hintan... hınt'|an...

hintanbleiben hınt'|an-
blaibn̩
hinten 'hıntn̩
hintenan... 'hıntn̩'|an...
hintenanbleiben hıntn̩'|an-
blaibn̩
hintendran 'hıntn̩'dran
hintendrauf 'hıntn̩'drauf
hintendrein 'hıntn̩'drain
hintenheraus 'hıntn̩hɛ'raus
hintenherum 'hıntn̩hɛ'rʊm
hintenhin 'hıntn̩hın
hintennach 'hıntn̩'na:x
hintenraus 'hıntn̩'raus
hintenrum 'hıntn̩'rʊm
hintenüber 'hıntn̩|y:bɐ
hintenüberfallen
hıntn̩|y:bɐfalən
hinter 'hıntɐ
Hinterbänkler 'hıntɐbɛŋklɐ
Hinterberger 'hıntɐbɛrgɐ
hinterbleiben hıntɐ'blaibn̩
Hinterbliebene hıntɐ-
'bli:bənə
hinterbringen 1. 'hıntɐbrı-
ŋən 2. --'--
hinterdrein hıntɐ'drain
hinterdreinlaufen hıntɐ-
'drainlaufn̩
hintere 'hıntɐrə
hintereinander hıntɐ|ai-
'nandɐ
hintereinanderher hıntɐ|ai-
nandɐ'he:ɐ
hinteressen 'hıntɐ|ɛsn̩
hinterfotzig 'hıntɐfɔtsıç, -e
...ıgə
hinterfragen 'hıntɐ'fra:gn̩
hintergehen 1. 'hıntɐge:ən
2. --'--
Hintergehung hıntɐ'ge:ʊŋ
hintergießen 1. 'hıntɐgi:sn̩
2. --'--
Hinterglasmalerei hıntɐ-
'gla:sma:lərai
hinterhältig 'hıntɐhɛltıç
hinterher hıntɐ'he:ɐ, auch:
'---
hinterherlaufen hıntɐ'he:ɐ-
laufn̩
hinterlassen hıntɐ'lasn̩
hinterlegen hıntɐ'le:gn̩
hinterm 'hıntɐm
hintern, H... 'hıntɐn
Hinterrhein 'hıntɐrain
hinterrücks 'hıntɐryks
hinters 'hıntɐs
Hintersass[e] 'hıntɐzas[ə]
hinterschlingen 'hıntɐ-
ʃlıŋən

hinterschlucken 'hıntɐ-
ʃlʊkn̩
hintersinnen hıntɐ'zınən
hinterst 'hıntɐst
hintertreiben hıntɐ'traibn̩
Hintertupfingen hıntɐ'tʊ-
pfıŋən
Hintertux 'hıntɐtʊks
Hinterwäldler 'hıntɐvɛltlɐ
hinterwärts 'hıntɐvɛrts
Hinterzarten 'hıntɐtsa:ɐtn̩
hinterziehen hıntɐ'tsi:ən
Hinton engl. 'hıntən
Hintze 'hıntsə
hinüber hı'ny:bɐ
hinüberbringen hı'ny:bɐ-
brıŋən
Hin und Her 'hın ʊnt 'he:ɐ
Hin- und Herfahrt hın|ʊnt-
. 'he:ɐfa:ɐt
hinunter hı'nʊntɐ
hinuntergehen hı'nʊntɐ-
ge:ən
hinwärts 'hınvɛrts
hinweg hın'vɛk
Hinweg 'hınve:k
hinweggehen hın'vɛkge:ən
Hinweis 'hınvais, -e ...aizə
hinwieder hın'vi:dɐ
hinwiederum hın'vi:dərʊm
Hinwil hın'vi:l
Hinz[e] 'hınts[ə]
hinzu hın'tsu:
hinzukommen hın'tsu:kɔ-
mən
Hiob 'hi:ɔp
Hiogo jap. 'hjoː'go
hip hıp
Hip-Hop 'hıphɔp
Hipler 'hıplɐ
Hipólito span. i'polito
Hipp hıp
Hippanthropie hıpantro'pi:,
-n ...i:ən
Hipparch hı'parç
Hipparion hı'pa:ri̯ɔn, ...ien
...i̯ən
Hippe 'hıpə
Hippeastrum hıpe'astrʊm
Hippel 'hıpl̩
Hipper 'hıpɐ
hipp, hipp, hurra! 'hıp 'hıp
hʊ'ra:
Hipphipphurra hıphıphʊ'ra:
Hippias 'hıpias
Hippiatrie hıpia'tri:
Hippiatrik hı'pia:trık
Hippie 'hıpi
Hippo 'hıpo

Hippocampus hıpo'kam-
pʊs, ...pi ...pi
Hippodamos hı'po:damɔs
Hippodrom hıpo'dro:m
Hippogryph hıpo'gry:f
Hippokamp hıpo'kamp
Hippokrates hı'po:kratɛs
Hippokratiker hıpo'kra:tikɐ
hippokratisch, H... hıpo-
'kra:tıʃ
Hippokratismus hıpokra-
'tısmʊs
Hippokrene hıpo'kre:nə
Hippologe hıpo'lo:gə
Hippologie hıpolo'gi:
hippologisch hıpo'lo:gıʃ
Hippolyt hıpo'ly:t
Hippolyta hı'po:lyta
Hippolyte hı'po:lyte, fr. ipo-
'lit
Hippolytos hı'po:lytɔs
Hippolytus hı'po:lytʊs
Hippomanes hı'po:manɛs
Hipponakteus hıponak-
'te:ʊs, ...een ...'te:ən
Hipponax hı'po:naks
Hippopotamus hıpo'po:ta-
mʊs
Hippo Regius hıpo 're:gi̯ʊs
Hippotherapie hıpotera'pi:
Hippurit hıpu'ri:t
Hippursäure hı'pu:ɐzɔyrə
Hippus 'hıpʊs
Hipster 'hıpstɐ
Hirado jap. hi'rado
Hiragana hira'ga:na
Hirakata jap. hi'rakata
Hiram 'hi:ram, engl. 'haiə-
rəm
Hiratsuka jap. hi'ratsuka
Hirche 'hırçə
Hirn hırn
Hirohito hiro'hi:to, jap.
hi'ro.hito
Hirosaki jap. hi'ro.saki
Hiroschige hiro'ʃi:gə, jap.
hi'ro.ʃige
Hiroschima hiro'ʃi:ma,
auch: hi'ro.ʃima; jap. hi'ro-
ʃima
Hiršal tschech. 'hırʃal
Hirsau 'hırzau
¹Hirsch hırʃ
²Hirsch (Name) hırʃ, engl.
həːʃ, fr. irʃ
Hirschau 'hırʃau
Hirschbein 'hırʃbain
Hirschberg 'hırʃbɛrk
Hirscher 'hırʃɐ
Hirschfeld 'hırʃfɛlt

Hirschfelde hɪrʃˈfɛldə
Hirschhorn ˈhɪrʃhɔrn
Hirschsprung ˈhɪrʃʃprʊŋ
Hirschvogel ˈhɪrʃfoːgl̩
Hirse ˈhɪrzə
Hîrşova rumän. ˈhɪrʃova
Hirst engl. həːst
Hirsuties hɪrˈzuːtsiɛs
Hirsutismus hɪrzuˈtɪsmʊs
Hirt[e] ˈhɪrt[ə]
hirten ˈhɪrtn̩
Hirtentäschel ˈhɪrtn̩tɛʃl
Hirth hɪrt
Hirtius ˈhɪrtsiʊs
Hirtshals dän. ˈhiɐdshæl's
Hirtsiefer ˈhɪrtsiːfɐ
Hirudin hiruˈdiːn
Hirzebruch ˈhɪrtsəbrʊx
Hirzel ˈhɪrtsl̩
Hirtzenhain ˈhɪrtsn̩hain
his, His hɪs
Hisar türk. hiˈsar
Hisarlık türk. hiˈsarlɪk
Hisbollah hɪsˈbɔla, hɪsbɔˈlaː
Hisbullah hɪsˈbʊla, hɪsbʊˈlaː
Hischam hɪˈʃaːm
Hiskia[s] hɪsˈkiːa[s]
Hiskija hɪsˈkiːja
His Majesty engl. hɪz ˈmædʒɪstɪ
Hispana hɪsˈpaːna
Hispanidad span. ispaniˈðað
Hispanien hɪsˈpaːniən
Hispaniola hɪspaˈnioːla
hispanisch hɪsˈpaːnɪʃ
hispanisieren hɪspaniˈziːrən
Hispanismus hɪspaˈnɪsmʊs
Hispanist[ik] hɪspaˈnɪst[ɪk]
Hispanität hɪspaniˈtɛːt
Hispano hɪsˈpaːno
Hispanomoreske hɪspanomoˈrɛskə
Hispanus hɪsˈpaːnʊs
Hissar engl. hɪˈsaː
hissen ˈhɪsn̩
Histadrut hebr. histaˈdrut
Histamin hɪstaˈmiːn
Hister ˈhɪstɐ
Histidin hɪstiˈdiːn
histioid hɪstiˈoˈiːt, -e …iːdə
Histiozyt hɪstioˈtsyːt
Histochemie hɪstoçeˈmiː
histogen hɪstoˈgeːn
Histogenese hɪstogeˈneːzə
histogenetisch hɪstogeˈneːtɪʃ
Histogenie hɪstogeˈniː
Histogramm hɪstoˈgram
histoid hɪstoˈiːt, -e …iːdə

Histologe hɪstoˈloːgə
Histologie hɪstoloˈgiː
histologisch hɪstoˈloːgɪʃ
Histolyse hɪstoˈlyːzə
Histomat, HISTOMAT hɪstoˈmat
Histon hɪsˈtoːn
Histopathologie hɪstopatoloˈgiː
Histörchen hɪsˈtøːɐçən
Historie hɪsˈtoːriə
Historik hɪsˈtoːrɪk
Historiker hɪsˈtoːrikɐ
Historiograph hɪstorioˈgraːf
Historiographie hɪstoriogra·fiː
Historiologie hɪstorioloˈgiː
historisch hɪsˈtoːrɪʃ
historisieren hɪstoriˈziːrən
Historismus hɪstoˈrɪsmʊs
Historist hɪstoˈrɪst
Historizismus hɪstoriˈtsɪsmʊs
Historizität hɪstoritsiˈtɛːt
Histotherapie hɪstoteraˈpiː
Histrione hɪstriˈoːnə
Hit hɪt
Hita span. ˈita
Hitatschi jap. hiˈta.tʃi, ˈhi.tatʃi
Hitchcock engl. ˈhɪtʃkɔk
hitchhiken ˈhɪtʃhaikn̩
Hitchin engl. ˈhɪtʃɪn
Hitler ˈhɪtlɐ
Hitomaro jap. hiˈtomaro
Hitra norw. ˈhitra
Hitsche ˈhɪtʃə
Hittiter hɪˈtiːtɐ
hittitisch hɪˈtiːtɪʃ
Hittorf ˈhɪtɔrf, fr. iˈtɔrf
Hitz[acker] ˈhɪts[lakɐ]
Hitze ˈhɪtsə
hitzig ˈhɪtsɪç, -e …ɪgə
Hitzig ˈhɪtsɪç
HIV-… haˈliːfaʊ…
HIV-positiv haˈliːfaʊpoˈziːtiːf
Hiwi ˈhiːvi
Hjalmar ˈhjalmar, ˈjalmar; dän. ˈjælˈmaɐ, schwed. ˈjalmar
Hjälmaren schwed. ˈjɛlmarən
Hjärne schwed. ˈjæːrnə
Hjartarson isl. ˈjartarsɔn
Hjelmslev dän. ˈjelˈmsleʊ
Hjørring dän. ˈjœrɪŋ
Hjørtø dän. ˈjɔɐdʏ·
Hjørtspring dän. ˈjɔɐdsbrɪŋ'
Hłasko poln. ˈxuasko

Hlaváček tschech. ˈhlavaːtʃɛk
Hlbina slowak. ˈhlbina
Hlebka weißruss. ˈɣlɛpkɐ
Hlibow ukr. ˈhliboʊ
Hlinka tschech. ˈhliŋka, slowak. ˈhljiŋka
Hlinsko tschech. ˈhlinskɔ
Hlohovec slowak. ˈhlɔhɔvɛts
Hlond poln. xlɔnt
Hlučín tschech. ˈhlutʃiːn
hm! hm
h-Moll ˈhaːmɔl, auch: '–'–
ho! hoː
Ho engl. hoʊ
Hoa Binh vietn. hŭa biŋ 33
Hoad engl. hoʊd
Hoangho hoˈaŋho, auch: hoaŋˈhoː
Hoar[e] engl. hɔː
hob, Hob hoːp
Hoban engl. ˈhoʊbən
Hobart engl. ˈhoʊbaːt
Hobbema niederl. ˈhɔbəma
Hobbes engl. hɔbz
Hobbock ˈhɔbɔk
Hobbs engl. hɔbz
¹Hobby (Liebhaberei) ˈhɔbi
²Hobby (Name) engl. ˈhɔbɪ
Hobbyist hɔbiˈɪst
höbe ˈhøːbə
Hobel ˈhoːbl̩
hobeln ˈhoːbl̩n, hoble ˈhoːblə
hoben ˈhoːbn̩
Hobertus hoˈbɛrtʊs
Hobhouse engl. ˈhɔbhaʊs
Hobler ˈhoːblɐ
Hobo ˈhoːbo
Hoboe hoˈboːə
Hoboken ˈhoːboːkn̩, engl. ˈhoʊboʊkən, niederl. ˈhoːbokə
Hobro dän. hoˈbruː'
Hobsbaum engl. ˈhɔbzbaʊm
Hobson engl. hɔbsn̩
hobt hoːpt
höbt høːpt
Hoca türk. ˈhɔdʒa
hoc anno ˈhoːk ˈano
Hoccleve engl. ˈhɔkliːv
hoc est ˈhɔk ˈɛst
hoch, H… hoːx, höher ˈhøːɐ, höchst høːçst
Höch hoːç, hœç
Hochalmspitze ˈhoːxlalmʃpɪtsə
Hocharn ˈhoːxlarn, –'–
Hochberg ˈhoːxbɛrk
Hochdahl ˈhoːxdaːl

hochdeutsch, H... 'ho:x-
dɔytʃ
Hochdorf 'ho:xdɔrf
Hoche 'hɔxə, fr. ɔʃ
Hochehrwürden ho:x'|e:ɐ̯-
vyrdn̩
Hochenegg 'ho:xənɛk
Hochepot, -s fr. ɔʃpo
Höcherl 'hœçɐl
Hochfeiler ho:x'failɐ
Hochfeistritz ho:x'faistrɪts
Hochfrottspitze ho:x'frɔt-
ʃpɪtsə
Hochgall ho:x'gal
hochgemut 'ho:xgəmu:t
Hochgolling 'ho:xgɔliŋ,
–'––
Hochgrat 'ho:xgra:t
Hochheim[er] 'ho:xhaim[ɐ]
hochherzig 'ho:xhɛrtsɪç
Hochhuth 'ho:xhu:t
Ho Chi Minh hotʃi'mɪn
Hô Chi Minh vietn. ho tʃi
mɪn 321
Hochkalter ho:x'kaltɐ
hochkant[ig] 'ho:xkant[ɪç]
Hochkirch 'ho:xkɪrç
Hochkönig 'ho:xkø:nɪç
Hochland 'ho:xlant
hochleben 'ho:xle:bn̩
höchlich 'hø:çlɪç
Hochmut 'ho:xmu:t
hochmütig 'ho:xmy:tɪç, -e
...ɪgə
hochnäsig 'ho:xnɛ:zɪç
Hochneukirch ho:x'nɔykɪrç
hochnotpeinlich 'ho:xno:t-
'painlɪç, auch: '––.––,
–'–––
Hochosterwitz ho:x'|o:stɐ-
vɪts
Hochplatte 'ho:xplatə
Hochrhein 'ho:xrain
hochrot 'ho:x'ro:t
Hochschule 'ho:xʃu:lə
hochschult[e]rig 'ho:x-
ʃolt[ə]rɪç
Hochschwab 'ho:xʃva:p
höchst vgl. hoch
Höchst hø:çst
Höchstadt 'hø:çʃtat
Höchstädt 'hø:çʃtɛt
Hochstapelei ho:xʃta:pə'lai
Hochstapler 'ho:xʃta:plɐ
Hochstaufen ho:x'ʃtaufn̩
höchstderselbe 'hø:çst-
de:ɐ̯'zɛlbə
höchsteigen 'hø:çst'|aign̩
höchstens 'hø:çstn̩s
Hochstetter 'ho:xʃtɛtɐ

höchstmöglich 'hø:çst-
'mø:klɪç
Hochsträß 'ho:xʃtrɛ:s
höchstwahrscheinlich
'hø:çstva:ɐ̯'ʃainlɪç
hochtourig 'ho:xtu:rɪç
Hochvogel 'ho:xfo:gl̩
Hochwald 'ho:xvalt
Hochwälder 'ho:xvɛldɐ
hochwertig 'ho:xve:ɐ̯tɪç
hochwillkommen 'ho:xvɪl-
kɔmən
hochwohlgeboren 'ho:x-
vo:lgəbo:rən
Hochwürden 'ho:xvyrdn̩
¹Hochzeit (Eheschließung)
'hɔxtsait
²Hochzeit (Glanz, Hoch-
stand) 'ho:xtsait
hochzeiten 'hɔxtsaitn̩
Hochzeiter 'hɔxtsaitɐ
hochzeitlich 'hɔxtsaitlɪç
Hock hɔk
Höck hœk
Hocke 'hɔkə
hocken 'hɔkn̩
Hockenheim 'hɔknhaim
Höcker 'hœkɐ
höckerig 'hœkərɪç, -e ...ɪgə
Hockerland 'hɔkɐlant
Hockett engl. 'hɔkɪt
Hockey 'hɔkə, auch: 'hɔki
Hocking engl. 'hɔkɪŋ
hoc loco 'ho:k 'lo:ko
Hod ho:t
Hodaida ho'daida
Hoddesdon engl. 'hɔdzdən
Hoddis 'hɔdɪs
Hodegesis hode'ge:zɪs
Hodegetik hode'ge:tɪk
Hodegetria hode'ge:tria
Hodeida ho'daida
Hodeir fr. ɔ'dɛ:r
Hode 'ho:də
Hoden 'ho:dn̩
Hodge[s] engl. 'hɔdʒ[ɪz]
Hodgkin engl. 'hɔdʒkɪn
Hodgson engl. hɔdʒsn̩
Hodler 'ho:dlɐ
Hódmezővásárhely ung.
'ho:dmɛzø:va:ʃa:rhɛj
Hodograph hodo'gra:f
Hodometer hodo'me:tɐ
Hodonín tschech. 'hɔdɔnji:n
Hödr 'hø:dɐ
¹Hodscha (Lehrer) 'hɔdʒa
²Hodscha (Name) 'hɔdǯa,
alban. 'hodʒa
Hodson engl. hɔdsn̩
Hödur 'hø:dor

Hodža slowak. 'hɔdʒa
Hoe engl. hoʊ
Hoechst hø:çst
Hoechstetter 'hø:çʃtɛtɐ
Hoeck hœk
Hoefler 'hø:flɐ
Hoefnagel niederl. 'hufna:-
yəl
Høegh-Guldberg dän.
hy:'gulbɛɐ̯'u
Hoegner 'hø:gnɐ
Hoei niederl. hui
Hoek van Holland niederl.
'huk fan 'hɔlant
Hoel norw. hu:l
Hoelscher 'hœlʃɐ
Hoem norw. ˌhu:ɛm
Hoene poln. 'xɛnɛ
Hoensbroech 'ho:nsbro:x
Hoensbroek niederl. 'hunz-
bruk
Hoepli 'hœpli
Hoepner 'hœpnɐ
Hoerle 'hœrlə
Hoerschelmann 'hœrʃlman
Hoesch hœʃ
Hoetger 'hœtgə
Hoetzsch hœtʃ
Hof ho:f, Höfe 'hø:fə
Hofacker 'ho:flakɐ
Hofbauer 'ho:fbauɐ
Hofburg 'ho:fbork
Höfchen 'hø:fçən
Hofdijk niederl. 'hɔvdɛik
Höfe vgl. Hof
höfeln 'hø:fln̩
Höfen 'hø:fn̩
Hofer 'ho:fɐ
Höfer 'hø:fɐ
Hoff dt., niederl. hɔf
Hoffa[rt] 'hɔfa[rt]
hoffärtig 'hɔfɛrtɪç, -e ...ɪgə
Høffding dän. 'hœfdiŋ
hoffen 'hɔfn̩
hoffentlich 'hɔfn̩tlɪç
Höffer 'hœfɐ
Höffgen 'hœfgn̩
...höffig ....hœfɪç, -e ...ɪgə
höfflich 'hœflɪç
Hoffmann 'hɔfman, engl.
'hɔfmən, fr. ɔf man
Hoffmanowa poln. xɔfma-
'nɔva
Höffner 'hœfnɐ
Hoffnung 'hɔfnoŋ
Hofgastein 'ho:fgastain
Hofgeismar ho:f'gaismar
Hofhaimer 'ho:fhaimɐ
Hofheim 'ho:fhaim
hofieren ho'fi:rən

höfisch 'høːfɪʃ
Hoflehner 'hoːfleːnɐ
Höfler 'høːflɐ
höflich, H... 'høːflɪç
Höfling 'høːflɪŋ
¹Hofmann (Höfling) 'hoːf-man
²Hofmann (Name) 'hoːf-man, 'hɔf...
Hofmannsthal 'hoːfmans-taːl, 'hɔf...
Hofmannswaldau hoːf-mansˈvaldau, hɔf...
Hofmeister 'hoːfmaɪstɐ
Hofmiller 'hoːfmɪlɐ
Hofmo norw. .hɔfmuː
Hofreite 'hoːfraɪtə
Hofsjökull isl. 'hɔfsjœːkʏdl
Hofstade niederl. 'hɔfstaːdə
Hofstadter engl. 'hɔfstætə
Hofstaetter 'hoːfʃtɛtɐ
Hofstede niederl. 'hɔfsteːdə
Höft høːft
Hogan engl. 'hoʊɡən
Höganäs schwed. .høːɡanɛːs
Hogarth engl. 'hoʊɡaːθ
Hogaș rumän. 'hoɡaʃ
Högberg schwed. .høːɡbærj
högen 'høːɡn
Hogenberg 'hoːɡn̩bɛrk
Hogendorp niederl. 'hoːɣən-dɔrp
Höger 'høːɡɐ
Hogg engl. hɔɡ
Hoggar 'hɔɡar, fr. ɔˈɡaːr
Hogue engl. hoʊɡ, fr. ɔɡ
hohe 'hoːə
Höhe 'høːə
Hoheit 'hoːhaɪt
Hohelied hoːəˈliːt
höhen 'høːən
Hohenasperg hoːənˈlaspɛrk
Hohenau hoːəˈnau, '– – –
Hohenberg 'hoːənbɛrk
Hohenburg 'hoːənburk
Hohenelbe hoːənˈlɛlbə, '– – – –
Hohenems 'hoːənlɛms
Hohenfels 'hoːənfɛls
Hohenfriedberger hoːən-ˈfriːtbɛrɡɐ
Hohenfriedeberg hoːən-ˈfriːdəbɛrk
Hohenfurt[h] 'hoːənfurt
Hohenhausen 'hoːənhauzn̩
Hohenheim 'hoːənhaɪm
Hohenlimburg hoːənˈlɪm-burk
Hohenlinden hoːənˈlɪndn̩
Hohenlohe hoːənˈloːə

Hohenmölsen hoːənˈmœlzn̩
Hohenneuffen hoːənˈnɔyfn̩
Hohenpeißenberg hoːən-ˈpaɪsn̩bɛrk
Hohenpolding hoːənˈpɔldɪŋ
Hohenrechberg hoːən-ˈrɛçbɛrk
Hohenrodt 'hoːənrɔt
Hohensalza hoːənˈzaltsa
Hohensalzburg hoːənˈzalts-burk
Hohenschwangau hoːən-ˈʃvaŋɡau
Hohenstadt 'hoːənʃtat
Hohenstaufe hoːənˈʃtaufə
Hohenstaufen hoːənˈʃtaufn̩
hohenstaufisch hoːənˈʃtau-fɪʃ
Hohenstein 'hoːənʃtaɪn
Hohenstoffeln hoːənˈʃtɔfl̩n
Hohensyburg hoːənˈziːburk
Hohentauern 'hoːəntauən
Hohenthal 'hoːəntaːl
Hohentwiel hoːəntˈviːl
Hohenwart[h] 'hoːənvart
Hohenwarte hoːənˈvartə
Hohenwerfen hoːənˈvɛrfn̩
Hohenzoller hoːənˈtsɔlɐ
hohenzollerisch hoːənˈtsɔ-lərɪʃ
Hohenzollern hoːənˈtsɔlɐn
Hohepriester hoːəˈpriːstɐ
höher vgl. hoch
Hoher Ifen 'hoːɐ 'iːfn̩
Hohermut[h] 'hoːɐmuːt
Hoheslied hoːəsˈliːt
Hohkönigsburg hoː-ˈkøːnɪçsburk
hohl, H... hoːl
Hohlbaum 'hoːlbaum
Höhle 'høːlə
höhlen 'høːlən
Hohler 'hoːlɐ
hohlwangig 'hoːlvaŋɪç, -e ...ɪɡə
Hohmichele 'hoːmɪçələ
Hohn hoːn
Hohneck 'hoːnɛk, fr. ɔˈnɛk
höhnen 'høːnən
Hohner 'hoːnɐ
höhnisch 'høːnɪʃ
hohnlächeln 'hoːnlɛçl̩n
Hohnstein 'hoːnʃtaɪn
hoho! hoˈhoː
Hohoff 'hoːhɔf
Hohokam engl. həˈhoʊkəm
Höhr-Grenzhausen 'høːɐ-ˈɡrɛntshauzn̩
Hohwachter Bucht 'hoː-vaxtɐ 'buxt

hoi! hɔy
Höi An vietn. hɔi an 61
Höijer schwed. 'hœijər
Hoitsu jap. 'hoːitsu
Hojaldre span. ɔˈxaldre
Hojeda span. ɔˈxeða
Høje Tåstrup dän. hɔiəˈtos-drub
Højholt dän. 'hɔihɔlˀd
höken 'høːkn̩
Hökern 'høːkɐn
Hoketus hoˈkeːtus
Hokkaido hɔˈkaido, jap. hoˈkkaˌido:
Hokko 'hɔko
Hokku 'hɔku
Hokusai 'hoːkuzaɪ, jap. 'hoˌkusai
Hokuspokus hoːkʊsˈpoːkus
Holabird engl. 'hɔləbəːd
Holan tschech. 'hɔlan
holandrisch hoˈlandrɪʃ
Holappa finn. 'hɔlɑppɑ
Holarktis hɔlˈlarktɪs
holarktisch hɔlˈlarktɪʃ
Holbach 'hɔlbax, fr. ɔlˈbak
Holbæk dän. 'hɔlˀbeɡ
Holbein 'hɔlbaɪn
Holberg dän. 'hɔlbɛɡˀʉ
Holborn engl. 'hoʊbən
Holbrook[e] engl. 'hoʊlbrʊk
Holcroft engl. 'hoʊlkrɔft
hold hɔlt, -e 'hɔldə
Holda 'hɔlda
Holdeman engl. 'hoʊldə-mən
Holden engl. 'hoʊldən
¹Holder (Holunder) 'hɔldɐ
²Holder (Name) 'hɔldɐ, engl. 'hoʊldə
Hölder[lin] 'hœldɐ[liːn]
Holderness engl. 'hoʊldə-nɛs
Holding 'hoːldɪŋ
holdrio, H... 'hɔldrio
Hold-up hoːltˈlap, '– –
Hole hoːl
Holeček tschech. 'hɔlɛtʃɛk
holen 'hoːlən
Holenia hoˈleːnia
Holger 'hɔlɡɐ, dän. 'hɔlˀɡɐ, schwed. 'hɔlɡər
Holgersen 'hɔlɡɐzn̩
Holguín span. ɔlˈɣin
Holiday[s] 'hɔlide:[s]
Holik 'hɔlik
Holinshed engl. 'hɔlɪnʃɛd
Holismus hoˈlɪsmus
holistisch hoˈlɪstɪʃ
Holitscher 'hɔlɪtʃɐ

Holk hɔlk
Holl hɔl, engl. houl
holla! 'hɔla
Hollabrunn hɔla'brun
Hollaender 'hɔlɛndɐ
Holland 'hɔlant, niederl.
'hɔlɑnt, engl. 'hɔlənd
Hollander 'hɔlandɐ, engl.
'hɔləndə
Holländer 'hɔlɛndɐ
Hollerei hɔlɛndə'raı
holländern 'hɔlɛndɐn, holländre 'hɔlɛndrə
holländisch 'hɔlɛndıʃ
Hollandsch Diep niederl.
'hɔlɑndz 'dip
Hollar tschech. 'hɔlar
Hollaus 'hɔlaus
Holle 'hɔlə
Hölle 'hœlə
Holledau hɔlə'dau, auch:
'---
Höllenangst 'hœlən|aŋst
Höllenlärm 'hœlən|lɛrm
Höllental 'hœlənta:l
Holler 'hɔlɐ
Höller 'hœlɐ
Höllerer 'hœlɐɐ
[1]Hollerith (Verfahren) hɔlə-
'rıt, auch: '---
[2]Hollerith (Name) engl.
'hɔlərıθ
hollerithieren hɔlərı'ti:rən
Holley engl. 'hɔlı
Hollfeld 'hɔlfɛlt
Holliger 'hɔligɐ
Hollinek 'hɔlinɛk
Hollingshead engl. 'hɔlıŋz-
hɛd
höllisch 'hœlıʃ
Hollister engl. 'hɔlıstə
Holliston engl. 'hɔlıstən
Hollósy ung. 'hollo:ʃi
Hollreiser 'hɔlraizɐ
Hollweg 'hɔlve:k
Hollywood... 'hɔlivut...
Holly[wood] engl.
'hɔlı[wud]
Hollý slowak. 'hɔli:
Holm hɔlm
Holman engl. 'houlmən
Holmberg schwed. ˌhɔlm-
bærj
Hølmebakk norw. ˌhœlmə-
bak
Hølmenkollen norw. ˌhɔl-
mənkɔlən
Holmes engl. houmz
Holmgang 'hɔlmgaŋ

Holmgren schwed. ˌhɔlm-
gre:n
Holmium 'hɔlmjum
Holmström schwed. ˌhɔlm-
strœm
Holnis 'hɔlnıs
holoarktisch holo'|arktıʃ
Holocaust 'ho:lokaust,
holo'kaust
Holoeder holo'|e:dɐ
Holoedrie holo|e'dri:
holoedrisch holo|e:drıʃ
Holoenzym hololɛn'tsy:m
Holoferment holofɛr'mɛnt
Holofernes holo'fɛrnɛs
Hologramm holo'gram
Holographie hologra'fi:
holographieren hologra'fi:-
rən
holographisch holo'gra:fıʃ
Holographon ho'lo:grafɔn,
...pha ...fa
Holographum ho'lo:gra-
fum, ...pha ...fa
hologyn holo'gy:n
holokrin holo'kri:n
holokristallin holokrısta-
'li:n
Holometabolen holometa-
'bo:lən
Holometabolie holometa-
bo'li:
Holoparasit holopara'zi:t
holophrastisch holo'frastıʃ
Holosiderit holozide'ri:t
Holothurie holo'tu:rjə
holotisch ho'lo:tıʃ
Holotopie holoto'pi:
Holotypus holo'ty:pus
Holowko ukr. hɔlou'kɔ
holozän, H... holo'tsɛ:n
holp[e]rig 'hɔlp[ə]rıç, -e
...ıgə
holpern 'hɔlpɐn
Holroyd engl. 'hɔlrɔıd
Hölscher 'hœlʃɐ
Holst dt., niederl. hɔlst, engl.
houlst
Holste 'hɔlstə
Holstebro dän. hɔlsdə'bru:'
Holstein 'hɔlʃtain, dän.
'hɔlsdai'n
holsteinisch 'hɔlʃtainıʃ
Holsteinsborg dän. 'hɔl-
sdainsbɔɐ'
Holsten dän. 'hɔlsdı:'n
Holster 'hɔlstɐ
Holt dt., norw. hɔlt, engl.
hoult
Holtby engl. 'houltbı

Holte 'hɔltə, dän. 'hɔldə
Holtei 'hɔltai
holterdiepolter hɔltɐdi-
'pɔltɐ
Holthausen 'hɔlthauzn
Holthusen (Personenname)
'hɔlthu:zn
Hölty 'hœlti
Holtz hɔlts
Holtzbrinck 'hɔltsbrıŋk
Holtzendorff 'hɔltsndɔrf
Holtzmann 'hɔltsman
Holub 'hɔlup, tschech. 'hɔlup
holüber! ho:l'ly:bɐ
Holunder ho'lundɐ
Holy Cross engl. 'houlı 'krɔs
Holyhead engl. 'hɔlıhɛd
Holyo[a]ke engl. 'houlıouk
Holywood engl. 'hɔlıwud
Holz hɔlts, Hölzer 'hœltsɐ
Hölz hœlts
Holzamer 'hɔltslamɐ
Holzapfel 'hɔltslapfl
Holzbauer 'hɔltsbauɐ
Hölzchen 'hœltsçən
Hölzel 'hœltsl
hölzeln 'hœltsln
hölzen, H... 'hɔltsn
Holzer 'hɔltsɐ
Hölzer vgl. Holz
hölzern 'hœltsɐn
Holzhay 'hɔltshai
holzig 'hɔltsıç, -e ...ıgə
Holzinger 'hɔltsıŋɐ
Holzknecht 'hɔltsknɛçt
Hölzl 'hœltsl
Holzmaden hɔlts'ma:dn
Holzmann 'hɔltsman
Holzmeister 'hɔltsmaistɐ
Holzminden hɔlts'mındn
Holzschuher 'hɔltsʃu:ɐ
Holzwarth 'hɔltsvart
Holzwickede hɔlts'vıkədə
Homa 'ho:ma
Hóman ung. 'ho:mɔn
Homann ho:man
Homatropin homatro'pi:n
Homberg 'hɔmbɛrk
Hömberg 'hœmbɛrk
Homburg 'hɔmburk
Home engl. houm, (Milne-
Home, Douglas-Home,
Earl of Home, Lord
Home) hju:m
Home... 'ho:m...
Homebanking 'ho:mbɛŋkıŋ
Homebase 'ho:mbe:s
Homécourt fr. ɔme'ku:r
Homeland 'ho:mlɛnt
Homepage 'ho:mpe:tʃ

Homeplate 'hoːmpleːt
Homer hoˈmeːɐ̯, *engl.*
 'hoʊmə
Homeride homeˈriːdə
homerisch, H... hoˈmeːrɪʃ
Homerismus homeˈrɪsmʊs
Homeros hoˈmeːrɔs
Homerule 'hoːmruːl
Homerun 'hoːmran
Homespun 'hoːmspan
Homestead *engl.* 'hoʊmstɛd
Homewear 'hoːmvɛːɐ̯
Homewood *engl.* 'hoʊmwʊd
Homilet[ik] homiˈleːt[ɪk]
Homiliarium homiˈli̯aːri̯ʊm,
 ...**ien** ...i̯ən
Homilie homiˈliː, -n ...iːən
Homilius hoˈmiːli̯ʊs
Homilopathie homilopaˈtiː
Homilophobie homilofoˈbiː
Homines vgl. Homo
Hominide homiˈniːdə
Hominisation hominizaˈtsi̯oːn
hominisieren hominiˈziːrən
Hominismus homiˈnɪsmʊs
hoministisch homiˈnɪstɪʃ
Homito hoˈmiːto
Hommage ɔˈmaːʃ, -n ...aːʒn̩
Hommel 'hɔml
Homme[s] à Femmes 'ɔm a 'fam
Homme[s] de Lettres 'ɔm də 'lɛtrə
homo 'hoːmo
Homo 'hoːmo, **Homines** 'hoːmineːs
Homöarkton homøˈarktɔn, ...**ta** ...ta
Homochronie homokroˈniː, -n ...iːən
homodont homoˈdɔnt
Homo erectus 'hoːmo eˈrektʊs
Homoerot[ik] homoleˈroːt[ɪk]
Homo Faber 'hoːmo 'faːbɐ
Homogamie homogaˈmiː
homogen homoˈgeːn
homogenisieren homogeniˈziːrən
Homogenität homogeniˈtɛːt
Homogonie homogoˈniː
homograd homoˈgraːt, -de ...aːdə
Homogramm homoˈgram
Homograph homoˈgraːf

homo homini lupus 'hoːmo 'hoːmini 'luːpʊs
Homoionym homɔyoˈnyːm
Homolka 'hɔmɔlka
Homolle *fr.* ɔˈmɔl
homolog, H... homoˈloːk, -e ...oːgə
Homologation homologaˈtsi̯oːn
Homologie homoloˈgiː, -n ...iːən
homologieren homoloˈgiːrən
Homologumenon homoloˈguːmenɔn, ...**ena** ...ena
Homo loquens 'hoːmo 'loːkvɛns
Homo ludens 'hoːmo 'luːdɛns
homomorph homoˈmɔrf
Homonay *ung.* 'homonɔi
homonom homoˈnoːm
Homo novus 'hoːmo 'noːvʊs
homonym, H... homoˈnyːm
Homonymie homonyˈmiː
Homo oeconomicus 'hoːmo økoˈnoːmikʊs
Homöomerien homøomeˈriːən
Homöonym homøoˈnyːm
Homöopath homøoˈpaːt
Homöopathie homøopaˈtiː
homöopathisch homøoˈpaːtɪʃ
Homöoplasie homøoplaˈziː
Homöoplastik homøoˈplastık
homöopolar homøopoˈlaːɐ̯
Homöoprophoron homøoˈproːforɔn, ...**ra** ...ra
Homöoptoton homøˈɔptotɔn, ...**ta** ...ta
Homöosmie homøɔsˈmiː
Homöostase homøoˈstaːzə
Homöostasie homøostaˈziː, -n ...iːən
Homöostasis homøoˈstaːzıs
Homöostat homøoˈstaːt
Homöoteleuton homøoˈteːlɔytɔn, ...**ta** ...ta
homophag homoˈfaːk, -e ...aːgə
homötherm homøoˈtɛrm
homophil homoˈfiːl
Homophilie homofiˈliː
homophob homoˈfoːp, -e ...oːbə
Homophobie homofoˈbiː, -n ...iːən
homophon, H... homoˈfoːn

Homophonie homofoˈniː
Homoplasie homoplaˈziː
Homoplastik homoˈplastık
homorgan homɔrˈgaːn
Homorganität homɔrganiˈtɛːt
Homorrhizie hɔmɔriˈtsi̯
Homorúd *ung.* 'homoruːd
Homo sapiens 'hoːmo 'zaːpi̯ɛns
Homoseiste homoˈzaɪstə
homosem homoˈzeːm
Homosexualität homozɛksu̯aliˈtɛːt
homosexuell homozɛˈksu̯ɛl
Homosphäre homoˈsfɛːrə
Homostylie homostyˈliː
homothetisch homoˈteːtɪʃ
Homousie homolˈuːziː
Homöusie homøuˈziː
homozentrisch homoˈtsɛntrɪʃ
homozygot homotsyˈgoːt
Homozygotie homotsygoˈtiː
Homs hɔms
Homunkulus hoˈmʊŋkulʊs; -se ...luːsə, ...li ...li
Honan 'hoːnan
Honda 'hɔnda, *span.* 'ɔnda
Hondecoeter *niederl.* 'hɔndəkuːtər
Hondo 'hɔndo, *jap.* 'hoˌndo
Hondsrug *niederl.* 'hɔntsrʏx
Honduraner hɔnduˈraːnɐ
hondurानisch hɔnduˈraːnɪʃ
Honduras hɔnˈduːras, *span.* ɔnˈduras, *engl.* hɔnˈdjuərəs
Honecker 'hɔnɛkɐ, 'hɔːn...
Hønefoss *norw.* ˌhøːnəfɔs
Honegger 'hoːnɛgɐ, *fr.* ɔnɛˈgɛːr
honen 'hoːnən
honett hoˈnɛt
Honey[moon] 'hani[muːn]
Honeywell *engl.* 'hʌnıwəl
Honfleur *fr.* ɔ̃ˈflœːr
Höngen 'hœŋən
Hông Gai *vietn.* hɔŋ gai̯ 31
Hongkong 'hɔŋkɔŋ
Hong Kong *engl.* hɔŋˈkɔŋ, '-ˈ-, ¯¯
Honiara *engl.* hoʊnɪˈɑːrə
Honig 'hoːnıç, -e ...ıgə
Honigsheim 'hoːnıçshaɪm
Hönigswald 'høːnıçsvalt
honi [honni, honny] soit qui mal y pense *fr.* ɔniˈswakimali'pãːs
Honkytonk 'hɔŋkitɔŋk

Honnecourt *fr.* ɔn'ku:r
Honnef 'hɔnɛf
Honneurs [h]ɔ'nø:ɐ̯s
Hønningsvåg *norw.* ˌhøniŋs-
vo:g
Honolulu hono'lu:lu, *engl.*
hɔnə'lu:lu:
honorabel hono'ra:bl̩, ...ble
...blə
Honorant hono'rant
Honorar hono'ra:ɐ̯
Honorat hono'ra:t
Honoratior hono'ra:tsi̯o:ɐ̯,
-en ...ra'tsi̯o:rən
Honoré *fr.* ɔnɔ're
Honoria ho'no:ri̯a
honorieren hono'ri:rən
honorig ho'no:rıç, -e ...ıgə
Honorine *fr.* ɔnɔ'rin
honoris causa ho'no:rıs
'kau̯za
Honorität honori'tɛ:t
Honorius ho'no:ri̯us
Honourable 'ɔnərəbl̩
Honschu 'hɔnʃu, *jap.*
'hoˌnʃu:
Honter 'hontɐ
Honterus hɔn'te:rus
Hontheim 'hɔnthai̯m
Honthorst *niederl.* 'hɔnt-
hɔrst
Hontschar *ukr.* hɔn'tʃar
Honved 'hɔnvɛt
Honvéd *ung.* 'honve:d
Hooch *niederl.* ho:x
Hood *engl.* hud
Hooft *niederl.* ho:ft
Hooge 'ho:gə
Hoogeveen *niederl.* ho:ɣə-
've:n
Hoogezand *niederl.* ho:ɣə-
'zant
Hoogh *niederl.* ho:x
Hooghe *niederl.* 'ho:ɣə
Hooghly-Chinsurah *engl.*
'hu:glı'tʃınsurə
Hoogstraten *niederl.* 'ho:x-
stra:tə
Hook huk
Hook[e] (Name) *engl.* huk
hooken 'hukn̩
¹Hooker (Sport) 'hukɐ
²Hooker (Name) *engl.* 'hukə
Hookshot 'hukʃɔt
Hooligan 'hu:lıgn̩
Hooliganismus huliga'nıs-
mus
Hoops ho:ps
Hoorn ho:ɐ̯n, *niederl.* ho:rn,
engl. hɔ:n

Hoorne *niederl.* 'ho:rnə
Hoornik *niederl.* 'ho:rnık
Hoosier *engl.* 'hu:ʒə
Hootenanny 'hu:tənɛni
Hooton *engl.* hu:tn
Hoover [Dam] *engl.* 'hu:və
['dæm]
Hop hɔp
Hopa *türk.* 'hɔpa
Hopak 'ho:pak
Hopatcong *engl.* hə'pætkɔŋ
Hope *engl.* hou̯p
Hopeh 'ho:pe
Hopewell *engl.* 'hou̯pwəl
Hopf hɔpf
hopfen, H... 'hɔpfn̩
Hopfer 'hɔpfɐ
Hopi 'ho:pi
Höpker 'hœpkɐ
Hopkins *engl.* 'hɔpkınz
Hopkinson *engl.* 'hɔpkınsn
Hopkinsville *engl.* 'hɔpkınz-
vıl
Hoplit ho'pli:t
Hopliten ho'pli:tɛs, ...ten
...tn̩
hopp! hɔp
Hoppe 'hɔpə, *engl.* 'hɔpı
Hoppegarten 'hɔpəgartn̩
hoppeln 'hɔpln̩
Hoppelpoppel 'hɔpl̩'pɔpl̩
Hopper *engl.* 'hɔpə
Hoppner 'hɔpnə
Höppner 'hœpnɐ
hopphopp! hɔp'hɔp
hoppla! 'hɔpla
hops!, Hops hɔps
hopsa[la]! 'hɔpsa[la]
hopsasa! 'hɔpsasa
hopsen 'hɔpsn̩
Hoquetus ho'k[v]e:tus
hora, ¹Hora 'ho:ra
²Hora (Name) *tschech.* 'hora
Horace *engl.* 'hɔrıs, *fr.* ɔ'ras
Horacio *span.* o'raθi̯o
Horákov *tschech.* 'hɔra:kɔf
Horand, ...nt 'ho:rant
Horarium ho'ra:ri̯um, ...ien
...i̯ən
Horatio ho'ra:tsi̯o
Horatius ho'ra:tsi̯us
Horaz ho'ra:ts
horazisch, H... ho'ra:tsıʃ
Horb hɔrb
Horbach 'hɔrbax, 'ho:ɐ̯...
Hörbiger 'hœrbıgɐ
Hörby *schwed.* 'hœ:rby
horch!, Horch hɔrç
horchen 'hɔrçn̩
Hordaland *norw.* ˌhɔrdalan

Horde 'hɔrdə
Hörde 'hœ:ɐ̯də
Hordein hɔrde'i:n
Hordenin hɔrde'ni:n
Hordeolum hɔr'de:olum,
...la ...la
Hore 'ho:rə
Horeb 'ho:rɛp
Hore-Belisha *engl.* 'hɔ:bı-
'li:ʃə
Hören 'ho:rən
hören 'hø:rən
Hörensagen 'hø:rənza:gn̩
Horenstein *engl.* 'hɔ:rən-
stai̯n
Horezu *rumän.* ho'rezu
Horgan *engl.* 'hɔ:gən
Horgen 'hɔrgn̩
Horheim 'ho:ɐ̯hai̯m
Horia *rumän.* 'horia
hörig 'hø:rıç, -e ...ıgə
Horizont hori'tsɔnt
horizontal horitsɔn'ta:l
Horizontale horitsɔn'ta:lə
horizontieren horitsɔn'ti:-
rən
Horkheimer 'hɔrkhai̯mɐ
Horlick *engl.* 'hɔ:lık
Hormayr 'hɔrmai̯ɐ
hormisch 'hɔrmıʃ
Hormisdas hɔr'mısdas
Hormon hɔr'mo:n
hormonal hɔrmo'na:l
hormonell hɔrmo'nɛl
Hormos *pers.* hɔr'moz
¹Horn hɔrn, Hörner 'hœrnɐ
²Horn (Name) *dt.*, *niederl.*
hɔrn, *engl.* hɔ:n, *schwed.*
hu:rn, *isl.* hɔrdn, *fr.* ɔrn,
ung. hɔrn
Hornavan *schwed.* ˌhu:rna:-
van
Hornbach 'hɔrnbax
Hornback 'hɔrnbɛk
Hornberg 'hɔrnbɛrk
Hornblow[er] *engl.* 'hɔ:n-
blou̯[ə]
Hornbostel 'hɔrnbɔstl̩
Hornburg 'hɔrnburk
Hornby *engl.* 'hɔ:nbı
Hörnchen 'hœrnçən
Hornchurch *engl.* 'hɔ:ntʃə:tʃ
Hörndlbauer 'hœrndl̩bau̯ɐ
Horne 'hɔ:n
Horneck 'hɔrnɛk
Hornell *engl.* hɔ:'nɛl
Hornemann 'hɔrnəman
hornen 'hɔrnən
hörnen 'hœrnən
Horner 'hɔrnɐ, *engl.* 'hɔ:nə

Hörner vgl. Horn
Horney 'hɔrnai̯
Hornhausen 'hɔrnhau̯ẓn̩
hornig 'hɔrnıç, -e ...ıgə
Hornig 'hɔrnıç
Hórnik obersorb. 'huo̯rnık
Hornisgrinde hɔrnıs'grındə,
auch: '----
Hornisse hɔr'nısə, auch:
'---
Hornist hɔr'nıst
Hornito hɔr'ni:to
Hornpipe 'hɔrnpai̯p
Hornsey engl. 'hɔ:nzı
Hörnum 'hœrnʊm
Hornung 'hɔrnʊŋ
Hornuß 'hɔrnu:s
hornußen 'hɔrnu:sn̩
Horny 'hɔrnı
Höroldt 'hø:rɔlt
Horolog horo'lo:k, -e ...o:gə
Horologion horo'lo:gi̯ɔn,
...ien ...i̯ɔn
Horologium horo'lo:gi̯ʊm,
...ien ...i̯ɔn
Horopter ho'rɔptɐ
Horos 'ho:rɔs
Horoskop horo'sko:p
horoskopieren horosko'pi:-
rən
Horov slowak. 'hɔrɔu̯
Horowitz 'ho:rovıts̯
Horra 'hɔra
horrend hɔ'rɛnt, -e ...ndə
horribel hɔ'ri:bl̩, ...ble ...blə
horribile dictu hɔ'ri:bile
'dıktu
Horribilität hɔribili'tɛ:t
horrido! hɔri'do:
Horrocks engl. 'hɔrəks
Horror 'hɔro:ɐ̯
Horror Vacui 'hɔro:ɐ̯ 'va:kui
Horsa 'hɔrza
hors concours o:ɐ̯ kõ'ku:ɐ̯
Horsd'œuvre, -s [h]ɔr-
'dø:vrə, [h]o:ɐ̯'dø:vrə
Horse ho:ɐ̯s
Hörsel[berg] 'hœrzl̩[bɛrk]
Horsens dän. 'hɔɐ̯sn̩s
Horsepower 'ho:ɐ̯spau̯ɐ
Horsham engl. 'hɔ:ʃəm
Hörsholm dän. 'hœɐ̯shɔl'm
Hörsing[en] 'hœrzıŋ[ən]
Horsley engl. 'hɔ:slı, 'hɔ:zlı
¹Horst (Nest) hɔrst
²Horst (Name) dt., niederl.
hɔrst
Hörst hœrst
horsten 'hɔrstn̩
Horstmar 'hɔrstmar

¹Hort hɔrt
²Hort (Name) hɔrt, engl.
hɔ:t, ung. hort
hört! hø:ɐ̯t
Horta port. 'ɔrtɐ, niederl.
'hɔrtɑ
Hortativ 'hɔrtati:f, -e ...i:və
horten 'hɔrtn̩
Horten 'hɔrtn̩, norw. .hɔrtən
Hortense fr. ɔr'tã:s
Hortensia hɔr'tɛnzi̯a, span.
ɔr'tensi̯a
Hortensie hɔr'tɛnzi̯ə
Hortensio hɔr'tɛnzi̯o
Hortensius hɔr'tɛnzi̯ʊs
hört, hört! 'hø:ɐ̯t 'hø:ɐ̯t
Hörthörtruf 'hø:ɐ̯t'hø:ɐ̯tru:f
Horthy ung. 'hɔrti
Hortikultur hɔrtikʊl'tu:ɐ̯
Hortnerin 'hɔrtnərın
Hortobágy ung. 'hɔrtoba:dj
Horton 'hɔrtən, engl. hɔ:tn
Hortulus Animae 'hɔrtulʊs
'a:nimɛ, ...li - ...li -
Hortus deliciarum 'hɔrtʊs
deli'tsi̯a:rʊm
horuck! ho:'rʊk
Horuk 'ho:rʊk
Horus 'ho:rʊs
Horváth 'hɔrva:t, ung. 'hor-
va:t
Horw hɔrf
Horwitz 'hɔrvıts̯
hosanna! ho'zana
Höschen 'hø:sçən
Hose 'ho:zə
Hosea ho'ze:a
Hosemann 'ho:zəman
hosianna!, Hosianna
ho'zi̯ana
Hosiasson fr. ozja'sõ
Hösingen 'hø:zıŋən
Hosios Lukas 'ho:zi̯ɔs
'lu:kas
Hosius 'ho:zi̯ʊs
Hospital hɔspi'ta:l, Hospi-
täler hɔspi'tɛ:lɐ
Hospitalet span. ɔspita'lɛt
hospitalisieren hɔspitali-
'zi:rən
Hospitalismus hɔspita'lıs-
mʊs
Hospitalit hɔspita'li:t
Hospitalität hɔspitali'tɛ:t
Hospitaliter hɔspita'li:tɐ
Hospitant hɔspi'tant
Hospitanz hɔspi'tants̯
Hospitation hɔspita'tsi̯o:n
Hospitesse hɔspi'tɛsə
hospitieren hɔspi'ti:rən

Hospiz hɔs'pi:ts̯
Hospodar hɔspo'da:ɐ̯
Hossein fr. ɔ'sɛ̃
Höß hœs
Hoßbach 'hɔsbax
Hostcomputer 'ho:st-
kɔmpju:tɐ
Hostess 'hɔstɛs, -'-
Hostie 'hɔsti̯ə
hostil hɔs'ti:l
Hostilität hɔstili'tɛ:t
Hostinné tschech. 'hɔstjinɛ:
Hostovský tschech. 'hɔs-
tɔfski:
Hot hɔt
Hotbrines 'hɔtbrai̯ns
Hotchkiss engl. 'hɔtʃkıs, fr.
ɔtʃ'kis
Hotchpotch 'hɔtʃpɔtʃ
Hotdog 'hɔtdɔk
Hotel ho'tɛl
Hotel garni, -s -s ho'tɛl
gar'ni:
Hotelier hote'li̯e:, auch:
hotə...
Hotellerie hotelə'ri:
Hotline 'hɔtlai̯n
Hotman fr. ɔt'man
Hotmannus hɔt'manʊs
Hotmelt 'hɔtmɛlt
Hotmoney 'hɔtmani
Hotpants 'hɔtpɛnts̯
Ho Tschi-minh hotʃi'mın
Hot Springs engl. 'hɔt
'sprıŋz
Hotspur[s] engl. 'hɔtspə:[z]
hott! hɔt
Hotte 'hɔtə
hottehü!, H... hɔtə'hy:
hotten 'hɔtn̩
Hottentotte hɔtn̩'tɔtə
hottentottisch hɔtn̩'tɔtıʃ
Hotter 'hɔtɐ
Hötting 'hœtıŋ
hotto! 'hɔto
Hottonia hɔ'to:ni̯a, ...ien
...i̯ɔn
Hötzendorf 'hœts̯n̩dɔrf
Hotzenplotz 'hɔts̯n̩plɔts̯
Hotzenwald 'hɔts̯n̩valt
Houasse fr. was
Houben 'hu:bn̩
Houbraken niederl. 'hou̯-
bra:kə
Houches fr. huʃ
Houckgeest niederl. 'hou̯k-
xe:st
Houdar fr. u'da:r
Houdini engl. hu:'di:nı

Houdon *fr.* u'dõ
Houël *fr.* wɛl
Hough *engl.* hʌf
Houghton *engl.* hɔ:tn, haʊtn, hoʊtn
Houma *engl.* 'hu:mə
Houmt-Souk *fr.* umt'suk
Hounsfield *engl.* 'haʊnzfi:ld
Hounslow *engl.* 'haʊnzloʊ
Houphouët-Boigny *fr.* ufwɛbwa'ɲi
Houppelande, -s *fr.* u'plã:d
Hourdi ʊr'di:
House haus
House of Commons 'haus ɔf 'kɔmɔns
House of Lords 'haus ɔf 'lɔrts
Housman *engl.* 'haʊsmən
Houssay *span.* u'saḭ
Houssaye *fr.* u'sɛ
Housse 'hʊsə
Houston *engl.* 'hju:stən
Houville *fr.* u'vil
Houwald 'hu:valt
Houwink *niederl.* 'hɔu̯wɪŋk
Hova 'hɔ:va, *fr.* ɔ'va, *schwed.* ˌhu:va
Hovawart 'hɔ:favart
Hove *engl.* hoʊv
Hovercraft 'hɔ:vɛkra:ft
Hovey *engl.* 'hʌvɪ
Hovstad 'hɔ:fstat
Howa 'hɔ:va
Howald[t] 'hɔ:valt
Howard *engl.* 'hauəd
Howe *engl.* hau
Howea 'hɔ:vea, Hoween hɔ've:ən
Howell[s] *engl.* 'hauəl[z]
Howick Falls *engl.* 'hauɪk 'fɔ:lz
Howie *engl.* 'hauɪ
Howland *engl.* 'haʊlənd
Howrah *engl.* 'haurə
Hoxha *alban.* 'hodʒa
Höxter 'hœkstɐ
Hô Xuân Hu'o'ng *vietn.* ho sṵən hḭə̰n 311
Hoy *engl.* hɔɪ
Hoya 'hɔ:ja
Høyanger *norw.* ˌhœḭaŋər
Hoyer 'hɔyɐ
Hoyerswerda hɔyɐs'vɛrda
Hoylake *engl.* 'hɔɪleɪk
Hoyle *engl.* hɔɪl
Hoym hɔym
Hrabal *tschech.* 'hrabal
Hraban 'ra:ban

Hrabanus Maurus ra'ba:nʊs 'maurʊs
Hrádčany *tschech.* 'hratʃani
Hradec Králové *tschech.* 'hradɛts 'kra:lɔvɛ:
Hradschin '[h]ratʃi:n, *auch:* –'–
Hranice *tschech.* 'hranjitsɛ
Hranilović *serbokr.* ˌhranilɔvitɕ
Hrčić *serbokr.* 'hr̥tʃitɕ
Hrdlicka 'hɪrdlɪtska
Hrdlička *tschech.* 'hr̥dlitʃka, *engl.* 'hə:dlɪtʃkə
Hrebinka *ukr.* hrɛ'binka
Hrintschenko *ukr.* hrin-'tʃɛnkɔ
Hrisanide *rumän.* hrisa'nide
Hristić *serbokr.* ˌhri:stitɕ
Hrob *tschech.* hrɔp
Hromádka *tschech.* 'hrɔma:tka
Hron *slowak.* hrɔn
Hronov *tschech.* 'hrɔnɔf
Hronský *slowak.* 'hrɔnski:
Hroswitha rɔs'vi:ta
Hrothsvit[h] 'rɔ:tsvɪt
Hrozný *tschech.* 'hrɔzni:
Hrubín *tschech.* 'hrubi:n
Hrušovský *slowak.* 'hruʃɔu̯ski:
Hrvatska *serbokr.* ˌhrva:tska:
hu! hu:
hü! hy:
Huaca *span.* 'u̯aka
Huacho *span.* 'u̯atʃo
Hua Guofeng *chin.* xu̯agu̯ɔfəŋ 221
Hua Hin *Thai* hu̯ə'hin 55
Huaihe *chin.* xu̯aḭxʌ 22
Huainan *chin.* xu̯aḭnan 22
Huallaga *span.* u̯a'ʎaɣa
Huanaco hu̯a'nako
Huancavelica *span.* u̯aŋkaβe'lika
Huancayo *span.* u̯aŋ'kajo
Huanghe *chin.* xu̯aŋxʌ 22
Huang Quan *chin.* xu̯aŋtɕyɛn 211
Huangshi *chin.* xu̯aŋʂi 22
Huang Tingjian *chin.* xu̯aŋtɪŋdʑiɛn 211
Huánuco *span.* 'u̯anuko
Huaraz *span.* u̯a'raθ
Huarte *span.* 'u̯arte
Huáscar *span.* 'u̯askar
Huascarán *span.* u̯aska'ran
Huasco *span.* 'u̯asko
Huaxteke hu̯as'te:kə

hub hu:p
Hub hu:p, -es 'hu:bəs, Hübe 'hy:bə
Hubalek 'hu:balɛk
Hubay *ung.* 'hubɔi
Hubbard *engl.* 'hʌbəd
[1]Hubbel (Hügel) 'hubl̩
[2]Hubbel (Name) *engl.* hʌbl
hubbelig 'hubəlɪç, -e ...ɪgə
Hubble *engl.* hʌbl
Hubbuch 'hubʊx
Hube 'hu:bə
hübe 'hy:bə
Hübe vgl. Hub
Hubei *chin.* xubeḭ 23
Hubel 'hu:bl̩
Hübel 'hy:bl̩
huben, H... 'hu:bn̩
hüben 'hy:bn̩
Huber[man] 'hu:bɐ[man]
Hubert 'hu:bɛrt, *fr.* y'bɛ:r, *niederl.* 'hybərt
Hubertus hu'bɛrtʊs
Hubertusburg hu'bɛrtʊsbʊrk
Hubli *engl.* 'hublɪ
Hubmaier 'hu:pmaḭɐ
Hübner 'hy:bnɐ
hübsch, H... hypʃ
Hübschmann 'hypʃman
Hubschmid 'hu:pʃmi:t
hubt hu:pt
hübt hy:pt
Huc hu:k, *fr.* hyk
Hucbald 'hu:kbalt
huch! hʊx
Huch[en] 'hu:x[n̩]
Huchel 'hʊxl̩
Hucke 'hʊkə
Hückelhoven 'hʏklho:fn̩
hücken 'hʊkn̩
huckepack 'hʊkəpak
Hückeswagen 'hʏkəsva:gn̩
Huckleberry *engl.* 'hʌklbɛrɪ
Hucknall *engl.* 'hʌknəl
Hudaida hu'daḭda
Huddersfield *engl.* 'hʌdəzfi:ld
Huddinge *schwed.* ˌhʊdiŋə
Hude 'hu:də
Hudeček *tschech.* 'hudɛtʃɛk
Hudeleḭ hu:də'laḭ
Hudeler 'hu:dələ
hudelig 'hu:dəlɪç, -e ...ɪgə
hudeln 'hu:dl̩n, hudle 'hu:dlə
hudern 'hu:dɐn, hudre 'hu:drə
Hudiksvall *schwed.* hʊdiks-'val

Hudler 'hu:dlɐ
hudlig 'hu:dlıç, -e ...ıgə
Hudson [Strait] engl.
ˈhʌdsn [ˈstreɪt]
Hue fr. y
Huê vietn. hue 2
Hueber 'hu:ɛbɐ
Huebner 'hy:bnɐ, engl.
'hi:bnə
Huedin rumän. huieˈdin
Hueffer engl. 'hju:fə
Huehuetenango span.
ueuete'naŋgo
Huelsenbeck 'hʏlznbɛk
Huelva span. 'uɛlβa
Huerta[s] span. 'uɛrta[s]
Huesca span. 'ueska
Huet fr. ue, niederl. hy'ɛt
Huey[town] engl.
ˈhjuːɪ[taʊn]
huf! hu:f
hüf! hy:f
Huf[e] 'hu:f[ə]
Hufeland 'hu:fəlant
hufen 'hu:fn
Hüfingen 'hy:fɪŋən
Hüfner 'hy:fnɐ
Hufschmidt 'hu:fʃmɪt
Hüfte 'hʏftə
Hüfthorn 'hʏfthɔrn
Hufuf hu'fu:f
Hug[bald] hu:k[balt]
Hugdietrich 'hu:kdi:trıç
Hügel 'hy:gl̩
hügelig 'hy:gəlıç, -e ...ıgə
Hugenberg 'hu:gnbɛrk
Hugenotte hugə'nɔtə
hugenottisch hugə'nɔtıʃ
Huggenberger 'hʊgn̩bɛrgɐ
Huggin[s] engl. 'hʌgɪn[z]
Hugh[es] engl. hju:[z]
Hugin 'hu:gɪn
Hugli engl. 'hu:glı
hüglig 'hy:glıç, -e ...ıgə
Hugo 'hu:go, fr. y'go, engl.
'hju:goʊ, niederl. 'hyγo,
span. 'uγo
Hugolin 'hu:goli:n
Hugué span. u'γe
Hugues fr. yg
Huguet fr. y'γɛ, span. u'γɛt
Huguette fr. y'γɛt
Huhehaote chin. xuxʌxautʌ
1244
Huhehot 'hu:ˈhe:ˈho:t
Huhn hu:n, Hühner 'hy:nɐ
Hühnchen 'hy:nçən
huhu! hu'hu:
hui! hui
Huidobro span. ui'ðoβro

Huila span. 'uila, port. 'uilɐ
Huisne fr. ɥin
Huitzilopochtli span. uitsi-
lo'pɔtʃtli
huius anni 'hu:jus 'ani
huius mensis 'hu:jus 'mɛn-
zıs
Huizen niederl. 'hœizə
Huizhou chin. xueidʒoụ 41
Huizinga niederl. 'hœizıŋγa
Hui Zong chin. xueidzuŋ 11
Huk huk
Huka 'hu:ka
Hukboot 'hukbo:t
Huker 'hukɐ
Hukka 'huka
Hula 'hu:la
Hula-Hoop hu:la'hup
Hula-Hopp hu:la'hɔp
Hülbe 'hʏlbə
Huld hult
Hulda 'hulda
Huldén schwed. hul'de:n
huldigen 'huldıgn̩, huldig!
'huldıç, huldigt 'huldıçt
Huldin 'huldɪn
Hulewicz poln. xu'lɛvitʃ
hülfe 'hʏlfə
Hulk hulk
Hull[ah] engl. 'hʌl[ə]
Hülle 'hʏlə
hüllen, H... 'hʏlən
Hüllmandel 'hʏlmandl̩
Hully-Gully 'hali'gali
Hulme engl. hju:m, hu:m
Hüls hʏls
Hülschen 'hʏlsçən
Hülse 'hʏlzə
Hulse engl. hʌls
hülsen 'hʏlzn̩, hüls! hʏls,
hülst hʏlst
Hülsen 'hʏlzn̩
hülsig 'hʏlzıç, -e ...ıgə
Hultschin hul'tʃi:n, auch:
'¯¯
Hültz hʏlts
Hultzsch hultʃ
hum! hm̩
Hum serbokr. hu:m
Humacao span. uma'kao
human hu'ma:n
Humanae vitae hu'ma:nɛ
'vi:tɛ
Humanengineering 'hju:-
mən|ɛndʒi'ni:rıŋ
Humaniora huma'nio:ra
humanisieren humani'zi:-
rən
Humanismus huma'nısmus
Humanist huma'nıst

humanitär humani'tɛ:ɐ
Humanitarismus humani-
ta'rısmus
Humanitas hu'ma:nitas
Humanität humani'tɛ:t
Humanité fr. ymani'te
Humann 'hu:man
Human Relations 'hju:mən
ri'le:ʃns
Humber engl. 'hʌmbə
Humberside engl. 'hʌmbə-
saıd
Humbert 'humbɛrt, fr.
œ̃'bɛ:r
Humble engl. hʌmbl
Humboldt 'humbɔlt, engl.
'hʌmboʊlt, span. 'umbɔl
humboldtisch, H... 'hum-
bɔltıʃ
humboldtsch, H... 'hum-
bɔltʃ
Humbu[r]g 'humbu[r]k
Hume engl. hju:m
Humenné slowak.
'humɛnnɛ:
Humerale hume'ra:lə, ...lien
...lịən, ...lia ...lịa
Humerus 'hu:merus, ...ri
...ri
humid hu'mi:t, -e ...i:də
Humidität humidi'tɛ:t
Humifikation humifika-
'tsio:n
humifizieren humifi'tsi:rən
humil hu'mi:l
humiliant humi'lịant
Humiliat humi'lịa:t
Humiliation humilịa'tsio:n
Humilität humili'tɛ:t
Huminsäure hu'mi:nzɔyrə
Humit hu'mi:t
Humm hum
Hummel 'huml̩
Hummer 'humɐ
Hümmling 'hʏmlıŋ
Humolith humo'li:t
¹Humor (Heiterkeit)
hu'mo:ɐ
²Humor (Feuchtigkeit)
'hu:mo:ɐ, Humores hu-
'mo:re:s
humoral humo'ra:l
Humoreske humo'rɛskə
humorig hu'mo:rıç, -e ...ıgə
humorisieren humori'zi:rən
Humorist humo'rıst
Humoristikum humo'rıstı-
kum, ...ka ...ka
humos hu'mo:s, -e ...o:zə
Hümpel 'hʏmpl̩

Humpelei hʊmpəˈlai
humpelig ˈhʊmpəlɪç, -e
...ɪgə
humpeln ˈhʊmpln̩
Humpen ˈhʊmpn̩
Humperdinck ˈhʊmpɐdɪŋk
Humpert ˈhʊmpɐt
Humphrey[s] *engl.* ˈhʌmfrɪ[z]
humplig ˈhʊmplɪç, -e ...ɪgə
Humpolec *tschech.* ˈhʊmpəlɛts
Humpoletz ˈhʊmpolɛts
Humulus ˈhuːmulʊs
Humus ˈhuːmʊs
Huna ˈhuːna
Húnabucht ˈhuːnabʊxt
Húnaflói *isl.* ˈhuːnafloui
Hunan ˈhuːnan, *chin.* xunan 22
Hund hʊnt, -e ˈhʊndə
Hündchen ˈhʏntçən
hundeelend ˈhʊndəˈleːlɛnt, -e ...ndə
Hundekälte ˈhʊndəˈkɛltə
hundemüde ˈhʊndəˈmyːdə
hundert, H... ˈhʊndɐt
hunderteins ˈhʊndɐtˈlains
Hunderter ˈhʊndɐtɐ
hunderterlei ˈhʊndɐtɐˈlai
hundertfach ˈhʊndɐtfax
Hundertjahrfeier hʊndɐtˈjaːɐfaiɐ
hundertjährig ˈhʊndɐtjɛːrɪç
hundertmal ˈhʊndɐtmaːl
hundertmalig ˈhʊndɐtmaːlɪç, -e ...ɪgə
hundertprozentig hʊndɐtprotsɛntɪç
Hundertsatz ˈhʊndɐtzats
hundertste ˈhʊndɐtstə
hundertstel, H... ˈhʊndɐtstl̩
hundertstens ˈhʊndɐtstn̩s
hunderttausend ˈhʊndɐtˈtauzn̩t
hundertundeins ˈhʊndɐtlʊntˈlains
Hundertwasser ˈhʊndɐtvasɐ
Hundested *dän.* ˈhunəsdeð
Hundewetter ˈhʊndəvɛtɐ
Hündin ˈhʏndɪn
Hunding ˈhʊndɪŋ
Hundisburg ˈhʊndɪsbʊrk
hündisch ˈhʏndɪʃ
Hundredweight ˈhandrətveːt
Hundsfott ˈhʊntsfɔt, ...**fötter** ...fœtɐ

Hundsfötterei hʊntsfœtəˈrai
hundsföttisch ˈhʊntsfœtɪʃ
hundsgemein ˈhʊntsgəˈmain
hundsmäßig ˈhʊntsmɛːsɪç
hundsmiserabel ˈhʊntsmizəˈraːbl̩
hundsmüde ˈhʊntsˈmyːdə
hundswütig ˈhʊntsvyːtɪç, -e ...ɪgə
Hüne ˈhyːnə
Hunedoara *rumän.* huneˈdoara
Huneker *engl.* ˈhanɪkə
Hunfalvy *ung.* ˈhunfɔlvi
Hünfeld ˈhyːnfɛlt
Hungaria hʊŋˈgaːria
Hungarica hʊŋˈgaːrika
Hungarist[ik] hʊŋgaˈrɪst[ɪk]
Hungen ˈhʊŋən
Hunger ˈhʊŋɐ
hungern ˈhʊŋɐn
Hüngnam *korean.* hiŋnam
hungrig ˈhʊŋrɪç, -e ...ɪgə
Hu'ng Yên *vietn.* hiŋ iən 11
Hunne ˈhʊnə
hunnisch ˈhʊnɪʃ
Hunnius ˈhʊniʊs
Hunold ˈhuːnɔlt
Hunsa ˈhʊnza
Hunsrück ˈhʊnsrʏk
¹Hunt (Förderwagen) hʊnt
²Hunt (Name) *engl.* hʌnt
Hunte ˈhʊntə
Hünten ˈhʏntn̩
¹Hunter (Tier) ˈhantɐ
²Hunter (Name) *engl.* ˈhʌntɐ
Hunterston *engl.* ˈhʌntəstən
Huntingdon *engl.* ˈhʌntɪŋdən
Huntington *engl.* ˈhʌntɪŋtən
Huntl[e]y *engl.* ˈhʌntlɪ
Hunts *engl.* hʌnts
Huntsville *engl.* ˈhʌntsvɪl
Huntziger ˈhʊntsigɐ, *fr.* œ̃tsiˈʒeːr
Hunyadi *ung.* ˈhunjɔdi
Hunza ˈhʊnza
hunzen ˈhʊntsn̩
Hunziker ˈhʊntsikɐ
Huon *fr.* yõ, *engl.* ˈhjuːən
Hüon ˈhyːɔn
Huovinen *finn.* ˈhuovinɛn
Hupe ˈhuːpə
Hupeh ˈhuːpe
hupen ˈhuːpn̩
Hupf hʊpf
hupfen ˈhʊpfn̩
hüpfen ˈhʏpfn̩

Hüpferling ˈhʏpfɐlɪŋ
Hupp hʊp
huppen ˈhʊpn̩
Huppert *fr.* yˈpɛːr
Hurban *slowak.* ˈhurban
Hürchen ˈhyːɐçən
Hurde ˈhʊrdə
Hürde ˈhʏrdə
Hurdes ˈhʊrdəs, *span.* ˈurðes
Hure ˈhuːrə
huren ˈhuːrən
Hurerei huːrəˈrai
Huri ˈhuːri
Hürlebusch ˈhʊrləbʊʃ
Hurling ˈhøːɐlɪŋ, ˈhœrlɪŋ
hürnen ˈhʏrnən
Huron huˈroːn, *engl.* ˈhjuərən
Hurone huˈroːnə
huronisch huˈroːnɪʃ
hurra!, Hurra hʊˈraː, *auch:* ˈhʊra
Hurrikan ˈhʊrikan, ˈharikn̩
Hürriyet *türk.* hyrriˈjet
Hurst[on] *engl.* ˈhəːst[ən]
Hurstville *engl.* ˈhəːstvɪl
Hurtado *span.* urˈtaðo
Hürth hʏrt
hurtig ˈhʊrtɪç, -e ...ɪgə
Hurwicz, ...witz ˈhʊrvɪts
Hus hʊs, *tschech.* hus
Husa *tschech.* ˈhusa
Husain huˈsain
Husák *slowak.* ˈhusaːk
Husar huˈzaːɐ
husch!, Husch hʊʃ
Hüsch hʏʃ
Husche ˈhʊʃə
husch[e]lig ˈhʊʃ[ə]lɪç, -e ...ɪgə
huscheln ˈhʊʃln̩
huschen ˈhʊʃn̩
husch, husch! ˈhʊʃˈhʊʃ
Husein[i] huˈsain[i]
Hu Shi *chin.* xuʃɿ 24
Huși *rumän.* huʃj
Hüsing ˈhyːzɪŋ
Huskisson *engl.* ˈhʌskɪsn̩
Huskvarna *schwed.* ˌhʉːskvɑːrna
Husky ˈhaski
Husle ˈhʊslə
Husmann ˈhuːsman
Huß hʊs
hussa! ˈhʊsa
Hussarek ˈhʊsarɛk
hussasa! ˈhʊsasa
Husse ˈhʊsə
Hussein huˈsain, ˈhʊsaiːn

hussen 'husn̩
Husserl 'husɐl
Hussit hu'si:t
Hussitismus husi'tısmʊs
hüst! hyst
hüsteln 'hy:stln̩
husten, H... 'hu:stn̩
Hüsten 'hystn̩
Hustle engl. hʌsl
Hustler engl. 'hʌslə
Huston engl. hju:stn̩
Hustopeče tschech. 'hustə-
pɛtʃɛ
Husum 'hu:zʊm
Huszár ung. 'husa:r
Hut hu:t, Hüte 'hy:tə
Hütchen 'hy:tçən
Hutcheson engl. 'hʌtʃisn
Hutchins engl. 'hʌtʃınz
Hutchinson engl. 'hʌtʃınsn
hüten 'hy:tn̩
Huter 'hu:tɐ
Huth hu:t, engl. hu:θ
Hutsche 'hʊtʃə
Hütsche 'hytʃə
hutschen 'hʊtʃn̩
Hutt engl. hʌt
Hüttchen 'hʏtçən
Hutte 'hʊtə
Hütte 'hʏtə
Hutten 'hʊtn̩
Hüttenberk 'hʏtn̩bɛrk
Hüttenbrenner 'hʏtn̩brɛnɐ
Hüttenegger 'hʏtənɛgɐ
Hutter 'hʊtɐ
Hutterer 'hʊtərɐ
Hüttner 'hʏtnɐ
Hutton engl. hʌtn
Hüttrach 'hʏtrax
Hutu 'hu:tu
Hutung 'hu:tʊŋ
Hutze 'hʊtsə
Hutzel 'hʊtsl̩
hutz[e]lig 'hʊts[ə]lıç, -e
...ıgə
hutzeln 'hʊtsl̩n
Huxley engl. 'hʌkslı
Huy hy:, fr. ɥi
Hu Yaobang chin. xu-i̯au̯-
baŋ 241
Huydecoper niederl. 'hœi̯-
dəko:pər
Huygens, niederl. 'hɔygn̩s, niederl.
'hœi̯ɣəns
Huysman niederl. 'hœi̯smɑn
Huysmans niederl. 'hœi̯s-
mɑns, fr. ɥis'mã:s
Huysum niederl. 'hœi̯səm
Huyton engl. haıtn
Hüyük türk. hy'jyk

Huywald 'hy:valt
Huzule hu'tsu:lə
Hvannadalshnúkur isl.
'hwanadalshnu:kʏr
Hvar serbokr. hva:r
Hveragerði isl. 'hwɛ:ra-
gi̯ɛrði
Hvidesande dän. vi:ðə'sænə
Hvidovre dän. 'viðəu̯rə
Hviezdoslav slowak. 'hvi̯ɛz-
dəslau̯
Hwan xvan
Hwangho 'xvaŋho
Hyacinthe fr. ja'sɛ̃:t
Hyaden 'hy̆a:dn̩
hyalin, H... hy̆a'li:n
Hyalinose hy̆ali'no:zə
Hyalith hy̆a'li:t
Hyalitis hy̆a'li:tıs, ...itiden
...li'ti:dn̩
Hyalographie hy̆alogra'fi:
hyaloid hy̆alo'i:t, -e ...i:də
Hyaloklastit hy̆aloklas'ti:t
Hyalophan hy̆alo'fa:n
hyalopilitisch hy̆alopi'li:tıʃ
Hyaloplasma hy̆alo'plasma
Hyäne 'hy̆ɛ:nə
Hyannis engl. haı'ænıs
Hyattsville engl. 'haıətsvıl
Hyazinth[e] hy̆a'tsınt[ə]
Hybla 'hy:bla
hybrid hy'bri:t, -e ...i:də
Hybride hy'bri:də
hybridisch hy'bri:dıʃ
hybridisieren hybridi'zi:rən
Hybris 'hy:brıs
Hydarthrose hydar'tro:zə
Hydaspes hy'daspɛs
Hydathode hyda'to:də
Hydatide hyda'ti:də
hydatogen hydato'ge:n
hydatopyrogen hydatopy-
ro'ge:n
Hyde engl. haıd, fr. id
Hydepark, Hyde Park engl.
'haıd'pa:k
Hydra 'hy:dra
hydragogisch hydra'go:gıʃ
Hydragogum hydra'go:-
gʊm, ...ga ...ga
Hydrämie hydrɛ'mi:, -n
...i:ən
Hydramnion hy'dramnion,
...ien ...iən
Hydrangea hydraŋ'ge:a,
...eae ...e:ɛ
Hydrant[h] hy'drant
Hydrapulper 'hy:drapalpɐ

Hydrargillit hydrargı'li:t
Hydrargyrose hydrargy-
'ro:zə
Hydrargyrum hy'drargyrʊm
Hydrarthrose hydrar'tro:zə
Hydrat hy'dra:t
Hydra[ta]tion
hydra[ta]'tsi̯o:n
hydratisieren hydrati'zi:rən
Hydraulik hy'draulık
Hydraulis hy'draulıs
hydraulisch hy'draulıʃ
Hydraulit hydrau'li:t
Hydraulos hy'draulɔs
Hydrazide hydra'tsi:də
Hydrazin hydra'tsi:n
Hydrazo... hy'dra:tso...
Hydrazone hydra'tso:nə
Hydria 'hy:dria, ...ien ...iən
Hydriatrie hydria'tri:
Hydrid hy'dri:t, -e ...i:də
hydrieren hy'dri:rən
hydro..., H... 'hy:dro...
Hydrobien... hy'dro:bi̯ən...
Hydrobiologie hydrobio-
lo'gi:
Hydrocephale hydrotse-
'fa:lə
Hydrochinon hydroçi'no:n
Hydrochorie hydroko'ri:
Hydrocopter hydro'kɔptɐ
Hydrodynamik hydro-
dy'na:mık
hydrodynamisch hydrody-
'na:mıʃ
hydroelektrisch
hydroļe'lɛktrıʃ
Hydroelektrostation
hydroļe'lɛktroʃtatsi̯o:n
hydroenergetisch
hydroļenɛr'ge:tıʃ
hydrogam hydro'ga:m
Hydrogel hydro'ge:l
Hydrogen hydro'ge:n
Hydrogenium hydro'ge:-
ni̯ʊm
Hydrogeologe hydrogeo-
'lo:gə
Hydrogeologie hydrogeo-
lo'gi:
Hydrograph hydro'gra:f
Hydrographie hydrogra'fi:
Hydrokarbongas hydrokar-
'bo:nga:s
Hydrokarpie hydrokar'pi:
Hydrokineter hydroki'ne:tɐ
Hydrokortison hydrokɔrti-
'zo:n
Hydrokultur hydrokʊl'tu:ɐ̯,
'hy:drokʊltu:ɐ̯

Hydrolasen hydro'la:zn
Hydrologe hydro'lo:gǝ
Hydrologie hydrolo'gi:
hydrologisch hydro'lo:gɪʃ
Hydrologium hydro'lo:giʊm, ...ien ...iǝn
Hydrolyse hydro'ly:zǝ
hydrolytisch hydro'ly:tɪʃ
Hydromanie hydroma'ni:
Hydromantie hydroman'ti:
Hydromechanik hydrome-'ça:nɪk
Hydromeduse hydrome-'du:zǝ
Hydrometallurgie hydro-metalʊr'gi:
Hydrometeore hydromete'o:rǝ
Hydrometeorologie hydro-meteorolo'gi:
Hydrometer hydro'me:tɐ
Hydrometrie hydrome'tri:
hydrometrisch hydro'me:-trɪʃ
Hydromikrobiologie hydro-mikrobiolo'gi:
Hydromonitor hydro'mo:nito:ɐ, -en ...moni'to:rǝn
Hydromorphie hydromɔr'fi:
Hydromyelie hydromÿe'li:
Hydron... hy'dro:n...
hydronalisieren hydronali-'zi:rǝn
Hydronalium hydro'na:liʊm
Hydronaut hydro'naʊt
Hydronephrose hydrone-'fro:zǝ
Hydronymie hydrony'mi:
Hydropath hydro'pa:t
Hydropathie hydropa'ti:
Hydroperikard hydroperi-'kart, -e ...rdǝ
Hydroperikardium hydro-peri'kardiʊm
Hydrophan hydro'fa:n
hydrophil hydro'fi:l
Hydrophilie hydrofi'li:
hydrophob hydro'fo:p, -e ...o:bǝ
Hydrophobie hydrofo'bi:, -n ...i:ǝn
hydrophobieren hydrofo-'bi:rǝn
Hydrophor hydro'fo:ɐ
Hydrophthalmus hydrɔf-'talmʊs
Hydrophyt hydro'fy:t
hydropigen hydropi'ge:n
hydropisch hy'dro:pɪʃ
Hydroplan hydro'pla:n

hydropneumatisch hydropnɔy'ma:tɪʃ
Hydroponik hydro'po:nɪk
hydroponisch hydro'po:nɪʃ
Hydrops 'hy:drɔps
Hydropsie hydrɔ'psi:
Hydropulsator hydropʊl-'za:to:ɐ, -en ...za'to:rǝn
Hydropulsor hydro'pʊlzo:ɐ, -en ...'zo:rǝn
Hydrorrhachie hydrɔra'xi:
Hydrorrhö, ...öe hydrɔ'rø:, ...rrhöen ...'rø:ǝn
Hydrosalz 'hy:drozalts
Hydrosol hydro'zo:l
Hydrosphäre hydro'sfɛ:rǝ
Hydrostatik hydro'sta:tɪk
hydrostatisch hydro'sta:tɪʃ
Hydrotechnik hydro'tɛçnɪk
hydrotherapeutisch hydro-tera'pɔytɪʃ
Hydrotherapie hydrotera'pi:
hydrothermal hydrotɛr-'ma:l
Hydrothorax hydro'to:raks
Hydroxid hydrɔ'ksi:t, -e ...i:dǝ
hydroxidisch hydrɔ'ksi:dɪʃ
Hydroxylgruppe hydrɔ-'ksy:lgrʊpǝ
Hydrozele hydro'tse:lǝ
Hydrozephale hydrotse-'fa:lǝ
Hydrozephalus hydro'tse:-falʊs, ...len ...tse'fa:lǝn, ...li ...'tse:fali
Hydrozoon hydro'tso:ɔn, ...zoen ...o:ǝn
Hydrozyklon hydrotsy'klo:n
Hydrurie hydru'ri:
Hydrus 'hy:drʊs
Hyères fr. jɛ:r
Hyetograph hÿeto'gra:f
Hyetographie hÿetogra'fi:
Hyetometer hÿeto'me:tɐ
Hygieia hy'giaia
Hygiene hy'gie:nǝ
Hygieniker hy'gie:nikɐ
hygienisch hy'gie:nɪʃ
hygienisieren hygieni'zi:-rǝn
Hyginus hy'gi:nʊs
Hygrochasie hygroça'zi:
Hygrogramm hygro'gram
Hygrograph hygro'gra:f
Hygrom hy'gro:m
Hygrometer hygro'me:tɐ
Hygrometrie hygrome'tri:

hygrometrisch hygro'me:-trɪʃ
Hygromorphie hygromɔr'fi:
Hygromorphose hygromɔr-'fo:zǝ
Hygronastie hygronas'ti:
hygrophil hygro'fi:l
Hygrophilie hygrofi'li:
Hygrophyt hygro'fy:t
Hygroskop hygro'sko:p
Hygroskopizität hygrosko-pitsi'tɛ:t
Hygrostat hygro'sta:t
Hygrotaxis hygro'taksɪs
Hyksos 'hyksɔs
Hyl hy:l
Hyläa hy'lɛ:a
Hylan engl. 'haɪlǝn
Hylas 'hy:las
Hyle 'hy:lǝ, ...le
Hylemorphismus hylemɔr-'fɪsmʊs
Hyliker 'hy:likɐ
hylisch 'hy:lɪʃ
Hylismus hy'lɪsmʊs
Hylla 'hyla
Hyllos 'hylɔs
hylotrop hylo'tro:p
Hylotropie hylotro'pi:
Hylozoismus hylotso'ɪsmʊs
hylozoistisch hylotso'ɪstɪʃ
Hymans niederl. 'hɛɪmans
Hymen 'hy:mǝn
Hymenaios hyme'naiɔs, -naios
hymenal hyme'na:l
Hymenäus hyme'nɛ:ʊs, ...äi ...ɛ:i
Hymenium hy'me:niʊm, ...ien ...iǝn
Hymenomyzet hymenomy-'tse:t
Hymenoptere hymenɔp-'te:rǝ
Hymettos hy'mɛtɔs
Hymir 'hy:mɪr
Hymnar hym'na:ɐ
Hymnarium hym'na:riʊm, ...ien ...iǝn
Hymne 'hymnǝ
Hymnik 'hymnɪk
Hymniker 'hymnikɐ
hymnisch 'hymnɪʃ
Hymnode hym'no:dǝ
Hymnodie hymno'di:
Hymnograph hymno'gra:f
Hymnologe hymno'lo:gǝ
Hymnologie hymnolo'gi:
hymnologisch hymno'lo:-gɪʃ

Hymnos ˈhʏmnɔs
Hymnus ˈhʏmnʊs
Hyndman *engl.* ˈhaɪndmən
Hyne *engl.* haɪn
Hynek *tschech.* ˈhinɛk
Hyoszyamin hŷɔstsŷaˈmiːn
hypabyssisch hypaˈbʏsɪʃ
Hypacidität hypatsidiˈtɛːt
Hypakusis hypaˈkuːzɪs
Hypalbuminose hypalbumiˈnoːzə
Hypalgator hypalˈgaːtoːɐ̯, -en ...gaˈtoːrən
Hypalgesie hypalgeˈziː
hypalgetisch hypalˈgeːtɪʃ
Hypallage hypalaˈgeː, *auch:* hyˈpalagə
Hypästhesie hypɛsteˈziː, -n ...iːən
hypästhetisch hypɛsˈteːtɪʃ
hypäthral hypɛˈtraːl
Hypatia hyˈpaːtia
Hypazidität hypatsidiˈtɛːt
Hype haɪp
hyper..., **H...** ˈhyːpɐ...
Hyperacidität hypɐ|atsidiˈtɛːt
Hyperakusie hypɐ|akuˈziː
Hyperalgesie hypɐ|algeˈziː
hyperalgetisch hypɐ|alˈgeːtɪʃ
Hyperämie hypɐ|ɛˈmi
hyperämisch hypɐˈ|ɛːmɪʃ
hyperämisieren hypɐ|ɛmiˈziːrən
Hyperästhesie hypɐ|ɛsteˈziː
hyperästhetisch hypɐ|ɛsˈteːtɪʃ
Hyperazidität hypɐ|atsidiˈtɛːt
hyperbar hypɐˈbaːɐ̯
Hyperbasis hyˈpɛrbazɪs, ...sen hypɐˈbaːzn̩
Hyperbaton hyˈpɛrbatɔn, ...ta ...ta
Hyperbel hyˈpɛrbl̩
Hyperboliker hypɐˈboːlikɐ
hyperbolisch hypɐˈboːlɪʃ
Hyperboloid hypɐboloˈiːt, -e ...iːdə
Hyperbolus hyˈpɛrbolʊs
Hyperboreer hypɐboˈreːɐ
hyperboreisch hypɐboˈreːɪʃ
Hyperbulie hypɐbuˈli
Hypercharakterisierung hypɐkarakteriˈziːrʊŋ, ˈhyːp...
Hyperchlorhydrie hypɐkloːɐ̯hyˈdriː

Hypercholie hypɐçoˈliː, -n ...iːən
hyperchrom hypɐˈkroːm
Hyperchromatose hypɐkromaˈtoːzə
Hyperchromie hypɐkroˈmiː, -n ...iːən
Hyperdaktylie hypɐdaktyˈliː, -n ...iːən
Hypereides hypeˈraɪdɛs
Hyperemesis hypɐˈleːmezɪs
Hyperergie hypɐ|ɛrˈgiː, -n ...iːən
Hypererosie hypɐ|eroˈziː, -n ...iːən
Hyperfunktion ˈhyːpɐfʊŋktsjoːn
Hypergalaktie hypɐgalakˈtiː, -n ...iːən
Hypergamie hypɐgaˈmiː
Hypergenitalismus hypɐgenitaˈlɪsmʊs
Hypergeusie hypɐgɔɪˈziː, -n ...iːən
Hyperglobulie hypɐgloˈbuːliː, -n ...iːən
Hyperglykämie hypɐglykɛˈmiː, -n ...iːən
hypergol hypɐˈgoːl
Hyperhedonie hypɐhedoˈniː
Hyperhidrosis hypɐhiˈdroːzɪs
Hyperides hypeˈriːdɛs
Hyperidrose hypɐliˈdroːzə
Hyperidrosis hypɐliˈdroːzɪs
Hyperinsulinismus hypɐ|ɪnzuliˈnɪsmʊs
Hyperinvolution hypɐ|ɪnvoluˈtsjoːn
Hyperion hyˈpeːrjɔn, *auch:* hypeˈriːɔn
Hyperius hyˈpeːrjʊs
Hyperkalzämie hypɐkaltsɛˈmiː, -n ...iːən
Hyperkapnie hypɐkapˈniː, -n ...iːən
hyperkatalektisch hypɐkataˈlɛktɪʃ
Hyperkatalexe hypɐkataˈlɛksə
Hyperkeratose hypɐkeraˈtoːzə
Hyperkinese hypɐkiˈneːzə
hyperkinetisch hypɐkiˈneːtɪʃ
hyperkorrekt hypɐkɔˈrɛkt, ˈhyːp...
Hyperkrinie hypɐkriˈniː

hyperkritisch hypɐˈkriːtɪʃ, ˈhyːp...
Hyperkultur ˈhyːpɐkʊltuːɐ̯
Hyperlink ˈhaɪpɐlɪŋk
Hypermastie hypɐmasˈtiː, -n ...iːən
Hypermedia haɪpɐˈmeːdia
Hypermenorrhö, ...öe hypɐmenɔˈrøː, ...rrhöen ...ˈrøːən
Hypermetabolie hypɐmetaboˈliː, -n ...iːən
Hypermeter hyˈpɛrmetɐ
Hypermetrie hypɐmeˈtri
hypermetrisch hypɐˈmeːtrɪʃ
Hypermetron hyˈpɛrmetrɔn, ...ra ...ra
Hypermetropie hypɐmetroˈpi
hypermetropisch hypɐmeˈtroːpɪʃ
Hypermnesie hypɐmneˈziː
hypermodern ˈhyːpɐmoːdɐrn, hypɐmoˈdɛrn
hypermorph hypɐˈmɔrf
Hypermotilität hypɐmotiliˈtɛːt
Hypernephritis hypɐneˈfriːtɪs, ...itiden ...riˈtiːdn̩
Hypernephrom hypɐneˈfroːm
Hyperodontie hypɐ|odɔnˈtiː
Hyperon ˈhyːperɔn, -en hypeˈroːnən
Hyperonychie hypɐ|onyˈçiː, -n ...iːən
Hyperonym hyperoˈnyːm, *auch:* ˈhyːp...
Hyperonymie hyperonyˈmiː, *auch:* ˈhyːp..., -n ...iːən
Hyperoon hypeˈroːɔn, ...oa ...oːa
Hyperopie hypɐ|oˈpiː, -n ...iːən
Hyperorexie hypɐ|orɛˈksiː, -n ...iːən
Hyperosmie hypɐ|ɔsˈmiː
Hyperostose hypɐ|ɔsˈtoːzə
Hyperphysik hypɐfyˈziːk
hyperphysisch hypɐˈfyːzɪʃ
Hyperplasie hypɐplaˈziː, -n ...iːən
hyperplastisch hypɐˈplastɪʃ
hyperpyretisch hypɐpyˈreːtɪʃ
Hyperpyrexie hypɐpyrɛˈksiː
Hypersekretion hypɐzekreˈtsjoːn

hypersensibel hypɐzɛn-
'zi:bl̩, ...ble ...blə
hypersensibilisieren hypɐ-
zɛnzibili'zi:rən
Hypersomie hypɐzo'mi:
Hypersomnie hypɐzɔm'ni:
hypersonisch hypɐ'zo:nɪʃ
Hyperspermie hypɐspɛr-
'mi:, -n ...i:ən
Hypersteatosis hypɐstea-
'to:zɪs
Hypersthen hypɐ'ste:n
Hypertelie hypɐte'li:
Hypertension hypɐtɛn-
'zjo:n
Hypertext 'haipɐtɛkst
Hyperthelie hypɐte'li:, -n
...i:ən
Hyperthermie hypɐtɛr'mi:
Hyperthymie hypɐty'mi:
Hyperthyreoidismus hypɐ-
tyreoi'dɪsmʊs
Hyperthyreose hypɐty-
re'o:zə
Hypertonie hypɐto'ni:, -n
...i:ən
Hypertoniker hypɐ'to:nikɐ
hypertonisch hypɐ'to:nɪʃ
Hypertrichose hypɐtrɪ-
'ço:zə
Hypertrichosis hypɐtrɪ'ço:-
zɪs, ...ses ...ze:s
hypertroph hypɐ'tro:f
Hypertrophie hypɐtro'fi:
Hyperurbanismus hypɐlʊr-
ba'nɪsmʊs
Hyperurikämie hypɐlurikɛ-
'mi:
Hyperventilation hypɐvɛn-
tila'tsjo:n
Hypervitaminose hypɐvita-
mi'no:zə
Hyperzyklus hypɐ'tsy:klʊs
Hyphäma hy'fɛ:ma, -ta -ta
Hyphärese hyfɛ're:zə
Hyphe 'hy:fə
Hyphen hy'fɛn
Hyphidrose hyfi'dro:zə
hypnagog hypna'go:k, ...e
...o:gə
hypnagogisch hypna'go:gɪʃ
Hypnagogum hypna'go:-
gʊm, ...ga ...ga
Hypnalgie hypnal'gi:, -n
...i:ən
Hypnoanalyse hypnolana-
'ly:zə
Hypnonarkose hypnonar-
'ko:zə
Hypnopädie hypnopɛ'di

hypnopädisch hypno'pɛ:dɪʃ
Hypnos 'hypnɔs
Hypnose hyp'no:zə
Hypnosie hypno'zi:, -n
...i:ən
Hypnotherapeut hypnote-
ra'pɔyt
Hypnotherapie hypnote-
ra'pi:, -n ...i:ən
Hypnotik hyp'no:tɪk
Hypnotikum hyp'no:tikʊm,
...ka ...ka
hypnotisch hyp'no:tɪʃ
Hypnotiseur hypnoti'zø:ɐ̯
hypnotisieren hypnoti'zi:-
rən
Hypnotismus hypno'tɪsmʊs
hypo..., H... 'hy:po...
Hypoazidität hypolatsidi-
'tɛ:t
Hypobromit hypobro'mi:t
Hypobulie hypobu'li:
Hypochlorämie hypoklo-
rɛ'mi:, -n ...i:ən
Hypochlorhydrie hypo-
klo:ɡhy'dri:, -n ...i:ən
Hypochlorit hypoklo'ri:t
Hypochonder hypo'xɔndɐ,
...pɔ'x...
Hypochondrie hypoxɔn-
'dri:, ...pɔx..., -n ...i:ən
hypochondrisch hypo'xɔn-
drɪʃ, ...pɔx...
hypochrom hypo'kro:m
Hypochromie hypokro'mi:,
-n ...i:ən
Hypochylie hypoçy'li:, -n
...i:ən
Hypodaktylie hypodak-
ty'li:, -n ...i:ən
Hypoderm hypo'dɛrm
hypodermatisch hypodɛr-
'ma:tɪʃ
Hypodochmius hypo'dɔx-
miʊs, ...ien ...iən
Hypodontie hypodɔn'ti:, -n
...i:ən
Hypodrom hypo'dro:m
Hypofunktion hypofʊŋk-
'tsjo:n, 'hy:p...
hypogäisch hypo'gɛ:ɪʃ
Hypogalaktie hypogalak'ti:,
-n ...i:ən
Hypogamie hypoga'mi:
Hypogastrium hypo'gas-
trium, ...ien ...iən
Hypogäum hypo'gɛ:ʊm
Hypogenitalismus hypoge-
nita'lɪsmʊs

Hypoglykämie hypogly-
kɛ'mi:, -n ...i:ən
Hypognathie hypogna'ti:,
-n ...i:ən
Hypogonadismus hypogo-
na'dɪsmʊs
hypogyn hypo'gy:n
Hypoid... hypo'i:t...
Hypoinsulinismus hypolɪn-
zuli'nɪsmʊs
Hypokaliämie hypoka-
ljɛ'mi:
Hypokalzämie hypokal-
tsɛ'mi:
Hypokapnie hypokap'ni:
hypokaustisch hypo'kaus-
tɪʃ
Hypokaustum hypo'kaus-
tʊm
Hypokeimenon hypo'kai-
menɔn
Hypokinese hypoki'ne:zə
Hypokorismus hypoko'rɪs-
mʊs
Hypokoristikum hypoko-
'rɪstikʊm, ...ka ...ka
Hypokotyl hypoko'ty:l
Hypokrenal hypokre'na:l
Hypokrisie hypokri'zi:
hypokristallin hypokrɪsta-
'li:n
Hypokrit hypo'kri:t
hypoleptisch hypo'lɛptɪʃ
Hypolimnion hypo'lɪmniɔn,
...ien ...iən
Hypolite fr. ipɔ'lit
Hypolithal hypoli'ta:l
hypologisch hypo'lo:gɪʃ
Hypomanie hypoma'ni:
Hypomaniker hypo'ma:-
nikɐ
hypomanisch hypo'ma:nɪʃ
Hypomenorrhö, ...öe hypo-
menɔ'rø:, ...rrhöen ...'rø:ən
Hypomnema hypo'pɔmnema,
-ta hypɔm'ne:mata
Hypomnesie hypɔmne'zi:,
-n ...i:ən
Hypomobilität hypomobili-
'tɛ:t
Hypomochlion hypo'mɔx-
liɔn
hypomorph hypo'mɔrf
Hypomotilität hypomotili-
'tɛ:t
Hyponastie hyponas'ti:
Hyponitrit hyponi'tri:t
Hyponym hypo'ny:m, auch:
'hy:p...

Hyponymie hypony'mi:,
auch: 'hy:p..., **-n** ...i:ən
Hypophosphit hypofɔs'fi:t
hypophrenisch hypo'fre:nıʃ
Hypophyse hypo'fy:zə
Hypoplasie hypopla'zi:, **-n**
...i:ən
hypoplastisch hypo'plastıʃ
Hypopyon hypo'py:ɔn
Hyporchem hypɔr'çe:m
Hyporchema hy'pɔrçema,
-ta ...'çe:mata
Hyposem hypo'ze:m
Hyposmie hypɔs'mi:, **-n**
...i:ən
hyposom hypo'zo:m
Hypospadie hypospa'di:, **-n**
...i:ən
Hyposphagma hypo-
'sfagma, **-ta** -ta
Hypostase hypo'sta:zə
Hypostasie hyposta'zi:
hypostasieren hyposta'zi:-
rən
Hypostasis hy'pɔstazıs,
...**sen** hypo'sta:zn̩
hypostatisch hypo'sta:tıʃ
Hyposthenie hyposte'ni:,
-n ...i:ən
hypostomatisch hyposto-
'ma:tıʃ
Hypostylon hy'pɔstylɔn,
...**la** ...la
Hypostylos hy'pɔstylɔs,
...**loi** ...lɔy
hypotaktisch hypo'taktıʃ
Hypotaxe hypo'taksə
Hypotaxis hy'po:taksıs,
...**xen** hypo'taksn̩
Hypotension hypotɛn'zjo:n
Hypotenuse hypote'nu:zə
Hypothalamus hypo'ta:la-
mʊs, ...**mi** ...mi
Hypothek hypo'te:k
Hypothekar hypote'ka:ɐ̯
hypothekarisch hypote'ka:-
rıʃ
Hypothermie hypotɛr'mi:,
-n ...i:ən
Hypothese hypo'te:zə
hypothetisch hypo'te:tıʃ
Hypothyreoidismus hypo-
tyreoi'dısmʊs
Hypothyreose hypoty-
re'o:zə
Hypotonie hypoto'ni:, **-n**
...i:ən
Hypotoniker hypo'to:nikɐ
hypotonisch hypo'to:nıʃ

Hypotrachelion hypotra-
'xe:lj̩on, ...**ien** ...jən
Hypotrichose hypotrı'ço:zə
Hypotrichosis hypotrı'ço:-
zıs, ...**ses** ...ze:s
Hypotrophie hypotro'fi:, **-n**
...i:ən
Hypovitaminose hypovita-
mi'no:zə
Hypoxämie hypɔksɛ'mi:, **-n**
...i:ən
Hypoxie hypɔ'ksi:
Hypozentrum hypo'tsɛn-
trʊm
Hypozykloide hypotsy-
klo'i:də
Hyppolite *fr.* ipɔ'lit
Hypsikles 'hypsikles
Hypsiphobie hypsifo'bi:, **-n**
...i:ən
Hypsipyle hy'psi:pyle
Hypsizephalie hypsitse-
fa'li:, **-n** ...i:ən
Hypsometer hypso'me:tɐ
Hypsometrie hypsome'tri:
hypsometrisch hypso'me:-
trıʃ
Hypsothermometer
hypsotɛrmo'me:tɐ
Hyrkanien hyr'ka:njən
hyrkanisch hyr'ka:nıʃ
Hyrkanos hyr'ka:nɔs
Hyrtl 'hırtl̩
Hyry *finn.* 'hyry
Hyskos 'hyskɔs
Hýskov *tschech.* 'hi:skɔf
Hyslop *engl.* 'hısləp
Hystaspes hys'taspɛs
Hysteralgie hysteral'gi:, **-n**
...i:ən
Hysterektomie hysterɛk-
to'mi:
Hysterese hyste're:zə
Hysteresis hyste're:zıs
Hysterie hyste'ri:, **-n** ...i:ən
Hysteriker hys'te:rikɐ
hysterisch hys'te:rıʃ
hysterisieren hysteri'zi:rən
hysterogen hystero'ge:n
Hysterogramm hystero-
'gram
Hysterographie hystero-
gra'fi:, **-n** ...i:ən
hysteroid hystero'i:t, **-e**
...i:də
Hysterologie hysterolo'gi:,
-n ...i:ən
Hysteromanie hystero-
ma'ni:, **-n** ...i:ən
Hysteron-Proteron 'hyste-

rɔn'pro:terɔn, ...**ra**-...**ra**
...ra...ra
Hysteroptose hysterɔp-
'to:zə
Hysteroskop hystero'sko:p
Hysteroskopie hystero-
sko'pi:
Hysterotomie hystero-
to'mi:
Hythe *engl.* haıð
Hyvinkää *finn.* 'hyviŋkæ:

I

i, I i:, *engl.* aı, *fr., it., span.* i
ı, I 'jo:ta
i! i:
Iacobello *it.* jako'bɛllo
Iacopo *it.* 'ja:kopo
Iacopone *it.* jako'po:ne
iah 'i:'a:, i'a:
iahen 'i:'a:ən, i'a:ən
Iain *engl.* 'i:ən
Iakchos 'jakçɔs
Ialomița *rumän.* 'jalomitsa
Iambe 'jambə
Iamblichos 'jambl̩çɔs
Ian *engl.* ıən
Ianthe 'jantə
Iapetos 'ja:petɔs
Iapygia ja'py:gja
Iași *rumän.* 'jaʃj
Iason 'ja:zɔn
Iasos 'i:azɔs
IATA 'ja:ta, i:'ja:ta, *engl.*
aı'ɑ:tə, i:'ɑ:tə
Iatrik 'ja:trık
iatrisch 'ja:trıʃ
Iatrochemie jatroçe'mi:
iatrogen jatro'ge:n
iatrologisch jatro'lo:gıʃ
Iatrologie jatrolo'gi:
Ibach 'i:bax
Ibadan *engl.* ı'bædən, ı'bɑ:-
dən, i:bɑ'dæn
Ibagué *span.* iβa'ɣe
Ibáñez *span.* i'βaɲeθ
Ibar *serbokr.* 'i:bar
Ibaraki *jap.* i'ba:raki
Ibarbourou *span.* iβar'βuru
Ibarra *span.* i'βarra
Ibárruri *span.* i'βarruri

Ibas 'i:bas
Ibb ıp
Ibbenbüren ıbn̩'by:rən
Iberer i'be:rɐ
Iberg 'i:bɛrk
Iberia i'be:ri̯a, *span.* i'βeri̯a
Iberien i'be:ri̯ən
Iberis i'be:rıs, *auch:* 'i:berıs
iberisch i'be:rıʃ
Ibero *span.* i'βero
Iberoamérica *span.* iβero-a'merika
Iberoamerika i'be:roǀame:rika
iberoamerikanisch i'be:roǀamerika:nıʃ
Ibert *fr.* i'bɛ:r
Iberus i'be:rʊs
Iberville *fr.* ibɛr'vil, *engl.* 'aıbəvıl
Ibiatron ibi̯a'tro:n
ibidem i'bi:dɛm, 'i:bidɛm, 'ıb...
Ibis 'i:bıs, -se ...ısə
Ibiza i'bıtsa, *span.* i'βiθa
Ibizenker ibi'tsɛŋkɐ
ibizenkisch ibi'tsɛŋkıʃ
IBM i:be:'ǀɛm, *engl.* aıbi:'ɛm
Ibn 'ıbn̩
Ibn Al Athir 'ıbn̩ al'la:tır
Ibn Al Baitar 'ıbn̩ albaı̯'ta:ɐ
Ibn Al Chatib 'ıbn̩ alxa'ti:p
Ibn Al Farid 'ıbn̩ al'fa:rıt
Ibn Al Mukaffa 'ıbn̩ almu'kafa
Ibn Ar Rumi 'ıbn̩ a'ru:mi
Ibn Baddscha 'ıbn̩ 'ba:dʒa
Ibn Battuta 'ıbn̩ ba'tu:ta
Ibn Chaldun 'ıbn̩ xal'du:n
Ibn Dschubair 'ıbn̩ dʒu'baıɐ
Ibn Esra 'ıbn̩ 'ɛsra
Ibn Hanbal 'ıbn̩ 'hanbal
Ibn Hasm 'ıbn̩ 'hazm̩
Ibn Kutaiba 'ıbn̩ ku'taıba
Ibn Ruschd 'ıbn̩ 'rʊʃt
Ibn Saud 'ıbn̩ 'zaʊt, *auch:* - za'u:t
Ibn Sina 'ıbn̩ 'zi:na
Ibn Tufail 'ıbn̩ tu'faıl
Ibo 'i:bo
Ibrahim 'i:brahi:m, ibra-'hi:m
brăileanu *rumän.* ibrəi-'l␣eanu
Ibrik i'brık
Ibsen 'ıpsn̩, *norw.* 'ıpsən
Iburg 'i:bʊrk
Ibykos 'i:bykɔs
Ibykus 'i:bykʊs
ica *span.* 'ika

Içá *bras.* i'sa
Icaza *span.* i'kaθa
ICE i:tse:'le:
İçel *türk.* 'ıtʃɛl
ich, Ich ıç
Ichenhausen ıçn̩'haʊzn̩
Ichlaut 'ıçlaʊt
Ichneumon ıç'nɔymɔn
Ichneumoniden ıçnɔymo-'ni:dn̩
Ichnogramm ıçno'gram
Ichor ı'ço:ɐ, 'ıço:ɐ
Ichthyodont ıçtyo'dɔnt
Ichthyol® ıç'tyo:l
Ichthyolith ıçtyo'li:t
Ichthyologe ıçtyo'lo:gə
Ichthyologie ıçtyolo'gi:
ichthyologisch ıçtyo'lo:gıʃ
Ichthyophage ıçtyo'fa:gə
Ichthyophthalm ıçtyɔf'talm
Ichthyophthirius ıçtyo'fti:-ri̯ʊs, ...ien ...i̯ən
Ichthyopterygium ıçtyɔp-te'ry:gi̯ʊm
Ichthyosaurus ıçtyo'zaʊ-rʊs, ...rier ...ri̯ɐ
Ichthyose ıç'tyo:zə
Ichthyosis ıç'tyo:zıs
Ichthyotoxin ıçtyotɔ'ksi:n
I. C. I. *engl.* aısi:'aı
Icing 'aısıŋ
Ickelsamer 'ıkl̩za:mɐ
Ickes *engl.* 'ıkıs
Icon 'aıkn̩, 'aıkɔn
Icterus 'ıkterʊs
Ictus 'ıktʊs, die - ...tu:s
Id i:t, Ide 'i:də
Ida *dt., it.* 'i:da, *engl.* 'aıdə
Idafeld 'i:dafɛlt
Idaho 'aıdəho, *engl.* 'aıdə-hoʊ
idäisch i'dɛ:ıʃ
Idamantes ida'mantɛs
Idared 'aıdərɛt
Idar-Oberstein i:dar'|o:bɐ-ʃtaın
Idarwald 'i:darvalt
Iddings *engl.* 'ıdıŋz
ideagen idea'ge:n
ideal, I... ide'a:l
idealisieren ideali'zi:rən
Idealismus idea'lısmʊs
Idealist idea'lıst
Idealität ideali'tɛ:t
idealiter ide'a:lıtɐ
Idealspeaker aı'di:əl'spi:kɐ
Ideation idea'tsi̯o:n
Idee i'de:, -n i'de:ən
Idée fixe, -s -s i'de: 'fıks
ideell ide'ɛl

idem 'i:dɛm
¹Iden (im altröm. Kalender) 'i:dn̩
²Iden (Name) *engl.* aıdn̩
ident i'dɛnt
Identifikation idɛntifika-'tsi̯o:n
identifizieren idɛntifi'tsi:-rən
identisch i'dɛntıʃ
Identität idɛnti'tɛ:t
ideogen ideo'ge:n
Ideogramm ideo'gram
Ideographie ideogra'fi:
ideographisch ideo'gra:fıʃ
Ideokinese ideoki'ne:zə
Ideokratismus ideokra'tıs-mʊs
Ideologe ideo'lo:gə
Ideologem ideolo'ge:m
Ideologie ideolo'gi:, -n ...i:ən
ideologisch ideo'lo:gıʃ
ideologisieren ideologi'zi:-rən
ideomotorisch ideomo'to:-rıʃ
Ideoreal... ideore'a:l...
id est 'ıt 'ɛst
Idfu 'ıtfu
Idioblast idi̯o'blast
idiochromatisch idi̯okro-'ma:tıʃ
Idiogramm idi̯o'gram
idiographisch idi̯o'gra:fıʃ
Idiokinese idi̯oki'ne:zə
Idiokrasie idi̯okra'zi:, -n ...i:ən
Idiolatrie idi̯ola'tri:
Idiolekt idi̯o'lɛkt
idiolektal idi̯olɛk'ta:l
Idiom i'dio:m
Idiomatik idi̯o'ma:tık
idiomatisch idi̯o'ma:tıʃ
idiomatisieren idi̯omati'zi:-rən
idiomorph idi̯o'mɔrf
idiopathisch idi̯o'pa:tıʃ
Idiophon idi̯o'fo:n
Idioplasma idi̯o'plasma
Idiorrhythmie idi̯ɔryt'mi:
idiorrhythmisch idi̯ɔ'rytmıʃ
Idiosom idi̯o'zo:m
Idiosynkrasie idi̯ozyn-kra'zi:, -n ...i:ən
idiosynkratisch idi̯ozyn-'kra:tıʃ
Idiot i'di̯o:t
Idiotie idi̯o'ti:, -n ...i:ən

Idiotikon i'dịo:tikɔn, ...**ka**
...**ka**
idiotisch i'dịo:tɪʃ
Idiotismus idịo'tɪsmʊs
idiotypisch idịo'ty:pɪʃ
Idiotypus idịo'ty:pʊs
Idiovariation idịovarịa-
'tsịo:n
Idisen 'i:dizn̩
Idistaviso idɪsta'vi:zo
Idku 'ɪtku
Idlewild engl. 'aɪdlwaɪld
Idlib 'ɪdlɪp
Ido 'i:do
Idokras ido'kra:s, **-e** ...a:zə
Idol i'do:l
idolisieren idoli'zi:rən
Ido[lo]latrie ido[lo]la'tri:, **-n**
...i:ən
Idomeneo idome'ne:o
Idomeneus i'do:menɔys
Idoneität idonei'tɛ:t
i-Dötzchen i:dœtsçən
Idra neugr. 'iðra
Idrialit idria'li:t
Idrija serbokr. ,idrija
Idris türk. i'dris
Idris i'dri:s
Idrisi i'dri:zi
Idriside idri'zi:də
Idrißi i'dri:si
Idro it. 'i:dro
Idrus indon. 'ɪdrʊs
Idschma ɪ'dʒma:
Idstein 'ɪtʃtaịn
Idumäa idu'mɛ:a
Idumäer idu'mɛ:ɐ
Idun 'i:dʊn
Iduna idu:na
Idus 'i:du:s
Idyll[e] i'dʏl[ə]
Idyllik i'dʏlɪk
Idylliker i'dʏlɪkɐ
idyllisch i'dʏlɪʃ
Ieper niederl. 'ipər
Ierapetra neugr. jɛ'rapɛtra
Iesi it. 'ịɛ:zi
Iesolo it. 'ịɛ:zolo
IFA (Internationale Funk-
ausstellung) 'i:fa
Ife engl. 'i:feɪ
Iffezheim 'ɪfətshaịm
Iffland 'ɪfland
Ifigenia it. ifidʒe'ni:a
Ifni span. 'ifni
Ifor 'i:fo:ɐ
Igaraçu bras. igara'su
Igarka russ. i'garkɐ
Igel 'i:gl̩
Igelit® ige'li:t

IG-Farben i:ge:'farbn̩
Ighil-Izane fr. igili'zan
igitt! i'gɪt
igittigitt! i'gɪtigɪt
Iglau 'i:glau̯
Iglesias span. i'ɣlesịas, it.
i'glɛ:zịas, kat. i'ɣlɛzịəs
Iglu 'i:glu
Ignace fr. i'ɲas
Ignacio span. iɣ'naθịo
Ignácio port. iɣ'nasịu
Ignacy poln. ig'natsɨ
Ignat[i] russ. ig'nat[ij]
Ignatios ɪ'gna:tịɔs
Ignatius ɪ'gna:tsịʊs
Ignatjew russ. i'gnatjɪf
Ignatjewitsch russ. i'gnatjɪ-
vitʃ
Ignatjewna russ. i'gnatjɪvnɐ
Ignatow engl. ɪg'na:tou̯
Ignatowitsch russ. i'gnatɐ-
vitʃ
Ignatowna russ. i'gnatɐvnɐ
Ignaz 'ɪgna:ts, auch: ɪ'gna:ts
Ignazio it. iɲ'nattsịo
Ignipunktur ɪgnipʊŋk'tu:ɐ
Ignitron 'ɪgnitro:n
Ignjatović serbokr. i,gnja:tɔ-
vitɕ
ignoramus et ignorabimus
ɪgno'ra:mʊs ɛt ɪgno'ra:bi-
mʊs
Ignorant ɪgno'rant
Ignoranz ɪgno'rants
ignorieren ɪgno'ri:rən
Ignoszenz ɪgnɔs'tsɛnts
ignoszieren ɪgnɔs'tsi:rən
Ignotus ɪ'gno:tʊs
Igo 'i:go
Igor 'i:go:ɐ, russ. 'igɐrj
Igorewitsch russ. 'igɐrɪvitʃ
Igorewna russ. 'igɐrɪvnɐ
Igorote igo'ro:tə
Igorrote igɔ'ro:tə
Iguaçu bras. iguạ'su
Iguala span. i'ɣu̯ala
Igualada span. iɣu̯a'laða
Iguana i'gu̯a:na
Iguanodon i'gu̯a:nodɔn,
...**odonten** iguano'dɔntn̩
Iguassú bras. igu̯a'su
Iguazú span. iɣu̯a'θu
Igumen i'gu:mən
iguvinisch igu'vi:nɪʃ
Ihering 'je:rɪŋ
Ihle 'i:lə
Ihlenfeld 'i:lənfɛlt
ihm i:m
ihn, Ihn i:n
Ihne 'i:nə

ihnen 'i:nən
ihr i:ɐ̯
Ihram ɪ'çra:m
ihrerseits 'i:rɐ'zaịts
ihresgleichen 'i:rəs'glaịçn̩
ihresteils 'i:rəs'taịls
ihrethalben 'i:rət'halbn̩
ihretwegen 'i:rət've:gn̩
ihretwillen 'i:rət'vɪlən
ihrige 'i:rɪgə
Ihro 'i:ro
ihrzen 'i:ɐ̯tsn̩
Iijoki finn. 'i:joki
Iisalmi finn. 'i:salmi
Ijeronim russ. ijɪra'nim
Ijmuiden niederl. ɛị'mœịdə
Ijob i'jo:p
Ijsel niederl. 'ɛịsəl
Ijselmeer niederl. ɛịsəl'me:r
Ijselmonde niederl. ɛịsəl-
'mɔndə
Ijzer niederl. 'ɛịzər
Ikako... i'ka:ko...
Ikaria neugr. ika'ria
Ikarier i'ka:rịɐ
Ikarios i'ka:rịɔs
ikarisch i'ka:rɪʃ
Ikaros i:karɔs
Ikarus 'i:karʊs
Ike engl. aɪk
Ikea® i'ke:a
Ikebana ike'ba:na
Ikeda jap. i'keda
Ikeja engl. ɪ'keɪdʒə
I-king i'kɪŋ
Ikirun engl. i:kɪ'ru:n
Ikon[e] i'ko:n[ə]
Ikonion i'ko:nịɔn
Ikonismus iko'nɪsmʊs
Ikonodule ikono'du:lə
Ikonodulie ikonodu'li:
Ikonograph ikono'gra:f
Ikonographie ikonogra'fi:
Ikonoklasmus ikono'klas-
mʊs
Ikonoklast ikono'klast
Ikonolatrie ikonola'tri:
Ikonologie ikonolo'gi
Ikonometer ikono'me:tɐ
Ikonoskop ikono'sko:p
Ikonostas ikono'sta:s, **-e**
...a:zə
Ikonostase ikono'sta:zə
Ikonostasis ikono'sta:zɪs
Ikor fr. i'kɔ:r
Ikosaeder ikoza'ḷe:dɐ
Ikositetraeder
ikozitetra'ḷe:dɐ
ikterisch ɪk'te:rɪʃ
Ikterus 'ɪkterʊs

Iktinos ɪk'ti:nɔs
Iktus 'ɪktʊs, die - ...tu:s
Ilagan span. i'laɣan
Ilang-Ilang-Öl 'i:laŋ'li:laŋ|ø:l
Ilari russ. i'larij
Ilarion i'la:rɪɔn
Ilawa poln. i'ŋava
Ilchan ɪl'ka:n, ɪl'xa:n
Ildebrando it. ilde'brando
Ildefons 'ɪldəfɔns
Ildefonse fr. ildə'fõ:s
Ildefonso span. ilde'fɔnso
Ildiko 'ɪldiko
Île fr. il
Ilebo fr. ile'bo
Ileborgh 'i:ləbɔrk
Île-de-France fr. ildə'frã:s
Île-de la-Cité fr. ildəlasi'te
Île-d'Yeu fr. il'djø
Ileen vgl. Ileus
Ileitis ile'i:tɪs, ...itiden ilei-
'ti:dn̩
Ilek russ. i'ljɛk
Iler 'i:lɐ
Ileri türk. ilɛ'ri
Îles fr. il
Ilesha engl. ɪ'leɪʃə
Ileum 'i:lɐʊm, ...ea ...ea
Ileus 'i:lɐʊs, Ileen 'i:leɐn,
Ilei 'i:lei
Ilex 'i:lɛks
Ilf russ. iljf
Ilfeld 'ɪlfɛlt, 'i:l...
Ilford engl. 'ɪlfəd
Ilfov rumän. 'ilfov
Ilfracombe engl. 'ɪlfrəku:m
Ilg ɪlk
Ilgaz türk. il'gɑz
Ilgner 'ɪlgnɐ
Ilhan türk. il'hɑn
Ilhéus bras. i'ʎɛʊs
Ili i'li
Ilia 'i:lja
Iliade i'lja:də
Ilias ...i:ljas
Ilić serbokr. .ili:tɕ
Ilidža serbokr. i.lidʒa
Iliescu rumän. ili'esku
Iligan span. i'liyan
Ilija russ. ili'ja
Ilim russ. i'lim
Ilion 'iljɔn, engl. 'ɪlɪən
Ilithyia i'li:tyja
Ilium 'i:ljʊm
Ilja 'ilja, russ. ilj'ja
Iljin russ. ilj'jin
Iljinitschna russ. ilj'jiniʃnɐ
Iljinski russ. ilj'jinskij
Iljitsch russ. ilj'jitʃ

Iljitschow[sk] russ.
 ilji'tʃɔf[sk]
Iljuschin ɪl'jʊʃi:n, russ. ilj'ju-
ʃin
Ilka 'ɪlka, ung. 'ilkɔ
Ilkeston engl. 'ɪlkɪstən
Ilkhan ɪl'ka:n
Ilkley engl. 'ɪlklɪ
Ill ɪl, fr. il
Iłłakowiczówna poln. iŋŋa-
kɔvi'tʃuvna
Illampu span. i'ʎampu
Illapel span. iʎa'pɛl
Illarion russ. illɐri'ɔn
Illarionowitsch russ. illɐ-
ri'ɔnɐvitʃ
Illarionowna russ. illɐri'ɔ-
nɐvnɐ
illativ 'ɪlati:f, auch: --'-, -e
...i:və
Illativ 'ɪlati:f, -e ...i:və
Illatum ɪ'la:tʊm, ...ta ...ta
Ille fr. il
Ille-et-Vilaine fr. ilevi'lɛn
illegal 'ɪlega:l, auch: --'-
Illegalität 'ɪlegalitɛ:t, auch:
----'-
illegitim 'ɪlegiti:m, auch:
---'-
Illegitimität 'ɪlegitimitɛ:t,
auch: -----'-
Iller 'ɪlɐ
illern 'ɪlɐn
Illertissen ɪlɐ'tɪsn̩
Illía span. i'ʎia
illiberal 'ɪlibera:l, auch:
---'-
Illiberalität 'ɪliberalitɛ:t,
auch: -----'-
illich 'ɪlɪtʃ
Illimani span. iʎi'mani
illimitiert ɪlimi'ti:ɐt
Illinium ɪ'li:njʊm
Illinois engl. ɪlɪ'nɔɪ[z]
illiquid 'ɪlikvi:t, auch: --'-,
-e ...i:də
Illiquidität 'ɪlikviditɛ:t,
auch: ----'-
Illit ɪ'li:t
illiterat, I... 'ɪlɪtəra:t, auch:
---'-
Illnau 'ɪlnaʊ
Illo 'ɪlo
Illokution ɪloku'tsio:n
illokutionär ɪlokutsio'nɛ:ɐ
illokutiv ɪloku'ti:f, -e ...i:və
illoyal 'ɪloaja:l, auch: --'-
Illoyalität 'ɪloajalitɛ:t, auch:
----'-
Illuminat ɪlumi'na:t

Illumination ɪlumina'tsio:n
Illuminator ɪlumi'na:to:ɐ,
-en ...na'to:rən
illuminieren ɪlumi'ni:rən
Illuminist ɪlumi'nɪst
Illusion ɪlu'zio:n
illusionär ɪluzio'nɛ:ɐ
Illusionismus ɪluzio'nɪsmʊs
Illusionist ɪluzio'nɪst
illusorisch ɪlu'zo:rɪʃ
illuster ɪ'lʊstɐ
Illustration ɪlʊstra'tsio:n, fr.
illystrɑ'sjõ
illustrativ ɪlʊstra'ti:f, -e
...i:və
Illustrator ɪlʊs'tra:to:ɐ, -en
...ra'to:rən
illustrieren ɪlʊs'tri:rən
illuvial ɪlu'via:l
Illyés ung. 'ijje:ʃ
Illyrer ɪ'ly:rɐ
Illyrien ɪ'ly:rjən
Illyrier ɪ'ly:rjɐ
illyrisch ɪ'ly:rɪʃ
Illyrismus ɪly'rɪsmʊs
Illyrist[ik] ɪly'rɪst[ɪk]
Ilm ɪlm
Ilm-Athen 'ɪlm|ate:n
Ilmen russ. 'iljmɪnj
Ilmenau 'ɪlmənaʊ
Ilmenit ɪlme'ni:t
Ilmensee 'ɪlmənze:
Ilo span. 'ilo
Ilobu engl. ɪ'lɔ:bu:
Ilocos span. i'lokos
Iloilo span. ilo'ilo, engl.
'i:loʊ'i:loʊ
Ilok serbokr. 'ilɔk
Ilona 'i:lona, 'ɪlona, i'lo:na,
ung. 'ilonɔ
Ilonka i'lɔŋka, 'i:lɔŋka,
'ɪlɔŋka, ung. 'ilɔŋkɔ
Ilopango span. ilo'paŋgo
Ilorin engl. ɪ'lɔrɪn
Ilosvay ung. 'iloʃvɔi
Ilow 'i:lo
Ilsa[n] 'ɪlza[n]
Ilse[der] 'ɪlzə[dɐ]
Ilsenburg 'ɪlznburk
Ilshofen ɪls'ho:fn̩
Iltis 'ɪltɪs, -se ...ɪsə
im ɪm
Imabari jap. i'ma.bari
Image 'ɪmɪtʃ
imaginabel imagi'na:bl̩,
...ble ...blə
imaginal imagi'na:l
imaginär imagi'nɛ:ɐ
Imagination imagina'tsio:n

imaginativ imagina'ti:f, -e …i:və
imaginieren imagi'ni:rən
Imagismus ima'gısmʊs
Imagist ima'gıst
Imago i'ma:go, …gines …gine:s
Imago Dei i'ma:go 'de:i
Imam i'ma:m
Imamit ima'mi:t
Iman i'ma:n
Imandra russ. 'imɛndrɐ
Imari… i'ma:ri…
Imataca span. ima'taka
Imathia neugr. ima'θia
Imatra finn. 'imɑtrɑ
IMAX® 'aimɛks
Imbaba ım'ba:ba
Imbabura span. imba'βura
Imbalance ım'bɛlns
imbezil ımbe'tsi:l
imbezill ımbe'tsıl
Imbezillität ımbetsıli'tɛ:t
imbibieren ımbi'bi:rən
Imbibition ımbibi'tsio:n
Imbiss 'ımbıs
Imboden 'ımbo:dn̩
Imbroglio ım'brɔljo, …gli …lji
Imbros 'ımbrɔs
Imelda i'mɛlda
Imera it. i'mɛ:ra
Imereter ime're:tɐ
Imeretien ime're:tsiən
Imerier i'me:riɐ
Imho[o]f 'ımho:f
Imhotep ım'ho:tɛp
Imid i'mi:t, -e i'mi:də
Imin i'mi:n
Imitat imi'ta:t
Imitatio Christi imi'ta:tsio 'krısti
Imitation imita'tsio:n
imitativ imita'ti:f, -e …i:və
Imitator imi'ta:to:ɐ, -en …ta'to:rən
imitatorisch imita'to:rıʃ
imitieren imi'ti:rən
Imke 'ımkə
Imker 'ımkɐ
Imkerei ımkə'rai
imkern 'ımkɐn
Imma 'ıma
Immaculata [Conceptio] ımaku'la:ta [kɔn'tsɛptsio]
Immakulata ımaku'la:ta
immanent ıma'nɛnt
Immanenz ıma'nɛnts
immanieren ıma'ni:rən

Immanuel ı'ma:nʊe:l, auch: …ʊɛl
Immaterial… ımate'rja:l…
Immaterialismus ımaterja'lısmʊs
Immaterialität 'ımaterjali-tɛ:t, auch: ------'-
immateriell 'ımaterjɛl, auch: ---'-
Immatrikulation ımatriku-la'tsio:n
immatrikulieren ımatriku-'li:rən
immatur ıma'tu:ɐ
Imme 'ımə
immediat ıme'dja:t
immediatisieren ımedjati-'zi:rən
Immelmann 'ım̩lman
Immenhausen ımən'hauzn̩
immens ı'mɛns, -e …nzə
Immensee 'ımənze:
Immensität ımɛnzi'tɛ:t
Immenstadt 'ımənʃtat
immensurabel ımɛnzu-'ra:bl̩, …ble …blə
Immensurabilität ımɛnzu-rabili'tɛ:t
immer 'ımɐ
immerdar 'ımɐ'da:ɐ
immerfort 'ımɐ'fɔrt
immergrün, |… 'ımɐgry:n
immerhin 'ımɐ'hın
Immermann 'ımɐman
Immersion ımɛr'zio:n
immerzu 'ımɐ'tsu:
Immigrant ımi'grant
Immigration ımigra'tsio:n
immigrieren ımi'gri:rən
imminent ımi'nɛnt
Immingham engl. 'ımıŋəm
Immission ımı'sio:n
Immo 'ımo
immobil 'ımobi:l, auch: --'-
Immobiliar… ımobi'lia:ɐ…
Immobilie ımo'bi:liə
Immobilisation ımobiliza-'tsio:n
Immobilisator ımobili'za:-to:ɐ, -en …za'to:rən
immobilisieren ımobili'zi:-rən
Immobilismus ımobi'lısmʊs
Immobilität 'ımobilitɛ:t, auch: ----'-
immoralisch 'ımora:lıʃ, auch: --'--
Immoralismus ımora'lıs-mʊs
Immoralist ımora'lıst

Immoralität 'ımoralitɛ:t, auch: ----'-
immortalisieren ımɔrtali-'zi:rən
Immortalität ımɔrtali'tɛ:t
Immortelle ımɔr'tɛlə
Immum Coeli 'ımʊm 'tsø:li
immun ı'mu:n
immunisieren ımuni'zi:rən
Immunität ımuni'tɛ:t
immunogenetisch ımuno-ge'ne:tıʃ
Immunologe ımuno'lo:gə
Immunologie ımunolo'gi:
Immunopathie ımunopa'ti:, -n …i:ən
Immunosuppression ımu-nozʊprɛ'sio:n
Immutabilität ımutabili'tɛ:t
Imo engl. 'i:moʊ
Imogen 'i:mogɛn
Imola it. 'i:mola
Imp ımp
Impact 'ımpɛkt
impair ɛ̃'pɛ:ɐ
Impakt ım'pakt
impaktiert ımpak'ti:ɐt
Impaktit ımpak'ti:t
Impala ım'pa:la
Imparität ımpari'tɛ:t
Impasse, -s ɛ̃'pas
impastieren ımpas'ti:rən
Impasto ım'pasto, …ti …ti
Impatiens ım'pa:tsiɛns
Impeachment ım'pi:tʃmənt
Impedanz ımpe'dants
Impediment ımpedi'mɛnt
impenetrabel ımpene-'tra:bl̩, …ble …blə
imperativ ımpera'ti:f, -e …i:və
Imperativ 'ımperati:f, -e …i:və
imperativisch ımpera'ti:vıʃ, auch: '-----
Imperator ımpe'ra:to:ɐ, -en …ra'to:rən
imperatorisch ımpera'to:rıʃ
Imperator Rex ımpe'ra:to:ɐ 'rɛks
Imperatrix ımpe'ra:trıks, …ices …ra'tri:tse:s
Imperfekt 'ımpɛrfɛkt
imperfektibel ımpɛrfɛk-'ti:bl̩, …ble …blə
Imperfektibilität ımpɛrfɛk-tibili'tɛ:t
imperfektisch 'ımpɛrfɛktıʃ
imperfektiv 'ımpɛrfɛkti:f, auch: ---'-, -e …i:və

Imperfektum ımpɛr'fɛktʊm, *auch:* '----, ...**ta** ...ta
imperforabel ımpɛrfo'ra:bļ,
...**ble** ...blə
Imperforation ımpɛrfora-
'tsi̯o:n
Imperia *it.* im'pɛ:ri̯a
imperial, ¹I... ımpe'ri̯a:l
²Imperial (Name) ımpe-
'ri̯a:l, *span.* impe'ri̯al, *engl.*
ım'pɪəri̯əl
Imperiali *it.* impe'ri̯a:li
Imperialismus ımperi̯a'lısmʊs
Imperialist ımperi̯a'lıst
imperialistisch ımperi̯a'lıstıʃ
Imperium ım'pe:ri̯ʊm, ...**ien**
...i̯ən
impermeabel ımpɛrme'a:bļ,
...**ble** ...blə
Impermeabilität ımpɛr-
meabili'tɛ:t
Impersonale ımpɛrzo'na:lə,
...**lien** ...li̯ən, ...**lia** ...li̯a
impertinent ımpɛrti'nɛnt
Impertinenz ımpɛrti'nɛnts
imperzeptibel ımpɛrtsɛp-
'ti:bļ, ...**ble** ...blə
impetiginös ımpetigi'nø:s,
-e ...ø:zə
Impetigo impe'ti:go,
...**gines** ...gine:s
impetuoso impe'tu̯o:zo
Impetuoso impe'tu̯o:zo ...**si**
...zi
Impetus 'ımpetʊs
Impey *engl.* 'ımpɪ
impfen 'ımpfn̩
Impfling 'ımpflıŋ
Imphal *engl.* 'ımfəl, 'ımpəl
Impietät impi̯e'tɛ:t
Implantat ımplan'ta:t
Implantation ımplanta-
'tsi̯o:n
implantieren ımplan'ti:rən
Implantologie ımplanto-
lo'gi:
Implement imple'mɛnt
implementieren ımplemɛn-
'ti:rən
Implikat impli'ka:t
Implikation ımplika'tsi̯o:n
implizieren ımpli'tsi:rən
implizit impli'tsi:t
implizite ım'pli:tsite
implodieren ımplo'di:rən
Implosion ımplo'zi̯o:n
Implosiv ımplo'zi:f, **-e** ...i:və

Impluvium ım'plu:vi̯ʊm,
...**ien** ...i̯ən, ...**ia** ...i̯a
imponderabel ımpɔnde-
'ra:bļ, ...**ble** ...blə
Imponderabilien ımpɔnde-
ra'bi:li̯ən
Imponderabilität ımpɔnde-
rabili'tɛ:t
imponieren ımpo'ni:rən
Import ım'pɔrt
important ımpɔr'tant
Importanz ımpɔr'tants
Importe ım'pɔrtə
Importeur ımpɔr'tø:ɐ̯
importieren ımpɔr'ti:rən
importun ımpɔr'tu:n
imposant ımpo'zant
impossibel ımpɔ'si:bļ, ...**ble**
...blə
Impossibilität ımpɔsibili-
'tɛ:t
Impost ım'pɔst
impotent 'ımpotɛnt, *auch:*
--'-
Impotenz 'ımpotɛnts, *auch:*
--'-
Imprägnation ımprɛgna-
'tsi̯o:n
imprägnieren ımprɛ'gni:-
rən
impraktikabel 'ımprakti-
ka:bļ, *auch:* ---'--, ...**ble**
...blə
Impresario ımpre'za:ri̯o,
...**ri** ...ri
Impression ımprɛ'si̯o:n
impressionabel ımprɛsi̯o-
'na:bļ, ...**ble** ...blə
Impressionismus ımprɛ-
si̯o'nısmʊs
Impressionist ımprɛsi̯o'nıst
Impressum ım'prɛsʊm
imprimatur, I... impri'ma:-
tʊr
Imprimé ɛ̃pri'me:
imprimieren impri'mi:rən
Impromptu ɛ̃prõ'ty:
Improperien impro'pe:ri̯ən
Improvisateur ɛ̃proviza-
'to:ɐ̯
Improvisation improviza-
'tsi̯o:n
Improvisator improvi'za:-
to:ɐ̯, **-en** ...za'to:rən
improvisatorisch improvi-
za'to:rıʃ
improvisieren improvi'zi:-
rən
Impuls ım'pʊls, **-e** ...lzə
impulsiv ımpʊl'zi:f, **-e** ...i:və

Impulsivität ımpʊlzivi'tɛ:t
Imputabilität ımputabili-
'tɛ:t
Imputation ımputa'tsi̯o:n
imputativ ımputa'ti:f, **-e**
...i:və
imputieren ımpu'ti:rən
İmralı *türk.* 'imralɨ
Imre *ung.* 'imrɛ
Imrédy *ung.* 'imre:di
İmroz *türk.* 'imrɔz
Imrulkais ımrʊl'kais
Imst ımst
imstand ım'ʃtant
imstande ım'ʃtandə
im Voraus ım fo'raus, *auch:*
- 'fo:raus
in ın
Ina 'i:na, *poln.* 'ina
in absentia ın ap'zɛntsi̯a
in abstracto ın ap'strakto
Inacidität ınlatsidi'tɛ:t
inadäquat 'ınladɛkva:t,
'ınlatlɛ..., *auch:* ---'-
in aeternum ın ɛ'tɛrnʊm
inakkurat 'ınlakura:t, *auch:*
---'-
inaktiv 'ınlakti:f, *auch:* --'-,
-e ...i:və
inaktivieren ınlakti'vi:rən
Inaktivität 'ınlaktivitɛ:t,
auch: ----'-
inaktuell 'ınlaktu̯ɛl, *auch:*
--'-
inakzeptabel 'ınlaktsɛp-
ta:bļ, *auch:* ---'--, ...**ble**
...blə
Inakzeptabilität 'ınlaktsɛp-
tabilitɛ:t, *auch:* ------'-
in albis ın 'albi:s
inalienabel ınlali̯e'na:bļ,
...**ble** ...blə
inan i'na:n
Inangriffnahme ın'langrıf-
na:mə
Inanität inani'tɛ:t
Inanition inani'tsi̯o:n
inapparent 'ınlaparɛnt,
auch: ---'-
inappellabel ınlape'la:bļ,
...**ble** ...blə
Inappetenz ınlape'tɛnts,
auch: '----
inäqual 'ınlɛkva:l
İnari *finn.* 'inari
inartikuliert 'ınlartikuli:ɐ̯t,
auch: ----'-
Inaugural... ınlaugu'ra:l...
Inauguration ınlaugura-
'tsi̯o:n

inaugurieren ɪn|au̯gu'riːrən
Inazidität ɪn|atsidi'tɛːt
Inbegriff 'ɪnbəgrɪf
inbegriffen 'ɪnbəgrɪfn̩
Inber *russ.* 'ɪnbɪr
Inbetween ɪnbɪtviːn
in blanko ɪn 'blaŋko
in bond ɪn 'bɔnt
in brevi ɪn 'breːvi
Inbus... 'ɪnbʊs...
incarnatus ɪnkar'naːtʊs
Incentive ɪn'sɛntɪf
Inch ɪntʃ
Inchbald *engl.* 'ɪntʃbɔːld
inchoativ ɪnkoa'tiːf, -e
...iːvə
Inchoativ 'ɪnkoatiːf, -e
...iːvə
Inchoativum ɪnkoa'tiːvʊm,
...va ...va
Inch'ŏn *korean.* ɪntʃhɔn
inchromieren ɪnkro'miːrən
incidentell ɪntsidɛn'tɛl
incidit ɪn'tsiːdɪt
incipit, I... 'ɪntsipɪt
Incisivus ɪntsi'ziːvʊs, ...vi
...vi
Inclán *span.* ɪn'klan
inclusive ɪnkluˈziːvə
in concert ɪn 'kɔnsɐt
in concreto ɪn kɔn'kreːto,
auch: - kɔŋ...
Incontro ɪn'kɔntro
in contumaciam ɪn kɔntu-
'maːtsiam
incorporated ɪn'koːɐ̯pə-
reːtɪt
in corpore ɪn 'kɔrpore
Incoterms 'ɪŋkotɛrms
Incroyable ɛ̃krɔaˈjaːbl̩
Incubus 'ɪnkubʊs
Incus 'ɪŋkʊs, **Incudes** ɪŋ-
'kuːdeːs
Indagation ɪndagaˈtsi̯oːn
Indalecio *span.* inda'leθi̯o
Indanthren® ɪndan'treːn
indebite ɪn'deːbite
Indebitum ɪn'deːbitʊm
indeciso inde'tʃiːzo
indefinibel ɪndefi'niːbl̩,
...ble ...blə
indefinit ɪndefi'niːt, *auch:*
'----
Indefinitum ɪndefi'niːtʊm,
...ta ...ta
indeklinabel ɪndekli'naːbl̩,
auch: '-----, ...ble ...blə
Indeklinabile ɪndekli'naː-
bilə, ...lia ...na'biːli̯a

indelikat 'ɪndelikaːt, *auch:*
---'-
indem ɪn'deːm
indemnisieren ɪndɛmni'zi:-
rən
Indemnität ɪndɛmni'tɛːt
indemonstrabel 'ɪndemɔns-
traːbl̩, *auch:* ---'--, ...ble
...blə
Inden ɪn'deːn
In-den-April-Schicken
ɪndeːn|a'prɪlʃɪkn̩
Indentgeschäft ɪn'dɛntgə-
ʃɛft
Independence *engl.* ɪndɪ-
'pɛndəns
Independence Day ɪndɪ-
'pɛndn̩s 'deː
Independência *bras.* inde-
pen'dẽsi̯a
Independent ɪndepɛn'dɛnt
Independent Labour Party
engl. ɪndɪ'pɛndənt 'leɪbə
'pɑːtɪ
Independenz ɪndepɛn'dɛnts
Inder 'ɪndɐ
indes ɪn'dɛs
indessen ɪn'dɛsn̩
Indestege *niederl.*
ɪndəs'teːɣə
indeterminabel ɪndetɛr-
mi'naːbl̩, *auch:* '------,
...ble ...blə
Indetermination ɪndetɛrmi-
na'tsi̯oːn, *auch:* '------
indeterminieren ɪndetɛrmi-
'niːrən
Indeterminismus ɪndetɛr-
mi'nɪsmʊs
Index 'ɪndɛks, **Indizes** 'ɪndi-
tseːs
indexieren ɪndɛ'ksiːrən
indezent 'ɪndetsɛnt, *auch:*
--'-
Indezenz 'ɪndetsɛnts, *auch:*
--'-
India *engl.* 'ɪndɪə
Indiaca® ɪn'di:aka
Indian 'ɪndi̯aːn
Indiana ɪn'di̯aːna, *engl.*
ɪndɪ'ænə
Indianapolis ɪndi̯a'naːpolɪs,
engl. ɪndɪə'næpəlɪs
Indianer ɪn'di̯aːnɐ
indianid ɪndi̯a'niːt, -e ...i:də
Indianide ɪndi̯a'niːdə
indianisch ɪn'di̯aːnɪʃ
Indianist[ik] ɪndi̯a'nɪst[ik]
Indicator ɪndi'kaːtoːɐ̯
Indide ɪn'di:də

Indie 'ɪndi
Indien 'ɪndi̯ən
Indienstnahme ɪn'di:nst-
naːmə
Indies *engl.* 'ɪndɪz
indifferent 'ɪndɪfərɛnt,
auch: ---'-
Indifferentismus ɪndɪfərɛn-
'tɪsmʊs
Indifferenz 'ɪndɪfərɛnts,
auch: ---'-
indigen ɪndi'geːn
Indigenat ɪndige'naːt
Indigestion ɪndigɛs'ti̯oːn
Indigirka *russ.* indi'girkɐ
Indignation ɪndɪgna'tsi̯oːn
indignieren ɪndɪ'gniːrən
indigniert ɪndɪ'gniːɐ̯t
Indignität ɪndɪgni'tɛːt
Indigo 'ɪndigo
indigoid indigo'i:t, -e ...i:də
Indigotin indigo'ti:n
Indija *serbokr.* ˌindzija
Indik 'ɪndɪk
Indikation ɪndika'tsi̯oːn
Indikativ 'ɪndikatiːf, -e
...iːvə
indikativisch 'ɪndikatiːvɪʃ,
auch: ---'--
Indikator ɪndi'kaːtoːɐ̯, -en
...ka'toːrən
Indikatrix ɪndi'kaːtrɪks
Indiktion ɪndɪk'tsi̯oːn
¹Indio (Indianer) 'ɪndi̯o
²Indio (Ort) *engl.* 'ɪndiou
Indira *engl.* 'ɪndɪrə
indirekt 'ɪndirɛkt, *auch:*
--'-
indisch 'ɪndɪʃ
indiskret 'ɪndɪskreːt, *auch:*
--'-
Indiskretion ɪndɪskre'tsi̯oːn,
auch: '----
indiskutabel 'ɪndɪskutaːbl̩,
auch: ---'--, ...ble ...blə
indispensabel 'ɪndɪspɛn-
zaːbl̩, *auch:* ---'--, ...ble
...blə
indisponibel 'ɪndɪsponiːbl̩,
auch: ---'--, ...ble ...blə
indisponiert 'ɪndɪsponiːɐ̯t,
auch: ---'-
Indisposition 'ɪndɪspozi-
tsi̯oːn, *auch:* ----'-
indisputabel 'ɪndɪsputaːbl̩,
auch: ---'--, ...ble ...blə
Indisziplin 'ɪndɪstsipliːn,
auch: ---'-
indiszipliniert 'ɪndɪstsipli-
niːɐ̯t, *auch:* ----'-

Indium 'ɪndiʊm
Individual... ɪndivi'dŭa:l...
Individualisation ɪndivi-
    dŭaliza'tsi̯o:n
individualisieren ɪndivi-
    dŭali'zi:rən
Individualismus ɪndividŭa-
    'lɪsmʊs
Individualist ɪndividŭa'lɪst
Individualität ɪndividŭali-
    'tɛ:t
Individuation ɪndividŭa-
    'tsi̯o:n
individuell ɪndivi'dŭɛl
individuieren individu'i:rən
Individuum ɪndi'vi:dŭʊm,
    ...duen ...dŭən
indivisibel ɪndivi'zi:bl̩, ...ble
    ...blə
Indiz ɪn'di:ts, -ien ɪn'di:tsi̯ən
Indizes vgl. Index
indiziell ɪndi'tsi̯ɛl
indizieren ɪndi'tsi:rən
Indizium ɪn'di:tsi̯ʊm, ...ien
    ...i̯ən
Indoarier ɪndo'la:ri̯ɐ
indoarisch ɪndo'la:rɪʃ
Indoaustralier ɪndolaʊs-
    'tra:li̯ɐ
Indochina ɪndo'çi:na
Indoeuropäer ɪndoloyro-
    'pɛ:ɐ
indoeuropäisch ɪndoloyro-
    'pɛ:ɪʃ
Indoeuropäist[ik]
    ɪndoloyropɛ'ɪst[ɪk]
Indogermane ɪndogɛr'ma:-
    nə
indogermanisch ɪndogɛr-
    'ma:nɪʃ
Indogermanist[ik] ɪndogɛr-
    ma'nɪst[ɪk]
Indoktrination ɪndɔktrina-
    'tsi̯o:n
indoktrinativ ɪndɔktrina-
    'ti:f, -e ..i:və
indoktrinieren ɪndɔktri'ni:-
    rən
Indol ɪn'do:l
indolent 'ɪndolɛnt, auch:
    --'-
Indolenz 'ɪndolɛnts, auch:
    --'-
Indologe ɪndo'lo:gə
Indologie ɪndo'loˈgi:
Indonésia Besar indon.
    ɪndo'nesi̯a bə'sar
Indonesien ɪndo'ne:zi̯ən
Indonesier ɪndo'ne:zi̯ɐ
indonesisch ɪndo'ne:zɪʃ

Indoor... 'ɪndo:ɐ̯...
indopazifisch 'ɪndopa'tsi:fɪʃ
Indore engl. ɪn'dɔ:
indossabel ɪndɔ'sa:bl̩, ...ble
    ...blə
Indossament ɪndɔsa'mɛnt
Indossant ɪndɔ'sant
Indossat ɪndɔ'sa:t
Indossatar ɪndɔsa'ta:ɐ̯
Indossent ɪndɔ'sɛnt
indossieren ɪndɔ'si:rən
Indosso ɪn'dɔso, ...ossi ...ɔsi
Indra 'ɪndra, tschech. 'indra
Indre fr. ɛ̃:dr
Indre-et-Loire fr. ɛ̃dre'lwa:r
Indri 'ɪndri
in dubio [pro reo] ɪn 'du:bi̯o
    [pro: 're:o]
Induktanz ɪndʊk'tants
Induktion ɪndʊk'tsi̯o:n
induktiv ɪndʊk'ti:f, auch:
    '---, -e ...i:və
Induktivität ɪndʊktivi'tɛ:t
Induktor ɪn'dʊkto:ɐ̯, -en
    ...'to:rən
in dulci jubilo ɪn 'dʊltsi
    'ju:bilo
indulgent ɪndʊl'gɛnt
Indulgenz ɪndʊl'gɛnts
Indulin ɪndu'li:n
Indult ɪn'dʊlt
in duplo ɪn 'du:plo
Induration ɪndura'tsi̯o:n
indurieren ɪndu'ri:rən
Indus 'ɪndʊs, engl. 'ɪndəs
Indusi ɪn'du:zi
Indusium ɪn'du:zi̯ʊm, ...ien
    ...i̯ən
Industrial Design
    ɪn'dastri̯əl di'zaɪn
industrialisieren ɪndʊstria-
    li'zi:rən
Industrialismus ɪndʊstria-
    'lɪsmʊs
Industrie ɪndʊs'tri:, -n
    ...i:ən
industriell ɪndʊstri'ɛl
Industrielle ɪndʊstri'ɛlə
induzieren ɪndu'tsi:rən
Indy, d' fr. dɛ̃'di
Ineditum ɪn'le:dɪtʊm, ...ta
    ...ta
in effectu ɪn ɛ'fɛktu
ineffektiv 'ɪnlɛfɛkti:f, auch:
    ---'-, -e ...i:və
in effigie ɪn ɛ'fi:gi̯ə
ineffizient 'ɪnlɛfitsi̯ɛnt,
    auch: ---'-
Ineffizienz 'ɪnlɛfitsi̯ɛnts,
    auch: ---'-

inegal 'ɪnlega:l, auch: --'-
Inegöl türk. i'nɛˌgœl
ineinander ɪnlaɪ'nandɐ
Ineinssetzung ɪn'laɪns-
    ˌzɛtsʊŋ
inert i'nɛrt
Inertial... inɛr'tsi̯a:l...
Inertie inɛr'ti:
Ines 'i:nɛs
Inés span. i'nes
Inês port. i'neʃ, bras. i'nes
inessenziell 'ɪnlɛsɛntsi̯ɛl,
    auch: ---'-
Inessiv 'ɪnlɛsi:f, -e ...i:və
inexakt 'ɪnlɛksakt, auch:
    --'-
inexistent 'ɪnlɛksɪstɛnt,
    auch: ---'-
Inexistenz 'ɪnlɛksɪstɛnts,
    auch: ---'-
inexplosibel 'ɪnlɛksplozi:bl̩,
    auch: ---'--, ...ble ...blə
in extenso ɪn ɛks'tɛnzo
in extremis ɪn ɛks'tre:mi:s
in facto ɪn 'fakto
infallibel ɪnfa'li:bl̩, ...ble
    ...blə
Infallibilist ɪnfalibi'lɪst
Infallibilität ɪnfalibili'tɛ:t
infam ɪn'fa:m
Infamie ɪnfa'mi:, -n ...i:ən
infamieren ɪnfa'mi:rən
Infant ɪn'fant
Infante span. ɪn'fante
Infanterie 'ɪnfantəri:, auch:
    ---'-, -n ...i:ən
Infanterist 'ɪnfantərɪst,
    auch: ---'-
infantil ɪnfan'ti:l
infantilisieren ɪnfantili'zi:-
    rən
Infantilismus ɪnfanti'lɪsmʊs
Infantilist ɪnfanti'lɪst
Infantilität ɪnfantili'tɛ:t
infantizid, I... ɪnfanti'tsi:t, -e
    ...i:də
Infarkt ɪn'farkt
Infärktchen ɪn'fɛrktçən
infarzieren ɪnfar'tsi:rən
infaust ɪn'faʊst
Infekt ɪn'fɛkt
Infektion ɪnfɛk'tsi̯o:n
infektiös ɪnfɛk'tsi̯ø:s, -e
    ...ø:zə
Infektiosität ɪnfɛktsi̯ozi'tɛ:t
Infel 'ɪnfl̩
Inferenz ɪnfe'rɛnts
inferior ɪnfe'ri̯o:ɐ̯
Inferiorität ɪnferi̯ori'tɛ:t
infernal ɪnfɛr'na:l

Infernalität ınfɛrnali'tɛːt
Inferno ın'fɛrno
infertil ınfɛr'tiːl, *auch:* '---
Infertilität 'ınfɛrtilitɛːt,
auch: ----'-
Infibulation ınfibula'tsịoːn
Infiesto *span.* in'fi̯esto
Infight[ing] 'ınfai̯t[ıŋ]
infigieren ınfi'giːrən
Infiltrant ınfıl'trant
Infiltrat ınfıl'traːt
Infiltration ınfıltra'tsịoːn
infiltrativ ınfıltra'tiːf, -e
...iːvə
Infiltrator ınfıl'traːtoːᵬ, -en
...tra'toːrən
infiltrieren ınfıl'triːrən
infinit 'ınfiniːt, *auch:* --'-
infinitesimal ınfinitezi'maːl
Infinitismus ınfini'tısmʊs
Infinitiv 'ınfinitiːf, -e ...iːvə
Infirmität ınfırmi'tɛːt
Infix ın'fıks, '--
infizieren ınfi'tsiːrən
in flagranti ın fla'granti
inflammabel ınfla'maːbl̩,
...ble ...blə
Inflammation ınflama-
'tsịoːn
inflammieren ınfla'miːrən
inflatieren ınfla'tiːrən
Inflation ınfla'tsịoːn
inflationär ınflatsịo'nɛːᵬ
inflationieren ınflatsịo'niː-
rən
Inflationismus ınflatsịo'nısmʊs
inflationistisch ınflatsịo-
'nıstıʃ
inflatorisch ınfla'toːrıʃ
inflexibel 'ınflɛksiːbl̩, *auch:*
--'--, ...ble ...blə
Inflexibile ınflɛ'ksiːbilə,
...bilia ...ksi'biːli̯a
Inflexibilität ınflɛksibili'tɛːt
Infloreszenz ınflores'tsɛnts
in floribus ın 'floːribʊs
Influenz[a] ınflu'ɛnts[a]
influenzieren ınfluɛn'tsiː-
rən
Influxus physicus ın 'flʊ-
ksʊs 'fyːzikʊs
Info 'ınfo
infolge ın'fɔlgə
infolgedessen ınfɔlgə'dɛsn̩
in folio ın 'foːli̯o
Infomobil 'ınfomobiːl, *auch:*
---'-
Informalismus ınfɔrma'lısmʊs

Informand ınfɔr'mant, -en
...dn̩
Informant ınfɔr'mant
Informatik ınfɔr'maːtık
Informatiker ınfɔr'maːtikᵬ
Information ınfɔrma'tsịoːn
informationell ınfɔrmatsịo-
'nɛl
informativ ınfɔrma'tiːf, -e
...iːvə
Informator ınfɔr'maːtoːᵬ,
-en ...ma'toːrən
informatorisch ınfɔrma'toː-
rıʃ
Informel ɛfɔr'mɛl
¹informell (nicht formell)
'ınfɔrmɛl, *auch:* --'-
²informell (informierend)
ınfɔr'mɛl
Informelle ınfɔr'mɛlə
informieren ınfɔr'miːrən
Infotainment ınfo'teːnmənt
Infothek ınfo'teːk
infrage ın'fraːgə
Infragrill® 'ınfragrıl
infrakrustal ınfrakrʊs'taːl
Infraktion ınfrak'tsịoːn
infrarot, I... 'ınfraroːt
Infrarotfilm 'ınfraroːtfɪlm,
auch: --'--
Infrastruktur 'ınfraʃtrʊk-
tuːᵬ, ...ast...
infrastrukturell 'ınfraʃtrʊk-
turɛl, ...ast...
Infratest 'ınfratɛst
Inful 'ınfʊl
infuliert ınfu'liːᵬt
infundieren ınfʊn'diːrən
Infus ın'fuːs, -e ...uːzə
Infusion ınfu'zịoːn
Infusorium ınfu'zoːri̯ʊm,
...ien ...i̯ən
Infusum ın'fuːzʊm, ...sa
...uːza
Inga 'ıŋga, *schwed.* .ıŋa,
span. 'iŋga
Ingangsetzung ın'gaŋzɛ-
tsʊŋ
Ingäwone ıŋgɛ'voːnə
Ingbert 'ıŋbɛrt
Inge 'ıŋə, *engl.* ıŋ, ındʒ,
schwed. .ıŋə, *dän.* 'ıŋə
Ingebjörg 'ıŋəbi̯œrk
Ingeborg 'ıŋəbɔrk, *schwed.*
.ıŋəbɔrj, *dän.* 'ıŋəbɒᵬ'
Ingeburg 'ıŋəbʊrk
Ingegneri *it.* ındʒeɲ'nɛːri
Ingelfingen 'ıŋlfıŋən
Ingelheim 'ıŋlhai̯m
Ingelore 'ıŋəloːrə

Ingelow *engl.* 'ındʒıloʊ
Ingemann *dän.* 'ıŋəmæn'
Ingenbohl 'ıŋənboːl
in genere ın 'geːnere, *auch:*
- 'gɛn...
ingeneriert ıŋgene'riːᵬt
Ingenhousz *niederl.* 'ıŋən-
hus
Ingenieros *span.* iŋxe'nịeros
Ingenieur ınʒe'nịøːᵬ
ingeniös ıŋge'nịøːs, -e
...øːzə
Ingeniosität ıŋgenịozi'tɛːt
Ingenium ın'geːnịʊm, ...ien
...ịən
Ingénu *fr.* ɛ̃ʒe'ny
Ingenuität ıŋgenui'tɛːt
Inger *dt., dän.* 'ıŋᵬ
Ingerenz ıŋge'rɛnts
Ingermanland 'ıŋᵬmanlant
Ingersoll *engl.* 'ıŋgəsɔl
Ingesinde 'ıŋgəzındə
Ingessön 'ıŋəsœn
Ingesta ın'gɛsta
Ingestion ıŋgɛs'tịoːn
ingezüchtet 'ıŋgətsʏçtət
Inghelbrecht *fr.* ɛ̃ʒɛl'brɛʃt,
ɛ̃gɛ...
ingleichen ın'glai̯çn̩
Inglewood *engl.* 'ıŋglwʊd
Inglin 'ıŋliːn
in globo ın 'gloːbo
Ingo 'ıŋgo
Ingoda *russ.* inga'da
Ingold 'ıŋgɔlt
Ingoldsby *engl.* 'ıŋgɔldzbı
Ingolič *slowen.* 'i:ŋgɔlitʃ
Ingolstadt 'ıŋgɔlʃtat
Ingomar 'ıŋgomaːᵬ
Ingot 'ıŋgɔt
Ingraban 'ıŋgraban
Ingrain... ın'greːn...
Ingram 'ıŋgram, *engl.*
'ıŋgrəm
Ingrediens ın'greːdi̯ɛns,
...nzien ...re'dịɛntsi̯ən
Ingredienz ıŋgre'dịɛnts
Ingremiation ıŋgremịa-
'tsịoːn
Ingres *fr.* ɛ̃ːgr
Ingress ın'grɛs
Ingression ıŋgre'sịoːn
ingressiv 'ıŋgrɛsiːf, *auch:*
--'-, -e ...iːvə
Ingressivum ıŋgrɛ'siːvʊm,
...va ...iːva
Ingrid 'ıŋgrıt, ...riːt
Ingrimm 'ıŋgrım
Ingrisch 'ıŋgrıʃ
in grosso ın 'grɔso

Ingroup 'ɪngru:p
inguinal ɪŋgui'na:l
Inguiomer ɪŋguio'me:ɐ̯
Ingul *russ.* in'gul
Ingulez *russ.* ingu'ljɛts
Inguri *russ.* in'guri
Ingusche ɪŋ'guʃə
Inguschetien ɪŋgʊ'ʃe:tsi̯ən,
...e:ti̯ən
Ingvar 'ɪŋvar, *schwed.* 'iŋvar
Ingvo 'ɪŋ[g]vo
Ingwäone ɪŋgvɛ'o:nə
ingwäonisch ɪŋgvɛ'o:nɪʃ
Ingwäonismus ɪŋgvɛo'nɪs-
mʊs
Ingwer 'ɪŋvɐ
Inhaber 'ɪnha:bɐ
inhaftieren ɪnhaf'ti:rən
Inhalation ɪnhala'tsi̯o:n
Inhalator ɪnha'la:to:ɐ̯, -en
...la'to:rən
Inhalatorium ɪnhala'to:-
ri̯ʊm, ...ien ...i̯ən
Inhaler 'ɪnhe:lɐ
inhalieren ɪnha'li:rən
Inhalt 'ɪnhalt
Inhambane *port.* i̯nɛm'bɐnə
inhärent ɪnhɛ'rɛnt
Inhärenz ɪnhɛ'rɛnts
inhärieren ɪnhɛ'ri:rən
inhibieren ɪnhi'bi:rən
Inhibin ɪnhi'bi:n
Inhibition ɪnhibi'tsi̯o:n
Inhibitor ɪn'hi:bito:ɐ̯, -en
...hibi'to:rən
inhibitorisch ɪnhibi'to:rɪʃ
in hoc salus ɪn 'ho:k 'za:lʊs
in hoc signo ɪn 'ho:k 'zɪgno
inhomogen 'ɪnhomoge:n,
auch: ---'-
Inhomogenität 'ɪnhomoge-
nitɛ:t, *auch:* -----'-
in honorem ɪn ho'no:rɛm
inhuman 'ɪnhuma:n, *auch:*
--'-
Inhumanität 'ɪnhumanitɛ:t,
auch: ----'-
in infinitum ɪn ɪnfi'ni:tʊm
in integrum ɪn 'ɪntegrʊm
inintelligibel 'ɪn|ɪntɛligi:b]l,
auch: ----'--, ...ble ...blə
Iniquität inikvi'tɛ:t
Inishowen *engl.* ɪnɪ'ʃoʊɪn
initial, I... ini'tsi̯a:l
Initiale ini'tsi̯a:lə
Initiand ini'tsi̯ant, -en ...ndn̩
Initiant ini'tsi̯ant
Initiation initsi̯a'tsi̯o:n
initiativ initsi̯a'ti:f, -e ...i:və
Initiative initsi̯a'ti:və

Initiator ini'tsi̯a:to:ɐ̯, -en
...i̯a'to:rən
initiatorisch initsi̯a'to:rɪʃ
Initien i'ni:tsi̯ən
initiieren initsi'i:rən
Inja *russ.* 'inj̯ɐ
Injektion ɪnjɛk'tsi̯o:n
injektiv 'ɪnjɛkti:f, *auch:*
--'-, -e ...i:və
Injektiv ɪnjɛk'ti:f, -e ...i:və
Injektomane ɪnjɛkto'ma:nə
Injektomanie ɪnjɛktoma'ni:
Injektor ɪn'jɛkto:ɐ̯, -en
...'to:rən
injizieren ɪnji'tsi:rən
injungieren ɪnjʊŋ'gi:rən
Injunktion ɪnjʊŋk'tsi̯o:n
Injuriant ɪnju'ri̯ant
Injuriat ɪnju'ri̯a:t
Injurie ɪn'ju:ri̯ə
injuriieren ɪnjuri'i:rən
injuriös ɪnju'ri̯ø:s, -e ...ø:zə
Inka 'ɪŋka
inkaisch 'ɪŋkaɪʃ
Inkantation ɪnkanta'tsi̯o:n
Inkardination ɪnkardina-
'tsi̯o:n
inkarnat, I... ɪnkar'na:t
Inkarnation ɪnkarna'tsi̯o:n
inkarnieren ɪnkar'ni:rən
Inkarzeration ɪnkartsera-
'tsi̯o:n
inkarzerieren ɪnkartse'ri:-
rən
Inkassant ɪnka'sant
Inkasso ɪn'kaso, ...assi ...asi
Inke *ung.* 'ɪŋkɛ
Inkerman *russ.* ɪnkɪr'man
Inklination ɪnklina'tsi̯o:n
inklinieren ɪnkli'ni:rən
inkludieren ɪnklu'di:rən
Inklusen ɪn'klu:zn̩
Inklusion ɪnklu'zi̯o:n
inklusive ɪnklu'zi:və
inkognito, I... ɪn'kɔgnito
inkohärent 'ɪnkohɛrɛnt,
auch: ---'-
Inkohärenz 'ɪnkohɛrɛnts,
auch: ---'-
inkohativ ɪnkoha'ti:f, *auch:*
---'-, -e ...i:və
Inkohativ 'ɪnkohati:f, -e
...i:və
Inkohlung 'ɪnko:lʊŋ, -'--
Inkolat ɪnko'la:t
inkommensurabel 'ɪnkɔ-
mɛnzura:b], *auch:* ----'--,
...ble ...blə
Inkommensurabilität 'ɪnkɔ-

mɛnzurabilitɛ:t, *auch:*
-------'-
inkommodieren ɪnkɔmo-
'di:rən
Inkommodität ɪnkɔmodi-
'tɛ:t
inkomparabel 'ɪnkɔmpa-
ra:b], *auch:* ---'--, ...ble
...blə
Inkomparabile ɪnkɔmpa-
'ra:bilə, ...bilien ...ra'bi:-
li̯ən, ...ilia ...ra'bi:li̯a
inkompatibel 'ɪnkɔmpati:b],
auch: ---'--, ...ble ...blə
Inkompatibilität 'ɪnkɔmpa-
tibilitɛ:t, *auch:* ------'-
inkompetent 'ɪnkɔmpetɛnt,
auch: ---'-
Inkompetenz 'ɪnkɔmpe-
tɛnts, *auch:* ---'-
inkomplett 'ɪnkɔmplɛt,
auch: --'-
inkomprehensibel 'ɪnkɔm-
prehɛnzi:b], *auch:* ----'--,
...ble ...blə
inkompressibel 'ɪnkɔmprɛ-
si:b], *auch:* ---'--, ...ble
...blə
Inkompressibilität 'ɪnkɔm-
prɛsibilitɛ:t, *auch:*
------'-
inkongruent 'ɪnkɔngruɛnt,
auch: ---'-, *auch:* ...kɔŋ...
Inkongruenz 'ɪnkɔngruɛnts,
auch: ---'-, *auch:* ...kɔŋ...
inkonsequent 'ɪnkɔn-
zekvɛnt, *auch:* ---'-
Inkonsequenz 'ɪnkɔn-
zekvɛnts, *auch:* ---'-
inkonsistent 'ɪnkɔnzɪstɛnt,
auch: ---'-
Inkonsistenz 'ɪnkɔnzɪstɛnts,
auch: ---'-
inkonstant 'ɪnkɔnstant,
auch: --'-
Inkonstanz 'ɪnkɔnstants,
auch: --'-
Inkontinenz 'ɪnkɔntinɛnts,
auch: --'-
Inkontro ɪn'kɔntro, ...ri ...ri
inkonvenabel 'ɪnkɔnvena-
na:b], *auch:* ---'--, ...ble
...blə
inkonvenient 'ɪnkɔnve-
ni̯ɛnt, *auch:* ---'-
Inkonvenienz 'ɪnkɔnve-
ni̯ɛnts, *auch:* ---'-
inkonvertibel ɪnkɔnvɛr-
'ti:b], *auch:* -----, ...ble
...blə

Inkonym ınko'ny:m, *auch:*
'---

Inkonymie ınkony'mi:,
auch: '----, -n ...i:ən

inkonziliant 'ınkɔntsiljant,
auch: ---'-

inkonzinn 'ınkɔntsın, *auch:*
--'-

Inkonzinnität 'ınkɔntsınitɛt,
auch: ----'-

Inkoordination 'ınkoǀɔrdi-
natsjo:n, *auch:* -----'-

inkoordiniert 'ınkoǀɔrdi-
ni:ɐt, *auch:* ----'-

inkorporal ınkɔrpo'ra:l

Inkorporation ınkɔrpora-
'tsjo:n

inkorporieren ınkɔrpo'ri:-
rən

inkorrekt 'ınkɔrɛkt, *auch:*
--'-

Inkorrektheit 'ınkɔrɛkthait,
auch: --'--

Inkreis 'ınkrais

Inkrement ınkre'mɛnt

Inkret ın'kre:t

Inkretion ınkre'tsjo:n

inkretorisch ınkre'to:rıʃ

inkriminieren ınkrimi'ni:-
rən

Inkrustation ınkrusta'tsjo:n

inkrustieren ınkrus'ti:rən

Inkubant ınku'bant

Inkubation ınkuba'tsjo:n

Inkubator ınku'ba:to:ɐ, -en
...ba'to:rən

Inkubus 'ınkubus, ...ben
ın'ku:bn

inkulant 'ınkulant, *auch:*
--'-

Inkulanz 'ınkulants, *auch:*
--'-

Inkulpant ınkʊl'pant

Inkulpat ınkʊl'pa:t

Inkulturation ınkʊltura-
'tsjo:n

Inkunabel ınku'na:bl̩

Inkunablist ınkuna'blıst

inkurabel 'ınkura:bl̩, *auch:*
--'--, ...ble ...blə

inkurant 'ınkurant, *auch:*
--'-

Inkursion ınkʊr'zjo:n

Inkurvation ınkʊrva'tsjo:n

Inlaid 'ınlait, -e ...aidə

Inland 'ınlant

Inländer 'ınlɛndɐ

inländisch 'ınlɛndıʃ

Inlaut 'ınlaut

Inlay 'ınle:

Inlett 'ınlɛt

inliegend 'ınli:gn̩t, -e ...n̩də

Inline... 'ınlain...

Inliner 'ınlainɐ

in maiorem Dei gloriam
ın maj'o:rɛm 'de:i 'glo:-
rjam

in medias res ın 'me:dja:s
're:s

in memoriam ın me'mo:-
rjam

inmitten ın'mıtn̩

Inn ın

in natura ın na'tu:ra

inne 'ınə

innen 'ınən

innenpolitisch 'ınənpoli:tıʃ

Innenreede 'ınənre:də

Innerasien 'ınɐǀa:zjən

Inneration ınera'tsjo:n

innere, I... 'ınərə

Innerei ınə'rai

innerhalb 'ınɐhalp

Innerhofer 'ınɐho:fɐ

innerlich 'ınɐlıç

Innerösterreich 'ınɐǀø:stə-
raiç

innerpolitisch 'ınɐpoli:tıʃ

Innerrhoden 'ınɐro:dn̩

Inner-Space-... 'ınɐ'spe:s...

Innerste 'ınɐstə

innert 'ınɐt

Innervation ınɛrva'tsjo:n

innervieren ınɛr'vi:rən

Innes[s] *engl.* 'ınıs

Innichen 'ınıçn̩

innig 'ınıç, -e ...ıgə

inniglich 'ınıklıç

innigst 'ınıçst

Innisfail *engl.* ınıs'feıl

Innitzer 'ınıtsɐ

Innocent *fr.* ınɔ'sã

innocente ıno'tʃɛntə

Innocenzo *it.* inno'tʃɛntso

in nomine Dei ın 'no:mine
'de:i

Innovation ınova'tsjo:n

innovativ ınova'ti:f, -e
...i:və

innovatorisch ınova'to:rıʃ

Innozentia ıno'tsɛntsja

Innozenz 'ınotsɛnts

Innsbruck 'ınsbrʊk

in nuce ın 'nu:tsə

Innuendo ı'nɥɛndo

Innung 'ınʊŋ

Innviertel 'ınfırtl̩

Ino 'i:no

Inocêncio *port.* inu'sẽsju

inoffensiv 'ınǀɔfɛnzi:f, *auch:*
---'-, -e ...i:və

inoffiziell 'ınǀɔfitsjɛl, *auch:*
---'-

inoffiziös 'ınǀɔfitsjø:s, *auch:*
---'-, -e ...ø:zə

Inokulation ınǀokula'tsjo:n

inokulieren ınǀoku'li:rən

Inokulum ın'ǀo:kulʊm, ...la
...la

İnönü *türk.* 'inœny

inoperabel 'ınǀopera:bl̩,
auch: ---'--, ...ble ...blə

inopportun 'ınǀɔpɔrtu:n,
auch: ---'-

Inopportunität 'ınǀɔpɔr-
tunitɛ:t, *auch:* -----'-

in optima forma ın 'ɔptima
'fɔrma

Inosin ino'zi:n

Inosit ino'zi:t

Inositurie inozitu'ri:

Inosurie inozu'ri:

Inoue *jap.* i'noue

Inowrazlaw ino'vratslaf

Inowrocław *poln.* ino-
'vrotsuaf

inoxidieren ınǀɔksi'di:rən

in partibus infidelium ın
'partibus ınfi'de:ljʊm

in pectore ın 'pɛktore

in perpetuum ın pɛr'pe:-
tuʊm

in persona ın pɛr'zo:na

in petto ın 'pɛto

in pleno ın 'ple:no

in pontificalibus ın pɔntifi-
'ka:libʊs

in praxi ın 'praksi

in puncto [puncti] ın
'pʊŋkto ['pʊŋkti]

Input 'ınpʊt

Inquilin ınkvi'li:n

Inquirent ınkvi'rɛnt

inquirieren ınkvi'ri:rən

Inquisit ınkvi'zi:t

Inquisition ınkvizi'tsjo:n

inquisitiv ınkvizi'ti:f, -e
...i:və

Inquisitor ınkvi'zi:to:ɐ, -en
...zi'to:rən

inquisitorisch ınkvizi'to:rıʃ

Inro 'ınro

ins ıns

In-Salah *fr.* insa'la

in saldo ın 'zaldo

Insalivation ınzaliva'tsjo:n

in salvo ın 'zalvo

insan ın'za:n

Insania ın'za:nja

Insasse 'ɪnzasə
insatiabel ɪnza'tsi̯a:bl̩, ...**ble**
...**blə**
insbesond[e]re ɪnsbə-
'zɔnd[ə]rə
inschallah ɪn'ʃala, *auch:*
ɪnʃa'la:
Inschrift 'ɪnʃrɪft
Insekt ɪn'zɛkt
Insektarium ɪnzɛk'ta:ri̯ʊm,
...**ien** ...i̯ən
insektivor ɪnzɛkti'vo:ɐ̯
Insektivore ɪnzɛkti'vo:rə
insektizid, I... ɪnzɛkti'tsi:t,
-e ...i:də
Insektologe ɪnzɛkto'lo:gə
Insel[sberg] 'ɪnzl̩[sbɛrk]
Insemination ɪnzemina-
'tsi̯o:n
Inseminator ɪnzemi'na:to:ɐ̯,
-en ...na'to:rən
inseminieren ɪnzemi'ni:rən
insensibel 'ɪnzɛnzi:bl̩, *auch:*
--'--, ...**ble** ...blə
Insensibilität 'ɪnzɛnzibili-
tɛ:t, *auch:* -----'-
Inseparables ɛ̃sepa'ra:bl̩
insequent 'ɪnzekvɛnt, *auch:*
--'-
Inserat ɪnze'ra:t
Inserent ɪnze'rɛnt
inserieren ɪnze'ri:rən
Insert ɪn'zɛrt
Insertion ɪnzɛr'tsi̯o:n
insgeheim ɪnsgə'haim,
auch: '---
insgemein ɪnsgə'main,
auch: '---
insgesamt ɪnsgə'zamt,
auch: '---
Inside 'ɪnzait
Insider 'ɪnzaidɐ
Insidien ɪn'zi:di̯ən
insidiös ɪnzi'di̯ø:s, **-e** ...ø:zə
Insiegel 'ɪnzi:gl̩
Insigne ɪn'zɪgnə, ...**nien**
...ni̯ən
insignifikant 'ɪnzɪgnifikant,
auch: ----'-
Insimulation ɪnzimula-
'tsi̯o:n
insimulieren ɪnzimu'li:rən
Insinuant ɪnzi'nu̯ant
Insinuation ɪnzinu̯a'tsi̯o:n
insinuieren ɪnzinu'i:rən
insipid ɪnzi'pi:t, **-e** ...i:də
insistent ɪnzɪs'tɛnt
insistieren ɪnzɪs'ti:rən
in situ ɪn 'zi:tu
Insko *poln.* 'i̯ɪsko

inskribieren ɪnskri'bi:rən
Inskription ɪnskrɪp'tsi̯o:n
inskünftig ɪnskynftɪç
¹**insofern (wenn)** ɪnzo'fɛrn,
auch: '---, ɪn'zo:fɛrn
²**insofern (in diesem Punkt)**
ɪn'zo:fɛrn, *auch:* 'ɪnzofɛrn,
--'-
Insolation ɪnzola'tsi̯o:n
insolent 'ɪnzolɛnt, *auch:*
--'-
Insolenz 'ɪnzolɛnts, *auch:*
--'-
insolieren ɪnzo'li:rən
insolubel ɪnzo'lu:bl̩, ...**ble**
...blə
insolvent 'ɪnzɔlvɛnt, *auch:*
--'-
Insolvenz 'ɪnzɔlvɛnts, *auch:*
--'-
Insomnie ɪnzɔm'ni:
¹**insoweit (wenn)** ɪnzo'vait,
auch: '---, ɪn'zo:vait
²**insoweit (in diesem
Punkt)** ɪn'zo:vait, *auch:*
'ɪnzovait, --'-
in spe ɪn 'spe:
Inspekteur ɪnspɛk'tø:ɐ̯
Inspektion ɪnspɛk'tsi̯o:n
Inspektor ɪn'spɛkto:ɐ̯, **-en**
...'to:rən
Inspektorat ɪnspɛkto'ra:t
Inspiration ɪnspira'tsi̯o:n
Inspirator ɪnspi'ra:to:ɐ̯, **-en**
...ra'to:rən
inspiratorisch ɪnspira'to:rɪʃ
inspirieren ɪnspi'ri:rən
Inspizient ɪnspi'tsi̯ɛnt
inspizieren ɪnspi'tsi:rən
instabil 'ɪnstabi:l, *auch:* --'-
Instabilität 'ɪnstabilitɛ:t,
auch: ----'-
Installateur ɪnstala'tø:ɐ̯
Installation ɪnstala'tsi̯o:n
installieren ɪnsta'li:rən
instand ɪn'ʃtant
inständig 'ɪnʃtɛndɪç
instant... 'ɪnstant..., 'ɪns-
tnt...
instantan ɪnstan'ta:n
instantisieren ɪnstanti'zi:-
rən
Instanz ɪn'stants
instationär ɪnstatsi̯o'nɛ:ɐ̯
in statu nascendi ɪn 'sta:tu
nas'tsɛndi
in statu quo ɪn 'sta:tu 'kvo:
in statu quo ante ɪn 'sta:tu
'kvo: 'antə
Instauration ɪnstaura'tsi̯o:n

instaurieren ɪnstau'ri:rən
Inste 'ɪnstə
Inster[burg] 'ɪnstɐ[bʊrk]
instigieren ɪnsti'gi:rən
Instillation ɪnstɪla'tsi̯o:n
instillieren ɪnstɪ'li:rən
Instinkt ɪn'stɪŋkt
instinktiv ɪnstɪŋk'ti:f, **-e**
...i:və
instinktuell ɪnstɪŋk'tu̯ɛl
Institoris ɪnsti'to:rɪs
instituieren ɪnstitu'i:rən
Institut ɪnsti'tu:t
Institut de France *fr.* ɛ̃sti-
tyd'frã:s
Institution ɪnstitu'tsi̯o:n
institutionalisieren ɪnstitu-
tsi̯onali'zi:rən
Institutionalismus ɪnstitu-
tsi̯ona'lɪsmʊs
institutionell ɪnstitutsi̯o'nɛl
Instmann 'ɪnstman
instradieren ɪnstra'di:rən
instruieren ɪnstru'i:rən
Instrukteur ɪnstrʊk'tø:ɐ̯
Instruktion ɪnstrʊk'tsi̯o:n
instruktiv ɪnstrʊk'ti:f, **-e**
...i:və
Instruktiv 'ɪnstrʊkti:f, **-e**
...i:və
Instruktor ɪn'strʊkto:ɐ̯, **-en**
...'to:rən
Instrument ɪnstru'mɛnt
instrumental, I... ɪnstrumɛn'ta:l
Instrumentalis ɪnstrumɛn-
'ta:lɪs, ...**les** ...le:s
instrumentalisieren ɪnstru-
mɛntali'zi:rən
Instrumentalismus ɪnstru-
mɛnta'lɪsmʊs
Instrumentalist ɪnstrumɛn-
ta'lɪst
instrumentarisieren
ɪnstrumɛntari'zi:rən
Instrumentarium ɪnstrumɛn'ta:ri̯ʊm, ...**ien** ...i̯ən
Instrumentation ɪnstru-
mɛnta'tsi̯o:n
Instrumentativ ɪnstrumɛn-
ta'ti:f, **-e** ...i:və
Instrumentator ɪnstrumɛn-
'ta:to:ɐ̯, **-en** ...ta'to:rən
instrumentatorisch ɪnstru-
mɛnta'to:rɪʃ
instrumentell ɪnstrumɛn'tɛl
instrumentieren ɪnstrumɛn'ti:rən
Instrutsch *russ.* 'ɪnstrutʃ
Insua *bras.* 'i̯su̯a

Insúa span. in'sua
Insubordination 'ınzʊplɔr-
dinatsjo:n, auch: -----'-
Insubrer 'ınzʊbrɐ
insuffizient 'ınzʊfitsjɛnt,
auch: ---'-
Insuffizienz 'ınzʊfitsjɛnts,
auch: ---'-
Insulaner ınzu'la:nɐ
insular ınzu'la:ɐ̯
Insularität ınzulari'tɛ:t
Insulin ınzu'li:n
Insulinde ınzu'lındə
Insull engl. ınsl
Insult ın'zʊlt
Insultation ınzʊlta'tsjo:n
insultieren ınzʊl'ti:rən
in summa ın 'zʊma
Insurgent ınzʊr'gɛnt
insurgieren ınzʊr'gi:rən
Insurrektion ınzʊrɛk'tsjo:n
in suspenso ın zʊs'pɛnzo
Inszenator ınstse'na:to:ɐ̯,
-en ...na'to:rən
inszenatorisch ınstsena'to:-
rıʃ
inszenieren ınstse'ni:rən
Inta russ. in'ta
Intabulation ıntabula'tsjo:n
intabulieren ıntabu'li:rən
Intaglio ın'taljo, ...lien ...jən
intakt ın'takt
Intarseur ıntar'zø:ɐ̯
Intarsia ın'tarzja, ...ien
...jən
Intarsiator ıntar'zja:to:ɐ̯,
-en ...ja'to:rən
Intarsiatur ıntarzja'tu:ɐ̯
Intarsie ın'tarzjə, -n ...jən
intarsieren ıntar'zi:rən
integer ın'te:gɐ
integral, I... ınte'gra:l
Integralismus ıntegra'lısmʊs
Integralist ıntegra'lıst
Integrand ınte'grant, -en
...ndn
Integraph ınte'gra:f
Integration ıntegra'tsjo:n
Integrationismus ıntegra-
tsjo'nısmʊs
Integrationist ıntegratsjo-
'nıst
integrativ ıntegra'ti:f, -e
...i:və
Integrator ınte'gra:to:ɐ̯, -en
...ra'to:rən
integrieren ınte'gri:rən
Integrimeter ıntegri'me:tɐ
Integrität ıntegri'tɛ:t

Integument ıntegu'mɛnt
Integumentum ıntegu'mɛntʊm, ...ta ...ta
Intellectus archetypus
ıntɛ'lɛktʊs arçe'ty:pʊs
Intellekt ıntɛ'lɛkt
intellektual ıntɛlɛk'tu̯a:l
intellektualisieren ıntɛlɛk-
tu̯ali'zi:rən
Intellektualismus ıntɛlɛk-
tu̯a'lısmʊs
intellektualistisch ıntɛlɛk-
tu̯a'lıstıʃ
Intellektualität ıntɛlɛktu̯ali-
'tɛ:t
intellektuell ıntɛlɛk'tu̯ɛl
Intelligence Service engl.
ın'tɛlıdʒəns 'sə:vıs
intelligent ıntɛli'gɛnt
Intelligenz[ler] ıntɛli-
'gɛnts[lɐ]
Intelligenzija ıntɛli'gɛntsıja
intelligibel ıntɛli'gi:bl, ...ble
...blə
intelligo, ut credam ın'tɛ-
ligo ʊt 'kre:dam
INTELSAT 'ıntɛlzat
Intendant ıntɛn'dant
Intendantur ıntɛndan'tu:ɐ̯
Intendanz ıntɛn'dants
intendieren ıntɛn'di:rən
Intensimeter ıntɛnzi'me:tɐ
Intension ıntɛn'zjo:n
intensional ıntɛnzjo'na:l
Intensität ıntɛnzi'tɛ:t
intensiv ıntɛn'zi:f, -e ...i:və
intensivieren ıntɛnzi'vi:rən
Intensivum ıntɛn'zi:vʊm,
...va ...va
Intention ıntɛn'tsjo:n
intentional ıntɛntsjo'na:l
Intentionalismus ıntɛntsjo-
na'lısmʊs
Intentionalität ıntɛntsjona-
li'tɛ:t
intentionell ıntɛntsjo'nɛl
inter..., I... 'ıntɐ...
interagieren ıntɛla'gi:rən
Interaktion ıntɛlak'tsjo:n
interaktiv ıntɛlak'ti:f, -e
...i:və
Interaktivität ıntɛlaktivi'tɛ:t
interalliiert 'ıntɐlalii:ɐ̯t,
auch: ----'-
Interbrigadist ıntɐbriga-
'dıst
Intercarrierverfahren ıntɐ-
'kɛrjɐfɐfa:rən
Intercity... ıntɐ'sıti..., '----
interdental, I... ıntɐdɛn'ta:l

Interdentalis ıntɐdɛn'ta:lıs,
...les ...le:s
interdependent ıntɐdepɛn-
'dɛnt
Interdependenz ıntɐdepɛn-
'dɛnts
Interdikt ıntɐ'dıkt
Interdiktion ıntɐdık'tsjo:n
interdisziplinär ıntɐdıstsi-
pli'nɛ:ɐ̯
Interdisziplinarität ıntɐdıs-
tsiplinari'tɛ:t
interdiurn ıntɐ'djʊrn
interdizieren ıntɐdi'tsi:rən
interessant ıntərɛ'sant
Interesse ıntə'rɛsə
Interessent ıntərɛ'sɛnt
interessieren ıntərɛ'si:rən
Interface 'ıntɐfe:s
interfaszikulär ıntɐfastsi-
ku'lɛ:ɐ̯
Interfax russ. ıntır'faks
Interferenz ıntɐfe'rɛnts
interferieren ıntɐfe'ri:rən
Interferometer ıntɐfero-
'me:tɐ
Interferometrie ıntɐfero-
me'tri:
interferometrisch ıntɐfero-
'me:trıʃ
Interferon ıntɐfe'ro:n
Interferrikum ıntɐ'fɛrikʊm
Interflora ıntɐ'flo:ra
INTERFLUG 'ıntɐflu:k
interfoliieren ıntɐfoli'i:rən
interfraktionell ıntɐfrak-
tsjo'nɛl
intergalaktisch ıntɐga'lak-
tıʃ
interglazial, I... ıntɐgla'tsja:l
intergruppal ıntɐgrʊ'pa:l
Interhotel 'ıntɐhotɛl
Interieur ɛ̃te'rjø:ɐ̯
Interim 'ıntɐım
interimistisch ıntɐri'mıstıʃ
interindividuell ıntɐlındivi-
'du̯ɛl
Interjektion ıntɐjɛk'tsjo:n
interjektionell ıntɐjɛktsjo-
'nɛl
interkalar ıntɐka'la:ɐ̯
Interkalare ıntɐka'la:rə
Interkalarien ıntɐka'la:rjən
interkantonal ıntɐkanto-
'na:l
interkategorial ıntɐkatego-
'rja:l
Interkolumnie ıntɐko'lʊm-
niə

Interkolumnium ıntɛko-
'lɔmniʊm, ...**ien** ...iən
interkommunal ıntɛkɔmu-
'na:l
Interkommunion ıntɛ-
kɔmu'njo:n
Interkonfessionalismus
ıntɛkɔnfɛsjona'lısmʊs
interkonfessionell ıntɛkɔn-
fɛsjo'nɛl
interkontinental ıntɛkɔnti-
nɛn'ta:l
interkostal ıntɛkɔs'ta:l
interkranial ıntɛkra'nja:l
interkrustal ıntɛkrʊs'ta:l
interkulturell ıntɛkʊltu'rɛl
interkurrent ıntɛkʊ'rɛnt
interkurrierend ıntɛkʊ'ri:-
rənt, **-e** ...ndə
Interlaken 'ıntɛlakn̩
interlinear ıntɛline'a:ɐ̯
Interlingua ıntɛ'lıŋgua
interlingual ıntɛlıŋ'gua:l
Interlingue ıntɛ'lıŋguə
Interlinguist[ik] ıntɛlıŋ-
'gʊıst[ık]
Interlockware 'ıntɛlɔkva:rə
Interlude 'ıntɛlju:t
Interludium ıntɛ'lu:djʊm,
...**ien** ...iən
Interlunium ıntɛ'lu:njʊm,
...**ien** ...iən
Intermaxillar... ıntɛmaksı-
'la:ɐ̯...
Intermédiaire ɛ̃tɛrme'djɛ:ɐ̯
intermediär ıntɛme'djɛ:ɐ̯
Intermedin ıntɛme'di:n
Intermedio ıntɛ'me:djo
Intermedium ıntɛ'me:djʊm,
...**ien** ...iən
intermedius ıntɛ'me:djʊs
intermenstrual ıntɛmɛn-
stru'a:l
intermenstruell ıntɛmɛn-
stru'ɛl
Intermenstruum ıntɛ'mɛn-
struʊm, ...**ua** ...ua
Intermezzo ıntɛ'mɛtso,
...**zzi** ...tsi
interministeriell ıntɛmınıs-
te'rjɛl
Intermission ıntɛmı'sjo:n
intermittieren ıntɛmı'ti:rən
intermolekular ıntɛmole-
ku'la:ɐ̯
Intermundien ıntɛ'mʊndjən
intern ın'tɛrn
Interna vgl. Internum
internal ıntɛr'na:l

Internalisation ıntɛrnaliza-
'tsjo:n
internalisieren ıntɛrnali'zi:-
rən
Internat ıntɛ'na:t
international ıntɛnatsjo-
'na:l, *auch:* '-----
Internationale ıntɛnatsjo-
'na:lə
internationalisieren ıntɛ-
natsjonali'zi:rən
Internationalismus ıntɛna-
tsjona'lısmʊs
Internationalist ıntɛnatsjo-
na'lıst
Internationalität ıntɛna-
tsjonali'tɛ:t
**International Olympic
Committee** *engl.* ıntə'næʃənəl oʊ'lımpık kə'mıtı
Interne ın'tɛrnə
Internet 'ıntɛnɛt
internieren ıntɛ'ni:rən
Internist ıntɛ'nıst
Internodium ıntɛ'no:djʊm,
...**ien** ...iən
Internum ın'tɛrnʊm, ...**na**
...na
Internuntius ıntɛ'nʊntsjʊs,
...**ien** ...iən
interorbital ıntɛlɔrbi'ta:l
interozeanisch ıntɛlotse'a:-
nıʃ
interparlamentarisch ıntɛ-
parlamɛn'ta:rıʃ
Interpellant ıntɛpɛ'lant
Interpellation ıntɛpɛla-
'tsjo:n
interpellieren ıntɛpɛ'li:rən
interpersonell ıntɛpɛrzo-
'nɛl
Interpetiolar... ıntɛpetsjo-
'la:ɐ̯...
interplanetar ıntɛplane'ta:ɐ̯
interplanetarisch ıntɛplane'ta:rıʃ
Interplanetosen ıntɛplane-
'to:zn̩
Interpluvial... ıntɛplu'vja:l...
inter pocula 'ıntɛ 'po:kula
Interpol 'ıntɛpo:l
Interpolation ıntɛpola-
'tsjo:n
Interpolator ıntɛpo'la:to:ɐ̯,
-en ...la'to:rən
interpolieren ıntɛpo'li:rən
interponieren ıntɛpo'ni:rən
Interposition ıntɛpozi-
'tsjo:n
Interpret ıntɛ'pre:t

Interpretament ıntɛpreta-
'mɛnt
Interpretant ıntɛpre'tant
Interpretation ıntɛpreta-
'tsjo:n
Interpretatio romana ıntɛpre'ta:tsjo ro'ma:na
Interpretator ıntɛpre'ta:-
to:ɐ̯, **-en** ...ta'to:rən
interpretatorisch ıntɛpre-
ta'to:rıʃ
Interpreter ıntɛ'pre:tɐ, *engl.*
ın'tə:prıtə
interpretieren ıntɛpre'ti:-
rən
Interpsychologie ıntɛpsy-
çolo'gi:
interpungieren ıntɛpʊŋ'gi:-
rən
interpunktieren ıntɛpʊŋk-
'ti:rən
Interpunktion ıntɛpʊŋk-
'tsjo:n
Interradius ıntɛ'ra:djʊs,
...**ien** ...iən
Interrail... 'ıntɛre:l...
Interregio ıntɛ're:gio
Interregnum ıntɛ'rɛgnʊm,
...**na** ...na
Interrenalismus ıntɛrena-
'lısmʊs
interrogativ 'ıntɛrogati:f,
auch: ----'-, **-e** ...i:və
Interrogativ 'ıntɛrogati:f, **-e**
...i:və
Interrogativum ıntɛroga'ti:-
vʊm, ...**va** ...va
Interruptio ıntɛ'rʊptsjo,
-nen ...'tsjo:nən
Interruption ıntɛrʊp'tsjo:n
Interruptus ıntɛ'rʊptʊs
Intersektion ıntɛzɛk'tsjo:n
Interseptum ıntɛ'zɛptʊm
Intersex 'ıntɛzɛks, --'-
Intersexualität ıntɛzɛksua-
li'tɛ:t
intersexuell ıntɛzɛ'ksuɛl
Intershop 'ıntɛʃɔp
interstadial, I... ıntɛsta'dja:l
interstellar ıntɛste'la:ɐ̯
interstitiell ıntɛsti'tsjɛl
Interstitium ıntɛ'sti:tsjʊm,
...**ien** ...iən
intersubjektiv ıntɛzʊpjɛk-
'ti:f, **-e** ...i:və
interterritorial ıntɛtɛrito-
'rja:l
Intertrigo ıntɛ'tri:go,
...**gines** ...gine:s
Intertritur ıntɛtri'tu:ɐ̯

intertrochantär ɪntɐtrɔxan-
'tɛːɐ̯
Intertype® 'ɪntɐtai̯p
interurban ɪntɐ|ʊr'baːn,
auch: '––––
Interusurium ɪntɐ|u'zuː-
rjʊm, ...ien ...jən
Intervall ɪntɐ'val
intervalutarisch ɪntɐvalu-
'taːrɪʃ
Intervenient ɪntɐve'njɛnt
intervenieren ɪntɐve'niːrən
Intervent ɪntɐ'vɛnt
Intervention ɪntɐvɛn'tsjoːn
Interventionismus ɪntɐvɛn-
tsjo'nɪsmʊs
Interventionist ɪntɐvɛntsjo-
'nɪst
interventiv ɪntɐvɛn'tiːf, -e
...iːvə
Interversion ɪntɐvɛr'zjoːn
intervertebral ɪntɐvɛrte-
'braːl
Interview 'ɪntɐvjuː, ɪntɐ'vjuː
interviewen ɪntɐ'vjuːən,
auch: '––––
Interviewer ɪntɐ'vjuːɐ,
auch: '––––
Intervision ɪntɐvi'zjoːn
interzedieren ɪntɐtse'diːrən
interzellular ɪntɐtsɛlu'laːɐ̯
interzellulär ɪntɐtsɛlu'lɛːɐ̯
Interzellulare ɪntɐtsɛlu'laːrə
Interzeption ɪntɐtsɛp'tsjoːn
Interzeptor ɪntɐ'tsɛptoːɐ̯,
-en ...'toːrən
Interzession ɪntɐtsɛ'sjoːn
interzonal ɪntɐtso'naːl
Interzonen... ɪntɐ'tsoːnən...
intestabel ɪntɛs'taːbl̩, ...ble
...blə
Intestaterbe ɪntɛs'taːt|ɛrbə
intestinal ɪntɛsti'naːl
Intestinum ɪntɛs'tiːnʊm,
...na ...na
Inthronisation ɪntroniza-
'tsjoːn
inthronisieren ɪntroni'ziː-
rən
Inti 'ɪnti
Intifada ɪnti'faːda
intim ɪn'tiːm
Intima 'ɪntima, ...mä ...mɛ
Intimation ɪntima'tsjoːn
Intimi vgl. Intimus
Intimidation ɪntimida'tsjoːn
intimidieren ɪntimi'diːrən
intimieren ɪnti'miːrən
Intimität ɪntimi'tɛːt
Intimus 'ɪntimʊs, ...mi ...mi

Intine ɪn'tiːnə
Intitulation ɪntitula'tsjoːn
intolerabel ɪntole'raːbl̩,
...ble ...blə
intolerant 'ɪntolerant, auch:
–––'-
Intoleranz 'ɪntolerants,
auch: –––'-
Intonation ɪntona'tsjoːn
Intonem ɪnto'neːm
intonieren ɪnto'niːrən
in toto ɪn 'toːto
Intourist 'ɪnturɪst
Intoxikation ɪntɔksika-
'tsjoːn
intraabdominal, ...nell
ɪntra|apdomi'naːl, ...nɛl
intraalveolar ɪntra|alveo-
'laːɐ̯
Intrabilität ɪntrabili'tɛːt
Intrada ɪn'traːda
Intrade ɪn'traːdə
intraglutäal ɪntraglutɛ'aːl
intragruppal ɪntragrʊ'paːl
intraindividuell ɪntra|ɪndi-
vi'du̯ɛl
intrakardial ɪntrakar'dja:l
intrakontinental ɪntrakɔnti-
nɛn'taːl
intrakraniell ɪntrakra'njɛl
intrakrustal ɪntrakrʊs'taːl
intrakutan ɪntraku'taːn
intra legem ɪntra 'leːgɛm
intralingual ɪntralɪŋ'gu̯aːl
intralumbal ɪntralʊm'baːl
intramerkuriell ɪntramɛr-
ku'rjɛl
intramolekular ɪntramole-
ku'laːɐ̯
intramontan ɪntramɔn'taːn
intramundan ɪntramʊn-
'daːn
intramural ɪntramu'raːl
intra muros 'ɪntra 'muːroːs
intramuskulär ɪntramʊsku-
'lɛːɐ̯
Intranet 'ɪntranɛt
intransigent, I... ɪntranzi-
'gɛnt
Intransigenz ɪntranzi'gɛnts
intransitiv, I... 'ɪntranziti:f,
-e ...iːvə
Intransitivum ɪntranzi'tiː-
vʊm, ...va ...va
intraokular ɪntra|oku'laːɐ̯
intraoral ɪntra|o'raːl
intraossär ɪntra|ɔ'sɛːɐ̯
intra partum 'ɪntra 'partʊm
intraperitoneal ɪntraperito-
ne'aːl

intrapersonal ɪntrapɛrzo-
'naːl
intrapersonell ɪntrapɛrzo-
'nɛl
intrapleural ɪntraplɔy'raːl
intrapulmonal ɪntrapʊlmo-
'naːl
intrasubjektiv ɪntrazʊpjɛk-
'tiːf, -e ...iːvə
intratellurisch ɪntratɛ'luːrɪʃ
intrathorakal ɪntratora'kaːl
intrauterin ɪntra|ute'riːn
intravaginal ɪntravagi'naːl
intravasal ɪntrava'zaːl
intravenös ɪntrave'nøːs, -e
...øːzə
intravital ɪntravi'taːl
intrazellular ɪntratsɛlu'laːɐ̯
intrazellulär ɪntratsɛlu'lɛːɐ̯
intrigant, I... ɪntri'gant
Intriganz ɪntri'gants
Intrige ɪn'triːgə
intrigieren ɪntri'giːrən
intrikat ɪntri'kaːt
intrinsisch ɪn'trɪnzɪʃ
in triplo ɪn 'triːplo
Intro 'ɪntro
Introduktion ɪntrodʊk-
'tsjoːn
introduzieren ɪntrodu'tsiː-
rən
Introduzione ɪntrodu-
'tsjoːnə, ...ni ...ni
Introitis ɪntro'iːtɪs, ...itiden
...oi̯'tiːdn̩
Introitus ɪn'troːitʊs, die -
...tuːs
Introjektion ɪntrojɛk'tsjoːn
introjizieren ɪntroji'tsiːrən
Intromission ɪntromi'sjoːn
intromittieren ɪntromɪ'tiː-
rən
intrors ɪn'trɔrs, -e ...rzə
Introspektion ɪntrospɛk-
'tsjoːn
introspektiv ɪntrospɛk'tiːf,
-e ...iːvə
Introversion ɪntrovɛr'zjoːn
introversiv ɪntrovɛr'ziːf, -e
...iːvə
introvertiert ɪntrovɛr'tiːɐ̯t
Intruder ɪn'truːdɐ
intrudieren ɪntru'diːrən
Intrusion ɪntru'zjoːn
intrusiv... ɪntru'ziːf...
Intrusiva ɪntru'ziːva
Intubation ɪntuba'tsjoːn
Intuition ɪntui'tsjoːn
Intuitionismus ɪntui̯tsjo'nɪsmʊs

intuitionistisch ıntuitsịo-'nıstıʃ
intuitiv ıntui'ti:f, -e ...i:və
Intumeszenz ıntumɛs'tsɛnts
Inturgeszenz ıntʊrgɛs-'tsɛnts
intus 'ıntʊs
Intuskrustation ıntʊskrʊs-ta'tsịo:n
Intuszuszeption ıntʊszʊs-tsɛp'tsịo:n
in tyrannos ın ty'rano:s
Inuit 'ınuıt
Inula 'i:nula
Inulin inu'li:n
Inundation ınlʊnda'tsịo:n
Inunktion ınlʊŋk'tsịo:n
in usum Delphini ın 'u:zʊm dɛl'fi:ni
Inuvik engl. ı'nu:vık
invadieren ınva'di:rən
Invagination ınvagina-'tsịo:n
invalid ınva'li:t, -e ...i:də
Invalidation ınvalida'tsịo:n
invalide, I... ınva'li:də
Invalides fr. ɛ̃va'lid
invalidieren ınvali'di:rən
invalidisieren ınvalidi'zi:-rən
Invalidität ınvalidi'tɛ:t
Invar® 'ınvar
invariabel 'ınvarịa:bl̥, auch: —'——, ...**ble** ...blə
invariant 'ınvarịant, auch: —'—
Invariante ınva'rịantə
Invarianz 'ınvarịants, auch: —'—
Invasion ınva'zịo:n
invasiv ınva'zi:f, -e ...i:və
Invasor ın'va:zo:ɐ̯, -en ınva-'zo:rən
Invektive ınvɛk'ti:və
invenit ın've:nıt
Inventar ınvɛn'ta:ɐ̯
Inventarisation ınvɛntariza'tsịo:n
Inventarisator ınvɛntari-'za:to:ɐ̯, -en ...a'to:rən
inventarisieren ınvɛntari-'zi:rən
Inventarium ınvɛn'ta:rịʊm, ...**ien** ...ịən
inventieren ınvɛn'ti:rən
Invention ınvɛn'tsịo:n
Inventor ın'vɛnto:ɐ̯, -en ...'to:rən
Inventur ınvɛn'tu:ɐ̯

in verba magistri ın 'vɛrba ma'gıstri
Invercargill engl. ınvə'ka:gıl
Inverell engl. ınvə'rɛl
Invergordon engl. ınvə-'gɔ:dn
Inverness engl. ınvə'nɛs
invers ın'vɛrs, -e ...rzə
Inversion ınvɛr'zịo:n
Invertase ınvɛr'ta:zə
Invertebrat ınvɛrte'bra:t
Inverter ın'vɛrtɐ
invertieren ınvɛr'ti:rən
Invertin ınvɛr'ti:n
Invertzucker ın'vɛrttsʊkɐ
investieren ınvɛs'ti:rən
Investigation ınvɛstiga-'tsịo:n
Investigator ınvɛsti'ga:to:ɐ̯, -en ...ga'to:rən
investigieren ınvɛsti'gi:rən
Investition ınvɛsti'tsịo:n
Investitur ınvɛsti'tu:ɐ̯
Investiv ınvɛs'ti:f, -e ...i:və
Investment ın'vɛstmənt
Investor ın'vɛsto:ɐ̯, -en ...'to:rən
Inveteration ınvetera'tsịo:n
inveterieren ınvete'ri:rən
in vino veritas ın 'vi:no 've:ritas
invisibel ınvi'zi:bl̥, auch: '————, ...**ble** ...blə
Invitation ınvita'tsịo:n
Invitatorium ınvita'to:rịʊm, ...**ien** ...ịən
invitieren ınvi'ti:rən
in vitro ın 'vi:tro
in vivo ın 'vi:vo
Invokation ınvoka'tsịo:n
Invokavit ınvo'ka:vıt
Involution ınvolu'tsịo:n
involvieren ınvɔl'vi:rən
inwärts 'ınvɛrts
inwendig 'ınvɛndıç
inwiefern ınvi'fɛrn
inwieweit ınvi'vaıt
Inwohner 'ınvo:nɐ
Inyltschek russ. inılj'tʃɛk
Inzell ın'tsɛl
Inzens ın'tsɛns
Inzensation ıntsɛnza'tsịo:n
inzensieren ıntsɛn'zi:rən
Inzensorium ıntsɛn'zo:-rịʊm, ...**ien** ...ịən
inzentiv, I... ıntsɛn'ti:f, -e ...i:və
Inzest ın'tsɛst
inzestuös ıntsɛs'tʊ̯ø:s, -e ...ø:zə

inzident ıntsi'dɛnt
inzidentell ıntsidɛn'tɛl
inzidenter ıntsi'dɛntɐ
Inzidenz ıntsi'dɛnts
inzidieren ıntsi'di:rən
inzipient ıntsi'pịɛnt
Inzision ıntsi'zịo:n
Inzisiv ıntsi'zi:f, -en ...i:vn̩
Inzisivus ıntsi'zi:vʊs, ...**vi** ...vi
Inzisur ıntsi'zu:ɐ̯
Inzucht 'ıntsʊxt
inzwischen ın'tsvıʃn̩
Io 'i:o
Ioannes io'anɛs
Ioannina neugr. jɔ'anina
Iod io:t, -es io:dəs
Iodat io'da:t
Iodid io'di:t, -es ...i:dəs
Iokaste io'kastə
Iola engl. aı'oʊlə
Iolanda it. io'landa
Iolanthe io'lantə
Iolkos 'jɔlkɔs
¹Ion (Physik) i̯o:n, auch: 'i:ɔn, **Ionen** 'i̯o:nən
²Ion (Name) 'i:ɔn, rumän. ịon
Ionel rumän. i̯o'nel
Ionesco i̯o'nɛsko, fr. jɔnɛs'ko
Ionescu rumän. i̯o'nesku
Ionicus 'i̯o:nikʊs, ...**ci** ...tsi
Ionicus a maiore 'i̯o:nikʊs a ma'jo:rə
Ionicus a minore 'i̯o:nikʊs a mi'no:rə
Ionien 'i̯o:nịən
Ionier 'i̯o:nịɐ
Ioniker 'i̯o:nikɐ
Ionisation ioniza'tsịo:n
Ionisator i̯oni'za:to:ɐ̯, -en ...za'to:rən
ionisch, I... 'i̯o:nıʃ
ionisieren i̯oni'zi:rən
Ionium 'i̯o:nịʊm
Ionometer i̯ono'me:tɐ
Ionon i̯o'no:n
Ionophorese i̯onofo're:zə
Ionosphäre i̯ono'sfɛ:rə
Iontophorese i̯ɔntofo're:zə
Iorga rumän. 'i̯orga
Iori russ. i̯'ori
Ios 'i:ɔs, neugr. 'i̯ɔs
Iosif rumän. 'i̯osif
Iossafat russ. iɛsa'fat
Iossi russ. ia'sij
Iossif russ. i̯'ɔsif
Iossifowitsch russ. i̯'ɔsifɐ-vitʃ

lossifowna *russ.* iˈɔsifɐvnɐ
lossija *russ.* iaˈsijɐ
lota ˈjoːta
lotazismus iotaˈtsɪsmʊs
lovi optimo maximo ˈjoːvi ˈɔptimo ˈmaksimo
lowa *engl.* ˈaɪəwə
Iparragirre *bask.* iparraˈɣirrɛ
Iparraguirre *span.* iparraˈɣirrɛ
Ipati *russ.* iˈpatij
Ipekakuanha ipekaˈkuanja
Iphigenie ifiˈgeːnjə
Iphigénie *fr.* ifiʒeˈni
Iphikles ˈiːfiklɛs
Iphikrates iˈfiːkratɛs
Iphofen ɪpˈhoːfn̩
Ipiales *span.* iˈpi̯ales
Ipiutak *engl.* ɪpiˈjuːtæk
Ipoh *indon.* ˈipɔh
Ippolit *russ.* ipaˈlit
Ippolito *it.* ipˈpɔːlito
Ippolitow *russ.* ipaˈlitɐf
Ippolitowitsch *russ.* ipaˈliːtɐvitʃ
Ippolitowna *russ.* ipaˈliːtɐvnɐ
Ipsation ɪpsaˈtsi̯oːn
ipse fecit ˈɪpsə ˈfeːtsɪt
Ipsen ˈɪpsn̩, *dän.* ˈibsn̩
Ipsilandis *neugr.* ipsiˈlandis
Ipsilanti *rumän.* ipsiˈlanti
Ipsismus ɪˈpsɪsmʊs
ipsissima verba ɪˈpsɪsima ˈvɛrba
Ipsitilla ɪpsiˈtɪla
ipso facto ˈɪpsɔ ˈfakto
ipso jure ˈɪpsɔ ˈjuːrə
Ipsos ˈɪpsɔs
Ipswich *engl.* ˈɪpswɪtʃ
IQ iːˈkuː, aɪˈkjuː
Iqbal *engl.* ɪkˈbɑːl
Iquique *span.* iˈkike
Iquitos *span.* iˈkitos
Ira ˈiːra, *engl.* ˈaɪərə
IRA iːra, *engl.* aɪ-ɑːˈreɪ
Iracema *bras.* iraˈsema
Irade iˈraːdə
Iradier *span.* iraˈðiɛr
Irak iˈraːk, *auch:* ˈiːrak; *pers.* eˈrɑːɣ
Iraker iˈraːkɐ
irakisch iˈraːkɪʃ
Irakli *russ.* iˈraklij
Iraklion *neugr.* iˈraklian
Iran iˈraːn, *pers.* iˈrɑːn
Iran[i]er iˈraːn[i]ɐ
iranisch iˈraːnɪʃ
Iranist[ik] iraˈnɪst[ɪk]

Irapuato *span.* iraˈpu̯ato
Irawadi iraˈvaːdi, *engl.* ɪrə-ˈwaːdɪ, *birm.* eɪjawadi 2222
Irazú *span.* iraˈθu
Irbid ɪrˈbiːt
Irbil ɪrˈbiːl
Irbis ˈɪrbɪs, **-se** ...ɪsə
Irbit *russ.* ɪrˈbit
irden ˈɪrdn̩, **irdne** ˈɪrdnə
irdisch ˈɪrdɪʃ
Irdning ˈɪrdnɪŋ
Ire ˈiːrə
Iredell *engl.* ˈaɪədɛl
Iredyński *poln.* irɛˈdii̯ski
Ireland *engl.* ˈaɪələnd
Iren *russ.* iˈrjenj
Irén *ung.* ˈireːn
Irena *poln.* iˈrɛna
Irenäus ireˈnɛːʊs
¹Irene (Vorname) iˈreːnə, *engl.* ˈaɪriːn, aɪˈriːn, *it.* iˈrɛːne, *span.* iˈrene, *niederl.* iˈreːnə
²Irene (Göttin) iˈreːnə
Irène *fr.* iˈrɛn
Irénée *fr.* ireˈne
Irenik iˈreːnɪk
irenisch iˈreːnɪʃ
irgend ˈɪrgn̩t
irgendein[er] ˈɪrgn̩t|aɪn[ɐ]
irgendeinmal ˈɪrgn̩t|aɪnˈmaːl
irgendetwas ˈɪrgn̩t|ɛtvas
irgendwann ˈɪrgn̩tˈvan
irgendwas ˈɪrgn̩tˈvas
irgendwelcher ˈɪrgn̩tˈvɛlçɐ
irgendwer ˈɪrgn̩tˈveːɐ̯
irgendwie ˈɪrgn̩tˈviː
irgendwo ˈɪrgn̩tˈvoː
irgendwoher ˈɪrgn̩tvoˈheːɐ̯
irgendwohin ˈɪrgn̩tvoˈhɪn
irgendworan ˈɪrgn̩tvoˈran
Irgis *russ.* ɪrˈgis
Irian Jaya *indon.* iˈrian ˈdʒaja
Iriarte *span.* iˈri̯arte
Iridektomie iridɛktoˈmiː, **-n** ...i̯ən
Iridium iˈriːdi̯ʊm
Iridologe iridoˈloːgə
Iridologie iridoloˈgiː
Iridotomie iridotoˈmiː, **-n** ...i̯ən
Irigoyen *span.* iriˈi̯ojen
Irina iˈriːna, *russ.* iˈrinɐ
Irinej *russ.* iriˈnjej
Iringa *engl.* ɪˈrɪŋgaː
Irinj *russ.* iriˈnij
Iris ˈiːrɪs
irisch ˈiːrɪʃ

Irish Coffee ˈaɪrɪʃ ˈkɔfi
Irish Stew ˈaɪrɪʃ ˈstjuː
irisieren iriˈziːrən
Iritis iˈriːtɪs, **Iritiden** iriˈtiːdn̩
Irkut[sk] *russ.* irˈkut[sk]
Irlam *engl.* ˈəːləm
Irland ˈɪrlant
Irländer ˈɪrlɛndɐ
irländisch ˈɪrlɛndɪʃ
Irma ˈɪrma
Irmbert ˈɪrmbɛrt
Irmela ˈɪrməla
Irmensäule ˈɪrmənzɔylə
Irmgard ˈɪrmgart
Irmin ˈɪrmɪn
Irminger ˈɪrmɪŋɐ
Irmino ˈɪrmino, *russ.* ˈirminɐ
Irminone ɪrmiˈnoːnə
Irminsäule ˈɪrmɪnzɔylə
Irminsul ˈɪrmɪnzuːl
Irmtraud, ...ut ˈɪrmtraʊt
Irokese iroˈkeːzə
Iron *engl.* ˈaɪən
Irondequoit *engl.* ɪˈrɔn-dɪkwɔɪt
Ironie iroˈniː, **-n** ...iːən
Ironiker iˈroːnikɐ
ironisch iˈroːnɪʃ
ironisieren ironiˈziːrən
Ironman ˈaɪ̯nmɛn, ˈaɪrən...
Ironside *engl.* ˈaɪənsaɪd
Ironton *engl.* ˈaɪəntən
Ironym iroˈnyːm
Iroquois *engl.* ˈɪrəkwɔɪ
irr ɪr
Irradiation ɪradi̯aˈtsi̯oːn
irradiieren ɪradiˈiːrən
irrational ˈɪratsi̯onaːl, *auch:* ---ˈ-
Irrationalismus ɪratsi̯ona-ˈlɪsmʊs
Irrationalität ɪratsi̯onaliˈtɛːt
irrationell ˈɪratsi̯onɛl, *auch:* ---ˈ-
irre, I... ˈɪrə
irreal, I... ˈɪreaːl, *auch:* --ˈ-
Irrealis ˈɪreaːlɪs, **...les** ...leːs
Irrealität ˈɪrealitɛːt, *auch:* ----ˈ-
Irredenta ɪreˈdɛnta
Irredentismus ɪredɛnˈtɪsmʊs
Irredentist ɪredɛnˈtɪst
irreduktibel ɪredʊktiːbl̩, *auch:* ---ˈ--, **...ble** ...blə
irreduzibel ɪredutsiːbl̩, *auch:* ---ˈ--, **...ble** ...blə
Irreduzibilität ɪredutsibili-tɛːt, *auch:* ------ˈ-

irregulär 'ıregulɛ:ɐ̯, auch:
___'-
Irregularität 'ıregularitɛ:t,
auch: -----'-
Irrel 'ırəl
irrelevant 'ırelevant, auch:
___'-
Irrelevanz 'ırelevants, auch:
___'-
irreligiös 'ıreligjø:s, auch:
___'-, -e ...ø:zə
Irreligiosität 'ıreligjozitɛ:t,
auch: -----'-
irren 'ırən
irreparabel 'ırepara:bl̩,
auch: ---'--, ...ble ...blə
irreponibel 'ıreponi:bl̩,
auch: ---'--, ...ble ...blə
irresolut 'ırezolu:t, auch:
___'-
irrespirabel 'ırɛspira:bl̩,
auch: ---'--, ...ble ...blə
irresponsabel 'ırɛspɔnza:bl̩,
auch: ---'--, ...ble blə
irreversibel 'ırevɛrzi:bl̩,
auch: ---'--, ...ble ...blə
Irreversibilität 'ırevɛrzibili-
tɛ:t, auch: ------'-
irrevisibel 'ırevizi:bl̩, auch:
---'--, ...ble ...blə
irrig 'ırıç, -e ...ıgə
Irrigation ıriga'tsi̯o:n
Irrigator ıri'ga:to:ɐ̯, -en ıriga'to:rən
irrigieren ıri'gi:rən
irritabel ıri'ta:bl̩, ...ble ...blə
Irritabilität ıritabili'tɛ:t
Irritation ırita'tsi̯o:n
irritieren ıri'ti:rən
Irrlicht 'ırlıçt
irrlichtelieren ırlıçtə'li:rən
irrlichtern 'ırlıçtɐn
Irrnis 'ırnıs, -se ...ısə
Irrsal 'ırza:l
Irrsdorf 'ırsdɔrf
Irrsinn 'ırzın
irrsinnig 'ırzınıç
Irrtum 'ırtu:m, Irrtümer
'ırty:mɐ
irrtümlich 'ırty:mlıç
Irrwisch 'ırvıʃ
Irse 'i:rze
Irtysch russ. ir'tıʃ
Irún span. i'run
Irvine engl. 'ə:vın, 'ə:vaın
Irving engl. 'ə:vıŋ
Irvingianer ırvıŋ'gi̯a:nɐ
Irvingianismus ırvıŋgi̯a'nıs-
mʊs
Irvington engl. 'ə:vıŋtən

Irwin engl. 'ə:wın
Irzykowski poln. iʒi'kɔfski
Isa 'i:za
Isaac engl. 'aızək, fr. iza'ak,
span. isa'ak, niederl. 'izak
Isaacs span. isa'aks, engl.
'aızəks
Isaak 'i:zak, 'i:za:k, auch:
'i:zaak
Isaaks engl. 'aızəks
Isabeau fr. iza'bo
Isabel 'i:zabɛl, engl. 'ızəbɛl,
span. isa'βɛl, port. izɐ'βɛl,
bras. iza'bɛl
Isabela span. isa'βela
Isabell iza'bɛl
Isabella iza'bɛla, it. ...bɛlla
¹Isabelle (Pferd) iza'bɛlə
²Isabelle (Name) iza'bɛlə,
fr. iza'bɛl
Isabey fr. iza'bɛ
Isadora engl. ızə'dɔ:rə
Ísafjörður isl. 'i:safjœrðʏr
Isagoge iza'go:gə
Isagogik iza'go:gık
Isagoras i'za:goras
Isai 'i:zai
Isaiah engl. aı'zaıə
Isaias iza'i:as, i'zaıas
Isaios i'zaıɔs
isak schwed. ,i:sak
Isaković serbokr. 'isa:kɔvıtɕ
Isaksson schwed. ,i:saksɔn
Isakuste iza'kʊstə
Isallobare izalo'ba:rə
Isallotherme izalo'tɛrmə
Isanabase izana'ba:zə
Isanemone izane'mo:nə
Isanomale izano'ma:lə
Isar 'i:zar
Isar-Athen 'i:zarǀate:n
Isarco it. i'zarko
ISA-System 'i:zazʏste:m
Isatin iza'ti:n
Isatis 'i:zatıs
Isaure fr. i'zo:r
Isaurien i'zaʊri̯ən
Isaurier i'zaʊri̯ɐ
Isäus 'i:zɛ:ʊs
Isba ıs'ba, Isbi 'ısbi
Isberbasch russ. izbır'baʃ
Ischämie ısçɛ'mi:, -n ...i:ən
ischämisch ıs'çɛ:mıʃ
Ischariot[t] i'ʃa:ri̯ɔt
Ische 'ıʃə
Ischewsk russ. i'ʒɛfsk
¹Ischia (Insel) 'ıski̯a, it. 'iskia
²Ischia vgl. Ischium
Ischiadikus ıs'çi̯a:dikʊs,
auch: ı'ʃi̯a:...

ischiadisch ıs'çi̯a:dıʃ, auch:
ı'ʃi̯a:...
Ischialgie ısçi̯al'gi:, auch:
ıʃi...
Ischias 'ıʃi̯as, auch: 'ısçi̯as
Ischihara jap. i'ʃi̯hara
Ischikari jap. i'ʃi̯kari
Ischikawa jap. i'ʃi̯kawa
Ischim russ. i'ʃim
Ischimbai russ. iʃim'baj
Ischinomaki jap. i'ʃinomaki
Ischium 'ısçi̯ʊm, auch:
'ıʃi̯ʊm, ...ia ...i̯a
Ischl 'ıʃl̩
Ischma russ. 'iʒmɐ
Ischtar 'ıʃtar
Ischurie ısçu'ri:, -n ...i:ən
ISDN i:lɛsde:'lɛn
Ise jap. 'i,se
Isebel 'i:zəbɛl
Isefjord dän. 'isəfjo:'r
Isegrimm 'i:zəgrım
Iselin 'i:zəli:n
Isemann 'i:zəman
Isenbrant niederl. 'izənbrant
Isenburg 'i:zn̩bʊrk
Isenhagen i:zn̩'ha:gn̩
Isen[heimer] 'i:zn̩[haimɐ]
isentrop[isch] izɛn'tro:p[ıʃ]
Iseo it. i'zɛ:o
Iser 'i:zɐ
Iseran fr. i'zrã
Isère fr. i'zɛ:r
Iserkamm 'i:zɐkam
Iserlohn i:zɐ'lo:n
Isernia it. i'zɛrni̯a
Isesaki jap. i'se,saki
Iseyin engl. i'sə'ji:n
Isfahan ısfa'ha:n, pers.
esfæ'ha:n
Isfara russ. isfa'ra
Isherwood engl. 'ıʃəwʊd
Isidor 'i:zido:ɐ̯
Isidore fr. i'zi'dɔ:r
Isidoro span. isi'ðoro
Isidorus izi'do:rʊs
Isidro span. i'siðro
Isili it. 'i:zili
Isin 'i:zi:n
Isiro fr. isi'ro
Isis 'i:zıs
Isjum russ. i'zjum
¹Iskander (Herzen) russ.
is'kander
²Iskander russ. iskan'dɛr
Iskar bulgar. 'iskər
Iskariot[h] ıs'ka:ri̯ɔt
Iskenderun türk. is'kɛndɛ-
run
Isker vgl. Iskar

Iskitim *russ.* iski'tim
Iskra *russ.* 'iskrɐ
Isla *span.* 'izla
Islam ɪs'la:m, *auch:* 'ɪslam
Islamabad ɪslama'ba:t,
 ɪs'la:maba:t, *engl.* ɪs'lɑ:mə-
 bɑ:d
Islamisation ɪslamiza'tsi̯o:n
islamisch ɪs'la:mɪʃ
islamisieren ɪslami'zi:rən
Islamismus ɪsla'mɪsmʊs
Islamit ɪsla'mi:t
Island 'i:slant, *engl.* 'aɪlənd
Ísland *isl.* 'i:sland
Isländer 'i:slɛndɐ
isländisch 'i:slɛndɪʃ
Island Lake *engl.* 'aɪlənd
 'leɪk
Islay *engl.* 'aɪleɪ
Isla y Rojo *span.* 'izla i
 'rrɔxo
Isle *fr.* il
Isle-de-France *fr.* ildə'frɑ̃:s
Isle Royale *engl.* 'aɪl 'rɔɪəl
Islington *engl.* 'ɪzlɪŋtən
Islip *engl.* 'ɪzlɪp
Ismael 'ɪsmaeːl, *auch:* ...aɛl;
 span. izma'ɛl
Ismaelit ɪsmae'li:t
Ismail ɪsma'i:l, *russ.* izma'il
Ismailija ɪsmai'li:a
Ismailit ɪsmai'li:t
Ismailow *russ.* iz'majlɐf
Ismailowitsch *russ.* izma'i-
 lɐvitʃ
Ismailowna *russ.* izma'i-
 lɐvnɐ
Ismay *engl.* 'ɪzmeɪ
Ismene ɪs'me:nə
İsmet *türk.* is'mɛt
Ismus 'ɪsmʊs
Isna 'ɪsna
Isny 'ɪsni
ISO 'i:zo, *engl.* aɪ-ɛs'oʊ
iso..., I... 'i:zo...
Isoamplitude izo|ampli-
 'tu:də
isobar, I... izo'ba:ɐ̯
Isobare izo'ba:rə
Isobase izo'ba:zə
Isobathe izo'ba:tə
Isobronte izo'brɔntə
Isobutan izobu'ta:n
Isochasme izo'çasmə
Isochimene izoçi'me:nə
Isochione izo'çio:nə
isochor izo'ko:ɐ̯
isochrom izo'kro:m
Isochromasie izokroma'zi:

isochromatisch izokro-
 'ma:tɪʃ
isochron izo'kro:n
Isochrone izo'kro:nə
Isochronismus izokro'nɪs-
 mʊs
isodont izo'dɔnt
Isodyname izody'na:mə
Isodyne izo'dy:nə
isoelektrisch izo|e'lɛktrɪʃ
Isoerge izo'|ɛrgə
Isogamet izoga'me:t
Isogamie izoga'mi:, **-n**
 ...i:ən
isogen izo'ge:n
Isogeotherme izogeo-
 'tɛrmə
Isoglosse izo'glɔsə
Isogon izo'go:n
isogonal izogo'na:l
Isogonalität izogonali'tɛ:t
Isogone izo'go:nə
Isohaline izoha'li:nə
Isohelie izo'he:li̯ə
Isohyete izo'hy̆e:tə
Isohypse izo'hy̆psə
Isokatabase izokata'ba:zə
Isokatanabare izokatana-
 'ba:rə
Isokephalie izokefa'li:
Isokeraune izoke'rau̯nə
isoklinal izokli'na:l
Isoklinale izokli'na:lə
Isokline izo'kli:nə
Isokolon izo'ko:lɔn, **...la**
 ...la
Isokrates i'zo:kratɛs
Isokryme izo'kry:mə
Isola Bella *it.* 'i:zola 'bɛlla
Isolani izo'la:ni
Isolar... izo'la:ɐ̯...
Isolation izola'tsi̯o:n
Isolationismus izolatsi̯o-
 'nɪsmʊs
Isolationist izolatsi̯o'nɪst
isolativ izola'ti:f, **-e** ...i:və
Isolator izo'la:to:ɐ̯, **-en** izo-
 la'to:rən
Isolde i'zɔldə
Isolexe izo'lɛksə
isolezithal izoletsi'ta:l
isolieren izo'li:rən
Isolinie 'i:zoli:ni̯ə
isomagnetisch izoma'gne:-
 tɪʃ
isomer, I... izo'me:ɐ̯
Isomere izo'me:rə
Isomerie izome'ri:
Isomerisation izomeriza-
 'tsi̯o:n

isomerisch izo'me:rɪʃ
isomesisch izo'me:zɪʃ
Isometrie izome'tri:
Isometrik izo'me:trɪk
isometrisch izo'me:trɪʃ
isotrop izome'tro:p
Isometropie izometro'pi:
isomorph izo'mɔrf
Isomorphie izomɔr'fi:
Isomorphismus izomɔr'fɪs-
 mʊs
Isonephe izo'ne:fə
Isonomie izono'mi:
Isonzo *it.* i'zontso
Isoombre izo'|ɔmbrə
Isopage izo'pa:gə
Isopathie izopa'ti:
isoperimetrisch izoperi-
 'me:trɪʃ
Isoperm izo'pɛrm
Isophane izo'fa:nə
Isophone izo'fo:nə
Isophote izo'fo:tə
isopisch i'zo:pɪʃ
Isoplethe izo'ple:tə
Isopode izo'po:də
Isopren izo'pre:n
Isoptera i'zɔptera
isoquante izo'kvantə
isorhythmisch izo'rytmɪʃ
Isorrhachie izo'raxi̯ə
Isoseiste izo'zaistə
Isoskop izo'sko:p
isosmotisch izɔs'mo:tɪʃ
Isospin 'i:zospɪn
Isostasie izosta'zi:
isostatisch izo'sta:tɪʃ
Isotache izo'taxə
Isotalantose izotalan'to:zə
Isothere izo'te:rə
isotherm izo'tɛrm
Isotherme izo'tɛrmə
Isothermie izotɛr'mi:, **-n**
 ...i:ən
Isotomie izoto'mi:
Isoton izo'to:n
isotop, I... izo'to:p
Isotopie izoto'pi:
Isotron 'i:zotro:n
isotrop izo'tro:p
Isotropie izotro'pi:
Isotypie izoty'pi:
Isouard *fr.* i'zwa:r
isozyklisch izo'tsy:klɪʃ
Ispahan ɪspa'ha:n
Isparta *türk.* is'parta
Isperich *bulgar.* ɪspe'rix
Ispirescu *rumän.* ispi'resku
Ispra *it.* 'ispra
Israel 'ɪsrae:l, *auch:* ...raɛl

Israeli ısra'e:li
israelisch ısra'e:lıʃ
Israelit ısrae'li:t
Israëls *niederl.* 'ısraɛls
iss! ıs
Issa 'ısa
Issaew *bulgar.* i'saɛf
Issaak[i] *russ.* isa'ak[ij]
Issaakjan *russ.* isɐa'kjan
Issai *russ.* i'saj
Issak *russ.* i'sak
Issa Kobajaschi *jap.* 'i.ssa ko'bajaʃi
Issakowitsch *russ.* i'sakɐvitʃ
Issakowna *russ.* i'sakɐvnɐ
Issakowski *russ.* isa'kɔfskij
Issatschenko *russ.* i'satʃınkɐ, isa'tʃɛnkɐ
Issel[burg] 'ısl̩[bʊrk]
Isserstedt 'ısɐʃtɛt
Isset *russ.* i'sjetj
Issoire *fr.* i'swa:r
Issos 'ısɔs
Issoudun *fr.* isu'dœ̃
isst ıst
Issus 'ısʊs
Issyk-Kul *russ.* is'sık'kulj
Issy-les-Moulineaux *fr.* isilemuli'no
ist ıst
Istanbul 'ıstambu:l
Istanbul *türk.* is'tanbul
Istar 'ıstar
Istävone ıstɛ'vo:nə
Istbestand 'ıstbəʃtant
Iste 'ıstə
Istel 'ıstl̩
Ister 'ıstɐ
Isthmien 'ıstmiən
isthmisch 'ıstmıʃ
Isthmos 'ıstmɔs, *neugr.* is-'θmɔs, is'tmɔs
Isthmus 'ıstmʊs
Istiklal, Istiqlal ısti'kla:l
Istomin *engl.* 'ıstəmın
Istomina *russ.* is'təmınɐ
Istra *serbokr.* 'ıstra, *russ.* 'ıstrɐ
Istranca *türk.* is'trandʒa
Istrati *rumän.* is'trati
Istres *fr.* i'strɛ
Istria *it.* 'ıstri̯a
Istrien 'ıstriən
Istros 'ıstrɔs
István *ung.* 'iʃtva:n
Istwäone ıstvɛ'o:nə
istwäonisch ıstvɛ'o:nıʃ
Isumi *jap.* 'i.zumi
Isung 'i:zʊŋg

I Sŭng-Man *korean.* i:sıŋ-man
Iswestija *russ.* iz'vjestijɐ
Iswolski *russ.* iz'vɔljskij
Ita 'i:ta
Itabira *bras.* ita'bira
Itabirito *bras.* itabi'ritu
Itabuna *bras.* ita'buna
Itacolomi *bras.* itakolo'mi
Itagüí *bras.* ita'gu̯i
Itai-Itai-... 'i:tai̯'li:tai̯...
Itaipu *bras.* itai̯'pu
Itaipú *span.* itai̯'pu
Itajaí *bras.* itaʒa'i
Itaker 'i:takɐ
Itakolumit itakolu'mi:t
Itala 'i:tala
Italer 'i:talɐ, *auch:* i'ta:lɐ
Italia *dt., it.* i'ta:li̯a
Italiaander ita'li̯andɐ
italianisieren itali̯ani'zi:rən
Italianismus itali̯a'nısmʊs
Italianist[ik] itali̯a'nıst[ık]
Italianität itali̯ani'tɛ:t
Italica i'ta:lika
Italicus i'ta:likʊs
Italien i'ta:li̯ən
Italiener ita'li̯e:nɐ
italienisch ita'li̯e:nıʃ
italienisieren itali̯eni'zi:rən
Italienne ita'li̯ɛn
Italiker i'ta:likɐ
Italique *fr.* ita'lik
italisch i'ta:lıʃ
Italo *it.* 'i:talo
Italos 'i:talɔs
Italowestern 'i:talovɛstɐn, *auch:* i'ta:l...
Itambé *bras.* itɐm'bɛ
Itapetininga *bras.* itapeti-'ninga
Itapúa *span.* ita'pua
Itasca Lake *engl.* aı'tæskə 'leık
Itatiaia *bras.* ita'ti̯ai̯a
Itazismus ita'tsısmʊs
item 'i:tɛm
¹Item (Weiteres) 'i:tɛm
²Item (Element) 'ai̯təm
ite, missa est 'i:tə 'mısa 'ɛst
Iteration itera'tsi̯o:n
iterativ i'terati:f, *auch:* itera'ti:f, **-e** ...i:və
Iterativ 'i:terati:f, **-e** ...i:və
Iterativum itera'ti:vʊm, **...va** ...va
iterieren ite'ri:rən
Ith i:t
Ithaca *engl.* 'ıθəkə
Ithaka 'i:taka

Ithaki *neugr.* i'θaki
Ithyphallicus ity'falikʊs, **...ci** ...tsi
ithyphallisch ity'falıʃ
Itinerar itine'ra:ɐ̯
Itinerarium itine'ra:ri̯ʊm, **...ien** ...i̯ən
Ito *jap.* i'to:
Itschihara *jap.* i'tʃi.hara
Itschikawa *jap.* i'tʃi.kawa
Itschinomija *jap.* i'tʃino-.mija
ITT *engl.* aıti:'ti:
Itten 'ıtn̩
Itu *bras.* i'tu
Ituräa itu'rɛ:a
Ituräer itu'rɛ:ɐ
Iturbi i'tʊrbi, *span.* i'turβi
Itúrbide *span.* i'turβiðe
Ituri i'tu:ri
Iturup *russ.* itu'rup
Itzehoe[r] ıtsə'ho:[ɐ]
Itzig 'ıtsıç
itzo 'ıtso
itzt ıtst
itzund 'ıtsʊnt
Iulianus i̯u'li̯a:nʊs
Iulija *russ.* i'ulijɐ
Iulius 'i̯u:li̯ʊs
Iustinus i̯ʊs'ti:nʊs
Iuvara *it.* i̯u'va:ra
Iuvenalis i̯uve'na:lıs
Iuvencus i̯u'vɛŋkʊs
Iuventus *it.* i̯u'vɛntus
i. V., I. V. i:'faʊ
Ivaí *bras.* iva'i
Ivan *schwed.* 'i:van, *serbokr.* .ivan
Iván[c] *ung.* 'iva:n[ts]
Ivangrad *serbokr.* .ivaŋgra:d
Ivanhoe *engl.* 'aıvənhoʊ
Ivar *dt., schwed.* 'i:var, *dän.* 'i:'və
Iver *dän.* 'i:'vɐ
Iveragh *engl.* 'aıvərə
Ives *engl.* aıvz
Ivigtut *dän.* 'ivitud
Ivo 'i:vo, *serbokr.* .i:vɔ, *port., bras.* 'i:vu
Ivogün 'i:vogy:n, **...gyn**
Ivorer i'vo:rɐ
ivorisch i'vo:rıʃ
Ivory *engl.* 'aıvərı
Ivösjön *schwed.* .i:vø:ʃœn
Ivrea *it.* i'vrɛ:a
Ivry *fr.* i'vri
Ivy *engl.* 'aıvı
Iwaki *jap.* 'i.waki
Iwakuni *jap.* i'wa.kuni

Iwan 'i:va:n, *bulgar., russ.*
i'van
Iwangorod *russ.* ivan'gɔrɐt
Iwankowo *russ.* i'vanjkɐvɐ
Iwano-Frankowsk *russ.*
i'vanɐfran'kɔfsk
¹Iwanow *bulgar.* ivɐ'nɔf
²Iwanow *russ.* iva'nɔf, *weniger häufig:* i'vanɐf
Iwanowitsch *russ.* i'vanɐvitʃ
Iwanowo *russ.* i'vanɐvɐ
Iwanowski *russ.* iva'nɔfskij
Iwantejewka *russ.* ivan'tjejɪfkɐ
Iwaszkiewicz *poln.* ivaʃ-'kjɛvitʃ
Iwate *jap* 'i.wate
Iwein 'i:vaɪn
i wo! 'i: 'vo:
Iwo *engl.* 'i:woʊ
Iwrit[h] i'vri:t
Ixelles *fr.* ik'sɛl
ixen 'ɪksn̩
Iximché *span.* isim'tʃe
Ixion ɪ'ksi:ɔn
ixothym ɪkso'ty:m
Ixothymie ɪksoty'mi:
Ixtlán del Río *span.* is'tlan dɛl 'rrio
Izabal *span.* iθa'βal
Izalco *span.* i'θalko
Izamal *span.* iθa'mal
Izapa *span.* i'θapa
Izegem *niederl.* 'izɐɣəm
Izetbegović *serbokr.* izɛd-ˌbɛ:gɔvitɕ
İzmir ɪs'mɪr, '––, *türk.* 'izmir
İzmit *türk.* 'izmit
İznik *türk.* 'iznik
Izsák *ung.* 'iʒa:k
Iztaccíhuatl *span.* iθtak'θi-ṷatl
İzzet *türk.* iz'zɛt

J

j, J jɔt, *engl.* dʒeɪ, *fr.* ʒi, *it.*
il'luŋga, *span.* 'xota
ja, ja:
Jab dʒɛp
Jabalpur *engl.* dʒə'bælpʊə

Jabès *fr.* ʒa'bɛs
Jablanica *serbokr.* 'jabla-nitsa
Jablonec *tschech.* 'jablɔnɛts
Jablonné *tschech.* 'jablɔnɛ:
Jablonoigebirge jablo'nɔy-gəbɪrgə
Jablonowski *poln.* jabṷɔ-'nɔfski
Jablonowy Chrebęt *russ.* 'jablɐnɐvɨj xrɪ'bjɛt
Jablonski ja'blɔnski
Jabłonski *poln.* ja'bṷɔĵski
Jablonský *tschech.* 'jablɔnski:
Jablotschkow *russ.* 'jablɐtʃkɐf
Jabo 'ja:bo
Jaboatão *bras.* ʒabṷa'tẽṷ
Jaborandiblätter jabo'ran-diblɛtɐ, *auch:* ʒa...
Jabot ʒa'bo:
Jabotinsky jabo'tɪnski, *engl.* ʒæbə'tɪnskɪ
Jabrud ja'bru:t
Jaca *span.* 'xaka
Jacareí *bras.* ʒakare'i
Jaccottet *fr.* ʒakɔ'tɛ
J'accuse *fr.* ʒa'ky:z
Jachenau jaxə'naṷ
Jachimo 'dʒakimo
Jachmann 'jaxman
Jacht jaxt
Jachym 'jaxɪm
Jáchymov *tschech.* 'ja:xɪmɔf
Jack *engl.* dʒæk
Jäckchen 'jɛkçən
Jacke 'jakə
Jäckel 'jɛkl̩
Jacket 'dʒɛkət...
Jäckh jɛk
Jackpot 'dʒɛkpɔt
Jacks[on] *engl.* dʒæks[n]
Jacksonville *engl.* 'dʒæksnvɪl
Jackstag 'dʒɛkʃta:k, -e ...a:gə
Jacky *engl.* 'dʒæki
Jacob 'ja:kɔp, *engl.* 'dʒeɪ-kəb, *fr.* ʒa'kɔb, *schwed.* ˌja:kɔp, *norw.* ˌja:kɔb, *dän.* 'jakɔb
Jacobaeus *schwed.* jakɔ-'be:ʊs
Jacobi ja'ko:bi, *engl.* dʒə-'koʊbɪ
Jacobs *dt., niederl.* 'ja:kɔps, *engl.* 'dʒeɪkəbz

Jacobsen *dän.* 'jakɔbsn̩, *norw.* 'ja:kɔpsən
Jacobsohn 'ja:kɔpzo:n
Jacobson 'ja:kɔpsən, *schwed.* ˌja:kɔpsɔn, *engl.* 'dʒækəbsn
Jacobsz *niederl.* 'ja:kɔps
Jacobus ja'ko:bʊs, *niederl.* ja'ko:bʏs, *engl.* dʒə'koʊbəs
Jacobus a Voragine ja'ko:-bʊs a vo'ra:gine
Jacoby ja'ko:bi, *engl.* dʒə-'koʊbɪ
Jacomart *span.* xako'mar
Jaconet 'ʒakɔnɛt, ––'–
Jaconnet 'ʒakɔnɛt, ––'–
Jacopo *it.* 'ja:kopo
Jacopone *it.* jako'po:ne
Jacotot *fr.* ʒakɔ'to
Jacquard *fr.* ʒa'ka:r
Jacquard... ʒa'ka:ɐ̯...
Jacque *fr.* ʒak
Jacqueline *fr.* ʒa'klin, ʒɑ'klin, *engl.* 'dʒækli:n
Jacquerie ʒakə'ri:
Jacques ʒak, *fr.* ʒɑ:k, ʒak
Jacques Cartier *fr.* ʒɑk-kar'tje, *engl.* ʒɑ:k kɑ:'tjeɪ
Jacquet *fr.* ʒa'kɛ
Jacuí[pe] *bras.* ʒa'kṷi[pi]
Jacuzzi® ja'kutˌsi, *auch:* dʒɛ'ku:zi
Jadassohn 'ja:dasʒo:n
jade, Jade 'ja:də
Jadebusen *fr.* ja'dəbu:zn̩
Jadeit jade'i:t
jaden 'ja:dn̩
Jadotville *fr.* ʒado'vil
j'adoube *fr.* ʒa'dub
Jadran *serbokr.* 'jadra:n, j...
Jadwiga jat'vi:ga, *poln.* jad-'viga
Jadwinger 'jatvɪŋɐ
Jaeckel 'jɛkl̩
Jaeckle 'jɛklə
Jaeger 'jɛ:gɐ, *norw.* 'je:gər
Jæger *norw.* 'jɛ:gər
Jaeggi 'jɛgi
Jaén *span.* xa'en
Jaensch jɛnʃ
Jæren *norw.* 'jæ:rən
Jafet ja'fɛt
Jaffa 'jafa
Jaffé ja'fe:
Jaffna *engl.* 'dʒæfnə
Jagan *engl.* 'dʒeɪgən, 'dʒæ-gən
Jagd ja:kt
jagdlich 'ja:ktlɪç
Jagello ja'gɛlo

Jagellone jagɛ'lo:nə
Jagemann 'ja:gəman
jagen 'ja:gn̩, jag! ja:k, jagt
  ja:kt
Jäger 'jɛ:gɐ
Jägerei jɛ:gə'rai̯
Jägerndorf 'jɛ:gɐndɔrf
jaghnobisch ja'gno:bɪʃ
Jagič serbokr. 'ja:gitɕ
Jagiełło poln. ja'gjɛu̯ɔ
Jagiellone jagiɛ'lo:nə
Jago 'ja:go
Jagoda ja'go:da, russ.
  'jagɐdɐ
Jagow 'ja:go
Jagst jakst
Jagsthausen jakst'hau̯zn̩
Jaguar 'ja:gu̯a:ɐ̯
jäh jɛ:
Jähe 'jɛ:ə
Jähheit 'jɛ:hai̯t
Jahier fr. ʒa'je
Jahja 'jahja
jählings 'jɛ:lɪŋs
Jahn[n] ja:n
Jahr ja:ɐ̯
jahraus ja:ɐ̯'|au̯s
Jährchen 'jɛ:ɐ̯çən
jahrein ja:ɐ̯'|ai̯n
jahrelang 'ja:rəlaŋ
jähren 'jɛ:rən
Jahrfünft ja:ɐ̯'fʏnft
Jahrhundert ja:ɐ̯'hʊndɐt
jährig 'jɛ:rɪç, -e ...ɪgə
...jährig ....jɛ:rɪç, -e ...ɪgə
jährlich 'jɛ:ɐ̯lɪç
Jährling 'jɛ:ɐ̯lɪŋ
Jahrmillionen ja:ɐ̯mɪ'li̯o:-
  nən
Jahrtausend ja:ɐ̯'tau̯znt̩
Jahrzehnt ja:ɐ̯'tse:nt
Jahve 'ja:ve, auch: 'ja:və
Jahvist ja'vɪst
Jahwe 'ja:ve, auch: 'ja:və
Jähzorn 'jɛ:tsɔrn
Jaila russ. jɪj'la
Jaime span. 'xai̯me, port.
  'ʒai̯mə, bras. 'ʒai̯mi
Jaimes span. 'xai̯mes
Jaina 'dʒai̯na
Jainismus dʒai̯'nɪsmʊs
Jaipur engl. 'dʒai̯pʊə
Jairus ja'i:rʊs
Jaiwa russ. 'jai̯vɐ
jaja! ja'ja:
Jajce serbokr. 'ja:jtsɛ
Jaisu jap. ja'i.su
Jak jak
Ják ung. ja:k

Jakaranda jaka'randa
Jakarta indon. dʒa'karta
Jakeš tschech. 'jakeʃ
Jako 'jako
Jakob dt., niederl. 'ja:kɔp,
  schwed. ˌja:kɔp, dän.
  'jakɔb, isl. 'ja:kɔ:b
Jakób poln. 'jakup
Jakoba ja'ko:ba
Jakobäa jako'bɛ:a
Jaköbchen 'ja:kœpçən
Jakobi ja'ko:bi, russ. jɪ'kɔbi
Jakobine jako'bi:nə
Jakobiner jako'bi:nɐ
Jakobit jako'bi:t
Jakobsberg schwed.
  ˌja:kɔbs'bærj
Jakobshavn dän. 'jakɔbs-
  hau̯'n
Jakobson engl. 'ja:kəbsən
Jakobus ja'ko:bʊs
Jakonett 'ʒakɔnɛt, --'-
Jakopič slowen. 'ja:kɔpitʃ
Jakow russ. 'jakɐf
Jakowlew russ. 'jakɐvlɪf
Jakowlewitsch russ.
  'jakɐvlɪvitʃ
Jakowlewna russ. 'jakɐv-
  lɪvnɐ
Jakšić serbokr. 'jakʃitɕ
Jaktation jakta'tsi̯o:n
Jakub ja'ku:p, tschech.
  'jakup, russ. jɪ'kup
Jakubec tschech. 'jakubɛts
¹Jakubowitsch (Familien-
  name) russ. jɪku'bɔvitʃ
²Jakubowitsch (Sohn des
  Jakub) russ. jɪ'kubɐvitʃ
Jakubowna russ. jɪ'ku-
  bɐvnɐ
Jakubowska poln. jaku-
  'bɔfska
Jakubowski russ. jɪku'bɔf-
  skij
Jakut[e] ja'ku:t[ə]
Jakutien ja'ku:tsi̯ən,
  ...u:ti̯ən
Jakutsk ja'kʊtsk, russ.
  jɪ'kutsk
Jalalabad afgh. dʒælala'bad
Jalandhar engl. dʒɔ'lændə
Jalapa span. xa'lapa
Jalape ja'la:pə
Jaleo xa'le:o
Jalgaon engl. 'dʒɑ:lgaʊn
Jalisco span. xa'lisko
Jälmaren schwed. 'jɛlmarən
Jalon ʒa'lõ:
Jalón span. xa'lɔn
Jalousette ʒalu'zɛtə

Jalousie ʒalu'zi:, -n ...i:ən
Jaloux fr. ʒa'lu
Jalta 'jalta, russ. 'jaltɐ
Jalu 'ja:lu
Jaluit engl. 'dʒælʊit
Jam dʒɛm
Jama dt., slowen. 'ja:ma
Jamagata jap. ja'ma.gata
Jamagutschi jap. ja'ma-
  ˌgutʃi
Jamaica ja'mai̯ka, engl.
  dʒə'mei̯kə
Jamaika ja'mai̯ka
Jamaikaner jamai̯'ka:nɐ
Jamal russ. jɪ'mal
Jamalo-Nenze ja'ma:lo-
  'nɛntsə
Jamalpur engl. dʒə'ma:lpʊə
Jamamoto jap. ja'ma.moto
Jaman fr. ʒa'mã
Jamanaschi jap. ja'ma.naʃi
Jamantau russ. jɪman'tau̯
Jamato jap. 'ja.mato
Jambe 'jambə
Jambelegus jamp'le:legʊs,
  ...gi ...gi
Jambes fr. ʒã:b
Jambi indon. 'dʒambi
Jambiker 'jambikɐ
jambisch 'jambɪʃ
Jamblichos 'jamblɪçɔs
Jambograph jambo'gra:f
Jambol bulgar. 'jambol
Jamboree dʒɛmbə'ri:
Jambus 'jambʊs
Jambuse jam'bu:zə
James engl. dʒei̯mz
James Grieve 'dʒe:ms 'gri:f
Jameson[e] engl. dʒei̯msn
Jamestown engl.
  'dʒei̯mztau̯n
Jamin fr. ʒa'mɛ̃
Jammer 'jamɐ
Jammerbugt dän.
  'jam'ɐbʊgd
jämmerlich 'jɛmɐlɪç
Jämmerling 'jɛmɐlɪŋ
jammern 'jamɐn
jammerschade 'jamɐ'ʃa:də
Jammes fr. ʒam
Jammu engl. 'dʒæmu:
Jamnagar engl. dʒɑ:m'nægə
Jamnitz[er] 'jamnɪts[ɐ]
Jams jams
Jämsä finn. 'jæmsæ
Jamsession 'dʒɛmzɛʃn̩
Jamshedpur engl. 'dʒɑ:m-
  ʃɛdpʊə
Jamund 'ja:mʊnt

Jamunder ja'mʊndɐ
Jamyn *fr.* ʒa'mɛ̃
¹Jan (Vorname) *dt., poln., tschech.* jan, *niederl.* jɑn
²Jan (Familienname) ja:n, *russ.* jan
Jana *russ.* 'janɐ
Jináček *tschech.* 'jana:tʃɛk
Jancofiore *it.* ˌjaŋko'fi̯o:re
Janda *span.* 'xanda
Jändel *schwed.* 'jɛndəl
Jandl 'jandl̩
Jane dʒe:n, *engl.* dʒeɪn
Janequin *fr.* ʒan'kɛ̃
Janes[ville] *engl.* 'dʒeɪnz[vɪl]
Janet *fr.* ʒa'nɛ, *engl.* 'dʒænɪt
Janevski *mak.* 'janɛfski
Jang jaŋ
Jangada ʒaŋ'ga:da, ja...
Jangadeiro ʒaŋga'de:ro, ja...
Jangijul *russ.* jɪŋgi'julj
Jangtse[kiang] 'jaŋ-tsə[ki̯aŋ]
Janhagel jan'ha:gl̩, '−−−
Janicki *poln.* ja'nitski
Janiculum ja'ni:kulʊm
Janiculus mons ja'ni:kulʊs 'mɔns
Janigro *it.* ˌja'ni:gro
Janikulus ja'ni:kulʊs
Janin *fr.* ʒa'nɛ̃
Janinet *fr.* ʒani'nɛ
Janitschar jani'tʃa:ɐ
Janitschek 'janitʃɛk
Jank[au] 'jaŋk[aʊ̯]
janken 'jaŋkn̩
Janker 'jaŋkɐ
Jankó *ung.* 'jɔŋko:
Jankovič *serbokr.* ˌjaŋkɔvitɕ
Jan Maat 'jan 'ma:t
Janmaat jan'ma:t, '−−
Jan Mayen *norw.* jan'mai̯ən
Jannequin *fr.* ʒan'kɛ̃
Jänner 'jɛnɐ
Jannings 'janɪŋs
János *ung.* 'ja:noʃ
Janosch 'ja:nɔʃ, 'janɔʃ
Jánoshegy *ung.* 'ja:noʃhɛdj
Janot *fr.* ʒa'no
Janovskis *lett.* 'janɔfskɪs
Janow 'ja:no
Janowitz 'janɔvɪts
Janowsky *ukr.* ja'nɔu̯skɪj
Jans jans
Jansen 'janzn̩, *niederl.* 'jɑnsə
Jansenismus janze'nɪsmʊs
Jansenist janze'nɪst

Jansenius jan'ze:ni̯ʊs, *niederl.* jɑn'se:nɪvs
Janševskis *lett.* 'janʃefskɪs
Janské Lázně *tschech.* 'janskɛ: 'la:znjɛ
Janson *fr.* ʒã'sõ, *norw.* 'jansɔn, *niederl.* 'jɑnsɔn
Janssand 'janszant
Janssen 'jansn̩, *niederl.* 'jɑnsə, *fr.* ʒã'sɛn
Janssens *niederl.* 'jɑnsəns
Jansson *schwed.* 'jɑ:nsɔn
Jantarny *russ.* jɪn'tarnɪj
Jantra *bulgar.* 'jantrɐ
Jantzen 'jantsn̩
Januar 'janu̯a:ɐ
Jánuarius ja'nu̯a:ri̯ʊs
Janus 'ja:nʊs
Jánuš *slowak.* 'ja:nuʃ
Jao *jap.* 'ja.o
Japan 'ja:pan
Japaner ja'pa:nɐ
Japanese japa'ne:zə
japanisch ja'pa:nɪʃ
Japanologe japano'lo:gə
Japanologie japanolo'gi:
Japetus 'ja:petʊs
Japhet 'ja:fɛt
Japhetit jafe'ti:t
Japhetitologe jafetito'lo:gə
Japhetitologie jafetitolo'gi:
Japiks 'ja:pɪks
Japon ʒa'põ:
jappen 'japn̩
Japs japs
japsen 'japsn̩
Japurá *bras.* ʒapu'ra
Japyger ja'py:gɐ
Jaquenetta ʒake'nɛta
Jaques *fr.* ʒak
Járdányi *ung.* 'ja:rda:nji
Jardiel *span.* xar'ði̯ɛl
Jardiniere ʒardi'ni̯e:rə
¹Jargon (Sprache) ʒar'gõ:
²Jargon (Mineral) jar'go:n
Jargonismus ʒargo'nɪsmʊs
Jari *bras.* ʒa'ri
Jarkand jar'kant
Jarkend jar'kɛnt
Jarl jarl
Jarmuk jar'mu:k
Jarmulke 'ja:ɐ̯mʊlkə, ...ka ...ka
Jarnać *fr.* ʒar'nak
Jarnach 'jarnax
Järnefelt *schwed.* ˌjæ:rnəfɛlt
Jarnés *span.* xar'nes
Jarník *tschech.* 'jarnji:k, *rumän.* 'jarnik
Jarno 'jarno

Jarocin *poln.* ja'rɔtɕin
Jaroff 'ja:rɔf
Jaroměř *tschech.* 'jarɔmjɛrʃ
Jaromir 'ja:romi:ɐ̯
Jaromír *tschech.* 'jarɔmi:r
Jaroš *slowak.* 'jarɔʃ
Jaroschenko *russ.* jɪra-'ʃɛnkɐ
Jaroslau 'jarɔslau̯
Jaroslaw *russ.* jɪra'slaf
Jarosław *poln.* ja'rɔsu̯af
Jaroslawl *russ.* jɪra'slavlj
Jarosławski *russ.* jɪra'slafskij
Jaroszewicz *poln.* jarɔ'ʃɛvitʃ
Jarotschin 'jarotʃi:n
Jarowisation jaroviza-'tsi̯o:n
jarowisieren jarovi'zi:rən
Jarrell *engl.* dʒə'rɛl
Jarres 'jarəs
Jarring *schwed.* 'jariŋ
Jarrow *engl.* 'dʒærou̯
Jarry *fr.* ʒa'ri
Jaruzelski *poln.* jaru'zɛlski
Järvenpää *finn.* 'jærvɛmpæ:
Jarvis *engl.* 'dʒɑ:vɪs
Jarzewo *russ.* 'jartsəvɐ
Jaschmak jaʃ'mak
Jasd *pers.* jæzd
Jasidschi 'jazidʒi
Jasieński *poln.* ja'ɕɛi̯ski
Jašík *slowak.* 'jaʃi:k
Jasiński *poln.* ja'ɕii̯ski
Jasło *poln.* 'jasu̯o
¹Jasmin jas'mi:n
²Jasmin (Name) *fr.* ʒas'mɛ̃
Jasmund 'jasmʊnt
Jasmunder 'jasmʊndɐ
Jasnaja Poljana *russ.* 'jas-nɐjə pɐ'ljanɐ
Jasnoje *russ.* 'jasnɐjɐ
Jasnorzewska *poln.* jasnɔ-'ʒɛfska
Jasomirgott ja'zo:mi:ɐ̯gɔt
Jason 'ja:zɔn, *engl.* dʒeɪsn̩
Jaspégarn jas'pe:garn
Jasper [Place] *engl.* 'dʒæspɔ ['pleɪs]
Jaspers 'jaspɐs
Jasperware 'dʒɛspɐva:rə
jaspieren jas'pi:rən
Jaspis 'jaspɪs, -se ...ɪsə
Jass[e] 'jas[ə]
jassen 'jasn̩
Jassenow *bulgar.* 'jasɛnɔf
Jassinowataja *russ.* jɪsina-'vatɐjɐ

Jassy 'jasi
Jastik 'jastɪk, –'–
Jastorf 'jastɔrf
Jastrow 'jastro, *engl.* 'dʒæs-troʊ
Jastrowie *poln.* jas'trɔvjɛ
Jastrun *poln.* 'jastrun
Jastrzębie Zdrój *poln.* jaʃ'tʃʃembjɛ 'zdruj
Jasykow *russ.* jɪ'zikɐf
Jászberény *ung.* 'ja:zbɛ-re:nj
Jászság *ung.* 'ja:ʃʃa:g
Jatagan jata'ga:n
jäten 'jɛ:tn̩
Jatgeir 'jatgaiɐ
Jatho 'ja:to
Játiva *span.* 'xatiβa
Jatrochemie jatroçe'mi:
Jatsuschiro *jap.* ja'tsu.ʃiro
Jatwinger 'jatvɪŋɐ
Jaú *bras.* ʒa'u
Jaubert *fr.* ʒo'bɛ:r
Jauche 'jauxə
jauchen 'jauxn̩
Jauchert 'jauxɐt
jauchig 'jauxɪç, -e …ɪgə
jauchzen 'jauxtsn̩
Jauer[nig] 'jauɐ[nɪç]
Jaufen 'jaufn̩
Jaufré Rudel *fr.* ʒofrery'dɛl
Jauk[erl] 'jauk[ɐl]
jaulen 'jaulən
Jaun jaun
Jaunde ja'ʊndə
Jauner 'jaunɐ
Jaunpur *engl.* 'dʒaunpʊə
Jaunsudrabiņš *lett.* 'jaunsudrabɪnjʃ
Jaurès *fr.* ʒɔ'rɛs, ʒo'rɛs
Jause 'jauzə
jausen 'jauzn̩, **jaus!** jaus, **jaust** jaust
jausnen 'jausnən
¹Java (Insel) 'ja:va
²Java (Inform.) 'ja:va, 'dʒa:və
Javaner ja'va:nɐ
javanisch ja'va:nɪʃ
Javari *bras.* ʒava'ri
Javel *fr.* ʒa'vɛl
Javier *span.* xa'βiɛr
Javorník *tschech.* 'javɔrnji:k
Javorníky *slowak.* 'javɔrnji:ki
Jawa *indon.* 'dʒawa
Jawara *engl.* ʒɑ:'wa:rɑ:
Jawlensky ja'vlɛnski
jawohl ja'vo:l
Jawor *poln.* 'javɔr

Jaworow *russ.* 'javɐrɐf, *bulgar.* 'javorof
Jaworski *poln.* ja'vɔrski, *russ.* jɪ'vɔrskij
Jaworzno *poln.* ja'vɔʒnɔ
Jaxartes ja'ksartɛs
Jay *engl.* dʒeɪ
Jayadeva dʒaja'de:va
Jayapura *indon.* dʒaja'pura
Jayawardene *engl.* dʒaɪə-'wɑ:dɪnɪ
Jazyge ja'tsy:gə
Jazz dʒɛs, *auch:* jats
Jazz at the Philharmonic *engl.* 'dʒæz ət ðə fɪlɑ:'mɔnɪk
Jazzband 'dʒɛsbɛnt
jazzen 'dʒɛsn̩, *auch:* 'jatsn̩
Jazzer 'dʒɛsɐ, *auch:* 'jatsɐ
Jazzfan 'dʒɛsfɛn
jazzoid jatso'i:t, -e …i:də
je je:
Jean ʒɑ̃:, *fr.* ʒɑ̃, *engl.* dʒi:n
Jean-Baptiste *fr.* ʒɑ̃ba'tist
Jean de Meung *fr.* ʒɑ̃d'mœ̃
Jeanne *fr.* ʒɑ:n, ʒan, *engl.* dʒeɪn
Jeanne d'Arc *fr.* ʒɑn'dark
Jeanneret *fr.* ʒan'rɛ
Jeannette *fr.* ʒa'nɛt, *engl.* dʒə'nɛt
Jean Paul ʒɑ̃'paul
Jean Potage *fr.* ʒɑ̃pɔ'ta:ʒ
Jeans dʒi:ns
Jean sans Peur *fr.* ʒɑ̃sɑ̃-'pœ:r
Jębavý *tschech.* 'jɛbavi:
Jebb *engl.* dʒɛb
Jebeleanu *rumän.* ʒebe-'lɛanu
Jebus 'je:bʊs
Jebusiter jebu'zi:tɐ
Jeck, J… jɛk
Jedburgh *engl.* 'dʒɛdbərə
jedenfalls 'je:dn̩'fals
jedennoch je'dɛnɔx
jeder 'je:dɐ
jederart 'je:dɐ'la:ɐt
jederlei 'je:dɐ'lai
jedermann, J… 'je:dɐman
jederzeit 'je:dɐ'tsait
jedesmalig 'je:dəs'ma:lɪç, -e …ɪgə
Jedin je'di:n
Jędlicka 'jɛdlɪtʃka
Jędlička *tschech.* 'jɛdlɪtʃka
jedoch je'dɔx
Jędrychowski *poln.* jɛndri-'xɔfski
Jędrzej *poln.* 'jɛnddʒɛj

Jędrzejów *poln.* jɛnd'dʒɛjuf
jedweder 'je:t've:dɐ
Jeep® dʒi:p
Jefanow *russ.* jɪ'fanɐf
Jeff[eries] *engl.* 'dʒɛf[rɪz]
Jeffers *engl.* 'dʒɛfəz
Jefferson[ville] *engl.* 'dʒɛfəsn[vɪl]
Jeffery *engl.* 'dʒɛfrɪ
Jeffrey[s] *engl.* 'dʒɛfrɪ[z]
Jeffries *engl.* 'dʒɛfrɪz
Jefim *russ.* jɪ'fim
Jefimenko *russ.* jɪfi'mjɛnkɐ
Jefimow *russ.* jɪ'fimɐf
Jefimowitsch *russ.* jɪ'fimɐvitʃ
Jefimowna *russ.* jɪ'fimɐvnɐ
Jefrem *russ.* jɪ'frjɛm
Jefremow *russ.* jɪ'frjɛmɐf
Jefremowitsch *russ.* jɪ'frjɛmɐvitʃ
Jefremowna *russ.* jɪ'frjɛmɐvnɐ
Jégé *slowak.* 'jɛ:gɛ:
Jegerlehner je'gɐle:nɐ
Jegher *niederl.* 'je:jɐr
jeglicher 'je:klɪçɐ
Jegor *russ.* jɪ'gɔr
Jegorjewsk *russ.* jɪ'gɔrjɪfsk
Jegorow *russ.* jɪ'gɔrɐf
Jehan *fr.* ʒɔ'ɑ̃, ʒɑ̃
jeher 'je:he:ɐ, *auch:* '–'–
Jehol dʒe'ho:l
Jehova je'ho:va
Jehovist jeho'vɪst
Jehu 'je:hu
Jehuda je'hu:da
Jehudi je'hu:di
jein jain
Jeisk *russ.* jejsk
Jejunitis jeju'ni:tɪs, …itiden …ni'ti:dn̩
Jejunum je'ju:nʊm, …na …na
Jekaterina *russ.* jɪkɐti'rinɐ
Jekaterinburg *russ.* jɪkɐti-rim'burk
Jekaterinodar *russ.* jɪkɐtirina'dar
Jekaterinoslaw *russ.* jɪkɐtirina'slaf
Jekyll *engl.* 'dʒi:kɪl, 'dʒɛkɪl
Jelabuga *russ.* jɪ'labugɐ
Jełačić 'jɛlatʃɪtʃ
Jelängerjelieber je'lɛŋɐje-'li:bɐ
Jelena *russ.* jɪ'ljɛnɐ
Jelenia Góra *poln.* jɛ'lɛnja 'gura
Jelez[ki] *russ.* jɪ'ljɛts[kij]

Jelgawa *lett.* ˈjɛlɡava
Jelgerhuis *niederl.* ˈjɛlɣər-
hœi̯s
Jeli *russ.* ˈjelij
Jelinek ˈjɛlinɛk
Jelínek *tschech.* ˈjɛliːnɛk
Jelisaweta *russ.* jɪlizaˈvjɛtɐ
Jelisawetowskoje *russ.*
jɪlizaˈvjɛtɐfskɐjɐ
Jelissei *russ.* jɪliˈsjej
Jelissejew *russ.* jɪliˈsjejɪf
Jelissejewitsch *russ.* jɪli-
ˈsjejɪvɪtʃ
Jelissejewna *russ.* jɪli-
ˈsjejɪvnɐ
Jella ˈjɛla
Jellačić ˈjɛlatʃitʃ
Jellicoe *engl.* ˈdʒɛlɪkoʊ
Jellinek ˈjɛlinɛk, *fr.* ʒɛliˈnɛk
Jelling *dän.* ˈjelɪŋ
Jelnja *russ.* ˈjeljnjɐ
Jelpatjewski *russ.* jɪl-
ˈpatjɪfskij
Jelusich ˈjɛluzɪtʃ
Jelzin ˈjɛltsiːn, *russ.* ˈjeljtsɪn
Jemaja *indon.* dʒɐˈmadʒa
jemals ˈjeːmaːls
jemand ˈjeːmant, **-es** ...ndəs
Jemanschelinsk *russ.*
jɪmɐnʒɐˈlinsk
Jemappes *fr.* ʒɐˈmap
Jember *indon.* dʒɐmˈbɛr
Jemehr jeˈmeːɐ̯
Jemeljan[ow] *russ.*
jɪmɪljˈjan[ɐf]
Jemen ˈjeːmən
Jemenit jemeˈniːt
jemenitisch jemeˈniːtɪʃ
Jemeppe *fr.* ʒɐˈmɛp
Jemez *engl.* ˈheɪmɪs
Jemima *engl.* dʒɪˈmaɪmə
Jemina ˈjeːmina
jemine! ˈjeːmine
Jemmapes *fr.* ʒɛˈmap
Jemnitz *ung.* ˈjɛmnits
Jen jɛn
Jena ˈjeːna
Jenaer ˈjeːnaɐ
jenaisch ˈjeːnaɪʃ
Jenakijewo *russ.* jɪˈnakijɪvɐ
Jenaschimski Polkan *russ.*
jɪˈnaʃɪmskij palˈkan
Jenatsch jeˈnatʃ, ˈjeːnatʃ
Jenbach ˈjɛnbax
Jendouba *fr.* ʒɛnduˈba
Jendritzko jɛnˈdrɪtsko
Jendryschik ˈjɛndrɥʃɪk
Jenenser jeˈnɛnzɐ
jener ˈjeːnɐ
jenisch ˈjeːnɪʃ

Jenissei jenɪˈseːi, ...saɪ̯,
russ. jɪnɪˈsjej
Jenisseisk *russ.* jɪnɪˈsjejsk
Jenkin[s] *engl.* ˈdʒɛŋkɪn[z]
Jenko *slowen.* ˈjeːŋkɔ
Jennaro dʒeˈnaːro
Jenner *engl.* ˈdʒɛnɐ
Jennersdorf ˈjɛnɐsdɔrf
Jennet *engl.* ˈdʒɛnɪt
Jenney *engl.* ˈdʒɛnɪ
Jenni ˈjɛni
Jennie *engl.* ˈdʒɛnɪ, ˈdʒɪnɪ
Jennifer *engl.* ˈdʒɛnɪfə
Jenning[s] *engl.* ˈdʒɛnɪŋ[z]
Jenny ˈjɛni, *engl.* ˈdʒɛnɪ,
ˈdʒɪnɪ, *fr.* ʒɛnˈni, ʒɛˈni, *dän.*
ˈjeny, ˈjeni
Jenö *ung.* ˈjɛnøː
Jens jɛns, *dän.* jens
jenseitig ˈjeːnzaɪ̯tɪç, *auch:*
ˈjɛn...
jenseits, J... ˈjeːnzaɪ̯ts,
auch: ˈjɛn...
Jensen ˈjɛnzn̩, *dän.* ˈjensn̩,
engl. dʒɛnsn, *norw.* ˈjɛnsən
Jensma *afr.* ˈjɛnsma
Jenson *fr.* ʒãˈsõ
Jentzsch jɛntʃ
Jenufa ˈjɛnufa
Jephta[h] ˈjefta
Jeppe[sen] *dän.* ˈjebə[sn̩]
Jepsen ˈjɛpsn̩
Jequié *bras.* ʒeˈki̯ɛ
Jequitinhonha *bras.* ʒekiti-
ˈɲoɲa
Jeřábek *tschech.* ˈjɛrʒaːbɛk
Jeradа *fr.* ʒeraˈda
Jeremei *russ.* jɪrɪˈmjej
Jeremia jereˈmiːa
Jeremiade jereˈmi̯aːdə
Jeremiah *engl.* dʒɛrɪˈmaɪə
Jeremias jereˈmiːas
Jérémie *fr.* ʒereˈmi
Jeremy *engl.* ˈdʒɛrɪmɪ
Jerewan *russ.* jɪrɪˈvan
Jerez ˈçeːrɛs
Jerez de la Frontera *span.*
xeˈreθ ðe la frɔnˈtera
Jerez de los Caballeros
span. xeˈreθ ðe los kaβaˈʎe-
ros
Jerga Aläm *amh.* jərɡa
alɛm
Jergeni *russ.* jɪrɡɪˈni
Jerger ˈjɛrɡɐ
Jericho[w] *russ.* jeˈrɪço
Jeritza ˈjɛritsa
Jerjisse *fr.* ʒɛrˈʒis
Jerk dʒɐːɐ̯k, dʒœrk
Jermak *russ.* jɪrˈmak

Jermil[ow] *russ.* jɪrˈmil[ɛf]
Jermolai *russ.* jɪrmaˈlaj
Jermolin *russ.* jɪrˈmɔlin
Jermolow *russ.* jɪrˈmɔlɐf
Jernberg *schwed.* ˌjæːrnbærj
Jerne *dän.* ˈjɛɐ̯nə
Jerobeam jeˈroːbeam
Jerofei *russ.* jɪraˈfjej
Jerome *engl.* dʒəˈroʊm,
ˈdʒɛrəm
Jérôme *fr.* ʒeˈroːm
Jerónimo *port.* ʒiˈrɔnimu
Jerônimo *bras.* ʒeˈronimu
Jeropkin *russ.* jɪˈrɔpkin
Jeroschin ˈjeːrɔʃiːn
Jerram *engl.* ˈdʒɛrəm
Jerrold *engl.* ˈdʒɛrəld
Jerry *engl.* ˈdʒɛrɪ
Jerschow *russ.* jɪrˈʃɔf
¹Jersey (Stoff) ˈdʒɐːɐ̯zi,
ˈdʒœrzi
²Jersey (Name) *engl.*
ˈdʒɐːzɪ, *fr.* ʒɛrˈzɛ
Jersild *schwed.* ˌjærsild
jerum! ˈjeːrʊm
Jerusalem jeˈruːzalɛm
Jeruschalajim *hebr.* jəruʃa-
ˈlajim
Jeruslan *russ.* jɪrusˈlan
Jervis *engl.* ˈdʒɑːvɪs, ˈdʒəːvɪs
Jery ˈjeːri
Jerzy *poln.* ˈjɛʒɪ
Jesaja jeˈzaːja
Jeschiwa jeˈʃiːva
Jeschkengebirge ˈjɛʃkŋɡə-
bɪrɡə
Jeschonnek jɛˈʃɔnɛk
Jeschow *russ.* jɪˈʒɔf
Jesebel jeˈzebɛl
Jesenice *tschech.* ˈjɛsɛ-
njitsɛ, *slowen.* jɛsɛˈniːtsɛ
Jeseník *tschech.* ˈjɛsɛnjiːk
Jesenská *tschech.* ˈjɛsɛnska:
Jesenský *slowak.* ˈjɛsɛnski:
Jeserig ˈjeːzərɪç
Jeside jeˈziːdə
Jeso ˈjeːzo
Jespersen *dän.* ˈjesbɐsn̩
Jesreel ˈjɛsreeːl, *auch:* ...ɛɛl
Jess *engl.* dʒɛs
Jesse ˈjɛsə, *engl.* ˈdʒɛsɪ
Jessei *russ.* jɪsˈsjej
Jessel ˈjɛsl̩
Jesselton *engl.* ˈdʒɛsltən
Jessen ˈjɛsn̩
Jessenin *russ.* jɪˈsjenin
Jessentuki *russ.* jɪssɪntuˈki
Jesses ˈjɛsəs
Jessica ˈjɛsika, *engl.* ˈdʒɛ-
sɪkə

Jessie *engl.* 'dʒɛsɪ

Jessner 'jɛsnɐ

Jeßnitz 'jɛsnɪts

Jesso 'jɛso

Jessopp, Jessup *engl.* 'dʒɛsəp

Jessore *engl.* dʒɛ'sɔ:

Ještěd *tschech.* 'jɛʃtjɛt

jesuanisch je'zua:nɪʃ

Jesuate je'zua:tə

Jesu Christe, Jesu Christi, Jesu Christo vgl. Jesus Christus

Jesuit jezu'i:t

Jesuitismus jezui'tɪsmʊs

Jesum Christum vgl. Jesus Christus

Jesup *engl.* 'dʒɛsəp

Jesus 'je:zʊs, *port.* ʒɪ'zuʃ, *bras.* ʒe'zus, *engl.* 'dʒi:zəs

Jesús *span.* xe'sus

Jesus Christus 'je:zʊs 'krɪstʊs, **Jesu Christi** 'je:zu 'krɪsti, **Jesu Christo** 'je:zu 'krɪsto, **Jesum Christum** 'je:zʊm 'krɪstʊm, **Jesu Christe** 'je:zu 'krɪstə

Jesus Hominum Salvator 'je:zʊs 'ho:minʊm zal'va:to:ɐ

Jesus Nazarenus Rex Judaeorum 'je:zʊs natsa're:nʊs 'rɛks jude'o:rʊm

Jesus People *engl.* 'dʒi:zəs 'pi:pl

Jesus Sirach 'je:zʊs 'zi:rax

¹Jet (Flugzeug) dʒɛt

²Jet (Gagat) dʒɛt, *auch:* jɛt

Jethro 'je:tro, *engl.* 'dʒɛθroʊ

Jetlag 'dʒɛtlɛk

Jetliner 'dʒɛtlainɐ

Jeton ʒə'tõ:

Jetset 'dʒɛtzɛt

Jett dʒɛt, *auch:* jɛt

Jetstream 'dʒɛtstri:m

Jettatore dʒɛta'to:rə, ...ri ...ri

Jettchen 'jɛtçən

Jette *dt., niederl.* 'jɛtə, *fr.* ʒɛt

jetten 'dʒɛtn̩

jetzig 'jɛtsɪç, -e ...ɪgə

jetzo 'jɛtso

jetzt, J... jɛtst

Jeu ʒø:

Jeu de Paume *fr.* ʒød'po:m

jeuen 'ʒø:ən

Jeumont *fr.* ʒø'mõ

Jeunesse *fr.* ʒœ'nɛs

Jeunesse dorée ʒø'nɛs do're:

Jeunesses Musicales ʒø'nɛs myzi'kal

Jeux floraux *fr.* ʒøflɔ'ro

Jever[land] 'je:fɐ[lant], 'je:v...

Jeveraner jevə'ra:nɐ

Jevnaker *norw.* 'jɛvna:kər

Jevons *engl.* 'dʒɛvənz

Jewdokija *russ.* jɪv'dɔkijɐ

Jewdokim *russ.* jɪvda'kim

jeweilen 'je:'vailən

jeweilig 'je:'vailɪç, -e ...ɪgə

jeweils 'je:'vails

Jewel *engl.* 'dʒu:əl

Jewett *engl.* 'dʒu:ɪt

Jewgeni *russ.* jɪv'gjenij

Jewgenija *russ.* jɪv'gjenijɐ

Jewgenjewitsch *russ.* jɪv'gjenjivitʃ

Jewgenjewna *russ.* jɪv'gjenjivnɐ

Jewgraf *russ.* jɪv'graf

Jewish Agency 'dʒu:ɪʃ 'e:dʒnsi

Jewlach *russ.* jɪ'vlax

Jewlampi *russ.* jɪ'vlampij

Jewlampija *russ.* jɪ'vlampijɐ

Jewlogi *russ.* jɪ'vlɔgij

Jewpatorija *russ.* jɪfpa'tɔ:rijɐ

Jewreinow *russ.* jɪ'vrjejnɐf

Jewsewi *russ.* jɪf'sjevij

Jewstrat *russ.* jɪf'strat

Jewtichi *russ.* jɪf'tixij

Jewtuschenko *russ.* jɪftu'ʃɛnkɐ

Jeż *poln.* jɛʃ

Jezabel *le:*tsabɛl

Jezebel *engl.* 'dʒɛzəbl

jezuweilen 'je:tsu'vailən

Jhabvala *engl.* dʒa:b'va:lə

Jhansi *engl.* 'dʒa:nsi

Jhelum *engl.* 'dʒɛiləm

Jhering 'je:rɪŋ

Jiamusi *chin.* dʒiamusi141

Jiang Jieshi *chin.* dʒiaŋdʒjɛʃi 342

Jiangsu *chin.* dʒiaŋsu 11

Jiangxi *chin.* dʒiaŋçi 11

Jiang Zemin *chin.* dʒiaŋdzəmɪn 122

Jiannitsa *neugr.* jani'tsa

Jiayi *chin.* dʒia-ji 14

Jibraltar *span.* xiβral'tar

Jicaque *span.* xi'kake

Jičín *tschech.* 'jitʃi:n

jiddisch, J... 'jɪdɪʃ

Jiddist[ik] jɪ'dɪst[ɪk]

Jiez ji:ts

Jigger® 'dʒɪgɐ

Jihlava *tschech.* 'jihlava

Ji-Jitsu 'dʒi:'dʒɪtsu

Jilemnický *slowak.* 'jiljɛmnijitski:

Jilin *chin.* dʒilɪn 22

Jill *engl.* dʒɪl

Jilong *chin.* dʒilʊŋ 12

Jim *engl.* dʒɪm

Jimbolia *rumän.* ʒim'bolia

Jimena *span.* xi'mena

Jimenes çim'e:nɛs

Jiménez *span.* xi'meneθ

Jimmy *engl.* 'dʒɪmɪ

Jin jɪn

Jina 'dʒaina

Jinan *chin.* dʒinan 42

Jindřichův Hradec *tschech.* 'jindrʒixu:v 'hradɛts

Jingdezhen *chin.* dzɪŋdʌdʒən 324

Jingle 'dʒɪŋl

Jingmen *chin.* dzɪŋmən 32

Jingo 'dʒɪŋgo

Jingoismus dʒɪŋgo'ɪsmʊs

Jinismus dʒi'nɪsmʊs

jinistisch dʒi'nɪstɪʃ

Jinja *engl.* 'dʒɪndʒə

Jinmen *chin.* dʒɪnmən 12

Jinnah *engl.* 'dʒɪnə

Jinotega *span.* xino'teɣa

Jinotepe *span.* xino'tepe

Jinzhou *chin.* dʒɪndʒoʊ 11

Jipijapa *span.* xipi'xapa

Jirásek *tschech.* 'jira:sɛk

Jirgal 'jɪrgal

Jiří[ček] *tschech.* 'jɪrʒi:[tʃɛk]

Jirkov *tschech.* 'jɪrkɔf

Jirmilik jɪrmi'lɪk

Jitschin 'jɪtʃi:n

Jitterbug 'dʒɪtɐbak

Jiu *rumän.* ʒiu

Jiu-Jitsu 'dʒi:u'dʒɪtsu

Jive dʒaif

Jixi *chin.* dʒici 11

Jizerské Hory *tschech.* 'jizɛrskɛ: 'hɔri

Jo jo:, *engl.* dʒoʊ

Joab 'jo:ap

Joachim 'jo:axɪm, *auch:* jo'axɪm; *engl.* 'dʒoʊəkɪm, *fr.* ʒɔa'ʃɛ̃

Joachimsen 'jo:axɪmzn

Joachimstal[er] 'jo:axɪmsta:l[ɐ], jo'ax...

Joachimsthal 'jo:axɪmsta:l, jo'ax...

Joahas 'jo:ahas

Joan *engl.* dʒoʊn
João *port., bras.* ʒu̯ɐ̃u̯
João Pessoa *bras.* 'ʒu̯ɐ̃u̯m
pe'soa
Joarim jo'a:rɪm
Joas 'jo:as
Joasch 'jo:aʃ
¹Job (Beschäftigung) dʒɔp
²Job (Name) jo:p, *engl.*
dʒoʊb, *serbokr.* jɔb
jobben 'dʒɔbn̩, jobb! dʒɔp,
jobbt dʒɔpt
Jobber 'dʒɔbɐ
jobbern 'dʒɔbɐn, jobbre
'dʒɔbrɐ
Jobeljahr jo'be:lja:ɐ̯
Jobert *fr.* ʒɔ'bɛ:r
Jobhopping 'dʒɔphɔpɪŋ
Jobrotation 'dʒɔpro.te:ʃn̩
Jobsharing 'dʒɔpʃɛ:rɪŋ
Jobsiade jɔ'psi̯a:də
Jobst jo:pst, jɔpst
Jocelyn *fr.* ʒɔ'slɛ̃, *engl.*
'dʒɔslɪn
Joch jɔx
Jochanaan jo'xa:naan
Jochanan Ben Zakkai
'jɔxanan 'bɛn 'tsakai̯
Jochem 'jɔxm̩, *niederl.*
'jɔxəm
jochen, J... 'jɔxn̩
Jöcher 'jœçɐ
Jochum 'jɔxʊm
Jochumson *isl.* 'jɔkʏmsɔn
Jockei, ...ey 'dʒɔke, 'dʒɔki,
auch: 'dʒɔkai̯, 'jɔkai̯
Jockel 'jɔkl̩
Jockette dʒɔ'kɛtə, *auch:*
jɔ'kɛtə
Jod jo:t, -es 'jo:dəs
Jodat jo'da:t
Jode *niederl.* 'jo:də
Jöde 'jø:də
Jodel 'jo:dl̩
Jodelet *fr.* ʒɔ'dlɛ
Jodelle *fr.* ʒɔ'dɛl
jodeln 'jo:dl̩n, jodle 'jo:dlə
Jodhpur *engl.* 'dʒɔdpʊə
Jodid jo'di:t, -e ...i:də
jodieren jo'di:rən
Jodismus jo'dɪsmʊs
Jodit jo'di:t
Jodl jo:dl̩
Jodler 'jo:dlɐ
Jodo 'jo:do
Jodoform jodo'fɔrm
Jodok[us] jo'do:k[ʊs]
Jodometrie jodome'tri:
Jodrell *engl.* 'dʒɔdrəl
Joe *engl.* dʒoʊ

Joel 'jo:e:l, *auch:* 'jo:ɛl;
engl. 'dʒoʊəl
Joël 'jo:e:l, *auch:* 'jo:ɛl; *fr.*
ʒɔ'ɛl
Joenpolvi *finn.* 'jɔɛmpɔlvi
Joensuu *finn.* 'jɔɛnsu:
Joest *dt., niederl.* jo:st
Jœuf *fr.* ʒœf
Joey *engl.* 'dʒoʊi
Joffre *fr.* ʒɔfr
Joga 'jo:ga
Jogamatik joga'ma:tɪk
joggen 'dʒɔgn̩, jogg! dʒɔk,
joggt dʒɔkt
Jogger 'dʒɔgɐ
Jogging 'dʒɔgɪŋ
Joghurt 'jo:gʊrt
Jogi 'jo:gi
Jogin 'jo:gɪn
Jog[h]urt 'jo:gʊrt
Johan *niederl.* jo'han,
schwed. .ju:an, .ju:han, *dän.*
ju'hæn
Johann jo'han, *auch:*
'jo:han
Johanna jo'hana
Johanne jo'hanə
johanneisch, J... joha'ne:ɪʃ
Johannes jo'hanəs, ...nɛs,
niederl. jo'hanɔs, *schwed.*
ju'hanəs, *dän.* jʊ'hæn'əs
Johannes a Sancto Thoma
jo'hanəs a 'zaŋkto 'to:ma,
...nɛs - - -
Johannesburg jo'hanəs-
bʊrk, jo'hanɛs..., *engl.*
dʒoʊ'hænɪsbɔ:g
Johanngeorgenstadt
johange'ɔrgn̩ʃtat
Johanni jo'hani
Johannimloh jo'hanɪmlo
Johannis[berg] jo'ha-
nɪs[bɛrk]
Johannisson *schwed.* ju'ha-
nisɔn
Johanniter joha'ni:tɐ
Johannot *fr.* ʒɔa'no
Johannsdorf 'jo:hansdɔrf
Johannsen *dän.* jʊ'hæn'sn̩
Johansen 'jo:hanzn̩, *dän.*
jʊ'hæn'sn̩
Johanssen 'jo:hansən
Johans[s]on *schwed.*
.ju:hansɔn
johlen 'jo:lən
John jo:n, *engl.* dʒɔn,
schwed. jɔn
Johner 'jo:nɐ
Johnnie, Johnny *engl.*
'dʒɔnɪ

Johns *engl.* dʒɔnz
Johnson 'jo:nzɔn, *engl.*
dʒɔnsn̩, *schwed.* 'junsɔn
Johnston[e] *engl.* 'dʒɔn-
stən, dʒɔnsn̩
Johnstown *engl.* 'dʒɔnz-
taʊn
Joho 'jo:ho
Johore *indon.* 'dʒohɔr, *engl.*
dʒoʊ'hɔ:
Johst jo:st
Jöhstadt 'jø:ʃtat
Joigny *fr.* ʒwa'ni
Joint dʒɔynt
Joint Venture 'dʒɔynt
'ventʃɐ
Joinville *bras.* ʒu̯ẽ'vili
Joinville *fr.* ʒwɛ̃'vil, *engl.*
'dʒɔɪnvil
Joinville-le-Pont *fr.* ʒwɛ̃vil-
lə'põ
Jojachin 'jo:jaxɪn
Jojakim 'jo:jakɪm
Jo-Jo jo'jo:
Jojoba 'jo:joba
Jókai *ung.* 'jo:kɔi
Joker 'jo:kɐ, *auch:* 'dʒo:kɐ
Jokkaitschi *jap.* jo'ka.itʃi
Jokkmokk *schwed.* 'jɔkmɔk
Jokl 'jo:kl̩
Jokohama joko'ha:ma, *jap.*
jo'kohama
jokos jo'ko:s, -e ...o:zə
Jokosuka *jap.* jo'kosu̯ka
Jokulator joku'la:to:ɐ̯, -en
...la'to:rən
Jökulsá á Brú, - - Fjöllum
isl. 'jœ:kʏlsaṷ aṷ 'bru:,
- - 'fjœdlʏm
Jokus 'jo:kʊs, -se ...ʊsə
Jolanthe jo'lantə
Joliet *engl.* dʒoʊlɪ'ɛt
Joliette *fr.* ʒɔ'ljɛt, *engl.*
ʒɔ:li'ɛt
Joliot *fr.* ʒɔ'ljo
Jolivet *fr.* ʒɔli'vɛ
Jolle 'jɔlə
Jolly *fr.* ʒɔ'li
Joló *span.* xo'lo
Jølsen *norw.* 'jœlsən
Joly *engl.* 'dʒɔlɪ, *fr.* ʒɔ'li
Jomini *fr.* ʒɔmi'ni
Jom Kippur 'jo:m kɪ'pu:ɐ̯
Jommelli *it.* jɔm'mɛlli
Jomo *engl.* 'dʒoʊmoʊ
Jon *engl.* dʒɔn, *fr.* ʒõ
Jón *isl.* joʊn
Jona 'jo:na
Jonago *jap.* jo'nago

Jonas 'jo:nas, *engl.* 'dʒou-nəs, *schwed.* ˌju:nas
Jonás *span.* xo'nas
Jónasson *isl.* 'jounasɔn
Jonatan 'jo:natan
Jonathan 'jo:natan, *engl.* 'dʒɔnəθən
Jonckheere *niederl.* 'jɔŋkhe:rə
Jones *engl.* dʒounz
Jonesawa *jap.* jo'neˌzawa
Jonesboro *engl.* 'dʒounz-bərə
Jong[en] *niederl.* 'jɔŋ[ə]
Jongkind *niederl.* 'jɔŋkɪnt
Jongleur ʒõ'glø:ɐ̯, *auch:* ʒɔŋ'[g]lø:ɐ̯
jonglieren ʒõ'gli:rən, *auch:* ʒɔŋ'[g]li:rən
Joni 'jo:ni
Jonikus 'jo:nikʊs, ...**ki** ...ki
Jonke 'jɔŋkə
Jonker *afr.* 'jɔŋkər
Jonkheer *niederl.* 'jɔŋkhe:r
Jönköping *schwed.* ˌjœnçø:-piŋ
Jonnart *fr.* ʒɔ'na:r
Jonny 'dʒɔni, *engl.* 'dʒɔnɪ
Jonon jo'no:n
Jonquière[s] *fr.* ʒõ'kjɛ:r
Jonsdorf 'jo:nsdɔrf
Jonson *engl.* dʒɔnsn
Jonsson *norw., schwed.* 'junsɔn
Jónsson *isl.* 'jounsɔn
Jonssön 'jɔnsœn
Joos *dt., niederl.* jo:s
Jooß jo:s
Joost *niederl.* jo:st
Joplin *engl.* 'dʒɔplɪn
Jöppchen 'jœpçən
Joppe 'jɔpə
Jopson *engl.* dʒɔpsn
Jöran *schwed.* ˌjœ:ran
Jordaens *niederl.* jɔr'da:ns, '‒‒
Jordan 'jɔrdan, *engl.* dʒɔ:dn, *fr.* ʒɔr'dã
Jordán *span.* xɔr'ðan
Jordanes jɔr'da:nɛs
Jordanier jɔr'da:niɐ̯
Jordanis jɔr'da:nɪs
jordanisch jɔr'da:nɪʃ
Jordansmühl 'jɔrdansmy:l
Jordi *kat.* 'ʒɔrdi
Jörg jœrk
Jorge *span.* 'xɔrxe, *port.* 'ʒɔrʒɪ, *bras.* 'ʒɔrʒi
Jörgen *dän.* jœɐ̯n

Jorgensen *engl.* 'dʒɔːgən-sən
Jörgensen *dän.* 'jœɐ̯n'sn̩
Jorinde jo'rɪndə
Joringel jo'rɪŋl̩
Joris[z] *niederl.* 'jo:rɪs
Jork jɔrk
Jörn jœrn
Joruba 'jo:ruba
Jorullo *span.* xo'ruʎo
Joruri 'dʒo:ruri
Jos *engl.* dʒɔ:s, *niederl.* jɔs
Josa[no] *jap.* 'joˌsa[no]
Josaphat 'jo:zafat
Joschafat 'jo:ʃafat
Joschija jo'ʃi:ja
Joschka 'jɔʃka
Joschkar-Ola *russ.* jaʃ'kara'la
José *span.* xo'se, *port.* ʒu'zɛ, *bras.* ʒo'zɛ
Josef 'jo:zɛf, *schwed.* ˌju:sɛf, *tschech.* 'jozɛf
Josefo *span.* xo'sefo
Josel 'jo:zl̩
Joseph 'jo:zɛf, *engl.* 'dʒou-zɪf, *fr.* ʒo'zɛf
Josepha jo'zɛfa, jo'ze:fa
Josephine joze'fi:nə, *engl.* 'dʒouzɪfi:n
Joséphine *fr.* ʒoze'fin
Josephinich joze'fi:nɪʃ
Josephinismus jozefi'nɪs-mus
Josephson *schwed.* ˌju:sɛf-sɔn, *engl.* 'dʒouzɪfsn
Josephus jo'ze:fʊs
Josh[ua] *engl.* 'dʒɔʃ[wə]
Josiah dʒou'saɪə
Josia[s] jo'zi:a[s]
Josif *serbokr.* ˌjɔsif
Jósika *ung.* 'jo:ʃikɔ
Josip *serbokr.* 'jɔsip
Joslin *engl.* 'dʒɔslɪn
Joslowitz 'jɔslovɪts
Jospin *fr.* ʒɔs'pɛ̃
Josquin des Prés *fr.* ʒɔskɛ̃de'pre
Jossa 'jɔsa
Jost jo:st
Jostedal[sbre] *norw.* ˌjustə-da:l[sbre:]
Jost Van Dyke *engl.* 'jousʈ væn 'daɪk
Josua 'jo:zua
Jot jɔt
¹Jota (Buchstabe) 'jo:ta
²Jota (Tanz) *span.* 'xota
Jotazismus jota'tsɪsmus
Jotham 'jo:tam

jotieren jo'ti:rən
Jotunheimen *norw.* ˌjo:tʉn-heɪmən
Jotuni *finn.* 'jɔtuni
Jötunn 'jø:tʊn
Joubert *fr.* ʒu'bɛ:r
Jouhandeau *fr.* ʒuã'do
Jouhaud, Jouhaux *fr.* ʒu'o
Jou-Jou *fr.* ʒu'ʒu
¹Joule (Maß) dʒaul; DIN-*Aussprache:* dʒu:l; *auch:* ʒu:l
²Joule (Name) *engl.* dʒu:l, dʒaul, dʒoul
Jour ʒu:ɐ̯
Jourdain *fr.* ʒur'dɛ̃
Jourdan *fr.* ʒur'dã
Jour fixe ʒu:ɐ̯ 'fiks
Journaille ʒur'naljə, *auch:* ...'na:jə, ...'naɪ
Journal ʒur'na:l, *fr.* ʒur'nal, *engl.* dʒə:nl
Journalismus ʒurna'lɪsmʊs
Journalist[ik] ʒurna'lɪst[ɪk]
Jouve *fr.* ʒu:v
Jouvenet *fr.* ʒuv'nɛ
Jouvet *fr.* ʒu'vɛ
Jouy *fr.* ʒwi
Jovan *serbokr.* ˌjɔvan
Jovanka *serbokr.* ˌjɔva:ŋka
Jovanović *serbokr.* jɔˌvanɔ-vitɕ
Jovellanos *span.* xoβe'ʎa-nos
jovial jo'via:l
Jovialität joviali'tɛ:t
jovianisch jo'via:nɪʃ
Jovianus jo'via:nʊs
Jovine *it.* 'jo:vine
Jovinianus jovi'nia:nʊs
Jovius 'jo:viʊs
Jowett *engl.* 'dʒauɪt
Jowkow *bulgar.* 'jɔfkof
Joxe *fr.* ʒɔks
Joy[ce] *engl.* dʒɔɪ[s]
Joyeuse *fr.* ʒwa'jø:z
Joystick 'dʒɔystɪk
Jozef *niederl.* 'jo:zəf
Józef *poln.* 'juzɛf
József *ung.* 'jo:ʒɛf
j-te 'jɔtə
¹Juan (Währung) 'ju:an
²Juan (Johann) *span.* xu̯an
Juana, - la Loca *span.* 'xu̯ana, - la 'loka
Juan de Fuca *span.* 'xu̯an de 'fuka
Juanes *span.* 'xu̯anes
Juanita *span.* xu̯a'nita
Juanito *span.* xu̯a'nito

Juan-les-Pins fr. ʒɥãleˈpɛ̃
Juárez span. ˈxu̯areθ
Juàzeiro bras. ʒu̯aˈzei̯ru
¹Juba (König von Numidien) ˈjuːba
²Juba (Sudan) engl. ˈdʒuːbɑː
Jubainville fr. ʒybɛ̃ˈvil
Jubal ˈjuːbal
Jubbulpore engl. ˈdʒʌbəlpu̯ə
Jubel ˈjuːbl̩
jubeln ˈjuːbl̩n, **juble** ˈjuːblə
Jubilar jubiˈlaːɐ̯
Jubilate jubiˈlaːtə
Jubilatio jubiˈlaːtsi̯o
Jubilation jubilaˈtsi̯oːn
Jubiläum jubiˈlɛːʊm
Jubilee ˈdʒuːbili
jubilieren jubiˈliːrən
Jubilus ˈjuːbilʊs
Júcar span. ˈxukar
Juch[art] ˈjʊx[art]
Jucharte ˈjʊxartə
juchen ˈjʊxn̩
Juchert ˈjʊxɐt
juchhe!, Juchhe jʊxˈheː
juchhei jʊxˈhai̯
juchheirassa! jʊxˈhai̯rasa
juchheirassassa! jʊxˈhai̯rasasa
juchheisa! jʊxˈhai̯za, ...ai̯sa
juchheißa! jʊxˈhai̯sa
Juchitán span. xutʃiˈtan
Jüchser ˈjʏksɐ
juchten, J... ˈjʊxtn̩
juchzen ˈjʊxtsn̩
jucken ˈjʊkn̩
juckeln ˈjʊkl̩n
Jud juːt
Juda ˈjuːda
Judá port. ʒuˈða
Judäa juˈdɛːa
Judaika juˈdaːika
judaisieren judai̯ˈziːrən
Judaismus judaˈɪsmʊs
Judaist[ik] judaˈɪst[ɪk]
Judas ˈjuːdas, **-se** ...asə
Judd engl. dʒʌd
Jude ˈjuːdə
jüdeln ˈjyːdl̩n, **jüdle** ˈjyːdlə
Judenburg ˈjuːdn̩bʊrk
Judenitsch russ. juˈdjenitʃ
Judge engl. dʒʌdʒ
Judika ˈjuːdika
Judikarien judiˈkaːri̯ən
Judikat judiˈkaːt
Judikation judikaˈtsi̯oːn
Judikative judikaˈtiːvə
judikatorisch judikaˈtoːrɪʃ
Judikatur judikaˈtuːɐ̯

Judikum ˈjuːdikʊm
Jüdin ˈjyːdɪn
jüdisch ˈjyːdɪʃ
Judit ˈjuːdɪt
Judith ˈjuːdɪt, engl. ˈdʒuːdɪθ, fr. ʒyˈdit
Judiz juˈdiːts
judiziell judiˈtsi̯ɛl
judizieren judiˈtsiːrən
Judizium juˈdiːtsi̯ʊm, ...ien ...i̯ən
Judo ˈjuːdo
Judoka juˈdoːka
Judoma russ. ˈjudɐmɐ
Judy engl. ˈdʒuːdɪ
Juel dän. juːˈl
¹Jug (Musik) dʒak
²Jug (Fluss) russ. juk
Juga ˈjuːga
Jugend ˈjuːgn̩t
jugendlich ˈjuːgn̩tlɪç
Jugenheim ˈjuːgn̩hai̯m
Jugert ˈjuːgɐt
Jugorski Schar russ. ˈjugɐrskij ˈʃar
Jugoslavija serbokr. ju.gɔsla:vija
Jugoslawe jugoˈslaːvə
Jugoslawien jugoˈslaːvi̯ən
jugoslawisch jugoˈslaːvɪʃ
Jugow russ. ˈjugɐf, bulgar. ˈjugof
jugular juguˈlaːɐ̯
Jugulum ˈjuːgulʊm, ...la ...la
Jugurtha juˈgʊrta
jugurthinisch, J... jugʊrˈtiːnɪʃ
Juhani finn. ˈjuhɑni
Juhász ung. ˈjuha:s
juhe! juˈheː
Juhre ˈjuːrə
juhu! juˈhuː, auch: ˈjuːhu
Juice dʒuːs
Juilliard engl. ˈdʒuːli̯ɑːd
Juin fr. ʒɥɛ̃
Juist jyːst, niederl. jœi̯st
Juiz de Fora bras. ˈʒui̯z di ˈfɔra
Jujube juˈjuːbə
Ju-Jutsu juˈjʊtsu
Jujuy span. xuˈxui̯
Jukagire jukaˈgiːrə
Jukawa jap. ˈjuˌkawa
Jukebox ˈdʒuːkbɔks
Jukel ˈjʊkl̩
Jul[a] ˈjuːl[a]
Julchen ˈjuːlçən
Julei juˈlai̯, auch: ˈjuːlai̯
Julep ˈdʒuːlɛp
Jules fr. ʒyl

Julfest ˈjuːlfɛst
Juli ˈjuːli; deutlich juˈlai̯, auch: ˈjuːlai̯
Julia ˈjuːli̯a, engl. ˈdʒuːli̯ə, fr. ʒyˈlja, span. ˈxuli̯a
Julián juˈli̯aːn, engl. ˈdʒuːli̯ən, poln. ˈjuljan
Julián span. xuˈli̯an
Juliana juˈli̯aːna, engl. dʒuːˈli̯ɑːnə, niederl. jyliˈaːnɑ, span. xuˈli̯ana
Juliane juˈli̯aːnə
Julianehåb dän. juliˈɛːnəhoːˈb
julianisch juˈli̯aːnɪʃ
Juliano span. xuˈli̯ano
Julianus juˈli̯aːnʊs
Jülich ˈjyːlɪç
Julie ˈjuːli̯ə, engl. ˈdʒuːlɪ, fr. ʒyˈli
Julien fr. ʒyˈljɛ̃
Julienne fr. ʒyˈljɛn
Julier ˈjuːli̯ɐ
Juliet engl. ˈdʒuːli̯ət, fr. ʒyˈlje
Juliette fr. ʒyˈljɛt, engl. dʒuːˈljɛt
Julio span. ˈxuli̯o
Júlio port., bras. ˈʒuli̯u
julisch, J... ˈjuːlɪʃ
Julischka ˈjuːlɪʃka
Juliska ung. ˈjuliʃkɔ
Julitta juˈlɪta
Julius ˈjuːli̯ʊs, engl. ˈdʒuːli̯əs, tschech. ˈjulius
Juliusz poln. ˈjuljuʃ
Julklapp ˈjuːlklap
Jullian fr. ʒyˈljã
Jullundur engl. dʒəˈlʌndə
Jumbo ˈjʊmbo, auch: ˈdʒʊmbo
Jumelage ʒymэˈla:ʒə
Jumet fr. ʒyˈmɛ
Jumièges fr. ʒyˈmjɛːʒ
Jumilla span. xuˈmiʎa
Jumna engl. ˈdʒʌmnə
Jumneta jʊmˈneːta
Jump dʒamp
jumpen ˈdʒampn̩, auch: ˈjʊmpn̩
Jumper ˈdʒampɐ, auch: ˈdʒɛmpɐ, ˈjʊmpɐ
Jumpsuit ˈdʒampsjuːt
Junagadh engl. dʒuˈnɑːgəd
Juncal span. xuŋˈkal, port. ʒuŋˈkal
Juncker ˈjʊŋkɐ
Junction engl. ˈdʒʌŋkʃən
Jundiaí bras. ʒundi̯aˈi
June[au] engl. ˈdʒuːn[oʊ]

jung jʊŋ, **jünger** ˈjʏŋɐ
Jung (Name) jʊŋ
Jungbauer ˈjʊŋbaʊɐ
Jungdeutschland jʊŋ-
 ˈdɔ͜ʏtʃlant
Junge ˈjʊŋə
Jüngelchen ˈjʏŋlçən
jungen ˈjʊŋən
jünger vgl. jung
Jünger ˈjʏŋɐ
Jungfer ˈjʊŋfɐ
Jungfrau ˈjʊŋfra͜u
jungfräulich ˈjʊŋfrɔ͜ylɪç
Junggeselle ˈjʊŋɡəzɛlə
jungieren jʊŋˈɡiːrən
Jungingen ˈjʊŋɪŋən
Jungius ˈjʊŋɡiʊs
Jungk jʊŋk
Jünglein ˈjʏŋla͜in
Jungle ˈdʒaŋl
Jüngling ˈjʏŋlɪŋ
Jungmann ˈjʊŋman
Jungnickel ˈjʊŋnɪkl
Jung Siegfried jʊŋ ˈziːkfriːt
jüngst jʏŋst
jüngstens ˈjʏŋstn̩s
jüngsthin ˈjʏŋstˈhɪn
Jung-Wien jʊŋˈviːn
¹**Juni** (Monat) ˈjuːni; *deut-
lich* juˈnoː, *auch:* ˈjuːno
²**Juni** (Name) *span.* ˈxuni
Junimea *rumän.* ʒuˈnimea
Junín *span.* xuˈnin
junior ˈjuːni͜oːɐ
Junior ˈjuːni͜oːɐ, **-en** juˈni͜oː-
 rən
Juniorat juni͜oˈraːt
Juniperus juˈniːperʊs
Junius ˈjuːni͜ʊs
Junkart ˈdʒaŋklaːɐt
Junker ˈjʊŋkɐ, *russ.* ˈjunkɪr
Junkers ˈjʊŋkɐs
Junkfood ˈdʒaŋkfuːt
Junkie ˈdʒaŋki
Junktim ˈjʊŋktɪm
junktimieren jʊŋktiˈmiːrən
Junktor ˈjʊŋktoːɐ, **-en**
 ...ˈtoːrən
Junktur jʊŋkˈtuːɐ
Jünnan ˈjʏnan
¹**Juno** (Göttin, Planetoid)
 ˈjuːno
²**Juno** (Monat Juni; deut-
lich) juˈnoː; *auch:* ˈjuːno
junonisch juˈnoːnɪʃ
Junot *fr.* ʒyˈno
Junqueiro *port.* ʒuŋˈke͜iru
Junsele *schwed.* ˈjʊnsələ
Junta ˈxʊnta, *auch:* ˈjʊnta;
span. ˈxunta

Juon *russ.* juˈɔn
Jüpchen ˈjyːpçən
Jupe ʒyːp
Jupiá *bras.* ʒuˈpi͜a
Jupille *fr.* ʒyˈpij
Jupiter ˈjuːpitɐ
Jupon ʒyˈpõː
Jupp jʊp
Juppé *fr.* ʒyˈpe
Jupp[iter] ˈjʊp[itɐ]
¹**Jura** ˈjuːra
²**Jura** (Name) ˈjuːra, *engl.*
 ˈdʒʊərə, *fr.* ʒyˈra
Juraj *serbokr.* ˈjuraj
Jurament juraˈmɛnt
Juramento *span.* xura-
 ˈmento
jura novit curia ˈjuːra
 ˈnoːvɪt ˈkuːri͜a
jurare in verba magistri
 juˈraːrə ɪn ˈvɛrba maˈɡɪstri
Jurassier juˈrasi͜ɐ
jurassisch juˈrasɪʃ
Jurator juˈraːtoːɐ̯, **-en** jura-
 ˈtoːrən
Jurčič *slowen.* ˈjuːrtʃɪtʃ
Jurga *russ.* jurˈɡa
Jürgen[s] ˈjʏrɡn̩[s]
Jürgensen *dän.* ˈjyɡn̩sn̩
Juri ˈjuːri, *russ.* ˈjurij
juridisch juˈriːdɪʃ
jurieren juˈriːrən
Jurieu *fr.* ʒyˈrjø
Jurinac ˈjuːrinats
Jurisconsultus jurɪskɔn-
 ˈzʊltʊs, ...**ti** ...ti
Jurisdiktion jurɪsdɪkˈtsi͜oːn
Jurisprudenz jurɪspruˈdɛnts
Jurist juˈrɪst
Juristerei jurɪstəˈra͜i
juristisch juˈrɪstɪʃ
Jurjew *russ.* ˈjurjɪf
Jurjewez *russ.* ˈjurjɪvɪts
Jurjew-Polski *russ.* ˈjurjɪf-
 ˈpɔlskij
Jurjusan *russ.* jurjuˈzanj
Jurković *serbokr.* ˈjuːrkɔvɪtɕ
Jūrmala *lett.* ˈjuːrmala
Jurong *indon.* ˈdʒuːrɔŋ
Juror ˈjuːroːɐ̯, **-en** juˈroːrən
Jurte ˈjʊrtə
Juruá *bras.* ʒuˈru͜a
Juruena *bras.* ʒuˈru͜ena
Jürük jyˈrʏk
Jürüke jyˈryːkə
Jury ʒyˈriː, *auch:* ˈʒyːri,
 ˈdʒuːri, ˈjuːri
¹**Jus** (Recht) juːs, **Jura**
 ˈjuːra
²**Jus** (Saft) ʒyː, **des** - ʒyː[s]

Jus ad rem ˈjuːs at ˈrɛm
Juschidsch *pers.* juˈʃiːdʒ
Juschin *russ.* ˈjuʒin
Juschkewitsch *russ.* juʃ-
 ˈkjevitʃ
Juschno-Sachalinsk *russ.*
 ˈjuʒnɐsɛxaˈlinsk
Juschny *russ.* ˈjuʒnij
Jus divinum ˈjuːs diˈviːnʊm
Jus gentium ˈjuːs ˈɡɛntsi͜ʊm
Juskowiak jʊsˈkoːvi͜ak
Jus naturale ˈjuːs natuˈraːlə
Juso ˈjuːzo
Jus primae noctis ˈjuːs
 ˈpriːmɛ ˈnɔktɪs
jusqu'au bout *fr.* ʒyskoˈbu
Jussi *finn.* ˈjussi
Jussieu *fr.* ʒyˈsjø
Jussiv ˈjʊsiːf, **-e** ...iːvə
Jus strictum ˈjuːs ˈstrɪktʊm
Jussuf ˈjʊsʊf
just jʊst
Just jʊst, *engl.* dʒʌst
Justage jʊsˈtaːʒə
justament jʊstaˈmɛnt
Juste *fr.* ʒyst
Justemilieu ʒystmiˈli͜øː
Justi ˈjʊsti
justieren jʊsˈtiːrən
Justifikation jʊstifikaˈtsi͜oːn
Justifikatur jʊstifikaˈtuːɐ̯
justifizieren jʊstifiˈtsiːrən
Justin jʊsˈtiːn, *engl.* ˈdʒʌs-
 tɪn, *fr.* ʒysˈtɛ̃
Justina jʊsˈtiːna
Justine jʊsˈtiːnə, *fr.* ʒysˈtin
Justino *span.* xusˈtino
just in time ˈdʒast ɪn ˈta͜im
Justinus jʊsˈtiːnʊs
Justitia jʊsˈtiːtsi͜a
Justiz jʊsˈtiːts
justiziabel jʊstiˈtsi͜aːbl̩,
 ...**ble** ...blə
Justiziar jʊstiˈtsi͜aːɐ̯
Justiziär jʊstiˈtsi͜ɛːɐ̯
Justiziariat jʊstitsi͜aˈri͜aːt
Justiziarius jʊstiˈtsi͜aːri͜ʊs,
 ...**ien** ...i͜ən
justiziell jʊstiˈtsi͜ɛl
Justizium jʊsˈtiːtsi͜ʊm, ...**ien**
 ...i͜ən
Justo *span.* ˈxusto
Justus ˈjʊstʊs, *niederl.* ˈjʏs-
 tʏs
Jute ˈjuːtə
Jüte ˈjyːtə
Jüterbog ˈjyːtɐbɔk
Juthunge ˈjuːtʊŋə
Jutiapa *span.* xuˈti͜apa

Juticalpa *span.* xuti'kalpa
jütisch 'jy:tɪʃ
Jutkewitsch *russ.* jut'kje-
vitʃ
Jütland 'jy:tlant
Jutta 'juta
Jutte 'jutə
Juturna ju'turna
Juvara *it.* ju'va:ra
Juvenal[is] juve'na:l[ɪs]
juvenalisch, J... juve'na:lɪʃ
juvenalisieren juvenali'zi:-
rən
Juvenat juve'na:t
Juvencus ju'vɛŋkʊs
juvenil juve'ni:l
Juvenilismus juveni'lɪsmʊs
Juvenilität juvenili'tɛ:t
Juventus ju'vɛntʊs
juvivallera! juvi'valəra,
juvi'fa...
Juwel ju've:l
Juwelier juve'li:ɐ̯
Jux jʊks
juxen 'jʊksn̩
Juxta 'jʊksta
Juxtakompositum jʊksta-
kɔm'po:zitʊm, ...ta ...ta
Juxtaposition jʊkstapozi-
'tsio:n
Juxtapositum jʊksta'po:zi-
tʊm, ...ta ...ta
Juxte 'jʊkstə
jwd jɔtve:'de:
Jylland *dän.* 'jylæn'
Jyväskylä *finn.* 'jyvæskylæ

K

k, K ka:, *engl.* keɪ, *fr.* ka, *it.*
'kappa, *span.* ka
κ, K 'kapa
Kaaba 'ka:aba
Kaaden 'ka:dn̩
Kaalund *dän.* 'ko:lʊn'
Kaapstad *afr.* 'ka:pstat
Kaarst ka:ɐ̯st
Kaas ka:s
Kaaz ka:ts
Kabache ka'baxə
Kabacke ka'bakə
Kabah *span.* ka'βax

Kabak *hebr.* 'kabak
¹Kabale ka'ba:lə
²Kabale *engl.* ka:'ba:leɪ
Kabalewski *russ.* kɐba'ljɛf-
skij
kabalieren kaba'li:rən
kabalisieren kabali'zi:rən
Kabalist kaba'lɪst
Kabalo *fr.* kaba'lo
Kabanossi kaba'nɔsi
Kabardiner kabar'di:nɐ
Kabarett kaba'rɛt, *auch:*
...re:, 'kabarɛt, ...re
Kabarettier kabarɛ'tje:
Kabarettist kabarɛ'tɪst
Kabäuschen ka'bɔysçən
Kabbala 'kabala
Kabbalist[ik] kaba'lɪst[ɪk]
Kabbelei kabə'laɪ
kabbelig 'kabəlɪç, -e ...ɪgə
kabbeln 'kabl̩n, kabble
'kablə
Kabel 'ka:bl̩
Kabeljau 'ka:bljau
kabeln 'ka:bl̩n, kable
'ka:blə
Kabi 'ka:bi
Kabila ka'bi:la, *fr.* kabi'la
Kabinda ka'bɪnda, *fr.*
kabin'da
Kabine ka'bi:nə
Kabinett kabi'nɛt
Kabir ka'bi:ɐ̯
Kabis 'ka:bɪs
Kablukow *russ.* kɐblu'kɔf
Kabotage kabo'ta:ʒə
kabotieren kabo'ti:rən
Kabrio 'ka:brio
Kabriolett kabrio'lɛt
Kabriolimousine kabrio-
limu'zi:nə
Kabuff ka'bʊf
Kabuki ka'bu:ki
Kabul 'ka:bʊl, *afgh.* ka'bəl,
ka'bul
Kabuse ka'bu:zə
Kabüse ka'by:zə
Kabwe *engl.* 'ka:bweɪ
Kabyle ka'by:lə
Kabylei kaby'laɪ
Kabylie *fr.* kabi'li
Kachektiker ka'xɛktikɐ
kachektisch ka'xɛktɪʃ
Kachel 'kaxl̩
kacheln 'kaxl̩n
Kachelofen 'kaxl̩|o:fn̩
Kachetien ka'xe:tsjən
Kachexie kaxɛ'ksi:, -n
...i:ən
Kachowka *russ.* ka'xɔfkɐ

Kachowski *russ.* ka'xɔfskij
Kačić *serbokr.* 'katʃitɕ
Kačkar *türk.* katʃ'kar
Kacke 'kakə
kacken 'kakn̩
kackfidel 'kakfi'de:l
Kaczkowski *poln.* katʃ-
'kɔfski
Kadaň *tschech.* 'kadanj
Kádár *ung.* 'ka:da:r
Kadare *alban.* kada're
Kadarif ka'da:rɪf
Kadaver ka'da:vɐ
Kadaverin kadave'ri:n
Kaddisch ka'di:ʃ
Kadelburg 'ka:dl̩bʊrk
Kaden-Bandrowski *poln.*
'ka:dɛmban'drɔfski
Kadenz ka'dɛnts
kadenzieren kadɛn'tsi:rən
Kader 'ka:dɐ
Kadesch ka'de:ʃ
Kadett ka'dɛt
Kadhdhafi ka'da:fi
Kadi 'ka:di
Kadijewka *russ.* 'kadijɪfkɐ
Kadıköy *türk.* ka'dikœj
Kadinen ka'di:nən
Kadłubek *poln.* ka'duubɛk
Kadmea kat'me:a
kadmeia kat'maia
kadmeisch kat'me:ɪʃ
kadmieren kat'mi:rən
Kadmium 'katmiʊm
Kadmos 'katmɔs
Kadmus 'katmʊs
Kadoma *jap.* ka'doma
Kadosa *ung.* 'kɔdoʃɔ
Kadschare ka'dʒa:rə
kaduk ka'du:k
Kaduna *engl.* kə'du:nə
kaduzieren kadu'tsi:rən
Kaédi *fr.* kae'di
Kaesŏng *korean.* kɛsɔŋ
Kaf[a] 'ka:f[a]
Kafan *russ.* ka'fan
Kafarnaum ka'farnaʊm
Kaff[a] 'kaf[a]
Kaffee 'kafe, *auch:* ka'fe:
Kaffein kafe'i:n
Kaffer 'kafɐ
Kaffka *ung.* 'kɔfkɔ
Käfig 'kɛ:fɪç, -e ...ɪgə
käfigen 'kɛ:fɪgn̩, käfig! ...ɪç,
käfigt ...ɪçt
Kafiller ka'fɪlɐ
Kafillerei kafɪlə'raɪ
Kafir 'ka:fɪr
Kafiristan ka'fi:rɪsta[:]n
Kafka 'kafka

kafkaesk kafka'ɛsk
Kafr Ad Dauwar, - Asch
 Schaich, - As Saijat 'kafɐ
 adau̯'va:ɐ̯, - a'ʃai̯ç, - asai̯-
 'ja:t
Kaftan 'kaftan
Käfterchen 'kɛftɐçən
Kagan russ. ka'gan
Kaganowitsch russ. kɐga-
 'nɔvitʃ
Kagawa jap. 'ka.gawa
Kagel 'ka:gḷ, span. ka'xɛl
Kagera engl. ka:'gɛra:, fr.
 kage'ra
Kagoschima jap. ka'goʃima
Kagu 'ka:gu
Kahane ka'ha:nə
kahl, K... ka:l
Kahla 'ka:la
Kahlau 'ka:lau̯
Kahlbaum 'ka:lbau̯m
Kahle[nberg] 'ka:lə[nbɛrk]
Kahler 'ka:lɐ
Kähler 'kɛ:lɐ
Kahler Asten 'ka:lɐ 'astṇ
Kahm ka:m
kahmen 'ka:mən
kahmig 'ka:mıç, -e ...ıgə
¹Kahn ka:n, Kähne 'kɛ:nə
²Kahn (Name) ka:n, engl.
 ka:n, fr. ka:n, kan
Kähnchen 'kɛ:nçən
Kahnweiler 'ka:nvai̯lɐ
Kahoolawe engl. ka:'hou̯-
 ou̯'la:wei
Kahr ka:ɐ̯
Kahului engl. 'ka:hu:'lu:i
Kai kai̯
Kaieteur Falls engl. 'kai̯ətu̯ə
 'fɔ:lz
Kaifeng chin. kai̯fəŋ 11
Kaifu jap. ka'ifu
Kaik 'ka:ık
Kaikos 'ka:ikɔs
Kaila[s] finn. 'kai̯la[s]
Kailua engl. kai̯'lu:ə
Kaim[an] 'kai̯m[an]
Kain kai̯n, auch: 'ka:ın
Kainit kai̯'ni:t
Kainz kai̯nts
Kaiphas 'kai̯fas, auch: 'ka:i-
 fas
Kairakkum russ. kɐjrak-
 'kum
Kairo 'kai̯ro
Kairoer 'kai̯roɐ
kairophob kai̯ro'fo:p, -e
 ...o:bə
Kairophobie kai̯rofo'bi:, -n
 ...i:ən

Kairos kai̯'rɔs, ...roi ...'rɔy
Kairouan fr. kɛ'rwã
Kairow russ. ka'irɐf
Kairuan kai̯'rua:n
Kaisarion kai̯'za:ri̯ɔn
Kaisen 'kai̯zṇ
Kaiser 'kai̯zɐ, engl. 'kai̯zə
Kaiser-Friedrich-Museum
 kai̯zɐ'fri:drıçmuze:ʊm
Kaiserinmutter 'kai̯zərın-
 'mʊtɐ
kaiserlich 'kai̯zɐlıç
Kaiserling 'kai̯zɐlıŋ
Kaiserslautern kai̯zɐs'lau̯-
 tɐn
Kaiserstuhl 'kai̯zɐʃtu:l
Kaiserstühler 'kai̯zɐʃty:lɐ
Kaiserswerth kai̯zɐs've:ɐ̯t
Kaiserwald 'kai̯zɐvalt
Kaizen 'kai̯zɛn
Kaj dän. kai̯'
Kajaani finn. 'kaja:ni
Kajafas 'ka:jafas
Kajak 'ka:jak
Kajal ka'ja:l
Kajana schwed. ka'ja:na
Kajang indon. 'kadʒaŋ
Kajanus schwed. ka'ja:nʊs
Kaje 'ka:jə
Kajeput... kajə'pʊt...
Kajetan 'ka[:]jeta:n, kaje-
 'ta:n
Kajik 'ka:jık
kajolieren kaʒo'li:rən
Kajütdeck ka'jy:tdɛk
Kajüte ka'jy:tə
Kak ka:k
Kakadu 'kakadu, auch:
 ...'du:
Kakao ka'kau̯, auch: ka'ka:o
kakeln 'ka:kḷn
Kakemono kake'mo:no
Kakerlak 'ka:kɐlak
Kaki 'ka:ki
Kakidrose kaki̯'dro:zə
Kakidrosis kaki̯'dro:zıs
Kakinada engl. kæki̯'na:də
Kakirit kaki̯'ri:t
Käkisalmi finn. 'kækisalmi
Kakodyl kako'dy:l
Kakogawa jap. ka'kogawa
Kakogeusie kakogɔy'zi:
Kakophonie kakofo'ni:, -n
 ...i:ən
Kakophoniker kako'fo:nikɐ
kakophonisch kako'fo:nıʃ
Kakosmie kakɔs'mi:
Kakostomie kakosto'mi:
Kaktazeen kakta'tse:ən
Kaktee kak'te:ə

Kaktus 'kaktʊs, -se ...ʊsə
kakuminal, K... kakumi'na:l
Kalaa-Djerda fr. kalaad-
 ʒɛr'da
Kala-Azar 'kalala'tsar
Kalabasse kala'basə
Kalabrese kala'bre:zə
Kalabreser kala'bre:zɐ
Kalabrien ka'la:bri̯ən
Kalabrier ka'la:bri̯ɐ
kalabrisch ka'la:brıʃ
Kalabscha ka'lapʃa
Kalach 'kalax
Kalaf 'ka:laf
Kalafati kala'fati
Kalahari kala'ha:ri
Kalamä neugr. ka'lamɛ
Kalamaika kala'mai̯ka
Kalamander kala'mandɐ
Kalamarien kala'ma:ri̯ən
Kalamata neugr. kala'mata
Kalamazoo engl. kælə-
 mə'zu:
Kalambo engl. kə'la:mbou̯
Kalamin kala'mi:n
Kalamis 'ka:lamıs
Kalamität kalami'tɛ:t
Kalamiten kala'mi:tṇ
Kalamos 'ka:lamɔs
Kalanag 'ka:lanak
Kalanchoe ka'lançoe, -n
 ...oən
Kalander ka'landɐ
kalandern ka'landɐn,
 ...ndre ...ndrə
kalandrieren kalan'dri:rən
Kalandsbrüder 'ka:lants-
 bry:dɐ
Kalasantiner kalazan'ti:nɐ
Kalasche ka'laʃə
kalaschen ka'laʃn
Kalaschnikow ka'laʃnikɔf
Kalasirier kala'zi:ri̯ɐ
Kalasiris kala'zi:rıs
Kalathos 'ka:latɔs, ...thoi
 ...tɔy
Kalatosow russ. kɐla'tɔzɐf
Kalau[er] 'ka:lau̯[ɐ]
kalauern ka:'lau̯ɐn
Kalauria ka'lau̯ri̯a
Kalb kalp, Kalbes ...bəs,
Kälber 'kɛlbɐ
Kälbchen 'kɛlpçən
Kalbe 'kalbə
kalben 'kalbṇ, kalb! kalp,
 kalbt kalpt
kalbern 'kalbɐn, kalbre
 'kalbrə
kälbern 'kɛlbɐn, kälbre
 'kɛlbrə

Kalbin 'kalbın
Kalchas 'kalças
Kalchedon kal'çe:dɔn
Kalchreuth kalç'rɔyt
Kalchu 'kalçu
Kalckreuth 'kalkrɔyt
Kaldarium kal'da:rịʊm,
...**ien** ...ịən
Kaldaune kal'daunə
Kaldenkirchen 'kaldn̩kırçn̩
Kaldera kal'de:ra
Kaleb 'ka:lɛp, *serbokr.*
'kalɛ:b
Kalebasse kale'basə
Kaledoniden kaledo'ni:dn̩
Kaledonien kale'do:nịən
Kaledonier kale'do:nịɐ
kaledonisch kale'do:nıʃ
Kaleidoskop kalạido'sko:p
Kaleika ka'lạika
Kaléko ka'lɛko
Kalemie *fr.* kale'mje
kalendarisch kalɛn'da:rıʃ
Kalendarium kalɛn'da:-
rịʊm, ...**ien** ...ịən
Kalenden ka'lɛndn̩
Kalender ka'lɛndɐ
Kalenter 'kalɛntɐ
Kalesche ka'lɛʃə
Kalety *poln.* ka'lɛti
Kalevala *finn.* 'kalɛvala
Kalewala 'kalevala
Kalf *niederl.* kalf
Kalfakter kal'faktɐ
Kalfaktor kal'fakto:ɐ̯, -**en**
kalfak'to:rən
Kalfat... kal'fa:t...
kalfatern kal'fa:tɐn
Kalff *niederl.* kalf
Kalgan 'kalgan, kal'ga:n
Kalgoorlie *engl.* kæl'gʊəlı
Kalhana 'kalhana
Kali 'ka:li
Kalian ka'lịa:n
Kaliban 'kaliban
Kaliber ka'li:bɐ
Kalibration kalibra'tsịo:n
Kalibreur kali'brø:ɐ̯
kalibrieren kali'bri:rən
...**kalibrig** ...ka.li:brıç, -**e**
...ıgə
Kalidasa kali'da:za
Kalif ka'li:f
Kalifat kali'fa:t
Kalifornien kali'fɔrnịən
Kalifornier kali'fɔrnịɐ
kalifornisch kali'fɔrnıʃ
Kalifornium kali'fɔrnịʊm
Kaligula ka'li:gula
Kaliko 'kaliko

Kalikut 'kalikʊt
Kalile u Dimne ka'li:lə u:
'dımnə, *pers.* kæli'le o
dem'ne
Kalima *fr.* kali'ma
Kalimantan *indon.* kali-
'mantan
Kalimnos *neugr.* 'kalimnɔs
Kalinčiak *slowak.* 'kalintʃịak
Kalinin *russ.* ka'linin
Kaliningrad *russ.* kɐlinin-
'grat
Kalinka *russ.* ka'linkɐ
Kalinnikow *russ.* ka'linnikɐf
Kalinowski *dt., poln.* kali-
'nɔfski, *russ.* kɐli'nɔfskij
Kalir ka'li:ɐ̯
Kalisch 'ka:lıʃ
Kalispell *engl.* 'kælıspɛl
Kalisz *poln.* 'kaliʃ
Kalium 'ka:lịʊm
Kaliun ka'lịu:n
Kalix *schwed.* 'ka:liks
Kalixt ka'lıkst
Kalixtiner kalıks'ti:nɐ
Kalixtus ka'lıkstʊs
Kaljub kal'ju:p
Kalk kalk
Kalkaneus kal'ka:nevs, ...**ei**
...ei
Kalkant kal'kant
Kalkar 'kalkar, *niederl.* 'kal-
kar
Kalkariurie kalkarịu'ri:, -**n**
...i:ən
Kalkbrenner 'kalkbrɛnɐ
kalken 'kalkn̩
kälken 'kɛlkn̩
kalkig 'kalkıç, -**e** ...ıgə
Kalkoolith 'kalkḷooli:t
Kalkül kal'ky:l
Kalkulation kalkula'tsịo:n
Kalkulator kalku'la:to:ɐ̯,
-**en** ...la'to:rən
kalkulatorisch kalkula'to:-
rıʃ
kalkulieren kalku'li:rən
Kalkum 'kalkʊm
Kalkutta kal'kʊta
kalkuttisch kal'kʊtıʃ
kalkweiß 'kalk'vais
Kall[a] 'kal[a]
Kállai *ung.* 'ka:llɔi
Kallas *finn.* 'kallas
Kallavesi *finn.* 'kallavɛsi
Kállay *ung.* 'ka:llɔi
Kalle 'kalə
Kallela *schwed.* 'kalələ
Kalletal 'kaləta:l
Kallias 'kalịas

Kalligraph kali'gra:f
Kalligraphie kaligra'fi:
Kallikrates ka'li:kratɛs
Kallimachos ka'li:maxɔs
Kallina ka'li:na
Kallinos ka'li:nɔs
Kallio *finn.* 'kallịo
Kalliope ka'li:ope
Kallippos ka'lıpɔs
Kallipygos kali'py:gɔs, ka-
'li:pygɔs
Kallisthenes ka'lıstenɛs
Kallisto ka'lısto
Kallistus ka'lıstʊs
Kalliwoda kali'vo:da, '----
Kallmorgen 'kalmɔrgn̩
kallös ka'lø:s, -**e** ...ø:zə
Kallose ka'lo:zə
Kallus 'kalʊs, -**se** ...ʊsə
Kalma *niederl.* 'kalma
Kálmán *ung.* 'ka:lma:n
¹Kalmar (Tier) 'kalmar,
...**are** ...'ma:rə
²Kalmar (Stadt) *schwed.*
'kalmar
Kalmarer 'kalmarɐ
kalmarisch kal'ma:rıʃ
Kalmäuser 'kalmɔyzɐ,
auch: -'--
Kalme 'kalmə
kalmieren kal'mi:rən
Kalmit 'kalmıt
Kalmuck kal'mʊk
Kalmück[e] kal'mʏk[ə]
Kalmus 'kalmʊs, -**se** ...ʊsə
Kálnoky *ung.* 'ka:lnoki
Kalo 'ka:lo
Kalobiotik kalo'bịo:tık
Kalocsa[y] *ung.* 'kɔlotʃɔ[i]
Kaloderma ® kalo'dɛrma
Kaloikagathoi kalɔyka-
ga'tɔy
Kalokagathie kalokaga'ti:
Kalomel 'ka:lomɛl
Kalomiris *neugr.* kalɔ'miris
Kalorie kalo'ri:, -**n** ...i:ən
Kalorifer kalori'fe:ɐ̯
Kalorik ka'lo:rık
Kalorimeter kalori'me:tɐ
Kalorimetrie kalorime'tri:
kalorimetrisch kalori'me:-
trıʃ
kalorisch ka'lo:rıʃ
kalorisieren kalori'zi:rən
Kalotte ka'lɔtə
Kalpa 'kalpa
Kalpak kal'pak, *auch:* '--
kalt kalt, **kälter** 'kɛltɐ
Kaltan *russ.* kal'tan
Kaltblüter 'kaltbly:tɐ

kaltblütig 'kaltbly:tıç, -e
...ıgə
Kälte 'kɛltə
kalten 'kaltn̩
kälten 'kɛltn̩
Kaltenbrunner 'kaltn̩brʊnɐ
Kaltennordheim kaltn̩'nɔrt-
haim
Kalter 'kaltɐ
kälter vgl. kalt
Kalterer 'kaltərɐ
Kaltern 'kaltɐn
Kalthoff 'kalthɔf
Kaltneker 'kaltnɛkɐ
Kaluga russ. ka'lugɐ
Kalulushi engl. ka:lu:'lu:ʃi:
Kalumbin kalʊm'bi:n
Kalumet kalu'mɛt, auch:
kaly'me:
Kalumniant kalʊmni'ant
Kalundborg dän. kælʊn-
'bɔɐ̯'
Kaluppe ka'lʊpə
Kalusch russ. 'kaluʃ
Kałuszyn poln. ka'ɡuʃin
Kalva 'kalva
Kalvaria kal'va:ria, ...ien
...iən
Kalvarienberg kal'va:riən-
bɛrk
Kalvill[e] kal'vıl[ə]
kalvinisch, K... kal'vi:nıʃ
Kalvinismus kalvi'nısmʊs
Kalvinist kalvi'nıst
Kalw kalf
Kalwer 'kalvɐ
Kalwos neugr. 'kalvɔs
Kalyan engl. 'kælıa:n
Kalydon 'ka:lydɔn
kalydonisch kaly'do:nıʃ
Kalym 'ka:lym
Kalypso ka'lypso
Kalyptra ka'lyptra
Kalyptrogen kalyptro'ge:n
Kalzan® kal'tsa:n
Kalzeolarie kaltseo'la:riə
kalzifizieren kaltsifi'tsi:rən
kalzifug kaltsi'fu:k, -e
...u:gə
Kalzig 'kaltsıç
Kalzination kaltsina'tsio:n
kalzinieren kaltsi'ni:rən
Kalzinose kaltsi'no:zə
kalziphil kaltsi'fi:l
Kalzit kal'tsi:t
Kalzium 'kaltsiʊm
kam ka:m
Kama 'ka:ma, russ. 'kamɐ
Kamadewa kama'de:va
Kamakura jap. ka'makura

Kamaldulenser kamaldu-
'lɛnzɐ
Kamangah kamaŋ'ga:
Kamaraderie kamaradə'ri:
Kamare 'kamare
Kamares... ka'ma:rɛs...
Kamarilla kama'rılja, auch:
...'rıla
Kamasutra kama'zu:tra
Kamba 'kamba
Kamban isl. 'kamban
kambial kam'bia:l
kambieren kam'bi:rən
Kambio 'kambio, ...bi ...bi
Kambium 'kambiʊm, ...ien
...iən
Kambli, ...ly 'kambli
Kambodscha kam'bɔdʒa
Kambodschaner kambo-
'dʒa:nɐ
kambodschanisch kambo-
'dʒa:nıʃ
Kambrik 'kambrık, auch:
'ke:m...
kambrisch 'kambrıʃ
Kambrium 'kambriʊm
Kamburg 'kambʊrk
Kambyses kam'by:zɛs
käme 'kɛ:mə
Kamee ka'me:ə
Kamel ka'me:l
Kämelgarn 'kɛ:ml̩garn
Kamelie ka'me:liə
Kamelle ka'mɛlə
Kamellie ka'mɛliə
Kamelopard kamelo'part,
-e ...rdə
Kamelott kamə'lɔt
Kamen 'ka:mən, serbokr.
'kamɛ:n
Kamene ka'me:nə
Kamenew russ. 'kaminıf
Kamenez-Podolski russ.
'kaminıtspa'dɔljskij
Kamen-na-Obi russ.
'kaminjnɐa'bi
Kamenski russ. ka'mjɛnskij
Kamensk-Schachtinski
russ. 'kaminsk'ʃaxtinskij
Kamensk-Uralski russ.
'kaminsku'raljskij
Kamenz (Dresden)
'ka:mɛnts
Kamera 'kaməra, auch:
'ka:m...
Kamerad kamə'ra:t, -en
...a:dn̩
Kameraderie kaməradə'ri:,
-n ...i:ən

Kameradschaft kamə'ra:t-
ʃaft
Kameral... kame'ra:l...
Kameralien kame'ra:liən
Kameralismus kamera'lıs-
mʊs
Kameralist[ik] kamera-
'lıst[ık]
Kamerlingh [Onnes] nie-
derl. 'ka:mərlıŋ ['ɔnəs]
Kamerun[er] 'kamɐru:n[ɐ],
'ka:..., auch: kamə'ru:n[ɐ]
Kames 'ka:məs, auch: ke:ms
Kami 'ka:mi
Kamienna Góra poln.
ka'mjɛnna 'gura
Kamień Pomorski poln.
'kamjɛim pɔ'mɔrski
kamieren ka'mi:rən
Kamikaze kami'ka:tsə
Kamilavkion kami'lafkiɔn,
...ien ...iən
Kamilla ka'mıla
Kamille ka'mılə
Kamillianer kamı'lia:nɐ
Kamillo ka'mılo
Kamillus ka'mılʊs
Kamin ka'mi:n
Kamina fr. kami'na
kaminieren kami'ni:rən
Kaminski ka'mınski
Kaminsky engl. kə'mınskı
Kamisarde kami'zardə
Kamischlijja kamıʃ'li:ja
Kamisol kami'zo:l
Kamisölchen kami'zø:lçən
Kamloops engl. 'kæmlu:ps
Kamm kam, **Kämme** 'kɛmə
Kämmchen 'kɛmçən
Kämmelgarn 'kɛml̩garn
kämmeln 'kɛml̩n
kämmen 'kɛmən
Kammer 'kamɐ
Kämmerchen 'kɛmɐçən
Kämmerei kɛmə'rai
Kämmerling 'kamɐlıŋ
Kämmerling 'kɛmɐlıŋ
Kammin ka'mi:n
Kämmling 'kɛmlıŋ
Kammmacher 'kammaxɐ
Kamöne ka'mø:nə
Kamorra ka'mɔra
Kamos ka'mo:s
Kamose ka'mo:zə
Kamp kamp, **Kämpe**
'kɛmpə
Kampagne kam'panjə
Kampala kam'pa:la, engl.
kæm'pɑ:lə
Kampania kam'pa:nia

Kampanien kam'pa:njən
Kampanile kampa'ni:lə
Kampanje kam'panjə
Kampanula kam'pa:nula
Kampar *indon.* 'kampar
¹Kämpe 'kɛmpə
²Kämpe *vgl.* Kamp
Kampelei kampə'lai
kämpeln 'kampl̩n
Kampen 'kampn̩, *niederl.*
'kampə
Kampescheholz kam'pɛʃə-
hɔlts
Kämpevise 'kɛmpəvi:zə
Kampf kampf, Kämpfe
'kɛmpfə
kämpfen 'kɛmpfn̩
Kämpfer 'kampfɐ
Kämpfer 'kɛmpfɐ
Kamphausen 'kamphauzn̩
Kamphoevener 'kamphø:-
vənɐ
kampieren kam'pi:rən
Kamp-Lintfort kamp'lɪnt-
fɔrt
Kampong 'kampɔŋ
Kamposanto kampo'zanto
Kampot *Khmer* kam'pɔ:t
Kamputschea kampu'tʃe:a
Kamputscheaner kam-
puʧe'a:nɐ
kampylotrop kampylo'tro:p
Kamsin kam'zi:n
Kamtschadale kamtʃa-
'da:lə
Kamtschatka kam'tʃatka,
russ. kam'tʃatkɐ
Kamuffel ka'mʊfl̩
Kamyschin *russ.* ka'miʃin
Kamyschlow *russ.* kamiʃ'lɔf
Kan *russ.* kan, *türk.* kan
Kana 'ka:na
Kanaan 'ka:naan
kanaanäisch kanaa'nɛ:ɪʃ
Kanaaniter kanaa'ni:tɐ
kanaanitisch kanaa'ni:tɪʃ
Kanada 'kanada
Kanadier ka'na:djɐ
kanadisch ka'na:dɪʃ
Kanagawa *jap.* ka'na.gawa
Kanaille ka'naljə
Kanake ka'na:kə
Kanaker *russ.* kɐna'kjɛr
Kanal ka'na:l, Kanäle
ka'nɛ:lə
Kanälchen ka'nɛ:lçən
Kanalisation kanaliza'tsi̯o:n
kanalisieren kanali'zi:rən
Kanamycin® kanamy'tsi:n
kananäisch kana'nɛ:ɪʃ

Kananga *fr.* kanã'ga
Kananiter kana'ni:tɐ
Kanapee 'kanape
Kanaren ka'na:rən
Kanari ka'na:ri
Kanarie ka'na:ri̯ə
Kanarienvogel ka'na:ri̯ən-
fo:gl̩
Kanarier ka'na:ri̯ɐ
Kanaris *neugr.* ka'naris
kanarisch ka'na:rɪʃ
Kanasawa *jap.* ka'na.zawa
Kanasch *russ.* ka'naʃ
Kanaster ka'nastɐ
Kanchanaburi *Thai* ka:n-
tʃanabu'ri: 11411
Kancheepuram *engl.*
kæn'tʃi:pʊrəm
Kancsianu kan'tʃa:nu
Kandahar kanda'ha:ɐ̯, *afgh.*
kændæ'har
Kandahar-Rennen 'kanda-
harrɛnən
Kandalakscha *russ.* kɐnda-
'lakʃɐ
Kandare kan'da:rə
Kandaules kan'daulɛs
Kandel 'kandl̩
Kandelaber kande'la:bɐ
kandeln 'kandl̩n, ...dle ...dlə
Kander[n] 'kandɐ[n]
Kandersteg 'kandɐʃte:k
Kandia 'kandi̯a
Kandida 'kandida
Kandidat kandi'da:t
Kandidatur kandida'tu:ɐ̯
kandidel kan'di:dl̩, ...dle
...dlə
kandidieren kandi'di:rən
Kandidus 'kandidʊs
kandieren kan'di:rən
Kandinskij *russ.* kan'dinskij
Kandinsky kan'dɪnski
Kandiote kan'di̯o:tə
Kandis 'kandɪs
Kanditen kan'di:tn̩
Kändler 'kɛndlɐ
Kandó *ung.* 'kondo:
Kandschar kan'dʒa:ɐ̯
Kandschur 'kandʒʊr
Kandy *engl.* 'kændɪ
Kane *engl.* keɪn
Kaneel ka'ne:l
Kanellopulos *neugr.* kanɛ-
'lɔpulɔs
Kanem 'ka:nɛm, *fr.* ka'nɛm
Kanena ka'ne:na
Kaneohe *engl.* ka:neɪ'oʊheɪ
Kanephore kane'fo:rə

Kanevas 'kanəvas, -se
...asə
kanevassen 'kanəvasn̩
Kanew *russ.* 'kanɪf
Kang kaŋ
Kangar *indon.* 'kaŋar
Kangaroo Island *engl.*
'kæŋgəru: 'aɪlənd
Kangchenjunga *engl.*
kæntʃən'dʒʊŋgə
Kanggye *korean.* kaŋgje
Kangnŭng *korean.* 'kaŋnɪŋ
Kănguru 'kɛŋguru
Kang Xi *chin.* kaŋci 11
Kania *poln.* 'kanja
Kaniden ka'ni:dn̩
Kanik *türk.* ka'nɪk
Kanin[chen] ka'ni:n[çən]
Kanin *russ.* 'kanin
Kanischka ka'nɪʃka
Kanisius ka'ni:zi̯ʊs
Kanister ka'nɪstɐ
Kanitz 'ka:nɪts
Kanižlić *serbokr.* ˌkaniʒlitɕ
Kanjiža *serbokr.* ˌkanjiʒa
Kankaanpää *finn.* 'kaŋ-
ka:mpæ:
Kankakee *engl.* kæŋkə'ki:
Kankan *fr.* kã'kã
Kanker 'kaŋkɐ
Kankrin *russ.* kan'krin
Kankrojd kaŋkro'i:t, -e
...i:də
kankrös kaŋ'krø:s, -e ...ø:zə
kann kan
Kanna 'kana
Kannä 'kanɛ
Kannabinol kanabi'no:l
Kannada 'kanada
Kannapolis *engl.* kə'næpəlɪs
Kännchen 'kɛnçən
Kanne[bäckerland]
'kanə[bɛkɐˌlant]
Kannegießer 'kanəgi:sɐ
kannegießern 'kanəgi:sɐn
Kännel 'kɛnl̩
kannelieren kanə'li:rən
Kannelur kanə'lu:ɐ̯
Kannelüre kanə'ly:rə
Kannenbäckerland 'kanən-
bɛkɐˌlant
kannensisch ka'nɛnzɪʃ
Kannibale kani'ba:lə
kannibalisch kani'ba:lɪʃ
Kannibalismus kaniba'lɪs-
mʊs
Kannitverstan ka'nɪt-
fɛɐ̯ʃta:n
kannte 'kantə
Kannuschi 'kanʊʃi

¹**Kano** (Stadt) 'ka:no, *engl.* 'ka:noʊ

²**Kano** (Maler) *jap.* ka'no:

Kanoldt 'ka:nɔlt

Kanon 'ka:nɔn, **-es** 'ka:no-ne:s

Kanonade kano'na:də

Kanone ka'no:nə

Kanonier kano'ni:ɐ̯

kanonieren kano'ni:rən

Kanonik ka'no:nɪk

Kanonikat kanoni'ka:t

Kanoniker ka'no:nikɐ

Kanonikus ka'no:nikʊs

Kanonisation kanoniza-'tsio:n

kanonisch ka'no:nɪʃ

kanonisieren kanoni'zi:rən

Kanonisse kano'nɪsə

Kanonissin kano'nɪsɪn

Kanonist[ik] kano'nɪst[ik]

Kanope ka'no:pə

Känophytikum kɛno'fy:ti-kʊm

Kanopos ka'no:pɔs

Kanopus ka'no:pʊs

Kanossa ka'nɔsa

Kanowitz *engl.* 'kænəvɪts

Känozoikum kɛno'tso:ikʊm

känozoisch kɛno'tso:ɪʃ

Kanpur *engl.* 'kɑ:npʊə

Kansas 'kanzas, *engl.* 'kæn-zəs

Kansk *russ.* kansk

Kansu 'kanzu

Kant kant

kantabel kan'ta:bl̩, **...ble** ...blə

Kantabile kan'ta:bile

Kantabilität kantabili'tɛ:t

Kantabrer kan'ta:brɐ, *auch:* 'kantabrɐ

Kantabrien kan'ta:briən

kantabrisch kan'ta:brɪʃ

Kantakuzenos kantaku-'tse:nɔs, *neugr.* kandakuzi-'nɔs

Kantala kan'ta:la, *auch:* 'kantala

Kantar kan'ta:ɐ̯

Kantara 'kantara

Kantate kan'ta:tə

Kante 'kantə

Kantel 'kantl̩

Kantele 'kantələ

kanteln 'kantl̩n

Kantemir *russ.* kɐntɪ'mir

kanten, K... 'kantn̩

¹**Kanter** (Gestell) 'kantɐ

²**Kanter** (Galopp) 'kantɐ, *auch:* 'kɛntɐ

kantern 'kantɐn, *auch:* 'kɛn-tɐn

Kanthaken 'kantha:kn̩

Kantharide kanta'ri:də

Kantharidin kantari'di:n

Kantharos 'kantarɔs, **...roi** ...rɔy

Kanther 'kantɐ

Kantianer kan'tia:nɐ

Kantianismus kantia'nɪs-mʊs

kantig 'kantɪç, **-e** ...ɪgə

Kantilene kanti'le:nə

Kantille kan'tɪlə

Kantine kan'ti:nə

Kantinier kanti'nie:

kantisch, K... 'kantɪʃ

Kanto *jap.* 'ka.n̩to:

¹**Kanton** (Bezirk) kan'to:n

²**Kanton** (chin. Stadt) 'kan-tɔn

kantonal kanto'na:l

Kantönchen kan'tø:nçən

Kantonese kanto'ne:zə

Kantoniere kanto'nie:rə

kantonieren kanto'ni:rən

Kantonist kanto'nɪst

Kantönligeist kan'tø:nli-gaist

Kantonnement kantə-nə'mã:

¹**Kantor** 'kanto:ɐ̯, **-en** kan-'to:rən

²**Kantor** (Name) 'kanto:ɐ̯, *engl.* 'kæntə, *poln.* 'kantɔr

Kantorat kanto'ra:t

Kantorei kanto'rai

Kantorowicz kan'to:rovɪts

Kantorowitsch *russ.* kan'tɔ-rɐvitʃ

Kantschindschanga kan-tʃin'dʒaŋga

Kantschu 'kantʃu

Kantus 'kantʊs, **-se** ...ʊsə

Kanu 'ka:nu, *auch:* ka'nu:

Kanüle ka'ny:lə

Kanuri ka'nu:ri

Kanut[e] ka'nu:t[ə]

Kánya *ung.* 'ka:njɔ

Kanye *engl.* 'kɑ:nɪeɪ

Kanzel 'kantsl̩

Kanzellariat kantsɛla'ria:t

Kanzelle kan'tsɛlə

kanzellieren kantsɛ'li:rən

kanzerogen kantsero'ge:n

Kanzerologe kantsero'lo:gə

Kanzerologie kantserolo'gi:

Kanzerophobie kantsero-fo'bi:, **-n** ...i:ən

kanzerös kantse'rø:s, **-e** ...ø:zə

Kanzlei kants'lai

Kanzler 'kantslɐ

Kanzlist kants'lɪst

Kanzone kan'tso:nə

Kanzonetta kantso'nɛta

Kanzonette kantso'nɛtə

Kaolack *fr.* kao'lak

Kaolin kao'li:n

kaolinisieren kaolini'zi:rən

Kaolinit kaoli'ni:t

Kaon 'ka:ɔn, ka'o:n, **-en** ka'o:nən

Kap kap

kapabel ka'pa:bl̩, **...ble** ...blə

Kapaun ka'paun

kapaunen ka'paunən

kapaunisieren kapauni'zi:-rən

Kapazitanz kapatsi'tants

Kapazität kapatsi'tɛ:t

kapazi[ta]tiv kapatsi[ta]'ti:f, **-e** ...i:və

Kapeador kapea'do:ɐ̯

Kapee ka'pe:

Kapela *serbokr.* 'kapɛla

Kapelan kapə'la:n

Kapella ka'pɛla

Kapelle ka'pɛlə

Kapellen ka'pɛlən

kapellieren kapɛ'li:rən

Kaper 'ka:pɐ

Kaperei ka:pə'rai

kapern 'ka:pɐn

Kapernaum ka'pɛrnaʊm

Kapersburg 'ka:pɐsbʊrk

Kapetinger 'ka:petɪŋɐ, *auch:* 'kap...

Kapfenberg 'kapf̩nbɛrk

Kapfenburg 'kapf̩nbʊrk

Kapharnaum ka'farnaʊm

Kaphis 'ka:fɪs

kapieren ka'pi:rən

kapillar kapɪ'la:ɐ̯

Kapillare kapɪ'la:rə

Kapillarität kapɪlari'tɛ:t

Kapillaroskopie kapɪlaro-sko'pi:

Kapillitium kapɪ'li:tsiʊm, **...ien** ...iən

kapischo ka'pi:ʃo

kapital kapi'ta:l

Kapital kapi'ta:l, **-ien** ...iən

Kapitäl[chen] kapi'tɛ:l[çən]

Kapitale kapi'ta:lə

Kapitalis kapi'ta:lɪs

Kapitalisation kapitaliza-
ˈtsi̯oːn
kapitalisieren kapitaliˈziː-
rən
Kapitalismus kapitaˈlɪsmʊs
Kapitalist kapitaˈlɪst
Kapitän[leutnant] kapi-
ˈtɛːn[lɔy̯tnant]
Kapitel kaˈpɪtl̩
Kapitell kapiˈtɛl
kapiteln kaˈpɪtl̩n
Kapitol kapiˈtoːl
kapitolinisch kapitoˈliːnɪʃ
Kapitulant kapituˈlant
Kapitular kapituˈlaːɐ̯
Kapitularien kapituˈlaːri̯ən
Kapitulation kapitulaˈtsi̯oːn
kapitulieren kapituˈliːrən
Kapiza russ. kaˈpitsɐ
Kaplaken ˈkaplakn̩
¹Kaplan kaˈplaːn, Kapläne
kaˈplɛːnə
²Kaplan (Name) ˈkaplan,
engl. ˈkæplən
Kapland ˈkaplant
Kaplanturbine ˈkaplantʊr-
biːnə
Kaplický tschech. ˈkaplitski:
Kapnist russ. kapˈnist
Kapo ˈkapo
Kapodaster kapoˈdastɐ
Kapodistrias neugr. kapɔ-
ˈðistrias
Kapok ˈkapɔk, ˈkaːpɔk
Kaponniere kapɔˈni̯eːrə
kapores kaˈpoːrəs
Kapos[i] ung. ˈkɔpoʃ[i]
Kaposvár ung. ˈkɔpoʃvaːr
Kapotte kaˈpɔtə
Kapotthut kaˈpɔthuːt
Kapp dt., russ. kap, engl.
kæp
Käpp kɛp
Kappa ˈkapa
Kappadokien kapaˈdoːki̯ən
Kappadokier kapaˈdoːki̯ɐ
kappadokisch kapaˈdoːkɪʃ
Kappadozien kapaˈdoːtsi̯ən
Kappadozier kapaˈdoːtsi̯ɐ
kappadozisch kapaˈdoːtsɪʃ
Käppchen ˈkɛpçən
Kappe ˈkapə
Kappel[n] ˈkapl̩[n]
kappen ˈkapn̩
Kappes ˈkapəs
Käppi ˈkɛpi
Kapplaken ˈkaplakn̩
Kappus ˈkapʊs
Kapri ˈkaːpri
Kapriccio kaˈprɪtʃo

Kaprice kaˈpriːsə
Kaprifikation kaprifika-
ˈtsi̯oːn
Kaprifoliazeen kaprifoli̯a-
ˈtse̩ːən
Kapriole kapriˈoːlə
kapriolen kapriˈoːlən
Kaprize kaˈpriːtsə
kaprizieren kapriˈtsiːrən
kapriziös kapriˈtsi̯øːs, -e
…øːzə
Kaprizpolster kaˈpriːts-
pɔlstɐ
Kaprolaktam kaprolakˈtaːm
Kapron... kaˈproːn...
Kapronat kaproˈnaːt
Kaprotinen... kaproˈtiːnən...
Kaprun kaˈpruːn
Kapsel ˈkapsl̩
Käpselchen ˈkɛpsl̩çən
...kaps[e]lig ....kaps[ə]lɪç, -e
…ɪɡə
Kapsikum ˈkapsikʊm
Kapstadt ˈkapʃtat
Kapsukas lit. kaˈpsʊkas
Kaptal kapˈtaːl
kaptalen kapˈtaːlən
Kaptation kaptaˈtsi̯oːn
kaptativ kaptaˈtiːf, -e …iːvə
kaptatorisch kaptaˈtoːrɪʃ
Kaptein kapˈtai̯n
Käpten ˈkɛptn̩
Kapteyn niederl. kɑpˈtɛi̯n
Kaption kapˈtsi̯oːn
kaptiös kapˈtsi̯øːs, -e …øːzə
kaptivieren kaptiˈviːrən
Kaptivität kaptiviˈtɛːt
Kaptur kapˈtuːɐ̯
Kapu kaˈpu:
Kapuas [Hulu] indon.
kaˈpuas [ˈhulu]
Kapuskasing engl. kæpəs-
ˈkei̯sɪŋ
Kapusta kaˈpʊsta
Kapuster kaˈpʊstɐ
Kaput (Mantel) kaˈpʊt
Kaput mortuum ˈkaːpʊt
ˈmɔrtuʊm, ˈkapʊt -
kaputt kaˈpʊt
Kapuze kaˈpuːtsə
Kapuzinade kaputsiˈnaːdə
Kapuziner kapuˈtsiːnɐ
Kap Verde ˈkap ˈvɛrdə
Kapverden kapˈvɛrdn̩
Kapverdier kapˈvɛrdi̯ɐ
kapverdisch kapˈvɛrdɪʃ
Kar kaːɐ̯
Karabach, ...agh karaˈbax
Karabasch russ. kɐraˈbaʃ
Karabiner karaˈbiːnɐ

Karabinier karabiˈni̯eː
Karabiniere karabiˈni̯eːrə,
...ri ...ri
Kara-Bogas-Gol russ. kaˈra-
baˈɡazˈɡɔl
Karabük türk. kɑˈrɑbyk
Karaburan karabuˈraːn
Karacaoğlan türk. kɑrɑ-
ˈdʒaɔːlɑn
Karachanide karaxaˈniːdə
Karachi engl. kəˈraːtʃi
Karacho kaˈraxo
Karadag russ. kɐraˈdak
Karadeniz türk. kɑˈrɑdɛˌniz
Karađorđe serbokr. ˈka-
radʒɔːrdʒɛ, ˌk..., -,---
Karađorđević serbokr.
ˈkara.dʒɔːrdʒɛvitɕ
Karadsch pers. kæˈrædʒ
Karadscha bulgar. kɐrɐˈdʒa
Karadžić serbokr. ˈkaradʒitɕ
Karäer kaˈrɛːɐ̯
Karaffe kaˈrafə
Karaffine karaˈfiːnə
Karaganda russ. kɐrɐ-
ɡanˈda
Karagasse karaˈɡasə
Karagatsis neugr. karaˈɣa-
tsis
Karageorg karageˈɔrk
Karagös karaˈɡøːs
Karaibe karaˈiːbə
karaibisch karaˈiːbɪʃ
Karaime karaˈiːmə
Karait karaˈiːt
Karajan ˈka[ː]rajan
Karakal ˈkarakal
Karakalpake karakalˈpaːkə
karakolieren karakoˈliːrən
Karakoram engl. kærəˈkɔː-
rəm
Karakorum karakoˈrʊm,
auch: ...ˈkoːrʊm
Karakul russ. kɐraˈkulj
Karakulschaf kaˈrakʊlʃaːf
Karakum russ. kɐraˈkum
Karalitschew bulgar. kɐrɐ-
ˈlijtʃɛf
Karaman türk. kɑˈrɑman
Karamanlis neugr. kara-
manˈlis
Karamasow russ. kɐraˈma-
zɛf
Karambolage karambo-
ˈlaːʒə
Karambole karamˈboːlə
karambolieren karamboˈliː-
rən
karamell, K... karaˈmɛl
Karamelle karaˈmɛlə

karamellieren karamɛ'li:-
rən
karamellisieren karamɛli-
'zi:rən
Karami ka'ra:mi
Karamsin *russ.* kɛram'zin
Karantäner karan'ta:nɐ
Karantänien karan'ta:njən
Karaoke kara'o:kə
Karasberge 'karasbɛrgə
Karasee 'ka:raze:
Karásek *tschech.* 'kara:sɛk
Karaslawow *bulgar.* kɛrɐ-
'slavof
Karasu *türk.* ka'rɑsu
Karat ka'ra:t
Karatau *russ.* kɛra'tau
...karäter ...ka,rɛ:tɐ
...karätig ...ka,rɛ:tıç, -e
...ıgə
Karate ka'ra:tə
Karateka kara'te:ka
Karatepe *türk.* ka'rɑtɛ.pɛ
Karatschaier kara'tʃaiɐ
karatschaiisch kara'tʃaiiʃ
Karatschi ka'ra:tʃi
Karausche ka'rauʃə
Karavelle kara'vɛlə
Karawajewa *russ.* kɛra'va-
jıvɐ
Karawane kara'va:nə
Karawanken kara'vaŋkṇ
Karawanserei karavan-
zə'rai
Karawelow *bulgar.* kɛrɐ'vɛ-
lof
Karbala karba'la:
Karbamid karba'mi:t, -es
...i:dəs
Karbatsche kar'ba:tʃə
karbatschen kar'ba:tʃṇ
Karbazol karba'tso:l
Karben 'karbṇ
Karbid kar'bi:t, -e ...i:də
karbidisch kar'bi:dıʃ
Karbinol karbi'no:l
Karbohydrase karbohy-
'dra:zə
Karboid karbo'i:t, -e ...i:də
Karbol kar'bo:l
Karbolineum karboli'ne:ʊm
Karbon kar'bo:n
Karbonade karbo'na:də
Karbonado karbo'na:do
Karbonaro karbo'na:ro, ...ri
...ri
Karbonat karbo'na:t
Karboneum karbo'ne:ʊm
Karbonisation karboniza-
'tsio:n

karbonisch kar'bo:nıʃ
karbonisieren karboni'zi:-
rən
karbonitrieren karboni'tri:-
rən
Karbonyl karbo'ny:l
Karborund karbo'rʊnt, -es
...ndəs
Karborundum karbo-
'rʊndʊm
Karbowanez kar'bo:vanɛts
karbozyklisch karbo'tsy:-
klıʃ
Karbuna *russ.* kar'bunɐ
Karbunkel kar'bʊŋkḷ
karburieren karbu'ri:rən
Karcag *ung.* 'kɔrtsɔg
Karcher 'karçɐ
Kardamom karda'mo:m
Kardan... kar'da:n..., *auch:*
'--
kardanisch kar'da:nıʃ
Kardätsche kar'dɛ:tʃə
kardätschen kar'dɛ:tʃṇ
Karde 'kardə
Kardeel kar'de:l
Kardelj *slowen.* kar'de:lj
karden 'kardṇ, kard! kart
Karden 'kardṇ
Kardia kar'di:a, *auch:* 'kar-
dia
Kardiakum kar'di:akʊm,
...ka ...ka
kardial kar'dja:l
Kardialgie kardial'gi:, -n
...i:ən
kardieren kar'di:rən
kardinal kardi'na:l
Kardinal kardi'na:l, ...näle
...'nɛ:lə
Kardinalat kardina'la:t
Kardinale kardi'na:lə, ...lia
...lia
Kardiogramm kardio'gram
Kardiograph kardio'gra:f
Kardioide kardio'i:də
Kardiologe kardio'lo:gə
Kardiologie kardiolo'gi:
Kardiolyse kardio'ly:zə
Kardiomegalie kardio-
mega'li:, -n ...i:ən
Kardiopathie kardiopa'ti:,
-n ...i:ən
Kardioplegie kardiople'gi:
Kardioptose kardiɔp'to:zə
Kardiospasmus kardio-
'spasmʊs
Kardiothymie kardioty'mi:,
-n ...i:ən

Kardiotokograph kardio-
toko'gra:f
kardiovaskulär kardio-
vasku'lɛ:ɐ̯
Karditis kar'di:tıs ...itiden
...di'ti:dṇ
Karditsa *neugr.* kar'ðitsa
Kardobenediktenkraut
kardobene'dıktṇkraut
Kardone kar'do:nə
Kardorff 'ka:ɐ̯dɔrf
Kardos *ung.* 'kɔrdoʃ
Kardschali *bulgar.* 'kərdʒɐli
Karel *niederl.* 'ka:rəl,
tschech. 'karɛl
Karelia ka're:lia
Karelien ka're:ljən
Karelier ka're:liɐ
karelisch ka're:lıʃ
karelofinnisch ka're:lo'fınıʃ
Karen (Volk) ka'rɛn, *engl.*
kə'rɛn
Karenina ka're:nina, *russ.*
ka'rjeninɐ
Karenz ka'rɛnts
Karer[see] 'ka:rɐ[ze:]
karessieren karɛ'si:rən
Karette ka'rɛtə
Karettschildkröte ka'rɛt-
ʃıltkrø:tə
Karezza ka'rɛtsa
Karfiol kar'fjo:l
Karfreit kar'frait
Karfreitag ka'ɐ̯'fraita:k
Karfunkel kar'fʊŋkḷ
karg kark, karge 'kargə,
kärger 'kɛrgɐ
Kargadeur karga'dø:ɐ̯
Kargador karga'do:ɐ̯
kargen 'kargṇ, karg! kark,
kargt karkt
kärger vgl. karg
kärglich 'kɛrklıç
Kargo 'kargo
Kargopol *russ.* 'kargɐpɐl
Karhula *finn.* 'karhula
Kari 'ka:ri
Kariba *engl.* kə'ri:bə
Karibe ka'ri:bə
Karibib 'karibıp
Karibik ka'ri:bık
karibisch ka'ri:bıʃ
Karibu 'ka:ribu, 'kar...
Karien ka'ri:ən
karieren ka'ri:rən
Karies 'ka:riɛs
Karija *jap.* 'ka.rija
karikativ karika'ti:f, -e
...i:və
Karikatur karika'tu:ɐ̯

Karikaturist karikatu'rıst
karikieren kari'ki:rən
Karimata indon. kari'mata
Karimow russ. ka'rimɐf
Karimunjawa indon. kari-
mʊn'dʒawa
Karin 'ka:ri:n, 'ka:rın,
schwed. ˌka:rin, dän. 'karin
Karina ka'ri:na
Karinth ka'rınt
Karinthy ung. 'korinti
kariogen karjo'ge:n
kariös ka'riø:s, -e ...ø:zə
karisch 'ka:rıʃ
Karitas 'ka:ritas
karitativ karita'ti:f, -e ...i:və
Karjala finn. 'karjala
Karjalainen finn. 'karjalaị-
nɛn
karjolen kar'jo:lən
karjuckeln kar'jʊkln
Karkamış türk. 'karkamıʃ
Karkasse kar'kasə
Karkawitsas neugr. karka-
'vitsas
Karkemisch karke'mi:ʃ,
'karkemıʃ
Karkonosze poln. karkɔ-
'nɔʃɛ
Karkoschka kar'kɔʃka
Karl karl, schwed. ka:[r]l,
dän. ka:'ɐl
Karla 'karla
Karlfeldt schwed. ˌka:[r]lfɛlt
Karlgren schwed.
ˌka:[r]lgre:n
Karlheinz karl'haịnts
Kärlich 'kɛrlıç
Karline kar'li:nə
Karlinger 'karlıŋɐ
karlingisch kar'lıŋıʃ, '---
Karlist kar'lıst
Karlmann 'karlman
Karl-Marx-Stadt karl-
'marksʃtat
Karlmeinet karl'maịnət
Karloff engl. 'ka:lɔf
Karlos 'karlɔs
Karlovac serbokr. 'ka:rlɔvats
Karlovy Vary tschech. 'kar-
lɔvi 'vari
Karłowicz poln. ka'rụɔvitʃ
Karlowitz 'karlovıts
Karlowo bulgar. 'karlovo
Karlsbad 'karlsba:t
Karlsbader 'karlsba:dɐ
Karlsburg 'karlsbʊrk
Karlsfeld 'karlsfɛlt
Karlshafen karls'ha:fn̩

Karlshamn schwed. ˌka:ls-
hamn, kals'hamn
Karlshorst karls'hɔrst
Karlskoga schwed. kal-
ˌsku:ga
Karlskrona schwed. kals-
ˌkru:na
Karlsruhe 'karlsru:ə
Karlstad schwed. 'ka:lsta
Karlstadt 'karlʃtat
Karlstein 'karlʃtaịn
Karlštejn tschech. 'karlʃtɛjn
Karlweis 'karlvaịs
Karma 'karma
Karmamarga karma'marga
Karman 'karman
Kármán ung. 'ka:rma:n
Karmate kar'ma:tə
Karmel 'karml̩
Karmelit[er] karme'li:t[ɐ]
Karmen 'karmən, ...mina
...mina
Karmesin karme'zi:n
Karmiel hebr. karmi'ɛl
Karmin kar'mi:n
karminativ karmina'ti:f, -e
...i:və
Karminativum karmina'ti:-
vʊm, ...va ...va
Karmir-Blur russ. kar'mir-
'blur
karmosieren karmo'zi:rən
Karmøy norw. ˌkarmœị
Karn[ak] 'karn[ak]
Karnal engl. kə'na:l
Karnallit karna'li:t
Karnat kar'na:t
Karnataka engl. ka:'na:təkə
Karnation karna'tsịo:n
Karnauba... kar'naụba...
Karneades kar'ne:adɛs
Karneol karne'o:l
Karner 'karnɐ
Karneval 'karnəval
Karnevalist karnəva'lıst
Karnickel kar'nıkl̩
Karnies kar'ni:s, -e ...i:zə
Karniese kar'ni:zə
Karnifikation karnifika-
'tsịo:n
karnisch 'karnıʃ
Karnische kar'ni:ʃə
karnivor karni'vo:ɐ
Karnivore karni'vo:rə
Karnöffel kar'nœfl̩
Kärnten 'kɛrntn̩
Kärnt[e]ner 'kɛrnt[ə]nɐ
kärntnerisch 'kɛrntnərıʃ
Karnüffel kar'nʏfl̩
Karnute kar'nu:tə

Karo 'ka:ro
Karoas 'ka:roˌas, auch: --'-
Karobe ka'ro:bə
Karol poln. 'karɔl
Karola ka'ro:la, 'ka:rola
Karolina karo'li:na
Karoline[n] karo'li:nə[n]
Karolinger 'ka:rolıŋɐ
karolingisch 'ka:rolıŋıʃ
karolinisch karo'li:nıʃ
Karolus 'ka:rolʊs, ka'ro:lʊs
Károly[i] ung. 'ka:roj[i]
Karosse ka'rɔsə
Karosserie karɔsə'ri:, -n
...i:ən
Karossier karɔ'sịe:
karossieren karɔ'si:rən
Karotide karo'ti:də
Karotin karo'ti:n
Karotinoid karotino'i:t, -e
...i:də
Karotis ka'ro:tıs, ...tiden
karo'ti:dn̩
Karotte ka'rɔtə
Karottieren karɔ'ti:rən
Karow 'ka:ro
Karpacz 'karpatʃ
Karpasia neugr. karpa'sia
Karpat[h]en kar'pa:tn̩
Karpathos 'karpatɔs, neugr.
'karpaθɔs
karpatisch kar'pa:tıʃ
Karpaty poln., russ. kar-
'pati, slowak. 'karpati
Karpell kar'pɛl
Karpellum kar'pɛlʊm, ...lla
...lla
Karpenko-Kary russ. kar-
'pjɛŋkə'karij
Karpenter... 'karpəntɐ...
Karpfen 'karpfn̩
Karpinsk[i] russ. kar-
'pinsk[ij]
Karpiński poln. kar'piịski
Karpogon karpo'go:n
Karpokrates kar'po:kratɛs
Karpolith karpo'li:t
Karpologie karpolo'gi:
Karpophor karpo'fo:ɐ
Karposoma karpo'zo:ma,
-ta -ta
Karpow russ. 'karpɐf
Karpowicz poln. kar'pɔvitʃ
Karr fr. ka:r
Karrada ka'ra:da
Karrag[h]een kara'ge:n
Kärrchen 'kɛrçən
Karre 'karə
Karree ka're:
karren, K... 'karən

Kạrrer 'karɐ
Karrẹte ka'reːtə
Karrẹtte ka'rɛtə
Kạrrhä 'karɛ
Karriẹre ka'rjeːrə
Karrierịsmus karjeˈrɪsmʊs
Karrierịst karjeˈrɪst
Kạrrillon 'karijõ
Karriọl[e] kaˈrjoːl[ə]
karriọlen kaˈrjoːlən
Kạ̈rrner 'kɛrnɐ
Kạrru kaˈruː
Kạrs *türk.* kars
Karsạmstag kaːɐ̯ˈzamstaːk
Karsạwin[a] *russ.* karˈsa-vin[ɐ]
Kạrsch karʃ
Karschi *russ.* karˈʃɨ
Kạrschin 'karʃɪn
Kạrsdorf 'karsdɔrf
Kạrsen 'karzn̩, *niederl.*
'karsə
Kạrst karst
Kạrstadt 'kaːɐ̯ʃtat
Kạ̈rstchen 'kɛrstçən
Kạrsten 'karstn̩
kạrstig 'karstɪç, **-e** ...ɪgə
Karsụnke karˈzʊŋkə
Kạrt kart
Kartạl *türk.* karˈtal
Kartaly *russ.* kɐrtaˈlɨ
Kartạ̈tsche karˈtɛːtʃə
kartạ̈tschen karˈtɛːtʃn̩
Kartạune karˈtaunə
Kartạuse karˈtauzə
Kartạ̈user karˈtɔyzɐ
Kạ̈rtchen 'kɛrtçən
Kạrte 'kartə
Kartẹi karˈtai
Kartẹll karˈtɛl
kartellịeren kartɛˈliːrən
kạrten 'kartn̩
kartesiạnisch, K... karte-ˈzjaːnɪʃ
Kartesianịsmus kartezja-ˈnɪsmʊs
kartẹsisch, K... karˈteːzɪʃ
Karthạger karˈtaːgɐ
Karthaginiẹnser kartagi-ˈnjɛnzɐ
karthạgisch karˈtaːgɪʃ
Karthạgo karˈtaːgo
Karthamịn kartaˈmiːn
Karthamịs kartaˈmiːs
Karthaus karˈtaus, '--
kartiẹren karˈtiːrən
kartilaginạ̈r kartilagiˈnɛːɐ̯
kartilaginọ̈s kartilagiˈnøːs,
-e ...øːzə
Kạrting 'kartɪŋ

Kartọffel karˈtɔfl̩
Kartogrạmm kartoˈgram
Kartọgraph kartoˈgraːf
Kartographiẹ kartograˈfiː
kartographiẹren kartogra-ˈfiːrən
Kartomantiẹ kartomanˈtiː
Kartomẹter kartoˈmeːtɐ
Kartometriẹ kartomeˈtriː
kartomẹtrisch kartoˈmeː-trɪʃ
Karton karˈtõː, *auch:* kar-ˈtɔŋ, karˈtoːn, **des -s** kar-ˈtõːs, *auch:* karˈtɔŋs, kar-ˈtoːns, **die -s** karˈtõːs, *auch:* karˈtɔŋs, **die -e** karˈtoːnə
Kartonạge kartoˈnaːʒə
kartoniẹren kartoˈniːrən
Kartothẹk kartoˈteːk
Kartụsche karˈtʊʃə
Kartụzy *poln.* karˈtuzɨ
Karụbe kaˈruːbə
Karụn *pers.* kɑˈruːn
Karụnkel kaˈrʊŋkl̩
Karussẹll karʊˈsɛl
Kạrvaš *slowak.* 'karvaʃ
Kạrviná *tschech.* 'karvinaː
Kạrwe 'karvə
karweẹl... karˈveːl...
Karwẹndel karˈvɛndl̩
Kạrwin 'karviːn
Kạrwoche 'kaːɐ̯vɔxə
Karyatịde karjaˈtiːdə
Karyogamiẹ karˈjoɡaˈmiː,
-n ...iːən
Karyokinẹse karˈjoki'neːzə
karyokinẹtisch karˈjokiˈneː-tɪʃ
Karyologiẹ karˈjoloˈɡiː
Karyolỵmphe karˈjoˈlʏmfə
karyophạg karˈjoˈfaːk, **-e**
...aːgə
Karyoplạsma karˈjoˈplasma
Karyọpse kaˈrⁱyɔpsə
Kạrzer 'kartsɐ
karzinogẹn, K... kartsino-ˈgeːn
Karzinoịd kartsinoˈiːt, **-e**
...iːdə
Karzinolọge kartsinoˈloːgə
Karzinologiẹ kartsinoloˈgiː
karzinolọgisch kartsinoˈloː-gɪʃ
Karzinọm kartsiˈnoːm
karzinomatọ̈s kartsino-maˈtøːs, **-e** ...øːzə
Karzinophobiẹ kartsino-foˈbiː
Karzinosarkọm kartsino-zarˈkoːm

Karzinọse kartsiˈnoːzə
Kasạch[e] kaˈzax[ə]
kasạchisch kaˈzaxɪʃ
Kạsachstan 'kaːzaxsta[ː]n,
russ. kɐzaxˈstan
Kạsack 'kaːzak
Kasaï *fr.* kaˈsaj
Kasạk kaˈzak
Kasakẹwitsch *russ.* kɐza-ˈkjevitʃ
Kasakọw *russ.* kɐzaˈkɔf
Kasạma *engl.* kɑːˈsɑːmɑː
¹Kasạn (Stadt) kaˈzaːn,
russ. kɐˈzanj
²Kasạn (Maler) *jap.* 'kaˌzaŋ
Kasandsạkis *neugr.*
kazanˈdzakis
Kasanlạk *bulgar.* kɐzɐnˈlək
Kasạnski *russ.* kɐˈzanskij
Kasatschọk kazaˈtʃɔk
Kasavụbu kazaˈvuːbu, *fr.*
kasavuˈbu
Kạsba[h] 'kasba, **Ksạbi**
'ksaːbi
Kasba-Tadlạ *fr.* kasbataˈdla
Kạsbegi *georg.* 'qazbegi
Kasbẹk *russ.* kazˈbjɛk
Käsch kɛʃ, kɛːʃ
Kạsch[a] 'kaʃ[a]
Kạschan *kaʃan, pers.*
kɑˈʃɑːn
Kaschani *pers.* kɑʃɑˈni:
Kạschau[er] 'kaʃau[ɐ]
kạscheln 'kaʃl̩n
Kaschelọtt kaʃəˈlɔt
Kaschẹmme kaˈʃɛmə
kạschen 'kaʃn̩
Kạ̈schen 'kɛ:sçən
Kạ̈scher 'kɛʃɐ
Kascheur kaˈʃøːɐ̯
kaschiẹren kaˈʃiːrən
Kaschira *russ.* kaˈʃirɐ
Kaschiri kaʃiˈriː
Kaschịwa *jap.* kaˈʃiwa
Kaschkadarjạ *russ.* kɐʃkɐ-darjˈja
Kạschmir 'kaʃmiːɐ̯
Kaschmịri kaʃˈmiːri
Kạschnitz 'kaʃnɪts
Kascholọng kaʃoˈlɔŋ
Kaschọtt kaˈʃɔt
Kaschụbe kaˈʃuːbə
Kaschubẹi kaʃuˈbai
Kaschụbien kaˈʃuːbjən
kaschụbisch kaˈʃuːbɪʃ
Kaschụrpapier kaˈʃuːɐ̯pa-piːɐ̯
Kạ̈se 'kɛːzə
Kaseịn kazeˈiːn

Kasel 'ka:zl̩
Kasematte kazə'matə
kasematt̲i̲eren kazəma'ti:-
rən
kä̲sen 'kɛ:zn̩, käs! kɛ:s,
kä̲st kɛ:st
K̲a̲ser 'ka:zɐ
Kä̲ser 'kɛ:zɐ
Kä̲ser̲e̲i kɛ:zə'raɪ̯
Kas̲e̲rne ka'zɛrnə
Kasernement kazɛrnə'mã:
kasern̲i̲e̲ren kazɛr'ni:rən
Kaser̲u̲n pers. kɑze'ru:n
K̲a̲sha® 'kaʃa
K̲a̲sia 'ka:zi̯a
K̲a̲šić serbokr. 'kaʃitɕ
kä̲sig 'kɛ:zɪç, -e ...ɪgə
Kas̲i̲-Magom̲e̲d russ. ka'zi-
mɐga'mjɛt
Kasimi̲j̲ja kazi'mi:ja
K̲a̲simir 'ka:zimi:ɐ, ...mɪr
K̲a̲sin russ. 'kazin
Kas̲i̲no ka'zi:no
Kask̲a̲de kas'ka:də
Kaskadeur kaskaˈdøːɐ
Kaskar̲i̲llrinde kaska'rɪl-
rɪndə
K̲a̲skel 'kaskl̩
Kask̲e̲tt kas'kɛt
K̲a̲sko 'kasko
K̲a̲šlík tschech. 'kaʃli:k
K̲ä̲smark[t] 'kɛ:smark[t]
K̲a̲sos 'ka:zɔs, neugr. 'kasɔs
K̲a̲spar 'kaspar
Kasp̲a̲row russ. kas'parɐf
K̲a̲sper 'kaspɐ, poln. ...pɛr
Kä̲sper 'kɛspɐ
K̲a̲sperl[e] 'kaspɐl[ə]
K̲a̲sperli 'kaspɐli
k̲a̲spern 'kaspɐn
kä̲spern 'kɛspɐn
K̲a̲spier 'kaspi̯ɐ
k̲a̲spisch, K... 'kaspɪʃ
K̲a̲spisee 'kaspize:
Kasp̲i̲sk russ. kas'pijsk
Kaspr̲o̲wicz poln. kas'prɔ-
vitʃ
¹K̲a̲ssa 'kasa
²Kassa (Name) ung. 'kɔʃʃɔ
Kassák ung. 'kɔʃʃa:k
K̲a̲ssala 'kasala
Kass̲a̲nder ka'sandɐ
Kass̲a̲ndra ka'sandra,
neugr. kasa'n̊ðra
Kassation kasa'tsi̯o:n
Kass̲a̲tkin russ. ka'satkin
kassat̲o̲risch kasa'to:rɪʃ
K̲a̲ssave ka'sa:və
K̲a̲ssawa ka'sa:va
K̲a̲sse 'kasə

K̲a̲ssel 'kasl̩
Kassel̲a̲ner kasə'la:nɐ
K̲a̲sseler 'kasəlɐ
Kasser̲i̲ne fr. ka'srin
Kasser̲o̲lle kasə'rɔlə
Kass̲e̲tte ka'sɛtə
kassett̲i̲e̲ren kasɛ'ti:rən
K̲a̲ssia 'kasi̯a, ...ien ...i̯ən
Kass̲i̲ber ka'si:bɐ
kass̲i̲bern ka'si:bɐn, kas-
s̲i̲bre ka'si:brə
Kass̲i̲de ka'si:də
K̲a̲ssie 'kasi̯ə
Kass̲i̲er ka'si:ɐ
kass̲i̲e̲ren ka'si:rən
Kass̲i̲erer ka'si:rɐ
Kass̲i̲mow russ. ka'simɐf
Kass̲i̲nett kasi'nɛt
kass̲i̲nisch ka'si:nɪʃ
Kass̲i̲od̲o̲r kasi̯o'do:ɐ
Kassiop̲e̲i̲a kasi̯o'pai̯a
Kassiop̲e̲i̲um kasi̯o'pai̯ʊm
Kass̲i̲te ka'si:tə
Kassiter̲i̲den kasite'ri:dn̩
Kassiter̲i̲t kasite'ri:t
K̲a̲ssius 'kasi̯ʊs
K̲a̲ssler 'kaslɐ
K̲a̲ssner 'kasnɐ
Kass̲u̲be ka'su:bə
Kastagn̲e̲tte kastan'jɛtə
Kast̲a̲lia kas'ta:li̯a
kast̲a̲lisch kas'ta:lɪʃ
Kast̲a̲lski russ. kas'taljskij
Kastamonu türk. kɑs'tɑ-
mɔnu, '----
Kast̲a̲nie kas'ta:ni̯ə
Kä̲stchen 'kɛstçən
K̲a̲ste 'kastə
kast̲e̲i̲en kas'tai̯ən
Kašt̲e̲lan serbokr. kaʃ'tɛla:n
Kast̲e̲ll kas'tɛl
Kastell̲a̲n kastɛ'la:n
Kastell̲a̲nei kastɛla'nai̯
Kastell̲a̲un kastɛ'lau̯n
kä̲steln 'kɛstl̩n
Kastelr̲u̲th kastl̩'ru:t
K̲a̲sten 'kastn̩, Kä̲sten
'kɛstn̩
K̲a̲ster 'kastɐ
Kastigation kastiga'tsi̯o:n
Kastig̲a̲tor kasti'ga:to:ɐ,
-en ...ga'to:rən
kastig̲i̲e̲ren kasti'gi:rən
Kast̲i̲lien kas'ti:li̯ən
Kast̲i̲lier kas'ti:li̯ɐ
kast̲i̲lisch kas'ti:lɪʃ
Kast̲i̲ze kas'ti:tsə
K̲a̲stl 'kastl̩
Kastler fr. kast'lɛ:r

K̲a̲stner 'kastnɐ, fr. kast-
'nɛ:r
Kä̲stner 'kɛstnɐ
K̲a̲stor 'kasto:ɐ
Kast̲o̲ria neugr. kastɔ'ria
Kastr̲a̲t kas'tra:t
Kastration kastra'tsi̯o:n
kastr̲i̲e̲ren kas'tri:rən
Kastr̲i̲o̲t[a] alban. kas-
tri'ot[a]
K̲a̲stron 'kastrɔn
Kastrup dän. 'kɛsdrʊb
kasu̲a̲l ka'zu̯a:l
Kasu̲a̲lien ka'zu̯a:li̯ən
Kasu̲a̲lismus kazu̯a'lɪsmʊs
Kasu̲a̲r ka'zu̯a:ɐ
Kasuar̲i̲na kazu̯a'ri:na
Kasuar̲i̲ne kazu̯a'ri:nə
kasu̲e̲ll ka'zu̯ɛl
Kas̲u̲gai jap. ka'sʊgai
Kasu̲i̲st[ik] ka'zu̯ɪst[ɪk]
Kasur engl. kə'sʊə
K̲a̲sus 'ka:zʊs, die - 'ka:zu:s
K̲a̲t[a] 'kat[a]
k̲a̲ta..., K... 'kata...
katab̲a̲tisch kata'ba:tɪʃ
katab̲o̲l kata'bo:l
Katab̲o̲lie katabo'li:
Katab̲o̲lismus katabo'lɪs-
mʊs
Katab̲o̲thre kata'bo:trə
Katachr̲e̲se kata'çre:zə
Katachr̲e̲sis kata'çrezɪs,
...taç..., ...sen ...ta'çre:zn̩
katachr̲e̲stisch kata'çrɛstɪʃ
Kat̲a̲dyn... kata'dy:n...
Kataf̲a̲lk kata'falk
Kat̲a̲jew russ. ka'tajɪf
Katak̲a̲na kata'ka:na
Katak̲a̲ustik kata'kau̯stɪk
katak̲a̲ustisch kata'kau̯stɪʃ
Katakl̲a̲se kata'kla:zə
Katak̲l̲a̲s... kata'kla:s...
kataklastisch kata'klastɪʃ
Kataklysmus kata'klʏsmʊs
kataklystisch kata'klʏstɪʃ
Katak̲o̲mbe kata'kɔmbə
katakr̲o̲t kata'kro:t
Katakrot̲i̲e katakro'ti:
Katak̲u̲stik kata'kʊstɪk
Katal̲a̲ne kata'la:nə
katal̲a̲nisch kata'la:nɪʃ
Katal̲a̲se kata'la:zə
katal̲a̲unisch kata'lau̯nɪʃ
Katal̲e̲kten kata'lɛktn̩
katal̲e̲ktisch kata'lɛktɪʃ
Katalepsi̲e̲ katalɛ'psi:, -n
...i:ən
katal̲e̲ptisch kata'lɛptɪʃ
Katal̲e̲xe kata'lɛksə

Katalexis kaˈtaːlɛksɪs, ...**xen** ...taˈlɛksn̩
Katalog kataˈloːk, **-e** ...oːgə
katalogisieren katalogiˈziːrən
Katalonien kataˈloːnjən
Kataloner kataˈloːnɐ
katalonisch kataˈloːnɪʃ
Katalpa kaˈtalpa
Katalpe kaˈtalpə
Katalysator katalyˈzaːtoːɐ̯, **-en** ...zaˈtoːrən
Katalyse kataˈlyːzə
katalysieren katalyˈziːrən
katalytisch kataˈlyːtɪʃ
Katalytofen kataˈlyːtloːfn̩
Katamaran katamaˈraːn
Katamenien kataˈmeːnjən
Katamnese katamˈneːzə
Katanga kaˈtaŋga, *fr.* kaˈtãːga, *russ.* ˈkatɐŋgɐ
Katangese kataŋˈgeːzə
katangesisch kataŋˈgeːzɪʃ
Kataphasie katafaˈziː
Katapher kaˈtafɐ
Kataphorese katafoˈreːzə
kataphorisch kataˈfoːrɪʃ
Kataphrakt kaˈfrakt
Kataplasie kataplaˈziː, **-n** ...iːən
Kataplasma kataˈplasma
kataplektisch kataˈplɛktɪʃ
Kataplexie kataplɛˈksiː, **-n** ...iːən
Katapult kataˈpʊlt
katapultieren katapʊlˈtiːrən
Katar ˈkaːtar, *auch:* ˈkatar
Katarakt[a] kataˈrakt[a]
Katarer kaˈtaːrɐ
katarisch kaˈtaːrɪʃ
Katarr[h] kaˈtar
katarr[h]alisch kataˈraːlɪʃ
Katarzyna *poln.* kataˈʒina
Katastase kataˈstaːzə
Katastasis kaˈtastazɪs, ...**stasen** ...ˈstaːzn̩
Kataster kaˈtastɐ
Katasterismus katasteˈrɪsmʊs
Katastral... kataˈstraːl...
katastrieren katasˈtriːrən
katastrophal katastroˈfaːl
Katastrophe katasˈtroːfə
katastrophisch katasˈtroːfɪʃ
Katasyllogismus katazyloˈgɪsmʊs
Katathermometer katatɛrmoˈmeːtɐ

katathym kataˈtyːm
Katathymie katatyˈmiː, **-n** ...iːən
Katatonie katatoˈniː, **-n** ...iːən
Katatoniker kataˈtoːnikɐ
katatonisch kataˈtoːnɪʃ
Katavothre kataˈvoːtrə
Katazone ˈkatatso:nə
Katchen *engl.* ˈkætʃən
Kätchen ˈkɛːtçən
Kate *dt., niederl.* ˈkaːtə, *engl.* keɪt
Käte ˈkɛːtə
Kateb *fr.* kaˈtɛb
Katechese katɛˈçeːzə
Katechet[ik] katɛˈçeːt[ɪk]
Katechisation katɛçizaˈtsi̯oːn
katechisieren katɛçiˈziːrən
Katechismus katɛˈçɪsmʊs
Katechist katɛˈçɪst
Katechu ˈkatɛçu
Katechumenat katɛçumeˈnaːt
Katechumene katɛçuˈmeːnə, *katholisch:* katɛˈçuːmenə
kategorial kategoˈri̯aːl
Kategorie kategoˈriː, **-n** ...iːən
kategoriell kategoˈri̯ɛl
kategorisch kateˈgoːrɪʃ
kategorisieren kategoriˈziːrən
Katen ˈkaːtn̩
Katene kaˈteːnə
Katenin *russ.* kaˈtjenin
Katenoid katenoˈiːt, **-e** ...iːdə
Kater ˈkaːtɐ, *engl.* ˈkeɪtə
Katerina *russ.* kɐtɪˈrinɐ
Katerini *neugr.* katɛˈrini
katexochen katlɛksɔˈxeːn
Katfisch ˈkatfɪʃ
Katgut ˈkatgʊt
Kathai kaˈtai
Katharer ˈkaːtarɐ, *auch:* ˈkat...
Kathareuusa kataˈrɔyuza, *neugr.* kaθaˈrɛvusa
Katharina kataˈriːna, *engl.* kæθəˈriːnə
Katharine kataˈriːnə, *engl.* ˈkæθərɪn
katharob kataˈroːp, **-e** ...oːbə
Katharobie kataˈroːbi̯ə
Katharobiont kataroˈbi̯ɔnt

Katharsis ˈkaːtarzɪs, *auch:* kaˈtarzɪs
kathartisch kaˈtartɪʃ
Käthchen ˈkɛːtçən
Kathe ˈkaːtə
Käthe ˈkɛːtə
Katheder kaˈteːdɐ
Kathedral... kateˈdraːl...
Kathedrale kateˈdraːlə
Kathepsin katɛˈpsiːn
Kather ˈkaːtɐ
Katherine *engl.* ˈkæθərɪn
Kathete kaˈteːtə
Katheter kaˈteːtɐ
katheterisieren kateteriˈziːrən
kathetern kaˈteːtɐn
Kathetometer katetoˈmeːtɐ
Kathiawar *engl.* kɑːti̯əˈwɑː
Kathie *engl.* ˈkæθi
Kathinka kaˈtɪŋka
Kathleen *engl.* ˈkæθliːn
Kathode kaˈtoːdə
kathodisch kaˈtoːdɪʃ
Kathodophon katodoˈfoːn
Kathole kaˈtoːlə
Katholik katoˈliːk
Katholikos katoˈliːkɔs
katholisch kaˈtoːlɪʃ
katholisieren katoliˈziːrən
Katholizismus katoliˈtsɪsmʊs
Katholizität katolitsiˈtɛːt
Katholyt katoˈlyːt
Kathrein kaˈtrain
Kathreiner® kaˈtrainɐ
Kathrin kaˈtriːn, *auch:* '--
Kathrine kaˈtriːnə
Kathryn *engl.* ˈkæθrɪn
Kati ˈkaːti, *fr.* kaˈti
Katie *engl.* ˈkeɪti
Katif kaˈtiːf
Katilina katiˈliːna
katilinarisch, K... katiliˈnaːrɪʃ
Katinka kaˈtɪŋka, *ung.* ˈkɔtiŋkɔ
Katiola *fr.* katjɔˈla
Kation ˈkaːtio̯n, ...i̯on, **-en** kaˈtio̯ːnən
Katja ˈkatja, *russ.* ˈkatjɐ
Katla *isl.* ˈkahtla
Katmai *engl.* ˈkætmaɪ
Katmandu katˈmandu, katmanˈduː, *engl.* kætmænˈduː
Kätner ˈkɛːtnɐ
Kato ˈkaːto
Katode kaˈtoːdə
katodisch kaˈtoːdɪʃ
katogen katoˈgeːn

katohalin katoha'li:n
Katolyt kato'ly:t
Katona *ung.* 'kɔtonɔ
katonisch, K... ka'to:nɪʃ
Katoomba *engl.* kə'tu:mbə
Katoptrik ka'tɔptrɪk
katoptrisch ka'tɔptrɪʃ
katotherm kato'tɛrm
Katothermie katotɛr'mi:
Katowice *poln.* katɔ'vitsɛ
Katrein ka'traın
Katrin ka'tri:n, *auch:* '--
Katrine ka'tri:nə, *engl.* 'kætrın
Katrineholm *schwed.* katri-nə'hɔlm
Katschalow *russ.* ka'tʃaløf
Katschari ka'tʃa:ri
Katschberg 'katʃbɛrk
katschen 'katʃn̩
kätschen 'kɛtʃn̩
Kätscher 'katʃɐ
Kätscher 'kɛtʃɐ
Katsina *engl.* 'ka:tsınə, ka:'tʃi:na:
Kattakurgan *russ.* kattakur'gan
Kattanker 'katlaŋkɐ
Katte 'katə
Kattegat 'katəgat, *dän.* 'kædəgæd
Kattegatt *schwed.* 'katəgat
katten 'katn̩
Kattenbusch 'katn̩buʃ
Kattnigg 'katnık
Kattowitz 'katovıts
Kattrin 'katri:n
Kattun ka'tu:n
kattunen ka'tu:nən
Kattwald 'katvalt
Katty *engl.* 'kætı
Katuar *russ.* kɐtu'ar
Katull ka'tʊl
Katun *russ.* ka'tunj
Katušev *russ.* 'katuʃəf
Katwijk [aan Zee] *niederl.* 'katwɛik [a:n 'ze:]
Katyn *russ.* ka'tinj, *auch:* '--
Katz kats, *engl.* kæts
Katzbach 'katsbax
katzbalgen 'katsbalgn̩
Katzbalgerei katsbalgə'rai
katzbuckeln 'katsbʊkln̩
Kätzchen 'kɛtsçən
Katze 'katsə
Katzelmacher 'katsl̩maxɐ
Katzenelnbogen katsn̩-'|ɛlnbo:gn̩
Kätzer 'katsɐ
Katzhütte kats'hytə

Kätzin 'kɛtsın
Katzoff 'katsɔf
Katzuff 'katsʊf
Kauai *engl.* 'kaʊaı
Kaub kaup
kaudal kau'da:l
kaudern 'kaudɐn, ...dre ...drə
kauderwelsch, K... 'kaudɐvɛlʃ
kauderwelschen 'kaudɐvɛlʃn̩
kaudinisch kau'di:nıʃ
Kaue 'kauə
kauen, K... 'kauən
Kauer 'kauɐ
kauern 'kauɐn
Kauf kauf
Kaufbeuren kauf'bɔyrən
kaufen 'kaufn̩
Käufer 'kɔyfɐ
Kauffahrteischiff kauffa:ɐ-'taiʃıf
Kauffmann 'kaufman
Kaufman *engl.* 'kɔ:fmən
Kaufmann 'kaufman
Kaufungen 'kaufʊŋən
Kaukamm 'kaukam
Kaukasien kau'ka:ziən
Kaukasier kau'ka:ziɐ
kaukasisch kau'ka:zıʃ
Kaukasist[ik] kauka'zıst[ık]
Kaukasus 'kaukazʊs
Kaukauna *engl.* kɔ:'kɔ:nə
Kauket ka'u:kɛt
Kaulbach 'kaulbax
Kaulbarsch 'kaulba:ɐ̯ʃ
Kaule 'kaulə
kauliflor kauli'flo:ɐ̯
Kauliflorie kauliflo'ri:
Kaulom kau'lo:m
Kaulquappe 'kaulkvapə
Kaulun 'kaulʊn
kaum kaum
Kaumazit kauma'tsi:t
Kaun kaun
Kaunas *lit.* .kaunas
Kaunda ka'ʊnda, *engl.* kɑ:'ʊndə
Kaunitz 'kaunıts
Kaupelei kaupə'lai
kaupeln 'kaupl̩n
Kauper[t] 'kaupɐ[t]
Kauri 'kauri
Kaus kaus
kausal kau'za:l
Kausalgie kauzal'gi:, -n ...i:ən
Kausalis kau'za:lıs, ...les ...le:s

Kausalität kauzali'tɛ:t
kausativ 'kauzati:f, *auch:* --'-, -e ...i:və
Kausativ 'kauzati:f, -e ...i:və
Kausativum kauza'ti:vʊm, ...va ...va
Kausch[e] 'kauʃ[ə]
kausieren kau'zi:rən
kaustifizieren kaustifi'tsi:-rən
Kaustik 'kaustık
Kaustikum 'kaustikʊm, ...ka ...ka
kaustisch 'kaustıʃ
Kaustobiolith kaustobio'li:t
Kautel kau'te:l
Kauter 'kautɐ
Kauterisation kauteriza-'tsio:n
kauterisieren kauteri'zi:rən
Kauterium kau'te:riʊm, ...ien ...iən
Kaution kau'tsio:n
Käutner 'kɔytnɐ
Kautsch kautʃ
kautschieren kau'tʃi:rən
Kautschuk 'kautʃʊk
kautschutieren kautʃu'ti:-rən
Kautsky 'kautski
Kautzsch kautʃ
Kauz kauts, Käuze 'kɔytsə
Käuzchen 'kɔytsçən
kauzig 'kautsıç, -e ...ıgə
Kaval ka'val
Kavalier kava'li:ɐ̯
Kavalkade kaval'ka:də
Kavallerie 'kavaləri:, *auch:* ---'-, -n ...i:ən
Kavallerist 'kavalərıst, *auch:* ---'-
Kaval[l]ett kava'lɛt
Kavanagh *engl.* 'kævənə
Kavatine kava'ti:nə
Kaveling 'ka:vəlıŋ
Kavent ka'vɛnt
Kaverne ka'vɛrnə
kavernikol kavɛrni'ko:l
Kavernom kavɛr'no:m
kavernös kavɛr'nø:s, -e ...ø:zə
Kavetschein 'ka:vɛtʃain
Kaviar 'ka:viar
kavieren ka'vi:rən
Kavität kavi'tɛ:t
Kavitation kavita'tsio:n
Kawa 'ka:va
Kawabata *jap.* ka'wabata
Kawafis *neugr.* ka'vafis

Kawagoe *jap.* kaˈwagoe
Kawagutschi *jap.* kaˈwa-
ˌgutʃi
Kawala *neugr.* kaˈvala
Kawalec *poln.* kaˈvalɛts
Kawalerowicz *poln.* kavalɛ-
ˈrɔvitʃ
Kawasaki *jap.* kaˈwasaki
Kawass[e] kaˈvas[ə]
Kawerau ˈkaːvərau̯
Kawerin *russ.* kaˈvjerin
Kawi ˈkaːvi
Kawja ˈkaːvja
Kawkas *russ.* kafˈkas
Kay kai̯, *engl.* keɪ
Kaya *fr.* kaˈja
Kaye *engl.* keɪ
Kayenne kaˈjɛn
Kayes *engl.* keɪz, *fr.* kaj
Kayser ˈkai̯zɐ
Kayseri *türk.* ˈkɑi̯sɛri
Kayßler, …ssler ˈkai̯slɐ
Kazan *engl.* kəˈzaːn
Kazike kaˈt͡siːkə
Kazimierz *poln.* kaˈzimjɛʃ
Kazin *engl.* ˈkeɪzɪn
Kazincbarcika *ung.*
ˈkɔzindzbɔrtsikɔ
Kazinczy *ung.* ˈkɔzintsi
Kazoo kɛˈzuː
¹Kea (Vogel) ˈkeːa
²Kea (Insel) *neugr.* ˈkɛa
Kean[e] *engl.* kiːn
Keansburg *engl.* ˈkiːnzbəːg
Kearney, …ny *engl.* ˈkəːnɪ,
ˈkɑːnɪ
Kearns *engl.* kəːnz
Keating[e] *engl.* ˈkiːtɪŋ
Keaton *engl.* kiːtn̩
Keats *engl.* kiːts
Kebab keˈbap
Keban *türk.* ˈkɛban
kebbeln ˈkɛbl̩n, …**ble** …blə
Keble *engl.* kiːbl
Kebnekajse *schwed.* kɛbnə-
ˌkai̯sə
Kebse ˈkeːpsə
Kebsweib ˈkeːpsvai̯p
Kecal *tschech.* ˈkɛtsal
keck kɛk
Keck *dt., engl.* kɛk
Keckeis ˈkɛkai̯s
keckern ˈkɛkɐn
Kecskemét *ung.* ˈkɛt͡ʃkɛ-
meːt
Kedah *indon.* kəˈdah
Kedar ˈkeːdar
Keder ˈkeːdɐ
Kedjri *indon.* kəˈdiri
Kedrin *russ.* ˈkjedrin

Kedron ˈkeːdrɔn
Kedrosia keˈdroːzi̯a
Kędzierzyn *poln.* kɛnˈdzɛʒin
Keef[f]e *engl.* kiːf
Keele[r] *engl.* ˈkiːl[ə]
Keeley *engl.* ˈkiːlɪ
Keeling *engl.* ˈkiːlɪŋ
Keen[e] *engl.* kiːn
Keep keːp
Keeper ˈkiːpɐ
keep smiling, Keeps…
ˈkiːpˈsmai̯lɪŋ
Kees keːs, **-e** ˈkeːzə
Keesler *engl.* ˈkiːslə
Keesom *niederl.* ˈkeːsɔm
Keetmanshoop *afr.* keːt-
mansˈhoːp
Keewatin *engl.* kiːˈweɪtɪn
Kef, le *fr.* ləˈkɛf
Kefallinia *neugr.* kɛfaliˈnia
Kefauver *engl.* ˈkiːfɔːvə
Kefe ˈkeːfə
Kefermarkt ˈkeːfɐmarkt
Kefije keˈfiːjə
Kefir ˈkeːfɪr, …fiːɐ̯
Keflavik ˈkeːflaviːk, *isl.* ˈkjɛ-
blaviːk
Kegan *engl.* ˈkiːgən
Kegel ˈkeːgl̩
keg[e]lig ˈkeːg[ə]lɪç, **-e** …ɪgə
kegeln ˈkeːgl̩n, **kegle** ˈkeːglə
Kegler ˈkeːglɐ
Kehdingen ˈkeːdɪŋən
Kehl[chen] ˈkeːl[çən]
Kehle ˈkeːlə
kehlen ˈkeːlən
kehlig ˈkeːlɪç, **-e** …ɪgə
Kehr[aus] ˈkeːɐ̯[lau̯s]
Kehre ˈkeːrə
kehren ˈkeːrən
Kehrer ˈkeːrɐ
Kehricht ˈkeːrɪçt
kehrt! keːɐ̯t
Kehrum ˈkeːɐ̯lʊm
Kehrwieder keːɐ̯ˈviːdɐ
Keib kai̯p, **-en** ˈkai̯bn̩
Keibel ˈkai̯bl̩
Keicobad ˈkai̯kobat
keifen ˈkai̯fn̩
Keifer ˈkai̯fɐ, *engl.* ˈkai̯fə
Keiferei kai̯fəˈrai̯
keifisch ˈkai̯fɪʃ
Keighley *engl.* ˈkiːθlɪ
Keihin *jap.* keˈːhin
Keil[berth] ˈkai̯l[bɛrt]
Keile ˈkai̯lə
keilen ˈkai̯lən
Keilerei kai̯ləˈrai̯
Keilhack ˈkai̯lhak
Keilor *engl.* ˈkiːlə

Keim kai̯m
Keimelie kai̯ˈmeːli̯ə
keimen ˈkai̯mən
kein kai̯n
keinerlei ˈkai̯nɐˈlai̯
keinerseits ˈkai̯nɐˈzai̯ts
keinesfalls ˈkai̯nəsˈfals
keineswegs ˈkai̯nəsˈveːks
keinmal ˈkai̯nmaːl
Keiser ˈkai̯zɐ
Keita *fr.* kɛi̯ˈta
Keitel ˈkai̯tl̩
Keitele *finn.* ˈkɛi̯tɛlɛ
Keith kai̯t, *engl.* kiːθ
Keitum ˈkai̯tʊm
Keizer *engl.* ˈkai̯zə
Kékes *ung.* ˈkeːkɛʃ
Kekkonen *finn.* ˈkɛkkɔnɛn
Kekrops ˈkeːkrɔps
Keks keːks
Kekule ˈkeːkule
Kelantan *indon.* kəˈlantan
Kelbra ˈkɛlbra
Kelch kɛlç
Keldysch *russ.* ˈkjɛldɪʃ
Kelek ˈkɛlɛk
Kelemen *ung.* ˈkɛlɛmɛn
Keleos ˈkeːleɔs
Kéler *ung.* ˈkeːlɛr
Kelermes *russ.* kɪlɪrˈmjɛs
Kelheim ˈkeːlhai̯m
Kélibia *fr.* keliˈbja
Kelik ˈkɛlɪk
Kelim ˈkeːlɪm
Kelkheim ˈkɛlkhai̯m
Kelkit *türk.* ˈkɛlkit
Kelle ˈkɛlə
Kellek ˈkɛlɛk
Kellenhusen kɛlənˈhuːzn̩
Keller ˈkɛlɐ, *engl.* ˈkɛlə
Kellerei kɛləˈrai̯
Kellerhoven ˈkɛlɐhoːfn̩
Kellermann ˈkɛlɐman, *fr.*
kɛlɛrˈman
Kellerthaler ˈkɛlɐtaːlɐ
Kellerwald ˈkɛlɐvalt
Kellerwand ˈkɛlɐvant
Kelley *engl.* ˈkɛlɪ
Kellgren *schwed.* ˌçɛlgreːn
Kellinghusen kɛlɪŋˈhuːzn̩
Kellion ˈkɛli̯ɔn, **Kellien**
ˈkɛli̯ən
Kellner ˈkɛlnɐ
kellnern ˈkɛlnɐn
Kellogg *engl.* ˈkɛlɔg
Kells *engl.* kɛlz
Kelly ˈkɛli, *engl.* ˈkɛlɪ
Keloid keloˈiːt, **-e** …iːdə
Keloidose keloi̯ˈdoːzə

Kelotomie keloto'mi:, -n
...i:ən
Kelowna *engl.* kı'loʊnə
Kelp kɛlp
Kelsen 'kɛlzn̩
Kelsey *engl.* 'kɛlsı
Kelso *engl.* 'kɛlsoʊ
Kelsos 'kɛlzɔs
Kelsterbach 'kɛlstɐbax
Kelt[e] 'kɛlt[ə]
Kelter[born] 'kɛltɐ[bɔrn]
Kelterei kɛltə'raı
keltern 'kɛltɐn
Keltiberer kɛlti'be:rɐ
keltisch 'kɛltıʃ
Keltist[ik] kɛl'tıst[ık]
Keltologe kɛlto'lo:gə
Keltologie kɛltolo'gi:
keltologisch kɛlto'lo:gıʃ
keltoromanisch kɛltoro-
'ma:nıʃ
Kelvin *engl.* 'kɛlvın
Kem *russ.* kjemj
Kemal *türk.* ke'mal
Kemalismus kema'lısmʊs
Kemalist kema'lıst
Kemantsche ke'mantʃə
Kemble *engl.* kembl
Kembs kɛmps, *fr.* kɛmbs
Kemelman *engl.* 'kɛməlmən
Kemenate keme'na:tə
Kemenaten keme'na:tn̩
Kemény *ung.* 'kɛme:nj
Kemerowo *russ.* 'kjemırɐvɐ
Kemi[järvi] *finn.*
'kɛmi[jærvi]
Kemijoki *finn.* 'kɛmijɔki
Kemlitz 'kɛmlıts
Kemmel[berg] *niederl.*
'kɛməl[bɛrx]
Kemmern 'kɛmɐn
Kemnath 'kɛmna:t
Kemp *dt., fr., niederl., engl.*
kɛmp
Kempe *dt., niederl.* 'kɛmpə
Kempelen 'kɛmpələn
Kempen 'kɛmpn̩, *niederl.*
'kɛmpə
Kempeneer *niederl.* 'kɛm-
pəne:r
Kempf[f] kɛmpf
Kempis 'kɛmpi:s
Kempner 'kɛmpnɐ
Kempo 'kɛmpo
Kempston *engl.* 'kɛmpstən
Kempten 'kɛmptn̩
Kempton *engl.* 'kɛmptən
[1]Ken (Bezirk) kɛn
[2]Ken (Name) *engl.* kɛn
Kena 'ke:na

Kenadsa *fr.* kenad'sa
Kenai *engl.* 'ki:naı
Kendal[l] *engl.* kɛndl
Kendallville *engl.* 'kɛndlvıl
Kendari *indon.* kən'dari
Kendo 'kɛndo
Kendoka kɛn'do:ka
Kendrew *engl.* 'kɛndru:
Keneally *engl.* kı'ni:lı
Kenem ke'ne:m
Kenia 'ke:nja
Kenianer ke'nja:nɐ
kenianisch ke'nja:nıʃ
Kenilworth *engl.* 'kɛnıl-
wə[:]θ
Kenisiter keni'zi:tɐ
Keniter ke'ni:tɐ
Kénitra *fr.* keni'tra
Kenmore *engl.* 'kɛnmɔ:
Kenn[an] *engl.* 'kɛn[ən]
Kennebec *engl.* 'kɛnıbɛk
Kennebunk *engl.* 'kɛnıbʌŋk
Kennedy *engl.* 'kɛnıdı
Kennel 'kɛnl̩
Kennelly *engl.* 'kɛnlı
Kennemerland *niederl.*
'kɛnəmɐrlant
kennen 'kɛnən
Kenner 'kɛnɐ, *engl.* 'kɛnə
Kennerly *engl.* 'kɛnəlı
Kennet *engl.* 'kɛnıt
Kenneth *engl.* 'kɛnıθ
Kennett *engl.* 'kɛnıt
Kennewick *engl.* 'kɛnəwık
Kenning 'kɛnıŋ, -ar 'kɛnıŋ-
gar
kenntlich 'kɛntlıç
Kenntnis 'kɛntnıs, -se ...ısə
Kenny *engl.* 'kɛnı
kennzeichnen 'kɛntsaıçnən
Keno 'ke:no
Kenogami *engl.* kənoʊ-
'ga:mı
Kenokarpie kenokar'pi:
Kenora *engl.* kə'nɔ:rə
Kenosha *engl.* kə'noʊʃə
Kenosis 'ke:nozıs
Kenotaph keno'ta:f
Kenotaphion keno'ta:fjɔn,
...ien ...jən
Kenotaphium keno'ta:fjʊm,
...ien ...jən
Kenotiker ke'no:tikɐ
Kenrick *engl.* 'kɛnrık
Kensett *engl.* 'kɛnsıt
Kensington *engl.* 'kɛnzıŋtən
Kent *engl.* kɛnt
Kentau *russ.* kın'tau
Kentaur kɛn'taʊɐ
kentern 'kɛntɐn

Kenton *engl.* 'kɛntən
Kentucky *engl.* kɛn'tʌkı
Kentum... 'kɛntʊm...
Kentville *engl.* 'kɛntvıl
Kentwood *engl.* 'kɛntwʊd
Kenworthy *engl.* 'kɛnwə:ðı
Kenya *engl.* 'kɛnjə, 'ki:njə
Kenyatta kɛn'jata, *engl.*
kɛn'jætə
Kenyon *engl.* 'kɛnjən
Kenzingen 'kɛntsıŋən
Keokuk *engl.* 'ki:əkʌk
Keos 'ke:ɔs
Kephalalgie kefalal'gi:, -n
...i:ən
Kephalhämatom kefalhɛ-
ma'to:m
Kephallenia kefa'le:nja
Kephalogramm kefalo-
'gram
Kephalograph kefalo'gra:f
Kephalometrie kefalome-
'tri:
Kephalon 'ke:falɔn, ...la ...la
Kephalonie kefalo'ni:
Kephalopode kefalo'po:də
Kephalos 'ke:falɔs
Kephalotomie kefaloto'mi:
Kephalozele kefalo'tse:lə
Kephas 'ke:fas
Kepheus 'ke:fɔʏs
Kephisodot kefizo'do:t
Kephisos ke'fi:zɔs
Kephissos ke'fısɔs
Kepler 'kɛplɐ
Kepno *poln.* 'kɛmpnɔ
keppeln 'kɛpl̩n
Keppler 'kɛplɐ
Ker *engl.* ka:, kɛə, kə:
Kerabau kera'bau
Kerala 'ke:rala, *engl.* 'kɛrələ
Keralogie® keralo'gi:
Kerameikos keramaı'kɔs
Keramik ke'ra:mık
Keramiker ke'ra:mikɐ
keramisch ke'ra:mıʃ
Keratin kera'ti:n
Keratitis kera'ti:tıs, ...itiden
...ti'ti:dn̩
Keratoglobus kerato'glo:-
bus
Keratokonus kerato'ko:nʊs
Keratom kera'to:m
Keratomalazie keratoma-
la'tsi:, -n ...i:ən
Keratometer kerato'me:tɐ
Keratophyr kerato'fy:ɐ
Keratoplastik kerato'plas-
tık
Keratose kera'to:zə

Keratoskop kerato'sko:p
Kerava *finn.* 'kɛrɑvɑ
Kerb kɛrp, -en 'kɛrbn̩
Kerbe 'kɛrbə
Kerbel 'kɛrbl̩
Kerbela 'kɛrbela
kerben 'kɛrbn̩, kerb! kɛrp,
　kerbt kɛrpt
Kerberos 'kɛrberɔs
Kerckhove[n] *niederl.*
　'kɛrkho:və
Kerdon 'kɛrdɔn
Kerekes *ung.* 'kɛrɛkɛʃ
Kerektasie kerɛkta'zi:
Keren 'ke:rən
Kerenski *russ.* 'kjerınskij
Kerényi *ung.* 'kɛre:nji
Keres *russ.* 'kjerıs
Kerf kɛrf
Kerguelen kɛr'ge:lən
Kerguélen *fr.* kɛrge'lɛn
Kerguélen-Trémarec *fr.*
　kɛrgelɛntrema'rɛk
Kericho *engl.* kə'ri:tʃoʊ
Kerinci *indon.* kə'rıntʃi
Kerinthos ke'rıntɔs
Kerka 'kɛrka
Kerkenna *fr.* kɛrkɛn'na
Kerker 'kɛrkɐ
Kerkidas 'kɛrkidas
Kerkira *neugr.* 'kɛrkira
Kerkops 'kɛrkɔps, ...open
　kɛr'ko:pn̩
Kerkovius kɛr'ko:vjʊs
Kerkrade *niederl.* 'kɛrkra:də
Kerkwijk *niederl.* 'kɛrkwɛik
Kerkyra 'kɛrkyra, *auch:* kɛr-
　'ky:ra
Kerl kɛrl
Kerle *niederl.* 'kɛrlə
Kerll kɛrl
Kerma 'kɛrma
Kermadec *engl.* kə:'mædɛk
¹Kerman (Teppich) kɛr-
　'ma:n
²Kerman (Stadt) *pers.* ker-
　'ma:n
Kermanschah *pers.* ker-
　man'ʃa:h
Kermes... 'kɛrməs...
Kermit *engl.* 'kə:mıt
Kern *dt., niederl.* kɛrn, *engl.*
　kə:n
kerndeutsch 'kɛrn'dɔytʃ
kernen 'kɛrnən
Kerner 'kɛrnɐ
kerngesund 'kɛrngə'zʊnt
kernig 'kɛrnıç, -e ...ıgə
Kernit kɛr'ni:t

Kernsdorfer Höhe 'kɛrns-
　dɔrfɐ'hø:ə
Kernstock 'kɛrnʃtɔk
Kerogen kero'ge:n
Keroplastik kero'plastık
Kerosin kero'zi:n
Kerouac *engl.* 'kɛrʊæk
Kerpen 'kɛrpn̩
Kerr kɛr, *engl.* kɑ:, kɛə, kə:
Kerrie 'kɛrjə
Kerrville *engl.* 'kə:vıl
Kerry *engl.* 'kɛrı
Kersantit kɛrzan'ti:t
Kerschensteiner 'kɛrʃn̩-
　ʃtainɐ
Kersnik *slowen.* kərs'ni:k
Kerst *engl.* kə:st
Kersten 'kɛrstn̩
Kerstin 'kɛrsti:n
Kersting 'kɛrstıŋ
Kerteminde *dän.* kɛɐ̯də-
　'mınə
Kertész *ung.* 'kɛrte:s
Kertsch *russ.* kjertʃ
Kerub 'ke:rʊp, -e ...rubə,
　-im ...rubi:m, -inen keru-
　'bi:nən
Kerulen 'ke:rulɛn
Kerularios kerʊ'la:rjɔs
Kerwe 'kɛrvə
Kerygma 'ke:rʏgma
kerygmatisch kerʏ'gma:tıʃ
Kerykeion ke'ry:kaiɔn,
　...eia ...aia
Kerze 'kɛrtsə
kerzengerade 'kɛrtsn̩-
　gə'ra:də
Kesch[an] 'kɛʃ[an]
Kescher 'kɛʃɐ
Kesey *engl.* 'kɛsı, 'ki:zı
Keski-Suomi *finn.* 'kɛski-
　sŋomi
kess kɛs
Kessel 'kɛsl̩, *niederl.* 'kɛsəl,
　fr. ke'sɛl, *engl.* kɛsl
Kessel-Lo *niederl.* 'kɛsəllo:
Kesselring 'kɛsl̩rıŋ
Kesser 'kɛsɐ
Kessler 'kɛslɐ, *fr.* kɛ'slɛ:r
Keßler 'kɛslɐ
Kesten[berg] 'kɛstn̩[bɛrk]
Kestner 'kɛstnɐ
Keswick *engl.* 'kɛzık
Keszthely *ung.* 'kɛsthɛj
Ket *russ.* kjetj
Keta *engl.* 'kɛta:
Ketapang *indon.* kə'tapaŋ
Ketcham *engl.* 'kɛtʃəm
Ketchikan *engl.* 'kɛtʃıkæn
Ketchum *engl.* 'kɛtʃəm

Ketchup 'kɛtʃap, *auch:*
　'kɛtʃɛp
Kete 'ke:tə
Ketel *niederl.* 'ke:təl
Ketelbey *engl.* kı'tɛlbı
Ketelmeer *niederl.* 'ke:təl-
　me:r
Kéthly *ung.* 'ke:tli
Ketlinskaja *russ.* kıt'lin-
　skɐjɐ
Ketogruppe 'ke:togrʊpə
Keton ke'to:n
Ketonurie ketonu'ri:, -n
　...i:ən
Ketose ke'to:zə
Kétou *fr.* ke'tu
Ketrzyn *poln.* 'kɛnttʃın
Ketsch kɛtʃ
ketschen 'kɛtʃn̩
Ketschua 'kɛtʃua
Kettbaum 'kɛtbaum
Kettcar® 'kɛtka:ɐ̯
¹Kette 'kɛtə
²Kette (Name) *slowen.* 'ke:tɛ
Ketteler 'kɛtələ
ketteln 'kɛtl̩n
ketten 'kɛtn̩
Kettering *engl.* 'kɛtərıŋ
Kettle *engl.* kɛtl
Kettler 'kɛtlɐ
Kettunen *finn.* 'kɛttunɛn
Kettwig 'kɛtvıç
Ketubim ketu'bi:m
Kety *poln.* 'kɛntı
Ketzer 'kɛtsɐ
Ketzerei kɛtsə'rai
Ketzin kɛ'tsi:n
keuchen 'kɔyçn̩
Keudell 'kɔydl̩
Keuka *engl.* 'kju:kə
Keukenhof *niederl.* 'kø:kən-
　hof
Keule 'kɔylə
keulen 'kɔylən
Keun kɔyn
Keuper 'kɔypɐ
keusch kɔyʃ
Keusche 'kɔyʃə
Keuschlamm 'kɔyʃlam
Kevelaer 'ke:vəla:ɐ̯
Kevin *engl.* 'kɛvın
Kew *engl.* kju:
Kewanee *engl.* kı'wɔnı
Keweenaw *engl.* 'ki:wıno:
Kewir ke'vi:ɐ̯
Kexholm *schwed.* ˌkɛksholm
Key *engl.* ki:, *niederl.,*
　schwed. kɛi
Key-Account-... 'ki:-
　lɛ'kaunt...

Keyboard 'ki:bo:ɐt
Keyboarder 'ki:bo:ɐdɐ
Keyes *engl.* ki:z, kaɪz
Keynes *engl.* keɪnz
Keynesianismus ke:nzia-
'nɪsmʊs
Keynsham *engl.* 'keɪnʃəm
Keyport *engl.* 'ki:pɔ:t
Keyser 'kaɪzɐ, *engl.* 'kaɪzə,
niederl. 'kɛi̯zər, *fr.* kaj'zɛ:r
Keyserling 'kai̯zɐlɪŋ
Keyßer 'kai̯sɐ
Key West *engl.* 'ki: 'wɛst
Keyx 'ke:ʏks
Kézai *ung.* 'ke:zɔi
Kezal 'kɛtsal
Kežmarok *slowak.* 'kɛʒma-
rɔk
Kfor 'ka:fo:ɐ
KGB ka:ge:'be:
Khaiber 'kai̯bɐ
Khaki 'ka:ki
Khama *engl.* 'ka:mə
Khan ka:n
Khanat ka'na:t
Khandwa *engl.* 'kændwa:
Khanpur *engl.* 'ka:npʊə
Kharagpur *engl.* 'kærəgpʊə
Kharthwelier kart've:li̯ɐ
Khartum 'kartʊm, kar'tu:m
Khasi 'ka:zi
Khatchaturian *russ.* xɐtʃɐ-
tu'rjan
Khedive ke'di:və
Khemis-Miliana *fr.* kemis-
milja'na
Khenchela *fr.* kɛnʃe'la
Khénitra *fr.* keni'tra
Khetschua 'kɛtʃu̯a
Khevenhüller 'ke:fn̩hʏlɐ,
'ke:v...
Khipu 'kɪpu
Khlesl 'kle:zl̩
Khmer kme:ɐ̯
Khnopff *niederl., fr.* knɔpf
Khoi 'ko:i
Khoin 'ko:ɪn
Khoisanide koiza'ni:də
Khomeini *engl.* kɔ'meɪnɪ
Khond kɔnt
Khon Kaen *Thai* khɔ:n'kɛn
52
Khorat *Thai* kho:'ra:d 13
Khotan ko'ta:n
Khouribga *fr.* kurib'ga
Khubilai 'ku:bilai̯
Khuen *ung.* ku:n
Khulna *engl.* 'kʊlnə
Khun *ung.* ku:n
Khyber *engl.* 'kai̯bɐ

Kiai 'ki:ai̯
Kiang ki̯aŋ
Kiangsi 'ki̯aŋzi
Kiangsu 'ki̯aŋzu
Kianto *finn.* 'ki̯antɔ
Kiaulehn ki̯au'le:n
Kiautschou ki̯au'tʃau̯, '--
kibbeln 'kɪbl̩n, kibble 'kɪblə
Kibbuz kɪ'bu:ts, -im kɪbu-
'tsi:m
Kibbuznik kɪ'bu:tsn̩ɪk
Kiberer 'ki:bərɐ
Kibitka ki'bɪtka
Kibitke ki'bɪtkɐ
Kibla 'kɪbla
Kibo 'ki:bo
Kibungu *fr.* kibuŋ'gu
Kičevo *mak.* 'kitʃevɔ
Kichererbse 'kɪçɐlɛrpsə
kichern 'kɪçɐn
Kick-and-Rush 'kɪklɛnt'raʃ
Kick[elhahn] 'kɪk[l̩ha:n]
Kick-back kɪk'bɛk, '--
kicken 'kɪkn̩
Kicker 'kɪkɐ
Kick-off kɪk'lɔf, '--
kicksen 'kɪksn̩
Kickxia 'kɪksi̯a, ...ien ...i̯ən
Kid kɪt
Kidd *engl.* kɪd
Kidde *dän.* 'kɪðə
Kidderminster *engl.* 'kɪdə-
mɪnstə
Kiddusch kɪ'dʊʃ, -im ...'ʃi:m
Kidepo *engl.* kɪ'deɪpoʊ
Kiderlen 'ki:dɐlən
Kidlington *engl.* 'kɪdlɪŋtən
kidnappen 'kɪtnɛpn̩
Kidnapper 'kɪtnɛpɐ
Kidnapping 'kɪtnɛpɪŋ
Kidron 'ki:drɔn
Kidsgrove *engl.* 'kɪdzgroʊv
kiebig 'ki:bɪç, -e ...ɪgə
Kiebitz 'ki:bɪts
kiebitzen 'ki:bɪtsn̩
kiefeln 'ki:fln̩
Kiefer 'ki:fɐ
kiefern 'ki:fɐn
Kieke 'ki:kə
kieken 'ki:kn̩
Kieker 'ki:kɐ
Kiekindiewelt 'ki:k-
lɪndi:vɛlt
Kiel ki:l
Kielce *poln.* 'kjɛltsɛ
kielen 'ki:lən
Kieler 'ki:lɐ
Kieling 'ki:lɪŋ
Kielland *norw.* 'çɛlan

kieloben ki:l'|o:bn̩
Kieme 'ki:mə
Kien[böck] 'ki:n[bœk]
kienig 'ki:nɪç, -e ...ɪgə
Kient[h]al 'ki:nta:l
Kienzl 'ki:ntsl̩
Kienzle 'ki:ntslə
Kiepe 'ki:pə
Kiepenheuer 'ki:pn̩hɔyɐ
Kiepert 'ki:pɐt
Kiepura *poln.* kjɛ'pura
Kierkegaard 'kɪrkəgart,
dän. 'ki̯ɐgəgɔ:'ɐ̯
Kierspe 'ki:ɐ̯spə
Kies ki:s, Kieses 'ki:zəs
Kiesel[gur] 'ki:zl̩[gu:ɐ̯]
kieseln 'ki:zl̩n, kiesle 'ki:zlə
kiesen 'ki:zn̩, kies! ki:s,
kiest ki:st
Kieserit kizə'ri:t
Kiesewetter 'ki:zəvɛtɐ
kiesig 'ki:zɪç, -e ...ɪgə
Kiesinger 'ki:zɪŋɐ
Kieta *engl.* ki:'eɪtə
Kie[t]z ki:ts
Kiew 'ki:ɛf
Kiewer 'ki:ɛvɐ
Kif[f] kɪf
kiffen 'kɪfn̩
Kigali ki'ga:li, *fr.* kiga'li
Kigoma *engl.* kɪ'goʊmə
Kihlman *schwed.* 'çi:lman
Kiil ki:l
Kijew *russ.* 'kijɪf
Kijonaga *jap.* ki'jo.naga
Kijonobu *jap.* ki'jo.nobu
kikeriki!, K... kikəri'ki:
Kiki 'kɪki
Kikinda *serbokr.* ,kiki:nda
Kikongo ki'kɔŋgo
Kikumon ki'ku:mɔn
Kikutschi *jap.* ki̯'kutʃi
Kikuyu ki'ku:ju
Kikwit *fr.* ki'kwit
Kilauea *engl.* ki:lau̯'eɪa:
Kilbi 'kɪlbi, ...benen 'kɪlbə-
nən
Kilbirnie *engl.* kɪl'bə:nɪ
Kilchberg 'kɪlçbɛrk
Kildare kɪl'dɛ:ɐ̯, *engl.* kɪl'dɛə
Kilgore kɪl'gɔ:
Kilian kɪl'li̯a:n, *engl.* 'kɪli̯ən
Kilija *russ.* kili'ja
Kilikien ki'li:ki̯ən
kilikisch ki'li:kɪʃ
Kilim 'ki:lɪm
Kilimandscharo kili-
man'dʒa:ro
Kilimanjaro *engl.* kɪlɪmən-
'dʒa:roʊ

Kilkenny *engl.* kıl'kɛnı
Kilkis *neugr.* kil'kis
Kill kıl
Killarney *engl.* kı'lɑ:nı
Killeen *engl.* kı'li:n
killekille 'kılə'kılə
killen 'kılən
Killer 'kılɐ
Killian 'kılia:n, *engl.* 'kılıən
Killigrew *engl.* 'kılıgru:
Killingly *engl.* 'kılıŋlı
Killmayer 'kılmaiɐ
Killy 'kılı, *fr.* ki'li
Kilmarnock *engl.* kıl'mɑ:-nək
Kilmer *engl.* 'kılmə
Kiln kıln
Kilo 'ki:lo
Kilobit kilo'bıt, *auch:* 'ki:lo...
Kilobyte kilo'bait, *auch:* 'ki:lo...
Kilogramm kilo'gram
Kilograph kilo'gra:f
Kilohertz kilo'hɛrts, *auch:* 'ki:lo...
Kilokalorie 'ki:lokalori:
Kiloliter kilo'li:tɐ, *auch:* 'ki:loli:tɐ; *auch:* ...li:tɐ
Kilometer kilo'me:tɐ
kilometrieren kilome'tri:-rən
kilometrisch kilo'me:trıʃ
Kilopond kilo'pɔnt
Kilovolt kilo'vɔlt, *auch:* 'ki:lo...
Kilovoltampere kilovɔlt-|am'pɛ:ɐ, *auch:* 'ki:lo...
Kilowatt kilo'vat, *auch:* 'ki:lo...
Kilowattstunde kilo'vat-ʃtʊndə, *auch*: 'ki:lo...
Kilpatrick *engl.* kıl'pætrık
Kilpi[nen] *finn.* 'kilpi[nɛn]
Kilroy *engl.* 'kılrɔı
Kilt[gang] 'kılt[gaŋ]
Kilwinning *engl.* kıl'wınıŋ
Kim *engl.* kım, *korean., russ.* kim
Kimball *engl.* kımbl
Kimber 'kımbɐ
Kimberley[s] *engl.* 'kımbə-lı[z]
Kimberlit kımbɛr'li:t
Kimbolton *engl.* kım'bʊl-tən
Kim Ch'aek *korean.* kimtʃhɛk
[1]**Kimchi** (hebr. Grammati-ker) 'kımçi

[2]**Kimchi** (Speise) 'kımtʃi
Kim Il-Sung *korean.* kım il sɔŋ
Kimm[e] 'kım[ə]
Kimmeridge 'kımərıtʃ
Kimmerier kı'me:riɐ
Kimmerik *russ.* kimmı'rik
kimmerisch kı'me:rıʃ
Kimmung 'kımʊŋ
Kimon 'ki:mɔn
Kimono 'ki:mono, *auch:* ki'mo:no, 'kımono
Kimowsk *russ.* 'kimɐfsk
Kimry *russ.* 'kimri
Kin kın
Kina 'kına
Kinabalu *indon.* kina'balu
Kinäde ki'nɛ:də
Kinästhesie kinɛste'zi:
Kinästhetik kinɛs'te:tık
kinästhetisch kinɛs'te:tıʃ
Kinau ki:'nau
Kincardine[shire] *engl.* kın-'ka:dın[ʃiə]
Kinck *norw.* çiŋk
Kind kınt, **Kindes** 'kındəs
Kindberg 'kıntbɛrk
Kindchen 'kıntçən
Kindelbier 'kındl̩bi:ɐ
Kinder 'kındɐ
Kinderei kındə'rai
kinderleicht 'kındɐ'laiçt
kinderlieb 'kındɐli:p
Kindermann 'kındɐman
Kindeskind 'kındəskınt
Kindi 'kındi
Kindia *fr.* kin'dja
kindisch 'kındıʃ
Kindlein 'kıntlain
Kindler 'kıntlɐ, *engl.* 'kındlə
Kindley *engl.* 'kındlı
kindlich 'kıntlıç
Kindskopf 'kıntskɔpf
Kindu *fr.* kin'du
Kinefilm 'ki:nəfılm
Kinegramm kine'gram
Kinel *russ.* ki'njelj
Kinemathek kinema'te:k
Kinematik kine'ma:tık
Kinematiker kine'ma:tikɐ
kinematisch kine'ma:tıʃ
Kinematograph kinemato-'gra:f
Kinematographie kinema-togra'fi:
Kineschma *russ.* 'kinıʃmɐ
Kinesiatrik kine'zia:trık
Kinesik ki'ne:zık
Kinesiologe kinezio'lo:gə
Kinesiologie kinezjolo'gi:

Kinesiotherapie kineziote-ra'pi:
Kinetik ki'ne:tık
Kinetin kine'ti:n
kinetisch ki'ne:tıʃ
Kinetit kine'ti:t
Kinetographie kinetogra'fi:
Kinetophon kineto'fo:n
Kinetose kine'to:zə
Kinetoskop kineto'sko:p
[1]**King** (Musikinstrument; Anführer) kıŋ
[2]**King** (Name) *engl.* kıŋ
Kingdom *engl.* 'kıŋdəm
Kingdon *engl.* 'kıŋdən
Kingissepp *russ.* 'kingisɛp
Kingo *dän.* 'kıŋgʊ
Kingsize 'kıŋzais
Kingsley *engl.* 'kıŋzlı
King's Lynn *engl.* 'kıŋz 'lın
Kingsport *engl.* 'kıŋzpɔ:t
Kingston *engl.* 'kıŋstən
Kingstown *engl.* 'kıŋztaʊn
Kingsville *engl.* 'kıŋzvıl
Kingswood *engl.* 'kıŋzwʊd
Kingussie *engl.* kıŋ'ju:sı
Kingwilliamstown, King Williams Town, King William's Town *engl.* kıŋ'wıl-jəmztaʊn
Kinin ki'ni:n
Kink kıŋk
Kinkaid *engl.* kın'keıd
Kinkel 'kıŋkl̩
Kinker *niederl.* 'kıŋkər
Kinkerlitzchen 'kıŋkɐlıts-çən
Kinloch *engl.* 'kınlɔk
Kinn kın
Kinnaird *engl.* kı'nɛəd
Kinnekulle *schwed.* çinə-ˌkʊlə
Kinnock *engl.* 'kınək
Kino 'ki:no
Kinonglas® ki'no:ngla:s
Kinross *engl.* kın'rɔs
Kinrossshire *engl.* kın'rɔs-ʃiə
Kinsella *engl.* kın'sɛlə
Kinsey *engl.* 'kınzı
Kinshasa kın'ʃa:za, *fr.* kin-ʃa'sa
Kinsky 'kınski
Kinský *tschech.* 'kinski:
Kinston *engl.* 'kınstən
Kintopp 'ki:ntɔp, ...**töppe** ...tœpə
Kintyre *engl.* kın'taiə
Kinzig 'kıntsıç
Kinzigit kıntsi'gi:t

Kionitis kjo'ni:tɪs, ...itjden
kjoni'ti:dn̩
Kiosk 'kiːɔsk, kjɔsk
Kioto 'kjoːto, *jap.* 'kjo.:to
Kiowa *engl.* 'kaɪəwə
Kipff[el] 'kɪpf̣[l̩]
Kipferl 'kɪpf̣ɐl
Kipfler 'kɪpf̣lɐ
Kipling *engl.* 'kɪplɪŋ
Kipnis 'kɪpnɪs, *russ.* kip'nis
Kipp[e] 'kɪp[ə]
kippelig 'kɪpəlɪç, -e ...ɪgə
kippeln 'kɪpl̩n
kippen 'kɪpn̩
Kippenberg 'kɪpn̩bɛrk
Kipper 'kɪpɐ
Kipphardt 'kɪphart
kippis! 'kɪpɪs
kipplig 'kɪplɪç, -e ...ɪgə
Kiprenski *russ.* ki'prjɛnskij
Kiprianu *neugr.* kipria'nu
Kipros *neugr.* 'kiprɔs
Kips kɪps
Kiptschakisch kɪp'tʃa:kɪʃ
Kipushi *fr.* kipu'ʃi
¹Kir (Getränk) kiːɐ̯
²Kir *russ.* kir, *fr.* kiːr
Király *ung.* 'kira:j
Kirbe 'kɪrbə
Kirby[e] *engl.* 'kəːbɪ
Kirchberg 'kɪrçbɛrk
Kirchdorf 'kɪrçdorf
Kirchdrauf 'kɪrçdraͮf
Kirche 'kɪrçə
Kirchenlamitz kɪrçn̩'la:mɪts̩
Kircher 'kɪrçɐ
Kirchhain 'kɪrçhaɪn
Kirchheim 'kɪrçhaɪm
Kirchheimbolanden
  kɪrçhaɪm'bo:landn̩
Kirchhellen kɪrç'hɛlən
Kirchhoff 'kɪrçhɔf
Kirchhundem kɪrç'hʊndəm
Kirchlengern kɪrç'lɛŋɐn
kirchlich 'kɪrçlɪç
Kirchner 'kɪrçnɐ
Kirchschläger 'kɪrçʃlɛːgɐ
Kirejewski *russ.* ki'rjeɪɪfskij
Kirgise kɪr'giːzə
kirgisisch kɪr'giːzɪʃ
Kirgisistan kɪr'giːzɪsta[ː]n
Kirgistan 'kɪrgɪsta[ː]n
Kiribati kiri'ba:ti, *engl.* kɪrɪ-
  'ba:tɪ
Kirijenko *russ.* kiri'jɛnkɐ
Kirikhan *türk.* ki'rɪkhan
Kırıkkale *türk.* ki'rɪkkɑ.lɛ
Kiril *bulgar.* 'kiril
Kirilenko *russ.* kiri'ljɛnkɐ
Kirill *russ.* ki'ril

Kirin 'ki:rɪn
Kirinja *neugr.* ki'rinja
Kiri Te Kanawa *engl.* 'kɪrɪti:
  'kænəwə
Kiriu *jap.* 'ki.rju:
Kirk *engl.* kəːk, *dän.* kiɐ̯g
Kirkburton *engl.* kəːk'bəːtn
Kirkby *engl.* 'kəː[k]bɪ
Kirkcaldy *engl.* kəː'kɔːdɪ
Kirkcudbright[shire] *engl.*
  kəː'kuːbrɪ[ʃɪə]
Kirke (Zauberin) 'kɪrkə
Kirkenes *norweg.* ˌçirkɔnə:s
Kirkintilloch *engl.* kəːkɪn'tɪ-
  lɔk
Kirkland *engl.* 'kəːklənd
Kırklareli *türk.* kirk'lɑrɛ.li
Kirkpatrick *engl.* kəːk'pæ-
  trɪk
Kirksville *engl.* 'kəːksvɪl
Kirkuk kɪr'kuːk
Kirkwall *engl.* 'kəːkwɔːl
Kirkwood *engl.* 'kəːkwʊd
Kirman kɪr'ma:n
Kirmes 'kɪrmɛs, 'kɪrməs,
  Kirmessen 'kɪrmɛsn̩
Kirn[ach] 'kɪrn[ax]
Kirnberger 'kɪrnbɛrgɐ
kirnen 'kɪrnən
Kirow *russ.* 'kirɐf
Kirowabad *russ.* kirɐva'bat
Kirowakan *russ.* kirɐva'kan
Kirowgrad *russ.* kirav'grat
Kirowograd *russ.* kirɐva-
  'grat
Kirowsk *russ.* 'kirɐfsk
kirre[n] 'kɪrə[n]
Kirrung 'kɪrʊŋ
Kirsanow *russ.* kir'sanɐf
Kirsch kɪrʃ
Kirschbaum 'kɪrʃbaͮm
Kirsche 'kɪrʃə
Kirschon *russ.* kir'ʃɔn
kirschrot 'kɪrʃro:t
Kirschweng 'kɪrʃvɛŋ
Kırşehir *türk.* 'kɪrʃɛ.hir
Kirst kɪrst
Kirsten 'kɪrstn̩, *dän.*
  'kiɐ̯sdn̩, *norw.* 'çɪrstən
Kirstinä *finn.* 'kirstinæ
Kirtag 'kɪrta:k
Kirtland *engl.* 'kəːtland
Kiruna *schwed.* 'kiruna
Kirundi ki'rundi
Kis *ung.* kiʃ
Kiš *serbokr.* kiʃ
Kısakürek *türk.* ki'sɑky.rɛk
Kisalföld *ung.* 'kiʃɔlføld
Kisangani kizaŋ'ga:ni, *fr.*
  kisãga'ni

Kisch kɪʃ
Kischi 'kɪʃi
Kischinjow *russ.* kɪʃi'njɔf
Kischiwada *jap.* kiˌʃiwada
Kisel *russ.* 'kizɪl
Kiseljak *serbokr.* ki.sɛlja:k
Kisfalud[y] *ung.* 'kiʃfɔlud[i]
Kishon *hebr.* ki'ʃɔn
Kisielewski *poln.* kiçɛ'lɛfski
Kiskunfélegyháza *ung.* 'kiʃ-
  kunfe:lɛtjha:zɔ
Kiskunhalas *ung.* 'kiʃkun-
  hɔlɔʃ
Kiskunság *ung.* 'kiʃkunʃa:g
Kisling *fr.* kis'liŋ
Kislowodsk *russ.* kisla'vɔtsk
Kismet 'kɪsmɛt
Kiß kɪs
Kiss kɪs, *ung.* kiʃ
Kisschen 'kɪsçən
Kisseljow[sk] *russ.*
  kisɪ'ljɔf[sk]
Kissen 'kɪsn̩
Kissidougou *fr.* kisidu'gu
Kissimmee *engl.* kɪ'sɪmi
Kissin *russ.* 'kisin
Kissingen 'kɪsɪŋən
Kissinger 'kɪsɪŋɐ, *engl.*
  'kɪsɪndʒə
Kißling, Kissling 'kɪslɪŋ
Kiste 'kɪstə
Kistemaekers *fr.* kɪstə-
  ma'kɛrs
Kistjakowski *russ.* kɪstɪ-
  'kɔfskij
Kisuaheli kizu̯a'he:li
Kisumu *engl.* ki:'su:mu:
Kisvárda *ung.* 'kiʃva:rdɔ
Kiswa 'kɪsva
Kiswahili kɪsva'hi:li
Kit kɪt
Kita *fr.* ki'ta
Kitakiushu *jap.* kiˈtakju.:ʃu:
Kitale *engl.* kɪ'ta:lɪ
Kitchener *engl.* 'kɪtʃɪnə
Kitchenette kɪtʃə'nɛt
Kithara 'ki:tara, Kithären
  ki'ta:rən
Kitharistik kita'rɪstɪk
Kitharöde kita'røːdə
Kitharodie kitaro'di:
Kithäron ki'tɛːrɔn
Kithira *neugr.* 'ki:θira
Kitimat 'kɪtɪmæt
Kition 'ki:tjɔn
Kitoi *russ.* ki'tɔj
Kitsch kɪtʃ
kitschen 'kɪtʃn̩
kitschig 'kɪtʃɪç, -e ...ɪgə
Kitt kɪt

Kitta 'kɪta
Kittanning engl. kɪ'tænɪŋ
Kittatinny Mountain engl.
  kɪtə'tɪnɪ 'maʊntɪn
Kittchen 'kɪtçən
Kittel 'kɪtl̩
kitten 'kɪtn̩
Kittery engl. 'kɪtərɪ
Kittredge engl. 'kɪtrɪdʒ
Kitty[hawk] engl. 'kɪtɪ[hɔːk]
Kitwe engl. 'kiːtweɪ
Kitz kɪts
Kitzbühel 'kɪtsbyːəl
Kitzbühler 'kɪtsbyːlɐ
Kitze 'kɪtsə
Kitzel 'kɪtsl̩
kitzelig 'kɪtsəlɪç, -e …ɪgə
kitzeln 'kɪtsl̩n
Kitzingen 'kɪtsɪŋən
kitzlig 'kɪtslɪç, -e …ɪgə
Kiuschu 'ki̯uːʃu, jap.
  'kjuːʃu:
Kivi[järvi] finn. 'kivi[jærvi]
Kivu 'kiːvu, fr. ki'vu
Kiwai 'kiːvai̯
Kiwi 'kiːvi
Kiwu 'kiːvu
Kiwus 'kiːvʊs
Kızılırmak türk. kɪ'zilɪr̩mɑk
Kjachta russ. 'kjaxtɐ
Kjær[stad] norw. 'çæːr[staː]
Kjellén schwed. çɛ'leːn
Kjellgren schwed. ˌçɛlgreːn
Kjökkenmöddinger
  'kjœknmœdɪŋɐ
Kjuchelbeker russ. kjuxɪl-
  'bjekɪr
Kjui (Komponist) russ. kju'i
Kjuljawkow bulgar. kju'ljaf-
  kof
Kjustendil bulgar. kjustɛn-
  'dil
Klaas dt., niederl. klaːs
Klaatsch klaːtʃ
klabastern kla'bastɐn
Klabautermann kla'baʊtɐ-
man
Kläber 'klɛːbɐ
Klaberjasch 'klabɐjaʃ
Klaberjass 'klabɐjas
Klabrias 'klabrias
Klabund kla'bʊnt
Klabuster... kla'bʊstɐ...
klack!, Klack klak
klacken 'klakn̩
klackern 'klakɐn
klacks!, K... klaks
Kladde 'kladə
Kladderadatsch kladəra-
  'datʃ

Kladno tschech. 'kladnɔ
Kladodie kla'doːdi̯ə
Kladonie kla'doːni̯ə
Kladozere klado'tseːrə
Kladruber 'kladrubɐ
klaff!, Klaff klaf
klaffen 'klafn̩
kläffen 'klɛfn̩
Klafter 'klaftɐ
klaftern 'klaftɐn
klagbar 'klaːkbaːɐ̯
Klage 'klaːgə
klagen 'klaːgn̩, **klag!** klaːk,
  klagt klaːkt
Klagenfurt 'klaːgn̩fʊrt
klägerisch 'klɛːgərɪʃ
Klages 'klaːgəs
kläglich 'klɛːklɪç
klaglos 'klaːkloːs
Klaipėda lit. 'klai̯peːda
Klaj klai̯
Klakksvík fär. 'klakksʊːi̯k
Klamath engl. 'klæməθ
Klamauk kla'maʊk
klamm, K... klam
Klammer 'klamɐ
Klämmerchen 'klɛmɐçən
klammern 'klamɐn
klammheimlich 'klam-
  'hai̯mlɪç
Klamotte kla'mɔtə
Klampe 'klampə
Klampfe 'klampfə
klamüsern kla'myːzɐn, kla-
  müsre kla'myːzrə
Klan klaːn
klandestin klandɛs'tiːn
klang klaŋ
¹Klang klaŋ, **Klänge** 'klɛŋə
²Klang (Name) dt., indon.
  klaŋ
klänge 'klɛŋə
klanglich 'klaŋlɪç
Klannin kla'niːn
Klapf klapf, **Kläpfe** 'klɛpfə
kläpfen 'klɛpfn̩
Klapheck 'klaphɛk
Klapka ung. 'klɔpkɔ
Klapotetz 'klapotɛts, auch:
  kla'poːtɛts, kla'pɔtɛts
klapp!, K... klap
Klappe 'klapə
klappen 'klapn̩
Klapper 'klapɐ, engl. 'klæpə
klapperdürr 'klapɐˈdʏr
klapp[e]rig 'klap[ə]rɪç, -e
  …ɪgə
klappern 'klapɐn
Klaproth 'klaproːt
klaps!, Klaps klaps

Kläpschen 'klɛpsçən
klapsen 'klapsn̩
klapsig 'klapsɪç, -e …ɪgə
klar klaːɐ̯
Klara 'klaːra
Klarälv schwed. ˌklaːrɛlv
Klärchen 'klɛːɐ̯çən
Kläre 'klɛːrə
klären 'klɛːrən
Klarett kla'rɛt
klarieren kla'riːrən
Klarin[a] kla'riːn[a]
Klarinette klari'nɛtə
Klarinettist klarinɛ'tɪst
Klarissa kla'rɪsa
Klarisse kla'rɪsə
Klarissin kla'rɪsɪn
Klas klaːs, schwed. klɑːs
Klasen 'klaːzn̩
Klasing 'klaːzɪŋ
Klass... 'klas...
klasse, K... 'klasə
Klassem kla'seːm
Klassement klasə'mãː
klassieren kla'siːrən
Klassifikation klasifika-
  'tsi̯oːn
Klassifikator klasifi'kaːtoːɐ̯,
  -en …ka'toːrən
klassifikatorisch klasifika-
  'toːrɪʃ
klassifizieren klasifi'tsiːrən
  …klassig …klasɪç, -e …ɪgə
Klassik 'klasɪk
Klassiker 'klasɪkɐ
klassisch 'klasɪʃ
Klassizismus klasi'tsɪsmʊs
klassizistisch klasi'tsɪstɪʃ
Klassizität klasitsi'tɛːt
  …klässler …klɛslɐ
klastisch 'klastɪʃ
Klater 'klaːtɐ
klat[e]rig 'klaːt[ə]rɪç, -e
  …ɪgə
Klatovy tschech. 'klatɔvi
klatsch!, K... klatʃ
Klatsche 'klatʃə
klatschen 'klatʃn̩
klatsch[e]nass 'klatʃ[ə]'nas
Klatscherei klatʃə'rai̯
klatschig 'klatʃɪç, -e …ɪgə
Klatt[au] 'klat[aʊ]
Klau klau̯
klauben 'klaʊbn̩, **klaub!**
  klaʊp, **klaubt** klaʊpt
Klauberei klaʊbə'rai̯
Kläuchen 'klɔy̯çən
Klaudia 'klau̯di̯a
Klaudine klau̯'diːnə
Klaue 'klau̯ə

klauen 'klauən
Klauer 'klauɐ
...klauig ...'klauɪç, -e ...ɪgə
¹Klaus klaus, Kläuse
'klɔysə
²Klaus (Name) klaus,
tschech. klaus
Kläuschen 'klɔysçən
Klause 'klauzə
Klausel 'klauzl̩
Klausen 'klauzn̩
Klausenburg 'klauznbʊrk
Klauser 'klauzɐ
Klausilie klau'zi:liə
Klausner 'klausnɐ
Klaustration klaustra'tsjo:n
Klaustrophilie klaustrofi'li:,
-n ...i:ən
Klaustrophobie klaustro-
fo'bi:, -n ...i:ən
klausulieren klauzu'li:rən
Klausur klau'zu:ɐ
Klaviatur klavja'tu:ɐ
Klavichord klavi'kɔrt, -e
...rdə
Klavicitherium klavitsi'te:-
rjʊm, ...ien ...jən
Klavier kla'vi:ɐ
klavieren kla'vi:rən
klavieristisch klavi'rɪstɪʃ
Klavikel kla'vi:kl̩
Klavikula kla'vi:kula, ...lä
...lɛ
klavikular klaviku'la:ɐ
Klavizimbel klavi'tsɪmbl̩
Klavus 'kla:vʊs, ...vi ...vi
Kleanthes kle'antɛs
Klearch[os] kle'arç[ɔs]
Klebe 'kle:bə
Klebelsberg 'kle:blsbɛrk
kleben 'kle:bn̩, kleb! kle:p,
klebt kle:pt
Kleber 'kle:bɐ
Kléber fr. kle'bɛ:r
klebrig 'kle:brɪç, -e ...ɪgə
Klebs kle:ps
klecken 'klɛkn̩
kleckern 'klɛkɐn
Klecki poln. 'klɛtski
Klecks[el] 'klɛks[l̩]
klecksen 'klɛksn̩
Kleckserei klɛksə'rai
klecksig 'klɛksɪç, -e ...ɪgə
Klecksographie klɛkso-
gra'fi:, -n ...i:ən
Kledage kle'da:ʒə
Kledasche kle'da:ʃə
Klee kle:
Kleffens niederl. 'klɛfəns
Klei klai

kleiben 'klaibn̩, kleib! klaip,
kleibt klaipt
Kleiber 'klaibɐ
Kleid klait, -es 'klaidəs
Kleidchen 'klaitçən
kleiden 'klaidn̩, kleid! klait
Kleie 'klaiə
kleiig 'klaiɪç, -e ...ɪgə
klein klain
Klein klain, engl. klain, ung.
'kla:in, fr. klɛn
kleinasiatisch klain-
la'zja:tɪʃ
Kleinasien klain'la:zjən
Klein-Aspergle klain-
'laspɛrklə
kleinbekommen 'klainbə-
kɔmən
Kleinchen 'klainçən
Kleingartach klain'gartax
Kleinhelfendorf klain-
'hɛlfndɔrf
Kleinheubach klain'hɔybax
Kleinigkeit 'klainɪçkait
Kleinkleckersdorf klain-
'klɛkɐsdɔrf
kleinlich 'klainlɪç
Kleinmariazell klainmari:a-
'tsɛl
kleinmütig 'klainmy:tɪç, -e
...ɪgə
Kleinod 'klainlo:t, -e 'klain-
lo:də, Kleinodien klain-
'lo:djən
Kleinpolen 'klainpo:lən
Kleinsassen klain'zasn̩
Kleinschmidt 'klainʃmɪt
Kleinschrod 'klainʃro:t
Kleinstaaterei klainʃta:-
tə'rai
Kleinstmaß 'klainstma:s
Kleio 'klaio
Kleist[er] 'klaist[ɐ]
kleisterig 'klaistərɪç, -e
...ɪgə
kleistern 'klaistɐn
Kleisthenes 'klaistenɛs
kleistogam klaisto'ga:m
Kleistogamie klaistoga'mi:
kleistrig 'klaistrɪç, -e ...ɪgə
Kleitarchos klai'tarçɔs
Kleitos 'klaitɔs
Klematis kle'ma:tɪs, auch:
'kle:matɪs
Klemens 'kle:məns, poln.,
slowak. 'klemɛns
Klement tschech. 'klɛmɛnt
Klementia kle'mɛntsja
Klementine klemɛn'ti:nə
Klemm[e] 'klɛm[ə]

klemmen 'klɛmən
klemmig 'klɛmɪç, -e ...ɪgə
Klemperer 'klɛmpərɐ
klempern 'klɛmpɐn
Klempner 'klɛmpnɐ
Klempnerei klɛmpnə'rai
klempnern 'klɛmpnɐn
Klenau dän. 'klɪ:nau
Klengel 'klɛŋl̩
klengen, K... 'klɛŋən
Klenze 'klɛntsə
Kleobulos kleo'bu:lɔs
Kleodemos kleo'de:mɔs
Kleomedes kleo'me:dɛs
Kleomenes kle'o:menɛs
Kleon 'kle:ɔn
Kleopatra kle'o:patra
Kleophas 'kle:ofas
Kleophon 'kle:ofɔn
Kleophrades kle'o:fradɛs
Klephte 'klɛftə
Klepper 'klɛpɐ
Klepsydra 'klɛpsydra,
...ydren klɛ'psy:drən
Kleptomane klɛpto'ma:nə
Kleptomanie klɛptoma'ni:,
-n ...i:ən
kleptomanisch klɛpto'ma:-
nɪʃ
Kleptophobie klɛptofo'bi:,
-n ...i:ən
Kleridis neugr. klɛ'riðis
klerikal kleri'ka:l
Klerikale kleri'ka:lə
Klerikalismus klerika'lɪs-
mʊs
klerikalistisch klerika'lɪstɪʃ
Kleriker 'kle:rikɐ
Klerisei kleri'zai
Klerk niederl. klɛrk
Klerksdorp afr. 'klɛrksdɔrp
Klerus 'kle:rʊs
Klesel, Klesl 'kle:zl̩
Kleßheim 'klɛshaim
Klestil 'klɛstɪl
Klett[e] 'klɛt[ə]
Klettenberg 'klɛtn̩bɛrk
Kletterei klɛtə'rai
klettern 'klɛtɐn
Klettgau 'klɛtgau
Kletze 'klɛtsə
Kleukens 'klɔykn̩s
Kleutgen 'klɔytgn̩
Kleve 'kle:və
Klever 'kle:vɐ
klevisch 'kle:vɪʃ
Klevner 'kle:vnɐ
Klezmer 'klɛtsmɐ, auch:
'klɛsmɐ
Klíč tschech. kli:tʃ

klick!, K... klɪk
Klička *tschech.* 'klitʃka
klicken 'klɪkn̩
Klicker 'klɪkɐ
klickern 'klɪkɐn
Klicpera *tschech.* 'klitspɛra
klieben 'kli:bn̩, klieb! kli:p,
 kliebt kli:pt
Kliefoth 'kli:fo:t
Klient kli'ɛnt
Kliente[e] kliɛn'te:l[ə]
klieren 'kli:rən
Kliesche 'kli:ʃə
klietschig 'kli:tʃɪç, -e ...ɪgə
Kliff klɪf
kliff, kläff! 'klɪf 'klaf
Klikspaan *niederl.* 'klɪk-
 spa:n
Klima 'kli:ma, Klimate kli-
 'ma:tə
Klima *tschech.* 'kli:ma
klimakterisch klimak'te:rɪʃ
Klimakterium klimak'te:-
 rɪʊm
klimatisch kli'ma:tɪʃ
klimatisieren klimati'zi:rən
Klimatographie klimato-
 gra'fi:
Klimatologie klimatolo'gi:
Klimatotherapie klimatote-
 ra'pi:
Klimax 'kli:maks
Klimbim klɪm'bɪm
Kliment *bulgar.* 'klimɛnt
Klimenti *russ.* kli'mjentij
Klimme 'klɪmə
klimmen 'klɪmən
Klimmt klɪmt
Klimow[sk] *russ.* 'klimɐf[sk]
klimperei klɪmpə'raɪ
klimperklein 'klɪmpɐ'klaɪn
klimpern 'klɪmpɐn
Klimsch klɪmʃ
Klimt klɪmt
Klin *russ.* klin
Klindworth 'klɪntwɔrt
Kline *engl.* klaɪn
kling!, Kling klɪŋ
Klinge 'klɪŋə
Klingel 'klɪŋl̩
klingeln 'klɪŋl̩n
Klingemann 'klɪŋəman
klingen, K... 'klɪŋən
Klingenberg 'klɪŋənbɛrk
Klingenthal 'klɪŋənta:l
Klinger 'klɪŋɐ
kling, klang! 'klɪŋ 'klaŋ
Klingklang 'klɪŋklaŋ
Klingler 'klɪŋlɐ
klingling! klɪŋ'lɪŋ

Klingnau 'klɪŋnaʊ
Klingner 'klɪŋnɐ
Klingsohr 'klɪŋzo:ɐ̯
Klingsor 'klɪŋzo:ɐ̯, *fr.* klɛ̃-
 'sɔ:r, klɪŋ'sɔ:r
Klingspor 'klɪŋʃpo:ɐ̯
Klinik 'kli:nɪk
Kliniker 'kli:nikɐ
Klinikum 'kli:nikʊm, ...ka
 ...ka
klinisch 'kli:nɪʃ
Klink[e] 'klɪŋk[ə]
klinken 'klɪŋkn̩
Klinker 'klɪŋkɐ
Klinkowström 'klɪŋko-
 strø:m
Klinochlor klino'klo:ɐ̯
Klinograph klino'gra:f
Klinokephalie klinokefa'li:,
 -n ...i:ən
Klinometer klino'me:tɐ
Klinomobil klinomo'bi:l
klinorhombisch klino'rɔm-
 bɪʃ
Klinostat klino'sta:t
klinschig 'klɪnʃɪç, -e ...ɪgə
Klinse 'klɪnzə
Klinze 'klɪntsə
Klinzy *russ.* klin'tsɨ
Klio 'kli:o
klipp!, Klipp klɪp
Klippan *schwed.* ˌklipan
Klippe 'klɪpə
klippen 'klɪpn̩
Klipper 'klɪpɐ
klipp, klapp! 'klɪp 'klap
Klippschliefer 'klɪpʃli:fɐ
Klips klɪps
Klipstein 'klɪpʃtaɪn
klirren 'klɪrən
Klischee kli'ʃe:
klischieren kli'ʃi:rən
Klischograph kliʃo'gra:f
Klister 'klɪstɐ
Klistier klɪs'ti:ɐ̯
klistieren klɪs'ti:rən
Klitander kli'tandɐ
Klitarch kli'tarç
Klitgaard *dän.* 'klidgɔ:'ɐ̯
klitoral klito'ra:l
Klitoris 'kli:torɪs, ...orides
 kli'to:ride:s
Klitorismus klito'rɪsmʊs
klitsch!, Klitsch klɪtʃ
Klitsche 'klɪtʃə
klitschen 'klɪtʃn̩
klitsch[e]nass 'klɪtʃ[ə]'nas
klitschig 'klɪtʃɪç, -e ...ɪgə
klitsch, klatsch! 'klɪtʃ 'klatʃ
klittern 'klɪtɐn

klitzeklein 'klɪtsə'klaɪn
Klitzing 'klɪtsɪŋ
Klivie 'kli:vjə
Kljasma *russ.* 'kljazjmɐ
Kljujew *russ.* 'kljujɪf
Kljutschewskaja Sopka
 russ. kljutʃɪf'skajɐ 'sɔpkɐ
Kljutschewski *russ.* klju-
 'tʃɛfskij
KLM ka:|ɛl'|ɛm
Klo klo:
Kloake klo'a:kə
klob klo:p
Klobasse 'klo:basə
Klobassi 'klo:basi
klöbe 'klø:bə
Kloben 'klo:bn̩
Klöben 'klø:bn̩
klobig 'klo:bɪç, -e ...ɪgə
Klöckner 'klœknɐ
Kłodawa *poln.* kʊɔ'dava
Kłodnica *poln.* kʊɔd'nitsa
Klodnitz 'klo:dnɪts, 'klɔd...
Klodt *russ.* klɔt
Kłodzko *poln.* 'kʊɔtskɔ
Kloepfer 'klœpfɐ
klomm klɔm
klömme 'klœmə
Klon klo:n
Klondike *engl.* 'klɔndaɪk
klonen 'klo:nən
klönen 'klø:nən
klonieren klo'ni:rən
klonisch 'klo:nɪʃ
Klonowic *poln.* klɔ'nɔvits
Klonus 'klo:nʊs, -se ...ʊsə
Kloos *niederl.* klo:s
Kloosterman *niederl.* 'klo:s-
 tərman
Kloot klo:t
Klopein klo'paɪn
Klöpfel 'klœpfl̩
klopfen 'klɔpfn̩
Klöpfer 'klœpfɐ
Klopp[e] 'klɔp[ə]
Klöppel 'klœpl̩
Klöppelei klœpə'laɪ
klöppeln 'klœpl̩n
kloppen 'klɔpn̩
Klopperei klɔpə'raɪ
Klops klɔps
Klopstock 'klɔpʃtɔk
klopstock[i]sch, K... 'klɔp-
 ʃtɔk[ɪ]ʃ
Klose 'klo:zə
Klosett klo'zɛt
Kloß klo:s, Klöße klø:sə
Klößchen klø:sçən
Klossowski *fr.* klɔsɔf'ski

Kloster 'klo:stɐ, Klöster
'klø:stɐ
Klösterchen 'klø:stɐçən
klösterlich 'klø:stɐlıç
Klostermann 'klo:stɐman
Klosterneuburg klo:stɐ-
'nɔyburk
Klosterreichenbach klo:s-
tɐ'raiçn̩bax
Klosters 'klo:stɐs
Klostertal 'klo:stɐta:l
Klöten 'klø:tn̩
Klöten 'klø:tn̩
Kloth klɔt
Klothilde klo'tıldə
Klotho 'klo:to
Klothoide kloto'i:də
Klotz klɔts, Klötze 'klœtsə
Klötzchen 'klœtsçən
Klötze 'klœtsə
klotzen 'klɔtsn̩
klotzig 'klɔtsıç, -e ...ıgə
Klub klup
Klüber 'kly:bɐ
Kluchori russ. klu'xɔri
kluck!, Kluck klʊk
kluckern 'klʊkɐn
Kluckhohn 'klʊkho:n
Kluczbork poln. 'kludʒbɔrk
Kluft klʊft, Klüfte 'klyftə
Klüftchen 'klyftçən
klüftig 'klyftıç, -e ...ıgə
klug klu:k, kluge 'klu:gə,
klüger 'kly:gɐ
Kluge 'klu:gə
Klügelei kly:gə'lai
klügeln 'kly:gln̩, klügle
'kly:glə
klüger vgl. klug
Klugheit 'klu:khait
Klügler 'kly:glɐ
klüglich 'kly:klıç
Klumker 'klʊmkɐ
Klump[atsch] 'klʊmp[atʃ]
Klümpchen 'klympçən
klumpen, K... 'klʊmpn̩
klümp[e]rig 'klymp[ə]rıç, -e
...ıgə
Klumpert 'klʊmpɐt
klumpig 'klʊmpıç, -e ...ıgə
Kluncker 'klʊŋkɐ
Klüngel 'klyŋl̩
Klüngelei 'klyŋə'lai
klüngeln 'klyŋl̩n
Kluniazenser klunia'tsɛnzɐ
kluniazensisch klunia'tsɛn-
zıʃ
Klunker 'klʊŋkɐ
klunk[e]rig 'klʊŋk[ə]rıç, -e
...ıgə

Klunse 'klʊnzə
Kluntje 'klʊntjə
Kluppe 'klʊpə
kluppen 'klʊpn̩
Klupperl 'klʊpɐl
Klus klu:s, -en 'klu:zn̩
Klusák tschech. 'klusa:k
Klüse 'kly:zə
Klusil klu'zi:l
Klute 'klu:tə
Klüten 'kly:tn̩
Klütz[er] 'klyts[ɐ]
Klüver 'kly:vɐ
Klysma 'klysma
Klysopomp... klyzo'pɔmp...
Klysopompe klyzo'pɔmpə
Klystron 'klystrɔn, -e
...'tro:nə
Klytämestra klytɛ'mɛstra
Klytämnestra klytɛm'nɛ-
stra
Klytschkow russ. klitʃ'kɔf
Kment[t] kmɛnt
Knab kna:p
knabbern 'knabɐn,
knabbre 'knabrə
Knäbchen 'knɛ:pçən
Knabe 'kna:bə
knack!, Knack knak
Knäckebrot 'knɛkəbro:t
knacken 'knakn̩
knackfrisch 'knak'frıʃ
Knackfuß 'knakfu:s
Knacki 'knaki
knackig 'knakıç, -e ...ıgə
knacks!, Knacks knaks
knacksen 'knaksn̩
Knagge 'knagə
Knaggen 'knagn̩
Knäkente 'knɛ:klɛntə
Knall knal
knallbunt 'knal'bʊnt
knallen 'knalən
knallhart 'knal'hart
knallig 'knalıç, -e ...ıgə
knallrot 'knal'ro:t
Knap tschech. knap
knapp, K... knap
Knappe 'knapə
knappern 'knapɐn
Knappertsbusch 'knapɐts-
buʃ
Knappsack 'knapzak
Knappschaft 'knapʃaft
knaps! knaps
knapsen 'knapsn̩
Knäred schwed. 'knɛ:rɛd
Knaresborough engl. 'nɛɐz-
bərə
Knarre 'knarə

knarren 'knarən
Knast[er] 'knast[ɐ]
Knast[e]rer 'knast[ə]rɐ
knastern 'knastɐn
Knasti 'knasti
Knastologe knasto'lo:gə
Knastologie knastolo'gi:
Knatsch kna:tʃ
knatschen 'kna:tʃn̩
knatschig 'kna:tʃıç, -e ...ıgə
knätschig 'knɛ:tʃıç, -e ...ıgə
knattern 'knatɐn
Knäuel 'knɔyəl
knäueln 'knɔyəln
Knauf knauf, Knäufe
'knɔyfə
Knäufchen 'knɔyfçən
Knaul knaul
Knäulchen 'knɔylçən
knäulen 'knɔylən
Knaulnaundorf knaul-
'naundɔrf
Knaupelei knaupə'lai
knaup[e]lig 'knaup[ə]lıç, -e
...ıgə
knaupeln 'knaupl̩n
Knaur 'knauɐ
Knaus knaus
Knauser 'knauzɐ
Knauserei knauzə'rai
knaus[e]rig 'knauz[ə]rıç, -e
...ıgə
knausern 'knauzɐn,
knausre 'knauzrə
Knaut[h] knaut
Knautie 'knautsiə, auch:
'knautiə
knautschen 'knautʃn̩
knautschig 'knautʃıç, -e
...ıgə
Knebel 'kne:bl̩
knebeln 'kne:bl̩n, kneble
'kne:blə
Knebelsee 'kne:blze:
Knecht knɛçt
knechten 'knɛçtn̩
Knechtsand 'knɛçtzant
Knechtsteden 'knɛçtʃte:dn̩
Kneese 'kne:zə
Knef kne:f
Kneif knaif
kneifen 'knaifn̩
Kneifer 'knaifɐ
Kneip[e] 'knaip[ə]
kneipen 'knaipn̩
Kneiperei knaipə'rai
Kneiphof 'knaipho:f
Kneipier knai'pie:
Kneipp® knaip
kneippen 'knaipn̩

Kneller 'knɛlɐ, *engl.* 'nɛlə
Kneppelhout *niederl.* 'knɛpəlhɔyt
Knesebeck 'kne:zəbɛk
Knesselare *niederl.* 'knɛsəla:rə
Knesset[h] 'knɛsɛt
Knet[e] 'kne:t[ə]
kneten 'kne:tn̩
Kneußl 'knɔysl̩
Kneuttingen 'knɔytɪŋən
Kniaźnin *poln.* 'knjaznin
knibbeln 'knɪbl̩n, **knibble** 'knɪblə
Knibbs *engl.* nɪbz
Knick knɪk
knicken 'knɪkn̩
Knicker 'knɪkɐ
[1]Knickerbocker '[k]nɪkɐbɔkɐ
[2]Knickerbocker (Name) *engl.* 'nɪkəbɔkə
Knickerei knɪkə'raɪ
knick[e]rig 'knɪk[ə]rɪç, -e ...ɪgə
knickern 'knɪkɐn
knicks!, Knicks knɪks
knicksen 'knɪksn̩
Knidos 'kni:dɔs
Knie kni:, **Knies** kni:s, die **Knie** 'kni:ə, *auch:* kni:,
Knien 'kni:ən, *auch:* kni:n
Kniebis 'kni:bɪs
knien kni:n, *auch:* 'kni:ən, **ich knie, knie!** 'kni:ə, kni:,
kniest kni:st, *auch:* 'kni:əst, **kniet** kni:t, **kniet!** kni:t, *auch:* 'kni:ət, **kniete** 'kni:tə, **kniend** 'kni:ənt, **kniende** 'kni:əndə, **gekniet** gə'kni:t
Kniep kni:p
Knieriem 'kni:ri:m
Knies kni:s
knietief 'kni:ti:f
knietschen 'kni:tʃn̩
Kniff, Kniff knɪf
Kniffelei knɪfə'laɪ
kniff[e]lig 'knɪf[ə]lɪç, -e ...ɪgə
kniffen 'knɪfn̩
Knigge 'knɪgə
[1]Knight (Name) *engl.* naɪt
[2]Knight (Titel) naɪt
Knightsbridge *engl.* 'naɪtsbrɪdʒ
Knights of Labour 'naɪts ɔf 'le:bɐ
Knilch knɪlç
knille 'knɪlə

Kniller 'knɪlɐ
Knipper 'knɪpɐ, *russ.* 'knipɪr
Knipperdolling knɪpɐ'dɔlɪŋ, *auch:* '----
Knipping 'knɪpɪŋ
knips!, Knips knɪps
knipsen 'knɪpsn̩
knips, knaps! 'knɪps 'knaps
Knirps (auch: ®) knɪrps
knirpsig 'knɪrpsɪç, -e ...ɪgə
knirschen 'knɪrʃn̩
Knispel 'knɪspl̩
knispeln 'knɪspl̩n
knistern 'knɪstɐn
knitschen 'kni:tʃn̩
Knittel[feld] 'knɪtl̩[fɛlt]
knitt[e]rig 'knɪt[ə]rɪç, -e ...ɪgə
knittern 'knɪtɐn
Knittlingen 'knɪtlɪŋən
Knjaschnin *russ.* knɪʒ'nin
Knobel 'kno:bl̩
knobeln 'kno:bl̩n, **knoble** 'kno:blə
Knobelsdorff 'kno:bl̩sdɔrf
Knob Lake *engl.* 'nɔb 'leɪk
Knoblauch 'kno:plaʊx, *auch:* 'knɔp...
Knöchel[chen] 'knœçl̩[çən]
Knochen 'knɔxn̩
knochenhart 'knɔxn̩'hart
knochentrocken 'knɔxn̩'trɔkn̩
knöch[e]rig 'knœç[ə]rɪç, -e ...ɪgə
knöchern 'knœçɐn
knochig 'knɔxɪç, -e ...ɪgə
Knock *fr.* knɔk
knock-down, K... nɔk'daʊn, *auch:* '--
knock-out, K... nɔk'laʊt, *auch:* '--
Knockouter nɔk'laʊtɐ
Knödel 'knø:dl̩
knödeln 'knø:dl̩n
Knoeringen 'knø:rɪŋən
Knokke *niederl.* 'knɔkə
Knoll knɔl
Knöllchen 'knœlçən
Knolle[n] 'knɔlə[n]
Knoller 'knɔlɐ
Knöller 'knœlɐ
knollig 'knɔlɪç, -e ...ɪgə
Knonau 'kno:naʊ
Knoodt kno:t
Knoop kno:p, *engl.* nu:p
Knopf knɔpf, **Knöpfe** 'knœpfə
Knöpfchen 'knœpfçən
knöpfen 'knœpfn̩

Knöpfli 'knœpfli
Knöpken 'knœpkn̩
Knopper 'knɔpɐ
knören 'knø:rən
knorke 'knɔrkə
Knorpel 'knɔrpl̩
knorp[e]lig 'knɔrp[ə]lɪç, -e ...ɪgə
Knorr knɔr
Knorren 'knɔrən
knorrig 'knɔrɪç, -e ...ɪgə
Knorz knɔrts
knorzen 'knɔrtsn̩
knorzig 'knɔrtsɪç, -e ...ɪgə
Knösel 'knø:zl̩
Knosos 'kno:zɔs
Knöspchen 'knœspçən
Knospe 'knɔspə
knospig 'knɔspɪç, -e ...ɪgə
Knossos 'knɔsɔs
Knötchen 'knø:tçən
Knote 'kno:tə
knöteln 'knø:tl̩n
knoten, K... 'kno:tn̩
Knöterich 'knø:tərɪç
knotern 'kno:tɐn
knötern 'knø:tɐn
knotig 'kno:tɪç, -e ...ɪgə
Knott knɔt, *engl.* nɔt
Knotten... 'knɔtn̩...
knöttern 'knœtɐn
Knottingley *engl.* 'nɔtɪŋli
Know-how no:'haʊ, *auch:* '--
Knowles *engl.* nəʊlz
Knox[ville] *engl.* 'nɔks[vɪl]
Knubbe 'knʊbə
knubbeln 'knʊbl̩n, **knubble** 'knʊblə
Knubben 'knʊbn̩
Knud *dän.* knuð'
knuddeln 'knʊdl̩n, **knuddle** 'knʊdlə
Knudsen 'knu:tsn̩, *engl.* nu:dsn, *dän.* 'knusn̩
Knuff knʊf, **Knüffe** 'knʏfə
knuffen 'knʊfn̩
Knülch knʏlç
Knüll knʏl
knüll[e] 'knʏl[ə]
knüllen 'knʏlən
Knüller 'knʏlɐ
knüpfen knʏpfn̩
Knüppel 'knʏpl̩
Knüppelausdemsack knʏpl̩'laʊsde:mzak, ----'-
knüppeldick 'knʏpl̩'dɪk
knüppeln 'knʏpl̩n
knuppern 'knʊpɐn
Knurów *poln.* 'knuruf

16*

knurren 'knʊrən
knurrig 'knʊrɪç, -e ...ɪgə
knüselig 'kny:zəlɪç, -e ...ɪgə
Knusperchen 'knʊspɐçən
knusp[e]rig 'knʊsp[ə]rɪç, -e ...ɪgə
knuspern 'knʊspɐn
Knust knu:st, Knüste 'kny:stə
Knut[h] knu:t
Knute 'knu:tə
knuten 'knu:tn̩
knutschen 'knu:tʃn̩
Knutscherei knu:tʃə'rai̯
knutschig 'knu:tʃɪç, -e ...ɪgə
Knutsford engl. 'nʌtsfəd
Knüttel[vers] 'knʏtl̩[fɛrs]
Knutzen 'knu:tsn̩
Knysna engl. 'knɪsnə
k. o., K. o. ka:'|o:
Koadaptation ko-|adapta'tsi̯o:n
Koadjutor ko|at'ju:to:ɐ̯, -en ...ju'to:rən, auch: 'ko:|...
Koagulans ko'|a:gulans, ...lantia ...agu'lantsi̯a, ...lanzien ...agu'lantsi̯ən
Koagulase ko|agu'la:zə
Koagulat ko|agu'la:t
Koagulation ko|agula'tsi̯o:n
koagulieren ko|agu'li:rən
Koagulum ko'|a:gulʊm, ...la ...la
Koala ko'a:la
Koaleszenz ko|alɛs'tsɛnts
koalieren ko|a'li:rən
koalisieren ko|ali'zi:rən
Koalition ko|ali'tsi̯o:n
Koalitionär ko|alitsi̯o'nɛ:ɐ̯
Koalkoholiker 'ko:-|alkoho:likɐ
koätan, K... ko|ɛ'ta:n
Koautor 'ko:|au̯to:ɐ̯
Koax... 'ko:aks...
koaxial ko|a'ksi̯a:l
Koazervat ko|atsɛr'va:t
Kob kɔp
Kobald, Kobalt 'ko:balt
Kobaltin kobal'ti:n
Kobarid slowen. kɔba'ri:d
Kobe 'ko:bə, jap. 'ko.:be
Kobel[l] 'ko:bl̩
Koben 'ko:bn̩
Köben 'ko:bn̩
København dän. kʏbn̩'hau̯'n
Kober 'ko:bɐ
Koberger 'ko:bɛrgɐ
Köberle 'kø:bɛlə
Kobern 'ko:bɐn

Koberstadt 'ko:bɐʃtat
Koberstein 'ko:bɐʃtai̯n
Købes 'kø:bəs
Købke dän. 'kœbgə
Koblenz 'ko:blɛnts
koblenzisch 'ko:blɛntsɪʃ
Kobold 'ko:bɔlt, -e ...ldə
Kobolz ko'bɔlts
kobolzen ko'bɔltsn̩
Kobra 'ko:bra
Kobsa 'kɔpsa
Koburg 'ko:bʊrk
Koburger 'ko:bʊrgɐ
Kobyljanska ukr. kɔbɪ'ljansjka
Kocaeli türk. kɔ'dʒaɛ.li
Kocagöz türk. kɔ'dʒɑ.gœz
Kocbek slowen. 'kɔdzbɛk
Kočevje slowen. kɔ'tʃe:vje
¹Koch kɔx, Köche 'kœçə
²Koch (Name) dt., niederl. kɔx, dän. kɔg, schwed., fr. kɔk, engl. kou̯k, kɔtʃ
Kochan 'kɔxan
Kochanowski poln. kɔxa-'nɔfski
Kochel 'kɔxl̩
Köchel 'kœçl̩
köcheln 'kœçl̩n
kochem, K... 'kɔxm̩
kochen, K... 'kɔxn̩
Kocher 'kɔxɐ
Köcher 'kœçɐ
Kochie 'kɔxi̯ə
Köchin 'kœçɪn
Kochowski poln. kɔ'xɔfski
Kočić serbokr. 'kɔtʃitɕ
Kock schwed., niederl., fr. kɔk, poln. kɔtsk
Kocke 'kɔkə
Kockpit 'kɔkpɪt
Kocsis ung. 'kotʃiʃ
Koczian 'kɔtsi̯a:n
Koda 'ko:da
Kodaira jap. ko'dai̯.ra
Kodak® 'ko:dak
Kodály ung. 'koda:j
Kodder... 'kɔdɐ...
kodd[e]rig 'kɔd[ə]rɪç, -e ...ɪgə
koddern 'kɔdɐn, koddre 'kɔdrə
Kode ko:t
Kodein kode'i:n
Köder 'kø:dɐ
ködern 'kø:dɐn, ködre 'kø:drə
Kodex 'ko:dɛks, Kodizes 'ko:ditse:s

Kodiak 'ko:di̯ak, engl. 'kou̯di̯æk
kodieren ko'di:rən
Kodifikation kodifika'tsi̯o:n
Kodifikator kodifi'ka:to:ɐ̯, -en ...ka'to:rən
kodifizieren kodifi'tsi:rən
Kodiologe kodiko'lo:gə
Kodikologie kodikolo'gi:
Kodizill kodi'tsɪl
Kodok 'ko:dɔk
Kodöl 'kɔt|ø:l
Kodros 'ko:drɔs
Koechlin, Kœ... 'kœçli:n, fr. kek'lɛ̃
Koeckert 'kø:kɐt
Koedition 'ko:|editsi̯o:n, auch: ko|edi'tsi̯o:n
Koedukation 'ko:-|edukatsi̯o:n, auch: ko|eduka'tsi̯o:n
Koeffizient ko|efi'tsi̯ɛnt
Koehler 'kø:lɐ
Koekelberg niederl. 'kukəl-bɛrx
Koekkoek niederl. 'kukuk
Koenig 'kø:nɪç, fr. kœ'nig, kø...
Koenzym 'ko:|ɛntsy:m, auch: ko|ɛn'tsy:m
Koepe 'kø:pə
Koeppen 'kœpn̩
Koerbecke 'kœrbəkə
koerzibel ko|ɛr'tsi:bl̩, ...ble ...blə
Koerzitivkraft ko-|ɛrtsi'ti:fkraft
Koestler 'kœstlɐ, engl. 'kø:stlɐ, 'kɛs[t]lə, 'kø:slə
Koetsu jap. 'ko.:etsu
Koetsier niederl. ku'tsi:r
koexistent 'ko:|ɛksɪstɛnt, auch: ko|ɛksɪs'tɛnt
Koexistenz 'ko:|ɛksɪstɛnts, auch: ko|ɛksɪs'tɛnts
koexistieren 'ko:-|ɛksɪsti:rən, auch: ko-|ɛksɪs'ti:rən
Kofel 'ko:fl̩
Kofen 'ko:fn̩
Koferment 'ko:fɛrmɛnt, auch: kofɛr'mɛnt
Koffein kɔfe'i:n
Koffeinismus kɔfei'nɪsmʊs
Koffer 'kɔfɐ
Köfferchen 'kœfɐçən
Koffinnagel 'kɔfɪnna:gl̩
Kofi 'ko:fi, engl. 'kou̯fi
Köflach 'kø:flax
Kofler 'ko:flɐ

Koforidua *engl.* koufɔːriˈduːə

Köfte ˈkœftə

Kofu *jap.* koˈːfu

Kog koːk, **Köge** ˈkøːgə

Kogălniceanu *rumän.* kogəlniˈtʃe̯anu

Kogan *russ.* ˈkɔgɐn

Koganei *jap.* koˈganeː

Kogarah *engl.* ˈkɔgərə

Køge *dän.* ˈkyːə

Kogel ˈkoːgl̩

Kögel ˈkøːgl̩

Kogge ˈkɔgə

Kognak ˈkɔnjak

Kognat kɔˈgnaːt

Kognation kɔgnaˈtsi̯oːn

Kognition kɔgniˈtsi̯oːn

kognitiv kɔgniˈtiːf, -e …iːvə

Kognomen kɔˈgnoːmən, …**mina** …mina

Kogo ˈkoːgo

Kogon ˈkoːgɔn

Kohabitation kohabitaˈtsi̯oːn

kohabitieren kohabiˈtiːrən

Kohibition kohibiˈtsi̯oːn

kohärent kohɛˈrɛnt

Kohärenz kohɛˈrɛnts

Kohärer koˈhɛːrɐ

kohärieren kohɛˈriːrən

Kohäsion kohɛˈzi̯oːn

kohäsiv kohɛˈziːf, -e …iːvə

Kohat *engl.* ˈkoʊhaːt

Koheleth koˈheːlɛt

Kohen ˈkoːən, koˈheːn

kohibieren kohiˈbiːrən

Kohibition kohibiˈtsi̯oːn

Kohinoor, Koh-i-noor, Kohinur kohiˈnuːɐ̯

Kohl koːl

Köhl køːl

Köhlchen ˈkøːlçən

Kohle ˈkoːlə

kohlen ˈkoːlən

Kohler ˈkoːlɐ

Köhler ˈkøːlɐ

Kohlgrub koːlˈgruːp

Kohlhaas ˈkoːlhaːs

Kohlhammer ˈkoːlhamɐ

Kohlhase ˈkoːlhaːzə

Köhlmeier ˈkøːlmai̯ɐ

Kohlow ˈkoːlo

Kohlrabe ˈkoːlraːbə

kohlrabenschwarz ˈkoːlˈraːbn̩ˈʃvarts

Kohlrabi koːlˈraːbi

Kohlrausch ˈkoːlrau̯ʃ

Kohlscheid ˈkoːlʃai̯t

kohlschwarz ˈkoːlˈʃvarts

Kohn koːn, *engl.* koʊn

Köhnlechner ˈkøːnlɛçnɐ

Kohortation kohɔrtaˈtsi̯oːn

kohortativ kohɔrtaˈtiːf, -e …iːvə

Kohortativ ˈkoːhɔrtatiːf, -e …iːvə

Kohorte koˈhɔrtə

Kohout *tschech.* ˈkɔhoʊt

Kohoutek ˈkɔhutɛk, *tschech.* ˈkɔhoʊtɛk

Kohtla-Järve *estn.* ˈkɔhːtlaˈjɛrvɛ

Kohyperonym ˈkoːhyperoˈnyːm, *auch:* kohyperoˈnyːm

Kohyperonymie ˈkoːhyperonymiː, *auch:* kohyperonyˈmiː

Kohyponym ˈkoːhypoynyːm, *auch:* kohypoˈnyːm

Kohyponymie ˈkoːhyponymiː, *auch:* kohyponyˈmiː

Koidula *estn.* ˈkɔi̯dula

Koi-Krylgan-Kala *russ.* ˈkɔi̯krilˈganka'la

Koimesis ˈkɔymezɪs, …**mesen** …ˈmeːzn̩

Koimeterien kɔymeˈteːri̯ən

Koine kɔyˈneː, …**nai** …ˈnai̯

Koinon kɔyˈnɔn, …**na** …na

koinzident kɔi̯ntsi̯ˈdɛnt

Koinzidenz kɔi̯ntsi̯ˈdɛnts

koinzidieren kɔi̯ntsi̯diˈrən

koitieren koi̯ˈtiːrən

Koitus ˈkoːi̯tʊs, **die -** …tuːs

Koivisto *finn.* ˈkɔi̯vistɔ

Koje ˈkoːjə

Kojève *fr.* kɔˈʒɛːv

Kojiki koːˈdʒiki

Kojote koˈjoːtə

Kok *niederl.* kɔk

Koka ˈkoːka

Kokain kokaˈiːn

Kokainismus kokaiˈnɪsmʊs

Kokainist kokaiˈnɪst

Kokand *russ.* kaˈkant

Kokarde koˈkardə

Kokel ˈkoːkl̩

kokeln ˈkoːkl̩n

Kokemäenjoki *finn.* ˈkɔkɛmæɛnjoki

koken ˈkoːkn̩

Koker ˈkoːkɐ

Kokerei kokəˈrai̯

kokett koˈkɛt

Kokette koˈkɛtə

Koketterie kokɛtəˈriː, -n …iːən

kokettieren kokɛˈtiːrən

Kokille koˈkɪlə

Kokke ˈkɔkə

Kokkelskörner ˈkɔkl̩skœrnɐ

Kökkenmöddinger ˈkœkn̩mœdɪŋɐ

Kokko[la] *finn.* ˈkɔkkɔ[la]

Kokkolith kɔkoˈliːt

Kokkosphäre kɔkoˈsfɛːrə

Kokkus ˈkɔkʊs

Kokolores kokoˈloːrɛs

Kokomo *engl.* ˈkoʊkəmoʊ

Kokon koˈkõː, *auch:* …kɔŋ, …koːn

Koko Nor ˈkoːko ˈnoːɐ̯

Kokos… ˈkoːkɔs…

Kokoschka koˈkɔʃka, ˈkɔkɔʃka

Kokosette kokoˈzɛt

Kokotte koˈkɔtə

Koks koːks

Kok-Saghys kɔksaˈgʏs

Kokse ˈkoːksə

koksen ˈkoːksn̩

Koktschetaw *russ.* kɛktʃɪˈtaf

Kokytos koˈkyːtɔs

Kokzidie kɔkˈtsi̯diə

Kokzidiose kɔktsi̯diˈoːzə

¹Kola® (Kolanuss) ˈkoːla

²Kola (Halbinsel) ˈkoːla, *russ.* ˈkɔlɐ

³Kola vgl. Kolon

Kołakowski *poln.* kɔu̯aˈkɔfski

Kolani koˈlaːni

Kolar *serbokr.* ˌkɔlaːr, *engl.* ˈkoʊlaː, -ˈ–

Kolár *tschech.* ˈkɔlaːr

Kolář *tschech.* ˈkɔlaːrʃ

Kolari *finn.* ˈkɔlari

Kolarow *bulgar.* koˈlarof

Kolas *weißruss.* ˈkoʊɐs

Kolatsche koˈlaːtʃə

Kolatur kolaˈtuːɐ̯

Kolb kɔlp

Kölbchen ˈkœlpçən

Kolbe ˈkɔlbə

Kolben ˈkɔlbn̩

Kolbenheyer ˈkɔlbn̩hai̯ɐ

Kolbenhoff ˈkɔlbn̩hɔf

Kolberg *dt., poln.* ˈkɔlbɛrk

kolbig ˈkɔlbɪç, -e …ɪgə

Kolchis ˈkɔlçɪs

Kolchizin kɔlçiˈtsi̯ːn

Kolchos ˈkɔlçɔs, -e …ˈçoːzə

Kolchose kɔlˈçoːzə

Kölcsey *ung.* ˈkøltʃɛi

Kold *dän.* kɔl

Kolda *fr.* kɔlˈda

Kölderer ˈkœldərɐ

koldern 'kɔldɐn, ...**dre** ...drə
Koldewey 'kɔldəvai
Kolding dän. 'kɔlıŋ
Koleda 'kɔleda
Koleopter kole'ɔptɐ
Koleoptere kolɛɔp'te:rɐ
Koleopterologe kolɛɔpte-ro'lo:gə
Koleopterologie kolɛɔpte-rolo'gi:
Koleoptile kolɛɔp'ti:lə
Koleoptose kolɛɔp'to:zə
Koleorrhiza kolɛɔ'ri:tsa
Kolgujew russ. kal'gujıf
Kolhapur engl. 'koʊləpʊə
Kolhörster 'ko:lhœrstɐ
Kolibakterie 'ko:libakte:-rịə
Kolibri 'ko:libri
kolieren ko'li:rən
Kolik 'ko:lık, auch: ko'li:k
Kolin ko'li:n, 'kɔli:n
Kolin tschech. 'kɔli:n
Kolinski ko'lınski
Koliqi alb. ko'likji
Kolisch 'ko:lıʃ
Kolitis ko'li:tıs, ...**itiden** koli'ti:dn̩
Koliurie kolju'ri:, -n ...i:ən
Kolk kɔlk
Kolkothar kɔlko'ta:ɐ
Kolla 'kɔla
kollabeszieren kɔlabɛs'tsi:rən
kollabieren kɔla'bi:rən
Kollaborateur kɔlabora'tø:ɐ
Kollaboration kɔlabora-'tsịo:n
Kollaborator kɔlabo'ra:to:ɐ, -en ...ra'to:rən
Kollaboratur kɔlabora'tu:ɐ
kollaborieren kɔlabo'ri:rən
Kollage kɔ'la:ʒə
kollagen, K... kɔla'ge:n
Kollagenase kɔlage'na:zə
Kollagenose kɔlage'no:zə
Kollani kɔ'la:ni
Kollaps 'kɔlaps, auch: -'-
Kollapsus kɔ'lapsʊs
Kollar kɔ'la:ɐ
Kollár slowak. 'kɔla:r
Kollargol kɔlar'go:l
Kołłątaj poln. kɔu̯'u̯ɔntaj
kollateral kɔlate'ra:l
Kollath 'kɔlat
Kollation kɔla'tsịo:n
kollationieren kɔlatsịo'ni:-rən
Kollator kɔ'la:to:ɐ, -en kɔla-'to:rən

Kollatur kɔla'tu:ɐ
Kollaudation kɔlauda'tsịo:n
kollaudieren kɔlau̯'di:rən
Kolle 'kɔlə
Kölleda 'kœleda
Kolleg kɔl'e:k, -ien kɔ'le:-gịən
Kollega kɔ'le:ga
Kollege kɔ'le:gə
kollegial kɔle'gịa:l
Kollegialität kɔlegịali'tɛ:t
Kollegiat kɔle'gịa:t
Kollegium kɔ'le:gịʊm, ...**ien** ...ịən
Kollektaneen kɔlɛk'ta:-neən, auch: ...ta'ne:ən
Kollekte kɔ'lɛktə
Kollekteur kɔlɛk'tø:ɐ
Kollektion kɔlɛk'tsịo:n
kollektiv, K... kɔlɛk'ti:f, -e ...i:və
Kollektiva vgl. Kollektivum
kollektivieren kɔlɛkti'vi:rən
Kollektivismus kɔlɛkti'vıs-mʊs
Kollektivist kɔlɛkti'vıst
Kollektivität kɔlɛktivi'tɛ:t
Kollektivum kɔlɛk'ti:vʊm, ...**va** ...va
Kollektor kɔ'lɛkto:ɐ, -en ...'to:rən
Kollektur kɔlɛk'tu:ɐ
Kollembole kɔlɛm'bo:lə
Kollenchym kɔlɛn'çy:m
Koller 'kɔlɐ
kollerig 'kɔlərıç, -e ...ıgə
kollern 'kɔlɐn
Kolletere kɔle'te:rə
Kollett kɔ'lɛt
Kolli vgl. Kollo
Kollias neugr. 'kɔljas
kollidieren kɔli'di:rən
Kollidine kɔli'di:nə
Kollier kɔ'lịe:
Kölliker 'kœlikɐ
Kollimation kɔlima'tsịo:n
Kollimator kɔli'ma:to:ɐ, -en ...ma'to:rən
kollinear, K... kɔline'a:ɐ
Kollineation kɔlinea'tsịo:n
Kolliquation kɔlikva'tsịo:n
Kollision kɔli'zịo:n
Kollmann 'kɔlman
Kölln kœln
¹Kollo (Warenballen) 'kɔlo, **Kolli** 'kɔli
²Kollo (Name) 'kɔlo
Kollodium kɔ'lo:dịʊm
kolloid, K... kɔlo'i:t, -e ...i:də
kolloidal kɔloi'da:l

Kollokabilität kɔlokabili'tɛ:t
Kollokation kɔloka'tsịo:n
Kollokator kɔlo'ka:to:ɐ, -en ...ka'to:rən
kollokieren kɔlo'ki:rən
Kollonema kɔlo'ne:ma, -ta -ta
Kollonitsch 'kɔlonıtʃ
Kollontai russ. kɛllan'taj
kolloquial kɔlokvi'a:l
Kolloquialismus kɔlokvia-'lısmʊs
Kolloquium kɔ'lo:kvịʊm, auch: kɔ'lɔk..., ...**ien** ...ịən
Kollotypie kɔloty'pi:
kollozieren kɔlo'tsi:rən
kollrig 'kɔlrıç, -e ...ıgə
kolludieren kɔlu'di:rən
Kollumkarzinom 'kɔlʊm-kartsịno:m
Kollusion kɔlu'zịo:n
Kollwitz 'kɔlvıts
Kolmar 'kɔlmar
Kolmården schwed. ˌko:l-mo:rdən
Kolmarer 'kɔlmarɐ
kolmarisch 'kɔlmarıʃ
Kolmatage kɔlma'ta:ʒə
kolmatieren kɔlma'ti:rən
Kolmation kɔlma'tsịo:n
Kolmogorow russ. kɛlma-'gɔrɐf
Köln[er] 'kœln[ɐ]
Kol nidre 'ko:l ni'dre:
kölnisch 'kœlnıʃ
Kölnischwasser 'kœlnıʃ-vasɐ, auch: --'--
Kolo 'ko:lo
Kolo poln. 'kɔu̯o
Kolobom kolo'bo:m
Kołobrzeg poln. kɔ'u̯ɔbʒɛk
Koločep serbokr. 'kɔlɔtʃɛp
Kolofonium kolo'fo:nịʊm
Koloman 'ko:loman, auch: 'kɔl...
Kolombine kolɔm'bi:nə
Kolombowurzel ko'lɔmbo-vʊrtsl̩
Kolometrie kolome'tri:
Kolomna russ. ka'lɔmnɐ
Kolomyja russ. kɛla'mije
Kolon ko:lɔn, **Kola** 'ko:la
Kolonat kolo'na:t
Kolone ko'lo:nə
Kolonel kolo'nɛl
kolonial kolo'nịa:l
kolonialisieren kolonịali-'zi:rən
Kolonialismus kolonịa'lıs-mʊs

Kolonialist kolonˈjaˈlɪst
Kolonie koloˈniˑˌ -n ...iˑən
Kolonisation koloniza-
ˈtsi̯oˑn
Kolonisator koloniˈzaˑtoˑɐ̯,
-en ...zaˈtoˑrən
kolonisatorisch koloniza-
ˈtoˑrɪʃ
kolonisieren koloniˈziˑrən
Kolonist koloˈnɪst
Kolonnade kolɔˈnaˑdə
Kolonne koˈlɔnə
Kolonos koˈloˑnɔs
Kolophon (Stadt) ˈkoˑlofɔn
Kolophon[ium] kolo-
ˈfoˑn[i̯ʊm]
Koloptose kolɔpˈtoˑzə
Koloquinte koloˈkvɪntə
Kolor ˈkoˑloˑɐ̯
Koloradokäfer koloˈraˑdo-
kɛːfɐ
Koloratur koloraˈtuˑɐ̯
kolorieren koloˈriˑrən
Kolorimeter koloriˈmeˑtɐ
Kolorimetrie kolorimeˈtriˑ
kolorimetrisch koloriˈmeˑ-
trɪʃ
Kolorismus koloˈrɪsmʊs
Kolorist koloˈrɪst
Kolorit koloˈriˑt, *auch:* ...rɪt
Koloskop koloˈskoˑp
Koloss koˈlɔs
Kolossä koˈlɔsɛ
Kolossai koˈlɔsai̯
kolossal kolɔˈsaˑl
Kolossalität kolɔsaliˈtɛːt
Kolosser koˈlɔsɐ
Kolosseum kolɔˈseˑʊm
Kolostomie kolostoˈmiˑ
Kolostral... kolɔsˈtraːl...
Kolostrum koˈlɔstrʊm
Kolotomie kolotoˈmiˑ, -n
...iˑən
Kolowrat ˈkoˑlovrat
Kolozsvár[i] *ung.* ˈkoloʒ-
vaːr[i]
Kolpa *slowen.* ˈkoˑlpa
Kolpak ˈkɔlpak
Kolpaschewo *russ.* kalˈpa-
ʃɛvɐ
Kölpin kœlˈpiˑn
Kolping ˈkɔlpɪŋ
Kolpino *russ.* ˈkɔlpinɐ
Kolpitis kɔlˈpiˑtɪs ...it̯iden
...piˈtiˑdn̩
Kolpokleisis kɔlpoˈklai̯zɪs
Kolportage kɔlpɔrˈtaˑʒə
Kolporteur kɔlpɔrˈtøˑɐ̯
kolportieren kɔlpɔrˈtiˑrən
Kolpos ˈkɔlpɔs

Kolposkop kɔlpoˈskoˑp
Kolposkopie kɔlposkoˈpiˑ
Kolpozele kɔlpoˈtseˑlə
Kölsch kœlʃ
kölschen ˈkœlʃn̩
Kolter ˈkɔltɐ
Koltschak *russ.* kalˈtʃak
Koltschugino *russ.* kaljˈtʃu-
ginɐ
Kœltzow *norw.* ˈkœltso
Kolumban[us] kolʊm-
ˈbaːn[ʊs]
Kolumbarium kolʊmˈbaː-
ri̯ʊm, ...ien ...i̯ən
Kolumbia... koˈlʊmbi̯a...
Kolumbien koˈlʊmbi̯ən
Kolumbier koˈlʊmbi̯ɐ
Kolumbine kolʊmˈbiˑnə
kolumbisch koˈlʊmbɪʃ
Kolumbit kolʊmˈbiˑt
Kolumbus koˈlʊmbʊs
Kolumella koluˈmɛla
Kolumne koˈlʊmnə
Kolumnist kolʊmˈnɪst
Kölwel ˈkœlvl̩
Kolwezi *frz.* kɔlweˈzi
Kolyma *russ.* kɛliˈma
Kolzow *russ.* kaljˈtsɔf
Köm køːm
Koma ˈkoˑma, -ta -ta
Komander koˈmandɐ
Komandorskije Ostrowa
russ. kɛmanˈdɔrskiji
astraˈva
Komantsche koˈmantʃə
Komárno *slowak.* ˈkɔmaːrnɔ
Komárom *ung.* ˈkomaˑrom
Komarow *russ.* kɛmaˈrɔf
komatös komaˈtøːs, -e
...øˑzə
Komatsu *jap.* koˈmatsu
kombattant, K... kɔmba-
ˈtant
Kombi ˈkɔmbi
Kombinat kɔmbiˈnaːt
¹Kombination kɔmbina-
ˈtsi̯oˑn
²Kombination (Anzug)
kɔmbinaˈtsi̯oˑn, kɔmbi-
ˈneˑʃn̩
kombinativ kɔmbinaˈtiˑf, -e
...iˑvə
Kombinatorik kɔmbinaˈtoˑ-
rɪk
kombinatorisch kɔmbina-
ˈtoˑrɪʃ
Kombine kɔmˈbai̯n, *auch:*
...biːnə, *auch:* ˈkɔmbai̯n
kombinieren kɔmbiˈniˑrən

Kombüse kɔmˈbyˑzə
kombustibel kɔmbʊsˈtiˑbl̩,
...ble ...blə
Kombustibilien kɔmbʊsti-
ˈbiˑli̯ən
Kombustion kɔmbʊsˈti̯oˑn
Komedo koˈmeˑdo, -nen
komeˈdoˑnən
Komenský *tschech.*
ˈkɔmɛnski:
komestibel komɛsˈtiˑbl̩,
...ble ...blə
Komestibilien komɛstiˈbiˑ-
li̯ən
Komet koˈmeˑt
kometar komeˈtaˑɐ̯
Kömeterion kømeˈteˑri̯ɔn,
...ien ...i̯ɔn
Komfort kɔmˈfoˑɐ̯, *auch:*
...ˈfɔrt
komfortabel kɔmfɔrˈtaˑbl̩,
...ble ...blə
Komfortabel kɔmfɔrˈtaˑbl̩
Komi ˈkoˑmi, *russ.* ˈkɔmi
Komik ˈkoˑmɪk
Komiker ˈkoˑmikɐ
Kominform komɪnˈfɔrm
Komintern komɪnˈtɛrn
komisch ˈkoˑmɪʃ
Komissarschewskaja *russ.*
kɛmisarˈʒɛfskɛjɐ
Komissarschewski *russ.*
kɛmisarˈʒɛfskij
Komitadschi komiˈtadʒi
Komitat komiˈtaːt
Komitativ ˈkoːmitatiˑf, -e
...iˑvə
Komitee komiˈteˑ
Komitien koˈmiˑtsi̯ən
Komló *ung.* ˈkomloˑ
Komma ˈkɔma, -ta -ta
Kommagene kɔmaˈgeˑne
Kommandant komanˈdant
Kommandantur koman-
danˈtuˑɐ̯
Kommandeur komanˈdøˑɐ̯
kommandieren komanˈdiˑ-
rən
Kommanditär komandiˈtɛːɐ̯
Kommandite komanˈdiˑtə
Kommanditgesellschaft
komanˈditˌɡəzɛlʃaft
Kommanditist komandiˈtɪst
Kommando kɔˈmando
Kommassation komasa-
ˈtsi̯oˑn
kommassieren komaˈsiˑrən
Kommemoration komemo-
raˈtsi̯oˑn

kommemorieren kɔmemo-ˈriːrən
kọmmen ˈkɔmən
Kommẹnde kɔˈmɛndə
kommensal kɔmɛnˈzaːl
Kommensalismus kɔmɛn-zaˈlɪsmʊs
kommensurabel kɔmɛnzu-ˈraːbl̩, …ble …blə
Kommensurabilität kɔmɛnzurabiliˈtɛːt
Komment kɔˈmãː
Kommentar kɔmɛnˈtaːɐ̯
Kommentation kɔmɛnta-ˈtsi̯oːn
Kommentator kɔmɛnˈta-toːɐ̯, **-en** …taˈtoːrən
kommentieren kɔmɛnˈtiː-rən
Kọmmerell ˈkɔmərɛl
Kommẹrs kɔˈmɛrs, **-e** …rzə
kommersieren kɔmɛrˈziː-rən
Kommẹrz kɔˈmɛrts
kommerzialisieren kɔmɛr-tsi̯aliˈziːrən
Kommerzialrat kɔmɛr-ˈtsi̯aːlraːt
kommerziell kɔmɛrˈtsi̯ɛl
Kommerzienrat kɔˈmɛr-tsi̯ənraːt
Kommilitone kɔmiliˈtoːnə
Kommis kɔˈmiː, **des -** kɔˈmiː[s], **die -** kɔˈmiːs
Kommiss kɔˈmɪs
Kommissar kɔmɪˈsaːɐ̯
Kommissär kɔmɪˈsɛːɐ̯
Kommissariat kɔmɪsaˈri̯aːt
kommissarisch kɔmɪˈsaːrɪʃ
Kommission kɔmɪˈsi̯oːn
Kommissionär kɔmɪsi̯oˈnɛːɐ̯
kommissionieren kɔmɪsi̯o-ˈniːrən
Kommissiv… kɔmɪˈsiːf…
Kommissorium kɔmɪˈsoː-ri̯ʊm, **…ien** …i̯ən
Kommissur kɔmɪˈsuːɐ̯
Kommittent kɔmɪˈtɛnt
kommittieren kɔmɪˈtiːrən
Kommittiv kɔmɪˈtiːf, **-e** …iːvə
kommọd kɔˈmoːt, **-e** …oːdə
Kommọde kɔˈmoːdə
Kommodität kɔmodiˈtɛːt
Kommodore kɔmoˈdoːrə
Kommorant kɔmoˈrant
Kọmmos ˈkɔmɔs, **Kọmmoi** ˈkɔmɔy
Kommotio kɔˈmoːtsi̯o
Kommotion kɔmoˈtsi̯oːn

kommun kɔˈmuːn
kommunal kɔmuˈnaːl
kommunalisieren kɔmuna-liˈziːrən
Kommunarde kɔmuˈnardə
Kommunarsk *russ.* kɛmu-ˈnarsk
Kommune kɔˈmuːnə
Kommunikant kɔmuniˈkant
Kommunikation kɔmunika-ˈtsi̯oːn
kommunikativ kɔmunika-ˈtiːf, **-e** …iːvə
Kommunikee kɔmyniˈkeː, kɔmu…
Kommunion kɔmuˈni̯oːn
Kommuniqué kɔmyniˈkeː, kɔmu…
Kommunismus kɔmuˈnɪs-mʊs
Kommunist kɔmuˈnɪst
kommunistisch kɔmuˈnɪstɪʃ
Kommunität kɔmuniˈtɛːt
Kommunitarismus kɔmu-nitaˈrɪsmʊs
kommunizieren kɔmuniˈtsi̯ːrən
kommutabel kɔmuˈtaːbl̩, …ble …blə
Kommutation kɔmuta-ˈtsi̯oːn
kommutativ kɔmutaˈtiːf, **-e** …iːvə
Kommutator kɔmuˈtaːtoːɐ̯, **-en** …taˈtoːrən
kommutieren kɔmuˈtiːrən
Komnene kɔmˈneːnə
Komnenos kɔmˈneːnɔs
Komödiant kɔmøˈdi̯ant
Komödie koˈmøːdi̯ə
Komodo *indones.* koˈmodo
Kọm Ọmbo ˈkoːm ˈɔmbo
Komoren koˈmoːrən
Komorn koˈmɔrn, ˈkoːmɔrn
Komorous *tschech.* ˈkɔmɔ-rɔʊ̯s
Komorowski *poln.* kɔmɔ-ˈrɔfski
Komotau ˈkɔmotaʊ̯, ˈkoːm…
Komotini *neugr.* kɔmɔtiˈni
Kompagnie kɔmpaˈniː, **-n** …i̯ən
Kompagnon kɔmpanˈjõː, *auch:* ˈkɔmpanjõ, …jɔŋ
kompakt kɔmˈpakt
Kompaktat kɔmpakˈtaːt
Kompaktion kɔmpakˈtsi̯oːn
Kompanie kɔmpaˈniː, **-n** …i̯ən

Komparabel kɔmpaˈraːbl̩, …ble …blə
Komparabilität kɔmparabi-liˈtɛːt
Komparation kɔmpara-ˈtsi̯oːn
Komparatist[ik] kɔmpara-ˈtɪst[ɪk]
komparativ ˈkɔmparatiːf, *auch:* ———ˈ–, **-e** …iːvə
Kọmparativ ˈkɔmparatiːf, **-e**…iːvə
Komparativistik kɔmpara-tiˈvɪstɪk
Komparator kɔmpaˈraːtoːɐ̯, **-en** …raˈtoːrən
Komparent kɔmpaˈrɛnt
Komparenz kɔmpaˈrɛnts
komparieren kɔmpaˈriːrən
Komparition kɔmpariˈtsi̯oːn
Komparse kɔmˈparzə
Komparserie kɔmparzəˈriː, **-n** …i̯ən
Kompartiment kɔmparti-ˈment
Kọmpass ˈkɔmpas
kompatibel kɔmpaˈtiːbl̩, …ble …blə
Kompatibilität kɔmpatibili-ˈtɛːt
Kompatriot kɔmpatriˈoːt
Kompatronat kɔmpatro-ˈnaːt
kompendiarisch kɔmpɛn-ˈdi̯aːrɪʃ
kompendiös kɔmpɛnˈdi̯øːs, **-e** …øːzə
Kompendium kɔmˈpɛn-di̯ʊm, **…ien** …i̯ən
Kompensation kɔmpɛnza-ˈtsi̯oːn
Kompensator kɔmpɛnˈza-toːɐ̯, **-en** …zaˈtoːrən
Kompensatorik kɔmpɛnza-ˈtoːrɪk
kompensatorisch kɔmpɛn-zaˈtoːrɪʃ
kompensieren kɔmpɛnˈziː-rən
Kọmpert ˈkɔmpɛt
kompetent, K… kɔmpeˈtɛnt
Kompetenz kɔmpeˈtɛnts
kompetieren kɔmpeˈtiːrən
kompetitiv kɔmpetiˈtiːf, **-e** …iːvə
Kompilation kɔmpilaˈtsi̯oːn
Kompilator kɔmpiˈlaːtoːɐ̯, **-en** …laˈtoːrən
kompilatorisch kɔmpila-ˈtoːrɪʃ

kompilieren kɔmpi'li:rən
komplanar kɔmpla'na:ɐ̯
Komplanation kɔmplana-'tsi̯o:n
Komplement kɔmple'mɛnt
komplementär, K... kɔm-plemɛn'tɛ:ɐ̯
Komplementarität kɔmple-mɛntari'tɛ:t
Komplementation komple-mɛnta'tsi̯o:n
komplementieren kɔmple-mɛn'ti:rən
Komplenym kɔmple'ny:m
Komplenymie kɔmple-ny'mi:
¹Komplet (Abendgebet) kɔm'ple:t
²Komplet (Kleid) kɔm'ple:, auch: kõ'ple:
kompletiv kɔmple'ti:f, -e ...i:və
Kompletorium kɔmple'to:-ri̯ʊm, ...ien ...i̯ən
komplett kɔm'plɛt
komplettieren kɔmple'ti:-rən
komplex, K... kɔm'plɛks
Komplexion kɔmplɛ'ksi̯o:n
Komplexität kɔmplɛksi'tɛ:t
Komplexometrie kɔmplɛ-ksome'tri:, -n ...i̯ən
Komplexone kɔmplɛ'kso:nə
Komplice kɔm'pli:tsə, auch: ...i:sə
Komplikation kɔmplika-'tsi̯o:n
Kompliment kɔmpli'mɛnt
komplimentieren kɔmpli-mɛn'ti:rən
Komplize kɔm'pli:tsə
komplizieren kɔmpli'tsi:rən
Komplott kɔm'plɔt
komplottieren kɔmplɔ'ti:-rən
Komponente kɔmpo'nɛntə
Kompong Cham, - Chhnang, - Som, - Speu, - Thom Khmer kam'pʊɔŋ 'tʃa:m, - 'tʃhnaŋ, - 'saɔm, - 'spɨ:, - 'thɔm
komponieren kɔmpo'ni:rən
Komponist kɔmpo'nɪst
Komposita vgl. Kompositum
Komposite kɔmpo'zi:tə
Kompositeur kɔmpozi'tø:ɐ̯
Komposition kɔmpozi-'tsi̯o:n

kompositionell kɔmpozi-tsi̯o'nɛl
kompositorisch kɔmpozi-'to:rɪʃ
Kompositum kɔm'po:zi-tʊm, ...ta ...ta
kompossibel kɔmpɔ'si:bl̩, ...ble ...blə
Kompossibilität kɔmpɔsibi-li'tɛ:t
Kompost kɔm'pɔst, auch: '--
kompostieren kɔmpɔs'ti:-rən
Kompott kɔm'pɔt
Kompound... kɔm'paʊnt..., auch: '--...
komprehensibel kɔmpre-hɛn'zi:bl̩, ...ble ...blə
Komprehension kɔmpre-hɛn'zi̯o:n
kompress kɔm'prɛs
Kompresse kɔm'prɛsə
kompressibel kɔmprɛ'si:bl̩, ...ble ...blə
Kompressibilität kɔmprɛsi-bili'tɛ:t
Kompression kɔm'prɛ'si̯o:n
Kompressor kɔm'prɛso:ɐ̯, -en ...'so:rən
Kompressorium kɔmprɛ-'so:ri̯ʊm, ...ien ...i̯ən
komprimieren kɔmpri'mi:-rən
Kompromiss kɔmpro'mɪs
Kompromissler kɔmpro-'mɪslɐ
kompromittieren kɔmpro-mɪ'ti:rən
komptabel kɔmp'ta:bl̩, ...ble ...blə
Komptabilität kɔmptabili-'tɛ:t
Komptant... kõ'tã:...
Kompulsation kɔmpʊlza-'tsi̯o:n
Kompulsion kɔmpʊl'zi̯o:n
kompulsiv kɔmpʊl'zi:f, -e ...i:və
Kompulsorium kɔmpʊl'zo:-ri̯ʊm, ...ien ...i̯ən
Komputation kɔmputa-'tsi̯o:n
Komputer kɔm'pju:tɐ
Komputistik kɔmpu'tɪstɪk
Komrij niederl. 'kɔmrɛi
Komsomol kɔmzo'mɔl
Komsomolsk[aja] russ. kɛmsa'mɔljsk[ɐjɐ]
Komsomolze kɔmzo'mɔltsə

Komtess kɔm'tɛs, auch: kõ'tɛs
Komtesse kɔm'tɛsə, auch: kõ'tɛsə
Komtur kɔm'tu:ɐ̯
Komturei kɔmtu'rai
Komzák tschech. 'kɔmza:k
Konak ko'nak
Konaré fr. kɔna're
Konarski poln. kɔ'narski
Konation kona'tsi̯o:n
konativ kona'ti:f, -e ...i:və
Konautor 'kɔn|aʊto:ɐ̯
Konavli serbokr. 'kɔna:vli
konaxial kɔn|a'ksi̯a:l
Koncha 'kɔnça
Konche 'kɔnçə
konchieren kɔn'çi:rən
Konchifere kɔnçi'fe:rə
konchiform kɔnçi'fɔrm
Konchoide kɔnço'i:də
Konchologe kɔnço'lo:gə
Konchologie kɔnçolo'gi:
konchologisch kɔnço'lo:gɪʃ
Konchoskop kɔnço'sko:p
Konchylie kɔn'çy:li̯ə
Konchyliologe kɔnçyli̯o-'lo:gə
Konchyliologie kɔnçyli̯o-lo'gi:
konchyliologisch kɔnçyli̯o-'lo:gɪʃ
Kondemnation kɔndɛmna-'tsi̯o:n
kondemnieren kɔndɛm'ni:-rən
Kondens... kɔn'dɛns...
Kondensanz kɔndɛn'zants
Kondensat kɔndɛn'za:t
Kondensation kɔndɛnza-'tsi̯o:n
Kondensator kɔndɛn'za:-to:ɐ̯, -en ...za'to:rən
kondensieren kɔndɛn'zi:-rən
Kondensor kɔn'dɛnzo:ɐ̯, -en ...'zo:rən
Kondeszenz kɔndɛs'tsɛnts
Kondiktion kɔndɪk'tsi̯o:n
Kondilakis neugr. kɔnði'la-kis
Kondilis neugr. kɔn'dilis
konditern kɔn'di:tɐn
Kondition kɔndi'tsi̯o:n
konditional, K... kɔndi̯tsi̯o-'na:l
Konditionalis kɔnditsi̯o-'na:lɪs, ...les ...le:s
Konditionalismus kɔndi-tsi̯ona'lɪsmʊs

konditionell kɔndiˈtsi̯oˈnɛl
konditionieren kɔndiˈtsi̯o-
ˈniːrən
Konditionismus kɔndiˈtsi̯o-
ˈnɪsmʊs
Konditor kɔnˈdiːtoːɐ̯, -en
...diˈtoːrən
Konditorei kɔndiˈtoˈrai̯
kondizieren kɔndiˈtsiːrən
Kondo kɔnˈdoː, ˈkɔndo
Kondolenz kɔndoˈlɛnts
kondolieren kɔndoˈliːrən
Kondom kɔnˈdoːm
Kondominat kɔndomiˈnaːt
Kondominium kɔndoˈmiː-
ni̯ʊm, ...ien ...i̯ən
Kondor ˈkɔndoːɐ̯
Kondottiere kɔndɔˈti̯eːrə,
...ri ...ri
Kondraschin russ. kanˈdra-
ʃɪn
Kondratjew russ. kan-
ˈdratjɪf
Konduite kɔnduˈiːtə, auch:
kõdyˈiːtə
Kondukt kɔnˈdʊkt
Konduktanz kɔndʊkˈtants
Kondukteur kɔndʊkˈtøːɐ̯
Konduktivität kɔndʊktivi-
ˈtɛːt
Konduktometrie kɔndʊkto-
meˈtriː
konduktometrisch kɔndʊk-
toˈmeːtrɪʃ
Konduktor kɔnˈdʊktoːɐ̯, -en
...ˈtoːrən
Konduktus kɔnˈdʊktʊs, die
- ...tuːs
Kondurango kɔnduˈraŋo
Kondwiramurs kɔntˈviːra-
muːɐ̯s
Kondylom kɔndyˈloːm
Kondylus ˈkɔndylʊs, Kon-
dylen kɔnˈdyːlən
Konenkow russ. kaˈnjɛnkɐf
Koneski mak. ˈkɔnɛski
Konetzni koˈnɛtsni
Konew russ. ˈkɔnɪf
Konewka koˈnɛfka
Konezki russ. kaˈnjɛtskij
Konfabulation kɔnfabula-
ˈtsi̯oːn
konfabulieren kɔnfabuˈliː-
rən
Konfekt kɔnˈfɛkt
Konfektion kɔnfɛkˈtsi̯oːn
Konfektionär kɔnfɛktsi̯o-
ˈnɛːɐ̯
Konfektioneuse kɔnfɛk-
tsi̯oˈnøːzə

konfektionieren kɔnfɛk-
tsi̯oˈniːrən
Konferenz kɔnfeˈrɛnts
konferieren kɔnfeˈriːrən
Konfession kɔnfɛˈsi̯oːn
konfessionalisieren kɔnfɛ-
si̯onaliˈziːrən
Konfessionalismus kɔnfɛ-
si̯onaˈlɪsmʊs
konfessionalistisch kɔnfɛ-
si̯onaˈlɪstɪʃ
konfessionell kɔnfɛsi̯oˈnɛl
Konfetti kɔnˈfɛti
Konfident kɔnfiˈdɛnt
konfidentiell kɔnfidɛnˈtsi̯ɛl
Konfidenz kɔnfiˈdɛnts
Konfiguration kɔnfigura-
ˈtsi̯oːn
konfigurieren kɔnfiguˈriː-
rən
Konfination kɔnfinaˈtsi̯oːn
konfinieren kɔnfiˈniːrən
Konfinität kɔnfiniˈtɛːt
Konfinium kɔnˈfiːni̯ʊm,
...ien ...i̯ən
Konfirmand kɔnfɪrˈmant,
-en ...dn̩
Konfirmation kɔnfɪrma-
ˈtsi̯oːn
konfirmieren kɔnfɪrˈmiːrən
Konfiserie kɔnfizəˈriː, auch:
kõf..., -n ...iːən
Konfiseur kɔnfiˈzøːɐ̯, auch:
kõf...
Konfiskat kɔnfɪsˈkaːt
Konfiskation kɔnfɪska-
ˈtsi̯oːn
konfiskatorisch kɔnfɪska-
ˈtoːrɪʃ
konfiszieren kɔnfɪsˈtsiːrən
Konfitent kɔnfiˈtɛnt
Konfitüre kɔnfiˈtyːrə
Konflagration kɔnflagra-
ˈtsi̯oːn
konfligieren kɔnfliˈgiːrən
Konflikt kɔnˈflɪkt
konfliktär kɔnflɪkˈtɛːɐ̯
konfliktiv kɔnflɪkˈtiːf, -e
...iːvə
Konfluenz kɔnfluˈɛnts
konfluieren kɔnfluˈiːrən
Konflux kɔnˈflʊks
Konföderation kɔnfødera-
ˈtsi̯oːn
konföderieren kɔnfødeˈriː-
rən
konfokal kɔnfoˈkaːl
konform kɔnˈfɔrm
Konformation kɔnfɔrma-
ˈtsi̯oːn

konformieren kɔnfɔrˈmiː-
rən
Konformismus kɔnfɔrˈmɪs-
mʊs
Konformist kɔnfɔrˈmɪst
Konformität kɔnfɔrmiˈtɛːt
Konfrater kɔnˈfraːtɐ, ...tres
...treːs
Konfraternität kɔnfratɛrni-
ˈtɛːt
Konfrontation kɔnfrɔnta-
ˈtsi̯oːn
konfrontativ kɔnfrɔntaˈtiːf,
-e ...iːvə
konfrontieren kɔnfrɔnˈtiː-
rən
konfundieren kɔnfʊnˈdiːrən
konfus kɔnˈfuːs, -e ...uːzə
Konfusion kɔnfuˈzi̯oːn
Konfutation kɔnfutaˈtsi̯oːn
Konfutse kɔnˈfuːtsə
Konfuzianer kɔnfuˈtsi̯aːnɐ
konfuzianisch, K... kɔnfu-
ˈtsi̯aːnɪʃ
Konfuzianismus kɔnfutsi̯a-
ˈnɪsmʊs
konfuzianistisch kɔnfutsi̯a-
ˈnɪstɪʃ
Konfuzius kɔnˈfuːtsi̯ʊs
Köngen ˈkœŋən
kongenial kɔŋgeˈni̯aːl,
auch: kɔŋ...
Kongenialität kɔŋgeni̯ali-
ˈtɛːt, auch: kɔŋ...
kongenital kɔŋgeniˈtaːl,
auch: kɔŋ...
Kong Fuzi chin. kʊŋfudzɨ
313
Kongestion kɔŋgɛsˈti̯oːn,
auch: kɔŋ...
kongestiv kɔŋgɛsˈtiːf, auch:
kɔŋ..., -e ...iːvə
Konglobation kɔŋgloba-
ˈtsi̯oːn, auch: kɔŋ...
Konglomerat kɔŋglome-
ˈraːt, auch: kɔŋ...
Konglutinat kɔŋglutiˈnaːt,
auch: kɔŋ...
Konglutination kɔŋglutina-
ˈtsi̯oːn, auch: kɔŋ...
konglutinieren kɔŋglutiˈniː-
rən, auch: kɔŋ...
Kongo ˈkɔŋgo
Kongolese kɔŋgoˈleːzə
kongolesisch kɔŋgoˈleːzɪʃ
Kong Qiu chin. kʊŋtɕi̯ou̯ 31
Kongregation kɔŋgrega-
ˈtsi̯oːn, auch: kɔŋ...
Kongregationalismus kɔn-

gregatsjona'lismʊs, *auch:*
kɔŋ...
Kongregationalist kɔŋgre-
gatsjona'lɪst, *auch:* kɔŋ...
Kongregationist kɔŋgrega-
tsjo'nɪst, *auch:* kɔŋ...
kongregieren kɔŋgre'gi:-
rən, *auch:* kɔŋ...
Kongress kɔn'grɛs, *auch:*
kɔŋ...
Kongrua 'kɔŋgrua, *auch:*
'kɔŋ...
kongruent kɔŋgru'ɛnt,
auch: kɔŋ...
Kongruenz kɔŋgru'ɛnts,
auch: kɔŋ...
kongruieren kɔŋgru'i:rən,
auch: kɔŋ...
Kongsberg *norw.* 'kɔŋs-
bær[g]
Kongsbergit kɔŋsbɛr'gi:t
Kongsvinger *norw.* 'kɔŋsvi-
ŋər
Konidie ko'ni:diə
Konifere koni'fe:rə
König 'kø:nɪç, -e ...ɪgə
Königgrätz kø:nɪç'grɛ:ts,
'___
Königin[hof] 'kø:nɪgɪn[ho:f]
Königinmutter 'kø:nɪgɪn-
'mʊtɐ
Königinwitwe 'kø:nɪgɪn-
'vɪtvə
königlich 'kø:nɪklɪç
Königreich 'kø:nɪkraɪç
Königsau 'kø:nɪçslaͧ
Königsberg 'kø:nɪçsbɛrk
Königsberger 'kø:nɪçsbɛrgɐ
Königsborn 'kø:nɪçsbɔrn
Königsbrück kø:nɪçs'brʏk
Königsbrunn kø:nɪçs'brʊn
Königsdorf 'kø:nɪçsdɔrf
Königsee 'kø:nɪçze:
Königseggwald kø:nɪçs-
'|ɛkvalt
Königsfelden 'kø:nɪçsfɛldn̩
Königshain 'kø:nɪçshaͧn
Königshofen kø:nɪçs'ho:fn̩
Königshütte 'kø:nɪçshʏtə
Königslutter 'kø:nɪçs'lʊtɐ
Königsmar[c]k
'kø:nɪçsmark
Königssee 'kø:nɪçsze:
Königstein 'kø:nɪçʃtaͧn
Königstuhl 'kø:nɪçʃtu:l
Königswart 'kø:nɪçsvart
Königswinter kø:nɪçs'vɪntɐ
Königs Wusterhausen
kø:nɪçsvʊstɐ'haͧzn̩
Königtum 'kø:nɪçtu:m

Koniin koni'i:n
Konima... ko'ni:ma...
Konimeter koni'me:tɐ
Konin *poln.* 'kɔnin
Koninck *niederl.* 'ko:nɪŋk
Koning *niederl.* 'ko:nɪŋ
Koninklijke Luchtvaart
Maatschappij *niederl.*
'ko:nəŋklɔkə 'lʏxtfa:rt
ma:tsxɑ'pɛͧ
Koniose ko'nͧo:zə
Koniotomie konͧoto'mi:, -n
...i:ən
konisch 'ko:nɪʃ
Konitsa *neugr.* 'kɔnitsa
Konitz 'ko:nɪts, *engl.* 'koͧ-
nɪts
Köniz 'kø:nɪts
Konizität konitsi'tɛ:t
Konjektaneen kɔnjɛk'ta:-
neən, *auch:* ...ta'ne:ən
Konjektur kɔnjɛk'tu:ɐ
konjektural kɔnjɛktu'ra:l
Konjetzky kɔn'jɛtski
Konjew 'kɔnjɛf, *russ.* 'kɔnif
Konjic *serbokr.* 'kɔnji:ts
konjizieren kɔnji'tsi:rən
konjugal kɔnju'ga:l
Konjugate kɔnju'ga:tə
Konjugation kɔnjuga'tsͧo:n
konjugieren kɔnju'gi:rən
Konjunkt kɔn'jʊŋkt
Konjunktion kɔnjʊŋk'tsͧo:n
konjunktional kɔnjʊŋktsͧo-
'na:l
konjunktiv 'kɔnjʊŋkti:f,
auch: ...'ti:f; -e ...i:və
Konjunktiv 'kɔnjʊŋkti:f, -e
...i:və
Konjunktiva kɔnjʊŋk'ti:va
konjunktivisch 'kɔnjʊŋkti:-
vɪʃ, *auch:* --'--
Konjunktivitis kɔnjʊŋkti-
'vi:tɪs, ...itiden ..vi'ti:dn̩
Konjunktor kɔn'jʊŋkto:ɐ
Konjunktur kɔnjʊŋk'tu:ɐ
konjunkturell kɔnjʊŋktu'rɛl
Konjurant kɔnju'rant
Konjuration kɔnjura'tsͧo:n
konkav kɔn'ka:f, *auch:*
kɔŋ..., -e ...a:və
Konkavität kɔnkavi'tɛ:t,
auch: kɔŋ...
Konklave kɔn'kla:və, *auch:*
kɔŋ...
konkludent kɔnklu'dɛnt,
auch: kɔŋ...
konkludieren kɔnklu'di:rən,
auch: kɔŋ...

Konklusion kɔnklu'zͧo:n,
auch: kɔŋ...
konklusiv kɔnklu'zi:f, *auch:*
kɔŋ..., -e ...i:və
konkomitant kɔnkomi'tant,
auch: kɔŋ...
Konkomitanz kɔnkomi-
'tants, *auch:* kɔŋ...
konkordant kɔnkɔr'dant,
auch: kɔŋ...
Konkordanz kɔnkɔr'dants,
auch: kɔŋ...
Konkordat kɔnkɔr'da:t,
auch: kɔŋ...
Konkordia kɔn'kɔrdia,
auch: kɔŋ...
Konkordien... kɔn'kɔr-
diən..., *auch:* kɔŋ...
Konkrement kɔnkre'mɛnt,
auch: kɔŋ...
Konkreszenz kɔnkrɛs-
'tsɛnts, *auch:* kɔŋ...
konkret kɔn'kre:t, *auch:*
kɔŋ...
Konkretion kɔnkre'tsͧo:n,
auch: kɔŋ...
konkretisieren kɔnkreti-
'zi:rən, *auch:* kɔŋ...
Konkretum kɔn'kre:tʊm,
auch: kɔŋ..., ...ta ...ta
Konkubinat kɔnkubi'na:t,
auch: kɔŋ...
Konkubine kɔnku'bi:nə,
auch: kɔŋ...
Konkupiszenz kɔnkupɪs-
'tsɛnts, *auch:* kɔŋ...
Konkurrent kɔnkʊ'rɛnt,
auch: kɔŋ...
Konkurrenz kɔnkʊ'rɛnts,
auch: kɔŋ...
konkurrenzieren kɔnkʊrɛn-
'tsi:rən, *auch:* kɔŋ...
konkurrieren kɔnkʊ'ri:rən,
auch: kɔŋ...
Konkurs kɔn'kʊrs, *auch:*
kɔŋ..., -e ...rzə
konnatal kɔna'ta:l
Konnektiv kɔnɛk'ti:f, -e
...i:və
Konnektor kɔ'nɛkto:ɐ, -en
...'to:rən
könnnen 'kœnən
Könnern 'kœnɐn
Konnersreuth kɔnɐs'rɔyt,
'___
Konnetabel kɔne'ta:bl̩
Konnex kɔ'nɛks
Konnexion kɔnɛ'ksͧo:n
Konnexität kɔnɛksi'tɛ:t
Konni 'kɔni

konnivent kɔni'vɛnt
Konnivenz kɔni'vɛnts
konnivieren kɔni'vi:rən
Konnossement kɔnɔsə-
'mɛnt
Konnotat kɔno'ta:t
Konnotation kɔnota'tsio:n
konnotativ kɔnota'ti:f,
auch: 'kɔn..., -e ...i:və
konnotiert kɔno'ti:ɐt
konnte 'kɔntə
könnte 'kœntə
konnubial kɔnu'bia:l
Konnubium kɔ'nu:biʊm,
...ien ...iən
Konny 'kɔni
Konoid kono'i:t, -e ...i:də
Konolfingen 'ko:nɔlfiŋən
Konon 'ko:nɔn, russ. 'konɛn
Konopeum kono'pe:ʊm
Konopnicka poln. kɔnɔp-
'nitska
Konoskop kono'sko:p
Konotop russ. kɛna'tɔp
Konow norw. ku'nu:v
Konowalow russ. kɛna'va-
lɛf
Konquistador kɔŋkista-
'do:ɐ, auch: ...kvɪ...
Konrad 'kɔnra:t, poln. 'kɔn-
rat
Konrád tschech. 'kɔnra:t,
ung. 'konra:d
Konrade kɔn'ra:də
Konradin 'kɔnradi:n
Konradine kɔnra'di:nə
Konradiner kɔnra'di:nɐ
Konradsreuth kɔnra'ts'rɔyt
Konrektor 'kɔnrɛkto:ɐ; -en
...'to:rən, auch: '----
Konsalik 'kɔnzalık, kɔn'za:-
lık
Konsanguinität kɔnzaŋgui-
ni'tɛ:t
Konseil fr. kõ'sɛj
Konsekrant kɔnze'krant
Konsekration kɔnzekra-
'tsio:n
konsekrieren kɔnze'kri:rən
konsekutiv 'kɔnzekuti:f,
auch: ...'ti:f, -e ...i:və
Konsemester 'kɔnzemɛstɐ
Konsens kɔn'zɛns, -e ...nzə
Konsensual... kɔnzɛn-
'zua:l...
konsensuell kɔnzɛn'zuɛl
Konsensus kɔn'zɛnzʊs,
die - ...zu:s
konsentieren kɔnzɛn'ti:rən
konsequent kɔnze'kvɛnt

Konsequenz kɔnze'kvɛnts
Konservation kɔnzɛrva-
'tsio:n
Konservatismus kɔnzɛrva-
'tismʊs
konservativ kɔnzɛrva'ti:f,
auch: '----, -e ...i:və
Konservative kɔnzɛrva-
'ti:və
Konservativismus kɔnzɛr-
vati'vismʊs
Konservativität kɔnzɛrvati-
vi'tɛ:t
Konservator kɔnzɛr'va:to:ɐ,
-en ...va'to:rən
konservatorisch kɔnzɛrva-
'to:rɪʃ
Konservatorist kɔnzɛrvato-
'rɪst
Konservatorium kɔnzɛrva-
'to:riʊm, ...ien ...iən
Konserve kɔn'zɛrvə
konservieren kɔnzɛr'vi:rən
konsiderabel kɔnzide'ra:bl̩,
...ble ...blə
Konsignant kɔnzɪ'gnant
Konsignatar kɔnzɪgna'ta:ɐ
Konsignatär kɔnzɪgna'tɛ:ɐ
Konsignation kɔnzɪgna-
'tsio:n
konsignieren kɔnzɪ'gni:rən
Konsiliar... kɔnzi'lia:ɐ...
Konsiliarius kɔnzi'lia:riʊs,
...ii ...ii
Konsilium kɔn'zi:liʊm, ...ien
...iən
konsistent kɔnzıs'tɛnt
Konsistenz kɔnzıs'tɛnts
konsistorial... kɔnzısto-
'ria:l...
Konsistorium kɔnzıs'to:-
riʊm, ...ien ...iən
konskribieren kɔnskri'bi:-
rən
Konskription kɔnskrıp-
'tsio:n
Konsolation kɔnzola'tsio:n
Konsol[e] kɔn'zo:l[ə]
Konsolidation kɔnzolida-
'tsio:n
konsolidieren kɔnzoli'di:-
rən
Konsommee kõsɔ'me:
konsonant, K... kɔnzo'nant
Konsonantismus kɔnzo-
nan'tismʊs
Konsonanz kɔnzo'nants
konsonieren kɔnzo'ni:rən
Konsorte kɔn'zɔrtə
Konsortial... kɔnzɔr'tsia:l...

Konsortium kɔn'zɔrtsiʊm,
...ien ...iən
Konsoziation kɔnzotsia-
'tsio:n
Konspekt kɔn'spɛkt
konspektieren kɔnspɛk'ti:-
rən
konspergieren kɔnspɛr'gi:-
rən
konspezifisch kɔnspe'tsi:fɪʃ
Konspikuität kɔnspikui'tɛ:t
Konspirant kɔnspi'rant
Konspirateur kɔnspira'tø:ɐ
Konspiration kɔnspira-
'tsio:n
konspirativ kɔnspira'ti:f, -e
...i:və
Konspirator kɔnspi'ra:to:ɐ,
-en ...ra'to:rən
konspirieren kɔnspi'ri:rən
Konstabel kɔn'sta:bl̩
Konstabler kɔn'sta:blɐ
Konstans 'kɔnstans
konstant kɔn'stant
Konstantan kɔnstan'ta:n
Konstante kɔn'stantə
Konstantin 'kɔnstanti:n,
auch: --'-; russ. kɛnstan-
'tin, ung. 'kɔnʃtɔntin,
tschech. 'kɔnstanti:n, bulgar. konstɛn'tin
Konstantine kɔnstan'ti:nə
konstantinisch kɔnstan'ti:-
nɪʃ
Konstantinopel kɔnstanti-
'no:pl̩
Konstantinop[e]ler kɔn-
stanti'no:p[ə]lɐ
Konstantinopolitaner kɔn-
stantinopoli'ta:nɐ
Konstantinović serbokr.
kɔnstan.ti:nɔvitɕ
Konstantinow bulgar. kɔn-
stɛn'tinof
Konstantinowka russ.
kɛnstan'tinɐfkɐ
Konstantius kɔn'stantsiʊs
Konstanty poln. kɔn'stanti
¹Konstanz (Stetigkeit) kɔn-
'stants
²Konstanz (Name) 'kɔn-
stants
Konstanza kɔn'stantsa
Konstanze kɔn'stantsə
konstatieren kɔnsta'ti:rən
Konstellation kɔnstɛla-
'tsio:n
Konsternation kɔnstɛrna-
'tsio:n

konsternieren kɔnstɛr'niː-rən
Konstipation kɔnstipa-'tsi̯oːn
Konstituante kɔnsti'tu̯antə
Konstituens kɔn'stiːtu̯ɛns,
...**nzien** ...ti'tu̯ɛntsi̯ən
Konstituente kɔnsti'tu̯ɛntə
konstituieren kɔnstitu'iːrən
Konstitut kɔnsti'tuːt
Konstitution kɔnstitu'tsi̯oːn
Konstitutionalismus kɔn-stitutsi̯ona'lɪsmʊs
konstitutionell kɔnstitu-tsi̯o'nɛl
konstitutiv kɔnstitu'tiːf, -e
...i:və
Konstriktion kɔnstrɪk'tsi̯oːn
Konstriktor kɔn'strɪktoːɐ̯,
-en ...'toːrən
konstringieren kɔnstrɪŋ-'giːrən
konstruieren kɔnstru'iːrən
Konstrukt kɔn'strʊkt
Konstrukteur kɔnstrʊk'tøːɐ̯
Konstruktion kɔnstrʊk-'tsi̯oːn
konstruktiv kɔnstrʊk'tiːf, -e
...i:və
Konstruktivismus kɔn-strʊkti'vɪsmʊs
Konstruktivist kɔnstrʊkti-'vɪst
Konsubstantiation kɔn-zʊpstantsi̯a'tsi̯oːn
Konsul 'kɔnzʊl
Konsular... kɔnzu'laːɐ̯...
konsularisch kɔnzu'laːrɪʃ
Konsulat kɔnzu'laːt
Konsulent kɔnzu'lɛnt
Konsult kɔn'zʊlt
Konsultant kɔnzʊl'tant
Konsultation kɔnzʊlta-'tsi̯oːn
konsultativ kɔnzʊlta'tiːf, -e
...i:və
konsultieren kɔnzʊl'tiːrən
Konsultor kɔn'zʊltoːɐ̯, -en
...'toːrən
¹Konsum (Verbrauch) kɔn-'zuːm
²Konsum (Laden) 'kɔn-zuːm, ...zʊm, auch: kɔn-'zuːm
Konsumation kɔnzuma-'tsi̯oːn
Konsument kɔnzu'mɛnt
Konsumerismus kɔnzume-'rɪsmʊs
konsumieren kɔnzu'miːrən

Konsumption kɔnzʊmp-'tsi̯oːn
konsumptiv kɔnzʊmp'tiːf, -e ...i:və
Konsumtibilien kɔnzʊmti-'biːli̯ən
Konsumtion kɔnzʊm'tsi̯oːn
konsumtiv kɔnzʊm'tiːf, -e
...i:və
Konszientialismus kɔn-stsi̯entsi̯a'lɪsmʊs
Kont kɔnt
Kontagion kɔnta'gi̯oːn
kontagiös kɔnta'gi̯øːs, -e
...'gi̯øːzə
Kontagiosität kɔntagi̯ozi-'tɛːt
Kontagium kɔn'taːgi̯ʊm,
...**ien** ...i̯ən
Kontakion kɔn'taːki̯ɔn,
...**ien** ...i̯ən
kontakten kɔn'taktn̩
Kontakt[er] kɔn'takt[ɐ]
kontaktieren kɔntak'tiːrən
Kontamination kɔntamina-'tsi̯oːn
kontaminieren kɔntami-'niːrən
kontant kɔn'tant
Kontanten kɔn'tantn̩
Kontarsky kɔn'tarski
Kontemplation kɔntɛmpla-'tsi̯oːn
kontemplativ kɔntɛmpla-'tiːf, -e ...i:və
kontemplieren kɔntɛm-'pliːrən
kontemporär kɔntɛmpo-'rɛːɐ̯
Kontenance kõtə'nãːs
Kontenten kɔn'tɛntn̩
kontentieren kɔntɛn'tiːrən
Kontentiv... kɔntɛn'tiːf...
Konter 'kɔntɐ
Konteradmiral 'kɔntɐ-|atmiraːl
konteragieren kɔntɐ-|a'giːrən
Konterbande 'kɔntɐbandə
Kontereskarpe 'kɔntɐ-|ɛskarpə
Konterfei 'kɔntɐfai̯, auch:
--'-
konterfeien kɔntɐ'fai̯ən,
auch: '----
konterkarieren kɔntɐka'riː-rən
Kontermine 'kɔntɐmiːnə
konterminieren kɔntɐmi-'niːrən

kontern 'kɔntɐn
Konterrevolution 'kɔntɐre-volutsi̯oːn
konterrevolutionär, K...
'kɔntɐrevolutsi̯onɛːɐ̯
Kontertanz 'kɔntɐtants
Kontesse kɔn'tɛsə, auch:
kõ'tɛsə
kontestabel kɔntɛs'taːbl̩,
...**ble** ...blə
Kontestation kɔntɛsta-'tsi̯oːn
kontestieren kɔntɛs'tiːrən
Kontext 'kɔntɛkst, auch: -'-
kontextual kɔntɛks'tu̯aːl
Kontextualismus kɔntɛks-tu̯a'lɪsmʊs
kontextuell kɔntɛks'tu̯ɛl
Kontextur kɔntɛks'tuːɐ̯
¹Konti 'kɔnti, engl. 'kɔntɪ
²Konti vgl. Konto
kontieren kɔn'tiːrən
Kontiguität kɔntigui'tɛːt
Kon-Tiki kɔn'tiːki, ...tɪki
Kontinent 'kɔntinɛnt, auch:
--'-
kontinental kɔntinɛn'taːl
Kontinentalität kɔntinɛnta-li'tɛːt
Kontinenz kɔnti'nɛnts
kontingent, K... kɔntɪŋ'gɛnt
kontingentieren kɔntɪŋ-gɛn'tiːrən
Kontinuation kɔntinu̯a-'tsi̯oːn
kontinuieren kɔntinu'iːrən
kontinuierlich kɔntinu'iːɐ̯lɪç
Kontinuität kɔntinui'tɛːt
Kontinuo kɔn'tiːnu̯o
Kontinuum kɔn'tiːnu̯ʊm,
...**nua** ...nu̯a
Konto 'kɔnto, ...s
Kontokorrent kɔntoko'rɛnt
Kontor kɔn'toːɐ̯
Kontorist kɔnto'rɪst
Kontorniaten kɔntɔr'ni̯aːtn̩
Kontorsion kɔntɔr'zi̯oːn
Kontorsionist kɔntɔrzi̯o-'nɪst
kontort kɔn'tɔrt
kontra, K... 'kɔntra
Kontrabass 'kɔntrabas
Kontradiktion kɔntradɪk-'tsi̯oːn
kontradiktorisch kɔntra-dɪk'toːrɪʃ
Kontrafagott 'kɔntrafagɔt
kontrafaktisch kɔntra'fak-tɪʃ
Kontrafaktur kɔntrafak'tuːɐ̯

kontragradiẹnt kɔntragra-
'diɛnt
Kontrahage kɔntra'haːʒə
Kontrahẹnt kɔntra'hɛnt
kontrahieren kɔntra'hiːrən
Kontraindikation kɔntra-
|ɪndika'tsi̯oːn, auch:
‾‾‾‾‾‾
kontraindiziert 'kɔntra-
|ɪnditsiːɐt
kontrakonfliktär kɔntra-
kɔnflɪk'tɛːɐ̯
kontrakt, K... kɔn'trakt
kontraktil kɔntrak'tiːl
Kontraktilität kɔntraktili-
'tɛːt
Kontraktion kɔntrak'tsi̯oːn
kontraktiv kɔntrak'tiːf, -e
...iːvə
Kontraktur kɔntrak'tuːɐ̯
Kontraoktave 'kɔntra-
ɔkta:və
Kontraposition 'kɔntrapo-
zitsi̯oːn
Kontrapost kɔntra'pɔst
kontraproduktiv 'kɔntra-
prodʊkti:f
Kontrapunkt 'kɔntrapʊŋkt
kontrapunktieren kɔntra-
pʊŋk'tiːrən
Kontrapunktik kɔntra-
'pʊŋktɪk
Kontrapunktiker kɔntra-
'pʊŋktikɐ
kontrapunktisch kɔntra-
'pʊŋktɪʃ
kontrapunktistisch kɔntra-
pʊŋk'tɪstɪʃ
konträr kɔn'trɛːɐ̯
Kontrarietät kɔntrari̯e'tɛːt
Kontrariposte kɔntrari-
'pɔstə
Kontrasignatur kɔntra-
zɪgna'tuːɐ̯
kontrasignieren kɔntra-
zɪ'gniːrən
Kontrast kɔn'trast
kontrastieren kɔntras'tiː-
rən
kontrastiv kɔntras'tiːf, -e
...iːvə
Kontrasubjekt 'kɔntrazʊp-
jɛkt
kontravariant kɔntrava-
'ri̯ant
Kontravenient kɔntra-
ve'ni̯ɛnt
kontravenieren kɔntra-
ve'niːrən

Kontravention kɔntravɛn-
'tsi̯oːn
Kontrazeption kɔntratsɛp-
'tsi̯oːn
kontrazeptiv, K... kɔntra-
tsɛp'tiːf, -e ...iːvə
Kontrazeptivum kɔntra-
tsɛp'tiːvʊm, ...va ...va
Kontrebandist kɔntɐban-
'dɪst
Kontrektationstrieb kɔn-
trɛkta'tsi̯oːnstriːp
Kontretanz 'kɔntɐtants
Kontribuent kɔntri'bu̯ɛnt
kontribuieren kɔntribu'i:-
rən
Kontribution kɔntribu-
'tsi̯oːn
kontrieren kɔn'triːrən
Kontrition kɔntri'tsi̯oːn
Kontritionismus kɔntritsi̯o-
'nɪsmʊs
Kontrolle kɔn'trɔlə
Kontroller kɔn'trɔlɐ
Kontrolleur kɔntrɔ'løːɐ̯
Kontrollor kɔntrɔ'loːɐ̯
kontrollieren kɔntrɔ'liːrən
Kontroriposte kɔntrori-
'pɔstə
kontrovers kɔntro'vɛrs, -e
...rzə
Kontroverse kɔntro'vɛrzə
Kontumaz kɔntu'maːts
Kontumazial... kɔntuma-
'tsi̯aːl...
kontumazieren kɔntuma-
'tsiːrən
kontundieren kɔntʊn'diːrən
Kontur kɔn'tuːɐ̯
konturieren kɔntu'riːrən
Kontusion kɔntu'zi̯oːn
Konurbation kɔn-
|urba'tsi̯oːn
Konus 'koːnʊs, -se ...ʊsə
Konvaleszent kɔnvalɛs-
'tsɛnt
Konvaleszenz kɔnvalɛs-
'tsɛnts
konvaleszieren kɔnvalɛs-
'tsiːrən
Konvalidation kɔnvalida-
'tsi̯oːn
Konvarietät kɔnvari̯e'tɛːt
Konvektion kɔnvɛk'tsi̯oːn
konvektiv kɔnvɛk'tiːf, -e
...iːvə
Konvektor kɔn'vɛktoːɐ̯, -en
...'toːrən
konvenabel kɔnve'naːbl̩,
...ble ...blə

Konveniat kɔn've:ni̯at
Konvenienz kɔnve'ni̯ɛnts
konvenieren kɔnve'niːrən
Konvent kɔn'vɛnt
Konventikel kɔnvɛn'tiːkl̩
Konvention kɔnvɛn'tsi̯oːn
konventional kɔnvɛntsi̯o-
'naːl
konventionalisieren kɔn-
vɛntsi̯onali'ziːrən
Konventionalismus kɔn-
vɛntsi̯ona'lɪsmʊs
Konventionalität kɔnvɛn-
tsi̯onali'tɛːt
konventionell kɔnvɛntsi̯o-
'nɛl
Konventuale kɔnvɛn'tu̯aːlə
konvergent kɔnvɛr'gɛnt
Konvergenz kɔnvɛr'gɛnts
konvergieren kɔnvɛr'giːrən
konvers kɔn'vɛrs, -e ...rzə
Konversation kɔnvɛrza-
'tsi̯oːn
Konverse kɔn'vɛrzə
konversieren kɔnvɛr'ziːrən
Konversion kɔnvɛr'zi̯oːn
Konverter kɔn'vɛrtɐ
konvertibel kɔnvɛr'tiːbl̩,
...ble ...blə
Konvertibilität kɔnvɛrtibili-
'tɛːt
konvertieren kɔnvɛr'tiːrən
Konvertit kɔnvɛr'tiːt
konvex kɔn'vɛks
Konvexität kɔnvɛksi'tɛːt
Konvikt kɔn'vɪkt
Konviktion kɔnvɪk'tsi̯oːn
Konviktuale kɔnvɪk'tu̯aːlə
konvinzieren kɔnvɪn'tsiːrən
Konvive kɔn'viːvə
konvivial kɔnvi'vi̯aːl
Konvivialität kɔnvivi̯ali'tɛːt
Konvivium kɔn'viːvi̯ʊm,
...ien ...i̯ən
Konvoi kɔn'vɔy, auch: '‾‾
Konvokation kɔnvoka-
'tsi̯oːn
Konvolut[e] kɔnvo'luːt[ə]
Konvulsion kɔnvʊl'zi̯oːn
konvulsiv kɔnvʊl'ziːf, -e
...iːvə
konvulsivisch kɔnvʊl'ziːvɪʃ
Konwicki kɔn'vɪtski
Konwitschny kɔn'vɪtʃni
¹Konya (Teppich) 'koːnja
²Konya (Stadt) türk. 'konja
Kónya ung. 'koːnjɔ
Konz kɔnts
konzedieren kɔntse'diːrən

Konzelebrant kɔntsele-
'brant
Konzelebration kɔntsele-
bra'tsio:n
konzelebrieren kɔntsele-
'bri:rən
Konzentrat kɔntsɛn'tra:t
Konzentration kɔntsɛntra-
'tsio:n
konzentrativ kɔntsɛntra-
'ti:f, -e ...i:və
konzentrieren kɔntsɛn'tri:-
rən
konzentrisch kɔn'tsɛntrɪʃ
Konzentrizität kɔntsɛntri-
tsi'tɛ:t
Konzept kɔn'tsɛpt
konzeptibel kɔntsɛp'ti:bl̩,
...ble ...blə
Konzeption kɔntsɛp'tsio:n
konzeptionell kɔntsɛptsio-
'nɛl
Konzeptismus kɔntsɛp'tɪs-
mʊs
konzeptualisieren kɔntsɛp-
tuali'zi:rən
Konzeptualismus kɔntsɛp-
tua'lɪsmʊs
konzeptuell kɔnzep'tuɛl
Konzern kɔn'tsɛrn
konzernieren kɔntsɛr'ni:rən
Konzert kɔn'tsɛrt
konzertant kɔntsɛr'tant
konzertieren kɔntsɛr'ti:rən
Konzertina kɔntsɛr'ti:na
Konzession kɔntsɛ'sio:n
Konzessionär kɔntsɛsio-
'nɛ:ɐ̯
konzessionieren kɔntsɛsio-
'ni:rən
konzessiv kɔntsɛ'si:f, -e
...i:və
Konzetti kɔn'tsɛti
Konzil kɔn'tsi:l, -ien ...iən
konziliant kɔntsi'liant
Konzilianz kɔntsi'liants
konziliar kɔntsi'lia:ɐ̯
Konziliarismus kɔntsilia'rɪsmʊs
Konziliation kɔntsilia'tsio:n
konzilieren kɔntsi'li:rən
konzinn kɔn'tsɪn
Konzinnität kɔntsɪni'tɛ:t
Konzipient kɔntsi'piɛnt
konzipieren kɔntsi'pi:rən
Konzipist kɔntsi'pɪst
konzis kɔn'tsi:s, -e ...i:zə
Koo engl. ku:, niederl. ko:
Koofmich 'ko:fmɪç
Koog ko:k, Köge 'kø:gə

Kookkurenz kolɔku'rɛnts
Kool[haas] niederl.
'ko:l[ha:s]
Kooning niederl. 'ko:nɪŋ
Kooperateur ko
|opera'tø:ɐ̯
Kooperation ko-
|opera'tsio:n
kooperativ, K... ko-
|opera'ti:f, -e ...i:və
Kooperative kolopera'ti:və
Kooperator kolope'ra:to:ɐ̯,
-en ...ra'to:rən
kooperieren kolope'ri:rən
Koopmans engl. 'ku:pmənz
Kooptation kolɔpta'tsio:n
kooptativ kolɔpta'ti:f, -e
...i:və
kooptieren kolɔp'ti:rən
Kooption kolɔp'tsio:n
Koordinate kolɔrdi'na:tə
Koordination ko-
lɔrdina'tsio:n
Koordinator ko-
lɔrdi'na:to:ɐ̯, -en ...na'to:-
rən
koordinieren kolɔrdi'ni:rən
Kootenay engl. 'ku:tneɪ
Kopais ko'pa:ɪs, neugr.
kɔpa'is
Kopaiva... kopa'i:va...
Kopal ko'pa:l
Kopaonik serbokr. ˌkɔpaɔ-
ni:k
Kópavogur isl. 'koupavɔ:γʏr
Kopeisk russ. ka'pjejsk
Kopeke ko'pe:kə
Kopelaten kope'la:tn̩
Kopelent tschech. 'kɔpɛlɛnt
Kopelew russ. 'kɔpɪlɪf
Kopenhagen ko:pn̩'ha:gn̩
Kopenhag[e]ner
ko:pn̩'ha:g[ə]nɐ
Köpenick[er] 'kø:pənɪk[ɐ]
Köpenickiade kø:pənɪ-
'kia:də
Kopepode kope'po:də
Koper slowen. 'ko:pər
Köper 'kø:pɐ
Kopernik poln. kɔ'pɛrnɪk
kopernikanisch, K... kopɛr-
ni'ka:nɪʃ
Kopernikus ko'pɛrnikʊs
Kopf kɔpf, Köpfe 'kœpfə
Köpf kœpf
Köpfchen 'kœpfçən
Köpfel 'kœpfl̩
köpfeln 'kœpfl̩n
köpfen 'kœpfn̩
Kopfermann 'kɔpfɐman

...köpfig ...kœpfɪç, -e ...ɪgə
...köpfisch ...kœpfɪʃ
Köpfler 'kœpflɐ
kopfüber kɔpf'ly:bɐ
kopfunter kɔpf'lʊntɐ
Kophosis ko'fo:zɪs
Kophta 'kɔfta
kophtisch 'kɔftɪʃ
Kopialbuch ko'pia:lbu:x
Kopialien ko'pia:liən
Kopiatur kopia'tu:ɐ̯
Kopie ko'pi:, -n ko'pi:ən
kopieren ko'pi:rən
Kopilot 'ko:pilo:t
Köping schwed. 'çø:pɪŋ
Kopiopie kopio'pi:
kopiös ko'piø:s, -e ...ø:zə
Kopisch 'ko:pɪʃ
Kopist ko'pɪst
Kopit engl. 'kɔpɪt
Kopitar slowen. kɔ'pi:tar
Koplik engl. 'kɔplɪk
Kopp kɔp
Koppa 'kɔpa
Koppány ung. 'koppa:nj
Kopparberg schwed. ˌkɔpar-
bærj
Koppe 'kɔpə
Koppel 'kɔpl̩
koppeln 'kɔpl̩n
Koppelwieser 'kɔpl̩vi:zɐ
koppen 'kɔpn̩
Koppernigk 'kɔpɐnɪk
Koppers 'kɔpɐs
koppheister kɔp'haɪstɐ
Kopra 'ko:pra
Koprämie koprɛ'mi:, -n
...i:ən
Kopräsenz 'ko:prɛzɛnts
Kopreinitz ko'praɪnɪts
Kopremesis ko'pre:mezɪs
Koprivnica serbokr.
ˌkɔpri:vnitsa
Koproduktion 'ko:produk-
tsio:n
Koproduzent 'ko:produ-
tsɛnt
koproduzieren 'ko:produ-
tsi:rən
koprogen kopro'ge:n
Koprolagnie koprola'gni:
Koprolalie koprola'li:
Koprolith kopro'li:t
Koprom ko'pro:m
koprophag kopro'fa:k, -e
...a:gə
Koprophage kopro'fa:gə
Koprophagie koprofa'gi:

koprophil kopro'fi:l
Koprophilie koprofi'li:
Koprophobie koprofo'bi:
Koprostase kopro'sta:zə
Köprülü *türk.* 'kœpryly
Kops *dt., engl.* kɔps
Kopte 'kɔptə
koptisch 'kɔptɪʃ
Koptologe kɔpto'lo:gə
Koptologie kɔptolo'gi:
Koptos 'kɔptɔs
Kopula 'ko:pula, ...lae ...lɛ
Kopulation kopula'tsi̯o:n
kopulativ kopula'ti:f, -e
...i:və
Kopulativum kopula'ti:-
vʊm, ...va ...va
kopulieren kopu'li:rən
kor ko:ɐ̯
Kora 'ko:ra
Korab *serbokr.* 'kɔra:b,
alban. ko'rab
Korach 'ko:rax
Korah 'ko:ra
Korais *neugr.* kɔra'is
Korakoid korako'i:t, -e
...i:də
Koralle ko'ralə
korallen ko'ralən
Korallin kora'li:n
korallogen koralo'ge:n
Koralow *bulgar.* ko'ralof
Koralpe 'ko:ɐ̯lalpə
koram 'ko:ram
koramieren kora'mi:rən
Koramin kora'mi:n
Koran ko'ra:n, *auch:*
'ko:ra[:]n
koranzen ko'rantsn̩
Korb kɔrp, Körbe 'kœrbə
Korbach 'kɔrbax
Körbchen 'kœrpçən
Korber 'kɔrbɐ
Körber 'kœrbɐ
Korbinian kɔrbi'ni̯a:n, *auch:*
kɔr'bi:ni̯a:n
Korçë *alban.* 'kortʃə
Korčula *serbokr.* 'kɔ:rtʃula
Korczak *poln.* 'kɔrtʃak
¹Kord (Gewebe) kɔrt, -es
'kɔrdəs
²Kord (Name) *dt., poln.* kɔrt
Korda 'kɔrda, *engl.* 'kɔ:də,
ung. 'kordɔ
Kordax 'kɔrdaks
Korde 'kɔrdə
Kordel 'kɔrdl̩
Kordelatsch 'kɔrdelatʃ
Kordelia kɔr'de:li̯a
Kordelie kɔr'de:li̯ə

kordial kɔr'di̯a:l
Kordialität kɔrdi̯ali'tɛ:t
kordieren kɔr'di:rən
Kordierit kɔrdi̯e'ri:t
Kordigast 'kɔrdigast
Kordillere[n] kɔrdɪl'je:rə[n]
Kordit kɔr'di:t
Kordofan kɔrdo'fa:n
Kordon kɔr'dõ:
Kordonett kɔrdo'nɛt
Korduan 'kɔrdu̯an
Kordula 'kɔrdula
Kore 'ko:rə
kōre 'kø:rə
Korea ko're:a
Koreaner kore'a:nɐ
koreanisch kore'a:nɪʃ
Koreferat 'ko:refera:t, kore-
fe'ra:t
Koreferent 'ko:referɛnt,
korefe'rɛnt
koreferieren 'ko:referi:rən,
korefe'ri:rən
Koreff 'ko:rɛf
Koregisseur 'ko:reʒɪsø:ɐ̯,
koreʒɪ'sø:ɐ̯
Korela ko're:la
kōren 'kø:rən
Korfanty *poln.* kɔr'fanti
Korff kɔrf
Korfiot kɔr'fi̯o:t
Korfu 'kɔrfu, *auch:* kɔr'fu:
Korhogo *fr.* kɔrɔ'go
Koriander ko'ri̯andɐ
Koriandoli ko'ri̯andoli
Korijama *jap.* ko':ri.jama
Korin *jap.* 'ko.:rin
Korinna ko'rɪna
Korinth[e] ko'rɪnt[ə]
Korinther ko'rɪntɐ
Korinthia *neugr.* kɔrɪn'θia
Korinthos 'ko:rɪntɔs, *neugr.*
'kɔrɪnθɔs
Koriolan kori̯o'la:n
Koritza 'kɔrɪtsa
Korjake kɔr'ja:kə
Kork kɔrk
korken, K... 'kɔrkn̩
Korkett kɔr'kɛt
Korkino *russ.* 'kɔrkinɐ
Kormákur *isl.* 'kɔrmaу̯kʏr
Kormophyt kɔrmo'fy:t
Kormoran kɔrmo'ra:n
Kormus 'kɔrmʊs
Korn kɔrn, Körner 'kœrnɐ
Kornak 'kɔrnak
Kornaros *neugr.* kɔr'narɔs
Kornat *serbokr.* 'kɔ:rnat
Kornauth 'kɔrnaу̯t
Kornberg *engl.* 'kɔ:nbə:g

Körnchen 'kœrnçən
Kornea 'kɔrnea
korneal kɔrne'a:l
Kornel[chen] kɔr'ne:l[çən]
Kornelia kɔr'ne:li̯a
Kornelie kɔr'ne:li̯ə
Kornelija *russ.* kar'njeli̯ɐ
Kornelimünster kɔrne:li-
'mʏnstɐ, -'----
Kornelius kɔr'ne:li̯ʊs
Kornelkirsche kɔr'ne:lkɪrʃə
Kornemann 'kɔrnəman
körnen 'kœrnən
Korner 'kɔrnɐ
Körner 'kœrnɐ
Kornerupin kɔrneru'pi:n
Kornett kɔr'nɛt
Kornettist kɔrnɛ'tɪst
Korneuburg kɔr'nɔу̯bʊrk
Kornfeld *dt., tschech.* 'kɔrn-
fɛlt
Korngold 'kɔrngɔlt, *engl.*
'kɔ:ngoʊld
körnig 'kœrnɪç, -e ...ɪgə
Kornil *russ.* kar'nil
Kornilow *russ.* kar'nilɛf
kornisch, K... 'kɔrnɪʃ
Kornitschuk *ukr.*
kɔrnij'tʃuk
Kornrade 'kɔrnra:də
Korntal 'kɔrnta:l
Kornwestheim kɔrn'vɛst-
haim
Koroi *vgl.* Koros
Koroßkin *russ.* ka'rɔpkin
Köroğlu *türk.* 'kœrɔ:.lu
Korolenko *russ.* kɐra'ljɛnkɐ
Koroljow *russ.* kɐra'ljɔf
Korolla ko'rɔla
Korollar korɔ'la:ɐ̯
Korollarium korɔ'la:ri̯ʊm,
...ien ...i̯ən
Korolle ko'rɔlə
Koromandel koro'mandl̩
Korona ko'ro:na
koronar koro'na:ɐ̯
Koronis ko'ro:nɪs, ...ides
...nide:s
Koronograph korono'gra:f
Koros 'ko:rɔs, ...roi ...rɔу̯
Körös *ung.* 'kørøʃ
Körösch *slowen.* 'kœrøʃ
Korošec *slowen.* ko'ro:ʃɐts
Kőrösi, ...sy *ung.* 'kø:røʃi
Korosten *russ.* 'kɔrɛstɪnj
Korowin *russ.* ka'rɔvin
Korpela *finn.* 'kɔrpɛlɐ
Körper 'kœrpɐ
Korpora *vgl.* Korpus
Korporal[e] kɔrpo'ra:l[ə]

Korporation kɔrpora'tsi̯oːn
korporativ kɔrpora'tiːf, **-e**
...iːvə
Korporativismus kɔrporati-
'vɪsmʊs
korporiert kɔrpo'riːɐ̯t
Korps koːɐ̯, **des** - koːɐ̯[s],
die - koːɐ̯s
korpulent kɔrpu'lɛnt
Korpulenz kɔrpu'lɛnts
Korpus 'kɔrpʊs, **-se** ...ʊsə,
Korpora 'kɔrpora
Korpus Delikti 'kɔrpʊs
de'lɪkti
Korpus Juris 'kɔrpʊs 'juːrɪs
Korpuskel kɔr'pʊskl̩
korpuskular kɔrpʊsku'laːɐ̯
Korral kɔ'raːl
Korrasion kɔra'zi̯oːn
korreal kɔre'aːl
Korreferat 'kɔrefera:t,
auch: ---'-
Korreferent 'kɔreferɛnt,
auch: ---'-
Korreferenz 'kɔreferɛnts,
auch: ---'-
korreferieren 'kɔreferiːrən,
auch: ---'--
Korregidor kɔrɛxi'doːɐ̯
korrekt kɔ'rɛkt
Korrektion kɔrɛk'tsi̯oːn
korrektionieren kɔrɛktsi̯o-
'niːrən
korrektionell kɔrɛktsi̯o'nɛl
korrektiv, K... kɔrɛk'tiːf, **-e**
...iːvə
Korrektor kɔ'rɛkto:ɐ̯, **-en**
...'toːrən
Korrektorat kɔrɛkto'raːt
Korrektur kɔrɛk'tuːɐ̯
korrelat, K... kɔre'laːt
Korrelation kɔrela'tsi̯oːn
korrelativ kɔrela'tiːf, **-e**
...iːvə
Korrelativismus kɔrelati-
'vɪsmʊs
korrelieren kɔre'liːrən
korrepetieren kɔrepe'tiːrən
Korrepetition kɔrepeti-
'tsi̯oːn
Korrepetitor kɔrepe'tiːtoːɐ̯,
-en ...ti'toːrən
korrespektiv kɔrɛspɛk'tiːf,
-e ...iːvə
Korrespektivität kɔrɛspɛk-
tivi'tɛːt
Korrespondent kɔrɛspɔn-
'dɛnt
Korrespondenz kɔrɛspɔn-
'dɛnts

korrespondieren kɔrɛspɔn-
'diːrən
Korrianke ko'ri̯aŋkə
Korridor 'kɔridoːɐ̯
Korrigend kɔri'gɛnt, **-en**
...ndn̩
Korrigenda kɔri'gɛnda
Korrigens 'korigɛns, ...**gen-**
tia ...'gɛntsi̯a, ...**genzien**
...'gɛntsi̯ən
korrigibel kɔri'giːbl̩, ...**ble**
...blə
korrigieren kɔri'giːrən
Korrigum 'kɔrigʊm
Korrobori kɔ'roːbori
Korrodentia koro'dɛntsi̯a
Korrodenzien koro'dɛntsi̯ən
korrodieren koro'diːrən
Korror 'kɔroːɐ̯, *engl.* 'kɔːrɔː
Korrosion kɔro'zi̯oːn
korrosiv kɔro'ziːf, **-e** ...iːvə
korrumpieren kɔrʊm'piːrən
korrupt kɔ'rʊpt
Korruptel kɔrʊp'teːl
Korruption kɔrʊp'tsi̯oːn
Korsage kɔr'zaːʒə
Korsak 'kɔrzak, kɔr'zaːk
¹**Korsakow** (Personen-
name) *russ.* 'kɔrsɐkɐf
²**Korsakow** (Ort) *russ.* kar-
'sakɐf
Korsar kɔr'zaːɐ̯
Korschenbroich
kɔrʃn̩'broːx, '---
Korschunow 'kɔrʃunɔf
Korse 'kɔrzə
Korselett kɔrzə'lɛt
Korsett kɔr'zɛt
Korsika 'kɔrzika
korsisch 'kɔrzɪʃ
Korso 'kɔrso
Korsør *dän.* kɔɐ̯'sʏː'ɐ̯
Korste 'kɔrstə
Korsuchin *russ.* kar'zuxin
Korsun *russ.* 'kɔrsunj
Kort kɔrt
Kortege kɔr'tɛːʃ
Kortex 'kɔrtɛks, ...**tizes**
...titsəːs
Kortfors *schwed.* ˌkurtfɔrs
Kortgene *niederl.* kɔrt'xeːnə
kortikal kɔrti'kaːl
Kortikoid kɔrtiko'iːt, **-e**
...iːdə
Kortikosteron kɔrtikoste-
'roːn
kortikotrop kɔrtiko'troːp
Kortin kɔr'tiːn
Körting 'kœrtɪŋ
Kortison kɔrti'zoːn

Körtling 'kœrtlɪŋ
Kortner 'kɔrtnɐ
Kortrijk *niederl.* 'kɔrtrɛi̯k
Kortschnoi *russ.* kartʃ'nɔi̯
Kortum 'kɔrtʊm
Kortzfleisch 'kɔrtsflai̯ʃ
Korum 'koːrʊm
Korund ko'rʊnt, **-e** ...ndə
Korvette kɔr'vɛtə
Korwa 'kɔrva
Korybant kory'bant
Korydalis ko'ry:dalɪs
korykisch ko'ry:kɪʃ
Koryophyllie koryʹofyʹli:
Koryphäe kory'fɛːə
Koryza 'koːrytsa
Korzeniowski *poln.* kɔʒɛ-
'ni̯ɔfski
Korzybski *poln.* kɔ'ʒɪpski,
engl. kɔː'zɪbskɪ
Kos *dt., slowen.* koːs, *neugr.*
kɔs
Koš *serbokr.* kɔʃ
Kósa *ung.* 'koːʃɔ
Kosak ko'zak
Kosakow *russ.* kɐza'kɔf
Kosani *neugr.* kɔ'zani
Kosch[ach] 'kɔʃ[ax]
Koschat 'kɔʃat
Koschenille kɔʃə'nɪljə
koscher 'koːʃɐ
Koschewnikow *russ.*
ka'ʒɛvnikɐf
Koschigaja *jap.* ko'ʃigaja
Kösching 'kœʃɪŋ
K.-o.-Schlag kaː'loː.ʃlaːk
Koschmieder kɔʃ'miːdɐ
Koschnick 'kɔʃnɪk
Kościan *poln.* 'kɔɕtɕan
Kosciusko *engl.* kɔsɪ'ʌskoʊ
Kosciuszko kɔs'tsi̯uʃko,
kɔʃ'tʃuʃko
Kościuszko *poln.* kɔɕ'tɕuʃkɔ
Kosegarten 'koːzəgartn̩
Kosel 'koːzl̩
Kosekans 'koːzekans,
...**nten** ...ntn̩
Kösel 'kœːzl̩
Köselitz 'køːzəlɪts
kosen 'koːzn̩, **kos!** koːs,
kost koːst
Kösen 'køːzn̩
Koser (Personenname)
'koːzɐ
Košice *slowak.* 'kɔʃitsɛ
Kosima 'koːzima
Kosinski *engl.* kə'zınskı
Kosinsky ko'zınski
Kosinus 'koːzinʊs, ...**se**
...ʊsə

Kọsinzew *russ.* 'kɔzintsəf
Kọskenniemi *finn.* 'kɔskɛn-
niɛmi
Kösliṇ kœs'li:n
Koslodụi *bulgar.* kozlo'duj
Koslọw *russ.* kaz'lɔf
Koslọwski *russ.* kaz'lɔfskij
Kosmạč *slowen.* kɔs'ma:tʃ
Kọsmas 'kɔsmas
Kosmẹtik kɔs'me:tɪk
Kosmẹtikerin kɔs'me:tikə-
rɪn
Kosmẹtikum kɔs'me:tikʊm,
...ka ...ka
kosmẹtisch kɔs'me:tɪʃ
Kosmetolọge kɔsmeto-
'lo:gə
Kosmetologiẹ kɔsmeto-
lo'gi:
kọsmisch 'kɔsmɪʃ
Kosmịst kɔs'mɪst
Kosmobiolọge kɔsmobio-
'lo:gə
Kosmobiologiẹ kɔsmobio-
lo'gi:
Kosmochemiẹ kɔsmoçe'mi:
Kosmodrọm kɔsmo'dro:m
Kosmogoniẹ kɔsmogo'ni:,
-n ...i:ən
kosmogọnisch kɔsmo'go:-
nɪʃ
Kosmogrạph kɔsmo'gra:f
Kosmographiẹ kɔsmo-
gra'fi:, -n ...i:ən
Kosmokrạtor kɔsmo'kra:-
to:ɐ
Kosmologiẹ kɔsmolo'gi:, -n
...i:ən
kosmolọgisch kɔsmo'lo:gɪʃ
Kosmomedizịn kɔsmome-
di'tsi:n
Kosmonạut[ik] kɔsmo-
'naʊt[ɪk]
Kọsmonos 'kɔsmonɔs
Kosmopolịt kɔsmopo'li:t
Kosmopolitịsmus kɔsmo-
poli'tɪsmʊs
Kọsmos 'kɔsmɔs
Kosmosophiẹ kɔsmozo'fi:
Kosmotheịsmus kɔsmo-
te'ɪsmʊs
Kọsmotron 'kɔsmotro:n
Kọso... 'kɔ:zo...
Kọsor *serbokr.* 'kɔsɔr
Kosovare kozo'va:rə, *auch:*
kɔso...
Kosọvë *alban.* ko'sovə
Kosọvel *slowen.* kɔsɔ've:l
Kọsovo *serbokr.* 'kɔsɔvɔ

Kọsovo pọlje *serbokr.*
'kɔsɔvɔ 'pɔljɛ
Kọsovska Mịtrovica *ser-
bokr.* 'kɔsɔ:vska: 'mitrɔ-
vitsa
Kossäer kɔ'sɛ:ɐ
Kọssak *poln.* 'kɔsak
Kossạt[e] kɔ'sa:t[ə]
Kossạte kɔ'sɛ:tə
Kössẹine kœ'saịnə
Kọssel 'kɔsḷ
Kossinna kɔ'sɪna, '---
Kọssmann *niederl.* 'kɔsmɑn
Kọßmat 'kɔsmat
Kọssuth *ung.* 'koʃu:t
Kossygin *russ.* ka'sịgin
Kọst *dt., engl., tschech.* kɔst
kostạl kɔs'ta:l
Kostarịka kɔsta'ri:ka
kọstbar 'kɔstba:ɐ
Kostelạnetz *engl.* kɔstə'la:-
nɪts
Kọstelec *tschech.* 'kɔstɛlɛts
kọsten, K... 'kɔstṇ
Kostẹnki *russ.* kas'tjɛnki
Kostẹnko *ukr.* kɔs'tɛnkɔ
Kọster[nitz] 'kœstɐ[nɪts]
Kọstić *serbokr.* 'kɔstitɕ
Kọstja *russ.* 'kɔstjɐ
Kọstka *poln., slowak.*
'kɔstka
kọstlich 'kœstlɪç
Kọstlin 'kœstli:n
Kostomạrow *russ.* kɐsta-
'marɐf
Kostọpulos *neugr.* kɔs'tɔpu-
lɔs
Kostotomiẹ kɔstoto'mi:
Kọstow *bulgar.* 'kɔstof
Kọstra *slowak.* 'kɔstra
Kọstritz[er] 'kœstrɪts[ɐ]
Kostromạ *russ.* kɐstra'ma
Kostrọw *russ.* kas'trɔf
Kostrzẹwski *poln.* kɔʃtʃ-
'ʃefski
Kọstrzyn *poln.* 'kɔʃtʃʃin
kọstspielig 'kɔstʃpi:lɪç, -e
...ɪgə
Kostüm kɔs'ty:m
Kostumbrịsmus kɔstʊm-
'brɪsmʊs
Kostümier *russ.* kɔsty'mịe:
kostümierẹn kɔsty'mi:rən
Kostyljọw *russ.* kɐsti'ljɔf
Kósyk *niedersorb.* 'kʊsɪk
Kọsyrew *russ.* 'kɔzirɐf
Koszạlin *poln.* kɔ'ʃalin
Kőszeg[i] *ung.* 'kø:sɛg[i]
Kọsztolányi *ung.* 'kosto-
la:nji

Kọt ko:t
Kota *engl.* 'koʊtə
Kọta Bhạru *indon.* 'kota
'baru
Kọtangens 'ko:taŋgɛns
Kotarbịński *poln.* kɔtar-
'biịski
Kotau ko'taʊ
Kọte 'ko:tə
Kőte 'kø:tə
Kọtel 'kø:tḷ
Kotelẹtt[en] kotə'lɛt[ṇ],
kɔt'lɛt[ṇ]
Kotelnikow *russ.* ka'tjeljni-
kɐf
Kotelnitsch *russ.* ka'tjeljnitʃ
Kotelny Ọstrow *russ.* ka-
'tjeljnịj 'ɔstrɐf
kọten 'ko:tṇ
Kőter 'kø:tɐ
Kọtĕra *tschech.* 'kɔtjɛra
Köterei kø:tə'raị
Koteriẹ kotə'ri:, -n ...i:ən
Kọtext 'ko:tɛkst
Kőth kø:t
Kőthen 'kø:tṇ
Kőthener 'kø:tənɐ
Kothụrn ko'tʊrn
kotieren ko'ti:rən
kọtig 'ko:tɪç, -e ...ɪgə
Kọtik *tschech.* 'kɔtji:k
Kọtikow *russ.* 'kɔtikɐf
Kotillon 'kɔtɪljõ, *auch:*
kotɪl'jõ:, koti'jõ:
Kotịnga ko'tɪŋga
Kọtka *finn.* 'kɔtkɑ
Kọtlas *russ.* 'kɔtlɐs
Kọtlin *russ.* 'kɔtlin
Kotljarẹwsky *ukr.* kɔtlja-
'rɛʊskij
Kőtner 'kø:tnɐ
Kọto ko'to
Koton ko'tõ:
kotonisierẹn kotoni'zi:rən
Kotọński *poln.* kɔ'tɔịski
Kọtor *serbokr.* .kɔtɔr
Kọtorinde 'ko:torɪndə
Kotọwsk *russ.* ka'tɔfsk
Kọtsass[e] 'ko:tzas[ə]
Kotschergạ *russ.* kɐtʃɪr'ga
Kọtschetow *russ.* 'kɔtʃɪtɐf
Kọtschi *jap.* 'ko.:tʃị
Kotschinchịna *russ.* kɔtʃin'çi:na
Kọttayam *engl.* 'kɔtəjæm
Kọttbus 'kɔtbʊs, -[s]er
...ʊsɐ
Kotte *engl.* 'koʊteɪ
Kọtten 'kɔtṇ
Kọtter 'kɔtɐ
Kötter 'kœtɐ

kottisch 'kɔtɪʃ
Kotui *russ.* ka'tuj
Kotyle ko'ty:lə
Kotyledo koty'le:do
Kotyledone kotyle'do:nə
Kotylosaurier kotylo'zaʊri̯ɐ
Kotylosaurus kotylo'zaʊrʊs
Kotze 'kɔtsə
Kötze 'kœtsə
Kotzebue 'kɔtsəbu, *engl.*
'kɔtsɪbju:
Kotzeluch 'kɔtsəlʊx
kotzen, K... 'kɔtsn̩
Kotzenau 'kɔtsənaʊ
kotzengrob 'kɔtsn̩'gro:p
Kötzer 'kœtsɐ
kotzerig 'kɔtsərɪç, -e ...ɪgə
kotzjämmerlich 'kɔts'jɛmɐlɪç
kotzlangweilig 'kɔts'laŋvai̯lɪç
Kötzschenbroda kœtʃn̩'bro:da
Kötzting 'kœtstɪŋ
kotzübel 'kɔts'ly:bl̩
Kouchner *fr.* kuʃ'nɛ:r
Koudougou *fr.* kudu'gu
Koulikoro *fr.* kuliko'ro
Kourou *fr.* ku'ru
Kouroussa *fr.* kuru'sa
Koussevitzky kusə'vɪtski,
engl. ku:sə'vɪtskɪ
Koutiala *fr.* kutja'la
Kouvola *finn.* 'koʊvəla
Kovač *serbokr.* ˌkɔvatɕ
Kováč *slowak.* 'kɔva:tʃ
Kovačić *serbokr.* ˌkɔvatʃitɕ
Kovács *ung.* 'kɔva:tʃ
Kovariante kova'ri̯antə,
auch: 'ko:v...
Kovarianz kova'ri̯ants,
auch: 'ko:v...
Kovařovic *tschech.* 'kɔvarʒovits
Kowa 'ko:va
Kowalewskaja *russ.* kɐva'ljɛfskɐjɐ
Kowalewski kova'lɛfski,
poln. kɔva'lɛfski, *russ.*
kɐva'ljɛfskij
Kowaljow *russ.* kɐva'ljɔf
Kowalski *poln.* kɔ'valski,
russ. ka'valjskij
Kowary *poln.* kɔ'varɨ
Kowel *russ.* 'kɔvɪlj
Kowloon *engl.* kaʊ'lu:n
Kowno *russ.* 'kɔvnɐ
Kowrow *russ.* kav'rɔf
Kox *niederl.* kɔks

Koxalgie kɔksal'gi:, -n
...i:ən
Koxitis kɔ'ksi:tɪs, ...**itiden**
...si'ti:dn̩
Koyré *fr.* kwa're
Kozak *slowen.* kɔ'za:k
Kozarac *serbokr.* kɔ'za:rats
Kozhikode *engl.* 'koʊʒɪkoʊd
Kožík *tschech.* 'kɔʒi:k
Kozioł *poln.* 'kɔzoʊ
Kozjubinski *russ.* kɐtsju-
'binskij
Koźle *poln.* 'kɔzlɛ
Koźmian *poln.* 'kɔzmjan
Kożuchów *poln.* kɔ'ʒuxuf
Kozytus ko'tsy:tʊs
Kpalimé *fr.* kpali'me
Kpelle 'kpɛlə
Krą *Thai* kra 2
Kraal kra:l
Krabbe 'krabə
Krabbelei krabə'lai̯
krabbelig 'krabəlɪç, -e ...ɪgə
krabbeln 'krabl̩n, **krabble**
'krablə
krabben 'krabn̩, **krabb!**
krap, **krabbt** krapt
krabblig 'krablɪç, -e ...ɪgə
krach! krax
Krach krax, **Kräche** 'krɛçə
krachen, K... 'kraxn̩
Kracherl 'kraxɐl
krachig 'kraxɪç, -e ...ɪgə
krächzen 'krɛçtsn̩
Kracke 'krakə
kracken 'krakn̩, *auch:*
'krɛkn̩
Kräcker 'krɛkɐ
Krad kra:t, **-es** 'kra:dəs
Kraemer 'krɛ:mɐ, *niederl.*
'kra:mər
Kraepelin 'krɛ:pəli:n
Krafft kraft
kraft kraft
Kraft kraft, **Kräfte** 'krɛftə
kräftig 'krɛftɪç, -e ...ɪgə
kräftigen 'krɛftɪgn̩, **kräftig!**
'krɛftɪç, **kräftigt** 'krɛftɪçt
kräftiglich 'krɛftɪklɪç
Krag *norw.* kra:g, *dän.*
kra:'u̯
Krage 'kra:gə
Krägelchen 'krɛ:glçən
Kragen 'kra:gn̩, **Krägen**
'krɛ:gn̩
Kragujevac *serbokr.* ˌkragujɛvats
Krahe 'kra:ə
Krähe 'krɛ:ə
krähen 'krɛ:ən

Krahl kra:l
Krähl[e] 'krɛ:l[ə]
krählen 'krɛ:lən
Krähwinkel 'krɛ:vɪŋkl̩
Krähwinkelei krɛ:vɪŋkə'lai̯
Krähwinkler 'krɛ:vɪŋklɐ
Kraichgau 'krai̯çgaʊ
Kraichtal 'krai̯çta:l
Krain[burg] 'krai̯n[bʊrk]
Krainer 'krai̯nɐ
Krajina *serbokr.* 'krajina
Krajnska *slowen.* 'kra:jnska
Krakatau 'krakataʊ
Krakau 'kra:kaʊ
Krak des Chevaliers *fr.*
krakdeʃva'lje
Krake 'kra:kə
Krakeel kra'ke:l
krakeelen kra'ke:lən
Krakeelerei krake:lə'rai̯
Krakel 'kra:kl̩
Krakelee krakə'le:
krakelieren krakə'li:rən
krak[e]lig 'kra:k[ə]lɪç, -e
...ɪgə
krakeln 'kra:kl̩n
Krakelüre kra:kə'ly:rə
Krakow 'kra:ko
Kraków *poln.* 'krakuf
Krakowiak kra'ko:vi̯ak
Krakuse kra'ku:zə
Kral kra:l
Král' *slowak.* kra:lj
Kralendijk *niederl.* 'kra:ləndɛik
Kralice *tschech.* 'kralitsɛ
Kralik 'kra:lɪk
Kralitz 'kra:lɪts
Kraljević Marko *serbokr.*
ˌkra:ljɛvitɕ 'ma:rkɔ
Kraljevo *serbokr.* ˌkra:ljɛvɔ
Krällchen 'krɛlçən
Kralle 'kralə
krallen 'kralən
krallig 'kralɪç, -e ...ɪgə
Kralup 'kralʊp
Kralupy *tschech.* 'kralupi
Kram kra:m
Kramář *tschech.* 'krama:rʃ
Kramatorsk *russ.* krɐma'tɔrsk
Krambambuli kram'bambuli
Krämchen 'krɛ:mçən
kramen 'kra:mən
Kramer 'kra:mɐ, *niederl.*
'kra:mər, *engl.* 'kreɪmə
Krämer 'krɛ:mɐ
Kramerei kra:mə'rai̯
Krämerei krɛ:mə'rai̯

Kramers *niederl.* 'kra:mərs
Kramfors *schwed.* ˌkrɑːmˈfɔrs
Krammer *niederl.* 'krɑmər
Krammetsvogel 'kramətsfoːɡl̩
Kramp[e] 'kramp[ə]
krampen, K... 'krampn̩
Krampf krampf, **Krämpfe** 'krɛmpfə
krampfen 'krampfn̩
krampfig 'krampfɪç, **-e** ...ɪɡə
[1]**Krampus** (Muskelkrampf) 'krampʊs, ...**pi** ...pi
[2]**Krampus** (Begleiter des St. Nikolaus) 'krampʊs, **-se** ...ʊsə
Kramskoi *russ.* kram'skɔj
Kramuri kra'muːri
Kran kraːn, **Kräne** 'krɛːnə
Kranach 'kraːnax
Kränchen 'krɛːnçən
kranen 'kraːnən
Kranewitt[er] 'kraːnəvɪt[ɐ]
Krangel 'kraŋl̩
krangeln 'kraŋl̩n
krängen 'krɛŋən
kranial kra'njaːl
Kranich[stein] 'kraːnɪç[ʃtain]
Kranioklast kranjo'klast
Kraniologie kranjolo'ɡiː
kraniologisch kranjo'loːɡiʃ
Kraniometer kranjo'meːtɐ
Kraniometrie kranjome'triː, **-n** ...iːən
Kranioneuralgie kranjonɔyral'ɡiː
Kraniophor kranjo'foːɐ̯
Kraniosklerose kranjoskle'roːzə
Kraniostat kranjo'staːt
Kraniostenose kranjosteˈnoːzə
Kraniostose kranjɔs'toːzə
Kraniotabes kranjo'taːbɛs
Kraniote kra'njoːtə
Kraniotomie kranjoto'miː, **-n** ...iːən
Kranium 'kraːnjʊm, ...**ia** ...ja
Kranjčević *serbokr.* 'kraːnjtʃevitɕ
Kranj[ec] *slowen.* 'kraːnj[əts]
krank kraŋk, **kränker** 'krɛŋkɐ
kränkeln 'krɛŋkl̩n
kranken 'kraŋkn̩
kränken 'krɛŋkn̩

kränklich 'krɛŋklɪç
Krantz krants
Kranz krants, **Kränze** 'krɛntsə
Kränzchen 'krɛntsçən
kränzen 'krɛntsn̩
Kränzlin krɛnts'liːn
Krapf krapf
Kräpfchen 'krɛpfçən
Kräpfel 'krɛpfl̩
Krapfen 'krapfn̩
Krapina *serbokr.* 'krapina
Krapiwa *weißruss.* krɐpi'va
Krapkowice *poln.* krapkɔ'vitsɛ
Krapp krap
Kräppel 'krɛpl̩
krappen 'krapn̩
Kräppitz 'krapɪts
Krapüle kra'pyːlə
Kraschennikow *russ.* krɐʃə'ninnikɐf
Krase 'kraːzə
Krasicki *poln.* kra'ɕitski
Krasiński *poln.* kra'ɕiii̯ski
Krasis 'kraːzɪs
Krasko *slowak.* 'kraskɔ
Kraslice *tschech.* 'kraslitsɛ
krasmen 'krasmən
Krasnaja Poljana *russ.* 'krasnɐjɐ pa'ljanɐ
Krasnaja Swesda *russ.* 'krasnɐjɐ zvɪz'da
Krasnoarmeisk *russ.* krɐsnɐar'mjejsk
Krasnodar *russ.* krɐsna'dar
Krasnodon *russ.* krɐsna'dɔn
Krasnogorsk *russ.* krɐsna-'ɡɔrsk
Krásnohorská *tschech.* 'kraːsnɔhɔrska:
Krasnojarsk *russ.* krɐsna-'jarsk
Krasnokamsk *russ.* krɐsna-'kamsk
Krasnoturjinsk *russ.* krɐsnɐturj'jinsk
Krasnouralsk *russ.* krɐsnɐu'raljsk
Krasnow *russ.* kras'nɔf
Krasnowodsk *russ.* krɐsna-'vɔtsk
Krasny Lutsch *russ.* 'krasnij 'lutʃ
Krasny Sulin *russ.* 'krasnij su'lin
Kraspedote kraspe'doːtə
krass kras
Krassulazeen krasula-'tsɛːən

Krassus 'krasʊs
Krastew *bulgar.* 'krəstɛf
Kraszewski *poln.* kra'ʃɛfski
Krataegus kra'tɛːɡʊs
[1]**Krater** (des Vulkans) 'kraːtɐ
[2]**Krater** (Mischkrug) kra-'teːɐ̯
Krates 'kraːtɛs
kratikulieren kratiku'liːrən
Kratinos kra'tiːnɔs
Kratochvil *tschech.* 'kratɔxviːl
Kratogen krato'ɡeːn
Kraton 'kraːtɔn
Kratt[en] 'krat[n̩]
Krätten 'krɛtn̩
Krättler 'kratlɐ
Kratylos 'kraːtylɔs
Krätz[au] 'krats[au̯]
krätzbürstig 'kratsbyrstɪç, **-e** ...ɪɡə
Krätzchen 'krɛtsçən
Krätze 'kratsə
Krätze 'krɛtsə
krätzen 'kratsn̩
Krätzer 'kratsɐ
Krätzer 'krɛtsɐ
krätzig 'kratsɪç, **-e** ...ɪɡə
krätzig 'krɛtsɪç, **-e** ...ɪɡə
krauchen 'krauxn̩
kraue[l]n 'krauə[l]n
Kräuel 'krɔyəl
kraul, K... kraul
kraulen 'kraulən
Kraulshavn *dän.* 'krau̯'lshau̯'n
Kraurosis vulvae krau'roːzɪs 'vʊlvɛ
kraus kraus, **-e** 'krauzə
Kraus kraus, *span., tschech.* kraus
Krause 'krauzə
kräuseln 'krɔyzl̩n, **kräusle** 'krɔyzlə
krausen 'krauzn̩, **kraus!** kraus, **kraust** kraust
Krauß, Krauss kraus
Kraut kraut, **Kräuter** 'krɔytɐ
Kräutchen 'krɔytçən
krauten 'krautn̩
Krauter 'krautɐ
Krautheim[er] 'krauthaim[ɐ]
Kräutich 'krɔytɪçt
krautig 'krautɪç, **-e** ...ɪɡə
Kräutlein Rührmichnicht-an 'krɔytlain 'ryːɐ̯mɪçnɪçtlan

Kräutler 'krɔytlɐ
Krautsch krautʃ
Krawall kra'val
Krawatte kra'vatə
kraweelgebaut kra've:lgəbaut
Krawtschenko *russ.*
'kraftʃɪnkɐ
Krawtschinski *russ.*
kraf tʃɪnskij
Krawtschuk *ukr.* krau'tʃuk
Kraxe 'kraksə
Kraxelei kraksə'lai
kraxeln 'kraksln
Kray[er] 'krai[ɐ]
Krayon krɛ'jõ:
krayonnieren krɛjɔ'ni:rən
Kräze 'krɛ:tsə
Krčméry *slowak.* 'kr̩tʃmɛ:ri
Kreas 'kre:as
Kreatianismus kreatsia'nɪsmus
Kreatin krea'ti:n
Kreation krea'tsio:n
kreativ krea'ti:f, -e ...i:və
Kreativität kreativi'tɛ:t
Kreator kre'a:to:ɐ, -en krea-'to:rən
Kreatur krea'tu:ɐ
kreatürlich krea'ty:ɐlɪç
Krebs kre:ps, *engl.* krɛbz
krebsen 'kre:psn
krebsrot 'kre:psro:t, '–'–
Krechel 'krɛçl
Kredel 'kre:dl
Kredenz kre'dɛnts
kredenzen kre'dɛntsn
¹Kredit (Vertrauen, Glaubwürdigkeit, Geldmittel) kre'di:t
²Kredit (Kontoseite mit Verbindlichkeiten) 'kre:dɪt
kreditär kredi'tɛ:ɐ
kreditieren kredi'ti:rən
Kreditiv kredi'ti:f, -e ...i:və
Kreditor 'kre:dito:ɐ, -en kredi'to:rən
Kredo 'kre:do
Kredulität kreduli'tɛ:t
Krefeld 'kre:fɛlt, -er ...ldɐ
Kreft *slowen.* kre:ft
kregel 'kre:gl
Krehl kre:l
Kreide 'kraidə
kreidebleich 'kraidə'blaiç
kreiden 'kraidn, **kreid!** krait
kreideweiß 'kraidə'vais
kreidig 'kraidɪç, -e ...igə
Kreidolf 'kraidɔlf
Kreiensen 'kraiənzn

kreieren kre'i:rən
Kreis krais, -e 'kraizə
Kreisau 'kraizau
Kreisel 'kraizl
kreiseln 'kraizln, **kreisle** 'kraizlə
kreisen 'kraizn, **kreis!** krais, **kreist** kraist
Kreisky 'kraiski
Kreisler 'kraislɐ, *engl.* 'kraislə
kreißen 'kraisn
Kreittmayr 'kraitmaiɐ
Krejči *tschech.* 'krɛjtʃi:
Krell[e] 'krɛl[ə]
Krem kre:m, *auch:* krɛ:m
Kremaster kre'mastɐ
Kremation krema'tsio:n
Krematorium krema'to:riom, ...ien ...iən
Krementschug *russ.* krɪmɪn'tʃuk
Kremer 'kre:mɐ, *niederl.* 'kre:mər
kremieren kre'mi:rən
kremig 'kre:mɪç, *auch:* 'krɛ:mɪç, -e ...igə
Kreml 'kre:ml, *auch:* 'krɛml; *russ.* krjemlj
Kremlin-Bicêtre *fr.* krɛmlɛ̃-bi'sɛtr
Kremmen 'krɛmən
Kremnitz 'krɛmnɪts
Krempe 'krɛmpə
Krempel 'krɛmpl
krempeln 'krɛmpln
krempen 'krɛmpn
Krems krɛms, -er 'krɛmzɐ
Kremsier krɛm'zi:ɐ
Kremsmünster krɛms-'mynstɐ
Kren kre:n
Křenek 'krʃɛnɛk, *auch:* 'krɛnɛk
krenelieren krenə'li:rən
Krengel 'krɛŋl
krengeln 'krɛŋln
krengen 'krɛŋən
Krenotherapie krenotera'pi:
Krenz krɛnts, *poln.* krɛns
Kreodon kre'odɔn, **-ten** kreo'dɔntn
Kreole kre'o:lə
¹Kreolin kre'o:lɪn
²Kreolin® kreo'li:n
kreolisch kre'o:lɪʃ
Kreon 'kre:ɔn
Kreophage kreo'fa:gə
Kreosot kreo'zo:t

Kreosotal kreozo'ta:l
Krepeline krɛ'pli:n
Krepidoma kre'pi:doma
krepieren kre'pi:rən
Krepis 'kre:pɪs
Krepitation krepita'tsio:n
Kreplach 'krɛplax
Krepon kre'põ:
kreponieren krepo'ni:rən
Krepp krɛp
kreppen 'krɛpn
kreppig 'krɛpɪç, -e ...igə
krepponieren krɛpo'ni:rən
Krescendo krɛ'ʃɛndo, ...di ...di
Kresilas 'kre:silas
Kresnik 'krɛsnɪk
Kresol kre'zo:l
kress, K... krɛs
Kresse 'krɛsə
Kressling 'krɛslɪŋ
Kreszentia krɛs'tsɛntsia
¹Kreszenz (Wachstum) krɛs'tsɛnts
²Kreszenz (Name) 'krɛs-tsɛnts
Kreta 'kre:ta
kretazeisch kreta'tse:ɪʃ
kretazisch kre'ta:tsɪʃ
Krete 'kre:tə
Kreter 'kre:tɐ
Krethi und Plethi 'kre:ti unt 'ple:ti
Kretikus 'kre:tikus, ...zi ...tsi
Kretin kre'tɛ̃:
Kretine kre'ti:nə
Kretinismus kreti'nɪsmus
kretinoid kretino'i:t, -e ...i:də
kretisch 'kre:tɪʃ
Kreton kre'to:n
Kretonne kre'tɔn
Kretscham 'krɛtʃam
Kretschem 'krɛtʃm
Kretschmer 'krɛtʃmɐ
Kretzer 'krɛtsɐ
Kretzschmar 'krɛtʃmar
kreuch[s]t krɔyç[s]t
Kreude 'krɔydə
Kreuder 'krɔydɐ
¹Kreuger (Industrieller) *schwed.* 'kry:gər
²Kreuger (Maler) *schwed.* 'krø:gər
Kreusa kre'u:za
Kreuth krɔyt
Kreutzberg 'krɔytsbɛrk
Kreutzer 'krɔytsɐ, *fr.* krød-'ze:r
Kreutzwald 'krɔytsvalt

Kreuz krɔyts̯
Kreuzas ˈkrɔyts̯|as, *auch:*
-ˈ-
Kreuzau ˈkrɔyts̯au̯
Kreuzberg ˈkrɔyts̯bɛrk
kreuzbrav ˈkrɔyts̯ˈbraːf
Kreuzburg ˈkrɔyts̯burk
Kreuzebra krɔyts̯ˈleːbra
Kreuzeck ˈkrɔyts̯|ɛk
kreuzehrlich ˈkrɔyts̯|eːg̯lɪç
kreuzen ˈkrɔyts̯n̩
Kreuzer ˈkrɔyts̯ɐ
kreuzfidel ˈkrɔyts̯fiˈdeːl
kreuzigen ˈkrɔyts̯ɪɡn̩, kreu-
zig! ...ɪç, kreuzigt ...ɪçt
kreuzlahm ˈkrɔyts̯laːm
Kreuzlingen ˈkrɔyts̯lɪŋən
Kreuznach ˈkrɔyts̯nax
kreuzsaitig ˈkrɔyts̯zai̯tɪç
Kreuztal ˈkrɔyts̯taːl
Kreuzundquerfahrt ˈkrɔyts̯-
|ʊntˈkveːg̯faˑg̯t
kreuzunglücklich ˈkrɔyts̯-
ˈ|ʊnɡlʏklɪç
Kreuzwald ˈkrɔyts̯valt
Kreuzweg ˈkrɔyts̯veːk
Krèvè-Mickevičius *lit.* kreː-
ˌveːmɪtsˌkæːvɪtʃjʊs
Krevette kreˈvetə
Krewitz ˈkreːvɪts
Krewo *russ.* ˈkrjɛvɐ
Krey *engl.* kreɪ
Kreymborg *engl.* ˈkreɪmbɔːɡ
Kribbe ˈkrɪbə
kribb[e]lig ˈkrɪb[ə]lɪç, -e
...ɪɡə
kribbeln ˈkrɪbl̩n, kribble
ˈkrɪblə
Kribi *fr.* kriˈbi
Kribskrabs ˈkrɪpskraps
Kricke[berg] ˈkrɪkə[bɛrk]
Krickel ˈkrɪkl̩
krickelig ˈkrɪkəlɪç, -e ...ɪɡə
Krickelkrakel ˈkrɪkl̩kraːkl̩
krickeln ˈkrɪkl̩n
Krickelwild ˈkrɪkl̩vɪlt
Krickente ˈkrɪk|ɛntə
Krickerhäu krɪkəˈhɔy, ˈ---
Kricket ˈkrɪkət
kricklig ˈkrɪklɪç, -e ...ɪɡə
Krida ˈkriːda
Kridar kriˈdaːg̯
Kridatar kridaˈtaːg̯
Kriebelmücke ˈkriːbl̩mʏkə
Krieche ˈkriːçə
kriechen ˈkriːçn̩
Kriecherei kriːçəˈrai̯
Kriecherl ˈkriːçɐl
Krieck kriːk
Krieg kriːk, -e ˈkriːɡə

Kriegel ˈkriːɡl̩
kriegen ˈkriːɡn̩, krieg!
kriːk, kriegt kriːkt
Krieger ˈkriːɡɐ
Krieglach ˈkriːɡlax
Kriegsgewinnler ˈkriːks-
ɡəvɪnlɐ
Kriegstetten ˈkriːkʃtɛtn̩
Kriekente ˈkriːk|ɛntə
Kriemhild ˈkriːmhɪlt
Kriemhilde kriːmˈhɪldə
Kriens kriːns, *auch:* ˈkriːɛns
Kriftel ˈkrɪftl̩
Krige *afr.* ˈkriːxə
Krikente ˈkriːk|ɛntə
Krikotomie krikotoˈmiː, -n
...iːən
Krill krɪl
Krim krɪm
Krimgote ˈkrɪmɡoːtə
Krimi ˈkrɪmi, *auch:* ˈkriːmi
kriminal, K... krimiˈnaːl
Kriminale krimiˈnaːlə
Kriminaler krimiˈnaːlɐ
kriminalisieren kriminali-
ˈziːrən
Kriminalist[ik] krimina-
ˈlɪst[ɪk]
Kriminalität kriminaliˈtɛːt
kriminell krimiˈnɛl
Kriminelle krimiˈnɛlə
kriminogen kriminoˈɡeːn
Kriminologie kriminoloˈɡiː
kriminologisch kriminoˈloː-
ɡɪʃ
krimmeln ˈkrɪml̩n
Krimmer ˈkrɪmɐ
Krimml ˈkrɪml̩
Krimmler ˈkrɪmlɐ
krimpen ˈkrɪmpn̩
Krimpen *niederl.* ˈkrɪmpə
Krimskrams ˈkrɪmskrams,
-es ...mzəs
Krimstecher ˈkrɪmʃtɛçɐ
Krimtschake krɪmˈtʃaːkə
Kringel ˈkrɪŋl̩
kringelig ˈkrɪŋəlɪç, -e ...ɪɡə
kringeln ˈkrɪŋl̩n
Krinkberg ˈkrɪŋkbɛrk
Krinoide krinoˈiːdə
Krinoline krinoˈliːnə
Kripo ˈkriːpo, ˈkrɪpo
Krippe ˈkrɪpə
krippen ˈkrɪpn̩
Krips krɪps
Kris kriːs, -es ˈkriːzəs
krisch krɪʃ
Krischna ˈkrɪʃna
Krise ˈkriːzə

kriseln ˈkriːzl̩n, krisle
ˈkriːzlə
Krishna[gar] *engl.*
ˈkrɪʃnə[ɡə]
Krisis ˈkriːzɪs
krispeln ˈkrɪspl̩n
Krispin[us] krɪsˈpiːn[ʊs]
Krista ˈkrɪsta
Kristall krɪsˈtal
Kriställchen krɪsˈtɛlçən
kristallen krɪsˈtalən
kristallin[isch] krɪstaˈliːn[ɪʃ]
Kristallisation krɪstaliza-
ˈtsi̯oːn
kristallisch krɪsˈtalɪʃ
kristallisieren krɪstaliˈziːrən
Kristallit krɪstaˈliːt
kristallklar krɪsˈtalˈklaːg̯,
-ˈ--
Kristalloblastese krɪstalo-
blasˈteːzə
kristalloblastisch krɪstalo-
ˈblastɪʃ
Kristallographie krɪstalo-
ɡraˈfiː
kristallographisch krɪstalo-
ˈɡraˈfɪʃ
Kristalloid krɪstaloˈiːt, -e
...iːdə
Kristallomantie krɪstalo-
manˈtiː
Kristeller ˈkrɪstɛlɐ
Kristen[sen] *dän.*
ˈkrɪsdn̩[sn̩]
Kristeva *fr.* krɪsteˈva
Kristian *dän.* ˈkrɪsdjæn
Kristiania krɪsˈti̯aːni̯a, *norw.*
krɪstiˈaːnia
Kristiansand *norw.* kristi-
anˈsan
Kristiansen *norw.* ˈkristian-
sən
Kristianstad *schwed.* krɪ-
ˈʃansta
Kristiansund *norw.* kristi-
anˈsʉn
Kristiinankaupunki *finn.*
ˈkristiːnɑŋkɑu̯puŋki
Kristin krɪsˈtiːn
Kristina *dt., schwed.* krɪs-
ˈtiːna
Kristine krɪsˈtiːnə, *dän.* krɪs-
ˈdiːˀnə
Kristineberg *schwed.*
kristiːnəˈbærj
Kristinehamn *schwed.* kris-
tiːnəˈhamn
Kristinestad *schwed.* kristi-
nəˈstɑːd
Kristobalit krɪstobaˈliːt

Kristoffer *dän.* krıs'dɔfɐ
Kristofferson *engl.* krıs'tɔ-
  fəsn
Kristoforịdhi *alban.* kristo-
  fo'riði
Kritẹrium kri'te:rịʊm, ...ien
  ...ịən
Krịti *neugr.* 'kriti
Krịtias 'kri:tịas
Krịtik kri'ti:k
kritikạbel kriti'ka:bḷ, ...ble
  ...blə
Kritikạster kriti'kastɐ
Krịtiker 'kri:tikɐ
Krịtikus 'kri:tikʊs, -se ...ʊsə
Krịtios 'kri:tịɔs
krịtisch 'kri:tıʃ
kritisịeren kriti'zi:rən
Kritizịsmus kriti'tsısmʊs
Kritizịst kriti'tsıst
Krịton 'kri:tɔn
Krittelẹi krıtə'lai
Krịtt[e]ler 'krıt[ə]lɐ
krịtt[e]lig 'krıt[ə]lıç, -e ...ıgə
krịtteln 'krıtḷn
Kritzelẹi krıtsə'lai
krịtz[e]lig 'krıts[ə]lıç, -e
  ...ıgə
krịtzeln 'krıtsḷn
Krịwet 'kri:vət
Kriwọi Rọg *russ.* kri'vɔj 'rɔk
Krk *serbokr.* kr̩k
Krka *slowen.* 'kərka
Krkonoše *tschech.* 'kr̩kɔnɔʃɛ
Krleža *serbokr.* ˌkr̩lɛʒa
Krnạrutić *serbokr.* kr̩.naru-
  titɕ
Krnov *tschech.* 'kr̩nɔf
Kroạte kro'a:tə
Kroạtien kro'a:tsịən
kroạtisch kro'a:tıʃ
Kroạtzbeere kro'atsbe:rə
krọch krɔx
krọ̈che 'krœçə
Krọchmal 'krɔxmal
Krocket 'krɔkət, *auch:* krɔ-
  'kɛt
krockettịeren krɔkɛ'ti:rən
krockịeren krɔ'ki:rən
Krọ̈deren *norw.* 'krø:dərən
Kroẹber 'krø:bɐ, *engl.*
  'kroʊbə
Kroetsch *engl.* kroʊtʃ
Kroetz krœts
Krọg *norw.* kro:g
Krọ̈ger 'krø:gɐ
Krọgh *dän.* krɔ:'ʊ
Krọgmann 'kro:kman
Krọhg *norw.* kro:g
Krohn *schwed.* kru:n

Krọisos 'krɔyzɔs
Krokann *norw.* 'kru:kan
Krokạnt kro'kant
Krokẹtte kro'kɛtə
Krokị kro'ki:
krokịeren kro'ki:rən
Krọko 'kro:ko
Krokodịl kroko'di:l
Krokoịt kroko'i:t
Krọkus 'kro:kʊs, -se ...ʊsə
Krokydolịth krokydo'li:t
Królẹwska Hụta *poln.* kru-
  'lɛfska 'xuta
Krọll krɔl, *engl.* kroʊl
Krọlle 'krɔlə
Krọlow 'kro:lo
Krọmayer 'kro:maiɐ
Krọmbholc *tschech.* 'krɔmp-
  hɔlts
Krọmer *poln.* 'krɔmɐ
Krọmě̌řịž *tschech.* 'krɔmjɛ-
  rʒi:ʃ
Kromlech 'krɔmlɛk, *auch:*
  'kro:m..., ...lɛç
Krommenịe *niederl.* krɔ-
  mə'ni:
Krọmmer 'krɔmɐ
Krọmo 'kro:mo
Krọmow 'krɔmɔf
Krọmphardt 'krɔmphart
Krọnach[er] 'kro:nax[ɐ]
Krọnasser 'kro:nasɐ
Krọnauer 'kro:naʊɐ
Krọnberg 'kro:nbɛrk
Krọ̈nchen 'krø:nçən
Krọne 'kro:nə
Krọnecker 'kro:nɛkɐ
krọ̈nen 'krø:nən
Krọner 'kro:nɐ
Krọ̈ner 'krø:nɐ
Krọnes 'kro:nəs
Kronịde kro'ni:də
Kronịon kro'ni:ɔn
Krọnoberg *schwed.* ˌkru:nu-
  bærj
Krọnos 'krɔnɔs, 'kro:nɔs
krọnprinzesslich 'kro:n-
  prıntsɛslıç
Krọnsbeere 'kro:nsbe:rə
Kronschtạdt *russ.* kran'ʃtat
Krọnstadt 'kro:nʃtat
Krọnstädter 'kro:nʃtɛ[:]tɐ
Krọonstad *afr.* 'kro:nstat
Krọp *niederl.* krɔp
Krọ̈pel 'krø:pḷ
Krọpf krɔpf, **Krọ̈pfe** 'krœpfə
Krọ̈pfchen 'krœpfçən
krọ̈pfen 'krœpfn̩
krọpfig 'krɔpfıç, -e ...ıgə
krọ̈pfig 'krœpfıç, -e ...ıgə

Kropọtkin *russ.* kra'pɔtkin
Krọppzeug 'krɔptsɔyk
Kropywnyzky *ukr.* kʀɔpıv-
  'nıtsjkıj
Krọ̈se 'krø:zə
krọ̈seln 'krø:zḷn, **krọ̈sle**
  'krø:zlə
Krọsno *poln.* 'krɔsnɔ
Krọsno Odrzạńskie *poln.*
  'krɔsnɔ ɔd'dʒai̯skjɛ
Krọsos 'krø:zɔs
krọss krɔs
Krọssen 'krɔsn̩
Krọ̈sus 'krø:zʊs
Krotalịn krota'li:n
Krọ̈te 'krø:tə
Krọton 'kro:tɔn
Krotoschin 'kro:tɔʃi:n, 'krɔ-
  tɔʃin
Krotọszyn *poln.* krɔ'tɔʃin
Krọ̈v krø:f
Krọ̈ver 'krø:vɐ
Krowọt kro'vo:t
Krọyer 'krɔyɐ
Krọ̈yer *dän.* 'krɔi̯'ɐ
Krozetịn krotsɛ'ti:n
Krozịn kro'tsi:n
Krọzingen 'krɔtsıŋən
Krško *slowen.* 'kəɾʃkɔ
Krstić *serbokr.* ˌkr̩stitɕ
Krụ kru:
Krụcke 'krʊkə
Krụ̈cke 'krʏkə
Krụckenberg 'krʊkn̩bɛrk
Kruczkọwski *poln.* krutʃ-
  'kɔfski
krụd kru:t, -e 'kru:də
krụde 'kru:də
Krudelität krudeli'tɛ:t
Krüdener 'kry:dənɐ
Krudität krudi'tɛ:t
Krúdy *ung.* 'kru:di
Kruẹger 'kry:gɐ, *engl.*
  'kru:gə
Krụg kru:k, **Krụ̈ge** 'kry:gə
Krụ̈gel[chen] 'kry:gḷ[çən]
Kruger *afr.* 'kry:ər
Krüger 'kry:gɐ
Krugersdorp *afr.* 'kry:ərs-
  dɔrp
Krụglein 'kry:klain
Krujë *alban.* 'krujə
Krụke 'kru:kə
Krul *niederl.* krʏl
Krụll krʊl
Krụ̈ll krʏl
Krụlle 'krʊlə
Kruls *niederl.* krʏls
Krụm *bulgar.* krum
Krụmau 'kru:maʊ

Krumbach[er] 'krʊmbax[ɐ]
Krümchen 'kry:mçən
Krume 'kru:mə
Krümel 'kry:ml̩
krüm[e]lig 'kry:m[ə]lıç, -e
...ıgə
krümeln 'kry:ml̩n
krumm krʊm, krümmer
'krymɐ
Krummacher 'krʊmaxɐ
Krumme 'krʊmə
Krümmel 'kryml̩
krümmen 'krymən
Krummhörn krʊm'hœrn
Krümmling 'krymlıŋ
Krumpach 'krʊmpax
krump[e]lig 'krʊmp[ə]lıç, -e
...ıgə
krumpeln 'krʊmpl̩n
Krumper 'krʊmpɐ
Krümper 'krympɐ
krumpfen 'krʊmpfn̩
Krumpper 'krʊmpɐ
krunk[e]lig 'krʊŋk[ə]lıç, -e
...ıgə
Krupa engl. 'kru:pə
Krup[ič]ka tschech.
'krʊp[itʃ]ka
Krupp krʊp
Kruppade krʊ'pa:də
Kruppe 'krʊpə
Krüppel 'krypl̩
krüpp[e]lig 'kryp[ə]lıç, -e
...ıgə
krüppeln 'krypl̩n
kruppös krʊ'pø:s, -e ...ø:zə
Krupskaja russ. 'krʊpskɐjɐ
krural kru'ra:l
krüsch kry:ʃ
Kruse 'kru:zə
Krušedol serbokr. kru.ʃɛdɔl
Krüselwind 'kry:zl̩vınt
Kruseman niederl. 'krysə-
man
Krusenschtern russ. kru-
zɛn'ʃtɛrn
Krusenstern 'kru:zn̩ʃtɛrn
Krusenstjerna schwed.
ˌkru:sənfæ:rna
Kruševac serbokr. 'kruʃɛ-
vats
Krushenick engl. 'kru:ʃənık
Kruska® 'krʊska
Krüss krys
Krustade krʊs'ta:də
Krustazee krʊsta'tse:ə
Krüstchen 'krystçən
Kruste 'krʊstə
krustig 'krʊstıç, -e ...ıgə
Krutch engl. kru:tʃ

Krutschonych russ. kru'tʃɔ-
nix
Krux krʊks
Kruzianer kru'tsia:nɐ
Kruzifere krutsi'fe:rə
Kruzifix 'kru:tsifıks, auch:
krutsi'fıks
Kruzifixus krutsi'fıksʊs
Kruzitürken! krutsi'tyrkn̩
Kryal kry'a:l
Kryästhesie kry|ɛstə'zi:
Krylow russ. kri'lɔf
Krylowo russ. kri'lɔvɐ
Krym[ow] russ. 'krim[ɐf]
Krymsk russ. krimsk
Krymtschake krym'tʃa:kə
Kryniça poln. kri'nitsa
Kryobiologie kryobiolo'gi:
Kryochirurgie kryoçirʊr'gi:
Kryogen... kryo'ge:n...
Kryogenik kryo'ge:nık
Kryokonit kryoko'ni:t
Kryolith kryo'li:t
Kryomagnet kryoma'gne:t
Kryometer kryo'me:tɐ
Kryon kry'o:n
Kryoskalpell kryoskal'pɛl
Kryoskop kryo'sko:p
Kryoskopie kryosko'pi:
Kryostat kryo'sta:t
Kryotherapie kryotera'pi:
Kryotron 'kry:otro:n
Kryoturbation kryotʊrba-
'tsio:n
Kryozön kryo'tsø:n
Krypta 'krypta
Kryptästhesie kryptɛstə'zi:
Krypte 'kryptə
kryptisch 'kryptıʃ
Kryptogame krypto'ga:mə
kryptogen krypto'ge:n
kryptogenetisch kryptoge-
'ne:tıʃ
Kryptogramm krypto'gram
Kryptograph krypto'gra:f
Kryptographie krypto-
gra'fi:, -n ...i:ən
Kryptokalvinist kryptokal-
vi'nıst
kryptokristallin kryptokrıs-
ta'li:n
Kryptologie kryptolo'gi:
kryptomer krypto'me:ɐ
¹Kryptomerie (Verborgen-
bleiben einer Erbanlage)
kryptome'ri:
²Kryptomerie (jap. Zeder)
krypto'me:rjə
Krypton 'kryptɔn, auch:
kryp'to:n

Kryptonym krypto'ny:m
kryptorch kryp'tɔrç
Kryptorchismus kryptɔr-
'çısmʊs
Kryptoskop krypto'sko:p
Kryptoskopie kryptosko'pi:
Kryptospermie krypto-
spɛr'mi:, -n ...i:ən
Kryptovulkanismus kryp-
tovʊlka'nısmʊs
Kryptozoikum krypto'tso:i-
kʊm
Krystian poln. 'kristjan
Krzycki poln. 'kʃitski
Krzysztoń poln. 'kʃiʃtɔin
Krzywicki poln. kʃi'vitski
Ksabi vgl. Kasba
Ksar ksa:ɐ, Ksur ksu:ɐ
Ksar-el-Kebir fr. ksarɛlke-
'bi:r
Ksar-es-Souk fr. ksarɛ'suk
Ksaver serbokr. 'ksa:vɛr
Ksawery poln. ksa'vɛri
Kschatrija 'kʃa:trija
Ksur vgl. Ksar
Ksyl-Orda russ. gzilar'da
Ktenidium kte'ni:diʊm,
...ien ...iən
ktenoid kteno'i:t, -e ...i:də
Ktenophore kteno'fo:rə
Ktesias 'kte:zias
Ktesibios kte'zi:bjɔs
Ktesiphon 'kte:zifɔn
Ktima neugr. 'ktima
Kuala Lipis indon. ku'ala
'lipıs
Kuala Lumpur indon. ku'ala
'lʊmpʊr
Kuala Trengganu indon.
ku'ala traŋ'ganu
Kuantan indon. ku'antan
¹Kuba 'ku:ba
²Kuba (Stadt) russ. ku'ba
Kuban russ. ku'banj
Kubaner ku'ba:nɐ
kubanisch ku'ba:nıʃ
Kubatur kuba'tu:ɐ
Kubba 'kuba
Kübbung 'kybʊŋ
Kubebe ku'be:bə
Kübeck 'ky:bɛk
Kübel 'ky:bl̩
Kubelik 'ku:belık
Kubelik tschech. 'kubɛli:k
Kubelka tschech. 'kubɛlka
kübeln 'ky:bl̩n, ...ble ...blə
Kubiak poln. 'kubjak
Kubíček tschech. 'kubi:tʃɛk
kubieren ku'bi:rən
Kubik... ku'bi:k...

Kubikel kuˈbiːkl̩
Kubilai ˈkuːbilai̯
Kubin ˈkuːbiːn, kuˈbiːn
Kubín *tschech.* ˈkubiːn
kubisch ˈkuːbɪʃ
Kubismus kuˈbɪsmʊs
Kubist kuˈbɪst
kubital kubiˈtaːl
Kubitschek ˈkuːbitʃɛk, *bras.*
  kubiˈtʃɛk[i]
Kubka *tschech.* ˈkupka
Kublai ˈkuːblai̯
Kübler ˈkyːblɐ
Kubrick *engl.* ˈkjuːbrɪk
Kubus ˈkuːbʊs
Kuby ˈkuːbi
Kučan *slowen.* ˈkuːtʃan
Küche ˈkʏçə
Küchelbecker ˈkʏçl̩bɛkɐ
¹Küchelchen (kleine
  Küche) ˈkʏçlçən
²Küchelchen (kleiner
  Kuchen) ˈkyːçlçən
kücheln ˈkyːçl̩n
Kuchen ˈkuːxn̩
Küchenmeister
  ˈkʏçn̩mai̯stɐ
Kuchl ˈkʊxl̩
¹Küchlein (kleine Küche)
  ˈkʏçlai̯n
²Küchlein (Küken, kleiner
  Kuchen) ˈkyːçlai̯n
Küchler ˈkʏçlɐ
Kucing *indon.* ˈkutʃɪŋ
kucken ˈkʊkn̩
Kücken ˈkʏkn̩
Kuckerneese kʊkɐˈneːzə
Kuckersit kʊkɛrˈziːt
Kuckhoff ˈkʊkhɔf
Kuckuck ˈkʊkʊk
Küçük[köy] *türk.*
  kyˈtʃyk[ˌkœi̯]
Ku'damm ˈkuːdam
Kuddelmuddel ˈkʊdl̩mʊdl̩
Kudelkraut ˈkuːdl̩krau̯t
Kuder ˈkuːdɐ
Kudlich ˈkuːdlɪç
Kudowa kuˈdoːva
Kudowa Zdrój *poln.*
  kuˈdɔva ˈzdruj
Kudrun ˈkuːdruːn
Kudu ˈkuːdu
Kudus *indon.* ˈkuːdʊs
Kudymkar *russ.* kuˈdimkɐr
Kuenringer ˈkyːnrɪŋɐ
Kues kuːs
Kuf[a] ˈkuːf[a]
Kufe ˈkuːfə
Küfer ˈkyːfɐ
Küferei kyːfəˈrai̯

Kuff kʊf
Kufija kuˈfiːja
kufisch ˈkuːfɪʃ
Kufra ˈkuːfra
Kufstein ˈkʊfʃtai̯n, *auch:*
  ˈkuːf...
Kugel ˈkuːgl̩
Kügelchen ˈkyːglçən
Kügelgen ˈkyːgl̩gn̩
kugelig ˈkuːgəlɪç, -e ...ɪɡə
kugeln ˈkuːgl̩n, **kugle**
  ˈkuːglə
kugelrund ˈkuːgl̩rʊnt
Küglein ˈkyːglai̯n
Kugler ˈkuːglɐ
kuglig ˈkuːglɪç, -e ...ɪɡə
Kuguar ˈkuːgu̯aːɐ̯
Kuh ku:, **Kühe** ˈkyːə
Kuhbier ˈkuːbiːɐ̯
Küher ˈkyːɐ̯
kuhhessig ˈkuːhɛsɪç, -e
  ...ɪɡə
Kuhl kuːl
kühl kyːl
Kuhlau ˈkuːlau̯
Kuhle ˈkuːlə
Kühle ˈkyːlə
Kühleborn ˈkyːləbɔrn
kühlen ˈkyːlən
Kühler ˈkyːlɐ
Kuhlmann ˈkuːlman, *fr.* kylˈman
Kühlmann ˈkyːlman
Kuhlo ˈkuːlo
Kühlte ˈkyːltə
Kühlungsborn ˈkyːlʊŋsbɔrn
Kuhn kuːn
kühn, K... kyːn
Kuhnau ku:nau̯
Kühne ˈkyːnə
Kühnel ˈkyːnl̩
Kühner ˈkyːnɐ
Kuibyschew *russ.* ˈkujbɪʃəf
Kuiper *engl.* ˈkai̯pɐ
Kujawe kuˈja:və
Kujawiak kuˈja:vi̯ak
Kujawien kuˈja:vi̯ən
Kujawy *poln.* kuˈja:vɨ
kujiehnen kuˈji:nən
Kujon kuˈjo:n
kujonieren kujoˈni:rən
k. u. k. ˈka:ˌʊntˈka:
Kuk kuːk
Kükelhaus ˈkyːkl̩hau̯s
Küken ˈkyːkn̩
Kukës *alban.* ˈkukəs
Kukiel *poln.* ˈkukjɛl
Ku-Klux-Klan kuklʊksˈklaːn
Kukolnik *russ.* ˈkukɐljnik
Kukrynixy *russ.* kukrɨˈniksɨ

Kukučín *slowak.* ˈkukutʃiːn
Kukulle kuˈkʊlə
Kukumer kuˈkʊmɐ
Kukuruz ˈkʊkurʊts, *auch:*
  ˈkuːk...
Kukus ˈkʊkʊs
Kula ˈkuːla
Kulak kuˈlak
Kulan[i] kuˈlaːn[i]
kulant kuˈlant
Kulanz kuˈlants
Külasse kyˈlasə
Kuldoskop kʊldoˈskoːp
Kuldoskopie kʊldoskoˈpiː,
  -n ...i:ən
Kuldscha ˈkʊldʒa
Kule ˈkuːlə
Kulebaki *russ.* kulɨˈbaki
Kulenkampff ˈkuːlənkampf
Kuleschow *russ.* kulɨˈʃɔf
Kuli ˈkuːli
Kulierware kuˈliːɐ̯va:rə
kulinarisch kuliˈna:rɪʃ
Kulisch *ukr.* kuˈliʃ
Kulisse kuˈlɪsə
Kuljab *russ.* kuˈljap
Kuljaschou *weißruss.* kuljɐˈʃou̯
Kulka ˈkʊlka, *tschech.* ˈkulka
Kullak ˈkʊlak
Kullani kʊˈlaːni
kullern ˈkʊlɐn
Kulm kʊlm
Kulmbach[er] ˈkʊlmbax[ɐ]
Kulmination kʊlminaˈtsi̯oːn
kulminieren kʊlmiˈni:rən
Kulör kuˈløːɐ̯
Kulp[a] ˈkʊlp[a]
Külpe ˈkʏlpə
Külsheim ˈkʏlshai̯m
Kult kʊlt
Kültepe *türk.* ˈkyltɛˌpɛ
Kulteranist kʊlteraˈnɪst
Kultismus kʊlˈtɪsmʊs
Kultivator kʊltiˈva:toːɐ̯, -en
  ...aˈto:rən
kultivieren kʊltiˈvi:rən
Kultur kʊlˈtu:ɐ̯
kultural kʊltuˈra:l
kulturalistisch kʊlturaˈlɪstɪʃ
kulturell kʊltuˈrɛl
Kulturistik kʊltuˈrɪstɪk
kultürlich kʊlˈtyːɐ̯lɪç
Kultus ˈkʊltʊs
Kulunda *russ.* kulunˈda
Kum *pers.* ʏom
Kuma *russ.* kuˈma
Kumagaja *jap.* kuˈmagaja
Kumamoto *jap.* kuˈmamoto
Kumane kuˈmaːnə

Kumanien kuˈmaːnjən
kumanisch kuˈmaːnɪʃ
Kumanovo mak. kuˈmanɔvɔ
Kumara kuˈmaːra
Kumarin kumaˈriːn
Kumaron kumaˈroːn
Kumasi engl. kʊˈmaːsi
Kumba fr. kumˈba
Kumbakonam engl. kumbə-ˈkoʊnəm
kumbrisch ˈkumbrɪʃ
Kumertau russ. kumɪrˈtau
Kumičić serbokr. ˌkumitʃitɕ
Kumlien schwed. kumˈliːn
Kumm[e] ˈkum[ə]
Kümmel ˈkyml
kümmeln ˈkymln
Kummer ˈkumɐ
Kümmerer ˈkymərɐ
kümmerlich ˈkymɐlɪç
Kümmerly ˈkymɐli
kümmern ˈkymɐn
Kümmernis ˈkymɐnɪs, -se ...ɪsə
Kummernus ˈkumɐnʊs
Kummerower See ˈkumə-roɐ ˈzeː
Kummet ˈkumət
Kümo ˈkyːmo
Kump kump
Kumpan kumˈpaːn
Kumpanei kumpaˈnai
Kumpel ˈkumpl
kümpeln ˈkympln
Kumpen ˈkumpn
Kumpf kumpf
Kumquat ˈkumkvat
Kumran kumˈraːn
Kum[s]t kum[s]t
Kumulation kumulaˈtsi̯oːn
kumulativ kumulaˈtiːf, -e ...iːvə
kumulieren kumuˈliːrən
Kumulonimbus kumulo-ˈnimbʊs
Kumulus ˈkuːmulʊs, ...li ...li
Kumyke kuˈmyːkə
Kumys[s] ˈkuːmʏs
Kun ung. kuːn
Kunad ˈkuːnat
Kunaitra kuˈnai̯tra
Kunama kuˈnaːma
Kunaschir russ. kunaˈʃir
Kunaxa kuˈnaksa, ˈkuːnaksa
Kuncewiczowa poln. kun-tsɛviˈtʃɔva
Kunckel ˈkuŋkl
kund[bar] ˈkunt[baːɐ]
kündbar ˈkyntbaːɐ

Kunda ˈkunda, estn. ˈkunːda
Kunde ˈkundə
Kundel ˈkundl
künden ˈkyndn, künd! kynt
Kundera tschech. ˈkundɛra
kundig ˈkundɪç, -e ...ɪɡə
kündigen ˈkyndɪɡn, kün-dig! ˈkyndɪç, kündigt ˈkyn-dɪçt
Kundri[e], ...ry ˈkundri
Kundschaft ˈkuntʃaft
kundschaften ˈkuntʃaftn
Kundt kunt
Kundure kunˈduːrə
Kunduriotis neugr. kundu-ˈrjɔtis
Kunduz afgh. kunˈduz
kuneiform kuneiˈfɔrm
Kunersdorf ˈkuːnɐsdɔrf
Kunert ˈkuːnɐt
Künette kyˈnɛtə
künftig ˈkynftɪç, -e ...ɪɡə
künftighin ˈkynftɪçhin
Küng kyŋ
Kungälv schwed. ˌkuŋɛlv
Kungelei kuŋəˈlai
kungeln ˈkuŋln
Kung-Fu kuŋˈfuː
Kungsbacka schwed. ˌkuŋs-baka
Kungu Poti ˈkuŋgu ˈpoːti
Kungur russ. kunˈgur
Kunibert ˈkuːnibɛrt
Kunigund ˈkuːnigunt
Kunigunde kuniˈgundə
Kunitz engl. ˈkuːnɪts
Künkel ˈkuŋkl
Künkel ˈkyŋkl
Kunktator kuŋkˈtaːtoːɐ, -en ...taˈtoːrən
Kunlun chin. kuənluən 12
Kunming chin. kuənmɪŋ 12
Kunnas finn. ˈkunnɑs
Künnecke ˈkynəkə
Kunnilingus kuniˈlɪŋgus
Kuno[w] ˈkuːno
Kunowice poln. kunɔˈvitsɛ
Kunowski, ...ky kuˈnɔfski
Kunsan korean. kunsan
Kunschak ˈkunʃak
Kunst kunst, Künste ˈkynstə
Künstelei kynstəˈlai
künsteln ˈkynstln
Kunstgewerbler ˈkunst-gəvɛrplɐ
Künstler ˈkynstlɐ
künstlerisch ˈkynstlərɪʃ
künstlich ˈkynstlɪç

kunterbunt, K... ˈkuntɐbunt
Kuntz[e] ˈkunts[ə]
Kunz kunts
Kunze ˈkuntsə
Künzelsau ˈkyntsls|au
Künzle ˈkyntslə
Kuomintang kuomɪnˈtaŋ
Kuopio finn. ˈkuɔpiɔ
Kupa serbokr. ˈkupa
Kupal kuˈpaːl
Kupala weißruss. kuˈpalɐ
Kupang indon. ˈkupaŋ
Kupawin[a] russ. kuˈpa-vin[ɐ]
Küpe ˈkyːpə
Kupecký tschech. ˈkupɛtski:
Kupelle kuˈpɛlə
kupellieren kupɛˈliːrən
Kupelwieser ˈkuplviːzɐ
Küper ˈkyːpɐ
Kupe[t]zky kuˈpɛtski, ˈku...
Kupfer ˈkupfɐ
Kupferberg ˈkupfɐbɛrk
kupferig ˈkupfərɪç, -e ...ɪɡə
kupfern ˈkupfɐn
Küpfmüller ˈkypfmʏlɐ
kupfrig ˈkupfrɪç, -e ...ɪɡə
Kupidität kupidiˈtɛːt
Kupido kuˈpiːdo, auch: ˈkuːpido
kupieren kuˈpiːrən
Kupino russ. ˈkupinɐ
Kupjansk russ. ˈkupɪnsk
Kupka tschech. ˈkupka
Kupkovič slowak. ˈkupkɔvitʃ
Kupolofen kuˈpoːlloːfn
Kupon kuˈpõː, kuˈpɔŋ
Kuppe ˈkupə
Kuppel ˈkupl
Kuppelei kupəˈlai
kuppeln ˈkupln
kuppen ˈkupn
Kuppenheim ˈkupnhaim
Kupper ˈkupɐ
Küpper[s] ˈkypɐ[s]
Kuppler ˈkuplɐ
Kupplung ˈkuplʊŋ
Kuprein kupreˈiːn
Kuprin russ. kuˈprin
Kuprismus kuˈprismus
Kupula ˈkuːpula
Kupuliferen kupuliˈfeːrən
Kur kuːɐ
Kür kyːɐ
[1]Kura (Seelsorge) ˈkuːra
[2]Kura (Name) russ. kuˈra
kurabel kuˈraːbl, ...ble ...blə
Kurand kuˈrant, -en ...ndn
Kuranda kuˈranda

kurant, K... ku'rant
kuranzen ku'rantsn̩
Kurare ku'ra:rə
Kurarin kura'ri:n
Kuraschiki *jap.* ku'raʃiki
Kürass 'ky:ras
Kürassier kyra'si:ɐ̯
Kurat ku'ra:t
Kuratel kura'te:l
Kurati vgl. Kuratus
Kuratie kura'ti:, -n ...i:ən
kurativ kura'ti:f, -e ...i:və
Kurator ku'ra:to:ɐ̯, -en
    kura'to:rən
Kuratorium kura'to:riʊm,
    ...ien ...iən
Kuratus ku'ra:tʊs, ...ti ...ti
Kurbel 'kʊrbl̩
kurbeln 'kʊrbl̩n, kurble
    'kʊrblə
Kurbette kʊr'bɛtə
kurbettieren kʊrbɛ'ti:rən
Kürbis 'kʏrbɪs, -se ...ɪsə
Kurbski *russ.* 'kurpskij
Kurde 'kʊrdə
kurdisch 'kʊrdɪʃ
Kurdistan 'kʊrdɪsta[:]n,
    pers. kordes'ta:n
¹Kure (Angehöriger eines
    Stammes) 'ku:rə
²Kure *jap.* 'ku,re
Kurek *poln.* 'kurɛk
Kurella ku'rɛla
kuren 'ku:rən
küren 'ky:rən
Kürenberg 'ky:rənbɛrk, -er
    ...rgɐ
Kureten ku're:tn̩
Kürettage kyrɛ'ta:ʒə
Kürette ky'rɛtə
kürettieren kyrɛ'ti:rən
Kurfürst 'ku:ɐ̯fʏrst
Kurfürstendamm 'ku:ɐ̯-
    fʏrstn̩'dam
kurfürstlich 'ku:ɐ̯fʏrstlɪç
¹Kurgan (Grab) kʊr'ga:n
²Kurgan (Ort) *russ.* kur'gan
Kurhesse ku:ɐ̯'hɛsə, *auch:*
    '---
Kurhessen ku:ɐ̯'hɛsn̩, *auch:*
    '---
kurhessisch ku:ɐ̯'hɛsɪʃ,
    auch: '---
kurial ku'ria:l
Kurialien ku'ria:liən
Kurialismus kuria'lɪsmʊs
Kurialist kuria'lɪst
Kuriatstimme ku'ria:tʃtɪmə
Kurie 'ku:riə
Kurier ku'ri:ɐ̯

kurieren ku'ri:rən
Kurikka *finn.* 'kurikka
Kurilen ku'ri:lən
Kurion 'ku:riɔn
kurios ku'rio:s, -e ...o:zə
Kuriosität kuriozi'tɛ:t
Kuriosum ku'rio:zʊm, ...sa
    ...za
kurisch 'ku:rɪʃ
Kurköln ku:ɐ̯'kœln, *auch:*
    '--
Kurkuma 'kʊrkuma, ...men
    ...'ku:mən
Kurkumin kʊrku'mi:n
Kurl kʊrl
Kurland 'ku:ɐ̯lant
Kurlaub 'ku:ɐ̯laʊp, -e
    ...aʊbə
Kurmainz ku:ɐ̯'maints,
    auch: '--
Kurmark 'ku:ɐ̯mark
Kurmärker 'ku:ɐ̯mɛrkɐ
kurmärkisch 'ku:ɐ̯mɛrkɪʃ
Kürnberger 'kʏrnbɛrgɐ
Kurnool *engl.* kə'nu:l
Kuropatkin *russ.* kura'pat-
    kin
Kurort 'ku:ɐ̯lɔrt
Kuros 'ku:rɔs, ...roi ...rɔy
Kurosawa *jap.* ku'rosawa
Kuroschio *jap.* ku'roʃio
Kurotschkin *russ.* 'kurɛtʃ-
    kin
Kurpe 'kʊrpə
Kurpfalz ku:ɐ̯'pfalts, *auch:*
    '--
Kurpfälzer ku:ɐ̯'pfɛltsɐ,
    auch: '---
kurpfälzisch ku:ɐ̯'pfɛltsɪʃ,
    auch: '---
kurpfuschen 'ku:ɐ̯pfʊʃn̩
Kurpfuscherei ku:ɐ̯pfʊ-
    ʃə'rai
Kurpiński *poln.* kur'piĩ̝ski
Kurprinz 'ku:ɐ̯prɪnts
Kurre 'kʊrə
Kurrendaner kʊrɛn'da:nɐ
Kurrende kʊ'rɛndə
kurrent kʊ'rɛnt
kurrig 'kʊrɪç, -e ...ɪgə
Kurrikulum kʊ'ri:kulʊm,
    ...la ...la
Kurs kʊrs, -e 'kʊrzə
Kursachsen ku:ɐ̯'zaksn̩,
    auch: '---
Kursant kʊr'zant
Kürsch[ner] 'kʏrʃ[nɐ]
Kürschnerei kʏrʃnə'rai
kursieren kʊr'zi:rən
Kursist kʊr'zɪst

kursiv kʊr'zi:f, -e ...i:və
Kursive kʊr'zi:və
Kursk *russ.* kursk
kursorisch kʊr'zo:rɪʃ
Kürste 'kʏrstə
Kursus 'kʊrzʊs
Kurt *dt., schwed.* kʊrt
Kurtág *ung.* 'kurta:g
Kurtage kʊr'ta:ʒə
Kurth kʊrt, *fr.* kyrt
Kurtine kʊr'ti:nə
Kurtisan[e] kʊrti'za:n[ə]
Kurtrier ku:ɐ̯'tri:ɐ̯, *auch:* '--
kurtrierisch ku:ɐ̯'tri:rɪʃ,
    auch: '---
Kurtschatow *russ.* kur'tʃa-
    tɐf
Kurtschatovium kʊrtʃa'to:-
    viʊm
Kurtz kʊrts
kurulisch ku'ru:lɪʃ
Kuruş ku'rʊʃ
Kuruze ku'ru:tsə
Kurvatur kʊrva'tu:ɐ̯
Kurve 'kʊrvə, 'kʊrfə
kurven 'kʊrvn̩, 'kʊrfn̩,
    kurv! kʊrf, kurvt kʊrft
kurvig 'kʊrvɪç, 'kʊrfɪç, -e
    ...ɪgə
kurvilinear kʊrviline'a:ɐ̯
Kurvimeter kʊrvi'me:tɐ
Kurvimetrie kʊrvime'tri:
kurvimetrisch kʊrvi'me:trɪʃ
kurvisch 'kʊrvɪʃ
Kurwenal 'kʊrvənal
kurz kʊrts, kürzer 'kʏrtsɐ
Kurze 'kʊrtsə
Kürze 'kʏrtsə
Kürzel 'kʏrtsl̩
kürzen 'kʏrtsn̩
kurzerhand 'kʊrtsɐ'hant
kurzfristig 'kʊrtsfrɪstɪç, -e
    ...ɪgə
kurzgeschwänzt 'kʊrts-
    gəʃvɛntst
kurzhin 'kʊrts'hɪn
kurzlebig 'kʊrtsle:bɪç, -e
    ...ɪgə
kürzlich 'kʏrtslɪç
Kurzstreckler 'kʊrtsʃtrɛklɐ
kurzum kʊrts'lʊm, *auch:*
    '-'-
kurzweg kʊrts'vɛk, *auch:*
    '-'-
kurzweilig 'kʊrtsvailɪç, -e
    ...ɪgə
Kuşadası *türk.* 'kuʃada,sɪ
Kusbass *russ.* kuz'bas
kusch! kʊʃ
Kusch *dt., engl.* ku:ʃ

Kuschan ku'ʃa:n
Kusche 'kuʃə
Kuschel 'kuʃl
kusch[e]lig 'kuʃ[ə]lıç, -e
...ıgə
kuscheln 'kuʃln
kuschen 'kuʃn̩
Kuschiro jap. ku̯'ʃi.ro, 'ku.ʃiro
Kuschite ku'ʃi:tə
Kuschner russ. 'kuʃnır
Kuschwa russ. 'kuʃvɐ
Kusel 'ku:zl̩
küseln 'ky:zln, **küsle** 'ky:zlə
Kusenberg 'ku:znbɛrk
Kusine ku'zi:nə
Kuskokwim engl. 'kʌskəkwım
Kuskus 'kuskus
Kuskusu kus'ku:zu
Kusma russ. kuzj'ma
Kusmin russ. kuzj'min
Kusminitschna russ. kuzj'miniʃnɐ
Kusmitsch russ. kuzj'mitʃ
Küsnacht 'kysnaxt
Kusnezk russ. kuz'njɛtsk
Kusnezker kus'nɛtskɐ
Kusnezow russ. kuznı'tsɔf
Kuśniewicz poln. kuç'njɛvitʃ
Kusniza russ. 'kusnitsɐ
Kuss kus, **Küsse** 'kysə
Küsschen 'kysçən
Kussel 'kusl̩
küssen 'kysn̩
Kusser 'kusɐ
küsserig 'kysərıç, -e ...ıgə
Kussewizki russ. kusı'vitskij
Kußmaul 'kusmau̯l
Küssnacht 'kysnaxt
Kussoblüten 'kusobly:tn̩
küssrig 'kysrıç, -e ...ıgə
Kustanai russ. kusta'naj
Küste 'kystə
Küster 'kystɐ
Küsterei kystə'rai̯
Kusti 'ku:sti
Küstner 'kystnɐ
Kustode kus'to:də
Kustodia kus'to:di̯a, ...ien ...i̯ən
Kustodie kusto'di:, -n ...i:ən
Kustodijew russ. kus'tɔdiji̯f
Kustos 'kustɔs, **Kustoden** kus'to:dn̩
Küstrin kys'tri:n
Kut ku:t
Kütahya türk. ky'tahja

Kutaissi russ. kuta'isi
kutan ku'ta:n
Kutaraja indon. kuta'radʒa
Kutch engl. kʌtʃ
Kute 'ku:tə
Kutikula ku'ti:kula, ...lä ...lɛ
Kutin ku'ti:n
Kutis 'ku:tıs
Kutná Hora tschech. 'kutna: 'hɔra
Kutno poln. 'kutnɔ
Kutsche 'kutʃə
kutschen 'kutʃn̩
Kutscher 'kutʃɐ
kutschieren ku'tʃi:rən
Kutschma ukr. 'kutʃma
Kutt[a] 'kut[a]
Kutte 'kutə
Kuttel 'kutl̩
Kuttenberg 'kutn̩bɛrk
Kutter 'kutɐ
Kutusow russ. ku'tuzɐf
Kuusankoski finn. 'ku:saŋkɔski
Kuusinen finn. 'ku:sinɛn
Kuvasz 'kuvas
Küvelage kyvə'la:ʒə
küvelieren kyvə'li:rən
Kuvert ku've:ɐ̯, ...'ve:ɐ̯, auch: ...'vɛrt
kuvertieren kuvɐr'ti:rən
Kuvertüre kuvɐr'ty:rə
Küvette ky'vetə
kuvrieren ku'vri:rən
Kuwait ku'vai̯t, auch: 'ku:vai̯t
kuwaitisch ku'vai̯tıʃ, auch: 'ku:v...
Kuwana jap. 'ku.wana
Kuweit ku'vai̯t, auch: 'ku:vai̯t
Kux kuks
Kuxhaven kuks'ha:fn̩
Kuyper[s] niederl. 'kœi̯pər[s]
Kuzmany kuts'ma:ni
Kuzmány slowak. 'kuzma:ni
Kuznets engl. 'kuznıts
Kvaløy norw. 'kva:lœi̯
Kvapil tschech. 'kvapil
Kvaran isl. 'kva:ran
Kvarner serbokr. 'kvarnɛ:r
Kwa kva:
Kwajalein engl. 'kwa:dʒəlein
Kwakiutl engl. kwa:kı'u:tl̩
Kwandebele engl. kwa:ndə'bi:li:
Kwangju korean. kwaŋdʒu
Kwangsi 'kvaŋzi

Kwangtung 'kvaŋtuŋ
Kwara engl. 'kwa:rə
Kwaschnja russ. kvaʃ'nja
Kwaśniewski poln. kfaç'njɛfski
Kwass kvas
Kwa Zulu engl. kwa:'zu:lu:
Kweitschou 'kvai̯tʃau
Kwiatkowski kvi̯at'kɔfski, poln. kfjat'kɔfski
Kwidzyn poln. 'kfidzin
Kwinana engl. kwı'na:nə
Kwitka ukr. 'kvitka
Kyanisation kỹaniza'tsi̯o:n
kyanisieren kỹani'zi:rən
Ky fr. ki
-ky ki:
Kyathos 'ky:atɔs
Kyaxares kỹa'ksa:rɛs
Kybele 'ky:bele, ky'be:lə
Kyber 'ky:bɐ
Kybernetik kybɛr'ne:tık
Kybernetiker kybɛr'ne:tikɐ
kybernetisch kybɛr'ne:tıʃ
Kyburg 'ki:burk
Kyd engl. kıd
Kydippe ky'dıpə
Kydonia ky'do:ni̯a
Kyem kỹe:m
Kyematogenese kỹemato-ge'ne:zə
Kyematopathie kỹemato-pa'ti:, -n ...i:ən
Kyffhäuser 'kıfhɔyzɐ
Kyjov tschech. 'kijɔf
Kyklade ky'kla:də
Kykliker 'ky:klikɐ
Kykloide kyklo'i:də
Kyklon ky'klo:n
Kyklop ky'klo:p
Kyknos 'kyknɔs
Kyle engl. kail
Kylián tschech. 'kilija:n
Kylix 'ky:lıks
Kyll[burg] 'kıl[burk]
Kyllene kʏ'le:nə
Kylon 'ky:lɔn
Kyma 'ky:ma
Kymation ky'ma:tsi̯ɔn, ...ien ...i̯ən
Kyme 'ky:mə
Kymi[joki] finn. 'kymi[jɔki]
Kymogramm kymo'gram
Kymograph kymo'gra:f
Kymographie kymogra'fi:
kymographieren kymogra-'fi:rən
Kymographion kymo'gra:-fi̯ɔn, ...ien ...i̯ən
Kymoskop kymo'sko:p

Kymre 'kymrə
kymrisch, K... 'kymrɪʃ
Kynegetik kyne'ge:tɪk
kynegetisch kyne'ge:tɪʃ
Kynewulf 'ky:nəvʊlf,
'kyn..., engl. 'kınıwʊlf
Kyniker 'ky:nikɐ
kynisch 'ky:nıʃ
Kynismus ky'nısmʊs
Kynologe kyno'lo:gə
Kynologie kynolo'gi:
Kynorexia kynorɛ'ksi:a
Kynoskephalai kynɔs'ke:-
falai
Kyŏngju korean. kjɔŋdʒu
Kyot 'ky:o:t
Kyoto 'ki̯o:to
Kyphose ky'fo:zə
kyphotisch ky'fo:tıʃ
Kypris 'ky:prıs
kyprisch 'ky:prıʃ
Kypros 'ky:prɔs
Kypselos 'kypselɔs
Kyra 'ky:ra
Kyrenaika kyre'na:ika,
auch: kyre'naika
Kyrenaiker kyre'na:ikɐ,
auch: kyre'naikɐ
Kyrene ky're:nə
Kyrenia ky're:ni̯a
Kyriale ky'ri̯a:lə
Kyrie ky'ri̯ə
Kyrie eleison! 'ky:ri̯ə e'lai-
zɔn, ...ri̯e -, auch: - e'le:izɔn
Kyrieeleison ky:ri̯ele'lai̯zɔn,
auch: ...'le:izɔn
Kyrieleis! kyri̯e'lai̯s
Kyrill ky'rıl
kyrillisch ky'rılıʃ
Kyrilliza ky'rılitsa
Kyrillos ky'rılɔs
Kyrios 'ky:ri̯ɔs
Kyritz 'ky:rıts
Kyrklund schwed. ,çyrklʊnd
Kyros 'ky:rɔs
Kyser 'ki:zɐ
Kysyl russ. ki'zil
Kysylkum russ. kizil'kum
Kythera ky'te:ra
Kyu kju:
Kyzikener kytsi'ke:nɐ
Kyzikos 'ky:tsikɔs
KŽ[ler] ka: 'tsɛt[lɐ]

L

I, L dt., engl., fr. ɛl, it. 'ɛlle,
span. 'ele
λ, Λ 'lampda
la la:
Laa[ben] 'la:[bn̩]
Laacher See 'la:xɐ 'ze:
Laage 'la:gə
Lääni finn. 'læ:ni
Laas la:s, -er 'la:zɐ
Laasphe 'la:sfə
Laatokka finn. 'la:tɔkka
Laatzen 'la:tsn̩
Laâyoune fr. laa'jun
Lab la:p, -e 'la:bə
Labadie fr. laba'di
La Bamba la'bamba
Laban[d] 'la:ban[t]
Labarna la'barna
La Barre fr. la'ba:r
Labarum la:barʊm
Labat fr. la'ba
labb[e]rig 'lab[ə]rıç, -e ...ıgə
labbern 'labɐn, labbre
'labrə
Labdakos 'lapdakɔs
Labdanum 'lapdanʊm
¹Labe (Erquickung) 'la:bə
²Labe (Name) tschech. 'labɛ
Labé fr. la'be
Labédoyère fr. labedwa'jɛ:r
Label 'le:bl̩
laben 'la:bn̩, lab! la:p, labt
la:pt
Labenwolf 'la:bn̩vɔlf
Labeo 'la:beo
Laber 'la:bɐ
Laberdan labɐ'da:n
Laberius la'be:ri̯ʊs
labern 'la:bɐn, labre 'la:brə
Laberthonnière fr. labɛr-
tɔ'njɛ:r
labet la'be:t
Labia vgl. Labium
labial, L... la'bi̯a:l
Labialis la'bi̯a:lıs, ...les
...le:s
labialisieren labi̯ali'zi:rən
Labiate la'bi̯a:tə
Labiau 'la:bi̯au̯

Labiche fr. la'biʃ
Labien vgl. Labium
Labienus la'bi̯e:nʊs
labil la'bi:l
labilisieren labili'zi:rən
Labilität labili'tɛ:t
Labin serbokr. .labin
Labinsk russ. la'binsk
labioapikal labi̯olapi'ka:l
labiodental, L... labi̯odɛn-
'ta:l
Labiodentalis labi̯odɛn'ta:-
lıs, ...les ...le:s
labiovelar, L... labi̯ove'la:ɐ
Labium 'la:bi̯ʊm, Labien
'la:bi̯ən, Labia 'la:bi̯a
Labkraut 'la:pkraut
Labná span. la'βna
Laboe la'bø:
Laboer la'bø:ɐ
La Boétie fr. labɔe'si
Labor la'bo:ɐ
Laborant labo'rant
Laboratorium labora'to:-
ri̯ʊm, ...ien ...i̯ən
Laborde fr. la'bɔrd
laborieren labo'ri:rən
laboriös labo'ri̯ø:s, -e ...ø:zə
Laborit fr. labɔ'ri
La Bostella labɔs'tɛla
Labour Party 'le:bɐ 'pa:ɐti
Labrador labra'do:ɐ, engl.
'læbrədɔ:, fr. labra'dɔ:r,
span. laβra'ðɔr
Labradorit labrado'ri:t
La Brea engl. la:'bri:ə
Labriola it. labri'ɔ:la
La Brosse fr. la'brɔs
Labrouste fr. la'brust
Labrum 'la:brʊm, ...bra
...bra
Labrunie fr. labry'ni
La Bruyère fr. labry'jɛ:r
Labsal 'la:pza:l
labsalben 'la:pzalbn̩
Labskaus 'lapskau̯s
Labuan indon. la'buan, engl.
lə'bu:ən
Laburnum la'bʊrnʊm
Labyrinth laby'rınt
Labyrinthitis labyrın'ti:tıs,
...thitiden ...ti'ti:dn̩
Labyrinthodon laby'rın-
todɔn, -ten ...'dɔntn̩
Laca 'latsa
La Caille fr. la'ka:j
La Calprenède fr. lakalprə-
'nɛd
Lacan fr. la'kã

La Canada-Flintridge *engl.*
lɑːkən'jɑːdə'flɪntrɪdʒ
Lacandón *span.* lakan'dɔn
Lacasse *fr.* la'kas
Lacaze-Duthiers *fr.* lakɑz-
dy'tje
Laccadive *engl.* 'lækədɪv
Laccase la'ka:zə
Lacerda *port.* lɐ'sɛrdɐ, *bras.*
la'sɛrda
Lacerna la'tsɛrna
Lacerta la'tsɛrta
Laces *it.* 'laːtʃes
Lacetband la'se:bant
Lacey *engl.* 'leɪsɪ
Lachaise *fr.* la'ʃɛːz, *engl.*
læ'ʃɛz
La Chaise, La Chaize *fr.*
la'ʃɛːz
La Chalotais *fr.* laʃalɔ'tɛ
Lachat *fr.* la'ʃa
La Chaussée *fr.* laʃo'se
La Chaux-de-Fonds *fr.*
laʃod'fõ
¹Lache (Gelächter) 'laxə
²Lache (Pfütze) 'laxə, *auch:*
'laːxə
Lachelier *fr.* laʃə'lje
lächeln 'lɛçln̩
lachen, L... 'laxn̩
lächerlich 'lɛçɐlɪç
lächern 'lɛçɐn
Laches 'laxɛs
Lachesis 'laxezɪs
Lachine *fr.* la'ʃin
Lachisch 'laxɪʃ
Lachlan *engl.* 'læklən
Lachmann 'laxman
Lachmide lax'miːdə
Lachner 'laxnɐ
Lachnit 'laxnɪt
Lachs laks
Lächschen 'lɛksçən
Lachte 'laxtə
Lachter 'laxtɐ
Lachute *fr.* la'ʃyt
lacieren la'siːrən
Lacina 'laːtsina
Lacinium la'tsiːniʊm
¹Lacis la'siː, *des* - la'siː:[s],
die - la'siː:s
²Lacis (Autor) *lett.* 'laːtsɪs
Lack lak
Lackawanna *engl.* lækə-
'wɔnə
Läcke 'lakə
Lackel 'lakl̩
lacken 'lakn̩
lackieren la'kiːrən
Lackiererei laki:rə'raɪ

Lackland *engl.* 'læklænd
Lackmus 'lakmʊs
Lac Léman *fr.* lakle'mã
Laclos *fr.* la'klo
Lacombe *fr.* la'kõːb
La Condamine *fr.* lakõda-
'min
Laconia *engl.* lə'koʊnɪə
Lacordaire *fr.* lakɔr'dɛːr
La Coruña *span.* lako'ruɲa
Lacoste *fr.* la'kɔst
la Cour *dän.* la'kuːɐ̯
Lacq *fr.* lak
Lacretelle *fr.* lakrə'tɛl
Lacrimae Christi 'la:krimɛ
'krɪsti
lacrimalis lakri'maːlɪs
Lacrimosa lakri'moːza
lacrimoso lakri'moːzo
Lacroix *fr.* la'krwa
La Crosse *engl.* lə'krɔs
Lacrosse la'krɔs
Lactam lak'taːm
Lactantius lak'tantsiʊs
Lactanz lak'tants
Lactat lak'taːt
Lacus 'laːkʊs
Lacy 'lasi, la:si, *engl.* 'leɪsɪ
Ladakh *engl.* lə'daːk
Ladanum 'laːdanʊm
Ladar 'laːdar
Lädchen 'lɛːtçən
Ladd *engl.* læd
Lade 'laːdə
Ladefoged *engl.* 'læːdɪfoʊɡɪd
Ladek Zdrój *poln.* 'lɔndɛk
'zdruj
laden 'laːdn̩, **lad!** laːt
Laden 'laːdn̩, **Läden** 'lɛːdn̩
Ladenburg 'laːdn̩bʊrk
Ladenthin ladn̩'tiːn
Ladewig 'laːdəvɪç
Ladhakijja lada'kiːja
lädieren lɛ'diːrən
Ladik 'laːdɪk
Ladin[er] la'diːn[ɐ]
Ladino la'diːno
Ladis[laus] 'laːdɪs[laʊs]
Ladner 'laːdnɐ
Ladoga 'laːdoga, *russ.*
'ladɐɡɐ
Ladon 'laːdɔn
Ladoschskoje Osero *russ.*
'ladɐʃskɐjɐ 'ozɪrɐ
Ladronen la'droːnən
lädt lɛːt
Ladvenu *fr.* ladvə'ny
Lady 'leːdi
Ladyboy 'leːdibɔy
Ladykiller 'leːdikɪlɐ

ladylike 'leːdilaɪk
Ladyshave 'leːdiʃeːf
Ladysmith *engl.* 'leɪdɪsmɪθ
Lae *engl.* 'laːeɪ
Laeken *niederl.* 'laːkə
Laelius 'lɛːliʊs
Laemmle 'lɛmlə, *engl.* 'lɛmlɪ
Laennec *fr.* lae'nɛk
Laer laːɐ̯, *niederl.* laːr
Laermans *niederl.* 'laːrmɑns
Laerte *it.* la'ɛrte
Laertes la'ɛrtɛs
Laertios la'ɛrtiɔs
Laertius la'ɛrtsiʊs
Laesio enormis 'lɛːzio
e'nɔrmɪs
Laete 'lɛːtə
Laeuger 'lɔyɡɐ
Laevius 'lɛːviʊs
Laey *niederl.* la'i̯
Lafage *fr.* la'faːʒ
La Farge *engl.* lə'faːʒ
Lafargue *fr.* la'farɡ
Lafayette, La F... *fr.* lafa'jɛt,
engl. laːfeɪ'ɛt, læfɪ'ɛt
Lafcadio *engl.* læf'kaːdioʊ
Lafette la'fɛtə
lafettieren lafɛ'tiːrən
Lafeu *fr.* la'fø
La Feuillade *fr.* lafœ'jad
Laffe 'lafə
Laffit[t]e *fr.* la'fit
La Fleur *fr.* la'flœːr
La Follette *engl.* lə'fɔlɪt
Lafontaine, La Fontaine *fr.*
lafõ'tɛn
Lafontaine (Oskar) 'lafɔn-
tɛn
La Force *fr.* la'fɔrs
Laforet *span.* lafo'rɛt
Laforgue *fr.* la'fɔrɡ
Lafosse, La Fosse *fr.* la'foːs
Lafourcade *span.* lafur'kaðe
Lafrensen *schwed.* 'lafrən-
sən
La Fresnaye *fr.* lafrɛ'nɛ
lag laːk
Lag lɛk
Lagan 'lɛɡn̩
Lagarde *fr.* la'gard
Lagasch 'laːgaʃ
Lage 'laːɡə
läge 'lɛːɡə
Lägel 'lɛːɡl̩
lagen 'laːɡn̩
Lagen *norw.* 'loːɡən
Lagens *port.* 'laʒẽɪ̯ʃ
Lager 'laːɡɐ, **Läger** 'lɛːɡɐ
Lagercrantz *schwed.* ˌlaːɡɐr-
krans

Lagerist laːgəˈrɪst
Lagerkvist *schwed.* ˌlaːgərkvist
Lagerlöf *schwed.* ˌlaːgərløːv
lagern ˈlaːgɐn, lagre ˈlaːgrɐ
Lägern ˈlɛːgɐn
Lagg lak
Lagger ˈlagɐ
Laghouat *fr.* laˈgwat
Lagide laˈgiːdə
Lago *it.* ˈlaːgo
Lagoa *bras.* laˈgoa, *port.* lɐˈɣoɐ
Lagoa Santa *bras.* laˈgoa ˈsɐnta
Lago Maggiore *it.* ˈlaːgo madˈdʒoːre
Lagophthalmus lagɔfˈtalmʊs
Lagos ˈlaːgɔs, *engl.* ˈleɪgɔs, *port.* ˈlaɣuʃ
Lagozza *it.* laˈgɔttsa
La Grande *engl.* ləˈgrænd
La Grange *fr.* laˈgrãːʒ, *engl.* ləˈgreɪndʒ
Lagrange *fr.* laˈgrãːʒ
Lagrangia *it.* laˈgrandʒa
lagrimando lagriˈmando
lagrimoso lagriˈmoːzo
lagt laːkt
lägt lɛːkt
Lagting ˈlaːktɪŋ
La Guaira *span.* laˈɣuaira
La Guardia *dt., it.* laˈguardia, *engl.* ləˈgwaːdɪə, *span.* laˈɣuarðia
Laguerre *fr.* laˈgɛːr
La Guma *engl.* laːˈguːmaː
Laguna *span.* laˈɣuna, *bras.* laˈguna, *engl.* ləˈguːnə
Lagune laˈguːnə
Lagunilla[s] *span.* laɣuˈniˈʎa[s]
La Habra *engl.* ləˈhɑːbrə
Lahar ˈlaːhar
La Harpe *fr.* laˈarp
Lahidsch ˈlahɪtʃ
La Hire *fr.* laˈiːr
lahm laːm
Lahm laːm, *engl.* lɑːm
Lähme ˈlɛːmə
lahmen ˈlaːmən
lähmen ˈlɛːmən
Lahn laːn
Lahneck ˈlaːn|ɛk
lahnen ˈlaːnən
Lahnstein ˈlaːnʃtaɪn
Lahnung ˈlaːnʊŋ
La Hogue *fr.* laˈɔg
Lahor *fr.* laˈɔːr

Lahore laˈhoːɐ̯, *engl.* ləˈhɔː
Lahr laːɐ̯
Lahti *finn.* ˈlɑhti
Lahu ˈlaːhu
Lai lɛː
Laib laip, -e ˈlaibə
Laibach ˈlaibax
Laibung ˈlaibʊŋ
Laich laiç
laichen ˈlaiçn̩
Laichingen ˈlaiçɪŋən
Laie ˈlaiə
Laika ˈlaika
laikal laiˈkaːl
Laila ˈlaila
Laim laim
Laina ˈlɛːna
Lainberger ˈlainbɛrgɐ
Lainé *fr.* lɛˈne
Laineck ˈlainɛk
Lainette lɛˈnɛt
Laínez *span.* laˈineθ
Laing *engl.* læŋ, leɪŋ
Laios ˈlaːjɔs, ˈlaiɔs
Lairesse *fr.* lɛˈrɛs
Lais ˈlaːɪs
laisieren laiˈziːrən
Laisse, -s lɛːs
Laisser-aller, ...sez-... lɛselaˈleː
Laisser-faire, ...sez-... lɛseˈfɛːɐ̯
Laisser-passer, ...sez-... lɛsepaˈseː
Laizismus laiˈtsɪsmʊs
Laizist laiˈtsɪst
Lajes *bras.* ˈlaʒis, *port.* ˈlaʒɪʃ
Lajos *ung.* ˈlɔjoʃ
Lajoue *fr.* laˈʒu
Lajt[h]a *ung.* ˈlɔjtɔ
Lakagígar *isl.* ˈlaːkagjiˈɣar
Lakai laˈkai
¹Lake (Brühe) ˈlaːkə
²Lake (Name) *engl.* leɪk
Lakedämon lakeˈdɛːmɔn
Lakedämonier lakedɛˈmoː-niɐ̯
lakedämonisch lakedɛˈmoː-nɪʃ
Lake District *engl.* ˈleɪk ˈdɪstrɪkt
Lakediven lakeˈdiːvn̩
Lakefield *engl.* ˈleɪkfiːld
Lake Havasu City *engl.* ˈleɪk ˈhævəsuː ˈsɪtɪ
Lakehurst *engl.* ˈleɪkhəːst
Lakeland *engl.* ˈleɪklænd
¹Laken (Tuch; Volksstamm) ˈlaːkn̩
²Laken *niederl.* ˈlaːkə

Lake of the Woods *engl.* ˈleɪk əv ðə ˈwʊdz
Lake Placid *engl.* ˈleɪk ˈplæsɪd
Lakeside *engl.* ˈleɪksaɪd
Lake Success *engl.* ˈleɪk səkˈsɛs
Lakeville *engl.* ˈleɪkvɪl
Lakewood *engl.* ˈleɪkwʊd
lakisch ˈlaːkɪʃ
Lakkadiven laka'diːvn̩
Lakkase laˈkaːzə
Lakkolith lakoˈliːt
Lakme ˈlakme
Lakmé *fr.* lakˈme
Lakoda laˈkoːda
Lakonien laˈkoːniən
Lakonik laˈkoːnɪk
lakonisch laˈkoːnɪʃ
Lakonismus lakoˈnɪsmʊs
Lakritz[e] laˈkrɪts[ə]
Lakschmi ˈlakʃmi
Laksefjord *norw.* ˌlaksəfjuːr
Lakselv *norw.* ˌlaksɛlv
Laksevåg *norw.* ˌlaksəvoːg
Lakshadweep *engl.* lækˈʃəˈdwiːp
Laktacidämie laktatsi-dɛˈmiː, -n ...iːən
Laktagogum laktaˈgoːgʊm, ...ga ...ga
Laktalbumin laktalbuˈmiːn
Laktam lakˈtaːm
Laktase lakˈtaːzə
Laktat lakˈtaːt
Laktation laktaˈtsi̯oːn
Laktazidämie laktatsi-dɛˈmiː, -n ...iːən
laktieren lakˈtiːrən
Laktizinien laktiˈtsiːni̯ən
Laktodensimeter laktodɛn-ziˈmeːtɐ
Laktoflavin laktoflaˈviːn
Laktoglobulin laktoglobu-ˈliːn
Laktometer laktoˈmeːtɐ
Laktose lakˈtoːzə
Laktoskop laktoˈskoːp
Laktosurie laktozuˈriː, -n ...iːən
laktotrop laktoˈtroːp
Lakuna laˈkuːna, ...nae ...nɛ
lakunär lakuˈnɛːɐ̯
Lakune laˈkuːnə
lakustrisch laˈkʊstrɪʃ
lala ˈlaˈla
Lalage ˈlaːlage
Lalaing *fr.* laˈlɛ̃
Lalande, La Lande *fr.* laˈlãːd

Lalanne *fr.* la'lan
Lale 'la:lə
Lalem la'le:m
Lalenbuch 'la:lənbu:x
Laletik la'le:tɪk
Lalibäla *amh.* lalibɛla
Lalić *serbokr.* 'lalitɕ
La Línea *span.* la'linea
Lalique *fr.* la'lik
Lalitpur *engl.* lə'lɪtpʊə
Lälius 'lɛ:li̯ʊs
Lalla Rookh *engl.* 'læla 'rʊk
L'Allemand *fr.* lal'mã
lallen 'lalən
Lalling 'lalɪŋ
Lally-Tolendal *fr.* lalitɔlā-
'dal
Lalo *fr.* la'lo
Lalopathie lalopa'ti:
Lalophobie lalofo'bi:
Lalouvère *fr.* lalu'vɛ:r
La Louvière *fr.* lalu'vjɛ:r
Lam *poln., span.* lam
Lama (Tier; Priester) 'la:ma
Lamachos 'la:maxɔs
La Maire *fr.* la'mɛ:r
Lamaismus lama'ɪsmʊs
Lamaist lama'ɪst
La Manche *fr.* la'mã:ʃ
Lamäng la'mɛŋ
Lamantin laman'ti:n
Lamar *engl.* lə'ma:, *bulgar.*
lɐ'mar
La Marche *fr.* la'marʃ
La Marck *dt., fr.* la'mark
Lamarck *fr.* la'mark
Lamarckismus lamar'kɪs-
mʊs
lamarckistisch lamar'kɪstɪʃ
La Marmora *it.* la'marmora
Lamarque *fr.* la'mark, *engl.*
lə'ma:k
Lamartine *fr.* lamar'tin
Lamas *span.* 'lamas
Lamb lamp, *engl.* læm
Lambach 'lambax
Lambada lam'ba:da
Lambaesis lam'bɛ:zɪs
Lambarene lamba're:nə
Lambaréné *fr.* lābare'ne
Lambayeque *span.* lamba-
'jeke
Lambda 'lampda
Lambdazismus lampda-
'tsɪsmʊs
Lambeaux *fr.* lã'bo
Lambersart *fr.* lābɛr'sa:r
Lambert 'lambɛrt, *engl.*
'læmbət, *fr.* lã'bɛ:r, *niederl.*
'lambərt

Lamberta lam'bɛrta
Lamberti *it.* lam'bɛrti
Lambertini *it.* lamber'ti:ni
Lambertuccio *it.* lamber-
'tuttʃo
Lambesc *fr.* lã'bɛsk
Lambeth *engl.* 'læmbəθ
Lambin *fr.* lã'bẽ, *russ.* lam-
'bin
Lambinus lam'bi:nʊs
Lambitus 'lambitʊs
Lambliasis lam'bli:azɪs
Lamblie 'lambliə
Lambliose lambli'o:zə
Lambrecht 'lambrɛçt
Lambrequin lābrə'kɛ̃:
Lambretta® lam'brɛta
Lambrie lam'bri:, -n ...i:ən
Lambris lã'bri:, **des -**
...ri:[s], **die -** ...ri:s
Lambros *neugr.* 'lambrɔs
Lambruschini *it.* lambrus-
'ki:ni
Lambrusco lam'brʊsko
Lambsdorff 'lampsdɔrf
Lambskin 'lɛmskɪn
Lambswool 'lɛm[p]svʊl
Lambton *engl.* 'læmtən
Lamdan *hebr.* lam'dan
lamé, L... la'me:
Lamech 'la:mɛç
lamee, L... la'me:
Lamego, Lamêgo *port.*
lɐ'meyu
La Meilleraye *fr.* lamɛj'rɛ
lamellar lamɛ'la:ɐ̯
Lamelle la'mɛlə
Lamellibranchiata lamɛli-
bran'çi̯a:ta
lamellieren lamɛ'li:rən
lamellös lamɛ'lø:s, -e ...ø:zə
Lamennais, La M... *fr.*
lam'nɛ
lamentabel lamɛn'ta:bl̩,
...ble ...blə
lamentabile lamɛn'ta:bile
Lamentation lamɛnta'tsi̯o:n
lamentieren lamɛn'ti:rən
Lamentin *fr.* lamã'tẽ
Lamento la'mɛnto
lamentoso lamɛn'to:zo
La Mesa *engl.* lɑ:'meɪsə
Lamesa *engl.* lə'mi:sə
Lameth *fr.* la'mɛt
Lametta la'mɛta
Lamettrie, La Mettrie *fr.*
lamɛ'tri
Lamey 'la:maɪ
Lami *fr.* la'mi

¹Lamia (Gespenst) 'la:mi̯a,
...ien ...i̯ən
²Lamia (Ort) *neugr.* la'mia
Lamina 'la:mina, ...nae ...nɛ
laminal lami'na:l
laminar lami'na:ɐ̯
Laminaria lami'na:ri̯a, ...ien
...i̯ən
Laminat lami'na:t
Laminektomie laminɛk-
to'mi:
laminieren lami'ni:rən
La Mirada *engl.* lɑ:mɪ'rɑ:də
Lamium 'la:mi̯ʊm
¹Lamm lam, **Lämmer** 'lɛmɐ
²Lamm (Name) *schwed.* lam
Lammasch 'lamaʃ
Lämmchen 'lɛmçən
lämmen 'lamən
Lämmer 'lamɐ
Lämmergeier 'lɛmɐɡaɪɐ̯
Lammermoor *engl.* 'læmə-
mʊə, --'-
Lammermuir *engl.* 'læmə-
mjʊə
Lämmerne 'lɛmɐnə
Lämmers 'lamɐs
lämmfromm 'lam'frɔm
Lamming *engl.* 'læmɪŋ
Lamon 'la:mɔn, *engl.*
'læmən
Lamond *engl.* 'læmənd
Lamont 'la:mɔnt, *engl.*
lə'mɔnt, *fr.* la'mõ
Lamoral lamo'ral
Lamoricière *fr.* lamori'sjɛ:r
Lamorisse *fr.* lamo'ris
Lamormain *fr.* lamɔr'mẽ
Lämostenose lɛmoste-
'no:zə
La Motte-Fouqué lamɔt-
fu'ke:
Lamotte-Houdar *fr.* lamɔ-
tu'da:r
Lamoureux *fr.* lamu'rø
Lampadarius lampa'da:-
ri̯ʊs, ...ien ...i̯ən, ...rii ...ii
Lampaden lam'pa:dn̩
Lampadius lam'pa:di̯ʊs
Lampang *Thai* lam'pa:ŋ 14
Lampas[sen] lam'pas[n̩]
Lämpchen 'lɛmpçən
Lampe 'lampə
Lampedusa *it.* lampe'du:za
Lampel 'lampl̩
Lamperie lampə'ri:, -n
...i:ən
Lampert 'lampɛrt
Lampertheim 'lampɛrthaɪm

Lamphun *Thai* lam'phu:n 11

Lampi 'lampi

Lampion lam'pi̯õ:, ...'pi̯ɔŋ, *auch:* 'lampi̯õ, ...i̯ɔŋ

Lamplmühle lampl'my:lə

Lampman *engl.* 'læmpmən

Lampo *niederl.* 'lɑmpo

Lamprecht 'lampreçt

Lamprete lam'pre:tə

Lampridius lam'pri:di̯ʊs

Lamprophyr lampro'fy:ɐ̯

Lampsakos 'lampsakɔs

Lampung *indon.* 'lampʊŋ

Lamsdorf 'lamsdɔrf, *russ.* 'lamzdɐrf

Lamute la'mu:tə

Lamy *fr.* la'mi

LAN (Inform.) lɛn

Län lɛ:n

Lana *it.* 'la:na, *engl.* 'lænə, 'la:nə

Lanai *engl.* lɑ:'nɑ:i:, lə'naɪ

Lanameter lana'me:tɐ

Lanao *span.* la'nao

Lanark *engl.* 'lænək, -shire -ʃɪə

Lanc (östr. Politiker) lants

Lançade lã'sa:də

Lancashire *engl.* 'læŋkəʃɪə

Lancaster, - Sound *engl.* 'læŋkəstə, - 'saʊnd

Lance *engl.* lɑ:ns

Lancé lã'se:

Lancelot 'lantsəlɔt, *fr.* lã'slo

Lancelot du Lac *fr.* lãslody-'lak

Lancia *it.* 'lantʃa

Lanciani *it.* lan'tʃa:ni

Lanciano *it.* lan'tʃa:no

Lancier lã'si̯e:

lancieren lã'si:rən

Lancret *fr.* lã'krɛ

Lancy *fr.* lã'si, *engl.* 'lɑ:nsɪ

¹Land lant, **Landes** 'landəs, **Länder** 'lɛndɐ

²Land (Name) *engl.* lænd

landab lant'|ap

Landart 'lɛnt|a:ɐ̯t

Landau 'landaʊ, *engl.* 'lændɔ:, *russ.* lan'dau

Landauer 'landaʊɐ

landauf lant'|aʊf

Landaulett lando'lɛt

landaus lant'|aʊs

Ländchen 'lɛntçən

Lände 'lɛndə

Landé *fr.* lã'de

Landeck 'landɛk

landein[wärts] lant'|aɪn-[vɛrts]

Landelle lã'dɛl

landen 'landn̩, **länd!** lant

Landen *engl.* 'lændən

länden 'lɛndn̩, **länd!** lɛnt

Länder vgl. Land

Ländereien lɛndə'raɪən

Landersdorfer 'landɐsdɔrfɐ

Landes *fr.* lã:d

Landeshut 'landəshu:t

Landeskrone 'landəskro:nə

Landesmann 'landəsman

Landfried 'lantfri:t

Landgraf 'lantgra:f

Landgrebe 'lantgre:bə

Landi *it.* 'landi

Landini *it.* lan'di:ni

Landino *it.* lan'di:no

Landis 'landɪs, *engl.* 'lændɪs

Landler *ung.* 'lɔndlɛr

Ländler 'lɛntlɐ

ländlich 'lɛntlɪç

Landmann 'lantman

Landnáma *isl.* 'landnaʊma

Lando 'lando

Landois *fr.* lã'dwa

Landolf 'landɔlf

Landolfi *it.* lan'dɔlfi

Landolin 'landoli:n

Landolt 'landɔlt

Landor *engl.* 'lændɔ:

Landovský *tschech.* 'landɔfski:

Landowska *poln.* lan'dɔfska

Landré *niederl.* lɑn'dre:

Landrover® 'lɛntro:vɐ

Landru *fr.* lã'dry

Landry *fr.* lã'dri

Landsberg 'lantsbɛrk

Landsberger 'lantsbɛrgɐ

Landsbergis *lit.* 'la:ndzbær-gɪs

Landschaft 'lantʃaft

Landseer *engl.* 'lænsɪə

Land's End *engl.* 'lændz 'ɛnd

Landser 'lantsɐ

Landshut 'lantshu:t

Landskrona *schwed.* lans-,kru:na

Landsmål 'lantsmo:l

Landstad *norw.* 'lansta

Landsteiner 'lantʃtaɪnɐ, *engl.* 'lændstaɪnə

Landsting 'lantstɪŋ

Landstörzer 'lantʃtœrtsɐ

Landstraße 'lantʃtra:sə

Landstuhl 'lantʃtu:l

Landuin 'landui:n

Landulf 'landʊlf

Landus 'landʊs

landwärts 'lantvɛrts

Lane *engl.* leɪn

Lanerossi *it.* lane'rossi

Lanester *fr.* lanɛs'tɛ:r

Lanfranc *engl.* 'lænfræŋk

Lanfranco *it.* lan'fraŋko

lang laŋ, **länger** 'lɛŋɐ

Lang laŋ, *engl.* læŋ, *fr.* lã:g

Langage lã'ga:ʒə, lã'ga:ʃ

Langbehn 'laŋbe:n

Langbein 'laŋbaɪn

Langbeinit laŋbaɪ'ni:t

Langdon *engl.* 'læŋdən

lange 'laŋə

Lange *dt., norw., dän.* 'laŋə, *engl.* 'lɔŋɪ, 'læŋɪ, læŋ, lændʒ; *niederl.* 'laŋə

Länge 'lɛŋə

Langeland *dän.* 'laŋəlæn'

längelang 'lɛŋəlaŋ

Langelsheim 'laŋlshaɪm

Langemark *niederl.* 'laŋə-mark

langen, L... 'laŋən

längen 'lɛŋən

Langenau 'laŋənaʊ

Langenbeck 'laŋənbɛk

Langenberg 'laŋənbɛrk

Langenbielau laŋən'bi:laʊ

Langenburg 'laŋənbʊrk

Langendijk *niederl.* 'laŋən-dɛi̯k

Langendonck *niederl.* 'laŋəndɔŋk

Langeneß laŋə'ne:s

Langenfeld 'laŋənfɛlt

Langenhagen laŋən'ha:gn̩

Langenhoven *afr.* 'laŋən-ho:fən

Langenlois 'laŋənlɔɪs

Langensalza laŋən'zaltsa

Langenscheidt 'laŋənʃaɪt

Langenschwalbach laŋən'ʃvalbax

Langensee 'laŋənze:

Langenstein 'laŋənʃtaɪn

Langenthal 'laŋəntaːl

Langenzenn laŋən'tsɛn

Langeoog laŋə'|o:k, -er ...o:gɐ

Langer 'laŋɐ, *tschech.* 'laŋgɐr, *engl.* 'læŋə

länger vgl. lang

Langerhans 'laŋɐhans

Langette laŋ'gɛtə

langettieren laŋgɛ'ti:rən

Langevin *fr.* lãʒ'vɛ̃

Langeweile ˈlaŋəvailə,
  auch: —ʾ——
Langewiesche ˈlaŋəviːʃə
Langewiesen laŋəˈviːzn̩
Langezeit laŋəˈtsait
Langfinger ˈlaŋfɪŋɐ
Langgässer ˈlaŋgɛsɐ
langgehen ˈlaŋgeːən
Langhans ˈlaŋhans
langher ˈlaŋˈheːɐ̯
langhin ˈlaŋˈhɪn
Langhoff ˈlaŋhɔf
Langjökull isl. ˈlauŋgjœ:-
  kʏdl
Langkawi indon. laŋˈkawi
Langko ˈlaŋko
Langkofel ˈlaŋkoːfl̩
Langland engl. ˈlæŋlənd
Langley engl. ˈlæŋlɪ
länglich ˈlɛŋlɪç
Langlois fr. lãˈglwa
Langmuir engl. ˈlæŋmjʊə
Langnau ˈlaŋnau
Langner ˈlaŋnɐ
Langobarde laŋoˈbardə
langobardisch laŋoˈbardɪʃ
Langon fr. lãˈgõ
Langøy norw. ˈlaŋœi
Langreo span. laŋˈgreo
Langres fr. lãːgr
längs lɛŋs
langsam ˈlaŋzaːm
längsdeck[s] ˈlɛŋsdɛk[s]
Lang So'n vietn. laŋ sən 61
längsschiffs ˈlɛŋsʃɪfs
längsseit ˈlɛŋszait
längsseits ˈlɛŋszaits
längst[ens] ˈlɛŋst[n̩s]
Langston engl. ˈlæŋstən
Langstreckler ˈlaŋʃtrɛklɐ
Langton engl. ˈlæŋtən
Langtree, ...try engl. ˈlæŋtrɪ
Langue ˈlãːgə, lãːk
Languedoc fr. lãgˈdɔk
Langue d'oïl fr. lãgˈdɔjl
languendo laŋˈguɛndo
languente laŋˈguɛntə
Languet fr. lãˈgɛ
Languettes lãˈgɛt
Languidic fr. lãgiˈdik
languido ˈlaŋguido
Languste laŋˈgustə
Langweile ˈlaŋvailə
langweilen ˈlaŋvailən
langweilig ˈlaŋvailɪç, -e
  ...ɪgə
langwierig ˈlaŋviːrɪç, -e
  ...ɪgə
Laniel fr. laˈnjɛl
Lanier engl. ləˈnɪə

Lanikai engl. ˈlɑːnɪˈkai
Lanín span. laˈnin
Lanital... laniˈtaːl...
Lanjuinais fr. lãʒɥiˈnɛ
Lankester engl. ˈlæŋkɪstə
Lanman engl. ˈlænmən
Lannemezan fr. lanməˈzã
Lanner ˈlanɐ
Lannes fr. lan
Lannilis fr. laniˈlis
Lannion fr. laˈnjõ
Lanolin lanoˈliːn
Lanometer lanoˈmeːtɐ
Lanon® laˈnoːn
La Noue, Lanoux fr. laˈnu
Lanrezac fr. lãrˈzak
Lansdale engl. ˈlænzdeil
Lansdowne engl. ˈlænzdaun
Lansere russ. lɛnsɛˈrɛ
Lansing engl. ˈlænsɪŋ
Länsipohja finn. ˈlænsi-
  pəhja
Lanskoy fr. lãsˈkɔj
Lanson fr. lãˈsõ
Lantana lanˈtaːna
Lanthan lanˈtaːn
Lanthanid lantaˈniːt, -e
  ...iːdə
Lanthanit lantaˈniːt
Lanthanoid lantanoˈiːt, -e
  ...iːdə
Lantschou ˈlantʃau
Lantwin ˈlantviːn
Lanugo laˈnuːgo, ...gines
  ...gineːs
Lanús span. laˈnus
Lanz lants
Lanza it. ˈlantsa
Lanzarote span. lanθaˈrote
Länzchen ˈlɛntsçən
Länze[lot] ˈlantsə[lɔt]
Lanzett... lanˈtsɛt...
Lanzette lanˈtsɛtə
Lanzhou chin. landʒou 21
Lanzi it. ˈlantsi
lanzinieren lantsiˈniːrən
Lao ˈlaːo
Lao Cai vietn. lau kai 11
Laodicea laodiˈtseːa
Laodicener laodiˈtseːnɐ
Laois, Laoighis engl. ˈleiʃ
Laokoon laˈoːkoːn
La Ola laˈloːla
Laomedon laˈoːmedɔn
Laon fr. lã
Laonnois fr. laˈnwa
Laos ˈlaːɔs
Lao She chin. lauʃʌ 34
Laote laˈoːtə
laotisch laˈoːtɪʃ

Laotse laˈoːtsə, ˈlautsə
Lao Zi chin. laudzɨ 33
Lapak ˈlapak
La Palice, Lapalisse fr.
  lapaˈlis
La Palma engl. ləˈpɑːlmə
Laparoskop laparoˈsko:p
Laparoskopie laparo-
  skoˈpiː, -n ...iːən
Laparotomie laparotoˈmiː,
  -n ...iːən
Laparozele laparoˈtseːlə
La Pasionaria span. la
  pasjoˈnarja
La Paz laˈpas, laˈpaːs, span.
  laˈpaθ, engl. ləˈpɑːs
La Pérouse fr. lapeˈruːz
Laperrine fr. lapeˈrin
La Peyrère fr. lapeˈrɛːr
Lapicque fr. laˈpik
lapidar lapiˈdaːɐ̯
Lapidär lapiˈdɛːɐ̯
Lapidarium lapiˈdaːrium,
  ...ien ...iən
Lapides vgl. Lapis
Lapidoth-Swarth niederl.
  ˈlaːpidɔtˈswart
Lapilli laˈpɪli
Lapine laˈpiːnə
Lapis ˈlaːpɪs, ...ides ...ideːs
Lapislazuli lapɪsˈlaːtsuli
Lapithe laˈpiːtə
Laplace laˈplaːs, fr. laˈplas
laplacisch, L... laˈplaːsɪʃ
La Plata laˈplaːta, span.
  laˈplata
Lapointe fr. laˈpwɛ̃ːt
La Popelinière fr. lapopli-
  ˈnjɛːr
La Porte fr. laˈpɔrt, engl.
  ləˈpɔːt
Lapouge fr. laˈpuːʒ
Lapp lap
Lappalie laˈpaːljə
Lapparent fr. lapaˈrã
Läppchen ˈlɛpçən
Lappe ˈlapə
Lappeenranta finn. ˈlap-
  pɛːnranta
Lappen ˈlapn̩
läppen ˈlɛpn̩
Lapperei lapəˈrai
Läpperei lɛpəˈrai
läppern ˈlɛpɐn
Lappi finn. ˈlappi
lappig ˈlapɪç, -e ...ɪgə
lappisch ˈlapɪʃ
läppisch ˈlɛpɪʃ
Lappland ˈlaplant, schwed.
  ...n[d], norw. ˈlaplan

Lappländer 'laplɛndɐ
lappländisch 'laplɛndɪʃ
Lappo *finn.* 'lɑppɔ
Laprade *fr.* la'prad
Lapseki *türk.* 'lapsɛki
Lapsi 'lapsi
Lapsologie lapsolo'gi:
Lapsus 'lapsʊs, **die -** 'lapsu:s
Lapsus Calami, - Linguae,
- Memoriae 'lapsʊs
'ka:lami, - 'lɪŋgu̯ɛ,
- me'mo:ri̯ɛ, **die - -, - -, - -**
'lapsu:s -, - -, - -
Laptew *russ.* 'laptɪf
Laptop 'lɛptɔp
Lapua *finn.* 'lapua
La Puente *engl.* lɑ:'pwɛntɪ
Laputa la'pu:ta, *engl.* lə-
'pju:tə
L'Aquila *it.* 'la:ku̯ila
[1]Lar (Affe) la:ɐ̯
[2]Lar (Name) *pers.* lɑ:r
Lara *span.* 'lara
Larache *fr.* la'raʃ, *span.*
la'ratʃe
La Ramée *fr.* lara'me
Laramie *engl.* 'lærəmɪ
laramisch la'ra:mɪʃ
Larbaud *fr.* lar'bo
Larche *fr.* larʃ
Lärche 'lɛrçə
Larcher *fr.* lar'ʃe
Lardera *it.* lar'dɛ:ra
Larderello *it.* larde'rɛllo
Lardner *engl.* 'lɑ:dnə
Laredo *engl.* lə'reɪdoʊ, *span.*
la'reðo
[1]Laren (Geister) 'la:rən
[2]Laren (Name) *niederl.*
'la:rə
La Renaudie *fr.* larno'di
Larese la're:zə
La Reynie *fr.* larɛ'ni
largando lar'gando
[1]large (großzügig) *attributiv*
'larʒɔ, *prädikativ* larʃ
[2]large (Kleidergröße) la:ɐ̯tʃ
Largeau *fr.* lar'ʒo
Largentière *fr.* larʒã'tjɛ:r
Largesse lar'ʒɛs
larghetto lar'gɛto
Larghetto lar'gɛto, ...**etti**
...ɛti
Largillière *fr.* larʒi'ljɛ:r
largo 'largo
[1]Largo 'largo, ...**ghi** ...gi
[2]Largo (Name) *span.* 'larɣo,
engl. 'lɑ:goʊ
largo assai 'largo a'sa:i

largo di molto 'largo di
'mɔlto
largo ma non troppo 'largo
ma nɔn 'trɔpo
Largs *engl.* lɑ:gz
Lariboisière *fr.* laribwa'zjɛ:r
larifari, Larifari lari'fa:ri
Larin[a] *russ.* 'larin[ɐ]
Larionoff, ...ov *fr.* larjɔ'nɔf
Larionow *russ.* lɐri'ɔnɐf
Larisa, Larissa *neugr.* 'larisa
Larisch 'la:rɪʃ
Larive, La Rive *fr.* la'ri:v
Larivey *fr.* lari'vɛ
Larix 'la:rɪks
Larkana *engl.* lɑ:'kɑ:nə
Larkin *engl.* 'lɑ:kɪn
Larkspur *engl.* 'lɑ:kspɔ:
Lärm lɛrm
lärmen 'lɛrmən
Larmor *engl.* 'lɑ:mə
larmoyant larmɔa'jant
Larmoyanz larmɔa'jants
Larnaka 'larnaka
Larnax 'larnaks, ...**akes**
...ke:s
Larne[d] *engl.* 'lɑ:n[ɪd]
Laroche, La Roche *dt., fr.*
la'rɔʃ
La Rochefoucauld *fr.* larɔʃ-
fu'ko
La Rochejaquelein *fr.*
larɔʃʒa'klɛ̃
La Rochelle *fr.* larɔ'ʃɛl
La Rocque *fr.* la'rɔk
Laromiguière *fr.* larɔmi-
'gjɛ:r
Laroon *engl.* lə'ru:n
Laros 'la:rɔs
Larousse *fr.* la'rus
Larra *span.* 'larra
Larrea *span.* la'rrɛa
Larreta *span.* la'rrɛta
Larrey *fr.* la'rɛ
Larrocha *span.* la'rrɔtʃa
L'Arronge *fr.* la'rõ:ʒ
Larry *engl.* 'lærɪ
Lars lars, *schwed.* lɑ:rs, *dän.*
laɐ̯s
Larsa[m] 'larza[m]
Larsen 'larzn̩, *norw.* 'larsən,
dän. 'laɐ̯sn̩
Larsson *schwed.* 'lɑ:rsɔn
Lartet *fr.* lar'tɛ
Lartius 'lartsi̯ʊs
L'art pour l'art la:ɐ̯ pu:ɐ̯
'la:ɐ̯
La Rue *fr.* la'ry
Laruns *fr.* la'rœ̃:s
larval lar'va:l

Lärvchen 'lɛrfçən
Larve 'larfə
larvieren lar'vi:rən
Larvik *norw.* ˌlarvi:k
Laryngal laryŋ'ga:l
Laryngalis laryŋ'ga:lɪs,
...**les** ...le:s
Laryngalist laryŋga'lɪst
laryngeal laryŋge'a:l
Laryngektomie laryŋgɛk-
to'mi:
Laryngen vgl. Larynx
Laryngitis laryŋ'gi:tɪs, ...**iti-**
den ...gi'ti:dn̩
Laryngologe laryŋgo'lo:gə
Laryngologie laryŋgolo'gi:
Laryngoskop laryŋgo'sko:p
Laryngoskopie laryŋgo-
sko'pi:, **-n** ...i:ən
Laryngospasmus laryŋgo-
'spasmʊs
Laryngostenose laryŋgo-
ste'no:zə
Laryngostomie laryŋgo-
sto'mi:, **-n** ...i:ən
Laryngotomie laryŋgo-
to'mi:, **-n** ...i:ən
Laryngozele laryŋgo'tse:lə
Larynx 'la:ryŋks, **Laryngen**
la'ryŋən
Larzac *fr.* lar'zak
las la:s
Lasa *chin.* lasa 14
La Sablière *fr.* lasabli'ɛ:r
Lasagne la'zanjə
Lasale, Lasalle *fr.* la'sal
La Salle *fr.* la'sal, *engl.*
lə'sæl
Lasar *russ.* 'lazɐrj
Lasarew *russ.* 'lazɐrɪf
Lasarewitsch *russ.* 'lazɐrɪ-
vitʃ
Lasaulx la'so:, *fr.* la'so
Lasca[ris] *it.* 'laska[rɪs]
Las Casas *span.* las'kasas
Las Cases *fr.* las'kɑ:z
Lascaux *fr.* las'ko
lasch laʃ
Lasche 'laʃə
laschen 'laʃn̩
Laschetschnikow *russ.*
la'ʒetʃnikɐf
Las Cruces *engl.* lɑ:s'kru:sɪs
Lascy 'lasi, 'la:si
Lase 'la:zə
läse 'lɛ:zə
Lasègue *fr.* la'sɛg
lasen 'la:zn̩
Laser 'le:zɐ
Laserdrom lezɐ'dro:m

17*

La Serena *span.* lase'rena
Laserkraut 'la:zɛkraʊt
lasern 'le:zɐn, lasre 'le:zrə
Lash[ley] *engl.* 'læʃ[lı]
lasieren la'zi:rən
Läsion lɛ'zjo:n
Lasithion *neugr.* la'siθjɔn
Lask lask
Laskar 'laskar, -en las'ka:-
rən
Laskaris 'laskarıs, *neugr.*
...ris
Lasker 'laskɐ
Laski *engl.* 'læskı
Łaski *poln.* 'ʋaski
Laško *slowen.* 'la:ʃkɔ
Lasos 'la:zɔs
Las Palmas *span.* las'pal-
mas
La Spezia *it.* las'pɛttsịa
lass, lass! las
Lassa 'lasa
Lassaigne *fr.* la'sɛɲ
Lassalle *dt., fr.* la'sal
Lassalleaner lasale'a:nɐ
Laßberg 'lasbɛrk
Lassell *engl.* lə'sɛl
lassen 'lasṇ
Lassen 'lasṇ, *engl.* læsn,
norw. 'lasən
lässest 'lesəst
lässig 'lɛsıç, -e ...ıgə
Lassila *finn.* 'lɑssilɑ
Lassing 'lasıŋ
lässlich 'lɛslıç
Laßnitz[höhe] 'lasnıts[hø:ə]
[1]Lasso 'laso
[2]Lasso (Name) *it.* 'lasso,
span. 'laso
Lasson 'lasɔn
lässt lɛst
Lassus 'lasʊs, *fr.* la'sys, *niederl.* 'lɑsys
Laßwitz 'lasvıts
last la:st
[1]Last (Name) last, *engl.*
la:st, *niederl.* lɑst
[2]Last (Bürde) last
Lastadie las'ta:djə, *auch:*
lasta'di:, -n ...'ta:djən,
auch: ...ta'di:ən
lasten 'lastṇ
Laster 'lastɐ
Lästerer 'lɛstərɐ
lästern 'lɛstɐn
Lastex 'lastɛks
...lastig ...lastıç, -e ...ıgə
lästig 'lɛstıç, -e ...ıgə
Lasting 'la:stıŋ
Lastman *niederl.* 'lɑstmɑn

Last-Minute-... 'la:st-
'mınıt...
last, not least 'la:st nɔt 'li:st
Lastovo *serbokr.* 'lastɔvɔ
Lasur la'zu:ɐ̯
Lasurit lazu'ri:t
Lasurski *russ.* la'zurskij
Lasus 'la:zʊs
La Suze *fr.* la'sy:z
Las Vegas las 've:gas, *engl.*
lɑ:s'veɪgəs
lasziv las'tsi:f, -e ...i:və
Laszivität lastsivi'tɛ:t
László *ung.* 'la:slo:
Latacunga *span.* lata'kuŋga
Latah 'la:ta
La Taille *fr.* la'taj
Latakia lata'ki:a
Lätare lɛ'ta:rə
Latein[er] la'taɪn[ɐ]
La-Tène-... la'tɛ:n...
latent la'tɛnt
Latenz la'tɛnts
lateral, L... late'ra:l
lateralisieren laterali'zi:rən
Lateralität laterali'tɛ:t
Lateran late'ra:n
Laterano *it.* late'ra:no
laterieren late'ri:rən
Laterisation lateriza'tsịo:n
laterisieren lateri'zi:rən
Laterit late'ri:t
Laterna magica la'tɛrna
'ma:gika, ...nae ...cae ...nɛ
...tsɛ
Laterne la'tɛrnə
Laterza *it.* la'tɛrtsa
Lateur *fr.* la'tœ:r
Latex 'la:tɛks, Latizes 'la:ti-
tsɛ:s
LaTₑX (Inform.) 'la:tɛç
latexieren latɛ'ksi:rən
Lathraea la'trɛ:a
Lathyrismus laty'rısmʊs
Lathyrus la'ty:rʊs
Latierbaum la'ti:ɐ̯baʊm
Latifundium lati'fʊndịʊm,
...ien ...ịən
Latimer *engl.* 'lætımə
Latimeria lati'me:rịa
Latina *it.* la'ti:na
Latiner la'ti:nɐ
Latini *it.* la'ti:ni
latinisch la'ti:nıʃ
latinisieren latini'zi:rən
Latinismus lati'nısmʊs
Latinist lati'nıst
Latinität latini'tɛ:t
Latin Lover 'lɛtın 'lavɐ
Latinum la'ti:nʊm

Latitia lɛ'ti:tsịa
Latitüde lati'ty:də
latitudinal latitudi'na:l
Latitudinarier latitudi'na:-
rịɐ
Latitudinarismus latitudi-
na'rısmʊs
Latium 'la:tsịʊm
Lativ 'la:ti:f, -e ...i:və
Latizes vgl. Latex
Latomien lato'mi:ən
Latona la'to:na
Latorre *span.* la'tɔrrɛ
Latouche *fr.* la'tuʃ
La Touche-Tréville *fr.* latuʃ-
tre'vil
Latour, La Tour *fr.* la'tu:r
La Tour du Pin *fr.* laturdy'pɛ̃
Latourette *engl.* lætʊə'rɛt
Látrabjarg *isl.* 'laʊtrabjarg
Látrar *isl.* 'laʊtrar
Latreille *fr.* la'trɛj
La Trémoille *fr.* latre'muj
Latrie la'tri:
Latrine la'tri:nə
Latro 'la:tro
Latrobe *engl.* lə'troʊb
Latsch la:tʃ
[1]Latsche (Schuh; schlaffer
Mensch) 'la:tʃə
[2]Latsche (Baum) 'latʃə
latschen, L... 'la:tʃṇ
latschig 'la:tʃıç, -e ...ıgə
Lattakia lata'ki:a
Latte 'latə
Lattich 'latıç
Lattimore *engl.* 'lætımɔ:
Lattmann 'latman
Lattorf 'latɔrf
Lattuada *it.* lattu'a:da
Latüchte la'tʏçtə
Latude *fr.* la'tyd
Latum 'la:tʊm
La Tuque *fr.* la'tyk
Latus la'tʊs
Latwerge lat'vɛrgə
Latz lats, Lätze 'lɛtsə
Lätzchen 'lɛtsçən
Latzko 'latsko
lau, Lau laʊ
Laub laʊp, -es 'laʊbəs
Laubach 'laʊbax
Lauban 'laʊban
Laube[gast] 'laʊbə[gast]
Lauber[horn] 'laʊbɐ[hɔrn]
Laubeuf *fr.* lo'bœf
laubig 'laʊbıç, -e ...ıgə
Lauch[a] 'laʊx[a]
Lauchhammer 'laʊxhamɐ
Lauchheim 'laʊxhaɪm

Lauchstädt 'lauxʃtɛt
Lauck[ner] 'lauk[nɐ]
Laud engl. lɔːd
¹Lauda (Lobgesang) 'lauda,
  Laude ...də
²Lauda (Name) 'lauda
laudabel lau'daːbl̩, ...ble
  ...blə
Laudanum 'laudanʊm
Laudatio lau'daːtsi̯o, -nes
  lau'daˈtsi̯oːneːs
Laudation laudaˈtsi̯oːn
Laudator lau'daːtoːɐ̯, -en
  lauda'toːrən
¹Laude 'laudə, ...di ...di
²Laude vgl. ¹Lauda
Laudemium lau'deːmi̯ʊm,
  ...ien ...i̯ən
Lauder[dale] engl.
  'lɔːdə[deɪl]
Lauderhill engl. 'lɔːdəhɪl
Laudes 'laudeːs
Laudi 'laudi
laudieren lau'diːrən
Laudist lau'dɪst
Laudon 'laudɔn
Laue[nburg] 'lauə[nbʊrk]
Lauene 'lauənə
Lauer 'lauɐ
Lauerer 'lauərɐ
lauern 'lauərn
Lauesen dän. 'lauəsn̩
Lauf lauf, **Läufe** 'lɔyfə
Läufel 'lɔyfl̩
laufen, L... 'laufn̩
Laufen[berg] 'laufn̩[bɛrk]
Laufenburg 'laufn̩bʊrk
Laufer 'laufɐ
Läufer 'lɔyfɐ
Lauferei laufə'rai
Lauff[en] 'lauf[n̩]
Lauffer 'laufɐ
läufig 'lɔyfɪç, -e ...ɪgə
läuft lɔyft
Lauge 'laugə
laugen 'laugn̩, **laug!** lauk,
  laugt laukt
Läuger 'lɔygɐ
Laughlin engl. 'lɔklɪn,
  'lɔflɪn, 'lɑːflɪn
Laughton engl. lɔːtn
Lauheit 'lauhait
Laui 'laui
Lauingen 'lauɪŋən
Laukhard 'laukhart
laulich 'laulɪç
Laum[ann] 'laum[an]
Laumont fr. lo'mõ
Laun laun
Launay fr. lo'nɛ

Launce[lot] engl. 'lɑːns[lət]
Launceston (Tasmanien)
  engl. 'lɔːnsəstən
Launcher 'lɔːntʃɐ
Laune 'launə
launen 'launən
launig 'launɪç, -e ...ɪgə
launisch 'launɪʃ
Laupen 'laupn̩
Laupheim 'lauphaim
Laura 'laura, engl. 'lɔːrə, it.
  'laːura, span. 'laura
Lauraguais fr. lɔraˈgɛ
Laurana it. lauˈraːna
Laurat lauˈraːt
Laurazen lauraˈtseːən
Laureat laureˈaːt
Laurel engl. 'lɔrəl
Lauren engl. 'lɔːrən
Laurencin fr. lɔrãˈsɛ̃
Laurens engl. 'lɔːrəns, fr.
  Maler lɔ'rãːs
Laurent fr. lɔ'rã
Laurentia lauˈrɛntsi̯a
Laurentian Hills engl.
  lɔːˈrɛnʃi̯ən 'hɪlz
Laurentide Hills engl.
  'lɔːrəntaid 'hɪlz
laurentisch lauˈrɛntɪʃ
Laurent[i]is it. lauˈrɛnt[i]is
Laurentius lauˈrɛntsi̯ʊs,
  schwed. lau'r...
Laurenz[i]ana it. lau-
  rɛnˈts[i]aːna
lauretanisch laureˈtaːnɪʃ
Lauretta it. lauˈretta
Lauri it. 'laːuri, finn. 'lauri
Lauricocha span. lauri-
  'kotʃa
Laurids dän. 'lauris
Laurie engl. 'lɔːrɪ, 'lɔrɪ
Laurier fr. lɔ'rje, engl. 'lɔrɪə
Laurin (Name) 'lauriːn
Laurinburg engl. 'lɔːrɪnbəːg
Laurinsäure lauˈriːnzɔyrə
Laurion 'lauri̯ɔn
Lauriston fr. lɔrisˈtõ, engl.
  'lɔːrɪstən
Laurit lauˈriːt
Lauritz 'laurits
Lauritzen 'lauritsn̩, -'--
Lauro it. 'laːuro
Laurus 'laurʊs, -se ...ʊsə
Laus laus, **Läuse** 'lɔyzə
Lausanne fr. lo'zan
Lausbüberei lausbyːbə'rai
Lauscha 'lauʃa, -er ...aɐ
Lausche 'lauʃə
lauschen 'lauʃn̩
Läuschen 'lɔyʃçən

Läuschen un Rimels 'lɔyʃn̩
  ʊn 'riːml̩s
Lauscher 'lauʃɐ
lauschig 'lauʃɪç, -e ...ɪgə
lausen 'lauzn̩, **laus!** laus,
  laust laust
Lausen 'lauzn̩
Lauserei lauzə'rai
Lausick 'lauzɪk
lausig 'lauzɪç, -e ...ɪgə
Lausitz 'lauzɪts, -er ...tsɐ
lausitzisch 'lauzɪtsɪʃ
Laussedat fr. los'da
laut, ¹L... laut
²Laut (Name) engl. lɔːt,
  indon. laut
Lauta 'lauta
Lautal lau'taːl
Lautaret fr. lotaˈrɛ
Laute 'lautə
lauten 'lautn̩
läuten 'lɔytn̩
Lautenbacher 'lautn̩baxɐ
Lautenist lautə'nɪst
Lautensach 'lautn̩zax
Lautensack 'lautn̩zak
Lautenschläger 'lautn̩-
  ʃleːgɐ
lauter, L... 'lautɐ
Lauterbach 'lautɐbax
Lauterberg 'lautɐbɛrk
Lauterbrunnen 'lautɐbrʊ-
  nən
Lauterburg 'lautɐbʊrk
Lauterecken 'lautɐlɛkn̩
läutern 'lɔytɐn
lauthals 'lauthals
lautieren lau'tiːrən
lautlich 'lautlɪç
lautlos 'lautloːs
Lautmalerei lautmaːlə'rai
Lautoka engl. lau'toʊka
Lautréamont fr. lotrea'mõ
Lautrec fr. lo'trɛk
lauwarm 'lauvarm
Lauwe[rszee] niederl. 'lau-
  wə[rseː]
Lauzon fr. lo'zõ
Lauzun fr. lo'zœ̃
Lava 'laːva
**Lava Beds National Monu-
ment** engl. 'lɑːvə 'bɛdz
  'næʃənəl 'mɔnjʊmənt
Lavabel la'vaːbl̩
Lavabo la'vaːbo
Lavagna it. la'vaɲɲa
Laval fr., schwed. la'val
La Valette, Lavalette fr.
  lava'lɛt
Lavalleja span. laβa'ʎɛxa

La Vallière fr. lava'ljɛːr
Lavamünd lava'mʏnt, laf...
Lavant 'la[ː]vant, 'la[ː]f...
La Varende fr. lava'rãːd
¹**Lavater** (Wäscher) la'vaːtɐ
²**Lavater** (Name) 'laːvaːtɐ
La Vaulx, Lavaux fr. la'vo
Lave dän. 'lɛːvə
Lavedan fr. lav'dã
Lavelanet fr. lavla'nɛ
Lavelle fr. la'vɛl
lavendel, L.... la'vɛndl̩
Laver engl. 'leɪvə
Lavéra fr. lave'ra
Laveran fr. la'vrã
La Vérendrye fr. laverã'dri
La Verne engl. lə'vəːn
Lavery engl. 'leɪvəri, 'læv...
Laves 'laːvəs
lavieren la'viːrən
La Vieuville fr. lavjø'vil
Lavigerie fr. lavi'ʒri
Lavignac fr. lavi'ɲak
Lavin engl. 'læviŋ
Lavín span. la'βin
Lavington engl. 'lævɪŋtən
Lavinia la'viːnia, engl. lə'vɪniə
Lavipedium lavi'peːdiʊm, ...dia ...dia
Lavisse fr. la'vis
lävogyr lɛvo'gyːɐ
Lavoir la'voaːɐ
Lavoisier fr. lavwa'zje
Lävokardie lɛvokar'diː, -n ...iːən
Lavongai engl. 'lævəŋ'gaɪ
Lavor la'voːɐ, auch: la'foːɐ
Lavreince fr. la'vrɛ̃ːs
Lävulose lɛvu'loːzə
Lävulosurie lɛvulozu'riː
Lawan pers. la'vaːn
law and order 'loː ɛnt 'oːɐdɐ
Law[es] engl. lɔ:[z]
Lawine la'viːnə
Lawler engl. 'lɔːlə
Lawndale engl. 'lɔːndeɪl
Lawntennis 'loːntɛnɪs
Lawotschkin russ. 'lavɐtʃkin
Lawr russ. lavr
Lawra 'lavra
Lawrence engl. 'lɔrəns, 'lɔːr...
Lawrenceburg engl. 'lɔːrənsbəːg
Lawrencium lo'rɛntsiʊm
Lawrenjow russ. lɛvrɪ'njɔf
Lawrenti russ. la'vrjentij

Lawrentjew russ. la'vrjent-jɪf
Lawrentjewitsch russ. la'vrjentjɪvitʃ
Lawrentjewna, russ. la'vrjentjɪvnɐ
Lawrie engl. 'lɔːrɪ
Lawrion neugr. 'lavriɔn
Lawrow russ. la'vrɔf
Lawson engl. lɔːsn
Lawton engl. lɔːtn
lax laks
Laxans 'laksans, ...antia la'ksantsia, ...anzien la'ksantsiən
Laxativ laksa'tiːf, -e ...iːvə
Laxativum laksa'tiːvʊm, ...va ...va
Laxenburg 'laksn̩bʊrk
laxieren la'ksiːrən
Laxismus la'ksɪsmʊs
Laxness isl. 'laxsnɛs
Laxou fr. lak'su
Lay laj, fr. lɛ
Layamon engl. 'laɪəmən
Layard engl. lɛəd
Laye fr. la'je
Layout[er] leː'laʊt[ɐ], auch: '--[-]
Layton engl. leɪtn
Lazar serbokr. 'lazaːr
Lazăr rumän. 'lazər
Lazare fr. la'zaːr
Lăzăreanu rumän. ləzə'rɛanu
Lazarett latsa'rɛt
Lazarevac serbokr. 'lazaːrɛvats
Lazarević serbokr. 'lazaːrɛvitɕ
Lazarillo de Tormes span. laθa'riʎo ðe 'tɔrmes
Lazarist latsa'rɪst
Lazaro it. 'laddzaro
Lázaro span. 'laθaro
Lazarová slowak. 'lazarɔvaː
Lazarus 'laːtsarʊs, engl. 'læzərəs
Lazda lett. 'lazda
Lazdynų lit. laz'diːnuː
Lazear engl. lə'zɪə
Lazedämon latse'dɛːmɔn
Lazedämonier latsedɛ'moːniɐ
lazedämonisch latsedɛ'moːnɪʃ
Lazeration latsera'tsioːn
lazerieren latse'riːrən
Lazerte la'tsɛrtə
Lazio it. 'lattsio

Lazise it. lat'tsiːze
Lazius 'laːtsiʊs
Lázně Bělohrad tschech. 'laːznjɛ 'bjɛlɔhrat
Lázně Kynžvart tschech. 'laːznjɛ 'kinʒvart
Lazulith latsu'liːt
Lazzaro it. 'laddzaro
Lazzarone latsa'roːnə, ...ni ...ni
Lea 'leːa, engl. liː
Leach engl. liːtʃ
Leacock engl. 'liːkɔk
Lead (Führung) liːt
Leadbelly engl. 'lɛdbɛlɪ
Lead[e] (Name) engl. liːd
Leader 'liːdɐ
Leadville engl. 'lɛdvɪl
Leaf engl. liːf
Leahy engl. 'leɪhɪ
Leake[y] engl. 'liːk[ɪ]
Leal span. le'al, port. lial
Leamington engl. 'lɛmɪŋtən (England), 'liːmɪŋtən (Kanada)
Lean... 'liːn...
Leander le'andɐ
Léandre fr. le'ãːdr
Leandro it., span. le'andro
Leão port. li̯ɐ̃ʊ
Lear liːɐ, engl. lɪə
Learning by Doing 'ləːɡnɪŋ baɪ 'duːɪŋ, 'lœrn... - -
Leary engl. 'lɪərɪ
leasen 'liːzn̩, **leas!** liːs, **least** liːst
Leasing 'liːzɪŋ
Leatherhead engl. 'lɛðəhɛd
Leavis engl. 'liːvɪs
Léautaud fr. leo'to
Leavenworth engl. 'lɛvnwə[ː]θ
Leb leːp
Leba[ch] engl. 'leːba[x]
Łeba poln. 'u̯ɛba
Lebanon engl. 'lɛbənən
Lebas, Le Bas fr. lə'ba
Lebbäus lɛ'bɛːʊs
Lebbe[ke] niederl. 'lɛbeːkə
Lebby engl. 'lɛbɪ
Lebeau, Le Beau fr. lə'bo
Lebed russ. 'ljebɪtj
Lebedew russ. 'ljebɪdɪf
Lebehoch leːbə'hoːx
Lebel, Le Bel fr. lə'bɛl
lebelang 'leːbəlaŋ
leben 'leːbn̩, **leb!** leːp, **lebt!** leːpt
Leben 'leːbn̩
lebendig le'bɛndɪç, -e ...ɪɡə

lebenslang 'le:bnslaŋ
lebenslänglich 'le:bŋsleŋlıç
Lebensohn 'le:bŋzo:n
Leber[t] 'le:bɐ[t]
Leberecht 'le:bərɛçt
Lebern 'le:bɐn
Lebesgue fr. lə'bɛg
Lebeuf fr. lə'bœf
Lebewohl le:bə'vo:l
lebhaft 'le:phaft
Lebkuchen 'le:pku:xŋ
Lebküchler 'le:pky:çlɐ
Lebküchlerei le:pky:çlə'rai
Lebküchner 'le:pky:çnɐ
Lebküchnerei le:p-
　ky:çnə'rai
Leblanc, Le Blant fr. lə'blã
Le Blon, Leblond, Le Blond
　fr. lə'blõ
leblos 'le:plo:s
Lebœuf fr. lə'bœf
Lebold 'le:bɔlt
Lebon, Le Bon fr. lə'bõ
Lebork poln. 'lɛmbɔrk
Lebourg fr. lə'bu:r
Le Bourget fr. ləbur'ʒɛ
Lebović serbokr. .lɛbɔvitɕ
Lebowa engl. lə'bouə
Lebrecht 'le:brɛçt, 'le:prɛçt
Le Bret fr. lə'brɛ
Lebrija span. le'βrixa
Lebrun, Le Brun fr. lə'brœ̃
Lebtag 'le:pta:k
Lebu span. 'leβu
Leburton fr. ləbyr'tõ
Lebus le'bu:s, auch: 'le:bʊs
Lebusa le'bu:za
Lebzelten le:ptsɛltŋ
Lec poln. lɛts
Le Cardonnel fr. ləkardɔ'nɛl
Leça port. 'lɛsɐ
Lecanuet fr. ləka'nɥɛ
le Carré engl. ləkæ'rei
Lecce it. 'lettʃe
Lecco it. 'lekko
Lech lɛç, poln. lɛx
Le Chatelier fr. ləʃatə'lje
Leche[nich] 'lɛçə[nıç]
Lecher 'lɛçɐ
Lechfeld 'lɛçfɛlt
lechisch 'lɛçıʃ
Lechner 'lɛçnɐ
Lechoń poln. 'lɛxɔin
Lechovice tschech. 'lɛxɔ-
　vitsɛ
Lecht[h]al[er] 'lɛçta:l[ɐ]
Lechter 'lɛçtɐ
lechzen 'lɛçtsn̩
Lecithin letsi'ti:n
leck, Leck lɛk

Leckage lɛ'ka:ʒə
Lecke 'lɛkə
lecken 'lɛkŋ
lecker 'lɛkɐ
Leckerei lɛkə'rai
Leckerli 'lɛkɐli
Lecky engl. 'lɛkı
Leclair fr. lə'klɛ:r
Leclanché ləklã'ʃe:
Le Clerc, Leclerc[q],
　Leclère fr. lə'klɛ:r
Le Clézio fr. ləkle'zjo
Lécluse fr. le'kly:z
Lecocq fr. lə'kɔk
Lecomte fr. lə'kõ:t
Le Conte engl. lə'kɔnt
Leconte de Lisle fr. ləkõt-
　də'lil
Le Coq fr. lə'kɔk
Lecoq de Boisbaudran fr.
　ləkɔkdəbwabo'drã
Le Corbusier fr. ləkɔrby'zje
Lecourbe fr. lə'kurb
Lecouvreur fr. ləku'vrœ:r
Le Creusot fr. ləkrə'zo
Lectisternium lɛktıs'tɛr-
　nıʊm, ...ien ...jən
lectori salutem! lɛk'to:ri
　za'lu:tɛm
Lecturer 'lɛktʃərɐ
Łęczyca poln. ɥɛn'tʃitsa
Leda 'le:da
Le Daim, Le Dain fr. lə'dɛ̃
Le Dantec fr. lədã'tɛk
Lede 'le:də
Lede[berg] niederl.
　'le:də[bɛrx]
Ledeb[o]ur 'le:dəbu:ɐ
Ledeburit ledəbu'ri:t
Ledeganck niederl. 'le:də-
　yaŋk
Leder 'le:dɐ
Lederer 'le:dərɐ
lederig 'le:dərıç, -e ...ıgə
ledern 'le:dɐn, **ledre** le:drə
ledig 'le:dıç, -e ...ıgə
lediglich 'le:dıklıç
Ledischiff 'le:dıʃıf
Ledóchowska poln. lɛdu-
　'xɔfska
Ledochowski ledɔ'xɔfski
Ledóchowski poln. lɛdu-
　'xɔfski
Ledoux fr. lə'du
ledrig 'le:drıç, -e ...ıgə
Ledru fr. lə'dry
Ledru-Rollin fr. lədryrɔ'lɛ̃
Leduc, Le Duc fr. lə'dyk
Le Duc Tho lədʊk'to:
Ledyard engl. 'lɛdjəd

¹Lee le:
²Lee (Name) engl. li:
Leeb le:p
Leech engl. li:tʃ
Leeds engl. li:dz
Leek engl. li:k
Leen le:n
leer, Leer le:ɐ
Leerdam niederl. le:r'dam
Leere 'le:rə
leeren 'le:rən
Lees[burg] engl. 'li:z[bə:g]
Leeseite 'le:zaitə
Leeson engl. li:sn
Leeuw niederl. le:ʊ
Leeuwarden niederl.
　'le:wardə
Leeuwenhoek niederl.
　'le:wənhuk
Leeward engl. 'li:wəd
leewärts 'le:vɛrts
Le Fanu engl. 'lɛfənju:
Le Fauconnier fr. ləfokɔ'nje
Lefébure fr. ləfe'by:r
Lefebvre, Lefèvre fr.
　lə'fɛ:vr
Leffler schwed. 'lɛflər
Le Figaro fr. ləfiga'ro
Lefka neugr. 'lɛfka
Lefkas neugr. lɛf'kas
Lefkoşa türk. lɛf'kɔʃa
Lefkosia neugr. lɛfkɔ'sia
Le Flô fr. lə'flo
Leforest fr. ləfɔ'rɛ
le Fort lə'fo:ɐ
Lefort fr. lə'fɔ:r, russ. lı'fɔrt
Lefortowo russ. lı'fɔrtɐvɐ
Lefranc, Le Franc fr. lə'frã
Lefroy engl. lə'frɔı
Lefuel fr. lə'fɥɛl
Lefze 'lɛftsə
Lega it. 'le:ga
legabile le'ga:bile
legal le'ga:l
Legal (Name) 'le:gal
Legalisation legaliza'tsjo:n
Le Galienne engl. lə'gæljən
legalisieren legali'zi:rən
Legalismus lega'lısmʊs
legalistisch lega'lıstıʃ
Legalität legali'tɛ:t
Legal Tender 'li:gl̩ 'tɛndɐ
Lega Nord it. 'le:ga 'nɔrd
Legaspi span. le'yaspi
legasthen legas'te:n
Legasthenie legaste'ni:, -n
　...i:ən
Legastheniker legas'te:nikɐ
Legat le'ga:t
Legatar lega'ta:ɐ

Legation legaˈtsi̯oːn
legatissimo legaˈtısimo
legato leˈgaːto
Legato leˈgaːto, ...**ti** ...ti
Legau ˈleːgau̯
Lege ˈleːgə
lege artis ˈleːgə ˈartıs
Legel ˈleːgl̩
legen ˈleːgn̩, **leg!** leːk, **legt** leːkt
Legénd ung. ˈlɛgeːnd
Legenda aurea leˈgɛnda ˈau̯rea
legendar, L... legɛnˈdaːʀ
legendär legɛnˈdɛːʀ
legendarisch legɛnˈdaːrıʃ
Legendarium legɛnˈdaː-ri̯ʊm, ...**ien** ...i̯ən
Legende leˈgɛndə
Legendre, Le Gendre fr. ləˈʒãːdr
Legentil, Le Gentil fr. ləʒãˈti
Le Gentilhomme fr. ləʒãtiˈjɔm
leger leˈʒeːʀ, leˈʒɛːʀ
Léger fr. leˈʒe
Legerdemain leʒedəˈmẽː
Leges vgl. Lex
Legge engl. lɛg
leggiadramente lɛdʒadraˈmɛntə
leggiadro lɛˈdʒaːdro
leggiero lɛˈdʒeːro
Leggings ˈlɛgıŋs
Leggins ˈlɛgıns
Legh engl. liː
Leghorn leˈkhɔrn
Legien leˈgiːn
legieren leˈgiːrən
Legion leˈgi̯oːn
Legionar legi̯oˈnaːʀ
legionär, L... legi̯oˈnɛːʀ
Légion d'honneur leˈʒjõː dɔˈnøːʀ
Légion étrangère leˈʒjõː etrãˈʒɛːʀ
Legionowo poln. lɛgi̯ɔˈnɔvɔ
Legislation legıslaˈtsi̯oːn
legislativ legıslaˈtiːf, -**e** ...iːvə
Legislative legıslaˈtiːvə
legislatorisch legıslaˈtoːrıʃ
Legislatur legıslaˈtuːʀ
Legismus leˈgısmʊs
legitim legiˈtiːm
Legitimation legitimaˈtsi̯oːn
legitimieren legitiˈmiːrən
Legitimismus legitiˈmısmʊs
Legitimist legitiˈmıst
Legitimität legitimiˈtɛːt

Legnago it. leɲˈɲaːgo
Legnano it. leɲˈɲaːno
Legnica poln. lɛɡˈnitsa
Le Goffic fr. ləgɔˈfik
Legouis fr. ləˈgwi
Legouvé fr. ləguˈve
Legrand fr. ləˈgrã
Legrenzi it. leˈgrɛntsi
Legros fr. ləˈgro
Leguan leˈgu̯aːn, auch: ˈleːgu̯aːn
Leguía span. leˈɣia
Le Guin engl. ləˈgwın
Legumen leˈguːmən
Legumin leguˈmiːn
Leguminose legumiˈnoːzə
Legwarmer ˈlɛkvoːʀmʀ̩
Leh engl. leı
Lehar, Lehár ˈleːhar, leˈhaːʀ, ung. ˈlɛhaːr
Le Havre fr. ləˈɑːvr
Lehen ˈleːən
Leherb ˈleːhɛrp
Lehesten ˈleːəstn̩
Lehi[gh] engl. ˈliːhaı
Lehm leːm
¹Lehmann ˈleːman
²Lehmann [Caves] engl. ˈleımən [ˈkeıvz]
Lehmbruck ˈleːmbrʊk
Lehmden ˈleːmdn̩
Lehmer ˈleːmʀ̩, engl. ˈleımə
lehmig ˈleːmıç, -**e** ...ıgə
Lehne ˈleːnə
lehnen ˈleːnən
Lehnin leˈniːn
Le Houx fr. ləˈu
Lehr[d] leːʀ[t]
Lehre ˈleːrə
lehren ˈleːrən
Lehrer ˈleːrʀ̩
Lehrling ˈleːʀlıŋ
Lehrte ˈleːʀtə
Lehtonen finn. ˈlɛhtonɛn
¹Lei (Fels) laı̯
²Lei vgl. ²Leu
¹Leib laıp, -**es** ˈlaıbəs
²Leib (Name) laıp, engl. leıb
Leibchen ˈlaıpçən
leibeigen ˈlaıp|aıgn̩
leiben ˈlaıbn̩, **leib!** laıp, **leibt** laıpt
Leiber[l] ˈlaıbʀ̩[l]
leibhaft ˈlaıphaft
leibhaftig laıpˈhaftıç, **---**, -**e** ...ıgə
Leibholz ˈlaıphɔlts̩
Leibl ˈlaıbl̩
leiblich ˈlaıplıç
Leibnitz, Leibniz ˈlaıbnıts̩

leibnizisch, L... ˈlaıbnıts̩ıʃ
Leibowitz fr. lɛbɔˈvits
Leib-Seele-Problem ˈlaıp-ˈzeːləproble:m
Leica® ˈlaıka
Leicester engl. ˈlɛstə, -**shire** -ʃıə
Leich[e] ˈlaıç[ə]
leichenblass ˈlaıçn̩ˈblas
leichenfahl ˈlaıçn̩ˈfaːl
Leichhardt ˈlaıçhart, engl. ˈlaıkhɑːt
Leichlingen ˈlaıçlıŋən
Leichnam ˈlaıçnaːm
leicht, L... laıçt
Leichte ˈlaıçtə
Leichtentritt ˈlaıçtn̩trıt
Leichter ˈlaıçtʀ̩
leichtern ˈlaıçtʀ̩n
leichthin ˈlaıçtˈhın
Leichtsinn ˈlaıçtzın
leichtsinnig ˈlaıçtzınıç
leid laıt
Leid laıt, -**es** ˈlaıdəs
leiden ˈlaıdn̩, **leid!** laıt
¹Leiden (Krankheit) ˈlaıdn̩
²Leiden (Stadt) ˈlaıdn̩, niederl. ˈlɛıdə
Leidener ˈlaıdənʀ̩
Leidenfrost ˈlaıdn̩frost
Leidenschaft ˈlaıdn̩ʃaft
leider, L... ˈlaıdʀ̩
leidig ˈlaıdıç, -**e** ...ıgə
leidlich ˈlaıtlıç
Leidschendam niederl. ˈlɛıtsən'dam
Leidy engl. ˈlaıdı
Leie niederl. ˈlɛıə
Leier ˈlaıʀ̩
Leierei laıəˈraı
leiern ˈlaıʀ̩n
Leif laıf, norw. leıf
Leifhelm ˈlaıfhɛlm
Leifs isl. leıfs
Leifur isl. ˈlɛıvʏr
¹Leigh (Ortsname) engl. liː, laı
²Leigh (Personenname) engl. liː
Leigh-Mallory engl. ˈliːˈmælərı
Leighton [Buzzard] engl. ˈleıtn [ˈbʌzəd]
Leihe ˈlaıə
leihen ˈlaıən
Leih-Pacht-... ˈlaıˈpaxt...
Leijonhufvud schwed. ˈlɛıjonhʉːvʊd
Leik laık
Leikanger norw. ˈlɛıkaŋər

Leikauf 'laɪkaʊf, ...**käufe** ...kɔyfə
Leila 'laɪla, *engl.* 'li:lə, 'leɪlə
Leilach 'laɪlax
Leilak 'laɪlak
Leim laɪm
leimen, L... 'laɪmən
Leimer 'laɪmɐ
leimig 'laɪmɪç, **-e** ...ɪgə
Lein[berger] 'laɪn[bɛrgɐ]
Leine 'laɪnə
leinen, L... 'laɪnən
Leinfelden laɪn'fɛldn̩
Leiningen 'laɪnɪŋən
Leino *finn.* 'lɛɪnɔ
Leins laɪns
Leinsdorf 'laɪnsdɔrf, *engl.* 'laɪnsdɔːf
Leinster *engl.* 'lɛnstə
Leip[a] 'laɪp[a]
Leipheim 'laɪphaɪm
leipogrammatisch laɪpogra'maː[ː]tɪʃ
Leiprecht 'laɪprɛçt
Leipzig 'laɪptsɪç, **-er** ...ɪgɐ
Leiria *port.* lɐɪ'riɐ
Leiris *fr.* lɛ'ris
leis, Leis laɪs, **-e** 'laɪzə
Leisegang 'laɪzəgaŋ
Leiser 'laɪzɐ
Leisering 'laɪzərɪŋ
Leisetreterei laɪzətreːtəˈraɪ
Leisewitz 'laɪzəvɪts
Leishman *engl.* 'liːʃmən
Leishmania laɪʃ'maːnɪa, ...**ien** ...iən
Leishmaniose laɪʃmaˈnɪoːzə
Leisnig 'laɪsnɪç
Leist[e] 'laɪst[ə]
leisten, L... 'laɪstn̩
Leistikow 'laɪstɪkɔ
Leitartikler 'laɪt|artiːklɐ, *auch:* ...tɪk...
¹Leite 'laɪtə
²Leite (Name) *span.* 'lɛɪte, *port.* 'lɐɪtə, *bras.* 'leɪti
leiten 'laɪtn̩
Leiter 'laɪtɐ, *engl.* 'laɪtə
Leitgeb 'laɪtgeːp
Leith *engl.* liːθ
Leitha 'laɪta
Leithaprodersdorf laɪta'proːdɐsdɔrf
Leithäuser 'laɪthɔyzɐ
Leitich 'laɪtɪç
Leitkauf 'laɪtkaʊf, ...**käufe** ...kɔyfə
Leitmeritz 'laɪtmərɪts
Leitner 'laɪtnɐ, *engl.* 'laɪtnə
Leitomischl 'laɪtomɪʃl̩

Leitrim *engl.* 'liːtrɪm
Leitz[kau] 'laɪts[kaʊ]
Leitzmann 'laɪtsman
Leix *engl.* liːʃ
Leixões *port.* lɐɪ'ʃõɪʃ
Leizhou *chin.* leɪdʒoʊ 21
Le Jeune *fr.* lə'ʒœn
Lejeune *fr.* lə'ʒœn, *engl.* lə'ʒəːn
¹Lek (Münze) lɛk
²Lek (Fluss) *niederl.* lɛk
Lekain *fr.* lə'kɛ̃
Lekaj *alban.* 'lekaɪ
Lekeu *fr.* lə'kø
Lektion lɛk'tsɪoːn
Lektionar lɛktsɪo'naːɐ̯, **-ien** ...a:rɪən
Lektionarium lɛktsɪo'naːrɪʊm, ...**ien** ...iən
Lektor 'lɛktoːɐ̯, **-en** lɛk'toː-rən
Lektorat lɛkto'raːt
lektorieren lɛkto'riːrən
Lektorin lɛk'toːrɪn
Lektüre lɛk'tyːrə
Lekythion le'kyːtɪɔn, ...**thia** ...tɪa
Lekythos 'leːkytɔs, ...**then** le'kyːtn̩
Leland *engl.* 'liːlənd
Leleger 'leːlegɐ
Lelewel *poln.* lɛ'lɛvɛl
Lelio 'leːlɪo, *it.* 'lɛːlɪo, *span.* 'leljo
Le Locle *fr.* lə'lɔkl
Leloir *fr.* lə'lwaːr
Lelorrain, Le Lorrain *fr.* lələ'rɛ̃
Lelouch *fr.* lə'luʃ
Lely *engl.* 'liːlɪ, *niederl.* 'leːli
Lelystad *niederl.* 'leːlistɑt
Lem *poln.* lɛm
Lemaire, Le Maire *fr.* lə'mɛːr
Lemaire de Belges *fr.* ləmɛrdə'bɛlʒ
Lemai[s]tre, Lemaître *fr.* lə'mɛtr
Léman *fr.* le'mã
lemanisch le'maːnɪʃ
Le Mans *fr.* lə'mã
Lemański *poln.* lɛ'maɪski
Le Mars *engl.* lə'mɑːz
Lemass *engl.* lə'mæs
Lemba[ch] 'lɛmba[x]
Lembeck 'lɛmbɛk
Lemberg 'lɛmbɛrk, **-er** ...rgɐ
Lembourn *dän.* 'lɛmbɔɐ̯n

Lemeni *it.* le'mɛːni
Lemercier, Le Mercier *fr.* ləmɛr'sje
Lémery *fr.* lem'ri
Lemesos *neugr.* lɛmɛ'sɔs
Lemgo 'lɛmgo
Lemke 'lɛmkə
Lemma 'lɛma, **-ta** 'lɛmata
lemmatisieren lɛmati'ziːrən
Lemmer 'lɛmɐ
Lemming 'lɛmɪŋ
Lemnazeen lɛmna'tseːən
Lemniskate lɛmnɪs'kaːtə
Lemnitz 'lɛmnɪts
Lemnitzer *engl.* 'lɛmnɪtsə
Lemnius 'lɛmnɪʊs
Lemnos 'lɛmnɔs
Le Moal *fr.* lə'mwal
Lemoin[n]e, Le Moine *fr.* lə'mwan
Lemon *engl.* 'lɛmən
Le Monde *fr.* lə'mõːd
Lemonnier, Le Monnier *fr.* ləmɔ'nje
Lemos *span.* 'lemos
Lemoyne, Le Moyne *fr.* lə'mwan
¹Lempira (Münze) lɛm'piːra
²Lempira (Name) *span.* lɛm-'piːra
Lemuel *engl.* 'lɛmjʊəl
Le Muet *fr.* lə'mɥɛ
Lemur le'muːɐ̯
Lemure le'muːrə
Lemuria le'muːrɪa
Lena 'leːna, *engl.* 'liːnə, *russ.* 'ljɛnɐ
Lenäen le'nɛːən
Lenain, Le Nain *fr.* lə'nɛ̃
Lenard 'leːnart
Lenárt *slowak.* 'lɛnaːrt
Lenartowicz *poln.* lɛnarˈtoːvitʃ
Lenau 'leːnaʊ
Lenbach 'leːnbax
Lenchen 'leːnçən
Lencker 'lɛŋkɐ
Lenclos *fr.* lã'klo
Lende 'lɛndə
Lendringsen 'lɛndrɪŋzn̩
Lendvai, ...vay *ung.* 'lɛndvɔɪ
Lene 'leːnə
Lenel 'leːnl̩
Leñero *span.* le'ɲero
Lenéru *fr.* lənɐ'ry
Lenes vgl. Lenis
Lenexa *engl.* lə'nɛksə
L'Enfant *fr.* lã'fã
Leng[ede] 'lɛŋ[ədə]
Lenge[n]feld 'lɛŋə[n]fɛlt

Lengerich 'lɛŋərɪç
Lenggries lɛŋ'gri:s
Lengyel *ung.* 'lɛndjɛl
Leni 'le:ni
Lenicet® leni'tse:t
leniens 'le:njɛns
Lenierung le'ni:rʊŋ
Lenin 'le:ni:n, *russ.* 'ljenin
Leninabad *russ.* lɪnina'bat
Leninakan *russ.* lɪnina'kan
Leningrad 'le:ni:ngra:t,
russ. lɪnin'grat
Leningrader 'le:ni:ngra:dɐ
Leninismus leni'nɪsmʊs
Leninist leni'nɪst
Leninogorsk *russ.* lɪnina-
'gɔrsk
Leninsk *russ.* 'ljeninsk
Leninsk-Kusnezki *russ.* 'lje-
ninskkuz'njɛtskij
Leninváros *ung.* 'lɛninva:-
roʃ
Lenis 'le:nɪs, Lenes 'le:ne:s
lenisieren leni'zi:rən
Lenition leni'tsjo:n
lenitiv leni'ti:f, -e ...i:və
Lenitivum leni'ti:vʊm, ...va
...va
Lenk lɛŋk
lenkbar 'lɛŋkba:ɐ̯
lenken 'lɛŋkn̩
Lenkoran *russ.* lɪnka'ranj
lenksam 'lɛŋkza:m
Lenne 'lɛnə
Lenné lɛ'ne:
Lennep 'lɛnɛp, *niederl.*
...nəp
Lennestadt 'lɛnəʃtat
Lenngren *schwed.* 'lɛngre:n
Lenningsen 'lɛnɪŋzn̩
Lennox *engl.* 'lɛnəks
Lenoir *fr.* lə'nwa:r, *engl.*
lə'nɔ:
Lenore le'no:rə
Lenormand *fr.* lənɔr'mã
Le Nostre, Le Nôtre *fr.*
lə'no:tr
Lenox *engl.* 'lɛnəks
Lens *fr.* lã:s
Lensing 'lɛnzɪŋ
Lenski *russ.* 'ljɛnskij
Leński *poln.* 'lɛi̯ski
lentamente lɛnta'mɛntə
lentando lɛn'tando
Lentando lɛn'tando, ...di
...di
lentement lãtə'mã:
Lentigo lɛn'ti:go, ...gines
...gine:s
lentikular lɛntiku'la:ɐ̯

lentikulär lɛntiku'lɛ:ɐ̯
Lentikulariswolke lɛntiku-
'la:rɪsvɔlkə
Lentini *it.* len'ti:ni
Lentizelle lɛnti'tsɛlə
lento 'lɛnto
Lento 'lɛnto, ...ti ...ti
lento assai 'lɛnto a'sa:i
lento di molto 'lɛnto di
'mɔlto
Lentowski *russ.* lɪn'tɔfskij
Lentulus 'lɛntulʊs
Lenya 'lɛnja
lenz, L... lɛnts
Lenzburg 'lɛntsbʊrk
lenzen, L... 'lɛntsn̩
Lenzerheide lɛntsɐ'hai̯də
Lenzing 'lɛntsɪŋ
Lenzkirch 'lɛntskɪrç
Leo 'le:o, *it.* 'lɛ:o
Léo *fr.* le'o
Leoba 'le:oba
Leoben le'o:bn̩
Leobschütz 'le:ɔpʃʏts
Leochares le'o:xarɛs
Leodegar le'o:dəgar
Leodegarde leodə'gardə
Leokadie leo'ka:djə
Leominster *engl.* 'lɛmɪnstə
Leon 'le:ɔn, *russ.* lɪ'ɔn, *poln.*
'leɔn
Léon le'o:n, *fr.* le'õ
León *span.* le'ɔn
Leonard *engl.* 'lɛnəd
Léonard *fr.* leɔ'na:r
Leonardo *it.* leo'nardo,
span. leo'narðo
Leonardo da Vinci leo-
'nardo da 'vɪntʃi, *it.* - dav-
'vintʃi
Leonato leo'na:to
Leonatus leo'na:tʊs
Leonberg 'le:ɔnbɛrk, -er
...rgɐ
Leoncavallo *it.* leoŋka'vallo
Léonce *fr.* le'õ:s
Leonding 'le:ɔndɪŋ
Leone *it.* le'o:ne
Leonello *it.* leo'nɛllo
Leonessa *it.* leo'nessa
Leonetto *it.* leo'netto
Leonfelden le:ɔn'fɛldn̩
Leonharda leɔn'harda
Leonhard[t] 'le:ɔnhart
Leoni le'o:ni, *span.* le'oni, *it.*
le'o:ni
Leonid leo'ni:t, *auch:* 'le:o-
ni:t; *russ.* lɪa'nit
Leonida *russ.* lɪa'nidɐ
Leonidas le'o:nidas

Leónidas *span.* le'oniðas
Léonide *fr.* leo'nid
Leoniden leo'ni:dn̩
Leonidow *russ.* lɪa'nidɐf
Leonidowitsch *russ.* lɪa'ni-
dɐvitʃ
Leonidowna *russ.* lɪa'ni-
dɐvnɐ
Leonie 'le:oni, *auch:* leo'ni:
Léonie *fr.* leo'ni
Leonine leo'ni:nə
leoninisch leo'ni:nɪʃ
Leoninus leo'ni:nʊs
leonisch le'o:nɪʃ
Leonor *engl.* 'li:ənɔ:, *span.*
leo'nɔr
Leonora leo'no:ra, *engl.* li:ə-
'nɔ:rə, *russ.* lɪa'nɔrɐ
Leonore leo'no:rə
Léonore *fr.* leo'nɔ:r
Leonow *russ.* lɪ'ɔnɐf
Leonowitsch *russ.* lɪ'ɔnɐvitʃ
Leonowna *russ.* lɪ'ɔnɐvnɐ
Leont *russ.* lɪ'ɔnt
Leontes le'ɔntɛs
Leonti *russ.* lɪ'ɔntij
Leontief *engl.* lɪ'ɔntiɛf
Leontiasis leɔn'ti:azɪs,
...iasen ...'tja:zn̩
Leontija *russ.* lɪ'ɔntijɐ
Leontin 'le:ɔnti:n, leɔn'ti:n
Leontine leɔn'ti:nə
Leontinus leɔn'ti:nʊs
Leontios le'ɔntjɔs
Leontius le'ɔntsjʊs
Leontjewitsch *russ.* lɪ'ɔntjɪ-
vitʃ
Leontjewna *russ.* lɪ'ɔntjɪvnɐ
Leontopodium leɔnto'po:-
djʊm
Leontovich *engl.* lɪ'ɔntɐvitʃ
Leontowitsch *russ.* lɪan'tɔ-
vitʃ
Leontyne *engl.* 'li:ɔnti:n
Leopard leo'part, -en ...rdn̩
Leopardi *it.* leo'pardi
Leopold 'le:opɔlt, *engl.* 'lɪə-
poʊld, *niederl.* 'le:opɔlt,
schwed. 'le:ɔpɔld
Léopold *fr.* leo'pɔl
Leopoldi leo'pɔldi
Leopoldina leopɔl'di:na,
bras. ljopol'dina
Leopoldine leopɔl'di:nə
leopoldinisch leopɔl'di:nɪʃ
Leopoldo *it., span.* leo-
'pɔldo
Leopoldshöhe le:opɔlts-
'hø:ə

Leopoldskron le:opɔltṣ-
'kro:n
Léopoldville fr. leɔpɔl'vil
Leoš tschech. 'lɛɔʃ
Leotard liə'ta:ɐ̯t
Leotychidas leo'ty:çidas
Leotychides leo'ty:çidɛs
Leowigild le'o:vigɪlt
Lepanto it. 'lɛ:panto
Le Parc span. le'park
Lepautre, Le Pautre fr.
lə'po:tr
Lepeletier de Saint-Far-
geau fr. ləpɛltjedsɛfar'ʒo
Le Pen fr. lə'pɛn
Lepeschinskaja russ. lɪpɪ-
'ʃinskɐjɐ
Lépicié fr. lepi'sje
lepidoblastisch lepido-
'blastɪʃ
Lepidodendron lepido'dɛn-
drɔn
Lepidolith lepido'li:t
Lepidomelan lepidome'la:n
Lepidopteren lepidɔp'te:-
rən
Lepidopterologe lepidɔpte-
ro'lo:gə
Lepidopterologie lepidɔp-
terolo'gi:
Lepidotus lepi'do:tʊs
Lepidus 'le:pidʊs
Lépine fr. le'pin
Le Play fr. lə'plɛ
lepontinisch lepɔn'ti:nɪʃ
Leporell lepo'rɛl
Leporello lepo'rɛlo, it. lepo-
'rɛllo
Leppich 'lɛpɪç
Lepra 'le:pra
Le Prince fr. lə'prɛ̃:s
Leprom le'pro:m
leprös le'prø:s, -e ...ø:zə
Leprosorium lepro'zo:rjʊm,
...ien ...jən
Lepschi 'lɛpʃi
Lepsius 'lɛpsjʊs
Lepta vgl. Lepton
Leptis Magna 'lɛptɪs
'magna
Leptokardier lɛpto'kardiɐ̯
leptokephal lɛptoke'fa:l
Leptokephalie lɛptokefa'li:
Leptolepis lɛp'to:lepɪs
Leptom lɛp'to:m
Leptomeningitis lɛptome-
nɪŋ'gi:tɪs, ...itiden
...gi'ti:dn̩

Leptomeninx lɛpto'me:-
nɪŋks
leptomorph lɛpto'mɔrf
¹Lepton (Münze) lɛp'tɔn,
Lepta lɛp'ta
²Lepton (Elementarteil-
chen) 'lɛptɔn, -en ...'to:nən
Leptoprosopie lɛptopro-
zo'pi:
leptosom lɛpto'zo:m
Leptosome lɛpto'zo:mə
Leptospire lɛpto'spi:rə
Leptospirose lɛptospi'ro:zə
leptozephal lɛptotse'fa:l
Leptozephalie lɛptotsefa'li:
Leptscha 'lɛptʃa
Lepus 'le:pʊs
Le Puy fr. lə'pɥi
Lerberghe niederl. 'lɛrbɛryə
Lerbs lɛrps
Lercaro it. ler'ka:ro
Lerch[e] 'lɛrç[ə]
Lerchenau 'lɛrçənau̯
Lerchundi span. lɛr'tʃundi
Leret 'le:rət
Leriche fr. lə'riʃ
Lérida span. 'leriða
lerinisch le'ri:nɪʃ
Lérins fr. le'rɛ̃:s
Lermontow 'lɛrmɔntɔf,
russ. 'ljermɐntɐf
lernäisch lɛr'nɛ:ɪʃ
lernen 'lɛrnən
Lerner engl. 'lɜ:nə
Lernet 'lɛrnət
Leros 'le:rɔs
Leroux fr. lə'ru, afr. lə'ru:
Leroy, Le Roy fr. lə'rwa
Lersch lɛrʃ
Lerum schwed. ,le:rʊm
Lerwick engl. 'lə:wɪk
Lesage fr. lə'sa:ʒ
lesbar 'le:sba:ɐ̯
Lesbe 'lɛsbə
Lesbia 'lɛsbi̯a
Lesbianismus lɛsbi̯a'nɪs-
mʊs
Lesbier 'lɛsbiɐ̯
lesbisch 'lɛsbɪʃ
Lesbos 'lɛsbɔs
Lescaut fr. lɛs'ko
Les Cayes fr. le'kaj
Lescaze engl. lɛs'ka:z
Lesches 'lɛsçɛs
Leschetitzki, ...ky lɛʃe'tɪtski
Lescot fr. lɛs'ko
Lescun fr. lɛs'kœ̃
Lesdiguières fr. ledi'gjɛ:r,
lɛsd...
Lese 'le:zə

lesen 'le:zn̩
Le Senne fr. lə'sɛn
Leser 'le:zɐ
Lesg[h]ier 'lɛsgiɐ̯
Lesg[h]isch 'lɛsgɪʃ
Lesginka lɛs'gɪŋka
Lesina (Apulien, Dalma-
tien) it. 'le:zina
Leskien lɛs'ki:n
Leskovac serbokr. ,lɛskɔvats
Leskovar serbokr. ,lɛskɔvar
Leskow lɛs'kɔf, russ. lɪs'kɔf
Lesky 'lɛski
Leslau 'lɛslau̯
¹Lesley, ¹Leslie (Musik)
'lɛsli
²Lesley, ²Leslie engl. 'lɛzlɪ
Leśmian poln. 'lɛɕmjan
Lesneven fr. lɛsnə'vɛ̃
Leśniewski poln. lɛɕ'njɛfski
Lesort fr. lə'sɔ:r
Lesother le'zo:tɐ
lesothisch le'zo:tɪʃ
Lesotho le'zo:to
Lesparre fr. lɛs'pa:r
Lespinasse fr. lɛspi'nas
Lesseps fr. lɛ'sɛps
Lesser Slave Lake engl.
'lɛsə 'sleɪv 'leɪk
Lessines fr. lɛ'sin
Lessing dt., engl. 'lɛsɪŋ
lessingsch, L... 'lɛsɪŋʃ
lessinisch lɛ'si:nɪʃ
Lessius niederl. 'lɛsiʏs
Lessley engl. 'lɛslɪ
Lessosawodsk russ. lɪsɐza-
'vɔtsk
Leste 'lɛstə
Lester engl. 'lɛstə
lesto 'lɛsto
Lestocq, L'Estocq fr. lɛs'tɔk
L'Estrange engl. ləs'treɪndʒ
Lesueur, Le Sueur fr.
lə'sɥœ:r
Lesum 'le:zʊm
Lesur[e] fr. lə'sy:r
Leswos neugr. 'lɛzvɔs
Leszczyński poln. lɛʃ'tʃi̜ski
Leszetycki poln. lɛʃe'titski
Leszno poln. 'lɛʃnɔ
letal le'ta:l
Letalität letali'tɛ:t
l'état c'est moi fr. leta-
sɛ'mwa
Letchworth engl. 'lɛtʃwə[:]θ
Le Tellier fr. lətɛ'lje
lethargie letar'gi:
lethargisch le'targɪʃ
Lethbridge engl. 'lɛθbrɪdʒ
Lethe 'le:tə

Letjicia *span.* le'tiθia
Letizia *it.* le'tittsja
Letkiss 'lɛtkɪs
Letmathe 'lɛtma:tə
Leto 'le:to
Le Touquet *fr.* lətu'kɛ
Letourneur *fr.* lətur'nœ:r
Le Trocquer *fr.* lɔtrɔ'kɛ:r
letschert 'le:tʃɐt
Letscho 'letʃo
Letta 'lɛta
Lettau 'lɛtau̯
Lette 'lɛtə
Letten 'lɛtn̩
Letter 'lɛtɐ
Letteris 'lɛtərɪs
Letterkenny *engl.* lɛtə'kɛnɪ
Lettgallen lɛt'galən
lettig 'lɛtɪç, -e ...ɪgə
lettisch 'lɛtɪʃ
Lettland 'lɛtlant
Lettner 'lɛtnɐ
Lettow 'lɛto
Lettres de cachet 'lɛtrə də
    ka'ʃe:
Lettrisme lɛ'trɪsmə
Lettrismus lɛ'trɪsmʊs
Lettrist lɛ'trɪst
letz lɛts
Letzeburg 'lɛtsəbʊrk
letzen 'lɛtsn̩
Letzi 'lɛtsi
Letzlingen 'lɛtslɪŋən
letztendlich 'lɛtst'ɛntlɪç
letzt[ens] 'lɛtst[n̩s]
letzte[re] 'lɛtstə[rə]
letzthin 'lɛtst'hɪn
letzthinnig 'lɛtst'hɪnɪç, -e
    ...ɪgə
letztlich 'lɛtstlɪç
letztmals 'lɛtstma:ls
¹Leu lɔy
²Leu (Münze) *rumän.* leu̯,
    Lei lei̯
Leube 'lɔybə
Leubingen 'lɔybɪŋən
Leucate *fr.* lø'kat
Leuchsenring 'lɔyksn̩rɪŋ
Leuchte 'lɔyçtə
leuchten 'lɔyçtn̩
Leuchtenberg 'lɔyçtn̩bɛrk,
    fr. løʃtɛ̃'bɛ:r
Leucit lɔy'tsi:t
Leuckart 'lɔykart
Leuenberger 'lɔyənbɛrgɐ
leugnen 'lɔygnən
Leuk lɔyk
Leukämie lɔykɛ'mi:, -n
    ...i:ən
leukämisch lɔy'kɛ:mɪʃ

Leukanämie lɔykanɛ'mi:
Leukas 'lɔykas
Leukerbad lɔykɐ'ba:t, '---
Leukipp[os] lɔy'kɪp[ɔs]
Leukobase lɔyko'ba:zə
Leukoblast lɔyko'blast
leukoderm, L... lɔyko'dɛrm
Leukoderma lɔyko'dɛrma
Leukodermie lɔykodɛr'mi:
Leukokeratose lɔykokera-
    'to:zə
leukokrat lɔyko'kra:t
Leukolyse lɔyko'ly:zə
Leukolysin lɔykoly'zi:n
Leukom lɔy'ko:m
Leukomatose lɔykoma-
    'to:zə
Leukomelalgie lɔykomelal-
    'gi:, -n ...i:ən
Leukometer lɔyko'me:tɐ
Leukonychie lɔykony'çi:, -n
    ...i:ən
Leukopathie lɔykopa'ti:, -n
    ...i:ən
Leukopedese lɔykope'de:zə
Leukopenie lɔykope'ni:, -n
    ...i:ən
Leukophyr lɔyko'fy:ɐ
Leukoplakie lɔykopla'ki:, -n
    ...i:ən
Leukoplast® lɔyko'plast
Leukopoese lɔykopo'e:zə
leukopoetisch lɔykopo'e:tɪʃ
Leukorrhö, ...öe lɔykɔ'rø:,
    ...rrhöen ...'rø:ən
leukorrhöisch lɔykɔ'rø:ɪʃ
Leukose lɔy'ko:zə
Leukothea lɔy'ko:tea,
    ...ko'te:a
Leukotomie lɔykoto'mi:, -n
    ...i:ən
Leukotoxin lɔykotɔ'ksi:n
Leukotrichie lɔykotrɪ'çi:
Leukotrichose lɔykotrɪ-
    'ço:zə
Leukozyt lɔyko'tsy:t
Leukozytolyse lɔykotsyto-
    'ly:zə
Leukozytose lɔykotsy'to:zə
Leukozyturie lɔykotsytu'ri:,
    -n ...i:ən
Leuktra 'lɔyktra
Leukurie lɔyku'ri:, -n ...i:ən
Leumann 'lɔyman
Leumund 'lɔymʊnt, -es
    ...ndəs
Leun[a] 'lɔyn[a]
Leupold 'lɔypɔlt
Leuschner lɔyʃnɐ, *engl.*
    'lɔɪʃnə

Leussow 'lɔyso
Leute 'lɔytə
Leutensdorf 'lɔytn̩sdɔrf
Leutershausen 'lɔytɐs-
    hau̯zn̩, --'--
Leuthen 'lɔytn̩
Leutheusser 'lɔythɔysɐ
Leuthold 'lɔythɔlt
Leutkirch 'lɔytkɪrç
Leutnant 'lɔytnant
Leutpriester 'lɔytpri:stɐ
Leutschau 'lɔytʃau̯
Leutwein 'lɔytvai̯n
Leutze 'lɔytsə, *engl.* 'lɔɪtsɪ
Leuven[um] *niederl.*
    'lø:və[nʏm]
Leuwagen 'lɔyva:gn̩
Leuwerik 'lɔyvərɪk
Leuze *fr.* lø:z
Leuzismus lɔy'tsɪsmʊs
Leuzit lɔy'tsi:t
Leuzitoeder lɔytsito'le:dɐ
Levade le'va:də
Levaillant *fr.* ləva'jã
Levallois *fr.* ləva'lwa
Levalloisien ləvalɔa'zjɛ̃:
Levanger *norw.* le'vaŋər
Levante le'vantə, *it.* ...te,
    span. le'βante
levantieren levan'ti:rən
Levantine levan'ti:nə
Levantiner levan'ti:nɐ
levantinisch levan'ti:nɪʃ
Levator le'va:to:ɐ, -en leva-
    'to:rən
Levau, Le Vau *fr.* lə'vo
Levee lə've:, *fr.* lə've
Levée en Masse lə've: ã:
    'mas
Level 'lɛvl̩
Levelland *engl.* 'lɛvəllænd
Leveller 'lɛvələ
Leven *engl.* 'li:vən
Leventina *it.* leven'ti:na
¹Lever (Morgenempfang)
    lə've:
²Lever (Name) *engl.* 'li:və
Leverhulme *engl.* 'li:və-
    hju:m
Leverkusen 'le:vɐku:zn̩
Leverrier, Le V... *fr.* ləvɛ'rje
Levertin *schwed.* 'le:vərtin
Levertov *engl.* 'lɛvətɔf
Lévesque *fr.* le'vɛk
Levetzow 'le:vətso
Levi 'le:vi, *engl.* 'li:vaɪ, 'lɛvɪ,
    'li:vɪ, *it.* 'lɛ:vi
Lévi *fr.* le'vi
Leviat[h]an le'vja:tan *auch:*
    levja'ta:n, -e levja'ta:nə

Levice *tschech.* 'lɛvitsɛ
Levi della Vida *it.* 'lɛːvi
'della 'viːda
¹Levin (Vorname) 'leːviːn
²Levin (Familienname)
'leːviːn, le'viːn, *engl.* 'lɛvɪn
Levine *engl.* lə'viːn, lə'vaɪn
Leviratsehe levi'raːts̩leːə
Levis *engl.* 'liːvɪs
Lévis *fr.* le'vi
Lévi-Strauss *fr.* levis'troːs
Levit[a] le'viːt[a]
Levitation levita'tsioːn
levitieren levi'tiːrən
Levitikus le'viːtikʊs
levitisch le'viːtɪʃ
Levittown *engl.* 'lɛvɪttaʊn
Levkoje lɛf'kɔyə
Levkoje lɛf'koːjə
Levoča *slowak.* 'ljɛvɔtʃa
Levstik *slowen.* 'leːʊstik
Levy (Personenname) 'leːvi,
engl. 'liːvɪ, 'lɛvɪ
Lévy *fr.* le'vi
Lévy-Bruhl *fr.* levi'bryl
¹Lew (Münze) lɛf, **Lewa**
'leːva
²Lew (Name) *poln.* lɛf, *russ.*
ljɛf
Lewadia *neugr.* lɛ'vaðja
Lewald 'leːvalt
Lewandowski *poln.* lɛvan-
'dɔfski
Lewes *engl.* 'luːɪs
¹Lewin (Vorname) 'leːviːn
²Lewin (Familienname)
'leːviːn, le'viːn, *engl.* 'luːɪn
³Lewin (Ort) le'viːn
Lewinsky le'vɪnski, *engl.*
lʊ'ɪnski
Lewis[burg] *engl.* 'luːɪs-
[bəːg]
Lewisham *engl.* 'luːɪʃəm
Lewisit levi'ziːt, lui...
Lewisohn 'leːvizoːn, *engl.*
'luːɪzən
Lewison *engl.* 'luːɪsn
Lewiston *engl.* 'luːɪstən
Lewisville *engl.* 'luːɪsvɪl
Lewis with Harris *engl.*
'luːɪs wɪð 'hærɪs
Lewitan *russ.* lɪvi'tan
Lewitow *russ.* lɪ'vitɐf
Le Witt *engl.* lə'vɪt
Lewizki *russ.* lɪ'vitskij
Lewski *bulgar.* 'lɛfski
Lewskigrad *bulgar.* 'lɛfski-
grat
Lewtschew *bulgar.* 'lɛftʃɛf
Lewy 'leːvi

Lex lɛks, **Leges** 'leːgeːs
Lexem lɛ'kseːm
Lexematik lɛkse'maːtɪk
lexematisch lɛkse'maːtɪʃ
Lexer 'lɛksɐ
Lex generalis 'lɛks gene'raː-
lɪs, **Leges ...les** 'leːgeːs
...leːs
lexigraphisch lɛksi'graːfɪʃ
Lexik 'lɛksɪk
Lexika vgl. Lexikon
lexikal[isch] lɛksi'kaːl[ɪʃ]
lexikalisieren lɛksikali'ziː-
rən
Lexikograph lɛksiko'graːf
Lexikographie leksiko-
gra'fiː
Lexikologie lɛksikolo'giː
lexikologisch lɛksiko'loːgɪʃ
Lexikon 'lɛksikɔn, **...ka** ...ka
Lexikostatistik lɛksikosta-
'tɪstɪk
Lex[ik]othek lɛks[ik]o'teːk
Lexington *engl.* 'lɛksɪŋtən
Lexis 'lɛksɪs
lexisch 'lɛksɪʃ
Lex specialis 'lɛks spe'tsiaː-
lɪs, **Leges ...les** 'leːgeːs
...leːs
lex specialis derogat
generali 'lɛks spe'tsiaːlɪs
'deːrogat gene'raːli
Ley laɪ, *engl.* leɪ, liː
Leyden 'laɪdn̩, *niederl.*
'lɛɪdə, *engl.* leɪdn
Leydig 'laɪdɪç
Leyen 'laɪən
Leygues *fr.* lɛg
Leyh laɪ
Leyland *engl.* 'leɪlənd
Leys *niederl.* lɛɪs
Leysin *fr.* lɛ'zɛ̃
Leyte 'laɪtə, *span.* 'lɛɪte
Leyton *engl.* leɪtn
Lezama *span.* le'θama
Lezhë *alban.* 'leʒə
Lézignan-Corbières *fr.* lezi-
ɲãkɔr'bjɛːr
Lezithin letsi'tiːn
Lezoux *fr.* lə'zu
Lhasa 'laːza
L'Herbier *fr.* lɛr'bje
Lhermitte *fr.* lɛr'mit
L'hombre 'lõːbrə
Lhomond *fr.* lɔ'mõ
L'Hôpital, L'Hospital *fr.*
lopi'tal, lɔ...
Lhota 'loːta
Lhote *fr.* lɔt

Lhotse 'loːtsə
Li (Maβ; Münze) liː
Lia 'liːa
Liaison liɛ'zõː:
Liana 'liaːna, *russ.* li'anɐ
Liane 'liaːnə
Lianyungang *chin.* liɛn-iʏn-
gaŋ 223
Liaodong *chin.* liaʊdʊŋ 21
Liaohe *chin.* liaʊxʌ 22
Liaoning *chin.* liaʊnɪŋ 22
Liaoyang *chin.* liaʊ-iaŋ 22
Liaoyuan *chin.* liaʊ-ɣɛn 22
Liaquat *engl.* lɪ'ɑːkət
Liard *fr.* lja:r, *engl.* 'liːɑːd
Lias 'liːas
liassisch 'liasɪʃ
Liatris 'liaːtrɪs
Libanese liba'neːzə
libanesisch liba'neːzɪʃ
Libanios li'baːniɔs
Libanon 'liːbanɔn
Libation liba'tsioːn
Libau 'liːbaʊ
Libavius li'baːviʊs
Libb[e]y *engl.* 'lɪbɪ
Libedinski *russ.* lɪbɪ'dinskij
Libell[e] li'bɛl[ə]
libellieren libɛ'liːrən
Libellist libɛ'lɪst
¹Liber (Buch) 'liːbɐ, **Libri**
'liːbri
²Liber (Gott) 'liːbɐ
liberal libe'raːl
Liberal *engl.* 'lɪbərəl
Liberale *it.* libe'raːle
liberalisieren liberali'ziːrən
Liberalismus libera'lɪsmʊs
Liberalist libera'lɪst
Liberalität liberali'tɛːt
Liberalium Artium Magis-
ter libe'raːliʊm 'artsiʊm
ma'gɪstɐ
Liberation libera'tsioːn
Libération *fr.* liberɑ'sjõ
Liberator *engl.* 'lɪbəreɪtə
Libercourt *fr.* libɛr'kuːr
Liberec *tschech.* 'liberɛts
Liberia li'beːria, *engl.* laɪ-
'bɪərɪə, *span.* li'βeria
Liberianer libe'riaːnɐ
liberianisch libe'riaːnɪʃ
Liberier li'beːriɐ
liberisch li'beːrɪʃ
Liberius li'beːriʊs
Libermann 'liːbɐman, *fr.*
libɛr'man
Libero 'liːbero
Liber pontificalis 'liːbɐ pɔn-
tifi'kaːlɪs

Libertad *span.* liβɛr'tað
Libertador *span.* liβɛrta'ðɔr
libertär libɛr'tɛ:ɐ̯
Libertas li'bɛrtas
Libertät libɛr'tɛ:t
Liberté, Egalité, Fraternité
  libɛr'te: egali'te: fratɛrni'te:
libertin libɛr'ti:n
Libertin libɛr'tɛ̃:
Libertinage libɛrti'na:ʒə
Libertiner libɛr'ti:nɐ
Libertinismus libɛrti'nɪsmʊs
Liberty *engl.* 'lɪbətɪ
Liberty Ship 'lɪbətɪʃɪp
Libertyville *engl.* 'lɪbətɪvɪl
Liberum Arbitrium 'li:berʊm ar'bi:triʊm
Libia *it.* 'li:bi̯a
libidinisieren libidini'zi:rən
Libidinist libidi'nɪst
libidinös libidi'nø:s, -e ...ø:zə
Libido 'li:bido, *auch:* li'bi:do
Libitina libi'ti:na
Li Bo *chin.* libɔ 32
Libon 'li:bɔn
Liborius li'bo:ri̯ʊs
Libourne *fr.* li'burn
Libra 'li:bra
Librarius li'bra:ri̯ʊs, ...rii ...rii
Library of Congress *engl.* 'laɪbrɔrɪ ɔv 'kɔŋgrɛs
Libration libra'tsi̯o:n
Librazhd *alban.* li'braʒd
Libre Belgique, La *fr.* lalibrəbɛl'ʒik
Libresso li'brɛso
librettisieren librɛti'zi:rən
Librettist librɛ'tɪst
Libretto li'brɛto, ...etti ...ɛti
Libreville *fr.* librə'vil
¹**Libri** (Name) *it.* 'li:bri
²**Libri** vgl. ¹**Liber**
Liburne li'bʊrnə
Liburner li'bʊrnɐ
Libuše *tschech.* 'libuʃɛ
Libussa li'bʊsa
Libyen 'li:bŷən
Libyer 'li:bŷɐ
libysch 'li:bŷʃ
Licata *it.* li'ka:ta
licet li:tsɛt
Lich lɪç
Lichen 'li:çe:n, *auch:* 'li:çɛn, -es li'çe:ne:s
Lichenin liçe'ni:n
Lichenisation liçeniza-'tsi̯o:n

lichenoid liçeno'i:t, -e ...i:də
Lichenologe liçeno'lo:gə
Lichenologie liçenolo'gi:
Lichenometrie liçenome-'tri:
Lichfield *engl.* 'lɪtʃfi:ld
Lichnowsky lɪç'nɔfski
licht, L... lɪçt
lichtblau 'lɪçtblau̯
Lichte 'lɪçtə
Lichtel 'lɪçtl̩
lichten 'lɪçtn̩
Lichtenau 'lɪçtənau̯
Lichtenberg 'lɪçtn̩bɛrk
Lichtenberger 'lɪçtn̩bɛrgɐ, *fr.* liʃtɛbɛr'ʒe
Lichtenfels 'lɪçtn̩fɛls
Lichtenhain[er] 'lɪçtn̩hai̯n[ɐ]
Lichtenstein 'lɪçtn̩ʃtai̯n, *engl.* 'lɪktənsti:n
Lichterchen 'lɪçtɐçən
lichterloh 'lɪçtɐ'lo:
lichtern 'lɪçtɐn
Lichtwark 'lɪçtvark
Lichtwer 'lɪçtvɐ
Licinier li'tsi:ni̯ɐ
Licinio *it.* li'tʃi:ni̯o
Licinius li'tsi:ni̯ʊs
Lick *engl.* lɪk
Licker 'lɪkɐ
lickern 'lɪkɐn
Lic. theol. lɪts'te:ɔl, ...te'ɔl
Lid li:t, -er 'li:dɐ
Lida 'li:da, *russ.* 'lidɐ
Lidar 'li:dar
Lidda 'lɪda
Liddell *engl.* lɪdl, lɪ'dɛl
Liddi 'lɪdi
Liddy 'lɪdi, *engl.* 'lɪdɪ
Liderung 'li:dərʊŋ
Lidholm *schwed.* li:dhɔlm
Lidi vgl. **Lido**
Lidia *it.* 'li:di̯a
Lidice *tschech.* 'lidjitsɛ
Lidija *russ.* 'lidiɐ̯
Lidingö *schwed.* li:diŋø:
Lidköping *schwed.* li:dçø:piŋ
Lidman *schwed.* 'li:dman
Lidner *schwed.* 'li:dnər
Lido 'li:do, **Lidi** 'li:di
Lidzbark [Warmiński] *poln.* 'lidzbark [far'mi̯ski]
Lidzbarski lɪts'barski
Lie *norw.* li:
lieb li:p, -e -e 'li:bə
Lieb li:p
liebäugeln 'li:pɔygl̩n
Liebchen 'li:pçən

Liebden 'li:pdn̩
Liebe 'li:bə
Liebedienerei li:bədi:nə'rai̯
liebedienern 'li:bədi:nɐn
Liebegard 'li:bəgart
Liebelei li:bə'lai̯
liebeln 'li:bl̩n, **Lieble** 'li:blə
lieben 'li:bn̩, **lieb!** li:p, **liebt** li:pt
Lieben 'li:bn̩
Liebeneiner 'li:bənai̯nɐ
Liebenstein 'li:bn̩ʃtai̯n
Liebenwerda li:bn̩'vɛrda
Liebenzell li:bn̩'tsɛl
Lieber 'li:bɐ, *engl.* 'li:bə
Lieberkühn 'li:bɐky:n
Liebermann 'li:bɐman
Liebert *poln.* 'li̯ebɐrt
Liebetraud 'li:bətrau̯t
Liebfrauenkirche li:p'frau̯ənkɪrçə
Liebfrauenmilch® li:p-'frau̯ənmɪlç
Liebgard 'li:pgart
Liebhaber 'li:pha:bɐ
Liebhaberei li:pha:bə'rai̯
Liebhard 'li:phart
Liebig 'li:bɪç
Liebknecht 'li:pknɛçt
liebkosen li:p'ko:zn̩, *auch:* '---, **liebkos!** ...o:s, **liebkost** ...o:st
lieblich 'li:plɪç
Liebling 'li:plɪŋ
lieblos, L... 'li:plo:s
Liebmann 'li:pman
Liebste 'li:pstə
Liebstöckel 'li:pʃtœkl̩
Liebtraud 'li:ptrau̯t
Liebwerda li:p'vɛrda
Liebwin 'li:pvi:n
Liechtenstein[er] 'lɪçtn̩ʃtai̯n[ɐ]
Lied li:t, -es 'li:dəs
Liedchen 'li:tçən
Lieder *poln.* 'li̯edɛr
Liederjan 'li:dɛja:n
liederlich 'li:dɐlɪç
Liedrian 'li:dria:n
Liedtke 'li:tkə
lief li:f
Lieferant lifə'rant
liefern 'li:fɐn
Liege 'li:gə
Liège *fr.* li̯ɛ:ʒ
liegen 'li:gn̩, **lieg!** li:k, **liegt** li:kt
Liegnitz 'li:gnɪts
lieh li:
Liek li:k

Lieksa *finn.* 'liɛksɑ
Liem[k]e 'li:m[k]ə
Lien 'li:ɛn, *auch:* lie̯:n, -es 'lie̯:ne:s
lienal lie̯'na:l
Liénard, ...rt *fr.* lje'na:r
Lienert 'li:nɐt
Lienhard 'li:nhart
Lieni 'li:ni
Lienitis lie̯'ni:tıs, ...**itiden** ...ni'ti:dn̩
Lienterie lie̯nte'ri:
Lienz 'li:ɛnts
Liepāja *lett.* 'liɛpa:ja
Lier li:ɐ̯, *niederl.* li:r
Lierne 'lie̯rnə
Lierre *fr.* ljɛ:r
lies! li:s!
Liesa 'li:za
Liesbeth 'li:sbɛt
Liesborn 'li:sbɔrn
Liesch li:ʃ
¹Lieschen (Mais) 'li:ʃn̩
²Lieschen (Name) 'li:sçən
Liese[gang] 'li:zə[gaŋ]
Liesel 'li:zl̩
Lieselotte 'li:zəlɔtə, *auch:* ...'lɔtə
Liesen 'li:zn̩
liessest 'li:zəst
Liesl 'li:zl̩
ließ[en] 'li:s[n̩]
Liestal 'li:sta:l
Lietuva *lit.* lıɛtʊ'va
Lietz[en] 'li:ts[n̩]
Lietzmann 'li:tsman
Lieue lio̯:
Lieutenant lɛf'tɛnənt
Lieven 'li:vn̩
Lievens *niederl.* 'li:vəns
Liévin *fr.* lje've͂
Liezen 'li:tsn̩
Liezi *chin.* lie̯dzı 43
Lifar *fr.* li'fa:r
Life la͜if
Lifeisland 'la͜ifla͜ilnt
Lifestyle 'la͜ifsta͜il
Lifetime... 'la͜ifta͜im...
Liffey *engl.* 'lıfı
LIFO 'li:fo
Lift lıft
liften 'lıftn̩
Lifting 'lıftıŋ
Liftvan 'lıftvɛn
Liga 'li:ga
Ligabue *it.* liga'bu:e
Ligade li'ga:də
Ligament liga'mɛnt
Ligamentum liga'mɛntʊm, ...**ta** ...ta

Ligan 'la͜ign̩
Ligand li'gant, -en ...ndn̩
Ligarius li'ga:rjʊs
Ligase li'ga:zə
ligato li'ga:to
Ligatschow *russ.* liga'tʃɔf
Ligatur liga'tu:ɐ̯
Liger 'li:gɐ
Ligeti *ung.* 'ligɛti
light la͜it
Lightfoot *engl.* 'la͜itfʊt
Lighting 'la͜itıŋ
Lightshow 'la͜itʃo:
ligieren li'gi:rən
Ligist li'gıst
Ligne *fr.* lıɲ
Lignière *fr.* li'ɲɛ:r
lignikol lıgni'ko:l
Lignikultur lıgnikʊl'tu:ɐ̯
Lignin lı'gni:n
Lignistone *engl.* 'lıgnıstoʊn
Lignit lı'gni:t
lignivor lıgni'vo:ɐ̯
Lignose li'gno:zə
Lignum 'lıgnʊm
Ligny *fr.* li'ɲi
Liggrio *it.* li'gɔ:rio̯
Ligozzi *it.* li'gɔttsi
Ligroin ligro'i:n
Ligue li:k
Ligula 'li:gula, ...**lae** ...lɛ
Liguori *it.* li'gu͜o:ri
Liguorianer ligu͜o'ria:nɐ
Ligurer li'gu:rɐ, *auch:* 'li:gu͜rɐ
Liguria *it.* li'gu:ri͜a
Ligurien li'gu:ri̯ən
ligurisch li'gu:rıʃ
Liguster li'gʊstɐ
Li Hongzhang *chin.* lixʊŋdʒaŋ 321
liieren li'i:rən
Liiv *estn.* li::v
Lika *serbokr.* 'li:ka
Likasi *fr.* lika'si
Likelihood 'la͜iklihʊt
Likör li'kø:ɐ̯
Liktor 'lıkto:ɐ̯, -en ...'to:rən
Likud 'li:kʊt, *hebr.* li'kud
Lil lıl
lila, L... 'li:la
Lilak 'li:lak
Lilas *fr.* li'lɑ
Lili 'lıli, *fr.* li'li, *engl.* 'lılı
Lilian 'li:li̯a:n, *engl.* 'lılıən
Liliana *it.* li'li̯a:na
lilianisch li'li̯a:nıʃ
Liliazeen lili̯a'tse:ən
Lilie 'li:li̯ə
Liliencron 'li:li̯ənkro:n

Lilienfein 'li:li̯ənfa͜in
Lilienfeld 'li:li̯ənfɛlt
Lilienthal 'li:li̯ənta:l, *engl.* 'lılıənθɔ:l
lilienweiß 'li:li̯ən'va͜is
Liliew *bulgar.* 'lili̯ɛf
Lilíom *ung.* 'liliom
Liliput 'li:lipʊt
Liliputaner lilipu'ta:nɐ
Lilith 'li:lıt
Lilja *schwed.* 'lilja
Lilje 'lıljə
Liljefors *schwed.* 'liljəfɔrs
Liljekrans 'lıljəkrans
Liljequist *schwed.* 'liljəkvist
Lille *fr.* lil, *niederl.* 'lılə
Lille-Bælt *dän.* 'lıləbel'd
Lillebonne *fr.* lil'bɔn
Lillehammer *norw.* 'lıləhamər
Lillers *fr.* li'lɛ:r
Lilli 'lıli, *engl.* 'lılı
Lillie *engl.* 'lılı
Lillo *engl.* 'lıloʊ, *span.* 'li͜ʎo
Lilly 'lıli
Lilo 'li:lo
Lilongwe *engl.* li:'lɔŋgwe͜ı
Li Longmian *chin.* lilʊŋmi̯ɛn 322
Lily 'lıli, *engl.* 'lılı, *fr.* li'li
Lilybaion lily'ba͜iɔn
Lilybäum lily'bɛ:ʊm
Lim *serbokr.* li:m
Lima 'li:ma, *span., bras.* 'lima, *port.* 'limɐ, *engl.* 'la͜imə
Limagne *fr.* li'maɲ
Limakologie limakolo'gi:
¹Liman (Bucht) li'ma:n
²Liman (Name) 'li:man
Limassol lima'so:l
Limay *span.* li'ma͜i
Limba[ch] 'lımba[x]
Limberg 'lımbɛrk, -er ...rgɐ
Limbert *engl.* 'lımbət
Limbi vgl. Limbus
limbisch 'lımbıʃ
Limbo 'lımbo
Limbourg *fr.* lɛ͂'bu:r
Limburg 'lımbʊrk, *niederl.* 'lımbʏrx
Limburger 'lımbʊrgɐ
Limburgit lımbʊr'gi:t
Limbus 'lımbʊs, ...**bi** ...bi
Limehouse *engl.* 'la͜imha͜ʊs
Limeira *bras.* li'me͜ıra
Limelight 'la͜imla͜it
¹Limerick (Stadt) *engl.* 'lımərık

²Limerick (Gedicht) 'lɪmə-
rɪk
limericken 'lɪmərɪkn̩
Limes 'li:mɛs
Limetta li'mɛta
Limette li'mɛtə
Limfjorden dän.
'li:mfjʊ:'rən
limikol limi'ko:l
Limit 'lɪmɪt
Limitation limita'tsi͜o:n
limitativ limita'ti:f, -e ...i:və
Limite li'mi:tə
limited 'lɪmɪtɪt
limitieren limi'ti:rən
Limmat 'lɪmat
limnikol lɪmni'ko:l
Limnimeter lɪmni'me:tɐ
limnisch 'lɪmnɪʃ
Limnogramm lɪmno'gram
Limnograph lɪmno'gra:f
Limnologe lɪmno'lo:gə
Limnologie lɪmnolo'gi:
limnologisch lɪmno'lo:gɪʃ
Limnoplankton lɪmno-
'plaŋktɔn
Limnos neugr. 'lɪmnɔs
Limo 'lɪmo, auch: 'li:mo
Limoges fr. li'mɔ:ʒ
Limón span. li'mɔn
Limonade limo'na:də
¹Limone (Frucht) li'mo:nə
²Limone (Name) it. li'mo:ne
Limonelle limo'nɛlə
Limonen limo'ne:n
Limonit limo'ni:t
limos li'mo:s, -e ...o:zə
limōs li'mø:s, -e ...ø:zə
Limosin fr. limo'zɛ̃
Limosiner limo'zi:nɐ
Limours fr. li'mu:r
Limousin fr. limu'zɛ̃
Limousine limu'zi:nə
Limoux fr. li'mu
Limpias span. 'limpi͜as
limpid lɪm'pi:t, -e ...i:də
Limpopo lɪm'po:po, engl.
lɪm'poʊpoʊ, port. lim'popu
Limpurg 'lɪmpʊrk, -er ...rgɐ
Limulus 'li:mulʊs
Lina dt., it. 'li:na, russ. 'lʲinɐ
Linard li'nart, fr. li'na:r
Linares span. li'nares
Linarius li'na:ri͜ʊs
Linate it. li'na:te
Linati it. li'na:ti
Linacre engl. 'lɪnəkə
Linalool linalo'o:l
Linazeen lina'tse:ən
Lin Biao chin. lɪnbi̯au̯ 21

Linchen 'li:nçən
Linck[e] 'lɪŋk[ə]
Lincoln engl. 'lɪŋkən, -shire
-ʃɪə
Lincoln Heights engl. 'lɪŋ-
kən 'haɪts
Lincolnwood engl. 'lɪŋkən-
wʊd
Lincs. engl. lɪŋks
Lincrusta lɪn'krʊsta
lind lɪnt, -e 'lɪndə
Lind lɪnt, engl. lɪnd, schwed.
lind
Linda 'lɪnda, engl. 'lɪndə,
tschech. 'linda
Lindau 'lɪndau̯
Lindbergh 'lɪntbɛrk, engl.
'lɪndbə:g
Lindblad schwed. ˌlɪndblɑ:d
Lindchen 'lɪntçən
Linde dt., niederl. 'lɪndə,
schwed. ˌlɪndə
Lindegren schwed. ˌlɪndə-
gre:n
Lindemann 'lɪndəman,
norw. 'lindəman, engl. 'lɪn-
dɪmən, dän. 'lɪnəmæn'
Lindemayr 'lɪndəmai̯ɐ
linden 'lɪndn̩, ...dne ...dnə
Linden 'lɪndn̩, engl. 'lɪndən
Lindenberg 'lɪndn̩bɛrk
Lindenfels 'lɪndn̩fɛls
Lindenhurst engl. 'lɪndən-
hə:st
Lindenmeier 'lɪndn̩mai̯ɐ,
engl. 'lɪndənmai͜ə
Lindenschmit 'lɪndn̩ʃmɪt
Lindenthal 'lɪndn̩ta:l
Lindenwold engl. 'lɪndən-
woʊld
Lindequist 'lɪndəkvɪst
Linder 'lɪndɐ, schwed. 'lin-
dər, fr. lɛ̃'dɛ:r
Linderhof 'lɪndɐho:f
lindern 'lɪndɐn, lindre
'lɪndrə
Lindesberg schwed. lindəs-
'bærj
Lindesnes norw. lindəs'ne:s
Lindewiese lɪndə'vi:zə
Lindgren schwed. ˌlɪndgre:n
Lindhorst 'lɪnthɔrst
Lindi 'lɪndi, engl. 'lɪndɪ, fr.
lin'di
Lindigkeit 'lɪndɪçkai̯t
Lindisfarne engl. 'lɪndɪsfɑ:n
Lindkvist schwed. ˌlɪndkvɪst
Lindlar 'lɪntlar
Lindley engl. 'lɪndlɪ
Lindner 'lɪndnɐ

Lindo span. 'lindo
Lindorm schwed. ˌlindurm
Lindoro lɪn'do:ro
Lindos 'lɪndɔs, neugr. 'linðɔs
Lindsay engl. 'lɪndzɪ
Lindsey engl. 'lɪndzɪ
Lindström schwed. ˌlind-
strœm
Lindtberg 'lɪntbɛrk
Lindworsky lɪnt'vɔrski
Lindwurm 'lɪntvʊrm
Line 'li:nə, fr. lin
Línea span. 'linea
Lineage 'lɪnɪʃ
lineal, L... line'a:l
Lineament linea'mɛnt
linear line'a:ɐ
Linearität lineari'tɛ:t
Lineatur linea'tu:ɐ
Line Islands engl. 'laɪn
'aɪləndz
Liner 'laɪnɐ
Linette li'nɛtə
Ling schwed. liŋ
Lingala lɪŋ'ga:la
Linga[m] 'lɪŋga[m]
Lingayen span. liŋ'gajen
¹Linge (Name) niederl. 'lɪŋə
²Linge (Wäsche) lɛ̃:ʃ
Lingelbach niederl. 'lɪŋəl-
bax
Lingen 'lɪŋən
Lingerie lɛ̃ʒə'ri:, -n ...i:ən
Lingg lɪŋk
Lingga indon. 'lɪŋga
Lingiade lɪŋ'gi͜a:də
Lingone lɪŋ'go:nə
Lingua [franca] 'lɪŋgu͜a
['fraŋka]
Língua geral bras. 'lɪŋgu͜a
ʒe'ral
lingual, L... lɪŋ'gu͜a:l
Lingualis lɪŋ'gu͜a:lɪs, ...les
...le:s
Linguaphone 'lɪŋgu͜afo:n,
engl. 'lɪŋgwəfoʊn
Linguère fr. lɛ̃'gɛ:r
Linguet fr. lɛ̃'gɛ
Linguist[ik] lɪŋ'gu͜ɪst[ɪk]
linguistisieren lɪŋgu͜ɪsti'zi:-
rən
linguistizieren lɪŋgu͜ɪsti'tsi:-
rən
Linhartová tschech. 'linhar-
tɔva:
liniar li'ni͜a:ɐ
Linie 'li:ni͜ə
linieren li'ni:rən
...linig ....li:nɪç, -e ...ɪgə
liniieren lini'i:rən

Liniment lini'mɛnt
link lɪŋk
Link[e] 'lɪŋk[ə]
Linkehandregel lɪŋkə'hant-re:gl̩
linken 'lɪŋkn̩
Linker 'lɪŋkɐ
linkisch 'lɪŋkɪʃ
Linklater engl. 'lɪŋkleɪtə
Linköping schwed. .lɪnçø:pɪŋ
Linkrusta lɪn'krʊsta
links lɪŋks
linksaußen, L... lɪŋks'l̩aʊsn̩
Linkser 'lɪŋksɐ
Linkshänder 'lɪŋkshɛndɐ
linkshändig 'lɪŋkshɛndɪç
linksher 'lɪŋkshe:ɐ̯
linksherum 'lɪŋkshɛrʊm
linkshin 'lɪŋkshɪn
linksum! lɪŋks'l̩ʊm
Linlithgow engl. lɪn'lɪθgoʊ, -shire -ʃɪə
Linna finn. 'lɪnnɑ
Linnaeus lɪ'nɛ:ʊs
Linnankoski finn. 'lɪnnaŋ-kɔski
Linné lɪ'ne:, schwed. li'ne:
Linneit lɪne'i:t
Linnemann dän. 'lɪnəmæn'
linnen, L... 'lɪnən
linnésch lɪ'ne:ʃ
Linney engl. 'lɪnɪ
Linnich 'lɪnɪç
Linofil lino'fi:l
Linoleum li'no:leʊm, auch: lino'le:ʊm
Linolschnitt li'no:lʃnɪt
Linon li'nõ:, auch: 'lɪnɔn
Linos 'li:nɔs
Linosa it. li'no:sa
Linotype® 'l̩aɪnotaɪp
Lins bras. lĩs
Lins do Rêgo bras. 'lĩz du 'rregu
Linse 'lɪnzə
linsen 'lɪnzn̩, **lins!** lɪns, **linst** lɪnst
...linsig ....lɪnzɪç, **-e ...**ɪgə
Lint[h] lɪnt
Linters 'lɪntɐs
Linth[al] 'lɪnt[a:l]
Lintorf 'lɪntɔrf
Linton engl. 'lɪntən
Linum 'li:nʊm
Linus 'li:nʊs, engl. 'laɪnəs
LINUX 'li:nʊks
Linyi chin. lɪn-ji 22
Lin Yu-tang lɪnju'taŋ, engl. 'lɪn'ju:'tɑ:ŋ
Linz[er] 'lɪnts[ɐ]

Lioba 'li:oba
Liodèrma l̩jo'dɛrma
¹Lion (Name) 'li:ɔn, fr. ljõ
²Lion (Mitglied des Lions Club) 'l̩aɪən
Lionardo it. lio'nardo
Lionel fr. ljɔ'nɛl, engl. 'laɪənl
Lionello it. lio'nɛllo
Lionne fr. ljɔn
Lions engl. 'laɪənz
Liotard fr. ljɔ'ta:r
Liouville fr. lju'vil
Lipa span. 'lipa
Lipacidämie lipatsidɛ'mi:, -n ...i:ən
Lipacidurie lipatsidu'ri:, -n ...i:ən
Lipämie lipɛ'mi:
lipämisch li'pɛ:mɪʃ
Lipari it. 'li:pari
liparisch li'pa:rɪʃ
Liparit lipa'ri:t
Lipase li'pa:zə
Lipatti rumän. li'pati
Lipazidämie lipatsidɛ'mi:
Lipazidurie lipatsidu'ri:
Lipchitz fr. lip'ʃits
Li Peng chin. lipəŋ 32
Lipezk russ. 'lipɪtsk
Lipgloss 'lɪpglɔs
Lipica slowen. 'li:pitsa
Lipid li'pi:t, -e ...i:də
Lipidose lipi'do:zə
Lipik serbokr. .lipi:k
Lipinski li'pɪnski
Lipiński poln. li'pii̯ski
Lipizza li'pɪtsa
Lipizzaner lipɪ'tsa:nɐ
Lipkin russ. 'lipkin
Lipmann 'lɪpman
Li Po li'po:
Lipochrom lipo'kro:m
Lipodystrophie lipodystro-'fi:, -n ...i:ən
lipogrammatisch lipogra-'ma[:]tɪʃ
lipoid, L... lipo'i:t, -e ...i:də
Lipoidose lipoi'do:zə
Lipolyse lipo'ly:zə
Lipom li'po:m
Lipoma li'po:ma, -ta -ta
Lipomatose lipoma'to:zə
Lipomatosis lipoma'to:zɪs
lipophil lipo'fi:l
Lipophilie lipofi'li:, -n ...i:ən
lipophob lipo'fo:p, -e ...o:bə
Lipoplast lipo'plast
Lipoproteid lipoprote'i:t, -e ...i:də
Lipót ung. 'lipo:t

Lipova rumän. 'lipova
Lipowaner lipo'va:nɐ
Lipozele lipo'tse:lə
Lippa[ch] 'lɪpa[x]
Lippe 'lɪpə
Lipperheide 'lɪpɐhaɪdə
Lipperhey niederl. 'lɪpɐrhɛi̯
Lippert 'lɪpɐt
Lippe-Seitenkanal lɪpə-'zaɪtn̩kana:l
Lippetal 'lɪpəta:l
Lippi it. 'lippi
...lippig ...lɪpɪç, **-e ...**ɪgə
Lippincott engl. 'lɪpɪnkət
lippisch 'lɪpɪʃ
Lippizza lɪ'pɪtsa
Lippl 'lɪpl̩
Lippmann 'lɪpman, engl. 'lɪpmən, fr. lip'man
Lippo it. 'lippo
Lippold 'lɪpɔlt
Lipponen finn. 'lɪppɔnɛn
Lipps lɪps
Lippspringe lɪp'ʃprɪŋə
Lippstadt 'lɪpʃtat
Lips lɪps
Lipsanothek lɪpsano'te:k
Lipschitz 'lɪpʃɪts
Lipscomb engl. 'lɪpskəm
Lipsi 'lɪpsi, fr. lip'si
Lipsia 'lɪpsi̯a
Lipsius 'lɪpsi̯ʊs
Lipska poln. 'lipska
Liptau[er] 'lɪptaʊ̯[ɐ]
Lipton engl. 'lɪptən
Liptovský Mikuláš slowak. 'liptɔʊski: 'mikula:ʃ
Lipurie lipu'ri:
Lipuš slowen. 'li:puʃ
Liquefaktion likvefak'tsi̯o:n
Liqueszenz likvɛs'tsɛnts
liqueszieren likvɛs'tsi:rən
liquet 'li:kvɛt
liquid li'kvi:t, -e ...i:də
Liquida 'li:kvida; ...dä ...dɛ,
Liquiden li'kvi:dn̩
Liquidation likvida'tsi̯o:n
Liquidator likvi'da:to:ɐ̯, -en ...da'to:rən
liquide li'kvi:də
liquidieren likvi'di:rən
Liquidität likvidi'dɛ:t
Liquis 'li:kvi:s
Liquor 'li:kvo:ɐ̯, -es li'kvo:-re:s
Lira 'li:ra
Lira da Braccio 'li:ra da 'bratʃo
Lira da Gamba 'li:ra da 'gamba

Liri *it.* 'li:ri
lirico 'li:riko
Lisa *dt., it.* 'li:za
Lisala *fr.* lisa'la
Lisbeth 'li:sbɛt, *auch:* 'lɪsbɛt
Lisboa lɪs'bo:a, *port.* liʒ'βoɐ, *bras.* liz'boa
Lisburn *engl.* 'lɪzbə:n
lisch! lɪʃ
lischt, L... lɪʃt
Liscow 'lɪsko
Lise 'li:zə, *fr.* li:z, *dän.* 'li:sə
Liselotte 'li:zəlɔtə, *auch:* --'--
Lisene li'ze:nə
Lisette li'zɛtə, *fr.* li'zɛt
Lisiere li'zje:rə
Lisieux *fr.* li'zjø
Lisle *engl.* laɪl, li:l, *fr.* lil
lismen 'lɪsmən
Lismore *engl.* lɪz'mɔ: (*UK*), '-- (*Austral.*)
Lisola 'li:zola
Lispector *bras.* lispe'tor
lispeln 'lɪspl̩n
Liss lɪs
Lissa 'lɪsa, *it.* 'lissa
Lissabon 'lɪsabɔn, *auch:* --'-
Lissabonner 'lɪsabɔnɐ, *auch:* --'--
Lissajous *fr.* lisa'ʒu
Lissauer 'lɪsaʊɐ
Lisse *dt., niederl.* 'lɪsə
Lisseuse lɪ'sø:zə
Lissi 'lɪsi
lissieren lɪ'si:rən
Lissitschansk *russ.* lisi'tʃansk
Lissitzky lɪ'sɪtski
Lissizki *russ.* li'sitskij
Lissouba *fr.* lisu'ba
Lissy 'lɪsi, *engl.* 'lɪsɪ
List lɪst
Lista *span.* 'lista
Liste 'lɪstə
listen 'lɪstn̩
Lister 'lɪstɐ, *engl.* 'lɪstə
Listera 'lɪstera
Listeria lɪs'te:ria
Listeriose lɪste'rjo:zə
l'istesso tempo lɪs'tɛso 'tɛmpo
listig 'lɪstɪç, -e ...ɪgə
Liszt lɪst, *ung.* list
Li Tai-po litaɪ'po:
Litanei lita'naɪ
Litani (Libanon) li'ta:ni
Litauen 'li:taʊən, *auch:* 'lɪt...
Litauer 'li:taʊɐ, *auch:* 'lɪt...

litauisch 'li:taʊɪʃ, *auch:* 'lɪt...
Liter 'li:tɐ, *auch:* 'lɪtɐ
[1]Litera 'lɪtəra, ...rä ...rɛ
[2]Litera (Name) *span.* li'tera
...literacy (Inform.) ...lɪtə-rəsi
Literal... lɪtə'ra:l
Literar... lɪtə'ra:ɐ...
literarisch lɪtə'ra:rɪʃ
literarisieren lɪtərari'zi:rən
Literarum Humaniorum Doctor lɪtə'ra:rʊm huma-'nio:rʊm 'dɔkto:ɐ
Literat lɪtə'ra:t
Literator lɪtə'ra:to:ɐ, -en ...ra'to:rən
Literatur lɪtəra'tu:ɐ
Literaturnaja Gaseta *russ.* lɪtɪra'turnɐjɐ ga'zjɛtɐ
Litewka li'tɛfka
Litfaßsäule 'lɪtfaszɔylə
Lithagogum lita'go:gʊm, ...ga ... ga
Lithergol litɛr'go:l
Litherland *engl.* 'lɪðələnd
Lithgow *engl.* 'lɪθgoʊ
Lithiasis li'ti:azɪs, ...sen li'tia:zn̩
Lithikum 'li:tikʊm, ...ca ...ka
Lithium 'li:tjʊm
Litho 'li:to, *auch:* 'lɪto
lithogen lito'ge:n
Lithogenese litoge'ne:zə
Lithoglyphik lito'gly:fɪk
Lithoglyptik lito'glyptɪk
Lithograph lito'gra:f
Lithographie litogra'fi:, -n ...i:ən
lithographieren litogra'fi:-rən
Lithoklast lito'klast
Litholapaxie litolapa'ksi:, -n ...i:ən
Lithologe lito'lo:gə
Lithologie litolo'gi:
lithologisch lito'lo:gɪʃ
Litholyse lito'ly:zə
Lithopädion lito'pɛ:diọn, ...ia ...ia, ...ien ...iən
lithophag lito'fa:k, -e ...a:gə
Lithophanie litofa'ni:, -n ...i:ən
lithophil lito'fi:l
Lithophysen lito'fy:zn̩
Lithophyt lito'fy:t
Lithopone lito'po:nə
Lithosphäre lito'sfɛ:rə
Lithotom lito'to:m

Lithotomie litoto'mi:, -n ...i:ən
Lithotripsie litotrɪ'psi:, -n ...i:ən
Lithotripter lito'trɪptɐ
Lithotriptor lito'trɪpto:ɐ, -en ...'to:rən
Lithurgik li'tʊrgɪk
Litigant liti'gant
Litigation litiga'tsio:n
litigieren liti'gi:rən
Litispendenz litɪspɛn'dɛnts
Litolff *dt., engl.* 'li:tɔlf, *fr.* li'tɔlf
Litoměřice *tschech.* 'lito-mjɛrʒitsɛ
Litomyšl *tschech.* 'litɔmɪʃl
litoral, L... lito'ra:l
Litorina lito'ri:na
Litorinellen... litori'nɛlən...
Litotes li'to:tɛs
Litschau 'lɪtʃaʊ
Litschi 'lɪtʃi
litt, L... lɪt
Litterarum Humaniorum Doctor lɪtə'ra:rʊm huma-'nio:rʊm 'dɔkto:ɐ
Little *engl.* lɪtl
Littleborough *engl.* 'lɪtlbərə
Littlefield *engl.* 'lɪtlfi:ld
Little Ferry *engl.* 'lɪtl 'fɛrɪ
Littlehampton *engl.* 'lɪtlhæmptən
Little Rock *engl.* 'lɪtl 'rɔk
Littlesche Krankheit 'lɪtlʃə 'kraŋkhaɪt
Littleton *engl.* 'lɪtltən
Littlewood *engl.* 'lɪtlwʊd
Littmann 'lɪtman
Littoria *it.* lit'tɔ:ria
Littorina lɪto'ri:na
Littré *fr.* li'tre
Littreitis lɪtre'i:tɪs, ...itiden ...ei'ti:dn̩
Littrow 'lɪtro
Lituania li'tua:nia
Lituanist[ik] litua'nɪst[ɪk]
Litui vgl. Lituus
Liturg li'tʊrk, -en ...rgn̩
Liturge li'tʊrgə
Liturgie litʊr'gi:, -n ...i:ən
Liturgik li'tʊrgɪk
liturgisch li'tʊrgɪʃ
Lituus 'li:tuʊs, *Mehrz.* Litui 'li:tui
Litvak *engl.* 'lɪtvɐk
Litvínov *tschech.* 'lɪtvi:nɔf
Litwinow *russ.* lit'vinɐf
Litze 'lɪtsə
Litzmann[stadt] 'lɪtsman-[ʃtat]

Liu lju:
Liuba 'li:uba
Liudegast 'li:udəgast
Liudger 'li:ʊtgɛr
Liudolf[inger] 'li:udɔlf[ɪŋɐ]
Liudprand 'li:ʊtprant
Liu-Po lju'po:
Liu Shaoqi chin. ljouʃaʊtɕi 232
Liuthard 'li:ʊthart
Liutize lju'tɪtsə
Liutprand 'li:ʊtprant
Liu Xiang chin. ljouɕjaŋ 24
Liuzhou chin. ljoudʒou 31
Liu Zongyuan chin. ljou-dzʊŋ-ỹɛn 312
Livarot fr. liva'ro
live laif
Live 'li:və
Livenza it. li'vɛntsa
Livermore engl. 'lɪvəmɔ:
Liverpool 'lɪvɐpu:l, engl. 'lɪvəpu:l
Livia 'li:vja
livid li'vi:t, -e ...i:də
livide li'vi:də
Livigno it. li'viɲno
Livinental 'li:vinənta:l
Livings engl. 'lɪvɪŋz
Livingston[e] engl. 'lɪvɪŋstən
Livingstonit lɪvɪŋsto'ni:t
Livingwage 'lɪvɪŋ've:tʃ
livisch 'li:vɪʃ
Livius 'li:vjʊs
Livland 'li:flant
Livländer 'li:flɛndɐ
Livno serbokr. .li:vnɔ
Livonia li'vo:nja, engl. lɪ'vounɪə
Livorneser livɔr'ne:zɐ
Livorno it. li'vorno
Livramento bras. livra-'mentu
Livre 'li:vrə
Livree li'vre:, ...een li'vre:ən
livriert li'vri:ɐt
Livry-Gargan fr. livrigar'gã
Liwadija russ. li'vadijɐ
Liwan li'va:n
Liwanze li'vantsə
Liwny russ. 'livnɨ
Li Xiannian chin. liɕjɛnnjɛn 314
Li Yu chin. li-iy 34
Liz engl. lɪz
Liza engl. 'laɪzə, 'li:zə
Lizard engl. 'lɪzəd
Lizardi span. li'θarði
Lizardo span. li'θarðo

Lizent li'tsɛnt
Lizenz li'tsɛnts
Lizenziat litsɛn'tsja:t
lizenzieren litsɛn'tsi:rən
lizenziös litsɛn'tsjø:s, -e ...ø:zə
Lizitant litsi'tant
Lizitation litsita'tsjo:n
lizitieren litsi'ti:rən
Lizzie engl. 'lɪzɪ, fr. li'zi
Lizzy 'lɪtsi
Ljache 'ljaxə
Ljachowskie Ostrową russ. 'ljaxɐfskijɪ astra'va
Ljadow russ. 'ljadɐf
Ljapkin-Tjapkin russ. 'ljap-kin'tjapkin
Ljapunow russ. lɪpu'nɔf
Ljatoschinski russ. lɪta-'ʃinskij
Ljodahattr 'ljo:dahatɐ
Ljow russ. ljɔf
Ljubelj slowen. lju'be:lj
Ljuben bulgar. 'ljubɛn
Ljuberzy russ. 'ljubɪrtsɨ
Ljubija serbokr. .ljubija
Ljubim[ow] russ. lju'bim[ɐf]
Ljubljana slowen. lju'blja:na
Ljubomir russ. ljuba'mir, serbokr. 'ljubɔmi:r
Ljubow russ. lju'bɔfj
Ljudkewitsch russ. ljut'kje-vitʃ
Ljudmila russ. ljud'milɐ
Ljuljukow russ. ljulju'kɔf
Ljunga schwed. jʊŋa
Ljungby schwed. jʊŋby
Ljungdal schwed. jʊŋda:l
Ljungquist schwed. jʊŋkvist
Ljungström schwed. jʊŋ-strœm
Ljusdal schwed. jɯ:sdɑ:l
Ljusna schwed. jɯ:sna
Ljutomer slowen. 'lju:tɔmɛr
Lkw, LKW 'ɛlka:ve:, auch: ɛlka:'ve:
Llandaff engl. 'lændəf
Llandeilo engl. læn'daɪlou
Llandovery engl. læn'dʌvərɪ
Llandrindod Wells engl. læn'drɪndɔd 'wɛlz
Llandudno engl. læn'dɪdnou
Llanelly engl. læ'nɛθlɪ
Llanero lja'ne:ro
Llanes span. 'ʎanes
Llangollen engl. læn'gɔθlɛn
Llano Estacado engl. 'lɑ:nou ɛstə'ka:dou
Llanos 'lja:nɔs, span. 'ʎanos
Llanquihue span. ʎaŋ'kiue

Llantrissant engl. læn'trɪsənt
Lleras span. 'ʎeras
Llewellyn engl. lu:'ɛlɪn
Lleyn engl. leɪn
Llobera span. ʎo'βera, kat. ʎu'βɛrə
Llobregat span. ʎoβre'ɣat
Llor kat. ʎo
Llorens span. ʎo'rens
Llorente span. ʎo'rente
Llosa span. 'ʎosa
Llovera span. ʎo'βera, kat. ʎu'βɛrə
Lloyd lɔyt, engl. lɔɪd
Lloydia 'lɔydja
Lloydie 'lɔydjə
Lloydminster engl. 'lɔɪd-mɪnstə
Llull kat. ʎuʎ
Llwyd engl. ljʊɪd
Llywelyn engl. lə'wɛlɪn
Lo schwed. lu:
¹Loa (Vorspiel) 'lo:a
²Loa (Name) span. 'loa
Loacker 'lo:lakɐ
Load lo:t
Loanda port. 'lʊɛndɐ
Loango lo'aŋgo, fr. lɔã'go
Loasa lo'a:za
¹Lob lo:p, -es 'lo:bəs
²Lob (Tennis) lɔp
lobär lo'bɛ:r
Lobato port. lu'βatu
Lobatschewski russ. lɐba-'tʃɛfskij
Lobatse engl. lou'ba:tsi:
Lobau lo'baʊ
Löbau 'lø:baʊ
lobben 'lɔbn, lobb! lɔp, lobbt lɔpt
Lobby 'lɔbi
Lobbying 'lɔbiɪŋ
Lobbyismus lɔbi'ɪsmʊs
Lobbyist lɔbi'ɪst
Löbche 'lø:pçə
Löbe 'lø:bə
Lobeck 'lo:bɛk
Lobeira port. lu'βɐirɐ
Lobektomie lobɛkto'mi:, -n ...i:ən
Lobelie lo'be:ljə
Lobelin lobe'li:n
Lobelius lo'be:ljʊs
loben 'lo:bn, lob! lo:p, lobt lo:pt
Loben 'lo:bn
Lobenstein 'lo:bnʃtaɪn
Lobhudelei lo:phu:də'laɪ
Lobhud[e]ler 'lo:phu:d[ə]lɐ

Lobi vgl. Lobus
Lobi 'lo:bi
Lobito *port.* lu'βitu
Lobkowicz, Lobkowitz 'lɔp-
  kovɪts
löblich 'lø:plɪç
Lobnor 'lɔp'nɔr
Lobo *span.* 'loβo, *port.* 'loβu,
  bras. 'lobu
Lobos *span.* 'loβos, *bras.*
  'lobus
Lobotomie loboto'mi:, **-n**
  ...i:ən
lobpreisen 'lo:ppraizn̩
Lobsien lɔ'psi:n
lobsingen 'lo:pzɪŋən
lobulär lobu'lɛ:ɐ̯
Lobus 'lo:bʊs, **Lobi** 'lo:bi
Lobwasser 'lo:pvasɐ
Locanda lo'kanda
Locarner lo'karnɐ
Locarnese lokar'ne:zə
Locarno *it.* lo'karno
Locatelli *it.* loka'tɛlli
Location lo'ke:ʃn̩
Loccum 'lɔkʊm
¹Loch lɔx, **Löcher** 'lœçɐ
²Loch lɔx, *engl.* lɔk
Lochaber *engl.* lɔ'ka:bə
Locham[er] 'lɔxam[ɐ]
Lochearn *engl.* 'lɔkən
Löchelchen 'lœçlçən
lochen 'lɔxn̩
Locher 'lɔxɐ
löcherig 'lœçərɪç, **-e** ...ɪgə
löchern 'lœçɐn
Loches *fr.* lɔʃ
Lochgelly *engl.* lɔk'gɛlɪ
Lochien 'lɔxiən
Lochiometra lɔxi̯o'me:tra
Löchlein 'lœçlain
Lochner 'lɔxnɐ
Lochow 'lɔxo
löchrig 'lœçrɪç, **-e** ...ɪgə
Lochristi *niederl.* lo'krɪsti
Lochy, Loch *engl.* 'lɔk 'lɔkɪ
Löckchen 'lœkçən
¹Locke 'lɔkə
²Locke (Name) *engl.* lɔk
locken 'lɔkn̩
löcken 'lœkn̩
locker 'lɔkɐ
Locker[bie] *engl.* 'lɔkə[bɪ]
lockern 'lɔkɐn
Lockhart *engl.* 'lɔkət, 'lɔk-
  ha:t
Lockheed *engl.* 'lɔkhi:d
lockig 'lɔkɪç, **-e** ...ɪgə
Lockland *engl.* 'lɔklənd
Lock-out lɔk'laut, *auch:* '--

Lockport *engl.* 'lɔkpɔ:t
Lockridge *engl.* 'lɔkrɪdʒ
Lockwood *engl.* 'lɔkwʊd
Lockyer *engl.* 'lɔkɪə
Locle *fr.* lɔkl
Locmariaquer *fr.* lɔkmarja-
  'kɛ:r
loco 'lo:ko, *auch:* 'lɔko
Loco *it.* 'lo:ko
loco citato 'lo:ko tsi'ta:to
loco laudato 'lo:ko
  lau'da:to
loco sigilli 'lo:ko zi'gɪli
Locus amoenus 'lo:kʊs
  a'mø:nus, **Loci** ...ni 'lo:tsi
  ...ni
Locus communis 'lo:kʊs
  kɔ'mu:nɪs, **Loci** ...nes 'lo:tsi
  ...ne:s
Lóczy *ung.* 'lo:tsi
Lod *hebr.* lɔd
Lodde 'lɔdə
Loddel 'lɔdl̩
lodderig 'lɔdərɪç, **-e** ...ɪgə
Lode 'lo:də
Lodeizen *niederl.* 'lo:dɛi̯zə
Lodelinsart *fr.* lɔdlɛ̃'sa:r
Lodemann 'lo:dəman
Loden 'lo:dn̩
lodern 'lo:dɐn, **lodre** 'lo:drə
Lodève *fr.* lɔ'dɛ:v
Lodewijk *niederl.* 'lo:dəwɛik
Lodge lɔtʃ
Lodi *engl.* 'loʊdaɪ, *it.* 'lɔ:di
Lodiculae lo'di:kulɛ
Lodoiska lodo'ɪska
Lodomerien lo:do'me:ri̯ən
Lodron 'lo:dro:n
Lodsch lɔtʃ
Lodscher 'lɔtʃɐ
Łodz lɔtʃ
Łódź *poln.* u̯utɕ
Loeb lø:p, *engl.* leɪb, lɛb,
  loʊb
Loebell 'lø:bl̩, lø'bɛl
Loeben[stein] 'lø:bn̩[ʃtain]
Loèche *fr.* lɔ'ɛʃ
Loèche-les-Bains *fr.* lɔɛʃ-
  le'bɛ̃
Loeffler *engl.* 'lɛflə
Loenen *niederl.* 'lunə
Loerke 'lœrkə
Loesser *engl.* 'lɛsɐ
Loest lø:st
Loetscher 'lœtʃɐ
Loew lø:f
Loewe 'lø:və, *engl.* 'loʊɪ
Loewi 'lø:vi, *engl.* 'loʊɪ
Loewy 'lø:vi, *engl.* 'loʊɪ

Loewy *fr.* le'vi
Löffel[hardt] 'lœfl[hart]
löffeln 'lœfl̩n
Löffler 'lœflɐ
Lofot *norw.* 'lu:fu:t
Lofoten 'lo:fotn̩, *auch:*
  lo'fo:tn̩, *norw.* 'lu:futən
Löfstedt *schwed.* 'lø:vstɛt
Loft lɔft
Lofthouse *engl.* 'lɔftəs, 'lɔft-
  haʊs
Lofting *engl.* 'lɔftɪŋ
Loftus *engl.* 'lɔftəs
log lo:k
Log lɔk, **-e** 'lɔgə
Logan *engl.* 'loʊgən
Loganiazeen logani̯a'tse:ən
Logansport *engl.* 'loʊ-
  gənzpɔ:t
logaödisch loga'ø:dɪʃ
Logarithmand logarɪt-
  'mant, **-en** ...ndn̩
logarithmieren logarɪt'mi:-
  rən
logarithmisch loga'rɪtmɪʃ
Logarithmus loga'rɪtmʊs
Logasthenie logaste'ni:
Logatom loga'to:m
Logau 'lo:gau
Logbuch 'lɔkbu:x
löge 'lø:gə
¹Loge 'lo:ʒə
²Loge (Name) 'lo:gə
Logement loʒə'mã:
logen 'lo:gn̩
Loggast 'lɔkgast
Logge 'lɔgə
loggen 'lɔgn̩, **logg!** lɔk,
  loggt lɔkt
Logger 'lɔgɐ
Loggia 'lɔdʒa, *auch:* 'lɔdʒi̯a,
  ...ien 'lɔdʒi̯ən, 'lɔdʒn̩
Logglas 'lɔkgla:s
Loghem *engl.* 'lɔɣəm
Logical 'lɔdʒikl̩
logieren lo'ʒi:rən
Logik 'lo:gɪk
Logiker 'lo:gikɐ
Logion 'lo:gi̯ɔn, **...ien** ...i̯ən
Logis lo'ʒi:, **des** - ...i:[s], **die**
  - ...i:s
logisch 'lo:gɪʃ
logisieren logi'zi:rən
Logisma 'lo:gɪsma, **-ta**
  lo'gɪsmata
Logismus lo'gɪsmʊs
Logistik lo'gɪstɪk
Logistiker lo'gɪstikɐ
logistisch lo'gɪstɪʃ
Logizismus logi'tsɪsmʊs

Logizistik logi'tsıstık
logizistisch logi'tsıstıʃ
Logizität logitsi'tɛ:t
logo, L... 'lo:go
Logogramm logo'gram
Logograph logo'gra:f
Logographie logogra'fi:
Logogriph logo'gri:f
Logoi vgl. Logos
Logoklonie logoklo'ni:
Logokratie logokra'ti:
Logomachie logoma'xi:
Logone fr. lɔ'gɔn
Logoneurose logonɔy'ro:zə
Logopäde logo'pɛ:də
Logopädie logopɛ'di:
logopädisch logo'pɛ:dıʃ
Logopathie logopa'ti:, **-n** ...i:ən
Logorrhö, ...öe logɔ'rø:, ...rrhöen ...'rø:ən
logorrhoisch logɔ'ro:ıʃ
Logos 'lɔgɔs, 'lo:gɔs, **Logoi** 'lɔgɔy, 'lo:gɔy
logotherapeutisch logotera'pɔytıʃ
Logotherapie logotera'pi:
Logotype logo'ty:pə
logozentrisch logo'tsɛntrıʃ
Logroño span. lo'ɣroɲo
Logroscino it. lo'grɔʃʃino
logt lo:kt
lögt lø:kt
Logue engl. loʊg
Løgumkloster dän. 'lyːgʊmklɔsdɐ, 'lyːɣ...
loh, Loh lo:
Lohals dän. 'lu:'hæl's
Lohan 'lo:han
Lohe 'lo:ə
Löhe 'lø:ə
Loheland 'lo:əlant
lohen 'lo:ən
Lohengrin 'lo:əngri:n
Lohenstein 'lo:ənʃtain
Lohja finn. 'lɔhja
Lohmann 'lo:man
Lohmar 'lo:mar
Lohmeyer 'lo:maiɐ
Lohn lo:n, **Löhne** 'lø:nə
Lohne 'lo:nə
Löhne 'lø:nə
lohnen 'lo:nən
löhnen 'lø:nən
Lohner 'lo:nɐ
Lohr lo:ɐ
Lohse 'lo:zə
Loibl 'lɔybl̩
Loing fr. lwɛ̃
Loipe 'lɔypə

Loir fr. lwa:r
Loire lɔa:ɐ, fr. lwa:r
Loiret fr. lwa'rɛ
Loir-et-Cher fr. lware'ʃɛ:r
Lois lɔys
Loisach 'lɔyzax
Loisel fr. lwa'zɛl
Loisl 'lɔyzl̩
Loisy fr. lwa'zi
Loíza span. lo'iθa
Loja span. 'lɔxa
Lojang 'lo:jaŋ
Lo-Johansson schwed. lu:ju:ansɔn
Lok lɔk
lokal, L... lo'ka:l
Lokale lo'ka:lə
Lokalis lo'ka:lıs, **...les** ...le:s
Lokalisation lokaliza'tsjo:n
lokalisieren lokali'zi:rən
Lokalität lokali'tɛ:t
Lokatar loka'ta:ɐ
Lokation loka'tsjo:n
Lokativ 'lo:kati:f, **-e** ...i:və
Lokator lo'ka:to:ɐ, **-en** loka-'to:rən
Lokeren niederl. 'lo:kərə
Loket tschech. 'lɔkɛt
Loki 'lo:ki
Łokietek poln. ѹo'kjɛtɛk
Løkken dän. 'lʏgn̩, norw. .lœkən
Lokkum 'lɔkʊm
loko 'lo:ko
Lokoja engl. lə'koʊdʒə, loʊ-koʊ'dʒɑ:
Lokomobil[e] lokomo'bi:l[ə]
Lokomotion lokomo'tsjo:n
Lokomotive lokomo'ti:və, auch: ...i:və
lokomotorisch lokomo'to:-rıʃ
Lokrer 'lo:krɐ
Lokris 'lo:krıs
Lokrum serbokr. .lɔkrum
lokulizid lokuli'tsi:t, **-e** ...i:və
Lokus 'lo:kʊs, **-se** ...ʊsə, **Lozi** 'lo:tsi
Lokution loku'tsjo:n
lokutionär lokutsjo'nɛ:ɐ
lokutiv loku'ti:f, **-e** ...i:də
Lola 'lo:la, span. 'lola
Lola Montez lo:la 'mɔntɛs
Løland norw. 'lø:lan
Lolch lɔlç
Lolita lo'li:ta
Lolland dän. 'lɔlæn'
Lollarde lɔ'lardə
Lolli 'lɔli

Löllingit lœlıŋ'gi:t
Lollobrigida it. lollo-'bri:dʒida
¹Lolo (Volksstamm) 'lo:lo
²Lolo (Vorname) lo'lo:
Lom bulgar., fr. lɔm
Lomami fr. loma'mi
Loman engl. 'loʊmən
Lomas de Zamora span. 'lomaz ðe θa'mora
Lomax engl. 'loʊmæks
¹Lombard (Kredit) 'lɔm-bart, auch: –'–, **-e** ...rdə
²Lombard (Name) 'lɔmbart, engl. 'lɔmbəd, fr. lõ'ba:r, niederl. 'lɔmbart
Lombarde lɔm'bardə
Lombardei lɔmbar'dai
Lombardi it. lom'bardi
Lombardia it. lombar'di:a
lombardieren lɔmbar'di:rən
lombardisch lɔm'bardıʃ
Lombardo it. lom'bardo
Lombardus lɔm'bardʊs
Lomber 'lɔmbɐ
Lombok indon. 'lɔmbɔk
Lombroso it. lom'bro:so
Lomé 'lo:me, fr. lɔ'me
Lomellino it. lomel'li:no
Loménie de Brienne fr. lɔmenidbri'ɛn
Lomita engl. loʊ'mi:tə
Lommatzsch 'lɔmatʃ
Lomme fr. lɔm
Lommel 'lɔml̩, niederl. 'lɔməl
Lomnitz 'lɔmnıts
Lomond engl. 'loʊmənd
Lomonossow lomo'nɔsɔf, russ. lɐma'nɔsɐf
Lomont fr. lɔ'mõ
Lompenzucker 'lɔmpn̩tsʊkɐ
Lompoc engl. 'lɔmpɔk
Łomża poln. 'ѹɔmʒa
Lonato it. lo'na:to
Londerzeel niederl. 'lɔndər-ze:l
London 'lɔndɔn, engl. 'lʌn-dən
¹Londonderry (Personenname) engl. 'lʌndəndərı
²Londonderry (erdk. Name) lʌndən'dɛrı, '––––
Londoner 'lɔndɔnɐ
Londrina bras. lon'drina
Long engl. lɔŋ, fr. lõ
Longa 'lɔŋga, **...gae** ...gɛ
Longanesi it. loŋga'ne:si
Longaville 'lɔŋgavi:l, engl. 'lɔŋgəvıl
Longävität lɔŋgɛvi'tɛ:t

Longbenton *engl.* lɔŋ'bɛntn
Long Branch *engl.* 'lɔŋ
'brɑːntʃ
Longchamp[s] *fr.* lõ'ʃã
Longdrink 'lɔŋdrɪŋk
Longe 'lõːʒə
Longfellow *engl.* 'lɔŋfɛloʊ
Longford *engl.* 'lɔŋfəd
Longhena *it.* lɔŋ'geːna
Longhi *it.* 'lɔŋgi, 'lɔŋgi
longieren lõ'ʒiːrən
Longimetrie lɔŋime'triː
Longinos lɔŋ'giːnɔs
Longinus lɔŋ'giːnʊs
longitudinal lɔŋgitudi'naːl
Longjumeau *fr.* lõʒy'mo
longline, L... 'lɔŋlaɪn
Longman *engl.* 'lɔŋmən
Longmont *engl.* 'lɔŋmɔnt
Longo *it.* 'lɔŋgo, 'lɔŋgo
Longobarde lɔŋgo'bardə
Longobardi *it.* lɔŋgo'bardi
Longomontanus lɔŋgo-
mɔn'taːnʊs
Longos 'lɔŋgɔs
Longseller 'lɔŋzɛlɐ
Longshan *chin.* lʊŋʃan 21
Longs Peak *engl.* 'lɔŋz 'piːk
Longstreet *engl.* 'lɔŋstriːt
Longsword *engl.* 'lɔŋsɔːd
¹Longton (Maß) 'lɔŋtan
²Longton (Name) *engl.* 'lɔŋ-
tən
Longuelune *fr.* lõ'glyn
Longueuil *fr.* lõ'gœj
Longueville *fr.* lõg'vil
Longus 'lɔŋgʊs
Longuyon *fr.* lõgɥi'jõ
Longview *engl.* 'lɔŋvjuː
Longwood *engl.* 'lɔŋwʊd
Longworth *engl.* 'lɔŋwə[ː]θ
Longwy *fr.* lõ'wi
Long Xuyên *vietn.* lɔŋ suịən
11
Longyear *engl.* 'lɔŋjəː
Longyearbyen *norw.* 'lɔŋ-
jiːrbyːən
Loni 'loːni
Lonigo *it.* lo'niːgo
Lonitzer 'loːnɪtsɐ
Lonjumeau *fr.* lõʒy'mo
Lønn *norw.* lœn
Lønneker *niederl.* 'lɔnəkər
Lonni 'lɔni
Lon Nol lɔn'nɔl
Lönnrot *schwed.* 'lœnruːt
Löns løːns, lœns
Lonsdale *engl.* 'lɔnzdeɪl
Lons-le-Saunier *fr.* lõlso-
'nje

Lonza 'lɔntsa
Lonzona® lɔn'tsoːna
Loo *fr.* lo, *niederl.* loː
Loofs loːfs
Look lʊk
Lookalike 'lʊkəlaɪk
Loon [op Zand] *niederl.*
'loːn [ɔp 'sɑnt]
loopen 'luːpṇ
Loop Head *engl.* 'luːp 'hɛd
Looping 'luːpɪŋ
Loos *dt., fr.* loːs, *engl.* luːs
Loosli 'loːsli
Looy *niederl.* loːị
Lopatin *russ.* la'patin
Lopatka *russ.* la'patkɐ
Lop Buri *Thai* lobbu'riː 411
Lope *span.* 'lope
Lope de Rueda *span.* 'lope
ðe 'rrʊeða
Lope de Vega 'loːpe deː
'veːga, *span.* 'lope ðe 'βeγa
Lopes *port.* 'lɔpɪʃ, *bras.*
'lɔpis
López *span.* 'lopeθ, *kat.*
'lopəs
Lophiodon lo'fiːodɔn
Lophodont lofo'dɔnt
Lop Nor 'lɔp 'nɔr
Lopud *serbokr.* .lɔpud
Loquazität lokvatsi'tɛːt
Lora [del Río] *span.* 'lora
[ðɛl 'rrio]
Lorain *engl.* lɔː'reɪn
Lorbass 'lɔrbas
Lorbeer 'lɔrbeːɐ
Lorber 'lɔrbɐ
Lorca *span.* 'lɔrka
Lorch[e] 'lɔrç[ə]
Lorchel 'lɔrçl̩
Lorchen lo:ɐ̯çən
Lörcher 'lœrçɐ
¹Lord (Adelstitel) lɔrt
²Lord (Name) *engl.* lɔːd
Lorde *engl.* lɔːd
Lordkanzler 'lɔrt'kantslɐ
Lord Mayor 'lɔrt 'mɛːɐ̯
Lordose lɔr'doːzə
Lordosis lɔr'doːzis
lordotisch lɔr'doːtɪʃ
Lordship 'lɔrtʃip
Lore[dan] 'loːrə[dan]
Lorelei, ...ley loːrə'laị, *auch:*
'———
Loren *it.* 'lɔːren
Lorengar *span.* loreŋ'gar
Lørenskog *norw.* .løːrəns-
kuːg
Lorentz 'loːrɛnts, *niederl.*
'loːrənts

Lorenz 'loːrɛnts
Lorenzen lo'rɛntsn̩
Lorenzetti *it.* loren'tsetti
Lorenzini *it.* loren'tsiːni
Lorenzino *it.* loren'tsiːno
Lorenzo *it.* lo'rɛntso
Loreto *it.* lo'reːto, *span.*
lo'reto
Loretta lo'rɛta, *it.* lo'retta
Lorette lo'rɛtə
Loretteville *fr.* lɔrɛt'vil
Lorettohöhe lo'rɛtohøːə
Lorezza lo'retsa
Lorgnette lɔrn'jɛtə
lorgnettieren lɔrnjɛ'tiːrən
Lorgnon lɔrn'jõː
Lori 'loːri
Loria *it.* 'lɔːriạ
Lorica *span.* lo'rika
Lorient *fr.* lo'rjã
Lorin 'loːriːn, *engl.* 'lɔːrɪn, *fr.*
lɔ'rɛ̃
Lőrinc[i] *ung.* 'løːrints[i]
Loriol *fr.* lɔ'rjɔl
Loriot lo'rjoː
Loritta lo'rɪta
Lork lɔrk, Lörke 'lœrkə
Lørke 'lɔrkə
Lorm lɔrm
Lorme[s], L'Orme *fr.* lɔrm
Lormeuil *fr.* lɔr'mœj
Lormont *fr.* lɔr'mõ
Lorne *engl.* lɔːn
Lorokonto 'loːrokɔnto
Lőrrach 'lœrax
Lorrain *fr.* lɔ'rɛ̃
Lorraine *fr.* lɔ'rɛn
Lorre 'lɔrə, *engl.* 'lɔːrɪ
Lorris *fr.* lɔ'ris
Lorsch lɔrʃ
Lorton *engl.* 'lɔːtən
Lortz[ing] 'lɔrts[ɪŋ]
los, Los loːs, -e 'loːzə
Los Alamitos *engl.* lɔsælə-
'miːtoʊs
Los Alamos *engl.* lɔs'æːlə-
moʊs
Los Altos *engl.* lɔs'æltəs
Losament loza'mɛnt
Los Angeles lɔs 'ɛndʒələs;
engl. lɔs'ændʒɪlɪs; ...ŋgiː...;
...lɪz, ...liːz
Los Banos *engl.* lɔs'bænəs
losbrechen 'loːsbrɛçṇ
losch lɔs
löschen 'lœʃn̩
Löscher 'lœʃɐ
Loschmidt 'lɔʃmɪt
Loschütz 'loːʃʏts
lose 'loːzə

Lose (schlaffes Tau) 'lo:zə
Loseblattausgabe
  lo:zə'blat|ausga:bə
losen 'lo:zn̩, **los!** lo:s, **lost**
  lo:st
lösen 'lø:zn̩, **lös!** lø:s, **löst**
  lø:st
Loser (Verlierer) 'lu:zɐ
Loser[th] 'lo:zɐ[t]
Losey engl. 'loʊzɪ
Los Gatos engl. lɔs'gætoʊs
Lošinj serbokr. ˌlɔʃi:nj
Loslau 'lɔslaṵ
löslich 'lø:slɪç
Losowaja russ. lɐza'vajɐ
Los Ríos span. lɔr 'rrios
Löß lø:s
Löss lœs
Losser niederl. 'lɔsər
Lossiemouth engl. 'lɔsɪ-
  maṵθ
lößig 'lø:sɪç, -e ...ɪgə
lössig 'lœsɪç, -e ...ɪgə
Losski russ. 'lɔsskij
Lößnitz 'lø:snɪts̩, lœs...
Lossow 'lɔso
Lost lɔst
Lostage 'lo:sta:gə
lo stesso tempo lɔs'tɛso
  'tɛmpo
Lostgeneration 'lɔstdʒenə-
  're:ʃn̩
Losung 'lo:zʊŋ
Lösung 'lø:zʊŋ
Los-von-Rom-Bewegung
  'lo:sfɔn'ro:mbəve:gʊŋ
¹Lot lo:t
²Lot (Posten, Menge) lɔt
³Lot (Name) lo:t, engl., fr.,
  niederl., poln. lɔt
Lota span. 'lota
Lotario it. lo'ta:rio, span.
  lo'tario
loten 'lo:tn̩
löten 'lø:tn̩
Lot-et-Garonne fr. lɔtega-
  'rɔn
Loth lo:t, fr. lɔt
Lothar 'lo:tar
Lotharingien lota'rɪŋgiən
Lothario lo'ta:rio
Lothian engl. 'loʊðjən
Lothringen 'lo:trɪŋən
Lothringer 'lo:trɪŋɐ
lothringisch 'lo:trɪŋɪʃ
Lothrop 'loʊθrəp
Loti fr. lɔ'ti
Lotichius lo'ti:çiʊs
Lotion lo'tsi̯o:n, auch: 'lo:ʃn̩
Lotophage loto'fa:gə

Lotos 'lo:tɔs
lotrecht 'lo:trɛçt
Lötschberg 'lœtʃbɛrk
Lötschental 'lœtʃn̩ta:l
Lotse 'lo:tsə
lotsen 'lo:tsn̩
Löttchen 'lœtçən
Lotte 'lɔtə
Lotter 'lɔtə'raị
Lotterei lɔtə'ri:, -n ...i:ən
lotterig 'lɔtərɪç, -e ...ɪgə
Lotteringhi it. lotte'rɪŋgi
lottern 'lɔtɐn
Lotti 'lɔti, it. 'lɔtti
¹Lotto 'lɔto
²Lotto (Name) it. 'lɔtto
lottrig 'lɔtrɪç, -e ...ɪgə
Lotus 'lo:tʊs
Lotz[e] 'lɔts[ə]
Lötzen 'lø:tsn̩
Lötzer 'lɔtsɐ
Lou lu:, fr. lu
Loubet fr. lu'bɛ
Loucheur fr. lu'ʃœ:r
Loudon 'laụdɔn, engl. laʊdn
Loudun fr. lu'dœ
Loue fr. lu
Loughborough engl. 'lʌf-
  bərə
Louhans fr. lu'ã
¹Louis (Name) 'lu:i, fr. lwi,
  engl. lʊi[s], 'lu:i[s]
²Louis (Zuhälter) 'lu:i, des -
  'lu:i[:s], die - 'lu:i:s
Louisa engl. lʊ'i:zə, niederl.
  lu'i:za
Louisbo[u]rg engl. 'lu:ɪsbə:g
Louisdor lui'do:ɐ
Louise lu'i:zə, fr. lwi:z, engl.
  lʊ'i:z, niederl. lu'i:zə
Louisette lui'zɛt, -n ...tn̩
Louis-Gentil fr. lwiʒã'ti
Louisiade-Archipel
  lui'zia:də|arçipe:l
Louisiana lui'zia:na, engl.
  lʊi:zɪ'ænə
Louison fr. lwi'zõ
Louis-Philippe fr. lwifi'lip
Louis-quatorze fr. lwika-
  'tɔrz
Louis-quinze fr. lwi'kɛ̃:z
Louis-seize fr. lwi'sɛ:z
Louis-treize fr. lwi'trɛ:z
Louisville (Kentucky) engl.
  'lu:ɪvɪl
Louïze fr. lwi:z
Loulé port. lo'lɛ
Lounge laụntʃ

Lounsbury engl. 'laʊnzbərɪ
Louny tschech. 'lɔuni
Loup engl. lu:p
Loup(s) de Mer 'lu: də 'mɛ:ɐ̯
Lourches fr. lurʃ
Lourdes fr. lurd, span. 'lur-
  ðes
Loure lu:ɐ̯, -n 'lu:rən
Lourenço Marques port.
  lo'rẽsu 'markɪʃ
Lousã port. lo'zẽ
Louth England engl. laʊθ,
  Irland engl. laʊð
Louvain fr. lu'vɛ̃
Louvel fr. lu'vɛl
Louverture fr. luvɛr'ty:r
Louvière fr. lu'vjɛ:r
Louviers fr. lu'vje
Louvois fr. lu'vwa
Louvre fr. lu:vr
Louw afr. loʊ
Louÿs fr. lwis
Lövborg 'lœfbɔrk
Lovćen serbokr. 'lɔ:ftɕɛn
love (Tennis) laf
Love engl. lʌv, schwed. ˌlu:və
Lovecraft engl. 'lʌvkrɑ:ft
Loveday engl. 'lʌvdeɪ
Løveid norw. 'lø:veịd
Love-in la'vɪn, 'lavɪn, auch:
  laf'|ɪn, 'lafǀɪn
Loveira span. lo'βeịra
Lovejoy engl. 'lʌvdʒɔɪ
Lovel engl. 'lʌvəl
Lovelace engl. 'lʌvleɪs
Loveland engl. 'lʌvlənd
Loveling niederl. 'lo:vəlɪŋ
Lovell engl. 'lʌvəl
Lovén schwed. lu've:n
Lövenich lø:vənɪç
Lover 'lavɐ
Loves Park engl. 'lʌvz 'pɑ:k
Loviisa finn. 'lɔvi:sa
Lovinescu rumän. lovi-
  'nesku
Lovisa schwed. lu.vi:sa
Lovran serbokr. ˌlɔvran
Low engl. loʊ
Löw lø:f
Lowat russ. 'lɔvɐtj
Low Church 'lo:tʃø:ɐ̯tʃ,
  ...tʃœrtʃ
Lowe engl. loʊ
Löwe 'lø:və
Lowell engl. 'loʊəl
Löwen 'lø:vn̩
Lowendal fr. lovẽ'dal
Löwendal 'lø:vn̩da:l
Löwenherz 'lø:vnhɛrts̩

Löwenhjelm *schwed.*
.lø:vɔnjɛlm
Löwenmaul 'lø:vn̩maul
löwenstark 'lø:vɔ'ʃtark
Löwenstein[er] 'lø:vn̩-
ʃtai̯n[ɐ]
Löwenthal 'lø:vn̩taːl
Löwentinsee løvn̩'tiːnze:
Lower Hutt, - Merion *engl.*
'loʊə 'hʌt, - 'mɛrɪən
Lowes *engl.* loʊz
Lowestoft *engl.* 'loʊstɔft
Lowętsch *bulgar.* lo'vɛtʃ
Łowicz *poln.* 'u̯ɔvitʃ
Lowie *engl.* 'loʊɪ
Lowimpact 'lo:lɪmpɛkt
Löwin 'lø:vɪn
Löwith 'lø:vɪt
Lowitz 'lo:vɪts
Lowlands *engl.* 'loʊləndz
Lowndes *engl.* laʊndz
Lowry *engl.* 'laʊərɪ
Lowther *engl.* 'laʊðə
Löwy 'lø:vi
loxodrom lɔkso'dro:m
Loxodrome lɔkso'dro:mə
loxogonal lɔksogo'na:l
Loxophthalmus lɔksɔf'tal-
mʊs
loyal lɔa'ja:l
Loyalist lɔaja'lɪst
Loyalität lɔaali'tɛ:t
Loyalty Islands *engl.* 'lɔɪəltɪ
'aɪləndz
Loyd *engl.* lɔɪd
Loyola lo'jo:la, *span.* lo'jola
Loyson *fr.* lwa'zõ
Lozada *span.* lo'θaða
Lozère *fr.* lo'zɛ:r
Lozi vgl. Lokus
lozieren lo'tsi:rən
Łoziński *poln.* u̯ɔ'ziĩski
Loznica *serbokr.* .lɔznitsa
Lozza *rät.* 'lɔtsɐ
LP (Schallplatte) ɛll'pe:,
ɛll'pi:
Lu lu:
Lualaba lu̯a'la:ba, *fr.* lwa-
la'ba
Luanda *port.* 'lu̯ɛndɐ
Luang Prabang 'lu̯aŋ pra-
'baŋ
Luanshya *engl.* lu:'ɑ:nʃɑ:
Luapula lu̯a'pu:la, *engl.*
'lu:ə'pu:lə, *fr.* lwapu'la
Luarca *span.* 'lu̯arka
Luba 'lu:ba
Lubac *fr.* ly'bak
Luban 'lu:ban
Lubań *poln.* 'lubai̯n

Lubbe *niederl.* 'lʏbə
Lübbecke 'lʏbəkə
Lübben 'lʏbn̩
Lübbenau lʏbə'nau̯
Lubberger 'lobɛrgɐ
Lubbers *niederl.* 'lʏbərs
Lübeck 'ly:bɛk
lübeckern 'ly:bɛkɐn
Lüben 'ly:bn̩
Lubéron *fr.* lybe'rõ
Lubilash *fr.* lubi'laʃ
Lubin *engl.* 'lu:bɪn, *poln.*
'lubin
lübisch 'ly:bɪʃ
Lubitsch 'lu:bɪtʃ, *engl.*
'lu:bɪtʃ
Lubjanka *russ.* lu'bjankɐ
Lübke 'lʏpkə
Lublin *poln.* 'lublin
Lubliner lu'bli:nɐ, 'lubli:nɐ
Lubliniec *poln.* lu'blinjɛts
Lublinitz 'lu:blinɪts
Lubliński lu'blɪnski
Lubmin lʊp'mi:n
Lubnan lʊ'bna:n
Lubny *russ.* 'lubni̯ **Lubo-
mirski** *poln.* lubɔ'mirski
Luboń *poln.* 'lubɔi̯n
Lubrizität lubritsi'tɛ:t
Lübsko *poln.* 'lupskɔ
Lübsow 'lʏpso
Lubumbashi lubʊm'baʃi, *fr.*
lubumba'ʃi
Lü Buwei *chin.* lybu-u̯ei̯ 342
Lübz lʏpts
Luc *fr.* lyk
Luca *it.* 'lu:ka, *rumän., span.*
'luka
Lucà 'lu:tsɐ
Lucan lu'ka:n, *engl.* 'lu:kən
Lucania *it.* lu'ka:ni̯a
Lucanus lu'ka:nʊs
Lucas 'lu:kas, *engl.* 'lu:kəs,
fr. ly'kɑ, *span., bras.* 'lukas,
port. 'lukɐʃ, *niederl.* 'lykas
Lucca 'loka, *it.* 'lukka
Luce *engl.* lu:s, *fr.* lys
Lucebert *niederl.* lysə'bɛrt
Lucena *span.* lu'θena, *port.*
lu'senɐ
Lučenec *slowak.* 'lutʃɛnjɛts
Lucentini *it.* lutʃɛn'ti:ni
Lucentio lu'tʃɛntsi̯o
Lucera *it.* lu'tʃɛ:ra
Lucerna lu'tsɛrna, *it.* lu-
'tʃɛrna, *serbokr.* .lutsɛrna
Lucetta *it.* lu'tʃetta
Luch lu:x, **Lüche** 'ly:çə
Luchaire *fr.* ly'ʃɛ:r
Luchian *rumän.* lu'kjan

Luchon *fr.* ly'ʃõ
Lüchow 'ly:ço
Luchs loks
Lüchschen 'lʏksçən
luchsen 'loksn̩
Luchsperger 'lʊkspɛrgɐ
Lucht lʊxt
Luchterhand 'lʊxtɐhant
Lucia 'lu:tsi̯a, *it.* lu'tʃi:a,
schwed. lɐ'si:a
Lucía *span.* lu'θia
Lucian lu'tsi̯a:n, *engl.* 'lu:ʃən
Luciana lu'tsi̯a:na, *it.* lu-
'tʃa:na
Lucianer lu'tsi̯a:nɐ
Luciani *it.* lu'tʃa:ni
lucianisch lu'tsi̯a:nɪʃ
Luciano *it.* lu'tʃa:no, *span.*
lu'θi̯ano, *port., bras.*
lu'si̯ɐnu
Lucianus lu'tsi̯a:nʊs
Lucić *serbokr.* 'lu:tsitɕ
Lucidarius lutsi'da:ri̯ʊs
Lucidol® lutsi'do:l
Lucidor *schwed.* 'lɐ:sidɔr
Lucie 'lu:tsi̯ə, *engl.* 'lu:sɪ, *fr.*
ly'si
Lucien *engl.* 'lu:ʃən, *fr.* ly'sjɛ̃
Lucienne *fr.* ly'sjɛn
Lucientes *span.* lu'θi̯entes
Lucieta lu'tʃi̯eta
Lucifer 'lu:tsifɛr
Luciferase lutsife'ra:zə
Luciferin lutsife'ri:n
Lucila *span.* lu'θila
Lucile *fr.* ly'sil
Lucilio *it.* lu'tʃi:li̯o
Lucilius lu'tsi:li̯ʊs
Lucinde lu'tsɪndə
Lucinschi *rumän.* lu'tʃinski
Lucio 'lu:tsi̯o, *it.* 'lu:tʃo
Lucius lu'tsi̯ʊs, *engl.* 'lu:sjəs
Lucka 'loka
Luckau 'lokau̯
Lückchen 'lʏkçən
Lücke 'lʏkə
Lückemeyer 'lokəmai̯ɐ
Luckenwalde lokn̩'valdə
Luckhardt 'lokhart
luckig 'lokɪç, -e ...ɪgə
Luckner 'loknɐ
Lucknow *engl.* 'lʌknaʊ
Lucky Strike *engl.* 'lʌkɪ
'straɪk
Lucmagn *rät.* luk'man
Lucomagno *it.* luko'maɲɲo
Luçon *fr.* ly'sõ
Lucrecia *span.* lu'kreθi̯a
Lucretia lu'kre:tsi̯a
Lucretius lu'kre:tsi̯ʊs

Lucrezia lu'kre:ʦi̯a, *it.*
lu'krɛtsi̯a
Lucullus lu'kʊlʊs
Lucy *engl.* 'lu:sɪ
lud lu:t
Lud lu:t, *engl.* lʌd
Lüda *chin.* lyda 34
Ludd lʊt, *engl.* lʌd
Ludditen lʊ'di:tn̩
Lude 'lu:də, *fr.* lyd
lüde, L... 'ly:də
Ludel 'lu:dl̩
luden, L... 'lu:dn̩
Ludendorff 'lu:dn̩dɔrf
Lüdenscheid 'ly:dn̩ʃai̯t
Luder 'lu:dɐ
Lüder 'ly:dɐ
Lüderitz 'ly:dərɪts
Lüderitzbucht 'ly:dərɪts-
bʊxt
ludern 'lu:dɐn, **ludre** 'lu:drə
Lüders 'ly:dɐs
Ludes *fr.* lyd
Ludger 'lu:tgɛr
Ludhiana *engl.* lʊdɪ'ɑ:nə
Ludi *vgl.* Ludus
Lüdinghausen 'ly:dɪŋ-
hau̯zn̩, --'--
Lüdingworth 'ly:dɪŋvɔrt
Ludlow *engl.* 'lʌdloʊ
Ludmila *tschech.* 'ludmila
Ludmilla lu:t'mɪla
Ludo 'lu:do
Ludolf[inger] 'lu:dɔlf[ɪŋɐ]
Ludolph 'lu:dɔlf
Ludovic *fr.* lydɔ'vik
Ludovica *it.* ludo'vi:ka
Ludovico *it.* ludo'vi:ko
Ludovicus ludo'vi:kʊs
Ludovinger 'lu:dovɪŋɐ
Ludovisi *it.* ludo'vi:zi
Ludowika ludo'vi:ka
Ludowinger 'lu:dovɪŋɐ
Ludus 'lu:dʊs, **Ludi** 'lu:di
Luduş *rumän.* 'luduʃ
Ludvig *dän.* 'luð'vi
Ludvík *tschech.* 'ludvi:k
Ludvika *schwed.* ˌlʊdvi:ka
Ludwich 'lu:tvɪç
Ludwig 'lu:tvɪç, *norw.* 'lu:d-
vig
Ludwiga lu:t'vi:ga
Ludwigsburg 'lu:tvɪçsbʊrk
Ludwigsfelde lu:tvɪçs'fɛldə,
'----
Ludwigshafen 'lu:t-
vɪçsha:fn̩
Ludwigslust lu:tvɪçs'lʊst
Ludwigsstadt 'lu:tvɪçsʃtat
Ludwik *poln.* 'ludvik

Lueg 'lu:ɛk
Lueger 'lu̯e:gɐ, 'lu:ɛgɐ
Luening *engl.* 'lu:nɪŋ
Lues 'lu:ɛs
luetisch 'lu̯e:tɪʃ
Luffa 'lʊfa
Lufft lʊft
Lufkin *engl.* 'lʌfkɪn
Luft lʊft, **Lüfte** 'lʏftə
Luft-Boden-Rakete 'lʊft-
'bo:dn̩rake:tə
lüften 'lʏftn̩
luftig 'lʊftɪç, **-e ...**ɪgə
Luftikus 'lʊftikʊs, **-se ...**ʊsə
Lug lu:k, **-es** 'lu:gəs
Luganer lu'ga:nɐ
Luganese luga'ne:zə
luganesisch luga'ne:zɪʃ
Lugano *it.* lu'ga:no
Lugansk[i] *russ.* lu'gansk[ij]
Lugau 'lu:gau̯
Lugaus 'lu:klau̯s
Lügde 'lʏkdə
Lugdunum lʊk'du:nʊm
Lüge 'ly:gə
lugen 'lu:gn̩, **lug!** lu:k, **lugt**
lu:kt
lügen 'ly:gn̩, **lüg!** ly:k, **lügt**
ly:kt
Lügerei ly:gə'rai̯
Lugger 'lʊgɐ
Lugier 'lu:gi̯ɐ
Luginbühl 'lu:gi:nby:l
Luginsland 'lu:k|ɪnslant
Lugné-Poe *fr.* lyɲe'po
Lügner 'ly:gnɐ
lügnerisch 'ly:gnərɪʃ
Lugnetz lu'gnɛts
Lugo *dt., it.* 'lu:go, *span.*
'luɣo
Lugoj *rumän.* 'lugoʒ
Lugol *fr.* ly'gɔl
Lugones *span.* lu'ɣones
Lugosch 'lu:gɔʃ
Lugowskoi *russ.* lugaf'skɔj
luguber lu'gu:bɐ
lugubre lu'gu:brə
Lugubrität lugubri'tɛ:t
Lugumkloster 'lu:gʊm-
klo:stɐ
Luhan *engl.* 'lu:hɑ:n
Luhe 'lu:ə
Luhmann 'lu:man
Lühr ly:ɐ̯
Luick 'lu:ɪk
Luigi *it.* lu'i:dʒi
Luigia *it.* lu'i:dʒa
Luik *niederl.* lœi̯k
Luiker 'lu:ikɐ
Luini *it.* lu'i:ni

Luino *it.* lu'i:no
Luis *span., bras.* lu̯is, *port.*
lu̯iʃ
Luís *port.* lu̯iʃ, *bras.* lu̯is
Luisa *it.* lu'i:za, *span.* 'lu̯isa,
russ. lu'izɐ
Luísa *port.* 'lu̯izɐ, *bras.* 'lu̯iza
luisch 'lu:ɪʃ
Luischen lu'i:sçən
Luis de Haro lu'ɪs de: 'ha:ro,
span. 'lu̯iz ðe 'aro
Luise lu'i:zə, *schwed.* lu'i:s
Luisine lui'zi:nə
Luitgar[d] 'lu:ɪtgar[d]
Luitger 'lu:ɪtgɐr
Luithard 'lu:ɪthart
Luitolf 'lu:ɪtɔlf
Luitpold 'lu:ɪtpɔlt
Luitprand 'lu:ɪtprant
Luitwin 'lu:ɪtvi:n
Luiz *port.* lu̯iʃ, *bras.* lu̯is
Luján *span.* lu'xan
Lujo 'lu:jo
Luk lu:k
Luka *russ.* lu'ka, *tschech.*
'luka
Lukáč *slowak.* 'luka:tʃ
Lukács *ung.* 'luka:tʃ
Lukan[ien] lu'ka:n[i̯ən]
Lukanow *bulgar.* lu'kanof
Lukaris 'lu:karɪs
Lukarne lu'karnə
Lukas 'lu:kas
Lukáš *tschech.* 'luka:ʃ
Lukaschek 'lu:kaʃɛk
Lukaschenka *weißruss.*
lukɐ'ʃenkɐ
Łukasiewicz *poln.* u̯uka'ɕɛ-
vitʃ
Łukasz *poln.* 'u̯ukaʃ
¹Luke 'lu:kə
²Luke (Name) *engl.* lu:k
Luki *russ.* lu'kij
Lukian lu'ki̯a:n
Lukija *russ.* lu'kijɐ
Lukin *engl.* 'lu:kɪn, *russ.*
lu'ki:n
Lukitsch *russ.* lu'kitʃ
Lukmanier lʊk'ma:ni̯ɐ
Łuków *poln.* 'u̯ukuf
lukrativ lukra'ti:f, **-e ...**i:və
Lukretia, Lukrezia lu'kre:-
tsi̯a
Lukrez lu'kre:ts
lukrieren lu'kri:rən
Luks *engl.* lʌks
Lukschy 'lʊkʃi
Luksor 'lʊkso:ɐ̯
Lukubration lukubra'tsi̯o:n
lukulent luku'lɛnt

Lukull luˈkʊl
lukullisch luˈkʊlɪʃ
Lukullus luˈkʊlʊs, **-se** …ʊsə
Lul lʊl
Lulatsch ˈluːla[ː]tʃ
Lule *schwed.* ˈlʉːlə
Luleå *schwed.* ˌlʉːlɔoː
Lüleburgaz *türk.* lyˈlɛbur-
gaz
Luli ˈluːli
Lull *engl.* lʌl, *span.* lul
Lullaby ˈlaləbai̯
Lulle ˈlʊlə
lullen ˈlʊlən
Lulli *fr.* lylˈli
Lullies ˈlʊli̯əs
Lullu ˈlʊlu
Lullus ˈlʊlʊs
Lully *fr.* lylˈli
Lulofs *niederl.* ˈlylɔfs
Lulu ˈluːlu, luˈluː
Lulua *fr.* luˈlwa
Lumachelle lumaˈʃɛlə
Lumajang *indon.* luˈmadʒaŋ
Lumbago lʊmˈbaːɡo
lumbal lʊmˈbaːl
Lumbalgie lʊmbalˈɡiː, **-n**
…iːən
Lumbeck ˈlʊmbɛk
lumbecken ˈlʊmbɛkn̩
Lumber ˈlambɐ
Lumberjack ˈlambɐdʒɛk
Lumberton *engl.* ˈlʌmbətn
Lumen luˈmən, **Lumina**
ˈluːmina
Lumen naturale luˈmən
natuˈraːlə
Lumet *engl.* ˈluːmɪt
Lumezzane *it.* lumetˈtsaːne
Lumie ˈluːmi̯ə
Lumière *fr.* lyˈmjɛːr
Luminal ® lumiˈnaːl
Luminanz… lumiˈnants…
Lumineszenz luminesˈtsɛnts
lumineszieren luminesˈtsiː-
rən
Lumineux lymiˈnøː
Luminographie lumino-
graˈfiː
luminös lumiˈnøːs, **-e** …øːzə
Lumme ˈlʊmə
Lummel ˈlʊml̩
Lümmel ˈlʏml̩
Lümmelei lʏməˈlai̯
lümmeln ˈlʏml̩n
Lummen *niederl.* ˈlʏmə
Lummer ˈlʊmɐ
lummerig ˈlʊmərɪç, **-e** …ɡə
Lummis *engl.* ˈlʌmɪs

Lump lʊmp
Lumpazius lʊmˈpaːtsi̯ʊs,
-se …ʊsə
Lumpazivagabundus lʊm-
ˌpaːtsivagaˈbʊndʊs, **-se**
…ʊsə, **…di** …di
lumpen, L… ˈlʊmpn̩
Lumperei lʊmpəˈrai̯
lumpig ˈlʊmpɪç, **-e** …ɡə
Lumumba luˈmʊmba, *fr.*
lumumˈba
Luna *dt., it.* ˈluːna, *span.*
ˈluna, *russ.* luˈna
lunar luˈnaːɐ̯
Lunardo *it.* luˈnardo
lunarisch luˈnaːrɪʃ
Lunarium luˈnaːri̯ʊm, **…ien**
…i̯ən
Lunatiker luˈnaːtikɐ
Lunation lunaˈtsi̯oːn
lunatisch luˈnaːtɪʃ
Lunatismus lunaˈtɪsmʊs
Lunatscharski *russ.* luna-
ˈtʃarskij
Lunceford *engl.* ˈlʌnsfəd
Lunch lanʃ, lantʃ
lunchen ˈlanʃn̩, ˈlantʃn̩
¹Lund (Vogel) lʊnt, **-e** ˈlʊndə
²Lund (Name) lʊnt, *schwed.*
lʊnd, *dän.* lʊn’
Lunda ˈlʊnda, *port.* ˈlʊndɐ
Lundberg *schwed.* ˌlʊndbærj
Lundbye *dän.* ˈlʊnby:’
Lunde *norw.* ˌlʊndə
Lundegård *schwed.* ˌlʊndə-
goːrd
Lundell *schwed.* lʊnˈdɛl
Lundemis *neugr.* lunˈdɛmis
Lundgren *schwed.* ˌlʊnd-
greːn
Lundist lœ̃ˈdɪst
Lundkvist *schwed.*
ˌlʊndkvist
Lundmark *schwed.* ˌlʊnd-
mark
Lundy [Isle] *engl.* ˈlʌndɪ
[ˈai̯l]
Luneberg ˈluːnəbɛrk
Lüneburg ˈlyːnəbʊrk
Lüneburger ˈlyːnəbʊrgɐ
Lunel *fr.* lyˈnɛl
Lünen ˈlyːnən
Lünersee ˈlyːnɐzeː
Lünette lyˈnɛtə
Lunéville *fr.* lyneˈvil
Lungau ˈlʊnɡau̯
Lunge ˈlʊŋə
lungern, L… ˈlʊŋɐn
lungo ˈlʊŋɡo
Lungschan ˈlʊŋʃan

Luni ˈluːni, *engl.* ˈluːnɪ
Lunigiana *it.* luniˈdʒaːna
Lunik ˈluːnɪk
Lüning ˈlyːnɪŋ
lunisolar lunizoˈlaːɐ̯
Lunker ˈlʊŋkɐ
Lunonaut lunoˈnau̯t
Lunovis luˈnoːvɪs
Luns *niederl.* lʏns
Lünse ˈlʏnzə
Lünt lʏnt
Lunte ˈlʊntə
Lunula ˈluːnula, **…lae** …lɛ,
…nulen luˈnuːlən
lunular lunuˈlaːɐ̯
Lunz lʊnts, *russ.* lunts
Lünze ˈlʊntsə
Lünze[nau] ˈlʊntsə[nau̯]
Luo Guanzhong *chin.* lu̯ɔ-
ɡu̯andʒʊŋ 241
Luoyang *chin.* lu̯ɔ-i̯aŋ 42
Lupamid lupaˈmiːt, **-e** …iːdə
Lupanar lupaˈnaːɐ̯
Lupe ˈluːpə
Lupeni *rumän.* luˈpenj
Luperca luˈpɛrka
Lupercal luˈpɛrkal
Luperci luˈpɛrtsi
Lupercus luˈpɛrkʊs
Luperkalien lupɐˈkaːli̯ən
Lüpertz ˈlyːpɛrts
Lupescu *rumän.* luˈpesku
Lupf lʊpf
lupfen ˈlʊpfn̩
lüpfen ˈlʏpfn̩
Lupine luˈpiːnə
Lupinin lupiˈniːn
Lupinose lupiˈnoːzə
Lupold ˈluːpɔlt
Lupolen ® lupoˈleːn
lupös luˈpøːs, **-e** …øːzə
Lupot *fr.* lyˈpo
Luppe ˈlʊpə
luppen ˈlʊpn̩
Lupulin lupuˈliːn
Lupus ˈluːpʊs, **-se** …ʊsə
Lupus in fabula ˈluːpʊs ɪn
ˈfaːbula
Luque *span.* ˈluke
Luquillo *span.* luˈkiʎo
Lurago *it.* luˈraːgo
Luray *engl.* lʊˈrei̯
Lurçat *fr.* lyrˈsa
Lurch lʊrç
¹Lure (Instrument) ˈluːrə
²Lure (Name) *fr.* lyːr
Lurex ˈluːrɛks
Lurgan *engl.* ˈləːɡən
Luria ˈluːri̯a
Lurie *engl.* ˈljʊərɪ

Luristan 'lu:rɪsta[:]n
Lurlei 'lʊrlai̯
Lürmann 'lyːɐ̯man
Lusaka lu'zaːka, *engl.*
  luːˈzɑːkə
Lusatia lu'zaːt͡si̯a
Luschan (Familienname)
  'lʊʃan
Lusche 'lʊʃə
luschig 'lʊʃɪç, -e …ɪɡə
Luschin 'lʊʃiːn, lʊˈʃiːn, *russ.*
  'luʒin
Luschkow *russ.* luʃˈkɔf
lusen 'luːzn̩, **lus! Lust**
  luːs, **lust**
  luːst
Lusen 'luːzn̩
Luser 'luːzɐ
Luserke lu'zɛrkə
Lushnjë *alban.* 'luʃnjə
Lüshun *chin.* lyʃy̯ən 44
Lusíadas *port.* lu'zi̯eðɐʃ
Lusiade lu'zi̯aːdə
Lusiaden lu'zi̯aːdn̩
Lusignan *fr.* lyzi'ɲ̃ã
Lusin *russ.* 'luzin
lusingando luzɪŋ'gando
Lusitaner luzi'taːnɐ
Lusitania luzi'taːni̯a, *engl.*
  luːsɪ'teɪ̯njə
Lusitanien luzi'taːni̯ən
Lusitanier luzi'taːni̯ɐ
lusitanisch luzi'taːnɪʃ
Lusitanismus luzita'nɪsmʊs
Lusitanist[ik] luzita'nɪst[ɪk]
Luso *port.* 'luzu
Lusothek luzoˈteːk
Lussac *fr.* ly'sak
Lussino *it.* lus'siːno
Lust lʊst, **Lüste** 'lʏstə
Lüstchen 'lʏstçən
Lustenau 'lʊstənau̯
Luster 'lʊstɐ
Lüster 'lʏstɐ
lüstern 'lʏstɐn
lustig 'lʊstɪç, -e …ɪɡə
Lustig *tschech.* 'lustik
Lüstling 'lʏstlɪŋ
Lustra *vgl.* Lustrum
Lustration lʊstra't͡si̯oːn
lustrativ lʊstra'tiːf, -e …i:və
lustrieren lʊs'triːrən
lüstrieren lʏs'triːrən
Lüstrine lʏs'triːnə
Lustrum 'lʊstrʊm, …ra …ra
lustwandeln 'lʊstvandl̩n
Lusus 'luːzʊs
Lut *pers.* luːt
Lutatius lu'taːt͡si̯ʊs
Lutèce *fr.* ly'tɛs
Lutein lute'iːn

Luteinom lutei̯'noːm
Luteolin luteo'liːn
Luteom lute'oːm
Luteotropin luteotro'piːn
Lutet lu'teːt
Lutetia [Parisiorum] lu'teː-
  t͡si̯a [pari'zi̯oːrʊm]
Lutetium lu'teːt͡si̯ʊm
Lutgardis lʊt'gardɪs
Lütgens 'lʏtgns
Luthardt 'luːthart
Luther 'lʊtɐ, *engl.* 'luːθə
Lutheraner lutə'raːnɐ
lutheranisch lutə'raːnɪʃ
¹lutherisch 'lʊtərɪʃ, *veralt.*
  lu'teːrɪʃ
²lutherisch (stark orthodox
  lutheranisch) lu'teːrɪʃ
Lüthi 'lyːti
Luthuli lu'tuːli, *engl.*
  luːˈθuːli:
Luti *it.* 'luːti
Lütjenburg 'lʏtjənbʊrk
Lütjens 'lʏtjəns
Lütken *dän.* 'lydgn̩
Luton *engl.* 'luːtn̩
Lutosławski *poln.* lutɔ-
  'su̯afski
Lutrophoros lutro'foːrɔs
Lutry *fr.* ly'tri
lytschen 'lʊtʃn̩
Lütschine 'lʏtʃinə
Lutschyna *weißruss.*
  lu'tʃinɐ
lütt lʏt
Lutte 'lʊtə
Lutter 'lʊtɐ
Lütter 'lʏtɐ
Lutter am Barenberge 'lʊtɐ
  am 'baːrənbɛrgə
Lüttich 'lʏtɪç
Lüttjohann 'lʏtjohan
luttuoso lu'tu̯oːzo
Lüttwitz 'lʏtvɪt͡s
Lutwin 'luːtviːn
Lutz[e] 'lʊt͡s[ə]
Lützelburg 'lʏt͡slbʊrk
Lützelburger 'lʏt͡slbʊrgɐ
Lützelflüh 'lʏt͡slflyː
Lützen 'lʏt͡sn̩
Lützkendorf 'lʏt͡skn̩dɔrf
Lützow 'lʏt͡so
Luv lu:f
luven 'luːfn̩, *auch:* 'luːvn̩,
  luv! luːf, **luvt** luːft
Luvier 'luːvi̯ɐ
luvisch 'luːvɪʃ
luvwärts 'luːfvɛrt͡s
Lux lʊks
Luxair *fr.* lyk'sɛːr

Luxation lʊksa't͡si̯oːn
Luxembourg *fr.* lyksãˈbuːr
Luxemburg 'lʊksm̩bʊrk
Luxemburger lʊksm̩bʊrgɐ
luxemburgisch 'lʊksm̩bʊr-
  gɪʃ
Luxeuil *fr.* lyk'sœj
Luxeuil-les-Bains *fr.*
  lyksœjle'bɛ̃
luxieren lʊ'ksiːrən
Luxmeter 'lʊksmeːtɐ
Luxor 'lʊksoːɐ̯
Lu Xun *chin.* luːɕyn 34
luxurieren lʊksu'riːrən
luxuriös lʊksu'ri̯øːs, -e
  …øːzə
Luxus 'lʊksʊs
Luyken *niederl.* 'lœi̯kə
Luynes *fr.* lɥin
Lu You *chin.* luː-jou̯ 42
Luypaerts *niederl.* 'lœi̯-
  paːrts
Luz *port.* luʃ, *bras.* lus
Luzán *span.* lu'θan
Luzarches *fr.* ly'zarʃ
Luzech *fr.* ly'zɛʃ
Luzern[e] lu'tsɛrn[ə]
Luzhou *chin.* luːd͡ʒou̯ 21
Luzi *it.* 'luttsi
Luzia 'luːt͡si̯a
Luzian lu'tsi̯aːn
Lužické Hory *tschech.*
  'luʒitskɛː 'hɔri
luzid lu'tsiːt, -e …i:də
Luzidität lutsidi'tɛːt
Luzie 'luːt͡si̯ə
Luziensteig 'luːt͡si̯ənʃtai̯k
Luzifer 'luːt͡sifɐr
Luziferin lut͡sife'riːn
luziferisch lut͡si'feːrɪʃ
Luzimeter lut͡si'meːtɐ
Luzinde lu'tsɪndə
Luzius 'luːt͡si̯ʊs
Luzk *russ.* lutsk
¹Luzon (Ort) *fr.* ly'zõ
²Luzon (Insel) lu'sɔn, *span.*
  lu'θɔn
Luzón lu'sɔn, *span.* lu'θɔn
Luzula 'luːt͡sula
Luzzaschi *it.* lut'tsaski
Luzzatto *it.* lut'tsatto
Lwoff *fr.* lvɔf
Lwów *poln.* lvuf
Lwowitsch *russ.* 'lʲvɔvit͡ʃ
Lwowna *russ.* 'lʲvɔvnɐ
Lyall[pur] *engl.* 'lai̯əl[pʊə]
Lyase ly'aːzə
Lyautey *fr.* ljo'tɛ
Lybeck *schwed.* 'lyːbɛk

Lycaste

Lycaste lyˈkastə
Lychee ˈlɪtʃi
Lychen ˈlyːçn̩
Lychnis ˈlyçnɪs
Lychorida lvˈçoːrida
Lyck lvk
Lycksele *schwed.* ˈlyksələ
Lycra® ˈlyːkra, *auch:* ˈlaikra
Lycurgus lyˈkʊrgʊs
Lydd *engl.* lɪd
Lydda ˈlvda
Lyddit lvˈdiːt
Lydenburg *afr.* ˈləidənbœrx
Lyder ˈlyːdɐ
Lydgate *engl.* ˈlɪdgeɪt
Lydia ˈlyːdia, *engl.* ˈlɪdɪə
Lydien ˈlyːdiən
Lydier ˈlyːdiɐ
lydisch ˈlyːdɪʃ
Lydit lyˈdiːt
Lyell *engl.* ˈlaɪəl
Lygdamos ˈlvkdamɔs
Lyhne *dän.* ˈlyːnə
Lykabettos lykaˈbɛtɔs
Lykanthropie lykantroˈpiː
Lykaon lyˈkaːɔn
Lykaonien lykaˈoːniən
Lykäus lyˈkɛːʊs
Lykeion ˈlyːkaiɔn, lyˈkaiɔn
Lykien ˈlyːkiən
Lykier ˈlyːkiɐ
Lykios ˈlyːkiɔs
lykisch ˈlyːkɪʃ
Lykke ˈlvkə
Lykomanie lykomaˈniː
Lykophron ˈlyːkofrɔn
Lykopodium lykoˈpoːdiʊm, ...**ien** ...iən
Lykopolis lyˈkoːpolɪs
Lykorexie lykorɛˈksiː
Lykurg lyˈkʊrk
lykurgisch, L... lyˈkʊrgɪʃ
Lykurgos lyˈkʊrgɔs
Lykus ˈlyːkʊs
Lyly *engl.* ˈlɪlɪ
Lyman *engl.* ˈlaɪmən
Lyme *engl.* laɪm
Lymington *engl.* ˈlɪmɪŋtən
Lymm *engl.* lɪm
Lymphadenie lvmfadeˈniː, -**n** ...iːən
Lymphadenitis lvmfadeˈniːtɪs, ...**itiden** ...niˈtiːdn̩
Lymphadenom lvmfadeˈnoːm
Lymphadenose lvmfadeˈnoːzə
Lymphangiom lvmfaŋˈgioːm

Lymphangitis lvmfaŋˈgiːtɪs, ...**itiden** ...giˈtiːdn̩
lymphatisch lvmˈfaːtɪʃ
Lymphatismus lvmfaˈtɪsmʊs
Lymphe ˈlvmfə
lymphogen lvmfoˈgeːn
Lymphogranulomatose lvmfogranulomaˈtoːzə
Lymphographie lvmfoˈgraˈfiː, -**n** ...iːən
lymphoid lvmfoˈiːt, -**e** ...iːdə
Lymphoidozyt lvmfoidoˈtsyːt
Lymphom lvmˈfoːm
Lymphoma lvmˈfoːma, -**ta** -ta
Lymphopenie lvmfopeˈniː
Lymphopoese lvmfopoˈeːzə
Lymphostase lvmfoˈstaːzə
Lymphozyt lvmfoˈtsyːt
Lymphozytose lvmfotsyˈtoːzə
Lynbrook *engl.* ˈlɪnbrʊk
Lynceus ˈlvŋkɔys
Lynch *engl.* lɪntʃ, *span.* lintʃ
Lynchburg *engl.* ˈlɪntʃbəːg
lynchen ˈlvnçn̩, *auch:* ˈlɪnçn̩
Lynches *engl.* ˈlɪntʃɪz
Lynd[hurst] *engl.* ˈlɪnd[həːst]
Lyndora *engl.* lɪnˈdɔːrə
Lyndsay *engl.* ˈlɪndzɪ
Lyne *dän.* ˈlyːnə
Lynen ˈlyːnən
Lyngar *norw.* ˈlvŋgar
Lyngby *dän.* ˈlvŋbyː
Lynge ˈlvŋə
Lyngenfjord *norw.* ˈlvŋənfjuːr
Lynkeus ˈlvŋkɔys
Lynkou *weißruss.* li̇njˈkou
Lynmouth *engl.* ˈlɪnməθ
Lynn[field] *engl.* ˈlɪn[fiːld]
Lynton *engl.* ˈlɪntən
Lynwood *engl.* ˈlɪnwʊd
Lynx lvŋks
Lyochrome lyoˈkroːmə
Lyoenzyme lyolɛnˈtsyːmə
Lyon li̇ːɔ, *fr.* li̇ɔ̃, *engl.* ˈlaɪən
Lyoner ˈli̇oːnɐ
Lyoneser li̇oˈneːzɐ
lyonesisch li̇oˈneːzɪʃ
Lyonnais *fr.* li̇ɔˈnɛ
Lyons *engl.* ˈlaɪənz
lyophil lyoˈfiːl
lyophob lyoˈfoːp, -**e** ...oːbə
Lyot *fr.* li̇ɔ
Lyotard *fr.* li̇ɔˈtaːr
Lypemanie lypemaˈniː

Lyra ˈlyːra
Lyriden lyˈriːdn̩
Lyrik ˈlyːrɪk
Lyriker ˈlyːrikɐ
lyrisch ˈlyːrɪʃ
lyrisieren lyriˈziːrən
Lyrismus lyˈrɪsmʊs
[1]Lys (erdkundl. Name) liːs, *fr.* lis
[2]Lys (Maler) lɪs
Lysá *tschech.* ˈlisaː
Łysa Góra *poln.* ˈwisa ˈgura
Lysander lyˈzandɐ
Lysandros lyˈzandrɔs
Lyse ˈlyːzə
Lysefjord *norw.* ˈlyːsəfjuːr
Lysekil *schwed.* ˈlyːsəçiːl
Lyserg... lyˈzɛrk...
Lysias ˈlyːzi̇as
lysigen lyziˈgeːn
Lysikrates lyˈziːkratɛs
Lysimachos lyˈziːmaxɔs
Lysimachus lyˈziːmaxʊs
Lysimeter lyziˈmeːtɐ
Lysin lyˈziːn
Lysipp[os] lyˈzɪp[ɔs]
Lysis ˈlyːzɪs
Lysistrata lyˈzɪstrata
Lysistrate lyˈzɪstrate
Lysistratos lyˈzɪstratɔs
Lys lez Lannoy *fr.* lislelaˈnwa
Lysoform® lyzoˈfɔrm
Łysohorský *tschech.* ˈlisohɔrski:
Lysol® lyˈzoːl
Lysotyp lyzoˈtyːp
Lysotypie lyzotyˈpiː:, -**n** ...iːən
Lysozym lyzoˈtsyːm
Lyß liːs
Lyssa ˈlvsa
Lyssenko (Biologe) *russ.* li̇ˈsjɛnkɐ
[2]Lyssenko (Komponist) *russ.* ˈlisɪnkɐ
Lyssophobie lvsofoˈbiː
Lyswa *russ.* ˈli̇sjvɐ
Lytham Saint Annes *engl.* ˈliðəm snt'ænz
lytisch ˈlyːtɪʃ
Lytkarino *russ.* li̇tˈkarinɐ
Lyttelton *engl.* ˈlɪtltən
Lyttkens *schwed.* ˈlytkəns
Lytton *engl.* lɪtn
lyzeal lytseˈaːl
Lyzeum lyˈtseːʊm, **Lyzeen** lyˈtseːən
Lyzien ˈlyːtsiən
Lyzier ˈlyːtsiɐ
lyzisch ˈlyːtsɪʃ

M

m, M *dt., engl., fr.* ɛm, *it.* 'ɛmme, *span.* 'eme
μ, *M* my:
Ma ma:
M. A. *engl.* ɛm'eɪ
Maag ma:k
Maan (Jordanien) ma'a:n
Mäander mɛ'andɐ
mäandern mɛ'andɐn, mäandre mɛ'andrə
mäandrieren mɛan'dri:rən
mäandrisch mɛ'andrɪʃ
Maanshan *chin.* ma-anʃan 311
Maar ma:ɐ̯
Maarianhamina *finn.* 'mɑ:riɑnhɑminɑ
Maarssen *niederl.* 'ma:rsə
Maarten[s] *niederl.* 'ma:r-tən[s]
Maas *dt., niederl.* ma:s
Maaseik *niederl.* ma:s'ɛi̯k
Maass ma:s
Maaß[en] 'ma:s[n̩]
Maassluis *niederl.* ma:s'slœi̯s
Maastricht ma:s'trɪçt, *niederl.* ma:'strɪxt
[1]Maat[je] (Marine) 'ma:t-[jə]
[2]Maat (ägypt. Gott) ma'a:t
Maazel 'ma:zl̩, *engl.* mɑ:zl, *fr.* ma'zɛl
Mab *engl.* mæb
Mabel *engl.* 'meɪbəl
Mabillon *fr.* mabi'jõ
Mabinogion mabi'no:gi̯ɔn
Mablethorpe *engl.* 'meɪblθɔ:p
Mableton *engl.* 'meɪbəltn
Mably *fr.* ma'bli
Mabuse ma'bu:zə, *fr.* ma'by:z
[1]Mac® mɛk
[2]Mac (Zuhälter) mak
MacAdam *engl.* mə'kædəm
MacAdoo *engl.* mækə'du:
Macaé *bras.* maka'ɛ

MacAl[l]ister *engl.* mə'kæ-lɪstə
MacAlpine *engl.* mə'kæl-paɪn
Macao ma'ka:o
Mação *port.* mɐ'sɐu̯
Macapá *bras.* maka'pa
Macapagal *span.* makapa-'ɣal
Macará *span.* maka'ra
MacArthur *engl.* mə'kɑ:θə
Macartney *engl.* mə'kɑ:tnɪ
Macau *port.* mɐ'kau̯, *bras.* ma'kau̯
Macaúbas *bras.* maka'ubas
Macaulay, MacAuley *engl.* mə'kɔ:lɪ
Macbeth, MacBeth *engl.* mək'bɛθ
MacBride *engl.* mək'braɪd
MacCall *engl.* mə'kɔ:l
MacCallum *engl.* mə'kæləm
Maccaluba *it.* makka'lu:ba
maccaronisch maka'ro:nɪʃ
MacCarthy *engl.* mə'kɑ:θɪ
Macchi *it.* 'makki
Macchia 'maki̯a, ...ien ...i̯ən
Macchie 'maki̯ə
Macclesfield *engl.* 'mæklz-fi:ld
MacClure *engl.* mə'kluə
MacColl *engl.* mə'kɔl
MacCracken *engl.* mə'krækən
MacCrone *engl.* mə'kru:n
MacCunn *engl.* mə'kʌn
MacDiarmid *engl.* mək'də:-mɪd
MacDonagh *engl.* mək'dʌnə
Macdonald, MacDonald *engl.* mək'dɔnəld
Macdonnell *engl.* mək'dɔnl
MacDowell *engl.* mək'dauəl
MacDuff *engl.* mək'dʌf
Mace *engl.* meɪs
Macedo *port.* mɐ'seðu, *bras.* ma'sedu, *it.* ma'tʃe:do
Macedonius matse'do:ni̯us
Macedonski *rumän.* matʃe-'donski
Maceió *bras.* mase'i̯ɔ
Macenta *fr.* masɛn'ta
Maceo *span.* ma'θeo
Macer 'ma:tsɐ
Macerata *it.* matʃe'ra:ta
MacFarlane *engl.* mək'fɑ:-lɪn
MacFarren *engl.* mək'færən
MacGahan *engl.* mə'gæn
MacGill *engl.* mə'gɪl

MacGowan *engl.* mə'gauən
MacGrath *engl.* mə'grɑ:θ
MacGregor *engl.* mə'grɛgə
Mach max
Mácha *tschech.* 'ma:xa
Macháček *tschech.* 'ma-xa:tʃɛk
Machado *port.* mɐ'ʃaðu, *bras.* ma'ʃadu, *span.* ma-'tʃaðo
Machado de Assis *bras.* ma'ʃadu di a'sis
Machairodus ma'xai̯rodus
Machajew *russ.* ma'xaji̯f
Machala *span.* ma'tʃala
Machandel ma'xandl̩
Machaon ma'xa:ɔn
Machar *tschech.* 'maxar
Machatschek 'maxatʃɛk
Machatschkala *russ.* mɐxɐtʃka'la
Machau[l]t *fr.* ma'ʃo
Machault d'Arnouville *fr.* maʃodarnu'vil
Mache 'maxə
Machek *tschech.* 'maxɛk
Machel *port.* mɐ'ʃɛl
machen 'maxn̩
Machen *engl.* 'meɪtʃən, 'mækɪn
Machete ma'xe:tə, *auch:* ma'tʃe:tə
Machetik ma'xe:tɪk
Machiavell makia'vɛl
Machiavelli makia'vɛli, *it.* makia'vɛlli
Machiavellismus makiave-'lɪsmus
Machiavellist makiave'lɪst
Machiche ma'tʃɪtʃə
Machination maxina'tsi̯o:n
Machine *fr.* ma'ʃin
machinieren maxi'ni:rən
Machismo ma'tʃɪsmo
Machland 'ma:xlant
Machnow 'maxno
macho, M... 'matʃo
Machorka ma'xɔrka
Machpela maxpe'la:
Machsor max'zo:ɐ̯, -im ...zo'ri:m
Macht maxt, Mächte 'mɛçtə
Machtumkuli *russ.* max-tumku'li
Machuca *span.* ma'tʃuka
machulle ma'xulə
Machu Picchu *span.* 'matʃu 'piktʃu
Maciá *span.* ma'θi̯a

Macías *span.* ma'θias
Maciej *poln.* 'matɕɛj
Maciejowski *poln.* matɕɛ-'jɔfski
Măcin *rumän.* mə'tʃin
Macintosh *engl.* 'mækɪntɔʃ
Macintyre *engl.* 'mækɪntaɪə
Macip *span.* ma'θip
Macis 'matsɪs
Mack mak, *engl.* mæk
Mackail *engl.* mə'keɪl
Mackay *engl.* mə'kaɪ, mə'keɪ
MacKaye *engl.* mə'kaɪ
Mackayville *engl.* mə'kaɪvɪl
Macke 'makə
Mackeben ma'ke:bn̩
Macken *engl.* 'mækən
Mackenroth 'maknroːt
Mackensen 'maknzən
Mackenzie *engl.* mə'kɛnzɪ
Macker 'makɐ
Mackerras *engl.* mə'kɛrəs
Mackie *engl.* 'mækɪ
Mackiewicz *poln.* mats'kjɛvitʃ
Mackinac *engl.* 'mækɪnɔ:
Mackinder *engl.* mə'kɪndə
Mackintosh, MacKintosh *engl.* 'mækɪntɔʃ
macklich 'maklɪç
Macklin *engl.* 'mæklɪn
Mackowsky ma'kɔfskɪ
MacLaine *engl.* mə'kleɪn
Maclaren *engl.* mə'klærən
Maclaurin *engl.* mə'klɔːrɪn
Maclay *engl.* mə'kleɪ
MacLean *engl.* mə'kleɪn, ...liːn
MacLeish *engl.* mə'kliːʃ
MacLennan *engl.* mə'klɛnan
Macleod, MacLeod *engl.* mə'klaʊd
Macleya mak'le:a, ...'laja
Maclise *engl.* mə'kliːz
Mac-Mahon *fr.* makma'õ
MacManus *engl.* mək'mæ-nəs
MacMillan, Macm... *engl.* mək'mɪlən
MacMonnies *engl.* mək'mɔ-nɪz
MacMorris *engl.* mək'mɔrɪs
MacMurdo *engl.* mək'mɔ:-doʊ
MacMurrough *engl.* mək-'mʌroʊ
Macnamara *engl.* mæknə-'mɑ:rə

MacNeice *engl.* mək'ni:s
MacNeil[l] *engl.* mək'ni:l
Macomb *engl.* mə'koʊm
Macon *engl.* 'meɪkən
Mâcon *fr.* mɑ'kõ
Mâconnais *fr.* makɔ'nɛ
Mac Orlan *fr.* makɔr'lã
Maçourek *tschech.* 'matsoụ-rɛk
MacPhail *engl.* mək'feɪl
Macpherson *engl.* mək-'fə:sn
Macquarie *engl.* mə'kwɔrɪ
Macramé makra'me:
Macready *engl.* mə'kri:dɪ
Macrinus ma'kri:nʊs
Macrobius ma'kro:bjʊs
Macropedius makro'pe:-djʊs
MacTaggart *engl.* mək'tæ-gət
Macula 'ma:kula
Mačva *serbokr.* 'ma:tʃva
MacVeagh *engl.* mək'veɪ
Macy *engl.* 'meɪsɪ
Madaba 'madaba
Madách *ung.* 'mɔda:tʃ
Madagascar *fr.* madagas-'ka:r
Madagaskar mada'gaskar
Madagasse mada'gasə
Madagassis mada'gasɪs
madagassisch mada'gasɪʃ
Madalena *port.* mɐðɐ'lɛnɐ
Madam ma'dam
Madamchen ma'damçən
Madame ma'dam, Mes-dames me'dam
Madang *engl.* mə'dæŋ, 'mɑ:dɑ:ŋ
Madapolam madapo'la[:]m
Madariaga *span.* maðа-'rjaɣa
Madarose mada'ro:zə
Mädchen 'mɛ:tçən
Maddalena *it.* madda'le:na
Maddaloni *it.* madda'lo:ni
Madden 'madn̩, *engl.* 'mædən
Made 'ma:də
Madegasse madə'gasə
made in ... 'me:t ɪn ...
[1]Madeira (Wein) ma'de:ra, *auch:* ma'daɪra
[2]Madeira (Name) ma'de:ra, *port.* mɐ'ðɐɪrɐ, *bras.* ma'deɪra, *span.* ma'ðɛɪra
Mädel 'mɛ:dl̩
Mädelegabel 'mɛ:dələɡa:bl̩

Madeleine *fr.* ma'dlɛn, *engl.* 'mædlɪn, ...leɪn
Madelon *fr.* ma'dlõ
Madelung 'ma:dəlʊŋ
Mademoiselle madəmQa-'zɛl, Mesdemoiselles medəmQa'zɛl
Maden *türk.* 'ma:dɛn
Mader 'ma:dɐ
[1]Madera (Wein) ma'de:ra
[2]Madera (Name) *span.* ma'ðɛra, *engl.* mə'dɛərə
Maderna *it.* ma'dɛrna
Maderno *it.* ma'dɛrno
Madersperger 'ma:dɐs-pɛrgɐ
Madesüß 'ma:dəzy:s
madeszent madɛs'tsɛnt
Madge *engl.* mædʒ
Madhya Pradesh *engl.* 'mædjə prɑ:'dɛʃ
Madi 'ma:di
Madianiter madia'ni:tɐ
madidant madi'dant
Madie 'ma:djə
madig 'ma:dɪç, -e ...ɪɡə
Madijo ma'di:jo
Madina do Boé *port.* mɐ'dinɐ ðu 'βµɛ
Madison 'mɛdɪsn̩
Madison[ville] *engl.* 'mædɪsn[vɪl]
Madiun *indon.* ma'diʊn
Madjar ma'dja:ɐ̯
madjarisch ma'dja:rɪʃ
madjarisieren madjari'zi:-rən
Mädler 'mɛ:dlɐ
Madonie *it.* mado'ni:e
Madonna ma'dɔna, *it.* ma'dɔnna
Madou *fr.* ma'du
[1]Madras (Stoff) 'madras
[2]Madras (Stadt) 'ma[:]dras, *engl.* mə'drɑ:s
Madrazo *span.* ma'ðraθo
Madre de Dios *span.* 'maðre ðe 'ðjɔs
Madreporarie madrepo'ra:-rjə
Madrepore madre'po:rə
Madrid ma'drɪt, *span.* ma'ðrið
Madrider ma'drɪdɐ
Madrigal madri'ga:l
madrigalesk madriga'lɛsk
Madrigaletto madriga'lɛto, ...etti ...ɛti
Madrigalismus madriga-'lɪsmʊs

Madrigalist[ik] madriga-
'lıst[ık]
Madrigalon madriga'lo:n
Madruzzo *it.* ma'druttso
Mads *dän.* mæs
Madschus ma'dʒu:s
Madsen *dän.* 'mæsn̩
Madura *indon.* ma'dura
Madura... ma'du:ra...
Madurai *engl.* mædʊ'raı
Madüsee ma'dy:ze:
Madvig *dän.* 'mæð'vi
Mae *engl.* meı
Maebaschi *jap.* 'ma.ebaʃi
Maecenas mɛ'tse:nas
Maella *span.* ma'eʎa
Maerlant *niederl.* 'ma:rlɑnt
Maertens *niederl.* 'ma:rtəns
Maes *niederl.* ma:s
Maestà maɛs'ta
Maesteg *engl.* maıs'teıg
maestoso maɛs'to:zo
Maestoso maɛs'to:zo, ...**si**
...zi
Maestrale maɛs'tra:lə
Maestro ma'ɛstro, ...**ri** ...ri
Maeterlinck 'ma:tɐlıŋk, *fr.*
mɛtɐr'lɛ̃:k
Mäeutik mɛ'ɔytık
mäeutisch mɛ'ɔytıʃ
Maeztu *span.* ma'eθtu
Mafai *it.* ma'fa:i
Mafeking *engl.* 'mæfıkıŋ
Maffay 'mafai
Maffei *it.* maf'fɛ:i
Maffia 'mafia
Mafia 'mafia
mafios ma'fio:s, -e ...o:zə
Mafioso ma'fio:zo, ...**si** ...zi
Mafiote ma'fio:tə
mafisch 'ma:fıʃ
Mafra *port.* 'mafrɐ, *bras.*
'mafra
mag ma:k
Maga *fr.* ma'ga
Magadan *russ.* mɐga'dan
Magalhães *port.* mɐɣɐ'ʎẽiʃ,
bras. maga'ʎẽis
Magallanes *span.* maɣa'ʎa-
nes
Magaloff *fr.* maga'lɔf
Magalotti *it.* maga'lɔtti
Magangué *span.* maɣaŋ'ge
Magazin[er] maga'tsi:n[ɐ]
Magazineur magatsi'nø:ɐ
magazinieren magatsi'ni:-
rən
Magd ma:kt, **Mägde**
'mɛ:kdə
Magda[la] 'makda[la]

Magdalena makda'le:na,
span. maɣða'lena
Magdalene[rin] makda'le:-
nə[rın]
Magdalénien makdale'njɛ̃:
Magdalensberg makda-
'le:nsbɛrk
Magdalis 'makdalıs
Mägde vgl. Magd
Magdeburg 'makdəbʊrk,
-er ..rgɐ
Mägdelein 'mɛ:kdəlain
Mägdlein 'mɛ:ktlain
Mage (Verwandter) 'ma:gə
Magelang *indon.* magə'laŋ
Magellan magɐ'la:n, *auch:*
magɛl'ja:n, 'magɛljan
Magelone magə'lo:nə
Magen 'ma:gn̩, **Mägen**
'mɛ:gn̩
Magendie *fr.* maʒɛ̃'di
Magenta *it.* ma'dʒɛnta
mager 'ma:gɐ
Mager 'ma:gɐ
magern ma:gɐn, **magre**
'ma:grə
Magerøy *norw.* ,ma:gərœi̯
Magethos ma'ge:tɔs
Maggi® 'magi, *it.* 'maddʒi
Maggia *it.* 'maddʒa
Maggie *engl.* 'mægı
Maggini *it.* mad'dʒi:ni
Maggiolata madʒo'la:ta
Maggio Musicale *it.*
'maddʒo muzi'ka:le
maggiore, M... ma'dʒo:rə
Maggiorivoglio *it.* maddʒo-
ri'vɔʎʎo
Maghreb 'magrɛp, *fr.*
ma'grɛb
maghrebinisch magre'bi:-
nıʃ
Magie ma'gi:
Magier 'ma:giɐ
Magiker 'ma:gikɐ
Maginald 'ma:ginalt
Maginot *fr.* maʒi'no
magisch 'ma:gıʃ
Magister Artium ma'gıstɐ
'artsiʊm
Magister Pharmaciae
ma'gıstɐ farma'tsi:ɛ
magistral magıs'tra:l
Magistrale magıs'tra:lə
Magistrat magıs'tra:t
Magistratur magıstra'tu:ɐ
Maglemose *dän.* 'maɣlə-
mu:sə
Magliabechi *it.* maʎʎa'be:ki
Magma 'magma

magmatisch ma'gma:tıʃ
Magmatismus magma'tıs-
mʊs
Magmatit magma'ti:t
magmatogen magmato-
'ge:n
Magna vgl. Magnum
Magna Charta 'magna
'karta
Magna Charta Island *engl.*
'mægnə 'ka:tə 'aılənd
magna cum laude 'magna
kʊm 'laudə
Magnago *it.* maɲ'ɲa:go
Magnalium ma'gna:liʊm
Magna Mater 'magna
'ma:tɐ
Magnan *fr.* ma'ɲã
Magnani *it.* maɲ'ɲa:ni
Magna Peccatrix 'magna
pɛ'ka:trıks
Magnard *fr.* ma'ɲa:r
Magnasco *it.* maɲ'ɲasko
Magnat ma'gna:t
Magne *fr.* maɲ
Magnelli *it.* maɲ'ɲɛlli
Magnentius ma'gnɛntsiʊs
Magnes 'magnɛs
Magnesia ma'gne:zia
Magnesit magne'zi:t
Magnesium ma'gne:ziʊm
Magnet[ik] ma'gne:t[ık]
magnetisch ma'gne:tıʃ
Magnetiseur magneti'zø:ɐ
magnetisieren magneti'zi:-
rən
Magnetismus magne'tıs-
mʊs
Magnetit magne'ti:t
Magnetofon magneto'fo:n
Magnetograf magneto-
'gra:f
Magnetograph magneto-
'gra:f
Magnetometer magneto-
'me:tɐ
Magneton 'magnetɔn,
auch: ...'to:n
Magnetooptik magne-
to'ɔptık
Magnetopath magneto'pa:t
Magnetopathie magneto-
pa'ti:
Magnetophon® magneto-
'fo:n
Magnetosphäre magneto-
'sfɛ:rɛ
Magnetostriktion magne-
tostrık'tsio:n
Magnetron 'magnetro:n

Magni 'magni, *it.* 'maɲɲi
magnifik manji'fi:k
Magnifika ma'gni:fika,
...kae ...kɛ
Magnifikat ma'gni:fikat
Magnifikus ma'gni:fikʊs,
...fizi ...fitsi
Magnifizentissimus magnifitsɛn'tɪsimʊs, ...mi ...mi
Magnifizenz magnifi'tsɛnts
Magnisia ma'gni:zịa, *neugr.* maɣni'sia
Magnitogorsk *russ.* mɐgnita'gɔrsk
Magnitude magni'tu:də
Magnitudo magni'tu:do
Magnol *fr.* ma'ɲɔl
Magnolia *engl.* mæg'noʊlɪə
Magnolie ma'gno:lịə
Magnum 'magnʊm, *auch:* 'ma:gnʊm, ...na ...na
Magnus 'magnʊs, *auch:* 'ma:gnʊs; *engl.* 'mægnəs, *dän.* 'maɣnus, *schwed.* 'maŋnʊs, *norw.* 'maŋnʉs
Magnús *isl.* 'magnu:s
Magnússon *isl.* 'magnuson
Magny *fr.* ma'ɲi
Mago 'ma:go
Magog 'ma:gɔk, *engl.* 'meɪgɔg
Magonide mago'ni:də
Magoon *engl.* mə'gu:n
Magot 'ma:gɔt
Mag. pharm. mak'farm
Magritte *fr.* ma'grit
Magsaysay *span.* maɣsaɪ'saɪ
Magula 'ma:gula
Magus 'ma:gʊs, ...gi ...gi
Magyar ma'dja:ɐ̯
magyarisieren madjari'zi:rən
Magyarország *ung.* 'mɔdjɔrorsa:g
mäh! mɛ:
Mahabad *pers.* mæha'ba:d
Mahabharata maha'ba:rata
Mahadewa maha'de:va
Mahadõh maha'dø:
Mahagoni maha'go:ni
Mahagonny maha'gɔni
Mahajana maha'ja:na
Mahakam *indon.* ma'hakam
Mahal ma'hal
Mahalla Al Kubra ma'hala al'kʊbra
Mahan *engl.* mə'hæn, mɑ:n
Mahanadi *engl.* mə'hɑ:nədɪ
Mahanoy *engl.* 'mæhənɔɪ

Maharadscha maha'ra:dʒa
Maharani maha'ra:ni
Maharashtra *engl.* məhɑ:'ra:ʃtrə
Maharischi maha'rɪʃi
Mahatma ma'ha:tma
Mahayana maha'ja:na
Mahd ma:t, -en 'ma:dn̩
Mähder 'mɛ:dɐ
Mahdi 'maxdi, *auch:* 'ma:di
Mahdia *fr.* ma'dja
Mahdist max'dɪst, *auch:* ma'dɪst
Mahé *fr.* ma'e, *engl.* 'mɑ:eɪ
Mahen *tschech.* 'mahɛn
mähen 'mɛ:ən
Mahendra ma'hɛndra
Mäher 'mɛ:ɐ
Mahfus max'fu:s
Mahieu *fr.* ma'jø
Mahillon *fr.* mai'jõ
Mah-Jongg ma'dʒɔŋ
Mahl ma:l, Mähler 'mɛ:lɐ
Mahlberg 'ma:lbɛrk
mahlen 'ma:lən
Mahler 'ma:lɐ
mählich 'mɛ:lɪç
Mahlis 'ma:lɪs
Mahlmann 'ma:lman
Mahlzeit 'ma:ltsaɪt
Mahmud max'mu:t, *pers.* mæh'mu:d
Mähne 'mɛ:nə
mahnen 'ma:nən
mähnig 'mɛ:nɪç, -e ...ɪgə
Mahoîtres ma'ǫa:trə
Mahomed, Mahomet 'ma:hɔmɛt
Mahon *engl.* mɑ:n, mə'hu:n, mə'hoʊn
Mahón *span.* ma'ɔn
Mahon[e]y *engl.* 'mɑ:ənɪ
Mahonie ma'ho:nịə
Mahr ma:ɐ̯
Mahraun 'ma:raʊn
Mähre[n] 'mɛ:rə[n]
Mahrenholz 'ma:rənhɔlts
Mährer 'mɛ:rɐ
mährisch 'mɛ:rɪʃ
Mahsati *pers.* mæhsæ'ti:
Mahut ma'hu:t
¹Mai (Monat) maɪ
²Mai (Name) maɪ, *it.* ma:i
Maia 'maịa, *port.* 'maịɐ
Maiano *it.* ma'ja:no
Maid maɪt, -en 'maɪdn̩
Maiden 'me:dn̩
Maidenhead *engl.* 'meɪdnhɛd

Maidismus maɪ'dɪsmʊs, mai...
Maidstone *engl.* 'meɪdstən
Maidu 'maɪdu
Maiduguri *engl.* maɪ'du:gəri:
Maie 'maịə
maien, M... 'maịən
Maiensäß 'maịənzɛ:s, -e ...zɛ:sə
Maier 'maịɐ
Maifeld 'maịfɛlt
Maigret *fr.* mɛ'grɛ
Maihingen 'maịŋən
Maihofer 'maịho:fɐ
Maike 'maịkə
Maikong 'maịkɔŋ
Maikop *russ.* maj'kɔp
Maikow *russ.* 'majkɐf
Mail me:l
Mailand 'maịlant
Mailänder 'maịlɛndɐ
mailändisch 'maịlɛndɪʃ
Mailer *engl.* 'meɪlə
mailich 'maịlɪç
Mailing 'me:lɪŋ
Maillard, Maillart *fr.* ma'ja:r
Maillet *fr.* ma'jɛ
Maillol *fr.* ma'jɔl
Maillot *fr.* ma'jo:, *fr.* ma'jo
Mailorder 'me:l|ɔ:ɐ̯dɐ
Maimon 'maịmɔn
Maimonides maị'mo:nidɛs
Main maịn, *engl.* meɪn
Mainard *fr.* mɛ'na:r
Mainardi *it.* maị'nardi
Mainau 'maịnaʊ
Mainbernheim maịn'bɛrnhaịm
Mainburg 'maịnbʊrk
Maine *fr.* mɛn, *engl.* meɪn
Maine de Biran *fr.* mɛndəbi'rã
Maine-et-Loire *fr.* mɛne-'lwa:r
Mainfranken 'maịnfraŋkn̩
Mainhardt 'maịnhart
Mainland *engl.* 'meɪnlənd
Mainleus maịn'lɔys
Mainliner 'me:nlaịnɐ
Mainlining 'me:nlaịnɪŋ
Mainreuth maịn'rɔyt
Mainstream 'me:nstri:m
Maintal 'maịnta:l
Maintenon *fr.* mɛt'nõ
Mainz[er] 'maịnts[ɐ]
mainzisch 'maịntsɪʃ
Maiolus ma'jo:lʊs

Maiorẹscu *rumän.* majo-
 'resku
Maiorịanus majo'rịa:nʊs
Maịpo *span.* 'maịpo
Maiquetía *span.* maịke'tia
Mair 'maịɐ
Maire mɛː'ɐ̯
Mairẹt *fr.* mɛ'rɛ
Mairịe mɛ'riː, **-n** ...i:ən
Maironis *lit.* maị'ro:nıs
¹Mais mais, **-es** 'maịzəs
²Mais (Name) *engl.* meıs
Maịsach 'maịzax
Maịsch[e] 'maịʃ[ə]
maịschen 'maịʃn̩
Maịsenberg 'maịznbɛrk
Mạiski *russ.* 'maịskij
Maison *fr.* mɛ'zõ
Maison-Blanche *fr.*
 mɛzõ'blãːʃ
Maison-Carrée *fr.* mɛzõ-
 ka're
Maisonẹtte mɛzo'nɛt
Maisonnẹtte mɛzo'nɛt
Maisonneuve *fr.* mɛzõ-
 'nœːv
Maisons-Alfọrt *fr.* mɛzõal-
 'fɔːr
Maisons-Laffịtte *fr.* mɛzõ-
 la'fit
Maistre *fr.* mɛstr
Maịß mais
Mạisuru *jap.* 'ma.izuru
Maitạni *it.* maị'ta:ni
Maitland *engl.* 'meıtlənd
Maître de Plaisịr, -s - -
 'mɛːtrə də plɛ'ziːɐ̯
Maîtrịse mɛ'triːzə
Maịwald 'maịvalt
Maizẹna® maị'tse:na
Maizière[s] *fr.* mɛ'zjɛːr
Mạja 'ma:ja, *russ.* 'majɐ
Mạja desnụda *span.* 'maxa
 ðez'nuða
Majadịn maja'di:n
Majakọwski maja'kɔfski,
 russ. mɐjı'kɔfskij
Majanthemum ma'jante-
 mʊm
Mạja vestịda *span.* 'maxa
 βes'tiða
Majdạnek *poln.* maj'danɛk
Mạjdanpek *serbokr.*
 .maːjdampɛk
Majer 'maịɐ
Mạjerová *tschech.* 'majɛ-
 rɔva:
Majẹstas Dọmini ma'jɛstas
 'do:mini

majestätisch majɛs'tɛːtıʃ
majeur ma'ʒøːɐ̯
Mạjo *it.* 'ma:jo
Majọlika ma'jo:lika
Majọlus ma'jo:lʊs
Majonäse majo'nɛːzə
Ma-Jọngg ma'dʒɔŋ
Majọnica ma'jo:nika
¹Majọr (Offizier) ma'jo:ɐ̯
²Mạjor (Familienname)
 'ma:jo:ɐ̯, *engl.* 'meıdʒə
³Mạjor (Begriff) 'ma:jo:ɐ̯
Majoran 'ma:joran, *auch:*
 majo'ra:n
Majorạna *it.* majo'ra:na
Majorạt majo'ra:t
Majọrca ma'jɔrka
Majordọmus 'ma:jo:ɐ̯'do:-
 mʊs
majorẹnn majo'rɛn
Majorennität majorɛni'tɛːt
Majorẹtte majo'rɛt, **-n** ...tn̩
Majorịan majo'rịa:n
majorisịeren majori'zi:rən
Majorịst majo'rıst
Majorität majori'tɛːt
Majọrz ma'jɔrts
Majungạ *fr.* maʒœ̃'ga
Mạjuro ma'dʒu:ro, *engl.*
 mə'dʒʊɐrou
Majụskel ma'jʊskl̩
makạber ma'ka:bɐ
Makadạm maka'dam
makadamisịeren makada-
 mi'zi:rən
Makạk 'ma:kak, ma'ka[:]k;
 Makaken ma'ka[:]kn̩
Mäkäle *amh.* mɛk'ɛle
Makalu *engl.* 'mækəlu:
Makạme ma'ka:mə
Makạnin *russ.* ma'kanin
Makao ma'ka:o, ma'kau̯
Makạr[enko] *russ.*
 ma'kar[ınkɐ]
Makạri *russ.* ma'karij
Makạrios *neugr.* ma'karjɔs
Makarịsmus ma'rısmʊs
Makạrius ma'ka:rịʊs
Makạrjew *russ.* ma'karjıf
Makạrow *russ.* ma'karɐf
Makạrowitsch ma'karɐvıtʃ
Makạrow[n]a *russ.* ma'ka-
 rɐv[n]ɐ
Mạkarska *serbokr.*
 .makarska:
Makạrt 'makart
Makạs[s]ar *indon.* ma'kasar
Makạti *span.* ma'kati
Makẹba *engl.* mɑ:'keıbɑ:
Makedọnien make'do:nịən

Makedọnier make'do:nịɐ
Makedọnija *mak.* makɛ'dɔ-
 nija
makedọnisch make'do:nıʃ
Makẹjewka *russ.* ma'kje-
 jıfkɐ
Mạkel 'ma:kl̩
Mäkelä *finn.* 'mækɛlæ
Mäkelẹi mɛ:kə'laị
mạkelig 'mɛ:kəlıç, **-e** ...ıgə
mạkeln 'ma:kl̩n
mäkeln 'mɛ:kl̩n
Makẹtte ma'kɛte
Make-up meːk'|ap, *auch:*
 '––
Mạki 'ma:ki
Mạkie 'ma:kịə
Makimọno maki'mo:no
Makkabäer maka'bɛ:ɐ
makkabäisch maka'bɛ:ıʃ
Makkạbi ma'ka:bi
Makkabịade maka'bịa:də
Makkalụbe maka'lu:bə
Makkarọni maka'ro:ni
makkarọnisch maka'ro:nıʃ
makkaronisịeren makaro-
 ni'zi:rən
Maklakiẹwicz *poln.*
 makla'kjɛvıtʃ
Mạkler 'ma:klɐ
Mäkler 'mɛ:klɐ
mäklig 'mɛ:klıç, **-e** ...ıgə
Mạko 'mako
Makó *ung.* 'mɔko
Makọnde ma'kɔndə
Makoré mako're:
Makọwski *russ.* ma'kɔfskij
Makramee makra'me:
Makrạn *engl.* mə'krɑ:n
Makrẹle ma'kre:lə
Makrenzephalịe makrɛn-
 tsefa'li:, **-n** ...i:ən
Mạkro 'ma:kro
mạkro..., M... 'ma:kro...
Makroanalyse makro|ana-
 'ly:zə, *auch:* 'ma:k...
Makrobiọse makro'bịo:zə
Makrobiọtik makro'bịo:tık
makrobiọtisch makro'bịo:-
 tıʃ
Makrocheilịe makroçaị'li:,
 -n ...i:ən
Makrocheirịe makroçaị'ri:,
 -n ...i:ən
Makrodaktylịe makrodak-
 ty'li:, **-n** ...i:ən
Makroenzephalịe makro-
 |ɛntsefa'li:, **-n** ...i:ən
Makrogamẹt makroga'me:t

Makroglossie makroglɔ'si:, -n ...i:ən
makrokephal makroke'fa:l
Makrokephale makroke-'fa:lə
Makroklima 'ma:krokli:ma
makrokosmisch makro-'kɔsmɪʃ, auch: 'ma:kro...
Makrokosmos makro'kɔsmɔs, auch: 'ma:kro...
Makrokosmus makro'kɔsmʊs, auch: 'ma:kro...
makrokristallin makrokrısta'li:n
Makrolinguistik makrolıŋ-'gʊıstık, auch: 'ma:k...
Makromelie makrome'li:, -n ...i:ən
Makromeren makro'me:rən
Makromolekül makromole-'ky:l, auch: 'ma:kro...
makromolekular makromoleku'la:ɐ̯, auch: 'ma:kro...
Makron 'ma:krɔn
Makrone ma'kro:nə
Makronukleus makro'nu:-kleʊs
Makrophagen makro'fa:gn
Makrophyt makro'fy:t
Makroplasie makropla'zi:
Makropode makro'po:də
Makropsie makrɔ'psi:, -n ...i:ən
makroseismisch makro-'zaısmıʃ
makroskopisch makro-'sko:pıʃ
Makrosmat makrɔs'ma:t
Makrosomie makrozo'mi:, -n ...i:ən
Makrospore makro'spo:rə
Makrostoma makro-'sto:ma, -ta -ta
Makrostruktur 'ma:kro-ʃtrʊktu:ɐ̯, ...ost...
Makrotheorie 'ma:kroteori:
Makrotie makro'ti:, -n ...i:ən
makrozephal makrotse'fa:l
Makrozephale makrotse-'fa:lə
Makrozephalie makrotse-fa'li:, -n ...i:ən
Makrozyt makro'tsy:t
Makrulie makru'li:, -n ...i:ən
Maksimović serbokr. 'maksimɔvitɕ
Maksura ma'ksu:ra

Maktar fr. mak'ta:r
Makū[b]a ma'ku:[b]a
Makulatur makula'tu:ɐ̯
makulieren maku'li:rən
Makuszyński poln. maku-'ʃīıski
mal ma:l
Mal ma:l, Mäler 'mɛ:lɐ
Mala vgl. Malum
Malabar 'ma:labar; auch: 'malabar, engl. 'mælɔbɑ:
Malabo span. ma'laβo
Malabon span. ma'laβɔn
Malacca indon. ma'laka
Malachias mala'xi:as
Malachit mala'xi:t
Małaczewski poln. maʊa-'tʃɛfski
malad ma'la:t
malade ma'la:də
Malade[t]ta span. mala-'ðeta
Malá Fatra slowak. 'mala:'fatra
mala fide ma:la 'fi:də
Malaga 'ma[:]laga
Málaga 'ma[:]laga, span. 'malaγa
Malagassi mala'gasi
Malagodi it. mala'gɔ:di
Malagueña mala'gɛnja
Malaie ma'laiə
malaiisch ma'laiıʃ
Malaise ma'lɛ:zə
Malaita engl. mə'leıtə
Malajalam mala'ja:lam, auch: ...ja'la:m
Malaka indon. ma'laka
Malakal mala'ka:l
Malakie mala'ki:, -n ...i:ən
Malakka ma'laka
Malakoff fr. mala'kɔf
Malakologe malako'lo:gə
Malakologie malako'lo:gi:
malakologisch malako'lo:gıʃ
Malakophile malako'fi:lə
Malakostrake malakɔs-'tra:kə
Malakozoologie malako-tsoolo'gi:
Malakozoon malako'tso:ɔn
Malamud engl. 'mæləmʊd
Malan (Südafrika) afr. mə'laŋ
Malang indon. 'malaŋ
Malanje port. mɐ'lãʒı
Malanjuk ukr. mala'njuk
Malapane mala'pa:nə

Mała Panew poln. 'maʊa 'panɛf
Malaparte it. mala'parte
mal-à-propos malapro'po:
Mälaren schwed. 'mɛ:larən
Malaria ma'la:rịa
Malarialogie malarịalo'gi:
Mälarsee 'mɛ:larze:
Maläse ma'lɛ:zə
Malaspina engl. mælə-'spi:nə
Malatesta it. mala'tɛsta
Malatya türk. mɑ'lɑtjɑ
Malawi ma'la:vi, engl. mə'lɑ:wı
Malawier ma'la:vịɐ
malawisch ma'la:vıʃ
Malaxt 'ma:l‖akst
Malaya indon. ma'laja
Malayalam engl. mælı'ɑ:ləm
Malaysia ma'laizịa
Malaysier ma'laizịɐ
malaysisch ma'laizıʃ
Malazie mala'tsi:, -n ...i:ən
Malbarte 'ma:lbartə
Malberg 'ma:lbɛrk
Malbork poln. 'malbɔrk
¹Malchen (Vorname) 'ma:l-çən
²Malchen (Berg) 'malçn
Malchin mal'çi:n
Malchow 'malço
Malchus 'malçʊs
Malcolm 'malkɔlm, engl. 'mælkəm
Małcużyński poln. maʊtsu-'ʒīıski
Malczewski poln. mal-'tʃɛfski
Maldegem niederl. 'mɑldə-γəm
Malden engl. 'mɔ:ldən
Maldive engl. 'mɔ:ldi:v
Maldon engl. 'mɔ:ldən
Maldonado span. maldo-'naðo
Maldonatus maldo'na:tʊs
¹Male (Vorname) 'ma:lə
²Male (Stadt) engl. 'mɑ:leı
Mâle fr. mɑ:l
Malè it. ma'lɛ
Maleachi male'axi
Malebranche fr. mal'brã:ʃ
Malec serbokr. 'malɛts
maledeien male'daiən
Malediktion maledık'tsịo:n
Malediven male'di:vn
maledizieren maledi'tsi:rən
Malefikant malefi'kant

Malefikus ma'le:fikʊs, ...**izi**
...**itsi**
Malefiz[er] male'fi:ts[ɐ]
Malein... male'i:n...
Malekit male'ki:t
Malekula *engl.* mæli'ku:lə
malen 'ma:lən
Malenkow *russ.* mɛlɪn'kɔf
Malente ma'lɛntə
Malepartus male'partʊs
Maler 'ma:lɐ
Mäler vgl. Mal
Malerba *it.* ma'lɛrba
Malerei ma:lə'rai
Malesche ma'lɛʃə
Malesherbes *fr.* mal'zɛrb
Mäleßkircher 'mɛləskɪrçɐ
Maléter *ung.* 'mɔle:tɛr
Malewitsch *russ.* ma'ljevitʃ
Malfatti *it.* mal'fatti
Malfeld 'ma:lfɛlt
Malgonkar *engl.* mæl-
  'gɔŋkɑ:
Malherbe *fr.* ma'lɛrb
Malheur ma'løːɐ̯
malhonett malho'nɛt
Mali 'ma:li, *fr.* ma'li
Malia *neugr.* 'malja
Malibran *fr.* mali'brã
Malice ma'li:sə
Malier 'ma:liɐ̯
maligne ma'lɪgnə
Malignität malɪgni'tɛ:t
Malignom malɪ'gno:m
Malik *russ.* 'malik, *indones.*
  'malɪk
Malikit mali'ki:t
Malimo 'ma:limo
Malina 'ma:lina
Malinalco *span.* mali'nalko
Malinconia malɪŋko'ni:a
malinconico malɪŋ'ko:niko
Malindi *engl.* mɑ:'li:ndi:
Malines *fr.* ma'lin
Malinovski *dän.* mæli-
  'nɔʊsgi
Malinowski *poln.* mali-
  'nɔfski, *engl.* mælɪ'nɔfskɪ,
  russ. mɛlɪ'nɔfskij
Malipiero *it.* mali'piɛ:ro
Malipol mali'po:l
Malířová *tschech.* 'ma-
  li:rʒova:
malisch 'ma:lɪʃ
Maliwatt mali'vat, *auch:*
  'ma:...
maliziös mali'tsi̯øːs, -**e**
  ...øːzə
Mälk *estn.* mæll:k
malkontent malkɔn'tɛnt

Malkowski mal'kɔfski
mall mal
¹**Mall** (Modell) mal
²**Mall** (Fußgängerzone) mo:l
Mallarmé *fr.* malar'me
Mallawi 'malavi
Malle *fr.* mal
Mallea *span.* ma'ʎea
Malleco *span.* ma'ʎeko
Malleczewen mala'tʃe:vn̩
mallen 'malən
malleolar maleo'la:ɐ̯
Mallersdorf 'malɐsdɔrf
Mallet *engl.* 'mælɪt, *fr.* ma'lɛ
Mallet du Pan *fr.* malɛdy'pã
Malleus 'maleʊs, ...**ei** ...ei
Mallia *neugr.* 'malja
Mallicolo *engl.* mælɪ'koʊloʊ
Mallorca ma'lɔrka, *auch:*
  ma'jɔrka, *span.* ma'ʎɔrka
Mallorquiner majɔr'ki:nɐ,
  auch: malɔ...
Mallory *engl.* 'mælərɪ
Mallung 'malʊŋ
Malm *dt., schwed.* malm
Malmaison *fr.* malmɛ'zõ
Malmberg[et] *schwed.*
  ˌmalmbærj[ət]
Malmedy 'malmedi
Malmédy *fr.* malme'di
Malmignatte malmɪn'jatə
Malmköping *schwed.*
  ˌmalmçø:pɪŋ
Malmö 'malmø, *schwed.*
  ˌmalmø:
Malmöhus (Schloss)
  schwed. malmø:'hʊ:s
Malmström *schwed.* ˌmalm-
  strœm
malnehmen 'ma:lne:mən
Malocchio ma'lɔki̯o,
  ...**occhi** ...ɔki
Maloche ma'lɔxə, ma'lo:xə
malochen ma'lɔxn̩,
  ma'lo:xn̩
Maloggia *it.* ma'lɔddʒa
Maloia *it.* ma'lo:i̯a
Maloja ma'lo:ja
Malone *engl.* mə'loʊn
Malonsäure ma'lo:nzɔyrə
Małopolska *poln.* mau̯ɔ-
  'pɔlska
Malory *engl.* 'mælərɪ
Malossol malɔ'sɔl
Malou *fr.* ma'lu
Malouel *fr.* ma'lwɛl
Malpass *engl.* 'mælpæs
Malpighi *it.* mal'pi:gi
Malplaquet *fr.* malpla'kɛ
malproper mal'prɔpɐ

Malraux *fr.* mal'ro
Malsburg 'ma:lsbʊrk
Malskat 'malskat
Malsore mal'zo:rə
Malss, Malß mals
Malta *dt., it.* 'malta, *engl.*
  'mɔ:ltə
Maltase mal'ta:zə
Malte 'maltə, *dän.* 'mældə
Maltebrun, Malte Brun *fr.*
  maltə'brœ̃
Malter 'maltɐ
Malteser mal'te:zɐ
maltesisch mal'te:zɪʃ
Malthus 'maltʊs, *engl.*
  'mælθəs
Malthusianer maltu'zi̯a:nɐ
Malthusianismus maltuzi̯a-
  'nɪsmʊs
malthusianistisch maltu-
  zi̯a'nɪstɪʃ
malthusisch mal'tu:zɪʃ
Maltin mal'ti:n
Maltose mal'to:zə
maltrătieren maltrɛ'ti:rən
Maltwhisky 'mo:ltvɪski
Maltz *engl.* mɔlts
Maluf ma'lu:f
Malukow *russ.* 'malukɐf
Maluku *indon.* ma'luku, *fr.*
  malu'ku
Malula ma'lu:la
Malum 'ma:lʊm, **Mala**
  'ma:la
Malung *schwed.* ˌmɑ:lʊŋ
¹**Malus** (Prämienzuschlag)
  'ma:lʊs
²**Malus** (Name) *fr.* ma'lys
Malvasier malva'zi:ɐ̯
Malve 'malvə
Malvern *engl.* 'mɔ:lvən
Malvestiti *it.* malves'ti:ti
Malvida mal'vi:da
Malvinas *span.* mal'βinas
Malvinen mal'vi:nən
Malvolio mal'vo:li̯o
Malwida mal'vi:da
Malwine mal'vi:nə
Malý *tschech.* 'mali:
Malygin *russ.* ma'lɪgin
Malyschkin *russ.* ma'lɪʃkin
Malz malts
Mälzel 'mɛltsl̩
malzen 'maltsn̩
Mälzer 'mɛltsɐ
Mälzerei mɛltsə'rai
Mama 'mama, *auch:*
  ma'ma
Mamachen ma'ma:çən
Mamaia *rumän.* ma'mai̯a

Mamaroneck *engl.* mə'mæ-rənɛk

Mamba[ch] 'mamba[x]

Mamberamo *indon.* mambə'ramo

Mambo 'mambo

Mamedow *russ.* ma'mjɛdɐf

Mameluck mamə'lʊk

Mamertiner mamɛr'ti:nɐ

Mamertus ma'mɛrtʊs

Mamet *engl.* 'mæmət

Mami 'mami

Mamiani *it.* ma'mi̯a:ni

Mamilla ma'mɪla, **-e** ...lɛ

Mamillaria mamɪ'la:ri̯a, ...**ien** ...i̯ən

Mamillius ma'mɪli̯ʊs

Mamin-Sibirjak *russ.* 'maminsibi'rjak

Mamma 'mama, **Mammae** 'mamɛ

Mammalia ma'ma:li̯a

Mammaloge mama'lo:gə

Mammalogie mamalo'gi:

Mammatus ma'ma:tʊs

Mammillaria mamɪ'la:ri̯a, ...**ien** ...i̯ən

Mammographie mamo-gra'fi:, **-n** ...i:ən

Mammon 'mamɔn

Mammonismus mamo'nɪsmʊs

Mammoplastik mamo'plastɪk

Mammoth Cave *engl.* 'mæməθ 'keɪv

Mammut 'mamʊt, *auch:* ...mu:t

Mamonowo *russ.* ma'mɔnɐvɐ

Mamoré *span.* mamo're

mampfen 'mampfn̩

Mamre 'mamrə

Mamsell mam'zɛl

man, Man (Gewicht) man

Man *engl.* mæn, *niederl.* mɑn, *fr.* man

MAN ɛm|a:'|ɛn

[1]**Mana** (Manitu) 'ma:na

[2]**Mana** (Name) *russ.* 'manɐ, *fr.* ma'na

Manabí *span.* mama'βi

Manacor *span.* mana'kɔr

Mänade mɛ'na:də

Manado *indon.* ma'nado

Manage *fr.* ma'na:ʒ

Management 'mɛnɪtʃmənt

managen 'mɛnɪdʒn̩, **manag!** 'mɛnɪtʃ, **managt** 'mɛnɪtʃt

Manager 'mɛnɪdʒɐ

Managua ma'na:gu̯a, *span.* ma'naɣu̯a

Manaka *engl.* mɑ:'nɑ:kɑ:

Manakara *mad.* manə'karə

Manama ma'na:ma

Manáos *bras.* mɐ'nau̯s

Manapouri *engl.* mænə-'pʊəri

Manassas *engl.* mə'næsəs

Manasse ma'nasə

Manati ma'na:ti

Manatí *span.* mana'ti

Manaus *bras.* mɐ'nau̯s

Manavgat Şelâlesi *türk.* mɑ'navgɑt ʃɛ'la:lɛsi

Manbidsch 'manbɪtʃ

mancando maŋ'kando

manch manç

Mancha *span.* 'mantʃa

Manche *fr.* mɑ̃:ʃ

manchenorts 'mançn̩'|ɔrts

mancherlei 'mançɐ'lai̯

mancherorten 'mançɐ'|ɔrtn̩

mancherorts 'mançɐ'|ɔrts

mancherwärts 'mançɐvɛrts

[1]**Manchester** (Stoff) 'mɛn-tʃɛstɐ, man'ʃɛstɐ

[2]**Manchester** (Stadt) 'mɛn-tʃɛstɐ, *engl.* 'mæntʃɪstə

Manchestertum 'mɛntʃɛs-tɐtu:m

Manching 'mançɪŋ

manchmal 'mançma:l

Manchon mɑ̃'ʃõ:

Mancini *it.* man'tʃi:ni

Mancisidor *span.* manθisi-'ðɔr

Manco *span.* 'maŋko

Mandäer man'dɛ:ɐ

mandäisch man'dɛ:ɪʃ

Mandala 'mandala

Mandalay *engl.* mændə'leɪ, 'mændleɪ, *birm.* maŋdalei̯ 223

Mandalmotiv man'da:lmo-ti:f

Mandan *engl.* 'mændən

Mandant man'dant

Mandarin[e] manda'ri:n[ə]

Mandat man'da:t

Mandatar manda'ta:ɐ

mandatieren manda'ti:rən

Mandator man'da:to:ɐ, **-en** ...da'to:rən

Mandatum man'da:tʊm, ...**ta** ...ta

Mande 'mandə

Mandé *fr.* mɑ̃'de

Mandel 'mandl̩, *fr.* mɑ̃'dɛl

Mandela man'de:la, *engl.* mæn'dɛlə

Mandelschtam *russ.* mɛn-delj'ʃtam

Mandelstamm 'mandlʃtam

Mander *niederl.* 'mɑndər

Manderl 'mandɐl

Mandeville *engl.* 'mændəvɪl

Mandibeln man'di:bln̩

Mandibula man'di:bula, **-e** ...lɛ

mandibular mandibu'la:ɐ

mandibulär mandibu'lɛ:ɐ

Mandibulare mandibu'la:rə

Manding 'mandɪŋ

Mandingo man'dɪŋgo

Mandioka man'di̯o:ka

Mandl 'mandl̩

Mandola man'do:la

Mandoline mando'li:nə

Mandoloncello mandolon-'tʃɛlo, ...**elli** ...ɛli

Mandolone mando'lo:nə

Mandora man'do:ra

Mandorla 'mandɔrla, ...**len** man'dɔrlən

Mandra 'mandra

Mandragora man'dra:gora, ...**ren** mandra'go:rən

Mandragore mandra'go:rə

Mandrill man'drɪl

Mandrin mɑ̃'drɛ̃:

Mandrit man'dri:t

Mandryka 'mandrika

Mandsaros *neugr.* 'mandza-rɔs

Mandschu 'mandʒu, 'mantʃu

Mandschukuo man'dʒʊ-ku̯o, mandʒu'ku:o, ...ku̯o:, man'tʃʊku̯o, mantʃu'ku:o, mantʃu'ku̯o:

Mandschure man'dʒu:rə, man'tʃu:rə

Mandschurei mandʒu'rai̯, mantʃu...

mandschurisch man'dʒu:-rɪʃ, man'tʃu:...

Mandu *engl.* 'mɑ:ndu:

Manduria *it.* man'du:ri̯a

Mandy *engl.* 'mændɪ

Mándy *ung.* 'ma:ndi

Manege ma'ne:ʒə

Manen 'ma:nən, *niederl.* 'ma:nə

Manén *span.* ma'nen

Manes 'ma:nəs

Mánes *tschech.* 'ma:nɛs

Mănescu *rumän.* mə'nesku

Manesse ma'nɛsə

Manessier *fr.* manɛˈsje
Manessisch maˈnɛsɪʃ
Manet *fr.* maˈnɛ
Manetho ˈmaːneto
Manfalut[i] manfaˈluːt[i]
Manfred ˈmanfreːt, *engl.*
ˈmænfrɛd, *fr.* mãˈfrɛd
Manfreda manˈfreːda
Manfredi *it.* manˈfreːdi
Manfredini *it.* manfreˈdiːni
Manfredonia *it.* manfreˈdɔː-
nia
Manfried ˈmanfriːt
mang, M... maŋ
Manga ˈmaŋga
Mangabe maŋˈgaːbə
Mangalia *rumän.* maŋˈgalia
Mangalore *engl.* ˈmæŋgələː
Mangan maŋˈgaːn
Manganelli *it.* maŋgaˈnɛlli
Manganit maŋgaˈniːt
Mangbetu maŋˈbeːtu
Mange ˈmaŋə
Mangel ˈmaŋl̩, **Mängel**
ˈmɛŋl̩
mangeln ˈmaŋl̩n
mangels ˈmaŋl̩s
Mangelsdorff ˈmaŋl̩sdɔrf
mangen ˈmaŋən
Manger ˈmaŋɐ
Mangfall ˈmaŋfal
Mangin *fr.* mãˈʒɛ̃
Manglard *fr.* mãˈglaːr
Mangle... ˈmaŋlə...
Mango ˈmaŋgo, **-nen**
...ˈgoːnən
[1]Mangold (Gemüse) ˈmaŋ-
gɔlt, **-es** ...ldəs
[2]Mangold[t] (Name) ˈmaŋ-
gɔlt
Mangostan... maŋgɔs-
ˈtaːn...
Mangrove maŋˈgroːvə
Manguin *fr.* mãˈgɛ̃
Manguste maŋˈgʊstə
Mangyschlak *russ.* mɛngɪʃ-
ˈlak
Manhattan *engl.* mænˈhæ-
tən
Mani ˈmaːni, *pers.* mɑˈniː
maniabel maˈnia:bl̩, **...ble**
...blə
Maniac ˈmeːnjɛk
maniakalisch maniaˈkaːlɪʃ
Manichäer maniˈçɛːɐ
Manichäismus maniçɛˈɪs-
mʊs
Manie maˈniː, **-n** ...iːən
Manier maˈniːɐ

Maniera greca maˈnieːra
ˈgreːka
manieriert maniˈriːɐt
Manierismus maniˈrɪsmʊs
Manierist maniˈrɪst
manierlich maˈniːɐlɪc
manifest, M... maniˈfɛst
Manifestant manifɛsˈtant
Manifestation manifɛsta-
ˈtsioːn
manifestieren manifɛsˈtiː-
rən
Manihot ˈmaːnihɔt
Maniküre maniˈkyːrə
maniküren maniˈkyːrən
Manila maˈniːla, *span.*
maˈnila, *engl.* məˈnɪlə
Manilius maˈniːlius
Manille maˈnɪljə
Manin *it.* maˈnin
Maniok maˈnjɔk
Manioschu *jap.* maˈnjoːˈʃu:
Manipel maˈniːpl̩
Manipulant manipuˈlant
Manipulation manipula-
ˈtsioːn
manipulativ manipulaˈtiːf,
-e ...iːvə
Manipulator manipuˈla:-
toːɐ, **-en** ...laˈtoːrən
manipulatorisch manipula-
ˈtoːrɪʃ
manipulieren manipuˈliːrən
Manipur *engl.* ˈmɑːnɪpʊə,
ˈmæn...
Manis ˈmaːnɪs
Manisa *türk.* ˈmɑnisɑ, –ˈ––
manisch ˈmaːnɪʃ
Maniser *russ.* ˈmanizir
Manismus maˈnɪsmʊs
Manitius maˈniːtsios
Manitoba maniˈtoːba, *engl.*
mænɪˈtoʊbə
Manitowoc *engl.* ˈmænɪtə-
wɔk
Manitu ˈmaːnitu
Maniu *rumän.* maˈniu
Manius ˈmaːnios
Manizales *span.* maniˈθales
Mank maŋk
Mankal[l]a maŋˈkala
Mankato *engl.* mænˈkeɪtoʊ
Manker ˈmaŋkɐ
mankieren maŋˈkiːrən
Mankiewicz *engl.* ˈmæŋkə-
vɪts
Manko ˈmaŋko
Manl[e]y *engl.* ˈmænlɪ
Manlius ˈmanlios
[1]Mann man, **Männer** ˈmɛnɐ

[2]Mann (Name) man, *engl.*
mæn
Manna ˈmana
Mannane maˈnaːnə
Mannar *engl.* məˈnɑː
Männchen ˈmɛnçən
Manne *engl.* mæn
Männe ˈmɛnə
mannen ˈmanən
Mannequin ˈmanəkɛ̃, *auch:*
manəˈkɛ̃:
Manner *finn.* ˈmɑnnɐ
Mannerheim *schwed.*
.manərheim
Mannesmann® ˈmanəs-
man
Mannheim[er] ˈmanhaim[ɐ]
Mannich ˈmanɪç
Mannichsweide
manɪçsˈvaidə
mannigfach ˈmanɪçfax
mannigfaltig ˈmanɪçfaltɪç
männiglich ˈmɛnɪklɪç
Männin ˈmɛnɪn
Manninen *finn.* ˈmɑnninɛn
Manning *engl.* ˈmænɪŋ
Mannit maˈniːt
männlich ˈmɛnlɪç
Männlicher ˈmanlɪçɐ
Mannon *engl.* ˈmænən
Mannose maˈnoːzə
Mannus ˈmanus
Mannyng *engl.* ˈmænɪŋ
mano destra ˈmaːno ˈdɛstra
Manoel *port., bras.* mɐˈnuɛl
Manolete *span.* manoˈlete
manoli maˈnoːli
Manolo *span.* maˈnolo
Manolow *bulgar.* məˈnɔlof
Manometer manoˈmeːtɐ
Manometrie manomeˈtriː
manometrisch manoˈmeː-
trɪʃ
Manon *fr.* maˈnõ
Manono *fr.* manoˈno
ma non tanto, - - troppo
ˈma ˈnɔn ˈtanto, - - ˈtropo
Manor *engl.* ˈmænə
mano sinistra ˈmaːno
ziˈnɪstra
Manostat manoˈstaːt
Manöver maˈnøːvɐ
manövrieren manøˈvriːrən
Manp'o *korean.* mɑːnpho
manque, M... mãːk
Manresa *span.* manˈrrɛsa
Manrico *it.* manˈriːko
Manrique manˈriːkə, *span.*
manˈrrike
Mans, Le *fr.* ləˈmã

Mansa *engl.* 'mɑːnsə
Mansarddach man'zartdax
Mansarde man'zardə
Mansart *fr.* mãˈsaːr
Mansch manʃ
manschen 'manʃn
Manscherei manʃəˈraɪ
Manchester man'ʃɛstɐ
Manschette man'ʃɛtə
Manse 'manzə
Mansfeld 'mansfɛlt
Mansfield *engl.* 'mænsfiːld
Manship *engl.* 'mænʃɪp
Mansholt *niederl.* 'mansholt
Mansi *it.* 'mansi
Mansionhouse 'mɛnʃnhaus
Månsson *schwed.* 'moːnsɔn
Manstein 'manʃtaɪn
Mansube man'zuːbə
Mansur man'zuːɐ̯
Mansura man'zuːra
Manta *dt., span.* 'manta
Manteau mãˈtoː
Manteca *engl.* mænˈtiːkə
Mantegazza *it.* mante-'gattsa
Mantegna *it.* man'tɛɲɲa
Mantel 'mantl̩, Mäntel 'mɛntl̩
Mantell *engl.* mæn'tɛl
Mantelletta mante'lɛta
Mantellone mante'loːnə
Mantes *fr.* mãːt
Mantes-la-Jolie *fr.* mãtla-ʒɔ'li
Manteuffel 'mantɔyfl̩
Mantik 'mantɪk
Mantille man'til[j]ə
Mantinea manti'neːa
Mantineia manti'naɪa
Mantinell manti'nɛl
Mantiqueira *bras.* mɛnti-'kaɪra
Mantis 'mantɪs
mantisch 'mantɪʃ
Mantisse man'tɪsə
Mantle *engl.* mæntl
Mantler 'mantlɐ
Manto 'manto
Mantoux *fr.* mãˈtu
Mantova *it.* 'mantova
Mantovani *it.* manto'vaːni
Mantra 'mantra
Mantrajana mantra'jaːna
Mantsch mantʃ
mantschen 'mantʃn
Mantscherei mantʃəˈraɪ
Mantua 'mantua
Mantuaner man'tuaːnɐ
mantuanisch man'tuaːnɪʃ

Manu 'maːnu
Manua *engl.* mə'nuːə
¹Manual (Handbuch) 'mɛn-juəl
²Manual (Orgel) ma'nuaːl
Manuale ma'nuaːlə
manualiter ma'nuaːlitɐ
Manubrium ma'nuːbriʊm, ...ien ...iən
Manuel 'maːnuɛːl, *auch:* ...nuɛl; *engl.* 'mænjuəl, *fr.* ma'nuɛl, *span.* ma'nuɛl, *port., bras.* mɐ'nuɛl
Manuela ma'nuɛːla
manuell ma'nuɛl
Manufakt manu'fakt
Manufaktur manufak'tuːɐ̯
manufakturieren manufak-tu'riːrən
Manufakturist manufaktu-'rɪst
Manuil *russ.* mɛnu'il
Manukau *engl.* 'mɑːnəkaʊ
Manuldruck ma'nuːldrʊk
manu propria 'maːnu 'proː-pria
Manus 'maːnʊs
Manuskript manu'skrɪpt
manus manum lavat 'maːnʊs 'maːnʊm 'laːvat
Manus mortua 'maːnʊs 'mɔrtua
Manutius ma'nuːtsiʊs
Manuzio *it.* ma'nuttsio
Manville *engl.* 'mænvɪl
Manx maŋks, *engl.* mæŋks
Manytsch *russ.* 'manɪtʃ
Manz mants
Manzanares *span.* manθa-'nares
Manzanilla mantsa'nɪlja, *auch:* mansa...
¹Manzanillo (Pflanze) man-tsa'nɪljo, *auch:* mansa...
²Manzanillo (Name) *span.* manθa'niʎo
Manzell man'tsɛl
Manzhouli *chin.* mandʒouli 313
Manzikert mantsi'kɛrt
Manzinella mantsi'nɛlja, *auch:* mansi...
Manzini *it.* man'dziːni, *engl.* mɑːn'ziːni:
Manzoni *it.* man'dzoːni
Manzù *it.* man'dzu
Mao 'maːo, *fr.* ma'o
Mao Dun *chin.* maʊdʊən 24
Maoismus mao'ɪsmʊs
Maoist mao'ɪst

Mäonien mɛˈoːniən
Maori 'maʊri, ma'oːri, *engl.* 'maʊri
maorisch ma'oːrɪʃ
Mao Tse-tung maʊtseˈtʊŋ
Mao Zedong *chin.* maʊdzʌ-dʊŋ 221
Map *engl.* mæp
Mapai ma'paɪ
Mapam ma'pam
Maphorion ma'foːriən, ...ien ...iən
Maple[wood] *engl.* 'meɪpl[wʊd]
Maponya *engl.* mɑːˈpɔnjaː
Mappa 'mapa
Mappe 'mapə
Mappeur ma'pøːɐ̯
mappieren ma'piːrən
Maputo ma'puːto, *port.* mɐ'putu
Maqam ma'kaːm, -at maka-'maːt
Maquereau makəˈroː
Maquet *fr.* ma'kɛ
Maquette ma'kɛtə
Maquillage maki'jaːʒə
Maquis ma'kiː, des - ...ki:[s]
Maquisard maki'zaːɐ̯, -en ...'zardn̩
Mar *niederl.* mar, *engl.* mɑː
Mär mɛːɐ̯
Mara[bu] 'ma:ra[bu]
Marabut mara'buːt
Maracaibo *span.* mara-'kaɪβo
Maracay *span.* mara'kaɪ
Maracuja mara'kuːja
Maradas 'ma:radas
Maradi *fr.* mara'di
Maradona *span.* mara'ðona
Marae ma'raːe
Maragall *kat.* mərə'ɣaʎ
Maraghe *pers.* mæraˈɣe
Marahrens ma'raːrɛns
Márai *ung.* 'maːrɔi
Maraini *it.* mara'iːni
Marais *fr.* ma'rɛ, *afr.* mə'rɛ:
Marajó *bras.* mara'ʒo
Maral 'maːral, -e ma'raːlə
Máramaros *ung.* 'maːrɔmɔ-roʃ
Maramba *engl.* mɑːˈraːmbaː
Marampa *engl.* mɑːˈraːmpaː
Maramsin *russ.* mɛram'zin
Maramureş *rumän.* mara-'mureʃ
Maran *fr.* ma'rã
maranat[h]a!, M... mara-na'ta:

Marane ma'ra:nə
Maräne ma'rɛ:nə
Maranguape bras. marɐŋ-
  'guapi
Maranhão bras. marɐ'ɲɐ̯u
Marañón span. mara'ɲɔn
Maranta ma'ranta
Marante ma'rantə
marantisch ma'rantɪʃ
Maraş türk. 'maraʃ
Maraschino maras'ki:no
Marasmus ma'rasmʊs
marastisch ma'rastɪʃ
Marat fr. ma'ra
Marathe ma'ra:tə
Marathi ma'ra:ti
Marathon 'ma:ratɔn, auch:
  'mar...
Maratta it. ma'ratta
Maratti it. ma'ratti
Maravedi marave'di:
Marawi span. ma'raɥi
Marbach 'marbax, 'ma:ɐ̯bax
Marbe 'marbə
Marbel 'marbl̩
Märbel 'mɛrbl̩
Marbella span. mar'βeʎa
Marble[head] engl.
  'ma:bl̩[hɛd]
Marblewood 'ma:ɐ̯bl̩vʊt
Marbod 'marbɔt
Marboré fr. marbɔ're, span.
  marβo're
Marbot fr. mar'bo
Marburg 'ma:ɐ̯bʊrk auch:
  'marbʊrk
Marburger 'ma:ɐ̯bʊrgɐ,
  auch: 'marbʊrgɐ
¹Marc (Name) dt., fr. mark,
  engl. ma:k
²Marc, -s ma:ɐ̯
Marca fr. mar'ka, span.
  'marka
Marcabru fr. marka'bry
Marcabrun fr. marka'brœ̃
marcando mar'kando
Marcantonio it. markan'tɔ:-
  nio
Marcaria it. marka'ri:a
marcatissimo marka'tɪsimo
marcato mar'ka:to
Marceau fr. mar'so
Marcel fr. mar'sɛl
Marcelin fr. marsə'lɛ̃
Marceline fr. marsə'lin
Marcelino span. marθe'lino
Marcella mar'tsɛla
Marcelle fr. mar'sɛl
Marcellina martsɛ'li:na, it.
  martʃel'li:na

Marcellinus martsɛ'li:nʊs
Marcello it. mar'tʃɛllo
Marcellus mar'tsɛlʊs
Marcelo span. mar'θelo
¹March (Grenze) març
²March (Name) març, engl.
  ma:tʃ, kat. mark
Marchais fr. mar'ʃɛ
Marchand fr. mar'ʃɑ̃
Marchbank[s] engl. 'ma:tʃ-
  bæŋk[s]
Marche fr. marʃ, it. 'marke
Marchegg mar'çɛk
Märchen 'mɛ:ɐ̯çən
Marchesa mar'ke:za
Marchese mar'ke:zə
Marchesi it. mar'ke:zi
Marchetti it. mar'ketti
Marchettus mar'kɛtʊs
Marchfeld 'marçfɛlt
Marchi it. 'marki
Marchienne-au-Pont fr.
  marʃjɛno'pɔ̃
Marchingband 'ma:ɐ̯tʃɪŋ-
  'bɛnt
Mar Chiquita span. 'mar tʃi-
  'kita
Marchlewski poln.
  mar'xlɛfski
Marchmont engl. 'ma:tʃ-
  mənt
Marchtrenk març'trɛŋk
Marchwitza març'vɪtsa,
  '---
Marci 'martsi, ung. 'mɔrtsi
Marcia 'martʃa
Marcia funebre 'martʃa
  'fu:nebre
Marcial span. mar'θial
marciale mar'tʃa:lə
Marcianus mar'tsia:nʊs
Marcillat fr. marsi'ja
Marcinelle fr. marsi'nɛl
Marcinkevičius lit.
  martsɪŋ'kæ:vɪtʃjʊs
Marcion 'martsiɔn
Marcionite martsio'ni:tə
Marcius 'martsiʊs
Marcks marks
Marco it., span. 'marko,
  port., bras. 'marku
Marcona span. mar'kona
Marconi it. mar'ko:ni
Marcos span. 'markos, port.
  'markuʃ, bras. 'markus
Marcoule fr. mar'kul
Marcoussis fr. marku'si
Marcovaldo it. marko'valdo

Marcq-en-Barœul fr.
  markãba'rœl
Marcus 'markʊs, engl.
  'ma:kəs
Marcuse mar'ku:zə
Marcy engl. 'ma:sɪ
Mardell[e] mar'dɛl[ə]
Mar del Plata span. 'mar ðɛl
  'plata
Marden (Familienname)
  engl. ma:dn
Marder[steig] 'mardɐ[ʃtai̯k]
Mardian mar'dia:n
Mardin türk. 'mardin
Mardochai mardɔ'xa:i,
  ...'xai̯
Mardonios mar'do:niɔs
Marduk 'mardʊk
Mare 'ma:rə, **Maria** 'ma:ria
Maré fr. ma're
Märe 'mɛ:rə
Marea Neagră rumän.
  'marea 'ni̯eagrə
Marechal span. mare'tʃal
Maréchal fr. mare'ʃal
Marechera engl. ma:rei-
  'tʃɛra:
Marées ma're:
Marei[ke] ma'rai̯[kə]
Marek 'ma:rɛk, tschech.,
  bulgar. 'marɛk
Marelle ma'rɛlə
Maremme it. ma'remme
Maremmen ma'rɛmən
Maren dt., dän. 'ma:rən
mären 'mɛ:rən
Marenco it. ma'reŋko
Marend ma'rɛnt, -i ...ndi
Marenda ma'rɛnda
marengo, ¹M... ma'reŋgo
²Marengo (Ort) it.
  ma'reŋgo
Marenholtz 'ma:rənhɔlts
Mare nostro it. 'ma:re 'nɔs-
  tro
Mare nostrum 'ma:rə 'nɔs-
  trʊm
Marenzio it. ma'rɛntsio
Mareograph mareo'gra:f
Märerei mɛ:rə'rai̯
Maresch 'ma:rɛʃ
Mareshall 'mareʃal
Marett engl. 'mærɪt
Marey fr. ma'rɛ
Marfa russ. 'marfɐ
Marga 'marga
Marganez russ. 'margɐnɪts
Margarelon marga're:lɔn
Margaret engl. 'ma:grət
Margareta marga're:ta

Margarete marga're:tə
Margareten marga're:tn̩
Margaretha *niederl.* marɣa-
're:ta
Margarethen marga're:tn̩
Margarida *port.* mɐrgɐ'riðɐ,
bras. marga'rida
Margarine marga'ri:nə
Margarit marga'ri:t, *auch:*
...rɪt
Margarita *engl.* mɑ:gə'ri:tə,
span. marɣa'rita
Margate *engl.* 'mɑ:geɪt
Margaux *fr.* mar'go
Marge 'marʒə
Margelan marge'la:n
Margeride *fr.* marʒə'rid
Margerie *fr.* marʒə'ri
Margerite margə'ri:tə
Margery *engl.* 'mɑ:dʒərɪ
Marggraf 'markgra:f
Marggraff 'markgraf
Marghera *it.* mar'gɛ:ra
Margherita *it.* marge'ri:ta
Margiana mar'gja:na
marginal margi'na:l
Marginalie margi'na:ljə
marginalisieren marginali-
'zi:rən
Marginalismus margina'lɪs-
mʊs
Marginalität marginali'tɛ:t
Marginter mar'gɪntɐ
Margit 'margɪt, *ung.* 'mɔrgit
Margites mar'gi:tɛs
Margitta mar'gɪta
Margonin *poln.* mar'gɔnin
Margot 'margɔt, 'margo, *fr.*
mar'go, *engl.* 'mɑ:goʊ
Margret 'margre:t
Margrethe *dän.* maʁ'grɪ:'də
Margrete margə're:tə
Margriet *niederl.* mar'ɣrit
Margrit 'margrɪt
Marguerite margə'gri:t, *fr.*
margə'rit, *engl.* mɑ:gə'ri:t
Margueritte *fr.* margə'rit
Margul 'margʊl
Margules 'margʊlɛs
Marheineke mar'haɪnəkə
Mari 'ma:ri, *russ.* 'mari
Mǎří *tschech.* 'marʒi:
¹Maria (Name) *dt., it.*
ma'ri:a, *engl.* mə'raɪə,
mə'ri:ə, *port.* mɐ'riɐ, *bras.*
ma'ria, *poln.* 'marja,
tschech. 'marija
²Maria *vgl.* Mare
Mária *ung.* 'ma:riɔ
María *span.* ma'ria

Maria Aegyptiaca ma'ri:a
ɛgyp'ti:aka
Mariä ma'ri:ɛ
Mariage ma'rja:ʒə
Mariager *dän.* 'mariɛ:'ɐ
Mariahilf mari:a'hɪlf
Mariä-Himmelfahrts-Fest
mari:ɛ'hɪmlfa:ɐ̯tsfɛst
Maria Langegg mari:a-
'laŋɛk
Marialith marja'li:t
Mariamne ma'rjamnə
Mariampol ma'rjampɔl
Marian 'ma:rjan, *engl.* 'mɛə-
rɪən, *russ.* mɛri'an
Mariana ma'rja:na, *span.*
ma'rjana, *bras.* ma'rjɐna
Mariana Islands *engl.*
mærɪ'ænə 'aɪləndz
Marianao *span.* marja'nao
Mariane[n] ma'rja:nə[n]
Maria Neustift mari:a'nɔy-
ʃtɪft
marianisch ma'rja:nɪʃ
Marianist marja'nɪst
Mariann 'ma:rjan
Marianna *engl.* mærɪ'ænə
Marianne ma'rjanə, *fr.*
ma'rjan
Mariano *it.* ma'rja:no, *span.*
ma'rjano, *fr.* marja'no
Marianské Lázně *tschech.*
'marijanskɛ: 'la:znjɛ
Marianus ma'rja:nʊs
Mariapfarr mari:a'pfar
Maria Plain mari:a'plaɪn
Maria-Saal mari:a'za:l
Mariaschein mari:a'ʃaɪn
Mariasdorf ma'ri:asdɔrf
Mariastein mari:a'ʃtaɪn
Maria Taferl mari:a'ta:fɐl
Mariátegui *span.* ma'rjateɣi
maria-theresianisch
mari:atere'zja:nɪʃ
Mariatheresientaler
mari:ate're:zjənta:lɐ
Maria-Theresiopel mari:a-
tere'zjo:pl̩
Mariavit marja'vi:t
Mariawald mari:a'valt
Maria Wörth mari:a'vœrt
Mariazell mari:a'tsɛl
Maribo *dän.* 'maʁ'ibu:'
Maribor *slowen.* 'ma:ribɔr
Marica *span.* ma'rika, *ung.*
'mɔritsɔ
Maricourt *fr.* mari'ku:r
Marie ma'ri:, *fr.* ma'ri, *engl.*
'ma:rɪ, mə'ri:, *tschech.*
'mariɛ

Marie-Antoinette *fr.*
marjãtwa'nɛt
Mariechen ma'ri:çən
Marie de Médicis *fr.*
maridmedi'sis
Marie-Galante *fr.* mariga-
'lã:t
Mariehamn *schwed.* mari:ə-
'hamn
Marieke ma'ri:kə
Mariel *span.* ma'rjɛl
Marielies, ...lis mari'li:s
Mariella ma'rjɛla
Marielle *fr.* ma'rjɛl
Marie-Louise *fr.* mari'lwi:z
Mariluise mari'lui:zə
Marienbad ma'ri:ənba:t
Marienberg ma'ri:ənbɛrk
Marienburg ma'ri:ənbʊrk
Marienfeld ma'ri:ənfɛlt
Marienmünster mari:ən-
'mynstɐ
Mariens (zu: Marie) ma'ri:-
əns
Marienstatt ma'ri:ənʃtat
Marient[h]al ma'ri:ənta:l
Marienwerder mari:ən-
'vɛrdɐ
Marierose mari'ro:zə
Mariestad *schwed.* mari:ə-
'sta:d
Marietheres marite're:s
Marie-Thérèse *fr.* marite-
'rɛ:z
Marietta ma'rjɛta, *it.*
mari'etta, *engl.* mɛəri'ɛtə
Mariette *fr.* ma'rjɛt
Marignac *fr.* mari'nak
Marignane *fr.* mari'nan
Marignano *it.* marin'na:no
Marigny *fr.* mari'ni
Marigold *engl.* 'mærɪgoʊld
Marihuana mari'hua:na,
auch: ...i'xua:na
Marihuela *span.* mari'uela
Marijinsk *russ.* mari'insk
Marija *russ.* ma'rijɐ
Marijengof *russ.* mɐrijɪn'gɔf
Marijke *niederl.* mɑ'rɛɪkə
Marijnen *niederl.* mɑ'rɛɪnə
Marika ma'ri:ka, *auch:*
'ma:rika; *schwed.* ma'ri:ka
ung. 'mɔrikɔ
Marilhat *fr.* mari'ja
Marília *bras.* ma'rilja
Marillac *fr.* mari'jak
Marille ma'rɪlə
Marily[n] *engl.* 'mærɪlɪ[n]
Marimba ma'rɪmba

Marimbaphon marımba-
'fo:n
marin ma'ri:n
Marin *fr.* ma'rɛ̃, *engl.*
'mɑ:rın
Marín *span.* ma'rin
Marina *dt., it.* ma'ri:na,
engl. mə'ri:nə
Marinade mari'na:də
Marinduque *span.* marin-
'duke
Marine ma'ri:nə
Marinelli *it.* mari'nɛlli
¹Mariner (Matrose)
ma'ri:nɐ
²Mariner (Raumsonde;
Nachn.) *engl.* 'mærɪnə
Marinette *engl.* mærɪ'nɛt
Marinetti *it.* mari'netti
Maringá *bras.* mariŋ'ga
Marini *it.* ma'ri:ni
Marinière mari'njɛ:rə,
...jɛ:rə
marinieren mari'ni:rən
Marinismus mari'nɪsmʊs
Marinist mari'nɪst
Marinković *serbokr.*
mairi:ŋkɔvitɕ
Marino *it.* ma'ri:no
Marinos ma'ri:nɔs
Mario *it.* 'ma:rio
Mariolatrie mariola'tri:
Mariologe mario'lo:gə
Mariologie mariolo'gi:
mariologisch mario'lo:gıʃ
Marion 'ma:riɔn, *engl.* 'mɛə-
rıən, 'mær..., *fr.* ma'rjõ
Marionette mario'nɛtə
Mariotte *fr.* ma'rjɔt
mariottesches Gesetz
ma'rjɔtʃəs gə'zɛts
Mariquita *span.* mari'kita
Maris *niederl.* 'ma:rıs
Marisa *dt., it.* ma'ri:za
Marisat *engl.* 'mærɪsæt
Mariscalchi *it.* maris'kalki
Marismas *span.* ma'rizmas
Marisol *span.* mari'sɔl
Marist ma'rıst
Marit 'ma:rıt
Marita ma'ri:ta, *span.*
ma'rita
Maritain *fr.* mari'tɛ̃
maritim mari'ti:m
Maritornes *span.* mari'tɔr-
nes
Maritza ma'rıtsa
Maritta ma'rıta
Mariupol *russ.* mɛri'upɐlj
Marius 'ma:riʊs, *fr.* ma'rjys

Marivaux *fr.* mari'vo
¹Mariza (Gräfin) 'maritsa
²Mariza (Fluss) *bulgar.*
mɛ'ritsɐ
Marjan *serbokr.* 'marja:n
Marjanović *serbokr.* mar-
.ja:nɔvitɕ
Marjell[chen] mar'jɛl[çən]
Marjolin *fr.* marʒɔ'lɛ̃
Marjorie, ...ry *engl.*
'ma:dʒərı
¹Mark mark
²Mark (Name) *dt., russ.*
mark, *engl.* mɑ:k, *niederl.*
mɑrk
Markab 'markap
Markakol *russ.* mɛrka'kɔlj
Markandaya *engl.* mɑ:kən-
'daıə
markant mar'kant
Mark Anton 'mark an'to:n
Markasit marka'zi:t
Mark Aurel 'mark au're:l
Markdorf 'markdɔrf
Märke 'mɛrkə
Marke 'markə
Marken 'markn̩, *niederl.*
'markə
Marker 'markɐ, *auch:*
'ma:ɐ̯kɐ
Märker 'mɛrkɐ
Market *engl.* 'mɑ:kıt
Marketa *tschech.* 'markɛta
Marketender markə'tɛndɐ
Marketenderei markətɛn-
də'raı
marketendern markə'tɛn-
dɐn, ...dre ...drə
Marketerie markətə'ri:, -n
...i:ən
Marketing 'markətıŋ, *auch:*
'ma:ɐ̯kətıŋ
Markeur mar'kø:ɐ̯
Markewitsch 'markevıtʃ,
russ. mar'kjevıtʃ
Markgraf 'markgra:f
Markgräfler 'markgrɛ:flɐ
markgräflich 'markgrɛ:flıç
Markgröningen mark'grø:-
nıŋən
Markham *engl.* 'mɑ:kəm
Markian mar'kja:n
markieren mar'ki:rən
markig 'markıç, -e ...ıgə
Markisch 'markıʃ
märkisch 'mɛrkıʃ
Markise mar'ki:zə
Markka[a] 'marka
Markkleeberg mark'kle:-
bɛrk

Märklin 'mɛrkli:n
Markneukirchen marknɔy-
'kırçn̩
Marko 'marko, *serbokr.*
'ma:rkɔ
Markobrunner marko-
'brʊnɐ
Markolf 'markɔlf
Markolsheim 'markɔlshaım
Markomanne marko'manə
Markör mar'kø:ɐ̯
Markos *neugr.* 'markɔs
Marković *serbokr.* .ma:rkɔ-
vitɕ, 'm...
Markow 'markɔf, *russ.*
'markɛf
Markowitsch *russ.* 'markɐ-
vitʃ
Markow[n]a *russ.* 'mar-
kɛv[n]ɐ
Markownikow *russ.* mar-
'kɔvnikɐf
Markowski *poln.* mar'kɔfski
Markranstädt 'markranʃtɛt
Marks *engl.* mɑ:ks
Marksuhl mark'zu:l
Markt markt, **Märkte**
'mɛrktə
Marktbreit markt'braıt
märkten 'marktn̩
Marktheidenfeld markt-
'haıdn̩fɛlt
Marktleuthen markt'lɔytn̩
Marktoberdorf markt-
'lo:bɐdɔrf
Marktredwitz markt'rɛdvıts
Markung 'markʊŋ
Markus 'markʊs
Markward[t], ...rt 'mark-
vart
Marl marl
Marlboro *engl.* 'mɑ:lbərə
Marlborough 'mo:lbɔro;
engl. 'mɔ:lbərə, *Massachu-
setts* 'mɑ:lbərə
Marlen[e] mar'le:n[ə]
Marley *engl.* 'mɑ:lı
Marli[e]s marli:s
Marlin mar'li:n
Marlit[t] 'marlıt
Marlleine marllaınə
Marlo 'marlo
Marlon *engl.* 'mɑ:lən
Marlow 'marlo, *engl.*
'mɑ:lou
Marlowe *engl.* 'mɑ:lou
Marly 'marli
Marmara *türk.* 'marmɑrɑ
Marmarameer 'marmara-
me:ɐ̯

Marmarika mar'ma:rika
Marmarosch 'marmarɔʃ
Marmel 'marml̩
Marmelade marmə'la:də
marmeln 'marml̩n
Marmier fr. mar'mje
Marmion engl. 'mɑ:mɪən, fr. mar'mjõ
Mármol span. 'marmɔl
Marmolata it. marmo'la:ta
Marmolejo span. marmo-'lɛxo
Marmontel fr. marmõ'tɛl
Marmor 'marmo:ɐ̯
marmorieren marmo'ri:rən
marmorn 'marmɔrn,
...mo:ɐ̯n
Marmotte mar'mɔt[ə], -n
...tn̩
Marmoutier fr. marmu'tje
Marne 'marnə, fr. marn
Marne-La-Vallée fr. marn-lava'le
Marner 'marnɐ
Marnix niederl. 'marnɪks
Maro 'ma:ro
Maroantsetra mad. maruan'tsetrə
Maroc fr. ma'rɔk
Marocain maro'kɛ̃
Marocchetti it. marok'ketti
marod ma'ro:t, -e ...o:də
marode ma'ro:də
Marodeur maro'dø:ɐ̯
marodieren maro'di:rən
Marokkaner marɔ'ka:nɐ
marokkanisch marɔ'ka:nɪʃ
Marokko ma'rɔko
Maromme fr. ma'rɔm
¹Maron (Kastanienbraun) ma'ro:n
²Maron (Buschneger) ma'rõ:
³Maron (Name) ma'ro:n, 'ma:rɔn
Marone ma'ro:nə
¹Maroni (Kastanien) ma'ro:ni
²Maroni (Fluss) fr. marɔ'ni
Maronit maro'ni:t
Maroquin maro'kɛ̃:
Maros ung. 'mɔrɔʃ
Marosch 'ma:rɔʃ
Maros-Vásárhely ung. 'mɔrɔʃva:ʃa:rhɛj
Marotte fr. ma'ro
Maróthy-Šoltésová slowak. 'maro:ti'ʃɔltɛ:sɔva:
Maroto span. ma'roto
Marotta it. ma'rɔtta

Marotte ma'rɔtə
Maroua fr. ma'rwa
Marouzeau fr. maru'zo
Marowijne niederl. maro-'wɛi̯nə
Marozia it. ma'rɔttsi̯a
Marpingen 'marpɪŋən
Marpurg 'ma:ɐ̯pʊrk
Marquand engl. 'ma:kwənd, ma:'kwa:nd
Marqués span. mar'kes
Marquesas mar'ke:zas
Marquess 'markvɪs
Marquet fr. mar'kɛ
Marqueterie marketə'ri:, -n ...i:ən
Marquette fr. mar'kɛt, engl. ma:'kɛt
Márquez span. 'markeθ
Marquina span. mar'kina
¹Marquis mar'ki:, des - ...i:[s], die - ...i:s
²Marquis (Name) engl. 'ma:kwɪs
Marquisat marki'za:t
Marquise mar'ki:zə
Marquises, Îles fr. ilmar-'ki:z
Marquisette marki'zɛt[ə], -n ...tn̩
Marr russ. mar
Marrakech fr. mara'kɛʃ
Marrakesch mara'kɛʃ, '---
Marrane ma'ra:nə
Marrickville engl. 'mærɪkvɪl
Marriner engl. 'mærɪnə
Marrismus ma'rɪsmʊs
Marruecos span. ma'rru̯ekos
Marrukiner maru'ki:nɐ
Marryat engl. 'mærɪət
¹Mars dt., fr. mars
²Mars (seemänn.) mars, -e 'marzə
Marsa, La fr. lamar'sa
¹Marsala it. mar'sa:la
²Marsala (Wein) mar'za:la
Marsberg 'marsbɛrk
marsch! marʃ
¹Marsch (Niederung) marʃ
²Marsch marʃ, **Märsche** 'mɛrʃə
Marschak russ. mar'ʃak
Marschalk 'marʃalk
Marschall 'marʃal, **Marschälle** ...ʃɛlə
marschieren mar'ʃi:rən
Marschner 'marʃnɐ
Marsé span. mar'se

Marseillaise marsɛ'jɛ:zə, fr. marsɛ'jɛ:z
Marseille fr. mar'sɛj
Marseiller mar'sɛ:jɐ
Marser 'marzɐ
Marsfeld 'marsfɛlt
Marsh engl. mɑ:ʃ
Marshal[l] 'marʃal, engl. 'mɑ:ʃəl
Marshalltown engl. 'mɑ:ʃəltaun
Marshfield engl. 'mɑ:ʃfi:ld
Marshit mar'ʃi:t
Marshmallow 'ma:ɐ̯ʃmɛlo
Marshscher Apparat 'marʃɐ apa'ra:t
Marsilia mar'zi:li̯a
Marsilio it. mar'si:li̯o
Marsilius mar'zi:li̯ʊs
Marsman niederl. 'marsman
Marstall 'marʃtal, ...ställe ...ʃtɛlə
Marston engl. 'mɑ:stən
Marstrand dän. 'maɐ̯sdran', schwed. ,marstrand
Marsupialier marzu'pi̯a:li̯ɐ
Marsyas 'marzʃas
Marta dt., it., span. 'marta
Martaban marta'ba:n
Märte 'mɛrtə
martelé, M... martə'le:
Martell mar'tɛl, engl. mɑ:'tɛl
martellando martɛ'lando
Martellange fr. martɛ'lã:ʒ
martellato martɛ'la:to
Martellato martɛ'la:to, ...ti ...ti
Martellement martɛlə'mã:
Martelli it. mar'tɛlli, fr. martɛl'li
Martello it. mar'tɛllo
Marten 'martn̩, niederl. 'martə
Martenot fr. martə'no
Martens 'martn̩s, niederl. 'martəns
Martensen dän. 'maɐ̯dn̩sn̩
Marter[l] 'martɐ[l]
martern 'martɐn
Martersteig 'martɐʃtai̯k
Martha 'marta, engl. 'mɑ:θə
Marthchen 'martçən
Marthe 'martə
Marti 'marti
Martí span. mar'ti
Martial[is] mar'tsi̯a:l[ɪs]
Martial d'Auvergne fr. marsi̯aldo'vɛrɲ

martialisch marˈtsi̯aːlɪʃ
Martianus marˈtsi̯aːnʊs
Martigny *fr.* martiˈɲi
Martigues *fr.* marˈtig
Martin ˈmartiːn, *engl.*
ˈmɑːtɪn, *fr.* marˈtɛ̃, *schwed.,*
slowak. ˈmartin, *serbokr.*
ˌmartin, *tschech.* ˈmartjin
Martín *span.* marˈtin
Martina *dt., it.* marˈtiːna
Martin du Gard *fr.* martɛ̃-
dyˈgaːr
Martine *fr.* marˈtin
Martineau *fr.* martiˈno,
engl. ˈmɑːtɪnoʊ
Martínek *tschech.* ˈmartjiː-
nɛk
Martinelli *it.* martiˈnɛlli
Martinengo *it.* martiˈneŋgo
Martinet *fr.* martiˈnɛ
Martinez *engl.* mɑːˈtiːnɛs
Martínez *span.* marˈtineθ
Martingal ˈmartɪŋgal
Martinho *port.* mɐrˈtiɲu,
bras. marˈtiɲu
Martini *dt., it.* martˈiːni
Martinique *fr.* martiˈnik
Martinist martiˈnɪst
Martino *it.* marˈtiːno
Martinon *fr.* martiˈnõ
Martins *port.* mɐrˈtiʃ, *bras.*
marˈtis, *engl.* ˈmɑːtɪnz
Martinsberg ˈmartiːnsbɛrk
Martinsburg *engl.* ˈmɑːtɪnz-
bəːg
Martinson *schwed.* ˌmartin-
sɔn
Martinů *tschech.* martjinuː
Martinus marˈtiːnʊs, *nie-*
derl. mɑrˈtiːnʏs
Martit marˈtiːt
Martius ˈmartsi̯ʊs
Márton *ung.* ˈmaːrton
Martonne *fr.* marˈtɔn
Martorell *kat.* mərtuˈreʎ
Martos *span.* ˈmartos, *russ.*
ˈmartɐs
Martow *russ.* ˈmartɐf
Martucci *it.* marˈtuttʃi
Marty ˈmarti, *fr.* marˈti
Martyn *engl.* ˈmɑːtɪn, *russ.*
marˈtɨn
Martynow *russ.* marˈtɨnɐf
Martyr[er] ˈmartyr[ɐ]
Märtyrer ˈmɛrtyrɐ
Märty[re]rin ˈmɛrty[rə]rɪn
Martyrium marˈtyːri̯ʊm,
...**ien** ...i̯ən
Martyrologium martyro-
ˈloːgi̯ʊm, ...**ien** ...i̯ən

Marulić *serbokr.* ˈmarulitɕ
Marullo *it.* maˈrullo
Marullus maˈrʊlʊs
Marunke maˈrʊŋkə
Maruts ˈmaːrʊts̩
Marvel[l] *engl.* mɑːvl
Marvin[e] *engl.* ˈmɑːvɪn
Marwitz ˈmarvɪts̩
Marwood *engl.* ˈmɑːwʊd
Marx *dt., russ., tschech.*
marks, *engl.* mɑːks
Marxismus marˈksɪsmʊs
Marxist marˈksɪst
marxistisch marˈksɪstɪʃ
Marxologe marksoˈloːgə
Marxologie marksoloˈgi:
Marxsch marksʃ
[1]**Mary** (Vorname) *engl.*
ˈmɛərɪ
[2]**Mary** (Ort) *russ.* maˈrɨ
Maryborough *engl.* ˈmɛərɪ-
bərə
Mary Jane ˈmɛːri ˈdʒeːn
Maryland *engl.* ˈmɛərɪlənd
Marylebone *engl.* ˈmærələ-
bən
Marymba maˈrɪmba
Mary[s]ville *engl.* ˈmɛə-
rɪ[z]vɪl
März mɛrts̩
Marzell[us] marˈtsɛl[ʊs]
Marzella marˈtsela
Marzelline martsɛˈliːnə
Marzipan martsiˈpaːn *auch:*
ˈ---
märzlich ˈmɛrtslɪç
Masaccio *it.* maˈzattʃo
Masada maˈzaːda
Masai maˈsai̯, *auch:* ˈ--
Masan *korean.* maˈsan
Masandaran *pers.* mɑzænˈ
dæˈraːn
Masaniello *it.* mazaˈni̯ɛllo
Masanobu *jap.* maˈsaˌnobu
Masaryk *tschech.* ˈmasarik
Más a Tierra *span.* ˈmas a
ˈti̯era
Masaya *span.* maˈsaja
Mabate *span.* mazˈβate
Mascagni masˈkanji, *it.*
masˈkaɲɲi
[1]**Mascara** (Kosmetikum)
masˈkaːra
[2]**Mascara** (Ort) *fr.* maskaˈra
Mascareignes *fr.* maska-
ˈrɛɲ
Mascaret *fr.* maskaˈrɛ
Mascarpone maskarˈpoːnə
Mascha ˈmaʃa, *russ.* ˈmaʃɐ
Maschad ˈmaʃat

maschallah maʃaˈlaː, *auch:*
maˈʃala
Maschansker maˈʃanskɐ
Masche ˈmaʃə
Maschek... ˈmaʃɛk...
Mascherini *it.* maskeˈriːni
Mascheroni *it.* maskeˈroːni
[1]**Maschhad** *pers.* mæʃˈhæd
[2]**Maschhad** (Teppich) ˈmaʃ-
hat
maschig ˈmaʃɪç, **-e** ...ɪgə
Maschik... ˈmaʃɪk...
Maschine maˈʃiːnə
maschinell maʃiˈnɛl
Maschinerie maʃinəˈriː, **-n**
...iːən
maschinieren maʃiˈniːrən
Maschinismus maʃiˈnɪsmʊs
Maschinist maʃiˈnɪst
Maschka *russ.* ˈmaʃkɐ
Maschonaland maˈʃoːnaˌlant
Maschrik ˈmaʃrɪk
Mascouche *fr.* masˈkuʃ
Masdak ˈmasdak
Masdsched Solaiman *pers.*
mæsˈdʒed soˈlei̯ˈmaːn
Masefield *engl.* ˈmeɪsfiːld
Masel maːzl̩
Masepa maˈzɛpa, *russ.*
maˈzjɛpɐ
[1]**Maser** ˈmaːzɐ
[2]**Maser** (Physik) ˈmeːzɐ,
auch: ˈmaːzɐ
Maserati *it.* mazeˈraːti
Masereel *niederl.* maːzəˈreːl
maserig ˈmaːzərɪç, **-e** ...ɪgə
masern ˈmaːzɐn, **masre**
ˈmaːzrə
Masern ˈmaːzɐn
Maseru *engl.* məˈsɪəruː
Maseschca maˈzɛʃa
Masette maˈzɛtə
Masetto *it.* maˈzetto
Masham *engl.* ˈmæsəm
Mashie ˈmɛʃi
Masina *it.* maˈziːna
Masini ˈmaˈziːni
Masinissa maziˈnɪsa
Masip *span.* maˈsip
Maskarenen maskaˈreːnən
Maskarill maskaˈrɪl
Maskaron maskaˈroːn
Maskat ˈmaskat
Maske ˈmaskə
Maskelyne *engl.* ˈmæskɪlɪn
Maskerade maskəˈraːdə
maskieren masˈkiːrən
Maskoki masˈkoːki
Maskottchen masˈkɔtçən

Maskotte mas'kɔtə
maskulin masku'li:n
maskulinisieren maskulini-
'zi:rən
Maskulinum 'maskuli:nʊm,
...na ...na
Maso it. 'ma:zo
Masoch 'ma:zɔx
Masochismus mazɔ'xɪsmʊs
Masochist mazɔ'xɪst
Masolino it. mazo'li:no
Mason engl. meɪsn
Masora ma'zo:ra, mazo'ra:
Masowien ma'zo:viən
Maspéro fr. maspe'ro
maß, Maß ma:s
Mass. engl. mæs
¹Massa (Herr) 'masa
²Massa (Name) it. 'massa
Massachusetts engl.
mæsə'tʃu:sɪts
Massaction 'mɛs'lɛkʃn̩
Massage ma'sa:ʒə
Massagete masa'ge:tə
Massai ma'saɪ, auch: '--
Massaker ma'sa:kɐ
massakrieren masa'kri:rən
Massalia ma'sa:lia
Massa Marittima it. 'massa
ma'rittima
Massapequa engl. mæsə-
'pi:kwə
Massarena masa're:na
Massary ma'sa:ri
Massaua ma'saua, it. mas-
'sa:ua
Mäßchen 'mɛ:sçən
Maße 'ma:sə
Masse 'masə
Massé fr. ma'se
mäße 'mɛ:sə
Massebe ma'se:bə
Massel 'masl̩
maßen, M... 'ma:sn̩
Massen 'masn̩
Massena engl. mə'si:nə
Masséna fr. mase'na
Massenet fr. mas'nɛ
Masseter ma'se:tɐ
Masseur ma'sø:ɐ̯
Masseuse ma'sø:zə
Massewitsch russ. ma'sje-
vitʃ
Massey engl. 'mæsɪ
maßgeblich 'ma:sge:plɪç
Maßholder 'ma:shɔldɐ,
auch: -'--
Massicot masi'ko:
massieren ma'si:rən

Massif central fr. masifsã-
'tral
massig 'masɪç, -e ...ɪgə
mäßig 'mɛ:sɪç, -e ...ɪgə
mäßigen 'mɛ:sɪgn̩, mäßig!
...ɪç, mäßigt ... ɪçt
Massigli fr. masi'gli
Massijs niederl. 'masɛɪs
Massilia ma'si:lia
Massillon fr. masi'jõ, engl.
'mæslən
Massimo it. 'massimo
Massine fr. ma'sin
Massinger engl. 'mæsɪndʒɐ
Massinissa masi'nɪsa
Massip span. ma'sip
Massis fr. ma'sis
massiv, M... ma'si:f, -e
...i:və
Massivität masivi'tɛ:t
maßleidig 'ma:slaɪdɪç, -e
...ɪgə
Maßlieb 'ma:sli:p, -e ...i:bə
Maßliebchen 'ma:sli:pçən
Maßmann 'ma:sman
Maßnahme 'ma:sna:mə
Massolle ma'sɔlə
Masson fr. ma'sõ, engl.
mæsn
Massora ma'so:ra, maso'ra:
Massoret maso're:t
Massreaction 'mɛsrɪ'lɛkʃn̩
Maßstab 'ma:sʃta:p
maßstäblich 'ma:sʃtɛ:plɪç
maßt ma:st
mäßt mɛ:st
Massu[e] fr. ma'sy
Massy fr. ma'si
Massys niederl. 'masɛɪs
Mast mast
Mastaba 'mastaba, ...sta-
ben ...s'ta:bn̩
Mastalgie mastal'gi:
Mastelletta it. mastel'letta
mästen 'mɛstn̩
Master 'ma:stɐ
Mästerei mɛstə'raɪ
Masters 'ma:stɐs
Master-Slave-... 'ma:stɐ-
'sle:f...
Mastiff 'mastɪf
mastig 'mastɪç, -e ...ɪgə
Mastigophoren mastigo-
'fo:rən
Mastik 'mastɪk
Mastikator masti'ka:to:ɐ̯,
-en ...ka'to:rən
mastikatorisch mastika-
'to:rɪʃ

Mastitis mas'ti:tɪs, ...itiden
...ti'ti:dn̩
Mastix 'mastɪks
Mastodon 'mastodɔn, -ten
...'dɔntn̩
Mastodynie mastody'ni:
mastoid masto'i:t, -e ...i:də
Mastoiditis mastoi'di:tɪs,
...itiden ...di'ti:dn̩
Mastomys 'mastomʏs
Mastopathie mastopa'ti:
Mastoptose mastɔp'to:zə
Mastroianni it. mastro-
'janni
Masturbation masturba-
'tsio:n
masturbatorisch mastur-
ba'to:rɪʃ
masturbieren mastur'bi:-
ren
Masuccio it. ma'zuttʃo
Masur ma'zu:ɐ̯
Masure[n] ma'zu:rə[n]
Masuri indon. ma'suri
masurisch ma'zu:rɪʃ
Masurium ma'zu:riʊm
Masurka ma'zʊrka
Masut ma'zu:t
Masvingo engl. mɑ:z'vɪŋ-
gou
Matabele mata'be:lə
Matachel span. mata'tʃɛl
Matačić serbokr. ,matatʃitɕ
Matadi fr. mata'di
Matador mata'do:ɐ̯
Matagalpa span. mata-
'ɣalpa
Mata Hari 'mata 'ha:ri
Matala port. mɐ'talɐ
Matamata mata'ma:ta
Matamoros span. mata'mo-
ros
Matanuska engl. mætə-
'nu:skə
Matanza[s] span. ma'tan-
θa[s]
Matão bras. ma'tɐ̃ʊ̯
Matapan mata'pa:n
Mataram indon. ma'taram
Matarani span. mata'rani
Mataré mata're:
Matarija mata'ri:a
Mataró span. mata'ro
Matavulj serbokr. ma.tavu:lj
Match mɛtʃ
Matchball 'mɛtʃbal
Matchedgroups 'mɛtʃt-
'gru:ps
Mate 'ma:tə
Máté ung. 'ma:te:

Matehuala *span.* mate'ṷala
Matei *rumän.* ma'tei̯
Matěj *tschech.* 'matjɛj
Matejko *poln.* ma'tɛjkɔ
Matelassé matəla'se:
Matelica *it.* ma'te:lika
Matelot matə'lo:
Matelote matə'lɔt
Mateo[s] *span.* ma'teo[s]
Mater 'ma:tɐ
Matera *it.* ma'tɛ:ra
Mater dolorosa 'ma:tɐ
  dolo'ro:za
material mate'rịa:l
Material mate'rịa:l, **-ien**
  ...ịən
Materialisation materịali-
  za'tsịo:n
materialisieren materịali-
  'zi:rən
Materialismus materịa'lɪs-
  mʊs
Materialist materịa'lɪst
materialistisch materịa'lɪs-
  tɪʃ
Materialität materịali'tɛ:t
Materie ma'te:rịə
materiell mate'rịɛl
¹matern (Matern machen)
  'ma:tɐn
²matern (mütterlich)
  ma'tɛrn
Matern ma'tɛrn
maternisiert matɛrni'zi:ɐt
Maternität matɛrni'tɛ:t
Maternus ma'tɛrnʊs
Matetee 'ma:tate:
Mateur *fr.* ma'tœ:r
Mateus *port.* mɐ'teu̯ʃ, *bras.*
  ma'teu̯s
Mateusz *poln.* ma'tɛu̯ʃ
Matew *bulgar.* 'matɛf
Mathar ma'ta:ɐ, 'ma:tar
Mathe 'matə
Mathematik matema'ti:k
Mathematiker mate'ma:-
  tikɐ
mathematisch mate'ma:tɪʃ
mathematisieren matema-
  ti'zi:rən
Mathematizismus mate-
  mati'tsɪsmʊs
Mather *engl.* 'meɪðə, 'mæðɐ
Mathesius ma'te:zịʊs
Matheus ma'te:ʊs
Mathew[s] *engl.* 'mæθju:[z]
Mathéy ma'te:i
Mathias *engl.* mə'θaɪəs
Mathies 'mati:s
Mathieu *fr.* ma'tjø

Mathiez *fr.* ma'tje
Mathilde ma'tɪldə, *fr.*
  ma'tild
Mathildis ma'tɪldɪs
Mathis 'matɪs
Mathura *engl.* 'mæθʊrɑ:,
  'mætʊrə
Mathurin[s] *fr.* maty'rɛ̃
Mathy 'mati
Matias *port.* ma'tiɐʃ, *bras.*
  ma'tias
Matías *span.* ma'tias
Matić *serbokr.* 'ma:tɪtɕ
Matica 'matitsa
Matignon *fr.* mati'ɲɔ̃
Matija *serbokr.* ˌmatija
Matilda *engl.* mə'tɪldə, *it.*
  ma'tilda, *schwed.* ma.tilda
Matilde *span.* ma'tilde
Matin *fr.* ma'tɛ̃
Matinee mati'ne:, *auch:*
  'matine, **-n** ...'ne:ən, *auch:*
  'matine:ən
Matisse *fr.* ma'tis
Matius 'ma:tsịʊs
Matjeshering 'matjəshe:rɪŋ
Matković *serbokr.* 'matkɔ-
  vitɕ
Matkowsky mat'kɔfski
Matlock[s] *engl.* 'mætlɔk[s]
Matlockit matlɔ'ki:t
Mato *serbokr.* ˌma:tɔ
Mato Grosso *bras.* 'matu
  'grosu
Matos *port.* 'matuʃ, *bras.*
  'matus
Matoš *serbokr.* 'matɔʃ
Matosinhos *port.* mɐtu'zi-
  ɲuʃ
Matoso *bras.* ma'tozu
Matotschkin Schar *russ.*
  'matɐtʃkin 'ʃar
Matouš *tschech.* 'matou̯ʃ
Mátra *ung.* 'ma:trɔ
Matrah 'matrax
Matratze ma'tratsə
Matrei 'matrai̯
Matres ma'tre:s
Mätresse mɛ'trɛsə
matriarchalisch matriar-
  'ça:lɪʃ
Matriarchat matriar'ça:t
Matricaria matri'ka:rịa
Matrik[el] ma'tri:k[l]
matrilineal matriline'a:l
matrilinear matriline'a:ɐ
Matrilokalität matrilokali-
  'tɛ:t
matrimonial matrimo'nịa:l
matrimoniell matrimo'nịɛl

matrisieren matri'zi:rən
Matrix 'ma:trɪks, **Matrizes**
  ma'tri:tse:s
Matrize ma'tri:tsə, *auch:*
  ma'trɪtsə
Matrjoschka matri'ɔʃka
Matrone ma'tro:nə
Matronymikon matro'ny:-
  mikɔn, ...**ka** ...ka
Matroschka ma'trɔʃka
Matrose ma'tro:zə
Matrossow *russ.* ma'trɔsɐf
Matruh ma'tru:x
matsch, M... matʃ
Matsche 'matʃə
matschen 'matʃn̩
Matschida *jap.* ma'tʃida
matschig 'matʃɪç, **-e** ...ɪgə
matschkern 'matʃkɐn
Matsijs, ...sys *niederl.* 'mɑt-
  sɛi̯s
Matsubara *jap.* ma'tsu.bara
Matsudo *jap.* ma'tsudo
Matsue *jap.* ma'tsue
Maatsujama *jap.* ma'tsu-
  ˌjama
Matsumoto *jap.* ma'tsu-
  moto
Matsusaka *jap.* ma'tsuˌsa.ka
Matsushita *engl.* mætsʊ-
  'ʃi:tə
matt, M... mat
Mattathias mata'ti:as
Mattäus ma'tɛ:ʊs
Matte 'matə
Mattei *it.* mat'tɛ:i̯
Matteo *it.* mat'tɛ:o
Matteotti *it.* matte'ɔtti
Matterhorn 'matɐhɔrn
Mattersburg 'matɐsbʊrk
Mattes 'matəs
Matteson *engl.* 'mætɪsn
Matteucci *it.* matte'uttʃi
Matthäi ma'tɛ:i
Matthau *engl.* 'mæθaʊ
Matthäus ma'tɛ:ʊs
Mattheson 'matəzɔn
Mattheuer 'matɔʏɐ
Matthew[s] *engl.* 'mæθ-
  ju:[z]
Matthias ma'ti:as, *niederl.*
  mɑ'ti:ɑs
Matthies 'mati:s
Matthiesen 'mati:zn̩
Matthiessen *engl.* 'mæθɪsn
Matthieu *fr.* ma'tjø
Matthijs *niederl.* mɑ'tɛi̯s
Matthisson 'matɪsɔn
Matthus 'matʊs
Matti *finn.* 'mɑtti

Mattia *it.* mat'ti:a
Mattiaker ma'ti:akɐ
Mattias ma'ti:as
Mattielli *it.* mat'tjɛlli
mattieren ma'ti:rən
Mattigkeit 'matıçkait̯
Mattighofen matıç'ho:fn̩
Mattioli *it.* mat'tjɔ:li
Mattoir ma'tǫa:ɐ̯
Mattoon *engl.* mə'tu:n
Matur ma'tu:ɐ̯
Matura ma'tu:ra
Maturand matu'rant, -en ...ndn̩
Maturant matu'rant
Mature *engl.* mə'tjʊǝ
maturieren matu'ri:rən
Maturin *engl.* 'mætjʊǝrın
Maturín *span.* matu'rin
Maturitas praecox ma'tu:-ritas 'prɛ:kɔks
Maturität maturi'tɛ:t
Maturum ma'tu:rʊm
Matusche ma'tʊʃə
Matúška *slowak.* 'matu:ʃka
Matuszewski *poln.* matu-'ʃɛfski
Matute *span.* ma'tute
Matutin matu'ti:n
matutinal matuti'na:l
Matwei *russ.* mat'vjej
Matwejew *russ.* mat'vjejıf
Matwejewitsch *russ.* mat'vjejıvitʃ
Matwejew[n]a *russ.* mat'vjejıv[n]ɐ
Mátyás *ung.* 'ma:tja:ʃ
Matz mats, **Mätze** 'mɛtsǝ
Mätzchen 'mɛtsçən
Matze 'matsǝ
Matzen 'matsn̩
Mätzner 'mɛtsnɐ
mau, Mau maṷ
Maubeuge *fr.* mo'bø:ʒ
Mauch maṷx
Mauclair, Mauclerc *fr.* mo'klɛ:r
Maud[e] *engl.* mɔ:d
Maudling *engl.* 'mɔ:dlıŋ
Maudslay *engl.* 'mɔ:dzlı
Mauer 'maṷɐ
Mauerei maṷǝ'rai̯
mauern 'maṷɐn
Mauersberger 'maṷɐs-bɛrgɐ
Maugham *engl.* mɔ:m
Mauguio *fr.* mo'gjo
Maui 'maṷi, *engl.* 'maʊı
Mauke 'maṷkǝ
Maul maṷl, **Mäuler** 'mɔylɐ

Maulaffe 'maṷl|afǝ
Maulbeere 'maṷlbe:rǝ
Maulbertsch 'maṷlbɛrtʃ
Maulbronn maṷl'brɔn
Mäulchen 'mɔylçən
Maule *span.* 'maṷle
maulen 'maṷlǝn
Mauléon *fr.* mole'õ
Mäuler vgl. Maul
Maulesel 'maṷl|e:zl̩
Maull maṷl
Maulnier *fr.* mo'nje
Maulpertsch 'maṷlpɛrtʃ
Maultier 'maṷlti:ɐ̯
Maulwurf 'maṷlvʊrf
Mau-Mau 'maṷ'maṷ
Maumee *engl.* mɔ:'mi:
Mauna Kea 'maṷna 'ke:a, *engl.* 'maʊnǝ 'keıǝ
Mauna Loa 'maṷna 'lo:a, *engl.* 'maʊnǝ 'loʊǝ
Maunoury *fr.* monu'ri
maunzen 'maṷntsn̩
Maupassant *fr.* mopɑ'sã
Maupeou *fr.* mo'pu
Maupertuis *fr.* mopɛr'tɥi
Maura *span.* 'maṷra, *engl.* 'mɔ:rǝ
Maurandia maṷ'randi̯a
Maure 'maṷrǝ
Maureen *engl.* 'mɔ:ri:n, –'–
Maurer 'maṷrɐ, *engl.* 'maʊrǝ, *rumän.* 'maṷrer
Maurerei maṷrǝ'rai̯
maurerisch 'maṷrǝrıʃ
Maureske maṷ'rɛskǝ
Mauretanien maṷre'ta:ni̯ən
Mauretanier maṷre'ta:ni̯ɐ
mauretanisch maṷre'ta:nıʃ
Mauriac *fr.* mɔ'rjak
Maurice mo'ri:s, *fr.* mɔ'ris, *engl.* 'mɔrıs
Mauricio *span.* maṷ'riθi̯o
Maurício *port., bras.* maṷ'ri-si̯u
Mauricius maṷ'ri:tsi̯ʊs
Maurina 'maṷrina
Mauriņa *lett.* 'maṷrıņa
Mauriner maṷ'ri:nɐ
maurisch 'maṷrıʃ
Mauritanie *fr.* mɔrita'ni
Mauritia maṷ'ri:tsi̯a
Mauritier maṷ'ri:tsi̯ɐ
mauritisch maṷ'ri:tıʃ
Mauritius maṷ'ri:tsi̯ʊs, *engl.* mǝ'rıʃǝs
Maurits *niederl.* 'maṷrıts
Maurizio *it.* maṷ'rittsi̯o
Mauro *it.* 'ma:ṷro
Maurois, ...oy *fr.* mɔ'rwa

Maurolache maṷro'laxǝ
Maurras *fr.* mɔ'rɑ:s
Maurs *fr.* mɔ:r
Maursmünster maṷɐs-'mynstɐ
Maurus 'maṷrʊs
Maury *fr.* mɔ'ri, *engl.* 'mɔ:rı
Maus maṷs, **Mäuse** 'mɔyzǝ
Mauschel 'maṷʃl
Mauschelei maṷʃǝ'lai̯
mauscheln, M... 'maṷʃln̩
Mäuschen 'mɔysçǝn
mäuschenstill 'mɔysçǝn'ʃtıl
Mäusel 'mɔyzl̩
mauseln 'maṷzl̩n, **mausle** 'maṷzlǝ
mäuseln 'mɔyzl̩n, **mäusle** 'mɔyzlǝ
mausen 'maṷzn̩, **maus!** maṷs, **maust** maṷst
Mauser 'maṷzɐ
Mauserei maṷzǝ'rai̯
Mäuserich 'mɔyzǝrıç
mausern 'maṷzɐn, **mausre** 'maṷzrǝ
mausetot 'maṷzǝ'to:t
mausig 'maṷzıç, -e ...ıgǝ
Mäusl 'mɔyzl̩
Mäuslein 'mɔyslai̯n
Mausoleum maṷzo'le:ʊm, ...een ...e:ǝn
Mausolos 'maṷzolɔs, maṷ'zo:lɔs
Mauss *fr.* mo:s
maussade mo'sat
maustot 'maṷs'to:t
Maut maṷt
Mauterndorf 'maṷtɐndɔrf
Mauthausen maṷt'haṷzn̩
Maut[h]ner 'maṷtnɐ
Mauvais Sujet, - -s *fr.* mɔvɛsy'ʒɛ, mov...
mauve *prädikativ* mo:f, *attributiv* 'mo:vǝ
Mauve *niederl.* 'mɔṷvǝ
Mauvein move'i:n
Mauvoisin *fr.* movwa'zɛ̃
mauzen 'maṷtsn̩
Mavignier mavın'je:
Mavor *engl.* 'meıvǝ
Mavrocordat *rumän.* mavrokor'dat
Mawensi *engl.* mɑ:'wensi:
Mawilis *neugr.* ma'vilis
Mawra *russ.* 'mavrɐ
Mawrokordatos *neugr.* mavrɔkǝr'ðatǝs
Mawson *engl.* mɔ:sn
Max *dt., fr., tschech.* maks, *engl.* mæks, *niederl.* mɑks

Mäxchen 'mɛksçən
Maxdor maks'do:ɐ̯
Maxe 'maksə
Maxentius ma'ksɛntsjʊs
Maxhütte maks'hʏtə
maxi, M... 'maksi
Maxie 'maksi
Maxilla ma'ksɪla, ...llä ...lɛ
maxillar maksɪ'la:ɐ̯
maxillär maksɪ'lɛ:ɐ̯
Maxillen ma'ksɪlən
Maxim engl. 'mæksɪm, russ. mak'sim
[1]Maxima 'maksima, ...mae ...mɛ
[2]Maxima vgl. Maximum
maximal maksi'ma:l
maximalisieren maksimali-'zi:rən
Maximalist maksima'lɪst
[1]Maxime (Grundsatz) ma'ksi:mə
[2]Maxime (Name) fr. mak-'sim
Maximian[us] maksi-'mja:n[ʊs]
maximieren maksi'mi:rən
Maximilian maksi'mi:lja:n, engl. mæksɪ'mɪljən
Maximiliane maksimi'lja:nə
Maximiliano span. maksi-mi'ljano
Maximilien fr. maksimi'ljɛ̃
Maximin[us] maksi-'mi:n[ʊs]
Máximo span. 'maksimo
Maximos dt., neugr. 'maksi-mɔs
Maximow russ. mak'simɐf, bulgar. 'maksimof
[1]Maximowitsch (Familienname) russ. mɐksi'mɔvitʃ
[2]Maximowitsch (Sohn des Maxim) russ. mak'simɐvitʃ
Maximow[n]a russ. mak'simɐv[n]ɐ
Maximum 'maksimʊm, ...ma ...ma
Maximus 'maksimʊs
Maxutow russ. mak'sutɐf
[1]Maxwell (Name) engl. 'mækswəl
[2]Maxwell (Physik) 'mɛkswɛl
May mai, engl. mei
Maya 'ma:ja, span. 'maja
Mayagüez span. maja'ɣu̯eθ
Mayall engl. 'meiɔ:l
Mayapán span. maja'pan
Maybach 'maibax
Mayday 'me:de:

Mayen 'maiən
Mayenne fr. ma'jɛn
Mayer 'maiɐ, engl. 'meiə, fr. mɛ'jɛ:r
Mayerling 'maiɐlɪŋ
Mayfair engl. 'meifɛə
Mayfield [Heights] engl. 'meifi:ld ['haits]
Mayflower engl. 'meiflauɐ
Maynard fr. mɛ'na:r, engl. 'meinəd
Maync mɛŋk
Mayno span. 'maino
Mayo 'maio, engl. 'meiou
Mayonnaise majɔ'nɛ:zə
Mayor mɛ:ɐ̯
Mayotte fr. ma'jɔt
Mayoumba fr. majum'ba
Mayr 'maiɐ
Mayreder 'maire:dɐ
Mayrhofen 'maiɐho:fn̩
Mayrhofer 'maiɐho:fɐ
Mayrisch 'mairɪʃ
Mayröcker 'mairœkɐ
Ma Yuan chin. ma-ɣɛn 33
Maywood engl. 'meiwud
MAZ mats
Mazag[r]an fr. maza'g[r]ã
Mazamet fr. maza'mɛ
Mazarin fr. maza'rɛ̃
mazarin... maza'rɛ̃:...
Mazar-i-Sharif afgh. mæzariʃæ'rif
Mazatenango span. maθate'naŋgo
Mazatlán span. maθat'lan
Mazdaismus masda'ismʊs
Mazdaist masda'ist
Mazdaznan masdas'na:n
Mazedonien matse'do:niən
Mazedonier matse'do:niɐ
mazedonisch matse'do:niʃ
Mäzen mɛ'tse:n
Mäzenatentum mɛtse'na:-tn̩tu:m
mäzenatisch mɛtse'na:tiʃ
Mazeppa ma'tsɛpa
Mazeral matse'ra:l
Mazerat matse'ra:t
Mazeration matsera'tsio:n
mazerieren matse'ri:rən
Mazis 'matsɪs, 'ma:tsɪs
Mazo span. 'maθo
Mazowiecki poln. mazɔ-'vjɛtski
Mazowsze poln. ma'zɔfʃɛ
Mažuranić serbokr. ma.ʒuranitɕ
Mazurek ma'zu:rɛk
Mazurka ma'zʊrka

Mazze 'matsə
Mazzen 'matsn̩
Mazzetti ma'tsɛti
Mazzini ma'tsi:ni, it. mat-'tsi:ni
Mazzolino it. mattso'li:no
Mazzoni it. mat'tso:ni
Mazzucotelli it. mattsuko-'tɛlli
Mazzuoli it. mat'tsu̯o:li
Mba fr. mba, engl. əm'ba:
Mbabane engl. əmba:'ba:-nei
Mbala engl. əm'ba:la:
Mbale engl. əm'ba:lei
Mbandaka fr. mbanda'ka
Mbanza-Ngungu fr. mbanzaŋguŋ'gu
Mbarara engl. əmba:'ra:ra:
Mbeki engl. əm'bɛki
Mbeya engl. əm'beija:
Mbowamb 'mbo:vamp
Mboya engl. əm'bɔiə
Mbuji-Mayi fr. mbuʒima'ji
McAdam engl. mə'kædəm
McAdoo engl. mækə'du:
McAlester, McAlis... engl. mə'kælɪstə
McAllen engl. mə'kælən
McCandless engl. mə'kændlɪs
M'Carthy engl. mə'ka:θi
McAuley engl. mə'kɔ:li
McBride engl. mək'braid
McBurney engl. mək'bə:ni
McCabe engl. mə'keib
McCaffrey engl. mə'kæfri
McCain engl. mə'kein
McCall engl. mə'kɔ:l
McCarthy engl. mə'ka:θi
McCarthyismus məkarti'ismʊs
McCartney engl. mə'ka:tni
McClellan[d] engl. mə'klɛlən[d]
McClintock engl. mə'klɪntɔk
McCloskey engl. mə'klɔski
McCloy engl. mə'klɔi
McCluer, McClure engl. mə'kluə
McCollum engl. mə'kɔləm
McComb engl. mə'koum
McCook engl. mə'kuk
McCormack engl. mə'kɔ:-mək
McCormick engl. mə'kɔ:mɪk
McCosh engl. mə'kɔʃ
McCoy engl. mə'kɔi

McCracken *engl.* məˈkræ-
kən
McCrae *engl.* məˈkreɪ
McCrie *engl.* məˈkri:
McCullers *engl.* məˈkʌləz
McCulloch *engl.* məˈkʌlək
McCumber *engl.* məˈkʌmbə
McCurdy *engl.* məˈkə:dɪ
McCutcheon *engl.* mə-
ˈkʌtʃən
McDaniel *engl.* məkˈdænjəl
McDiarmid *engl.* məkˈdə:-
mɪd
McDivitt *engl.* məkˈdɪvɪt
McDonald *engl.* məkˈdɔnəld
McDonell *engl.* məkˈdɔnəl
McDougall *engl.* məkˈdu:gəl
McDowell *engl.* məkˈdauəl
McElroy *engl.* ˈmækəlrɔɪ
McEnroe *engl.* ˈmækɪnrou
McEntee *engl.* ˈmækənti:
McEvoy *engl.* ˈmækɪvɔɪ
McEwan, McEwen *engl.*
məˈkju:ən
McFee *engl.* məkˈfi:
McGahern *engl.* məˈgæhən
McG[h]ee *engl.* məˈgi:
McGill[ivray] *engl.*
məˈgɪl[ɪvreɪ]
McGinley *engl.* məˈgɪnlɪ
McGlynn *engl.* məˈglɪn
McGovern *engl.* məˈgʌvən
McGrath *engl.* məˈgrɑ:θ
McGraw *engl.* məˈgrɔ:
McGregor *engl.* məˈgregə
McGroarty *engl.* məˈgrouəti
McGuffey *engl.* məˈgʌfɪ
McGuire *engl.* məˈgwaɪə
McHenry *engl.* məkˈhenrɪ
McIlwain *engl.* ˈmækɪlweɪn
McIlwraith *engl.* ˈmækɪlreɪθ
McIntosh *engl.* ˈmækɪntɔʃ
McIntyre *engl.* ˈmækɪntaɪə
McKay *engl.* məˈkaɪ
McKean *engl.* mə:ˈki:n
McKeesport *engl.* məˈki:z-
pɔ:t
McKees Rocks *engl.*
məˈki:z ˈrɔks
McKellar *engl.* məˈkelə
McKelway *engl.* məˈkelweɪ
McKendree *engl.* məˈkendrɪ
McKenna *engl.* məˈkenə
McKennal *engl.* məˈkenl
McKennan *engl.* məˈkenən
McKenney *engl.* məˈkenɪ
McKerrow *engl.* məˈkerou
McKim *engl.* məˈkɪm
McKinley *engl.* məˈkɪnlɪ
McKinney *engl.* məˈkɪnɪ

McLaine *engl.* məˈkleɪn
McLaughlin *engl.* məˈklɔ-
klɪn
McLaws *engl.* məˈklɔ:z
McLean *engl.* məˈkleɪn,
...li:n
McLennan *engl.* məˈklenən
McLeod *engl.* məˈklaud
M'Clintock *engl.* məˈklɪntɔk
McLuhan *engl.* məˈklu:ən
McManus *engl.* məkˈmænəs
McMaster *engl.* məkˈmɑ:stə
McMillan *engl.* məkˈmɪlən
McMinnville *engl.* məkˈmɪn-
vɪl
McMurdo *engl.* məkˈmɔ:-
dou
McMurtry *engl.* məkˈmɔ:trɪ
McNaghten *engl.* məkˈnɔ:tn
McNair *engl.* məkˈnɛə
McNamara *engl.* məknə-
ˈmɑ:rə, ˈmæknəmærə
McNarney *engl.* məkˈnɑ:nɪ
McNaughton *engl.*
məkˈnɔ:tn
McNeile, McNeill *engl.*
məkˈni:l
McNutt *engl.* məkˈnʌt
McPartland *engl.* məkˈpɑ:t-
lənd
McPherson *engl.* məkˈfə:sn
McQueen *engl.* məˈkwi:n
McRae *engl.* məˈkreɪ
McReynolds *engl.*
məˈkrenldz
McVeagh, McVey *engl.*
məkˈveɪ
mea culpa ˈme:a ˈkulpa
Mead[e] *engl.* mi:d
Meadow[s] *engl.* ˈmɛdou[z]
Meadville *engl.* ˈmi:dvɪl
Meaning ˈmi:nɪŋ
Meany *engl.* ˈmi:nɪ
Meath *engl.* mi:ð, mi:θ
Meatomie meatoˈmi:, -n
...i:ən
Meatus meˈa:tus
Meaux *fr.* mo
Mebes ˈme:bəs
Mebs mɛps
Mechanicsville *engl.*
mɪˈkæniksvɪl
Mechanik meˈça:nɪk
Mechaniker meˈça:nikɐ
Mechanisator meçaniˈza:-
to:ɐ, -en ...zaˈto:rən
mechanisch meˈça:nɪʃ
mechanisieren meçaniˈzi:-
rən
Mechanismus meçaˈnɪsmus

Mechanist meçaˈnɪst
Mechanizismus meçani-
ˈtsɪsmus
Mechanizist meçaniˈtsɪst
Mechanotherapie meçano-
teraˈpi:, *auch:* meˈça:n...
Mechau ˈmeçau
Mechelen *niederl.* ˈmɛxələ
Mecheln ˈmɛçln
Mechern[ich] ˈmɛçɐn[ɪç]
Mechitarist meçitaˈrɪst
Mechow ˈmeçо
Mechtel ˈmɛçtl̩
Mechthild ˈmɛçtɪlt
Mechthilde mɛçˈtɪldə
mechulle meˈçulə
Mečiar *slowak.* ˈmɛtʃɪar
meck! mɛk
Meckauer ˈmɛkauɐ
Meckel ˈmɛkl̩
Meckenem *niederl.* ˈmɛkə-
nəm
Meckerer ˈmɛkərɐ
meckern ˈmɛkɐn
Mecki... ˈmɛki...
Mecking ˈmɛkɪŋ
Mecklenburg ˈme:klən-
burk, *auch:* ˈmɛk...
Mecklenburger ˈme:klən-
burgɐ, *auch:* ˈmɛk...
mecklenburgisch ˈme:klən-
burgɪʃ, *auch:* ˈmɛk...
Meckseper ˈmɛkse:pɐ
Mecsek *ung.* ˈmɛtʃɛk
Medaille meˈdaljə
Medailleur medalˈjø:ɐ
medaillieren medalˈji:rən
Medaillon medalˈjõ:
Medan *indon.* ˈmedan
Médan *fr.* meˈdã
Medard meˈdart
Medardus meˈdardus
Medau ˈme:dau
Medawar *engl.* ˈmɛdəwə
Medb *engl.* meɪv
Medea meˈde:a, *it.* meˈdɛ:a
Médéa *fr.* medeˈa
Medebach ˈme:dəbax
Medek ˈme:dɛk, *tschech.*
ˈmɛdɛk
Medel *rät.* ˈme:dəl
Medellín *span.* meðeˈʎin
Medelpad *schwed.* ˈme:dəl-
pɑ:d
Meden ˈme:dn̩
Meder ˈme:dɐ
Medfield *engl.* ˈmɛdfi:ld
Medford *engl.* ˈmɛdfəd
Medgidia *rumän.* medʒiˈdia

¹Media ˈmeːdi̯a, ...iä
ˈmeːdi̯ɛ, ...ien ...i̯ən
²Media (Rundfunk usw.)
ˈmeːdi̯a, ˈmiːdi̯ə
medial, M... meˈdi̯aːl
median meˈdi̯aːn
Mediane meˈdi̯aːnə
Mediante meˈdi̯antə
Mediaş rumän. ˈmedi̯aʃ,
‒‒ˈ‒
Mediasch ˈmeːdi̯aʃ, meˈdi̯aʃ
mediat meˈdi̯aːt
Mediateur medi̯aˈtøːɐ̯
Mediation medi̯aˈtsi̯oːn
mediatisieren medi̯atiˈziː-
rən
Mediator meˈdi̯aːtoːɐ̯, -en
...i̯aˈtoːrən
mediatorisch medi̯aˈtoːrɪʃ
mediäval medi̯ɛˈvaːl
Mediäval (Schriftgattung)
medi̯ɛˈvaːl, fachspr. auch:
medi̯əˈvɛl
Mediävist[ik] medi̯ɛˈvɪst[ɪk]
media vita in morte sumus
ˈmeːdi̯a ˈviːta ɪn ˈmɔrtə
ˈzuːmʊs
Mediceer mediˈtseːɐ̯, auch:
...ˈtʃeːɐ̯
mediceisch, M... mediˈtseːɪʃ, auch: ...ˈtʃeːɪʃ
Medici ˈmeːditʃi, it. ˈmɛːditʃi
Medicine Hat engl. ˈmɛdsɪn
ˈhæt
Médicis fr. mediˈsis
¹Medien ˈmeːdi̯ən
²Medien vgl. ¹Media u.
Medium
mediieren mediˈiːrən
Medikament medikaˈmɛnt
medikamentös medika-
mɛnˈtøːs, -e ...øːzə
Medikaster mediˈkastɐ
Medikation medikaˈtsi̯oːn
Medikus ˈmeːdikʊs, ...izi
...itsi
Medjimurje serbokr. mɛˌdʒi-
muːrjɛ
Medina meˈdiːna, engl.
Ohio, New York məˈdaɪnə,
span. meˈðina, ung.
ˈmɛdinə
Medinaceli span. meðina-
ˈθeli
Medina Sidonia span.
meˈðina siˈðoni̯a
Médine fr. meˈdin
Medinet Habu meˈdiːnɛt
ˈhaːbu
medio, M... ˈmeːdi̯o

medioker meˈdi̯oːkɐ
Mediokrität medi̯okriˈtɛːt
Mediolanum medi̯oˈlaːnʊm
Mediothek medi̯oˈteːk
Mediozentrum medi̯oˈtsɛn-
trʊm
Medisance mediˈzãːsə
medisant mediˈzant
medisch ˈmeːdɪʃ
medisieren mediˈziːrən
Meditation meditaˈtsi̯oːn
meditativ meditaˈtiːf, -e
...iːvə
mediterran meditɛˈraːn
Méditerranée fr. meditɛ-
raˈne
Mediterraneo it. mediter-
ˈraːneo
Mediterráneo span. meði-
tɛˈrraneo
meditieren mediˈtiːrən
medium ˈmiːdi̯əm
Medium ˈmeːdi̯ʊm, ...ien
...i̯ən
Medium Coeli ˈmeːdi̯ʊm
ˈtsøːli
Mediumismus medi̯uˈmɪs-
mʊs
mediumistisch medi̯uˈmɪs-
tɪʃ
Medius ˈmeːdi̯ʊs
Medizi vgl. Medikus
Medizin mediˈtsiːn
medizinal mediˈtsiˈnaːl
Mediziner mediˈtsiːnɐ
medizinieren mediˈtsiniˈrən
medizinisch mediˈtsiːnɪʃ
Medjerda fr. mɛdʒɛrˈda
Medley ˈmɛdli
Mednogorsk russ. mɪdna-
ˈgɔrsk
Mednyánsky ung.
ˈmɛdnjaːnski
Medoc meˈdɔk
Médoc fr. meˈdɔk
Medres[s]e mɛdrɛsə
Medschlis ˈmɛdʒlɪs
Medtner ˈmɛtnɐ, ˈmeːtnɐ
Medulla meˈdʊla
medullär medʊˈlɛːɐ̯
Medusa meˈduːza
Meduse meˈduːzə
medusisch meˈduːzɪʃ
Medwall engl. ˈmɛdwɔːl
Medway engl. ˈmɛdweɪ
Medwedew russ. mɪdˈvje-
dɪf
Medwediza russ. mɪdˈvje-
ditsɐ
Meer meːɐ̯, niederl. meːr

Meerane meˈraːnə
Meerbusch ˈmeːɐ̯buʃ
Meerholz ˈmeːɐ̯hɔlts
Meersburg ˈmeːɐ̯sbʊrk, -er
...rgɐ
Meerssen niederl. ˈmeːrsə
Meerut engl. ˈmɪərət
meerwärts ˈmeːɐ̯vɛrts
Meeting ˈmiːtɪŋ
meets miːts
Mefistofele it. mefisˈtɔːfele
Mefitis meˈfiːtɪs
mefitisch meˈfiːtɪʃ
Mefodi russ. mɪˈfɔdij
Meg engl. mɛg
Megabit ˈmeːgabɪt, ˈmɛg...;
megaˈbɪt, mɛg...
Megabyte ˈmeːgabai̯t,
ˈmɛg...; megaˈbai̯t, mɛg...
Megaceros meˈgaːtserɔs
Megahertz ˈmeːgahɛrts,
ˈmɛg...; megaˈhɛrts, mɛg...
mega-in ˈmeːgaIn, ˈmɛg...
Megaira meˈgai̯ra
Megakles meˈgaklɛs
Megalaspis megaˈlaspɪs
Megalenzephalie megalɛn-
tsefaˈliː
Megalith megaˈliːt
Megalithiker megaˈliːtikɐ
Megaloblast megaloˈblast
Megalodon meˈgaːlodɔn
Megalokephalie megaloke-
faˈliː, -n ...iːən
megaloman megaloˈmaːn
Megalomanie megalo-
maˈniː, -n ...iːən
Megalopole megaloˈpoːlə
¹Megalopolis megaˈloːpo-
lɪs, ...olen ...loˈpoːlən
²Megalopolis engl. mɛgəˈlɔ-
pəlɪs
Megalopsie megalɔˈpsiː, -n
...iːən
Megalosaurus megaloˈzau̯-
rʊs
Megalozephalie megalotse-
faˈliː, -n ...iːən
Megalozyte megaloˈtsyːtə
Meganeura megaˈnɔyra
Meganthropus meˈgantro-
pʊs
Megantic engl. məˈgæntɪk
Megaohm meˈgaloːm,
ˈmɛg...; megaˈloːm, mɛg...
mega-out ˈmeːgalau̯t,
ˈmɛg...
Megaphon megaˈfoːn
Megara ˈmeːgara, neugr.
ˈmɛɣara

Megäre me'gɛ:rə
Megariker me'ga:rikɐ
megarisch me'ga:rɪʃ
Megaron 'me:garɔn, ...**ra**
...**ra**
Megasthenes me'gastenɛs
Megatherium mega'te:-
rıʊm, ...**ien** ...iən
Megaureter megalu're:tɐ
Megawatt 'me:gavat,
'mɛg...; mega'vat, mɛg...
Meged hebr. 'mɛgɛd
Megerle 'me:gɐlə
Megève fr. mɔ'ʒɛ:v
Meggy engl. 'mɛgɪ
Meghalaya engl. meı'ga:ləjə
Megiddo me'gɪdo
Megillot[h] megı'lo:t
Meglenit megle'ni:t
Megohm me'k|o:m,
'mɛk...; me:k'|o:m, mɛk...
Mehabad pers. meha'ba:d
Mehaigne fr. mɔ'ɛn, me'ɛɲ
Mehari me'ha:ri
Mehemed 'me:hemɛt,
mehe'mɛt
Mehl me:l
mehlig 'me:lıç, -e ...ıgə
Mehltau 'me:ltaʊ
Mehmed 'mɛçmɛt, –'–
Mehmet alban. meh'met,
türk. mɛh'mɛt
Mehnert 'me:nɐt
mehr me:ɐ̯
Mehrabad pers. mehra'ba:d
mehren 'me:rən
mehrere 'me:rərə
mehrerlei 'me:rɐ'laɪ
mehrfach 'me:ɐ̯fax
Mehri 'mɛçri
Mehring 'me:rıŋ
mehrmalig 'me:ɐ̯ma:lıç, -e
...ıgə
mehrmals 'me:ɐ̯ma:ls
Mehta engl. 'meɪtɑ:, 'meɪtə
Méhul fr. me'yl
Mei russ. mjej
Meibom 'maɪbo:m
Meichsner 'maɪksnɐ
Meid maɪt
meiden 'maɪdn̩, **meid!** maɪt
Meidias 'maɪdɪas
Meidner 'maɪtnɐ
Meidschi 'me:dʒi
Meier 'maɪɐ, engl. 'maɪɐ,
bras. 'mejɐ
Meierei maɪə'raɪ
Meighen engl. 'mi:ən
Meigret fr. mɛ'grɛ
Meigs engl. mɛgz

Meijer niederl. 'mɛiər
Meike 'maɪkə
Meil[e] 'maɪl[ə]
Meiland 'maɪlant
Meilen 'maɪlən
meilenlang 'maɪlənlaŋ,
auch: '––'–
meilenweit 'maɪlənvaɪt,
auch: '––'–
Meiler 'maɪlɐ
Meilhac fr. mɛ'jak
Meili 'maɪli
Meilingen 'maɪlıŋən
Meillet fr. mɛ'jɛ
mein maɪn
Meina[ld] 'maɪna[lt]
Meinardus maɪ'nardʊs
Meinbod 'maɪnbɔt
Meinberg 'maɪnbɛrk
meine 'maɪnə
Meinecke 'maɪnəkə
Meineid 'maɪn|aɪt
meineidig 'maɪn|aɪdıç, -e
...ıgə
Meineke 'maɪnəkə
meinen 'maɪnən
meiner, M... 'maɪnɐ
meinerseits 'maɪnɐ'zaɪts
Meinertz 'maɪnɐts
Meinerzhagen maɪnɐts-
'ha:gn̩
meinesgleichen 'maɪnəs-
'glaɪçn̩
meinesteils 'maɪnəs'taɪls
meinethalben 'maɪnət-
'halbn̩
meinetwegen 'maɪnət-
've:gn̩
meinetwillen 'maɪnət'vɪlən
Meinhard 'maɪnhart
Meinharde maɪn'hardə
Meinhild 'maɪnhɪlt
Meinhilde maɪn'hɪldə
Meinhof 'maɪnho:f
Meinhold 'maɪnhɔlt
meinige 'maɪnıgə
Meiningen 'maɪnıŋən
Meininger 'maɪnıŋɐ
meiningisch 'maɪnıŋıʃ
Meinloh 'maɪnlo:
Meino 'maɪno
Meinolf 'maɪnɔlf
Meinong 'maɪnɔŋ
Meinrad 'maɪnra:t
Meinrade maɪn'ra:də
Meinulf 'maɪnʊlf
Meinung 'maɪnʊŋ
Meiose maɪ'o:zə
Meiosis maɪ'o:zɪs
¹Meir (dt. Name) 'maɪɐ

²Meir (isr. Name) me'i:ɐ̯
Meiran 'maɪra:n
Meireles bras. mej'relis
Meiringen 'maɪrıŋən
Meise 'maɪzə
Meisel 'maɪzl̩
Meisenbach 'maɪznbax
Meisenheim 'maɪznhaɪm
Meiser 'maɪzɐ
Meisje 'maɪsjə
Meisl 'maɪzl̩
Meißel 'maɪsl̩
Meißeler 'maɪsəlɐ
meißeln 'maɪsl̩n
Meißen 'maɪsn̩
Meißener 'maɪsənɐ
meißenisch 'maɪsənıʃ
Meißler 'maɪslɐ
Meis[s]ner, Meißner
'maɪsnɐ
meißnisch 'maɪsnıʃ
Meissonier fr. mɛsɔ'nje
meist[ens] 'maɪst[n̩s]
Meister[mann] 'maɪs-
tɐ[man]
meistern 'maɪstɐn
Meistersänger 'maɪstɛzɛŋɐ
Meisterschwanden 'maɪs-
tɐʃvandn̩
Meistersinger 'maɪstɛzıŋɐ
Meit[ner] 'maɪt[nɐ]
Meitnerium maɪt'ne:rıʊm
Meiuros 'maɪjurɔs, ...**roi**
...rɔy
Meiurus maɪ'u:rʊs, ...**ri** ...ri
Mejer 'maɪɐ
Mejerchold russ. mɪjır'xɔljt
Mejía span. mɛ'xia
Méjico span. 'mɛxiko
Mejillones span. mɛxi'ʎones
Meka russ. mɛi'ka
Mekka 'mɛka
Meknès fr. mɛk'nɛs
Mekong 'me:kɔŋ, auch:
me'kɔŋ
Mekonium me'ko:nıʊm
Mekum 'me:kʊm
Mel me:l
Mela 'me:la, span. 'mela
Mélac fr. me'lak
Melajukuna melaju'ku:na
Melaka indon. mɔ'laka
Melakonit melako'ni:t
Melamin mela'mi:n
Melampus me'lampʊs
Melampyrum melam'py:-
rʊm
Melan me'la:n
Meläna me'lɛ:na

Melanämie̲ melanɛ'mi:, -n
...i:ən
Melancholie̲ melaŋko'li:, -n
...i:ən
Melancholiker melaŋ'ko:-
likɐ
melancholisch melaŋ'ko:lɪʃ
Melanchthon me'laŋçtɔn
Melaneside melanɛ'zi:də
Melanesien mela'ne:zi̲ən
Melanesier mela'ne:zi̲ɐ
melanesisch mela'ne:zɪʃ
Melange me'lã:ʒə
Melania me'la:ni̲a
Melanide mela'ni:də
Melanie me'la:ni̲ə, auch:
mela'ni:, 'me:lani; engl.
'mɛlənɪ
Mélanie fr. mela'ni
Melanin mela'ni:n
Melanippides mela'nɪpidɛs
Melanismus mela'nɪsmʊs
Melanit mela'ni:t
Melano me'la:no
melanoderm melano'dɛrm
Melanodermie̲ melano-
dɛr'mi:, -n ...i:ən
Melanoglossie̲ melanoglɔ-
'si:, -n ...i:ən
melanokrat melano'kra:t
Melanom mela'no:m
Melanophore melano'fo:rə
Melanose mela'no:zə
Melanterit melante'ri:t
Melanotropin melanotro-
'pi:n
Melanurie̲ melanu'ri:, -n
...i:ən
Melaphyr mela'fy:ɐ̯
Melas (Teppich) 'me:las
Melasma me'lasma, -ta -ta
Melasse me'lasə
Melatonin melato'ni:n
Melayu indon. mə'laju
Melba 'mɛlba, engl. 'mɛlbə
Melber 'mɛlbɐ
Melbourne 'mɛlbɐn, engl.
'mɛlbən
Melcher 'mɛlçɐ
Melchers 'mɛlçɐs, engl.
'mɛltʃəz
Melchior 'mɛlçi̲o:ɐ̯, fr.
mɛl'kjɔ:r, dän. 'mel'kio̯ɐ̯
Melchiorit mɛlçi̲o'ri:t
Melchisedek mɛlçi'ze:dɛk,
auch: mɛl'çi:zedɛk
Melchit mɛl'çi:t
Melchor span. mɛl'tʃɔr
Melchsee 'mɛlçze:
Melcht[h]al 'mɛlçta:l

Melchter 'mɛlçtɐ
Melde 'mɛldə
Meldorf 'mɛldɔrf
Meleager mele'a:gɐ
Meleagros mele'a:grɔs
Meleda it. 'mɛːleda
Melegnano it. melen̯'na:no
Melekess russ. mɪlɪ'kjɛs
Meléndez span. me'lendeθ
Meletianer mele'tsi̲a:nɐ
Meletius me'le:tsi̲ʊs
Melfi it. 'mɛlfi
Meli it. 'mɛːli
Meliazeen meli̲a'tse:ən
Melibocus, Melibokus
meli'bo:kʊs
Melide it. me'li:de
melieren me'li:rən
Méliès fr. me'ljɛs
Melik 'me:lɪk
Melikertes meli'kɛrtɛs
Melilith meli'li:t
Melilla span. me'liʎa
Melilot[us] meli'lo:t[ʊs]
Melin schwed. mə'li:n
Melina me'li:na
Melinda me'lɪnda
Meline me'li:nə
Méline fr. me'lin
Melinit meli'ni:t
Melioration meli̲ora'tsi̲o:n
meliorativ meli̲ora'ti:f, -e
...i:və
Meliorativum meli̲ora'ti:-
vʊm, ...va ...va
meliorieren meli̲o'ri:rən
Melis 'me:lɪs
Mélisande fr. meli'zã:d
melisch 'me:lɪʃ
Melisma me'lɪsma
Melismatik melɪs'ma:tɪk
melismatisch melɪs'ma:tɪʃ
melismisch me'lɪsmɪʃ
Melissa me'lɪsa
Melissanthi neugr. mɛli-
'sanθi
Melisse me'lɪsə
Melissin melɪ'si:n
Melissos me'lɪsɔs
Melissus me'lɪsʊs
Melitene meli'te:nə
Melito (Apologet) 'me:lito
Melitone it. meli'to:ne
Melitopol russ. mɪli'tɔpɐlj
Melitta me'lɪta
Melius me'li̲ʊs
melk, M... mɛlk
Melkart 'mɛlkart, -'-
melken 'mɛlkn̩
Melkerei mɛlkə'rai̯

Melkit mɛl'ki:t
Melkus 'mɛlkʊs
Mell mɛl
Melle dt., niederl. 'mɛlə
Mellefont 'mɛləfɔnt
Mellerowicz mɛlə'ro:vɪts
Mellin me'li:n
Mellin de Saint-Gelais fr.
mɛlɛ̃dsɛ̃'ʒlɛ
Mellit me'li:t
Mello port., bras. 'mɛlu
Mellon engl. 'mɛlən
Mellotron mɛlo'tro:n
Mellrichstadt 'mɛlrɪçʃtat
Mellum 'mɛlʊm
Melnik 'mɛlnɪk, bulgar.
'mɛlnik
Mělník tschech. 'mjɛlnji:k
Melnikow russ. 'mjɛljnikɐf
Melnikowit mɛlniko'vi:t
Melo span. 'melo, port.,
bras. 'mɛlu
Melodica me'lo:dika
Melodie̲ melo'di:, -n ...i:ən
Melodik me'lo:dɪk
Melodiker me'lo:dikɐ
Melodion me'lo:di̲ɔn
melodiös melo'di̲ø:s, -e
...ø:zə
melodisch me'lo:dɪʃ
Melodist melo'dɪst
Melodram[a] melo'dra:m[a]
Melodramatik melodra-
'ma:tɪk
melodramatisch melodra-
'ma:tɪʃ
Melomane melo'ma:nə
Melomanie̲ meloma'ni:
Melomimik melo'mi:mɪk
Melone me'lo:nə
Melonit melo'ni:t
Melophon melo'fo:n
Melopöie̲ melopø'i:
¹Melos (Melodie) 'me:lɔs,
auch: 'mɛlɔs
²Melos (Insel) 'me:lɔs
Meloschise melo'sçi:zə
Melotypie̲ meloty'pi:
Melozzo it. me'lɔtso
Melpomene mɛl'po:mene
Melrose engl. 'mɛlrouz
Mels mɛls
Melsungen 'mɛlzʊŋən
Meltau 'me:ltau̯
Melton (Stoff) 'mɛltn̩
Melton Mowbray engl.
'mɛltən 'moʊbrei̯
Melun fr. mə'lœ̃
Melusine melu'zi:nə

Melvil[le] engl. 'mɛlvɪl, fr.
mɛl'vil
Melvindale engl. 'mɛlvɪndeɪl
Melzi it. 'mɛltsi
Member of Parliament
'mɛmbɐ ɔf 'pa:ɐləmənt
Membran[e] mɛm'bra:n[ə]
Membranophon mɛmbrano'fo:n
Membrum 'mɛmbrʊm, ...ra
...ra
Membrum virile 'mɛmbrʊm
vi'ri:lə
Memel 'me:ml̩
Memeler 'me:mələ
Memento me'mɛnto
Memento mori me'mɛnto
'mo:ri
Memlinc niederl. 'mɛmlɪŋk
Memling niederl. 'mɛmlɪŋ
Memme 'mɛmə
memmeln 'mɛml̩n
Memmert 'mɛmɐt
Memmi it. 'mɛmmi, fr.
mɛm'mi
Memmingen 'mɛmɪŋən
Memnon 'mɛmnɔn
Memo 'me:mo
Memoire[n] me'mɔa:rə[n]
Memorabilien memora'bi:-
liən
Memorandum memo'randʊm ...da ...da
¹Memorial memo'rɪa:l, -ien
...iən
²Memorial (Sport; Denkmal) me'mo:rɪəl
memorieren memo'ri:rən
Memory® 'mɛməri
Memphis dt., engl. 'mɛmfɪs
Mena span. 'mena
Menabuoi it. mena'bʊɔ:i̯
Menächmen me'nɛçmən
Menado indon. mə'nado
Menage me'na:ʒə
Ménage fr. me'na:ʒ
Menagerie menaʒə'ri:, -n
...i:ən
menagieren mena'ʒi:rən
Menai engl. 'mɛnaɪ
Menaichmos me'naɪçmɔs
Menam 'me:nam
Menander me'nandɐ
Menandros me'nandrɔs
Menant fr. mə'nã
Menarche me'narçə
Ménard fr. me'na:r
Menas 'me:nas
Menasha engl. mə'næʃə

Menäum me'nɛ:ʊm
Mencetić serbokr. ˌmɛntʃɛtitɕ
Menchú span. men'tʃu
Mencius 'mɛntsi̯ʊs
Mencke 'mɛŋkə
Mencken 'mɛŋkn̩, engl. 'mɛŋkɪn
¹Mende (Familienname, Volk) 'mɛndə
²Mende (Ort) fr. mã:d
Mendel 'mɛndl̩
Mendele 'mɛndələ
Mendelejew russ. mɪndɪ'ljeji̯f
Mendelevium mɛnde'le:-vi̯ʊm
Mendelismus mɛnde'lɪsmʊs
mendeln 'mɛndl̩n, **mendle** 'mɛndlə
Mendelsohn 'mɛndl̩zo:n
Mendelssohn-Bartholdy 'mɛndl̩szo:nbar'tɔldi
Menden 'mɛndn̩
Menderes türk. 'mɛndɛrɛs
Mendes 'mɛndɛs, port. 'mɛndiʃ
Mendès fr. mɛ̃'dɛs
Méndez span. 'mendeθ
Mendig 'mɛndɪç
Mendikant mɛndi'kant
Mendip engl. 'mɛndɪp
Mendizábal span. mendi-'θaβal
Mendoza span. men'doθa
Mendrisio it. men'dri:zi̯o
Menecrates me'ne:kratɛs
Meneghini it. mene'gi:ni
Menelaos mene'la:ɔs
Menelaus mene'la:ʊs
Menelik 'me:nelɪk, auch: 'mɛn...
Menem span. 'menem
Menen niederl. 'me:nə, engl. 'mɛnən
Menéndez span. me'nendeθ
Menenius me'ne:ni̯ʊs
Meneptah me'nɛpta
Menes 'me:nɛs
Meneses port. mə'nezɪʃ
Menestheus me'nɛstɔys
Menestrel menɛs'trɛl
Menetekel mene'te:kl̩
menetekeln mene'te:kl̩n
Menezes port. mə'nezɪʃ, bras. me'nezis
Menge 'mɛŋə
Mengelberg 'mɛŋl̩bɛrk, niederl. 'mɛŋəlbɛrx

mengen, M... 'mɛŋən
Menger 'mɛŋɐ
Mengeringhausen mɛŋərɪŋ'hau̯zn̩
Menghin mɛŋ'gi:n
Mengistu mɛŋ'gɪstu, amh. mɛngəstu
Mengo engl. 'mɛŋgou̯
Mengs mɛŋs
Mengsel 'mɛŋzl̩
Meng-tse 'mɛŋtsə
Mengzi chin. məŋdzi 43
Menhaden mɛn'he:dn̩
Menhir 'mɛnhi:ɐ
Ménière fr. me'njɛ:r
Menilek 'me:nilɛk
Menin fr. mə'nɛ̃
meningeal menɪŋge'a:l
Meningen vgl. Meninx
Meningeom menɪŋge'o:m
Meninges vgl. Meninx
Meningiom menɪŋ'gi̯o:m
Meningismus menɪŋ'gɪsmʊs
Meningitis menɪŋ'gi:tɪs, ...itiden ...gi'ti:dn̩
Meningoenzephalitis menɪŋgolɛntsefa'li:tɪs, ...itiden ...li'ti:dn̩
Meningokokken menɪŋgo-'kɔkn̩
Meningom menɪŋ'go:m
Meningomyelitis menɪŋgomye'li:tɪs, ...itiden ...li'ti:dn̩
Meningozele menɪŋgo-'tse:lə
Meninx 'me:nɪŋks; ...nges me'nɪŋge:s, ...ngen me'nɪŋən
Menipp me'nɪp
menippisch, M... me'nɪpɪʃ
Menippos me'nɪpɔs
Menippus me'nɪpʊs
Meniskenglas me'nɪsknɡla:s
Meniskus me'nɪskʊs
Menius 'me:ni̯ʊs
Menjou 'mɛnʒu, engl. ma:n'ʒu:
Menkauhor mɛŋkau̯'ho:ɐ
Menkaure mɛŋkau̯'re:
Menkenke mɛn'kɛŋkə
Menlo engl. 'mɛnlou̯
Menn[ige] 'mɛn[ɪgə]
mennigrot 'mɛnɪçro:t
Menno dt., niederl. 'mɛno, span. 'meno
Mennonit mɛno'ni:t
meno 'me:no

Menologion menoˈloːgi̯ɔn,
...ien ...i̯ən
Menominee engl. məˈnoː-
mɪnɪ
Menomini[e] engl. məˈnoː-
mɪnɪ
Menomonee, ...nie engl.
məˈnɔmənɪ
Menon engl. ˈmɛnən
Menopause menoˈpau̯zə
Menora menoˈraː
Menorca span. meˈnɔrka
Menorrhagie menɔraˈgiː, **-n**
...iːən
Menorrhö, ...öe menɔˈrøː,
...rrhöen ...ˈrøːən
menorrhöisch menɔˈrøːɪʃ
Menostase menoˈstaːzə
Menotti it. meˈnɔtti
Mens niederl. mɛns
Mensa ˈmɛnza
Mensa academica ˈmɛnza
akaˈdeːmika, **...sae ...cae**
...zɛ ...t͡sɛ
Mensalgut mɛnˈzaːlɡuːt
Mensch mɛnʃ
menscheln ˈmɛnʃl̩n
Menschengedenken
ˈmɛnʃŋɡəˈdɛŋkn̩
menschenmöglich
ˈmɛnʃn̩ˈmøːklɪç
Menschenseele
ˈmɛnʃn̩ˈzeːlə
Menschenskind! ˈmɛnʃn̩s-
kɪnt
Menschewik mɛnʃeˈvɪk, **-i**
...ki
Menschewismus mɛnʃe-
ˈvɪsmʊs
Menschewist mɛnʃeˈvɪst
Menschikow russ. ˈmjɛnʃi-
kɛf
Mensching ˈmɛnʃɪŋ
menschlich ˈmɛnʃlɪç
Mensdorf[f] ˈmɛnsdɔrf
Mensel ˈmɛnzl̩
Mensendieck niederl. ˈmɛn-
səndik
mensendiecken
ˈmɛnzn̩diːkn̩, auch: --ˈ--
Menses ˈmɛnzeːs
mensis currentis ˈmɛnzɪs
kʊˈrɛntɪs
**mens sana in corpore
sano** ˈmɛns ˈzaːna ɪn ˈkɔr-
pore ˈzaːno
menstrual mɛnstruˈaːl
Menstruation mɛnstrua-
ˈt͡si̯oːn
menstruell mɛnstruˈɛl

menstruieren mɛnstruˈiː-
rən
Menstruum ˈmɛnstruʊm,
...rua ...ua
mensual mɛnˈzu̯aːl
Mensul ˈmɛnzʊl
Mensur mɛnˈzuːɐ̯
mensurabel mɛnzuˈraːbl̩,
...ble ...blə
Mensurabilität mɛnzurabi-
liˈtɛːt
mensural mɛnzuˈraːl
mensuriert mɛnzuˈriːɐ̯t
mental mɛnˈtaːl
Mentalismus mɛntaˈlɪsmʊs
Mentalität mɛntaliˈtɛːt
Mentawai indon. mɔnˈtawai̯
mente captus ˈmɛntə ˈkap-
tʊs
Mentelin ˈmɛntəliːn
Mentha ˈmɛnta
Menthol mɛnˈtoːl
Ment[h]on fr. mãˈtõ
Mentizid mɛntiˈt͡siːt, **-e**
...iːdə
Mentone it. menˈtoːne
Mentor ˈmɛntoːɐ̯, **-en**
...ˈtoːrən
Mentuhotep mɛntuˈhoːtɛp
Mentum ˈmɛntʊm, **...ta** ...ta
Mentzer ˈmɛntsɐ
Menü meˈny
Menuett meˈnu̯ɛt
Menuhin ˈmɛnuhiːn, auch:
mɛnuˈhiːn; engl. ˈmɛn-
[j]ʊɪn, ˈmɛnʊɪn
Menz[el] ˈmɛnt͡s[l̩]
Menzel-Bourguiba fr. mɛn-
zɛlburgiˈba
Menzer ˈmɛntsɐ
Menzies engl. ˈmɛnzɪz
Menziken ˈmɛnt͡sikn̩
Mephisto meˈfisto
Mephistopheles mefɪsˈtoː-
felɛs
mephistophelisch mefɪsto-
ˈfeːlɪʃ
Mephitis meˈfiːtɪs
Meppel niederl. ˈmɛpəl
Meppen ˈmɛpn̩
Mequon engl. ˈmɛkwɔn
Mera span. ˈmera
Merak (Stern) meˈraːk
Meran[er] meˈraːn[ɐ]
Meranien meˈraːni̯ən
Merano it. meˈraːno
Merapi indon. məˈrapi
Merauke indon. məˈrau̯ke
Merbah fr. mɛrˈba
Merbold ˈmeːɐ̯bɔlt

Mercadante it. merka-
ˈdante
Mercado mɛrˈkaːdo
Mercalli it. merˈkalli
Mercati it. merˈkaːti
Mercator mɛrˈkaːtoːɐ̯
Mercedario span. mɛrθe-
ˈðari̯o
¹Mercedes (Vorn.)
mɛrˈt͡seːdɛs, engl. ˈmɔːsi-
diːz, span. mɛrˈθeðes
²Mercedes® mɛrˈt͡seːdɛs,
engl. məˈseɪdiːz
Mercer engl. ˈmɔːsə
Mercerie mɛrsəˈriː, **-n** ...i̯ən
Mercerisation mɛrt͡səriza-
ˈt͡si̯oːn
mercerisieren mɛrt͡səriˈziː-
rən
Merchandiser ˈmøːɐ̯t͡ʃn̩-
dai̯zɐ, ˈmœrtʃ...
Merchandising ˈmøːɐ̯t͡ʃn̩-
dai̯zɪŋ, ˈmœrtʃ...
Merchant Adventurers
ˈmøːɐ̯t͡ʃn̩t ɛtˈvɛntʃərɐ̯s,
ˈmœrtʃ...
Merchantbank ˈmøːɐ̯t͡ʃn̩t-
bɛŋk, ˈmœrtʃ...
merci! mɛrˈsi
Mercia ˈmɛrt͡si̯a, engl.
ˈmɔːsə
Mercié, Mercier fr. mɛrˈsje
Merck mɛrk
Mercosur span. mɛrkoˈsur
Mercouri neugr. mɛrˈkuri
Mercure de France fr. mɛr-
kyrdəˈfrãːs
Mercurio span. mɛrˈkurio
Mercurius mɛrˈkuːri̯ʊs
Mercury engl. ˈmɔːkjʊrɪ
Mercutio mɛrˈkuːt͡si̯o
Mercy merˈsiː
merde! mɛrt
Mer de Glace fr. mɛrdəˈglas
Méré fr. meˈre
Mereau meˈro
¹Meredith (Schach) ˈmɛrə-
dɪt
²Meredith (Name) engl.
ˈmɛrədɪθ
Merenptah meˈrɛnpta
Merenre merɛnˈre
Mereruka mereˈruːka
Mereschkowski russ.
mɪrɪʃˈkɔfskɪj
Mergel ˈmɛrɡl̩
merg[e]lig ˈmɛrɡ[ə]lɪç, **-e**
...ɡə
Mergenthaler ˈmɛrɡn̩taːlɐ
Mergentheim ˈmɛrɡn̩thai̯m

Meri estn., finn. 'mɛri
Meriam engl. 'mɛrɪəm
Merian 'me:rĭan
Merici it. me'ri:tʃi
Mérida span. 'meriða
Meriden engl. 'mɛrɪdən
¹Meridian meri'dĭa:n
²Meridian (Name) engl.
  mə'rɪdĭən
meridional meridĭo'na:l
Meridionalität meridĭonali-
  'tɛ:t
Merienre merĭen're:
Merigarto 'me:rigarto
Meriggi it. me'riddʒi
Mérignac fr. meri'ɲak
Merikanto finn. 'mɛrikantɔ
Merikare merika're:
Meriluoto finn. 'mɛrilu̯ɔtɔ
Mérimée fr. meri'me
Merina me'ri:na
Mering 'me:rɪŋ
Meringe me'rɪŋə
Meringel me'rɪŋl
Meringue me'rɛ̃:k
Merinide meri'ni:də
¹Merino (Schaf) me'ri:no
²Merino (Name) span.
  me'rino
Merioneth[shire] engl.
  mɛrɪ'ɔnɪθ[ʃɪə]
Merire meri're:
Meristem merɪs'te:m
meristematisch merɪste-
  'ma:tɪʃ
Meristom merɪs'to:m
meritieren meri'ti:rən
Meritjotes merɪt'jo:tes
Meritokratie meritokra'ti:,
  -n ...i:ən
meritokratisch merito'kra:-
  tɪʃ
meritorisch meri'to:rɪʃ
Meritum 'me:ritʊm, **Meri-
  ten** me'ri:tn̩
Merk mɛrk
merkantil mɛrkan'ti:l
Merkantilismus mɛrkanti-
  'lɪsmʊs
Merkantilist mɛrkanti'lɪst
Merkaptan mɛrkap'ta:n
Merkel 'mɛrkl̩
merken 'mɛrkn̩
Merker 'mɛrkɐ
Merkle 'mɛrklə
merklich 'mɛrklɪç
Merkmal 'mɛrkma:l
Merksem niederl. 'mɛrksəm
Merkulo 'mɛrkulo
Merkur mɛr'ku:ɐ

Merkuri russ. mɪr'kurij,
  neugr. mɛr'kuri
merkurial mɛrku'rĭa:l
Merkurialismus mɛrkurĭa-
  'lɪsmʊs
Merkurow russ. mɪr'kurɛf
Merlan mɛr'la:n
¹Merle (Amsel) 'mɛrlə
²Merle (Name) fr. mɛrl,
  engl. mə:l
Merleau-Ponty fr. mɛrlo-
  põ'ti
Merlebach fr. mɛrlə'bak
Merle d'Aubigné fr. mɛrlə-
  dobi'ɲe
Merlenbach 'mɛrlənbax
¹Merlin (Falke) mɛr'li:n
²Merlin (Name) mɛr'li:n,
  auch: '--; fr. mɛr'lɛ̃
Merlo span. 'mɛrlo
Mermoz fr. mɛr'mo:z
Mermnade mɛrm'na:də
Mernephtah mɛr'nɛfta
meroblastisch mero'blastɪʃ
Mérode fr. me'rɔd
Meroe 'me:roe
Merogamie meroga'mi:
Merogonie merogo'ni:, **-n**
  ...i:ən
meroitisch mero'i:tɪʃ
merokrin mero'kri:n
Merope 'me:rope
Merowinger 'me:rovɪŋɐ
merowingisch 'me:rovɪŋɪʃ
Merozele mero'tse:lə
Merozoit merotso'i:t
Merriam engl. 'mɛrɪəm
Merrick engl. 'mɛrɪk
Merrifield engl. 'mɛrɪfi:ld
Merrill engl. 'mɛrɪl, fr. me'ril
Merrillville engl. 'mɛrɪlvɪl
Merrimack engl. 'mɛrɪmæk
Merriman engl. 'mɛrɪmən
Merritt engl. 'mɛrɪt
Merry engl. 'mɛri
Merseburg 'mɛrzəbʊrk, **-er**
  ...rgɐ
merseburgisch 'mɛrzəbʊr-
  gɪʃ
Mers-el-Kébjr fr. mɛrsɛlke-
  'bi:r
Mersenne fr. mɛr'sɛn
Mersey engl. 'mə:zɪ
Merseyside engl. 'mə:zɪsaɪd
Mersin türk. 'mɛrsin
Mersmann 'mɛrsman
Merten[s] 'mɛrtn̩[s]
Merthyr Tydfil engl. 'mə:θə
  'tɪdvɪl
Mértola port. 'mɛrtulɐ

Merton 'mɛrtɔn, engl. mə:tn
Meru 'me:ru, engl. 'mɛəru:
Merula 'me:rula, it. 'mɛ:rula
Merulo it. 'mɛ:rulo
Merveilleuse, -s mɛrvɛ'jø:s
Merveilleux mɛrvɛ'jø:, **des-
  ** ...ø:[s]
Merw russ. mjɛrf
Merwanide mɛrva'ni:də
Merwede niederl. 'mɛr-
  we:də
Merwin engl. 'mə:wɪn
Méry fr. me'ri
Meryon fr. me'rjõ
Meryzismus mery'tsɪsmʊs
Merz mɛrts
merzen 'mɛrtsn̩
Merzerisation mɛrtsəriza-
  'tsĭo:n
merzerisieren mɛrtsəri'zi:-
  rən
Merzig 'mɛrtsɪç
Mesa 'me:za, engl. 'meɪsə,
  span. 'mesa
Mesabi engl. mə'sa:bɪ
Mesalliance meza'lĭa:s, **-n**
  ...sn̩
Mesaortitis mezaɔr'ti:tɪs,
  ...itiden ...ti'ti:dn̩
Mesch niederl. mɛs
meschant me'ʃant
Meschduretschensk russ.
  mɪʒdu'rjetʃɪnsk
Mesched 'mɛʃɛt
Meschede 'mɛʃədə
Meschendörfer
  'mɛʃn̩dœrfɐ
¹Meschhed (Teppich) 'mɛʃ-
  hɛt
²Meschhed (Stadt) mɛʃ'hɛt
Meschkow russ. mɪʃ'kɔf
Meschtschere mɛʃ'tʃe:rə
meschugge me'ʃʊgə
Mescit türk. mɛs'dʒit
Mesdames vgl. Madame
Mesdemoiselles vgl.
  Mademoiselle
Mesembrianthemum
  mezɛmbri'antemʊm
Mesen russ. mɪ'zjenj
Mesencephalon mezɛn-
  'tse:falɔn
Mesenchym mezɛn'çy:m
mesenchymal mezɛnçy-
  'ma:l
Mesenterium mezɛn'te:-
  rĭʊm
mesenzephal mezɛntse'fa:l
Mesenzephalitis mezɛntse-
  fa'li:tɪs, **...itiden** ...li'ti:dn̩

Meseritz 'me:zərɪts̲
Meseta me'ze:ta, *span.*
me'seta
Meskal mɛs'ka:l
Meskalin mɛska'li:n
Mesmer 'mɛsmɐ
Mesmerismus mɛsmə'rɪs-
mʊs
Mesner 'mɛsnɐ
Mesnerei mɛsnə'raɪ
Mesoderm mezo'dɛrm
mesodermal mezodɛr'ma:l
Mesogastrium mezo'gas-
trɪʊm
Mesokarp mezo'karp
Mesokarpium mezo'kar-
pɪʊm, ...ien ...iən
mesokephal mezoke'fa:l
Mesokephale mezoke'fa:lə
Mesokephalie mezokefa'li:
Mesoklima 'me:zokli:ma
Mesokolon mezo'ko:lɔn,
...la ...la
Mesolcina *it.* mezol'tʃi:na
Mesolithikum mezo'li:ti-
kʊm
mesolithisch mezo'li:tɪʃ
Mesolongion mezo'lɔŋgiɔn
Mesomedes mezo'me:dɛs
Mesomerie mezome'ri:
Mesometrium mezo'me:-
trɪʊm
mesomorph mezo'mɔrf
Mesomorphie mezomɔr'fi:
Meson 'me:zɔn, **Mesonen**
me'zo:nən
Mesonephros mezo'ne:frɔs
Mesonero *span.* meso'nero
Mesophyll mezo'fyl
Mesophyt mezo'fy:t
Mesophytikum mezo'fy:ti-
kʊm
Mesopotamien mezopo-
'ta:miən
mesopotamisch mezopo-
'ta:mɪʃ
Mesosiderit mezozide'ri:t
Mesosphäre mezo'sfɛ:rə
Mesostenium mezo'ste:-
nɪʊm
Mesostichon me'zɔstɪçɔn,
...cha ...ça
Mesotes me'zo:tɛs
Mesothel mezo'te:l, -ien
...liən
Mesothelium mezo'te:lɪʊm,
...lien ...liən
Mesothorium mezo'to:rɪʊm
Mesotron 'me:zotro:n
mesotyp mezo'ty:p

mesozephal mezotse'fa:l
Mesozephale mezotse'fa:lə
Mesozephalie mezotsefa'li:
Mesozoikum mezo'tso:i-
kʊm
mesozoisch mezo'tso:ɪʃ
Mesozone 'me:zotso:nə
Mesozoon mezo'tso:ɔn,
...oen ...o:ən
Mespelbrunn mɛspl̩'brʊn
mesquin mɛs'kɛ̃:
Mesquinerie mɛskinə'ri:, -n
...i:ən
Mesquite *engl.* mɛs'ki:t
Mesrop mɛs'ro:p
Messa di Voce 'mɛsa di
'vo:tʃə
Message 'mɛsɪtʃ
Messager *fr.* mɛsa'ʒe
Messaggero *it.* messad-
'dʒe:ro
Messala mɛ'sa:la
Messalina mɛsa'li:na
Messaline mɛsa'li:nə
Messalla mɛ'sala
Messapien mɛ'sa:piən
messapisch mɛ'sa:pɪʃ
Messa Voce 'mɛsa 'vo:tʃə
Messe 'mɛsə
Messel 'mɛsl̩
messen 'mɛsn̩
Messenhauser 'mɛsn̩hauzɐ
Messenien mɛ'se:niən
messenisch mɛ'se:nɪʃ
Messenius *schwed.* mɛ'se:-
niʊs
Messer 'mɛsɐ
messerscharf 'mɛsɐ'ʃarf
Messerschmidt, ...itt
'mɛsɐʃmɪt
Messiade mɛ'sia:də
Messiaen *fr.* mɛ'sjã, mɛ'sjɛ̃
messianisch mɛ'sia:nɪʃ
Messianismus mɛsia'nɪs-
mʊs
Messianist mɛsia'nɪst
Messias mɛ'si:as
Messidor mɛsi'do:ɐ
Messier *fr.* mɛ'sje
Messieurs vgl. Monsieur
Messina mɛ'si:na, *it.* mes-
'si:na
Messing 'mɛsɪŋ
messingen 'mɛsɪŋən
Messius 'mɛsiʊs
Meßkirch 'mɛskɪrç
Messmer 'mɛsmɐ, *fr.* mɛs-
'me:r
Messner 'mɛsnɐ
Messolan mɛso'la:n

Meßter 'mɛstɐ
Mesta 'mɛsta
Meste 'mɛstə
Mestize mɛs'ti:tsə
mesto 'mɛsto
Mestre *it.* 'mɛstre
Meštrović *serbokr.* 'mɛʃtrɔ-
vitɕ
Mesulan mezu'la:n
Mesusa mezu'za:
Mészáros *ung.* 'me:sa:roʃ
Mészöly *ung.* 'me:søj
¹Met (Getränk) me:t
²Met (Opernhaus) *engl.* mɛt
Meta *dt., it.* 'me:ta, *span.*
'meta
meta..., M... 'me:ta...,
'mɛta...
Metabasis me'ta:bazɪs,
...basen meta'ba:zn̩
Metabiose meta'biozə
Metablastese metablas-
'te:zə
metabol meta'bo:l
Metabolie metabo'li:, -n
...i:ən
metabolisch meta'bo:lɪʃ
Metabolismus metabo'lɪs-
mʊs
Metaboliten metabo'li:tn̩
Metachronismus metakro-
'nɪsmʊs
Metadruck 'me:tadrʊk,
'mɛt...
Metadyne meta'dy:nə
Metagalaxis metaga'laksɪs
metagam meta'ga:m
Metagenese metage'ne:zə
metagenetisch metage'ne:-
tɪʃ
Metageschäft me'tagəʃɛft
Metagnom meta'gno:m
Metagnomie metagno'mi:
Metagynie metagy'ni:
Metairie *engl.* 'mɛtrɪ
metakarpal metakar'pa:l
Metakritik metakri'ti:k
Metal 'mɛtl̩
Metalepse meta'lɛpsə
Metalepsis me'ta:lɛpsɪs,
...psen meta'lɛpsn̩
Metalimnion meta'lɪmniɔn,
...ien ...iən
Metalinguistik metalɪŋ-
'gʊɪstik
Metalious *engl.* mə'teɪliəs
Metall me'tal
metallen me'talən
Metaller me'talɐ
metallic me'talɪk

Metallisation metaliza-
'tsi̯o:n
Metallisator metali'za:to:ɐ̯,
-en ...za'to:rən
metallisch me'talɪʃ
métallisé metali'ze:
metallisieren metali'zi:rən
Metallismus meta'lɪsmʊs
Metallochromie metalo-
kro'mi:
Metallogenese metaloge-
'ne:zə
Metalloge meta'lo:gə
Metallogie metalo'gi:
Metallograph metalo'gra:f
Metallographie metalo-
gra'fi:
Metalloid metalo'i:t, **-e**
...i:də
Metallophon metalo'fo:n
Metallurg meta'lʊrk, **-en**
...rgn̩
Metallurge meta'lʊrgə
Metallurgie metalʊr'gi:
metallurgisch meta'lʊrgɪʃ
Metamathematik metama-
tema'ti:k
metamer meta'me:ɐ̯
Metameren meta'me:rən
Metamerie metame'ri:
metamikt meta'mɪkt
metamorph meta'mɔrf
Metamorphismus meta-
mɔr'fɪsmʊs
Metamorphit metamɔr'fi:t
Metamorphopsie meta-
mɔrfɔ'psi:
Metamorphose metamɔr-
'fo:zə
metamorphosieren meta-
mɔrfo'zi:rən
Metandrie metan'dri:
Metanephros meta'ne:frɔs
metanoeite metano'ai̯tə
metanoetisch metano'e:tɪʃ
Metanoia me'ta:nɔy̯a
metaökonomisch
metaløko'no:mɪʃ
Metaorganismus
metalɔrga'nɪsmʊs
Metapelet meta'pɛlɛt,
...plot ...'plɔt
Metaphase meta'fa:zə
Metapher me'tafɐ
Metaphorik meta'fo:rɪk
metaphorisch meta'fo:rɪʃ
Metaphrase meta'fra:zə
Metaphrast meta'frast
Metaphrastes meta'frastɛs
Metaphylaxe metafy'laksə

Metaphyse meta'fy:zə
Metaphysik metafy'zi:k
Metaphysiker meta'fy:zikɐ
metaphysisch meta'fy:zɪʃ
Metaplasie metapla'zi:
Metaplasmus meta'plas-
mʊs
metaplastisch meta'plastɪʃ
Metaplot vgl. Metaplot
Metapont meta'pɔnt
Metapsychik meta'psy:çɪk
metapsychisch meta'psy:-
çɪʃ
Metapsychologie metapsy-
çolo'gi:
Metasäure 'me:tazɔyrə,
'mɛt...
Metasequoia metaze'kvo:ja
Metasom meta'zo:m
metasomatisch metazo-
'ma:tɪʃ
Metasomatose metazoma-
'to:zə
Metastase meta'sta:zə
metastasieren metasta'zi:-
rən
Metastasio it. metas'ta:zi̯o
metastatisch meta'sta:tɪʃ
Metatekt meta'tɛkt
Metatexis meta'tɛksɪs
Metathese meta'te:zə
Metathesis me'ta:tezɪs,
...esen meta'te:zn̩
Metatonie metato'ni:, **-n**
...i:ən
Metatropismus metatro-
'pɪsmʊs
Metauro it. me'ta:u̯ro
Metaxa® me'taksa
Metaxas neugr. mɛta'ksas
metazentrisch meta'tsɛn-
trɪʃ
Metazentrum meta'tsɛn-
trʊm
Metazoon meta'tso:ɔn,
...oen ...o:ən
Metella me'tɛla
Metelli it. me'tɛlli
Metellus me'tɛlʊs
Metempsychose metɛm-
psy'ço:zə
Meteor mete'o:ɐ̯, auch:
'me:teo:ɐ̯, **-e** mete'o:rə
Meteora neugr. mɛ'tɛɔra
Meteor Crater engl. 'mi:tɪə
'krei̯tə
meteorisch mete'o:rɪʃ
Meteorismus meteo'rɪsmʊs
Meteorit meteo'ri:t

Meteorogramm meteoro-
'gram
Meteorograph meteoro-
'gra:f
Meteorologe meteoro'lo:gə
Meteorologie meteorolo'gi:
meteorologisch meteoro-
'lo:gɪʃ
Meteoropath meteoro'pa:t
Meteoropathologie meteo-
ropatolo'gi:
meteorotrop meteoro'tro:p
Meteorotropismus meteo-
rotro'pɪsmʊs
Meteosat 'me:teozat
Meter 'me:tɐ
meterlang 'me:tɐlaŋ
Metersekunde 'me:tɐze-
kʊndə
Metge kat. 'meddʒə
Methadon meta'do:n
Methämoglobin mɛthɛmo-
glo'bi:n
Methämoglobinämie
mɛthɛmoglobinɛ'mi:
Methan me'ta:n
Methanol meta'no:l
Methexis 'me:tɛksɪs
Methfessel 'me:tfɛsl̩
Methin me'ti:n
Methionin meti̯o'ni:n
Method-Acting dt.-engl.
'mɛθətˌɛktɪŋ
Methode me'to:də
Methodik me'to:dɪk
Methodiker me'to:dikɐ
Methodios me'to:di̯ɔs
methodisch me'to:dɪʃ
methodisieren metodi'zi:-
rən
Methodismus meto'dɪsmʊs
Methodist meto'dɪst
Methodius me'to:di̯ʊs
Methodologie metodo-
lo'gi:, **-n** ...i:ən
methodologisch metodo-
'lo:gɪʃ
Methol me'to:l
Methomanie metoma'ni:
Methoxyl metɔ'ksy:l
¹Methuen (Stadt) engl.
mɪ'θju̯ɪn
²Methuen (Personenname)
engl. 'mɛθju̯ɪn
Methusalah me'tu:zala
Methusalem me'tu:zalɛm
Methven engl. 'mɛθvən
Methyl me'ty:l
Methylamin metyla'mi:n
Methylen mety'le:n

Metier me'tie:
Metis 'me:tıs
Metist me'tıst
Metković serbokr. 'metkɔ-
vitɕ
Metlynsky ukr. mɛt'lınsjkıj
Metodi bulgar. mɛ'tɔdij
Metohija serbokr. mɛ.tɔhija
Metöke me'tø:kə
Metol® me'to:l
Meton 'me:tɔn
metonisch me'to:nıʃ
Metonomasie metono-
ma'zi:, **-n** ...i:ən
Metonymie metony'mi:, **-n**
...i:ən
metonymisch meto'ny:mıʃ
Metope me'to:pə
Metra vgl. Metrum
Metrik 'me:trık
Metriker 'me:trikɐ
metrisch 'me:trıʃ
Metritis me'tri:tıs, **...itiden**
...ri'ti:dn̩
Metro 'me:tro, auch: 'metro
Metrodoros metro'do:rɔs
Metro-Goldwyn-Mayer
engl. 'mɛtrou'gouldwın-
'meıɐ
Metrologie metrolo'gi:
metrologisch metro'lo:gıʃ
Metromanie metroma'ni:
metromorph metro'mɔrf
Metronom metro'no:m
Metronymikon metro'ny:-
mikɔn, **...ka** ...ka
metronymisch metro'ny:-
mıʃ
Metroon me'tro:ɔn
Metropole metro'po:lə
Metropolis me'tro:polıs,
...polen ...ro'po:lən
²**Metropolis** (Name) engl.
mı'trɔpəlıs
Metropolit metropo'li:t
metropolitan metropoli-
'ta:n
Metropolitan Museum,
- Opera engl. mɛtrə'pɔlıtən
mju'zıəm, - 'ɔpərə
Metroptose metrɔp'to:zə
Metrorrhagie metrɔra'gi:,
-n ...i:ən
Metroxylon me'trɔksylɔn
Metrum 'me:trʊm, **...ra** ...ra
Metschislaw, russ. mıtʃı-
'slaf
Metschnikow, russ. 'mjetʃ-
nikɐf
Metsu niederl. 'mɛtsy

Mett[a] 'mɛt[a]
Mettage mɛ'ta:ʒə
Mette 'mɛtə
Mettel 'mɛtl̩
Metternich 'mɛtɐnıç
Metteur mɛ'tø:ɐ̯
Mettingen 'mɛtıŋən
Mettmann 'mɛtman
Metuchen engl. mə'tʌtʃın
Metuschelach me'tu:ʃəlax
Metz mɛts, fr. mɛs
Metze 'mɛtsə
Metzelei mɛtsə'laı
Metzeler 'mɛtsəlɐ
metzeln 'mɛtsl̩n
Metzen 'mɛtsn̩
Metzg mɛtsk
Metzge 'mɛtsgə
metzgen 'mɛtsgn̩
Metzger 'mɛtsgɐ
Metzgerei mɛtsgə'raı
Metzgete 'mɛtsgətə
Metzig 'mɛtsıç, **-en** ...ıgən
Metzingen 'mɛtsıŋən
Metzler 'mɛtslɐ
Metzner 'mɛtsnɐ
Meublement møblə'mã:
meucheln 'mɔyçl̩n
meuchlerisch 'mɔyçlərıʃ
meuchlings 'mɔyçlıŋs
Meudon fr. mø'dõ
Meulemans niederl. 'mø:lə-
mans
Meulen niederl. 'mø:lə
Meumann 'mɔyman
Meung fr. mœ̃
Meunier fr. mø'nje
Meurthe fr. mœrt
Meurthe-et-Moselle fr.
mœrtemo'zɛl
Meuse fr. mø:z
Meusel[witz] 'mɔyzl̩[vıts]
Meusnier de la Place fr.
mønjedla'plas
Meute 'mɔytə
Meuterei mɔytə'raı
meuterisch 'mɔytərıʃ
meutern 'mɔytɐn
Mevissen 'me:vısn̩
Mexia span. mɛ'xia
Mexicali span. mɛxi'kali
Mexico engl. 'mɛksıkou
México span. 'mɛxiko
Mexikaner mɛksi'ka:nɐ
mexikanisch mɛksi'ka:nıʃ
Mexiko 'mɛksiko
Mey maı
Meydenbauer 'maıdn̩baʊɐ
Meyer 'maıɐ, fr. mɛ'jɛ:r,
engl. 'maıə

Meyerbeer 'maıɐbe:ɐ̯, fr.
mɛjɛr'bɛ:r
Meyerheim 'maıɐhaım
Meyerhof 'maıɐho:f
Meyerhold 'maıɐhɔlt
Meynell engl. mɛnl̩
Meyr 'maıɐ
Meyrin fr. mɛ'rɛ̃
Meyrink 'maırıŋk
Meysel 'maızl̩
Meysenbug 'maızn̩bu:k
Meytens niederl. 'mɛıtəns
Mezcala span. meθ'kala
Mezger 'mɛtsgɐ
Mézières fr. me'zjɛ:r
Mezőföld ung. 'mɛzø:føld
Mezőkövesd ung. 'mɛzø:-
køvɛʒd
Mezőtúr ung. 'mɛzø:tu:r
Mezzamajolika mɛtsama-
'jo:lika
Mezzanin mɛtsa'ni:n
mezza voce 'mɛtsa 'vo:tʃə
Mezzofanti it. meddzo'fanti
mezzoforte mɛtso'fɔrtə
Mezzoforte mɛtso'fɔrtə, **...ti**
...ti
Mezzogiorno mɛtso'dʒɔrno,
it. meddzo'dʒorno
mezzopiano mɛtso'pia:no
Mezzopiano mɛtso'pia:no,
...ni ...ni
Mezzosopran 'mɛtso-
zopra:n
Mezzotinto mɛtso'tınto, **...ti**
...ti
Mezzrow engl. 'mɛzrou
Mg, MG ɛm'ge:
Mglin russ. mglin
M'Gregor engl. mə'grɛgə
Mgwimewi russ. mgvi-
'mjevi
mi, Mi mi:
Mia 'mi:a, engl. 'mi:ə
Miaja span. 'mıaxa
Miami[sburg] engl. maı-
'æmı[zbə:g]
Miao mıaʊ
miarotlitisch mıaro'li:tıʃ
Miaskowski poln. mjas-
'kɔfski
Miasma 'mıasma
miasmatisch mıas'ma:tıʃ
Miass russ. mi'as
miau! mi'aʊ
miauen mi'aʊən
Micaela span. mika'ela
mich mıç
Micha 'mıça
Michael 'mıçae:l, auch: ...ɛl;

engl. maɪkl, *schwed.* ˌmiː-
kaɛl
Michaela mɪçaˈeːla
Michaelbeuern mɪçaɛl-
ˈbɔyɐn
Michaeli mɪçaˈeːli
Michaelis mɪçaˈeːlɪs
Michail *russ.* mixaˈil
Michailow *russ.* miˈxajlɐf,
bulgar. miˈxajlof
Michailowgrad *bulgar.*
miˈxajlovgrat
Michailowitsch *russ.*
miˈxajlɐvitʃ
Michailowka *russ.*
miˈxajlɐfkɐ
Michailow[n]a *russ.*
miˈxajlɐv[n]ɐ
Michailowski *bulgar.*
miˈxajlofski, *russ.*
mixajˈlɔfskij (Nachn.)
Michal *tschech.* ˈmixal
Michał *poln.* ˈmixau̯
Michalkow *russ.* mixalˈkɔf
Michałowski *poln.* mixa-
ˈu̯ɔfski
Michaud, Michaux *fr.*
miˈʃo
Micha Zchakaja *russ.* ˈmixɐ
tsxaˈkajɐ
Micheelsen mɪˈçeːlzn̩
Michel ˈmɪçḷ, *engl.* maɪkl, *fr.*
miˈʃɛl
Michelagniolo *it.* mikeˈlaɲ-
ɲolo
Michelangeli *it.* mikeˈlan-
dʒeli
Michelangelo *it.* mikeˈlan-
dʒelo
Michelau ˈmɪçalau̯
Michele *it.* miˈkɛːle
Michèle *fr.* miˈʃɛl
Michelet *fr.* miˈʃlɛ
Micheli *it.* miˈkɛːli
Michelin *fr.* miˈʃlɛ̃
Michelino *it.* mikeˈliːno
Michelis mɪˈçeːlɪs
Michelle *fr.* miˈʃɛl
Michelozzo *it.* mikeˈlɔttso
Michels[berger]
ˈmɪçḷs[bɛrgɐ]
Michelsen ˈmɪçḷzn̩
Michelson *engl.* ˈmɪtʃəlsn̩,
ˈmaɪkəlsn
Michelstadt ˈmɪçḷʃtat
Michelucci *it.* mikeˈluttʃi
Michener *engl.* ˈmɪtʃənə
Michetti *it.* miˈketti
Michiel[s] *niederl.* miˈxil[s]
Michigan *engl.* ˈmɪʃɪgən

Michoacán *span.* mitʃoa-
ˈkan
Michon *fr.* miˈʃõ
Miciński *poln.* miˈtɕii̯ski
Micipsa miˈtsipsa
Mickel ˈmɪkḷ
Mickey Mouse *engl.* ˈmɪkɪ
ˈmaʊs
Mickiewicz *poln.* mitsˈkjɛ-
vitʃ
Mickleford ˈmɪkḷfɔrt
mick[e]rig ˈmɪk[ə]rɪç, -e
…ɪgə
Mickymaus ˈmɪkimaus
Micoque *fr.* miˈkɔk
Micoquien mikoˈki̯ɛ̃:
Microburst ˈmaɪkrobøːɐ̯st,
…bœːrst
Microfaser® ˈmiːkrofaːzɐ
Microsoft ˈmaɪkrozɔft
Midas ˈmiːdas, *engl.* ˈmaɪdəs
Middelburg *engl.* ˈmɪdlbɔːg,
niederl. ˈmɪdəlbʏrx
Middelfart *dän.* ˈmiðˀlˌfaɐ̯ˀd
Middelharnis *niederl.*
mɪdəlˈharnɪs
Middelhauve ˈmɪdlhau̯və
Middendorf ˈmɪdn̩dɔrf
Midder ˈmɪdɐ
Middle[s]borough *engl.*
ˈmɪdl[z]bʌroʊ
Middlegburg *engl.* ˈmɪdlbɔːg
Middlesbrough *engl.*
ˈmɪdlzbrə
Middlesex *engl.* ˈmɪdlsɛks
Middleton *engl.* ˈmɪdltən
Middletown *engl.* ˈmɪdltaʊn
Midgard ˈmɪtgart
Midhat ˈmɪthat
midi, ¹M… ˈmɪdi
²Midi (Südrankreich) *fr.*
miˈdi
Midian ˈmiːdi̯an
Midianiter mɪdi̯aˈniːtɐ
Midinette midiˈnɛt, -n …tn̩
Midland[s] *engl.* ˈmɪdlənd[z]
Midlifecrisis ˈmɪtlaɪfkraɪsɪs
Midlothian *engl.* mɪd-
ˈloʊðɪən
Midrasch miˈdraːʃ
Midshipman, …men ˈmɪt-
ʃɪpmɛn
Midvale *engl.* ˈmɪdveɪl
Midway *engl.* ˈmɪdweɪ
Midwest *engl.* ˈmɪdwɛst
¹Mie (Physiker) miː
²Mie (Ort) *jap.* ˈmiːe
Mieczysław *poln.* mjɛˈtʃi-
su̯af
mied miːt

mieden ˈmiːdn̩
Mieder ˈmiːdɐ
Międzychód *poln.* mjɛnˈdzi-
xut
Międzyrzec [Podlaski]
poln. mjɛnˈdziᶻɛts [pɔ-
ˈdlaski]
Międzyrzęcki *poln.* mjɛn-
dziᶻɛtski
Mief miːf
miefen ˈmiːfn̩
miefig ˈmiːfɪç, -e …ɪgə
Miegel ˈmiːgḷ
Mieke ˈmiːkə
Miel[e] ˈmiːl[ə]
Mielec *poln.* ˈmjɛlɛts
Mielich ˈmiːlɪç
Miene ˈmiːnə
Miercurea Ciuc *rumän.*
ˈmjɛrkure̯a ˈtʃuk
Miere[ndorff] ˈmiːrə[ndɔrf]
Mieresch ˈmiːrɛʃ
Mierevelt *niederl.* ˈmiːrəvɛlt
Mieris *niederl.* ˈmiːrɪs
Mierosławski *poln.* mjɛrɔ-
ˈsu̯afski
mies, M… miːs, -e ˈmiːzə
Miesbach ˈmiːsbax
Mieschen ˈmiːsçən
Miescher ˈmiːʃɐ
Miesepeter ˈmiːzəpeːtɐ
miesepet[e]rig ˈmiːzə-
peːt[ə]rɪç, -e …ɪgə
Mieses ˈmiːzəs
Miesigkeit ˈmiːzɪçkai̯t
Miesling ˈmiːslɪŋ
Miesmacherei miːsma-
xəˈrai̯
Miesmuschel ˈmiːsmʊʃḷ
Mieß[ner] ˈmiːs[nɐ]
Mieszko *poln.* ˈmjɛʃkɔ
Mieszkowice *poln.* mjɛʃkɔ-
ˈvitsɛ
Miete ˈmiːtə
mieten ˈmiːtn̩
Mietzel *it.* ˈmiːtsḷ
Miez[chen] ˈmiːts[çən]
Mieze ˈmiːtsə
Mieżelaitis *lit.* mɪɛʒæˈlaːi̯tis
Mififri ˈmiːfifri
Mi Fu *chin.* mifu 34
MiG, MIG mɪk
Migliorini *it.* miʎʎoˈriːni
Migmatit mɪgmaˈtiːt
Mignard *fr.* miˈɲaːr
Migne *fr.* miɲ
¹Mignon mɪnˈjõː, ˌmɪnjõ
²Mignon *fr.* miˈɲõ
Mignonette mɪnjoˈnɛt
Mignonne mɪnˈjɔn

Migọt *fr.* mi'go
Migräne mi'grɛːnə
Migration migra'tsi̯oːn
migratorisch migra'toːrɪʃ
migrieren mi'griːrən
Migros 'miːgro
Miguel *span., port.* mi'ɣɛl, *bras.* mi'gɛl
Migula 'miːgula
Mihăescu *rumän.* mihə-'i̯esku
Mihai *rumän.* mi'hai̯
Mihail *serbokr.* mi.hail, *rumän.* miha'il
Mihajlović *serbokr.* mi.ha:jlɔvitɕ
Mihalić *serbokr.* ˌmiha:litɕ
Mihálik *slowak.* 'miha:lik
Mihalovici *fr.* mialɔvi'si
Mihály[i] *ung.* 'miha:j[i]
Mihanović *serbokr.* mi.ha:-nɔvitɕ
Mihara *jap.* mi'hara
Mihla 'miːla
Mihrab mɪ'xraːp
Mihri Hatun *türk.* mih'ri hɑ'tun
Mijagi *jap.* 'mi.jagi
Mijakonodscho *jap.* mi'ja-konodʒo:
Mijasaki *jap.* mi'ja.zaki
Mijatović *serbokr.* mi.ja:tə-vitɕ
Mijnheer mə'neːr̥
Mika 'miːka
Mikado mi'kaːdo
Mikanie mi'kaːni̯ə
Mike maik, *engl.* maɪk, *ung.* 'mikɛ
Mikeleitis mike'lai̯tɪs
Mikes *ung.* 'mikɛʃ
Mikeschin *russ.* mi'kjɛʃɪn
Miki *jap.* 'mi.ki
Mikimoto *jap.* mi'ki.moto
Mikkel *dän.* 'mɪgl̥
Mikkeli *finn.* 'mikkɛli
Mikkelsen *dän.* 'mɪglsn̥
Mikkola *finn.* 'mikkɔla
Miklas 'mɪklas
Miklós *ung.* 'miklo:ʃ
Miklošič *slowen.* 'miklɔʃitʃ
Miklosich 'mɪklozɪtʃ
Mikojan *russ.* mika'jan
Mikołaj *poln.* mi.kɔu̯aj
Mikołajczyk *poln.* mikɔ-'u̯ajtʃik
Miko 'miːko
Mikon 'miːkɔn
Mikonos *neugr.* 'mikɔnɔs
Mikrat mi'kraːt

Mikrenzephalie mikrɛntsɛ-fa'liː, **-n** …iːən
Mikro 'miːkro
mikro…, M… 'miːkro…
Mikroanalyse mikro|ana-'lyːzə
Mikrobe mi'kroːbə
mikrobiell mikro'bi̯el
Mikrobiologe mikrobio-'loːgə
Mikrobiologie mikrobio-lo'giː
Mikrobion mi'kroːbi̯ɔn, **…ien** …i̯ən
mikrobizid, M… mikrobi-'tsiːt, **-e** …iːdə
Mikroblast mikro'blast
Mikrocheilie mikroçai̯'liː, **-n** …iːən
Mikrochemie mikroçe'miː, *auch:* 'miːk…
Mikrofarad 'miːkrofara:t, *auch:* mik…
Mikrofauna 'miːkrofau̯na
Mikrofilm 'miːkrofɪlm
Mikrofon mikro'foːn, *auch:* 'miːkrofoːn
Mikrofotokopie 'miːkrofoto-kopi:
Mikrogamet mikroga'meːt
Mikrogenie mikroge'niː, **-n** …iːən
Mikrogramm mikro'gram
mikrokephal mikroke'faːl
Mikrokephalie mikroke-fa'liː, **-n** …iːən
Mikroklima 'miːkrokli:ma
Mikroklimatologie 'miːkro-klimatologi:
Mikrokokkus mikro'kɔkʊs
Mikrokopie mikroko'piː, **-n** …iːən
mikrokopieren mikroko-'piːrən
mikrokosmisch mikro'kɔs-mɪʃ, *auch:* 'miːkro…
Mikrokosmos mikro'kɔs-mɔs, *auch:* 'miːkro…
Mikrokosmus mikro'kɔs-mʊs, *auch:* 'miːkro…
Mikrolith mikro'liːt
Mikrologe mikro'loːgə
Mikrologie mikrolo'giː
mikrologisch mikro'loːgɪʃ
Mikromanie mikroma'niː, **-n** …iːən
Mikromanipulator mikro-manipu'laːtoɐ̯, **-en** …la'toː-rən

Mikromelie mikrome'liː, **-n** …iːən
Mikromeren mikro'meːrən
Mikrometer mikro'meːtɐ
Mikron 'miːkrɔn
Mikronesien mikro'neːzi̯ən
Mikronesier mikro'neːzi̯ɐ
mikronesisch mikro'neːzɪʃ
Mikronukleus mikro'nuː-kleʊs, **…ei** …ei
Mikroorganismus 'miːkro|ɔrganɪsmʊs
Mikropaläobotanik 'miːkropalɛobota:nɪk
Mikropaläontologie 'miːkropalɛɔntologi:
Mikrophon mikro'foːn; *auch:* 'miːkrofoːn
Mikrophthalmus mikrɔf-'talmʊs
Mikrophyll mikro'fʏl
Mikrophysik mikrofy'ziːk
Mikrophyt mikro'fyːt
Mikroprozessor 'miːkro-protsɛsoːɐ̯
Mikropsie mikrɔ'psiː, **-n** …iːən
Mikropyle mikro'pyːlə
Mikroradiometer mikrora-di̯o'meːtɐ
mikroseismisch mikro-'zai̯smɪʃ
Mikroskop mikro'skoːp
Mikroskopie mikrosko'piː
mikroskopieren mikrosko-'piːrən
Mikrosmat mikrɔs'maːt
Mikrosomen mikro'zoːmən
Mikrosomie mikrozo'miː:
Mikrospore mikro'spoːrə
Mikrosporie mikrospo'riː, **-n** …iːən
Mikrostomie mikrosto'miː, **-n** …iːən
Mikrotasimeter mikrotazi-'meːtɐ
Mikrotheorie 'miːkroteori:
Mikrotie mikro'tiː, **-n** …iːən
Mikrotom mikro'toːm
Mikrotron 'miːkrotro:n
Mikrowelle 'miːkrovɛlə
Mikrozensus mikro'tsɛn-zʊs, **die -** …zuːs
mikrozephal mikrotse'faːl
Mikrozephale mikrotse-'faːlə
Mikrozephalie mikrotse-fa'liː, **-n** …iːən
Mikrozyt mikro'tsyːt
Miksche 'mɪkʃə

Mikszáth *ung.* 'miksa:t
Miktion mɪk'tsi̯o:n
Mikuláš[ek] *tschech.* 'mikula:ʃ[ɛk]
Mikulić *serbokr.* 'mikulitɕ
Mikulicz 'mi:kulɪtʃ
Mikulǒv *tschech.* 'mikulɔf
Mikwe mi'kve:, ...waǫt
...va'o:t, ...węn ...'ve:n
Milà *kat.* mi'la
Mila[da] 'mi:la[da]
Miladinov *mak.* mi'ladinɔf
[1]Milan (Vogel) 'mi:lan,
auch: mi'la:n
[2]Milan (Name) *dt., it.*
'mi:lan, *serbokr.* ,milan
Milán *span.* mi'lan
Milanese mila'ne:zə
Milanesi *it.* mila'ne:si
Milano *it.* mi'la:no
Milanov *serbokr.* ,milanɔv
Milas 'mi:las
Milâs *türk.* 'mi:la:s
Milazzese *it.* milat'tse:se
Milazzo *it.* mi'lattso
Milbe 'mɪlbə
milbig 'mɪlbɪç, -e ...ɪgə
Milbrae *engl.* 'mɪlbreɪ
Milbury *engl.* 'mɪlbərɪ
Milch mɪlç
milchen 'mɪlçn̩
milchig 'mɪlçɪç, -e ...ɪgə
Milchner 'mɪlçnɐ
milchweiß 'mɪlç'vaɪs
mild mɪlt, milde 'mɪldə
[1]Milde 'mɪldə
[2]Milde (Name) *dt., niederl.*
'mɪldə
Mildenburg 'mɪldn̩bʊrk
Milder 'mɪldɐ
mildern 'mɪldɐn, mildre
'mɪldrə
Mildner 'mɪldnɐ
Mildorfer 'mɪldɔrfɐ
Mildred *engl.* 'mɪldrəd
Mildura *engl.* mɪl'dju̯arə
[1]Mile (Vorname) 'mi:lə
[2]Mile (Meile) maɪl
Milena mi'le:na, *auch:*
'mi:lena
Miles gloriosus 'mi:lɛs glo-
'ri̯o:zʊs
Milesier mi'le:zi̯ɐ
Milet mi'le:t, *türk.* 'milɛt
Miletitsch *bulgar.* 'milɛtitʃ
Miletos mi'le:tɔs, 'mi:letɔs
Milew *bulgar.* 'milɛf
Miley *engl.* 'maɪlɪ
Milford *engl.* 'mɪlfəd
Milhau[d] *fr.* mi'jo

Miliana *fr.* milja'na
miliar mi'li̯a:ɐ̯
Miliaria mi'li̯a:ri̯a
Milič *tschech.* 'mili:tʃ
Milien vgl. Milium
Milieu mi'li̯ø:
Milín *tschech.* 'mili:n
Milis *it.* 'mi:lis
militant mili'tant
Militanz mili'tants
Militär mili'tɛ:ɐ̯
Militaria mili'ta:ri̯a
militärisch mili'tɛ:rɪʃ
militarisieren militari'zi:rən
Militarismus milita'rɪsmʊs
Militarist milita'rɪst
Military [Police] 'mɪlitəri
[po'li:s]
Militsch 'mi:lɪtʃ
Milium 'mi:li̯ʊm, ...ien ...i̯ən
Miliz mi'li:ts
Milizionär milit͡si̯o'nɛ:ɐ̯
Miljukow *russ.* milju'kɔf
Miljutin *russ.* mil'jutin
milk! mɪlk
Milkau 'mɪlkau̯
Milke 'mɪlkə
Milkel 'mɪlkl̩
Milken 'mɪlkn̩
Milko 'mɪlko
Milkom mɪl'ko:m
Milkowski *poln.* miu̯'kɔfski
Milkshake 'mɪlkʃe:k
milkt mɪlkt
Mill *engl., niederl.* mɪl
Millais *engl.* 'mɪleɪ, -'-
Millán *span.* mi'ʎan
Millares Sall *span.* mi'ʎares
'sal
Millau *fr.* mi'jo
Millay *engl.* mɪ'leɪ
[1]Mille (Tausend) 'mɪlə
[2]Mille (Name) *fr.* mil
Milledge[ville] *engl.*
'mɪlɪdʒ[vɪl]
Millefiori... mɪle'fi̯o:ri...
Millefleurs mɪl'flø:ɐ̯
Mille Miglia *it.* 'mille 'miʎʎa
millenar mɪle'na:ɐ̯
Millenarismus mɪlena'rɪs-
mʊs
Millennium mɪ'lɛni̯ʊm,
...ien ...i̯ən
Millepoints mɪl'pǫɛ̃
Miller 'mɪlɐ, *engl.* 'mɪlə,
russ. 'milrɐ
Millerand *fr.* mil'rã
Millerowo *russ.* 'milɪrɐvɐ
Milles *schwed.* 'miləs

Millet *fr.* mi'lɛ, mi'jɛ, *engl.*
'mɪlɪt
Millett *engl.* 'mɪlɪt
Milli 'mɪli
Milliampere 'mɪli|ampe:ɐ̯,
auch: ---'-
Milliamperemeter
'mɪli|ampe:ɐ̯me:tɐ, *auch:*
----'--
Milliardär mɪli̯ar'dɛ:ɐ̯
Milliarde mɪ'li̯ardə
Millibar 'mɪliba:ɐ̯, *auch:*
--'-
Milligramm 'mɪligram,
auch: --'-
Millikan *engl.* 'mɪlɪkən
Milliliter 'mɪlili:tɐ, *auch:*
...ili:tɐ, *auch:* --'--
Millime mɪ'li:m
Millimeter 'mɪlime:tɐ, *auch:*
--'--
Millin *engl.* 'mɪlɪn
Millington *engl.* 'mɪlɪŋtən
Million mɪ'li̯o:n
Millionär mɪli̯o'nɛ:ɐ̯
Milliönchen mɪ'li̯ø:nçən
million[s]tel, M...
mɪ'li̯o:n[s]tl̩
Millöcker 'mɪlœkɐ
Millon *fr.* mi'jõ
Millowitsch 'mɪlovɪtʃ
Mills *engl.* mɪlz
Millstatt 'mɪlʃtat
Millstätter 'mɪlʃtɛtɐ
Millville *engl.* 'mɪlvɪl
Milly 'mɪli
Milne *engl.* mɪln
Milne-Edwards *fr.*
milnɛ'dwars
Milne-Home *engl.*
'mɪln'hju:m
Milner *engl.* 'mɪlnə
Milnes *engl.* mɪl[n]z
Milo *dt., it.* 'mi:lo
Milos *neugr.* 'milɔs
Miloš *serbokr.* 'milɔʃ
Milošević *serbokr.* mi.lɔʃɛ-
vitɕ
Miłosław *poln.* mi'u̯osu̯af
Miłosz *fr.* mi'lɔʃ
Miłosz *poln.* ,miu̯ɔʃ
Milpitas *engl.* mɪl'pi:təs
Milreis mɪl'raɪs, *auch:* '--
Milstein 'mɪlʃtaɪn
Miltenberg 'mɪltn̩bɛrk
Miltiades mɪl'ti:adɛs
Miltitz, Miltiz 'mɪltɪts
Milton *engl.* 'mɪltən
Milutinović *serbokr.* milu-
,ti:nɔvitɕ

Milva it. 'milva
Milwaukee, ...kie engl. mıl-
'wɔːkı
Milz mılts
Mimas 'miːmas
Mimbar 'mımbar
Mimbres engl. 'mımbrəs
Mime 'miːmə
mimen 'miːmən
Mimeograph mimeo'graːf
Mimese mi'meːzə
Mimesie mime'ziː, **-n** ...iːən
Mimesis 'miːmezıs, **...sen**
mi'meːzn̩
Mimetesit mimete'ziːt
mimetisch mi'meːtıʃ
Mimi 'miːmi, fr. mi'mi
Mimi it. mi'mi
Mimiamben mi'mi̯ambn̩
Mimijamben mimi'jambn̩
Mimik 'miːmık
Mimiker 'miːmikɐ
Mimikry 'mımikri
Mimir 'miːmır
mimisch 'miːmıʃ
Mimmi 'mımi, it. 'mimmi
Mimnermos mım'nɛrmɔs
Mimodram[a] mimo-
'draːm[a]
Mimose mi'moːzə
Mimulus 'miːmulʊs
Mimus 'miːmʊs
Mimusops mi'muːzɔps
Min miːn
Mina dt., it. 'miːna, span.
'mina
Mináč slowak. 'mina:tʃ
minaccioso mina'tʃoːzo
Minäer mı̃'nɛːɐ
Minahasa indon. mina'hasa
Minamoto jap. mi'namoto
Minardi it. mi'nardi
Minarett mina'rɛt
Minas span. 'minas
Minas Gerais bras. 'minaʒ
ʒe'rais
Minatitlán span. minatit'lan
Minaudrie mino'driː
Mincha mın'ça:
Minchen 'miːnçən
Mindanao mında'naːo,
span. minda'nao
Mindel 'mındl̩
Mindelheim 'mındl̩haim
Mindelo port. min'delu
Minden 'mındn̩, engl. 'mın-
dən
minder 'mındɐ
minderjährig 'mındɐjɛːrıç

mindern 'mındɐn, **mindre**
'mındrə
mindestens 'mındəstn̩s
mindisch 'mındıʃ
Mindoro mın'doːro, span.
min'doro
Mindszent[y] ung. 'mint-
tsɛnt[i]
Mine 'miːnə
Mineral mine'raːl, **-ien** ...i̯ən
Mineralisation mineraliza-
'tsi̯oːn
Mineralisator minerali'zaː-
toːɐ̯, **-en** ...za'toːrən
mineralisch mine'raːlıʃ
mineralisieren minerali'ziː-
rən
Mineraloge minera'loːgə
Mineralogie mineralo'giː
mineralogisch minera'loː-
gıʃ
Mineral Wells engl. 'mınə-
rəl 'wɛlz
minerogen minero'geːn
Minerva mi'nɛrva
Minestra mi'nɛstra
Minestrone minɛs'troːnə
Minette mi'nɛtə
Minetti mi'nɛti
mineur, M... mi'nøːɐ̯
Ming chin. mıŋ 2
Mingetschaur russ. mingı-
tʃi'ur
Minghetti it. miŋ'getti
Mingotti it. miŋ'gɔtti
Mingrelien mıŋ'greːli̯ən
Mingrelier mıŋ'greːli̯ɐ
mingrelisch mıŋ'greːlıʃ
Mingus engl. 'mıŋgəs
Minguzzi it. miŋ'guttsi
Minho port. 'miɲu
mini, M... 'mini
Miniator mi'ni̯aːtoːɐ̯, **-en**
...i̯aːtoːrən
Miniatur mini̯a'tuːɐ̯
miniaturisieren mini̯aturi-
'ziːrən
minieren mi'niːrən
Minikini mini'kiːni
minim mi'niːm
Minima 'miːnima, **-e** ...mɛ
minimal, M... mini'maːl
Minimalart 'mınıml̩la:ɐ̯t
minimalisieren minimali-
'ziːrən
Minimalist minima'lıst
Minimax® 'miːnimaks
Minimen 'miːnimən
minimieren mini'miːrən

Minimum 'miːnimʊm, **...ma**
...ma
Minister mi'nıstɐ
ministerial minıste'ri̯aːl
Ministeriale minıste'ri̯aːlə
Ministerialität minısteri̯ali-
'tɛːt
ministeriell minıste'ri̯ɛl
Ministerium minıs'teːri̯ʊm,
...ien ...i̯ən
Ministra span. mi'nistra
ministrabel minıs'traːbl̩,
...ble ...blə
Ministrant minıs'trant
ministrieren minıs'triːrən
Minium 'miːni̯ʊm
Minja 'mınja
Minjar russ. minj'jar
Mink[a] 'mıŋk[a]
Minkow bulgar. 'mıŋkof
Minkowski mıŋ'kɔfski
Minks mıŋks
Minkus russ. 'minkus
Minna 'mına
Minne dt., niederl. 'mınə
Minneapolis mınea'a:polıs,
engl. mınɪ'æpəlıs
Minelli engl. mɪ'nɛlɪ
minnen 'mınən
Minnesang 'mınəzaŋ
Minnesänger 'mınəzɛŋɐ
Minnesinger 'mınəzıŋɐ
Minnesota mınɪ'zoːta, engl.
mınɪ'soʊtə
Minnetonka engl. mını-
'tɔŋkə
Minni 'mıni
minniglich 'mınıklıç
Mino it. 'miːno
Miño span. 'miɲo
minoisch mi'noːıʃ
minor, ¹M... 'miːnoːɐ̯
²Minor (Name) 'miːnoːɐ̯,
engl. 'maınə
Minorat mino'raːt
Minorca mi'nɔrka
minore, M... mi'noːrə
minorenn mino'rɛn
Minorennität minorɛni'tɛːt
Minorist mino'rıst
Minorit mino'riːt
Minorität minori'tɛːt
Minorka mi'nɔrka
Minos 'miːnɔs
Minot engl. 'maınət
Minotaur mino'taʊɐ
Minotaurus mino'taʊrʊs
Minsk mınsk, russ. minsk
Minski russ. 'minskij

Mińsk Mazowięcki *poln.*
'mij̈sk mazɔ'vjɛtski
Minstrel 'mɪnstrəl
Mint[ard] 'mɪnt[art]
Minto *engl.* 'mɪntoʊ
Mintoff 'mɪntɔf
Mintrop 'mɪntrɔp
Mintsoße 'mɪntzo:sə
Minturno *it.* min'turno
Minucius mi'nu:tsjʊs
Minuend mi'nu̯ɛnt, -en
...ndn̩
Minuetto mi'nu̯ɛto, ...tti ...ti
Minuf mi'nu:f
Minulescu *rumän.* minu-
'lesku
minus, M... 'mi:nʊs
Minuskel mi'nʊskl̩
Minussinsk *russ.* minu-
'sinsk
Minütchen mi'ny:tçən
Minute mi'nu:tə
minutiös minu'tsjø:s, -e
...ø:zə
minütlich mi'ny:tlɪç
Minuzien mi'nu:tsjən
minuziös minu'tsjø:s, -e
...ø:zə
Minze 'mɪntsə
Miomandre *fr.* mjɔ'mã:dr
Miosis 'mjo:zɪs
Miotikum 'mjo:tikʊm, ...ka
...ka
miotisch 'mjo:tɪʃ
miozän, M... mjo'tsɛ:n
Mi-parti mipar'ti:
MIPS (Inform.) mɪps
Miquel 'mi:kɛl, mi'ke:l
Miquelon *fr.* mi'klõ
mir mi:ɐ̯
¹Mir mi:ɐ̯, *auch:* mɪr
²Mir (Name) *russ., span.* mir
³Mir (Teppich) mi:ɐ̯
Mira 'mi:ra
Mirabeau *fr.* mira'bo
Mirabel *fr.* mira'bɛl
Mirabell mira'bɛl
Mirabella mira'bɛla, *it.*
mira'bɛlla
Mirabelle mira'bɛlə
mirabile dictu mi'ra:bile
'dɪktu
Mirabilien mira'bi:ljən
mirabilis, M... mi'ra:bilɪs
Mirabilit mirabi'li:t
Mirach 'mi:rax
Miracidium mira'tsi:djʊm
Miradsch mi'ra:tʃ
Miraflores *span.* mira'flores
Mirage mi'ra:ʒə, *auch:* ...a:ʃ

Mirakel mi'ra:kl̩
mirakulös miraku'lø:s, -e
...ø:zə
Miramar mira'ma:ɐ̯, *it.*
...mar, *engl.* 'mɪrəmɑ:
Miramare *it.* mira'ma:re
Miranda *dt., span., it.*
mi'randa, *engl.* mɪ'rændə,
port. mi'rɛndɐ, *bras.*
mi'rɛnda
Mirandola *it.* mi'randola
Mirbanöl mɪr'ba:n|ø:l
Mirbeau *fr.* mir'bo
Mirbt mɪrpt
Mircea *rumän.* 'mɪrtʃɛa
Mirchand *pers.* mir'xɑ:nd
Mirdite mɪr'di:tə
Mirditë *alban.* mir'ditə
Mire 'mi:rə
Mireille *fr.* mi'rɛj
Mirella mi'rɛla, *it.* mi'rɛlla
¹Miri (Volk) 'mi:ri
²Miri (Stadt) *indon.* 'miri
Miriam *engl.* 'mɪrɪəm
Mirim *span.* mi'rin, *bras.*
mi'ri
Miriwilis *neugr.* miri'vilis
Mirjam 'mɪrjam
Mirko 'mɪrko, *it.* 'mirko, *ser-*
bokr. 'mi:rkɔ
Mirl mɪrl
Mirliton mɪrli'tõ:
Mirny *russ.* 'mirnij
Miró *kat., span.* mi'ro
Miron *fr.* mi'rõ, *russ.* mi'rɔn
Miroslaw *russ.* mira'slaf
Mir-Sadeghi *pers.* mirsa-
de'ɣi:
Mirsk *poln.* mirsk
Mirza 'mɪrtsa, *pers.* mir'zɑ:
Mirzapur-cum-Vindhya-
chal *engl.* 'mɪəzɑ:pʊəkʌm-
vɪn'dja:tʃəl
Mirza Schaffy 'mɪrtsa 'ʃafi
Misandrie mizan'dri:
Misanthrop mizan'tro:p
Misanthropie mizantro'pi:
misanthropisch mizan'tro:-
pɪʃ
Misburg 'mɪsbʊrk
Miscellanea mɪstse'la:nea
Misch mɪʃ
Mischa *russ.* 'miʃɐ
Mischabel 'mɪʃa:bl̩
Mischare mɪ'ʃa:rə
mischen 'mɪʃn̩
Mischerei mɪʃə'rai
Mischke 'mɪʃkə
Mischling 'mɪʃlɪŋ
Mischmasch 'mɪʃmaʃ

Mischna 'mɪʃna
Mischnick 'mɪʃnɪk
Mischpoche mɪʃ'po:xə
Mischpoke mɪʃ'po:kə
Misdroy mɪs'drɔy
Mise 'mi:zə
Mise en scène, -s 'mi:s ã:
'sɛ:n
Misel 'mi:zl̩
Miseno *it.* mi'zɛ:no
miserabel mizə'ra:bl̩, ...ble
...blə
Misérables *fr.* mize'rabl
Misere mi'ze:rə
M02erere mize're:rə
Misereor mi'ze:reo:ɐ̯
Misericordias Domini
mizeri'kɔrdjas 'do:mini
Miserikordie mizeri'kɔrdjə
Mises 'mi:zəs
Mishawaka *engl.* mɪʃə-
'wɔ:kə
Misiones *span.* mi'sjones
Misirkov *mak.* 'misirkɔf
Miskolc *ung.* 'miʃkolts
Miso 'mi:zo
Misogam mizo'ga:m
Misogamie mizoga'mi:
Misogutschi *jap.* mi'zo-
,gutʃi
Misogyn mizo'gy:n
Misogynie mizogy'ni:
Misologie mizolo'gi:
Misopädie mizopɛ'di:, -n
...i:ən
Misox mi'zɔks
Mispel 'mɪspl̩
Misrach[i] mɪs'ra:x[i]
miss! mɪs
Miss mɪs, **Misses** 'mɪsɪs
Missa 'mɪsa, **Missae** 'mɪsɛ
missachten mɪs'|axtn̩,
auch: '−−−
Missachtung 'mɪs|axtʊŋ
Missaglia *it.* mis'saʎʎa
Missal[e] mɪ'sa:l[ə]
Missa lecta 'mɪsa 'lɛkta
Missale Romanum mɪ'sa:lə
ro'ma:nʊm
Missa pontificalis 'mɪsa
pɔntifi'ka:lɪs
missartet mɪs'|a:ɐ̯tət
Missartung mɪs'|a:ɐ̯tʊŋ
Missa solemnis 'mɪsa
zo'lɛmnɪs
missbehagen, M... 'mɪsbə-
ha:gn̩
Missbelieben 'mɪsbəli:bn̩
missbilden 'mɪsbɪldn̩
missbilligen mɪs'bɪlɪgn̩

Missbilligung 'mɪsbɪlɪgʊŋ
Missbrauch 'mɪsbraux
missbrauchen mɪs'brauxn̩
missbräuchlich 'mɪsbrɔyçlɪç
missdeuten mɪs'dɔytn̩
Missdeutung 'mɪsdɔytʊŋ
missen 'mɪsn̩
Misses vgl. Miss
Missetat 'mɪsəta:t
Missetäter 'mɪsətɛ:tɐ
missfallen mɪs'falən
Missfallen 'mɪsfalən
missfällig 'mɪsfɛlɪç
missförmig 'mɪsfœrmɪç, -e ...ɪgə
Missgeburt 'mɪsgəbu:ɐt
missgelaunt 'mɪsgəlaunt
Missgeschick 'mɪsgəʃɪk
missgestalt, M... 'mɪsgəʃtalt
missgestalten 'mɪsgəʃtaltn̩
missglücken mɪs'glʏkn̩
missgönnen mɪs'gœnən
Missgunst 'mɪsgʊnst
misshandeln mɪs'handl̩n
Misshandlung mɪs'handlʊŋ
misshellig 'mɪshɛlɪç, -e ...ɪgə
Missi dominici 'mɪsi do-'mi:nitsi
Missile 'mɪsail, 'mɪsl
Missinglink 'mɪsɪŋ'lɪŋk
missingsch, M... 'mɪsɪŋʃ
Missio canonica 'mɪsio ka'no:nika
¹Mission mɪ'sio:n
²Mission (Stadt) engl. 'mɪʃən
Missionar mɪsio'na:ɐ
Missionär mɪsio'nɛ:ɐ
missionarisch mɪsio'na:rɪʃ
Missionary Ridge engl. 'mɪʃənərɪ 'rɪdʒ
missionieren mɪsio'ni:rən
Mission Viejo engl. 'mɪʃən vɪ'eihou
Mississauga engl. mɪsɪ-'sɔ:gə
Mississippi mɪsɪ'sɪpi, engl. ...pɪ
Missiv mɪ'si:f, -e ...i:və
misslang mɪs'laŋ
misslänge mɪs'lɛŋə
missleiten mɪs'laitn̩
missleitet mɪs'laitət; **missgeleitet** 'mɪsgəlaitət
Missleitung 'mɪslaitʊŋ-
missliebig 'mɪsli:bɪç, -e ...ɪgə

misslingen, M... mɪs'lɪŋən
misslungen mɪs'lʊŋən
Missmut 'mɪsmu:t
Missolungi it. misso'lundʒi
Missoula engl. mɪ'zu:lə
Missouri mɪ'su:ri, engl. mɪ'zuəri
missraten mɪs'ra:tn̩
Missstimmung 'mɪsʃtɪmʊŋ
misst mɪst
Misston 'mɪsto:n
misstönend 'mɪstø:nənt, -e ...ndə
misstönig 'mɪstø:nɪç, -e ...ɪgə
misstrauen mɪs'trauən
Misstrauen 'mɪstrauən
misstrauisch 'mɪstrauɪʃ
Missvergnügen 'mɪsfɛɐgny:gn̩
Missverhältnis 'mɪsfɛɐhɛltnɪs
Missverständnis 'mɪsfɛɐʃtɛntnɪs
missverstehen 'mɪsfɛɐʃte:ən
Misswachs 'mɪsvaks
misswachsen mɪs'vaksn̩
Missweisung 'mɪsvaizʊŋ
Misswuchs 'mɪsvu:ks
misszufrieden 'mɪstsufri:dn̩
Mist mɪst
Mistassini engl. mɪstə'si:nɪ
Misteke mɪs'te:kə
Mistel[bach] 'mɪstl̩[bax]
Mistelgau 'mɪstlgau
Mistellen mɪs'tɛlən
misten 'mɪstn̩
Mister 'mɪstɐ
misteriosamente mɪsterio-za'mɛntə
misterioso mɪste'rio:zo
Misti span. 'mɪsti
mistig 'mɪstɪç, -e ...ɪgə
Mistinguett fr. mɪstɛ̃'gɛt
Mistler fr. mɪst'lɛ:r
Mistpuffers 'mɪstpafɐs
Mistra 'mɪstra
¹Mistral (Wind) mɪs'tra:l
²Mistral (Name) fr., span. mis'tral
Mistras neugr. mis'tras
Mistress 'mɪstrɪs
Mistretta it. mis'tretta
Misurata it. mizu'ra:ta
misurato mizu'ra:to
Miszellaneen mɪstsɛla-'ne:ən, auch: ...'la:neən
Miszellen mɪs'tsɛlən
mit mɪt

Mitaka jap. mi'taka
Mitanni mi'tani
mitarbeiten 'mɪtlarbaitn̩
Mitau 'mi:tau
mitbringen 'mɪtbrɪŋən
Mitbringsel 'mɪtbrɪŋzl̩
Mitcham engl. 'mɪtʃəm
Mitchel[l] engl. 'mɪtʃəl
Mitchison engl. 'mɪtʃɪsn
Mitchum engl. 'mɪtʃəm
miteinander mɪtlai'nandɐ
Mitella mi'tɛla
Miterbe 'mɪtlɛrbə
Mitford engl. 'mɪtfəd
mitfortreißen mɪt'fɔrtraisn̩
Mit Ghamr mi:t 'gamɐ
Mitglied 'mɪtgli:t
Mithafte 'mɪthaftə
mithilfe mɪt'hɪlfə
Mithilfe 'mɪthɪlfə
mithin mɪt'hɪn
Mithradates mitra'da:tɛs
Mithra[s] 'mi:tra[s]
Mithräum mi'trɛ:ʊm
Mithridat[es] mitri'da:t[ɛs]
Mithridatismus mitrida'tɪsmʊs
Mitidja fr. mitid'ʒa
Mitigans 'mi:tigans,
...nzien miti'gantsiən,
...ntia miti'gantsia
Mitigation mitiga'tsio:n
Mitilini neugr. miti'lini
Mitla span. 'mitla
Mitlaut[er] 'mɪtlaut[ɐ]
Mitleid 'mɪtlait
Mitleiden 'mɪtlaidn̩
mitleidig 'mɪtlaidɪç
mitnichten mɪt'nɪçtn̩
Mito jap. mi'to
Mitochondrium mito'xɔndrium, ...tə'x..., ...iən
mitonnieren mitə'ni:rən
Mitose mi'to:zə
mitotisch mi'to:tɪʃ
Mitra 'mi:tra
Mitrailleuse mitra[l]'jø:zə
mitral mi'tra:l
Mitranes mi'tra:nɛs
Mitre span. 'mitre
Mitropa mi'tro:pa
Mitropoulos neugr. mi'tro-pulɔs
Mitrowitz 'mitrovɪts
mitsammen mɪt'zamən
mitsamt mɪt'zamt
Mitscherlich 'mɪtʃɛlɪç
Mitschinaga jap. mi'tʃi-,naga

Mitschurin[sk] *russ.* mi'tʃurin[sk]
Mitsotakis *neugr.* mitsɔ'takis
Mitsubischi *jap.* mi'tsu₊biʃi
Mitsubishi *engl.* mɪtsu'bɪʃi
Mitsui *jap.* 'mi₊tsui
Mitsunaga *jap.* mi'tsunaga
Mittag 'mɪtaːk, -e …aːgə
mittägig 'mɪtɛːgɪç, -e …ɪgə
mittäglich 'mɪtɛːklɪç
mittags 'mɪtaːks
Mittagskogel 'mɪtaːksoːgl̩
Mittasch 'mɪtaʃ
Mittdreißiger 'mɪtdraisɪgɐ
Mitte 'mɪtə
mitteilen 'mɪttailən
Mitteis 'mɪtais
mittel, M… 'mɪtl̩
mittelalt 'mɪtl̩|alt
Mittelalter 'mɪtl̩|altɐ
mittelalt[e]rig 'mɪtl̩-
|alt[ə]rɪç, -e …ɪgə
mittelalterlich 'mɪtl̩|altɐlɪç
Mittelamerika 'mɪtl̩-
|a'meːrika
mittelbar 'mɪtl̩baːɐ̯
Mittelberg 'mɪtl̩bɛrk
mitteldeutsch 'mɪtl̩dɔytʃ
Mitteldeutschland 'mɪtl̩-
dɔytʃlant
Mitteleuropa 'mɪtl̩|ɔy'roːpa
mitteleuropäisch 'mɪtl̩-
|ɔyroˈpɛːɪʃ
Mittelfranken 'mɪtl̩fraŋkn̩
mittelgroß 'mɪtl̩groːs
mittelhochdeutsch 'mɪtl̩-
hoːxdɔytʃ
Mitte-links-… 'mɪtə'lɪŋks…
Mittelland 'mɪtl̩lant
mittelländisch 'mɪtl̩lɛndɪʃ
Mittelmeer 'mɪtl̩meːɐ̯
mittelmeerisch 'mɪtl̩meːrɪʃ
mitteln 'mɪtl̩n
mittels[te] 'mɪtl̩s[tə]
Mittelstreckler 'mɪtl̩ʃtrɛklɐ
mitten 'mɪtn̩
mittendrein mɪtn̩'drain
mittendrin mɪtn̩'drɪn
mittendrunter mɪtn̩'drʊntɐ
mittendurch mɪtn̩'dʊrç
mitteninne mɪtn̩'ɪnə
mittenmang mɪtn̩'maŋ
Mittenwald 'mɪtn̩valt
Mitterberg 'mɪtɐbɛrk
Mitterer 'mɪtɐrɐ
Mitterhofer 'mɪtɐhoːfɐ
Mitternacht 'mɪtɐnaxt
mitternächtig 'mɪtɐnɛçtɪç

mitternachts 'mɪtɐnaxts
Mitterrand *fr.* mitɛ'rãː
Mittersill 'mɪtɛzɪl
Mitterteich 'mɪtɐtaiç
Mitterwurzer 'mɪtɐvʊrtsɐ
Mittfasten 'mɪtfastn̩
mittig 'mɪtɪç, -e …ɪgə
Mittler 'mɪtlɐ
mittlere 'mɪtlərə
mittlerweile 'mɪtlɐ'vailə
mittschiffs 'mɪtʃɪfs
Mittsommer 'mɪtzɔmɐ
Mittsommernachtstraum
'mɪtzɔmɐnaxts₊traum
mittsommers 'mɪtzɔmɐs
mittwegs 'mɪtveːks
Mittweida mɪt'vaida
Mittwinter 'mɪtvɪntɐ
mittwinters 'mɪtvɪntɐs
Mittwoch 'mɪtvɔx
mittwochs 'mɪtvɔxs
mitunter mɪt'ʊntɐ
Mitwelt 'mɪtvɛlt
mitwollen 'mɪtvɔlən
Mitzi 'mɪtsi
Mitzka 'mɪtska
Mix mɪks
Mixed [Media] 'mɪkst
['miːdiə]
Mixedpickles 'mɪkst'pɪkl̩s
mixen 'mɪksn̩
Mixer 'mɪksɐ
mixi 'mɪksi
Mixolydisch[e] mɪksoˈlyː-
dɪʃ[ə]
Mixoskopie mɪksoskoˈpiː
Mixteke mɪks'teːkə
Mixtion mɪk'stioːn
Mixtum compositum
'mɪkstʊm kɔm'poːzitʊm,
…ta …ta …ta …ta
Mixtur mɪks'tuːɐ̯
Mizell[e] mi'tsɛl[ə]
Mizoram *engl.* mɪ'zɔːræm
Mizteke mɪts'teːkə
Mizzi 'mɪtsi
Mjaskowski *russ.* mɪs'kɔf-
skij
Mjassojedow *russ.* mɪsa'jɛ-
dɛf
Mjölby *schwed.* 'mjøːlby:
Mjöllnir 'mjœlnɪr
Mjøsa *norw.* 'mjøːsa
Mladenovac *serbokr.* 'mla-
dɛnɔvats
Mladenović *serbokr.* 'mla-
dɛnɔvitɛ
Mladenow *russ.* mla'djɛnɛf,
bulgar. mlɛ'dɛnof
Mladić *serbokr.* ₊mladiːtɛ

Mława *poln.* 'mu̯ava
Mljet *serbokr.* mljɛt
Młodożeniec *poln.* mu̯ɔdɔ-
'ʒɛnjɛts
Mlynář *tschech.* 'mlinaːrʃ
Mna mna:
Mňačko *slowak.* 'mnjatʃkɔ
M'Neill *engl.* mək'niːl
Mneme 'mneːmə
Mnemismus mne'mɪsmʊs
Mnemonik mne'moːnɪk
Mnemoniker mne'moːnikɐ
mnemonisch mne'moːnɪʃ
Mnemosyne mnemo'zyːnə
Mnemotechnik mnemo-
'tɛçnɪk
Mnemotechniker mnemo-
'tɛçnikɐ
mnemotechnisch mnemo-
'tɛçnɪʃ
Mnesikles 'mneːziklɛs
mnestisch 'mnɛstɪʃ
Mnouchkine *fr.* mnuʃ'kin
Mo *norw.* mu:
Moa[b] 'moːa[p]
Moabit[er] moa'biːt[ɐ]
Moanda *fr.* mɔan'da
Moar 'moːar
Mob mɔp
mobben 'mɔbn̩, mobbt!
mɔp, mobbt mɔpt
Mobbing 'mɔbɪŋ
Möbel 'møːbl̩
Moberg *schwed.* ₊mu:bærj
Moberly *engl.* 'moʊbəli
mobil mo'biːl
mobile 'moːbile
¹Mobile (Gebilde) 'moːbilə
²Mobile (Name) *engl.* moʊ-
'biːl, ₊moʊbiːl
Mobiliar mobi'lia:ɐ̯
Mobilien mo'biːliən
Mobilisation mobiliza-
'tsioːn
mobilisieren mobili'ziːrən
Mobilismus mobi'lɪsmʊs
Mobilist mobi'lɪst
Mobilität mobili'tɛːt
Möbius 'møːbiʊs
möblieren mø'bliːrən
Mobster 'mɔpstɐ
Mobutu mo'buːtu, *fr.*
mɔbu'tu
Moby Dick *engl.* 'moʊbɪ 'dɪk
Moçambique mosam'bɪk,
…biːk, *port.* musɐm'bikə
Moçâmedes *port.* mu'sɐmə-
ðɪʃ
Mocca 'mɔka

Mocca double, -s -s 'mɔka du:bl̦
Moch *fr.* mɔk
Mocha 'mɔxa, *auch:* 'mɔka
'**Moche** *span.* 'mɔtʃe
Mochi *it.* 'mɔːki
Mochica *span.* mo'tʃika
Mochis, Los *span.* lɔz 'mɔtʃis
Mochnacki *poln.* mɔx'natski
Mochovce *slowak.* 'mɔxɔu̯tsɛ
möchte 'mœçtə
Möchtegern 'mœçtəgɛrn
Mock[e] 'mɔk[ə]
Mockel *fr.* mɔ'kɛl
Mocken 'mɔkn̦
Mockturtlesuppe 'mɔktø:ɐ̯tl̦.zʊpə, ...tœrt...
Mocquereau *fr.* mɔ'kro
Moctezuma *span.* mɔkte-'θuma
Mod mɔt
modal mo'da:l
Modalismus moda'lɪsmʊs
Modalität modali'tɛ:t
Modane *fr.* mɔ'dan
Modd mɔt
Modder 'mɔdɐ
Modderfontein *afr.* 'mɔdɐrfɔntəi̯n
modd[e]rig 'mɔd[ə]rɪç, -e ...ɪgə
mode mo:t
Mode 'mo:də
¹**Model** (¹Modul) 'mo:dl̦
²**Model** (Mannequin) 'mɔdl̦
Modell mo'dɛl
Modelleur modɛ'løːɐ̯
modellieren mode'liːrən
modellig mo'dɛlɪç, -e ...ɪgə
Modellist modɛ'lɪst
¹**modeln** 'mo:dl̦n, **modle** 'mo:dlə
²**modeln** (als ²Model arbeiten) 'mɔdl̦n, **modle** 'mɔdlə
Modem 'mo:dɛm
Modena 'mo:dena, *it.* 'mɔ:d...
Modenaer 'mo:denaɐ̯
modenaisch 'mo:denaɪʃ
Moder 'mo:dɐ
Moderamen mode'ra:mən, ...mina ...mina
moderat mode'ra:t
Moderation modera'tsi̯o:n
moderato mode'ra:to
Moderato mode'ra:to, ...ti ...ti

Moderator mode'ra:to:ɐ̯, -en ...ra'to:rən
moderieren mode'ri:rən
moderig 'mo:dərɪç, -e ...ɪgə
¹**modern** mo'dɛrn
²**modern** 'mo:dɛn, **modre** 'mo:drə
Moderne mo'dɛrnə
modernisieren modɛrni'zi:-rən
Modernismus modɛr'nɪsmʊs
Modernist modɛr'nɪst
Modernität modɛrni'tɛ:t
Modernjazz 'mɔdɛn'dʒɛs
Modersohn 'mo:dɐzo:n
modest mo'dɛst
Modest mo'dɛst, *russ.* ma'dɛst
Modesta mo'dɛsta
Modesti *it.* mo'dɛsti
Modestinus modɛs'ti:nʊs
Modesto *engl.* mə'dɛstoʊ, *it.* mo'dɛsto
Modestus mo'dɛstʊs
Modi vgl. Modus
Modiano *fr.* mɔdja'no
Modica *it.* 'mɔ:dika
Modifikation modifika-'tsi̯o:n
Modifikator modifi'ka:to:ɐ̯, -en ...ka'to:rən
modifizieren modifi'tsi:rən
Modigliana *it.* modiʎ'ʎa:na
Modigliani *fr.* mɔdilja'ni, ...iglia'ni, *it.* modiʎ'ʎa:ni
modisch 'mo:dɪʃ
Modist mo'dɪst
Moditten mo'dɪtn̦
Mödl 'mø:dl̦
Mödling[er] 'mø:dlɪŋ[ɐ]
modrig mo'drɪç, -e ...ɪgə
Modrow 'mo:dro
Modrzewski *poln.* mɔdʒ'ʒɛfski
¹**Modul** 'mo:dʊl
²**Modul** (austauschbares Teil) mo'du:l
Modulation modula'tsi̯o:n
Modulator modu'la:to:ɐ̯, -en ...la'to:rən
modulatorisch modula-'to:rɪʃ
modulieren modu'li:rən
Modulor 'mo:dulo:ɐ̯
Modus 'mo:dʊs, *auch:* 'mɔdʊs, **Modi** ...di
Modus Operandi 'mo:dʊs opə'randi, *auch:* 'mɔdʊs -, **Modi** - ...di -

Modus Procedendi 'mo:dʊs protse'dɛndi, *auch:* 'mɔdʊs -, **Modi** - ...di -
Modus Vivendi 'mo:dʊs vi'vɛndi, *auch:* 'mɔdʊs -, **Modi** - ...di -
Moe *norw.* mu:, *engl.* 'moʊi
Moeck mø:k
Moede 'mø:də
Moeller 'mœlɐ
Moellon mɔa'lõ:
Moens *niederl.* muns
Moenus 'mø:nʊs
Moerbeke 'mœrbəkə, *niederl.* 'mu:rbe:kə
Moeris 'mø:rɪs
Moers mø:ɐ̯s
Moerser 'mø:ɐ̯zɐ
Moesa mo'e:za
Moeschinger 'mœʃɪŋɐ
Moeschlin 'mœʃli:n
Moeskroen *niederl.* mus-'krun
Mofa 'mo:fa
mofeln 'mo:fl̦n
Mofette mo'fɛtə
Moffat[t] *engl.* 'mɔfət
Moffett *engl.* 'mɔfit
Moffo *it.* 'mɔffo
Mogadischu moga'dɪʃu
Mogadiscio *it.* moga'diʃʃo
Mogador moga'do:ɐ̯, *fr.* mɔga'dɔ:r, *span.* moɣa'ðɔr
Mogadouro *port.* muɣɐ-'ðoru
Mögel 'mø:gl̦
Mogelei mo:gə'lai̯
mogeln 'mo:gl̦n, **mogle** 'mo:glə
mögen 'mø:gn̦, **mögt** mø:kt
Mogi das Cruzes *bras.* 'mo:ʒi das 'kruzis
Mogigraphie mogigra'fi:, -n ...i:ən
Mogila *russ.* ma'gilɐ
Mogilalie mogila'li:, -n ...i:ən
Mogiljow *russ.* mɐgi'ljɔf
Mogiljow-Podolski *russ.* mɐgi'ljɔfpɐ'dɔljskij
Mogiphonie mogifo'ni:, -n ...i:ən
Mogk mo:k
Mogler 'mo:glɐ
möglich 'mø:klɪç
Mogollon *engl.* moʊgə'joʊn
Mogontiacum mogɔn'ti:a-kʊm, ...'ti̯a:kʊm
Mogul 'mo:gʊl, *auch:* mo'gu:l

Mohair moˈhɛːɐ̯
Mohalim vgl. Mohel
Mohammed ˈmoːhamɛt, engl. moʊˈhæmɪd
Mohammedaner mohameˈdaːnɐ
mohammedanisch mohameˈdaːnɪʃ
Mohammedanismus mohamedaˈnɪsmʊs
Mohammedia fr. mɔammeˈdja
Mohär moˈhɛːɐ̯
Mohave engl. moʊˈhɑːvɪ
Mohawk engl. ˈmoʊhɔːk
Mohel moˈheːl, Mohalim mohaˈliːm
Mohéli fr. mɔeˈli
Mohendscho Daro moˈhɛndʒo ˈdaːro
Mohikaner mohiˈkaːnɐ
Möhlin ˈmøːliːn
Mohn moːn, norw. muːn
Möhne ˈmøːnə
Mohole engl. ˈmoʊhoʊl
Moholy ung. ˈmohoj
Mohorovičić serbokr. mɔhɔ-ˈrɔviːtʃitɕ
Mohr moːɐ̯
Möhre ˈmøːrə
Mohrungen ˈmoːrʊŋən
Mohs moːs
Moi engl. ˈmoʊɪ, mɔɪ
Moilliet fr. mwaˈjɛ
Moillon fr. mwaˈjõ
Moinești rumän. mɔɪˈneʃtj
Moira (Schicksal) ˈmɔyra
Moiré mɔaˈreː
Moiren ˈmɔyrən
moirieren mɔaˈriːrən
Moïse fr. mɔˈiːz
Moisés span. mɔɪˈses, port. mɔɪˈzɛʃ, bras. mɔɪˈzɛs
Moissan fr. mwaˈsã
Moissejew russ. mɐɪˈsjejɪf
Moissi ˈmɔysi
Moisturizer ˈmɔystʃəraɪzɐ
Moisturizing ˈmɔystʃəraɪzɪŋ
Moivre fr. mwaːvr
Mojave engl. moʊˈhɑːvɪ
Mojokerto indon. modʒokərˈto
mokant moˈkant
Mokassin mokaˈsiːn, auch: ˈmɔk...
Moke ˈmoːkə
Mokerie mokəˈriː, -n ...iːən
Mokett moˈkɛt
Mokick ˈmoːkɪk
mokieren moˈkiːrən

Mokka ˈmɔka
Mokpʼo korean. mokpho
Mokscha russ. ˈmɔkʃɐ
Mokuan jap. ˈmoˌkuaṇ
¹Mol (Maß) moːl
²Mol (Name) niederl. mɔl
Mola it. ˈmɔːla, span. ˈmola
Molalität molaliˈtɛːt
molar, M... moˈlaːɐ̯
Molarität molariˈtɛːt
Molasse moˈlasə
Molay fr. mɔˈlɛ
Molch mɔlç
Mold engl. moʊld
Moldau ˈmɔldaʊ
Moldavit mɔldaˈviːt
Moldawa mɔlˈdaːva
Moldawien mɔlˈdaːvi̯ən
Molde norw. ˌmɔldə
Molden ˈmɔldṇ
Moldova rumän. molˈdova, ung. ˈmoldovɔ
Moldovița rumän. moldoˈvitsa
Mole ˈmoːlə, engl. moʊl
Molé fr. mɔˈle
Molekel moˈleːkḷ
Molektronik molɛkˈtroːnɪk
Molekül moleˈkyːl
molekular moleku laːɐ̯
Molenaer niederl. ˈmoːlənaːr
Molenbeek niederl. ˈmoːlənbeːk, fr. mɔlɛnˈbɛk
Molenkopf ˈmoːlənkɔpf
Moleschott ˈmoːləʃɔt
Moleskin ˈmoːlskɪn
Molesten moˈlɛstṇ
molestieren molɛsˈtiːrən
Moletronik moleˈtroːnɪk
Molette moˈlɛtə
Molfetta it. molˈfetta
Moli vgl. Molo
Molière moˈli̯ɛːɐ̯, fr. mɔˈli̯ɛːr
molierisch moˈli̯eːrɪʃ
Molijn niederl. moˈlɛɪn
Molina span. moˈlina
Molinaeus moliˈnɛːʊs
Molinari it. moliˈnaːri, fr. mɔlinaˈri, span. moliˈnari
Moline engl. moʊˈliːn
Molinet fr. mɔliˈnɛ
Molinismus moliˈnɪsmʊs
Molinos span. moˈlinos
Molins de Rey span. moˈlinz dɛ ˈrrɛɪ
Molisch ˈmoːlɪʃ
Molise it. ˈmoˈliːze
Molitor ˈmoːlitoːɐ̯
molk mɔlk

Molke ˈmɔlkə
mölke ˈmœlkə
Molken ˈmɔlkṇ
Molkerei mɔlkəˈraɪ
molkig ˈmɔlkɪç, -e ...ɪgə
Moll[a] ˈmɔl[a]
Möllbrücke mœlˈbrʏkə
Molle ˈmɔlə
Møllehave dän. ˈmʏləhɛːvə
Möllemann ˈmœləman
Mollendo span. moˈʎendo
Mollenhauer ˈmɔlənhaʊɐ
Moller ˈmɔlɐ
Möller ˈmœlɐ, dän. ˈmʏlˈɐ
Møller dän. ˈmʏlˈɐ
möllern ˈmœlɐn
mollert ˈmɔlɐt
Mollet fr. mɔˈlɛ
Möllhausen ˈmœlhaʊzṇ
Molli ˈmɔli
Mollien fr. mɔˈljɛ̃
Mollier moˈli̯e:
mollig ˈmɔlɪç, -e ...ɪgə
Mollison ˈmɔlizən, engl. ˈmɔlɪsn
Mölln mœln
Molluscum mɔˈlʊskʊm
Molluske mɔˈlʊskə
Molluskizid mɔlʊskiˈtsiːt, -e ...iːdə
Mollweide ˈmɔlvaɪdə
Molly ˈmɔli, engl. ˈmɔlɪ
Molnár ung. ˈmolnaːr
Mölndal schwed. ˈmœlndɑːl
Molnija russ. ˈmɔlnijɐ
Molo ˈmoːlo, Moli ˈmoːli
Moloch ˈmoːlɔx
Molodaja Gwardija russ. mɐlaˈdajɐ ˈgvardijɐ
Molodetschno russ. mɐlaˈdjɛtʃnɐ
Molokai engl. moʊləˈkaːɪ
Molokane moˈlaːnə
Molosser moˈlɔsɐ
Molossus moˈlɔsʊs, ...ssi ...si
Molotow ˈmoːlotɔf, russ. ˈmɔlɐtɐf
Mols dän. mɔlˈs
Moltke ˈmɔltkə, dän. ˈmɔlgə
moltkesch, M... ˈmɔltkəʃ
molto ˈmɔlto
Molton ˈmɔltɔn
Moltopren® mɔltoˈpreːn
Molukken moˈlʊkṇ
molum ˈmoːlʊm
Molybdän molʏpˈdɛːn
Molybdänit molʏpdɛˈniːt
Molyneux engl. ˈmɔlɪnjuː[ks], ˈmʌl...

Molzahn 'mɔltsa:n
Momaday *engl.* 'mɔmədeɪ
Mombasa mɔm'basa,
...'ba:za, *engl.* mɔm'bæsə,
mɔm'bɑ:sə
Mombert 'mɔmbɛrt
Mombritius mɔm'bri:tsiʊs
Moment mo'mɛnt
momentan momɛn'ta:n
Moment musical mo'mã:-
myzi'kal, -s ...caux ...'ko:
Momigliano *it.* momiʎ-
'ʎa:no
Mommark *dän.* 'mɔmaɐ̯g
Momme 'mɔmə
Mommsen 'mɔmzn̩
Momos 'mo:mɔs
Mömpelgard 'mœmplgart
Momper 'mɔmpɐ, *niederl.*
'mɔmpər
Mompós *span.* mɔm'pɔs
Momtschil *bulgar.* mɔm'tʃil
¹Mon (Dichter) mo:n
²Mon (Volk in Birma) mɔn
Mön *dän.* mʏ:'n
Mona 'mo:na, *engl.* 'moʊnə,
span. 'mona
Monaco 'mo:nako, *auch:*
mo'nako; *fr.* mɔna'ko, *it.*
'mɔ:nako
Monade mo'na:də
Monadismus mona'dɪsmʊs
Monadnock mo'nɛtnɔk
Monadologie monadolo'gi:
Monagas *span.* mo'naɣas
Monaghan *engl.* 'mɔnəhən
Monako 'mo:nako, *auch:*
mo'nako
Monakow mo'nakɔf
Monaldeschi *it.* monal-
'deski
Mona Lisa 'mo:na 'li:za
Monarch mo'narç
Monarchianer monar-
'çia:nɐ
Monarchianismus monar-
çia'nɪsmʊs
Monarchie monar'çi:, -n
...i:ən
Monarchismus monar'çɪs-
mʊs
Monarchist monar'çɪst
Monarchomache monar-
ço'maxə
Monarde mo'nardə
Monasterium monas'te:-
riʊm, ...ien ...iən
Monastir *fr.* mɔnas'ti:r
monastisch mo'nastɪʃ
Monat 'mo:nat

monatelang 'mo:natəlaŋ
...monatig ...'mo:natıç, -e
...ıgə
monatlich 'mo:natlıç
monaural monau̯'ra:l
Monaxonier mona'kso:niɐ
Monazit mona'tsi:t
Monbijou *fr.* mõbi'ʒu
Moncalieri *it.* moŋka'liɛ:ri
Moncayo *span.* mɔŋ'kajo
Monceaux *fr.* mõ'so
Moncey *fr.* mõ'sɛ
Mönch mœnç
Mönchengladbach
mœnçn̩'glatbax
Monchique *port.* mõ'ʃikə
mönchisch 'mœnçıʃ
Monck *engl.* mʌŋk
Monclo[v]a *span.* mɔŋ-
'klo[β]a
Moncrieff *engl.* mən'kri:f
Moncrif *fr.* mõ'krif
Monc[k]ton *engl.* 'mʌŋktən
¹Mond mo:nt, -e 'mo:ndə
²Mond (Name) mɔnt *engl.*
mɔnd
Mondadori *it.* monda'do:ri
Mondale *engl.* 'mɔndeɪl
Mondamin® mɔnda'mi:n
mondän mɔn'dɛ:n
Möndchen 'mø:ntçən
Monde *fr.* mõ:d
Mondecar 'mɔndekar
Mondego *port.* mon'deɣu
Mondeville *fr.* mõd'vil
mondial, M... mɔn'dja:l
mon dieu! mõ'djø
Mondino *it.* mon'di:no
Mondonville *fr.* mõdõ'vil
Mondovì *it.* mondo'vi
Mondriaan *niederl.* 'mɔn-
dria:n
Mondsee 'mo:ntze:
Mone *dt., niederl.* 'mo:nə
Monegasse mone'gasə
monegassisch mone'gasıʃ
Monem mo'ne:m
monepigraphisch monepi-
'gra:fıʃ
Monere mo'ne:rə
Monergismus monɛr'gıs-
mʊs
Monergol monɛr'go:l
Monessen *engl.* mə'nɛsən
Monet *fr.* mo'nɛ
Moneta mo'ne:ta
Monetar... mone'ta:ɐ̯...
monetär mone'tɛ:ɐ̯
Moneten mo'ne:tn̩
monetisieren moneti'zi:rən

Moneymaker 'manime:kɐ
Monfalcone *it.* monfal-
'ko:ne
Monferrato *it.* monfer'ra:to
Monge *fr.* mõ:ʒ
Mongó *span.* mɔŋ'go
Mongole mɔŋ'go:lə
Mongolei mɔŋgo'laɪ
mongolid mɔŋgo'li:t, -e
...i:də
Mongolide mɔŋgo'li:də
mongolisch mɔŋ'go:lıʃ
Mongolismus mɔŋgo'lıs-
mʊs
Mongolist[ik] mɔŋgo-
'lıst[ık]
mongoloid mɔŋgolo'i:t, -e
...i:də
Mongoloide mɔŋgolo'i:də
Mongu *engl.* 'mɔŋgu:
Monheim 'mo:nhaɪm
Moni 'mo:ni
Monica 'mo:nika, *engl.*
'mɔnıkə
Monier *engl.* 'mʌnıə, *fr.*
mɔ'nje
monieren mo'ni:rən
Monierzange mo'ni:ɐ̯tsaŋə,
auch: mo'nie:...
Monika 'mo:nika
Moníková *tschech.* 'mɔnji:-
kɔva:
Monilia mo'ni:lia
Monique *fr.* mɔ'nik
Monis *port.* mu'niʃ, *bras.*
mo'nis
Monismus mo'nısmʊs
Monist mo'nıst
Monita *vgl.* Monitum
Moniteur moni'tø:ɐ̯
Monitor 'mo:nito:ɐ̯, -en
moni'to:rən
Monitoring 'mɔnitərıŋ
Monitorium moni'to:riʊm,
...ien ...iən
Monitum 'mo:nitʊm, ...ta
...ta
Moniuszko *poln.* mɔ'njuʃkɔ
Moniz *port.* mu'niʃ, *bras.*
mo'nis
Monk *engl.* mʌŋk
Mon Khmer 'mɔn 'kme:ɐ̯
Monkhouse *engl.* 'mʌŋk-
haʊs
Monmouth *engl.* 'mɔnməθ,
-shire -ʃɪə
Monn mɔn
Monna Lisa *it.* 'mɔnna 'li:za
Monnerville *fr.* mɔnɛr'vil

Monnet fr. mɔˈnɛ
Mönnich ˈmœnɪç
Monnier fr. mɔˈnje
Monnika ˈmɔnika
mono, M... ˈmoːno, auch: ˈmɔno
Monoceros moˈnoːtserɔs
Monochasium monoˈçaː-zɪʊm, ...nɔˈxaː..., ...ien ...iɔn
Monochlamydeen monoçlamyˈdeːən
Monochord monoˈkɔrt, -e ...rdə
monochrom, M... monoˈkroːm
Monochromasie monokromaˈziː
Monochromat monokroˈmaːt
Monochromator monokroˈmaːtoːɐ̯, -en ...maˈtoːrən
Monochromie monokroˈmiː
monocolor monokoˈloːɐ̯
Monocoque monoˈkɔk
Monod fr. mɔˈno
Monodelphier monoˈdɛlfiɐ̯
Monodie monoˈdiː
Monodik moˈnoːdɪk
monodisch moˈnoːdɪʃ
Monodistichon monoˈdɪstɪçɔn
Monodrama monoˈdraːma
monofil, M... monoˈfiːl
monogam monoˈgaːm
Monogamie monogaˈmiː
monogen monoˈgeːn
Monogenese monogeˈneːzə
Monogenetiker monogeˈneːtikɐ̯
Monogenie monogeˈniː, -n ...iɔn
Monogenismus monogeˈnɪsmʊs
monoglott monoˈglɔt
Monogonie monogoˈniː
Monografie monograˈfiː, -n ...iɔn
monografisch monoˈgraːfɪʃ
Monogramm monoˈgram
monogrammieren monograˈmiːrən
Monogrammist monograˈmɪst
Monographie monograˈfiː, -n ...iɔn
monographisch monoˈgraː-fɪʃ
monohybrid monohyˈbriːt, -e ...iːdə

Monoideismus monoideˈɪsmʊs
Monokel moˈnɔkl̩
monoklin monoˈkliːn
Monokotyledone monokotyleˈdoːnə
Monokratie monokraˈtiː, -n ...iːən
monokratisch monoˈkraːtɪʃ
monokular monokuˈlaːɐ̯
Monokultur ˈmoːnokʊltuːɐ̯, auch: ˈmɔno...
monolateral monolateˈraːl
Monolatrie monolaˈtriː
Monolith monoˈliːt
Monolog monoˈloːk, -e ...oːgə
monologisch monoˈloːgɪʃ
monologisieren monologiˈziːrən
Monologist monoloˈgɪst
Monom moˈnoːm
monoman monoˈmaːn
Monomanie monomaˈniː, -n ...iɔn
monomer, M... monoˈmeːɐ̯
Monometallismus monometaˈlɪsmʊs
Monometer moˈnoːmetɐ̯
monomorph monoˈmɔrf
Monomotapa monomoˈtaːpa
Monongahela engl. mɔnɔngɔˈhiːlə
Mononom monoˈnoːm
Mononukleose mononukleˈoːzə
monophag monoˈfaːk, -e ...aːgə
Monophagie monofaˈgiː
Monopharmakon monoˈfarmakɔn, ...ka ...ka
Monophasie monofaˈziː
Monophobie monofoˈbiː
monophon monoˈfoːn
Monophonie monofoˈniː
Monophthalmie monoftalˈmiː
Monophthong monoˈftɔŋ
monophthongieren monoftɔŋˈgiːrən
monophthongisieren monoftɔŋgiˈziːrən
monophyletisch monofyˈleːtɪʃ
Monophylie monofyˈliː
Monophyodont monofyoˈdɔnt
Monophyodontie monofyodɔnˈtiː

Monophysit monofyˈziːt
Monophysitismus monofyziˈtɪsmʊs
Monoplan monoˈplaːn
Monoplegie monopleˈgiː, -n ...iɔn
Monopodie monopoˈdiː, -n ...iɔn
monopodisch monoˈpoːdɪʃ
Monopodium monoˈpoːdɪʊm
Monopol monoˈpoːl
Monopoli it. moˈnoːpoli
monopolisieren monopoliˈziːrən
Monopolismus monopoˈlɪsmʊs
Monopolist monopoˈlɪst
Monopoloid monopoloˈiːt, -e ...iːdə
Monopoly® moˈnoːpoli
Monoposto monoˈpɔsto
Monopson monɔˈpsoːn
Monopsychismus monopsyˈçɪsmʊs
Monopteros moˈnɔpterɔs, ...ren ...nɔpˈteːrən
Monory fr. mɔnɔˈri
Monosac[c]harid monozaxaˈriːt, -e ...iːdə
Monose moˈnoːzə
monosem monoˈzeːm
Monosemantikon monozeˈmantikɔn, ...ka ...ka
monosemantisch monozeˈmantɪʃ
Monosemie monozeˈmiː
monosemieren monozeˈmiːrən
Monoskop monoˈskoːp
Monosom monoˈzoːm
Monospermie monospɛrˈmiː, -n ...iɔn
Monostatos moˈnɔstatɔs
monostichisch monoˈstɪçɪʃ
monostichitisch monostɪˈçiːtɪʃ
Monostichon moˈnɔstɪçɔn, ...cha ...ça
monosyllabisch monozyˈlaːbɪʃ
Monosyllabum monoˈzyːlabum, ...ba ...ba
monosyndetisch monozynˈdeːtɪʃ
Monosyndeton monoˈzyndetɔn, ...ta ...ta
Monotheismus monoteˈɪsmʊs
Monotheist monoteˈɪst

Monothelet monote'le:t
Monotheletismus monote-le'tısmʊs
monoton mono'to:n
Monotonie monoto'ni:, **-n** ...i:ən
Monotonometer monotono'me:tɐ
Monotremen mono'tre:-mən
monotrop mono'tro:p
Monotropie monotro'pi:
Monotype® 'mo:notaip, *auch:* 'mɔno...
Monotypie monoty'pi:, **-n** ...i:ən
monovalent monova'lɛnt
Monóvar *span.* mo'noβar
Monoxid 'mo:nɔksi:t, *auch:* 'mɔn...; *auch:* monɔ'ksi:t
Monözie monø'tsi:
monözisch mo'nø:tsıʃ
monozygot monotsy'go:t
Monozyt mono'tsy:t
Monozytose monotsy'to:zə
Monreale *it.* monre'a:le
Monro[e] mɔn'ro:, 'mɔnro, *engl.* mən'roʊ, 'mʌnroʊ
Monroeville *engl.* mən'roʊvıl
Monrovia mɔn'ro:vi̯a, *engl.* mən'roʊvıə
¹Mons (Berg) mɔns
²Mons (Stadt) *fr.* mõ:s
Monsalvatsch mɔnzal'vatʃ
Monschau 'mɔnʃau̯
Monseer 'mɔnze:ɐ
Monseigneur mõsɛn'jø:ɐ̯
Monserrat *span.* mɔnsɛ'rrat
Monsieur mə'si̯ø:
Messieurs mɛ'si̯ø:
Monsignore mɔnzın'jo:rə, **...ri** ...ri
Monsigny *fr.* mõsi'ɲi
Møns Klint *dän.* 'mʏ:'ns 'klın'd
¹Monster (Name) *niederl.* 'mɔnstər
²Monster 'mɔnstɐ
Monstera 'mɔnstera, **...rae** ...rɛ
Monstra vgl. Monstrum
Monstranz mɔn'strants
Monstrelet *fr.* mõstrə'lɛ
monströs mɔn'strø:s, **-e** ...ø:zə
Monstrosität mɔnstrozi'tɛ:t
Monstrum 'mɔnstrʊm, **...ra** ...ra
Monsun mɔn'zu:n

Mont *engl., niederl.* mɔnt, *fr.* mõ
Montabaur 'mɔntabau̯ɐ, *auch:* --'--
Montafon mɔnta'fo:n
montafonerisch mɔnta'fo:-nərıʃ
Montag 'mo:nta:k
Montage mɔn'ta:ʒə
montägig 'mo:ntɛ:gıç **-e** ...ıgə
montäglich 'mo:ntɛ:klıç
Montagna *it.* mon'taɲɲa
Montagnard *fr.* mõta'ɲa:r
Montagne Noire *fr.* mõtaɲ'nwa:r
Montagnola *it.* montaɲ-'ɲo:la
montags 'mo:nta:ks
Montagu[e] *engl.* 'mɔntəgju:
Montaigne *fr.* mõ'tɛɲ
Montalbán *span.* mɔntal-'βan
Montale *it.* mon'ta:le
Montalembert *fr.* mõtalã-'bɛ:r
Montalvo *span.* mɔn'talβo
montan mɔn'ta:n
Montana mɔn'ta:na, *engl.* mɔn'tænə, *fr.* mõta'na
Montaña *span.* mɔn'taɲa
Montanaro *it.* monta'na:ro
Montand *fr.* mõ'tã
Montanelli *it.* monta'nɛlli
Montanés *span.* monta'ɲes
Montanismus mɔnta'nısmʊs
Montanist mɔnta'nıst
Montano *it.* mon'ta:no
Montanus mɔn'ta:nʊs, *niederl.* mɔn'ta:nʏs
Montargis *fr.* mõtar'ʒi
Montarsolo *it.* mon'tarsolo
Montauban *fr.* mõto'bã
Montavon mɔnta'fo:n
Montbéliard *fr.* mõbe'lja:r
Montblanc mõ'blã:, *fr.* ...lã
Montbret *fr.* mõ'brɛ
Montbretie mõ'bre:tsi̯ə
Montcalm *fr.* mõ'kalm
Montceau-les-Mines *fr.* mõsole'min
Mont Cenis mõse'ni:, *fr.* mõs'ni
Montchrestien, ...rétien *fr.* mõkre'tjẽ
Montclair *engl.* mɔnt'klɛə
Mont-de-Marsan *fr.* mõd-mar'sã

Mont-d'Or, Mont-Dore *fr.* mõ'dɔ:r
Monte *it.* 'monte, *span.* 'mɔnte, *port.* 'montə, *bras.* 'monti, *niederl.* 'mɔntə, *engl.* 'mɔntı
Monte Albán *span.* 'mɔnte al'βan
Montebello *it.* monte'bɛllo, *engl.* mɔntı'beloʊ
Montecalvo *it.* monte'kalvo
Monte Carlo 'mɔntə 'karlo, *fr.* mõtekar'lo, ...'karl
Montecarlo *it.* monte'karlo
Monte Cassino 'mɔntə ka'si:no, *it.* montekas'si:no
Montecassino *it.* montekas'si:no
Montecatini *it.* monteka-'ti:ni
Montecatino *it.* monteka-'ti:no
Montecchi mɔn'tɛki, *it.* mon'tekki
Montecchio *it.* mon'tekki̯o
Montecitorio *it.* montetʃi-'tɔ:ri̯o
Montecristi *span.* mɔnte-'kristi
Montecristo *it.* monte-'kristo
Monte-Cristo *fr.* mõte-kris'to
Montecuccoli mɔnte'ku-koli, *it.* monte'kukkoli
Montedison *it.* mon'tɛ:di-zon
Montefalco *it.* monte'falko
Montefalcone *it.* montefal-'ko:ne
Montefeltro *it.* monte'feltro
Montefiascone *it.* monte-fi̯as'ko:ne
Montefiore *it.* monte'fi̯o:re, *engl.* mɔntıfı'ɔ:rı
Montefiorino *it.* montefi̯o-'ri:no
Monteforte *span.* mɔnte-'fɔrte
Montegnée *fr.* mõt'ɲe
Montego *engl.* mən'ti:goʊ
Monteiro *port.* mon'tei̯ru, *bras.* mon'tei̯ru
Montélimar *fr.* mõteli'ma:r
Montelius *schwed.* mɔn'te:-li̯ʊs
Montemayor *span.* mɔnte-ma'jɔr
Montenegriner mɔntene-'gri:nɐ

montenegrinisch montene-
'gri:nıʃ
Montenegro monte'ne:gro,
bras. monti'negru
Montepulciano *it.* monte-
pul'tʃa:no
Montereau-Faut-Yonne *fr.*
mõtrofo'tjɔn
Monterey *engl.* mɔntı'reı
Monterey Park *engl.* 'mɔn-
tıreı 'pɑ:k
Montería *span.* mɔnte'ria
Monterone *it.* monte'ro:ne
Monterrey *span.* mɔntɛ'rrei̯
¹Montes (Anleihen) 'mɔntɛs
²Montes (Name) *span.*
'mɔntes
Montes Claros *port.* 'mon-
tıʃ 'klaruʃ, *bras.* 'montis
'klarus
Montes de Oca *span.* 'mɔn-
tez ðe 'oka
Montesi *it.* mon'te:si
Montespan *fr.* mõtɛs'pã
Montesquieu *fr.* mõtɛs'kjø
Montesquiou *fr.* mõtɛs'kju
Montessori *it.* montes'sɔ:ri
Montet *fr.* mõ'tɛ
Monteur mɔn'tø:ɐ̯
Monteux *fr.* mõ'tø
Monteverdi *it.* monte'verdi
Montevideo mɔntevi'de:o,
span. mɔnteβi'ðeo
Montez 'mɔntɛs
Montezuma mɔnte'tsu:ma,
mɔnte'su:ma, *span.* mɔnte-
'θuma
Montfaucon *fr.* mõfo'kõ
Montferrand *fr.* mõfɛ'rã
Montferrat *fr.* mõfɛ'ra
Montfleury *fr.* mõflœ'ri
Montford *engl.* 'mɔntfəd
Montfort *dt., niederl.* 'mɔnt-
fɔrt, *fr.* mõ'fɔ:r, *engl.*
'mɔntfət
Montgelas mõʒə'la, *fr.*
mõ'ʒla
Montgenèvre *fr.* mõʒ'nɛ:vr
Montgolfier *fr.* mõgɔl'fje
Montgolfiere mõgɔl'fjɛ:rə
Montgomery *engl.* mənt-
'ɡʌmərı, mɔn..., ...gɔm...,
fr. mõgɔm'ri
Month mɔnt
Montherlant *fr.* mõtɛr'lã
Monthey *fr.* mõ'tɛ
Montholon *fr.* mõtɔ'lõ
Monti *it.* 'monti, *span.*
'mɔnti

Monticelli *it.* monti'tʃɛlli, *fr.*
mõtisɛ'li
Monticellit mɔntitʃɛ'li:t
Monticello *engl.* mɔntı'sɛ-
lou
montieren mɔn'ti:rən
Montignac *fr.* mõti'ɲak
Montignies-sur-Sambre *fr.*
mõtiɲisyr'sã:br
Montijo *span.* mɔn'tixo
Montilla *span.* mɔn'tiʎa
Montini *it.* mon'ti:ni
Montjoie, Montjoye *fr.*
mõ'ʒwa
Montjuich *span.* mɔɲ'xui̯tʃ
Mont-Louis *fr.* mõ'lwi
Montluçon *fr.* mõly'sõ
Montmagny *fr.* mõma'ɲi
Montmajour *fr.* mõma'ʒu:r
Montmartre *fr.* mõ'martr
Montmorency *fr.* mõmɔ-
rã'si, *engl.* mɔntmə'rɛnsı
Montmorillon *fr.* mõmɔri'jõ
Montmorillonit mõmorijo-
'ni:t
Montoire-sur-le-Loir *fr.*
mõtwarsyrlə'lwa:r
Montoyer *fr.* mõtwa'je
Montparnasse *fr.* mõpar-
'nas, ...na:s
Mont Pelé *fr.* mõ'ple
Montpelier *engl.* mɔnt'pi:ljə
Montpellier *fr.* mõpə'lje,
mõpɛ'lje
Montrachet *fr.* mõra'ʃɛ
Montreal mɔntre'a:l, *engl.*
mɔntrı'ɔ:l
Montréal *fr.* mõre'al
Montreuil *fr.* mõ'trœj
Montreux *fr.* mõ'trø
Montrose *engl.* mɔnt'rouz
Montrouge *fr.* mõ'ru:ʒ
Mont-Royal *fr.* mõrwa'jal
Monts *fr.* mõ
Mont-Saint-Michel *fr.*
mõsɛ̃mi'ʃɛl
Montsalwatsch mɔntzal-
'vatʃ
Montschegorsk *russ.*
mɛntʃi'gɔrsk
Montserrat *span.* mɔnsɛ-
'rrat, *engl.* mɔntsə'ræt
Mont-sur-Marchienne *fr.*
mõsyrmar'ʃjɛn
Montt *span.* mɔnt
Montupet *fr.* mõty'pɛ
Montur mɔn'tu:ɐ̯
Montville *engl.* 'mɔntvıl
Monty *engl.* 'mɔntı
Monument monu'mɛnt

**Monumenta Germaniae
historica** monu'mɛnta gɛr-
'ma:nie̯ hıs'to:rika
monumental monumɛn'ta:l
Monumentalität monu-
mɛntali'tɛ:t
Monument Valley *engl.*
'mɔnjomənt 'vælı
Monza *it.* 'montsa
Monzambano mɔntsam-
'ba:no
Monzón *span.* mɔn'θɔn
Moody *engl.* 'mu:dı
Moog mo:k, *engl.* moʊg
Mook *niederl.* mo:k
Moon mo:n, *engl.* mu:n,
russ. ma'ɔn
Moonboot 'mu:nbu:t
Mooney, ...nie *engl.* 'mu:nı
Moor mo:ɐ̯, *niederl.* mo:r
Moorabbin *engl.* mʊ'ræbın
moorbaden 'mo:ɐ̯ba:dn̩
Moorcock *engl.* 'mɔ:kɔk,
'mʊəkɔk
Moore *engl.* mɔ:, mʊə
Moorea *fr.* mɔre'a
Mooresville *engl.* 'mʊəzvıl
Moorhead *engl.* 'mɔ:hɛd,
'mʊəhɛd
moorig 'mo:rıç, **-e** ...ıgə
Mooring 'mu:rıŋ
Moos mo:s, **-e** 'mo:zə,
Möser 'mø:zɐ
Moosbrugger 'mo:sbrʊgɐ
Moosburg 'mo:sbʊrk
Moosdorf 'mo:sdɔrf
Moose [Jaw] *engl.* 'mu:s
['dʒɔ:]
moosgrün 'mo:sgry:n
moosig 'mo:zıç, **-e** ...ıgə
Moosonee *engl.* 'mu:sənı:
Moped 'mo:pɛt, *auch:* ...pe:t
Mopp[el] 'mɔp[l̩]
moppen 'mɔpn̩
Mops mɔps, **Möpse** 'mœpsə
Möpschen 'mœpsçən
möpseln 'mœpsln̩
mopsen 'mɔpsn̩
mopsfidel 'mɔpsfi'de:l
mopsig 'mɔpsıç, **-e** ...ıgə
Mopsos 'mɔpsos
Mopti *fr.* mɔp'ti
Moquegua *span.* mo'keɣu̯a
Moquette mo'kɛt
Mor *niederl.* mɔr
Mór *ung.* mo:r
¹Mora (Verzug) 'mo:ra
²Mora *span.* 'mora, *schwed.*
ˌmu:ra
Móra *ung.* 'mo:rɔ

Moradabad *engl.* mə'rɑ:dəbɑ:d
Moraes *port.* mu'raiʃ, *bras.* mo'rais
Moraga *engl.* mə'rɑ:gə
Morais *port.* mu'raiʃ, *bras.* mo'rais
Moraitidis *neugr.* mɔrai'tiðis
¹Moral mo'ra:l
²Moral (Name) *span.* mo'ral
Morales *span.* mo'rales
Moralin mora'li:n
Moral Insanity 'mo:rəl ɪn'zɛniti
moralisch mo'ra:lɪʃ
moralisieren morali'zi:rən
Moralismus mora'lɪsmʊs
Moralist mora'lɪst
Moralität morali'tɛ:t
Moral Rearmament 'mo:rəl ri'a:ɡməmənt
Moralt 'mo:ralt
Moran *engl.* 'mɔ:rən, mə'ræn
Morán *span.* mo'ran
Morand *fr.* mɔ'rã
Morandi *it.* mo'randi
Morane *fr.* mɔ'ran
Moräne mo'rɛ:nə
Morant 'mo:rant, *engl.* mə'rænt
Morante *it., span.* mo'rante
Morar *engl.* 'mɔ:rə
Morast mo'rast, **Moräste** mo'rɛstə
Morat *fr.* mɔ'ra
Moratín *span.* mota'tin
Moratorium mora'to:rjʊm, ...**ien** ...jən
Moratuva *engl.* 'mɔ:rətu:və, mɔ:'rɑ:tʊvə
Morava *slowak., tschech.* 'mɔrava, *serbokr.* ˌmɔ...
Moravia *dt., it.* mo'ra:vja
Morax *fr.* mɔ'raks
Moray *engl.* 'mʌrɪ, **-shire** -ʃɪə
Morazzone *it.* morat'tso:ne
Morbi vgl. Morbus
morbid mɔr'bi:t, -e ...i:də
Morbidezza mɔrbi'dɛtsa
Morbidität mɔrbidi'tɛ:t
Morbihan *fr.* mɔrbi'ã
Morbilli mɔr'bɪli
Morbio *it.* 'mɔrbjo
morbiphor mɔrbi'fo:ɐ̯
Mörbisch 'mœrbɪʃ
Morbosität mɔrbozi'tɛ:t

Morbus 'mɔrbʊs, **Morbi** 'mɔrbi
Morcellement mɔrsɛlə'mã:
Morchel 'mɔrçl̩
Morcinek *poln.* mɔr'tçinɛk
Morcote *it.* mor'kɔ:te
Mord mɔrt, -e 'mɔrdə
Mordant[s] mɔr'dã:
Mordaunt *engl.* mɔ:dnt
Mordazität mɔrdatsi'tɛ:t
Mordechai 'mɔrdɛçai̯
morden 'mɔrdn̩, **mord!** mɔrt
Mordent mɔr'dɛnt
Mörder 'mœrdɐ
mörderisch 'mœrdərɪʃ
Mordialloc *engl.* mɔ:dɪ'ælək
mordio! 'mɔrdjo
Mordowien mɔr'do:vjən
Mordskerl 'mɔrts'kɛrl
Mordslärm 'mɔrts'lɛrm
mordsmäßig 'mɔrtsmɛ:sɪç
mordswenig 'mɔrts've:nɪç
Mordwa *russ.* mar'dva
Mordwine mɔrt'vi:nə
mordwinisch mɔrt'vi:nɪʃ
Mordwinow *russ.* mar'dvinef
¹More (Mora) 'mo:rə
²More (Name) *engl.* mɔ:
Møre *norw.* ˌmø:rə
Morea mo're:a
Moréas *fr.* mɔre'a:s
Moreau *fr.* mɔ'ro
Morecambe *engl.* 'mɔ:kəm
Moree *engl.* mɔ'ri:
Moreelse *niederl.* mo're:lsə
more geometrico 'mo:rə ɡeo'me:triko
Moreira *port.* mu'reirɐ, *bras.* mo'reira
Morel *fr.* mɔ'rɛl
Mörel 'mø:rəl
Morelia *span.* mo'relja
Morelle mo'rɛlə
Morellet *fr.* mɔr'lɛ
Morelli *it.* mo'rɛlli
Morelly *fr.* mɔrɛ'li
Morelos *span.* mo'relos
Morena *span.* mo'rena
morendo mo'rɛndo
Morendo mo'rɛndo, ...**di** ...di
Moreni *it.* mo're:ni, *rumän.* mo'renj
Moreno *span.* mo'reno, *engl.* mə'ri:noʊ, mə'reɪnou
Morera *it.* mo'rɛ:ra, *span.* mo'rera
Mores 'mo:re:s

Moresby *engl.* 'mɔ:zbɪ
Moresca mo'rɛska
Moreske mo'rɛskə
Moresnet *fr.* mɔrɛs'nɛ
Moret *fr.* mɔ'rɛ, *span.* mo'ret
Moreto *span.* mo'reto
Moretti *it.* mo'retti
Moretto *it.* mo'retto
Moretus mo're:tʊs
Morf mɔrf
Mörfelden mœr'fɛldn̩
Morfu *neugr.* 'mɔrfu
Morgagni *it.* mor'ɡaɲɲi
Morgan *engl.* 'mɔ:ɡən, *fr.* mɔr'ɡã
morganatisch mɔrɡa'na:tɪʃ
Morganismus mɔrɡa'nɪsmʊs
Morganton *engl.* 'mɔ:ɡəntən
Morgantown *engl.* 'mɔ:ɡəntaʊn
Morgarten 'mo:ɐ̯ɡartn̩
morgen, M... 'mɔrɡn̩
morgend 'mɔrɡn̩t, -e ...n̩də
morgendlich 'mɔrɡn̩tlɪç
Morgenland 'mɔrɡn̩lant
morgenländisch 'mɔrɡn̩lɛndɪʃ
morgens 'mɔrɡn̩s
Morgenstern 'mɔrɡn̩ʃtɛrn
Morgenthau 'mɔrɡn̩tau̯, *engl.* 'mɔ:ɡənθɔ:
Morges *fr.* mɔrʒ
Morghen *it.* 'mɔrɡen
morgig 'mɔrɡɪç, -e ...ɪɡə
Morgner 'mɔrɡnɐ
Morgue mɔrk, **-n** 'mɔrɡn̩
Morhof 'mo:ɐ̯ho:f
Mori *jap.* mo'ri
Moria mo'ri:a
moribund mori'bʊnt, -e ...ndə
Morice *fr.* mo'ris
Móricz *ung.* 'mo:rits
Morigutschi *jap.* mo'ri.ɡutʃi
Mörike 'mø:rɪkə
Morin *fr.* mɔ'rɛ̃
Morinck 'mo:rɪŋk
Morinell mori'nɛl
Moringen 'mo:rɪŋən
Moringer 'mo:rɪŋɐ
Morio 'mo:rjo
Morioka *jap.* mo'ri.oka
Morion 'mo:rjon
Moriori mo'rjo:ri
Möris 'mø:rɪs
Morisca mo'rɪska
Moriscos *span.* mo'riskos

Moriske mo'rɪskə
Morison engl. 'mɔrɪsn
Morisot fr. mɔri'zo
Moritat 'mo:rita:t, **-en** ...tn̩,
  auch: mori'ta:tn̩
morituri te salutant mori-
  'tu:ri te: za'lu:tant
Moritz 'mo:rɪts
Moritzburg 'mo:rɪtsbʊrk
Moriz 'mo:rɪts, russ. 'mɔrits
Morlaix fr. mɔr'lɛ
Morlake mo:ɐ̯'la:kə
Morland engl. 'mɔ:lənd
Morlanwelz fr. mɔrlã'wɛ
Morley engl. 'mɔ:lɪ
Morlock 'mɔrlɔk
Mormon 'mɔrmɔn
Mormone mɔr'mo:nə
Mornay fr. mɔr'nɛ
Mörne schwed. ˌmœ:rnə
Mornell... mɔr'nɛl...
Morning Telegraph engl.
  'mɔ:nɪŋ 'tɛlɪgrɑ:f
Moro 'mo:ro, it. 'mɔ:ro,
  span. 'moro
Morogoro engl. mɔ:roʊ'gɔ:-
  roʊ
Morold 'mo:rɔlt
Morolf 'mo:rɔlf
Morolt 'mo:rɔlt
Morón span. mo'rɔn
Morona span. mo'rona
Morone it. mo'ro:ne
Moroni it. mo'ro:ni, fr.
  mɔrɔ'ni
Moronobu jap. mo'ro.nobu
moros mo'ro:s, **-e** ...o:zə
Morosität morozi'tɛ:t
Morosoli span. moro'soli
Morosow bulgar. mo'rɔzof,
  russ. ma'rɔzɐf
Morosowsk russ. ma'rɔ-
  zɐfsk
Morotai indon. 'morotai̯
Morpeth engl. 'mɔ:pɛθ
Morph mɔrf
Morphallaxis mɔrfa'laksɪs
Morphe mɔr'fe:
Morphem mɔr'fe:m
Morphematik mɔrfe'ma:tɪk
morphematisch mɔrfe'ma:-
  tɪʃ
Morphemik mɔr'fe:mɪk
Morpheus 'mɔrfɔys
Morphin mɔr'fi:n
Morphing 'mɔrfɪŋ
Morphinismus mɔrfi'nɪs-
  mʊs
Morphinist mɔrfi'nɪst
Morphium 'mɔrfi̯ʊm

Morpho 'mɔrfo
Morphogenese mɔrfoge-
  'ne:zə
Morphogenesis mɔrfo'ge:-
  nezɪs, auch: ...gɛn...,
  ...nesen ...ge'ne:zn̩
morphogenetisch mɔrfoge'ne:tɪʃ
Morphogenie mɔrfoge'ni:,
  -n ...i:ən
Morphographie mɔrfo-
  gra'fi:
morphographisch mɔrfo-
  'gra:fɪʃ
Morphologe mɔrfo'lo:gə
Morphologie mɔrfolo'gi:
morphologisch mɔrfo'lo:-
  gɪʃ
Morphometrie mɔrfome-
  'tri:, **-n** ...i:ən
morphometrisch mɔrfo-
  'me:trɪʃ
Morphonem mɔrfo'ne:m
Morphonologie mɔrfono-
  lo'gi:
Morphophonem mɔrfofo-
  'ne:m
Morphophonologie mɔrfo-
  fonolo'gi:
Morphy engl. 'mɔ:fɪ
Morray engl. 'mʌrɪ
Morricone it.\mɔrri'ko:ne
Morriën niederl. 'mɔriən
Morrill engl. 'mɔrɪl
Morris[on] engl. 'mɔrɪs[n]
Morristown engl. 'mɔrɪs-
  taʊn
Morrisville engl. 'mɔrɪsvɪl
Morrow engl. 'mɔroʊ
¹Mors (Tod) mɔrs
²Mors (Name) dän. mɔɐ̯s
morsch mɔrʃ
Mörsch mœrʃ
Morschansk russ. mar-
  'ʃansk
Mörsdorf 'mø:ɐ̯sdɔrf
Morse 'mɔrzə, engl. mɔ:s
Morselle mɔr'zɛlə
Morselli it. mor'sɛlli
morsen 'mɔrzn̩, **mors!**
  mɔrs, **morst** mɔrst
Mörser 'mœrzɐ
mörsern 'mœrzɐn, **mörsre**
  'mœrzrə
Morstin poln. 'mɔrstin
Morsztyn poln. 'mɔrʃtin
Mortadella mɔrta'dɛla
Mortalität mɔrtali'tɛ:t
Mortari it. mor'ta:ri
Mörtel 'mœrtl̩

Morten 'mɔrtn̩, dän. 'mɔɐ̯dn̩
Mortensen dän. 'mɔɐ̯dn̩sn̩
Morteratsch rät. mɔrtə'ratʃ
Morthenson schwed.
  'mo:tənsɔn
Mortifikation mɔrtifika-
  'tsi̯o:n
mortifizieren mɔrtifi'tsi:rən
Mortillet fr. mɔrti'jɛ
Mortimer engl. 'mɔ:tɪmə
Morton engl. mɔ:tn
Mortsel niederl. 'mɔrtsəl
Morula 'mo:rula, **-e** ...lɛ
Morungen 'mo:rʊŋən
Morus 'mo:rʊs
Morvan fr. mɔr'vã
Morwell engl. 'mɔ:wəl
Morzine fr. mɔr'zin
Mosaik moza'i:k
mosaisch, M... mo'za:ɪʃ
Mosaismus moza'ɪsmʊs
Mosaist moza'ɪst
Mosaizist mozai'tsɪst
Mosambik mozam'bi:k
Mosander schwed. mu'san-
  dər
Mosbach[er] 'mo:sbax[ɐ]
Mosca it. 'moska
Moscardó span. mɔskar'ðo
Moscavide port. muʃkɐ-
  'viðə
Mosch mo:ʃ
Moschaisk[i] russ.
  ma'ʒajsk[ij]
Moschajew russ. ma'ʒajf
Moschaw 'mɔʃaf, **-im** mɔʃa-
  'vi:m
Moschee mɔ'ʃe:, **-n** ...e:ən
Moscheles 'mɔʃələs
moschen 'mo:ʃn̩
Möschen 'mø:sçən
Moscher (Volk in Klein-
  asien) 'mɔsçɐ
Moscherosch 'mɔʃərɔʃ
Moschos 'mɔsçɔs
Moschus 'mɔʃʊs
Mościcki poln. mɔɕ'tɕitski
Mościński poln. mɔɕ'tɕii̯ski
Moscón span. mɔs'kɔn
Moscow engl. 'mɔskoʊ
Mosdok russ. maz'dɔk
Mose 'mo:zə
Möse 'mø:zə
Mosè it. mo'zɛ
Mosel 'mo:zl̩
Moselaner mozə'la:nɐ
Möseler 'mø:zəlɐ
Moseley engl. 'moʊzlɪ
Mosella mo'zɛla
Mosellaner mozɛ'la:nɐ

Moselle *fr.* mo'zɛl
Mosen 'mo:zṇ
Moser 'mo:zɐ
¹Möser *vgl.* Moos
²Möser (Name) 'mø:zɐ
Moserboden mo:zɐ'bo:dṇ
mosern 'mo:zɐn, **mosre** 'mo:zrə
Moses 'mo:zəs, ...zɛs, *engl.* 'mouzɪz
Mosheim 'mo:shaim
Moshi *engl.* 'mouʃi:
Mösien 'mø:zjən
Mosis 'mo:zɪs
Mosjö mɔs'jø:
Mosjøen *norw.* 'mu:ʃø:ən
Moskau 'mɔskau̯
Moskauer 'mɔskau̯ɐ
moskauisch 'mɔskau̯ɪʃ
Moskito mɔs'ki:to
Moskowiter mɔsko'vi:tɐ
moskowitisch mɔsko'vi:tɪʃ
Moskwa mɔs'kva, *russ.* mas'kva
Moskwitsch *russ.* mas'kvitʃ
Möslein 'mø:slain
Moslem 'mɔslɛm
mosleminisch mɔsle'mi:nɪʃ
moslemisch mɔs'le:mɪʃ
Mosley *engl.* 'mɔzlɪ, 'mouzlɪ
Moslime mɔs'li:mə
Mosonmagyaróvár *ung.* 'moʃonmɔdjɔro:va:r
Mosquitia *span.* mɔs'kitja
Mosquito *span.* mɔs'kito
Moss *engl., norw.* mɔs
Mossadegh mɔsa'dɛk
Mossâmedes *port.* mu'sɐmədɪʃ
Mößbauer 'mœsbau̯ɐ
Mosse 'mɔsə
Mossel Bay *engl.* 'mɔsl 'beɪ
Mosses *fr.* mɔs
Mossi 'mɔsi
Mössingen 'mœsɪŋən
Mossley *engl.* 'mɔslɪ
mosso 'mɔso
Mosso *it.* 'mɔsso
Mossoró *bras.* moso'rɔ
Mossul 'mo:sʊl
¹Most mɔst
²Most (Name) *dt., serbokr., tschech.* mɔst
Mostaert *niederl.* 'mɔsta:rt
Mostaganem *fr.* mɔstaga'nɛm
Mostar 'mɔstar, *serbokr.* mɔsta:r
mosten 'mɔstṇ
Mostert 'mɔstɐt

Mostrich 'mɔstrɪç
Mosul 'mo:zʊl
Mosyr *russ.* 'mɔzirj
Moszkowski *poln.* mɔʃ'kɔfski
Mota *span.* 'mota
Motala *schwed.* ˌmu:ta:la
Motel 'mo:tḷ, *auch:* mo'tɛl
Moten *engl.* moutn
Motette mo'tɛtə
Motetus mo'te:tʊs
Motherwell *engl.* 'mʌðəwɛl
Môtier[s] *fr.* mo'tje
Motilität motili'tɛ:t
Motion mo'tsio:n
Motionär motsio'nɛ:ɐ
Motionpicture 'mo:ʃṇ'pɪktʃɐ
Motiv mo'ti:f, **-e** ...i:və
Motivation motiva'tsio:n
motivational motivatsio'na:l
motivieren moti'vi:rən
Motivik mo'ti:vɪk
motivisch mo'ti:vɪʃ
Motley *engl.* 'mɔtlɪ
Moto 'mo:to
Motocross moto'krɔs, *auch:* 'mo:tokrɔs
Motodrom moto'dro:m
Moton *engl.* moutn
Motonobu *jap.* mo'to,nobu
Motoori *jap.* mo'to,ori
Motor 'mo:to:ɐ, *auch:* mo'to:ɐ, **-en** mo'to:rən, **-e** mo'to:rə
Motorik mo'to:rɪk
Motoriker mo'to:rɪkɐ
motorisch mo'to:rɪʃ
motorisieren motori'zi:rən
Motovun *serbokr.* mɔˌtɔvu:n
Mott *engl.* mɔt
Motta *it.* 'mɔtta, *port.* 'mɔtɐ
¹Motte 'mɔtə
²Motte (Name) *fr.* mɔt
Mottelson *engl.* 'mɔtlsn
motten 'mɔtṇ
Mottl 'mɔtḷ
¹Motto 'mɔto
²Motto (Name) *it.* 'mɔtto
Mottram *engl.* 'mɔtrəm
Motuproprio motu'pro:prio
Motz[ko] 'mɔts[ko]
motzen, M... 'mɔtsṇ
Motzerei mɔtsə'rai̯
motzig 'mɔtsɪç, **-e** ...ɪgə
Mouche muʃ, **-n** 'muʃṇ
Mouches volantes 'muʃ vo'lã:t
Moudon *fr.* mu'dõ

mouillieren mu'ji:rən
Moulage mu'la:ʒə
Moulay-Idriss *fr.* mulɛi'dris
Moulin *fr.* mu'lɛ̃
Moulinage muli'na:ʒə
Mouliné muli'ne:
moulinieren muli'ni:rən
Moulin-Rouge *fr.* mulɛ̃'ru:ʒ
Moulins *fr.* mu'lɛ̃
Moulmein *engl.* mau̯l'mein, mu:l'mein, mou̯l'mein, *birm.* molmjain 22
Moult[on] *engl.* 'mou̯lt[ən]
Moultrie *engl.* 'mɔ:ltrɪ
Mound *engl.* mau̯nd
Moundou *fr.* mun'du
Mounds[ville] *engl.* 'mau̯ndz[vɪl]
Mounet-Sully *fr.* munɛsyl'li
Mounier *fr.* mu'nje
Mount *engl.* mau̯nt
Mountain [Ash] *engl.* 'mau̯ntɪn ['æʃ]
Mountainbike[r] 'mau̯ntṇbai̯k[ɐ]
Mountains *engl.* 'mau̯ntɪnz
Mountbatten *engl.* mau̯nt-'bætn
Mount Isa *engl.* 'mau̯nt 'aizə
Mountlake Terrace *engl.* 'mau̯ntlei̯k 'tɛrəs
Mount Prospect *engl.* 'mau̯nt 'prɔspɛkt
Moura *port.* 'mor̥ɐ
Mourão *bras., port.* mo'rẽu̯
Mourenx *fr.* mu'rɛ̃:[k]s
Mourne *engl.* mɔ:n
Mouscron *fr.* mu[s]'krõ
Moussaka mu'sa:ka
Mousse, -s mus
Mousseline musə'li:n
Mousseron musə'rõ:
Mousseux mu'sø:
moussieren mu'si:rən
Moustaki *fr.* musta'ki
Moustérien muste'riɛ̃:
Mouthe, La *fr.* la'mut
Moutier, Moûtiers *fr.* mu'tje
Mouton *fr.* mu'tõ
Möwchen 'mø:fçən
Movens 'mo:vɛns
Movie 'mu:vi
movieren mo'vi:rən
Movimento movi'mɛnto, **...ti** ...ti
Mowbrai, ...ray *engl.* 'mou̯brei̯
Möwchen 'mø:fçən

Mȫwe 'møːvə
Moxa 'mɔksa
Moxibustion mɔksibus-
'tǐoːn
Moxon *engl.* 'mɔksn
Moyeuvre-Grande *fr.* mwa-
jœvrə'grãːd
Moynier *fr.* mwa'nje
Moyobamba *span.* mojo-
'βamba
Mozambique mozam'bɪk,
...'biːk
Mozárabe *span.* mo'θaraβe
Mozaraber mo'tsaːrabɐ,
auch: mo'tsar...
mozarabisch motsa'raːbɪʃ
Mozart 'moːtsart
Mozarteum motsar'teːum
mozartisch 'moːtsartɪʃ
Mozetta mo'tseta
Mozi *chin.* mɔdzi 43
Mozzetta mo'tseta
MP *engl.* ɛm'piː
Mphahlele *engl.* əmpa:'leɪ-
leɪ
Mr. *engl.* 'mɪstə
Mrawinski *russ.* mra'vinskij
Mrožek *poln.* 'mrɔʒɛk
MRP *fr.* ɛmɛr'pe
Mrs. *engl.* 'mɪsɪz
Mrštík *tschech.* 'mrʃtjiːk
Msaken *fr.* msa'ken
MS-DOS ɛmɛs'dɔs
Msta *russ.* msta
Mstislaw *russ.* msti'slaf
M'Taggart *engl.* mək'tægət
Mtshali *engl.* əm'tʃaːli:
Mtwara *engl.* əm'twaːraː
Muawija mu'aːvija
Muba 'muːba
Mubarak mu'baːrak
Much mʊx
Mucha *tschech.* 'muxa
Muche 'mʊxə
Mücheln 'myçln
Muches *fr.* myʃ
Muchin[a] *russ.* 'muxin[ɐ]
Muchitsch 'muːxɪtʃ
Muchow 'mʊxo
Muchtar mʊx'taːɐ̯
Mucilago mutsi'laːgo
Mucius 'muːtsiʊs
Muck[e] 'mʊk[ə]
Mücke 'mykə
Muckefuck 'mʊkəfʊk
mucken 'mʊkn
Mucker 'mʊkɐ
muckerisch 'mʊkərɪʃ
Muckermann 'mʊkɐman
Mucki 'mʊki

Muckraker 'makreːkɐ
Mucks mʊks
mucksen 'mʊksn
Muckser 'mʊksɐ
mucksmäuschenstill
'mʊks'mɔysçən'ʃtɪl
Mucky 'mʊki
Mucor 'muːkoːɐ̯
Mucur *türk.* 'mudʒur
Mucuri *bras.* muku'ri
Mud mʊt
Mudanjiang *chin.* mudan-
dʒǐaŋ 311
muddeln 'mʊdln, muddle
'mʊdlə
muddig 'mʊdɪç, -e ...ɪgə
Muddy Waters *engl.* 'mʌdɪ
'wɔːtəz
müde 'myːdə
Mudejar... mu'dɛxar...
Mudéjar *span.* mu'ðɛxar
Mudge *engl.* mʌdʒ
Mudigkeit 'myːdɪçkai̯t
Mudir mu'diːɐ̯
Mudirije mudi'riːjə
Mudlumps 'matlamps
Mudra 'muːdra
Mudschahed mʊdʒa'hɛt,
-in ...he'diːn
Müelich 'myːlɪç
Mueller 'mylɐ
Müesli 'myːɛsli
Muezzin mu'ɛtsiːn
Muff[at] 'mʊf[at]
Müffchen 'myfçən
Muffe 'mʊfə
Muffel 'mʊfl̩
muffelig 'mʊfəlɪç, -e ...ɪgə
muffeln 'mʊfln
müffeln 'myfln
muffen 'mʊfn̩
muffig 'mʊfɪç, -e ...ɪgə
Muffin 'mafɪn
mufflig 'mʊflɪç, -e ...ɪgə
Mufflon 'mʊflɔn
Mufti 'mʊfti
Mufulira *engl.* muːfuː'liːraː
Mugabe *engl.* muː'gaːbɪ
Mugan *russ.* muː'gan
Muge *port.* 'muʒɪ
Mugel 'muːgl̩
mugelig 'muːgəlɪç, -e ...ɪgə
Mügeln 'myːgln̩
Mügge 'mygə
Müggelsee 'mygl̩zeː
Mugica *span.* muː'xika
Múgica *span.* 'muxika
Muğla *türk.* 'muːla
muglig 'muːglɪç, -e ...ɪgə
muh! muː

Muhammad muːˈhamat
Muhammed muːˈhamɛt
Muharrak muːˈharak
Mühe 'myːə
muhen 'muːən
mühen 'myːən
Mühl[acker] 'myːl[|akɐ]
Mühlbach[er] 'myːlbax[ɐ]
Mühlberg 'myːlbɛrk
Mühlberger 'myːlbɛrgɐ
Mühlbrecht 'myːlbrɛçt
Mühldorf 'myːldɔrf
Mühle 'myːlə
Mühlenberg 'myːlənbɛrk,
engl. 'mjuːlənbɔːg
Mühlenheim 'myːlənhai̯m
Mühlestein 'myːləʃtai̯n
Mühlhausen *Thür.* 'myːl-
hau̯zn̩, *Ostpr.* –'––
Mühlhäuser *Thür.* 'myːl-
hɔyzɐ, *Ostpr.* –'––
Mühlheim 'myːlhai̯m
Mühlig 'myːlɪç
Mühlmann 'myːlman
Mühlviertel 'myːlfɪrtl̩
Mühmchen 'myːmçən
Muhme 'muːmə
Muhr muːɐ̯
Mühsal 'myːzaːl
mühsam, M... 'myːzaːm
mühselig 'myːzeːlɪç, -e
...ɪgə
Muhtar *türk.* muhˈtɑr
Muhu *estn.* 'muhu
Muiden *niederl.* 'mœi̯də
Muis *indon.* 'mui̯s
Muisca *span.* 'mui̯ska
Mujica *span.* muːˈxika
Mukalla muːˈkala
Mukařovský *tschech.*
'mukarʒɔfskiː
Mukatschewo *russ.*
muːˈkatʃivɐ
Mukden 'mʊkdn̩
Mukka *finn.* 'mukkɑ
Mukoide mukoˈiːdə
mukopurulent mukopuru-
'lɛnt
mukös muːˈkøːs, -e ...øːzə
Mukosa muːˈkoːza
Mukozele mukoˈtseːlə
Mulatschag, ...hak 'mʊla-
tʃaːk
Mulatte muːˈlatə
Mulch mʊlç
mulchen 'mʊlçn
Mul-Chic *span.* mulˈtʃik
Mulde 'mʊldə
Muldoon *engl.* mʌlˈduːn
Muleta muːˈleːta

Mulhacén *span.* mula'θen
Mülhausen my:l'hauzn̩
Mülheim 'my:lhaim
Mulhouse *fr.* my'lu:z
¹Muli 'mu:li
²Muli vgl. Mulus
Mulier *niederl.* my'li:r
Mulier Samaritana 'mu:lie̯ zamari'ta:na
Mulinee muli'ne:
mulinieren muli'ni:rən
Mulisch 'mu:lɪʃ
¹Mull mʊl
²Mull (Name) *engl.* mʌl
Müll mʏl
Mulla[h] 'mʊla
Mullatschag, ...ak 'mʊla-tʃa:k
Müllenhoff 'mʏlənhɔf
Muller *engl.* 'mʌlə, *fr.* my'lɛ:r, *dän.* 'mul'ɐ, *niederl.* 'mʏlər, *indon.* 'mulɛr
Müller 'mʏlɐ
Müllerei mʏlə'rai̯
Müllheim 'mʏlhaim
Mulligan *engl.* 'mʌlɪɡən
Mulliken *engl.* 'mʌlɪkən
Mullingar *engl.* mʌlɪŋ'ɡa:
Mullit mʊ'li:t
Müllner 'mʏlnɐ
Müllrose mʏl'ro:zə, '---
Mulm mʊlm
mulmen 'mʊlmən
mulmig 'mʊlmɪç, -e ...ɪɡə
Mulready *engl.* mʌl'rɛdi
Mulroney *engl.* mʌl'roʊnɪ
mulsch mʊlʃ
mulschig 'mʊlʃɪç, -e ...ɪɡə
Multan *engl.* mʌl'ta:n
Multatuli mʊlta'tu:li, *niederl.* mʏltɑ'tyli
Multi 'mʊlti
multifil, M... mʊlti'fi:l
multilateral mʊltilate'ra:l, *auch:* '-----
Multimedia mʊlti'me:dia, *auch:* malti'mi:diə
multimedial mʊltime'dia:l, *auch:* '----
Multimeter mʊlti'me:tɐ
Multimillionär mʊltimɪljo-'nɛ:ɐ̯, *auch:* '-----
multinational mʊltinatsio-'na:l, *auch:* '-----
Multipack 'mʊltipak
Multipara mʊl'ti:para, ...ren ...ti'pa:rən
multipel mʊl'ti:pl̩
Multiple mʊl'ti:plə

Multiplechoice... 'mal-tɪpl̩'tʃɔys...
Multiplett mʊlti'plɛt
multiplex, M... 'mʊltiplɛks
Multiplier 'maltiplai̯ɐ
Multiplikand mʊltipli'kant, -en ...ndn̩
Multiplikation mʊltiplika-'tsio:n
multiplikativ mʊltiplika'ti:f, -e ...i:və
Multiplikativum mʊltiplika-'ti:vʊm, ...va ...va
Multiplikator mʊltipli'ka:-to:ɐ̯, -en ...ka'to:rən
multiplizieren mʊltipli'tsi:-rən
Multiplizität mʊltiplitsi'tɛ:t
Multiplum 'mʊltiplʊm, ...pla ...pla
Multipol 'mʊltipo:l
Multiprogramming malti-'pro:ɡrɛmɪŋ
multivalent mʊltiva'lɛnt
Multivalenz mʊltiva'lɛnts
Multiversum mʊlti'vɛrzʊm
Multivibrator mʊltivi'bra:-to:ɐ̯, ...en ...bra'to:rən
Multivision mʊltivi'zio:n
Multizet 'mʊltitset
Multscher 'mʊltʃɐ
multum, non multa 'mʊl-tʊm 'no:n 'mʊlta
Mulungu mu'lʊŋgu
Mulus 'mu:lʊs, **Muli** 'mu:li
Mumie 'mu:mie̯
Mumifikation mumifika-'tsio:n
mumifizieren mumifi'tsi:-rən
Mumm[e] 'mʊm[ə]
Mummel 'mʊml̩
Mümmelmann 'mʏml̩man
mummeln 'mʊml̩n
mümmeln 'mʏml̩n
Mummelsee 'mʊml̩ze:
mummen 'mʊmən
Mummenschanz 'mʊmən-ʃants
Mummerei mʊmə'rai̯
Mummy 'mami
Mumpitz 'mʊmpɪts
Mumps mʊmps
Mun *engl.* mʌn, *fr.* mœ̃, *Thai* mu:n 1
Muna *indon.* 'muna
Munari *it.* mu'na:ri
Munca *rumän.* 'muŋka
Munch *dän.* mʊŋ'g, *norw.* muŋk, muŋk

Münch mʏnç, *fr.* mynʃ
Münch[e]berg 'mʏnç[ə]bɛrk
München 'mʏnçn̩
Münchenbernsdorf mʏnçn̩'bɛrnsdɔrf
Münchenstein 'mʏnçn̩ʃtai̯n
Münchhausen 'mʏnçhau̯zn̩
Münchhauseniade mʏnç-hau̯zə'nja:də
Münchhausiade mʏnçhau̯-'zia:də
münchhausisch 'mʏnçhau̯-zɪʃ
Münchinger 'mʏnçɪŋɐ
Münchner 'mʏnçnɐ
Münchwilen mʏnç'vi:lən
Muncie *engl.* 'mʌnsi
Mund mʊnt, **Münder** 'mʏndɐ, **Munde** 'mʊndə, **Münde** 'mʏndə
¹Munda (Name) 'mʊnda
²Munda vgl. Mundum
mundan mʊn'da:n
Mundart 'mʊntla:ɐ̯t
Mundat 'mʊndat
Mundation mʊnda'tsio:n
Munday *engl.* 'mʌndɪ
Mündchen 'mʏntçən
Mündel 'mʏndl̩
Mundelein *engl.* 'mʌndlaɪn
münden 'mʊndn̩, **mund!** mʊnt
münden 'mʏndn̩, **münd!** mʏnt
Münden 'mʏndn̩
Münder 'mʏndɐ
Münderkingen 'mʊndɐkɪ-ŋən
mundieren mʊn'di:rən
mündig 'mʏndɪç, -e ...ɪɡə
Mundium 'mʊndiʊm, ...dium, ...ien ...iən, ...ia ...ia
mündlich 'mʏntlɪç
Mündling 'mʏndlɪŋ
Mundolingue mʊndo'lɪŋgu̯ə
Mundschaft 'mʊntʃaft
Mundt mʊnt
Mundum 'mʊndʊm, ...da ...da
Mündung 'mʏndʊŋ
Mundus 'mʊndʊs
Mundus archetypus 'mʊn-dʊs arçe'ty:pʊs
Mundus intelligibilis 'mʊn-dʊs ɪnteli'gi:bilɪs
Mundus sensibilis 'mʊndʊs zɛn'zi:bilɪs

mundus vult decipi 'mɔn-
dʊs 'vʊlt 'de:ts̩ipi
Münemann 'my:nəman
Mungard 'mʊŋgart
Mung[g]enast 'mʊŋənast
¹Mungo 'mʊŋgo
²Mungo (Name) engl. 'mʌŋ-
goʊ
¹Muni (Asket) 'mu:ni
²Muni (Name) engl. 'mju:nɪ,
span. 'muni
Munier-Wroblewska
'mu:ni:ɐ̯vro'blɛfska
Munifizenz munifi'tsɛnts̩
Munin 'mu:nɪn
Munition muni'tsi̯o:n
munitionieren munitsi̯o'ni:-
rən
Muniz bras. mu'nis
munizipal munitsi'pa:l
munizipalisieren munitsi-
pali'zi:rən
Munizipalität munitsipali-
'tɛ:t
Munizipium muni'tsi:pi̯ʊm,
...ien ...i̯ən
Munk mʊŋk, fr. mɛ̃:k, dän.
mʊŋ'g, poln. muŋk
Munkács ung. 'muŋka:tʃ
Munkácsi, ...sy ung. 'muŋ-
ka:tʃi
Munkbrarup mʊŋk'bra:rʊp
Munkelei mʊŋkə'lai̯
munkeln 'mʊŋkl̩n
Münnerstadt 'mʏnɐʃtat
Münnich 'mʏnɪç, ung.
'mynɪç
Munnings engl. 'mʌnɪŋz
Muñoz span. mu'n̯ɔθ
Munro[e] engl. mʌn'roʊ, '--
Mun-Sekte 'mʊnzɛktə,
'mu:n...
Munsell engl. mʌnsl
Münsingen 'mʏnzɪŋən
Munster 'mʊnstɐ, engl.
'mʌnstə, fr. mɛ̃s'tɛ:r
Münster 'mʏnstɐ
Münsteraner mʏnstə'ra:nɐ
Münsterberg 'mʏnstɐbɛrk
Münstereifel mʏnstɐ'lai̯fl̩
Münsterland 'mʏnstɐlant
Münstermann 'mʏnstɐman
Munt mʊnt
Munteanu rumän. mun-
'tɛanu
Müntefering 'mʏntəfə:rɪŋ
Muntenia rumän. mun'te-
nia
Muntenien mʊn'te:ni̯ən
munter 'mʊntɐ

Münter 'mʏntɐ
Munthe schwed. ˌmʊntə,
norw. ˌmʊntə
Muntjak 'mʊntjak
Müntzer 'mʏntsɐ
Münze 'mʏntsə
münzen 'mʏntsn̩
Münzenberg 'mʏntsn̩bɛrk
Münzer 'mʏntsɐ
Münzinger 'mʊntsɪŋɐ
Münzinger 'mʏntsɪŋɐ
Muonio finn. 'mu̯onio,
schwed. 'mu̯onio
Mur mu:ɐ̯
Mura serbokr. ˌmu:ra, ung.
'muro
Murad mu'ra:t, türk. mu'rɑt
Muradeli georg. 'muradeli
Muralt 'mu:ralt, mu'ralt
Muräne mu'rɛ:nə
Murano it. mu'ra:no, jap.
'mu.rano
Murasaki jap. mu'rasaki
Murat fr. my'ra, türk.
mu'rɑt
Muratori it. mura'to:ri
Murawjow russ. muravj'jɔf
mürb mʏrp, -e 'mʏrbə
Murbach 'mu:ɐ̯bax, fr. myr-
'bak
mürbe, M... 'mʏrbə
Murbruch 'mu:ɐ̯brʊx
Murchison engl. 'mə:tʃɪsn,
'mə:kɪsn
Murcia span. 'murθi̯a
Murdoch, ...ck engl.
'mə:dɔk
Murdockville engl. 'mə:dɔk-
vɪl
¹Mure 'mu:rə
²Mure (Name) engl. mjʊə,
fr. my:r
muren 'mu:rən
Murena span. mu'rena
Mureş rumän. 'mureʃ
Muret fr. my'rɛ
Muretus mu're:tʊs
Murexid murɛ'ksi:t, -es
...i:dəs
Murfree[sboro] engl.
'mə:frɪ[zbərə]
Murg mʊrk
Murgab russ. mur'gap
Murge it. 'murdʒe
Murger fr. myr'ʒe:r
Muri 'mu:ri
muriatisch mu'ri̯a:tɪʃ
Muridae 'mu:ridɛ
Muriel engl. 'mjʊərɪəl
murig 'mu:rɪç, -e ...ɪgə

Murillo span. mu'riʎo
Muring 'mu:rɪŋ
Muris, de de: 'mu:ri:s
Müritz 'my:rɪts̩
Murkel 'mʊrkl̩
murk[e]lig 'mʊrk[ə]lɪç, -e
...ɪgə
Murks mʊrks
murksen 'mʊrksn̩
Murkybässe 'mʊrkibɛsə
Murmanküste 'mʊrman-
kʏstə
Murmansk russ. 'murmɛnsk
Murmel 'mʊrml̩
murmeln 'mʊrml̩n
Murmeltier 'mʊrml̩ti:ɐ̯
Murn slowen. 'mu:rən
Murnaghan engl. 'mə:nə-
hæn
Murnau 'mʊrnau̯
Murner 'mʊrnɐ
Muro Lucano it. 'mu:ro
lu'ka:no
Murom[ez] russ.
'murɛm[ɪts]
Muroran jap. mu'ro.ran
Murphy engl. 'mə:fɪ
Murr mʊr
Murray engl. 'mʌrɪ
murren 'mʊrən
Mürren 'mʏrən
Murrhardt 'mʊrhart
Murri it. 'murri
murrinisch mʊ'ri:nɪʃ
mürrisch 'mʏrɪʃ
Murrumbidgee engl.
mʌrəm'bɪdʒɪ
Murry[sville] engl.
'mʌrɪ[zvɪl]
Mursawezki russ. murza-
'vjɛtskij
Murschhauser 'mʊrʃhau̯zɐ
Mursili 'mʊrzili
Mursuk mʊr'zu:k
Murten 'mʊrtn̩
Murter serbokr. ˌmurtɛ:r
Mururoa muru'ro:a, fr.
myryrɔ'a
Murville fr. myr'vil
Mürz mʏrts̩
Mürzzuschlag mʏrts̩'tsu:-
ʃla:k
Mus mu:s, -e 'mu:zə
Muş türk. muʃ
¹Musa (Frucht) 'mu:za
²Musa (Name) it. 'mu:za,
türk. 'musɑ
Musaget[es] muza'ge:t[ɛs]
Musaios mu'zai̯ɔs
Musan korean. mu:san

Musaschino *jap.* muˈsaʃino
Musäus muˈzɛ:ʊs
Musca ˈmʊska
Muscadet myskaˈde:
Muscatine *engl.* ˈmʌskəti:n
Musche ˈmʊʃə
Muschel ˈmʊʃl̩
Müschelchen ˈmyʃl̩çən
muschelig ˈmʊʃəlıç, -e …ɪɡə
Muschg mʊʃk
Muschi ˈmʊʃi, *auch:* ˈmuːʃi
Muschik ˈmʊʃɪk, *auch:* –ˈ–
Muschir mʊˈʃi:ɐ̯
Müschir myˈʃi:ɐ̯
Muschkote mʊʃˈko:tə
Muschler ˈmʊʃlɐ
muschlig ˈmʊʃlıç, -e …ɪɡə
Muschpoke mʊʃˈpo:kə
Musci ˈmʊstsi
Muscon mʊsˈko:n
Muse ˈmu:zə
museal muzeˈa:l
Musel *span.* muˈsɛl
Muselli *fr.* myzɛlˈli
Muselman ˈmu:zl̩ma:n, -en …nən, *auch:* ––ˈ––
Muselmann ˈmu:zl̩man
Muselmanin ˈmu:zl̩ma:nın, *auch:* ––ˈ––
muselmanisch ˈmu:zl̩ma:nıʃ, *auch:* ––ˈ––
Muselmännin ˈmu:zl̩mɛnın
muselmännisch ˈmu:zl̩mɛnıʃ
Museologie muzeoloˈgi:
Muset *fr.* myˈzɛ
Musette myˈzɛt, -n …tn̩
Museum muˈze:ʊm
Musgrave *engl.* ˈmʌzɡreɪv
Musgu ˈmʊsɡu
Mushin *engl.* ˈmu:ʃɪn
Mušić *serbokr.* ˌmu:sitɕ
Musica ˈmu:zika
Musica antiqua ˈmu:zika anˈti:kva
Musical ˈmju:zikl̩
Musica mensurata ˈmu:zika mɛnzuˈra:ta
Musica mundana ˈmu:zika mʊnˈda:na
Musica nova ˈmu:zika ˈno:va
Musica sacra ˈmu:zika ˈza:kra
Musica viva ˈmu:zika ˈvi:va
Musici, I *it.* i ˈmu:zitʃi
Mušicki *serbokr.* muˌʃitski:
musiert muˈzi:ɐ̯t
Musik muˈzi:k
Musikalien muziˈka:liən

musikalisch muziˈka:lıʃ
Musikalität muzikaliˈtɛ:t
Musikant muziˈkant
Musiker ˈmu:zikɐ
Musikologe muzikoˈlo:ɡə
Musikologie muzikoloˈgi:
musikologisch muzikoˈlo:gıʃ
Musikomane muziko-ˈma:nə
Musikus ˈmu:zikʊs, …izi …itsi
Musil ˈmu:zıl
Musique concrète myˈzık kõˈkrɛ:t
musisch ˈmu:zıʃ
Musivarbeit muˈzi:flarbaɪt
musivisch muˈzi:vıʃ
Musizi vgl. Musikus
musizieren muziˈtsi:rən
Muskarin mʊskaˈri:n
Muskat mʊsˈka:t, *auch:* ˈmʊskat
Muskatbluet mʊsˈka:tbly:t
Muskate mʊsˈka:tə
Muskateller mʊskaˈtɛlɐ
Muskatplüt mʊsˈka:tply:t
Muskau ˈmʊskaʊ
Muskego *engl.* mʌsˈki:ɡoʊ
Muskegon *engl.* mʌsˈki:ɡən
Muskel ˈmʊskl̩
muskelig ˈmʊskəlıç, -e …ɪɡə
Muskete mʊsˈke:tə
Musketier mʊskeˈti:ɐ̯
Muskogee *engl.* mʌsˈkoʊgɪ
Muskovit, …owit mʊsko-ˈvi:t
muskulär mʊskuˈlɛ:ɐ̯
Muskulatur mʊskulaˈtu:ɐ̯
muskulös mʊskuˈlø:s, -e …ø:zə
Muskuri *neugr.* ˈmuskuri
Müsli ˈmy:sli
Muslim ˈmʊslım
Muslime mʊsˈli:mə
muslimisch mʊsˈli:mıʃ
Musoma *engl.* muːˈsoʊma:
Muspelheim ˈmu:splhaɪm
Muspilli ˈmu:spıli
muss, M… mʊs
Mussala *bulgar.* musɐˈla
Mussato *it.* musˈsa:to
Muße ˈmu:sə
Musselburgh *engl.* ˈmʌslbərə
Musselin mʊsəˈliːn
musselinen mʊsəˈli:nən
müssen ˈmʏsn̩
Musseron mʊsəˈrõ:
Mussert *niederl.* ˈmʏsərt

Musset *fr.* myˈsɛ
müßig ˈmy:sıç, -e …ɪɡə
Müßiggang ˈmy:sıçɡaŋ
Müßiggänger ˈmy:sıçɡɛŋɐ
Mussolini *it.* mussoˈli:ni
Mussorgski mʊˈsɔrkski, ˈmʊsɔrkski, *russ.* ˈmusɐrkskij
Musspritze ˈmu:sʃprɪtsə
musst[e] ˈmʊst[ə]
Must (Notwendiges) mast
Mustafa ˈmʊstafa, *türk.* mustaˈfa
Müstair *rät.* myʃˈtaɪr
Mustang ˈmʊstaŋ
Mustapää *finn.* ˈmustapæ:
Musteil ˈmʊstaɪl
Muster ˈmʊstɐ
Mustèr *rät.* muʃˈte
mustern ˈmʊstɐn
Mustie ˈmʊstiə
Mustio ˈmʊstio
Mustonen *finn.* ˈmustɔnɛn
Musulin muˈzu:li:n
Muswellbrook *engl.* ˈmʌzwəlbrʊk
Muszely ˈmʊseli
Mut mu:t
muta ˈmu:ta
Muta ˈmu:ta, …tä …tɛ
mutabel muˈta:bl̩, …ble …blə
Mutabilität mutabiliˈtɛ:t
mutabor muˈta:bo:ɐ̯
mutagen, M… mutaˈge:n
Mutagenese mutageˈne:zə
Mutagenität mutageniˈtɛ:t
Mutakallimun mutakaliˈmu:n
Mutanabbi mutaˈnabi
Mutant[e] muˈtant[ə]
Mutare *engl.* mu:ˈtɑ:rı
Mutation mutaˈtsi̯o:n
mutatis mutandis muˈta:ti:s muˈtandi:s
mutativ muta'ti:f, -e …i:və
Mutator muˈta:to:ɐ̯, -en muta'to:rən
Mutaziliten mutazi'li:tn̩
Mutazismus mutaˈtsısmʊs
Mütchen ˈmy:tçən
muten ˈmu:tn̩
Muter ˈmu:tɐ
Muth mu:t
Mathel ˈmy:tl̩
Muthesius muˈte:zi̯ʊs
Muti *it.* ˈmu:ti
Mutianus muˈtsi̯a:nʊs
mutieren muˈti:rən
mutig ˈmu:tıç, -e …ɪɡə

Mutilation mutila'tsjo:n
mutilieren muti'li:rən
Muting 'mju:tɪŋ
Mutis *span.* 'mutis
Mutismus mu'tɪsmʊs
Mutitas 'mu:titas
Mutität muti'tɛ:t
mutmaßen 'mu:tma:sn̩
Muton 'mu:tɔn
Mutoskop muto'sko:p
Mutran mu'tra:n
Mutschein 'mu:tʃaɪn
Mutsu 'mu:tsu
Mutsuhito *jap.* mu'tsu.hito
Muttchen 'mʊtçən
Muttenz 'mʊtɛnts
Mutter 'mʊtɐ, Mütter 'mʏtɐ
Mutter Gottes, Muttergottes mʊtɐ'gɔtəs
mütterlich 'mʏtɐlɪç
mutterseelenallein 'mʊtɐ'ze:lən|a'laɪn
Muttersmutter 'mʊtɐsmʊtɐ
Mutti 'mʊti
mutual mu'tŭa:l
Mutualismus mutŭa'lɪsmʊs
Mutualität mutŭali'tɛ:t
mutuell mu'tŭɛl
Mutulus 'mu:tulʊs, ...li ...li
Mutung 'mu:tʊŋ
Mutwille 'mu:tvɪlə
Mutz mʊts
Mützchen 'mʏtsçən
Mütze 'mʏtsə
Muwahhidun muvahi'du:n
Muyinga *fr.* mujiŋ'ga
Muzaffarnagar *engl.*
    mʊ'zæfənəgə
Muzaffarpur *engl.* mʊ'zæfə-
    pʊə
Muzika *tschech.* 'muzika
Muzin mu'tsi:n
Muzio *it.* 'muttsjo
Muzo *span.* 'muθo
Mwanza *engl.* 'mwa:nza:
MWD ɛmve:'de:
Mweru *engl.* 'mwɛru:
My[a] 'my:[a]
Myalgie myal'gi:, -n ...i:ən
Myanmar 'mja:n'ma:ɐ̯, *engl.*
    'mja:n'ma:, 'mjænma:
Myasthenie myaste'ni:, -n
    ...i:ən
Myatonie myato'ni:, -n
    ...i:ən
Myconius my'ko:njʊs
Mydas 'my:das
Mydriase mydri'a:zə
Mydriatikum mydri'a:ti-
    kʊm, ...ka ...ka

Myelasthenie my̆elaste'ni:,
    -n ...i:ən
Myelenzephalitis my̆elɛn-
    tsefa'li:tɪs, ...itiden
    ...li'ti:dn̩
Myelin my̆e'li:n
Myelitis my̆e'li:tɪs, ...itiden
    ...li'ti:dn̩
myelogen my̆elo'ge:n
Myelographie my̆elogra'fi:
myeloid my̆elo'i:t, -e ...i:də
myeloisch my̆e'lo:ɪʃ
Myelom my̆e'lo:m
Myelomalazie my̆eloma-
    la'tsi:, -n ...i:ən
Myelomatose my̆eloma-
    'to:zə
Myelomeningitis my̆elo-
    menɪŋ'gi:tɪs, ...itiden
    ...gi'ti:dn̩
Myelopathie my̆elopa'ti:, -n
    ...i:ən
Myelose my̆e'lo:zə
Myer[s] *engl.* 'maɪə[z]
My fair Lady *engl.* 'maɪ 'fɛə
    'leɪdɪ
Myggenæs *dän.* 'mygənes
Myhre *norw.* ˌmy:rə
Myiase myi'a:zə
Myiasis my'i:azɪs, Myiasen
    myi'a:zn̩
Myitis my'i:tɪs, Myitiden
    myi'ti:dn̩
Myitkyina *birm.* mji'tʃina
    433
Mykale 'my:kale
Mykenä my'ke:nɛ
Mykene my'ke:nə
mykenisch my'ke:nɪʃ
Mykerinos myke'ri:nɔs
Myketismus myke'tɪsmʊs
Mykines *fär.* 'mi:tʃine:s
Mykle *norw.* ˌmyklə
Mykoine myko'i:nə
Mykologe myko'lo:gə
Mykologie mykolo'gi:
Mykonos 'my:kɔnɔs
Mykoplasmen myko'plas-
    mən
Mykorrhiza mykɔ'ri:tsa
Mykose my'ko:zə
Mykotoxin mykɔtɔ'ksi:n
Mylä 'my:lɛ
Mylady mi'le:di
Mylau 'my:lau
Mylius 'my:ljʊs, *dän.*
    'my:'lius
Mylonit mylo'ni:t
mylonitisieren myloniti'zi:-
    rən

Mylord mi'lɔrt
Mymensingh *engl.* 'maɪ-
    mənsɪŋ
Mynheer mə'ne:ɐ̯
Myoblast myo'blast
Myochrom myo'kro:m
Myodynie myody'ni:, -n
    ...i:ən
myoelektrisch myo-
    |e'lɛktrɪʃ
Myofibrille myofi'brɪlə
Myogelose myoge'lo:zə
myogen myo'ge:n
Myoglobin myoglo'bi:n
Myogramm myo'gram
Myograph myo'gra:f
Myokard myo'kart, -es
    ...rdəs
Myokardie myokar'di:, -n
    ...i:ən
Myokarditis myokar'di:tɪs,
    ...itiden ...di'ti:dn̩
Myokardium myo'kardjʊm
Myokardose myokar'do:zə
Myoklonie myoklo'ni:, -n
    ...i:ən
Myokymie myoky'mi:, -n
    ...i:ən
Myologie myolo'gi:
Myom my'o:m
Myomere myo'me:rə
Myometrium myo'me:-
    trɪʊm, ...ien ...iən
myomorph myo'mɔrf
Myon 'my:ɔn, -en ...my'o:-
    nən
Myonium... my'o:njʊm
myop, M... my'o:p
Myoparalyse myopara'ly:zə
Myopathie myopa'ti:, -n
    ...i:ən
Myope my'o:pə
Myopie myo'pi:, -n ...i:ən
Myorrhexis myɔ'rɛksɪs
Myosin myo'zi:n
Myositis myo'zi:tɪs, ...itiden
    ...zi'ti:dn̩
Myosklerose myoskle'ro:zə
Myosotis myo'zo:tɪs
Myospasmus myo'spasmʊs
Myotomie myoto'mi:, -n
    ...i:ən
Myotonie myoto'ni:, -n
    ...i:ən
myotrop myo'tro:p
Myra 'my:ra, *engl.* 'maɪərə
Myrdal *schwed.* ˌmy:rdɑ:l
Myriade my'rïa:də
Myriagramm myrïa'gram
Myriameter myrïa'me:tɐ

Myriapode myrịaˈpoːdə
Myrica myˈriːka
Myrikazeen myrikaˈtseːən
Myringektomie myrɪŋɛk-
toˈmiː, -n ...iːən
Myringitis myrɪŋˈgiːtɪs,
...itịden ...giˈtiːdn̩
Myringotomie myrɪŋgo-
toˈmiː, -n ...iːən
Myriophyllum myrịoˈfʏlʊm
Myriopode myrịoˈpoːdə
Myristin... myrɪsˈtiːn...
Myrmekia myrˈmeːkịa
Myrmekochorie myrmeko-
koˈriː
Myrmekologe myrmeko-
ˈloːgə
Myrmekologie myrmeko-
loˈgiː
Myrmekophile myrmeko-
ˈfiːlə
Myrmekophilie myrmeko-
fiˈliː
Myrmekophyt myrmeko-
ˈfyːt
Myrmidone myrmiˈdoːnə
Myrna engl. ˈməːnə
Myrny ukr. ˈmɪrnɪj
Myrobalane myrobaˈlaːnə
Myron ˈmyːrɔn, engl. ˈmaɪə-
rən
Myron... myˈroːn...
Myrr[h]e ˈmyrə
Myrtazeen myrtaˈtseːən
Myrte ˈmyrtə
Myrtilos ˈmyrtilɔs
Myrtle engl. məːtl
Mysien ˈmyːzịən
Myslbek tschech. ˈmisl̩bɛk
Mysliveček tschech. ˈmisli-
vɛtʃɛk
Myśliwski poln. miɕˈlifski
Mysłowice poln. misu̯oˈvitsɛ
Mysłowitz ˈmyslovɪts
Myson ˈmyːzɔn
Mysophobie myzofoˈbiː
Mysore engl. ˈmaɪsɔː
Mystagog mystaˈgoːk, -en
...oːgn̩
Mystagoge mystaˈgoːgə
Myste ˈmystə
Mystère fr. misˈtɛːr
Mysterien mysˈteːrịən
mysteriös mysteˈrịøːs, -e
...øːzə
Mysterium mysˈteːrịʊm,
...ien ...ịən
Mystifax ˈmystifaks
Mystifikation mystifika-
ˈtsịoːn

mystifizieren mystifiˈtsiː-
rən
Mystik ˈmystɪk
Mystiker ˈmystikɐ
mystisch ˈmystɪʃ
Mystizismus mystiˈtsɪsmʊs
mystizistisch mystiˈtsɪstɪʃ
Myszków poln. ˈmiʃkuf
Mythe ˈmyːtə
Mythen (Berg) ˈmiːtn̩
mythisch ˈmyːtɪʃ
My Tho vietn. mi θɔ 51
Mythograph mytoˈgraːf
Mythologem mytoloˈgeːm
Mythologie mytoloˈgiː, -n
...iːən
mythologisch mytoˈloːgɪʃ
mythologisieren mytologi-
ˈziːrən
Mythomanie mytomaˈniː
Mythos ˈmyːtɔs
Mythus ˈmyːtʊs
Mytilene mytiˈleːnə
Mytilus ˈmyːtilʊs
Mytischtschi russ. miˈtiʃtʃi
Mývatn isl. ˈmiːvahtn
Myxobakterien myksobak-
ˈteːrịən
Myxödem myksøˈdeːm
myxödematös myksøde-
maˈtøːs, -e ...øːzə
Myxom myˈksoːm
myxomatös myksomaˈtøːs,
-e ...øːzə
Myxomatose myksoma-
ˈtoːzə
Myxomyzet myksomyˈtseːt
Myxosarkom myksozar-
ˈkoːm
Myzel myˈtseːl
Myzelium myˈtseːlịʊm,
...ien ...ịən
Myzeqe alban. myzeˈkje
Myzet myˈtseːt
Myzetismus mytseˈtɪsmʊs
Myzetologie mytsetoloˈgiː
Myzetom mytseˈtoːm
Mzab fr. mzab
Mzcheta russ. ˈmtsxjɛtɐ
Mzensk russ. mtsɛnsk
Mzuzu engl. əmˈzuːzuː

N

n, N dt., fr., engl. ɛn, it.
ˈɛnne, span. ˈene
v, N ny:
¹na! (na ja!) na
²na! (= nein) na:
Naab[eck] ˈnaːp[l̩ɛk]
Naaldwijk niederl. ˈnaːlt-
wɛik
Naantali finn. ˈnɑːntɑli
Naarden niederl. ˈnaːrdə
Naas engl. neɪs
Naassener naaˈseːnɐ
Nabatäer nabaˈtɛːɐ
Nabburg ˈnaːpbʊrk
Nabe ˈnaːbə
Nabel ˈnaːbl̩
Nabereschnyje Tschelny
russ. ˈnabɪrɪʒnɪjɪ tʃɪlˈnɪ
Nabeul fr. naˈbœl
Nabi naˈbiː
Nabl ˈnaːbl̩
Nabla... ˈnaːbla...
Nablus ˈnaːblʊs
Nabob ˈnaːbɔp
Nabokov engl. nəˈbɔ[ː]kɔf,
ˈnæbəkɔf
Nabonid naboˈniːt
Nabopolassar nabopoˈlasar
Nabucco it. naˈbukko
Nabuchodonosor nabʊxo-
ˈdoːnozoːɐ̯
Nacala port. nɐˈkalɐ
Nacaome span. nakaˈome
nach naːx
Nachäfferei naːxˌlɛfəˈraị
nachahmen ˈnaːxˌlaːmən
Nachbar ˈnaxbaːɐ̯
nachbörslich ˈnaːxbœrslɪç
nachdem naːxˈdeːm
nachdenklich ˈnaːxdɛŋklɪç
nachdrücklich ˈnaːxdrʏklɪç
nacheinander naːx-
lai̯ˈnandɐ
Nachen ˈnaxn̩
Nachfahr ˈnaːxfaːɐ̯
Nachfahre ˈnaːxfaːrə
nachgerade ˈnaːxgəˈraːdə
nachgiebig ˈnaːxgiːbɪç, -e
...ɪgə

nạchhaltig 'na:xhaltıç
Nachhaụseweg na:x'haụ-
zǝve:k
nachher na:x'he:ɐ̯, auch: '--
nạchhẹrig na:x'he:rıç, -e
...ıgǝ
nạchindustriell 'na:x-
|ındustriɛl
Nachitschewạn russ. nɛxi-
tʃi'vanj
Nạchkomme 'na:xkɔmǝ
Nạchkömmling 'na:xkœm-
lıŋ
Nạchlass 'na:xlas, ...lässe
...lɛsǝ
nạchlässig 'na:xlɛsıç
nạchmalig 'na:xma:lıç, -e
...ıgǝ
nạchmals 'na:xma:ls
Nachmạnides nax'ma:nidɛs
Nạchmittag 'na:xmıta:k
nạchmittägig 'na:xmıtɛ:gıç
Nạchnahme 'na:xna:mǝ
Nạchod 'na:xɔt
Náchod tschech. 'na:xɔt
Nachọdka russ. na'xɔtkɐ
Nạchricht 'na:xrıçt
Nachschabị pers. næxʃæ'bi:
nächst nɛ:çst
nächstbẹsser 'nɛ:çst'bɛsɐ
nächstbẹste 'nɛ:çst'bɛstǝ
nächstdẹm nɛ:çst'de:m
Nächstebreck 'nɛ:çstǝbrɛk
nächstens 'nɛ:çstn̩s
nächstfolgend 'nɛ:çstfɔlgn̩t
nächsthöher 'nɛ:çst'høː ɐ̯
nächstjährig 'nɛ:çstjɛ:rıç
nächstmöglich 'nɛ:çst-
'møːklıç
Nạcht naxt, Nächte 'nɛçtǝ
Nạchtegall dän. 'nagdǝgɛ:'l
Nạchteil 'na:xtail
nạchteilig 'na:xtailıç
nächtelang 'nɛçtǝlaŋ
nạchten 'naxtn̩
nächtens 'nɛçtn̩s
nächtig 'nɛçtıç, -e ...ıgǝ
Nạchtigal[l] 'naxtıgal
nächtigen 'nɛçtıgn̩, nächtig! ...ıç, nächtigt ...ıçt
nächtlich 'nɛçtlıç
nächtlicherweile 'nɛçtlıçɐ-
'vailǝ
nạchtmahlen 'naxtma:lǝn
Nạchtrag 'na:xtra:k, ...tra-
ges ...tra:gǝs, ...träge
...trɛ:gǝ
nạchträgerisch 'na:xtrɛ:gǝ-
rıʃ
nạchträglich 'na:xtrɛ:klıç

nạchts naxts
Nạchtsheim 'naxtshaim
nạchtsüber 'naxtsly:bɐ
Nạchweis 'na:xvais, -e
...vaizǝ
nạchweislich 'na:xvaislıç
Nạchzügler 'na:xtsy:klɐ
Nación span. na'θjǝn
Nạcka schwed. .naka
Nạckedei 'nakǝdai
Nackedọnien nakǝ'do:njǝn
Nạcken 'nakn̩
nạckend 'naknt, -e ...ndǝ
nạckert 'nakɐt
nạckicht 'nakıçt
nạckig 'nakıç, -e ...ıgǝ
nạckt nakt
Nacogdoches engl. nækǝ-
'doutʃız
Nadạr fr. na'da:r
Nạdel 'na:dl̩
Nädelchen 'nɛ:dl̩çǝn
nạdelig 'na:dǝlıç, -e ...ıgǝ
nạdeln 'na:dl̩n, nạdle
'na:dlǝ
Naden engl. neıdn
Nadẹne, Na-Dẹne na'de:nǝ
Nạderer 'na:dǝrɐ
Nadẹschda russ. na'djɛʃdɐ
Nadịne na'di:nǝ, fr. na'din,
engl. neı'di:n
Nadir na'di:ɐ̯, 'na:dır, pers.
na'der
Nạdja russ. 'nadjɐ
Nạdlạc rumän. nǝ'dlak
Nạdler 'na:dlɐ
nạdlig 'na:dlıç, -e ...ıgǝ
Nạdolny na'dɔlni
Nạdor fr. na'dɔ:r
Nạdorp 'na:dɔrp
Nadowẹssier nado'vɛsiɐ̯
nadowẹssisch nado'vɛsıʃ
Nạdschaf 'nadʒaf
Nạdschafabạd pers. næ-
dʒæfa'ba:d
Nạdschibụllah nadʒi'bula
Nạdschrạn na'dʒra:n
Nạdson russ. 'natsɐn
Naeff niederl. na:f
Naegele 'nɛ:gǝlǝ, engl. 'neı-
gǝlǝ
Naegelẹn fr. nɛ'ʒlɛn
Naegeli 'nɛ:gǝli
Naemi 'na:emi, na'e:mi
Naevius 'nɛ:vjus
Naevus 'nɛ:vus, Naevi
'nɛ:vi
Näf nɛ:f
Näfels 'nɛ[:]fl̩s
Nạfpaktos neugr. 'nafpaktɔs

Nạfplion neugr. 'nafpliɔn
NAFTA 'nafta, engl. 'næftǝ
Nạga 'na:ga, engl. 'nɑ:gǝ,
span. 'naɣa
Nạgai jap. 'na.gai
Nagaịka na'gaika
Nagạna na'ga:na
Nạgano jap. 'na.gano
Nagạoka jap. na'ga.oka
Nagapattinam engl. nægǝ-
'pætınǝm
Nagạrdschuna na'gar-
dʒuna
Nagasạki naga'za:ki, jap.
na'ga.saki
Nagaschige jap. na'gaʃigǝ
Nạgel 'na:gl̩, Nägel 'nɛ:gl̩
Nägelein 'nɛ:gǝlain
Nägeli 'nɛ:gǝli
nạgeln 'na:gl̩n, nạgle
'na:glǝ
nạgelneu 'na:gl̩'nɔy
nạgen 'na:gn̩, nạg! na:k,
nạgt na:kt
Nạgercoil engl. 'nɑ:gǝkɔıl
Nạg Hammạdi 'nak
ha'ma:di
Nagịb na'gi:p
Nagịbin russ. na'gibin
Näglein 'nɛ:glain
Nạgler[n] 'na:glɐ[n]
Nạgoja jap. 'na.goja
Nạgold 'na:gɔlt
Nagọrny Karabạch russ.
na'gɔrnij kɐra'bax
Nagpur engl. næg'puǝ
Nagsh e Rostam pers.
'næɣʃerɔs'tæm
Nagualismus nagua'lısmus
Nagy ung. nɔdj
Nạgyfaludy ung. 'nɔtjfɔludi
Nạgykanizsa ung. 'nɔtjkɔ-
niʒɔ
Nagykőrös ung. 'nɔtjkøːrøʃ
Nạgykunság ung. 'nɔtjkun-
ʃa:g
Nạgylengyel ung.
'nɔdjlɛndjɛl
Nạgymáros ung. 'nɔdjma:-
roʃ
nạh na:, näher 'nɛ:ɐ̯
Nạha jap. 'na.ha
Nahariyya hebr. naha'rija
Naharro span. na'arrɔ
Nahawand pers. næha-
'vænd
nạhe, N... 'na:ǝ
Nähe 'nɛ:ǝ
nạhebei 'na:ǝ'bai

nahehin ˈnaːəˈhɪn
nahen ˈnaːən
nähen ˈnɛːən
näher vgl. nah
Näherei nɛːəˈrai̯
nähern ˈnɛːɐn
nahezu ˈnaːəˈt̮su:
Nahhas naˈhaːs
Nahie naˈhi̯eː
Nahije ˈnaːhije
Nahl naːl
nahm, N... naːm
nähme ˈnɛːmə
Nahost naːˈlɔst
nähren ˈnɛːrən
Naht naːt, **Nähte** ˈnɛːtə
Nähterin ˈnɛːtərɪn
Nahua span. ˈnau̯a
Nahuatl span. naˈu̯atl
Nahuel Huapí span. naˈu̯el u̯aˈpi
Nahum ˈnaːhʊm, engl. ˈneɪhəm
Nahur ˈnaːhʊr
Naidjonow russ. najˈdʒɔnɛf
Naidu engl. ˈnaɪduː
Naila ˈnai̯la
Naim ˈnaːɪm
Nain (Galiläa) ˈnaːɪn
Naipaul engl. ˈnaɪpɔːl
Nair naˈiːɐ̯
Nairis pers. nɑiˈriːz
Nairn[e] engl. nɛən
Nairobi nai̯ˈroːbi, engl. naɪəˈroʊbi
Naischabur pers. nei̯ʃɑˈbuːr
Naismith engl. ˈneɪsmɪθ
naiv naˈiːf, -e ...ˈiːvə
Naivasha engl. naɪˈvɑːʃə
Naive naˈiːvə
Naivität naiviˈtɛːt
Naivling naˈiːflɪŋ
na ja! naˈja
Naja ˈnaːja
Najade engl. ˈjaːdə
Nájera span. ˈnaxera
Najin korean. nadʒin
Nakada naˈkaːda
Nakasone jap. naˈkasone
Nakel ˈnaːkl̩
Nakhon Pathom Thai na-ˈkhɔːnpaˈthom 1115
Nakhon Phanom Thai na-ˈkhɔːnphaˈnom 1113
Nakhon Ratchasima Thai naˈkhɔːnˈraːdtʃhasiˈmaː 113151
Nakhon Sawan Thai na-ˈkhɔːnsaˈu̯an 1115
Nakhon Si Thammarat

Thai naˈkhɔːnˈsiːthamma-ˈraːd 115113
Näkkämte amh. nɛkkˈɛmte
Nakkasch naˈkaːʃ
Nakło poln. ˈnaku̯ɔ
Nakrit naˈkriːt
Nakskov dän. ˈnagsgɔu̯ˀ
Naktong korean. nakttoŋ
Nakuru engl. nɑːˈkuːruː
Nala ˈnaːla
Nalanane nalaˈnaːnə
Naliwka naˈlɪfka
Nalješković serbokr. ˌnaljɛʃ-kɔvitɕ
Nałkowska poln. nau̯-ˈkɔfska
Naltschik russ. ˈnaljtʃik
Nama[land] ˈnaːma[lant]
Namangan russ. nɛmanˈgan
Namas naˈmaːs
Namatianus namaˈt̮si̯aːnʊs
Namaz naˈmaːs
Nam Bô vietn. nam bo 16
Namdal norw. ˌnamdaːl
Nam Đinh vietn. nam diɲ 16
Name ˈnaːmə
Namedropping ˈneːmdrɔ-pɪŋ
¹Namen ˈnaːmən
²Namen (Ort) niederl. ˈnaːmə
Namen-Jesu-Fest naːmən-ˈjeːzufɛst
namens ˈnaːməns
namentlich ˈnaːməntlɪç
Namib ˈnaːmɪp
Namibia naˈmiːbi̯a, engl. nəˈmɪbi̯a
Namibier naˈmiːbi̯ɐ
namibisch naˈmiːbɪʃ
...namig ...naːmɪç, -e ...ɪgə
Namık türk. nɑˈmɪk
nämlich ˈnɛːmlɪç
Namora port. nɛˈmɔrɐ
Nampa engl. ˈnæmpə
Namp'o korean. ˈnampho
Nampula port. nɛmˈpulɐ
Namsen norw. ˈnamsən
Namsfjord norw. ˌnamsfjuːr
Namsos norw. ˌnamsuːs
Namur naˈmyːɐ, fr. naˈmyːr
Namurium naˈmuːri̯ʊm
Nana fr. naˈna
na, na! naˈna
Nanaimo engl. næˈnaimoʊ
Nanchang chin. nantʃaŋ 21
Nanchong chin. nantʃʊŋ 21
¹Nancy (Ort) ˈnãːsi, fr. nãˈsi
²Nancy (Vorname) ˈnɛnsi, engl. ˈnænsɪ

Nander ˈnandɐ
Nandi ˈnandi, engl. ˈnændɪ
Nando ˈnando
Nandu ˈnandu
Nanga Parbat ˈnaŋga ˈpar-bat
Nänie ˈnɛːni̯ə
Nanini it. naˈniːni
Nanino it. naˈniːno
Nanismus naˈnɪsmʊs
Nanjac fr. nãˈʒak
Nanjing chin. nandʒɪŋ 21
Nanking ˈnaŋkɪŋ
Nanna ˈnana
Nanne[n] ˈnanə[n]
Nannerl ˈnanɐl
Nannette naˈnɛtə
Nanni ˈnani, it. ˈnanni
Nannie engl. ˈnænɪ
Nanning chin. nannɪŋ 22
Nanno ˈnano
Nannoplankton nano-ˈplaŋktɔn
nannte ˈnantə
Nanny ˈnani
Nanofarad nanofaˈraːt
Nanometer nanoˈmeːtɐ
Nanon fr. naˈnõ
Nanosomie nanozoˈmiː
Nansen ˈnanzn̩, dän. ˈnænˀsn̩, norw. ˈnansən
Nanshan chin. nanʃan 21
Nanterre fr. nãˈtɛːr
Nantes fr. nãːt
Nanteuil fr. nãˈtœj
Nantiat fr. nãˈtja
Nanticoke engl. ˈnæntɪkoʊk
Nantong chin. nantʊŋ 21
Nantua fr. nãˈtu̯a
Nantucket engl. nænˈtʌkɪt
nanu! naˈnu:
Nanzig ˈnantsɪç
Naoetsu jap. naˈoetsu̯
Naogeorg naoˈgeːɔrk
Naogeorgus naogeˈɔrgʊs
Naomi ˈnaːomi, naˈoːmi, engl. ˈneɪəmɪ
Naos naˈɔs
Naoumoff fr. nauˈmɔf
Napa engl. ˈnæpə
Napalm® ˈnaːpalm
Napata ˈnaːpata
Naperville engl. ˈneɪpəvɪl
Napf napf, **Näpfe** ˈnɛpfə
Näpfchen ˈnɛpfçən
Naphtene nafˈteːnə
Naphtha[li] ˈnafta[li]
Naphthalin naftaˈliːn
Naphthole nafˈtoːlə
Naphthyl nafˈtyːl

Napier engl. 'neɪpɪə
Napo span. 'napo
Napoca na'po:ka, rumän.
na'poka
Napoleon na'po:leɔn
Napoléon fr. napɔle'õ
Napoleondor napoleɔn-
'do:ɐ̯
Napoleonide napoleo'ni:də
napoleonisch napole'o:nɪʃ
Napoli it. 'na:poli
Napolitain napoli'tɛ̃
Napolitaine napoli'tɛ:n
Napoule fr. na'pul
Nappa 'napa
nappieren na'pi:rən
Nápravník tschech.
'na:pravnji:k
Nara jap. 'na,ra
Naranjo span. na'raŋxo
Naraschino jap. na'raʃino
Narathiwat Thai na'ra:-
thi'u̯a:d 1143
Narayan[ganj] engl. nə'ra:-
jən[gændʒ]
Narbada engl. nɑ:'bædə
Narbe 'narbə
narben 'narbn̩, **narb!** narp,
narbt narpt
Narben 'narbn̩
narbig 'narbɪç, -e ...ɪgə
Narbonne fr. nar'bɔn
Narbut ukr. 'narbut
Narcein nartse'i:n
Narciso it. nar'tʃi:zo, span.
nar'θiso
Narcisse fr. nar'sis
Narcissino nartʃɪ'si:no
Narcissus nar'tsɪsʊs
Narcotin narko'ti:n
Narde 'nardə
Nardini it. nar'di:ni
Nardo it. 'nardo
Nardò it. nar'dɔ
Nardone span. nar'ðone
Narenta it. na'rɛnta
¹Nares vgl. Naris
²Nares (Name) 'na:rɛs, engl.
nɛəz
Nareschny russ. na'rjɛʒnij
Narew poln. 'narɛf, russ.
'narɪf
Nargile[h] nargi'le:, auch:
nar'gi:le
Nariño span. na'riɲo
Naris na'rɪs, **Nares** 'na:re:s
Nariste na'rɪstə
Narjan-Mar russ. narj'jan-
'mar
Närke schwed. 'nærkə

Narkoanalyse narko-
|ana'ly:zə
Narkolepsie narkolɛ'psi:, -n
...i:ən
Narkologie narkolo'gi:
Narkomane narko'ma:nə
Narkomanie narkoma'ni:
Narkose nar'ko:zə
Narkotikum nar'ko:tikʊm,
...ka ...ka
Narkotin narko'ti:n
narkotisch nar'ko:tɪʃ
Narkotiseur narkoti'zø:ɐ̯
narkotisieren narkoti'zi:rən
Narkotismus narko'tɪsmʊs
Narmada engl. nɑ:'mædə
Narmer 'narmɐ
Narni it. 'narni
Narodnaja [Wolja] russ.
na'rɔdnɐjɐ ['vɔljɐ]
Narodniki russ. na'rɔdniki
Naro-Fominsk russ. 'narɐ-
fa'minsk
Nærøy norw. ,næ:røɛ̯
Narr[aboth] 'nar[abɔt]
Narraganset[t] engl. nærə-
'gænsɪt
Narration nara'tsi̯o:n
narrativ nara'ti:f, -e ...i:və
Narrativik nara'ti:vɪk
Narrator na'ra:to:ɐ̯, -en
nara'to:rən
narratorisch nara'to:rɪʃ
Närrchen 'nɛrçən
narren 'narən
Narretei narə'tai̯
Närrin 'nɛrɪn
närrisch 'nɛrɪʃ
Narses 'narzɛs
Narthex 'nartɛks, **Narthi-**
zes 'nartitsə:s
Narugo jap. na'rugo
Naruszewicz poln. naru'ʃɛ-
vitʃ
Narva estn. 'narvɑ
Narváez span. nar'βaeθ
Narvik norw. ,narvi:k
Narwa russ. 'narvɐ
Narwal 'narva:l
Naryn russ. na'rin
Narziss[e] nar'tsɪs[ə]
Narzissmus nar'tsɪsmʊs
Narzisst nar'tsɪst
Näs schwed. nɛ:s
NASA 'na:za, engl. 'næsə
nasal, N... na'za:l
nasalieren naza'li:rən
Nasar russ. na'zar
Nasarbajew russ. nɐzar'ba-
jɪf

Nasarowo russ. na'zarɐvɐ
Nasat na'za:t
Näsåud rumän. nəsə'ud
Nascentes bras. na'sentis
naschen 'naʃn̩
Näschen 'nɛ:sçən
Näscher 'nɛʃɐ
Näscherei naʃə'rai̯
Näscherei nɛʃə'rai̯
Nascimento port. nɐʃsi-
'mentu
Nase[band] 'na:zə[bant]
Naseby engl. 'neɪzbɪ
naselang 'na:zelaŋ
näseln 'nɛ:zln̩, **näsle** 'nɛ:zlə
nasenlang 'na:zn̩laŋ
Naser e Chosrau pers.
na'serexos'roṷ
naseweis, N... 'na:zəvai̯s, -e
...ai̯zə
nasführen 'na:sfy:rən
Nash[e] engl. næʃ
Nashua engl. 'næʃu̯ə
Nashville engl. 'næʃvɪl
...nasig ...na:zɪç, -e ...ɪgə
...näsig ...nɛ:zɪç, -e ...ɪgə
Nasigoreng nazigo'rɛŋ
Näsijärvi finn. 'næsijærvi
Nasik engl. 'nɑ:sɪk
Nasiräer nazi'rɛ:ɐ
naslang 'na:slaŋ
Näsling 'nɛ:slɪŋ
Nasmyth engl. 'neɪsmɪθ
Naso dt., it. 'na:zo
Nasobem nazo'be:m
Nasreddin nasrɛ'di:n, pers.
næsred'di:n, türk. nasrɛd-
'din
Nasride nas'ri:də
nass nas, **nässer** 'nɛsɐ
Nass nas, **Nasses** 'nasəs
Nassau 'nasaṷ, engl. 'næsɔ:
niederl. 'nasɔṷ
Nassauer 'nasaṷɐ
nassauern 'nasaṷɐn
nassauisch 'nasaṷɪʃ
Nässe 'nɛsə
nässeln 'nɛsln̩
nässen 'nɛsn̩
Nasser 'nasɐ
nässer vgl. nass
Nässjö schwed. ,nɛʃø:
nässlich 'nɛslɪç
Nassride nas'ri:də
Nassyri russ. nɐsi'ri
Nast nast, engl. næst
Nastie nas'ti:
Nastja russ. 'nastjɐ
Nasturtium nas'tʊrtsi̯ʊm
Næstved dän. 'nesdvɪð

Nasutịon *indon.* nasu'tiɔn
naszierend nas'tsi:rɔnt, **-e**
...ndə
Nasziturus nastsi'tu:rʊs,
...ri ...ri
Nat *engl.* næt, *fr.* nat
Natal 'na:tal, *engl.* nə'tæl,
bras. na'tal
Natales *span.* na'tales
Natalia na'ta:lịa
Natalịcium nata'li:tsịʊm,
...ien ...ịən
Natalie na'ta:lịə
Natalija *russ.* na'talijɐ
Natalis na'ta:lɪs
Natalität natali'tɛ:t
Natalja *russ.* na'taljɐ
Natan 'na:tan
Natanael na'ta:nae:l, *auch:*
...aɛl
Natangen 'na:taŋən
Natascha *russ.* na'taʃɐ
Natchez *engl.* 'nætʃɪz
Natchitoches *engl.* 'nækɪtɔʃ
Nates *vgl.* Natis
Nathan 'na:tan, *engl.* 'neɪ-
θən
Nathanael na'ta:nae:l,
auch: ...aɛl, *engl.* nə'θænjəl
Nathaniel *engl.* nə'θænjəl
Nathans *engl.* 'neɪθənz
Nathansen *dän.* 'nɛ:tænˀsn̩
Nathorst *schwed.* 'nɑ:thɔrst
Nathusius na'tu:zịʊs
Natick *engl.* 'neɪtɪk
Nation na'tsịo:n
national natsịo'na:l
Nationale natsịo'na:lə
National Gallery *engl.*
'næʃənəl 'gælərɪ
nationalisieren natsịonali-
'zi:rən
Nationalismus natsịona'lɪs-
mʊs
Nationalist natsịona'lɪst
Nationalität natsịonali'tɛ:t
nationalliberal natsịo'na:l-
libera:l
Nationalsozialismus
natsịo'na:lzotsịalɪsmʊs
Nationaltidende *dän.* næs-
jʊ'nɛ:ˀlti:ðənə
Natis 'na:tɪs, **Nates** 'na:te:s
nativ na'ti:f, **-e** ...i:və
Native 'ne:tɪf
Nativespeaker 'ne:tɪf-
'spi:kɐ
Natividade *bras.* nativi'dadi
Nativismus nati'vɪsmʊs
Nativist nati'vɪst

Nativität nativi'tɛ:t
NATO, Nato 'na:to, *engl.*
'neɪtoʊ
Natoire *fr.* na'twa:r
Natonek 'natonɛk
Natorp 'na:tɔrp
Natrium 'na:trịʊm
Natrolịth natro'li:t
Natron 'na:trɔn
Natrun na'tru:n
Natschalnik na'tʃalnɪk
Natschinski na'tʃinski
Natsume *jap.* na'tsume
Natta *it.* 'natta
Natté na'te:
Natter 'natɐ
Nattier *fr.* na'tje
Natufian natu'fịa:n
Natuna *indon.* na'tuna
Natur na'tu:ɐ̯
natural natu'ra:l
Naturalien natu'ra:lịən
Naturalisation naturaliza-
'tsịo:n
naturalisieren naturali'zi:-
rən
Naturalismus natura'lɪsmʊs
Naturalist[ik] natura'lɪst[ɪk]
Natura naturans na'tu:ra
na'tu:rans
Nature 'ne:tʃɐ
naturell, N... natu'rɛl
Nature morte na'ty:ɐ̯ 'mɔrt
Naturismus natu'rɪsmʊs
Naturist natu'rɪst
natürlich na'ty:ɐ̯lɪç
Nauarch nau'arç
Naucelle *fr.* no'sɛl
Nauclerus nau'kle:rʊs
Naudé *fr.* no'de
Naue[n] 'nauə[n]
'nauf nauf
Naugatuck *engl.* 'nɔ:gətʌk
Nauheim 'nauhaim
Naukleros nau'kle:rɔs
Naukratis 'naukratɪs
Naum *russ.* na'um
Naumachie nauma'xi:, **-n**
...i:ən
Naumann 'nauman
Naumburg 'naumbʊrk
Naumow *russ.* na'umɐf,
bulgar. nɛ'umɔf
Naundorf[f] 'naundɔrf
Naunet na'u:nɛt
Naunhof 'naunho:f
Naunyn 'nauni:n
Naupaktos nau'paktɔs
Nauplion 'nauplịɔn

Nauplius 'nauplịʊs, ...ien
...ịən
Naura na'u:ra
Nauru na'u:ru, *engl.*
nɑ:'u:ru:
Nauruer na'u:rʊɐ
nauruisch na'u:rʊɪʃ
'naus!, Naus naus
Nau Schahr *pers.* 'noʊ 'ʃæhr
¹Nausea nau'ze:a, *auch:*
'nauzea
²Nausea (Name) nau'ze:a
Nausikaa nau'zi:kaa
Naute 'nautə
Nautik 'nautɪk
Nautiker 'nautikɐ
Nautiloideen nautiloi'de:ən
Nautilus 'nautilʊs, **-se** ...ʊsə
nautisch 'nautɪʃ
Navagero *it.* na'va:dʒero
Navaho 'na:vaho, 'nɛvəho,
engl. 'nævəhoʊ
Navajo *engl.* 'nævəhoʊ
Navan *engl.* 'nævən
Navarino *it.* nava'ri:no,
span. naβa'rino
Navarra na'vara, *span.*
na'βarra
Navarre *fr.* na'va:r
Navarrese nava're:zə
Navarro *span.* na'βarrɔ,
engl. nə'væroʊ
Navel 'na:vl̩, *auch:* 'ne:vl̩
Navez *fr.* na've
Navicert 'nɛvisɐ:ɐ̯t, ...sœrt
Navicula na'vi:kula ...lae
...lɛ
Navigateur naviga'tø:ɐ̯
Navigation naviga'tsịo:n
Navigator navi'ga:to:ɐ̯, **-en**
...ga'to:rən
navigatorisch naviga'to:rɪʃ
navigieren navi'gi:rən
Nävius 'nɛ:vịʊs
Năvodari *rumän.* nəvo'darj
Navojoa *span.* naβo'xoa
Navrátil[ová] *tschech.* 'na-
vra:tjil[ova:]
Navratilova navrati'lo:va,
engl. nævræti'loʊvə
Nävus 'nɛ:vʊs, **Nävi** 'nɛ:vi
Nawaschin *russ.* na'vaʃin
Nawoi *russ.* nɐva'i
Naxalit naksa'li:t
naxisch 'naksɪʃ
Naxos *dt., neugr.* 'naksɔs
Nay nai
Nayarịt *span.* naja'rit
Nazaräer natsa'rɛ:ɐ

Nazaré *port.* nɐzɐˈrɛ
Nazarener natsaˈreːnɐ
nazarenisch natsaˈreːnɪʃ
Nazaret[h] ˈnaːtsarɛt
Nazca *span.* ˈnaθka
Nazi ˈnaːtsi
Nazili *türk.* ˈnaːzili
Nâzim *türk.* naːˈzim
Nazismus naˈtsɪsmʊs
Nazisse naˈtsɪsə
nazistisch naˈtsɪstɪʃ
Nazor *serbokr.* ˈnaːzɔr
Nazoräer natsoˈrɛːɐ
N. B. C. *engl.* ɛnbiːˈsiː
Ndao *fr.* ndaˈo
Ndebele ndeˈbeːlə
n-dimensional ˈɛndimɛn-
zjonaːl
N'Djamena *fr.* ndʒameˈna
Ndjolé *fr.* ndʒoˈle
Ndola *engl.* ənˈdoʊlə
'ne nə
ne! neː
Neagh, Lough *engl.* ˈlɔk ˈneɪ
Neander neˈandɐ
Neandertal[er] neˈandɐ-
taːl[ɐ]
Neanthropinen neantroˈpiː-
nən
Neapel neˈaːpl̩
Neap[e]ler neˈaːp[ə]lɐ
Neapolitaner neapoliˈtaːnɐ
neapolitanisch neapoliˈtaː-
nɪʃ
Nearchos neˈarçɔs
Nearktis neˈarktis
nearktisch neˈarktɪʃ
Nearthrose nearˈtroːzə
Neath *engl.* niːθ
nebbich, N... ˈnɛbɪç
Nebel[horn] ˈneːbl̩[hɔrn]
nebelig ˈneːbəlɪç, -e ...ɪgə
nebeln ˈneːbl̩n, neble
ˈneːblə
neben ˈneːbn̩
nebenan neːbn̩ˈlan
nebenbei neːbn̩ˈbaɪ
nebeneinander neːbn̩-
lai̯ˈnandɐ
Nebeneinander neːbn̩-
lai̯ˈnandɐ, *auch:* ˈ-----
nebeneinanderher neːbn̩-
lai̯nandɐˈheːɐ
nebenher neːbn̩ˈheːɐ
nebenhin neːbn̩ˈhɪn
Nebiim nebiˈiːm
Nebit-Dag *russ.* nɪˈbidˈdak
neblig ˈneːblɪç, -e ...ɪgə
Neblung ˈneːblʊŋ
Nebo ˈneːbo

Nebra ˈneːbra
Nebraska neˈbraska, *engl.*
nɪˈbræskə
Nebrija *span.* neˈβrixa
Nebrodi *it.* ˈnɛːbrodi
nebrodisch neˈbroːdɪʃ
nebst neːpst
nebstbei neːpstˈbaɪ
nebstdem neːpstˈdeːm
Nebukadnezar nebukat-
ˈneːtsar
Nebukadnezzar nebukat-
ˈnɛtsar
Nebular... nebuˈlaːɐ...
nebulos nebuˈloːs, -e ...oːzə
nebulös nebuˈløːs, -e ...øːzə
Necessaire neseˈsɛːɐ
Nechako *engl.* nɪˈtʃækoʊ
Nechbet ˈnɛçbɛt
Necho ˈneço, ˈneːço
n-Eck ˈɛn|ɛk
Neck[ar] ˈnɛk[ar]
Neckar-Alb ˈnɛkarˈ|alp
Neckarbischofsheim
nɛkarˈbɪʃɔfshaim
Neckargemünd nɛkargə-
ˈmʏnt
Neckarsteinach nɛkarˈʃtai̯-
nax
Neckarsulm nɛkarˈzʊlm
Neckarwestheim nɛkar-
ˈvɛsthaim
Neckel ˈnɛkl̩
necken, N... ˈnɛkn̩
Necker ˈnɛkɐ, *fr.* nɛˈkɛːr
Neckerei nɛkəˈrai̯
Necking ˈnɛkɪŋ
Necochea *span.* nekoˈtʃea
Nectria ˈnɛktria
Neculce *rumän.* neˈkultʃe
Ned *engl.* nɛd
Nedbal *tschech.* ˈnɛdbal
Nedda *it.* ˈnɛdda
Nedden ˈnɛdn̩
Nederland *niederl.* ˈneːdər-
lant, *engl.* ˈniːdələnd
Nederlanden *niederl.*
ˈneːdərləndə
Nedîm *türk.* neˈdim
Nedlands *engl.* ˈnɛdləndz
Nedreaas *norw.* ˌneːdrəoːs
Nedschd nɛtʃt
nee! neː
Need (Bedürfnis) niːt
Needham *engl.* ˈniːdəm
Needle[s] *engl.* niːdl[z]
Neef[e] ˈneːf[ə]
Néel *fr.* neˈɛl
Ñeembucú *span.* ɲeɛm-
buˈku

Neenah *engl.* ˈniːnə
Neer neːɐ̯, *niederl.* neːr
Neera *it.* neˈɛːra
Neese ˈneːzə
Nef neːf
Nefas ˈneːfa[ː]s
Neferefre nefereˈfre
Neferhotep nefɛrˈhoːtɛp
Neferirkare neferɪrkaˈre
Neferkare nefɛrkaˈre
Nefersahor nefɛrzaˈhoːɐ̯
Nefertem nefɛrˈteːm
Neff *dt., engl., tschech.* nɛf
Neffe ˈnɛfə
Nef'î *türk.* nɛfˈi
Neftegorsk *russ.* nɪftɪˈgɔrsk
Neftejugansk *russ.* nɪftɪju-
ˈgansk
Neftekamsk *russ.* nɪftɪ-
ˈkamsk
Neftjanyje Kamni *russ.* nɪf-
tɪˈniji ˈkamni
Negade neˈgaːdə
Negation negaˈtsjoːn
negativ, N... ˈneːgatiːf,
auch: negaˈtiːf, -e ...iːvə
Negativismus negatiˈvɪs-
mʊs
negativistisch negatiˈvɪstɪʃ
Negativität negativiˈtɛːt
Negativum ˈneːgatiːvʊm,
...va ...va
Negator neˈgaːtoːɐ̯, -en
negaˈtoːrən
Negeb ˈneːgɛp, ˈneɡɛp
Negentropie negɛntroˈpiː,
-n ...iːən
neger, N... ˈneːgɐ
Negeri Sembilan *indon.*
nəgəˈri səmˈbilan
Negev ˈneːgɛf, ˈnɛgɛf
negieren neˈgiːrən
Neglektion neglɛkˈtsjoːn
negligeant negliˈʒant
Negligee, ...gé negliˈʒeː
Negligence negliˈʒãːs, -en
...sn̩
negligente negliˈdʒɛntə
Negligenz negliˈɡɛnts,
...iˈʒɛnts
negligieren negliˈʒiːrən
Negotin *serbokr.* ˈnɛgɔtiːn
Negowski *russ.* nɪˈgɔfskij
negoziabel negoˈtsjaːbl̩,
...ble ...blə
Negoziant negoˈtsjant
Negoziation negotsja-
ˈtsjoːn
negoziieren negotsiˈiːrən

Negrelli ne'grɛli, *it.* ...ɛlli
Negri *it.* 'ne:gri
negrid ne'gri:t, **-e** ...i:də
Negride ne'gri:də
Négrier *fr.* negri'e
Negrille ne'grɪlə
Negrito ne'gri:to
Negritude negri'ty:t
Negro *span.* 'neɣro, *bras.*
'negru
negroid negro'i:t, **-e** ...i:də
Negroide negro'i:də
Negros 'ne:grɔs, *span.*
'neɣros, *engl.* 'neɪgroʊs
Negrospiritual 'ni:grospɪri-
tʃuəl
Negruzzi *rumän.* ne'grutsi
Negulesco *engl.* nɛgə'lɛs-
koʊ
¹Negus (Kaiser) 'ne:gʊs,
-se ...ʊsə
²Negus *engl.* 'ni:gəs
Nehajev *serbokr.* 'nɛhajɛv
Nehalennia neha'lɛnia
Nehden 'ne:dn̩
Neheim 'ne:haɪm
Nehemia[s] nehe'mi:a[s]
Neher 'ne:ɐ
nehmen 'ne:mən
Nehrlich 'ne:ɐlɪç
Nehru 'ne:ru, *engl.* 'nɛəru:
Nehrung 'ne:rʊŋ
Neid naɪt, **-es** 'naɪdəs
neiden 'naɪdn̩, **naid!** naɪt
Neidhard, ...**rt** 'naɪthart
neidisch 'naɪdɪʃ
Neidnagel 'naɪtna:gl̩
Neige 'naɪgə
neigen 'naɪgn̩, **neig!** naɪk,
neigt naɪkt
Neijiang *chin.* neɪdʒiaŋ 41
Neil[e], Neill *engl.* ni:l
Neilson *engl.* ni:lsn
nein, N..., '**ein** naɪn
Neipperg 'naɪpɛrk
Neiße, Neisse 'naɪsə
Neisser 'naɪsɐ
Neiswestny *russ.* nɪiz'vjɛs-
nɪj
Neith naɪt
Neithard[t] 'naɪthart
Neithhotep naɪt'ho:tɛp
Neiva *span.* 'nɛiβa
Nejagawa *jap.* ne'jagawa
Nejedlý *tschech.* 'nɛjɛdli:
Nekrassow[skoje] *russ.*
nɪ'krasɐf[skɐjɐ]
Nekrobiose nekro'bio:zə
Nekrohormon nekrohɔr-
'mo:n

Nekrokaustie nekro-
kaʊs'ti:, **-n** ...i:ən
Nekrolog nekro'lo:k, **-e**
...o:gə
Nekrologie nekrolo'gi:
Nekrologium nekro'lo:-
giʊm, ...**ien** ...iən
Nekromanie nekroma'ni:,
-n ...i:ən
Nekromant nekro'mant
Nekromantie nekroman'ti:
Nekrophilie nekrofi'li:, **-n**
...i:ən
Nekrophobie nekrofo'bi:
Nekropie nekro'pi:, **-n**
...i:ən
Nekropole nekro'po:lə
Nekropolis ne'kro:polɪs,
...**len** ...ro'po:lən
Nekropsie nekrɔ'psi:, **-n**
...i:ən
Nekrose ne'kro:zə
Nekroskopie nekrosko'pi:,
-n ...i:ən
Nekrospermie nekro-
spɛr'mi:
nekrotisch ne'kro:tɪʃ
Nekrotomie nekroto'mi:, **-n**
...i:ən
Nektanebos nɛktane'bo:s
Nektar 'nɛktar
Nektarine nɛkta'ri:nə
Nektarinien nɛkta'ri:niən
nektarisch nɛk'ta:rɪʃ
Nektarium nɛk'ta:riʊm,
...**ien** ...iən
nektarn 'nɛktarn
nektieren nɛk'ti:rən
Nektion nɛk'tsio:n
Nektiv nɛk'ti:f, **-e** ...i:və
Nekton 'nɛktɔn
nektonisch nɛk'to:nɪʃ
Nekyia 'ne:kyja, ...**yien**
ne'ky:jən
Nekymantie nekyman'ti:
Nélaton *fr.* nela'tõ
Neleus 'ne:lɔys
Nélie *fr.* ne'li
Nelke 'nɛlkə
Nell *dt., engl.* nɛl
Nell-Breuning 'nɛl'brɔynɪŋ
Nelli 'nɛli, *it.* 'nɛlli
Nellie *engl.* 'nɛlɪ
Nelissen 'ne:lɪsn̩
Nellore *engl.* ne'lɔ:
Nelly 'nɛli, *engl.* 'nɛlɪ
¹Nelson (Nackenhebel) 'nɛl-
zɔn
²Nelson (Name) 'nɛlzɔn,
engl. nɛlsn, *bras.* 'nɛlsõ

Nelspruit *afr.* 'nɛlsprœÿt
Nelusco ne'lʊsko
Neman *russ.* 'njɛmɐn
Nemanja *serbokr.* ,nɛmanja
Nemanjide neman'ji:də
Nemathelminthen
nemathɛl'mɪntn̩
Nematode nema'to:də
Nematozid nemato'tsi:t, **-e**
...i:də
Nemčić *serbokr.* 'nɛ:mtʃitɕ
Němcová *tschech.* 'njɛm-
tsɔva:
Nemea ne'me:a, *neugr.*
nɛ'mɛa
Němec *tschech.* 'njɛmɛts
Nemectrodyn nemɛktro-
'dy:n
nemeisch ne'me:ɪʃ
Nemerov *engl.* 'nɛmərɔf
Nemésio *port.* nə'mɛziu
Nemesis ne:mezɪs, 'nɛm...
Nemesius ne'me:ziʊs
Nemeter 'ne:metɐ
Németh *ung.* 'ne:mɛt
Nemi *it.* 'nɛ:mi
Nemirovsky *fr.* nemirɔf'ski
Nemirow *bulgar.* ne'mirof
Nemirowitsch *russ.* nɪmi-
'rɔvɪtʃ
Nemophila ne'mo:fila
Nemorino *it.* nemo'ri:no
Nemours *fr.* nə'mu:r
Nemrod 'nɛmrɔt
Nemunas *it.* ,næ:mʊnas
Nemuro *jap.* 'ne,muro
'nen nən
Nene (Fluss) *engl.* ni:n, nɛn
Nenitescu *russ.* neni'tesku
Nenndorf 'nɛndɔrf
nennen 'nɛnən
Nenni *it.* 'nɛnni
Nennius 'nɛniʊs
Nenze 'nɛntsə
Neodarwinismus neodar-
vi'nɪsmʊs, 'ne:o...
Néo-Destour *fr.* neɔdɛs'tu:r
Neodym neo'dy:m
Neodynator neody'na:to:ɐ,
-en ...dyna'to:rən
Neoeuropa neoɔy'ro:pa
Neofaschismus neofa'ʃɪs-
mʊs, 'ne:o...
Neofaschist neofa'ʃɪst,
'ne:o...
Neogäa neo'gɛ:a
Neogen neo'ge:n
Neograder 'ne:ogra:dɐ
Neoimpressionismus neo-
|ɪmprɛsio'nɪsmʊs, 'ne:o...

Neoklassizismus neoklasi-
'tsɪsmʊs, 'neːo...
Neokolonialismus neoko-
lonia'lɪsmʊs, 'neːo...
Neokom[ium] neo-
'koːm[jʊm]
Neolamarckismus neola-
mar'kɪsmʊs, 'neːo...
Neoliberalismus neolibera-
'lɪsmʊs, 'neːo...
Neolinguistik neolɪŋ'gʊɪs-
tɪk, 'neːo...
Neolithiker neo'liːtikɐ
Neolithikum neo'liːtikʊm
neolithisch neo'liːtɪʃ
Neologe neo'loːgə
Neologie neolo'giː, -n ...iːən
neologisch neo'loːgɪʃ
Neologismus neolo'gɪsmʊs
Neomalthusianismus neo-
maltuzia'nɪsmʊs, 'neːo...
Neomortalität neomɔrtali-
'tɛːt, 'neːo...
Neomycin neomy'tsiːn
Neomyst neo'mʏst
Neomyzin neomy'tsiːn
Neon 'neːɔn
Neonatologe neonato'loːgə
Neonatologie neonatolo'giː
Neonazi 'neːonaːtsi
Neonazismus neona'tsɪs-
mʊs, 'neːo...
Neonazist neona'tsɪst,
'neːo...
Neophyt[ikum] neo-
'fyːt[ikʊm]
Neoplasma neo'plasma
Neoplastizismus neoplasti-
'tsɪsmʊs
Neopositivismus neopozi-
ti'vɪsmʊs, 'neːo...
Neopren neo'preːn
Neoptolemos neɔp'toːle-
mɔs
Neorealismus neorea'lɪs-
mʊs, 'neːo...
Neosho engl. nɪ'oʊʃoʊ
Neostomie neosto'miː, -n
...iːən
Neotenie neote'niː
Neoteriker neo'teːrikɐ
neoterisch neo'teːrɪʃ
Neoterpe neo'tɛrpə
Neotropis neo'troːpɪs
Neottia ne'ɔtia
Neoverismus neove'rɪsmʊs,
'neːo...
Neovitalismus neovita'lɪs-
mʊs, 'neːo...
Neozoikum neo'tsoːikʊm

neozoisch neo'tsoːiʃ
Nep russ. nɛp
Nepal 'neːpal, auch: ne'paːl
Nepaler ne'paːlɐ
Nepalese nepa'leːzə
nepalesisch nepa'leːzɪʃ
Nepali ne'paːli
nepalisch ne'paːlɪʃ
Nepenthes ne'pɛntɛs
¹Neper (Einheit) 'neːpɐ
²Neper (Name) engl. 'neɪpə
Nephelin nefe'liːn
Nephelinit nefeli'niːt
Nephelium ne'feːljʊm, ...ien
...jən
Nephelometer nefelo'meːtɐ
Nephelometrie nefelome-
'triː
Nephelopsie nefelɔ'psiː
Nepherites nefe'riːtɛs
nephisch 'neːfɪʃ
Nephograph nefo'graːf
Nephometer nefo'meːtɐ
Nephoskop nefo'skoːp
Nephralgie nefral'giː, -n
...iːən
Nephrektomie nefrɛk-
to'miː, -n ...iːən
Nephridium ne'friːdjʊm,
...ien ...jən
Nephrit ne'friːt
Nephritis ne'friːtɪs, ...itiden
...ri'tiːdn̩
nephrogen nefro'geːn
Nephrolepis ne'froːlepɪs
Nephrolith nefro'liːt
Nephrolithiase nefroli-
'tiaːzə
Nephrolithiasis nefroli'tiːa-
zɪs, ...iasen ...'tiaːzn̩
Nephrolithotomie nefroli-
totoˈmiː, -n ...iːən
Nephrologe nefro'loːgə
Nephrologie nefrolo'giː
Nephrom ne'froːm
Nephropathie nefropa'tiː,
-n ...iːən
Nephrophthise nefro'ftiːzə
Nephrophthisis nefro'ftiː-
zɪs
Nephroptose nefrɔp'toːzə
Nephropyelitis nefropye'liː-
tɪs, ...itiden ...li'tiːdn̩
Nephrorrhagie nefrɔra'giː,
-n ...iːən
Nephrose ne'froːzə
Nephrosklerose nefroskle-
'roːzə
Nephrostomie nefro-
sto'miː, -n ...iːən

Nephrotomie nefroto'miː,
-n ...iːən
Nephthys 'nɛftʏs
Nepomuk 'neːpomʊk,
tschech. 'nɛpomuk
Nepos 'neːpɔs
Nepote ne'poːtə
nepotisieren nepoti'ziːrən
Nepotismus nepo'tɪsmʊs
nepotistisch nepo'tɪstɪʃ
Nepp nɛp
neppen 'nɛpn̩
Népszabadság ung. 'neːp-
sɔbɔttʃaːg
Népszava ung. 'neːpsɔvɔ
Neptun nɛp'tuːn
Neptunismus nɛptu'nɪsmʊs
Neptunist nɛptu'nɪst
Neptunium nɛp'tuːnjʊm
Nera it. 'nɛːra, 'neːra,
rumän. 'nera, russ. 'njɛrɐ
Neratovice tschech. 'nɛrato-
vitsɛ
Neratowitz 'nɛratovɪts
Nerchau 'nɛrçau
Nereide nere'iːdə
Nereis ne're:ɪs
Neresheim 'neːrəshaim
Neretva serbokr. ˌnɛrɛ[ː]tva
Nereus 'neːrɔʏs
Nerfling 'nɛrﬂɪŋ
Nergal 'nɛrgal
Neri it. 'nɛːri, 'neːri
Nering 'neːrɪŋ
Néris lit. neː'rɪs
Nerissa ne'rɪsa
Neritide neri'tiːdə
neritisch ne'riːtɪʃ
Nerly 'nɛrli
Nernst nɛrnst
Nero 'neːro
Neroccio it. ne'rɔttʃo
Neroliöl ne'roliǀøːl
neronisch, N... ne'roːnɪʃ
Ner tamid 'nɛr ta'miːt
Nerthus 'nɛrtʊs
Nertschinsk russ. 'njer-
tʃinsk
Neruda span. ne'ruða,
tschech. 'nɛruda
Nerv nɛrf, -en 'nɛrfn̩
Nerva 'nɛrva, span. 'nɛrβa
nerval nɛr'vaːl
Nerval fr. nɛr'val
Nervatur nɛrva'tuːɐ
nerven 'nɛrfn̩
¹Nervi vgl. Nervus
²Nervi it. 'nɛrvi
Nervier 'nɛrviɐ

nervig 'nɛrfɪç, *auch:* 'nɛrvɪç,
  -e ...ɪgə
Nervinum nɛr'vi:nʊm, ...**na**
  ...na
nervlich 'nɛrflɪç
Nervo *span.* 'nɛrβo
nervös nɛr'vø:s, **-e** ...ø:zə
Nervosität nɛrvozi'tɛ:t
Nervus 'nɛrvʊs, ...**vi** ...vi
Nervus abducens 'nɛrvʊs
  ap'du:tsɛns
Nervus Probandi 'nɛrvʊs
  pro'bandi
Nervus Rerum 'nɛrvʊs
  're:rʊm
Nerz nɛrts
Nesami *pers.* nezɑ'mi
Nesbit *engl.* 'nɛzbɪt
Nescafé® 'nɛskafe, ...fe:
Nesch nɛʃ
Neschi 'nɛski, *auch:* 'nɛsçi
Neschin *russ.* 'njɛʒin
Nescio *niederl.* 'nɛskio
Neskaupstaður *isl.* 'nɛ:s-
  kœʏpsta:ðʏr
Nesle *fr.* nɛl
Ness *engl.* nɛs
Nesse 'nɛsə
Nessebar *bulgar.* nɛ'sɛbər
Nessel 'nɛsl̩
Nesselrode nɛsl̩'ro:də,
  '----
Nesselwang 'nɛsl̩vaŋ
Nessessär nɛsɛ'sɛ:ɐ̯
Nessler, Neßler 'nɛslɐ
Nessos 'nɛsɔs
Nessus 'nɛsʊs
Nest nɛst
Neste *fr.* nɛst
Nestel 'nɛstl̩
nesteln 'nɛstl̩n
Nesterenko *russ.* nɪstɪ-
  'rjɛnkɐ
Nesterow *russ.* 'njɛstɪrɐf
Nestle 'nɛstlə
Nestlé 'nɛstlə, *auch:*
  nɛst'le:, *fr.* nɛs'tle
Nestling 'nɛstlɪŋ
Neston *engl.* 'nɛstən
¹Nestor 'nɛsto:ɐ̯, **-en**
  ...'to:rən
²Nestor (Name) 'nɛsto:ɐ̯,
  russ. 'njɛstɐr
Nestorianer nɛsto'rja:nɐ
Nestorianismus nɛstorja-
  'nɪsmʊs
Nestorius nɛ'sto:rjʊs
Nestroy 'nɛstrɔy
Nesvadba *tschech.* 'nɛs-
  vadba

Netanjahu *hebr.* nətan'jahu
Netanya *hebr.* nə'tanja
Net[h]e *niederl.* 'ne:tə
Néthou *fr.* ne'tu
Netjerikare nɛtjerika're:
Neto *bras.* 'netu
Netphen 'nɛtfn̩
Netschajew *russ.* nɪ'tʃajɪf
Netscher *niederl.* 'nɛtʃər
Netschui-Lewyzky *ukr.*
  nɛ'tʃujlɛ'vɪtsjkɪj
Netsuke 'nɛts[u]ke
nett nɛt
Nettchen 'nɛtçən
Nette 'nɛtə
Nettesheim 'nɛtəshaim
Nettetal 'nɛtəta:l
Netti 'nɛti
netto 'nɛto
netto à point 'nɛto a 'pɔɛ̃:
netto cassa 'nɛto 'kasa
Nettuno *it.* net'tu:no
Netty 'nɛti
Network 'nɛtvø:ɐ̯k, ...vœrk
Netz[e] 'nɛts[ə]
netzen 'nɛtsn̩
Netzschkau 'nɛtʃkau
neu nɔy
Neuapostoliker 'nɔy-
  laposto:likɐ
neuartig 'nɔy|a:ɐ̯tɪç
neubacken 'nɔybakn̩
Neubau[er] 'nɔybau[ɐ]
  '---
Neuber 'nɔybɐ
Neuberg 'nɔybɛrk
Neuberin 'nɔybərɪn
Neubiberg nɔy'bi:bɛrk
Neubrandenburg
  nɔy'brandn̩bʊrk
Neubraunschweig
  nɔy'braunʃvaik
Neubulach nɔy'bu:lax
Neuburg 'nɔybʊrk
Neuburger 'nɔybʊrgɐ
Neuchâtel *fr.* nøʃa'tɛl
Neudamm nɔy'dam
Neu-Delhi nɔy'de:li
Neudenau 'nɔydənau
neudeutsch 'nɔydɔytʃ
Neudörf[l]er 'nɔydœrfɐ
Neuenahr 'nɔyən|a:ɐ̯
Neuenburg 'nɔyənbʊrk
Neuenbürg 'nɔyənbʏrk
Neuenburger 'nɔyənbʊrgɐ
Neuendettelsau
  nɔyən'dɛtls|au, ----'-
Neuengland nɔy'|ɛŋlant
Neuenhaus 'nɔyənhaus

Neuenheerse nɔyən'he:ɐ̯zə
Neuenmarkt 'nɔyənmarkt
Neuenrade nɔyən'ra:də
Neuenstadt 'nɔyənʃtat
Neuenstein 'nɔyənʃtain
Neuerburg 'nɔyɐbʊrk
neuerdings 'nɔyɐ'dɪŋs
Neuerer 'nɔyɐrɐ
neuerlich 'nɔyɐlɪç
neuern 'nɔyɐn
neuestens 'nɔyəstn̩s
Neufchâteau *fr.* nøʃa'to
Neufchâtel *fr.* nøʃa'tɛl
Neufert 'nɔyfɐt
Neuffen 'nɔyfn̩
Neufrankreich nɔy'fraŋk-
  raiç
Neufundland nɔy'fʊntlant
Neufundländer nɔy'fʊnt-
  lɛndɐ
Neugablonz nɔy'ga:blɔnts
Neugersdorf nɔy'gɛrsdɔrf
Neugier[de] 'nɔygi:ɐ̯[də]
Neuglobsow nɔy'glɔpso
Neugotik 'nɔygo:tɪk
Neugranada nɔygra'na:da
Neuguinea nɔygi'ne:a
Neuhannover nɔyha'no:fɐ
Neuhaus 'nɔyhaus
Neuhäusel 'nɔyhɔyzl̩, -'--
¹Neuhausen (Neckar; Ost-
  preußen) nɔy'hauzn̩
²Neuhausen (Schaffhau-
  sen) 'nɔyhauzn̩
Neuhäusler 'nɔyhɔyslɐ
neuhebräisch 'nɔyhebrɛ:ɪʃ
Neuhegelianismus nɔyhe:-
  gəlja'nɪsmʊs
Neuheit 'nɔyhait
neuhochdeutsch 'nɔyho:x-
  dɔytʃ
Neuholland nɔy'hɔlant
Neuhumanismus 'nɔyhu-
  manɪsmʊs
Neuhuys *niederl.* 'nø:hœis
Neuigkeit 'nɔyɪçkait
Neuilly *fr.* nœ'ji
Neuilly-sur-Marne *fr.* nœji-
  syr'marn
Neuirland nɔy'|ɪrlant
Neu-Isenburg nɔy'|i:zn̩bʊrk
Neujahr 'nɔyja:ɐ̯, *auch:* -'-
Neukaledonien nɔykale-
  'do:njən
Neukantianer nɔykan-
  'tja:nɐ, -----'-
Neukantianismus nɔykan-
  tja'nɪsmʊs, '------
Neukastilien 'nɔykas'ti:ljən
Neukirch 'nɔykɪrç

Neukirchen-Vluyn
nɔy'kɪrçn̩'fly:n
Neuklassik 'nɔyklasık
Neukloster nɔy'klo:stɐ
Neukölln nɔy'kœln
Neukomm 'nɔykɔm
Neukuhren nɔy'ku:rən
Neuland 'nɔylant
neulich 'nɔylıç
Neuling 'nɔylıŋ
Neumagen 'nɔyma:gn̩
Neumann 'nɔyman, tschech.
'nɔjman
Neumark[t] 'nɔymark[t]
Neumay[e]r 'nɔymaiɐ
Neume 'nɔymə
Neumecklenburg nɔy-
'me:klənbʊrk, ...mɛk...
Neumeier 'nɔymaiɐ, engl.
'nju:maiɐ
Neumeister 'nɔymaistɐ
Neumexiko nɔy'mɛksiko
Neumeyer 'nɔymaiɐ
neumieren nɔy'mi:rən
Neumünster nɔy'mʏnstɐ
neun nɔyn
Neunauge 'nɔyn|aͧgə
Neunburg 'nɔynbʊrk
neuneckig 'nɔyn|ɛkıç, -e
...ıgə
neuneinhalb 'nɔyn|ain'halp
neunerlei 'nɔynɐ'lai
neunfach 'nɔynfax
neunhundert 'nɔyn'hʊndɐt
Neuniederland nɔy'ni:dɐ-
lant
Neunkirch 'nɔynkırç
¹Neunkirchen (Borna,
Saarland) 'nɔynkırçn̩
²Neunkirchen (Erlangen,
Wien) nɔyn'kırçn̩
neunmal 'nɔynma:l
neunmalig 'nɔynma:lıç, -e
...ıgə
neunmalklug 'nɔynma:l-
klu:k
neunmalweise 'nɔynma:l-
vaizə
neunt nɔynt
neuntausend 'nɔyn'taͧznt
neunte 'nɔyntə
neuntel, N... 'nɔyntl̩
neuntens 'nɔyntn̩s
Neuntöter 'nɔyntø:tɐ
neunundeinhalb 'nɔyn|ʊnt-
|ain'halp
neunundzwanzig 'nɔyn-
|ʊnt'tsvantsıç
neunzehn 'nɔyntse:n
neunzig 'nɔyntsıç

Neunziger 'nɔyntsıgɐ
Neuorleans nɔy'|ɔrleã
Neuötting nɔy'|œtıŋ
Neupert 'nɔypɐt
Neuphilologe 'nɔyfilolo:gə
Neuplatoniker 'nɔyplato:-
nikɐ
Neuplatonismus 'nɔyplato-
nısmʊs
Neupommern nɔy'pɔmɐn
Neuquén span. neͧ'ken
neural nɔy'ra:l
Neuralgie nɔyral'gi:, -n
...i:ən
Neuralgiker nɔy'ralgikɐ
neuralgisch nɔy'ralgıʃ
Neurasthenie nɔyraste'ni:,
-n ...i:ən
Neurastheniker nɔyras'te:-
nikɐ
neurasthenisch nɔyras'te:-
nıʃ
Neurath 'nɔyra:t
Neurektomie nɔyrɛkto'mi:
Neureuther 'nɔyrɔytɐ
Neurexairese nɔyrɛksai-
're:zə
Neuries 'nɔyri:s
Neurilem nɔyri'le:m
Neurilemm[a] nɔyri'lɛm[a]
Neurin nɔy'ri:n
Neurinom nɔyri'no:m
Neurit nɔy'ri:t
Neuritis nɔy'ri:tıs, ...itiden
...ri'ti:dn̩
Neurobiologie nɔyrobio-
lo'gi:, '------
Neuroblast nɔyro'blast
Neuroblastom nɔyroblas-
'to:m
Neurochirurgie 'nɔyroçi-
rʊr'gi:, ----'-
Neurode nɔy'ro:də
Neurodermatose nɔyro-
dɛrma'to:zə
Neurodermitis nɔyrodɛr-
'mi:tıs, ...itiden ...mi'ti:dn̩
neuroendokrin nɔyro-
|ɛndo'kri:n
Neuroepithel nɔyro|epi'te:l
Neurofibrille nɔyrofi'brılə
neurogen nɔyro'ge:n
Neuroglia nɔyro'gli:a
Neurohormon nɔyrohɔr-
'mo:n, '----
Neurokranium nɔyro'kra:-
niͧm, ...ia ...iͧ
Neurolemm[a] nɔyro'lɛm[a]
Neuroleptikum nɔyro'lɛpti-
kʊm, ...ka ...ka

Neurologe nɔyro'lo:gə
Neurologie nɔyrolo'gi:
neurologisch nɔyro'lo:gıʃ
Neurom nɔy'ro:m
Neuron 'nɔyrɔn, -e[n]
...'ro:nə[n]
Neuroparalyse nɔyropara-
'ly:zə
Neuropath nɔyro'pa:t
Neuropathie nɔyropa'ti:, -n
...i:ən
Neuropathologe nɔyropa-
to'lo:gə, '------
Neuropathologie nɔyropa-
tolo'gi:, '------
Neuroplegikum nɔyro'ple:-
gikʊm, ...ka ...ka
neuropsychisch
nɔyrɔ'psy:çıʃ, '----
Neuropsychologe nɔyrɔ-
psyço'lo:gə, '------
Neuropsychologie nɔyrɔ-
psyçolo'gi:, '------
Neuropteren nɔyrɔp'te:rən
Neuroretinitis nɔyroreti'ni:-
tıs, ...itiden ...ni'ti:dn̩
Neurose nɔy'ro:zə
Neurosekret nɔyroze'kre:t
Neurotiker nɔy'ro:tikɐ
Neurotisation nɔyrotiza-
'tsio:n
neurotisch nɔy'ro:tıʃ
neurotisieren nɔyroti'zi:rən
Neurotomie nɔyroto'mi:, -n
...i:ən
Neurotonie nɔyroto'ni:, -n
...i:ən
Neurotoxikose nɔyrotɔksi-
'ko:zə
Neurotoxin nɔyrotɔ'ksi:n
neurotoxisch nɔyro'tɔksıʃ
Neurotripsie nɔyrotri'psi:,
-n ...i:ən
neurotrop nɔyro'tro:p
Neurozyt nɔyro'tsy:t
Neuruppin[er] nɔyrʊ'pi:n[ɐ]
Neusalz 'nɔyzalts
Neu-Sandez nɔy'zandɛts
Neusatz 'nɔyzats
Neuscholastik 'nɔyʃolastık
Neuschottland nɔy'ʃɔtlant
Neuschwabenland nɔy-
'ʃva:bn̩lant
Neuschwanstein nɔy-
'ʃva:nʃtain
Neu-Schweden nɔy'ʃve:dn̩
Neuseeland nɔy'ze:lant
Neuseeländer nɔy'ze:lɛndɐ
neuseeländisch nɔy'ze:lɛn-
dıʃ

Neusibirien nɔyzi'bi:riən
Neusiedl 'nɔyzi:dl̩
Neusi[e]dler 'nɔyzi:dlɐ
Neusilber 'nɔyzɪlbɐ
Neusohl nɔy'zo:l
Neuspanien nɔy'ʃpa:niən
Neusprachler 'nɔyʃpra:xlɐ
Neuss nɔys
Neusser 'nɔysɐ
Neustadt 'nɔyʃtat
neustens 'nɔystn̩s
Neuster 'nɔystɐ
Neustettin nɔyʃtɛ'ti:n
Neustift 'nɔyʃtɪft
Neuston 'nɔystɔn
Neustrelitz nɔy'ʃtre:lɪts
Neustrien 'nɔystriən
Neusüdwales 'nɔyzy:dvɛ:ls
Neutitschein 'nɔytɪtʃain
Neutoggenburg 'nɔytɔgn̩bʊrk
¹Neutra (Name) 'nɔytra
²Neutra vgl. Neutrum
neutral, N... nɔy'tra:l
Neutralisation nɔytraliza-'tsi̯o:n
neutralisieren nɔytrali'zi:-rən
Neutralismus nɔytra'lɪsmʊs
Neutralist nɔytra'lɪst
Neutralität nɔytrali'tɛ:t
Neutrino nɔy'tri:no
Neutron 'nɔytrɔn, **-en** nɔy'tro:nən
neutrophil nɔytro'fi:l
Neutrophilie nɔytrofi'li:
Neutrum 'nɔytrʊm, **...ra** ...ra
Neutsch nɔytʃ
Neu-Ulm nɔy'ʊlm
Neuveville fr. nœv'vil
Neuweiler 'nɔyvailɐ
Neuwelt 'nɔyvɛlt
Neuwerk nɔy'vɛrk
Neuwied nɔy'vi:t
Neu-Wien nɔy'vi:n
Neuwiller-lès-Saverne fr. nøvilɛrlɛsa'vɛrn
Neu-Württemberg nɔy-'vyrtəmbɛrk
Neuyork nɔy'jɔrk
Neuyorker nɔy'jɔrkɐ
neuyorkisch nɔy'jɔrkɪʃ
Neuzelle nɔy'tsɛlə
Neuzerre neusɛ're:
Nevada ne'va:da, *engl.* nə'va:də, *span.* ne'βaða
Nevado *span.* ne'βaðo
Nevelson *engl.* 'nɛvəlsn
Neven 'ne:vn̩

Nevermann 'ne:vɐman
Nevers *fr.* nə'vɛ:r
Neveu (Neffe) nə'vø:
Neveu, ...ux *fr.* nə'vø
Neviges 'ne:vɪgəs
Nevil, ...ll[e] *engl.* 'nɛvɪl
Nevin[s] *engl.* 'nɛvɪn[z]
¹Nevis (Schottland) *engl.* 'nevɪs
²Nevis (Westindien) *engl.* 'ni:vɪs
Nevşehir *türk.* 'nɛvʃɛ.hir
New *engl.* nju:
Newa 'ne:va, *russ.* nɪ'va
Newage 'nju:'le:tʃ
Newa'i *pers.* neva'̯'i:
Newald 'ne:valt
Newark *engl.* 'nju:ək
Newberg *engl.* 'nju:bə:g
Newber[r]y *engl.* 'nju:bərɪ
Newbiggin *engl.* 'nju:bɪgɪn
Newbo[u]ld *engl.* 'nju:boʊld
Newbo[u]lt *engl.* 'nju:boʊlt
New Braunfels *engl.* nju: 'braʊnfəlz
Newburg[h] *engl.* 'nju:bə:g
Newburn *engl.* 'nju:bən
Newbury *engl.* 'nju:bərɪ
Newburyport *engl.* 'nju:bə-rɪpɔ:t
New Caledonia *engl.* nju: kælɪ'doʊnjə
New Canaan *engl.* nju: 'keɪnən
Newcastle, New C... *engl.* 'nju:kɑ:sl
Newcomb[e] *engl.* 'nju:kəm
Newcomen *engl.* 'nju:kʌmən
Newcomer 'nju:kamɐ
New Deal 'nju: 'di:l
Newelskoi *russ.* nɪvɪlj'skɔj
Newerow *russ.* nɪ'vjɛrɐf
Newfoundland *engl.* 'nju:-fəndlənd
Newgate *engl.* 'nju:geɪt
Newgrange *engl.* 'nju:greɪndʒ
Newham *engl.* 'nju:əm
Newhaven *engl.* nju:'heɪvn
New Iberia *engl.* nju: aɪ'bɪərɪə
Ne Win 'ne: 'vɪn
Newington *engl.* 'nju:ɪŋtən
Newinnomyssk *russ.* nɪvɪn-na'mɪsk
Newjansk *russ.* nɪvj'jansk
New Jersey *engl.* nju:-'dʒɔ:zɪ

Newland[s] *engl.* 'nju:-lənd[z]
Newlook 'nju:'lʊk
Newman *engl.* 'nju:mən
Newmarket *engl.* 'nju:mɑ:-kɪt
Newnan *engl.* 'nju:nən
Newnes *engl.* nju:nz
New Norcia *engl.* nju: 'nɔ:ʃə
New Orleans *engl.* nju:-'ɔ:lɪənz, nju:ɔ:'li:nz
Newport *engl.* 'nju:pɔ:t
Newrew *russ.* 'njevrɪf
Newry *engl.* 'njʊərɪ
News 'nju:s
News Chronicle *engl.* 'nju:z 'krɔnɪkl
Newski *russ.* 'njɛfskij
New Smyrna Beach *engl.* nju: 'smə:nə 'bi:tʃ
New Statesman *engl.* nju: 'steɪtsmən
Newsweek *engl.* 'nju:zwi:k
Newton 'nju:tn̩, *engl.* nju:tn
newtonsch 'nju:tnʃ
Newtown *engl.* 'nju:taʊn
Newtownabbey *engl.* nju:tn'æbɪ
Newtownards *engl.* nju:tn-'ɑ:dz
New Ulm *engl.* 'nju: 'ʌlm
Newwave 'nju:'ve:f
New York *engl.* 'nju:'jɔ:k
New Zealand nju:'zi:lənd
Nexø *dän.* 'negsv:'
Nexus 'nɛksʊs, **die -** 'nɛksu:s
Ney naj, *fr.* nɛ
Neydharting 'najthartɪŋ
Nezessität netsesi'tɛ:t
Nézsa *ung.* 'ne:ʒɔ
Nezval *tschech.* 'nɛzval
Ngala 'ŋga:la
Ngaoundéré *fr.* ngaunde're
Ngoko 'ŋgo:ko
Ngoni 'ŋgo:ni
Ngorongoro *engl.* əŋgɔ:rɔŋ-'gɔ:roʊ
Ngô-Tât-Tô *vietn.* ŋo tət to 122
N'Guigmi *fr.* ngig'mi
Nguni 'ŋgu:ni
Nguru *engl.* əŋ'gu:ru:
Nguyên-Du *vietn.* ŋui̯ən zu 51
Nguyên-Gia-Thiêu *vietn.* ŋui̯ən ʒa θii̯əu 516
Nguyên Trai *vietn.* ŋui̯ən trai̯ 55
Nha Trang *vietn.* ɲa traŋ 11

Niagara nɪa'ga:ra, *engl.*
nar'ægərə
Niaiserie nɪɛzə'ri:, **-n** ...i:ən
Niamey *fr.* nja'mɛ
Niam-Niam 'nɪam'nɪam
Niarchos *neugr.* 'njarxɔs
Nias *indon.* 'nias
Niaux *fr.* njo
nibbeln 'nɪbl̩n, **nibble** 'nɪblə
nibeln 'ni:bl̩n, **nible** 'ni:blə
Nibelung[en] 'ni:bəluŋ[ən]
Niblick 'nɪblɪk
Nicăa ni'tsɛ:a
nicăisch ni'tsɛ:ɪʃ
Nicander ni'kandɐ, *schwed.*
ni'kandər
nicănisch ni'tsɛ:nɪʃ
Nicănum, Nicaenum ni-
'tsɛ:nʊm
Nicaragua nika'ra:gᴜa,
span. nika'rayᴜa
Nicaraguaer nika'ra:gᴜaɐ
nicaraguanisch nikara-
'gᴜa:nɪʃ
Nicăum ni'tsɛ:ʊm
Niccodemi *it.* nikko'dɛ:mi
Niccoli *it.* 'nikkoli, nik'kɔ:li
Niccolini *it.* nikko'li:ni
Niccolò *it.* nikko'lɔ
Nice *fr.* nis
Niceta[s] ni'tsɛ:ta[s]
Nicetius ni'tsɛ:tsɪᴜs
Nichelino *it.* nike'li:no
Nichel[mann] 'nɪçl̩[man]
Nichol[s] *engl.* nɪkl[z]
Nicholas[ville] *engl.* 'nɪkə-
ləs[vɪl]
Nicholson *engl.* nɪklsn
nicht nɪçt
Nichtangriffspakt nɪçt-
'|aŋrɪfs.pakt
Nichte 'nɪçtə
Nicht-Ich 'nɪçt|ɪç
nichtig 'nɪçtɪç, **-e** ...ɪgə
Nichtkatholik 'nɪçtkatoli:k
nichts, N... nɪçts
nichtsdestominder nɪçts-
dɛsto'mɪndɐ
nichtsdestotrotz nɪçtsdɛs-
to'trɔts
nichtsdestoweniger nɪçts-
dɛsto've:nɪgɐ
Nichtsnutz 'nɪçtsnʊts
Nichtstuer 'nɪçtstu:ɐ
Nick *dt., engl.* nɪk
Nickel 'nɪkl̩
nickelig 'nɪkəlɪç, **-e** ...ɪgə
nicken 'nɪkn̩
Nicker[chen] 'nɪkɐçən
Nicki 'nɪki

Nicklas 'nɪklas, *schwed.*
'niklas
Nicklisch 'nɪklɪʃ
Nickritz 'nɪkrɪts
Niclas 'nɪklas
Nico 'ni:ko
Nicobar *engl.* 'nɪkoʊba:
¹Nicol (Prisma) 'ni:kɔl
²Nicol (Name) *engl.* nɪkl, *fr.*
ni'kɔl
Nicola *it.* ni'kɔ:la
Nicoladoni nikola'do:ni
Nicolai niko'laj, 'nɪk...
Nicolas *engl.* 'nɪkələs, *fr.*
niko'la
Nicolás *span.* niko'las
Nicolaus 'nɪkolaᴜs, 'ni:k...
Nicolay niko'laj, 'nɪk...,
engl. nɪkə'leɪ
Nicole *fr.* ni'kɔl
Nicolet *fr.* nikə'lɛ
Nicoletta niko'lɛta, *it.* niko-
'letta
Nicolette *fr.* nikə'lɛt
Nicoll *engl.* nɪkl
Nicolle *fr.* ni'kɔl
Nicollet *fr.* nikə'lɛ
Nicolò *it.* niko'lɔ
Nicolson *engl.* nɪklsn
Nicomachus ni'ko:maxʊs
Nicosia niko'zi:a, *auch:*
nɪ'ko:zɪa; *engl.* nɪkoʊ'si:ə,
it. niko'zi:a
Nicot *fr.* ni'ko
Nicotin niko'ti:n
Nicoya *span.* ni'koja
Nictheroy *bras.* nite'rɔj
Niculescu *rumän.* niku-
'lesku
nid ni:t
Nida 'ni:da, *poln.* 'nida,
engl. 'naɪdə, *lit.* ni'da
Nidamental... nidamɛn-
'ta:l...
Nidaros *norw.* .ni:daru:s
Nidation nida'tsjo:n
Nidau 'ni:daᴜ
Nidda 'nɪda
Nidden 'nɪdn̩
Nidder 'nɪdɐ
Nidderau 'nɪdəraᴜ
Nideggen 'ni:dɛgn̩
Nidel 'ni:dl̩
Nidelv *norw.* .ni:dɛlv
Nidwalden 'ni:tvaldn̩
Nidwaldner 'ni:tvaldnɐ
nie ni:
Niebelschütz 'ni:bl̩ʃyts
Niebergall 'ni:bɐgal
Nieberl[e] 'ni:bɐl[ə]

Niebuhr 'ni:bu:ɐ̯, *dän.*
'ni:bu:'ɐ̯, *engl.* 'ni:bᴜə
Niebüll 'ni:byl
nieden, N... 'ni:dn̩
nieder 'ni:dɐ
Nieder 'ni:dɐ, *engl.* 'ni:də
Niederalteich ni:dɐ'laltajç
Niederbayern 'ni:dɐbajɐn
niederdeutsch 'ni:dɐdɔytʃ
Niederdeutschland 'ni:dɐ-
dɔytʃlant
niedere 'ni:dərə
Niederfinow ni:dɐ'fi:no
Niederhaßlau ni:dɐ'haslaᴜ
Niederkassel ni:dɐ'kasl̩
Niederkunft 'ni:dɐkʊnft,
...künfte ...kynftə
Niederlande 'ni:dɐlandə
Niederländer 'ni:dɐlɛndɐ
niederländisch 'ni:dɐlɛndɪʃ
Niederlausitz 'ni:dɐlaᴜzɪts,
auch: --'--
Niederle 'ni:dɐlə, *tschech.*
'ni:dɛrlɛ
Niedermarsberg ni:dɐ-
'marsbɛrk
Niedermoser 'ni:dɐmo:zɐ
Niedernhall ni:dɐn'hal
Niederösterreich 'ni:dɐ-
lə:stərajç
Niederprüm 'ni:dɐprym
Niederrhein 'ni:dɐrajn
Niedersachse 'ni:dɐzaksə
Niedersachsen 'ni:dɐzaksn̩
niedersächsisch 'ni:dɐzɛ-
ksɪʃ
Niederschlesien 'ni:dɐʃle:-
zjən
Niederschönhausen ni:dɐ-
ʃø:n'haᴜzn̩
Niederstetten ni:dɐ'ʃtɛtn̩
Niederstotzingen ni:dɐ'ʃtɔ-
tsɪŋən
Niederung 'ni:dərʊŋ
Niederwald 'ni:dɐvalt
Niederwartha ni:dɐ'varta
niederwärts 'ni:dɐvɛrts
Niederwerth ni:dɐ've:ɐ̯t
niedlich 'ni:tlɪç
Niednagel 'ni:tna:gl̩
niedrig 'ni:drɪç **-e** ...ɪgə
Niedt ni:t
Niehans 'ni:hans
Niehaus 'ni:haᴜs, *engl.*
'ni:haᴜs
Nieheim 'ni:hajm
Niekisch 'ni:kɪʃ
Niel *fr.* njɛl, *niederl.* nil
niellieren njɛ'li:rən
Niello 'njɛlo, **Nielli** 'njɛli

Niels niːls, *dän.* nɪːls
Nielsbohrium niːls'boːrjʊm
Nielsen 'niːlzn̩, *dän.* 'nɪlsn̩
Niem niːm
niemals 'niːmaːls
niemand 'niːmant, **-es**
...ndəs
Niemandsland 'niːmants̩lant
Niemann 'niːman
Niembsch niːmpʃ
Niemcewicz *poln.* njɛm'tsɛvitʃ
Niemeyer 'niːmaiɐ
Niemöller 'niːmœlɐ
Nienburg 'niːnbʊrk
Niepce *fr.* njɛps
Niere 'niːrə
Nieremberg 'niːrəmbɛrk
Nieritz 'niːrɪts
Nierndl 'niːɐndl
Nierstein 'niːɐʃtain
Niesel 'niːzl
nieseln 'niːzl̩n, **niesle** 'niːzlə
niesen 'niːzn̩, **nies!** niːs, **niest** niːst
Niesky 'niːski
Nießbrauch 'niːsbraux
Niessen 'niːsn̩
Nieswurz 'niːsvʊrts̩
Niet[e] 'niːt[ə]
nieten 'niːtn̩
Niethammer 'niːthamɐ
niet- und nagelfest 'niːt-
lʊnt'naːglfɛst
Nietzsche 'niːtʃə, 'niːts̩ʃə
Nieuport *fr.* njøˈpɔːr
Nieuwe Waterweg *niederl.*
'niwə 'waːtərwɛx
Nieuwpoort *niederl.* 'niu-
poːrt
Nievo *it.* 'njɛvo
Nièvre *fr.* njɛːvr
Nife 'niːfə, ...fe
Niflheim 'niːflhaim
Niğde *türk.* 'niːdɛ
Nigel *engl.* naidʒl
Nigellus niˈɡɛlʊs
nigelnagelneu
'niːɡl̩'naːɡl̩'nɔy
Niger 'niːɡɐ, *fr.* niˈʒɛːr
Nigeria niˈɡeːria, *engl.*
naiˈdʒiəriə
Nigg nɪk
Nigger 'nɪɡɐ
Niggli 'nɪgli
Nightclub 'naitklap
Nightingale *engl.* 'naitɪŋɡeil
Nigrer 'niːɡrɐ

nigrisch 'niːɡrɪʃ
Nigritella nigri'tɛla
Nigromant nigro'mant
Nigromantie nigroman'tiː
Nigrosin nigroˈziːn
Nihilismus nihi'lɪsmʊs
Nihilist nihi'lɪst
Nihilitis nihi'liːtɪs
nihil obstat 'niːhɪl 'ɔpstat
Nihon *jap.* ni'hoːn̩
Niigata *jap.* niː'gata
Niihama *jap.* niː'hama
Niihau *engl.* niːɪ'hɑːu:
Nijasow *russ.* ni'jazɐf
Nijhoff *niederl.* 'nɛihɔf
Nijinska ni'ʒɪnska, *fr.*
niʒin'ska
Nijinski, ...ky ni'ʒɪnski, *fr.*
niʒin'ski
Nijkerk *niederl.* 'nɛikɛrk
Nijmegen *niederl.* 'nɛime:yə
Nikäa ni'kɛːa, *neugr.* 'nikɛa
Nikaja ni'ka:ja
Nikander ni'kandɐ
Nikandros ni'kandrɔs
Nikanor ni'ka:noːɐ
Nikaragua nika'ra:gu̯a
Nikaraguaer nika'ra:gu̯aɐ
nikaraguanisch nikara-
'gu̯a:nɪʃ
¹Nike (Göttin) 'niːkə
²Nike® *engl.* 'naik[i:]
Nikel *russ.* 'nikɪlj
Nikephoros ni'ke:forɔs
Niketas ni'ke:tas
Nikezić *serbokr.* ,nikɛzitɕ
Nikias 'niːki̯as
Nikifor *russ.* ni'kifɐr, *poln.*
ni'kifɔr
Nikiforow *russ.* ni'kifɐrɐf
Nikiphor niki'foːɐ
Nikisch 'nɪkɪʃ
Nikita *russ.* ni'kitɐ, *serbokr.*
,nikita
Nikitin *russ.* ni'kitin
Nikititsch *russ.* ni'kititʃ
Nikkei 'nɪke
Nikko *jap.* 'ni.kko:
Niklas 'nɪklas, 'niːklas
Niklasdorf 'nɪklasdɔrf
Niklaus 'niːklau̯s, 'nɪk...
Nikobaren niko'ba:rən
Nikodemus niko'de:mʊs
Nikodim *russ.* nika'dim
Nikol niː'kɔl
Nikola *serbokr.* ,nikɔla
Nikolai niko'lai, 'nɪkolai,
russ. nika'laj
Nikolait nikola'i:t

Nikolajević *serbokr.* nikɔ'la-
jɛvitɕ
Nikolajew *russ.* nika'lajɪf
Nikolajewitsch *russ.* nika-
'lajɪvitʃ
Nikolajew[n]a *russ.* nika'la-
jɪv[n]ɐ
Nikolajewsk-na-Amure
russ. nika'lajɪfsknɐa'murɪ
Nikolaos niko'la:ɔs, ni'ko:-
laɔs
Nikolaus 'nɪkolau̯s, 'niːk...
Nikolić *serbokr.* ,nikɔlitɕ
Nikolo 'nɪkolo, niko'lo:
Nikolow *bulgar.* ni'kɔlof
Nikolsburg 'nɪkɔlsbʊrk
Nikolsk[i] *russ.* ni'kɔljsk[ij]
Nikomachisch niko'maxɪʃ
Nikomachos ni'ko:maxɔs
Nikomedes niko'me:dɛs
Nikon *russ.* 'nikɐn
Nikopol ni:kopɔl, *russ.*
'nikɐpɐlj, *bulgar.* ni'kɔpol
Nikopolis ni'ko:pɔlɪs
Nikosia niko'zi:a, *auch:*
ni'ko:zi̯a
Nikosthenes ni'kɔstenɛs
Nikotin niko'ti:n
Nikotinismus nikoti'nɪsmʊs
Niksar *türk.* 'niksar
Nikšić *serbokr.* 'nikʃitɕ
Niktatation nɪkta'tsi̯o:n
Niktitation nɪktita'tsi̯o:n
Nil niːl, *russ.* nil
nil admirari ni:l atmi'ra:ri
Niland *engl.* 'nailənd
Niles *engl.* nailz
Nilgau 'nɪlgau̯
Nilgiri *engl.* 'nɪlgɐri
Nilin *russ.* 'nilin
Nille 'nɪlə
Nilópolis *bras.* ni'lɔpulis
Nilote ni'lo:tə
nilotisch ni'lo:tɪʃ
Nils nɪls, niːls, *schwed.* nils
Nilsen *norw.* 'nilsən
Nils[s]on *schwed.* 'nilsɔn
Nilus 'niːlʊs
Nilvange *fr.* nil'vãːʒ
Nimbostratus nimbo'stra:-
tʊs
Nimburg 'nɪmbʊrk
Nimbus 'nɪmbʊs, **-se** ...ʊsə
Nîmes *fr.* niːm
Nimier *fr.* ni'mje
nimm! nɪm
nimmer 'nɪmɐ
Nimmerleinstag 'nɪmɐ-
lainsta:k
nimmermehr 'nɪmɐme:ɐ

Nimmermehrstag 'nımɐ-
me:ɐs.ta:k
nimmermüde 'nımɐ'my:də
Nimmersatt 'nımɐzat
Nimmerwiedersehen
nımɐ'vi:dɐze:ən, '--,----
nimmt nımt
Nimrod 'nımrɔt; -e ...o:də
Nimrud nım'ru:t
Nimsgern 'nımsgɛrn
Nimuendajú bras. nimu̯en-
da'ʒu
Nimwegen 'nımve:gn̩
Nin engl. nın, span. nin, ser-
bokr. ni:n
Nina dt., it. 'ni:na, russ.
'ninɐ
Ninette fr. ni'nɛt
Ningbo chin. nıŋbɔ 21
ningeln 'nıŋln̩
Ningxia chin. nıŋci̯a 24
Ninive 'ni:nive
Ninivit nini'vi:t
Nino it. 'ni:no
Niño, El ɛl'nınjo
Ninon de Lenclos fr.
ninõdlɑ̃'klo
Ninoschwili georg. 'nino-
ʃwili
Ninotschka russ. 'ninɐtʃkɐ
Ninurta ni'nʊrta
Ninus 'ni:nʊs
Niob 'ni̯o:p
Niobe 'ni:obe
Niobide ni̯o'bi:də
Niobit ni̯o'bi:t
Niobium 'ni̯o:bi̯ʊm
Niobrara engl. naıə'brɛrə
Nioro fr. njɔ'ro
Niort fr. ni̯ɔ:r
Nipf nıpf
Niphablepsie nifablɛ'psi:
Nipigon engl. 'nıpıgɔn
Nipissing engl. 'nıpısıŋ
Nipkow 'nıpko
Nippel 'nıpl̩
nippen 'nıpn̩
Nipperdey 'nıpɐdai̯
Nippes (Nippsachen)
'nıpəs, nıps, nıp
Nippon 'nıpɔn, engl. 'nıpɔn,
jap. ni'ppo:n̩
Nippsachen 'nıpzaxn̩
Nippur nı'pu:ɐ, 'nıpu:ɐ
Niragongo nira'gɔŋgo
Nirenberg engl. 'nıranbə:g
Nirenus ni're:nʊs
nirgend 'nırgnt
nirgendher 'nırgnt'he:ɐ
nirgendhin 'nırgnt'hın

Nirgendland 'nırgnntlant
nirgends 'nırgnts
nirgendsher 'nırgnts'he:ɐ
nirgendswo 'nırgnts'vo:
nirgendwo 'nırgnt'vo:
nirgendwoher 'nırgntvo-
'he:ɐ
nirgendwohin 'nırgntvo'hın
Nirosta® ni'rɔsta
Nirwana nır'va:na
Nirwanas neugr. nir'vanas
Nis ni:s, dän. nıs
Niš serbokr. ni:ʃ
Nisam[i] ni'za:m[i]
Nisan ni'za:n
Nischabur pers. niʃa'bu:r
Nischapur pers. niʃa'pu:r
Nišava serbokr. ni'ʃava
Nischchen 'ni:ʃçən
Nische 'ni:ʃə
Nischel 'nıʃl
Nischinomija jap. ni'ʃino-
mija
Nischinskaja russ. ni'ʒın-
skɐjɐ
Nischinski ni'ʒınski, russ.
ni'ʒinskij
Nischnekamsk russ. nıʒnı-
'kamsk
Nischneudinsk russ.
nıʒnı'udinsk
Nischni Nowgorod 'nıʃni
'nɔfgorɔt, russ. 'nıʒnij 'nɔv-
gɐrɐt
Nischni Tagil russ. 'nıʒnij
ta'gil
Nisibis 'ni:zibıs
Nisos 'ni:zɔs
Nisowoj russ. niza'vɔj
Niss[e] 'nıs[ə]
Nissen 'nısn̩
Nisser schwed. 'nisər
nissig 'nısıç, -e ...ıgə
Nissl 'nısl̩
nisten 'nıstn̩
Nister 'nıstɐ
Nistru rumän. 'nistru
Nisus 'ni:zʊs, die - 'ni:zu:s
Nisus formativus 'ni:zʊs
fɔrma'ti:vʊs
Nisus sexualis 'ni:zʊs
zɛ'ksu̯a:lıs
Niten jap. ni'ten
Niterói bras. nite'rɔi̯
Nithard[t] 'ni:thart
Nitocris, Nitokris ni'to:krıs
Niton 'ni:tɔn
Nitouche fr. ni'tuʃ
Nitra slowak. 'njitra
Nitrat ni'tra:t

Nitrid ni'tri:t, -e ...i:də
nitrieren ni'tri:rən
Nitrifikation nitrifika'tsi̯o:n
nitrifizieren nitrifi'tsi:rən
Nitril ni'tri:l
nitrisch 'ni:trıʃ
Nitrit ni'tri:t
Nitro engl. 'naıtroʊ
Nitrogelatine nitroʒela'ti:nə
Nitrogenium nitro'ge:ni̯ʊm
Nitroglyzerin nitroglytse-
'ri:n, 'nı:t...
Nitrogruppe 'ni:trogrʊpə
Nitropenta nitro'pɛnta
nitrophil nitro'fi:l
Nitrophosphat nitrofɔs'fa:t,
'nı:t...
nitros ni'tro:s, -e ...o:zə
Nitrosamin nitroza'mi:n
Nitrose ni'tro:zə
Nitrozellulose nitrotsɛlu-
'lo:zə
Nitrum 'ni:trʊm
Nitsche 'nıtʃə
nitscheln 'nıtʃln
nitschewo! nıtʃe'vo:
Nitschiren jap. ni'tʃi.ren,
'ni.tʃiren
Nitti[s] it. 'nitti[s]
Nitzsch nıtʃ, nıtsʃ
Niue engl. nı'u:eı
nival, N... ni'va:l
Nivardus ni'vardʊs
Nivea® ni've:a
Niveau ni'vo:
Nivelle fr. ni'vɛl
Nivellement nivɛlə'mɑ̃:
Nivelles fr. ni'vɛl
nivellieren nivɛ'li:rən
nivellitisch nivɛ'li:tıʃ
Niven engl. 'nıvən
Nivernais fr. nivɛr'nɛ
Nivers fr. ni've:r
Nivometer nivo'me:tɐ
Nivose, -s ni'vo:s
Niwche 'nıfçə
nix nıks
Nix[e] 'nıks[ə]
Nixdorf 'nıksdɔrf
Nixon engl. nıksn
Nizäa ni'tsɛ:a
Nizamabad engl. nı'za:ma:-
ba:d
Ni Zan chin. nidzan 21
nizä[n]isch ni'tsɛ:[n]ıʃ
Nizä[n]um ni'tsɛ:[n]ʊm
Nizip türk. ni'zip, 'nizip
Nizolius ni'tso:li̯us
Nizon fr. ni'zõ
Nizza 'nıtsa, it. 'nittsa

Nizzaer 'nɪt̠s̠aɐ
nizzaisch 'nɪt̠s̠aɪʃ
Nizzoli *it.* nit'tsɔːli
njam, njam! 'njam'njam
Njassa[land] 'njasa[lant]
Njegoš *serbokr.* 'njɛgɔʃ
Njegus 'njɛgʊs
Njemen 'njɛmən
Nkomo *engl.* əŋ'koʊmoʊ
Nkrumah *engl.* əŋ'kru:mə
NKWD ɛnka:ve:'de:
NKWDist ɛnka:ve:'dɪst
Noach 'no:ax
noachisch no'a:xɪʃ
Noack 'no:ak
Noah 'no:a, **Noä** 'no:ɛ
Noah *engl.* 'noʊə
Noailles *fr.* nɔ'aːj
Noam *engl.* 'noʊəm
nobel 'no:bl̩, **noble** 'no:blə
[1]Nobel *schwed.* nɔ'bɛl
[2]Nobel (Löwe) 'no:bl̩
Nobelium no'be:ljʊm
Nobelpreis no'bɛlpraɪs
Nobeoka *jap.* no'be.oka
Nobile *it.* 'nɔ:bile
Nobiles 'no:bile:s
[1]Nobili (Adlige) 'no:bili
[2]Nobili (Name) *it.* 'nɔ:bili
Nobilität nobili'tɛ:t
Nobilitation nobilita'tsi̯o:n
nobilitieren nobili'ti:rən
Nobility no'bɪliti
Nobiskrug 'no:bɪskru:k
Noble *engl.* noʊbl
Noblesse no'blɛs[ə]
noblesse oblige *fr.* nɔblɛ-sɔ'bli:ʒ
Noblesville *engl.* 'noʊblzvɪl
Nobody 'no:bodi
Nobre *port.* 'nɔbrə
Nóbrega *port.* 'nɔβrəɣɐ
Noce *it.* 'no:tʃe
Nocera *it.* no'tʃɛ:ra
noch nɔx
nöcher 'nœçɐ
Nochfrau 'nɔxfrau̯
Nöchling 'nœçlɪŋ
nochmalig 'nɔxma:lɪç, -e ...ɪgə
nochmals 'nɔxma:ls
Nocht nɔxt
Nöck nœk
Nock[e] 'nɔk[ə]
Nocken 'nɔkn̩
Nockerl 'nɔkɐl
Noctambulismus nɔktam-bu'lɪsmʊs
Noctiluca nɔkti'lu:ka
Nocturne nɔk'tʏrn

Nodier *fr.* nɔ'dje
nodös no'dø:s, -e ...ø:zə
Nodus 'no:dʊs, **Nodi** 'no:di
Noe 'no:ə
Noé *fr.* nɔ'e, *span.* no'e
Noel *engl.* 'noʊəl
[1]Noël (Vorn.) nɔ'ɛl
[2]Noël (Lied) no'ɛl
Noelle 'nœlə
Noelte 'nœltə
Noem no'e:m
Noema 'no:ɛma, **-ta** no'e:-mata
Noematik noe'ma:tɪk
Noemi 'no:emi, no'e:mi
Noémi *fr.* nɔe'mi
Noerr nœr
Noesis 'no:ezɪs
Noetel 'nø:tl̩
Noether 'nø:tɐ
Noetik no'e:tɪk
noetisch no'e:tɪʃ
Noetus no'e:tʊs
Nœux-les-Mines *fr.* nøle-'min
Nofret 'no:frɛt
Nofretari nofre'ta:ri
Nofretere nofre'te:rə
Nofretete nofre'te:tə
no future 'no: 'fjuːtʃɐ
Nogaier no'gai̯ɐ
Nogales *span.* no'ɣales, *engl.* nɔ'gælɪs
Nogaret *fr.* nɔga'rɛ
Nogat 'no:gat, *poln.* 'nɔgat
Nogent *fr.* nɔ'ʒã
Nogi *jap.* 'no.gi
Noginsk *russ.* na'ginsk
Nógrád[marcai] *ung.* 'no:gra:d[mɔrtsɔi]
Noguchi *engl.* nɔ'gu:tʃi
Nogueira *port.* nu'ɣɐi̯rɐ
Nogutschi *jap.* 'no.gutʃi
Nohl no:l
Noigandres *bras.* noi̯'gɛn-dris
noir, [1]N... nɔa:ɐ̯
[2]Noir (Name) *fr.* nwa:r
Noirlac *fr.* nwar'lak
Noirmoutier *fr.* nwarmu'tje
no iron 'no: 'ai̯ɐn, - 'ai̯rən
Noisette nɔa'zɛt
Noisy-le-Sec *fr.* nwazil'sɛk
Nöjd *schwed.* nøjd
Nok (Nigeria) *engl.* nɔ:k
Nokia *finn.* 'no:kia
Noktambulismus nɔktam-bu'lɪsmʊs
Nokturn[e] nɔk'tʊrn[ə], **Nokturnen** ...nən

Nola *it.* 'nɔ:la
Nolan[d] *engl.* 'noʊlən[d]
Nolasker no'laskɐ
Nolde 'nɔldə
Nöldeke 'nœldəkə
nölen 'nø:lən
nolens volens 'no:lɛns 'vo:lɛns
Noli *alban.* 'noli
nölig 'nø:lɪç, -e ...ɪgə
Nolimetangere 'no:lime-'taŋgere
Nolissement nolisə'mã:
Noll nɔl
Nollekens *engl.* 'nɔlɪkənz
Nolten 'nɔltn̩
Noma 'no:ma, **-e** ...mɛ
Nomade no'ma:də
nomadisch no'ma:dɪʃ
nomadisieren nomadi'zi:-rən
Nomadismus noma'dɪsmʊs
Nom de Guerre, -s - - 'nõ: də 'gɛːɐ̯
Nom de Plume, -s - - 'nõ: də 'plʏm
Nome *engl.* noʊm
Nomen 'no:mən, **Nomina** 'no:mina
Nomen Acti 'no:mən 'akti
Nomen Actionis 'no:mən ak'tsi̯o:nɪs
Nomen Agentis 'no:mən a'gɛntɪs
nomen est omen 'no:mən 'ɛst 'o:mən
Nomen gentile 'no:mən gɛn'ti:lə, ...mina ...lia ...mina ...lja
Nomen Instrumenti 'no:mən ɪnstru'mɛnti
Nomenklator nomɛn'kla:-to:ɐ̯, **-en** ...la'to:rən
nomenklatorisch nomɛn-kla'to:rɪʃ
Nomenklatur nomɛnkla-'tu:ɐ̯
Nomenklatura nomɛnkla-'tu:ra
Nomen Patientis 'no:mən pa'tsi̯ɛntɪs
Nomen postverbale 'no:mən pɔstvɛr'ba:lə, ...mina ...lia ...mina ...lja
Nomen proprium 'no:mən 'pro:pri̯ʊm, ...mina ...ia ...mina ...ia
Nomen Qualitatis 'no:mən kvali'ta:tɪs
Nomina vgl. Nomen

nominal nomiˈnaːl
nominalisieren nominali-
ˈziːrən
Nominalismus nominaˈlɪs-
mʊs
Nominalist nominaˈlɪst
nominatim nomiˈnaːtɪm
Nomination nominaˈtsjoːn
Nominativ ˈnoːminatiːf, -e
...iːvə
nominativisch ˈnoːminati:-
vɪʃ
nominell nomiˈnɛl
nominieren nomiˈniːrən
Nomismus noˈmɪsmʊs
Nommensen ˈnɔmənzn̩
Nomogramm nomoˈgram
Nomographie nomograˈfiː
nomographisch nomoˈgraː-
fɪʃ
Nomokratie nomokraˈtiː, -n
...iːən
Nomos ˈnoːmɔs, ˈnɔmɔs,
...oi ...ɔy
Nomothesie nomoteˈziː, -n
...iːən
Nomothet nomoˈteːt
Nompère fr. nõˈpɛːr
Non noːn
Nonagesimus nonaˈgeːzi-
mʊs
Nonagon nonaˈgoːn
No-Name-... ˈnoːneːm...
Nonarime nonaˈriːmə
Non-Book-... ˈnɔnbʊk...
Nonchalance nõʃaˈlãːs
nonchalant nõʃaˈlãː, -e
...lantə
Non-Cooperation nɔnko-
|opəˈreːʃn̩
None ˈnoːnə
Nonell span. noˈnɛl
Non-Essentials nɔn-
|ɛˈsenʃls
Nonett noˈnɛt
Non-Fiction nɔnˈfɪkʃn̩
nonfigurativ nɔnfiguraˈtiːf,
noːn..., -e ...iːvə
Non-Food-... nɔnˈfuːt...
Non-Foods nɔnˈfuːts
Nonius ˈnoːnjʊs, ...ien ...jən,
-se ...ʊsə
Nonkonformismus nɔn-
kɔnfɔrˈmɪsmʊs, noːn...
Nonkonformist nɔnkɔnfɔr-
ˈmɪst, noːn...
non liquet ˈnoːn ˈliːkvɛt
non multa, sed multum
ˈnoːn ˈmʊlta, zɛt ˈmʊltʊm
Nönnchen ˈnœnçən

Nonne[nmann]
ˈnɔnə[nman]
Nonnos ˈnɔnɔs
Nonnweiler ˈnɔnvailɐ
Nono it. ˈnɔːno
Nonode noˈnoːdə
non olet ˈnoːn ˈoːlɛt
Nonpareille fr. nõpaˈrɛj
Nonplusultra nɔnplʊs-
ˈ|ʊltra, noːn...
non possumus ˈnoːn ˈpɔsu-
mʊs
Nonproliferation nɔnpro-
lifeˈreːʃn
non scholae, sed vitae discimus ˈnoːn ˈsçoːlɛ ˈzɛt
ˈviːtɛ ˈdɪstsimʊs,
- ˈskoːlɛ - - -
Nonsens ˈnɔnzɛns, -es
ˈnɔnzɛnzəs
nonstop nɔnˈʃtɔp, nɔnˈst...;
ˈ--
non tanto ˈnoːn ˈtanto
Nontron fr. nõˈtrõ
non troppo ˈnoːn ˈtrɔpo
Nonusus nɔnˈ|uːzʊs, noːn...
Nonvaleur nõvaˈløːɐ
non vitae, sed scholae discimus ˈnoːn ˈviːtɛ ˈzɛt
ˈsçoːlɛ ˈdɪstsimʊs, - - -
ˈskoːlɛ -
noogen nooˈgeːn
Noologie nooloˈgiː
noologisch nooˈloːgɪʃ
Noologist nooloˈgɪst
Noon[e] engl. nuːn
Noopsyche nooˈpsyːçə
Noor noːɐ
Noord-Beveland niederl.
noːrdˈbeːvəlant
Noorden ˈnoːɐdn̩
Noordwijk niederl. ˈnoːrt-
wɛik
Noordzee niederl. ˈnoːrtseː,
noːrtˈseː
Noo[r]t niederl. noːˈ[r]t
Nooteboom niederl. ˈnoːtə-
boːm
Nootka engl. ˈnuːtkə
Noppe ˈnɔpə
noppen ˈnɔpən
noppig ˈnɔpɪç, -e ...igə
Nor noːɐ, tschech. nɔr
Nora ˈnoːra, engl. ˈnɔːrə,
schwed. ˌnuːra, span. ˈnora
Noradrenalin noradrena-
ˈliːn
Norah engl. ˈnɔːrə
Norberg schwed. ˌnuːrbærj
Norbergit nɔrbɛrˈgiːt

Norbert ˈnɔrbɛrt, engl.
ˈnɔːbət, fr. nɔrˈbɛːr
Norchen ˈnoːɐçən
Nörchen ˈnøːɐçən
Norco engl. ˈnɔːkoʊ
Nord nɔrt, fr. nɔːr, it. nɔrd;
-e ˈnɔrdə
Nordafrika ˈnɔrtˈ|aːfrika,
auch: ...ˈ|af...
Nordal isl. ˈnɔrdal
Nordalbingier nɔrt-
|alˈbɪŋgiɐ
Nordamerika ˈnɔrt-
|aˈmeːrika
Nordatlantikpakt ˈnɔrt-
|atˈlantɪkpakt
Nordau ˈnɔrdau
Nordbaden ˈnɔrtˈbaːdn̩
Nordbrabant ˈnɔrtbraˈbant
Norddakota ˈnɔrtdaˈkoːta
Norddeich ˈnɔrtdaiç
norddeutsch ˈnɔrtdɔytʃ
Norddeutschland ˈnɔrt-
dɔytʃlant
Nordelbingen nɔrtˈ|ɛlbɪŋən
Norden ˈnɔrdn̩
Nordenberg schwed. ˌnuːr-
dənbærj
Nordenburg ˈnɔrdn̩bʊrk
Nordenflycht schwed. ˌnuːr-
dənflykt
Nordenham nɔrdn̩ˈham
Nordenskiöld, ...kjöld
schwed. ˌnuːrdənˈfœld
Norder ˈnɔrdɐ
Norderdithmarschen nɔr-
dɐˈdɪtmarʃn̩
Norderelbe ˈnɔrdɐlɛlbə
Norderney nɔrdɐˈnai, ˈ---
Norderoog ˈnɔrdɐloːk
Nordeuropa ˈnɔrtlɔyˈroːpa
Nordfjord ˈnɔrtfjɔrt, norw.
ˌnuːrfjuːr
nordfriesisch ˈnɔrtˈfriːzɪʃ
Nordfriesland ˈnɔrtˈfriːslant
Nordgau ˈnɔrtgau
Nordgermane ˈnɔrtgɛr-
maːnə
Nordhausen ˈnɔrthauzn̩
Nordhäuser ˈnɔrthɔyzɐ
Nordhoff ˈnɔrthɔf, engl.
ˈnɔːdhɔf
Nordhorn ˈnɔrthɔrn
Nordica engl. ˈnɔːdɪkə
Nordide nɔrˈdiːdə
Nordirland ˈnɔrtˈ|ɪrlant
nordisch ˈnɔrdɪʃ
Nordist[ik] nɔrˈdɪst[ɪk]
Nordjylland dän. ˈnʊɐjylæn

Nordkap 'nɔrtkap, *norw.*
,nu:rkap
Nordkaper 'nɔrtkapɐ
Nordkarolina 'nɔrtkaro-
'li:na
Nordkinn *norw.* ,nu:rçin
Nordkirchen nɔrt'kirçn̩
Nordkorea 'nɔrtko're:a
Nordküste 'nɔrtkʏstə
Nordkvark 'nɔrtkvark
Nordland 'nɔrtlant, *norw.*
,nu:rlan
Nordländer 'nɔrtlɛndɐ
nordländisch 'nɔrtlɛndɪʃ
nördlich 'nœrtlɪç
Nördlingen 'nœrdlɪŋən
Nördlinger 'nœrdlɪŋɐ
Nordmark 'nɔrtmark
Nordnordost[en] nɔrtnɔrt-
'lɔst[n̩]
Nordnordwest[en] nɔrt-
nɔrt'vɛst[n̩]
Nordoff *engl.* 'nɔːdɔf
Nordosten nɔrt'lɔstn̩
Nordostkap nɔrt'lɔstkap
nordöstlich nɔrt'lœstlɪç
Nord-Ostsee-Kanal nɔrt-
'lɔstze:kana:l, '–'––––
Nordostwind nɔrt'lɔstvɪnt
Norðoyar *fär.* 'nɔːrɔːjar
Nordpol 'nɔrtpo:l
Nordpolargebiet 'nɔrtpo-
la:ɐgəbi:t
Nordrhein-Westfalen
'nɔrtraɪnvɛst'fa:lən
Nordschleswig 'nɔrt'ʃle:s-
vɪç
Nordsee 'nɔrtze:
Nordstrand 'nɔrtʃtrant
Nordstrandischmoor nɔrt-
ʃtrandɪʃ'mo:ɐ
Nordström *schwed.* ,nu:rd-
strœm
Nordsüdexpress 'nɔrt'zy:t-
|ɛksprɛs
Nordtirol 'nɔrttiro:l
Nord-Trøndelag *norw.*
,nu:rtrœndəla:g
Norðuroyar *fär.* 'nɔːrɯʊɔːjar
Nordwalde nɔrt'valdə
nordwärts 'nɔrtvɛrts
Nordwest[en] nɔrt'vɛst[n̩]
nordwestlich nɔrt'vɛstlɪç
Nordwik *russ.* 'nɔrdvik
Noreen *schwed.* nu're:n,
engl. nɔː'ri:n, 'nɔː'ri:n
Noreia no'raja
nören 'nø:rən
Norén *schwed.* nu're:n
Norfolk *engl.* 'nɔːfək

Norge 'nɔrgə, *norw.* ,nɔrgə
nörgelig 'nœrgəlɪç, **-e** …ɪgə
nörgeln 'nœrgln̩, **nörgle**
'nœrglə
Nörgler 'nœrglɐ
nörglig 'nœrglɪç, **-e** …ɪgə
Noria 'no:ria
Noricum 'no:rikʊm
Noriega *span.* no'rieɣa
Noriker 'no:rikɐ
Norilsk *russ.* na'riljsk
Norina *it.* no'ri:na
norisch 'no:rɪʃ
Norit no'ri:t
Norm nɔrm
Norma *dt., it.* 'nɔrma, *engl.*
'nɔːmə
normacid nɔrma'tsi:t, **-e**
…i:də
Normacidität nɔrmatsidi-
'tɛːt
normal, ¹N... nɔr'ma:l
²Normal (Name) *engl.*
'nɔːməl
Normalien nɔr'ma:liən
normalisieren nɔrmali'zi:-
rən
Normalität nɔrmali'tɛːt
Norman *engl.* 'nɔːmən,
schwed. 'nu:rman
Normanby *engl.* 'nɔːmənbɪ
Normandie nɔrman'di:, *fr.*
nɔrmã'di
Normann 'nɔrman, *norw.*
,nu:rman
Normanne nɔr'manə
normannisch nɔr'manɪʃ
normativ, N... nɔrma'ti:f, **-e**
…i:və
Normative nɔrma'ti:və
Normativismus nɔrmati-
'vɪsmʊs
normazid nɔrma'tsi:t, **-e**
…i:də
Normazidität nɔrmatsidi-
'tɛːt
normen 'nɔrmən
normieren nɔr'mi:rən
normig 'nɔrmɪç, **-e** …ɪgə
Normoblast nɔrmo'blast
normosom nɔrmo'zo:m
Normospermie nɔrmo-
spɛr'mi:
Normozyt nɔrmo'tsy:t
Norne 'nɔrnə
Norodom *fr.* nɔrɔ'dɔm
Noronha *bras.* no'roɲa
Norrahammar *schwed.*
nɔra,hamar

Norrbotten *schwed.* ,nɔrbɔ-
tən
Nørresundby *dän.* nœrə-
'sʊnby:'
Norris[town] *engl.*
'nɔrɪs[taʊn]
Norrköping *schwed.* ,nɔr-
çøːpiŋ
Norrland *schwed.* 'nɔrlan[d]
norrøn nɔ'rø:n
Norrtälje *schwed.* nɔr.tɛljə
Norsjö *schwed.* 'nu:rʃø:
Norstad *engl.* 'nɔːstæd
Norte *span.* 'nɔrte
North *engl.* nɔːθ
Northallerton *engl.* nɔː'θæ-
lətn
Northam *engl.* 'nɔːðəm
Northampton *engl.*
nɔː'θæmptən, **-shire** -ʃɪə
North Attleborough *engl.*
'nɔːθ 'ætləbərə
North Battleford *engl.* 'nɔːθ
'bætlfəd
North Bellmore *engl.* 'nɔːθ
'bɛlmɔː
North Bergen *engl.* 'nɔːθ
'bəːgən
Northbridge *engl.* 'nɔːθ-
brɪdʒ
Northbrook *engl.* 'nɔːθbrʊk
Northcliffe *engl.* 'nɔːθklɪf
Northcote *engl.* 'nɔːθkət
Northeim 'nɔrthaɪm
Northfield *engl.* 'nɔːθfiːld
Northfleet *engl.* 'nɔːθfliːt
North Olmsted *engl.* 'nɔːθ
'ʌmstɛd
Northport *engl.* 'nɔːθpɔːt
North Ridgeville *engl.* 'nɔːθ
'rɪdʒvɪl
Northrop *engl.* 'nɔːθrəp
North Royalton *engl.* 'nɔːθ
'rɔɪəltən
North Shores *engl.* 'nɔːθ
'ʃɔːz
Northumberland *engl.*
nɔː'θʌmbələnd
Northumbria *engl.* nɔː'θʌm-
brɪə
Northwich *engl.* 'nɔːθwɪtʃ
Nortje *afr.* 'nɔrkji
Norton 'nɔrtən, *engl.* 'nɔːtn
Nortorf 'nɔrtɔrf
Norvo *engl.* 'nɔːvoʊ
Norwalk *engl.* 'nɔːwɔːk
Norwegen 'nɔrve:gn̩
Norweger 'nɔrve:gɐ
norwegisch 'nɔrve:gɪʃ

¹**Norwich** (England) *engl.*
'nɔːrɪdʒ
²**Norwich** (USA) *engl.*
'nɔːwɪtʃ
Norwid *poln.* 'nɔrvit
Norwood *engl.* 'nɔːwʊd
Nörz nœrts
Nos *russ.* nɔs
Nosean nozeˈaːn
Nosema noˈzeːma
Nosibe *mad.* nusiˈbe
Noske 'nɔskə
Nösnerland 'nœsnɐlant
Nosographie nozograˈfiː
Nosologie nozoloˈgiː
nosologisch nozoˈloːgɪʃ
Nosomanie nozomaˈniː
Nosophobie nozofoˈbiː, -n
...iːən
Nossack 'nɔsak
Nossairier nɔˈsairiɐ
Nößel 'nøːsl̩
Nossen 'nɔsn̩
Nosseni *it.* nosˈsɛːni
Nossob 'nɔsɔp
nostalgico nɔsˈtaldʒiko
Nostalgie nɔstalˈgiː
Nostalgiker nɔsˈtalgikɐ
nostalgisch nɔsˈtalgɪʃ
Nostitz 'nɔstɪts
Nöstlinger 'nœstlɪŋɐ
Nostoc 'nɔstɔk
Nostogio nɔsˈtoːdʒo
Nostradamus nɔstraˈdaː-
mʊs
Nostrifikation nɔstrifika-
'tsioːn
nostrifizieren nɔstrifiˈtsiː-
rən
Nostrokonto 'nɔstrokɔnto
Not noːt, **Nöte** 'nøːtə
¹**Nota** (Rechnung) 'noːta
²**Nota** (Name) *it.* 'nɔːta
notabel noˈtaːbl̩, ...**ble** ...blə
Notabeln noˈtaːbl̩n
notabene, N... notaˈbeːnə
Notabilität notabiliˈtɛːt
Notalgie notalˈgiː
Nota puntata 'noːta pʊn-
'taːta, ...**tae** ...tɛ ...tɛ
Nota quadrata 'noːta kva-
'draːta, ...**tae** ...**tae** ...tɛ
...tɛ
Nota quadriquarta 'noːta
kvadriˈkvarta, ...**tae** ...**tae**
...tɛ ...tɛ
Notar noˈtaːɐ
Notariat notaˈriaːt
notariell notaˈriɛl
notarisch noˈtaːrɪʃ

Nota Romana 'noːta
roˈmaːna, ...**tae** ...**nae** ...tɛ
...nɛ
Notat noˈtaːt
Notation notaˈtsioːn
Notburg 'noːtbʊrk
Notburga noːtˈbʊrga
Notdurft 'noːtdʊrft
notdürftig 'noːtdʏrftɪç, -e
...ɪgə
Note 'noːtə
Nöte vgl. Not
Notebook 'noːtbʊk
Noteć *poln.* 'nɔtɛtɕ
Notelett notəˈlɛt
Note sensible, -s -s *fr.* nɔt-
sãˈsibl
notfalls 'noːtfals
Noth noːt
Nothnagel 'noːtnaːgl̩
Notholaena notoˈlɛːna
Nothosaurier notoˈzauriɐ
Nothosaurus notoˈzaurʊs
Nothung 'noːtʊŋ
Nothus 'noːtʊs
notieren noˈtiːrən
Notifikation notifikaˈtsioːn
notifizieren notifiˈtsiːrən
notig 'noːtɪç, -e ...ɪgə
nötig 'nøːtɪç, -e ...ɪgə
nötigen 'nøːtɪgn̩, **nötig!**
'nøːtɪç, **nötigt** 'nøːtɪçt
nötigenfalls 'nøːtɪgn̩'fals
Notio 'noːtsio, -**nes** noˈtsioː-
neːs
Notiones communes
noˈtsioːneːs kɔˈmuːneːs
notionieren notsioˈniːrən
Notiz noˈtiːts
Notke 'noːtkə, 'nɔtkə
Notker 'noːtkɐ
notlanden 'noːtlandn̩
Noto *it.* 'nɔːto
Notodden *norw.* ,nuːtɔdən
Notogäa notoˈgɛːa
Notogäis notoˈgɛːɪs
Notorietät notoriɛˈtɛːt
notorisch noˈtoːrɪʃ
Notre Dame *engl.* nuːtə-
'deɪm
Notre-Dame *fr.* nɔtrəˈdam
Nøttebohm 'nɔtəboːm
Nøtterøy *norw.* ,nœtərœi
Nottingham *engl.* 'nɔtɪŋəm,
-**shire** -ʃiə
Notting Hill *engl.* 'nɔtɪŋ 'hɪl
Notts. *engl.* nɔts
Notturno nɔˈturno, ...**ni** ...ni
notwendig 'noːtvɛndɪç,
auch: -ˈ--, -**e** ...gə

notwendigenfalls 'noːtvɛn-
dɪgn̩'fals
notwendigerweise 'noːt-
vɛndɪgɐ'vaizə
Notwendigkeit 'noːtvɛn-
dɪçkait, *auch:* -ˈ---
Noua *rumän.* 'noua
Nouadhibou *fr.* nwadiˈbu
Nouakchott *fr.* nwakˈʃɔt
Nougat 'nuːgat, *fr.* nuˈga
Nouméa *fr.* numeˈa
Noumenon noˈuːmenɔn
Nourissier *fr.* nuriˈsje
Nourse nøːɐ̯s, nœrs
Nous nuːs
Nouveau *fr.* nuˈvo
Nouveau Roman nuˈvo
roˈmã
Nouveauté nuvoˈte
Nouvelle-Amsterdam *fr.*
nuvɛlamstɐ'dam
Nouvelle-Calédonie *fr.*
nuvɛlkaledɔ'ni
Nouvelle Cuisine nuˈvɛl
kɥiˈziːn
Nouvelles-Hébrides *fr.*
nuvɛlzeˈbrid
¹**Nova** (Stern) 'noːva, **Novä**
'noːvɛ
²**Nova** (Name) *port.* 'nɔvɐ,
ung. 'novɔ, *it.* 'nɔːva
³**Nova** vgl. Novum
Nova Friburgo *bras.* 'nɔva
friˈburgu
Novagerio novaˈdʒeːrio
Nova Gorica *slowen.* 'nɔːva
gɔˈriːtsa
Nova Iguaçu *bras.* 'nɔva
iguaˈsu
Novak 'noːvak, *serbokr.*
'nɔvak, *engl.* 'nouvæk
Novák *tschech.* 'nɔvaːk
Nováková *tschech.* 'nɔvaː-
kɔva
Nova Lima *bras.* 'nɔva 'lima
Novalis noˈvaːlɪs
Nova Lisboa *port.* 'nɔvɐ liʒ-
'βoɐ
Novara *it.* noˈvaːra
Novaro *it.* noˈvaːro
Novarro *engl.* nəˈvaːrou
Novás *span.* noˈβas
Nova Scotia *engl.* 'nouvə
'skouʃə
Novati *it.* noˈvaːti
Novatian[er] novaˈtsiaːn[ɐ]
Novation novaˈtsioːn
Novato *engl.* nəˈvaːtou
Novatoren novaˈtoːrən
Novecento noveˈtʃɛnto

Novelfood 'nɔvlfuːt
Novella it. noˈvɛlla
Novelle noˈvɛlə
Novellette novɛˈlɛtə
Novelli it. noˈvɛlli
novellieren novɛˈliːrən
Novellino it. novɛlˈliːno
Novellist[ik] novɛˈlɪst[ɪk]
November noˈvɛmbɐ
Nové Město slowak. 'nɔvɛ: 'mɛstɔ
Novendiale novɛnˈdi̯aːlə
Novene noˈveːnə
Noverre fr. nɔˈvɛːr
Nové Zámky slowak. 'nɔvɛ: 'zaːmki
Novi serbokr. 'nɔvi:, engl. 'nouvai
Novial noˈvi̯aːl
Novilara it. noviˈlaːra
Novilatin novilaˈtiːn
Novi Ligure it. 'nɔːvi 'liːgure
Novilunium noviˈluːni̯ʊm, ...ien ...i̯ən
Noviodunum novi̯oˈduːnʊm
Noviomagus noˈvi̯oːmaɡʊs
Novi Pazar serbokr. 'nɔvi: ˌpazaːr
Novi Sad serbokr. 'nɔvi: 'saːd
Novität noviˈtɛːt
Novi Vinodolski serbokr. 'nɔvi: 'vinɔdɔlski:
Novize noˈviːtsə
Noviziat noviˈtsi̯aːt
Novizin noˈviːtsɪn
Novocain® novokaˈiːn
Novo Hamburgo bras. 'novu ɐmˈburgu
Novomeský slowak. 'nɔvɔmɛski:
Novo Redondo port. 'novu rrəˈðondu
Novotný tschech. 'nɔvɔtni:
Novska serbokr. 'nɔfska:
Novum 'noːvʊm, **Nova** ...va
Nový [Jičín] tschech. 'nɔvi: [ˈjitʃiːn]
Nowaczyński poln. nɔvaˈtʃi̯iski
Nowa Huta poln. 'nɔva 'xuta
Nowaja Semlja 'noːvaja zɛmˈlja, russ. 'nɔvɐjɐ zɪmˈlja
Nowaja Sibir russ. 'nɔvɐjɐ siˈbirj
Nowak 'noːvak, poln. 'nɔvak
Nowakowski novaˈkɔfski, poln. nɔvaˈkɔfski
Nowalska noˈvalska

Nowa Ruda poln. 'nɔva 'ruda
Nowa Sagora bulgar. 'nɔvɐ zɐˈgɔrɐ
Nowa Sól poln. 'nɔva 'sul
Nowgorod 'nɔfgorɔt, russ. 'nɔvɡɐrɐt
Nowgorod-Sewerski russ. 'nɔvɡɐrɐt'sjevɪrskij
¹Nowikow (Aufklärer 1744–1818) russ. nɐviˈkɔf
²Nowikow (sonst) russ. 'nɔvikɐf
Nowoaltaisk russ. nɔvɐalˈtajsk
Nowodewitschi Monastyr russ. nɐvaˈdjevitʃij mɐnasˈtirj
Nowodwinsk russ. nɐvaˈdvinsk
Nowograd-Wolynski russ. nɐvaˈgradvaˈlinskij
Nowogrudok russ. nɐvaˈgrudɐk
Nowoje Wremja russ. 'nɔvɐjɐ 'vrjemjɐ
Nowokuibyschewsk russ. nɐvaˈkujbiʃɐfsk
Nowokusnezk russ. nɔvɐˈkuzˈnjɛtsk
Nowomoskowsk russ. nɔvɐmasˈkɔfsk
Nowopolozk russ. nɐvaˈpɔlɛtsk
Noworossisk russ. nɐvɐraˈsijsk
Nowoschachtinsk russ. nɐvaˈʃaxtinsk
Nowosibirsk novɔsiˈbɪrsk, russ. nɐvɐsiˈbirsk
Nowosibirskije Ostrowa russ. nɐvɐsiˈbirskiji astraˈva
Nowosilzew russ. nɐvaˈsiltsɐf
Nowosti russ. 'nɔvɛsti
Nowosybkow russ. nɐvaˈzipkɐf
Nowotroizk russ. nɐvaˈtrɔitsk
Nowotscheboxarsk russ. nɐvɐtʃibakˈsarsk
Nowotscherkassk russ. nɐvɐtʃirˈkask
Nowowolynsk russ. nɐvɐvaˈlinsk
Nowoworoneschki russ. nɐvɐvaˈrɔnɪʃkij
Nowy Afon russ. 'nɔvij aˈfɔn
Nowy Dwór Mazowiecki

poln. 'nɔvi 'dvur mazɔˈvjɛtski
Nowy Sącz poln. 'nɔvi 'sɔntʃ
Nowy Targ poln. 'nɔvi 'tark
Nowy Usen russ. 'nɔvi uˈzjenj
Nox[e] 'nɔks[ə]
Noxin nɔˈksiːn
Noyaden no̯aˈjaːdn̩
Noyes engl. nɔɪz
Noyon fr. nwaˈjõ
Nozze di Figaro it. 'nɔttse di 'fiːgaro
Nsawam engl. ənsaˈwaːm
Nsukka engl. ənˈsuːkaː
n-te 'ɛntə
n-tupel 'ɛntuːpl̩
n-tv ɛnteːˈfau̯
nu, Nu nu:
Nuaima nuˈai̯ma
Nuakschott nu̯akˈʃɔt
Nuance 'nyãːsə
nuancieren nyãˈsiːrən
Nuba 'nuːba
Nubekula nuˈbeːkula, ...lae ...lɛ
'nüber 'nyːbɐ
Nubien 'nuːbi̯ən
Nubier 'nuːbi̯ɐ
nubisch 'nuːbɪʃ
Ñuble span. 'ɲuβle
Nubuk 'nuːbʊk, 'nʊbʊk
Nucellus nuˈtsɛlʊs, ...lli ...li
Nucet rumän. nuˈtʃet
nüchtern, N... 'nʏçtɐn
Nücke 'nʊkə
Nücke 'nʏkə
nuckeln 'nʊkln̩
Nuddel 'nʊdl̩
nuddeln 'nʊdln̩
Nudel 'nuːdl̩
Nudeldick 'nuːdl̩ˈdɪk
nudeln 'nuːdln̩, **nudle** 'nuːdlə
Nudismus nuˈdɪsmʊs
Nudist nuˈdɪst
nudis verbis 'nuːdiːs 'vɛrbiːs
Nudität nudiˈtɛːt
Nuer 'nuːɐ
Nueva Esparta span. 'nu̯eβa esˈparta
Nuevitas span. nu̯eˈβitas
Nuevo León span. 'nu̯eβo leˈɔn
Nufenen 'nuːfənən
Nuffield engl. 'nʌfiːld
Nugat 'nuːgat
Nugent engl. 'njuːdʒənt
Nugget 'nagət
Nuggi 'nʊgi

nuklear nukle'a:ɐ̯
Nuklease nukle'a:zə
Nuklei vgl. Nukleus
Nuklein nukle'i:n
Nukleoid nukleo'i:t, -e
...i:də
Nukleole nukle'o:lə
Nukleolus nu'kle:olʊs; ...li
...li, ...len nukle'o:lən
Nukleon 'nu:kleɔn, -en
nukle'o:nən
Nukleonik nukle'o:nɪk
Nukleoproteid nukleopro-
te'i:t, -e ...i:də
Nukleotid nukleo'ti:t, -e
...i:də
Nukleus 'nu:kleʊs, ...ei ...ei
Nuklid nu'kli:t, -e ...i:də
Nukualofa engl. nu:kʊə-
'loʊfə
Nukus russ. nu'kus
null, N... nʊl
nullachtfünfzehn nʊl-
|axt'fʏnftse:n
Null, van der fan de:r 'nʏl
nulla poena sine lege 'nʊla
'pøːna 'zi:nə 'le:gə
Nullarbor engl. 'nʌlɑːbə
Null-Bock-... 'nʊl'bɔk...
nullen 'nʊlən
Nuller[l] 'nʊlɐ[l]
Nullifikation nʊlifika'tsi̯o:n
nullifizieren nʊlifi'tsi:rən
Nullipara nʊ'li:para, ...ren
nʊli'pa:rən
Nullität nʊli'tɛ:t
Null-Null 'nʊl'nʊl
Nullode nʊ'lo:də
Null ouvert nʊllu've:ɐ̯,
...ve:ɐ̯, --[s] -...ɐ̯[s], --s --s
nullte 'nʊltə
Nullum 'nʊlʊm
nullum crimen sine lege
'nʊlʊm 'kri:mən 'zi:nə
'le:gə
Nulpe 'nʊlpə
Numa 'nu:ma, fr. ny'ma
Numairi nu'mairi
Numantia nu'mantsi̯a
Numasu jap. 'nu.mazu̯
Numbat 'nʊmbat
Nümbrecht 'nʏmbrɛçt
Numea nu'me:a
Numedal norw. 'nʉːmɑdɑːl
Numeister 'nu:maistɐ
Numen 'nu:mən
Numenius nu'me:ni̯ʊs
Numerale nume'ra:lə, ...lien
...li̯ən, ...lia ...li̯a

Numerator nume'ra:to:ɐ̯,
-en ...ra'to:rən
Numeri 'nu:meri, auch:
'nʊm...
Numerik nu'me:rɪk
numerisch nu'me:rɪʃ
Numero 'nu:mero, auch:
'nʊm...
Numerologie numerolo'gi:
Numerus 'nu:merʊs, auch:
'nʊm..., ...ri ...ri
Numerus clausus 'nu:me-
rʊs 'klau̯zʊs, auch:
'nʊm... -
Numerus currens 'nu:me-
rʊs 'kʊrɛns, auch:
'nʊm... -
Numider nu'mi:dɐ, auch:
'nu:midɐ
Numidien nu'mi:di̯ən
Numidier nu'mi:di̯ɐ
numinos numi'no:s, -e
...o:zə
Numinose numi'no:zə
Numismatik numɪs'ma:tɪk
Numismatiker numɪs'ma:-
tikɐ
numismatisch numɪs'ma:tɪʃ
Nummer 'nʊmɐ
nummerieren nʊmə'ri:rən
nummerisch 'nʊmərɪʃ
nummern 'nʊmɐn
Nummi finn. 'nummi
Nummulit nʊmu'li:t
nun, Nun nu:n
Nunatak 'nʊnatak, 'nu:n...,
-[e]r ...kɐ
Nunchaku nʊn'tʃaku
Nundinae 'nʊndinɛ
Nuneaton engl. nʌn'i:tn
Nunes port. 'nunɪʃ, bras.
'nunis
Núñez span. 'nuɲeθ
nunmehr 'nu:n'me:ɐ̯
nunmehrig 'nu:n'me:rɪç, -e
...ɪgə
Nunn engl. nʌn
'nunter 'nʊntɐ
Nuntiant nʊn'tsi̯ant
Nuntiat nʊn'tsi̯a:t
Nuntiation nʊntsi̯a'tsi̯o:n
Nuntiatur nʊntsi̯a'tu:ɐ̯
Nuntius 'nʊntsi̯ʊs, ...ien
...i̯ən
Nuoro it. 'nu:oro
Nupe 'nu:pə
nuptial nʊp'tsi̯a:l
Nupturienten nʊptu'ri̯ɛntn̩
nur nu:ɐ̯

Nura russ. nu'ra
Nurag[h]e nu'ra:gə
Nürburg 'ny:ɐ̯bʊrk
Nureddin nurɛ'di:n
Nurejew russ. nu'rjejɪf
Nurek russ. nu'rjɛk
Nurhausfrau 'nu:ɐ̯hau̯sfrau̯
Nuri 'nu:ri
Nurmi finn. 'nurmi
Nürnberg 'nʏrnbɛrk
Nürnberger 'nʏrnbɛrgɐ
Nurra it. 'nurra
Nurse nø:ɐ̯s, nœrs, -n
'nø:ɐ̯sn̩, 'nœrsn̩, ...ɐ̯sn̩,
...rsn̩
Nürtingen 'nʏrtɪŋən
Nus nu:s
Nusairier nu'zairi̯ɐ
Nusa Tenggara indon. 'nusa
təŋ'gara
Nusaybin türk. nu'saɪbin
nuscheln 'nʊʃln̩
Nuschke 'nʊʃkə
Nusi 'nu:zi
Nušić serbokr. 'nuʃitɕ
Nuss nʊs, Nüsse 'nʏsə
Nüsschen 'nʏsçən
Nüster 'nʏstɐ, auch: 'ny:stɐ
Nut nu:t
Nutation nuta'tsi̯o:n
Nute 'nu:tə
nuten 'nu:tn̩
Nuthe 'nu:tə
Nutley engl. 'nʌtlɪ
Nutramin nutra'mi:n
Nutria 'nu:tria
nutrieren nu'tri:rən
Nutriment nutri'mɛnt
Nutrition nutri'tsi̯o:n
nutritiv nutri'ti:f, -e ...i:və
Nutsche 'nu:tʃə, 'nʊtʃə
nutschen 'nu:tʃn̩, 'nʊtʃn̩
Nutt[all] engl. 'nʌt[ɔ:l]
Nutte 'nʊtə
nuttig 'nʊtɪç, -e ...ɪgə
Nutz, N... nʊts
nütze 'nʏtsə
nutzen, N... 'nʊtsn̩
nützen 'nʏtsn̩
nützlich 'nʏtslɪç
Nützling 'nʏtslɪŋ
Nutznießer 'nʊtsni:sɐ
Nuvistor nu'vɪsto:ɐ̯, -en
...'to:rən
Nux nʊks
Nuy[ss]en niederl. 'nœi̯[s]ə
Nuz[z]i it. 'nuttsi
Ny ny:
Nyala 'nja:la
Nyberg schwed. ˌny:bærj

Nyborg *dän.* 'nyboɐ̯'
Nydam *dän.* 'nydam'
Nye *engl.* naɪ
Nyerere *engl.* njɛ'rɛrɪ
Nyeri *engl.* 'njɛri:
Nyers *ung.* njɛrʃ
Nygaardsvold *norw.* 'ny:goːrsvɔl
Nygard *norw.* 'ny:ga:r
Nygren *schwed.* ˌny:gre:n
Nyíreghyháza *ung.* 'nji:-rɛtjha:zɔ
Nyírő *ung.* 'nji:rø:
Nyírség *ung.* 'nji:rʃe:g
Nykøbing *dän.* 'nykʏ:'bɪŋ
Nyköping *schwed.* ˌny:çø:-pɪŋ
Nyktalgie nʏktal'gi:, -n ...i:ən
Nyktalopie nʏktalo'pi:
Nyktinastie nʏktinas'ti:, -n ...i:ən
Nyktometer nʏkto'me:tɐ
Nyktophobie nʏktofo'bi:, -n ...i:ən
Nykturie nʏktu'ri:, -n ...i:ən
Nykvarn *schwed.* ny'kva:rn
Nyland 'ny:lant, *schwed.* 'ny:lan[d]
Nylander *schwed.* ny'landər
Nylon® 'naɪlɔn
Nymburk *tschech.* 'nimburk
Nympha 'nʏmfa, ...phae ...fɛ
Nymphäa nʏm'fɛ:a
Nymphäe nʏm'fɛ:ə
Nymphäum nʏm'fɛ:ʊm
Nymphe 'nʏmfə
Nymphenburg 'nʏmfn̩burk
Nymphitis nʏm'fi:tɪs, ...itiden ...fi'ti:dn̩
nymphoman nʏmfo'ma:n
Nymphomanie nʏmfo-ma'ni:
Nynäshamn *schwed.* ny:nɛs-'hamn
Nynorsk 'ny:nɔrsk
Nyon[s] *fr.* njõ
Nyrén *schwed.* ny're:n
Nyrop *dän.* 'ny:'rʊb
Nysa *poln.* 'nisa
Nyssa 'nʏsa
Nystad *schwed.* ˌny:sta:d
Nystagmus nʏs'tagmʊs
Nyx nʏks
Nzérékoré *fr.* nzerekɔ're

O

o, O o:, *engl.* oʊ, *fr.*, *span.* o, *it.* ɔ
ọ, Ọ ø:
ω, Ω 'o:mega
ọ! o:
Oahu o'a:hu, *engl.* oʊ'a:hu:
Oakdale *engl.* 'oʊkdeɪl
Oakeley *engl.* 'oʊklɪ
Oakengates *engl.* 'oʊkɪn-geɪts
Oakland *engl.* 'oʊklənd
Oak Lawn *engl.* 'oʊk 'lɔ:n
Oakley, ...leigh *engl.* 'oʊklɪ
Oak Ridge *engl.* 'oʊk 'rɪdʒ
Oakville *engl.* 'oʊkvɪl
Oamaru *engl.* 'a:mɔru:, ɔmə'ru:
OAPEC o'a:pɛk, *engl.* oʊ'eɪpɛk
OAS o:|a:'|ɛs, *fr.* oɑ'ɛs
Oase o'a:zə
Oastler *engl.* 'oʊstlə
Oat[e]s *engl.* oʊts
Oaxaca *span.* oa'xaka
ọb ɔp
Ọb ɔp, *russ.* ɔpj
Obacht 'o:baxt
Obạdja o'batja
Obaldia *fr.* ɔbal'dja
Oban *engl.* 'oʊbən
Obasanjo *engl.* ə'bæsən-dʒoʊ
Ọbbligo 'ɔbligo
Ọbdach 'ɔpdax
obdiplostemọn ɔpdiploste-'mo:n
Obduktiọn ɔpdʊk'tsɪ̯o:n
Obduratiọn ɔpdura'tsɪ̯o:n
obdurieren ɔpdu'ri:rən
Obduzẹnt ɔpdu'tsɛnt
obduzieren ɔpdu'tsi:rən
Obediẹnz obe'di̯ɛnts
Obeid o'baɪt
Obeid e Sakani *pers.* o'beɪ-dezaka'ni:
ọ-beinig o'baɪnɪç, -e ...ɪgə
Obelịsk obe'lɪsk
ọben 'o:bn̩
ọbenạn 'o:bn̩'|an

ọbenauf 'o:bn̩'|aʊf
ọbenaus 'o:bn̩'|aʊs
ọbendrauf 'o:bn̩'drauf
ọbendrein 'o:bn̩'draɪn
obendrüber 'o:bn̩'dry:bɐ
obenher 'o:bn̩'he:ɐ̯
obenherein 'o:bn̩he'raɪn
obenherum 'o:bn̩he'rʊm
obenhin 'o:bn̩'hɪn
obenhinaus 'o:bn̩hɪ'naʊs
Ọben-ọhne... 'o:bn̩'|o:nə...
ọbenrum 'o:bn̩'rʊm
ọber, Ọ... 'o:bɐ
Oberallgäu 'o:bɐ|algɔy
Oberạlppass o:bɐ'|alppas
Oberạmmergau o:bɐ-'|amɐgau
Oberbayern 'o:bɐbaɪɐn
Ọberbefehl 'o:bɐbəfe:l
ọberbergisch 'o:bɐbɛrgɪʃ
Oberbürgermeister 'o:bɐ-'bʏrgɐmaɪstɐ, *auch:* --'----
oberdeutsch 'o:bɐdɔytʃ
Ọberdorf 'o:bɐdɔrf
ọbere, Ọ... 'o:bərə
Ọberek *poln.* ɔ'bɛrɛk
Oberẹsch o:bɐ'|ɛʃ
oberfaul 'o:bɐfaul
Ọberfläche 'o:bɐflɛçə
ọberflächlich 'o:bɐflɛçlɪç
Ọberfranken 'o:bɐfraŋkn̩
Ọberg o:bɐk
ọbergärig 'o:bɐgɛ:rɪç, -e ...ɪgə
Oberglogau 'o:bɐ'glo:gau
Ọbergurgl 'o:bɐgʊrgl̩
oberhalb 'o:bɐhalp
Oberhalbstein o:bɐ'halp-ʃtaɪn, ---'-
Ọberhand 'o:bɐhant
Ọberhasli 'o:bɐha:sli
Ọberhauenstein 'o:bɐhau-ənʃtaɪn
Ọberhausen 'o:bɐhauzn̩
Ọberhessen 'o:bɐhɛsn̩
Oberhof (Suhl) o:bɐ'ho:f, '---
Oberhofmeister 'o:bɐ'ho:f-maɪstɐ, *auch:* --'---
Ọberhoheit 'o:bɐho:haɪt
Ọberhummer 'o:bɐhʊmɐ
Ọberitalien 'o:bɐlita:li̯ən
Ọberjoch 'o:bɐjɔx
ọberkant 'o:bɐkant
Oberkaufungen o:bɐ'kau-fʊŋən
Ọberkirch[en] 'o:bɐkɪrç[n̩]
Oberkirchenrat 'o:bɐ-'kɪrçn̩ra:t, *auch:* --'---

Oberklettgau 'oːbɐklɛtgau̯
Oberkochen oːbɐ'kɔxn̩
Oberkofler 'oːbɐkoːflɐ
Oberkommando 'oːbɐkɔ-
mando
Oberkrain[er] 'oːbɐkrai̯n[ɐ]
Oberkreisdirektor 'oːbɐ-
'krai̯sdirɛktoːɐ̯, auch:
--'----
Oberlaa 'oːbɐlaː
Oberlahnstein oːbɐ'laːn-
ʃtai̯n
Oberland 'oːbɐlant
Oberländer 'oːbɐlɛndɐ
Oberlandesgericht 'oːbɐ-
'landəsgərɪçt, auch:
--'----
Oberlandquart 'oːbɐ-
lantkvart
oberlastig 'oːbɐlastɪç, -e
...ɪgə
Oberlausitz 'oːbɐlau̯zɪts,
auch: --'--
Oberleutnant 'oːbɐlɔy̯tnant
Oberligist 'oːbɐligɪst
Oberlin 'oːbɐliːn, fr. ɔbɛr'lɛ̃,
engl. 'ou̯bəlɪn
Obermaier, ...ayer 'oːbɐ-
mai̯ɐ
Obermarchtal oːbɐ-
'marçtaːl
Obermarsberg oːbɐ'mars-
bɛrk
Obermoschel oːbɐ'mɔʃl̩
Oberndorf 'oːbɐndɔrf
Obernkirchen oːbɐn'kɪrçn̩
Oberon 'oːbərɔn, engl.
'ou̯bərən
Oberösterreich 'oːbɐ-
løːstərai̯ç
Oberpfalz 'oːbɐpfalts
Oberpostdirektion
'oːbɐ'pɔstdirɛktsi̯oːn, auch:
--'----
Oberprima 'oːbɐpriːma,
auch: --'--
Oberpullendorf 'oːbɐpʊlən-
dɔrf
Oberrad (Ort) oːbɐ'raːt
Ober-Ramstadt oːbɐ'ram-
ʃtat
Oberregierungsrat 'oːbɐre-
'giːrʊŋsraːt, auch: ---'---
Oberrhein 'oːbɐrai̯n
Oberrheintal 'oːbɐrai̯ntaːl
Oberriet oːbɐ'riːt
Oberrotweil oːbɐ'rɔtvai̯l
Obers 'oːbɐs
Obersachsen 'oːbɐzaksn̩

Obersalzberg oːbɐ'zalts-
bɛrk
oberschlächtig 'oːbɐʃlɛçtɪç,
-e ...ɪgə
Oberschlesien 'oːbɐʃleːzi̯ən
oberschlesisch 'oːbɐʃleːzɪʃ
Oberschwaben 'oːbɐʃvaːbn̩
oberseits 'oːbɐzai̯ts
oberst, O... 'oːbɐst
Oberstadtdirektor 'oːbɐ-
'ʃtatdirɛktoːɐ̯, auch:
--'----
Oberstaufen oːbɐ'ʃtau̯fn̩
Oberstdorf 'oːbɐrstdɔrf
oberste 'oːbɐstə
Oberstleutnant 'oːbɐst-
'lɔy̯tnant, auch: --'--
Oberstudienrat 'oːbɐ-
'ʃtuːdi̯ənraːt, auch: --'---
Obertas poln. ɔ'bɛrtas
Oberth 'oːbɐrt
Obertoggenburg 'oːbɐ-
tɔgn̩bʊrk
Oberursel oːbɐ'l̩ʊrzl̩
Obervellach 'oːbɐfɛlax
Oberverwaltungsgericht
'oːbɐfɛɐ̯'valtʊŋsgərɪçt,
auch: ---'----
Oberviechtach oːbɐ'fiːçtax
Obervolta 'oːbɐ'vɔlta
Oberwart 'oːbɐvart
oberwärts 'oːbɐvɛrts
Oberweißbach oːbɐ'vai̯s-
bax
Oberwesel oːbɐ've:zl̩
Oberwiesenthal oːbɐ-
'viːzntaːl
Oberwolfach oːbɐ'vɔlfax
Obesitas o'be:zitas
Obesität obezi'tɛːt
Obey fr. ɔ'bɛ
Obfrau 'ɔpfrau̯
obgenannt 'ɔpgənant
obgleich ɔp'glai̯ç
Obhut 'ɔphuːt
Obi 'oːbi, indon. 'obi
Óbidos port. 'ɔβiðuʃ, bras.
'ɔbidus
obig 'oːbɪç, -e ...ɪgə
Objihiro jap. o'bi.hiro
obiit 'oːbiːt
Obin fr. ɔ'bɛ̃
Obiter Dictum 'oːbitɐ 'dɪk-
tʊm
Obituarium obi'tu̯aːri̯ʊm,
...ia ...i̯a, ...ien ...i̯ən
Objekt ɔp'jɛkt, auch: '--
Objektion ɔpjɛk'tsi̯oːn
objektiv, O... ɔpjɛk'tiːf,
auch: '---, -e ...iːvə

Objektivation ɔpjɛktiva-
'tsi̯oːn
objektivieren ɔpjɛkti'viːrən
Objektivismus ɔpjɛkti'vɪsmʊs
Objektivist ɔpjɛkti'vɪst
Objektivität ɔpjɛktivi'tɛːt
objizieren ɔpji'tsiːrən
obkonisch ɔp'koːnɪʃ
Oblast 'ɔblast
Oblate o'blaːtə
Oblation obla'tsi̯oːn
obliegen 'ɔpliːgn̩, auch:
-'--
Obliegenheit 'ɔpliːgn̩hai̯t
Obligado span. oβli'ɣaðo
obligat obli'gaːt
Obligation obliga'tsi̯oːn
Obligationär obligatsi̯o-
'nɛːɐ̯
obligatorisch obliga'toːrɪʃ
Obligatorium obliga'toː-
ri̯ʊm, ...ien ...i̯ən
obligeant obli'ʒant
obligieren obli'ʒiːrən,
...i'ʒiːrən
Obligo 'oːbligo, 'ɔb...
oblique prädikativ: o'bliːk,
attributiv: ...kvə
Obliquität oblikvi'tɛːt
Obliteration oblitera'tsi̯oːn,
ɔpl...
obliterieren oblite'riːrən,
ɔpl...
Oblomow russ. ab'lɔmɐf
Oblomowerei oblomovə'rai̯
oblong ɔp'lɔŋ
Obmacht 'ɔpmaxt
Obmann 'ɔpman
Obninsk russ. 'ɔbninsk
Obnorski russ. ab'nɔrskij
Obo o'boː
Obock fr. ɔ'bɔk
Obödienz obø'di̯ɛnts
Oboe o'boːə
Oboe da Caccia o'boːə da
'katʃa
Oboe d'Amore o'boːə
da'moːrə
Oboe d'Amour o'boːə
da'muːɐ̯
Oboer o'boːɐ
Oboist obo'ɪst
Obok fr. ɔ'bɔk
Obolus 'oːbolus, -se ...ʊsə
Obote engl. ou̯'bou̯teɪ
Obotrit obo'triːt
Oboussier fr. ɔbu'sje
Obra 'oːbra, poln. 'ɔbra

Obradović *serbokr.* ɔ,bra:-
dɔvitɕ
Obradowitsch *russ.* abra-
'dɔvitʃ
O'Brady *engl.* oʊ'breɪdɪ
Obraldruck o'bra:ldrʊk
Obraszow *russ.* abras'tsɔf
Obraszowa *russ.* abras-
'tsɔvɐ
Obrataň *tschech.* 'ɔbratanj
Obrecht *niederl.* 'o:brɛxt
Obregón *span.* oβre'ɣɔn
Obrenović *serbokr.* ɔ.brɛ:-
nɔvitɕ
Obreption ɔprɛp'tsi̯o:n
Obrestad *norw.* ,o:brəsta
O'Brien *engl.* oʊ'braɪən
Obrigheim 'o:brɪçhai̯m
Obrigkeit 'o:brɪçkai̯t
[1]Obrist (Oberst) o'brɪst
[2]Obrist (Name) 'o:brɪst
Obrnice *tschech.* 'ɔbr̩njitsɛ
obruieren ɔpru'i:rən
Obrutschew *russ.* 'ɔbrut'ʃɪf
obschon ɔp'ʃo:n
Obschtschina 'ɔpʃtʃina
Obschtschi Syrt *russ.*
'ɔpʃtʃij 'sɪrt
Obsekration ɔpzekra'tsi̯o:n
obsekrieren ɔpze'kri:rən
obsequent ɔpze'kvɛnt
Obsequiale ɔpzekvi'a:lə,
...lien ...li̯ən
Obsequien ɔp'ze:kvi̯ən
observabel ɔpzɛr'va:bl̩,
...ble ...blə
Observant ɔpzɛr'vant
Observanz ɔpzɛr'vants
Observation ɔpzɛrva'tsi̯o:n
Observator ɔpzɛr'va:to:ɐ̯,
-en ...va'to:rən
Observatorium ɔpzɛrva-
'to:ri̯ʊm, ...ien ...i̯ən
Observer *engl.* əb'zə:və
observieren ɔpzɛr'vi:rən
Obsession ɔpzɛ'si̯o:n
obsessiv ɔpzɛ'si:f, -e ...i:və
Obsidian ɔpzi'di̯a:n
obsiegen ɔp'zi:gn̩, *auch:*
–'––
Obsignation ɔpzɪgna'tsi̯o:n
obsignieren ɔpzɪ'gni:rən
obskur ɔps'ku:ɐ̯
Obskurant ɔpsku'rant
Obskurantismus ɔpskuran-
'tɪsmʊs
Obskurität ɔpskuri'tɛ:t
Obsoleszenz ɔpzolɛs'tsɛnts
obsoleszieren ɔpzolɛs'tsi:-
rən

obsolet ɔpzo'le:t
Obst o:pst
Obstakel ɔp'sta:kl̩
Obstetrik ɔp'ste:trɪk
Obstfelder *norw.* 'ɔpstfɛldər
obstinat ɔpsti'na:t
Obstination ɔpstina'tsi̯o:n
Obstipation ɔpstipa'tsi̯o:n
obstipieren ɔpsti'pi:rən
Obstler 'o:pstlɐ
Öbstler 'ø:pstlɐ
Obstructionbox ɔp'strakʃn̩-
bɔks
Obstruent ɔpstru'ɛnt
obstruieren ɔpstru'i:rən
Obstruktion ɔpstrʊk'tsi̯o:n
obstruktiv ɔpstrʊk'ti:f, -e
...i:və
obszön ɔps'tsø:n
Obszönität ɔpstsøni'tɛ:t
Obturation ɔptura'tsi̯o:n
Obturator ɔptu'ra:to:ɐ̯, -en
...ra'to:rən
Obuasi ɔ'bwa:si:
obugrisch 'ɔplu:grɪʃ
Obus 'o:bʊs, -se ...ʊsə
Obwalden 'ɔpvaldn̩
Obwaldner 'ɔpvaldnɐ
obwalten 'ɔpvaltn̩, *auch:*
–'––
obwohl ɔp'vo:l
obzwar ɔp'tsva:ɐ̯
Öcalan *türk.* œdʒa'lɑn
OCAM(M) *fr.* ɔ'kam
Ocampo *span.* o'kampo
O'Casey *engl.* oʊ'keɪsɪ
Occam *engl.* 'ɔkəm
Occamismus ɔka'mɪsmʊs
Occasion ɔka'zi̯o:n
Occhi 'ɔki
Occidental ɔktsidɛn'ta:l
Occleve *engl.* 'ɔkli:v
Oceandumping 'o:ʃn̩dam-
pɪŋ
Ocean Island *engl.* 'oʊʃən
'aɪlənd
Oceanliner 'o:ʃnlai̯nɐ
Oceanside *engl.* 'oʊʃənsaɪd
och! ɔx
Ocha *russ.* a'xa
Ochab *poln.* 'ɔxap
Ochino *it.* ɔ'ki:no
Ochlokratie ɔxlokra'ti:, -n
...i:ən
ochlokratisch ɔxlo'kra:tɪʃ
Ochlopkow *russ.* ax'lɔpkɐf
Ochman *poln.* 'ɔxman
Ochoa *span.* o'tʃoa
Ochotsk *russ.* a'xɔtsk

ochotskisch ɔ'xɔtskɪʃ
Ochrana ɔx'ra:na, *russ.*
ax'ranɐ
Ochrea 'o:krea, ...eae ...eɛ
Ochrida 'ɔxrida
Ochronose ɔxro'no:zə
Ochs *dt., engl.* ɔks
Öchse 'ɔksə
ochsen 'ɔksn̩
Ochsenbein 'ɔksn̩bai̯n
Ochsenfurt 'ɔksn̩fʊrt
Ochsenhausen ɔksn̩'hau̯zn̩
Ochsenheimer 'ɔksn̩hai̯mɐ
Ochsenius ɔ'kse:ni̯ʊs
Ochsenkopf 'ɔksn̩kɔpf
ochsig 'ɔksɪç, -e ...ɪgə
Öchsle 'œkslə
Ochtrup 'ɔxtrʊp
Ockeghem *niederl.* 'ɔkəɣɛm
ocker, O... 'ɔkɐ
Ockham 'ɔkam, *engl.* 'ɔkəm
Ockhamismus ɔka'mɪsmʊs
Ocki 'ɔki
Ocna Mureş *rumän.* 'okna
'mureʃ
O'Connell *engl.* oʊ'kɔnl
O'Connor *engl.* oʊ'kɔnə
Oconomowoc *engl.* oʊ'kɔ-
nəməwɔk
O'Conor *engl.* oʊ'kɔnə
Ocotepeque *span.* okote-
'peke
Ocotlán *span.* okot'lan
Ó Crohan *engl.* oʊ'krouən
Octan[a] ɔk'ta:n[a]
Octans 'ɔktans
octava ɔk'ta:va
Octave *engl.* 'ɔkteɪv, *fr.*
ɔk'ta:v
Octavia ɔk'ta:vi̯a
Octavian[us] ɔkta'vi̯a:n[ʊs]
Octavie ɔk'ta:vi̯ə
Octavio ɔk'ta:vi̯o, *span.*
ɔk'taβi̯o
Octavius ɔk'ta:vi̯ʊs
Octuor ɔk'tỹo:ɐ̯
öd ø:t, **öde** 'ø:də
Od o:t, -es 'o:dəs
Oda *dt., engl.* 'oʊdɑ:
Óðáðahraun *isl.* 'oʊdau̯-
ðahrœy̆n
Odal 'o:da:l
Odaliske oda'lɪskə
Odawara *jap.* o'dawara
O'Day *engl.* oʊ'deɪ
Odda *norw.* ,ɔda
Odd Fellow 'ɔtfɛlo
Odds ɔts, *engl.* ɔdz
Ode 'o:də
öde, Öde 'ø:də

Od**e**ion o'da͜iͻn, Od**e**ia
o'da͜ia
Ọdel 'oːdl̩
Odelsting *norw.* 'uːdəlstiŋ
Odem 'oːdəm
Ọ̈dem øˈdeːm
ödematọ̈s ødemaˈtøːs, -**e**
...øːzə
Ọdẹmiş *türk.* œ'dɛmiʃ
öden 'øːdn̩, **ọ̈d!** øːt
Ọdenburg 'øːdn̩bʊrk
Ọdendaalsrust *afr.* 'oːdən-
daːlsrœs
Odense *dän.* 'uːˈðn̩sə
Odensten *schwed.*
.uːdənsteːn
Ọdenthal 'oːdn̩taːl
Ọdenwald 'oːdn̩valt
Odẹon o'deːͻn
Odéon *fr.* ͻde'õ
ọder, Ọ... 'oːdɐ
Ọderberg 'oːdɐbɛrk
Ọderbruch 'oːdɐbrʊx, *auch:*
...bruːx
Ọdermennig 'oːdɐmɛnɪç, -**e**
...ɪgə
Ọder-N͜eiße-Linie 'oːdɐ-
'na͜isəliːni͜ə
Ọder-Spr͜ee-Kanal 'oːdɐ-
'ʃpreːkanaːl
Odẹssa o'dɛsa, *russ.*
a'djɛsɐ, *engl.* ou'dɛsə
Odẹt *fr.* ͻ'deː
Odẹts *engl.* ou'dɛts
Odẹtte *fr.* ͻ'dɛt
Odẹum o'deːʊm
Odeur o'døːɐ̯
Odienné fr. ͻdje'ne
Ọ̈digkeit 'øːdɪçka͜it
Odịle *fr.* ͻ'dil
Odịlia o'diːli͜a
Odịlien[berg] o'diː-
li͜ən[bɛrk]
Ọdilo 'oːdilo
Ọdin 'oːdɪn
Odịne o'diːnə
Odịnga *engl.* ou'dɪŋgaː
Ọdington *engl.* 'oʊdɪŋtən
Odinzọwo *russ.* adin'tsͻvɐ
odiọ̈s o'djøːs, -**e** ...øːzə
odiọs o'diͻːs, -**e** ...oːzə
Odiosität odi͜oziˈtɛːt
ödipal ødiˈpaːl
Ọ̈dipus 'øːdipʊs
Ọdium 'oːdi͜ʊm
Ọ̈dland 'øːtlant
Ọ̈dnis 'øːtnɪs
Ọdnoposoff ͻdnoˈpͻsͻf
Ọdo 'oːdo, *engl.* 'oʊdoʊ
Odoaker odoˈaːkɐ

Odoạrdo *it.* odoˈardo
Odobẹscu *rumän.* odo-
'besku
Odojewski *russ.* aˈdͻjɪfskij,
poln. ͻdͻˈjɛfski
Odojewzewa *russ.* aˈdͻjɪf-
tsɪvɐ
Odọl® o'doːl
Ọ̈dön *ung.* 'ødøn
O'Donnell *engl.* ouˈdͻnl,
span. oðoˈnɛl
Odontalgịe odͻntalˈgiː, -**n**
...iːən
Odontobl̩ạst odͻntoˈblast
odontogẹn odͻntoˈgeːn
Odontoglọssum odͻnto-
'glͻsʊm
Odontolọge odͻntoˈloːgə
Odontologịe odͻntoloˈgiː
Odontọm odͻnˈtoːm
Odontometrị͜e odͻntome-
'triː
Odontornịthen odͻntͻr-
'niːtn̩
Ọdor 'oːdoːɐ̯, -**es** o'doːreːs
Odorh͜eiul Secuịesc *rum.*
odorˈxe͜iul sekuˈ͜iesk
odorịeren odoˈriːrən
Odowạkar odoˈvaːkar
Odowạlsky odoˈvalski
O'Dowd *engl.* ouˈdaud
Ọdra *tschech.* 'ͻdra
Odría *span.* o'ðria
Odryse o'dryːzə
Odschịbwä o'dʒɪpvɛ
Odyniec *poln.* ͻ'dinjɛts
Odyss͜ee ody'seː, -**n** ...eːən
odyss͜eisch ody'seːɪʃ
Odysseus o'dysͻys
Ọeben 'øːbn̩
Oebisfẹlde øːbɪsˈfɛldə
OECD oːɛ|e:ts͜eːˈdeː
Oederan 'øːdəraːn, --'-
Ọeglin 'øːkliːn
Ọehlenschläger 'øːlən-
ʃleːgɐ, *dän.* 'yːˈlənsleːgɐ
Ọehmichem ˈøːmɪçm̩
Oelde 'œldə
Oelfken 'œlfkn̩
Oels øːls, œls
Ọelschlegel 'øːlʃleːgl̩
Oelsnitz 'œlsnɪts
Oelssner, Oelßner 'œlsnɐ
Oelze 'œltsə
Oenoth͜era øno'teːra
Oer oːɐ̯
Oerlikon 'œrlikoːn
Oerlinghausen 'œrlɪŋhauzn̩
Ọersted 'øːɐ̯stɛt, ...ʃtɛt
Oertel 'œrtl̩

Oesch œʃ
Oesọphagus øːzoːfagʊs,
...**gi** ...gi
Ọeser 'øːzɐ
Oesterlen 'øːstɛlən
Ọestreich 'øːstra͜iç
Oestrich 'œstrɪç
Ọetinger 'øːtɪŋɐ
Oetker 'œtkɐ
Oettingen 'œtɪŋən
Œuvre, -s 'øːvrə
Ọeventrop 'øːvn̩trͻp
Oever *niederl.* 'uvər
Oeynhausen 'øːnhauzn̩
O'Fallon *engl.* ouˈfælən
Ọfanto *it.* 'ͻːfanto
O'Faoláin *engl.* ouˈfe͜ilən
Ọ̈fchen 'øːfçən
Ọfen 'oːfn̩, **Ọ̈fen** 'øːfn̩
Ọfen[pest] 'oːfn̩[pɛst]
ọff, Ọff ͻf
Ọffa 'ͻfa, *engl.* 'ͻfə
Ọffaly *engl.* 'ͻfəli
Offbeat 'ͻfbiːt, *auch:* -'-
Ọffbrands 'ͻfbrɛnts
ọffen 'ͻfn̩
Ọffenbach 'ͻfn̩bax, *fr.* ͻfɛn-
'bak
offenbar 'ͻfn̩baːɐ̯, *auch:*
--'-
offenbạren ͻfn̩'baːrən
Offenbạrung ͻfn̩'baːrʊŋ
Ọffenburg 'ͻfn̩bʊrk
offenkundig 'ͻfn̩kʊndɪç,
auch: --'--
Offenmạrktpolitik
ͻfn̩'marktpoliti:k
offensichtlich 'ͻfn̩zɪçtlɪç,
auch: --'--
offensiv ͻfɛn'ziːf, -**e** ...iːvə
Offensịve ͻfɛn'ziːvə
ọ̈ffentlich 'œfn̩tlɪç
Ọffer 'ͻfɐ
Offerẹnt ͻfe'rɛnt
offerịeren ͻfe'riːrən
Offert[e] ͻ'fɛrt[ə]
Offertọrium ͻfɛr'toːri͜ʊm,
...**ien** ...i͜ən
¹Ọffice (Büro) 'ͻfɪs
²Ọffice, -s (Anrichteraum)
'ͻfɪs
Offịcium ͻ'fiːtsi͜ʊm, ...**ia** ...i͜a
Officium divịnum ͻ'fiːtsi͜ʊm
di'viːnʊm
Offịda *it.* of fiːda
Offịz ͻ'fiːts
Offizial ͻfi'tsi͜aːl
Offizialat ͻfitsi͜a'la:t
Offiziạnt ͻfi'tsi͜ant
offiziẹll ͻfi'tsi͜ɛl

Offizier ɔfi'tsi:ɐ̯
Offizin ɔfi'tsi:n
offizinal ɔfitsi'na:l
offizinell ɔfitsi'nɛl
offiziös ɔfi'tsiø:s, -e ...ø:zə
Offiziosität ɔfitsiozi'tɛ:t
Offizium ɔ'fi:tsiʊm, ...ien
...iən
Off-Label-... 'ɔfle:bl̩...
off limits! 'ɔf'lɪmɪts
offline 'ɔflaɪn
öffnen 'œfnən
Off-off-... 'ɔf'ɔf...
Offsetdruck 'ɔfzɛtdrʊk
Offshore... 'ɔfʃo:ɐ̯...
offside 'ɔfzaɪt
offwhite 'ɔfvaɪt
Ofir 'o:fɪr
O'Flaherty engl. ou'flɛətɪ
Ofot[en] norw. 'u:fu:t[ən]
oft ɔft, öfter œftɐ
Ofterdingen 'ɔftɐdɪŋən
öfters œftɐs
öftest œftəst
oftmalig 'ɔftma:lɪç, -e ...ɪgə
Oftringen 'ɔftrɪŋən
Ogaden oga'dɛn
Ogaki jap. 'o:gakɪ
Ogarjow russ. aga'rjɔf
Ogbomosho engl. ɔgbə-
'moʊʃoʊ
Ogden, ...don engl. 'ɔgdən
Ogdensburg engl. 'ɔgdənz-
bə:g
Oger 'o:gɐ
Oggersheim 'ɔgɐshaɪm
Ogi 'o:gi
Oggiono it. od'dʒɔ:no
Ogham 'o:gam
oghamisch o'ga:mɪʃ
Ogier 'o:giɐ, fr. ɔ'ʒie
Ogilby engl. 'oʊglbɪ
Ogilvie engl. 'oʊglvɪ
Ogino o'gi:no
Ogiński poln. ɔ'giĩskɪ
ogival ogi'va:l, oʒi'va:l
Ogiven o'gi:vn̩, o'ʒi:vn̩
Oglethorpe engl. 'oʊglθɔ:p
Oglio it. 'ɔʎʎo
Ogmore engl. 'ɔgmɔ:
Ognjow russ. ag'njɔf
Ogoni o'go:ni
Ogonjok russ. aga'njɔk
Ogooué fr. ɔgo'we
O'Gorman span. o'gɔrman
Ogowe o'go:və
O'Grady engl. oʊ'greɪdɪ
Ogrizović serbokr. 'ɔgrizɔ-
vitɕ
Oguse o'gu:zə

Ogygia o'gy:gia
ogygisch o'gy:gɪʃ
oh!, Oh o:
oha! o'ha
O'Hara engl. oʊ'ha:rə
Oheim[b] 'o:haɪm[p]
O'Higgins engl. oʊ'hɪgɪnz,
span. o'iyins
Ohio o'haɪo, engl. oʊ'haɪoʊ
Ohira jap. o':hira
oh, là, là! ola'la
Ohlau 'o:laʊ
Ohldinn 'o:ldɪn
Ohle[ndorf] 'o:lə[ndɔrf]
Ohlin schwed. u'li:n
Ohlsson engl. 'oʊlsən
Ohm o:m
Ohm ø:m
Ohmberge 'o:mbɛrgə
Ohmd ø:mt, -es 'ø:mdəs
öhmden 'ø:mdn̩, öhmd!
ø:mt
ohne 'o:nə
ohnedem 'o:nə'de:m
ohnedies 'o:nə'di:s
ohneeinander 'o:nə-
laɪ'nandɐ
ohnegleichen 'o:nə'glaɪçn̩
Ohnehaltflug o:nə'haltflu:k
ohnehin 'o:nə'hɪn
Ohne-mich-... 'o:nə'mɪç...
Ohnet fr. ɔ'nɛ
Ohnmacht 'o:nmaxt
ohnmächtig 'o:nmɛçtɪç
Ohnsorg 'o:nzɔrk
oho! o'ho:
Ohr o:ɐ̯
Öhr ø:ɐ̯
Ohra 'o:ra
Öhrchen 'ø:ɐ̯çən
Ohrdruf 'o:ɐ̯drʊf
Öhre tschech. 'ɔhrʒɛ
öhren 'ø:rən
Ohrid mak. 'ɔhrit
Ohridsko ezero mak.
'ɔhritskɔ 'ɛzɛrɔ
...ohrig ....lo:rɪç, -e ...ɪgə
Öhringen 'ø:rɪŋən
Ohrit, Liqen i alban. li'kjen i
o'hrit
Ohrwaschel 'o:ɐ̯vaʃl̩
Ohu 'o:hu
Oidium o'i:dɪʊm, ...ien ...iən
Oie 'ɔyə
oikotypisch ɔyko'ty:pɪʃ
Oildag 'ɔyldɛk
Oildale engl. 'ɔɪldeɪl
Oileus o'i:lɔys
Oimjakon russ. ajmɪ'kɔn

Oinochoe ɔyno'çо:ə,
...nɔx...
Oinopides ɔy'no:pidɛs
Oireachtas engl. 'ɛrəktɪs
Oiron fr. wa'rõ
Oirote ɔy'ro:tə
Oirschot niederl. 'o:rsxɔt
Oisans fr. wa'zã
Oise fr. wa:z
Oisterwijk niederl. 'o:stɐr-
wɛik
Oistrach 'ɔystrax, russ.
'ɔjstrɛx
Oita jap. 'o.:ita
¹Ojama (Militär) jap.
o':jama
²Ojama (Stadt) jap. 'o.jama
Ojaschio oja'ʃi:o
Ojeda span. ɔ'xeða
oje[mine!] o'je:[mine]
ojerum! o'je:rʊm
Ojetti it. o'jetti
Ojibwa[y] engl. oʊ'dʒɪbweɪ
Ojos del Salado span. 'ɔxoz
ðɛl sa'laðo
Ojukwu engl. oʊ'dʒu:kwu:
Ok isl. ɔ:k
O.K. o'ke:
¹Oka (Maß) 'o:ka
²Oka (Fluss) russ. a'ka
³Oka (Stadt) engl. ɔ:'ka:
Okajama jap. o'ka.jama
Okakura jap. o'kakura
Okanagan, ..nogan engl.
oʊkə'nogən
Okapi o'ka:pi
Okara engl. oʊ'ka:ra:
Okarina oka'ri:na
Okasaki jap. o'ka.zaki
Okawango oka'vaŋgo
okay, O... o'ke:
Okeanide okea'ni:də
Okeanos o'ke:anos
Okeechobee engl. oʊkɪ-
'tʃoʊbi
O'Kee[f]fe engl. oʊ'ki:f
Okeghem niederl. 'o:kəyəm
O'Kell[e]y engl. oʊ'kɛlɪ
Oken o:kn̩
Oker 'o:kɐ
Okiep afr. o'ki:p
Okinawa oki'na:va, jap.
o'kinawa
Okio jap. 'o.:kio
Okka 'ɔka
Okkasion ɔka'zio:n
Okkasionalismus ɔkazio-
na'lɪsmʊs
Okkasionalist ɔkazio̯na'lɪst
okkasionell ɔkazio̯'nɛl

Ọkki 'ɔki
okkludierẹn ɔklu'di:rən
Okklusiọn ɔklu'zi̯o:n
okklusịv, O... ɔklu'zi:f, -e
...i:və
okkụlt ɔ'kʊlt
Okkultịsmus ɔkʊl'tɪsmʊs
Okkultịst ɔkʊl'tɪst
Okkultologe ɔkʊlto'lo:gə
Okkultologie ɔkʊltolo'gi:
Okkupạnt ɔku'pant
Okkupatiọn ɔkupa'tsi̯o:n
okkupationịstisch ɔkupa-
tsi̯o'nɪstɪʃ
Okkupatịv ɔkupa'ti:f, -e
...i:və
okkupatọrisch ɔkupa'to:rɪʃ
okkupierẹn ɔku'pi:rən
Okkurrẹnz ɔkʊ'rɛnts
Oklahọma okla'ho:ma,
engl. oʊklə'hoʊmə
Økland norw. .ø:klan
Okmulgee engl. oʊk'mʌlgɪ
oknophịl ɔkno'fi:l
Ọ̈ko 'ø:ko
Ọ̈koladen 'ø:kola:dn̩
Ọ̈kolampạd økolam'pa:t
Ọ̈kolampạdius økolam'pa:-
di̯ʊs
Ọ̈kologe øko'lo:gə
Ọ̈kologie økolo'gi:
ökologisch øko'lo:gɪʃ
Okọnek poln. ɔ'kɔnɛk
Ọ̈konọm øko'no:m
Ọ̈konometrie økonome'tri:
Ọ̈konometriker økono'me:-
trikɐ
ökonometrisch økono'me:-
trɪʃ
Ọ̈konomie økono'mi:, -n
...i:ən
Ọ̈konọmik øko'no:mɪk
ökonọmisch øko'no:mɪʃ
ökonomisierẹn økonomi-
'zi:rən
Ọ̈konomịsmus økono'mɪs-
mʊs
Ọ̈konomịst økono'mɪst
Ọ̈kopax 'ø:kopaks
Okopẹnko oko'pɛŋko
Ọ̈koskopie økosko'pi:
Ọ̈kosystem 'ø:kozyste:m
Ọ̈kotọp øko'to:p
Ọ̈kotrophologe økotrofo-
'lo:gə
Ọ̈kotrophologie økotrofo-
lo'gi:
Ọ̈kotypus 'ø:koty:pʊs,
auch: øko'ty:pʊs
Ọ̈kozịd øko'tsi:t, -e ...i:də

Okrọschka o'krɔʃka
Ọkrug 'ɔkrʊk
Ọksanen finn. 'ɔksanɛn
Oktachọrd ɔkta'kɔrt, -e ...
rdə
Oktaẹder ɔkta'|e:dɐ
oktaẹdrisch ɔkta'|e:drɪʃ
Oktagọn ɔkta'go:n
Oktạn[a] ɔk'ta:n[a]
Oktạnt ɔk'tant
Oktateụch ɔkta'tɔyç
Oktạv ɔk'ta:f, -e ...a:və
Oktạva ɔk'ta:va
Oktavạner ɔkta'va:nɐ
Oktạve ɔk'ta:və
Oktavia ɔk'ta:vi̯a
Oktaviạn[us] ɔkta'vi̯a:n[ʊs]
Oktạvie ɔk'ta:vi̯ə
Oktạvier ɔk'ta:vi̯ɐ
oktavierẹn ɔkta'vi:rən
Oktẹtt ɔk'tɛt
Oktjạbrski russ. ak'tjabrskij
Oktọber ɔk'to:bɐ
Oktobrịst ɔkto'brɪst
Oktọde ɔk'to:də
Oktodekagọn ɔktodeka-
'go:n
Oktodẹz ɔkto'de:ts
Oktogọn ɔkto'go:n
oktogonạl ɔktogo'na:l
Oktonạr ɔkto'na:ɐ̯
oktoploịd ɔktoplo'i:t, -e
...i:də
Oktopọde ɔkto'po:də
Ọktopol 'ɔktopo:l
Ọktopus 'ɔktopʊs
Oktroi ɔk'trɔa
oktroyierẹn ɔktrɔa'ji:rən
Oktyl ɔk'ty:l
Okudschạwa russ. aku-
'dʒavɐ
okulạr, O... oku'la:ɐ̯
Okulation okula'tsi̯o:n
Ọkuli 'o:kuli
okulierẹn oku'li:rən
Okulịst oku'lɪst
Ọkuma jap. 'o:kuma
Ọ̈kumẹne øku'me:nə
ökumẹnisch øku'me:nɪʃ
Ọ̈kumenịsmus økume'nɪs-
mʊs
Ọkvik engl. 'ɔkvɪk
Okzidẹnt 'ɔktsidɛnt, auch:
--'-
okzidentạl[isch] ɔktsidɛn-
'ta:l[ɪʃ]
okzipitạl ɔktsipi'ta:l
Ọkziput 'ɔktsipʊt
okzitạnisch ɔkzi'ta:nɪʃ
Ọ̈l ø:l

Ọladi o'la:di
Ọlaf 'o:laf, norw. .u:lav,
.u:laf, dän. 'ʊ:laf
Ólafsson isl. 'oꭒlafsɔn
Ọlah 'o:la
Ọland 'o:lant
Ọland schwed. 'ø:lan[d]
Ọlathe engl. oʊ'leɪθɪ
Ọlav dän. 'ʊ:laꭒ
Ọława poln. ɔ'ꭒava
Ọlberg 'ø:lbɛrk
Ọlbernhau 'ɔlbɛnhaꭒ
Ọlbers 'ɔlbɐs
Ọlbia dt., it. 'ɔlbi̯a
Ọlbracht tschech. 'ɔlbraxt
Ọlbrich[t] 'ɔlbrɪç[t]
Olchọn russ. alj'xɔn
Ọlcott engl. 'ɔlkət
Ọldag 'ø:ldɛk
Ọldbury engl. 'oʊldbəri
Ọlde 'ɔldə
Ọldebroek niederl. 'ɔldə-
bruk
Ọlden 'ɔldn̩
Oldenbạrnevelt niederl.
ɔldən'barnəvɛlt
Ọldenberg 'ɔldn̩bɛrk
Ọldenbourg 'ɔldn̩bʊrk, fr.
ɔldɛ̃'bu:r
Ọldenburg 'ɔldn̩bʊrk, russ.
aljdɪn'burk, engl. 'oʊldən-
bə:g
Ọldenburger 'ɔldn̩bʊrgɐ
ọldenburgisch 'ɔldn̩bʊrgɪʃ
Ọldendorp 'ɔldn̩dɔrp
Ọldenzaal niederl. 'ɔldən-
za:l
Oldesloe[r] 'ɔldəslo:[ɐ̯],
--'-'-[-]
Ọldfield engl. 'oʊldfi:ld
Ọldham engl. 'oʊldəm
Ọldie 'o:ldi
Ọldman engl. 'oʊldmən
Ọldowan ɔldo'va:n
Ọldred 'o:ltrɛt
Ọld Shatterhand 'o:lt 'ʃɛtɐ-
hɛnt
Ọldtimer 'o:lttaɪmɐ
Old Town engl. 'oʊld 'taʊn
Ọlduvai engl. 'oʊldəvaɪ
Old Vịc engl. 'oʊld 'vɪk
Ọldy engl. 'oʊldɪ
olé! o'le, o'le:, span. o'le
Olea vgl. Oleum
Olean engl. 'oʊli̯ən
Oleạnder ole'andɐ
Oleạrius ole'a:ri̯ʊs
Oleạster ole'astɐ
Oleạt ole'a:t

Olęcranon oʼleːkranɔn, ...**na**
...**na**
Olefin oleˈfiːn
Oleg ˈoːlɛk, *russ.* aˈljɛk
Olein oleˈiːn
Olękranon oʼleːkranɔn,
...**na** ...**na**
Olęksy *poln.* ɔˈlɛksɨ
ölen ˈøːlən
Qlen *niederl.* ˈoːlə
Olenjok *russ.* alɪˈnjɔk
Olenka *russ.* ˈɔlɪnjkɐ
Oleodukt oleoˈdukt
Oleom oleˈoːm
Oleosa oleˈoːza
Oleosklerom oleoskleˈroːm
Oleothorax oleoˈtoːraks
Oléron *fr.* ɔleˈrõ
Oles *ukr.* ɔˈlɛsj
Olescha *russ.* aˈljɛʃɐ
Oleśnica *poln.* ɔlɛɕˈnitsa
Oleśnicki *poln.* ɔlɛɕˈnitski
Oleszczyński *poln.* ɔlɛʃ-
ˈtʃɨɪ̃ski
Oleum ˈoːleʊm, **Olea** ˈoːlea
Olevian[us] oleˈvi̯aːn[ʊs]
Olfactorius ɔlfakˈtoːri̯ʊs
Olfaktometer ɔlfaktoˈmeːtɐ
Olfaktometrie ɔlfaktome-
ˈtriː
olfaktorisch ɔlfakˈtoːrɪʃ
Olfaktorium ɔlfakˈtoːri̯ʊm,
...**ien** ...i̯ən
Olf[en] ˈɔlf[n̩]
Olga *dt., it.* ˈɔlga, *engl.* ˈɔlgə
fr. ɔlˈga, *russ.* ˈɔljgɐ
Olgierd *poln.* ˈɔlgjɛrt
Olhão *port.* oˈʎɐ̃ʊ̯
Olibanum oˈliːbanʊm, oli-
ˈbaːnʊm
Olier *fr.* ɔˈlje
Olifant ˈoːlifant, *auch:* oli-
ˈfant
Olifants *engl.* ˈɔlɪfənts
ölig ˈøːlɪç, -**e** ...ɪgə
Oligakisurie oligakizuˈriː
Oligämie oligɛˈmiː, -**n** ...i̯ən
Oligarch oliˈgarç
Oligarchie oligarˈçiː, -**n**
...i̯ən
Oligase oliˈgaːzə
Oligochäten oligoˈçɛːtn̩
Oligocholie oligoçoˈliː
Oligochromämie oligo-
kromɛˈmiː, -**n** ...i̯ən
Oligodaktylie oligodak-
tyˈliː, -**n** ...i̯ən
Oligodipsie oligodɪˈpsiː
Oligodontie oligodɔnˈtiː

Oligodynamie oligody-
naˈmiː:
oligodynamisch oligody-
ˈnaːmɪʃ
Oligoglobulie oligoglo-
buˈliː, -**n** ...i̯ən
Oligohydrämie oligohy-
drɛˈmiː, -**n** ...i̯ən
Oligoklas oligoˈklaːs, -**e**
...aːzə
Oligomenorrhö, ...**öe** oligo-
menɔˈrøː, ...**rrhöen** ...ˈrøːən
oligomer oligoˈmeːɐ̯
oligophag oligoˈfaːk, -**e**
...aːgə
Oligophagie oligofaˈgiː
Oligophrenie oligofreˈniː,
-**n** ...i̯ən
Oligoplex® oligoˈplɛks
Oligopnoe oligoˈpnoːə
Oligopol oligoˈpoːl
Oligopolist oligopoˈlɪst
Oligopson oligɔˈpsoːn
oligosemantisch oligoze-
ˈmantɪʃ
Oligosialie oligozi̯aˈliː, -**n**
...i̯ən
Oligospermie oligo-
spɛrˈmiː, -**n** ...i̯ən
Oligotrichie oligotrɪˈçiː, -**n**
...i̯ən
oligotroph oligoˈtroːf
Oligotrophie oligotroˈfiː
oligozän, O... oligoˈtsɛːn
Oligozythämie oligo-
tsytɛˈmiː, -**n** ...i̯ən
Oligurie oliguˈriː, -**n** ...i̯ən
Olim ˈoːlɪm
Olimbos *neugr.* ˈɔlimbɔs
Olimpi *russ.* aˈlimpij
Olimpo *span.* oˈlimpo
Olinda *bras.* oˈlinda
Oliphant *engl.* ˈɔlɪfənt
Olisipo oliˈziːpo
Olita oˈliːta, *poln.* ɔˈlita
oliv, O... oˈliːf
Oliva (Name) *dt., it.* oˈliːva,
span. oˈliβa
Olivares *span.* oliˈβares
¹Olive oˈliːvə
²Olive (Name) *fr.* ɔˈliːv, *engl.*
ˈɔlɪv
Olivecrona *schwed.* u.liːvə-
kruːna
Oliveira *port.* oliˈvɐɪrɐ, *bras.*
oliˈvei̯ra
Oliver ˈoːlivɐ, *engl.* ˈɔlɪvə,
span. oliˈβɛr
Oliveros *span.* oliˈβeros
Olivetan[us] oliveˈtaːn[ʊs]

Olivette oliˈvɛtə
Olivetti *it.* oliˈvetti
Olivi oˈliːvi
Olivia oˈliːvi̯a, *engl.* oʊˈlɪvɪə
Olivier oliˈvje:, *fr.* oliˈvje,
engl. əˈlɪvɪeɪ
Olivin oliˈviːn
Olja *russ.* ˈɔljɐ
Oljelund *schwed.* ˌɔljəlʊnd
Oljokma *russ.* aˈljɔkmɐ
Olkiluoto *finn.* ˈɔlkilu̯ɔtɔ
Olkusz *poln.* ˈɔlkuʃ
oll ɔl
Ollántay *span.* oˈʎantai̯
Olla podrida ˈɔla poˈdriːda
Olle ˈɔlə
Ollendorf ˈɔləndɔrf
Ollenhauer ˈɔlənhaʊɐ
Oller *kat.* uˈʎe
Olli ˈɔli
Ollier *fr.* ɔˈlje
Ollivier *fr.* ɔliˈvje
Olly ˈɔli
Olm ɔlm
OLMA, Olma ˈɔlma
Olmędo *span.* ɔˈlmeðo
Olmęke ɔlˈmeːkə
Olms ɔlms
Olmsted *engl.* ˈɔmstɛd
Olmütz ˈɔlmyts
Olof *dt., niederl.* ˈoːlɔf,
schwed. ˌuːlɔf, ...ɔv
Olofström *schwed.* uːlɔf-
ˈstrœm
Olomouc *tschech.* ˈɔlɔmɔu̯ts
Olongapo *span.* olɔŋˈgapo
Oloron *fr.* ɔlɔˈrõ
Olot *span.* oˈlɔt
Olov *schwed.* ˌuːlɔf, ...ɔv, ˈ--
Olpe[rer] ˈɔlpə[rɐ]
Olsberg ˈɔlsbɛrk
Ölschläger ˈøːlʃlɛːgɐ
Olschytsch *ukr.* ˈɔljʒɪtʃ
Olsen *engl.* ˈoʊlsən, *norw.*
ˌulsən
Olson *engl.* ˈoʊlsən
Olsson *schwed.* ˈulsən
Olszewski *poln.* ɔlˈʃɛfski
Olszowski *poln.* ɔlˈʃɔfski
Olsztyn *poln.* ˈɔlʃtɨn
Olsztynek *poln.* ɔlˈʃtɨnɛk
Olt *rumän.* olt
Olten ˈɔltn̩
Oltenia *rumän.* ɔlˈtenia
Oltenien ɔlˈteːni̯ən
Oltenița *rumän.* olˈtenitsa
Oltmans *niederl.* ˈɔltmɑns
Oltos ˈɔltɔs
Olujić *serbokr.* ˈɔlujitɕ
Olymp oˈlʏmp

Olympia o'lɣmpia, engl.
ouˈlɪmpɪə, fr. ɔlɛ̃ˈpja
Olympiade olɣmˈpiaːdə
Olympias oˈlɣmpias
Olympic Mountains engl.
ouˈlɪmpɪk ˈmaʊntɪnz
Olympieion olɣmˈpiaiɔn
Olympier oˈlɣmpiɐ
Olympio fr. ɔlɛ̃ˈpjo, bras.
oˈlimpio
Olympiodoros
olɣmpioˈdoːrɔs
Olympionike olɣmpioˈniːkə
olympisch oˈlɣmpɪʃ
Olympos oˈlɣmpɔs, ˈoːlɣm-
pɔs
Olynth[os] oˈlɣnt[ɔs]
Olzog ˈɔltso:k
om (magische Silbe) oːm
Om (Fluss) russ. ɔmj
Oma ˈoːma
Omagh engl. ˈoʊmə
Omagra ˈoːmagra
Omaha engl. ˈoʊməhaː
Omaijade omaiˈjaːdə
Omalgie omalˈgiː, -n ...iːən
Oman oˈmaːn
Omaner oˈmaːnɐ
omanisch oˈmaːnɪʃ
Omar ˈoːmar, auch: ˈɔmar,
pers. oˈmær, engl. ˈoʊma:
Omarthritis omarˈtriːtɪs,
...itiden ...triˈtiːdn̩
Omasus oˈmaːzʊs
Ombos ˈɔmbɔs
Ombra ˈɔmbra
Ombrage õˈbraːʒə
Ombré õˈbreː
ombriert õˈbriːɐt
Ombrograph ɔmbroˈgraːf
Ombrometer ɔmbroˈmeːtɐ
Ombrone it. omˈbroːne
ombrophil ɔmbroˈfiːl
ombrophob ɔmbroˈfoːp, -e
...ˈfoːbə
Ombuds... ˈɔmbʊts...
Omdurman ɔmdʊrˈmaːn
Omega ˈoːmega
Omeis ˈoːmais
Omelett ɔm[ə]ˈlɛt
Omelette ɔm[ə]ˈlɛt, -n ...tn̩
Omelette aux confitures
ɔm[ə]ˈlɛt oː kõfiˈtyːɐ̯
Omelette aux fines herbes
ɔm[ə]ˈlɛt oː ˈfiːn ˈzɛrp
Omelette soufflée
ɔm[ə]ˈlɛt zuˈfleː
Omen ˈoːmən, Omina
ˈoːmina
Omentum oˈmɛntʊm

Omer ˈoːmɐ
Ömer türk. œˈmɛr
Omertà it. omerˈta
Ometepe span. omeˈtepe
Omi ˈoːmi
Omija jap. oˈːmija
Omikron ˈoːmikrɔn
omingōs omiˈnøːs, -e ...øːzə
Omiš serbokr. ˈɔmiːʃ
Omišalj serbokr. ˈɔmiʃalj
Omissa oˈmɪsa
Omission omiˈsi̯oːn
Omissivdelikt omɪˈsiːfdelɪkt
omittieren omɪˈtiːrən
Omladina ˈɔmladina
om mani padme hum ˈoːm
ˈmani ˈpatme ˈhuːm
Ommatidium ɔmaˈtiːdi̯ʊm,
...ien ...i̯ən
Ommatophoren ɔmatoˈfoː-
rən
Ommen niederl. ˈɔmə
omnia ad maiorem Dei
gloriam ˈɔmnia at maˈjoː-
rɛm ˈdeːi ˈgloːri̯am
omnia mea mecum porto
ˈɔmnia ˈmeːa ˈmeːkʊm
ˈpɔrto
Omnibus ˈɔmnibʊs, -se
...ʊsə
omnipotent ɔmnipoˈtɛnt,
auch: ˈ----
Omnipotenz ɔmnipoˈtɛnts̩,
auch: ˈ----
omnipräsent ɔmniprɛˈzɛnt,
auch: ˈ----
Omnipräsenz ɔmniprɛ-
ˈzɛnts̩, auch: ˈ----
Omniszienz ɔmniˈstsi̯ɛnts̩
Omnium ˈɔmni̯ʊm, ...ien
...i̯ən
omnivor ɔmniˈvoːɐ̯
Omnizid ɔmniˈtsiːt, -e ...iːdə
Omo amh. omo
Omodeo it. omoˈdɛːo
Omodynie omodyˈniː, -n
...iːən
Omolon russ. amaˈlɔn
Omophagie omofaˈgiː
Omophorion omoˈfoːri̯ɔn,
...ien ...i̯ən
O'More engl. oʊˈmɔː
Omphale ˈɔmfale, ɔmˈfaːlə
Omphalitis ɔmfaˈliːtɪs, ...iti-
den ...liˈtiːdn̩
Omphalodes ɔmfaˈloːdɛs
Omphalophobie ɔmfalo-
foˈbiː, -n ...iːən
Omphalos ˈɔmfalɔs

Omphaloskopie ɔmfalo-
skoˈpiː
Omphazit ɔmfaˈtsiːt
Ompteda ˈɔmpteda
Omrah ˈɔmra
Omre norw. ˌɔmrə
Omri ˈɔmri
Oms kat. ɔms
Omsk russ. ɔmsk
Omul ˈoːmʊl, -e oˈmuːlə
Omulew poln. ɔˈmulɛf
Omuta jap. oˈːmuta
¹on, On (Fernsehen) ɔn
²On (Heliopolis) oːn
Onager ˈoːnagɐ
Onan ˈoːnan
Onanie onaˈniː
onanieren onaˈniːrən
Onanist onaˈnɪst
Önanthol ønanˈtoːl
Onassis neugr. ɔˈnasis
Oñate span. oˈɲate
Onatas oˈnaːtas
on call ɔnˈkoːl
Onchozerkose ɔnçɔtsɛr-
ˈkoːzə
Oncidium ɔnˈtsiːdi̯ʊm
Oncken ˈɔŋkn̩
Ondaatje engl. ɔnˈdaːtʃə
Ondangua ɔnˈdaŋgua
Ondeggiamento ɔndɛdʒa-
ˈmɛnto
ondeggiando ɔndɛˈdʒando
Ondes Martenot ˈoːt mar-
təˈnoː
Ondit õˈdi:
Ondra ˈɔndra
Ondřej tschech. ˈɔndrʒɛj
Ondříček tschech. ˈɔndrʒiː-
tʃɛk
Ondulation ɔndulaˈtsi̯oːn
Ondulé õdyˈleː
ondulieren ɔnduˈliːrən
Onega oˈneːga, russ. aˈnjɛgɐ
Onegin oˈneːgiːn, russ.
aˈnjegin
Oneida engl. oʊˈnaidə
O'Neill[l] engl. oʊˈniːl
Oneirodynia onairodyˈniːa
Oneiromantie onairo-
manˈtiː
Oneiros ˈoːnairɔs
One-Man-Show ˈvan-
mɛnʃoː
One-Night-Stand ˈvan-
naitstɛnt
Oneonta engl. oʊniˈɔntə
Onera vgl. Onus
onerieren oneˈriːrən
oneros oneˈroːs, -e ...oːzə

onerös one'rø:s, -e ...ø:zə
Onesimus o'ne:zimʊs
Onestep 'vanstɛp
Onetti span. o'neti
Onganía span. ɔŋga'nia
ongarese, ongharese ɔŋga're:zə
Oniomanie oni̯oma'ni:
Onions engl. 'ʌni̯ɔnz
Onitsha engl. oʊ'nɪtʃə
Onkel 'ɔŋkl̩
onkogen, O... ɔŋko'ge:n
Onkologe ɔŋko'lo:gə
Onkologie ɔŋkolo'gi:
onkologisch ɔŋko'lo:gɪʃ
Onkolyse ɔŋko'ly:zə
onkolytisch ɔŋko'ly:tɪʃ
Onkorna... ɔŋ'kɔrna...
Onkosphaera ɔŋko'sfɛ:ra
on line 'ɔn'lai̯n
Onofri it. o'nɔ:fri
Önologe øno'lo:gə
Önologie ønolo'gi:
önologisch øno'lo:gɪʃ
Önomanie ønoma'ni:, -n ...i:ən
Onomantie onoman'ti:
Onomasiologie onomazi̯olo'gi:
onomasiologisch onomazi̯o'lo:gɪʃ
Onomastik ono'mastɪk
Onomastikon ono'masti-kɔn, ...ka ...ka
Onomatologie onomatolo'gi:
Onomatomanie onomatoma'ni:
Onomatopoesie onomatopoe'zi:
Onomatopoetikon onomatopo'e:tikɔn, ...ka ...ka
Onomatopoetikum onomatopo'e:tikʊm, ...ka ...ka
onomatopoetisch onomatopo'e:tɪʃ
onomatopöetisch onomatopø'e:tɪʃ
Onomatopöie onomatopø'i:, -n ...i:ən
Önometer øno'me:tɐ
Onomitschi jap. o'nomitʃi
Onon russ. a'nɔn
Önorm 'ø:nɔrm
Önotherazeen ønotera-'tse:ən
on parle français ɔ̃: 'parl frã'sɛ:
Onsager engl. 'ɔnsɑ:gə
Onsori pers. onso'ri:

Ontario ɔn'ta:ri̯o, engl. ɔn'tɛəri̯oʊ
Onteniente span. ɔnte-'ni̯ente
on the road dt.-engl. ɔn ðə 'ro:t
on the rocks dt.-engl. ɔn ðə 'rɔks
ontisch 'ɔntɪʃ
Ontogenese ɔntoge'ne:zə
ontogenetisch ɔntoge'ne:-tɪʃ
Ontogenie ɔntoge'ni:
ontogenisch ɔnto'ge:nɪʃ
Ontologe ɔnto'lo:gə
Ontologie ɔntolo'gi:
ontologisch ɔnto'lo:gɪʃ
Ontologismus ɔntolo'gɪsmʊs
Ontosophie ɔntozo'fi:
Onuphrio o'nu:frio
Onuris o'nu:rɪs
Onus 'o:nʊs, Onera 'o:nera
Onychatrophie onyçatro'fi:
Onychie ony'çi:, -n ...i:ən
Onychogrypose onyçogry-'po:zə
Onycholyse onyço'ly:zə
Onychomadese onyçoma-'de:zə
Onychomykose onyçomy-'ko:zə
Onychophagie onyçofa'gi:, -n ...i:ən
Onychose ony'ço:zə
Onyx 'o:nyks
Onze et demi 'o:s e: də'mi:
Oogamie ooga'mi:
Oogenese ooge'ne:zə
oogenetisch ooge'ne:tɪʃ
Oogonium oo'go:ni̯ʊm, ...ien ...i̯ən
Ooid oo'i:t, -e ...i:də
Ooka jap. o':oka
Ookinet ooki'ne:t
Oolemma oo'lɛma
Oolith oo'li:t
Oologie oolo'gi:
Oomyzeten oomy'tse:tn̩
Oophorektomie ooforɛk-to'mi:
Oophoritis oofo'ri:tɪs, ...iti-den ...ri'ti:dn̩
oophorogen ooforo'ge:n
Oophoron o'o:forɔn
Ooplasma oo'plasma
Oost niederl. o:st
Oostende niederl. o:st'ɛndə
Oosterhout niederl. 'o:stər-hɔu̯t

Oosterschelde niederl. o:stər'sxɛldə
Ooststellingwerf niederl. o:ststɛlɪŋ'wɛrf
Oost-Vlaanderen niederl. o:st'fla:ndərə
Oostzaan niederl. o:st'sa:n
Oozephalie ootsefa'li:, -n ...i:ən
Oozoid ootso'i:t, -e ...i:də
Oozyt[e] oo'tsy:t[ə]
OP o:'pe:
Opa 'o:pa
opak o'pa:k
Opal o'pa:l
opalen o'pa:lən
Opaleszenz opalɛs'tsɛnts
opaleszieren opalɛs'tsi:rən
Opaliński poln. ɔpa'lii̯ski
opalisieren opali'zi:rən
Opa-Locka engl. oʊpə'lɔkə
Opanke o'paŋkə
Opapa 'o:papa
Oparin russ. a'parin
Op-Art 'ɔpla:ɐ̯t
Op-Artist 'ɔplartɪst
Opatija serbokr. ɔ.patija
Opatoschu opa'tɔʃu
Opava tschech. 'ɔpava
Opazität opatsi'tɛ:t
OPEC 'o:pɛk, engl. 'oʊpɛk
Opekuschin russ. apɪ'kuʃin
Opel® 'o:pl̩
Opelousas engl. ɔpə'lu:səs
Open-Air-... 'o:pn̩'lɛ:ɐ̯...
open end o'o:pn̩ ɛnt
open house 'o:pn̩ 'haʊs
Opening 'o:pəniŋ
Open Shop 'o:pn̩ 'ʃɔp
Oper o:pɐ
¹Opera 'o:pəra, ...re ...re
²Opera vgl. Opus
Opéra fr. ɔpe'ra
operabel opə'ra:bl̩, ...ble ...blə
Operabilität opərabili'tɛ:t
Opera buffa 'o:pəra 'bʊfa, ...re ...ffe ...re ...fe
Opéra comique, -s -s fr. ɔperako'mik
Opera eroica 'o:pəra e'ro:ika, ...re ...che ...re ...ke
Operand opə'rant, -en ...ndn̩
operant opə'rant
Opera semiseria 'o:pəra zemi'ze:ri̯a, ...re ...rie ...re ...ri̯e

Opera seria 'o:pəra 'ze:rɪa,
...re ...rie ...re ...rie
Operateur opəra'tø:ɐ̯
Operating 'o:pəre:tɪŋ
Operation opəra'tsɪ̯o:n
operationabel opəratsɪ̯o-
'na:bl̩, ...ble ...blə
operational opəratsɪ̯o'na:l
operationalisieren opəra-
tsɪ̯onali'zi:rən
Operationalismus opəra-
tsɪ̯ona'lɪsmʊs
operationell opəratsɪ̯o'nɛl
Operationismus opəratsɪ̯o-
'nɪsmʊs
operativ opəra'ti:f, -e ...i:və
Operativismus opərati'vɪs-
mʊs
Operativität opərativi'tɛ:t
Operator opə'ra:to:ɐ̯, -en
...ra'to:rən
Operatorin opəra'to:rɪn
Operette opə'rɛtə
operieren opə'ri:rən
Operment opɛr'mɛnt
Operon 'o:pərɔn, -e opə-
'ro:nə
Opfer 'ɔpfɐ
opfern 'ɔpfɐn
Opfikon 'ɔpfiko:n
Ophelia o'fe:lɪa, engl. ɔ'fi:lɪə
Ophelimität ofelimi'tɛ:t
Ophikleide ofikle'i:də
Ophiolatrie ofɪ̯ola'tri:
Ophiopogon ofɪ̯o'po:gɔn
Ophir 'o:fɪr
Ophit o'fi:t
Ophiuchus o'fɪ̯u:xʊs
Ophiura o'fɪ̯u:ra
Ophiuroiden ofɪ̯uro'i:dn̩
Ophrys 'o:frʏs
Ophthalmiatrie ɔftalmɪ̯a-
'tri:
Ophthalmiatrik ɔftal'mɪ̯a-
trɪk
Ophthalmie ɔftal'mi:, -n
...i:ən
Ophthalmikum ɔf'talmi-
kʊm, ...ka ...ka
ophthalmisch ɔf'talmɪʃ
Ophthalmoblennorrhö,
...öe ɔftalmoblɛnɔ'rø:,
...rrhöen ...'rø:ən
Ophthalmologe ɔftalmo-
'lo:gə
Ophthalmologie ɔftalmo-
lo'gi:
ophthalmologisch ɔftalmo-
'lo:gɪʃ

Ophthalmophthisis ɔftal-
mo'fti:zɪs
Ophthalmoplegie ɔftalmo-
ple'gi:, -n ...i:ən
Ophthalmoreaktion ɔftal-
moreak'tsɪ̯o:n
Ophthalmoskop ɔftalmo-
'sko:p
Ophthalmoskopie ɔftalmo-
sko'pi:, -n ...i:ən
Ophtiole ® ɔf'tɪ̯o:lə
Ophüls 'ɔfʏls
Opiat o'pɪ̯a:t
Opie engl. 'oʊpɪ
Opinio communis o'pi:nɪ̯o
kɔ'mu:nɪs
Opinion-Leader o'pɪ-
nɪ̯ənli:dɐ
Opis 'o:pɪs
Opisthobranchia opɪsto-
'brançɪa
Opisthodomos opɪs'to:do-
mɔs, ...moi ...mɔy
Opisthogenie opɪstoge'ni:,
-n ...i:ən
Opisthognathie opɪsto-
gna'ti:, -n ...i:ən
Opisthograph opɪsto'gra:f
Opisthotonus opɪsto'to:nʊs
opisthozöl opɪsto'tsø:l
Opitz 'o:pɪts
Opium 'o:pɪʊm
Opladen 'ɔpla:dn̩
Opodeldok opo'dɛldɔk
Opole [Lubelskie] poln.
ɔ'pɔlɛ [lu'bɛlskjɛ]
Opolský tschech. 'ɔpɔlski:
Opopanax o'po:panaks,
opo'pa:naks
Oporinus opo'ri:nʊs
Oporto o'pɔrto
Opossum o'pɔsʊm
Opotherapie opotera'pi:
Oppel[n] 'ɔpl̩[n]
Oppenau 'ɔpənaʊ̯
Oppenheim 'ɔpn̩haɪm, engl.
'ɔpənhaɪm
Oppenheimer 'ɔpn̩haɪmɐ,
engl. 'ɔpənhaɪmə
Oppenord[t] fr. ɔp'nɔ:r
Oppenweiler ɔpn̩'vaɪlɐ
Opperman afr. 'ɔpərman
Oppert 'ɔpɐt, fr. ɔ'pɛ:r
Oppianus ɔ'pɪ̯a:nɔs
Oppidum 'ɔpidʊm
Oppland norw. ɔplan
Oppler 'ɔplɐ
Oppolzer 'ɔpɔltsɐ
Opponent ɔpo'nɛnt
opponieren ɔpo'ni:rən

opportun ɔpɔr'tu:n
Opportunismus ɔpɔrtu'nɪs-
mʊs
Opportunist ɔpɔrtu'nɪst
Opportunität ɔpɔrtuni'tɛ:t
oppositär ɔpozi'tɛ:ɐ̯
Opposition ɔpozi'tsɪ̯o:n
oppositionell ɔpozitsɪ̯o'nɛl
oppositiv ɔpozi'ti:f, -e ...i:və
Oppression ɔprɛ'sɪ̯o:n
oppressiv ɔprɛ'si:f, -e
...'si:və
opprimieren ɔpri'mi:rən
Opprobration ɔprobra-
'tsɪ̯o:n
Opritschnina russ. a'prɪtʃ-
ninɐ
Ops ɔps
Opsonine ɔpso'ni:nə
Optant ɔp'tant
Optatianus ɔpta'tsɪ̯a:nʊs
optativ 'ɔptati:f, auch:
...'ti:f, -e ...i:və
Optativ 'ɔptati:f, -e ...i:və
Optatus ɔp'ta:tʊs
Optical Art 'ɔptikl̩ 'a:ɐ̯t
optieren ɔp'ti:rən
Optik 'ɔptɪk
Optiker 'ɔptikɐ
Optikus 'ɔptikʊs, ...izi ...itsi
Optima vgl. Optimum
optima fide 'ɔptima 'fi:də
optima forma 'ɔptima
'fɔrma
optimal ɔpti'ma:l
optimalisieren ɔptimali'zi:-
rən
Optimat ɔpti'ma:t
optime 'ɔptime
Optimeter ɔpti'me:tɐ
optimieren ɔpti'mi:rən
Optimismus ɔpti'mɪsmʊs
Optimist ɔpti'mɪst
Optimum 'ɔptimʊm, ...ima
...ima
Optina Pustyn russ. 'ɔptinɐ
'pustinj
Option ɔp'tsɪ̯o:n
optional ɔptsɪ̯o'na:l
optisch 'ɔptɪʃ
Optizi vgl. Optikus
Optoelektronik ɔpto-
lɛlɛk'tro:nɪk, auch: '------
Optometer ɔpto'me:tɐ
Optometrie ɔptome'tri:
Optronik ɔp'tro:nɪk
optronisch ɔp'tro:nɪʃ
opulent opu'lɛnt
Opulenz opu'lɛnts
Opuntie o'pʊntsɪ̯ə

Opus 'oːpʊs, 'ɔpʊs, Opera
...pəra
Opus alexandrinum 'oːpʊs
alɛksanˈdriːnʊm, 'ɔpʊs -
Opusculum oˈpʊskʊlʊm,
...la ...la
Opus Dei 'oːpʊs 'deːi,
'ɔpʊs -
Opus eximium 'oːpʊs ɛ'ksiː-
mjʊm, 'ɔpʊs -
Opus incertum 'oːpʊs
ınˈtsɛrtʊm, 'ɔpʊs -
Opus operatum 'oːpʊs opə-
'raːtʊm, 'ɔpʊs -
Opus post[h]umum 'oːpʊs
'pɔstumʊm, 'ɔpʊs -
Opus reticulatum 'oːpʊs
retikuˈlaːtʊm, 'ɔpʊs -
Opus sectile 'oːpʊs 'zɛktile,
'ɔpʊs -
Opus spicatum 'oːpʊs spi-
'kaːtʊm, 'ɔpʊs -
Opus tesselatum 'oːpʊs
tɛseˈlaːtʊm, 'ɔpʊs -
¹Ora 'oːra
²Ora vgl. ³Os
Orade oˈraːdə
Oradea rumän. oˈradea
Oradour fr. ɔraˈduːr
Øræfajökull isl. 'œːraɪvajœ:-
kʏdl
ora et labora! 'oːra ɛt
laˈboːra
Orakel oˈraːkl̩
orakeln oˈraːkl̩n
oral, O... oˈraːl
Orale oˈraːlə, ...lien ...ljən
Oralhistory 'oːrəlhıstəri
Oran oˈraːn, fr. ɔˈrã
orange, ¹O... oˈrãːʒə, auch:
oˈraŋʒə
¹Orange (Name) engl.
'ɔrındʒ, fr. ɔˈrãːʒ, bras.
oˈrẽʒi
Orangeade orãˈʒaːdə, auch:
oraŋˈʒaːdə
Orangeat orãˈʒaːt, auch:
oraŋˈʒaːt
Orangeburg engl.
'ɔrındʒbəːg
Orange Free State engl.
'ɔrındʒ 'friː 'steıt
orangen oˈrãːʒn̩, auch:
oˈraŋʒn̩
Orange Pekoe 'ɔrıntʃ
'piːko:
Orangerie orãʒəˈriː, auch:
oraŋʒəˈriː, -n ...iːən
Orangevale engl. 'ɔrındʒveıl
Orangeville engl. 'ɔrındʒvıl

Orang-Utan 'oːraŋ'luːtan
Oranien[baum] oˈraː-
njən[baʊm]
Oranienburg oˈraːnjənbʊrk
Oranier oˈraːniɐ
Oranje oˈranjə, niederl.
oˈranjə, afr. oːˈranjə
Oranjemund oˈranjəmʊnt
Oranjestad niederl. oˈran-
jəstat
Orans 'oːrans, ...nten
oˈrantn̩
Orant[e] oˈrant[ə]
Orapa engl. ɔːˈraːpɑː
ora pro nobis 'oːra proː
'noːbıs
Orăştie rumän. orəʃˈtie
Oraşul Stalin rumän. oˈra-
ʃul 'stalin
Oratio [dominica] oˈraːtsjo
[doˈmiːnika]
Oratio obliqua oˈraːtsjo
oˈbliːkva
Oratio recta oˈraːtsjo 'rɛkta
Orator oˈraːtoːɐ, -en oraˈtoː:-
rən
Oratorianer oratoˈrjaːnɐ
oratorisch oraˈtoːrıʃ
Oratorium oraˈtoːrjʊm,
...ien ...jən
Oraviţa rumän. oˈravitsa
Orawitza oˈraːvıtsa
Orazio it. oˈrattsjo
Orb ɔrp, fr. ɔrb
Orbe fr. ɔrb
Orbeliani georg. 'ɔrbeliani
Orbigny fr. ɔrbiˈɲi
orbikular ɔrbikuˈlaːɐ
Orbis 'ɔrbıs
Orbiskop ɔrbiˈskoːp
Orbis pictus 'ɔrbıs 'pıktʊs
Orbis Terrarum 'ɔrbıs tɛˈraː-
rʊm
Orbit 'ɔrbıt
Orbita 'ɔrbita, ...tae ...tɛ
orbital, O... ɔrbiˈtaːl
Orbiter 'ɔrbitɐ
Orcagna it. orˈkaɲɲa
Orchesographie ɔrçezo-
graˈfiː, -n ...iːən
Orchester ɔrˈkɛstɐ, auch:
ɔrˈçɛ...
Orchestik ɔrˈçɛstık
Orchestra ɔrˈçɛstra
orchestral ɔrkɛsˈtraːl, auch:
ɔrçɛ...
Orchestration ɔrkɛstra-
ˈtsjoːn, auch: ɔrçɛ...
orchestrieren ɔrkɛsˈtriːrən,
auch: ɔrçɛ...

Orchestrion ɔrˈçɛstriɔn,
...ien ...iən
Orchidaceae ɔrçiˈdaːtsɛɛ
Orchidazeen ɔrçidaˈtseːən
Orchidee ɔrçiˈdeːə
Orchis 'ɔrçıs, ...ches ...çeːs
Orchitis ɔrˈçiːtıs, ...itiden
ɔrçiˈtiːdn̩
Orchitomie ɔrçitoˈmiː, -n
...iːən
Orchomenos ɔrˈçoːmenɔs
Orchon ɔrˈçɔn, russ. arˈxɔn
Orczy ung. 'ortsi, engl. 'ɔːtsı
Ord engl. ɔːd
Ordal ɔrˈdaːl, -ien -jən
Ordaz span. ɔrˈðaθ
Orden 'ɔrdn̩
ordentlich 'ɔrdn̩tlıç
Order 'ɔrdɐ
Ordericus ɔrdeˈriːkʊs
ordern 'ɔrdɐn, ordre 'ɔrdrə
Ordesa span. ɔrˈðesa
ordinal..., O... ɔrdiˈnaːl
Ordinale ɔrdiˈnaːlə, ...lia
...lia
ordinär ɔrdiˈnɛːɐ
Ordinariat ɔrdinaˈrjaːt
ordinario ɔrdinˈaːrjo
Ordinarium ɔrdiˈnaːrjʊm,
...ien ...jən
Ordinarium Missae ɔrdi-
ˈnaːrjʊm 'mısɛ
Ordinarius ɔrdiˈnaːrjʊs,
...ien ...jən
Ordinate ɔrdiˈnaːtə
Ordination ɔrdinaˈtsjoːn
Ordines vgl. Ordo
Ordines maiores 'ɔrdineːs
maˈjoːreːs
Ordines minores 'ɔrdineːs
miˈnoːreːs
Ording 'ɔrdıŋ
ordinieren ɔrdiˈniːrən
ordnen 'ɔrdnən
Ordnung 'ɔrdnʊŋ
Ordo 'ɔrdo, Ordines 'ɔrdi-
neːs
Ordo Amoris 'ɔrdo aˈmoːrıs
Ordogot ɔrdoˈgoːt
ordoliberal ɔrdolibeˈraːl
Ordo Missae 'ɔrdo 'mısɛ
Ordóñez span. ɔrˈðoɲeθ
Ordonnanz ɔrdɔˈnants
Ordos 'ɔrdɔs
Or doublé 'oːɐ duˈbleː
ordovizisch ɔrdoˈviːtsıʃ
Ordovizium ɔrdoˈviːtsjʊm
Ordre 'ɔrdrə, 'ɔrdɐ
Ordre du Cœur 'ɔrdrə dyː
'køːɐ

Ordschonikidse *russ.* ardʒɐni'kidzɪ
Ordu *türk.* 'ɔrdu
Öre 'øːrə
Oreade ore'aːdə
oreal ore'aːl
Oreas 'oːreas
Örebro *schwed.* œrə'bruː
Orechowo-Sujewo *russ.* a'rjɛxɐvɐ'zujɪvɐ
Oregano o're:gano
Oregon 'oːregɔn, 'ɔr..., *engl.* 'ɔrɪgən
Oreibasios oraj'baːzjɔs
orektisch o'rɛktɪʃ
Orel[l] 'oːrɛl
Orelli o'rɛli
Orem *engl.* 'ɔːrəm
oremus! o're:mʊs
Orenburg 'oːrənbʊrk, *russ.* arɪm'burk
Orenda o'rɛnda
Orendel 'oːrɛndl̩
Orense *span.* o'rense
Orenstein 'oːrənʃtain
Oresme *fr.* ɔ'rɛm
Orest o'rɛst
Oreste o'rɛste, *fr.* ɔ'rɛst
Orestes o'rɛstes
Orestie ɔrɛs'tiː
Orestis o'rɛstɪs
Öresund *schwed.* œrə'sund
Öresundstad *schwed.* œrə-sund'staːd
Orfe 'ɔrfə
Orfelin *serbokr.* ɔr.fɛliːn
Orfeo *it.* or'fɛːo
Orff ɔrf
Orfi *pers.* or'fiː
Orford *engl.* 'ɔːfəd
Orgambide *span.* ɔrɣam-'biðe
Organ ɔr'gaːn
Organa vgl. Organum
organal ɔrga'naːl
Organdin ɔrgan'diːn
Organdy ɔr'gandi
Organell[e] ɔrga'nɛl[ə]
Organigramm ɔrgani'gram
Organik ɔr'gaːnɪk
organisabel ɔrgani'zaːbl̩, ...ble blə
Organisation ɔrganiza-'tsioːn
Organisator ɔrgani'zaːtoːɐ̯, -en ...zaː'toːrən
organisatorisch ɔrganiza-'toːrɪʃ
organisch ɔr'gaːnɪʃ
organisieren ɔrgani'ziːrən

organismisch ɔrga'nɪsmɪʃ
Organismus ɔrga'nɪsmʊs
Organist ɔrga'nɪst
Organistrum ɔrga'nɪstrʊm
organogen ɔrgano'geːn
Organogenese ɔrganoge-'neːzə
Organogramm ɔrgano-'gram
Organographie ɔrgano-graˈfiː, -n ...iːən
organographisch ɔrgano-'graːfɪʃ
organoid, O... ɔrgano'iːt, -e ...iːdə
Organologe ɔrgano'loːgə
Organologie ɔrganolo'giː
organologisch ɔrgano'loː-gɪʃ
Organon 'ɔrganɔn
organo pleno 'ɔrgano 'pleːno
Organosol ɔrgano'zoːl
Organotherapie ɔrgano-tera'piː
organotrop ɔrgano'troːp
Organozoon ɔrgano'tsoːɔn, ...zoen ...tsoːən
Organschaft ɔr'gaːnʃaft
Organsin ɔrgan'ziːn
Organtin ɔrgan'tiːn
Organum 'ɔrganʊm, ...na ...na
Organza ɔr'gantsa
Orgasmus ɔr'gasmʊs
orgastisch ɔr'gastɪʃ
Orgejew *russ.* ar'gjejɪf
Orgel 'ɔrgl̩
orgeln 'ɔrgl̩n, orgle 'ɔrglə
Orgetorix ɔr'geːtorɪks
Orgiasmus ɔr'giasmʊs
Orgiast ɔr'giast
Orgie 'ɔrgiə
Orgon *fr.* ɔr'gõ
Orgware 'ɔːɐ̯kvɛːɐ̯
Orhan *türk.* ɔr'han
Oriani *it.* o'riaːni
Oribasius ori'baːzjʊs
Orient 'oːrjɛnt, *auch:* o'rjɛnt
Orientale ɔrjɛn'taːlə
Orientalia ɔrjɛn'taːlia
orientalid ɔrjɛnta'liːt, -e ...iːdə
orientalisch ɔrjɛn'taːlɪʃ
orientalisieren ɔrjɛntali'ziːrən
Orientalist[ik] ɔrjɛnta-'lɪst[ɪk]
Oriente *span.* o'rjɛnte, *port.* o'rjɛntɐ

orientieren ɔrjɛn'tiːrən
Orientius ɔrjɛn'tsjʊs
Orificium ori'fiːtsjʊm, ...cia ...tsia
Oriflamme 'oːriflamə
Origami ori'gaːmi
Origano o'riːgano
Origanum ɔ'riːganʊm
Origenes o'riːgenɛs
origenistisch orige'nɪstɪʃ
original, O... origi'naːl
Originalien origi'naːljən
Originalität originali'tɛːt
originär origi'nɛːɐ̯
originell origi'nɛl
Orihuela *span.* ori'uela
Orija o'riːja
Orillia *engl.* ɔː'rɪljə
Orinoco *span.* ori'noko
Orinoko ori'noːko
Orinthia o'rɪntia
Orion o'riːɔn
Orioniden orio'niːdn̩
Orissa *engl.* ɔ'rɪsə
Oristano *it.* oris'taːno
Öriszentpéter *ung.* 'øːri-sɛntpeːtɛr
Orizaba *span.* ori'θaβa
Ørjasæter *norw.* 'œrjaseːtər
Orjen *serbokr.* 'ɔrjɛn
Orjol *russ.* a'rjɔl
¹Orkan ɔr'kaːn
²Orkan (Name) *poln.* 'ɔrkan
Orkanger *norw.* .ɔrkaŋər
Örkény *ung.* 'ørkeːnj
Orkney[s] *engl.* 'ɔːknɪ[z]
Orkus 'ɔrkʊs
Orlando *it.* or'lando, *engl.* ɔː'lændoʊ
Orlando furioso *it.* or'lando fu'rjoːso
Orland *engl.* 'ɔːlənd
Orlau 'ɔrlau
Orlean ɔrle'aːn
Orléanais *fr.* ɔrlea'nɛ
Orleaner ɔrle'aːnɐ
Orleanist ɔrlea'nɪst
Orleans 'ɔrleã, des - ...eã[ːs]
Orléans *fr.* ɔrle'ã
Orléansville *fr.* ɔrleã'vil
Orley *niederl.* 'ɔrlɛj
Orlik 'ɔrlik
Orlog 'ɔrloːk, -e ...oːgə
Orlon® 'ɔrlɔn
Orlová *tschech.* 'ɔrlɔva:
Orlow 'ɔrlɔf, *russ.* ar'lɔf
Orłowski ɔr'lɔfski, *russ.* ar'lɔfskij
Orłowski *poln.* ɔ'ruɔfski
Orly *fr.* ɔr'li

Orm *engl.* ɔ:m
Ormandy *engl.* 'ɔ:məndı
Ormándy *ung.* 'orma:ndi
Orme *engl.* ɔ:m, *fr.* ɔrm
Ormesson *fr.* ɔrmɛ'sõ
Ormin *engl.* 'ɔ:mın
Ormoc *span.* ɔr'mɔk
Ormond[e] *engl.* 'ɔ:mənd
Ormskirk *engl.* 'ɔ:mzkə:k
Ormus vgl. Hormus
Ormuz vgl. Hormus
Ormuzd 'ɔrmutst, ...must
Ornament ɔrna'mɛnt
ornamental ɔrnamɛn'ta:l
ornamentieren ɔrnamɛn-
'ti:rən
Ornamentik ɔrna'mɛntık
Ornat ɔr'na:t
ornativ, O... ɔrna'ti:f, -e
...i:və
Orne *fr.* ɔrn
ornieren ɔr'ni:rən
Ornis 'ɔrnıs
Ornithogamie ɔrnitoga'mi:
Ornithologe ɔrnito'lo:gə
Ornithologie ɔrnitolo'gi:
ornithologisch ɔrnito'lo:gıʃ
ornithophil ɔrnito'fi:l
Ornithophilie ɔrnitofi'li:
Ornithopter ɔrni'tɔptɐ
Ornithorhynchus ɔrnito-
'rynçus
Ornithose ɔrni'to:zə
Örnsköldsvik *schwed.* œ:rn-
ʃœlts'vi:k
¹Oro (Gott) 'o:ro
²Oro *span.* 'oro
Orobanche oro'bançə
orogen, O... oro'ge:n
Orogenese oroge'ne:zə
orogenetisch oroge'ne:tıʃ
Orogenie oroge'ni:
Orognosie orogno'zi:, -n
...i:ən
Orographie orogra'fi:, -n
...i:ən
orographisch oro'gra:fıʃ
Orohydrographie oro-
hydrogra'fi:, -n ...i:ən
orohydrographisch oro-
hydro'gra:fıʃ
Orologie orolo'gi:
Orometrie orome'tri:
orometrisch oro'me:trıʃ
Oromo o'ro:mo
Oron *fr.* ɔ'rõ, *hebr.* ɔ'rɔn
Oron-la-Ville *fr.* ɔrõla'vil
Orono *engl.* 'ɔ:rənou
Oront o'rɔnt
Oronte *fr.* ɔ'rõ:t

Orontes o'rɔntɛs
Oroplastik oro'plastık
oroplastisch oro'plastıʃ
Orosháza *ung.* 'oroʃha:zɔ
Orosius o'ro:zius
Oroszlány *ung.* 'orosla:nj
Orotava *span.* oro'taβa
Orotsche o'ro:tʃə
Oroya *span.* o'roja
Orozco *span.* o'rɔθko
Orpen *engl.* 'ɔ:pən
Orpheon ɔr'fe:ɔn
Orpheum ɔr'fe:um, ...een
...e:ən
Orpheus 'ɔrfɔys
Orphik 'ɔrfık
Orphiker 'ɔrfikɐ
orphisch 'ɔrfıʃ
Orphismus ɔr'fısmus
Orphizismus ɔrfi'tsısmus
Orpington *engl.* 'ɔ:pıŋtən
Orplid ɔr'pli:t, *auch:* '--
Orr *engl.* ɔ:
Orrery *engl.* 'ɔrərı
Orry *fr.* ɔ'ri
Ors *span.* ɔrs, *kat.* ors
Orsatapparat ɔr'za:t-
lapara:t
Orsay *fr.* ɔr'sɛ
Orscha *russ.* 'ɔrʃɐ
Orschowa 'ɔrʃova
Orseolo *it.* ɔr'sɛ:olo
Orsi *it.* 'orsi
Orsini *it.* ɔr'si:ni
Orsino *it.* ɔr'si:no
Orsk *russ.* ɔrsk
Orsova *rumän.* 'orʃova
Orsoy 'ɔrzɔy
Ørsted *ø:*ɐstɛt, ...ʃtɛt
Ørsted *dän.* 'œɐsdeð
Országh *ung.* 'orsa:g
Ort ɔrt, Örter 'œrtɐ
Orta *it.* 'ɔrta, *port.* 'ɔrtɐ
Örtchen 'œrtçən
Ortega y [Gasset] *span.*
ɔr'teɣa (i ɣa'sɛt)
Ortegal *span.* ɔrte'ɣal
Ortel 'œrtl
Ortelius ɔr'te:lius
Ortelsburg 'ɔrtlsburk
orten 'ɔrtn̩
Orten *tschech.* 'ɔrtɛn
Ortenau 'ɔrtənau
Ortenburg 'ɔrtn̩burk
örtern 'œrtɐn
Ortes *it.* 'ɔrtes
Ortese *it.* ɔr'te:se
Orth[eil] 'ɔrt[ail]
Orthese ɔr'te:zə
Orthetik ɔr'te:tık

orthetisch ɔr'te:tıʃ
Orthikon 'ɔrtikɔn, ...one
...'ko:nə
ortho..., O... 'ɔrto...
Orthochromasie ɔrtokro-
ma'zi:
orthochromatisch ɔrtokro-
'ma:tıʃ
Orthodontie ɔrtodɔn'ti:, -n
...i:ən
orthodox ɔrto'dɔks
Orthodoxie ɔrtodɔ'ksi:
orthodrom ɔrto'dro:m
Orthoepie ɔrtole'pi:
Orthoepik ɔrto'le:pık
orthoepisch ɔrto'le:pıʃ
Orthogenese ɔrtoge'ne:zə
orthognath ɔrto'gna:t
Orthognathie ɔrtogna'ti:
Orthogon ɔrto'go:n
orthogonal ɔrtogo'na:l
Orthographie ɔrtogra'fi:,
-n ...i:ən
orthographisch ɔrto'gra:fıʃ
orthokephal ɔrtoke'fa:l
Orthokephalie ɔrtokefa'li:
Orthoklas ɔrto'kla:s, -e
...a:zə
Orthologie ɔrtolo'gi:
orthonym ɔrto'ny:m
Orthopäde ɔrto'pɛ:də
Orthopädie ɔrtopɛ'di:
orthopädisch ɔrto'pɛ:dıʃ
Orthopädist ɔrtopɛ'dıst
orthopanchromatisch
ɔrtopankro'ma:tıʃ
Orthophonie ɔrtofo'ni:, -n
...i:ən
Orthopnoe ɔrto'pno:ə
Orthoptere ɔrtɔp'te:rə
Orthopteron ɔr'tɔpterɔn,
...pteren ɔrtɔp'te:rən
Orthoptik ɔr'tɔptık
Orthoptist ɔrtɔp'tıst
Orthoskop ɔrto'sko:p
Orthoskopie ɔrtosko'pi:
Orthos Logos ɔr'tɔs 'lɔgɔs
Orthostase ɔrto'sta:zə
Orthostaten ɔrto'sta:tn̩
orthostatisch ɔrto'sta:tıʃ
Orthostigmat ɔrtostı'gma:t
orthotisch ɔr'to:tıʃ
Orthotonie ɔrtoto'ni:
orthotonieren ɔrtoto'ni:rən
orthotrop ɔrto'tro:p
Orthozentrum 'ɔrtotsɛn-
trum
orthozephal ɔrtotse'fa:l
Orthozephalie ɔrtotsefa'li:

Orthozeras ɔr'to:tseras,
...ren ...to'tse:rən
Ortiz span. ɔr'tiθ, fr. ɔr'tis
Ortler 'ɔrtlɐ
Ortles it. 'ɔrtles
örtlich 'œrtlıç
Ortlieb 'ɔrtli:p
Ortner 'ɔrtnɐ
Ortnid, ...nit 'ɔrtni:t
Ortolan (Vogel) ɔrto'la:n
Ortoli fr. ɔrtɔ'li
Orton engl. ɔ:tn
Ortona it. or'to:na
Ortrud 'ɔrtru:t
Ortrun 'ɔrtru:n
Ortwin 'ɔrtvi:n
Ørum dän. 'ʏ:rʊm
Oruro span. o'ruro
Orust schwed. ,u:rʊst
Orvieto ɔr'vje:to, it.
or'vje:to, or'vje:to
Orwell engl. 'ɔ:wəl
Ory fr. ɔ'ri, engl. 'ɔ:rɪ
Oryktogenese oryktoge-
'ne:zə
Oryktogenie oryktoge'ni:
Oryktognosie orykto-
gno'zi:
Oryktographie orykto-
gra'fi:
Oryx 'o:ryks
Oryza o'ry:tsa
Orzechowski poln. ɔʒɛ-
'xɔfski
Orzeszkowa poln. ɔʒɛʃˈkɔva
¹Os (Osmium) o:'lɛs
²Os (Wallberg) o:s, Oser
'o:zɐ
³Os (Mund) o:s, Ora 'o:ra
⁴Os (Knochen) ɔs, Ossa
'ɔsa
Osa span. 'osa
Osage engl. 'oʊseɪdʒ
Osaka o'za:ka, jap. o':saka
Osasco bras. o'sasku
Osawa jap. o'zawa
Ösbeke œs'be:kə
Osborn[e], ...ourne engl.
'ɔzbɔ:n
Osburg 'o:sbʊrk
Oscar dt., schwed., it. 'ɔskar,
engl. 'ɔskə, fr. ɔs'ka:r
Oscedo ɔs'tse:do
Osch russ. ɔʃ
Oschatz 'o:ʃats
Oschersleben 'ɔʃɐsle:bn
Oschima jap. 'o.:ʃima
Oscinella ɔstsi'nɛla
Osdroes 'ɔsdroɛs
Öse 'ø:zə

Oseberg norw. ,u:səbærg
Osee o'ze:
Ösel 'ø:zl̩
ösen 'ø:zn̩, ös! ø:s, öst ø:st
Oser vgl. ²Os
Oserow russ. 'ɔzɪrɛf
Osgood engl. 'ɔzgʊd
O'Shaughnessy engl.
oʊ'ʃɔ:nɪsɪ
Oshawa engl. 'ɔʃəwə
Oshkosh engl. 'ɔʃkɔʃ
Oshogbo engl. ɔ'ʃɔgbou
Osiander o'ziandɐ
Osijek serbokr. 'ɔsijɛk
Osimo it. 'ɔ:zimo
Osiris o'zi:rɪs
Osjorsk russ. a'zjɔrsk
Oskaloosa engl. ɔskə'lu:sə
Oskar dt., schwed. 'ɔskar,
engl. 'ɔskə
Oskarshamn schwed.
ɔskars'hamn
Osker 'ɔskɐ
oskisch 'ɔskıʃ
Oskol russ. as'kɔl
Oskulation ɔskula'tsjo:n
oskulieren ɔsku'li:rən
Oslava[ny] tschech. 'ɔsla-
va[ni]
Osler engl. 'oʊslə
Ösling 'ø:slıŋ
Oslo engl., norw. ,uslu
Osman 'ɔsman, auch:
ɔs'ma:n, türk. 'ɔsmɑn
Osmane ɔs'ma:nə
osmanisch ɔs'ma:nıʃ
Osmaniye türk. ɔs'mɑ:nijɛ
Osmatschka ukr. ɔs'matʃka
Osmeña span. ɔz'meɲa
Osmer 'ɔsmɐ, engl. 'ɔzmə
Osmium 'ɔsmiʊm
Osmologie ɔsmolo'gi:
osmophil ɔsmo'fi:l
osmophor ɔsmo'fo:ɐ̯
Osmose ɔs'mo:zə
Osmotherapie ɔsmo-
tera'pi:, -n ...i:ən
osmotisch ɔs'mo:tıʃ
Osnabrück ɔsna'brʏk
Osning 'ɔsnıŋ
Osóbka poln. ɔ'supka
Ösophagi vgl. Ösophagus
ösophagisch øzo'fa:gıʃ
Ösophagismus øzofa'gıs-
mʊs
Ösophagitis øzofa'gi:tıs,
...itiden ...gi'ti:dn̩
Ösophagoskop øzofago-
'sko:p

Ösophagospasmus øzofa-
go'spasmʊs
Ösophagotomie øzofago-
to'mi:, -n ...i:ən
Ösophagus ø'zo:fagʊs, ...gi
...gi
Osorio span. o'sorjo
Osorno span. o'sɔrno
Ospel 'ɔspl̩
Osphradium ɔs'fra:djʊm,
...ien ...jən
Osphresiologie ɔsfrezjo-
lo'gi:
Osram® 'ɔsram
Osroene ɔsro'e:nə
Oss niederl. ɔs
¹Ossa (griech. Berg) dt.,
neugr. 'ɔsa
²Ossa (Name) russ. a'sa
³Ossa vgl. Os
ossal ɔ'sa:l
Ossanna ɔ'sana
ossär ɔ'sɛ:ɐ̯
Ossarium ɔ'sa:rjʊm, ...ien
...jən
Osse 'ɔsə
Ossein ɔse'i:n
Ossendowski poln. ɔsɛn-
'dɔfski
Osser 'ɔsɐ
Osservatore Romano it.
osserva'to:re ro'ma:no
Ossete ɔ'se:tə
Ossetien ɔ'se:tsjən, ɔ'se:-
tjən
ossetisch ɔ'se:tıʃ
Ossi 'ɔsi
ossia ɔ'si:a
Ossiach 'ɔsiax
Ossian 'ɔsjan, auch: ɔ'sja:n,
engl. 'ɔsiən
Ossiannilsson schwed. ɔsi-
an'nilsɔn
Ossietzky ɔ'sjɛtski
Ossifikation ɔsifika'tsjo:n
ossifizieren ɔsifi'tsi:rən
Ossining engl. 'ɔsınıŋ
Ossinniki russ. a'sinniki
Ossip russ. 'ɔsip
Ossipenko russ. asi'pjɛnkɐ
Ossipow russ. 'ɔsipɐf
¹Ossipowitsch (Familien-
name) russ. asi'pɔvitʃ
²Ossipowitsch (Sohn des
Ossip) russ. 'ɔsipɐvitʃ
Ossipowna russ. 'ɔsipɐvnɐ
Ossogowska Planina bul-
gar. o'sɔgofskɐ plɐni'na
Ossolineum ɔsoli'ne:ʊm
Ossoliński poln. ɔsɔ'liiski

Ossorgin *russ.* asar'gin
Ossowski ɔ'sɔfski
Ossuarium ɔ'sʊa:rɪʊm,
...**ien** ...i̯ən
Osswald 'ɔsvalt
Ost ɔst, *deutlich* o:st
Ostade *niederl.* ɔs'ta:də
Ostafrika 'ɔst|la:frika, *auch:*
...'laf...
Ostaijen *niederl.* ɔs'ta:i̯ə
Ostalbkreis 'ɔst|alpkrai̯s
Ostangeln 'ɔst|laŋln̩
Ostanglien ɔst'laŋli̯ən
Ostara 'o:stara
ostasiatisch 'ɔst|la'zi̯a:tɪʃ
Ostasien 'ɔst'la:zi̯ən
ostbaltisch 'ɔstbaltɪʃ
Östberg *schwed.* ˌœstbærj
Ost-Berlin 'ɔstbɛrli:n
ostdeutsch 'ɔstdɔi̯tʃ
Ostdeutschland 'ɔstdɔi̯tʃ-
lant
Ostealgie ɔsteal'gi:, **-n**
...i:ən
Ostelbien 'ɔst'|lɛlbi̯ən
Ostelbier 'ɔst'|lɛlbi̯ɐ
osten 'ɔstn̩
¹Osten 'ɔstn̩, *deutlich* 'o:stn̩
²Osten (Name) 'ɔstn̩
Ostende ɔst'|lɛndə, *fr.*
ɔs'tã:d
Ostendorf[er] 'ɔstn̩dɔrf[ɐ]
ostensibel ɔstɛn'zi:bl̩, ...**ble**
...blə
ostensiv ɔstɛn'zi:f, **-e** ...i:və
Ostenso *engl.* 'ɔstənsoʊ
Ostensorium ɔstɛn'zo:-
ri̯ʊm, ...**ien** ...i̯ən
Ostentation ɔstɛnta'tsi̯o:n
ostentativ ɔstɛnta'ti:f, **-e**
...i:və
ostentiös ɔstɛn'tsi̯ø:s, **-e**
...ø:zə
Osteoblast ɔsteo'blast
Osteoblastom ɔsteoblas-
'to:m
Osteodynie ɔsteody'ni:, **-n**
...i:ən
Osteoektomie ɔsteo-
lɛkto'mi:, **-n** ...i:ən
Osteofibrom ɔsteofi'bro:m
osteogen ɔsteo'ge:n
Osteogenese ɔsteoge'ne:zə
osteoid ɔsteo'i:t, **-e** ...i:də
Osteoklasie ɔsteokla'zi:, **-n**
...i:ən
Osteoklast ɔsteo'klast
Osteokolle ɔsteo'kɔlə
Osteologe ɔsteo'lo:gə
Osteologie ɔsteolo'gi:

Osteolyse ɔsteo'ly:zə
Osteom ɔste'o:m
osteomalakisch ɔsteoma-
'la:kɪʃ
Osteomalazie ɔsteoma-
la'tsi:, **-n** ...i:ən
osteomalazisch ɔsteoma-
'la:tsɪʃ
Osteomyelitis ɔsteomỹe'li:-
tɪs, ...**itiden** ...li'ti:dn̩
Osteon 'ɔsteɔn, **-en**
...e'o:nən
Osteopathie ɔsteopa'ti:, **-n**
...i:ən
Osteophage ɔsteo'fa:gə
Osteoplastik ɔsteo'plastɪk
osteoplastisch ɔsteo'plas-
tɪʃ
Osteoporose ɔsteopo'ro:zə
Osteosynthese ɔsteozyn-
'te:zə
osteosynthetisch ɔsteo-
zyn'te:tɪʃ
Osteotaxis ɔsteo'taksɪs
Osteotomie ɔsteoto'mi:, **-n**
...i:ən
Oster 'o:stɐ
Österbotten *schwed.*
ˌœstɐbɔtən
Osterburg 'o:stɐbʊrk
Osterburken ɔstɐ'bʊrkn̩
Østerdal *norw.* ˌœstərda:l
Östergötland *schwed.*
ˌœstərjø:tlan[d]
Östergren *schwed.* ˌœstər-
gre:n
Osterhofen o:stɐ'ho:fn̩
Osterholz 'o:stɐhɔlts
Osteria ɔste'ri:a, ...**ien**
...i:ən
Osterie ɔste'ri:, **-n** ...i:ən
Osterland 'o:stɐlant
österlich 'ø:stɐlɪç
Österling *schwed.* ˌœstərlɪŋ
Osterluzei o:stɐlutsai̯,
auch: ---'-
Östermalm *schwed.* œstər-
'malm
Ostermann 'o:stɐman
Ostermontag 'o:stɐ'mo:n-
ta:k
Østere *dän.* 'ʏsdərʏ'
Osterode ɔstə'ro:də
Osterøy *norw.* ˌustərœi̯
Österreich[er] 'ø:stəraẹç[ɐ]
österreichisch 'ø:stəraẹçɪʃ
Österreich-Ungarn
'ø:stəraẹç|lʊŋgarn
Ostersonntag 'o:stɐ'zɔn-
ta:k

Östersund *schwed.* œstər-
'sʊnd
Ostertag 'o:stɐta:k
Östertälje *schwed.* œstər-
ˌtɛlj̱ə
Osterwald 'o:stɐvalt
Osterwieck o:stɐ'vi:k
Osteuropa 'ɔst|ɔy'ro:pa
osteuropäisch 'ɔst-
|ɔyro'pɛ:ɪʃ
Ostfale 'ɔst'fa:lə
Ostfildern 'ɔstfɪldɐn
Ostfinne 'ɔstfɪnə
Ostflandern 'ɔstflandɐn
Østfold *norw.* ˌœstfɔl
Ostfranken 'ɔstfraŋkn̩
ostfriesisch ɔst'fri:zɪʃ
Ostfriesland 'ɔst'fri:slant
Ostgermane 'ɔstgɛrma:nə
ostgermanisch 'ɔstgɛrma:-
nɪʃ
Ostgote 'ɔstgo:tə
Osthaus 'ɔsthau̯s
Ostheim 'ɔsthai̯m
Osthofen 'ɔstho:fn̩
Osthoff 'ɔsthɔf
Ostia *it.* 'ɔsti̯a
Ostiarius ɔs'ti̯a:ri̯ʊs, ...**ier**
...i̯ɐ
ostinat[o] ɔsti'na:t[o]
Ostinato ɔsti'na:to, ...**ti** ...ti
Ostindien 'ɔst'|lndi̯ən
ostindisch 'ɔst'|lɪndɪʃ
ostisch 'ɔstɪʃ
Ostitis ɔs'ti:tɪs, ...**itiden**
...ti'ti:dn̩
Ostium 'ɔsti̯ʊm, ...**ien** ...i̯ən
Ostjake ɔs'tja:kə
Ostjordanland 'ɔst'jɔrdan-
lant
Ostland 'ɔstlant
Østlandet *norw.* ˌœstlanə
Ostler 'ɔstlɐ
östlich 'œstlɪç
Ostmark 'ɔstmark
Ostnordost[en] ɔstnɔrt-
'|ɔst[n̩], *deutlich* o:stnɔrt-
'|o:st[n̩]
Ostotitlán *span.* ɔstotit'lan
Ostpreußen 'ɔstprɔysn̩
ostpreußisch 'ɔstprɔysɪʃ
Ostpriegnitz ɔst'pri:gnɪts
Ostradiol ɔstra'di̯o:l
Ostrakismos ɔstrakɪs'mɔs
Ostrakode ɔstra'ko:də
Ostrakon 'ɔstrakɔn, ...**ka**
...ka
Ostrau 'ɔstrau̯
Ostrava *tschech.* 'ɔstrava
Ostrazismus ɔstra'tsɪsmʊs

Ọstrčil *tschech.* 'ɔstr̩tʃil
Ọstrea 'ɔstrea
Ostróda *poln.* ɔs'truda
Östrogen œstro'ge:n
Ostrogọte ɔstro'go:tə
Ostrogrạdski *russ.* astra-
'gratskij
Ostrołęka *poln.* ɔstrɔ'ŭɛŋka
Ostrolęnka ɔstro'lɛŋka
Ọstrom 'ɔstro:m
Östromanie œstroma'ni:
ọströmisch 'ɔstrø:mɪʃ
Östron œs'tro:n
Ọstrong 'ɔstrɔŋ
Ostrọróg *poln.* ɔs'trɔruk
Ostrọuchow *russ.* astra'u-
xɐf
Ostroụmowa *russ.* astra'u-
mɐvɐ
Ọstrov *tschech.* 'ɔstrɔf, *slo-
wak.* 'ɔstrɔu̯
Ọstrow *russ.* 'ɔstrɐf
Ostrọwiec Świętokrzyski
poln. ɔs'trɔvjɛts ɕfjɛntɔ-
'kʃiski
Ostrów Mazowięcka *poln.*
'ɔstruf mazɔ'vjɛtska
Ostrọwo ɔs'tro:vo, *poln.*
ɔs'trɔvɔ
Ostrọwski *dt., poln.*
ɔs'trɔfski, *russ.* as'trɔfskij
Ọstrów Wielkopọlski *poln.*
'ɔstruf vjɛlkɔ'pɔlski
Ọstrus 'œstrus
Ọstsee 'ɔstze:
Ọstslawe 'ɔstsla:və
Ostsüdọst[en] ɔstzy:t-
'lɔst[n̩], *deutlich* o:stzy:t-
'lo:st[n̩]
Ọstung 'ɔstʊŋ
Ostụni *it.* ɔs'tu:ni
Ọstwald 'ɔstvalt
ọstwärts 'ɔstvɛr̩ts
Ọst-Wẹst-... 'ɔst'vɛst...
Ọstzone 'ɔsttso:nə
Osụ *jap.* o'zu
O'Sullivan, Ó'... *engl.* oʊ'sʌ-
livən
Osụm *alban.* o'sum
Ọsumi *jap.* 'o:sumi
Osụna *span.* o'suna
Ọswald 'ɔsvalt, *engl.*
'ɔzwəld
Oswego *engl.* ɔs'wi:goʊ
Oświęcim *poln.* ɔɕ'fjɛntɕim
Ọswin 'ɔsvi:n
Ọswine ɔs'vi:nə
Oszẹdo ɔs'tse:do
Oszillation ɔstsɪla'tsi̯o:n

Oszillạtor ɔstsɪ'la:to:ɐ̯, -en
...la'to:rən
Oszillatọria ɔstsɪla'to:ri̯a,
...rien ...i̯ən
oszillatọrisch ɔstsɪla'to:rɪʃ
oszillięren ɔstsɪ'li:rən
Oszillogrạmm ɔstsɪlo'gram
Oszillogrạph ɔstsɪlo'gra:f
Ọsztopán *ung.* 'ostopa:n
Ọta *jap.* 'o.:ta
Ọta 'ø:ta
Ọtago *engl.* oʊ'ta:goʊ
Ọtagra 'o:tagra
Ọtakar ɔ'takar
Otalgię otal'gi:, -n ...i:ən
Ọtaru *jap.* 'o.taru
Ọtavi o'ta:vi
Ọtbert 'ɔtbɛrt
Ọtčenášek *tschech.* 'ɔtʃɛ-
na:ʃɛk
Otẹllo *it.* o'tɛllo
Oțelul Rọșu *rumän.* o'tselul
'roʃu
Otẹro *span.* o'tero
Otẹtschestwen Frọnt *bul-
gar.* o'tɛtʃɛstvɛn 'frɔnt
Ọtfried 'ɔtfri:t
Othämatọm ɔthɛma'to:m
Ọthe *fr.* ɔt
Othẹllo o'tɛlo
Ọthman ɔt'ma:n
Ọthmar 'ɔtmar
Ọthmayr 'ɔtmai̯ɐ
Ọtho o'to, *engl.* 'oʊθoʊ
Ọthon *span.* 'otɔn
Ọthrys 'o:trys
Otiạter o'ti̯a:tɐ
Otiatrie oti̯a'tri:
otiạtrisch o'ti̯a:trɪʃ
Otis *engl.* 'oʊtɪs
Otịtis o'ti:tɪs, ...itịden oti-
'ti:dn̩
otịtisch o'ti:tɪʃ
Ọtium [cum Dignitạte]
'o:tsi̯ʊm [kʊm dɪgni'ta:tə]
Otjiwarọngo ɔtʃiva'rɔngo
Ọtloh 'ɔtlo:
Ọtmar 'ɔtmar
Otmụchów *poln.* ɔt'muxuf
Ọtnit 'ɔtni:t
Otodynię otody'ni:, -n
...i:ən
otogen oto'ge:n
Ọtok[ar] *tschech.* 'ɔtɔk[ar]
Otolịth oto'li:t
Otolọge oto'lo:gə
Otologię otolo'gi:
otologisch oto'lo:gɪʃ
Otomạni *rumän.* oto'manj
Otomíes *span.* oto'mies

Otón *span.* o'tɔn
O'Toole *engl.* oʊ'tu:l
Otophon oto'fo:n
Otoplạstik oto'plastɪk
Otorrhagie otɔra'gi:, -n
...i:ən
Otosklerọse otoskle'ro:zə
otosklerọtisch otoskle'ro:-
tɪʃ
Otoskọp oto'sko:p
Otoskopię otosko'pi:
Otọzyon o'to:tsi̯ɔn
Otra *norw.* 'u̯utra
Otrạdny *russ.* at'radnij
Ọtranto *it.* 'ɔ:tranto
Otrẹmba o'trɛmba
Otschạkow *russ.* a'tʃakɐf
Ọtscher 'œtʃɐ
Otschiai *jap.* 'o.tʃiai
Ọtsu *jap.* 'o.:tsu
Ọtt ɔt
Ọtta *norw.* 'u̯uta
ottạva, O... ɔ'ta:va
Ottaverime ɔta:ve'ri:mə
Ottaviạni *it.* otta'vi̯a:ni
Ottạvino ɔta'vi:no, ...ni ...ni
Ottạvio *it.* ot'ta:vi̯o
Ọttawa 'ɔtava, *engl.* 'ɔtəwə
Ọtte 'ɔtə
Ọtten 'ɔtn̩
Ọttenstein 'ɔtn̩ʃtai̯n
Ọtter 'ɔtɐ
Ọtterbein 'ɔtɐbai̯n, *engl.*
'ɔtəbai̯n
Ọtterberg 'ɔtɐbɛrk
Ọtterlo[o] *niederl.* 'ɔtɐrlo
Ọtterndorf 'ɔtɐndɔrf
Ọttheinrich ɔt'hai̯nrɪç
Ọtthermann ɔt'hɛrman
Ọtti 'ɔti
Ottịlia ɔ'ti:li̯a
Ottịlie ɔ'ti:li̯ə
Öttinger 'œtɪŋɐ
Ọttlik *ung.* 'otlik
Ottmạchau ɔtma'xau̯, '---
Ọttmar 'ɔtmar
Ọttmarsheim 'ɔtmarshai̯m
Ọtto 'ɔto, *engl.* 'ɔtoʊ,
schwed. 'utu
Ottobeụren oto'bɔy̯rən
Ottobrụnn oto'brʊn
Ọttokar 'ɔtokar
Ottomạn[e] oto'ma:n[ə]
ottomạnisch ɔto'ma:nɪʃ
Ọttomar 'ɔtomar
Ottọne ɔ'to:nə, *it.* ot'to:ne
ottọnisch ɔ'to:nɪʃ
Ottorịno *it.* otto'ri:no
Ottrelịth ɔtre'li:t
Ọttumwa *engl.* ə'tʌmwə

Ottweiler 'ɔtvailɐ
Otumba *span.* o'tumba
Otway *engl.* 'ɔtweɪ
Otwock *poln.* 'ɔtfɔtsk
Ötz œts
Otzen[hausen] 'ɔtsn̩[hauzn̩]
Ötzi 'œtsi
Ötztal[er] 'œtsta:l[ɐ]
Ouachita *engl.* 'wɔʃɪtɔ:
Ouadaï *fr.* wada'i
Ouagadougou vaga'du:gu,
fr. wagadu'gu
Ouahigouya *fr.* waigu'ja
Ouahran *fr.* wa'ran
Ouargla *fr.* war'gla
Ouarzazate *fr.* warza'zat
Oubangui *fr.* uba'gi
Oubangui-Chari *fr.* ubāgi-
ʃa'ri
Oublietten ubli'ɛtn̩
Oud *niederl.* ɔʏt
Oudenaarde *niederl.*
'ɔʏdəna:rdə
Oudiné *fr.* udi'ne
Oudry *fr.* u'dri
Oudshoorn *niederl.* 'ɔʏts-
ho:rn
Oudtshoorn *afr.* 'ɔʏtsho:-
rən
Oued *fr.* wɛd
Oued-Zem *fr.* wɛd'zɛm
Ouenza *fr.* wɛn'za
Ouessant *fr.* wɛ'sã
Ouesso *fr.* wɛ'so
où est la femme? *fr.* uɛla-
'fam
Ouezzane *fr.* wɛ[d]'zan
Oufkir *fr.* uf'ki:r
Ougrée *fr.* u'gre
Ouham *fr.* u'am
Ouida *engl.* 'wi:də
Ouidah *fr.* wi'da
Ouistreham *fr.* wistrə'ā
Oujda *fr.* uʒ'da
Oullins *fr.* u'lɛ̃
Oulu *finn.* 'ɔʏlu
Ouol024guem *fr.* wɔly'gɛm
Ounce auns
Our *fr.* u:r
Ourinhos *bras.* o'riɲus
Ouro Preto *bras.* 'oru 'pretu
Ourthe *fr.* urt
Ouse[ley] *engl.* 'u:z[lɪ]
Ousman *fr.* us'man
out, Out aut
Outboard 'autbo:ɐt
Outcast 'autka:st
outen 'autn̩
Outer-Space-... autɐ-
'spe:s...

Outes *span.* 'outes
Outfit[ter] 'autfɪt[ɐ]
Outgroup 'autgru:p
Outjo 'u:tjo
Outlaw 'autlo:
Outokumpu *finn.* 'ɔʊtɔ-
kumpu
Output 'autpʊt
Outreau *fr.* u'tro
Outremont *fr.* utrə'mõ,
engl. 'u:trəmɔnt
outrieren u'tri:rən
Outsider 'autzaidɐ
Ouvéa *fr.* uve'a
Outwachler 'autvaxlɐ
Ouvertüre uver'ty:rə
Ouvrée u'vre:
Ouyang Xiu *chin.* oʊ-ịaŋ-
çịoʊ 121
Ouzo 'u:zo
Ouzoud *fr.* u'zud
Ova vgl. Ovum
Ovada *it.* o'va:da
oval, O... o'va:l
Ovalbumin ovalbu'mi:n
Ovalle *span.* o'βaʎe
Ovambo o'vambo
Ovar o'va:ɐ
ovarial ova'rịa:l
Ovariektomie ovarịɛk-
to'mi:, -n ...i:ɔn
ovariell ova'rịɛl
Ovariotomie ovarịoto'mi:,
-n ...i:ɔn
Ovarium o'va:rịʊm, ...ien
...ịən
Ovation ova'tsịo:n
Ovens *niederl.* 'o:vəns
Overall 'o:vərɑ:l, *auch:*
...rɑl, ...ro:l
Overath o:və'ra:t
Overbeck 'o:vɐbɛk
Overberg 'o:vɐbɛrk
Overbury *engl.* 'oʊvəbərɪ
overdressed o:vɐ'drɛst,
'---
Overdrive 'o:vɐdraif
Overflow 'o:vɐflo:
Overhead... 'o:vɐhɛt...
Overhoff 'o:vɐhɔf
Overijse *niederl.* o:vərɛịsə
Overijsel *niederl.* o:vər'ɛịsəl
Overkill 'o:vɐkɪl
Overland *engl.* 'oʊvələnd
Øverland *norw.* .ø:vərlan
Overlea *engl.* 'oʊvɔli:
oversized 'o:vɐzaịst
Overstatement o:vɐ'ste:t-
mənt
Overstone *engl.* 'oʊvəstən

Over-the-Counter-... *dt.-
engl.* 'o:vɐðə'kauntɐ...
Overweg 'o:vɐve:k
Ovid o'vi:t
Ovidio *it.* o'vi:dịo
ovidisch, O... o'vi:dɪʃ
Ovidius o'vi:dịʊs
Ovidukt ovi'dʊkt
Oviedo *span.* o'βịeðo
Ovine o'vi:nə
Ovington (Nachn.) *engl.*
'oʊvɪntən
ovipar ovi'pa:ɐ̯
Oviparie ovipa'ri:
Ovizid ovi'tsi:t, -e ...i:də
Ovogenese ovoge'ne:zə
ovoid ovo'i:t, -e ...i:də
ovoidisch ovo'i:dɪʃ
Ovoplasma ovo'plasma
ovovivipar ovovivi'pa:ɐ̯
Ovoviviparie ovovivipa'ri:
Ovozyte ovo'tsy:tə
Ovulation ovula'tsịo:n
Ovulum 'o:vulʊm, ...la ...lə
Ovum 'o:vʊm, Ova 'o:va
Ow o:f
Owain *engl.* 'oʊwɪn
Owambo o'vambo
Owando *fr.* ɔwan'do
Owen 'auən, *engl.* 'oʊɪn
Owendo *fr.* ɔwɛn'do
Owens 'oʊɪnz
Owensboro *engl.* 'oʊɪnz-
bərə
Owerri *engl.* oʊ'wɛri
Owlglass *engl.* 'aʊlglɑ:s
Owo *engl.* 'oʊwoʊ
Owrag o'vra:k, -i ...a:gi
Oxalat ɔksa'la:t
Oxalis 'ɔksalɪs
Oxalit ɔksa'li:t
Oxalsäure ɔk'sa:lzɔʏrə
Oxalurie ɔksalu'ri:, -n ...i:ən
Oxazin ɔksa'tsi:n
Oxelösund *schwed.* uksəlø-
'sʊnd
Oxenstierna *schwed.*
.uksənʃæ:rna
Oxer 'ɔksɐ
Oxford 'ɔksfɔrt; *engl.* 'ɔks-
fəd, -shire -ʃịə
Oxfordien ɔksfɔr'dịɛ̃:
Oxhoft 'ɔkshɔft
Oxid ɔ'ksi:t, -e ...i:də
Oxidase ɔksi'da:zə
Oxidation ɔksida'tsịo:n
oxidativ ɔksida'ti:f, -e ...i:və
Oxidator ɔksi'da:to:ɐ̯, -en
...da'to:rən

oxidieren ɔksi'di:rən
Oxidimeter ɔksidi'me:tɐ
Oxidimetrie ɔksidime'tri:
Oxidul ɔksi'du:l
Oxime ɔ'ksi:mə
Oxnard engl. 'ɔksnɑ:d
Oxon engl. 'ɔksɔn
Oxonian engl. ɔ'ksoʊnɪən
Oxonium ɔ'kso:njʊm
Oxtail... engl. 'ɔkste:l...
Oxus 'ɔksʊs
Oxybiose ɔksy'bio:zə
oxidisch ɔ'ksi:dɪʃ
Oxyd ɔ'ksy:t, -e ...y:də
Oxyessigsäure ɔksy-
'lɛsɪçzɔyrə
Oxygenation ɔksygena-
'tsio:n
Oxygenierung ɔksyge'ni:-
rʊŋ
Oxygen[ium] ɔksy-
'ge:n[jʊm]
Oxyhämoglobin ɔksyhɛmo-
glo'bi:n
Oxyliquit ɔksyli'kvi:t
Oxymoron ɔ'ksy:morɔn,
...ra ...ra
oxyphil ɔksy'fi:l
Oxypropion... ɔksypro-
'pio:n...
Oxyrhynchos ɔksy'rɣnçɔs
Oxysäure 'ɔksyzɔyrə
Oxytonon ɔ'ksy:tonɔn, ...na
...na
Oxyure ɔksy'u:rə
Oxyuriasis ɔksyu'ri:azɪs,
...sen ...'rja:zn̩
Oy ɔy
Oyapok fr. ɔja'pɔk
Oybin ɔy'bi:n
Oyem fr. ɔ'jɛm
Oyo engl. 'oʊjoʊ, ɔ:'jɔ:
Oyonnax fr. ɔjɔ'na[ks]
Oyono fr. ɔjɔ'no
Oyster Bay engl. 'ɔɪstə 'beɪ
Oz hebr. ɔz
Öz türk. œz
Özakın türk. œza'kin
Özal türk. œ'zal
Ozalid® ɔtsa'li:t
Ozäna o'tsɛ:na
Ozanam fr. ɔza'nam
Ozark[s] engl. 'oʊzɑ:k[s]
Ozawa engl. oʊ'zɑ:wə
Ózd ung. o:zd
Ozean 'o:tsea:n
Ozeanarium otsea'na:rjʊm,
...ien ...jən
Ozeanaut otsea'naʊt

Ozeaner 'o:tsea:nɐ,
otse'a:nɐ
Ozeanide otsea'ni:də
Ozeanien otse'a:njən
ozeanisch otse'a:nɪʃ
Ozeanist[ik] otsea'nɪst[ɪk]
Ozeanität otseani'tɛ:t
Ozeanograph otseano'gra:f
Ozeanographie otseano-
gra'fi:
Ozeanologe otseano'lo:gə
Ozeanologie otseanolo'gi:
Ozelle o'tsɛlə
Ozelot 'o:tselɔt, auch: 'ɔts...
Ozenfant fr. ozã'fã
Ozick engl. 'oʊzɪk
Ozieri it. ot'tsjɛ:ri
Ozokerit otsoke'ri:t
Ozon o'tso:n
Ozonid otso'ni:t, -e ...i:də
ozonisieren otsoni'zi:rən
Ozorków poln. ɔ'zɔrkuf

P

p, P pe:, engl. pi:, fr., span.
pe, it. pi
π, Π pi:
Paal[tjens] niederl.
'pa:l[tjəns]
Pään pɛ'a:n
paar, P... pa:ɐ
paaren 'pa:rən
paarig 'pa:rɪç, -e ...ɪgə
Paarl afr. 'pɛ:rəl
Paasikivi finn. 'pɑ:sikivi
Paatsjoki finn. 'pɑ:tsjɔki
Paavo finn. 'pɑ:vɔ
Pabianice poln. pabja'nitsɛ
Pablo span. 'paβlo
Pabst pa:pst
Pacaraima bras. paka'raima
Pacasmayo span. pakaz-
'majo
Pacca it. 'pakka
[1]Pace (Tempo) pe:s
[2]Pace (Name) engl. peɪs
Pacelli it. pa'tʃɛlli
Pacemaker 'pe:sme:kɐ
Pacer 'pe:sɐ
Pachacamac span. patʃaka-
'mak

Pacheco span. pa'tʃeko,
port. pɐ'ʃeku
Pachelbel 'paxɛlbl̩, 'paxl̩bɛl,
pa'xɛlbl̩
Pacher 'paxɐ
Pachino it. pa'ki:no
Pachom[ius] pa'xo:m[jʊs]
Pacht paxt
pachten 'paxtn̩
Pächter 'pɛçtɐ
Pachuca span. pa'tʃuka
Pachulke pa'xʊlkə
Pachyakrie paxyla'kri:, -n
...i:ən
Pachycheilie paxyçaj'li:, -n
...i:ən
Pachydaktylie paxydak-
ty'li:, -n ...i:ən
Pachydermen paxy'dɛrmən
Pachydermie paxydɛr'mi:,
-n ...i:ən
Pachymeningitis paxyme-
nɪŋ'gi:tɪs, ...itiden
...gi'ti:dn̩
Pachymeninx paxy'me:-
nɪŋks, ...ngen ...me'nɪŋən
Pachymeter paxy'me:tɐ
Pachyonychie paxylonɣ'çi:,
-n ...i:ən
Pachyzephalie paxytse-
fa'li:, -n ...i:ən
Pacific[a] engl. pə'sɪfɪk[ə]
Pacificale patsifi'ka:lə
Pacini it. pa'tʃi:ni
Pacioli it. pa'tʃɔ:li
Pacius schwed. 'pa:sius
[1]Pack pak, Päcke 'pɛkə
[2]Pack (Maß) pɛk
Package 'pɛkɪtʃ
Packard engl. 'pækəd
Päckchen 'pɛkçən
Packelei pakə'lai
packeln 'pakl̩n
packen 'pakn̩
Packer 'pakɐ, engl. 'pækə
Packerei pakə'rai
Packfong 'pakfɔŋ
Paco span. 'pako
Pacuvius pa'ku:vjʊs
Pad pɛt
Pädagoge pɛda'go:gə
Pädagogik pɛda'go:gɪk
Pädagogikum pɛda'go:gi-
kʊm, ...ka ...ka
pädagogisch pɛda'go:gɪʃ
pädagogisieren pɛdagogi-
'zi:rən
Pädagogium pɛda'go:gjʊm,
...ien ...jən
Pądang indon. 'padaŋ

Padania *it.* pa'da:ni̯a
Pädatrophie pɛdatro'fi:
Padauk pa'dau̯k
Paddel 'padl̩
paddeln 'padl̩n, **paddle** 'padlə
Paddington *engl.* 'pædɪŋtən
Paddock (Zaun) 'pɛdɔk
Paddy (Reis; Ire) 'pɛdi
Päderast pɛde'rast
Päderastie pɛderas'ti:
Paderborn pa:dɐ'bɔrn
Paderewski *poln.* padɛ-'rɛfski
Pädiater pɛ'di̯a:tɐ
Pädiatrie pɛdi̯a'tri:
pädiatrisch pɛ'di̯a:trɪʃ
Padilla *span.* pa'ðiʎa
Padischah padi'ʃa:
Pädo 'pɛ:do
Padoana pado'a:na
Pädoaudiologe pɛdo-lau̯di̯o'lo:gə
Pädoaudiologie pɛdo-lau̯di̯olo'gi:
Pädodontie pɛdodɔn'ti:
Pädogenese pɛdoge'ne:zə
Pädogenesis pɛdo'ge:nezɪs, *auch:* ...gɛn...
pädogenetisch pɛdoge'ne:-tɪʃ
Pädologe pɛdo'lo:gə
Pädologie pɛdolo'gi:
pädologisch pɛdo'lo:gɪʃ
pädophil pɛdo'fi:l
Pädophilie pɛdofi'li:
Pädosexuelle 'pɛ:dozɛ-ksu̯ɛlə
Padouk pa'dau̯k
Padova *it.* 'pa:dova
Padre 'pa:drə, **Padri** 'pa:dri
Padrona pa'dro:na, ...**ne** ...nə
Padrone pa'dro:nə, ...**ni** ...ni
Padua 'pa:du̯a
Paduana pa'du̯a:na
Paduaner pa'du̯a:nɐ
paduanisch pa'du̯a:nɪʃ
Paducah *engl.* pə'dju:kə
Paella pa'ɛli̯a
Paemel *niederl.* 'pa:məl
Paer *it.* 'pa:er
Paesiello *it.* pae'zi̯ɛllo
Paestum 'pɛ:stʊm, 'pɛs...
Páez *span.* 'paeθ
Pafel 'pa:fl̩
Pafese pa'fe:zə
paff! paf
paffen 'pafn̩
Pafos *neugr.* 'pafɔs

Pag *serbokr.* pa:g
Pagaie pa'gai̯ə
pagan pa'ga:n
Paganalien paga'na:li̯ən
Pagani[ca] *it.* pa'ga:ni[ka]
Paganini *it.* paga'ni:ni
paganisieren pagani'zi:rən
Paganismus paga'nɪsmʊs
Pagat pa'ga:t
pagatorisch paga'to:rɪʃ
¹**Page** 'pa:ʒə
²**Page** *engl.* peɪdʒ
Pagel 'pa:gl̩
Pager (Gerät) 'pe:dʒɐ
Pagerie paʒə'ri:, **-n** ...i:ən
Paget *engl.* 'pædʒɪt
Pagina 'pa:gina
paginieren pagi'ni:rən
Pägnium 'pɛ:gni̯ʊm, ...**ia** ...ia
Pagnol *fr.* pa'ɲɔl
Pagode pa'go:də
Pago Pago *engl.* 'pa:ŋou̯ 'pa:ŋou̯
Pagus 'pa:gʊs
pah! pa:
Pahang *indon.* 'pahaŋ
Pählewi 'pɛçlevi, *pers.* pæh-læ'vi:
Pahlstek 'pa:lste:k
Pahöll pa'hœl
Pahr pa:ɐ̯
Paideia pai̯'dai̯a
Paideuma 'pai̯dɔyma
Paidibett® 'pai̯dibɛt
Paignion 'pai̯gni̯ɔn, **Paignia** 'pai̯gni̯a
Paignton *engl.* 'peɪntən
Päijänne *finn.* 'pæi̯jænnɛ
Paillard *fr.* pa'ja:r
paille 'pa:jə, *auch:* pai̯
Pailleron *fr.* paj'rõ
Paillette pai̯'jɛtə
¹**Pain** (Speise) pɛ̃:
²**Pain, Paine** *engl.* peɪn
Painesville *engl.* 'peɪnzvɪl
Painitz 'pai̯nɪts
Painlevé *fr.* pɛ̃l've
...**painting** ....pe:ntɪŋ
Paionios pai̯'o:ni̯ɔs
pair, P... pɛ:ɐ̯
Pairie pɛ'ri:, **-n** ...i:ən
Pairing 'pɛ:rɪŋ
Paish *engl.* peɪʃ
Paisiello *it.* pai̯'zi̯ɛllo
Paisley *engl.* 'peɪzlɪ
Paissi *bulgar.* pɐ'isij
Paita *span.* 'pai̯ta
Paiute *engl.* pai̯'ju:t
Pajatén *span.* paxa'ten

Pajou *fr.* pa'ʒu
Pak pak
Paka 'pa:ka
Páka *ung.* 'pa:kɔ
Pakanbaru *indon.* pakam-'baru
Paket pa'ke:t
paketieren pake'ti:rən
Pakistan 'pa:kɪsta[:]n
Pakistaner pakɪs'ta:nɐ
Pakistani pakɪs'ta:ni
pakistanisch pakɪs'ta:nɪʃ
Pakkala *finn.* 'pakkala
Pako 'pako
Pakotille pako'tɪlji̯ə
Pakt pakt
paktieren pak'ti:rən
Paktum 'paktʊm
PAL (Farbfernsehen) pa:l
Pál *ung.* pa:l
Pål *schwed.* po:l
Pala *it.* 'pa:la, *fr.* pa'la
Paläanthropine palɛ-|antro'pi:nə
Paläanthropologie palɛ-|antropolo'gi:
paläanthropologisch palɛ-|antropo'lo:gɪʃ
Paläa Pafos *neugr.* palɛ'a 'pafɔs
paläarktisch palɛ'larktɪʃ
Palacio[s] *span.* pa'laθi̯o[s]
Palacký *tschech.* 'palatski:
Palade *engl.* pə'la:dɪ
Paladin pala'di:n, *auch:* 'pa:l..., 'pal...
Paladon® pala'do:n
Palafox *span.* pala'fɔks
Palagonia *it.* palago'ni:a
Palagonit palago'ni:t
Palágyi *ung.* 'pɔla:dji
Palais pa'lɛ:, **des -** ...ɛ:[s], **die -** ...ɛ:s
Palais de l'Élysée *fr.* palɛdleli'ze
Palaiseau *fr.* palɛ'zo
palaisch pa'la:ɪʃ
Palamas *neugr.* pala'mas
Palamedes pala'me:dɛs
Palamedesz *niederl.* pala-'me:dɛs
palänegrid palɛne'gri:t, **-e** ...i:də
Palankin palaŋ'ki:n
Paläoanthropologie palɛo-|antropolo'gi:
paläoarktisch palɛo'larktɪʃ
Paläobiologie palɛobio-lo'gi:

Paläobotanik palɛobo'ta:-
nɪk
Paläobotaniker palɛo-
bo'ta:nikɐ
paläobotanisch palɛo-
bo'ta:nɪʃ
Paläogen palɛo'ge:n
Paläogeographie palɛogeo-
gra'fi:
Paläograph palɛo'gra:f
Paläographie palɛogra'fi:
Paläohistologie palɛohɪsto-
lo'gi:
Paläoklimatologie palɛo-
klimatolo'gi:
Paläolinguistik palɛolɪŋ-
'gʊɪstɪk
Paläolithen palɛo'li:tn̩
Paläolithiker palɛo'li:tikɐ
Paläolithikum palɛo'li:ti-
kʊm
paläolithisch palɛo'li:tɪʃ
Paläologe palɛo'lo:gə
Paläontologe palɛonto-
'lo:gə
Paläontologie palɛonto-
lo'gi:
paläontologisch palɛonto-
'lo:gɪʃ
Paläophytikum palɛo'fy:ti-
kʊm
Paläophytologie palɛofyto-
lo'gi:
Paläopsychologie palɛo-
psyçolo'gi:
Paläotropis palɛo'tro:pɪs
Paläotype palɛo'ty:pə
Paläotypie palɛoty'pi:
paläozän, P... palɛo'tsɛ:n
Paläozoikum palɛo'tso:i-
kʊm
paläozoisch palɛo'tso:ɪʃ
Paläozoologe palɛotsoo-
'lo:gə
Paläozoologie palɛotsoo-
lo'gi:
Palárik slowak. 'pala:rik
Palas 'pa[:]las, -se ...asə
Palast pa'last, Paläste
pa'lɛstə
Palästina palɛ'sti:na
Palästinenser palɛsti'nɛnzɐ
palästinensisch palɛsti-
'nɛnzɪʃ
palästinisch palɛ'sti:nɪʃ
Palästra pa'lɛstra
Palata vgl. Palatum
palatal, P... pala'ta:l
Palatalis pala'ta:lɪs, ...les
...le:s

palatalisieren palatali'zi:-
rən
Palatin[a] pala'ti:n[a]
Palatinat palati'na:t
Palatine pala'ti:nə, engl.
'pælətaɪn
palatinisch pala'ti:nɪʃ
Palatino it. pala'ti:no
Palatinus pala'ti:nʊs
Palatka engl. pə'lætkə
Palatodynie palatody'ni:, -n
...i:ən
Palatogramm palato'gram
Palatograph palato'gra:f
Palatographie palato-
gra'fi:, -n ...i:ən
Palatoschisis palato'sçi:zɪs
Palatschinke pala'tʃɪŋkə
Palatum pa'la:tʊm, ...ta ...ta
Palau 'pa:laᴜ, kat. pə'lаᴜ,
span. pa'lаᴜ, engl. pɑ:'laᴜ
Palaver pa'la:vɐ
palavern pa'la:vɐn, palavre
pa'la:vrə
Palawan span. pa'laᴜan
Palazzeschi it. palat'tseski
Palazzo pa'latso, ...azzi
...atsi
Palazzolo it. palat'tsɔ:lo
Pale serbokr. 'pa:lɛ
Palea 'pa:lea, Paleen
pa'le:ən
Pale Ale 'pe:l 'e:l
Paleario it. pale'a:rɪo
Paleen vgl. Palea
Palembang indon. pa'lɛm-
baŋ
palen 'pa:lən
Palencia span. pa'lenθɪa
Palenque span. pa'leŋke
Paléologue fr. paleo'lɔg
paleozän, P... paleo'tsɛ:n
palermisch pa'lɛrmɪʃ
Palermo dt., it. pa'lɛrmo
Palés span. pa'les
Palester poln. pa'lɛstɛr
Palestrina palɛs'tri:na, it.
pales...
Paletot 'palətо, auch:
pal[ə]'tо:
Palette pa'lɛtə
paletti pa'lɛti
palettieren palɛ'ti:rən
palettisieren palɛti'zi:rən
Paleuropa palɔy'ro:pa,
'────
Paley engl. 'peɪlɪ
Palghat engl. 'pɑ:lɡɑ:t
Palgrave engl. 'pɔ:lgreɪv,
'pæl...

Pali (Sprache) 'pa:li
Päligner pɛ'lɪgnɐ
Palilalie palila'li:
Paliaschwili georg. 'phalia-
ʃwili
Palimnese palɪm'ne:zə
Palimpsest palɪm'psɛst
Palindrom palɪn'dro:m
palingen palɪn'ge:n
Palingenese palɪnge'ne:zə
Palingenesie palɪngene'zi:,
-n ...i:ən
Palingenesis palɪn'ge:nezɪs,
auch: ...gɛn..., ...sen
...ge'ne:zn̩
palingenetisch palɪnge'ne:-
tɪʃ
Palinodie palino'di:, -n
...i:ən
Palisade pali'za:də
Palisades engl. pælɪ'seɪdz
Palisander pali'zandɐ
palisandern pali'zandɐn
palisieren pali'zi:rən
Palissot de Montenoy fr.
palisodmõtə'nwa
Palissy fr. pali'si
Palitzsch 'pa:lɪtʃ
Palizzi it. pa'littsi
Palk engl. pɔ:lk
Palkovič slowak. 'palkɔvitʃ
Palla[das] 'pala[das]
Palladianismus paladɪa'nɪs-
mʊs
Palladio it. pal'la:dɪo
Palladios pa'la:dɪɔs
Palladium pa'la:dɪʊm, ...ien
...iən
Palladius pa'la:dɪʊs
Pallas 'palas
Pallasch 'palaʃ
Pallasit pala'zi:t
Pallat 'palat
Pallavicini it. pallavi'tʃi:ni
Pallavicino it. pallavi'tʃi:no
Pallawa[tsch] palava[tʃ]
Pallenberg 'palənbɛrk
palletti pa'lɛti
Palliata pa'lia:ta
palliativ, P... palɪa'ti:f, -e
...i:və
Palliativum palɪa'ti:vʊm,
...va ...va
Pallino pa'li:no
Pallium 'palɪʊm, ...ien ...iən
Pall Mall engl. pæl'mæl
Pall-mall pɛl'mɛl
Pallograph palo'gra:f
Pallotti pa'lɔti, it. pal'lɔtti
Pallottiner palɔ'ti:nɐ

Palm dt., schwed. palm,
engl. pɑ:m
Palma span., it., bras.
'palma, port. 'palmɐ
Palmanova it. palma'nɔ:va
palmar pal'ma:ɐ̯
Palmar span. pal'mar
Palmarès palma'rɛs
Palmarum pal'ma:rʊm
Palmas dt., span., bras. 'pal-
mas, engl. 'pɑ:lməs
Palm Beach engl. 'pɑ:m
'bi:tʃ
Palmblad schwed. ˌpalm-
blɑ:d
Palme 'palme, schwed.
ˌpalmə
Palmella pal'mɛla
Palmer 'palmɐ, engl. 'pɑ:mə
Palmerston engl. 'pɑ:məs-
tən
Palmerton engl. 'pɑ:mətn
Palmette pal'mɛtə
Palmgren schwed. ˌpalm-
gre:n
palmieren pal'mi:rən
Palmieri it. pal'mi̯ɛ:ri
Palmin® pal'mi:n
Palmira span., bras. pal-
'mira
Palmiro it. pal'mi:ro
Palmitat palmi'ta:t
Palmitin palmi'ti:n
Palmnicken palm'nıkn̩, '---
Palmotić serbokr. 'palmɔtitɕ
Palmsonntag palm'zɔnta:k,
auch: '---
Palmus 'palmʊs
Palmyra pal'my:ra, engl.
pæl'maɪərə
palmyrisch pal'my:rıʃ
[1]Palo Alto (Kalifornien)
engl. 'pæloʊ 'æltoʊ
[2]Palo Alto (Texas) engl.
'pɑ:loʊ 'ɑ:ltoʊ
Palolowurm pa'lo:lovʊrm
Paloma pa'lo:ma, span.
pa'loma
Palomar engl. 'pæləmɑ:,
span. palo'mar
Palos span. 'palos, engl.
'peɪləs
Palos Verdes Estates engl.
'pæləs 'vɔ:dıs ıs'teɪts
Palotás ung. 'pɔlota:ʃ
palpabel pal'pa:bl̩, ...**ble**
...blə
Palpation palpa'tsi̯o:n
palpatorisch palpa'to:rıʃ
Palpe 'palpə

palpieren pal'pi:rən
Palpitation palpita'tsi̯o:n
Palpiti 'palpiti
palpitieren palpi'ti:rən
Palpus 'palpʊs, ...**pi** ...pi
Pálsson isl. 'paʏlsɔn
Palstek 'pa:lste:k
Palü pa'ly:, rät. pa'ly
Palucca pa'lʊka
Paludan dän. 'pæl'udæn
Paludarium palu'da:ri̯ʊm,
...**ien** ...i̯ən
Palynologie palynolo'gi:
Pamela pa'me:la, pa'mɛla,
engl. 'pæmılə
Pamele pa'me:lə, pa'mɛlə
Pamina pa'mi:na
Pamir 'pa:mi:ɐ̯, auch:
pa'mi:ɐ̯
Pamp pamp
Pampa dt., span. 'pampa,
engl. 'pæmpə
Pampas span. 'pampas
Pampe 'pampə
Pampelmuse 'pamplmu:zə,
auch: --'--
Pamperletsch 'pampɐlɛtʃ
Pampero pam'pe:ro
Pampers® 'pɛmpɐs
Pampf pampf̩
Pamphilos 'pamfilɔs
Pamphilus 'pamfilʊs
Pamphlet pam'fle:t
Pamphletist pamfle'tıst
Pamphylien pam'fy:li̯ən
pampig 'pampıç, -**e** ...ıgə
Pamplona span. pam'plona
Pamps pamps
Pampusche pam'pʊʃɛə
...pu:ʃə
Pamukkale türk. pɑ'muk-
kɑ.lɛ
[1]Pan (Gott; Faser [®]) pa:n
[2]Pan (Herr) pan, -**i** 'pani
[3]Pan (Name) engl. pæn
Pana engl. 'peɪnə
Panaché pana'ʃe:
Panade pa'na:də
Panadel... pa'na:dl̩...
panafrikanisch pan-
|afri'ka:nıʃ
Panafrikanismus pan-
|afrika'nısmʊs
Panagia pana'gi:a, ...**ien**
...i:ən
Panagjurischte bulgar.
pɐnɐ'gjuriʃtɛ
Panainos pa:na̯inɔs,
'pan..., pa'na̯inɔs
Panait rumän. pana'it

Panaitios pa'na̯itiɔs
Panajew russ. pa'najıf
Panakea pana'ke:a
Panakeia pana'ka̯ia
Pan Am 'panam, engl.
'pænæm
[1]Panama (Gewebe)
'panama
[2]Panama (Land, Stadt)
'panama, engl. 'pænəmɑ:,
--'--
Panamá span. pana'ma
Panamaer 'panamaɐ̯
panamaisch pana'ma:ıʃ
Panamene pana'me:nə
panamenisch pana'me:nıʃ
Panamericana, Carretera
span. karre'tera panameri-
'kana
Panamerican Airways
engl. pænə'mɛrıkən 'ɛəweɪz
Panamerican Highway
engl. pænə'mɛrıkən 'haɪweɪ
Panamerika panla'me:rika
Panamerikanismus pan-
|amerika'nısmʊs
panarabisch panla'ra:bıʃ
Panarabismus pan-
|ara'bısmʊs
Panaritium pana'ri:tsi̯ʊm,
...**ien** ...i̯ən
Panaro it. pa'na:ro
Panasch pa'naʃ
Panaschee pana'ʃe:
panaschieren pana'ʃi:rən
Panaschüre pana'ʃy:rə
Panathenäen panlate'nɛ:ən
panathenäisch pan-
|ate'nɛ:ıʃ
Panathinaikos neugr.
panaθinai'kɔs
Panay span. pa'na̯i
Panazee pana'tse:[ə], -**n**
...'tse:ən
Pančevo serbokr. 'pa:ntʃɛvɔ
Pancho span. 'pantʃo
panchromatisch pankro-
'ma:tıʃ
Panckoucke fr. pãˈkuk
Pancras 'pankras, engl.
'pæŋkrəs
Pancratium pan'kra:tsi̯ʊm
Pancratius pan'kra:tsi̯ʊs
Pancrazi it. paŋ'krattsi
Pancrazio pan'kra:tsi̯o, it.
paŋ'krattsi̯o
Panda 'panda
Pandaimonion pandai̯'mo:-
ni̯ɔn, ...**ien** ...i̯ən

Pandämonium pandɛˈmoː-njʊm, ...ien ...i̯ən
Pandane panˈdaːnə
Pandanus panˈdaːnʊs
Pandekten panˈdɛktn̩
Pandektist pandɛkˈtɪst
Pandemie pandeˈmiː:, -n ...iː:ən
pandemisch panˈdeːmɪʃ
Panderma panˈdɛrma
Pandermit pandɛrˈmiːt
Pandero panˈdeːro
Pandit ˈpandɪt
Pando span. ˈpando
Pandolf ˈpandɔlf
Pandolfo panˈdɔlfo
Pandora panˈdoːra
Pandorina pandoˈriːna
Pandschab panˈdʒaːp, auch: ˈpan...
Pandschabi panˈdʒaːbi
Pandula tschech. ˈpandula
Pandulf, ...lph ˈpandʊlf, -ˈ-, engl. ˈpændʌlf
Pandulpho panˈdʊlfo
Pandur panˈduːɐ̯
Pandura panˈduːra
Pandurina panduˈriːna
Panduro dän. pænˈduːrʊ
Pandurović serbokr. panˈduːrɔvitɕ
Pándy ung. ˈpaːndi
Paneel paˈneːl
paneelieren paneˈliːrən
Panegyriker paneˈgyːrikɐ
Panegyrikos paneˈgyːrikɔs, ...koi ...kɔy
Panegyrikus paneˈgyːrikʊs, ...izi ...itsi
panegyrisch paneˈgyːrɪʃ
Panel ˈpɛnl̩
panem et circenses ˈpaːnɛm ɛt tsɪrˈtsɛnzeːs
Panentheismus pan-lɛnteˈɪsmʊs
panentheistisch pan-lɛnteˈɪstɪʃ
Panerai it. paneˈraːi̯
Panero span. paˈnero
Panettone panɛˈtoːnə, ...ni ...ni
Paneuropa panlɔyˈroːpa
Panevėžys lit. pänæveˈʒiːs
Panfilm ˈpaːnfɪlm
Panfjorow russ. panˈfjɔrɐf
Pangalos neugr. ˈpaŋgalɔs
Pangani paŋˈgaːni
Pange lingua ˈpaŋgə ˈlɪŋgu̯a
Pangene panˈgeːnə

Pangenesis panˈgeːnezɪs, auch: ...gɛn...
Pangermanismus pangɛrmaˈnɪsmʊs
Pangim port. pɛ̃ˈʒĩ
Pangkalpinang indon. paŋkalˈpinaŋ
Pangolin ˈpaŋgoliːn
Pangrango indon. paŋˈraŋo
Pangwe ˈpaŋgvə
Panhagia panhaˈgiːa
Panhard fr. pãˈaːr
Panhas ˈpanhaːs, -e ...aːzə
Panhellenios panhɛˈleːni̯ɔs
Panhellenismus panhɛle-ˈnɪsmʊs
[1]Pani (Frau) ˈpani
[2]Pani vgl. [2]Pan
Panić serbokr. ˈpaːnitɕ
Panicum ˈpaːnikʊm
Panier paˈniːɐ̯
panieren paˈniːrən
Panigale it. paniˈgaːle
Panik ˈpaːnɪk
Panin russ. ˈpanin
[1]Panini it. paˈniːni
[2]Panini (Sanskritgrammatiker) ˈpaːnini
panisch ˈpaːnɪʃ
Panislamismus pan-lɪslaˈmɪsmʊs
Panizza paˈnɪtsa, it. paˈnittsa
Panizzi it. paˈnittsi, engl. pɑːˈniːtsi
Panje ˈpanjə
Pankarditis pankarˈdiːtɪs, ...itiden ...diˈtiːdn̩
Panke ˈpaŋkə
Pankhurst engl. ˈpæŋkhəːst
Pankiewicz poln. paŋˈkjɛvitʃ
Pankok ˈpaŋkɔk
Pankow[er] ˈpaŋko[ɐ̯]
Pankrati russ. panˈkratij
Pankration panˈkraːti̯ɔn
pankratisch panˈkraːtɪʃ
Pankratius panˈkraːtsi̯ʊs
Pankraz panˈkraːts
Pankreas ˈpankreas, ...kreaten ...kreˈaːtn̩
Pankreatektomie pankreatɛktoˈmiː:, -n ...iː:ən
Pankreatin pankreaˈtiːn
Pankreatitis pankreaˈtiːtɪs, ...itiden ...tiˈtiːdn̩
Panlogismus panloˈgɪsmʊs
Panmixie panmɪˈksiː:, -n ...iː:ən

P'anmunjŏm korean. phanmundʒɔm
Panmyelopathie panmỹeˈlopaˈtiː:, -n ...iː:ən
Panmyelophthise panmỹeˈloˈftiːzə
[1]Panne ˈpanə
[2]Panne (Samt) pan
Panné paˈne:
Panniculus adiposus paˈniˈkulʊs adiˈpoːzʊs
Pannikulitis panikuˈliːtɪs, ...itiden ...liˈtiːdn̩
Pannisellus paniˈzɛlʊs, ...lli ...li
Pannonhalma ung. ˈpɔnnonhɔlmɔ
Pannonien paˈnoːni̯ən
pannonisch paˈnoːnɪʃ
Pannonius paˈnoːni̯ʊs
Pannus ˈpanʊs
Pannwitz ˈpanvɪts
Pannychis panyˈçɪs
Panofsky paˈnɔfski
Panope ˈpaːnope
Panophthalmie pan-lɔftalˈmiː:, -n ...iː:ən
Panoptikum paˈnɔptikʊm
panoptisch paˈnɔptɪʃ
Panorama panoˈraːma
panoramieren panoraˈmiː:rən
Panormita panɔrˈmiːta
Panowa russ. paˈnɔvɐ
panpazifisch panpaˈtsiːfɪʃ
Panphobie panfoˈbiː:, -n ...iː:ən
Panplegie panpleˈgiː:, -n ...iː:ən
Panpsychismus panpsy-ˈçɪsmʊs
Panroman panroˈmaːn
Pansa ˈpanza
panschen ˈpanʃn̩
Panscherei panʃəˈrai̯
Pansen ˈpanzn̩
Pansexualismus panzɛksu̯aˈlɪsmʊs
Pansinusitis panzinuˈziːtɪs, ...itiden ...ziˈtiːdn̩
Panslawismus panslaˈvɪsmʊs
Panslawist panslaˈvɪst
Pansophie panzoˈfiː
pansophisch panˈzoːfɪʃ
Panspermie panspɛrˈmiː:
Pantagruel panˈtaːgruɛl, fr. pãtagryˈɛl
pantagruelisch pantagruˈeːlɪʃ

Pantaleon pan'ta:leɔn
Pantaleoni *it.* pantale'o:ni
¹Pantalon (Hackbrett, Name) 'pantalɔn
²Pantalon (Tanz) pāta'lõ:
Pantalone panta'lo:nə, ...ni
...ni
Pantalons pāta'lõ:s, pant...,
'pā:talõ:s, 'pantalõ:s
Pantano *span.* pan'tano
Pantanal panta'na:l, *bras.*
pɐntɐ'nal
panta rhei 'panta 'raj
Pantelismus pante'lɪsmʊs
Pantelleria *it.* pantelle'ri:a
Pantheismus pante'ɪsmʊs
Pantheist pante'ɪst
Panthelismus pante'lɪsmʊs
Pantheon 'panteɔn
Panther 'pantɐ
Pantin *fr.* pã'tẽ
Pantine pan'ti:nə
Pantoffel pan'tɔfl̩
Pantöffelchen pan'tœflçən
pantoffeln pan'tɔfl̩n
Pantograph panto'gra:f
Pantographie pantogra'fi:,
-n ...i:ən
Pantokrator panto'kra:to:ɐ̯,
-en ...ra'to:rən
Pantolette panto'lɛtə
Pantoja *span.* pan'tɔxa
Pantometer panto'me:tɐ
Pantomime panto'mi:mə
Pantomimik panto'mi:mɪk
pantomimisch panto'mi:-
mɪʃ
pantophag panto'fa:k, -e
...a:gə
Pantophagie pantofa'gi:
Pantophthalmie pantɔf-
tal'mi:, -n ...i:ən
Pantopode panto'po:də
Pantothen... panto'te:n...
Pantoun 'pantʊn
Pantragismus pantra'gɪs-
mʊs
Pantry 'pɛntri
Pants pɛnts
Pantsch *ukr.* pantʃ
Pantschatantra pantʃa'tan-
tra
pantschen 'pantʃn̩
Pantschen-Lama
'pantʃn̩'la:ma
Pantschowa 'pantʃova
Pantun 'pantʊn
Panty 'pɛnti
Pánuco *span.* 'panuko
Panufnik *poln.* pa'nufnik

Pänula 'pɛ:nula
Pänultima pɛ'nʊltima, pɛn-
'lʊ..., ...mä ...mɛ
panurgisch pa'nʊrgɪʃ
Panvitalismus panvita'lɪs-
mʊs
Panzacchi *it.* pan'tsakki
Panzen 'pantsn̩
Panzer 'pantsɐ
panzern 'pantsɐn
Panzini *it.* pan'tsi:ni
Pão de Açúcar *bras.* 'pẽ̯ʊn
di a'sukar
Paola *it.* 'pa:ola
Paoli *it.* 'pa:oli
Paolo *it.* 'pa:olo
Paolozzi *it.* pao'lɔttsi
Päon 'pɛ:ɔn, pɛ'o:n, -e
'pɛ:onə, pɛ'o:nə
Päonie pɛ'o:njə
Päonius pɛ'o:njʊs
¹Papa (Vater) pa'pa:, *auch:*
'papa
²Papa (Papst) 'pa:pa
³Papa *neugr.* 'papa
Pápa *ung.* 'pa:pɔ
Papabili pa'pa:bili
Papachen pa'pa:çən
Papadiamandis *neugr.*
papaðja'mandis
Papadopulos *neugr.* papa-
'ðɔpulɔs
Papagallo papa'galo, ...lli
...li
Papagayos papa'ga:jɔs
Papagei papa'gaj, *auch:*
'———
papageiisch papa'gajɪʃ
Papagena papa'ge:na
Papageno papa'ge:no
Papagos *neugr.* pa'payɔs
Papain papa'i:n
papal pa'pa:l
Papalismus papa'lɪsmʊs
papalistisch papa'lɪstɪʃ
Papamobil papamo'bi:l
Papandreu *neugr.* papan-
'ðrɛu
Papanin *russ.* pa'panin
Papantla *span.* pa'pantla
Paparazzo papa'ratso
Papas pa'pas
Papat pa'pa:t
Papaver pa'pa:vɐ
Papaverazee papavera'tse:ə
Papaverin papave'ri:n
Papaya pa'pa:ja
Papaye pa'pa:jə
Papchen 'papçən, *auch:*
'pa:pçən

Pape 'pa:pə, *engl.* peɪp
Papeete pa'pe:tə, *fr.*
papee'te
Papel 'pa:pl̩
Papen[burg] 'pa:pn̩[bʊrk]
Papendrecht *niederl.*
'pa:pəndrɛxt
Papenwasser 'pa:pn̩vasɐ
Paper[back] 'pe:pɐ[bɛk]
Papeterie papɛtə'ri:, -n
...i:ən
Papeterist papɛtə'rɪst
paphisch 'pa:fɪʃ
Paphlagonien pafla'go:-
njən
Paphos 'pa:fɔs
Papi 'papi
Papiamento papja'mɛnto
Papias pa'pi:as, 'pa:pjas
Papier pa'pi:ɐ̯
papieren pa'pi:rən
Papiermaché pa'pi:ɐ̯maʃe:,
auch: papjema'ʃe:
Papiermaschee pa'pi:ɐ̯-
maʃe:
Papilionazee papiljona-
'tse:ə
Papilioniden papiljo'ni:dn̩
Papilla pa'pɪla, ...llae ...lɛ
papillar papɪ'la:ɐ̯
Papille pa'pɪlə
Papillom papɪ'lo:m
Papillon papi'jõ:
papillös papɪ'lø:s, -e ...ø:zə
Papillote papɪ'jo:tə
papillotieren papijo'ti:rən
Papin *fr.* pa'pẽ
papinscher Topf pa'pẽ:ʃɐ
'tɔpf, pa'pi:nʃɐ -
Papini *it.* pa'pi:ni
Papinianus papi'nja:nʊs
Papinius pa'pi:njʊs
Papio 'pa:pjo
Papirossa papi'rɔsa, ...ossy
...ɔsi
Papismus pa'pɪsmʊs
Papist pa'pɪst
papp, P... pap
Pappataci... papa'ta:tʃi...
Pappe 'papə
Pappel 'papl̩
pappeln 'papl̩n
päppeln 'pɛpl̩n
pappen 'papn̩
Pappenheim[er]
'papn̩haim[ɐ]
papperlapapp! papɐla'pap
pappig 'papɪç, -e ...ɪgə
Pappmaché, ...aschee
'papmaʃe:

¹**Pạppus** (Haarkrone)
'papʊs, **-se** ...ʊsə
²**Pạppus** (Name) 'papʊs
Paprika 'paprika, *auch:*
'pa:prika
paprizieren papri'tsi:rən'
Paprọcki *poln.* pa'prɔtski
Pạps paps
Pạpst pa:pst, **Pạpste**
'pɛ:pstə
Pạpstin 'pɛ:pstɪn
Pạpstler 'pɛ:pstlɐ
pạpstlich 'pɛ:pstlɪç
Papua 'pa:pu̯a, *auch:*
pa'pu:a, *indon.* pa'pua
papuạnisch pa'pu̯a:nɪʃ
Pạpula 'pa:pula, **...lae** ...lɛ
papulọs papu'lø:s, **-e** ...ø:zə
Papyri vgl. Papyrus
Papyrin papy'ri:n
Papyrologe papyro'lo:gə
Papyrologie papyrolo'gi:
papyrologisch papyro'lo:-gɪʃ
Papyrus pa'py:rʊs, **...ri** ...ri
Paquet *fr.* pa'kɛ
Paquito *span.* pa'kito
Pạr pa:r, *engl.* pɑ:
Pạr *schwed.* pæ:r
Pạra 'pa:ra
Pará *bras.* pa'ra
Parabạse para'ba:zə
Parabel pa'ra:bl̩
Parabellum® para'bɛlʊm
Parabiọnt para'bi̯ɔnt
Parabiọse para'bi̯o:zə
Pạrablacks 'pa:rablaks,
...lɛks
Parablepsie parablɛ'psi:, **-n**
...i:ən
Parabọl... para'bo:l...
Paraboloid parabolo'i:t, **-e**
...i:də
Parabọsco *it.* para'bɔsko
Parạcas *span.* pa'rakas
paracẹlsisch para'tsɛlzɪʃ
Paracẹlsus para'tsɛlzʊs
Parachutịst par/ʃy'tɪst
Pạraćin *serbokr.* 'paratɕi:n
Parạde pa'ra:də
Paradeis... para'dais...
Paradeiser para'daizɐ
Paradentịtis paradɛn'ti:tɪs,
...itịden ...ti'ti:dn̩
Paradentọse paradɛn'to:zə
paradieren para'di:rən
Paradies para'di:s, **-e** ...i:zə
paradiesisch para'di:zɪʃ
Paradigma para'dɪgma

paradigmạtisch para-dɪ'gma:tɪʃ
Paradise *engl.* 'pærədaɪz
Paradiso *it.* para'di:zo
Paradọr para'do:ɐ̯
paradọx, P... para'dɔks
paradoxạl parado'ksa:l
Paradoxie parado'ksi:, **-n**
...i:ən
Paradoxitạt paradɔksi'tɛ:t
Paradoxon pa'ra:dɔksɔn,
...xa ...ksa
Paraffịn para'fi:n
paraffinieren parafi'ni:rən
Paragammazịsmus para-gama'tsɪsmʊs
Paragenẹse parage'ne:zə
Paragenesis para'ge:nezɪs,
auch: ...gen...
paragenẹtisch para'gene:-tɪʃ
Parageusie paragɔy'zi:, **-n**
...i:ən
Paragitạts... paragi'ta:ts...
Paragium pa'ra:gi̯ʊm, **...ien**
...i̯ən
Paragliding 'pa:raglaidɪŋ
Paragneis 'pa:ragnais
Paragnosie paragno'zi:
Paragnọst para'gnɔst
Paragould *engl.* 'pærəgu:ld
Paragraf para'gra:f
Paragrạmm para'gram
Paragrammatịsmus para-grama'tɪsmʊs
Paragrạph para'gra:f
Paragraphie paragra'fi:
paragraphieren paragra-'fi:rən
Paraguarí *span.* parayu̯a'ri
Paraguay 'pa:ragvai̯, 'par...,
para'gu̯ai̯, *span.* para'yu̯ai̯
Paraguayer 'pa:ragvai̯ɐ,
'par..., para'gu̯ai̯ɐ
paraguayisch 'pa:ragvai̯ɪʃ,
'par..., para'gu̯ai̯ɪʃ
Parahidrọse parahi'dro:zə
Parahọtep para'ho:tɛp
Paraíba *bras.* para'iba
parakạrp para'karp
Parakinẹse paraki'ne:zə
Paraklạse para'kla:zə
Paraklẹt para'kle:t
Parakmẹ parak'me:, **-en**
...e:ən
Parakonikọn parakoni'kɔn,
...ka ...'ka
Parakorọlle parako'rɔlə
Parakou *fr.* para'ku

Parakusie paraku'zi:, **-n**
...i:ən
Parakusis para'ku:zɪs,
...uses ...u̯ses ...ze:s
Páral *tschech.* 'pa:ral
Paralalie parala'li:
Paralexie paralɛ'ksi:
Paralgesie paralge'zi:, **-n**
...i:ən
Paralgie paral'gi:, **-n** ...i:ən
paralingual paralɪŋ'gu̯a:l
Paralinguistik paralɪŋ'gu̯ɪs-tɪk
Paralipomenon parali'po:-menɔn, **...na** ...na
Paralipophobie paralipo-fo'bi:
Paralipse para'lɪpsə
paralisch pa'ra:lɪʃ
parallạktisch para'laktɪʃ
Parallaxe para'laksə
parallẹl para'le:l
Parallelepiped para'le:l-lepi.pe:t, **-e** ...e:də
Parallelepipedon para-lelle'pi:pedɔn, **...da** ...da,
...den ...pi'pe:dn̩
parallelisieren paraleli'zi:-rən
Parallelịsmus parale'lɪsmʊs
Parallelitạt paraleli'tɛ:t
Parallelo para'le:lo
Parallelogrạmm paralelo-'gram
Paralogie paralo'gi:, **-n**
...i:ən
Paralogịsmus paralo'gɪs-mʊs
Paralogịstik paralo'gɪstɪk
Paralympics para'lʏmpɪks
Paralyse para'ly:zə
paralysieren paraly'zi:rən
Paralysis pa'ra:lyzɪs, **...sen**
para'ly:zn̩
Paralytiker para'ly:tikɐ
paralytisch para'ly:tɪʃ
Paramaecium para'mɛ:-tsi̯ʊm, **...ien** ...i̯ən
paramagnẹtisch parama-'gne:tɪʃ
Paramagnetịsmus para-magne'tɪsmʊs
Paramaribo parama'ri:bo,
niederl. pɑrɑ'ma:ribo
Paramé *fr.* para'me
Paramẹcium para'me:-tsi̯ʊm, **...ien** ...i̯ən
Paramẹnt para'mɛnt
Paramẹntik para'mɛntɪk
Parameren para'me:rən

Parameter pa'ra:metɐ
parametran parame'tra:n
parametrisieren parame-
tri'zi:rən
Parametritis parame'tri:tɪs,
...**itiden** ...ri'ti:dn̩
Parametrium para'me:-
trium
paramilitärisch 'pa:ramili-
tɛ:rɪʃ
Paramimie parami'mi:
Paramnesie paramne'zi:, -n
...i:ən
Paramo 'pa:ramo
**Paramount Pictures Cor-
poration** engl. 'pærəmaʊnt
'pɪktʃəz kɔ:pə'reɪʃən
Paramythie paramy'ti:, -n
...i:ən
Paraná span. para'na, bras.
parɐ'na
Paranaguá bras. parɐna-
'gu̯a
Paranaíba bras. parɐna'iba
Paranapanema bras. parɐ-
napɐ'nema
Parandowski poln. paran-
'dɔfski
Paränese parɛ'ne:zə
paränetisch parɛ'ne:tɪʃ
Parang 'pa:raŋ
Paranoia para'nɔy̯a
paranoid parano'i̯:t, -e
...i:də
Paranoiker para'no:ikɐ
paranoisch para'no:ɪʃ
Paranoismus parano'ɪsmʊs
Paranomie parano'mi:, -n
...i:ən
paranormal paranɔr'ma:l
Paranthropus pa'rantro-
pʊs, ...**pi** ...pi
Parapett para'pɛt
Paraph pa'ra:f
Paraphage para'fa:gə
Paraphasie parafa'zi:
Paraphe pa'ra:fə
Paraphernalien parafɛr-
'na:li̯ən
paraphieren para'fi:rən
paraphil para'fi:l
Paraphilie parafi'li:
Paraphimose parafi'mo:zə
Paraphonie parafo'ni:, -n
...i:ən
Paraphore para'fo:rə
Paraphrase para'fra:zə
Paraphrasie parafra'zi:, -n
...i:ən

paraphrasieren parafra'zi:-
rən
Paraphrasis pa'ra:frazɪs,
...**sen** para'fra:zn̩
Paraphrast para'frast
Paraphrenie parafre'ni:, -n
...i:ən
Paraphrosyne parafro-
'zy:nə
Paraphyse para'fy:zə
Paraplasie parapla'zi:, -n
...i:ən
Paraplasma para'plasma
Paraplegie paraple'gi:, -n
...i:ən
paraplegisch para'ple:gɪʃ
Parapluie para'ply:
parapneumonisch para-
pnɔy̯'mo:nɪʃ
Parapodium para'po:di̯ʊm,
...**ien** ...i̯ən
Paraproktitis paraprɔk'ti:-
tɪs, ...**itiden** ...ti'ti:dn̩
Parapsis pa'rapsɪs
parapsychisch 'pa:rapsy:-
çɪʃ, para'psy:çɪʃ
Parapsychologie 'pa:rapsy-
çologi:, parapsyçolo'gi:
Pararthrie parar'tri:, -n
...i:ən
Parasange para'zaŋə
Parasche pa'raʃə
parasem, P... para'ze:m
Parasigmatismus parazɪ-
gma'tɪsmʊs
Parasit para'zi:t
parasitär parazi'tɛ:ɐ
parasitieren parazi'ti:rən
Parasitismus parazi'tɪsmʊs
Parasitologie parazitolo'gi:
parasitologisch parazito-
'lo:gɪʃ
parasitotrop parazito'tro:p
Paraski 'pa:raʃi:
Parasol para'zo:l
Paraspadie paraspa'di:, -n
...i:ən
Parästhesie parɛste'zi:, -n
...i:ən
Parastruma para'stru:ma
Parasympathikus para-
zym'pa:tikʊs
parasympathisch para-
zym'pa:tɪʃ
Parasynthetum para'zynte-
tʊm, ...**ta** ...ta
parat pa'ra:t
parataktisch para'taktɪʃ
Parataxe para'taksə

Parataxie parata'ksi:, -n
...i:ən
Parataxis pa'ra:taksɪs,
...**xen** para'taksn̩
paratonisch para'to:nɪʃ
Paratyphus 'pa:raty:fʊs
paratypisch para'ty:pɪʃ
Paravariation paravari̯a-
'tsi̯o:n
paravenös parave'nø:s, -e
...ø:zə
Paravent para'vã:
paravertebral paravɛrte-
'bra:l
par avion pa:ɐ a'vi̯õ:
Paray fr. pa'rɛ
Paray-le-Monial fr. pa-
rɛlmɔ'njal
Parazentese paratsɛn'te:zə
parazentral paratsɛn'tra:l
parazentrisch para'tsɛntrɪʃ
parbleu! par'blø:
parboiled 'pa:ɐbɔylt
Parc des Princes fr. park-
de'prɛ:s
Parceria parse'ri:a, ...**ien**
...i:ən
Pärchen 'pɛ:ɐçən
Parchim 'parçɪm
Parcours par'ku:ɐ, des -
...ɐ[s], **die -** ...ɐs
Pard part, -**en** 'pardn̩
pardauz! par'daʊts
Pardel 'pardl̩
Parder 'pardɐ
Pardessus fr. pardə'sy
par distance pa:ɐ dɪs'tã:s
Pardo span. 'parðo, bras.
'pardu
Pardon par'dõ:, auch: par-
'dɔŋ
pardonabel pardo'na:bl̩,
...**ble** ... blə
pardonieren pardo'ni:rən
Pardubice tschech. 'pardu-
bitsə
Pardubitz 'pardubɪts
Pardun[e] par'du:n[ə]
Paré fr. pa're
Parechese parɛ'çe:zə
Parecis bras. pare'sis
Paredes port. pɐ'reðʃ
Parenchym parɛn'çy:m
parenchymatös parɛnçy-
ma'tø:s, -e ...ø:zə
Parental... parɛn'ta:l...
Parentalien parɛn'ta:li̯ən
Parentation parɛnta'tsi̯o:n
Parentel parɛn'te:l
parenteral parɛnte'ra:l

Parenthese parɛn'te:zə
parenthetisch parɛn'te:tɪʃ
Parentis-en-Born fr. parã-
tisã'bɔrn
Parenzo it. pa'rɛntso
Pareo 'pa:reo
Parere pa're:rə
Parergasie parlɛrga'zi:
Parergon par'lɛrgɔn, ...ga
...ga
Parese pa're:zə
Paresis 'pa:rezɪs, ...sen
pa're:zn̩
paretisch pa're:tɪʃ
Pareto it. pa're:to
Paretti pa'rɛti
par excellence pa:ɐ̯ ɛksɛ-
'lã:s
par exemple pa:ɐ̯ ɛ'ksã:pl̩
Parey 'pa:raị
Parfait fr. par'fɛ
par force pa:ɐ̯ 'fɔrs
Parfum par'fœ̃:
Parfüm par'fy:m
Parfümerie parfymə'ri:, -n
...i:ən
Parfümeur parfy'mø:ɐ̯
parfümieren parfy'mi:rən
Pargasit parga'zi:t
Parhelium par'he:lịʊm
pari 'pa:ri
¹Paria (Kaste) 'pa:rịa
²Paria (Name) span. 'parịa
Paricutín span. pariku'tin
Paridrose pari'dro:zə
parieren pa'ri:rən
parietal parịe'ta:l
Parifikation parifika'tsịo:n
Parini it. pa'ri:ni
¹Paris pa'ri:s, fr. pa'ri
²Paris (Personenname)
'pa:rɪs, engl. 'pærɪs, fr.
pa'ris
³Paris (Orte, USA) engl.
'pærɪs
⁴Paris (Einbeere) 'pa:rɪs
parisch 'pa:rɪʃ
Parise it. pa'ri:ze
Pariser pa'ri:zɐ
Parish engl. 'pærɪʃ
Parisienne pari'zịɛn
Parisier pa'ri:zịɐ
parisisch pa'ri:zɪʃ
Parisismus pari'zɪsmʊs
Parison 'pa:rizɔn, ...sa ...za
parisyllabisch parizy'la:bɪʃ
Parisyllabum pari'zylabʊm,
...ba ...ba
Parität pari'tɛ:t
paritätisch pari'tɛ:tɪʃ

¹Park park
²Park (Name) engl. pɑ:k
Parka 'parka
Park-and-ride... 'pa:ɐ̯k-
lɛnt'raịt...
Parke engl. pɑ:k
parken 'parkn̩
Parker engl. 'pɑ:kə
Parkeriazeen parkerịa-
'tse:ən
parkerisieren parkeri'zi:rən
parkern 'parkɐn
Parkersburg engl. 'pɑ:kəz-
bə:g
Parkes engl. pɑ:ks
Parkett[e] par'kɛt[ə]
parkettieren parkɛ'ti:rən
Parkhurst engl. 'pɑ:khə:st
parkieren par'ki:rən
Parkin engl. 'pɑ:kɪn
Parkingmeter 'parkɪŋme:tɐ
Parkinson 'parkɪnzɔn, engl.
'pɑ:kɪnsn
Parkinsonismus parkɪnzo-
'nɪsmʊs
Parkman engl. 'pɑ:kmən
Parkograph parko'gra:f
Parkometer parko'me:tɐ
Parkstein 'parkʃtaịn
Parkville engl. 'pɑ:kvɪl
Parlament parla'mɛnt
Parlamentär parlamɛn'tɛ:ɐ̯
Parlamentarier parlamɛn-
'ta:rịɐ
parlamentarisch parlamɛn-
'ta:rɪʃ
parlamentarisieren parla-
mɛntari'zi:rən
Parlamentarismus parla-
mɛnta'rɪsmʊs
parlamentieren parlamɛn-
'ti:rən
Parland schwed. 'parland
parlando par'lando
Parlando par'lando, ...di
...di
parlante par'lantə
Parler 'parlɐ
parlieren par'li:rən
Parma dt., it. 'parma, engl.
'pɑ:mə
Parmaer 'parmaɐ
parmaisch 'parmaịʃ
Parmäne par'mɛ:nə
Parmelia par'me:lịa, ...ien
...ịən
Parmenides par'me:nidɛs
Parmenio par'me:nịo
Parmenion par'me:nịon
Parmentier fr. parmã'tje

Parmesan[er] parme-
'za:n[ɐ]
parmesanisch parme'za:nɪʃ
Parmigianino it. parmidʒa-
'ni:no
Parnaíba bras. parna'iba
Parnass par'nas
Parnasse fr. par'nas
Parnassia par'nasịa
Parnassiens fr. parna'sjɛ̃
Parnassos par'nasɔs, neugr.
parna'sɔs
Parnassus par'nasʊs
Parnell engl. pɑ:'nɛl, pɑ:nl
Parnes 'parnɛs
Parnicki poln. par'nitski
Parnon dt., neugr. 'parnɔn
Pärnu estn. 'pærr:nu
Parny fr. par'ni
parochial parɔ'xịa:l
Parochie parɔ'xi:, -n ...i:ən
Parochus 'pa:rɔxʊs, ...chi
...xi
Parodi fr. parɔ'di
Parodie paro'di:, -n ...ịən
parodieren paro'di:rən
parodisch pa'ro:dɪʃ
Parodist[ik] paro'dɪst[ɪk]
Parodontitis parodɔn'ti:tɪs,
...itiden ...ti'ti:dn̩
Parodontose parodɔn'to:zə
Parodos 'pa:rodɔs
Paröke pa'rø:kə
¹Parole (Losung) pa'ro:lə
²Parole (Rede) pa'rɔl
Parole d'Honneur pa'rɔl
dɔ'nø:ɐ̯
Paroli pa'ro:li
Parömiakus parø'mi:akʊs,
...zi ...tsi
Parömie parø'mi:, -n ...ịən
Parömiograph parømịo-
'gra:f
Parömiologie parømịolo'gi:
Paronomasie parono-
ma'zi:, -n ...i:ən
paronomastisch parono-
'mastɪʃ
Paronychie parony'çi:
Paronymie parony'mi:
Paronymik paro'ny:mɪk
paronymisch paro'ny:mɪʃ
Paronymon pa'ro:nymɔn,
...ma ...ma, ...me paro-
'ny:mə
Parool niederl. pa'ro:l
par ordre [du mufti] pa:ɐ̯
'ɔrdrə [dy: 'mʊfti]
Parorexie parorɛ'ksi:, -n
...i:ən

Paroritis *neugr.* parɔˈritis
Paros ˈpaːrɔs, *neugr.* ˈparɔs
Parosmie parɔsˈmiː, -n
...iːən
Parosphresie parɔsfreˈziː,
-n ...iːən
Parotis paˈroːtɪs, ...iden
paroˈtiːdn̩
Parotitis paroˈtiːtɪs, ...itiden
...tiˈtiːdn̩
paroxysmal parɔksʏsˈmaːl
Paroxysmus parɔˈksʏsmʊs
Paroxytonon parɔˈksyːto-
nɔn, ...tona ...tona
Parpalló *span.* parpaˈʎo
par pistolet paːɐ̯ pɪstoˈleː
par préférence paːɐ̯ prefe-
ˈrãːs
Parr par, *engl.* paː
Parra *span.* ˈparra
Parrain paˈrɛ̃ː
Parral *span.* paˈrral
Parramatta *engl.* pærə-
ˈmætə
par renommée paːɐ̯
rənɔˈmeː
Parrhasius paˈraːzi̯ʊs
Parrhesie pareˈziː
Parricida pariˈtsiːda
Parrington *engl.* ˈpærɪŋtən
Parris *engl.* ˈpærɪs
Parrish *engl.* ˈpærɪʃ
Parrizida pariˈtsiːda
Parrocel *fr.* parɔˈsɛl
Parry *engl.* ˈpærɪ
Parsberg ˈparsbɛrk
Parse ˈparzə
Parsec parˈzɛk
Parseier parˈzai̯ɐ̯
Parsek parˈzɛk
parsen ˈparsn̩
Parseta *poln.* parˈsɛnta
Parseval ˈparzəval
Parsi[fal] ˈparzi[fal]
Parsing ˈparsɪŋ
parsisch ˈparziʃ
Parsismus parˈzɪsmʊs
Parsons *engl.* paːsnz
Pars pro Toto ˈpars proː
ˈtoːto
Part part
partagieren partaˈʒiːrən
Partch *engl.* paːtʃ
Parte ˈpartə
Partei parˈtai̯
parteiisch parˈtai̯ɪʃ
parteilich parˈtai̯lɪç
Parteke parˈteːkə
Partenkirchen partn̩ˈkɪrçn̩
parterre parˈtɛr

Parterre parˈtɛr[ə]
Partes ˈparteːs
Parthe ˈpartə
Parthenay *fr.* partəˈnɛ
Parthenien parˈteːni̯ən
Parthenios parˈteːni̯ɔs
Parthenogenese parteno-
geˈneːzə
Parthenogenesis parteno-
ˈgeːnezɪs, *auch:* ...gɛn...
parthenogenetisch parte-
nogeˈneːtɪʃ
parthenokarp partenoˈkarp
Parthenokarpie parteno-
karˈpiː
Parthenon ˈpartenɔn
Parthenope parˈteːnope
parthenopeisch parteno-
ˈpeːɪʃ
Parther ˈpartɐ̯
Parthien ˈparti̯ən
partial parˈtsi̯aːl
partiarisch parˈtsi̯aːrɪʃ
Particell[a] partiˈtʃɛl[a]
Particula pendens parˈtiː-
kula ˈpɛndɛns
Partie parˈtiː, -n ...iːən
partiell parˈtsi̯ɛl
partieren parˈtiːrən
Partikel parˈtiːkl̩, parˈtɪkl̩
partikular, P... partikuˈlaːɐ̯
partikulär partikuˈlɛːɐ̯
Partikularismus partikula-
ˈrɪsmʊs
Partikularist partikulaˈrɪst
Partikulier partikuˈliːɐ̯
Partikülier partikyˈli̯eː
Partille *schwed.* ˌpartilə
Partimen partiˈmeːn
Partimento partiˈmɛnto,
...ti ...ti
Partisan[e] partiˈzaːn[ə]
Partita parˈtiːta
Partite parˈtiːtə
Partitino partiˈtiːno
Partition partiˈtsi̯oːn
partitiv partiˈtiːf, -e ...iːvə
Partitiv ˈpartitiːf, -e ...iːvə
Partitur partiˈtuːɐ̯
Partizan *serbokr.* parˌtiza:n
Partizip partiˈtsiːp, -ien
...pi̯ən
Partizipation partitsipa-
ˈtsi̯oːn
partizipial partitsiˈpi̯aːl
partizipieren partitsiˈpiːrən
Partizipium partiˈtsiːpi̯ʊm,
...ia ...i̯a
Partizipium Perfekti parti-
ˈtsiːpi̯ʊm pɛrˈfɛkti

Partizipium Präsentis par-
tiˈtsiːpi̯ʊm prɛˈzɛntɪs
Partizipium Präteriti parti-
ˈtsiːpi̯ʊm prɛˈteːriti
Partnach ˈpartnax
Partner ˈpartnɐ̯
[1]Parton ˈpartɔn, -en parˈtoː-
nən
[2]Parton (Name) *engl.* paːtn
partout parˈtuː
Partridge *engl.* ˈpaːtrɪdʒ
Partsch partʃ
Partus ˈpartʊs, die - ...tuːs
Partwork ˈpaːɐ̯tvøːɐ̯k,
...vœrk
Party ˈpaːɐ̯ti
Parulis paˈruːlɪs
Parun *serbokr.* ˌparuːn
Parusie paruˈziː
Pârvan *rumän.* pɪrˈvan
Parvenü, ...nu parveˈnyː,
...vəˈnyː
Paryla ˈpaːryla
Parze ˈpartsə
Parzelle parˈtsɛlə
parzellieren partsɛˈliːrən
Parzival ˈpartsifal
Pas pa, des - pa[s], die - pas
Paşa *türk.* paˈʃa
Pasadena *engl.* pæsəˈdiːnə
pasadenisch pazaˈdeːnɪʃ
Pasagier paˈzaːgi̯ɐ̯
Pasaje[s] *span.* paˈsaxe[s]
Pasardschik *bulgar.*
ˌpazərdʒik
Pasargadä paˈzargadɛ
Pasay *span.* paˈsai̯
Pascagoula *engl.* pæskə-
ˈguːlə
[1]Pascal (Name) *fr.* pasˈkal
[2]Pascal, PASCAL pasˈkal
Pașcani *rumän.* paʃˈkanj
Pascarella *it.* paskaˈrɛlla
Pasch paʃ, Päsche ˈpɛʃə
[1]Pascha (Titel) ˈpaʃa
[2]Pascha (Passah) ˈpasça
Paschal paˈʃaːl, pasˈçaːl
Paschalik ˈpaʃalɪk
Paschalis paˈʃaːlɪs, *auch:*
pasˈçaːlɪs
Paschasius pasˈçaːzi̯ʊs
paschen, P... ˈpaʃn̩
Pascherei paʃəˈrai̯
Paschkewitsch *russ.* paʃ-
ˈkjevitʃ
pascholl! paˈʃɔl
Paschtu ˈpaʃtu
Pascin *fr.* paˈsɛ̃
Pasco *engl.* ˈpæskou, *span.*
ˈpasko

Pascoais *port.* pɐʃˈkŭaiʃ
Pascoli *it.* ˈpaskoli
Pascual *span.* pasˈkŭal
Pas de Calais *fr.* pɑdkaˈlɛ
Pas de deux ˈpa də ˈdø:
Pasdeloup *fr.* pɑˈdlu
Pas de quatre ˈpa də ˈkatrə
Pas de trois ˈpa də ˈtrŏa
Pasek *poln.* ˈpasɛk
Paseo paˈze:o
Pasewalk ˈpa:zəvalk
Pašić *serbokr.* ˈpaʃitɕ
Pasigraphie pazigraˈfi:, -n ...iːən
Pasilalie pazilaˈli:
Pasilingua paziˈlıŋgŭa
Pasilogie pazilo'gi:
Pasiphae paˈzi:fae
Pasiphilus paˈzi:filʊs
Paskewitsch *russ.* pasˈkjevitʃ
Paslack ˈpaslak
Pasłęka *poln.* paˈsŭɛŋka
[1]Paso (Zwischenspiel) ˈpa:zo
[2]Paso (Name) *span.* ˈpaso
Paso doble ˈpa:zo ˈdo:blə
PASOK *neugr.* paˈsɔk
Pasolini *it.* pazoˈli:ni
Paspel ˈpaspļ
paspelieren paspəˈli:rən
paspeln ˈpaspļn
Pasquale *it.* pasˈkŭa:lə
Pasquali *it.* pasˈkŭa:li
Pasquill pasˈkvıl
Pasquillant paskvıˈlant
Pasquini *it.* pasˈkŭi:ni
Pass pas, Pässe ˈpɛsə
Passa ˈpasa
passabel paˈsa:bļ, ...ble ...blə
Passacaglia pasaˈkalja, ...glien ...ljən
Passacaille pasaˈka:jə
Passade paˈsa:də
Passage paˈsa:ʒə
passager pasaˈʒe:ɐ̯
[1]Passagier (Fahrgast) pasaˈʒi:ɐ̯
[2]Passagier (Sekte) paˈsa:gĭɐ̯
Passaglia *it.* pasˈsaʎʎa
Passah ˈpasa
Passaic *engl.* pəˈseıık
Passamaquoddy *engl.* pæsəməˈkwɔdı
Passameter pasaˈme:tɐ̯
Passamezzo pasaˈmɛt̮so, ...zzi ...t̮si
Passant paˈsant
Passarge pasˈsargə

Passarowitz ˈpasarovıts
Passat paˈsa:t
Passau[er] ˈpasau̯[ɐ̯]
Passavant pasaˈvã:
Passavanti *it.* passaˈvanti
passe pas
[1]Passe ˈpasə
[2]Passe (Name) *fr.* pɑːs, *niederl.* ˈpasə
Pässe vgl. Pass
passee paˈse:
Passeier paˈsai̯ɐ̯
Passementerie pasəmãtəˈri:, -n ...iːən
passen ˈpasņ
Passepartout paspar'tu:
Passepied pasˈpĭe:
Passepoil pasˈpŏal
passepoilieren paspŏaˈli:rən
Passeport pasˈpo:ɐ̯
Passer ˈpasɐ̯
Passerelle ˈpasərɛlə
Passeroni *it.* passeˈro:ni
Passeur *fr.* paˈsœ:r
Passfield *engl.* ˈpæsfi:ld
passieren paˈsi:rən
Passiflora pasiˈflo:ra
passim ˈpasım
Passimeter pasiˈme:tɐ̯
Passio ˈpasĭo
Passion paˈsĭo:n
Passional pasĭoˈna:l
Passionar pasĭoˈna:ɐ̯
passionato pasĭoˈna:to
Passionato pasĭoˈna:to, ...ti ...ti
passioniert pasĭoˈni:ɐ̯t
passiv ˈpasi:f, *auch:* paˈsi:f, -e ...i:və
Passiv ˈpasi:f, -e ...i:və
Passiva paˈsi:va
Passiven paˈsi:vņ
passivieren pasiˈvi:rən
passivisch paˈsi:vıʃ, ---
Passivismus pasiˈvısmʊs
Passivität pasiviˈtɛ:t
Passivum paˈsi:vʊm, ...va ...va
passlich ˈpaslıç
Passo *it.* ˈpasso
Passo Fundo *bras.* ˈpasu ˈfundu
Passometer pasoˈme:tɐ̯
Passos *bras.* ˈpasus
Passos, Dos *engl.* ˈdɔsˈpæsous
Passow ˈpaso
Passus ˈpasʊs, die - ...su:s
Passuth *ung.* ˈpɔʃʃut

Paßwang pasˈvaŋ
passwärts ˈpasvɛrts
Passy *fr.* paˈsi
Pasta *dt., it.* ˈpasta
Pasta asciutta ˈpasta aˈʃʊta, ...te ...tte ...tə ...tə
Pastasciutta pastaˈʃʊta, ...tte ...tə
Pastaza *span.* pasˈtaθa
Paste ˈpastə
Pastell pasˈtɛl
pastellen pastɛlən
[1]Pasternak (Pflanze) ˈpastɛrnak
[2]Pasternak (Name) *russ.* pɐstırˈnak, *poln.* pasˈtɛrnak
Pasterze pasˈtɛrt̮sə
Pastete pasˈte:tə
Pasteur *fr.* pasˈtœ:r
Pasteurisation pastøriza-ˈtsĭo:n
pasteurisieren pastøriˈzi:rən
Pasti *it.* ˈpasti
Pasticcio pasˈtıtʃo, ...cci ...ˈtıtʃi
Pastiche pasˈti:ʃ
Pastille pasˈtılə
Pastinak ˈpastinak
Pastinake pastiˈna:kə
Pastior ˈpastĭo:ɐ̯
Pastmilch ˈpastmılç
Pasto *span.* ˈpasto
Pastonchi *it.* pasˈtoŋki
[1]Pastor ˈpasto:ɐ̯, *auch:* pasˈto:ɐ̯, -en ...ˈto:rən, -e ...ˈto:rə, ...töre ...ˈtø:rə
[2]Pastor (Name) ˈpasto:ɐ̯, pasˈto:ɐ̯, *span.* pasˈtɔr, *engl.* ˈpɑ:stə
pastoral, P... pastoˈra:l
Pastorale pastoˈra:lə, ...lien ...ljən
Pastorat pastoˈra:t
Pastoration pastoraˈtsĭo:n
Pastore *it.* pasˈto:re
Pastorelle pastoˈrɛlə
Pastorin pasˈto:rın
Pastorius pasˈto:rĭʊs
Pastor primarius ˈpasto:ɐ̯ priˈma:rĭʊs, Pastores primarii pasˈto:re:s priˈma:rii
pastos pasˈto:s, -e ...o:zə
pastös pasˈtø:s, -e ...ø:zə
Pastosität pastoziˈtɛ:t
Pästum ˈpɛ:stʊm, ˈpɛs...
Pat *engl.* pæt
Patagonia *span.* pataˈyonĭa
Patagonien pataˈgo:nĭən
Patagonier pataˈgo:nĭɐ̯

patagonisch pata'go:nɪʃ
Patan engl. 'pɑ:tən
Pataria it. pata'ri:a
Patassé fr. pata'se
Patavinität patavini'tɛ:t
[1]**Patch** pɛtʃ
[2]**Patch** (Name) engl. pætʃ
[1]**Patchen** 'pa:tçən
[2]**Patchen** engl. 'pætʃɪn
Patchogue engl. pæ'tʃɔg
Patchwork 'pɛtʃvø:ɐ̯k,
...vœrk
Pate 'pa:tə
Patelin fr. pa'tlɛ̃
Patella pa'tɛla
patellar patɛ'la:ɐ̯
Patene pa'te:nə
patent, P... pa'tɛnt
patentieren patɛn'ti:rən
[1]**Pater** 'pa:tɐ, **Patres**
'patre:s
[2]**Pater** (Name) engl. 'peɪtə,
fr. pa'tɛ:r
Paterfamilias pa:tɐfa'mi:-
li̯as
Paternalismus patɛrna'lɪsmʊs
paternalistisch patɛrna'lɪstɪʃ
Paternion pa'tɛrni̯ɔn
paternitär patɛrni'tɛ:ɐ̯
Paternität patɛrni'tɛ:t
Paternò it. pater'nɔ
Paternoster patɐ'nɔstɐ
Pater Patriae 'pa:tɐ 'pa:triɛ
pater, peccavi 'pa:tɐ
pɛ'ka:vi
Paterpeccavi pa:tɐpɛ'ka:vi
Pater seraphicus 'pa:tɐ
ze'ra:fikʊs
Paterson engl. 'pætəsn
Pâte sur Pâte 'pa:t zy:ɐ̯
'pa:t
patetico pa'te:tiko
Pathé fr. pa'te
Pathelin fr. pa'tlɛ̃
Pathergie patɛr'gi:, -n
...i:ən
Pathetik pa'te:tɪk
pathétique, P... pate'tɪk
pathetisch pa'te:tɪʃ
pathisch 'pa:tɪʃ
pathogen pato'ge:n
Pathogenese patoge'ne:zə
pathogenetisch patoge-
'ne:tɪʃ
Pathogenität patogeni'tɛ:t
Pathognomik pato'gno:mɪk
pathognomonisch pato-
gno'mo:nɪʃ

Pathognostik pato'gnɔstɪk
pathognostisch pato'gnɔstɪʃ
Pathographie patogra'fi:
Pathologe pato'lo:gə
Pathologie patolo'gi:, -n
...i:ən
pathologisch pato'lo:gɪʃ
Pathophobie patofo'bi:, -n
...i:ən
Pathophysiologie patofy-
zi̯olo'gi:
Pathopsychologie patɔpsy-
çolo'gi:
Pathos 'pa:tɔs
Pathyris pa'ty:rɪs
[1]**Patience** pa'si̯a:s, -n ...sn̩
[2]**Patience** (Name) engl.
'peɪʃəns
Patiens 'pa:tsi̯ɛns
Patient pa'tsi̯ɛnt
[1]**Patin** 'pa:tɪn
[2]**Patin** (Name) fr. pa'tɛ̃
Patina 'pa:tina, ...nen pa'ti:-
nən
Patine pa'ti:nə
Patinier niederl. pɑti'ni:r
patinieren pati'ni:rən
Patinir niederl. pɑti'ni:r
Patio 'pa:ti̯o
Patisserie patisə'ri:, -n
...i:ən
Patissier patɪ'si̯e:
Patmore engl. 'pætmɔ:
Patmos 'patmɔs
Patna 'patna, engl. 'pætnə
Patocchi it. pa'tɔkki
Patois pa'to̯a, **des -** ...a[s],
die - ...as
Paton engl. peɪtn
Patos alban. pa'tos, bras.
'patus
Patrā neugr. 'patrɛ
Patras 'patras
Patres vgl. Pater
Patria 'pa:tria
Patriarch patri'arç
Patriarchade patriar'ça:də
patriarchal[isch] patriar-
'ça:l[ɪʃ]
Patriarchat patriar'ça:t
patriarchisch patri'arçɪʃ
Patricia pa'tri:tsi̯a, engl.
pə'trɪʃə
Patrick 'pɛtrɪk, 'patrɪk, engl.
'pætrɪk
patrilineal patriline'a:l
patrilinear patriline'a:ɐ̯
patrimonial patrimo'ni̯a:l

Patrimonium patri'mo:-
ni̯ʊm, ...ien ...i̯ən
Patriot patri'o:t
patriotisch patri'o:tɪʃ
Patriotismus patrio'tɪsmʊs
Patristik pa'trɪstɪk
Patristiker pa'trɪstɪkɐ
patristisch pa'trɪstɪʃ
Patrize pa'tri:tsə
Patrizia pa'tri:tsi̯a
Patriziat patri'tsi̯a:t
Patrizier pa'tri:tsi̯ɐ
patrizisch pa'tri:tsɪʃ
Patrizius pa'tri:tsi̯ʊs
Patroklos pa'trɔklɔs,
pa'tro:klɔs
Patroklus pa'tro:klʊs,
'pa:troklʊs
Patrologe patro'lo:gə
Patrologie patrolo'gi:
patrologisch patro'lo:gɪʃ
[1]**Patron** (Schutzherr)
pa'tro:n
[2]**Patron** (Modell; Inhaber
eines Geschäftes, einer
Gaststätte o. Ä.) pa'trõ:
Patrona pa'tro:na, ...nä ...nɛ
Patronanz patro'nants
Patronat patro'na:t
Patrone pa'tro:nə
patronieren patro'ni:rən
patronisieren patroni'zi:rən
Patronymikon patro'ny:mi-
kɔn, ...ka ...ka
Patronymikum patro'ny:-
mikʊm, ...ka ...ka
patronymisch patro'ny:mɪʃ
Patrouille pa'trʊlj̯ə
patrouillieren patrʊl'ji:rən,
auch: patrʊ'li:rən
Patrozinium patro'tsi:ni̯ʊm,
...ien ...i̯ən
patsch! Patsch patʃ
Patsche 'patʃə
pätscheln 'pɛtʃln̩
patschen, P... 'patʃn̩
patsch[e]nass 'patʃ[ə]'nas
Patscherkofel patʃˈ‍eko:fl̩
Patscherl 'patʃɐl
patschert 'patʃɐt
Patschew russ. 'patʃɪf
Patschkau 'patʃkaʊ
Patschuli 'patʃuli
patt, P... pat
Pätte 'patə
Pattee engl. pæ'ti:
Pättensen 'patn̩zən
Pattern 'pɛtɐn
Patterson engl. 'pætəsn
Patti it. 'patti

pattieren pa'ti:rən
Pattinando pati'nando, ...**di**
...di
Patton engl. pætn
Patzak 'patsak
Pátzcuaro span. 'patskuaro
patzen, P... 'patsn̩
Patzerei patsə'rai̯
patzig 'patsɪç, **-e** ...ɪgə
Patznaun pats'nau̯n
Pau fr. po
Paudiß 'pau̯dɪs
Pauer 'pau̯ɐ
Pauillac fr. po'jak
Paukal pau̯'ka:l
Paukant pau̯'kant
Pauke 'pau̯kə
pauken 'pau̯kn̩
¹Pauker pau̯kɐ
²Pauker rumän. 'pau̯ker
Paukerei pau̯kə'rai̯
Paukist pau̯'kɪst
Paul paul, engl. pɔ:l, fr. pɔl
Paúl span. pa'ul
Paula 'pau̯la
Paulaner pau̯'la:nɐ
Paulding engl. 'pɔ:ldɪŋ
Paule 'pau̯lə, fr. po:l
Pauler 'pau̯lɐ, ung. 'pou̯lɐr
Paulet[te] fr. po'lɛ[t]
Paulhan fr. po'lã
Pauli 'pau̯li, schwed. 'pau̯li
Paulina pau̯'li:na, it. pau̯-
'li:na, span. pau̯'lina
Paulin de Nola fr. polɛ̃d'nɔl
Pauline pau̯'li:nə, engl.
pɔ:'li:n, '--, fr. po'lin
Pauliner pau̯'li:nɐ
Pauling engl. 'pɔ:lɪŋ
paulinisch, P... pau̯'li:nɪʃ
Paulinismus pau̯li'nɪsmʊs
Paulinus pau̯'li:nʊs
Pauliny slowak. 'pau̯lini
Paulist pau̯'lɪst
Paulista bras. pau̯'lista
Paulizianer pau̯li'tsi̯a:nɐ
Paulo port., bras. 'pau̯lu
Paulo Afonso bras. 'pau̯lu
a'fõsu
Paulowna pau̯'lɔvna
Paulownia pau̯'lɔvnia, ...**ien**
...iən
Paulsen 'pau̯lzn̩
Paulssen 'pau̯lsn̩
Paulus 'pau̯lʊs, fr. po'lys
Pauly 'pau̯li
Paumann 'pau̯man
Paumespiel 'po:mʃpi:l
Paumgartner 'pau̯mgartnɐ
pauperieren pau̯pe'ri:rən

Pauperismus pau̯pe'rɪsmʊs
Pauperität pau̯peri'tɛ:t
Paur 'pau̯ɐ
Pausa 'pau̯za
Pausanias pau̯'za:ni̯as
Pausback 'pau̯sbak
pausbäckig 'pau̯sbɛkɪç
pauschal pau̯'ʃa:l
Pauschale pau̯'ʃa:lə, ...**lien**
...li̯ən
pauschalieren pau̯ʃa'li:rən
pauschalisieren pau̯ʃali'zi:-
rən
Pauschalität pau̯ʃali'tɛ:t
Pausche 'pau̯ʃə
Päuschel 'pɔy̯ʃl̩
Pause 'pau̯zə
pausen 'pau̯zn̩, **paus!** pau̯s,
paust pau̯st
Pausewang 'pau̯zəvaŋ
Pausias 'pau̯zi̯as
pausieren pau̯'zi:rən
Paustowski russ. pɐu̯s'tɔf-
skij
Pavane pa'va:nə
Pavao serbokr. 'pavao
Pavarotti it. pava'rɔtti
Pavel tschech. 'pavɛl
Pavelić serbokr. ˌpavɛlitɕ
¹Pavese (Schild) pa've:zə
²Pavese (Name) it. pa've:se
Pavia dt., it. pa'vi:a
Pavian 'pa:vi̯a:n
Pavie fr. pa'vi
Pavillon 'pavɪljõ, auch:
'pavɪljɔŋ, pavɪl'jõ:
Pavle serbokr. 'pa:vlɛ
Pavlov tschech. 'pavlɔf
Pavlović serbokr. 'pa:vlɔvitɕ
Pavo 'pa:vo
Pavonazzo pavo'natso
Pavor [nocturnus] 'pa:vo:ɐ̯
[nɔk'tʊrnʊs]
Pawel russ. 'pavɪl, bulgar.
'pavɛl
Paweł poln. 'pavɛu̯
Pawla russ. 'pavlɐ
Pawlak poln. 'pavlak
Pawlatsche pa'vla:tʃə
Pawlenko russ. pa'vlʲɛnkɐ
Pawlikowska poln. pavli-
'kɔfska
Pawlodar russ. pɐvla'dar
Pawlow russ. 'pavlɐf
Pawlowitsch russ. 'pavlɐ-
vitʃ
Pawlow[n]a russ. 'pa-
vlɐv[n]ɐ
Pawlowo russ. 'pavlɐvɐ
Pawlowsk russ. 'pavlɐfsk

Pawlowski russ. pa'vlɔfskij
Pawlowski Possad russ.
'pavlɐfskij pa'sat
Pawnee engl. pɔ:'ni:
Pawtucket engl. pɔ:'tʌkɪt
Pax [Christi] 'paks ['krɪsti]
Paxos 'paksɔs, neugr. pa-
'ksɔs
Pax Romana 'paks ro'ma:na
Paxton engl. 'pækstən
Pax vobiscum! 'paks vo'bɪs-
kʊm
Pay-back 'pe:bɛk
Payer 'pai̯ɐ
Payerne fr. pa'jɛrn
Payingguest 'pe:ɪŋ-'gɛst
Payn[e] engl. pein
Pay-out engl. 'pe:lau̯t
Payr 'pai̯ɐ
Payró span. pai̯'ro
Paysage intime pei'za:ʒə
ɛ̃'ti:m
Paysandú span. pai̯san'du
Pay-TV 'pe:ti:vi:
Paz span. paθ
Pazaurek 'patsau̯rɛk
Pazifik pa'tsi:fɪk, auch:
'pa:tsifɪk
Pazifikation patsifika'tsi̯o:n
pazifisch pa'tsi:fɪʃ
Pazifismus patsi'fɪsmʊs
Pazifist patsi'fɪst
pazifizieren patsifi'tsi:rən
Paziszent patsɪs'tsɛnt
paziszieren patsɪs'tsi:rən
Pázmány ung. 'pa:zma:nj
Paznaun pats'nau̯n
Pazzi it. 'pattsi
p'Bitek engl. pə'bi:tɛk
PC pe:'tse:
Pea it. 'pɛ:a
Peabody engl. 'pi:bɔdɪ
Peace engl. pi:s
Peacecorps 'pi:skɔ:ɐ̯
Peacock engl. 'pi:kɔk
Peak (Gipfel, Maximum)
pi:k
Peake engl. pi:k
Peale engl. pi:l
Péan fr. pe'ã
Peanuts engl. 'pi:nʌts
Pearce engl. pɪəs
Pearland engl. 'pɛələnd
Pearl [Harbo[u]r] engl. 'pə:l
['hɑ:bə]
Peano it. pe'a:no
Pearse engl. pɪəs
Pearson engl. pɪəsn
Peary engl. 'pɪərɪ
Peau d'Ange fr. po'dã:ʒ

Pebrine pe'bri:nə
Pęć *serbokr.* pɛ:tɕ
Pęcannuss 'pe:kannʊs
Pe-Ce-Faser pe:'tse:fa:zɐ
Pécel *ung.* 'pe:tsɛl
Pęch[all] 'pɛʧ[al]
Pęche 'pɛçə
Pęchel 'pɛçl
pęchfinster 'pɛç'fɪnstɐ
pęchig 'pɛçɪç, -e ...ɪgə
pęchrabenschwarz
    'pɛç'ra:bn̩'ʃvarts
pęchschwarz 'pɛç'ʃvarts
Pęchstein 'pɛçʃtain
Pęcht pɛçt
Pęck[ham] *engl.* 'pɛk[əm]
Pecock *engl.* 'pi:kɔk, 'pɛkɔk
Pecopteris pe'kɔpterɪs
Pęcos *span.* 'pekos, *engl.*
    'peɪkəs
Pécs *ung.* pe:tʃ
Peculium pe'ku:liʊm
Pecunia pe'ku:nia
Peda *vgl.* Pedum
Pedal[e] pe'da:l[e]
pedalen pe'da:lən
Pedalerie pedalə'ri:, -n
    ...i:ən
Pedaleur peda'lø:ɐ
pedant, P... pe'dant
Pedanterie pedantə'ri:, -n
    ...i:ən
pedantisch pe'dantɪʃ
Pedantismus pedan'tɪsmʊs
Pęddigrohr 'pɛdɪçro:ɐ
Pedęll pe'dɛl
Peder *dän.* 'pɪ:ðɐ
Pedersen *dän.* 'pɪ:'ðɛsn̩,
    norw. 'pɛdərsən
Pedęst pe'dɛst
pedęstrisch pe'dɛstrɪʃ
Pedicatio pedi'ka:tsio, -nes
    ...ka'tsio:ne:s
Pędigree 'pɛdɪgri
Pedikulose pediku'lo:zə
Pediküre pedi'ky:rə
pediküren pedi'ky:rən
Pediment pedi'mɛnt
Pedizellarie peditsɛ'la:riə
Pedograph pedo'gra:f
Pedologie pedolo'gi:
pedologisch pedo'lo:gɪʃ
Pedometer pedo'me:tɐ
Pedrell *span.* pe'ðrɛl
Pędro 'pe:dro, *span.* 'peðro,
    port. 'peðru, *bras.* 'pedru
Pedrógão *port.* pə'ðrɔɣɐ̃u̯
Pędum 'pe:dʊm, ...da ...da
Pędum ręctum 'pe:dʊm
    'rɛktʊm

Peebles *engl.* 'pi:blz
Pee Dee *engl.* 'pi:di:
Peek[skill] *engl.* 'pi:k[skɪl]
Peel *niederl.* pe:l, *engl.* pi:l
Peele *engl.* pi:l
Peeling 'pi:lɪŋ
Peene 'pe:nə
Peenemünde pe:nə'mʏndə
Peepshow 'pi:pʃo:
[1]Peer (Adliger) pi:ɐ
[2]Peer (Name) pe:ɐ, *norw.,
    niederl.* pe:r
Peerage 'pi:rɪtʃ
Peeress 'pi:rɛs
Peeters *niederl.* 'pe:tərs
Pegamoid pegamo'i:t, -e
    ...i:də
Pegasos 'pe:gazɔs
Pegasus 'pe:gazʊs, *engl.*
    'pɛgəsəs
Pegau 'pe:gau̯
Pęge 'pe:gə
Pęgel 'pe:gl̩
Pęggy *engl.* 'pɛgɪ
Pegmatit pɛgma'ti:t
Pegnitz 'pe:gnɪts
Pęgu 'pe:gu, *birm.* pegu 33
Péguy *fr.* pe'gi
Pehameter peha'me:tɐ
Pęhlewi 'pɛçlevi, *pers.* pæh-
    læ'vi:
Peichl 'pai̯çl̩
Peies 'pai̯əs
Peigneur pɛn'jø:ɐ
Peignoir pɛn'joa:ɐ
peilen 'pai̯lən
Pein[e] 'pai̯n[ə]
Peinemann 'pai̯nəman
peinigen 'pai̯nɪgn̩, peinig!
    'pai̯nɪç, peinigt 'pai̯nɪçt
peinlich 'pai̯nlɪç
Peintregraveur pɛ̃trəgra-
    'vø:ɐ
Peinture pɛ̃'ty:ɐ
Peiper *poln.* 'pɛi̯pɐ
Peipussee 'pai̯pʊsze:
Peiraieus pai̯'rai̯ɔys
Peirce *engl.* pɪəs, pə:s
Peireskia pai̯'rɛskia, ...ien
    ...iən
Peire Vidal *fr.* pɛrvi'dal
Peirithoos pai̯'ri:tɔɔs
Peisistratos pai̯'zɪstratɔs
Peiskretscham 'pai̯skrɛ-
    tʃam
Peißenberg 'pai̯sn̩bɛrk
Peisser 'pai̯sɐ
Peisson *fr.* pɛ'sɔ̃
Peitho pai̯'to:, 'pai̯to
Peiting 'pai̯tɪŋ

Peitsch[e] 'pai̯ʧ[ə]
peitschen 'pai̯ʧn̩
Peitz pai̯ts
Peixoto *port.* pɐi̯'ʃotu, *bras.*
    pei̯'ʃotu
Pejoration pejora'tsio:n
pejorativ pejora'ti:f, -e
    ...i:və
Pejorativum pejora'ti:vʊm,
    ...va ...va
Pękach 'pe:kax
Pekalongan *indon.* pəka'lo-
    ŋan
Pękař *tschech.* 'pɛkarʃ
Pękari pe'ka:ri
Pękárna *tschech.* 'pɛka:rna
Pękesche pe'kɛʃə
Pekin *engl.* 'pi:kɪn
Pekinese peki'ne:zə
Pęking 'pe:kɪŋ
Pekingese pekɪ'ŋe:zə
Pękka[nen] *finn.* 'pɛk-
    ka[nɛn]
Pekoe *engl.* 'pi:kou̯
pektanginös pɛktaŋgi'nø:s,
    -e ...ø:zə
Pektase pɛk'ta:zə
Pękten... 'pɛktn̩...
Pektin pɛk'ti:n
Pektinase pɛkti'na:zə
pektoral pɛkto'ra:l
Pektorale pɛkto'ra:lə, ...lien
    ...liən
Pekuliar... peku'lia:ɐ...
pekuniär peku'niɛ:ɐ
pekzieren pɛk'tsi:rən
Péladan *fr.* pela'dã
Pelade pe'la:də
Peláez *span.* pe'lae̯θ
Pelageja *russ.* pɪla'gjejɐ
pelagial, P... pela'gia:l
Pelagianer pela'gia:nɐ
Pelagianismus pelagia'nɪs-
    mʊs
Pelagija *russ.* pɪla'gijɐ
pelagisch pe'la:gɪʃ
Pelagius pe'la:giʊs
Pelargonie pelar'go:niə
Pelasger pe'lasgɐ
pelasgisch pe'lasgɪʃ
Pelavicino *it.* pelavi'tʃi:no
Pelayo *span.* pe'lajo
Pelé *bras.* pe'lɛ
pêle-mêle, Pelemęle
    pɛl'mɛl
Pelerine pelə'ri:nə
Pęleus 'pe:lɔys
Pęlham 'pɛləm
Pelias 'pe:lias, pe'li:as

Pelide pe'li:də
Pelikan 'pe:lika:n, *auch:*
  peli'ka:n
Pelikán *tschech.* 'pɛlika:n
Pelikanol® pelika'no:l
Pelion 'pe:liɔn
Pelit pe'li:t
Pelješac *serbokr.* ˌpɛljɛʃats
Pella *dt., neugr.* 'pɛla, *it.*
  'pɛlla
Pellagra 'pɛlagra
Pelle 'pɛlə
Pelléas *fr.* pɛle'a:s
Pellegrini *it.* pelle'gri:ni
Pellegrino *it.* pelle'gri:no
pellen 'pɛlən
Pellenz 'pɛlɛnts
Pellet 'pɛlət
Pelletier *fr.* pɛl'tje
pelletieren pɛlə'ti:rən
pelletisieren pɛleti'zi:rən
Pellicer *span.* peʎi'θɛr
Pellico *it.* 'pɛlliko
Pellicula pɛ'li:kula, ...lae
  ...lɛ
Pellinen *finn.* 'pɛllinɛn
Pelliot *fr.* pɛ'ljo
Pello *finn.* 'pɛllɔ
Pellote pɛ'lo:tə
pelluzid pɛlu'tsi:t, -e ...də
Pelluzidität pɛlutsidi'tɛ:t
Pellworm pɛl'vɔrm
Pelog, ...ok 'pe:lɔk
Pelopeia pelo'paia, pe'lo:-
  paia
Pelopidas pe'lo:pidas
Pelopide pelo'pi:də
Peloponnes pelopɔ'ne:s
peloponnesisch pelopɔ-
  'ne:zɪʃ
Pelops 'pe:lɔps
Pelorie pe'lo:riə
Peloritani, Monti *it.* 'monti
  pelori'ta:ni
Pelota pe'lɔta, pe'lo:ta
Pelotas *bras.* pe'lɔtas
Peloton pelo'tõ:
Pelotte pe'lɔtə
Pelouze *fr.* pə'lu:z
Pelplin pɛl'pli:n, *poln.*
  'pɛlplin
Pels *niederl.* pɛls
Pelseide pɛl'zaidə
Peltast pɛl'tast
Peltier *fr.* pɛl'tje
Peluschke pe'luʃkə
Pelusium pe'lu:ziʊm
Pelveoperitonitis pɛlveope-
  rito'ni:tɪs
Pelvis 'pɛlvɪs

Pelvoux *fr.* pɛl'vu
Pelz pɛlts
pelzen 'pɛltsn̩
pelzig 'pɛltsɪç, -e ...ɪɡə
Pelzmärtel 'pɛltsmɛrtl̩
Pemán *span.* pe'man
Pemartín *span.* pemar'tin
Pematangsiantar *indon.*
  pəmataŋsi'antar
Pemb *engl.* pɛm
Pemba *engl.* 'pɛmbə
Pembaur 'pɛmbauɐ
¹Pembroke (England) *engl.*
  'pɛmbrʊk
²Pembroke (USA) *engl.*
  'pɛmbroʊk
Pemmikan 'pɛmika:n
Pemphigus 'pɛmfiɡʊs
Penalty 'pɛnlti
Penang *indon.* pə'naŋ
Peñarroya *span.* peɲa'rrɔja
Penarth *engl.* pe'na:θ
Penaten pe'na:tn̩
Pence vgl. Penny
Penchant pã'ʃã:
Penck pɛŋk
PEN-Club 'pɛnklʊp
Pencz pɛnts
Pendant pã'dã:
Pendel 'pɛndl̩
pendeln 'pɛndl̩n, pendle
  'pɛndlə
pendent pɛn'dɛnt
Pendentif pãdã'ti:f
Pendenz pɛn'dɛnts
Penderecki *poln.* pɛndɛ-
  'rɛtski
Pendik *türk.* 'pɛndik
Pendlebury *engl.* 'pɛndlbəri
Pendler 'pɛndlɐ
Pendleton *engl.* 'pɛndltən
Pendolino 'pɛndo'li:no
Pendschikent *russ.* pɪn-
  dʒi'kjɛnt
Pendule pã'dy:lə
Pendüle pɛn'dy:lə
Penejos pe'najɔs
Penelope pe'ne:lope
Penelopeia penelo'paia
Peneplain 'pi:niple:n, --'-
Penes vgl. Penis
peneseismisch pene'zais-
  mɪʃ
penetrabel pene'tra:bl̩,
  ...ble ...blə
penetrant pene'trant
Penetranz pene'trants
Penetration penetra'tsio:n
penetrieren pene'tri:rən

Penetrometer penetro-
  'me:tɐ
Peneus pe'ne:ʊs
Penew *bulgar.* 'pɛnɛf
peng! pɛŋ
Peng Dehuai *chin.* pəŋ-
  dʌxuai 222
Pengö 'pɛŋɡø
Peng Zhen *chin.* pəŋdʒən 21
Penholder 'pɛnho:ldɐ
penibel pe'ni:bl̩, ...ble ... blə
Penibilität penibili'tɛ:t
Peniche *port.* pə'niʃi
Penicillin penitsɪ'li:n
Penicillinase penitsɪli'na:zə
Penicillium peni'tsɪljʊm
Penig 'pe:nɪç
Peninsula pe'nɪnzula,
  pɛn'lɪ...
peninsular penɪnzu'la:ɐ̯,
  pɛnlɪ...
Penis 'pe:nɪs, Penes
  'pe:ne:s
Penitentes peni'tɛnte:s
Penizillin penitsɪ'li:n
Penki 'pɛŋki
Penn *engl.* pɛn
Pennacchi *it.* pen'nakki
Pennal pe'na:l
Pennäler pɛ'nɛ:lɐ
Pennalismus pɛna'lɪsmʊs
Pennanen *finn.* 'pɛnnanɛn
Penne 'pɛnə
pennen 'pɛnən
¹Penni (Münzeinheit) 'pɛni,
  -ä 'pɛniɛ
²Penni (Name) *it.* 'penni
Pennine[s] *engl.* 'pɛnain[z]
penninisch pɛ'ni:nɪʃ
Pennsylvania *engl.* pɛnsɪl-
  'veiniə
Pennsylvanien pɛnsɪl'va:-
  niən
pennsylvanisch pɛnsɪl'va:-
  nɪʃ
Penny pɛni, Pence pɛns
Pennyweight 'pɛnive:t
Penobscot *engl.* pə'nɔbskɔt
Penrith *engl.* 'pɛnrɪθ
Penrose (Personenname)
  engl. 'pɛnroʊz
Penry *engl.* 'pɛnri
¹Pensa *russ.* 'pjɛnzɐ
²Pensa vgl. Pensum
Pensacola *engl.* pɛnsə-
  'koʊlə
Penschina *russ.* 'pjɛnʒinɐ
pensee, P... pã'se:
Pensées *fr.* pã'se
pensieroso pɛnzje'ro:zo

Pension pã..., paŋ..., pɛn...; ...'zi̯o:n, ...'si̯o:n
Pensionär pã..., paŋ..., pɛn...; ...zi̯o'nɛːɐ̯, ...si̯o'nɛːɐ̯
Pensionat pã..., paŋ..., pɛn...; ...zi̯o'na:t, ...si̯o'na:t
pensionieren pã..., paŋ..., pɛn...; ...zi̯o'ni:rən, ...si̯o'ni:rən
Pensionist pã..., paŋ..., pɛn...; zi̯o'nɪst, ...si̯o'nɪst
Pensum 'pɛnzʊm, ...sa ...za
Pentachord pɛnta'kɔrt, -e ...rdə
Pentade pɛn'ta:də
Pentadik pɛn'ta:dɪk
Pentaeder pɛnta'le:dɐ
Pentaerythrit pɛntalery-'tri:t
Pentaeteris pɛntale'te:rɪs
Pentaglotte pɛnta'glɔtə
¹Pentagon (Fünfeck) pɛnta'go:n
²Pentagon (amerikan. Verteidigungsministerium) 'pɛntagɔn, engl. 'pɛntəgɔn
pentagonal pɛntago'na:l
Pentagonikositetraeder pɛnta'go:n|ikozitetra|e:dɐ
Pentagramm pɛnta'gram
Pentalpha pɛn'talfa, pɛnt'la...
pentamer pɛnta'me:ɐ̯
Pentameron pɛn'ta:merɔn
Pentamerone it. pentame-'ro:ne
Pentameter pɛn'ta:metɐ
Pentan pɛn'ta:n
Pentanol pɛnta'no:l
Pentapla 'pɛntapla, ...aplen pɛn'ta:plən
Pentapolis pɛn'ta:polɪs
Pentaprisma pɛnta'prɪsma
Pentarchie pɛntar'çi:, -n ...i:ən
Pentastomiden pɛntasto-'mi:dn̩
Pentastylos pɛn'tastylɔs, ...ylen ...'sty:lən
Pentateuch pɛnta'tɔyç
Pentathlon 'pɛntatlɔn, 'pɛnt|atlɔn, pɛnt'la:tlɔn
Pentatonik pɛnta'to:nɪk
pentatonisch pɛnta'to:nɪʃ
pentazyklisch pɛnta'tsy:klɪʃ
pentekostal pɛntekɔs'ta:l
Pentekoste pɛntekɔs'te:
Pentelikon pɛn'te:likɔn
pentelisch pɛn'te:lɪʃ
Penten pɛn'te:n

Pentere pɛn'te:rə
Penthaus 'pɛnthau̯s
Penthemimeres pɛntemi-'me're:s
Penthesilea pɛntezi'le:a
Penthesileia pɛntezi'lai̯a
Pentheus 'pɛntɔys
Penthouse 'pɛnthau̯s
Penticton engl. pɛn'tɪktən
Pentimenti pɛnti'mɛnti
Pentium® 'pɛntsi̯ʊm, auch: 'pɛnti̯ʊm
Pentland engl. 'pɛntlənd
Pentlandit pɛntlan'di:t
Pentode pɛn'to:də
Pentose pɛn'to:zə
Pentosurie pɛntozu'ri:
Pentothal® pɛnto'ta:l
Penumbra pe'nʊmbra, pɛn-'|ʊmbra
Penunse pe'nʊnzə
Penunze pe'nʊntsə
Penuria pe'nu:ri̯a
Penzance engl. pɛn'zæns
Penz[berg] 'pɛnts[bɛrk]
penzen 'pɛntsn̩
Penzias engl. 'pɛnziəs
Penzoldt 'pɛntsɔlt
Peon pe'o:n
Peonage peo'na:ʒə, 'pi:ənɪtʃ
People 'pi:pl̩
Peoria engl. pɪ'ɔ:ri̯a
Pep pɛp
Pepe span. 'pepe, it. 'pe:pe
Peperin pepe'ri:n
Peperoni pepe'ro:ni
Pepi 'pe:pi
Pepiniere pepi'nje:rə
¹Pepita (Stoff) pe'pi:ta
²Pepita (Name) span. pe'pita
Peplon 'pe:plɔn
Peplopause 'pe:plopau̯zə
Peplos 'pe:plɔs
Pepping 'pɛpɪŋ
Pepsin pɛ'psi:n
Peptid pɛp'ti:t, -e ...i:də
Peptidase pɛpti'da:zə
Peptisation pɛptiza'tsi̯o:n
peptisch 'pɛptɪʃ
peptisieren pɛpti'zi:rən
Pepton pɛp'to:n
Peptonurie pɛptonu'ri:
Pepusch 'pe:puʃ, engl. 'peɪpuʃ
Pepys engl. 'pe:pɪs, pi:ps, pɛps
per, ¹Per pɛr
²Per (Name) schwed. pæːr
per abusum pɛr ap'|u:zʊm

per accidens pɛr 'aktsidɛns
per acclamationem pɛr aklama'tsi̯o:nɛm
Peragallo it. pera'gallo
Perahia engl. pə'rai̯ə
Perak indon. 'perak
Peraldo pe'raldo
per annum pɛr 'anʊm
per anum pɛr 'a:nʊm
per aspera ad astra pɛr 'aspera at 'astra
Perast serbokr. .pɛrast
Perborat pɛrbo'ra:t
Perborsäure pɛr'bo:ɐ̯zɔyrə
Perbunan pɛrbu'na:n
per cassa pɛr 'kasa
Perche... 'pɛrʃ...
Percheron pɛrʃə'rõː
Perchlorat pɛrklo'ra:t
Perchlorsäure pɛr'klo:ɐ̯zɔyrə
Percht[en] 'pɛrçt[n̩]
Perchtoldsdorf 'pɛrçtɔltsdɔrf
Percier fr. pɛr'sje
per conto pɛr 'kɔnto
Percussion pø:ɐ̯'kaʃn̩, pœr'k...
Percy engl. 'pə:sɪ
per definitionem pɛr defini'tsi̯o:nɛm
perdendo[si] pɛr'dɛndo[zi]
Perdikkas pɛr'dɪkas
Perdition pɛrdi'tsi̯o:n
perdu pɛr'dy:
pereant! 'pe:reant
pereat!, Pereat 'pe:reat
Pérec fr. pe'rɛk
Pereda span. pe'reða
Peredelkino russ. pɪrɪ-'djeljkinɐ
Peredwischniki russ. pɪrɪ-'dviʒniki
Peregrina pere'gri:na
Peregrination peregrina-'tsi̯o:n
Peregrinus pere'gri:nʊs
Pereira engl. pə'reɪərə, span. pe'reira
Pereira[s] port. pə'rɐjrɐ[ʃ], bras. pe'rejra[s]
Perejaslaw-Chmelnizki russ. pɪrɪ'jaslɐfxmɪlj'nitskij
Père Joseph fr. pɛrʒo'zɛf
Perekop russ. pɪrɪ'kɔp
Père-Lachaise fr. pɛrla'ʃɛːz
Perelman engl. 'pə:lmən, 'pɛrəlmən
Perem[p]tion pɛrɛm[p]'tsi̯o:n

perem[p]torisch
perɛm[p]'to:rɪʃ
Perenne pe'rɛnə
perennierend perɛ'ni:rənt,
-e ...ndə
perennis pe'rɛnɪs
Pereskia pe'rɛskia, ...ien
...iən
Pereslawl-Salesski russ.
pɪrɪ'slavljza'ljɛskij
Peressyp 'pɛrɛsyp
Perestroika pɛrɛs'trɔyka
Péret fr. pe'rɛ
Peretola it. pe're:tola
per exemplum pɛr ɛ'ksɛm-
plʊm
Perez 'pe:rɛts, hebr. 'pɛrɛts
Pérez span. 'pereθ
Perfahl 'pɛrfa:l
per fas [et nefas] pɛr 'fa:s
[ɛt 'ne:fa[:]s]
perfekt pɛr'fɛkt
Perfekt 'pɛrfɛkt
Perfekta vgl. Perfektum
perfektibel pɛrfɛk'ti:bl̩,
...ble ...blə
Perfektibilismus pɛrfɛktibi'lɪsmʊs
Perfektibilist pɛrfɛktibi'lɪst
Perfektibilität pɛrfɛktibili-
'tɛ:t
Perfektion pɛrfɛk'tsio:n
perfektionieren pɛrfɛktsio-
'ni:rən
Perfektionismus pɛrfɛk-
tsio'nɪsmʊs
Perfektionist pɛrfɛktsio-
'nɪst
perfektisch pɛr'fɛktɪʃ
perfektiv 'pɛrfɛkti:f, auch:
––'-, -e ...i:və
perfektivieren pɛrfɛkti'vi:-
rən
perfektivisch pɛrfɛk'ti:vɪʃ
Perfektpartizip 'pɛrfɛktpar-
titsi:p
Perfektum pɛr'fɛktʊm, ...ta
...ta
perfid pɛr'fi:t, -e ...i:də
Perfidie pɛrfi'di:, -n ...i:ən
Perfidität pɛrfidi'tɛ:t
perforat pɛrfo'ra:t
Perforation pɛrfora'tsio:n
Perforator pɛrfo'ra:to:ɐ̯,
-en ...ra'to:rən
perforieren pɛrfo'ri:rən
Performance pø:ɐ̯'fo:ɐ̯-
məns, pœr'f...
Performer pø:ɐ̯'fo:ɐ̯mɐ,
pœr'f...

Performanz pɛrfɔr'mants
performativ pɛrfɔrma'ti:f,
-e ...i:və
performatorisch pɛrfɔrma-
'to:rɪʃ
perfundieren pɛrfʊn'di:rən
Perfusion pɛrfu'zio:n
Perg pɛrk
Pergamen pɛrga'me:n
pergamenen pɛrga'me:nən
Pergament pɛrga'mɛnt
pergamenten pɛrga'mɛntn̩
Pergamin pɛrga'mi:n
Pergamino span. pɛrɣa-
'mino
Pergamon 'pɛrgamɔn
Pergamum 'pɛrgamʊm
Pergamyn pɛrga'my:n
Pergaud fr. pɛr'go
Pergel 'pɛrgl̩
Pergola (Laube) 'pɛrgola
Pergolese, ...esi it. pergo-
'le:se, ...e:si
perhorreszieren pɛrhɔrɛs-
'tsi:rən
¹Peri (Fee) 'pe:ri
²Peri (Name) it. 'pɛ:ri, 'pe:ri
Periadenitis periade'ni:tɪs,
...itiden ...ni'ti:dn̩
Periander peri'landɐ
Perianth peri'lant
Perianthium peri'lantiʊm,
...ien ...iən
Periarthritis periar'tri:tɪs,
...itiden ...tri'ti:dn̩
Periastron peri'lastrɔn
Periastrum peri'lastrʊm
Peribacaları türk. pe'ri-
badʒala.rɪ
Periblem peri'ble:m
Peribolos pe'ri:bolɔs, ...loi
...lɔy
Perichondritis periçɔn'dri:-
tɪs, ...itiden ...dri'ti:dn̩
Perichondrium peri'çɔn-
driʊm, ...ien ...iən
Perichorese periço're:zə
periculum in mora pe'ri:ku-
lʊm ɪn 'mo:ra
Periderm peri'dɛrm
Peridinium peri'di:niʊm,
...ien ...iən
Peridot peri'dɔ:t
Peridotit perido'ti:t
Periegese perie'ge:zə
Perieget perie'ge:t
Périer fr. pe'rje
perifokal perifo'ka:l
Perigastritis perigas'tri:tɪs,
...itiden ...stri'ti:dn̩

Perigäum peri'gɛ:ʊm
periglazial perigla'tsia:l
Pérignon fr. peri'ɲõ
Perigon peri'go:n
Perigonium peri'go:niʊm,
...ien ...iən
Périgord fr. peri'gɔ:r
Périgordien perigɔr'djɛ̃:
Perigourdine perigʊr'di:nə
Perigramm peri'gram
Périgueux fr. peri'gø
perigyn peri'gy:n
Perihel peri'he:l
Perihelium peri'he:liʊm,
...ien ...iən
Perihepatitis perihepa'ti:-
tɪs, ...itiden ...ti'ti:dn̩
Perikambium peri'kam-
biʊm, ...ien ...iən
Perikard peri'kart, -e ...rdə
Perikardektomie peri-
kardɛkto'mi:, -n ...i:ən
perikardial perikar'dia:l
Perikardiotomie perikar-
dioto'mi:, -n ...i:ən
Perikarditis perikar'di:tɪs,
...itiden ...di'ti:dn̩
Perikardium peri'kardiʊm,
...ien ...iən
Perikarp peri'karp
Periklas peri'kla:s, -e ...a:zə
perikleisch, P... peri'kle:ɪʃ
Perikles 'pe:riklɛs
periklin, P... peri'kli:n
Periklinal... perikli'na:l...
periklitieren perikli'ti:rən
Perikope peri'ko:pə
Perikranium peri'kra:niʊm
perikulös periku'lø:s, -e
...ø:zə
Perilla pe'rɪla
Périllat fr. peri'ja
Perim engl. pə'rɪm
Perilun peri'lu:n
perimagmatisch perima-
'gma:tɪʃ
Perimeter peri'me:tɐ
Perimetrie perime'tri:, -n
...i:ən
perimetrieren perime'tri:-
rən
perimetrisch peri'me:trɪʃ
Perimetritis perime'tri:tɪs,
...itiden ...ri'ti:dn̩
Perimetrium peri'me:triʊm,
...ia ...ia, ...ien ...iən
perinatal perina'ta:l
Perinatologe perinato'lo:gə
Perinatologie perinatolo'gi:

Perinephritis perine'fri:tıs, ...**itiden** ...fri'ti:dn̦

Perinet 'pɛrinɛt

Perineum peri'ne:ʊm

Perineuritis perinɔy'ri:tıs, ...**itiden** ...ri'ti:dn̦

Perineurium peri'nɔyrjʊm, ...**ia** ...ja, ...**ien** ...jən

Periode pe'rjo:də

Periodicum pe'rjo:dikʊm, ...**ca** ...ka

...**periodig** ...pe͵rjo:dıç, -e ...ıgə

Periodik pe'rjo:dık

Periodikum pe'rjo:dikʊm, ...**ka** ...ka

periodisch pe'rjo:dıʃ

periodisieren perjodi'zi:rən

Periodizität perjoditsi'tɛ:t

Periodogramm perjodo-'gram

Periodologie perjodolo'gi:

Periodontitis perilodɔn'ti:-tıs, ...**itiden** ...ti'ti:dn̦

Perioke peri'lø:kə

perioral perilo'ra:l

Periorchitis perilɔr'çi:tıs, ...**itiden** ...çi'ti:dn̦

Periost peri'lɔst

periostal perilɔs'ta:l

Periostitis perilɔs'ti:tıs, ...**itiden** ...sti'ti:dn̦

Peripatetiker peripa'te:tikɐ

peripatetisch peripa'te:tıʃ

Peripatos pe'ri:patɔs

Peripetie peripe'ti:, -**n** ...i:ən

peripher peri'fe:ɐ

Peripherie perife'ri:, -**n** ...i:ən

Periphlebitis perifle'bi:tıs, ...**itiden** ...bi'ti:dn̦

Periphrase peri'fra:zə

periphrasieren perifra'zi:-rən

periphrastisch peri'frastıʃ

Periplasma peri'plasma

Peripleuritis periplɔy'ri:tıs, ...**itiden** ...ri'ti:dn̦

Periporitis peripo'ri:tıs, ...**itiden** ...ri'ti:dn̦

Periproktitis periprɔk'ti:tıs, ...**itiden** ...ti'ti:dn̦

Peripteral... perıpte'ra:l...

Peripteros pe'rıpterɔs, ...**ren** perıp'te:rən

perirenal perire'na:l

Perisalpingitis perizalpıŋ-'gi:tıs, ...**itiden** ...gi'ti:dn̦

Periskop peri'sko:p

Perisperm peri'spɛrm

Perisplenitis perisple'ni:tıs, ...**itiden** ...ni'ti:dn̦

Perispomenon peri'spo:-menɔn, ...**na** ...na

Peristaltik peri'staltık

peristaltisch peri'staltıʃ

Peristase peri'sta:zə

peristatisch peri'sta:tıʃ

Peristerium peri'ste:rjʊm ...**ien** ...jən

Peristom peri'sto:m

Peristyl peri'sty:l

Peristylium peri'sty:ljʊm, ...**ien** .. jən

Perithezium peri'te:tsjʊm, ...**ien** ...jən

peritoneal peritone'a:l

Peritoneum perito'ne:ʊm

Peritonitis perito'ni:tis, ...**itiden** ...ni'ti:dn̦

peritrich peri'trıç

Perizykel peri'tsy:kl̦

Perjodat pɛrjo'da:t

Perjurant pɛrju'rant

Perjuration pɛrjura'tsjo:n

Perk niederl. pɛrk

Perkal pɛr'ka:l

Perkalin pɛrka'li:n

Perkeo pɛr'ke:o

Perkin[s] engl. 'pə:kın[z]

Perkolat pɛrko'la:t

Perkolation pɛrkola'tsjo:n

Perkolator pɛrko'la:to:ɐ, -**en** ...la'to:rən

perkolieren pɛrko'li:rən

Perkonig 'pɛrkonık, pɛr'ko:-nık

Perkpolder niederl. 'pɛrk-pɔldər

Perkunas pɛr'ku:nas

¹Perkussion pɛrkʊ'sjo:n

²Perkussion (Jazz; elektr. Orgel) pø:ɐ'kaʃn, pœrk...

perkussiv pɛrkʊ'si:f, -**e** ...i:və

perkussorisch pɛrkʊ'so:rıʃ

perkutan pɛrku'ta:n

perkutieren pɛrku'ti:rən

perkutorisch pɛrku'to:rıʃ

Perl[e] 'pɛrl[ə]

Perlé pɛr'le:

Perlea rumän. 'perlça

Perleberg 'pɛrləbɛrk

Perlèche pɛr'lɛʃ

perlen 'pɛrlən

perlig 'pɛrlıç, -**e** ...ıgə

perlingual pɛrlıŋ'gua:l

Perlis indon. 'pɛrlıs

Perlit pɛr'li:t

Perlmutt 'pɛrlmʊt, -'-

Perlmutter 'pɛrlmʊtɐ, -'--

perlmuttern 'pɛrlmʊtɐn, -'--

perlokutionär pɛrlokutsjo-'nɛ:ɐ

perlokutiv pɛrloku'ti:f, -**e** ...i:və

Perlon® 'pɛrlɔn

perludieren pɛrlu'di:rən

Perlusion pɛrlu'zjo:n

perlusorisch pɛrlu'zo:rıʃ

Perlustration pɛrlʊstra-'tsjo:n

perlustrieren pɛrlʊs'tri:rən

Perm pɛrm, russ. pjɛrmj

Permalloy pɛrma'lɔy, ...'lɔa

permanent pɛrma'nɛnt

permanent press engl. 'pø:ɐmənənt 'prɛs, 'pœrm... -

Permanenz pɛrma'nɛnts

Permangan... pɛrmaŋ-'ga:n...

Permanganat pɛrmaŋga-'na:t

permeabel pɛrme'a:bl̦, ...**ble** ...blə

Permeabilität pɛrmeabili-'tɛ:t

Permeke niederl. pɛr'me:kə

Pêrmet alban. pər'met

Permier 'pɛrmjɐ

per mille pɛr 'mılə

permisch 'pɛrmıʃ

Permiss pɛr'mıs

Permission pɛrmı'sjo:n

permissiv pɛrmı'si:f, -**e** ...i:və

Permissivität pɛrmısivi'tɛ:t

Permit 'pø:ɐmıt, 'pœrmıt

permittieren pɛrmı'ti:rən

Permjake pɛr'mja:kə

Permokarbon 'pɛrmokar-'bo:n

Permoser 'pɛrmo:zɐ

permutabel pɛrmu'ta:bl̦, ...**ble** ...blə

Permutation pɛrmuta-'tsjo:n

permutieren pɛrmu'ti:rən

Permutit pɛrmu'ti:t

Pernambuco pɛrnam-'bu:ko, bras. pɛrnɐm'buku

Pernambuk... pɛrnam-'bu:k...

Pernambuko pɛrnam'bu:ko

pernasal pɛrna'zal

Pernau 'pɛrnau

per nefas pɛr 'ne:fa[:]s

pernegieren pɛrne'gi:rən
Pernerstorfer 'pɛrnɐstɔrfɐ
Pernik *bulgar.* 'pɛrnik
Pernio 'pɛrnio, -nen pɛr-
  'nio:nən
Perniose pɛr'nio:zə
Perniosis pɛr'nio:zıs
perniziös pɛrni'tsio:s, -e
  ...ø:zə
Perno 'pɛrno
Pernod, ...**not** *fr.* pɛr'no
Pernter 'pɛrntɐ
Pérochon *fr.* perɔ'ʃõ
Perón *span.* pe'rɔn
Peronismus pero'nısmʊs
Peronist pero'nıst
Péronne[s] *fr.* pe'rɔn
Peronospora pero'nɔspora
peroral perlo'ra:l
Peroration perlora'tsio:n
perorieren perlo'ri:rən
per os per 'o:s
Perosi *it.* pe'ro:zi
Pérotin *fr.* perɔ'tɛ̃
Perotinus pero'ti:nʊs
Perow *russ.* pı'rɔf
Perowskit perɔf'ski:t
Peroxyd 'pɛrlɔksi:t, --'-, -e
  ...i:də
Peroxydase perlɔksi'da:zə
per pedes [apostolorum]
  pɛr 'pe:de:s [apɔsto'lo:rʊm]
Perpendikel pɛrpɛn'di:kl̩
perpendikular pɛrpɛndiku-
  'la:ɐ̯
perpendikulär pɛrpɛndiku-
  'lɛ:ɐ̯
perpetrieren pɛrpe'tri:rən
Perpetua pɛr'pe:tua
perpetuell pɛrpe'tu̯ɛl
perpetuieren pɛrpetu'i:rən
Perpetuum mobile pɛr'pe:-
  tuʊm 'mo:bilə, ...**tua mobi-**
  lia ...tua mo'bi:lia
Perpignan *fr.* pɛrpi'ɲã
perplex pɛr'plɛks
Perplexität pɛrplɛksi'tɛ:t
per procura pɛr pro'ku:ra
Perraud, Perrault *fr.* pe'ro
Perréal *fr.* pere'al
per rectum pɛr 'rɛktʊm
Perret *fr.* pe'rɛ
Perreux-sur-Marne *fr.*
  perøsyr'marn
Perrier *fr.* pe'rje
Perrin *fr.* pe'rɛ̃
Perron (Bahnsteig) pɛ'rõ:
Perron, du *fr.* dype'rõ
Perrone *it.* per'ro:ne
Perronneau *fr.* pɛrɔ'no

Perrot *fr.* pe'ro, *engl.* 'pɛrət
Perry[sburg] *engl.*
  'pɛrı[zbɔ:g]
per saldo pɛr 'zaldo
Persante pɛr'zantə
Persanzig pɛr'zantsıç
per se pɛr 'ze:
Perse *fr.* pɛrs
Perseiden pɛrze'i:dn̩
Perseit pɛrze'i:t
Perseität pɛrzei'tɛ:t
Persekution pɛrzeku'tsio:n
Persenning pɛr'zenıŋ
Persephone pɛr'ze:fone
Persepolis pɛr'ze:polıs
Perser 'pɛrzɐ
Perseus 'pɛrzɔys
Perseveranz pɛrzeve'rants
Perseveration pɛrzevera-
  'tsio:n
perseverieren pɛrzeve'ri:-
  rən
Pershing *engl.* 'pə:ʃıŋ
Persianer pɛr'zia:nɐ
Persien 'pɛrziən
Persiflage pɛrzi'fla:ʒə
persiflieren pɛrzi'fli:rən
Persiko 'pɛrziko
Persil® pɛr'zi:l
Persimone pɛrzi'mo:nə
Persipan pɛrzi'pa:n, '---
persisch 'pɛrzıʃ
persistent pɛrzıs'tɛnt
Persistenz pɛrzıs'tɛnts
persistieren pɛrzıs'ti:rən
Persius 'pɛrzius
persolvieren pɛrzɔl'vi:rən
Person pɛr'zo:n
Persona grata pɛr'zo:na
  'gra:ta
Persona ingrata pɛr'zo:na
  ın'gra:ta
personal, P... pɛrzo'nal
Personale pɛrzo'na:lə, ...**lia**
  ...lia, ...**lien** ...liən
Personalie pɛrzo'na:liə
personalisieren pɛrzonali-
  'zi:rən
Personalismus pɛrzona'lısmʊs
Personalist pɛrzona'lıst
Personalität pɛrzonali'tɛ:t
personaliter pɛrzo'na:litɐ
Personalityshow pø:ɐ̯sə-
  'nɛlitiʃo:, pœrs...
Persona non grata pɛr-
  'zo:na 'no:n 'gra:ta
Personarium pɛrzo'na:riʊm
Persönchen pɛr'zø:nçən
personell pɛrzo'nɛl

Personiko *it.* per'sɔ:niko
Personifikation pɛrzonifi-
  ka'tsio:n
personifizieren pɛrzonifi-
  'tsi:rən
persönlich pɛr'zø:nlıç
Personoide pɛrzono'i:də
perspektiv, P... pɛrspɛk'ti:f,
  -e ...i:və
Perspektive pɛrspɛk'ti:və
perspektivisch pɛrspɛk'ti:-
  vıʃ
Perspektivismus pɛrspɛk-
  ti'vısmʊs
Perspektivität pɛrspɛktivi-
  'tɛ:t
Perspektograph pɛrspɛkto-
  'gra:f
Perspikuität pɛrspikui'tɛ:t
Perspiration pɛrspira'tsio:n
perspiratorisch pɛrspira-
  'to:rıʃ
Persson *schwed.* 'pæ:rsɔn
persuadieren pɛrzua'di:rən
Persuasion pɛrzua'zio:n
persuasiv pɛrzua'zi:f, -e
  ...i:və
persuasorisch pɛrzua'zo:-
  rıʃ
Persulfat 'pɛrzulfa:t, --'-
Perth *engl.* pə:θ, -**shire** -ʃiə
Perthes 'pɛrtes, *fr.* pɛrt
Perthit pɛr'ti:t
Perthus *fr.* pɛr'tys
Pertile *it.* 'pɛrtile
Pertinax *fr.* pɛrti'naks
Pertinens 'pɛrtinɛns,
  ...**nzien** ...'nɛntsiən
Pertinenz pɛrti'nɛnts
Pertini *it.* per'ti:ni
Pertubation pɛrtuba'tsio:n
Perturbation pɛrturba-
  'tsio:n
Pertussis pɛr'tusıs, ...**sses**
  ...se:s
Pertz pɛrts
Peru pe'ru:, *auch:* 'pe:ru;
  engl. pə'ru:
Perú *span.* pe'ru
Peruaner pe'rua:nɐ
peruanisch pe'rua:nıʃ
Perücke pe'rykə
Perugia *it.* pe'ru:dʒa
Perugino *it.* peru'dʒi:no
per ultimo pɛr 'ultimo
Perutz 'perʊts
Peruzzi *it.* pe'ruttsi
pervers pɛr'vɛrs, -e ...rzə
Perversion pɛrvɛr'zio:n
Perversität pɛrvɛrzi'tɛ:t

pervertieren pɛrvɛr'ti:rən
Pervestigation pɛrvɛstiga-
'tsjo:n
Pervigilien pɛrvi'gi:ljən
Pervitin® pɛrvi'ti:n
Perwenzew *russ.* 'pjɛrvɪn-
tsəf
Perwomaisk *russ.* pɪrva-
'majsk
Perwomaisky *ukr.* pɛrvɔ-
'majskɪj
Perwouralsk *russ.* pɪrvɐu-
'raljsk
Perzent pɛr'tsɛnt
perzentuell pɛrtsɛn'tuɛl
perzeptibel pɛrtsɛp'ti:b!,
...**ble** ...blə
Perzeptibilität pɛrtsɛptibili-
'tɛ:t
Perzeption pɛrtsɛp'tsjo:n
Perzeptionalismus pɛr-
tsɛptsjona'lɪsmʊs
perzeptiv pɛrtsɛp'ti:f, **-e**
...i:və
perzeptorisch pɛrtsɛp'to:rɪʃ
Perzipient pɛrtsi'pjɛnt
perzipieren pɛrtsi'pi:rən
Perzyński *poln.* pɛ'ʒiɳ̃ski
Pesade pe'za:də
pesante, P... pe'zantə
Pesaro *it.* 'pe:zaro
Pescadores pɛska'do:rɛs
Pescara *it.* pes'ka:ra
Pesch[el] pɛʃ[!]
Peschitta pɛ'ʃita
Peschiera *it.* pes'kjɛ:ra
Peschkow *russ.* 'pjɛʃkɐf
Peschtera *bulgar.* 'pɛʃtɛrɐ
Pescia *it.* 'pɛʃʃa
Pese 'pe:zə
Pesel 'pe:z!
Pesellino *it.* pesel'li:no
pesen 'pe:zn̩, **pes!** pe:s,
pest pe:st
Peseta pe'ze:ta
Pesete pe'ze:tə
Peshawar *engl.* pɛ'ʃa:wə
Peshkopi *alban.* pɛʃko'pi
Pesne *fr.* pɛn
Peso 'pe:zo
Pessac *fr.* pɛ'sak
Pessanha *port.* pə'sɐɲɐ
Pessar pɛ'sa:ɐ̯
Pessimismus pesi'mɪsmʊs
Pessimist pesi'mɪst
pessimistisch pesi'mɪstɪʃ
Pessimum 'pɛsimʊm, ...**ma**
...ma
Pessinus 'pɛsinʊs

Pessoa *port.* pə'soɐ, *bras.*
pe'soa
¹Pest (Seuche) pɛst
²Pest (Ort) pɛst, *ung.* pɛʃt
Pestalozzi pɛsta'lɔtsi
Pestalozzianum pɛstalɔ-
'tsja:nʊm
Pestilenz pɛsti'lɛnts
pestilenzialisch pɛstilɛn-
'tsja:lɪʃ
Pestizid pɛsti'tsi:t, **-e** ...i:də
Pestruper 'pɛstrʊpɐ
Peta... 'pe:ta..., 'pɛta...
Petah Tiqwa *hebr.* 'pɛtax
ti'kva
Pétain *fr.* pe'tɛ̃
Petal pe'ta:l
Petaling Jaya *indon.* pə'ta-
lɪŋ 'dʒaja
petaloid petalo'i:t, **-e** ...i:də
Petaloidie petaloi'di:
Petalum 'pe:talʊm, **Petala**
'pe:tala, **Petalen** pe'ta:lən
Petaluma *engl.* pɛtə'lu:mə
Petan *slowen.* pɛ'ta:n
Petar *serbokr.* 'pɛtar, *bulgar.*
'pɛtər
Petarde pe'tardə
Petare *span.* pe'tare
Petasos 'pe:tazɔs
Petavius pe'ta:vjʊs
Pete *engl.* pi:t
Petechien pe'teçjən
Petel 'pe:t!
Petent pe'tɛnt
Peter 'pe:tɐ, *schwed.* 'pe:tər,
engl. 'pi:tə, *dän.* 'pɪ:'dɐ
Péter *ung.* 'pe:tɛr
Peterboro[ugh] *engl.* 'pi:tə-
bərə
Peterburg *russ.* pɪtɪr'burk
Peterhead *engl.* pi:tə'hɛd
Peterhof *engl.* pe'tɐho:f
Peterich 'pe:tərɪç
Peterle 'pe:tɐlə
Petermann pe'tɐman
Petermännchen 'pe:tɐ-
mɛnçən
Peters 'pe:tɐs, *engl.* 'pi:təz
Petersberg 'pe:tɐsbɛrk
Petersburg 'pe:tɐsbʊrk,
engl. 'pi:təzbə:g
Petersen 'pe:tɐzn̩, *dän.*
'pɪ:'dəsn
Petersfels 'pe:tɐsfɛls
Petershagen 'pe:tɐs'ha:gn̩
Petersil 'pe:tɐzi:l
Petersilie petɐ'zi:ljə
Peterson 'pe:tɐzɔn, *engl.*
'pi:təsn

Peterssen *norw.* 'pe:tərsən
Peterstal 'pe:tɐsta:l
Peterwardein pe:tɐvar'dain
Petiolus pe'ti:olʊs, ...**li** ...li
Pétion *fr.* pe'tjɔ̃
Petipa *fr.* pəti'pa
¹Petit (Schrift) pə'ti:
²Petit (Name) *fr.* pə'ti, *span.*
pe'tit
Petita vgl. Petitum
Petitesse pəti'tɛsə
Petitgrainöl pəti'grɛ̃:lø:l
Petition peti'tsjo:n
petitionieren petitsjo'ni:rən
Petitio Principii pe'ti:tsjo
prɪn'tsi:pii
Petit-Maître, -s pə'ti:
'mɛ:trə
Petit Mal pə'ti: 'mal
Petitor pe'ti:to:ɐ̯, **-en** peti-
'to:rən
petitorisch peti'to:rɪʃ
Petitot *fr.* pəti'to
Petitpierre *fr.* pəti'pjɛ:r
Petit Point pə'ti: 'pɔɛ̯t
Petits Fours pə'ti: 'fu:ɐ̯
Petitum pe'ti:tʊm, ...**ta** ...ta
Petkanow *bulg.* pɛt'kanof
Petko *bulgar.* 'pɛtko
Petković *serbokr.* 'pɛtkɔvitɕ
Petkow *bulgar.* pɛt'kɔf
Petkus 'pɛtkʊs
Petljura *russ.* pɪt'ljurɐ
Peto 'pi:to, *engl.* 'pi:tou
span. 'peto
Petőfi *ung.* 'pɛtø:fi
Petone *engl.* pɪ'touni
Petong 'pe:tɔŋ
Petosiris peto'zi:rɪs
Petr *tschech.* 'pɛtr̩
Petra, PETRA 'pe:tra
peträisch pe'trɛ:ɪʃ
Petrarca *it.* pe'trarka
Petrarka pe'trarka
Petrarkismus petrar'kɪsmʊs
Petrarkist petrar'kɪst
Petraschewski *russ.* pɪtra-
'ʃɛfskɪj
Petrassi *it.* pe'trassi
Petrefakt petre'fakt
Petrella *it.* pe'trɛlla
Petrén *schwed.* pe'tre:n
Petrescu *rumän.* pe'tresku
Petri *dt., schwed.* 'pe:tri, *it.*
'pe:tri
Petrie *engl.* 'pi:trɪ
Petrifikation petrifika-
'tsjo:n
petrifizieren petrifi'tsi:rən

Petrikau 'peːtrɪkau̯
Petrila rumän. pe'trila
Petrin 'peːtriːn
Petrini dt., it. pe'triːni
petrinisch, P... pe'triːnɪʃ
Petritsch bulgar. 'petritʃ
Petrobrusianer petrobru-
'ziaːnɐ
Petrocchi it. pe'trɔkki
Petrochemie petroçe'miː
Petrodollar 'peːtrodɔlar,
'pɛt...
Petrodworez russ. pɪtrɐ-
dva'rjɛts
Petrogenese petroge'neːzə
petrogenetisch petroge-
'neːtɪʃ
Petroglyphe petro'glyːfə
Petrograd russ. pɪtra'grat
Petrograph petro'graːf
Petrographie petrogra'fiː
Petrokrepost russ.
pɪtra'krjɛpɐstj
Petrol[eum] pe'troːl[ɛʊm]
Petroleur petro'løːɐ̯
Petroleuse petro'løːzə
Petrologe petro'loːgə
Petrologie petrolo'giː
Petronell[a] petro'nɛl[a]
Petronius pe'troːni̯ʊs
Petropawlowsk[-Kamt-
schatski] russ. pɪtra-
'pavlɐfsk[kam'tʃatskij]
petrophil petro'fiːl
Petrópolis bras. pe'trɔpulis
Petroșani rumän. petro'ʃanj
Petrosawodsk russ. pɪtrɐ-
za'vɔtsk
Petrovac serbokr. ,pɛtrɔvats
Petrović serbokr. 'pɛtrɔvitɕ,
,---
Petrovics ung. 'pɛtrovitʃ
Petrow russ. pɪ'trɔf, bulgar.
pɛ'trɔf
Petrowa russ. pɪ'trɔvɐ
Petrowitsch russ. pɪ'trɔvitʃ
Petrowna russ. pɪ'trɔvnɐ
Petrowsk[i] russ.
pɪ'trɔfsk[ij]
Petrowsk-Sabaikalski russ.
pɪ'trɔfskzɐbaj'kaljskij
Petru rumän. 'petru
Petrucci it. pe'truttʃi
Petrus 'peːtrʊs, niederl.
'peːtrʏs
Petruschewskaja russ.
pɪtru'ʃɛfskɐjɐ
Petruschka russ. pɪ'truʃkɐ
Petsalis neugr. pɛ'tsalis
Petsamo finn. 'pɛtsamɔ

Petsch pɛtʃ, pe:tʃ
Petschaft 'pɛtʃaft
Petschenege pɛtʃe'neːgə
Petschenga russ. 'pjetʃɪŋɐ
petschieren pɛ'tʃiːrən
Petschora russ. pɪ'tʃɔrɐ
Pettau 'pɛtau̯
Pettenkofen 'pɛtn̩koːfn̩
Pettenkofer 'pɛtn̩koːfɐ
Petticoat 'pɛtikoːt
Petting 'pɛtɪŋ
petto, Petto 'pɛto
Petty engl. 'pɛti
Petula engl. pə'tjuːlə
Petulanz petu'lants
Petum 'pɛtʊm
Petunie pe'tuːni̯ə
Pétur[sson] isl. 'pjɛːtʏr[sɔn]
Petyrek 'pɛtirɛk
Petz[e] 'pɛts[ə]
petzen 'pɛtsn̩
Petzholdt 'pɛtshɔlt
Petzit pɛ'tsiːt
Petzold[t], ...lt 'pɛtsɔlt
Petzval 'pɛtsval
peu à peu 'pø: a 'pø:
Peucer 'pɔytsɐ
Peucker[t] 'pɔykɐ[t]
Peuerbach 'pɔyɐbax
Peuerl 'pɔyɐl
Peugeot fr. pø'ʒo
Peuple, Le fr. lə'pœpl
Peutinger 'pɔytɪŋɐ
Pevny 'pɛvni
Pevsner fr. pɛv'sneːr
Pewter 'pjuːtɐ
pexieren pɛ'ksiːrən
Peyer 'payɐ
Peymann 'paiman
Peynet fr. pe'nɛ
Peyote pe'joːtə
Peyre fr. pɛːr
Peyrefitte fr. pɛr'fit
Peyron[n]et fr. perɔ'nɛ
Pezel 'pɛːtsl̩
Pezelius pe'tseːli̯ʊs
Pfad pfaːt, -e 'pfaːdə
Pfädchen 'pfɛːtçən
pfaden 'pfaːdn̩, pfad! pfaːt
Pfäfers 'pfɛːfɐs
Pfaff pfaf
Pfäffchen 'pfɛfçən
Pfaffe 'pfafə
Pfaffenhofen pfafn̩'hoːfn̩
Pfäffikon 'pfɛfikoːn
pfäffisch 'pfɛfɪʃ
Pfahl pfaːl, Pfähle 'pfɛːlə
Pfählchen 'pfɛːlçən
pfählen 'pfɛːlən
Pfahler 'pfaːlɐ

Pfalz pfalts
Pfälzer 'pfɛltsɐ
pfälzisch 'pfɛltsɪʃ
Pfand pfant, -es ...ndəs,
  Pfänder 'pfɛndɐ
pfänden 'pfɛndn̩, pfänd!
  pfɛnt
Pfänder 'pfɛndɐ
Pfandl 'pfandl̩
Pfännchen 'pfɛnçən
Pfanne 'pfanə
Pfarre 'pfarə
Pfarrei pfa'rai̯
Pfarrer 'pfarɐ
Pfarrkirchen pfar'kɪrçn̩
Pfau pfau̯
pfauchen 'pfau̯xn̩
Pfeffel 'pfɛfl̩
pfefferig 'pfɛfərɪç, -e ...ɪgə
Pfeffer[korn] 'pfɛfɐ[kɔrn]
Pfefferling 'pfɛfɐlɪŋ
Pfefferminz[e] 'pfɛfɐ-
  mɪnts[ə], auch: --'-[-]
pfeffern 'pfɛfɐn
Pfefferone pfɛfə'roːnə, ...ni
  ...ni
Pfeffinger 'pfɛfɪŋɐ
pfeffrig 'pfɛfrɪç, -e ...ɪgə
Pfeid pfai̯t, -en ...dn̩
Pfeife 'pfai̯fə
pfeifen 'pfai̯fn̩
Pfeif[f]er 'pfai̯fɐ
Pfeil[er] 'pfai̯l[ɐ]
pfeilgerade 'pfai̯lgə'raːdə
pfeilschnell 'pfai̯l'ʃnɛl
pfelzen 'pfɛltsn̩
Pfemfert 'pfɛmfɐt
Pfennig 'pfɛnɪç, -e ...ɪgə
Pferch pfɛrç
pferchen 'pfɛrçn̩
Pferd pfeːɐ̯t, -e ...də
Pferdmenges 'pfeːɐ̯tmɛŋəs
Pfette 'pfɛtə
pfetzen 'pfɛtsn̩
pfiff, P... pfif
Pfifferling 'pfifɐlɪŋ
pfiffig 'pfifɪç, -e ...ɪgə
Pfiffikus 'pfifikʊs, -se ...ʊsə
Pfingsten 'pfɪŋstn̩
Pfingstsonntag 'pfɪŋst'zɔn-
  taːk
Pfin[t]zing 'pfɪntsɪŋ
Pfinz[gau] 'pfɪnts[gau̯]
Pfirsich 'pfɪrzɪç
Pfister 'pfɪstɐ
Pfitscher 'pfɪtʃɐ
Pfitzner 'pfɪtsnɐ
Pfizer 'pfɪtsɐ, engl. 'faɪzɐ
Pflänzchen 'pflɛntsçən
Pflanze 'pflantsə

pflanzen 'pflantsn̩
Pflänzling 'pflɛntslɪŋ
Pflaster 'pflastɐ
Pflästerchen 'pflɛstɐçən
pflastern 'pflastɐn
pflästern 'pflɛstɐn
Pflatsch[en] 'pflatʃ[n̩]
pflatschen 'pflatʃn
Pfläumchen 'pflɔymçən
Pflaume 'pflaumə
pflaumen 'pflaumən
pflaum[en]weich
'pflaum[ən]'vaiç
Pflege 'pfle:gə
pflegen 'pfle:gn̩, pfleg!
pfle:k, pflegt pfle:kt
Pfleger-Moravský *tschech.*
'pflɛgɐr'mɔrafski:
pfleglich 'pfle:klɪç
Pflegling 'pfle:klɪŋ
Pfleiderer 'pflaidɔrɐ
Pflicht pflɪçt
...pflichtig ...pflɪçtɪç, -e
...ɪgə
Pflimlin *fr.* pflim'lɛ̃
Pflock pflɔk, Pflöcke
'pflœkə
Pflöckchen 'pflœkçən
pflocken 'pflɔkn̩
pflöcken 'pflœkn̩
pflog pflo:k
pflöge 'pflø:gə
pflogen 'pflo:gn̩
pflogt pflo:kt
pflögt pflø:kt
Pflotsch 'pflɔtʃ
Pflücke 'pflʏkə
pflücken 'pflʏkn̩
Pflug pflu:k, -es 'pflu:gəs,
Pflüge 'pfly:gə
Pflüger 'pfly:gɐ
Pfordten 'pfɔrtn̩
Pforr pfɔr
Pforta 'pfɔrta
Pförtchen 'pfœrtçən
Pforte 'pfɔrtə
Pförtner 'pfœrtnɐ
Pforzheim 'pfɔrtshaim
Pföstchen 'pfœstçən
Pfoste 'pfɔstə
Pfosten 'pfɔstn̩
Pföttchen 'pfœ:tçən
Pfote 'pfo:tə
Pfriem pfri:m
pfriemeln 'pfri:mln̩
Pfrille 'pfrɪlə
Pfronten 'pfrɔntn̩
Pfropf pfrɔpf
Pfröpfchen 'pfrœpfçən
pfropfen, Pf... 'pfrɔpfn̩

Pfröpfling 'pfrœpflɪŋ
Pfründe 'pfrʏndə
Pfründner 'pfrʏntnɐ
Pfuhl pfu:l
Pfühl pfy:l
pfui!, Pfui pfui
Pfullendorf 'pfʊləndɔrf
Pfullingen 'pfʊlɪŋən
Pfulmen 'pfʊlmən
Pfund pfʊnt, -e ...ndə
Pfündchen 'pfʏntçən
...pfünder ...pfʏndɐ
pfundig 'pfʊndɪç, -e ...ɪgə
...pfündig ...pfʏndɪç, -e
...ɪgə
Pfundskerl 'pfʊnts'kɛrl
Pfungstadt 'pfʊŋʃtat
Pfusch pfʊʃ
pfuschen 'pfʊʃn̩
Pfuscherei pfʊʃə'rai
pfutsch pfʊtʃ
Pfütze 'pfʏtsə
pfützig 'pfʏtsɪç, -e ...ɪgə
Pfyffer 'pfi:fɐ
Phäake fɛ'a:kə
Phädon 'fɛ:dɔn
Phädra 'fɛ:dra
Phädros 'fɛ:drɔs
Phädrus 'fɛ:drʊs
Phaedra 'fɛ:dra
Phaedrus 'fɛ:drʊs
Phaethon 'fa:etɔn
phaethonisch fae'to:nɪʃ
phaethontisch fae'tɔntɪʃ
Phage 'fa:gə
Phagedäne fage'dɛ:nə
phagedänisch fage'dɛ:nɪʃ
Phagozyt fago'tsy:t
phagozytieren fagotsy'ti:-
rən
Phagozytose fagotsy'to:zə
Phaidon 'faidɔn
Phaistos 'faistɔs
Phakom fa'ko:m
Phakosklerose fakoskle-
'ro:zə
Phalanstère *fr.* falãs'tɛ:r
Phalanx 'fa:laŋks, ...ngen
fa'laŋən
Phalaris 'fa:larɪs
Phaleron 'fa:lerɔn
phallisch 'falɪʃ
Phallograph falo'gra:f
Phallographie falogra'fi:,
-n ...i:ən
Phallokrat falo'kra:t
Phallometrie falome'tri:, -n
...i:ən
Phalloplastik falo'plastɪk
Phallos 'falɔs, ...lloi 'falɔy

Phallus 'falʊs, ...lli 'fali
Phalsbourg *fr.* fals'bu:r
Pham Văn Đông *vietn.* fam
vai̯n dɔŋ 613
Pham Van Ky *fr.* famvan'ki
Phän fɛ:n
Phanagoreia fanago'raia
Phanar fa'na:ɐ̯
Phanariot fana'rio:t
Phanerogame fanero-
'ga:mə
phaneromer fanero'me:ɐ̯
Phanerophyt fanero'fy:t
Phanerose fane'ro:zə
Phänologie fɛnolo'gi:
Phänomen fɛno'me:n
Phänomena vgl. Phänome-
non
phänomenal fɛnome'na:l
Phänomenalismus fɛno-
mena'lɪsmʊs
phänomenalistisch fɛno-
mena'lɪstɪʃ
Phänomenologie fɛnome-
nolo'gi:
phänomenologisch fɛno-
meno'lo:gɪʃ
Phänomenon fɛ'no:menɔn,
...ena ...na
Phänotyp[us] fɛno'ty:p[ʊs]
...i:ən
Phantasie fanta'zi:, -n
...i:ən
phantasieren fanta'zi:rən
Phantasma fan'tasma
Phantasmagorie fantasma-
go'ri:, -n ...i:ən
phantasmagorisch fantas-
ma'go:rɪʃ
Phantast fan'tast
Phantast[ik] fan'tast[ɪk]
Phantasterei fantastə'rai
phantastisch fan'tastɪʃ
Phantasus 'fantazʊs
Phan Thiet *vietn.* fan θiɐ̯t 12
Phantom fan'to:m, *engl.*
'fæntəm
Phäoderm fɛo'dɛrm
Phaon 'fa:ɔn
Phäophyzee fɛofy'tse:ə
Pharao 'fa:rao, -nen fara'o:-
nən
pharaonisch fara'o:nɪʃ
Pharisäer fari'zɛ:ɐ̯
pharisäisch fari'zɛ:ɪʃ
Pharisäismus farizɛ'ɪsmʊs
Pharma... 'farma...
Pharmaka vgl. Pharmakon
Pharmakant farma'kant
Pharmakodynamik farma-
kody'na:mɪk

Pharmakognosie farmako-
gno'zi:
pharmakognostisch far-
mako'gnɔstɪʃ
Pharmakokinetik farmako-
ki'ne:tɪk
Pharmakologe farmako-
'lo:gə
Pharmakologie farmako-
lo'gi:
pharmakologisch farmako-
'lo:gɪʃ
Pharmakon 'farmakɔn, ...ka
...ka
Pharmakopöe farmako'pø:,
selten: ...'pø:ə, -n ...'pø:ən
Pharmakopsychologie far-
makɔpsyçolo'gi:
Pharmareferent 'farmare-
ferɛnt
Pharmazeut[ik] farma-
'tsɔyt[ɪk]
Pharmazeutikum farma-
'tsɔytikʊm, ...ka ...ka
pharmazeutisch farma-
'tsɔytɪʃ
Pharmazie farma'tsi:
Pharnabazos farna'ba:tsɔs,
far'na:batsɔs
Pharnakes 'farnakɛs
Pharo 'fa:ro
Pharos 'fa:rɔs
Pharr engl. fa:
Pharsalos 'farzalɔs, far'za:-
lɔs
Pharsalus far'za:lʊs
Pharus 'fa:rʊs, -se ...ʊsə
pharyngal faryŋ'ga:l
pharyngalisieren faryŋga-
li'zi:rən
Pharyngismus faryŋ'gɪs-
mʊs
Pharyngitis faryŋ'gi:tɪs,
...itiden ...gi'ti:dn
Pharyngologie faryŋgo-
lo'gi:
pharyngologisch faryŋgo-
'lo:gɪʃ
Pharyngoskop faryŋgo-
'sko:p
Pharyngoskopie faryŋgo-
sko'pi:, -n ...i:ən
Pharyngospasmus paryŋ-
go'spasmʊs
Pharyngotomie faryŋgo-
to'mi:
Pharynx 'fa:ryŋks, Pharyn-
gen fa'ryŋən
Phasael 'fa:zae:l, auch:
...aɛl

Phase 'fa:zə
Phaser 'fe:zɐ
...phasig ....fa:zɪç, -e ...ɪgə
Phasin fa'zi:n
phasisch 'fa:zɪʃ
Phasopathie fazopa'ti:, -n
...i:ən
Phasophrenie fazofre'ni:,
-n ...i:ən
phatisch 'fa:tɪʃ
Phattalung Thai phadta'luŋ
411
Phazelie fa'tse:liə
Ph. D. engl. pi:eɪtʃ'di:
Phecda 'fɛkda
Pheidias faɪ'di:as
Phellodendron fɛlo'dɛn-
drɔn
Phelloderm fɛlo'dɛrm
Phellogen fɛlo'ge:n
Phelloid fɛlo'i:t, -e ...i:də
Phelloplastik fɛlo'plastɪk
phelloplastisch felo'plastɪʃ
Phelonium fe'lo:niʊm, ...ien
...iən
Phelps engl. fɛlps
Phenacetin fenatse'ti:n
Phenakit fena'ki:t
Phenanthren fenan'tre:n
Phenetidin feneti'di:n
Phenetol fene'to:l
Phenix engl. 'fi:nɪks
Phenol fe'no:l
Phenoplast feno'plast
Phenyl fe'ny:l
Phenylketonurie feny:lke-
tonu'ri:, -n ...i:ən
Pherä 'fe:rɛ
Pherekrateus ferekra'te:ʊs,
...een ...e:ən
Pherekrates fe're:kratɛs
Pherekydes fere'ky:dɛs
Pheromon fero'mo:n
Phet Buri Thai 'phedbu'ri:
411
Phi fi:
Phiale 'fia:lə
Phidias 'fi:djas
phidiassisch, Ph... fi'diasɪʃ
Philä 'fi:lɛ
Philadelphia fila'dɛlfia,
engl. filə'dɛlfiə
Philadelphier fila'dɛlfiɐ
philadelphisch fila'dɛlfɪʃ
Philaleth[es] fila'le:t[ɛs]
Philander fi'landɐ
Philane fi'la:nə
Philanthrop filan'tro:p
Philanthropie filantro'pi:
Philanthropin filantro'pi:n

Philanthropinismus filan-
tropi'nɪsmʊs
Philanthropinist filantropi-
'nɪst
Philanthropinum filantro-
'pi:nʊm, ...na ...na
philanthropisch filan'tro:-
pɪʃ
Philanthropismus filantro-
'pɪsmʊs
Philaret fila're:t
Philario fi'la:rio
Philatelie filate'li:
Philatelist filate'lɪst
Philby engl. 'fɪlbɪ
Philemon fi'le:mɔn
Philetairos file'taɪrɔs
Philetärus file'tɛ:rʊs
Philetas fi'le:tas
Philharmonie fɪlharmo'ni:,
fi:l..., -n ...i:ən
Philharmoniker fɪlhar'mo:-
nikɐ, fi:l...
philharmonisch fɪlhar'mo:-
nɪʃ, fi:l...
Philhellene fɪlhɛ'le:nə, fi:l...
Philhellenismus fɪlhɛle'nɪs-
mʊs, fi:l...
Philibert 'fi:libɛrt, fr. fili-
'bɛ:r
Philidor fr. fili'dɔ:r
Philine fi'li:nə
Philip 'fi:lɪp, engl. 'fɪlɪp, fr.
fi'lip
Philipe fr. fi'lip
Philipp 'fi:lɪp
Philippa fi'lɪpa, engl. 'fɪlɪpə
–'–...
Philippe fr. fi'lip
Philippeville fr. filip'vil
[1]Philippi (antike Stadt; Per-
sonenname) fi'lɪpi
[2]Philippi (USA) engl. 'fɪlɪpɪ
Philippicus fi'lɪpikʊs
Philippide rumän. fili'pide
Philippika fi'lɪpika
Philippine filɪ'pi:nə
Philippinen filɪ'pi:nən
Philippines engl. 'fɪlɪpi:nz
philippinisch filɪ'pi:nɪʃ
philippisch fi'lɪpɪʃ
Philippone filɪ'po:nə
Philippopel filɪ'po:pl̩
Philippot fr. fili'po
Philipps engl. 'fɪlɪps
Philippsburg 'fi:lɪpsbʊrk,
engl. 'fɪlɪpsbɔ:g
Philippson 'fi:lɪpzɔn
Philippus fi'lɪpʊs

Philips 'fi:lɪps, *niederl.*
'filɪps, *engl.* 'fɪlɪps
Philiskos fi'lɪskɔs
Philister fi'lɪstɐ
Philisterei filɪstə'raɪ
Philisterium filɪs'te:rɪʊm
Philistos fi'lɪstɔs
philistrieren filɪs'tri:rən
philiströs filɪs'trø:s, -e
...ø:zə
Phillip *engl.* 'fɪlɪp
Phillip[p]s *engl.* 'fɪlɪps
Phillpotts *engl.* 'fɪlpɔts
Phillumenie filume'ni:
Phillumenist filume'nɪst
Philo 'fi:lo
philobat filo'ba:t
Philodemos filo'de:mɔs
Philodendron filo'dɛndrɔn
Philogyn filo'gy:n
Philokalia filoka'li:a
Philokalie filoka'li:
Philoktet[es] filɔk'te:t[ɛs]
Philolaos filo'la:ɔs
Philologe filo'lo:gə
Philologie filolo'gi:
philologisch filo'lo:gɪʃ
Philomathie filoma'ti:
Philomela filo'me:la
Philomele filo'me:lə
Philomena filo'me:na
Philon 'fi:lɔn
Philopoimen filo'pɔymən
Philopömen filo'pø:mən
Philoponos fi'lo:pɔnɔs
Philosemit filoze'mi:t
Philosemitismus filozemi-
'tɪsmʊs
Philosoph filo'zo:f
Philosophaster filozo'fastɐ
Philosophem filozo'fe:m
Philosophia perennis,
- **prima** filozo'fi:a pe'rɛnɪs,
- 'pri:ma
Philosophie filozo'fi:, -n
...i:ən
philosophieren filozo'fi:rən
Philosophikum filo'zo:fi-
kʊm
philosophisch filo'zo:fɪʃ
Philostorgios filo'stɔrgjɔs
Philostrat filos'tra:t
Philostratos fi'lɔstratɔs
Philotas fi'lo:tas
Philotheos fi'lo:teɔs
Philotus fi'lo:tʊs
Philoxenie filɔkse'ni:
Philoxenos fi'lɔksenɔs
Philto 'filto
Philtrum 'fɪltrʊm

Phimose fi'mo:zə
Phineus 'fi:nɔys
Phintias 'fɪntjas
Phiole 'fio:lə
Phiops 'fi:ɔps
Phip[p]s *engl.* fɪps
Phitsanulok *Thai* phisanu-
'lo:g 4143
Phiz *engl.* fɪz
Phlebektasie flebɛkta'zi:,
-n ...i:ən
Phlebitis fle'bi:tɪs, ...itiden
...bi'ti:dn
phlebogen flebo'ge:n
Phlebographie flebogra'fi:
Phlebolith flebo'li:t
Phlebologe flebo'lo:gə
Phlebologie flebolo'gi:
Phlegethon 'fle:getɔn
Phlegma 'flɛgma
Phlegmasie flɛgma'zi:, -n
...i:ən
Phlegmatiker flɛ'gma:tikɐ
Phlegmatikus flɛ'gma:ti-
kʊs, -se ...ʊsə
phlegmatisch flɛ'gma:tɪʃ
Phlegmone flɛ'gmo:nə
phlegmonös flɛgmo'nø:s,
-e ...ø:zə
phlegräisch fle'grɛ:ɪʃ
Phlejus 'flaɪʊs
Phleum 'fle:ʊm
Phloem flo'e:m
Phlogiston 'flo:gɪstɔn
phlogogen flogo'ge:n
Phlogose flo'go:zə
Phlogosis flo'go:zɪs
Phlomis 'flo:mɪs
Phloroglucin floroglu'tsi:n
Phlox flɔks
Phloxin flɔ'ksi:n
Phlyaken fly'a:kn̩
Phlyktäne flyk'tɛ:nə
Phnom Penh pnɔm'pɛn,
Khmer phnɔm'pɪŋ
Phöbe 'fø:bə
Phobie fo'bi:, -n ...i:ən
Phobophobie fobofo'bi:, -n
...i:ən
Phobos 'fo:bɔs
Phöbos 'fø:bɔs
Phöbus 'fø:bʊs
Phocion 'fo:tsjon
Phoenix[ville] *engl.*
'fi:nɪks[vɪl]
Phoinix 'fɔynɪks
Phokäa fo'kɛ:a
Phokas 'fo:kas
Phokion 'fo:kjɔn
Phokis 'fo:kɪs

Phokomelie fokome'li:, -n
...i:ən
Phokylides fo'ky:lidɛs
Pholien *fr.* fɔ'ljɛ̃
Phoma 'fo:ma
Phon fo:n
Phonasthenie fonaste'ni:
Phonation fona'tsio:n
phonatorisch fona'to:rɪʃ
Phonem fo'ne:m
Phonematik fone'ma:tɪk
phonematisch fone'ma:tɪʃ
Phonemik fo'ne:mɪk
phonemisieren fonemi'zi:-
rən
Phonendoskop fonɛndo-
'sko:p
Phonetik fo'ne:tɪk
Phonetiker fo'ne:tikɐ
phonetisch fo'ne:tɪʃ
Phonetograph foneto'gra:f
Phoniater fo'nia:tɐ
Phoniatrie fonia'tri:
Phonik 'fo:nɪk
Phöniker fø'ni:kɐ
Phönikien fø'ni:kjən
phönikisch fø'ni:kɪʃ
Phonismus fo'nɪsmʊs
Phönix 'fø:nɪks
Phönizien fø'ni:tsjən
Phönizier fø'ni:tsjɐ
phönizisch fø'ni:tsɪʃ
Phono 'fo:no
phonogen fono'ge:n
Phonognomik fono'gno:-
mɪk
Phonogramm fono'gram
Phonograph fono'gra:f
Phonographie fonogra'fi:,
-n ...i:ən
Phonokoffer 'fo:nokɔfɐ
Phonola® fo'no:la
Phonolith fono'li:t
Phonologe fono'lo:gə
Phonologie fonolo'gi:
phonologisch fono'lo:gɪʃ
phonologisieren fonologi-
'zi:rən
Phonomanie fonoma'ni:, -n
...i:ən
Phonometer fono'me:tɐ
Phonometrie fonome'tri:
phonometrisch fono'me:-
trɪʃ
Phonophobie fonofo'bi:, -n
...i:ən
Phonotaktik fono'taktɪk
Phonotaxie fonota'ksi:, -n
...i:ən
Phonotaxis fono'taksɪs

Phonothek fono'te:k
Phonotypistin fonoty'pıstın
Phoresie fore'zi:
Phorkos 'fɔrkɔs
Phorkyas 'fɔrkÿas, ...aden
fɔr'kÿa:dn̩
Phorkys 'fɔrkʏs
Phorminx 'fɔrmıŋks, ...min-
gen ...'mıŋən
Phormium 'fɔrmiʊm, ...ien
...iən
Phoron fo'ro:n
Phoronomie forono'mi:
Phosgen fɔs'ge:n
Phosphat fɔs'fa:t
Phosphatase fɔsfa'ta:zə
Phosphatid fɔsfa'ti:t, -e
...ti:də
phosphatieren fɔsfa'ti:rən
Phosphen fɔs'fe:n
Phosphid fɔs'fi:t, -e ...i:də
Phosphin fɔs'fi:n
Phosphit fɔs'fi:t
Phosphor 'fɔsfo:ɐ̯
Phosphore fɔs'fo:rə
Phosphoreszenz fɔsforɛs-
'tsɛnts
phosphoreszieren fɔsforɛs-
'tsi:rən
phosphorig 'fɔsforıç, -e
...ıgə
Phosphorismus fɔsfo'rıs-
mʊs
Phosphorit fɔsfo'ri:t
Phot[ios] 'fo:t[ɔs]
Photismus fo'tısmʊs
Photius 'fo:tsius
Photo 'fo:to
Photochemie fotoçe'mi:,
'fo:toçemi:
Photochemigraphie foto-
çemigra'fi:, 'fo:toçemi-
grafi:
photochemisch foto'çe:-
mıʃ, 'fo:toçe:mıʃ
photochrom foto'kro:m
photogen foto'ge:n
Photogenität fotogeni'tɛ:t
Photogramm foto'gram
Photogrammmetrie foto-
grame'tri:
photogrammmetrisch
fotogra'me:trıʃ
Photograph foto'gra:f
Photographie fotogra'fi:,
-n ...i:ən
photographieren fotogra-
'fi:rən
photographisch foto'gra:fıʃ

Photokopie fotoko'pi:, -n
...i:ən
photokopieren fotoko'pi:-
rən
Photolyse foto'ly:zə
Photom fo'to:m
Photomaton® fotoma'to:n
Photometer foto'me:tɐ
Photometrie fotome'tri:
photometrisch foto'me:trıʃ
Photon 'fo:tɔn, fo'to:n, ...en
fo'to:nən
Photoperiodismus fotope-
rio'dısmʊs
photophil foto'fi:l
Photophob foto'fo:p, -e
...o:bə
Photophobie fotofo'bi:
Photopsie fotɔ'psi:
Photosatz 'fo:tozats
Photosphäre foto'sfɛ:rə,
'fo:tosfɛ:rə
Photosynthese fotozyn-
'te:zə, 'fo:tozʏnte:zə
phototaktisch foto'taktıʃ
Phototaxis foto'taksıs
Photothek foto'te:k
Phototherapie fototera'pi:
Phototropismus fototro-
'pısmʊs
Phototypie fototy'pi:, -n
...i:ən
Photovoltaik fotovɔl'ta:ık
Photozinkographie foto-
tsıŋkogra'fi:
Phraates fra'a:tɛs
Phragmobasidiomyzet
fragmobazidiomy'tse:t
Phraortes fra'ɔrtɛs
Phrase 'fra:zə
Phrasendrescherei
fra:zn̩drɛʃə'rai
Phraseolexem frazeo-
lɛ'kse:m
Phraseologie frazeolo'gi:,
-n ...i:ən
phraseologisch frazeo'lo:-
gıʃ
Phraseologismus frazeolo-
'gısmʊs
Phraseonym frazeo'ny:m
Phraseur fra'zø:ɐ̯
phrasieren fra'zi:rən
Phratrie fra'tri:, -n ...i:ən
Phrenalgie frenal'gi:, -n
...i:ən
Phrenesie frene'zi:
phrenetisch fre'ne:tıʃ
Phrenikus 'fre:nikʊs

Phrenitis fre'ni:tıs, ...itiden
...ni'ti:dn̩
Phrenokardie frenokar'di:,
-n ...i:ən
Phrenolepsie frenolɛ'psi:,
-n ...i:ən
Phrenologe freno'lo:gə
Phrenologie frenolo'gi:
Phrenonym freno'ny:m
Phrenopathie frenopa'ti:
Phrilon® 'fri:lɔn
Phrix[os] 'frıks[ɔs]
Phrixus 'frıksʊs
Phrygana 'fry:gana
Phryganiden fryga'ni:dn̩
Phryg[i]er 'fry:g[i]ɐ
Phrygien 'fry:giən
phrygisch 'fry:gıʃ
Phryne 'fry:nə
Phrynia 'fry:nia
Phrynichos 'fry:nıçɔs
Phryxus 'frʏksʊs
Phthalat fta'la:t
Phthalein ftale'i:n
Phthalsäure 'fta:lzɔyrə
Phthiotis 'ftio:tıs
Phthiriase fti'ria:zə
Phthiriasis fti'ri:azıs,
...iasen fti'ria:zn̩
Phthise 'fti:zə
Phthiseophobie ftizeofo'bi:
Phthisiker 'fti:zikɐ
Phthisis 'fti:zıs
phthisisch 'fti:zıʃ
phthitisch 'fti:tıʃ
Phuket Thai phu:'ked 12
Phu Lang Thu'o'g vietn. fu
laŋ θiəŋ 461
Phu Ly vietn. fu li 42
Phu Quôc vietn. fu kuək 22
Phu Tho vietn. fu θɔ 26
Phyfe engl. faıf
Phykoden... fy'ko:dn̩...
Phykoerythrin fykolery-
'tri:n
Phykologie fykolo'gi:
Phykomyzeten fykomy-
'tse:tn̩
Phyla vgl. Phylum
Phylakterion fylak'te:riɔn,
...ien ...iən
Phylax 'fy:laks
Phyle 'fy:lə
phyletisch fy'le:tıʃ
Phyllis 'fʏlıs, engl. 'fılıs
Phyllit fʏ'li:t
Phyllobiologie fʏlobiolo'gi:
Phyllochinon fʏloçi'no:n
Phyllodium fʏ'lo:diʊm,
...ien ...iən

Phyllokaktus fylo'kaktʊs
Phyllokladium fylo'kla:-
djʊm, ...ien ...jən
Phyllophage fylo'fa:gə
Phyllopode fylo'po:də
Phyllotaxis fylo'taksıs
Phylloxera fylɔ'kse:ra
Phylogenese fyloge'ne:zə
phylogenetisch fyloge'ne:-
tıʃ
Phylogenie fyloge'ni:, -n
...i:ən
Phylogonie fylogo'ni:, -n
...i:ən
Phylum 'fy:lʊm, Phyla 'fy:la
Phyma 'fy:ma, -ta -ta
Physalis 'fy:zalıs, ...len
fy'za:lən
Physiater fy'zja:tɐ
Physharmonika fy:shar-
'mo:nika
Physiatrie fyzja'tri:
Physick engl. 'fızık
Physik fy'zi:k
physikalisch fyzi'ka:lıʃ
Physikalismus fyzika'lıs-
mʊs
Physikat fyzi'ka:t
Physiker 'fy:zikɐ
Physikochemie fyziko-
çe'mi:
physikochemisch fyziko-
'çe:mıʃ
Physikotechniker fyziko-
'tɛçnikɐ
Physikotheologie fyziko-
teolo'gi:
Physikum 'fy:zikʊm
Physikus 'fy:zikʊs, -se
...ʊsə
physiogen fyzjo'ge:n
Physiogeographie fyzjo-
geogra'fi:
Physiognom fyzjo'gno:m
Physiognomie fyzjo-
gno'mi:, -n ...i:ən
Physiognomik fyzjo'gno:-
mık
Physiognomiker fyzjo-
'gno:mikɐ
Physiographie fyzjogra'fi:
physiographisch fyzjo-
'gra:fıʃ
Physioklimatologie fyzjo-
klimatolo'gi:
Physiokrat fyzjo'kra:t
Physiokratie fyzjokra'ti:
Physiokratismus fyzjokra-
'tısmʊs
Physiologe fyzjo'lo:gə

Physiologie fyzjolo'gi:
physiologisch fyzjo'lo:gıʃ
Physiologus fy'zjo:logʊs
Physionomie fyzjono'mi:
Physiotherapeut fyzjotera-
'pɔyt
Physiotherapie fyzjote-
ra'pi:
Physiotop fyzjo'to:p
Physis 'fy:zıs
physisch 'fy:zıʃ
Physometra fyzo'me:tra
Physostigmin fyzostı'gmi:n
Phyteuma fy'tɔyma
Phytin fy'ti:n
Phytoflagellat fytoflagɛ'la:t
phytogen fyto'ge:n
Phytogeographie fytogeo-
gra'fi:
Phytognosie fytogno'zi:, -n
...i:ən
Phytohormon fytohɔr'mo:n
Phytolithen fyto'li:tn
Phytologie fytolo'gi:
Phytom fy'to:m
Phytomedizin fytomedi-
'tsi:n
Phytonose fyto'no:zə
phytopathogen fytopato-
'ge:n
Phytopathologie fytopato-
lo'gi:
phytopathologisch fytopa-
to'lo:gıʃ
phytophag fyto'fa:k, -e
...'fa:gə
Phytophage fyto'fa:gə
Phytoplankton fyto'plaŋk-
tɔn
Phytophthora fy'tɔftora
Phytotherapie fytotera'pi:
Phytotomie fytoto'mi:
Phytotron 'fy:totro:n
Phytozoon fyto'tso:ɔn,
...zoen ...tso:ən
[1]Pi pi:
[2]Pi (Name) span. pi
Pia 'pi:a
Piacentini it. pjatʃen'ti:ni
Piacenza it. pja'tʃɛntsa
Piacere pja'tʃe:rə
piacevole pja'tʃe:vole
Pia Desideria 'pi:a dezi'de:-
rja
Piaf fr. pjaf
Piaffe 'pjafə
piaffieren pja'fi:rən
Pia Fraus 'pi:a 'fraus
Piaget fr. pja'ʒɛ

Pia Mater [spinalis] 'pi:a
'ma:tɐ [spi'na:lıs]
Pianchi 'pjançi
piangendo pjan'dʒɛndo
Pianino pja'ni:no
pianissimo pja'nısimo
Pianissimo pja'nısimo, ...mi
...mi
pianissimo quanto possi-
bile pja'nısimo 'kvanto
pɔ'si:bile
Pianist pja'nıst
piano 'pja:no
Piano 'pja:no, ...ni ...ni
Pianoakkordeon
pjanola'kɔrdeɔn
Pianochord pjano'kɔrt, -e
...rdə
Pianoforte pjano'fɔrtə
Pianola pja'no:la
Pians pjans
Piarist pja'rıst
Piasecki poln. pja'sɛtski
Piaseczno poln. pja'sɛtʃno
Piassava pja'sa:va
Piassave pja'sa:və
Piast pjast, poln. pjast
Piaster 'pjastɐ
Piatigorsky pjati'gɔrski,
engl. pjɑ:tı'gɔ:skı
Piatti 'pjati, it. 'pjatti
Piaubert fr. pjo'bɛ:r
Piauí bras. pja'ui
Piave it. 'pja:ve
Piazza (Platz) 'pjatsa, ...zze
...tsə
Piazza [Armerina] it.
'pjattsa [arme'rina]
[1]Piazzetta (Platz) pja'tsɛta
[2]Piazzetta (Name) it. pjat-
'tsetta
Piazzi it. 'pjattsi
Pibroch 'pi:brɔx, engl. ...rɔk
Pica 'pi:ka, span. 'pika
Picabia fr. pika'bja
Picador pika'do:ɐ, -es
...'do:rɛs
Pićan serbokr. 'pitçan
Picander pi'kandɐ
Picard fr. pi'ka:r
Picarde pi'kardə
Picardie fr. pikar'di
Picaro 'pi:karo
Picasso span. pi'kaso
Picayune engl. pıkə'ju:n
Piccadilly pıkə'dılı
Piccalilli pıka'lıli, engl.
'pıkəlılı
Piccard fr. pi'ka:r
Piccini it. pit'tʃi:ni

Piccinni *it.* pit'tʃinni
Piccoli *fr.* pikɔ'li
piccolo, P... 'pɪkolo
Piccolomini pɪko'lo:mini, *it.*
pikko'lɔ:mini
Picea 'pi:tsea
Piceno *it.* pi'tʃɛ:no
Picenum pi'tse:nʊm
picheln 'pɪçl̩n
Pichelsteiner 'pɪçlʃtaɪnɐ
pichen 'pɪçn̩
Pichette *fr.* pi'ʃɛt
Pichincha *span.* pi'tʃintʃa
Pichl 'pɪçl̩
Pichler 'pɪçlɐ
Picht pɪçt
Pichu Pichu *span.* 'pitʃu
'pitʃu
Pick[e] 'pɪk[ə]
Pickel 'pɪkl̩
pickelig 'pɪkəlɪç, -e ...ɪgə
pickeln 'pɪkl̩n
picken 'pɪkn̩
Pickens *engl.* 'pɪkɪnz
Picker 'pɪkɐ
Pickering *engl.* 'pɪkərɪŋ
Pickerl 'pɪkɐl
pickern 'pɪkɐn
Pickett *engl.* 'pɪkɪt
Pickford *engl.* 'pɪkfəd
Pickles 'pɪkl̩s
picklig 'pɪklɪç, -e ...ɪgə
Picknick 'pɪknɪk
picknicken 'pɪknɪkn̩
Pickthall *engl.* 'pɪkθɔ:l
Pick-up pɪk'ˈap, '—
Pickwick *engl.* 'pɪkwɪk
Pico *it.* 'pi:ko, *span.* 'piko,
port., bras. 'piku
Picó *kat.* pi'ko
picobello piko'bɛlo
Picofarad pikofa'ra:t
Pico Rivera *engl.* 'pi:koʊ
rɪ'vɛərə
Picot pi'ko:
Picotage piko'ta:ʒə
Picou *engl.* pɪ'ku:
Picpus *fr.* pik'pys
Pictet *fr.* pik'tɛ
Picton *engl.* 'pɪktən
Pictor 'pɪkto:ɐ
Pictorius pɪk'to:rjʊs
Picture Post *engl.* 'pɪktʃə
'poʊst
Picus 'pi:kʊs
Pidal *span.* pi'ðal
Pidgeon *engl.* 'pɪdʒɪn
Pidgin 'pɪdʒɪn
pidginisieren pɪdʒini'zi:rən

Pidmohylny *ukr.* pidmɔ-
'hɪljnɪj
Pie paɪ, *fr.* pi
Pièce 'pjɛ:s[ə], 'pjɛ:s[ə], -n
...sn̩
Pièce de Résistance, -s - -
'pjɛ:s də rezɪs'tã:s, 'pjɛ:s - -
**Pièce touchée, pièce
jouée** 'pjɛ:s tu'ʃe:, 'ʒu̯e:;
- tʊ'ʃe:, - -
Pieck pi:k
Piedestal pjedɛs'ta:l
Piedmont *engl.* 'pi:dmənt
Piedra *span.* 'pjeðra
Piedras Negras *span.* 'pje-
ðraz 'neɣras
Piefke 'pi:fkə
Piek pi:k
Piekar 'pjɛkar
Piekary *poln.* pjɛ'kari
Pieke 'pi:kə
piekfein 'pi:k'faɪn
Piel pi:l
Pielinen *finn.* 'pjɛlinɛn
Piemont pje'mɔnt
Piemonte *it.* pje'monte
Piemontese pjemɔn'te:zə
piemontesisch pjemɔn'te:-
zɪʃ
piemontisch pje'mɔntɪʃ
Piene 'pi:nə
pieno 'pje:no
Pienza *it.* 'pjɛntsa
piep!, Piep pi:p
piepe 'pi:pə
piepegal 'pi:plɛ'ga:l
Piepel 'pi:pl̩
piepen, P... 'pi:pn̩
Pieper 'pi:pɐ
pieps, Pieps pi:ps
piepsen 'pi:psn̩
piepsig 'pi:psɪç, -e ...ɪgə
Pier pi:ɐ
Pierce *engl.* pɪəs
Piercing 'pi:ɐsɪŋ
Piercy *engl.* 'pɪəsi
Pierer 'pi:rɐ
Pieria *neugr.* pje'ria
Pieriden pje'ri:dn̩
Pierien 'pje:rjən
Pierino *it.* pje'ri:no
pierisch 'pje:rɪʃ
Pierlot *fr.* pjɛr'lo
Pierluigi *it.* pjerlu'i:dʒi
Piermarini *it.* pjerma'ri:ni
Pierné *fr.* pjɛr'ne
Piero *it.* 'pjɛ:ro
Piérola *span.* 'pjerola
Pierre *fr.* pjɛ:r, *engl.* pɪə
Pierrelatte *fr.* pjɛr'lat

Pierrette pjɛ'rɛtə
Pierrot pjɛ'ro:, *fr.* pjɛ'ro
piesacken 'pi:zakn̩
pieseln 'pi:zl̩n, **piesle**
'pi:zlə
Piesepampel 'pi:zəpampl̩
Piešt'any *slowak.* 'pjɛʃtjani
Piet *niederl.* pit
Pieta pje'ta
Pietà *it.* pje'ta
Pietät pje'tɛ:t
Pieter *niederl.* 'pitər
Pietermaritzburg pi:tɐ'ma:-
rɪtsbʊrk, *engl.* pi:tə'mærɪts-
bə:g, *afr.* pi:tərma'rəts-
bœrx
Pietersburg *afr.* 'pi:tərs-
bœrx
Pietersz *niederl.* 'pitərs
Pietismus pje'tɪsmʊs
Pietist pje'tɪst
pietoso pje'to:zo
Pietra dura 'pje:tra 'du:ra
Piétrain *fr.* pje'trɛ̃
Pietro *it.* 'pje:tro
Pietroasa *rumän.* pje'trǫasa
Pietsch pi:tʃ
pietschen 'pi:tʃn̩
Piette *fr.* pjɛt
Pieve di Cadore *it.* 'pjɛ:ve
di ka'do:re
Pieyre de Mandiargues *fr.*
pjɛrdəmã'djarg
Pieze 'pi:tsə
Piezochemie pjetsoçe'mi:
piezoelektrisch
pjetsole'lɛktrɪʃ
Piezoelektrizität
pjetsolelɛktritsi'tɛ:t
**Piezokontaktmetamor-
phose** pjetsokɔn'taktmeta-
mɔrfo:zə
Piezometer pjetsoʔme:tɐ
Pifferaro pɪfe'ra:ro, ...ri ...ri
Piffero 'pɪfero, ...ri ...ri
piff, paff! 'pɪf'paf
piff, paff, puff! 'pɪf'paf'pʊf
Pig pɪk
Pigage *fr.* pi'ga:ʒ
Pigalle *fr.* pi'gal
Piganiol *fr.* piga'njɔl
Pigeon *engl.* 'pɪdʒɪn
Pigment pɪ'gmɛnt
Pigmentation pɪgmɛnta-
'tsi̯o:n
pigmentieren pɪgmɛn'ti:rən
Pignol[i]e pɪn'jo:l[i̯]ə
Pignon *fr.* pi'ɲõ
Pigou *engl.* 'pɪgu:
Pijacke 'pi:jakə

Pijade *serbokr.* pi'ja:dɛ
Pijiki pi'jıki
Pijna[c]ker *niederl.*
'pɛɪnɑkər
Pijnas *niederl.* 'pɛɪnɑs
Pijper *niederl.* 'pɛɪpər
Pik pi:k
Pikade pi'ka:də
Pikador pika'do:ɐ̯
pikant pi'kant
Pikanterie pikantə'ri:, -n
...i:ən
Pikarde pi'kardə
Pikardie pikar'di:
pikardisch pi'kardıʃ
pikaresk pika'rɛsk
pikarisch pi'ka:rıʃ
Pikass 'pi:k|as, *auch:* -'-
Pikazismus pika'tsısmʊs
¹Pike (Spieß) 'pi:kə
²Pike (Name) *engl.* paɪk
Pikee pi'ke:
piken 'pi:kn̩
Pikenier pikə'ni:ɐ̯
Pikesville *engl.* 'paɪksvɪl
Pikett pi'kɛt
pikieren pi'ki:rən
Pikkolo 'pıkolo
Pikkolomini pıko'lo:mini
Pikofarad pikofa'ra:t
Pikör pi'kø:ɐ̯
pikotieren piko'ti:rən
Pikrat pi'kra:t
Pikrinsäure pi'kri:nzɔyrə
Pikrit pi'kri:t
Pikropege pikro'pe:gə
Pikrotoxin pikrotɔ'ksi:n
piksen 'pi:ksn̩
Piksieben pi:k'zi:bn̩
Pikte 'pıktə
Piktographie pıktogra'fi:
Pikul 'pıkʊl
Pila *poln.* 'piṷa
¹Pilar (Pflock) pi'la:ɐ̯
²Pilar (Name) pi'la:ɐ̯ *span.,
bras.* pi'lar
Pilař *tschech.* 'pilarʃ
Pilarczyk pi'lartʃvk
Pilaster pi'lastɐ
Pilâtre de Rozier *fr.* pilatrə-
dro'zje
Pilatus pi'la:tʊs
Pilau pi'laṷ
Pilaw pi'laf
Pilchard 'pıltʃɐt
Pilcomayo *span.* pilko'majo
Pile paɪl
Pilea 'pi:lea
Pileolus pi'le:olʊs, ...li
pi'le:oli, ...len pile'o:lən

Piles *fr.* pil
Pileta *span.* pi'leta
Pilet-Golaz *fr.* pilɛgɔ'la
Pilger 'pılgɐ
pilgern 'pılgɐn, **pilgre**
'pılgrə
Pilgram 'pılgram
Pilgrim 'pılgrım
Pilica *poln.* pi'litsa
pilieren pi'li:rən
Pilinszky *ung.* 'pilinski
Piliny *ung.* 'pilinj
Pilis *ung.* 'piliʃ
Pilke 'pılkə
pilken 'pılkn̩
Pillat *rumän.* pi'lat
Pillau 'pılaṷ
Pille 'pılə
Pillecijn *niederl.* pılə'sɛɪn
Pilleus 'pıleʊs
pillieren pı'li:rən
Pilling 'pılıŋ
Pillkallen pıl'kalən
Pillnitz 'pılnıts
Pillon (Bergpass) *fr.* pi'jõ
Pillow 'pılo
Pillsbury *engl.* 'pılzbərı
Pilnjak *russ.* pilj'njak
Pilo *schwed.* 'pi:lo
Pilokarpin pilokar'pi:n
Pilon *fr.* pi'lõ
Pilos *neugr.* 'pilɔs
Pilose pi'lo:zə
Pilosis pi'lo:zıs
Pilot[e] pi'lo:t[ə]
pilotieren pilo'ti:rən
Piloty pi'lo:ti
Pils pıls
Pilsen 'pılzn̩
Pils[e]ner 'pılz[ə]nɐ
Piłsudski *poln.* piṷ'sutski
Piltdown *engl.* 'pıltdaʊn
Pilz pılts
pilzig 'pıltsıç, -e ...ıgə
Pimelose pime'lo:zə
Pimen *russ.* 'pimin
Piment pi'mɛnt
Pimmel 'pıml
pimpe 'pımpə
Pimpelei pımpə'laɪ
pimpelig 'pımpəlıç, -e ...ıgə
pimpeln 'pımpl̩n
Pimperlinge 'pımpɐlıŋə
pimpern 'pımpɐn
Pimpernell pımpɐ'nɛl
Pimpf pımpf
Pimpinell[e] pımpi'nɛl[ə]
Pimpinelli pımpi'nɛli, *it.*
pimpi'nɛlli

Pimpinone *it.* pimpi'no:ne
pimplig 'pımplıç, -e ...ıgə
Pin pın
Pinakes vgl. Pinax
Pinakoid pinako'i:t, -e
...i:də
Pinakothek pinako'te:k
Pinang *indon.* 'pinaŋ
Pinar del Río *span.* pi'nar
ðɛl 'rrio
Pinasse pi'nasə
Pinatubo *span.* pina'tuβo
Pinax 'pi:naks, ...akes
...ke:s
Pinay *fr.* pi'nɛ
Pinazo *span.* pi'naθo
Pinboard 'pınbo:ɐ̯t
Pincenez pɛ̃s'ne:, des -
...e:[s], die - ...e:s
Pinch... 'pıntʃ...
Pinchback *engl.* 'pıntʃbæk
Pinche 'pıntʃə, *span.* 'pıntʃe
Pincherle *it.* 'pıŋkerle
Pinchot *engl.* 'pınʃoʊ
Pincio *it.* 'pıntʃo
Pinck pıŋk
Pincop 'pıŋkɔp
Pindar 'pındar
pindarisch pın'da:rıʃ
Pindaros 'pındarɔs
Pindarus 'pındarʊs
Pindemonte *it.* pinde-
'monte
Pinder 'pındɐ
Pindos 'pındɔs, *neugr.* 'pin-
ðɔs
Pindus 'pındʊs
Pineal... pine'a:l...
Pineapple 'paɪn|ɛpl
Pineau *fr.* pi'no
Pine Bluff *engl.* 'paɪn 'blʌf
Pineda *span.* pi'neða
Pinega *russ.* 'pinıgɐ
Pinel *fr.* pi'nɛl
Pine Lawn *engl.* 'paɪn 'lɔ:n
Pinellas Park *engl.* paɪ'nɛləs
'pa:k
Pinen pi'ne:n
Pinero *engl.* pɪ'nıərou
Piñero *span.* pi'ɲero
Pinerolo *it.* pine'ro:lo
Pinetown *engl.* 'paɪntaʊn
Pinetum pi'ne:tʊm
Pineville *engl.* 'paɪnvɪl
Pingdong *chin.* pıŋdʊŋ 21
Pinge 'pıŋə
pingelig 'pıŋəlıç, -e ...ıgə
Pinget *fr.* pɛ̃'ʒɛ
Pingpong 'pıŋpɔŋ
Pinguin 'pıŋgui:n

Pingxiang *chin.* pɪŋcįaŋ 21
Pinheiro *port.* piˈɲeįru, *bras.*
  piˈɲeįru
Pinholes ˈpɪnhoːls
Pinie ˈpiːnįə
Piniole piˈnįoːlə
pink, P... pɪŋk
Pinka[feld] ˈpɪŋkaˌfɛlt]
Pinke ˈpɪŋkə
Pinkel ˈpɪŋkl̩
pinkeln ˈpɪŋkl̩n
pinken ˈpɪŋkn̩
Pinkepinke ˈpɪŋkəˈpɪŋkə
Pinkerton *engl.* ˈpɪŋkətən
pink, pink! ˈpɪŋkˈpɪŋk
Pinkulatorium pɪŋkulaˈtoː-
  rįʊm, ...ien ...įən
Pinna ˈpɪna
Pinne[berg] ˈpɪnə[bɛrk]
pinnen ˈpɪnən
Pino *it.* ˈpiːno
Pinocchio *it.* piˈnɔkkįo
Pinochet *span.* pinoˈtʃɛt
Pinole piˈnoːlə, *engl.* pɪˈnoʊl
Pinos *span.* ˈpinos
Pinot [blanc, - noir] piˈnoː
  [ˈblãː, - ˈnǫaːɐ̯]
Pinozytose pinotsyˈtoːzə
Pinscher ˈpɪnʃɐ
Pinsel ˈpɪnzl̩
Pinselei pɪnzəˈlaį
Pinseler ˈpɪnzəlɐ
pinseln ˈpɪnzl̩n, pinsle
  ˈpɪnzlə
Pinsk pɪnsk, *russ.* pinsk
Pinski ˈpɪnski, *engl.* ˈpɪnskɪ
Pinsky *engl.* ˈpɪnskɪ
Pinsler ˈpɪnzlɐ
¹Pint (Hohlmaß) paįnt
²Pint (Penis) pɪnt
Pinte ˈpɪntə
Pinter *engl.* ˈpɪntə
Pinthus ˈpɪntʊs
Pinto *span.* ˈpinto, *port.*
  ˈpintu
Pintsch pɪntʃ
Pinturicchio *it.* pintuˈrikkįo
Pin-up pɪnˈlap, '--
Pinus ˈpiːnʊs
pinxit ˈpɪŋksɪt
Pinyin ˈpɪnjɪn
Pinza *it.* ˈpintsa
Pinzette pɪnˈtsɛtə
Pinzgau ˈpɪntsgaų
pinzieren pɪnˈtsiːrən
Pinzón *span.* pinˈθɔn
Pio *it.* ˈpiːo
Pío *span.* ˈpio
Piola *it.* ˈpįɔːla
Piombi ˈpįɔmbi

Piombino *it.* pįomˈbiːno
Piombo *it.* ˈpįombo
¹Pion (Schachfigur) pįõː
²Pion (Meson) ˈpiːɔn, -en
  ˈpįoːnən
Pioner[skaja] *russ.* pia-
  ˈnįɛr[skɐjɐ]
Pionerski *russ.* piaˈnjɛrskij
Pionier pįoˈniːɐ̯
Piontek ˈpįɔntɛk
Piot *fr.* pjo
Piotr *poln.* pjɔtr
Piotrków Trybunalski *poln.*
  ˈpjɔtrkuf trɨbuˈnalski
Piovene *it.* pįoˈvɛːne
Piozzi *engl.* ˈpjɔːtsɪ
Pipa ˈpiːpa
Pipapo pipaˈpoː
¹Pipe (Wasserhahn) ˈpiːpə
²Pipe (Hohlmaß) paįp
Pipeline ˈpaįplaįn
¹Piper (Pflanze) ˈpiːpɐ
²Piper (Name) ˈpiːpɐ *engl.*
  ˈpaįpə
Piperazeen piperaˈtseːən
Piperin pipeˈriːn
Pipette piˈpɛtə
Pipi piˈpiː
Pipifax ˈpɪpifaks
Pipin piˈpiːn, *auch:* ˈpɪpiːn
Pipkow *bulgar.* ˈpipkof
Pippa ˈpɪpa
Pippau ˈpɪpaų
Pippin pɪˈpiːn, *auch:* ˈpɪpiːn
Pips pɪps
pipsig ˈpɪpsɪç, -e ...ɪgə
Piqua *engl.* ˈpɪkwə
Pique piˈkː
Piqué piˈkeː
Piqueur piˈkøːɐ̯
Pirach ˈpiːrax
Piracicaba *bras.* pirasiˈkaba
Piräefs *neugr.* pirɛˈɛfs
Piran *slowen.* piˈraːn
Pirandello *it.* piranˈdɛllo
Piranesi *it.* piraˈneːsi
Piranha piˈranja
Piranhas *bras.* piˈrɐɲas
Pirat piˈraːt
Pirata *it.* piˈraːta
Piraterie piratəˈriː, -n ...iːən
Pirath ˈpiːraːt
Piräus piˈrɛːʊs
Piraya piˈraːja
Pirchan ˈpɪrçan
Pirckheimer ˈpɪrkhaįmɐ
Pire *fr.* piːr
Pirelli *it.* piˈrɛlli
Pirenne *fr.* piˈrɛn
Pires *port.* ˈpiriʃ, *bras.* ˈpiris

Pirgos *neugr.* ˈpirγɔs
Pirin *bulgar.* piˈrin
Pirineos *span.* piriˈneos
Pirke Aboth pɪrˈkeː aˈboːt
Pirkheimer ˈpɪrkhaįmɐ
Pirmasens ˈpɪrmazɛns
Pirmez *fr.* pirˈme
Pirmin ˈpɪrmiːn, -ˈ-
Pirminius pɪrˈmiːnįʊs
Pirna ˈpɪrna
Piroge piˈroːgə
Pirogge piˈrɔgə
Pirogow *russ.* piraˈgɔf
Pirol piˈroːl
Piron *fr.* piˈrõ
Piroplasmose piroplas-
  ˈmoːzə
Pirouette piˈrųɛtə
pirouettieren pirųɛˈtiːrən
Pirquet *fr.* pirˈkɛ
Pirro *fr.* piˈro
Pirsch pɪrʃ
pirschen ˈpɪrʃn̩
Pisa ˈpiːza, *it.* ˈpiːsa
Pisan *fr.* piˈzã
Pisanelli *it.* pisaˈnɛlli
Pisanello *it.* pisaˈnɛllo
Pisaner piˈzaːnɐ
Pisang ˈpiːzaŋ
Pisani *it.* piˈsaːni, *fr.* pizaˈni
Pisanio piˈzaːnįo
pisanisch piˈzaːnɪʃ
Pisano *it.* piˈsaːno, *span.*
  piˈsano
Piscator pɪsˈkaːtoːɐ̯
Pischel ˈpɪʃl̩
Pisces ˈpɪstseːs
Piscina pɪsˈtsiːna
Pisciotta *it.* piʃˈʃɔtta
Pisco *span.* ˈpisko
Piseebau piˈzeːbaų
Pisek ˈpiːsɛk
Písek *tschech.* ˈpiːsɛk
Pisendel piˈzɛndl̩
Pisidien pɪˈziːdįən
Pisis *it.* ˈpiːzis
Pisistratus piˈzɪstratʊs
Piso ˈpiːzo
Pisogne *it.* piˈzɔɲɲe
Piss pɪs
pispern ˈpɪspɐn
Pissa ˈpɪsa
Pissarew *russ.* ˈpisɐrif
Pissarro *fr.* pisaˈro
Pisse ˈpɪsə
Pissemski *russ.* ˈpisɪmskij
pissen ˈpɪsn̩
Pissoir pɪˈsǫaːɐ̯
pisswarm ˈpɪsˈvarm
Pistazie pɪsˈtaːtsįə

Piste 'pɪstə
Pisticci *it.* pis'tittʃi
Pistill pɪs'tɪl
Pistoia pɪs'to:ja, *it.* pis'to:i̯a
Pistoiaer pɪs'to:jaɐ
pistoiaisch pɪs'to:jai̯ʃ
Pistoja pɪs'to:ja, *it.* pis'to:i̯a
Pistol (Name) 'pɪstɔl, *engl.*
   pɪstl
Pistol[e] pɪs'to:l[ə]
Pistolero pɪsto'le:ro
Pistoletto *it.* pisto'letto
Piston pɪs'tõ:, *engl.* 'pɪstən
Pistoxenos pɪs'tɔksenɔs
Pistor 'pɪsto:ɐ
Pistorius pɪs'to:ri̯ʊs
Pistyan 'pɪsti̯an
Pisuerga *span.* pi'su̯ɛrɣa
Pisz *poln.* piʃ
Pita 'pi:ta, *fr.* pi'ta
Pitaval *fr.* pita'val
Pitbull 'pɪtbʊl
Pitcairn[e] *engl.* 'pɪtkɛən
pitchen 'pɪtʃn̩
Pitcher 'pɪtʃɐ
Pitchpine 'pɪtʃpai̯n
Pitchshot 'pɪtʃʃɔt
Pite *schwed.* ˌpi:tə, 'pi:tə
Piteå *schwed.* ˌpi:tɔo:
Pitești *rumän.* pi'teʃtj
Pithecus 'pi:tekʊs
Pithekanthropus pite'kan-
   tropʊs, ...pi ...pi
pithekoid piteko'i:t, -e
   ...i:də
Pithiviers *fr.* piti'vje
Pithom 'pi:tɔm
Pitman *engl.* 'pɪtmən
Pitoëf *fr.* pitɔ'ɛf
Piton des Neiges *fr.* pitõ-
   de'nɛːʒ
Pitoni *it.* pi'to:ni
Pitot *fr.* pi'to
Pitotrohr pi'to:ro:ɐ
pitoyabel pitɔa'ja:bl̩, ...ble
   ...blə
Pitra *fr.* pi'tra
pitsch[e]naß 'pɪtʃ[ə]'nas
pitsch[e]patsch[e]naß
   'pɪtʃ[ə]'patʃ[ə]'nas
pitsch, patsch! 'pɪtʃ'patʃ
Pitt *engl.* pɪt
Pittakos 'pɪtakɔs
Pitter *engl.* 'pɪtə
Pittermann 'pɪtɐman
Pitti *it.* 'pitti
Pitting 'pɪtɪŋ
Pittoni *it.* pit'to:ni
pittoresk pɪto'rɛsk

Pittsburg[h] *engl.* 'pɪtsbə:g
Pittsfield *engl.* 'pɪtsfi:ld
Pituitrin pitui'tri:n
Pityriasis pity'ri:azɪs,
   ...iasen ...'ri̯a:zn̩
Pityusen pity'u:zn̩
Pitztal 'pɪtsta:l
più piu:
Pium Corpus 'pi:ʊm 'kɔrpʊs
Piura *span.* 'pi̯ura
Pius 'pi:ʊs
Piut piu:t
Piva (Dudelsack) 'pi:va
Pivot pi'vo:
Piwitt 'pi:vɪt
Pixel 'pɪksl̩
Pixérécourt *fr.* piksere'ku:r
Piz pɪts, *rät.* pits
Pizarro pi'tsaro, *span.*
   pi'θarrɔ
Pizunda *russ.* pi'tsundɐ
Pizza 'pɪtsa
Pizzardo *it.* pit'tsardo
Pizzeria pɪtse'ri:a
Pizzetti *it.* pit'tsetti
pizzicato pɪtsi'ka:to
Pizzikato pɪtsi'ka:to, ...ti ...ti
Pizzo *it.* 'pittso
Pjandsch *russ.* pjantʃ
Pjassina *russ.* 'pjasinɐ
Pjatigorsk *russ.* pɪti'gɔrsk
Pjatigorski pjati'gɔrski,
   russ. pɪti'gɔrskij
Pjongjang pjɔŋ'jaŋ
Pjöngjang pjœŋ'jaŋ
Pjotr *russ.* pjɔtr
Pkw, PKW 'pe:ka:ve:, *auch:*
   --'-
Plä *kat., span.* pla
Plaatje *afr.* 'pla:i̯kji
Placebo pla'tse:bo
Placement plasə'mã:
Placentia *engl.* plə'sɛnʃə
Placerville *engl.* 'plæsəvɪl
placet 'pla:tsɛt
Placetas *span.* pla'θetas
plachandern pla'xandɐn,
   ...dre ...drə
Plache plaxə
Placid *engl.* 'plæsɪd
Placidia pla'tsi:di̯a
placido 'pla:tʃido
Plácido *span.* 'plaθiðo
Placidus 'pla:tsidʊs
Placitum 'pla:tsitʊm, ...ta
   ...ta
placken, P... 'plakn̩
Plackerei plakə'rai̯
pladauz! pla'dau̯ts

pladdern 'pladɐn, pladdre
   'pladrə
Plädeur plɛ'dø:ɐ
plädieren plɛ'di:rən
Plädoyer plɛdo̯a'je:
Plafond pla'fõ:
plafonieren plafo'ni:rən
plagal pla'ga:l
Plage[fenn] 'pla:gə[fɛn]
plagen 'pla:gn̩, plag! pla:k,
   plagt pla:kt
Plagge 'plagə
Plagiar pla'gi̯a:ɐ
Plagiarius pla'gi̯a:ri̯ʊs, ...rii
   ...rii
Plagiat pla'gi̯a:t
Plagiator pla'gi̯a:to:ɐ, -en
   ...i̯a'to:rən
plagiatorisch plagi̯a'to:rɪʃ
Plagieder pla'gi̯e:dɐ
plagiieren plagi'i:rən
plagiogeotrop plagi̯ogeo-
   'tro:p
Plagioklas plagi̯o'kla:s, -e
   ...a:zə
Plagiostomen plagi̯o'sto:-
   mən
plagiotrop plagi̯o'tro:p
Plagiozephalie plagi̯otse-
   fa'li:
Plaid ple:t
Plaidt plai̯t
Plainfield *engl.* 'plei̯nfi:ld
Plainview *engl.* 'plei̯nvju:
Plakat pla'ka:t
plakatieren plaka'ti:rən
Plakation plaka'tsi̯o:n
plakativ plaka'ti:f, -e
   ...'ti:və
Plakette pla'kɛtə
Plakodermen plako'dɛrmən
Plakodont plako'dɔnt
Plakoid... plako'i:t...
Plamann 'pla:man
plan pla:n
Plan pla:n, Pläne 'plɛ:nə
Planar® pla'na:ɐ
Planard *fr.* pla'na:r
Planarie pla'na:ri̯ə
Planche plã:ʃ, -n ...ʃn̩
Plänchen 'plɛ:nçən
Planchette plã'ʃɛtə
Planck plaŋk
Plane 'pla:nə
¹Pläne (Ebene) 'plɛ:nə
²Pläne vgl. Plan
planen pla:nən
Pläner 'plɛ:nɐ
Planet[a] pla'ne:t[a]
planetar plane'ta:ɐ

Planetarium plane'ta:rɪʊm, ...ien ...i̯ən
Planetoid planeto'i:t, -en ...i:dn̩
Planetologie planetolo'gi:
Planica *slowen.* pla'ni:tsa
planieren pla'ni:rən
Planifikateur planifika'tø:ɐ̯
Planifikation planifika-'tsi̯o:n
Planiglob plani'glo:p, -en ...o:bn̩
Planiglobium plani'glo:-bi̯ʊm, ...ien ...i̯ən
Planimeter plani'me:tɐ
Planimetrie planime'tri:
planimetrieren planime-'tri:rən
planimetrisch plani'me:trɪʃ
Planisphäre plani'sfɛ:rə
Planitz 'pla:nɪts
Plank[e] 'plaŋk[ə]
Plänkelei plɛŋkə'lai̯
plänkeln 'plɛŋkl̩n
Plankstadt 'plaŋkʃtat
Plankter 'plaŋktɐ
Plankton 'plaŋktɔn
planktonisch plaŋk'to:nɪʃ
Planktont plaŋk'tɔnt
plano 'pla:no
Plano *engl.* 'plei̯noʊ
Planogamet planoga'me:t
planschen 'planʃn̩
Plant *engl.* plɑ:nt
Planta 'planta
Plantage plan'ta:ʒə
Plantagenet *engl.* plæn-'tædʒɪnɪt
Plantagenêt *fr.* plãtaʒ'nɛ
Plantago plan'ta:go
plantar plan'ta:ɐ̯
Plantation plɛn'te:ʃn̩
Planté *fr.* plã'te
Plantin *fr.* plã'tɛ̃
Plantowolle 'plantovɔlə
Planudes pla'nu:dɛs
Planula 'pla:nula
Planum 'pla:nʊm
plapp[e]rig 'plap[ə]rɪç, -e ...ɪgə
plappern 'plapɐn
Plaque plak
Plaqué pla'ke:
plärren 'plɛrən
Plas *niederl.* plɑs
Pläsanterie plɛzantə'ri:, -n ...i:ən
Plasencia *span.* pla'senθi̯a
Pläsier plɛ'zi:ɐ̯
Plasma 'plasma

Plasmapherese plasmafe-'re:zə
plasmatisch plas'ma:tɪʃ
Plasmochin plasmɔ'xi:n
Plasmodesmen plasmo-'dɛsmən
Plasmodiophora plasmo-'di̯o:fora
Plasmodium plas'mo:di̯ʊm, ...ien ...i̯ən
Plasmogonie plasmogo'ni:
Plasmolyse plasmo'ly:zə
Plasmon plas'mo:n
Plasom pla'zo:m
Plaß plas
Plassenburg 'plasn̩bʊrk
Plassey *engl.* 'plæsɪ
¹Plast (Stoff) plast
²Plast (Name) *russ.* plast
Plaste 'plastə
Plastics 'plɛstɪks
Plastide plas'ti:d
Plastifikator plastifi'ka:-to:ɐ̯, -en ...ka'to:rən
plastifizieren plastifi'tsi:rən
Plastik 'plastɪk
Plastiker 'plastɪkɐ
Plastilin[a] plasti'li:n[a]
Plastinaut plasti'nau̯t
Plastiqueur plasti'kø:ɐ̯
Plastiras *neugr.* plas'tiras
plastisch 'plastɪʃ
plastizieren plasti'tsi:rən
Plastizität plastitsi'tɛ:t
Plastom plas'to:m
Plastopal plasto'pa:l
Plastoponik plasto'po:nɪk
Plastow *russ.* 'plastɐf
Plastron plas'trõ:
Plasy *tschech.* 'plasi
Plata *span.* 'plata
Platää pla'tɛ:ɛ
Plataer pla'tɛ:ɐ
Platane pla'ta:nə
Platanus 'pla:tanʊs
Plate 'pla:tə
Plateau pla'to:
Platen 'pla:tn̩
plateresk, P... plate'rɛsk
Plath *engl.* plæθ
Plathe 'pla:tə
Plathelminten plathɛl-'mɪntn̩
Platin 'pla:ti:n, *auch:* pla-'ti:n
Platine pla'ti:nə
platinieren plati'ni:rən
Platinit® plati'ni:t
Platinoid platino'i:t, -e ...i:də

Plato 'pla:to
Platon 'pla:tɔn, *russ.* pla'tɔn
Platoniker pla'to:nikɐ
platonisch pla'to:nɪʃ
Platonismus plato'nɪsmʊs
Platonow *russ.* pla'tɔnɐf
Platonychie platony'çi:
platsch! platʃ
Platschek 'platʃɛk
platschen 'platʃn̩
plätschern 'plɛtʃɐn
platschnass 'platʃnas
platt, ¹P... plat
²Platt (Name) *engl.* plæt
Plättchen 'plɛtçən
plattdeutsch 'platdɔy̯tʃ
¹Platte 'platə
²Platte (Name) 'platə, *engl.* plæt
Plätte 'plɛtə
Plattei pla'tai̯
plätteln 'plɛtl̩n
platten 'platn̩
plätten 'plɛtn̩
Plattensee[r] 'platn̩ze:[ɐ]
Platter 'platɐ
platterdings 'platɐ'dɪŋs
plattieren pla'ti:rən
plattig 'platɪç, -e ...ɪgə
Plattitüde plati'ty:də
Plattler 'platlɐ
Plättling 'platlɪŋ
Plattsburg[h] *engl.* 'plætsbə:g
Platy 'pla:ty
Platypodie platypo'di:
Platyrrhina platy'ri:na
Platyzephalie platytsefa'li:
Platz plats, Plätze 'plɛtsə
Plätzchen 'plɛtsçən
platzen 'platsn̩
plätzen 'plɛtsn̩
Platzer 'platsɐ
...plätzer ...plɛtsɐ
platzieren pla'tsi:rən
Plätzli 'plɛtsli
Plau plau̯
Plauderei plau̯də'rai̯
Plaud[e]rer 'plau̯d[ə]rɐ
plaudern 'plau̯dɐn, plaudre 'plau̯drə
Plaue[n] 'plau̯ə[n]
plauensch 'plau̯ənʃ
Plauer 'plau̯ɐ
plauesch 'plau̯əʃ
plauisch 'plau̯ɪʃ
plauschen 'plau̯ʃn̩
plausibel plau̯'zi:bl̩, ...ble ...blə

plausibil**ie**ren pla̯uzibi'li:-
rən
plausibilis**ie**ren pla̯uzibili-
'zi:rən
Plausibilität pla̯uzibili'tɛ:t
plausibilit**ie**ren pla̯uzibili-
'ti:rən
pl**au**stern 'pla̯ustɐn
Pla**ut[us]** 'pla̯ut[ʊs]
pl**auz!** pla̯ut̪s
Pla**uz[e]** 'pla̯ut̪s[ə]
pl**au**zen 'pla̯ut̪sn̩
Play ple:
Pla**ya** (Ebene) 'pla:ja
Pla**ya [de Aro]** *span.* 'plaja
[ðe 'aro]
Play-Back 'ple:bɛk
Playboy 'ple:bɔy
Pla**ye** 'pla:jə
Player 'ple:ɐ
Playgirl 'ple:gø:ɐl, ...gœrl
Playmate 'ple:me:t
Play-off ple:'|ɔf, '––
Pla**za [Huincul]** *span.* 'plaθa
[u̯iŋ'kul]
Plaze**nta** pla'tsɛnta
plaze**ntal** platsɛn'ta:l
Plazenta**lier** platsɛn'ta:li̯ɐ
plaze**ntar** platsɛn'ta:ɐ
Plazentatio**n** platsɛnta-
'tsi̯o:n
Plazenti**tis** platsɛn'ti:tɪs,
...**it**i**den** ...ti'ti:dn̩
Pla**zet** 'pla:tsɛt
Plazidität platsidi'tɛ:t
Pleasant Island *engl.*
'plɛznt 'aɪlənd
Pleasanton *engl.* 'plɛzntən
Pleasantville *engl.* 'plɛznt-
vɪl
Pleban[us] ple'ba:n[ʊs]
Plebe**jer** ple'be:jɐ
plebe**jisch** ple'be:jɪʃ
Plebiszit plebɪs'tsi:t
plebiszitär plebɪst̪si'tɛ:ɐ
¹**Plebs** (Rom) ple:ps, plɛps
²**Pl**e**bs** (Pöbel) plɛps
Ple**ch** plɛç
Plecha**now** *russ.* plɪ'xanɐf
Ple**čnik** *slowen.* 'ple:tʃnik
Pléi**ade** ple'ja:də, *fr.* ple'jad
Pléi**ades** *fr.* ple'jad
Ple**ias** 'plaias
Ple**ier** 'plaiɐ
Pleina**ir** plɛ'nɛ:ɐ
Plenairismus plɛnɛ'rɪsmʊs
Pleinairist plɛnɛ'rɪst
Pleinpouvoir plɛ̃pu'vo̯a:ɐ
Pleiocha**sium** plaio'ça:-
zi̯ʊm, ...**ien** ...i̯ən

Ple**iße** 'plaisə
Ple**ißnerland** 'plaisnɐlant
Pleistozä**n** plaisto'tsɛ:n
ple**ite, P...** 'plaitə
Pleja**de** ple'ja:də
Plektenchym plɛktɛn'çy:m
Plektogyne plɛkto'gy:nə
Ple**ktron** 'plɛktrɔn, ...ra ...ra
Ple**ktrum** 'plɛktrʊm, ...ra
...ra
ple**m** plɛm
Ple**mpe** 'plɛmpə
Ple**mpern** 'plɛmpɐn
plemple**m** plɛm'plɛm
Plena**r...** ple'na:ɐ...
Plena**rium** ple'na:ri̯ʊm,
...**ien** ...i̯ən
ple**ne** 'ple:nə
Ple**ner** 'ple:nɐ
Plenilu**nium** pleni'lu:ni̯ʊm
plenipote**nt** plenipo'tɛnt
Plenipote**nz** plenipo'tɛnt̪s
ple**no** o**rgano** 'ple:no
'ɔrgano
ple**no** t**i**tulo 'ple:no 'ti:tulo
Ple**nte** 'plɛntə
Ple**nter** 'plɛntɐ
ple**ntern** 'plɛntɐn
Ple**nty** *engl.* 'plɛntɪ
Ple**num** 'ple:nʊm
Ple**nzdorf** 'plɛnt̪sdɔrf
Pleochroi**smus** pleokro'ɪs-
mʊs
pleomo**rph** pleo'mɔrf
Pleona**smus** pleo'nasmʊs
pleona**stisch** pleo'nastɪʃ
Pleonexie pleonɛ'ksi:
Pleoptik ple'ɔptɪk
Plere**m[ik]** ple're:m[ɪk]
Plero**m** ple'ro:m
Pleschtsche**jew** *russ.*
plɪ'ʃtʃejɪf
Plesianthropus ple'zi̯antro-
pʊs, ...**pi** ...pi
Plesiopie plezi̯o'pi:, -**n**
...i:ən
Plesiosa**urier** plezi̯o'zauri̯ɐ
Plesiosa**urus** plezi̯o'zaurus
Ple**skau** 'plɛskau̯
Ple**ß** plɛs
Ple**ssen** 'plɛsn̩
Plessime**ter** plɛsi'me:tɐ
Plessis-Robinson *fr.* plɛsi-
rɔbɛ̃'sõ
Ple**ßner, Pl**e**ssner** 'plɛsnɐ
Plessu**r** ple'su:ɐ
Ple**thi** 'ple:ti
Ple**thon** 'ple:tɔn
Pletho**ra** ple'to:ra

Plethysmogra**ph** pletʏsmo-
'gra:f
Ple**ticha** 'ple:tɪça
Pletnjo**w** *russ.* plɪt'njɔf
Ple**ttenberg** 'plɛtn̩bɛrk
Ple**uel** 'plɔyəl
Pleumeur-Bodou *fr.* plø-
mœrbɔ'du
Ple**ura** 'plɔyra
pleura**l** plɔy'ra:l
Pleuralgie plɔyral'gi:, -**n**
...i:ən
Pleureuse plø'rø:zə
Pleuri**tis** plɔy'ri:tɪs, ...**it**i**den**
...ri'ti:dn̩
Pleurodynie plɔyrody'ni:,
-**n** ...i:ən
pleuroka**rp** plɔyro'karp
Pleuroly**se** plɔyro'ly:zə
Pleuropneumonie plɔyro-
pnɔymo'ni:, -**n** ...i:ən
Pleurorrhö, ...**ö**e plɔyrɔ'rø:,
...**rrh**ö**en** ...'rø:ən
Pleuston 'plɔystɔn
Pleve**n** *fr.* ple'vɛn
Ple**wen** *bulgar.* 'plɛvɛn
plexifo**rm** plɛksi'fɔrm
Ple**xiglas®** 'plɛksigla:s
Ple**xus** 'plɛksʊs, **die -**
'plɛksu:s
Ple**ydenwurff** 'plaidn̩vʊrf
Ple**yel** 'plaiəl, *fr.* ple'jɛl
Ple**yer** 'plaiɐ
Pleystein 'plaiʃtain
Pli pli:
Pli**cht** plɪçt
plie**ren** 'pli:rən
plie**rig** 'pli:rɪç, -**e** ...ɪɡə
plie**tsch** pli:tʃ
Plievie**r** pli'vi̯e:
pliieren pli'i:rən
Pli**msoll** *engl.* 'plɪmsɔl
Plinius 'pli:ni̯ʊs
pli**nkern** 'plɪŋkɐn
Pli**nse** 'plɪnzə
pli**nsen** 'plɪnzn̩, **pl**i**ns!** plɪns,
pli**nst** plɪnst
Pli**nthe** 'plɪntə
Pli**ny** *engl.* 'plɪnɪ
Pli**nze** 'plɪntsə
pliozän, P... plio'tsɛ:n
Pli**schke** 'plɪʃkə
Pli**ska** *bulgar.* 'pliskɐ
Plisnie**r** *fr.* plis'nje
Plisse**e** plɪ'se:
Plisse**zkaja** *russ.* pli'sjɛt-
skɐjɐ
plissie**ren** plɪ'si:rən
Pli**tvička Jez**e**ra** *serbokr.*
'plitvitʃka: jɛˌzɛra

Plitwitzer Seen, ...icer -
'plɪtvɪtsɐ 'zeːən
plitz, platz! 'plɪts'plats
Plješevica *serbokr.* .pljɛʃɛ-
vitsa
Pljevlja *serbokr.* 'pljɛvlja
Ploče *serbokr.* 'plɔtʃɛ
Plochingen 'plɔxɪŋən
Płock *poln.* puɔtsk
Plöcken[stein]
'plœknʃ[taɪn]
Plockwurst 'plɔkvʊrst
Ploeşti *rumän.* plo'iɛʃtj
Ploetz plø:ts
Ploieşti *rumän.* plo'iɛʃtj
Plombage plɔm'baːʒə
Plombe 'plɔmbə
plombieren plɔm'biːrən
Plombières-les-Bains *fr.*
plõbjɛrle'bɛ̃
Plomer *engl.* 'plʌmə,
'pluːmə
Plon *fr.* plõ
Plön[e] 'plø:n[ə]
Ploni 'plo:ni
Płońsk *poln.* puɔisk
Plörre 'plœrə
plosiv, P... plo'zi:f, -e ...i:və
Plot plɔt
Plotin[os] plo'ti:n[ɔs]
Plotte 'plɔtə
plotten 'plɔtn̩
Plotter 'plɔtɐ
Płoty *poln.* 'puɔti
Plotz plɔts, *engl.* plɔts
Plötze 'plœtsə
Plötzensee plœtsn̩'ze:
plötzlich 'plœtslɪç
Plowdiw *bulgar.* 'plɔvdif
Plowmen *engl.* 'plaʊmən
Płozk plɔtsk
Plücker 'plʏkɐ
Pluderhose 'plu:dɐho:zə
plud[e]rig 'plu:d[ə]rɪç, -e
...ɪgə
pludern 'plu:dɐn, pludre
'plu:drə
Pluhar 'plu:har
Pluhař *tschech.* 'pluharʃ
Plumbago plʊm'ba:go
Plumban plʊm'ba:n
Plumbat plʊm'ba:t
Plumbum 'plʊmbʊm
Plumeau ply'mo:
Plumet *fr.* ply'mɛ
Plumkett *engl.* 'plʌmkɪt
plump plʊmp
Plumpe 'plʊmpə
plumpen 'plʊmpn̩
plumps!, Plumps plʊmps

plumpsen 'plʊmpsn̩
Plumpudding 'plampʊdɪŋ
plumpvertraulich 'plʊmp-
fɛɐ̯'traʊlɪç
Plumula 'plu:mula, ...lae
...lɛ
Plunder 'plʊndɐ
Plünderei plʏndə'raɪ
Plünd[e]rer 'plʏnd[ə]rɐ
plündern 'plʏndɐn, plündre
'plʏndrə
Plunger *engl.* 'plʌndʒɐ
Plunket[t] *engl.* 'plʌŋkɪt
Plünnen 'plʏnən
Plunscher 'plʊnʃɐ
Plunze 'plʊntsə
Plunzen 'plʊntsn̩
plural plu'ra:l
Plural 'plu:ra:l
Pluraletantum plura:lə'tan-
tʊm, Pluraliatantum plu-
ra:lia't...
Pluralis plu'ra:lɪs, ...les
...le:s
pluralisch plu'ra:lɪʃ
pluralisieren plurali'zi:rən
Pluralis Majestatis,
- Modestiae plu'ra:lɪs
majɛs'ta:tɪs, - mo'dɛstiɛ
Pluralismus plura'lɪsmʊs
Pluralist plura'lɪst
Pluralität plurali'tɛ:t
pluriform pluri'fɔrm
plurilingue pluri'lɪŋgʊə
Pluripara plu'ri:para, ...ren
...ri'pa:rən
plus, P... plʊs
Plüsch plyʃ, *auch:* ply:ʃ
plüschen 'plyʃn̩, *auch:*
'ply:ʃn̩
Pluschnyk *ukr.* 'pluʒnɪk
Plusquamperfekt 'plʊs-
kvampɛrfɛkt
Plusquamperfektum
plʊskvampɛr'fɛktʊm, ...ta
...ta
plustern 'plu:stɐn
Plutarch[os] plu'tarç[ɔs]
Pluteus 'plu:tɐʊs
Pluto 'plu:to
Plutokrat pluto'kra:t
Plutokratie plutokra'ti:, -n
...i:ən
¹Pluton (Pluto) 'plu:tɔn
²Pluton (Gestein) plu'to:n
plutonisch plu'to:nɪʃ
Plutonismus pluto'nɪsmʊs
Plutonist pluto'nɪst
Plutonit pluto'ni:t
Plutonium plu'to:niʊm

Plutos 'plu:tɔs
Plutzer 'plʊtsɐ
pluvial plu'via:l
Pluviale plu'via:lə
Pluviograph pluvio'gra:f
Pluviometer pluvio'me:tɐ
Pluvionivometer pluvioni-
vo'me:tɐ
Pluviose ply'vio:s
Pluvius 'plu:viʊs
Plymouth *engl.* 'plɪməθ
Plzeň *tschech.* 'plzɛnj
p.m. (nachmittags) pi:'lɛm
Pneu[ma] 'pnɔy[ma]
Pneumathode pnɔyma-
'to:də
Pneumatik pnɔy'ma:tɪk
Pneumatiker pnɔy'ma:tikɐ
Pneumatisation pnɔymati-
za'tsio:n
pneumatisch pnɔy'ma:tɪʃ
Pneumatismus pnɔyma'tɪs-
mʊs
Pneumatochord pnɔyma-
to'kɔrt, -e ...rdə
Pneumatologie pnɔymato-
lo'gi:
Pneumatolyse pnɔymato-
'ly:zə
pneumatolytisch pnɔymato-
'ly:tɪʃ
Pneumatometer pnɔyma-
to'me:tɐ
Pneumatometrie pnɔyma-
tome'tri:
Pneumatophor pnɔymato-
'fo:ɐ̯
Pneumatose pnɔyma'to:zə
Pneumatozele pnɔymato-
'tse:lə
Pneumaturie pnɔymatu'ri:,
-n ...i:ən
Pneumektomie pnɔymɛk-
to'mi:, -n ...i:ən
Pneumenzephalogramm
pnɔymɛntsefalo'gram
Pneumoatmose
pnɔymoat'mo:zə
Pneumograph pnɔymo-
'gra:f
Pneumokokke pnɔymo-
'kɔkə
Pneumokokkus pnɔymo-
'kɔkʊs
Pneumokoniose pnɔymo-
ko'nio:zə
Pneumolith pnɔymo'li:t
Pneumologe pnɔymo'lo:gə
Pneumologie pnɔymolo'gi:
Pneumolyse pnɔymo'ly:zə

Pneumonektomie pnɔy-monɛkto'mi:, **-n** ...i:ən
Pneumonie pnɔymo'ni:, **-n** ...i:ən
Pneumonik pnɔy'mo:nɪk
pneumonisch pnɔy'mo:nɪʃ
Pneumonokoniose pnɔymonoko'nio̯:zə
Pneumonose pnɔymo-'no:zə
Pneumoperikard pnɔymoperi'kart, **-es** ...rdəs
Pneumopleuritis pnɔymoplɔy'ri:tɪs, ...itiden ...ri'ti:dn̩
Pneumothorax pnɔymo-'to:raks
Pneumotom pnɔymo'to:m
pneumotrop pnɔymo'tro:p
Pneumozele pnɔymo'tse:l:ə
Pneumozystographie pnɔymotsystogra'fi:, **-n** ...i:ən
Pniewsk poln. 'pnjɛvi
Pnigos 'pni:gɔs
Pnin russ. pnin
Pnompenh pnɔm'pɛn
Po po:, it. pɔ
Pô port. pɔ
Pobeda russ. pa'bjɛdɐ
Pobedonoszew russ. pɐbida'nɔstsəf
Pöbel 'pø:bl̩
Pöbelant pø:bə'lant
Pöbelei pø:bə'lai̯
pöbeln 'pø:bl̩n, **pöble** 'pø:blə
Poblet span. po'βlɛt
Pocatello engl. poʊkə'tɛloʊ
Pocaterra span. poka'tɛrra
Poccetta pɔ'tʃɛta
Poccetti it. pot'tʃetti
Pocci 'pɔtʃi
Poche 'pɔxə
pochen 'pɔxn̩
Pochette pɔ'ʃɛtə
pochettino pokɛ'ti:no
pochieren pɔ'ʃi:rən
Pöchlarn 'pœçlarn
Pöčitelj serbokr. ˌpɔtʃitɛlj
Pocke 'pɔkə
Pocket... 'pɔkət...
Pocketbook 'pɔkətbʊk
Pocketing 'pɔkətɪŋ
Pockholz 'pɔkhɔlts
pockig 'pɔkɪç, **-e** ...ɪgə
Pocking 'pɔkɪŋ
poco 'pɔko, 'po:ko
Poços de Caldas bras. 'pɔsuz di 'kaldas

Pod pɔt, po:t
Podagra 'po:dagra
podagrisch po'da:grɪʃ
Podagrist poda'grɪst
Podalgie podal'gi:, **-n** ...i:ən
Podest po'dɛst
Podesta̲, ...tà podɛs'ta
Podex 'po:dɛks
Podgora serbokr. 'pɔdgɔra
Podgorica serbokr. ˌpɔdgɔritsa
Podgorny russ. pad'gɔrnij
Podiebrad 'pɔdi̯ɛbrat
Podium 'po:di̯ʊm, **...ien** ...i̯ən
Podjatschew russ. pad'ja-tʃif
Podkamennaja Tunguska russ. pat'kamɪnnɐji̯ɐ tun-'guskɐ
Podlachien pɔt'laxi̯ən
Podlasier pɔt'la:zi̯ɐ
Podolien po'do:li̯ən
Podolsk russ. pa'dɔljsk
Podometer podo'me:tɐ
Podophyllin podofy'li:n
Podoskop podo'sko:p
Podsol pɔ'tsɔl, pɔ'tso:l
podsolieren pɔtso'li:rən
Podwarsatschow bulg. podvɐr'zatʃof
Poe engl. poʊ
Poel pø:l, engl. poʊl, niederl. pul
Poelaert niederl. 'pula:rt
Poelenburgh niederl. 'pulənbʏrx
Poelzig 'pœltsɪç
Poem po'e:m
Poeschel 'pœʃl̩
Poesie poe'zi:, **-n** ...i:ən
Poésie engagée poe'zi: ãga'ʒe:
Poet po'e:t
Poeta doctus [- laureatus] po'e:ta 'dɔktʊs [- laure'a:-tʊs], **Poetae docti [- laureati]** po'e:tɛ 'dɔkti [- laure'a:ti]
Poetaster poe'tastɐ
Poethen po:'tn̩
Poetik po'e:tɪk
poetisch po'e:tɪʃ
poetisieren poeti'zi:rən
poetologisch poeto'lo:gɪʃ
Pofel 'po:fl̩
pofen 'po:fn̩
Pofese po'fe:zə
Pogatsche po'ga:tʃə
Poggendorf 'pɔgn̩dɔrf

Poggi it. 'pɔddʒi
Poggio it. 'pɔddʒo
Poglietti it. poʎ'ʎetti
Pogo 'po:go
Pogodin russ. pa'gɔdin
Pogorelić serbokr. pɔgɔ'rɛ-litc
Pogradec alban. pogra'dets
Pogrom po'gro:m
Pogwisch 'pɔgvɪʃ
P'ohang korean. phohaŋ
Poher fr. pɔ'ɛ:r
Pohjanmaa finn. 'pɔh-jammɑ:
Pohl[e] 'po:l[ə]
Pohlenz 'po:lɛnts
Pohlheim 'po:lhaim
poietisch pɔy'e:tɪʃ
Poikilodermie pɔykilo-dɛr'mi:, **-n** ...i:ən
poikilotherm pɔykilo'tɛrm
Poikilothermie pɔykilo-tɛr'mi:, **-n** ...i:ən
Poikilozytose pɔykilotsy-'to:zə
Poil pɔal
Poilu pɔa'ly:
Poincaré fr. pwɛ̃ka're
Poing 'po:ɪŋ
Poins[ett] engl. 'pɔɪns[ɛt]
Poinsettie pɔyn'zɛti̯ə
Poinsot fr. pwɛ̃'so
Point pɔɛ̃:
Point de Galle engl. 'pɔɪnt də 'ga:l
Point d'Honneur 'pɔɛ̃: də'nø:ɐ
Pointe 'pɔɛ̃:tə
Pointe-à-Pitre fr. pwɛ̃ta'pitr
Pointe-Noire fr. pwɛ̃t'nwa:r
Pointer 'pɔyntɐ
pointieren pɔɛ̃'ti:rən
pointillieren pɔɛ̃ti'ji:rən
Pointillismus pɔɛ̃ti'jɪsmʊs
Pointillist pɔɛ̃ti'jɪst
Pointlace 'pɔyntle:s
Point of no Return 'pɔynt ɔf 'no: rɪ'tø:ɐn, - - - ...'tœrn
Point of Sale 'pɔynt ɔf 'ze:l
Poiret fr. pwa'rɛ
Poirot-Delpech fr. pwaro-dɛl'pɛʃ
Poirters niederl. 'po:rtɐrs
Poise 'pɔa:zə
Poiseuille fr. pwa'zœj
Poisson fr. pwa'sõ
Poissy fr. pwa'si
Poitevin fr. pwat'vɛ̃
Poitiers fr. pwa'tje
Poitou fr. pwa'tu

Pojarkow *russ.* pa'jarkɐf
Pojatz 'po:jats̩
Pokal po'ka:l
Pokälchen po'kɛ:lçən
Pökel 'pø:kl̩
pökeln 'pø:kl̩n
Poker 'po:kɐ
Pöker 'pø:kɐ
Pokerface 'po:kɐfe:s
pokern 'po:kɐn
Pökling 'pø:klɪŋ
Pokorny po'korni
Pokorný *tschech.* 'pɔkɔrni:
Pokrowsk[i] *russ.*
  pa'krɔfsk[ij]
Pöks pø:ks
pokulieren poku'li:rən
¹Pol po:l
²Pol (Name) *niederl., poln.*
  pɔl
Pola *it.* 'pɔ:la, *russ.* pa'la
Polabe po'la:bə
Polabien po'la:bjən
polabisch po'la:bɪʃ
Polacca po'laka
Poláček *tschech.* 'pɔla:tʃɛk
Polack (Nachname) 'pɔlak
Polack[e] po'lak[ə]
Polackei pola'kai̯
Polacker po'lakɐ
Polak 'po:lak, *poln.* 'pɔlak
Polanica Zdrój *poln.* pɔla-
  'nitsa 'zdruj
Polański po'lanski, *poln.*
  pɔ'lai̯ski
polar po'la:ɐ̯
Polare po'la:rə
Polarimeter polari'me:tɐ
Polarimetrie polarime'tri:,
  -n ...i:ən
polarimetrisch polari'me:-
  trɪʃ
Polaris po'la:rɪs, *engl.* pou-
  'lærɪs, ...lɑ:rɪs
Polarisation polariza'tsi̯o:n
Polarisator polari'za:to:ɐ̯,
  -en ...za'to:rən
polarisieren polari'zi:rən
Polarität polari'tɛ:t
Polarium po'la:ri̯ʊm, ...ien
  ...i̯ən
Polarograph polaro'gra:f
Polarographie polaro-
  gra'fi:, -n ...i:ən
Polaroid...® polaro'i:t...,
  auch: ...'rɔɥt...
Polcirkeln *schwed.* .pu:lsir-
  kəln
Połczyn Zdrój *poln.* 'pɔu̯tʃin
  'zdruj

Poldel, Poldl 'pɔldl̩
Polder[l] 'pɔldɐ[l]
Poldi 'pɔldi
¹Pole 'po:lə
²Pole (Name) *engl.* poʊl,
  pu:l
Polei po'lai̯
Poleis vgl. Polis
Polemik po'le:mɪk
Polemiker po'le:mikɐ
polemisch po'le:mɪʃ
polemisieren polemi'zi:rən
Polemologie polemolo'gi:
Polemon 'po:lemɔn
polen, P... 'po:lən
Polenow *russ.* pa'ljɛnɐf
Polenta po'lɛnta
Polente po'lɛntə
Polentz, Polenz 'po:lɛnts̩
Poleposition 'po:lpozɪʃn̩
Poleschajew *russ.* pɐlɪ'ʒaji̯f
Polesien po'le:zi̯ən
Polesine *it.* po'le:zine
Polessien po'lɛsi̯ən
Polet *niederl.* 'po:lət
Polewoi *russ.* pɐlɪ'vɔi̯
Polewskoi *russ.* pɐlɪf'skɔi̯
Polgar 'pɔlgar
Polhem *schwed.* .pu:lhɛm
Poliakoff *fr.* pɔlja'kɔf
Poliander po'li̯andɐ
Policarpo *span.* poli'karpo
¹Police po'li:sə
²Police (Name) *poln.* pɔ'litsɛ
Polichinelle poliʃi'nɛl
Policinello politʃi'nɛlo, ...lli
  ...li
Polička *tschech.* 'pɔlitʃka
Polidoro *it.* poli'dɔ:ro
Polienzephalitis
  poliɛntsefa'li:tɪs, ...itiden
  ...li'ti:dn̩
Polier po'li:ɐ̯
polieren po'li:rən
Polignac *fr.* pɔli'ɲak
Poligny *fr.* pɔli'ɲi
Polikarp[ow] *russ.* pɐli-
  'karp[ɐf]
Poliklinik 'po:likli:nɪk
poliklinisch 'po:likli:nɪʃ
Polilas *neugr.* pɔli'las
Polillo *span.* po'liʎo
Poliment poli'mɛnt
Polio 'po:li̯o
Poliomyelitis poli̯omʏe'li:-
  tɪs, ...itiden ...li'ti:dn̩
Poliosis po'li̯o:zɪs
Polis 'po:lɪs, *auch:* 'pɔlɪs,
  Poleis ...lai̯s
POLISARIO *span.* poli'sari̯o

Polissonnerie polɪsɔnə'ri:,
  -n ...i:ən
Polit... po'lɪt...
Politesse poli'tɛsə
politieren poli'ti:rən
Politik poli'ti:k
¹Politika *serbokr.* pɔ.litika
²Politika vgl. Politikum
Politikaster politi'kastɐ
Politiken *dän.* poli'ti̯ɡn̩
Politiker po'li:tikɐ
Politikum po'li:tikʊm, ...ka
  ...ka
Politikus po'li:tikʊs, -se
  ...ʊsə
Politis *neugr.* pɔ'litis
politisch po'li:tɪʃ
politisieren politi'zi:rən
Politologe polito'lo:gə
Politologie polito'lo:gi:
Politruk poli'trʊk
Politur poli'tu:ɐ̯
Politzer 'po:lɪtsɐ, 'pɔ...
Polívka *tschech.* 'pɔli:fka
Polizei poli'tsai̯
Polizze po'lɪtsə
Poljanow *bulgar.* po'ljanof
Polje 'pɔlja
¹Polk (Gruppe) pɔlk
²Polk (Name) *engl.* poʊk
Pölk pœlk
Polka 'pɔlka
polken 'pɔlkn̩
Poll po:l
Pollack 'pɔlak, *engl.* 'pɔlæk
Pollaiuolo *it.* pollai̯'ʊɔ:lo
pollakanth pola'kant
Pollakisurie polakizu'ri:, -n
  ...i:ən
Pollak[i]urie polak[i]u'ri:, -n
  ...i:ən
Pollard *engl.* 'pɔləd
Pollarolo *it.* polla'rɔ:lo
Pollen 'pɔlən
Poller 'pɔlɐ
Polligkeit 'pɔlɪçkai̯t
Polling 'pɔlɪŋ
Pölling 'pœlɪŋ
Pollini *it.* pol'li:ni
Pollinium po'li:ni̯ʊm, ...ien
  ...i̯ən
Pollio 'pɔli̯o
Pollione *it.* pol'li̯o:ne
Pollo[c]k 'pɔlɔk, *engl.* 'pɔlək
Pollution polu'tsi̯o:n
Pollux 'pɔlʊks
Polly *engl.* 'pɔlɪ
polnisch 'pɔlnɪʃ

¹**Polo** 'po:lo
²**Polo** (Name) 'po:lo, *it.*
'po:lo, *span.* 'polo
Polog *mak.* 'pɔlɔk
Polonaise, ...näse polo-
'nɛ:zə
Polonceau... pɔlõ'so:...
Polonia po'lo:nia, *poln.*
pɔ'lɔnja
Polonicum po'lo:nikʊm
polonisieren poloni'zi:rən
Polonist[ik] polo'nɪst[ɪk]
Polonium po'lo:niʊm
Polonius po'lo:niʊs
Polonnaruwa *engl.* poʊlʌ-
nə'rʊvə
Polonskaja *russ.* pa'lɔn-
skɐjɐ
Polonski *russ.* pa'lɔnskij
Polowetzer 'pɔlovɛtsɐ
Polowzer 'pɔlɔftsɐ
Polowzy *russ.* 'pɔlɐftsɨ
Polozk[i] *russ.* 'pɔlɐtsk[ij]
Pöls pœls
**Polska [Rzeczpospolita
Ludowa]** *poln.* 'pɔlska
[ʒɛtʃpɔs'pɔlita lu'dɔva]
Polster 'pɔlstɐ
polstern 'pɔlstɐn
Poltawa pɔ'lta:va, *russ.* pal-
'tavɐ
polt[e]rig 'pɔlt[ə]rɪç, -e
...ɪgə
poltern 'pɔltɐn
Poltron pɔl'trõ:
Polyacryl... poly|a'kry:l...
Polyacrylat poly|akry'la:t
Polyaddition poly|adi'tsio:n
Polyaddukt poly|a'dʊkt
Polyamid poly|a'mi:t, -e
...i:də
Polyämie poly|ɛ'mi:
Polyandrie poly|an'dri:
polyandrisch poly'|andrɪʃ
Polyantha... poly'|anta...
Polyarthritis poly|ar'tri:tɪs,
...itiden ...tri'ti:dn̩
Polyase poly'a:zə
Polyästhesie poly|ɛste'zi:,
-n ...i:ən
Polyäthylen poly|ɛty'le:n
Polyb po'ly:p
Polybios po'ly:biɔs
Polybius po'ly:biʊs
Polychäten poly'çɛ:tn̩
Polychord poly'kɔrt, -e
...rdə
polychrom poly'kro:m
Polychromie polykro'mi:,
-n ...i:ən

polychromieren polykro-
'mi:rən
Polychromographie poly-
kromogra'fi:, -n ...i:ən
Polydaktylie polydakty'li:,
-n ...i:ən
Polydämonismus polydɛ-
mo'nɪsmʊs
Polydeukes poly'dɔykɛs
Polydipsie polydɪ'psi:
Polydor 'po:lydo:ɐ̯
Polydore *fr.* pɔli'dɔ:r
Polyeder poly'|e:dɐ
polyedrisch poly'|e:drɪʃ
Polyembryonie
poly|ɛmbryo'ni:, -n ...i:ən
Polyester poly'|ɛstɐ
Polyeuktos po'ly:ɔyktɔs,
poly'|ɔy...
Polygala po'ly:gala
Polygalaktie polygalak'ti:
polygam poly'ga:m
Polygamie polyga'mi:
Polygamist polyga'mɪst
polygen poly'ge:n
Polygenese polyge'ne:zə
Polygenismus polyge'nɪs-
mʊs
Polyglobulie polyglobu'li:,
-n ...i:ən
polyglott poly'glɔt
Polyglotte poly'glɔtə
Polygnot[os] pɔly'gno:t[ɔs]
Polygon poly'go:n
polygonal polygo'na:l
Polygonum po'ly:gonʊm
Polygraph poly'gra:f
Polygraphie polygra'fi:
polygyn poly'gy:n
Polygynie polygy'ni:
Polygyros po'ly:gyrɔs
Polyhalit polyha'li:t
Polyhistor poly'hɪsto:ɐ̯, -en
...'to:rən
polyhybrid polyhy'bri:t, -e
...i:də
Polyhymnia poly'hymnia
Polyideismus poly|ide'ɪs-
mʊs
polykarp, P... poly'karp
Polykladie polykla'di:
Polyklet poly'kle:t
polykondensieren poly-
kɔndɛn'zi:rən
Polykorie polyko'ri:
Polykrates po'ly:kratɛs
Polylingualismus polylɪŋ-
gṷa'lɪsmʊs
Polymastie polymas'ti:, -n
...i:ən

Polymathie polyma'ti:
Polymedes poly'me:dɛs
Polymelie polyme'li:, -n
...i:ən
Polymenorrhö, ...öe poly-
menɔ'rø:, ...rrhöen ...'rø:ən
polymer, P... poly'me:ɐ̯
Polymerie polyme'ri:, -n
...i:ən
Polymerisat polymeri'za:t
Polymerisation polymeri-
za'tsio:n
polymerisieren polymeri-
'zi:rən
polymetamorph polymeta-
'mɔrf
Polymeter poly'me:tɐ
Polymetis poly'me:tɪs
Polymetrie polyme'tri:, -n
...i:ən
Polymnia po'lymnia
polymorph poly'mɔrf
Polymorphie polymɔr'fi:
Polymorphismus polymɔr-
'fɪsmʊs
Polyneikes poly'naikɛs
Polyneside polyne'zi:də
Polynesien poly'ne:zjən
Polynesier poly'ne:ziɐ̯
polynesisch poly'ne:zɪʃ
Polyneuritis polynɔy'ri:tɪs,
...itiden ...ri'ti:dn̩
Polynices poly'ni:tsɛs
Polynom poly'no:m
polynukleär polynukle'ɛ:ɐ̯
Polyopie polyo'pi:, -n
...i:ən
Polyp po'ly:p
Polypeptid polypɛp'ti:t, -e
...i:də
Polyperchon poly'pɛrçɔn
polyphag poly'fa:k, -e
...a:gə
Polyphagie polyfa'gi:, -n
...i:ən
polyphän poly'fɛ:n
Polyphem poly'fe:m
Polyphemos po'ly:femɔs
polyphon poly'fo:n
Polyphonie polyfo'ni:
Polyphoniker poly'fo:nikɐ
Polyphrasie polyfra'zi:
polyphyletisch polyfy'le:tɪʃ
Polyphyletismus polyfyle-
'tɪsmʊs
Polyphylie polyfy'li:
Polyphyllie polyfy'li:
Polypionie polypio'ni:, -n
...i:ən
Polyplast poly'plast

polyploid polyplo'i:t, -e
...i:də
Polyploidie polyploi'di:
Polypnoe poly'pno:ə
Polypodium poly'po:diʊm,
...ien ...i̯ən
polypoid polypo'i:t, -e
...i:də
Polypol poly'po:l
Polypose poly'po:zə
Polypragmasie polypra-
gma'zi:, -n ...i:ən
Polypragmosyne polypra-
gmo'zy:nə
Polyptoton po'lʏptotɔn,
...ta ...ta
Polyptychon po'lʏptʏçɔn,
...cha ...ça
Polyreaktion polyreak-
'tsi̯o:n
Polyrhythmik poly'rʏtmɪk
polyrhythmisch poly'rʏt-
mɪʃ
Polysa[c]charid polyzaxa-
'ri:t, -e ...i:də
polysaprob polyza'pro:p, -e
...o:bə
Polysaprobie polyza'pro:-
bi̯ə
polysem poly'ze:m
polysemantisch polyze-
'mantɪʃ
Polysemie polyze'mi:, -n
...i:ən
Polysialie polyzi̯a'li:
Polyspermie polyspɛr'mi:,
-n ...i:ən
Polystyrol polysty'ro:l
Polysyllabum poly'zyla-
bʊm, ...ba ...ba
polysyndetisch polyzʏn-
'de:tɪʃ
Polysyndeton poly'zʏnde-
tɔn, ...ta ...ta
polysynthetisch polyzʏn-
'te:tɪʃ
Polysynthetismus poly-
zʏnte'tɪsmʊs
Polytechnik poly'tɛçnɪk
Polytechniker poly'tɛçnɪkɐ
Polytechnikum poly'tɛçni-
kʊm, ...ka ...ka
polytechnisch poly'tɛçnɪʃ
Polytheismus polyte'ɪsmʊs
Polytheist polyte'ɪst
Polythelie polyte'li:, -n
...i:ən
Polytomie polyto'mi:
polytonal polyto'na:l
Polytonalität polytonali'tɛ:t

Polytrichie polytrɪ'çi:, -n
...i:ən
polytrop poly'tro:p
Polytropismus polytro'pɪs-
mʊs
Polytype poly'ty:pə
Polyurethan polyʎure'ta:n
Polyurie polyʎu'ri:, -n ...i:ən
polyvalent polyva'lɛnt
Polyvinyl polyvi'ny:l
Polyxena po'lʏksena
Polyzentrismus polytsɛn-
'trɪsmʊs
polyzyklisch poly'tsy:klɪʃ
Polyzythämie polytsytɛ'mi:,
-n ...i:ən
pölzen 'pœltsn̩
Pomade po'ma:də
pomadig po'ma:dɪç, -e
...ɪgə
pomadisieren pomadi'zi:-
rən
Pomake po'ma:kə
Pomare po'ma:rə
Pombal port., bras. pom'bal
Pombo span. 'pɔmbo
Pomeranze pomə'rantsə
Pomerellen pomə'rɛlən
Pomerium po'me:ri̯ʊm
Pomeroy engl. 'poʊmrɔɪ,
'pɔmərɔɪ
Pomesanien pome'za:ni̯ən
Pomeschtschik po'mɛʃtʃɪk,
...ki ...ki
Pomestje po'mɛstjə
Pomfret engl. 'pʌmfrɪt
Pomigliano d'Arco it.
pomiʎ'ʎa:no 'darko
Pomjalowski russ. pɐmɪ-
'lɔfskij
Pomodoro it. pomo'dɔ:ro
Pomologe pomo'lo:gə
Pomologie pomolo'gi:
pomologisch pomo'lo:gɪʃ
¹Pomona (Göttin) po'mo:na

²Pomona (USA) engl.
pə'moʊnə
Pomorie bulgar. po'mɔriɛ
Pomorze poln. pɔ'mɔʒɛ
Pomp pɔmp
Pompadour 'pɔmpadu:ɐ̯, fr.
pɔ̃pa'du:r
Pompano Beach engl.
'pɔmpənoʊ 'bi:tʃ
Pompei it. pom'pɛ:i̯
Pompeius pɔm'pe:i̯ʊs
Pompejaner pɔmpe'ja:nɐ
pompejanisch pɔmpe'ja:nɪʃ
Pompeji pɔm'pe:ji
pompejisch pɔm'pe:jɪʃ
Pompejus pɔm'pe:jʊs
Pompeo span. pɔm'peo
Pompidou fr. pɔ̃pi'du
Pompignan fr. pɔ̃pi'ɲã
Pompon pɔ̃'põ:, pɔm'põ:
Pomponazzi it. pompo-
'nattsi
Pomponius pɔm'po:ni̯ʊs
Pomponne fr. põ'pɔn
pompös pɔm'pø:s, -e ...ø:zə
Pomposa it. pom'po:sa
pomposo pɔm'po:zo
Pompton Lakes engl.
'pɔmptən 'leɪks
Pomuchel po'mʊxl̩
pönal pø'na:l
Pönale pø'na:lə, ...lien
...li̯ən
pönalisieren pønali'zi:rən
Pönalität pønali'tɛ:t
Ponape engl. 'poʊnəpeɪ
Ponarth po'nart
Ponca engl. 'pɔŋkə
Ponce fr. põ:s, engl. 'poʊn-
seɪ, span. 'pɔnθe
ponceau, P... põ'so:
Poncelet fr. põ'slɛ
Poncet fr. põ'sɛ
Poncett[e] põ'sɛt[ə]
Ponchielli it. poɳ'ki̯ɛlli
Poncho 'pɔntʃo
poncieren põ'si:rən
¹Pond (Maß) pɔnt
²Pond (Name) engl. pɔnd
Pondal Abente span. pɔn-
'dal a'βente
ponderabel pɔnde'ra:bl̩,
...ble ...blə
Ponderabilien pɔndera'bi:-
li̯ən
Ponderation pɔndera'tsi̯o:n
Pondichéry fr. põdiʃe'ri
Pondicherry engl. pɔndɪ-
'tʃɛrɪ
Pondo 'pɔndo

Ponente poˈnɛntə
Ponferrada *span.* pɔnfɛ-
 ˈrraða
Pongau ˈpɔŋgau̯
Ponge *fr.* põ:ʒ
Pongé põˈʒe:
Pongiden pɔŋˈgi:dn̩
Pongs pɔŋs
Poniatowska *span.* ponja-
 ˈtɔfska
Poniatowski *poln.* pɔnja-
 ˈtɔfski
Poničan *slowak.* ˈpɔnjitʃan
ponieren poˈni:rən
Pönitentiar pøniˈtɛnˈtsi̯a:ɐ̯
Pönitentiarie pøniˈtɛntsi̯aˈri:
Pönitenz pøniˈtɛnts
Ponnelle *fr.* pɔˈnɛl
Pönologe pønoˈlo:gə
Pönologie pønoloˈgi:
Ponor ˈpo:no:ɐ̯, **-e** poˈno:rə
¹Pons (lat. = Brücke) pɔns
²Pons (Name) *fr.* põ:s, *engl.*
 pɔnz
Ponsard *fr.* põˈsa:r
Ponselle *engl.* pɔnˈsɛl
ponsen ˈpɔnzn̩, **pons!** pɔns,
 ponst pɔnst
Poensgen ˈpœnsgn̩
Ponson du Terrail *fr.* põsõ-
 dytɛˈraj
Pont pɔnt
Ponta Delgada *port.* ˈpontɐ
 ðɛlˈgaðɐ
Ponta Grossa *bras.* ˈponta
 ˈgrɔsa
Pont-à-Mousson *fr.* põta-
 muˈsõ
Pontano *it.* ponˈta:no
Pontanus pɔnˈta:nʊs
Pontarlier *fr.* põtarˈlje
Pont-Aven *fr.* põtaˈvɛn
Pontchartrain *engl.* ˈpɔntʃə-
 trem, *fr.* põʃarˈtrɛ̃
Pont du Gard *fr.* põdyˈga:r
¹Ponte (Schiff) ˈpɔntə
²Ponte (Name) *it.* ˈponte,
 span. ˈpɔnte
Pontecorvo *it.* ponteˈkɔrvo
Pontedera *it.* ponteˈdɛ:ra
Pontefract *engl.* ˈpɔntɪfrækt
Ponten ˈpɔntn̩
Pontevedra *span.* pɔnteˈβe-
 ðra
Ponthieu *fr.* põˈtjø
Ponti ˈpɔnti, *it.* ˈponti
Pontiac *engl.* ˈpɔntiæk
Pontianak *indon.* pɔntiˈa-
 nak
Pontianus pɔnˈtsi̯a:nʊs

Ponticello pɔntiˈtʃɛlo, **...lli**
 ...li
Pontien põˈti̯ɛ̃:
Pontifex [maximus] ˈpɔnti-
 fɛks [ˈmaksimʊs], **...fizes**
 [...mi] ...ˈti:fitse:s [...mi]
Pontificale Romanum pɔn-
 tifiˈka:lə roˈma:nʊm
pontifikal pɔntifiˈka:l
Pontifikale pɔntifiˈka:lə,
 ...lien ...li̯ən
Pontifikat pɔntifiˈka:t
Pontifizes vgl. Pontifex
pontinisch pɔnˈti:nɪʃ
pontisch ˈpɔntɪʃ
Pontius ˈpɔntsi̯ʊs, *engl.*
 ˈpɔntɪəs, *niederl.* ˈpɔnsiɣs
Pontivy *fr.* põtiˈvi
Ponto ˈpɔnto
Pontoise *fr.* põˈtwa:z
Pontok ˈpɔntɔk
Ponton põˈtõ:, pɔnˈtõ:,
 ˈpɔntõ
Pontoppidan *dän.* pɔnˈtɔbi-
 dæn
Pontormo *it.* ponˈtormo
Pontos ˈpɔntɔs
Pontresina pɔntreˈzi:na, *it.*
 pon...
Pontrjagin *russ.* panˈtrjagin
Pontus *dt., schwed.* ˈpɔntʊs
Pontypool *engl.* pɔntɪˈpu:l
Pontypridd *engl.* pɔntɪˈpri:ð
Pony ˈpɔni
Ponza *it.* ˈpontsa
Póo *port.* ˈpou̯
Pool pu:l
Poole *engl.* pu:l
poolen ˈpu:lən
Poolung ˈpu:lʊŋ
Poona *engl.* ˈpu:nə
Poons *engl.* pu:nz
Poop pu:p
Poopó *span.* pooˈpo
Poor[e] *engl.* pʊə
Poorten *niederl.* ˈpo:rtə
Poorter *niederl.* ˈpo:rtər
Poot *niederl.* po:t
¹Pop pɔp
²Pop (Name) *rumän.* pop
Popa *serbokr.* ˈpɔ:pa
Popanz ˈpo:pants
Pop-Art ˈpɔpˈla:ɐ̯t
Popayán *span.* popaˈjan
Popcorn ˈpɔpkɔrn
Popdimitrow *bulgar.* pobdi-
 miˈtrɔf
¹Pope (Priester) ˈpo:pə
²Pope (Name) *engl.* poʊp
Popel ˈpo:pl̩

popelig ˈpo:pəlɪç, **-e** ...ɪgə
Popelin[e] popəˈli:n
popeln ˈpo:pl̩n
Poperinge *niederl.* ˈpo:pə-
 rɪŋə
Popescu *rumän.* poˈpesku
Popiełuszko *poln.* pɔpjɛ-
 ˈu̯uʃkɔ
Popilius poˈpi:li̯ʊs
Popitz ˈpo:pɪts
Poplar, **- Bluff** *engl.* ˈpɔplə,
 - ˈblʌf
Poplašen *serbokr.* ˌpɔplaʃɛn
poplig ˈpo:plɪç, **-e** ...ɪgə
Popo poˈpo:
Popocatepetl popokate-
 ˈpɛtl̩
Popocatépetl *span.* popo-
 kaˈtepetl
Popović *serbokr.* ˌpɔpovitɕ
Popovici *rumän.* ˈpopovitʃ
Popow *russ.* paˈpɔf, *bulgar.*
 poˈpɔf
Popp pɔp
Poppäa pɔˈpɛ:a
Pöppelmann ˈpœpl̩man
poppen ˈpɔpn̩
Popper[s] ˈpɔpɐ[s]
poppig ˈpɔpɪç, **-e** ...ɪgə
Poppo ˈpɔpo
Poprad *slowak.* ˈpɔprat
Populaire *fr.* pɔpyˈlɛ:r
Popular popuˈla:ɐ̯, **-es**
 ...a:re:s
populär popuˈlɛ:ɐ̯
Popularisator populari-
 ˈza:to:ɐ̯, **-en** ...za:toˈrən
popularisieren populari-
 ˈzi:rən
Popularität populariˈtɛ:t
Population populaˈtsi̯o:n
Populationistik populatsi̯o-
 ˈnɪstɪk
Populescu popuˈlɛsku
Populismus popuˈlɪsmʊs
Populist popuˈlɪst
Populonia *it.* popuˈlo:ni̯a
Poquelin *fr.* pɔˈklɛ̃
Poradeci *alban.* poraˈdetsi
Porbandar *engl.* pɔːˈbændə
Porcellis *niederl.* pɔrˈsɛlɪs
Porcia ˈpɔrtsi̯a
Porcupine *engl.* ˈpɔ:kjʊpaɪn
Pordenone *it.* pordeˈno:ne
Pordoi *it.* porˈdɔ:i̯
Pore ˈpo:rə
Poreč *serbokr.* ˌpɔrɛtʃ

Porenzephalie porɛntsefaˈliː
Porfido ˈpɔrfido
Porfirio span. pɔrˈfirjo
Porfyrius pɔrˈfyːriʊs
Porgy engl. ˈpɔːgɪ
¹Pori finn. ˈpɔri
²Pori vgl. Porus
Pořicany tschech. ˈpɔrʒiːtsani
porig ˈpoːrɪç, -e ...ɪgə
Poriomanie porioˈmaˈniː, -n ...iːən
Porirua engl. pɔriˈruːə
Porisma poˈrɪsma
Porjus schwed. ˈpɔrjʊs
Pörkel[t] ˈpœrkl[t]
Porkkala finn. ˈpɔrkkɑlɑ
Pörkölt ˈpœrkœlt
Pörksen ˈpœrksn̩
Porlamar span. pɔrlaˈmar
Porling ˈpoːɐ̯lɪŋ
Pornichet fr. pɔrniˈʃɛ
Porno ˈpɔrno
Pornograf, ...graph pɔrnoˈgraːf
Pornografie, ...graphie pɔrnograˈfiː, -n ...iːən
pornophil pɔrnoˈfiːl
porodin poroˈdiːn
Poromere poroˈmeːrə
Poros ˈpoːrɔs
porös poˈrøːs, -e ...øːzə
Porosität poroziˈtɛːt
Porphyr ˈpɔrfyːɐ̯; auch: ...ˈfyːɐ̯
Porphyrie pɔrfyˈriː, -n ...iːən
Porphyrin pɔrfyˈriːn
Porphyrios pɔrˈfyːriɔs
porphyrisch pɔrˈfyːrɪʃ
Porphyrit pɔrfyˈriːt
Porphyroblasten pɔrfyroˈblastn̩
Porphyroid pɔrfyroˈiːt, -e ...iːdə
Porpora it. ˈpɔrpora
Porre ˈpɔrə
Porree ˈpɔre
Porrentruy fr. pɔrãˈtrɥi
Porretanus poreˈtaːnʊs
Porridge ˈpɔrɪtʃ
Porsangerfjord norw. pɔrˈsaŋɐ̯fjuːr
Porsche ˈpɔrʃə
Porsenna pɔrˈzɛna
Porsgrunn norw. ˈpɔrsgrʊn
Porson engl. pɔːsn
Porst pɔrst
Port port, engl. pɔːt, fr. pɔːr

Porta dt., it. ˈpɔrta
Portable ˈpɔrtəbl
Portadown engl. pɔːtəˈdaʊn
Portaels niederl. pɔrˈtaːls
Portage pɔrˈtaːʒə
Portage [la Prairie] engl. ˈpɔːtɪdʒ [lə ˈprɛərɪ]
Porta Hungarica ˈpɔrta hʊŋˈgaːrika
portal, ¹P... pɔrˈtaːl
²Portal engl. pɔːtl, fr. pɔrˈtal
Port Alberni engl. ˈpɔːt ælˈbəːnɪ
Portalegre port. purtɐˈlɛɣrə
Portales engl. pɔːˈtælɪs, span. pɔrˈtales
Portalis fr. pɔrtaˈlis
Portament pɔrtaˈmɛnt
Portamento pɔrtaˈmɛnto, ...ti ...ti
Portando la Voce pɔrˈtando la ˈvoːtʃə
Port Angeles engl. pɔːtˈændʒələs
Porta Nigra ˈpɔrta ˈniːgra
Port Arthur ˈpɔrt ˈartʊr, engl. ˈpɔːt ˈɑːθə
Porta Sancta ˈpɔrta ˈzaŋkta
Portatile pɔrˈtaːtilə, ...lien ...taˈtiːliən
Portativ pɔrtaˈtiːf, -e ...iːvə
portato pɔrˈtaːto
Portato pɔrˈtaːto, ...ti ...ti
Port-au-Prince pɔrtoˈprɛ̃ːs, fr. pɔroˈprɛ̃ːs
Porta Westfalica ˈpɔrta vɛstˈfaːlika
Port-Bou span. pɔrˈβou̯
Port-Bouët fr. pɔrˈbwɛ
Port Colborne engl. ˈpɔːt ˈkoʊlbən
Port Coquitlam engl. ˈpɔːt koʊˈkwɪtləm
Port Credit engl. ˈpɔːt ˈkrɛdɪt
Port-de-Paix fr. pɔrdəˈpɛ
Portechaise pɔrt[ə]ˈʃɛːzə
Portées pɔrˈte
Portefeuille fr. pɔrtəˈfœj
Portemonnaie pɔrtmɔˈneː, auch: ˈpɔrtmone
Porten ˈpɔrtn̩
Portepagen pɔrtəˈpaːʒn̩
Portepee pɔrteˈpeː
¹Porter (Bier) ˈpɔrtɐ
²Porter (Name) engl. ˈpɔːtə
Porterhouse... ˈpɔːɐ̯tɐhaus...
Porterville engl. ˈpɔːtəvɪl
Porteur fr. pɔrˈtøːɐ̯

Portfolio pɔrtˈfoːljo
Port-Gentil fr. pɔrʒãˈti
Porthan schwed. ˈpɔrtɑːn
Porthcawl engl. pɔːθˈkɔːl
Port Hedland engl. ˈpɔːt ˈhɛdlənd
Port Hueneme engl. ˈpɔːt wiːˈniːmɪ
Porti vgl. Porto
Portici it. ˈpɔrtitʃi
Portier pɔrˈtie:
Portiere pɔrˈtie:rə
portieren pɔrˈtiːrən
Portikus ˈpɔrtikʊs, die -...kuːs
Portimão port. purtiˈmɐ̃ũ̯
Portinari it. portiˈnaːri, bras. portiˈnari
Portio ˈpɔrtsio
Portion pɔrˈtsioːn
Portiönchen pɔrˈtsioːnçən
portionieren pɔrtsioˈniːrən
Portishead engl. ˈpɔːtɪshɛd
Portiunkula pɔrˈtsiʊŋkula
Portjuchhe ˈpɔrtjʊxheː, auch: --ˈ-
Port Kembla engl. ˈpɔːt ˈkɛmblə
Portland engl. ˈpɔːtlənd
Portlandzement ˈpɔrtlantsement
Port Lavaca engl. ˈpɔːt ləˈvækə
Port Louis engl. ˈpɔːt ˈluːi[s]
Portmann ˈpɔrtman
Portmonee pɔrtmoˈneː, auch: ˈpɔrtmone
Port Neches engl. ˈpɔːt ˈnɛtʃɪz
Pörtner ˈpœrtnɐ
¹Porto ˈpɔrto, Porti ˈpɔrti
²Porto (Name) it. ˈpɔrto, bras., port. ˈpɔrtu
Pôrto Alegre bras. ˈpɔrtu aˈlɛgri
Porto Alexandre port. ˈpɔrtu ɐlɪˈʃɐ̃ndrə
Portoferraio it. portoferˈraːjo
Portofino it. portoˈfiːno
Port of Spain engl. ˈpɔːt əv ˈspeɪn
Portographie pɔrtograˈfiː:
Portolan pɔrtoˈlaːn
Porto-Novo fr. pɔrtonɔˈvo
Porto-Riche fr. pɔrtoˈriʃ
Porto Rico, Portoriko ˈpɔrto ˈriːko
Portorož slowen. pɔrtɔˈroːʒ

Pọrto Sạnto *port.* 'portu
'sɛntu

Pọrto Vẹlho *bras.* 'portu
'vɛʎu

Portoviẹjo *span.* pɔrto-
'βi̯exo

Pọrt Pịrie *engl.* 'pɔ:t 'pɪrɪ

Portrait, ...rät pɔr'trɛ:

porträtiẹren pɔrtrɛ'ti:rən

Porträtịst pɔrtrɛ'tɪst

Port-Royạl *fr.* pɔrrwa'jal

Portrush *engl.* pɔ:t'rʌʃ

Pọrt Sạid 'pɔrt 'zai̯t

Pörtschach 'pœrtʃax

Pọrtsmouth *engl.* 'pɔ:tsməθ

Portugạl 'pɔrtugal, *port.*
purtu'ɣal

Portugalẹser pɔrtuga'le:zɐ

Portugalẹte *span.* pɔrtuɣa-
'lete

Portugiẹse pɔrtu'gi:zə

Portugiẹser pɔrtu'gi:zɐ

portugiẹsisch pɔrtu'gi:zɪʃ

Portuguẹsa *span.* pɔrtu-
'ɣesa

Pọrtulak 'pɔrtulak

Pọrtus 'pɔrtʊs

Port-Vendres *fr.* pɔr'vãːdr

Pọrtwein 'pɔrtvai̯n

Poruks *lett.* 'pu̯ɔrʊks

Pọrus 'po:rʊs, Pọri 'po:ri

Pọrvoo *finn.* 'pɔrvɔ:

Pọrz pɔrts

Porzellạn pɔrtsɛ'la:n

porzellạnen pɔrtsɛ'la:nən

Pọrzia 'pɔrtsi̯a

Pọrzig 'pɔrtsi̯ç

Pọsa 'po:za

Posạda po'za:da

Posạdas *span.* po'saðas

Posạdnik po'zatnɪk, *russ.*
pa'sadnik

Posadọwsky poza'dɔfski

Posamẹnt[er] poza'mɛnt[ɐ]

Posamenterie pozamɛn-
tə'ri:, **-n** ...i:ən

Posamentiẹr pozamɛn'ti:ɐ

posamentiẹren pozamɛn-
'ti:rən

Posamentiẹrer pozamɛn-
'ti:rɐ

Posạune po'zau̯nə

posạunen po'zau̯nən

Posaunịst pozau̯'nɪst

Pọsavina *serbokr.* .pɔsavina

Pọsch pɔʃ

Poschiạvo *it.* pos'ki̯a:vo

Pọschti 'pɔʃti

Pọse 'po:zə

Poseidịppos pozai̯'dɪpɔs

Poseidon po'zai̯dɔn

Poseidọnios pozai̯'do:ni̯ɔs

Posemu[c]kel po:zə'mʊkl̩,
auch: '————

pọsen 'po:zn̩, pọs! po:s,
pọst po:st

Pọsen 'po:zn̩

pọsenisch 'po:zənɪʃ

pọsensch 'po:znʃ

Poseur po'zø:ɐ̯

Posidọnien... pozi'do:-
ni̯ən...

posiẹren po'zi:rən

Posilịp pozi'lɪp

Posịlipo *it.* po'zi:lipo

Posịllipo *it.* po'zillipo

Positiọn pozi'tsi̯o:n

positionẹll pozitsi̯o'nɛl

positioniẹren pozitsi̯o-
'ni:rən

positịv 'po:ziti:f, *auch:* pozi-
'ti:f, **-e** ...i:və

[1]Pọsitiv (Grundstufe)
'po:ziti:f, **-e** ...i:və

[2]Positịv (Orgel; Foto)
po:ziti:f, *auch:* pozi'ti:f, **-e**
...i:və

Positivịsmus poziti'vɪsmʊs

Positivịst poziti'vɪst

Positịvum 'po:ziti:vʊm,
...va ...va

pọsito 'po:zito

Pọsitron 'po:zitro:n

Positụr pozi'tu:ɐ̯

Pọssart 'pɔsart

Possẹkel pɔ'se:kl̩

Pọsse 'pɔsə

Pọssen 'pɔsn̩

Possessiọn pɔse'si̯o:n

possessịv 'pɔsɛsi:f, *auch:*
—'—, **-e** ...i:və

Pọssessiv 'pɔsɛsi:f, **-e** ...i:və

Possessịvum pɔse'si:vʊm,
...va ...va

possessọrisch pɔse'so:rɪʃ

Pọssest 'pɔsɛst

Possevịno *it.* posse'vi:no

possịbel pɔ'si:bl̩, **...ble** ...blə

Possibilịsmus pɔsibi'lɪsmʊs

Possibilịst pɔsibi'lɪst

Possibilität pɔsibili'tɛ:t

possịerlich pɔ'si:ɐ̯lɪç

Pößneck 'pœsnɛk

Pọßruck 'pɔsrʊk

[1]Pọst pɔst

[2]Pọst (Name) *dt., niederl.,
afr.* pɔst, *engl.* poʊst

pọst..., P... 'pɔst...

postạlisch pɔs'ta:lɪʃ

Postamẹnt pɔsta'mɛnt

Pöstchen 'pœstçən

pọst Chrịstum [nạtum]
'pɔst 'krɪstʊm ['na:tʊm]

postdatiẹren pɔstda'ti:rən

postdentạl pɔstdɛn'ta:l

Postẹl 'pɔstl̩, *fr.* pɔs'tɛl, *niederl.* 'pɔstəl

postembryonạl
pɔstlɛmbryo'na:l

pọsten, P... 'pɔstn̩

Poster 'po:stɐ

pọste restạnte 'pɔst rɛs'tãːt

Posteriọra pɔste'ri̯o:ra

Posteriorität pɔsteri̯ori'tɛ:t

Posterität pɔsteri'tɛ:t

Postexistẹnz pɔstlɛksɪs-
'tɛnts, '————

pọst fẹstum pɔst 'fɛstʊm

postglaziạl, P... pɔstgla-
'tsi̯a:l

Postglossạtor pɔstglɔ'sa:-
to:ɐ̯, **-en** ...sa'to:rən

postgraduạl pɔstgra'du̯a:l

postgraduẹll pɔstgra'du̯ɛl

Posthalterẹi pɔsthaltə'rai̯

Posthịtis pɔs'ti:tɪs, **...itịden**
...ti'ti:dn̩

Pọsthius 'pɔsti̯ʊs

posthụm pɔst'hu:m,
pɔs'tu:m

posthypnọtisch pɔsthyp-
'no:tɪʃ

Postịche pɔs'tɪʃə, pɔs'ti:ʃə

Posticheur pɔstɪ'ʃø:ɐ̯,
pɔsti...

Posticheuse pɔstɪ'ʃø:zə,
pɔsti...

postiẹren pɔs'ti:rən

Postịlle pɔs'tɪlə

Postillịon pɔstɪl'jo:n, *auch:*
'———

Postillon d'Amour, -s - *fr.*
pɔstijõda'mu:r

pọstindustriẹll 'pɔstlɪndʊs-
triɛl

postkarbọnisch pɔstkar-
'bo:nɪʃ

Postkommuniọn pɔstkɔ-
mu'ni̯o:n

postkụlmisch pɔst'kʊlmɪʃ

Pọstl 'pɔstl̩

Pọstler 'pɔstlɐ

Pöstler 'pœstlɐ

Postlụdium pɔst'lu:di̯ʊm,
...ien ...i̯ən

pọst merịdiem pɔst me-
'ri:di̯ɛm

postmodẹrn 'pɔstmodɛrn

Pọstmoderne 'pɔstmo-
dɛrnə

Postmolar pɔstmoˈlaːɐ̯
postmortal pɔstmɔrˈtaːl
post mortem pɔst ˈmɔrtɛm
postnatal pɔstnaˈtaːl
postnumerando pɔstnumeˈrando
Postnumeration pɔstnumeraˈtsi̯oːn
Posto ˈpɔsto
Postojna *slowen.* pɔsˈtoːi̯na
postoperativ pɔstǀopəraˈtiːf, *auch:* ˈ‐‐‐‐‐, ‐e …iːvə
postpalatal pɔstpalaˈtaːl
post partum pɔst ˈpartʊm
postpneumonisch pɔstpnɔy̯ˈmoːnɪʃ
postponieren pɔstpoˈniːrən
Postposition pɔstpoziˈtsi̯oːn
postpositiv pɔstpoziˈtiːf, ‐e …iːvə
Postprädikamente pɔstprɛdikaˈmɛntə
Postskript pɔstˈskrɪpt
Postskriptum pɔstˈskrɪptʊm, …ta …ta
Postszenium pɔstˈstseːni̯ʊm, …ien …i̯ən
posttektonisch pɔsttɛkˈtoːnɪʃ
posttertiär pɔstterˈtsi̯ɛːɐ̯
posttraumatisch pɔsttrau̯ˈmaːtɪʃ
Postulant pɔstuˈlant
Postulat pɔstuˈlaːt
postulieren pɔstuˈliːrən
postum pɔsˈtuːm
Postumia *it.* posˈtuːmi̯a
Postumus ˈpɔstumʊs, …mi …mi
Postur pɔsˈtuːɐ̯
post urbem conditam pɔst ˈʊrbɛm ˈkɔnditam
Postvention pɔstvɛnˈtsi̯oːn
Postverbale pɔstvɛrˈbaːlə, …lia …li̯a
[1]Pot (Marihuana) pɔt
[2]Pot *fr.* po, *niederl.* pɔt
Potage poˈtaːʒə
potamisch poˈtaːmɪʃ
potamogen potamoˈgeːn
Potamologie potamoloˈgiː
Potap *russ.* paˈtap
Potapenko *russ.* paˈtapɪnkɐ
Potassium poˈtasi̯ʊm
Potator poˈtaːtoːɐ̯, ‐en …taˈtoːrən
Potatorium potaˈtoːri̯ʊm
Potaufeu potoˈføː

Potchefstroom *afr.* ˈpɔtʃɛfstroːm
Potebnja *russ.* pɐtɪbˈnja
Potechin *russ.* paˈtjexin
Potemkin poˈtɛmkiːn
Potempa poˈtɛmpa
potent poˈtɛnt
Potentat potɛnˈtaːt
potential, P… potɛnˈtsi̯aːl
Potentialis potɛnˈtsi̯aːlɪs, …les …leːs
Potentialität potɛntsi̯aliˈtɛːt
potentiell potɛnˈtsi̯ɛl
Potentilla potɛnˈtɪla
Potentiometer potɛntsi̯oˈmeːtɐ
Potentiometrie potɛntsi̯omeˈtriː
potentiometrisch potɛntsi̯oˈmeːtrɪʃ
Potenz poˈtɛnts
Potenza *it.* poˈtɛntsa
potenzial, P… potɛnˈtsi̯aːl
Potenzialität potɛntsi̯aliˈtɛːt
potenziell potɛnˈtsi̯ɛl
potenzieren potɛnˈtsiːrən
Poterie potəˈriː
Poterne poˈtɛrnə
Potestas poˈtɛstas
Potgieter *niederl.* ˈpɔtxitər
Potgietersrus *afr.* pɔtxiˈtɔrsˈrœs
Poth poːt
Pothea poˈteːa
Pothier *fr.* pɔˈtje
Pothinus poˈtiːnʊs
Poti *russ.* ˈpɔti
Potifar, …phar ˈpoːtifar
Potjomkin *russ.* paˈtjɔmkin
Potla[t]ch *engl.* ˈpɔtlætʃ
Potlatsch ˈpɔtlatʃ
Potocka *poln.* pɔˈtɔtska
Potocki *poln.* pɔˈtɔtski
Potok *engl.* ˈpoutɔk
Potomac *engl.* pəˈtoumək
Potomanie potamaˈniː
Potosí *span.* potoˈsi
Potpourri ˈpɔtpuri
Potschappel poˈtʃapl
Potsdam ˈpɔtsdam, *engl.* …dæm
Potsdamer ˈpɔtsdamɐ
[1]Pott (Topf) pɔt, Pötte ˈpœtə
[2]Pott (Name) *dt., engl.* pɔt
Pottasche ˈpɔtlaʃə
Pottecher *fr.* pɔtˈʃɛːr
Pottenstein ˈpɔtnʃtai̯n
Potter *niederl.* ˈpɔtər, *engl.* ˈpɔtə

Potteries *engl.* ˈpɔtərɪz
Pottfisch ˈpɔtfɪʃ
potthässlich ˈpɔtˈhɛslɪç
Potthast ˈpɔthast
Pottier *fr.* pɔˈtje
Pottlot ˈpɔtloːt
Potto ˈpɔto
Pottstown *engl.* ˈpɔtstaʊn
Pottsville *engl.* ˈpɔtsvɪl
Pottwal ˈpɔtvaːl
potz Blitz! ˈpɔts ˈblɪts
potztausend! ˈpɔtsˈtau̯znt
Poudrette puˈdrɛtə
Poughkeepsie *engl.* pəˈkɪpsɪ
Pougny *fr.* puˈɲi
Pouillet *fr.* puˈjɛ
Pouilly *fr.* puˈji
Poujade *fr.* puˈʒad
Poujadismus puʒaˈdɪsmʊs
Poujadist puʒaˈdɪst
Poulaille *fr.* puˈlɑːj
Poulard puˈlaːɐ̯
Poularde puˈlardə
Poulbot *fr.* pulˈbo
Poule puːl, ‐n ˈpuːlən
Poulenc *fr.* puˈlɛ̃ːk
[1]Poulet (Huhn) puˈlɛ
[2]Poulet (Name) *fr.* puˈlɛ
Poullain *fr.* puˈlɛ̃
Poulsen *dän.* ˈpɔu̯lsn
Poulsson *norw.* ˈpɔu̯lsɔn
Pound (Pfund) pau̯nt
Pound[s] (Name) *engl.* pau̯nd[z]
pour acquit puːɐ̯ aˈkiː
Pourbus *niederl.* ˈpuːrbʏs
pour féliciter puːɐ̯ felisiˈteː
pour le mérite, Pour ‐ M… puːɐ̯ lə meˈriːt
Pourparler purparˈleː
Pourquoi pas? (Name) *fr.* purkwaˈpɑ
Pourrat *fr.* puˈra
Pourtalès *fr.* purtaˈlɛs
Poussage puˈsaːʒə, puˈs…
Poussage puˈsaːʒə, puˈs…
poussé, poussez! puˈseː, puˈseː
Pousseur *fr.* puˈsœːr
poussieren puˈsiːrən, puˈs…
Poussin *fr.* puˈsɛ̃
Pouvillon *fr.* puviˈjɔ̃
Poverty Point *engl.* ˈpɔvətɪ ˈpɔi̯nt
Povese poˈfeːzə
Povl *dän.* pɔu̯l
Póvoa *port.* ˈpɔvu̯ɐ

Poway *engl.* 'poʊeɪ
Powell *engl.* 'poʊəl, 'paʊəl
power 'pɔːvɐ
Power 'paʊɐ
powern 'paʊɐn
Powerplay 'paʊɐpleː
Powers *engl.* 'paʊəz
Powerslide 'paʊɐslaɪt
Powid[e]l 'pɔvɪdl̩
Powys *engl.* 'poʊɪs
Poynings *engl.* 'pɔɪnɪŋz
Poynting *engl.* 'pɔɪntɪŋ
Poysdorf 'pɔysdɔrf
Požarevac *serbokr.* 'pɔʒarɛvats
Poza Rica de Hidalgo *span.* 'poθa 'rrika ðe i'ðalɣo
Požega *serbokr.* 'pɔʒɛga
Poznań *poln.* 'pɔznain
Pozoblanco *span.* poθo-'βlaŋko
Pozsgay *ung.* 'pɔʒgɔi
Pozsony *ung.* 'pɔʒɔnj
Pozuzo *span.* po'θuθo
Pozzo *it.* 'pottso
Pozz[u]olan pɔts[u]o'laːn
Pozzuoli *it.* pot'tsuɔːli
Prä prɛ
Präambel prɛ'ambl̩
Präanimismus prɛ|ani'mɪsmʊs
Präbendar prɛbɛn'daːɐ
Präbendarius prɛbɛn'daː-riʊs, ...ien ...iən
Präbende prɛ'bɛndə
Präbichl 'prɛːbɪçl̩
Prächelléen prɛʃɛlɛ'ɛ̃ː
Pracher 'praxɐ
prachern 'praxɐn
Pracht praxt
prächtig 'prɛçtɪç, -e ...ɪgə
Prack[er] 'prak[ɐ]
Prada Oropeza *span.* 'praða oro'peθa
prädeistisch prɛde'ɪstɪʃ
Prades *fr.* prad
Prädestination prɛdɛstina-'tsioːn
prädestinieren prɛdɛsti'niː-rən
Prädetermination prɛde-termina'tsioːn
prädeterminieren prɛde-tɛrmi'niːrən
Prädeterminismus prɛde-tɛrmi'nɪsmʊs
Prädezessor prɛde'tsɛsoːɐ, -en ...'soːrən
Pradier *fr.* pra'dje

prädikabel prɛdi'kaːbl̩, ...ble ...blə
Prädikabilien prɛdika'biː-liən
Prädikament prɛdika'mɛnt
Prädikant prɛdi'kant
Prädikat prɛdi'kaːt
pradikatieren prɛdika'tiː-rən
Prädikation prɛdika'tsioːn
prädikatisieren prɛdikati-'ziːrən
prädikativ, P... prɛdika'tiːf, -e ...iːvə
Prädikativum prɛdika'tiː-vʊm, ...va ...va
Prädikator prɛdi'kaːtoːɐ, -en ...ka'toːrən
prädiktabel prɛdɪk'taːbl̩, ...ble ...blə
Prädiktabilität prɛdɪktabili-'tɛːt
Prädiktion prɛdɪk'tsioːn
prädiktiv prɛdɪk'tiːf, -e ...iːvə
Prädiktor prɛ'dɪktoːɐ, -en ...'toːrən
Prädilektion prɛdilɛk'tsioːn
prädisponieren prɛdɪspo-'niːrən
Prädisposition prɛdɪspozi-'tsioːn
prädizieren prɛdi'tsiːrən
Prado 'praːdo, *span.* 'praðo, *port.* 'praðu, *bras.* 'pradu
Prädomination prɛdomina-'tsioːn
prädominieren prɛdomi-'niːrən
Pradon *fr.* pra'dõ
Prados *bras.* 'pradus, *span.* 'praðos
Praeceptor Germaniae prɛ'tsɛpto:ɐ gɛr'maːnjɛ
praecox 'prɛːkɔks
Praed *engl.* preɪd
Präeminenz prɛ|emi'nɛnts
praemissis praemittendis prɛ'mɪsiːs prɛmɪ'tɛndiːs
praemisso titulo prɛ'mɪso 'tiːtulo
Praeneste prɛ'nɛstə
Praesens historicum 'prɛːzɛns hɪs'toːrikum, ...ntia ...ca prɛ'zɛntsia ...ka
praeter legem 'prɛːtɐ 'leːgɛm
Praetexta prɛ'tɛksta
Praetorius prɛ'toːriʊs
Präexistenz prɛ|ɛksɪs'tɛnts

Präexistenzianismus prɛ|ɛksɪstɛntsia'nɪsmʊs
präexistieren prɛ|ɛksɪs'tiː-rən
präfabrizieren 'prɛːfabri-tsiːrən
Präfation prɛfa'tsioːn
Präfekt prɛ'fɛkt
Präfektur prɛfɛk'tuːɐ
Präferenz prɛfe'rɛnts
**Präferenzial... ** prɛfɛrɛn-'tsiaːl...
präferieren prɛfe'riːrən
präfigieren prɛfi'giːrən
Präfiguration prɛfigura-'tsioːn
Präfix prɛ'fɪks, 'prɛːfɪks
präfixoid, P... prɛfɪkso'iːt, -e ...iːdə
Präformation prɛfɔrma-'tsioːn
präformieren prɛfɔr'miːrən
Präformist prɛfɔr'mɪst
Prag praːk
Praga *it.* 'praːga, *poln.* 'praga
Prägarten 'prɛːgartn̩
Präge 'prɛːgə
Pragel 'praːgl̩
prägen 'prɛːgn̩, **präg!** prɛːk, **prägt** prɛːkt
prägenital prɛgeni'taːl
Prager 'praːgɐ
präglazial, P... prɛgla'tsiaːl
Pragma... 'pragma...
Pragmatik pra'gmaːtɪk
Pragmatiker pra'gmaːtikɐ
pragmatisch pra'gmaːtɪʃ
pragmatisieren pragmati-'ziːrən
Pragmatismus pragma'tɪs-mʊs
Pragmatist pragma'tɪst
prägnant prɛ'gnant
Prägnanz prɛ'gnants
Prägravation prɛgrava-'tsioːn
prägravieren prɛgra'viːrən
Praha *tschech.* 'praha
Prähistorie prɛhɪs'toːriə, *auch:* 'prɛː...
Prähistoriker prɛhɪs'toːrikɐ, *auch:* 'prɛːh...
prähistorisch prɛhɪs'toːrɪʃ, *auch:* 'prɛː...
prahlen pra:lən
Prahlerei pra:lə'raɪ
Prahm pra:m, **Prähme** 'prɛːmə

Prähomin**i**nen prɛhomiˈniː-
nən
Pr**a**hova *rumän.* ˈprahova
Pr**a**hovo *serbokr.* ˈprahɔvɔ
Prahran *engl.* prəˈræn
Pr**a**i *indon.* praɪ̯
Pr**a**ia *port.* ˈpraɪ̯ɐ
Prair**i**al prɛˈri̯al
Prairie du Ch**ie**n *engl.*
ˈpreərɪ də ˈʃiːn
Präjud**i**z prɛjuˈdiːt͜s
präjudiz**i**al prɛjudiˈt͜si̯aːl
präjudiz**ie**ll prɛjudiˈt͜si̯ɛl
präjudiz**ie**ren prɛjudiˈt͜si̯ː-
rən
präk**a**mbrisch prɛˈkambrɪʃ
Präk**a**mbrium prɛˈkam-
bri̯ʊm
präkanzer**ö**s prɛkant͜se-
ˈrøːs, -e …øːzə
Präkanzer**o**se prɛkant͜se-
ˈroːzə
präkarb**o**nisch prɛkarˈboː-
nɪʃ
präkard**i**al prɛkarˈdi̯aːl
Präkardialg**ie** prɛkar-
di̯alˈgiː, -n …i̯ɔn
präkarzinomat**ö**s prɛkart͜si-
nomaˈtøːs, -e …øːzə
Präkaut**io**n prɛkau̯ˈt͜si̯oːn
präkav**ie**ren prɛkaˈvi̯ːrən
präkludi**e**ren prɛkluˈdiːrən
Präklus**io**n prɛkluˈzi̯oːn
präklus**i**v prɛkluˈziːf, -e
…iːvə
präklus**i**visch prɛkluˈziːvɪʃ
Präkognit**io**n prɛkɔgni-
ˈt͜si̯oːn
präkol**u**mbisch prɛkoˈlʊm-
bɪʃ
Präk**o**ma prɛˈkoːma
Präkonisat**io**n prɛkoniza-
ˈt͜si̯oːn
präkonis**ie**ren prɛkoniˈziː-
rən
präkord**i**al prɛkɔrˈdi̯aːl
Pr**a**krit ˈpraːkrɪt
praktifiz**ie**ren praktifiˈt͜si̯ː-
rən
Pr**a**ktik ˈpraktɪk
praktik**a**bel praktiˈkaːbl̩,
…ble …blə
Praktikabilit**ä**t praktikabili-
ˈtɛːt
Praktik**a**nt praktiˈkant
Pr**a**ktiker ˈpraktikɐ
Pr**a**ktikum ˈpraktikʊm, …ka
…ka
Pr**a**ktikus ˈpraktikʊs, -se
…ʊsə

pr**a**ktisch ˈpraktɪʃ
praktiz**ie**ren praktiˈt͜siːrən
Praktiz**i**smus praktiˈt͜sɪsmʊs
präk**u**lmisch prɛˈkʊlmɪʃ
Präl**a**t prɛˈlaːt
Pr**ä**latur prɛlaˈtuːɐ̯
Prälegat prɛleˈgaːt
Prälimin**a**r… prɛlimiˈnaːɐ̯…
Prälimin**a**re prɛlimiˈnaːrə,
…rien …ri̯ən
prälimin**ie**ren prɛlimiˈniːrən
Pral**i**ne praˈliːnə
Pralin**é**, Pral**i**nee praliˈneː,
auch: ˈpraline
pr**a**ll, P… pral
pr**a**llen ˈpralən
prallv**o**ll ˈpralˈfɔl
pral**o**gisch prɛˈloːgɪʃ
Pralog**i**smus prɛloˈgɪsmʊs
präludi**e**ren prɛluˈdiːrən
Präl**u**dium prɛˈluːdi̯ʊm,
…ien …i̯ən
präm**a**tur prɛmaˈtuːɐ̯
Prämaturit**ä**t prɛmaturiˈtɛːt
Prämeditat**io**n prɛmedita-
ˈt͜si̯oːn
Prä**mie** ˈprɛːmi̯ə
präm**ie**ren prɛˈmiːrən
prämi**ie**ren prɛmiˈiːrən
Prä**mi**sse prɛˈmɪsə
Prämol**a**r prɛmoˈlaːɐ̯
prämonit**o**risch prɛmoni-
ˈtoːrɪʃ
Prämonstrat**e**nser prɛ-
mɔnstraˈtɛnzɐ
prämorb**i**d prɛmɔrˈbiːt, -e
…iːdə
Prämorbidit**ä**t prɛmɔrbidi-
ˈtɛːt
prämort**a**l prɛmɔrˈtaːl
Prampol**i**ni *it.* prampoˈliːni
prämund**a**n prɛmʊnˈdaːn
Prämutat**io**n prɛmutaˈt͜si̯oːn
pränat**a**l prɛnaˈtaːl
Pr**a**ndauer ˈprandau̯ɐ
Pr**a**ndl ˈprandl̩
Pr**a**ndtauer ˈprantau̯ɐ
Pr**a**ndtl ˈprantl̩
pr**a**ngen ˈpraŋən
Pr**a**nger ˈpraŋɐ
Pr**a**nke ˈpraŋkə
Prän**o**men prɛˈnoːmən,
…mina …mina
pränot**ie**ren prɛnoˈtiːrən
Prän**o**va prɛˈnoːva
Pr**a**ntl ˈprantl̩
pränumer**a**ndo prɛnume-
ˈrando
Pränumerat**io**n prɛnumera-
ˈt͜si̯oːn

pränumer**ie**ren prɛnume-
ˈriːrən
Pränuntiat**io**n prɛnʊnt͜si̯a-
ˈt͜si̯oːn
Pr**a**nz prant͜s
pr**a**nzen ˈprant͜sn̩
Präokkupat**io**n prɛlɔkupa-
ˈt͜si̯oːn
präokkup**ie**ren prɛlɔku-
ˈpiːrən
präoper**a**tiv prɛlopəraˈtiːf,
auch: ˈprɛ:|…, -e …iːvə
präpal**a**tal prɛpalaˈtaːl
Präpar**a**nd prɛpaˈrant, -en
…ndn̩
Präpar**a**nde prɛpaˈrandə
Präpar**a**t prɛpaˈraːt
Präparat**io**n prɛparaˈt͜si̯oːn
präpar**a**tiv prɛparaˈtiːf, -e
…iːvə
Präpar**a**tor prɛpaˈraːtoːɐ̯,
-en …raˈtoːrən
präparat**o**risch prɛpara-
ˈtoːrɪʃ
präpar**ie**ren prɛpaˈriːrən
präp**e**ln ˈprɛːpl̩n
Präponder**a**nz prɛpɔnde-
ˈrant͜s
präponder**ie**ren prɛpɔnde-
ˈriːrən
präpon**ie**ren prɛpoˈniːrən
Präp**o**siti *vgl.* Präpositus
Präposit**io**n prɛpoziˈt͜si̯oːn
präpositionn**a**l prɛpozit͜si̯o-
ˈnaːl
Präpos**i**tiv ˈprɛːpoziti:f, -e
…iːvə
Präp**o**situr prɛpoziˈtuːɐ̯
Präp**o**situs prɛˈpoːzitʊs, …ti
…ti
präpot**e**nt prɛpoˈtɛnt
Präpot**e**nz prɛpoˈtɛnt͜s
Präp**u**tium prɛˈpuːt͜si̯ʊm,
…ien …i̯ən
Präraffael**i**smus prɛrafae-
ˈlɪsmʊs
Präraffael**i**t prɛrafaeˈliːt
Prär**ie** prɛˈriː, -n …i̯ən
Prärog**a**tiv prɛrogaˈtiːf, -e
…iːvə
Prärog**a**tive prɛrogaˈtiːvə
Pras**a**d *engl.* prəˈsaːd
Präs**a**piens prɛˈzaːpi̯ɛns
Pr**a**sem ˈpraːt͜sm̩
Pr**ä**sens ˈprɛːzɛns, …ntia
prɛˈt͜sɛnt͜si̯a, …nzien prɛ-
ˈt͜sɛnt͜si̯ən
präs**e**nt, P… prɛˈt͜sɛnt
präsent**a**bel prɛzɛnˈtaːbl̩,
…ble …blə

Präsentant prɛzɛnˈtant
Präsentation prɛzɛntaˈtsi̯oːn
Präsentator prɛzɛnˈtaːtoːɐ̯, **-en** ...taˈtoːrən
Präsentatum prɛzɛnˈtaːtʊm, ...**ta** ...ta
Präsentia vgl. Präsens
präsentieren prɛzɛnˈtiːrən
Präsenz prɛˈzɛnts
Praseodym prazeoˈdyːm
Präsepe prɛˈzeːpə, ...**pien** ...pi̯ən
Präser ˈprɛːze
präservativ, P... prɛzɛrvaˈtiːf, **-e** ...iːvə
Präserve prɛˈzɛrvə
präservieren prɛzɛrˈviːrən
Präses ˈprɛːzɛs, **Präsides** ˈprɛːzideːs, **Präsiden** prɛˈziːdn
Präside prɛˈziːdə
Präsident prɛziˈdɛnt
präsidiabel prɛziˈdi̯aːbl̩, ...**ble** ...blə
Präsidial... prɛziˈdi̯aːl...
präsidieren prɛziˈdiːrən
Präsidium prɛˈziːdi̯ʊm, ...**ien** ...i̯ən
präsilurisch prɛziˈluːrɪʃ
Präsklerose prɛskleˈroːzə
präskribieren prɛskriˈbiːrən
Präskription prɛskrɪpˈtsi̯oːn
präskriptiv prɛskrɪpˈtiːf, **-e** ...iːvə
Praslin fr. praˈlɛ̃
Prass pras, **Prasses** ˈprasəs
Prassede it. prasˈsɛːde
prasseln ˈprasl̩n
prassen ˈprasn̩
Prasserei prasəˈrai̯
Prassinos fr. prasiˈnoːs
prästabilieren prɛstabiˈliːrən
Prästandum prɛsˈtandʊm, ...**da** ...da
Prästant prɛsˈtant
Prästanz prɛsˈtants
Prästation prɛstaˈtsi̯oːn
prästieren prɛsˈtiːrən
präsumieren prɛzuˈmiːrən
Präsumption prɛzʊmpˈtsi̯oːn
Präsumtion prɛzʊmˈtsi̯oːn
präsumtiv prɛzʊmˈtiːf, **-e** ...iːvə
präsupponieren prɛzʊpoˈniːrən
Präsupposition prɛzʊpoziˈtsi̯oːn

Pratau ˈpraːtau̯
prätektonisch prɛtɛkˈtoːnɪʃ
Prätendent prɛtɛnˈdɛnt
prätendieren prɛtɛnˈdiːrən
Prätention prɛtɛnˈtsi̯oːn
prätentiös prɛtɛnˈtsi̯øːs, **-e** ...øːzə
Prater ˈpraːtɐ
präterieren prɛteˈriːrən
Präterita vgl. Präteritum
präterital prɛteriˈtaːl
Präteritio prɛteˈriːtsi̯o, **-nen** ...riˈtsi̯oːnən
Präterition prɛteriˈtsi̯oːn
Präteritopräsens prɛteritoˈprɛːzɛns, ...**ntia** ...prɛˈzɛntsi̯a, ...**nzien** ...prɛˈzɛntsi̯ən
Präteritum prɛˈteːritʊm, ...**ta** ...ta
präterpropter prɛtɐˈprɔptɐ
Prätext prɛˈtɛkst, auch: ˈprɛːtɛkst
Prati it. ˈpraːti
Pratinas ˈpraːtinas
Prato it. ˈpraːto
Pratolini it. pratoˈliːni
Prätor ˈprɛːtoːɐ̯, **-en** prɛˈtoːrən
Prätorianer prɛtoˈri̯aːnɐ
prätorisch prɛˈtoːrɪʃ
Prätorius prɛˈtoːri̯ʊs
Prats span. prats
Pratt engl. præt
Pratteln ˈpratl̩n
Prättigau ˈprɛtigau̯
Prattville engl. ˈprætvɪl
Prätur prɛˈtuːɐ̯
Prätze ˈpratsə
Prau prau̯
Praunheim ˈprau̯nhai̯m
prävalent prɛvaˈlɛnt
Prävalenz prɛvaˈlɛnts
prävalieren prɛvaˈliːrən
Prävarikation prɛvarikaˈtsi̯oːn
Pravda tschech. ˈpravda, slowak. ˈprau̯da
prävenieren prɛveˈniːrən
Prävenire prɛveˈniːrə
Prävention prɛvɛnˈtsi̯oːn
präventiv prɛvɛnˈtiːf, **-e** ...iːvə
Präverb prɛˈvɛrp, **-ien** ...rbi̯ən
präverbal prɛvɛrˈbaːl
Prawda russ. ˈpravdə
Prawdin russ. ˈpravdin
Prawdinsk russ. ˈpravdinsk

prawoslawisch pravoˈslaːvɪʃ
Praxagoras praˈksaːgoras
Praxeas ˈprakseas
Praxedis praˈkseːdɪs
Praxeologie prakseoloˈgiː
praxeologisch prakseoˈloːgɪʃ
Praxilla praˈksɪla
Praxis ˈpraksɪs
Praxiteles praˈksiːteles
Praz it. prats
Präzedens prɛˈtseːdɛns, ...**nzien** ...tseˈdɛntsi̯ən
Präzedenz prɛtseˈdɛnts
präzedieren prɛtseˈdiːrən
Präzentor prɛˈtsɛntoːɐ̯, **-en** ...ˈtoːrən
Präzeptor prɛˈtsɛptoːɐ̯, **-en** ...ˈtoːrən
präzessieren prɛtseˈsiːrən
Präzession prɛtseˈsi̯oːn
Präzipitat prɛtsipiˈtaːt
Präzipitation prɛtsipitaˈtsi̯oːn
präzipitieren prɛtsipiˈtiːrən
Präzipitin prɛtsipiˈtiːn
Präzipuum prɛˈtsiːpuʊm, ...**pua** ...pu̯a
präzis prɛˈtsiːs, **-e** ...iːzə
präzisieren prɛtsiˈziːrən
Präzision prɛtsiˈzi̯oːn
Prčice tschech. ˈpr̩t͡ʃitsɛ
Préault fr. preˈo
Precancel pri:ˈkɛnsl̩
Prechtl ˈprɛçtl̩
Prechtler ˈprɛçtlɐ
Précieuses fr. preˈsjøːz
Preciosa preˈtsi̯oːza
precipitando pretʃipiˈtando
Précis preˈsi:, **des -** ...iː[s], **die -** ...i:s
Pręczang ˈprɛtʃaŋ
Preda rumän. ˈpreda
Predeal rumän. preˈd͡ʒeal
Predella preˈdɛla
Predelle preˈdɛlə
predigen ˈpreːdɪɡn̩, **predig!** ...ɪç, **predigt** ...ɪçt
Predigt ˈpreːdɪçt
Predil it. preˈdil
Predis it. preːdis
Předmostí tschech. ˈpr̩ʃɛdmɔstji:
Prednisolon prɛtnizoˈloːn
Preemphasis pri:ˈɛmfazɪs
Preetorius preˈtoːri̯ʊs
Preetz preːts
Preference prefeˈrãːs, **-n** ...sn̩

Pregel, Pregl 'preːgl̩
Pregnan prɛ'gnaːn
Pregnandiol prɛgnan'djoːl
Prehnit pre'niːt
preien 'praiən
Preil prail
Preis prais, -e 'praizə
Preiselbeere 'praizlbeːrə
preisen 'praizn̩, **preis!**
prais, **preist** praist
preisgeben 'praisgeːbn̩
preislich 'praisliç
Preiss prais
Preissová tschech.
'prajsɔva:
Preistreiberei praistrai-
bə'rai
prekär pre'kɛːɐ̯
Prekarei… preka'rai…
Prekarie pre'kaːriə
Prekarium pre'kaːrium,
…ien …iən
Prekmurje slowen. 'prɛk-
murjɛ
Prel[i] 'preːl[i]
Prêles fr. prɛl
Prell prɛl
prellen 'prɛlən
Preller 'prɛlɐ
Prellerei prɛlə'rai
Prelog 'preːlɔk
Prélude, -s pre'lyːt
Premier prə'mjeː, pre…
Premiere prə'mjeːrə, pre…
Premier Jus prə'mjeː 'ʒy:
Premierminister prə'mjeː-
ministɐ, pre…
Preminger 'preːmɪŋɐ
Premnitz 'premnɪts
Prémontré fr. premõ'tre
Přemysl tschech. 'prʃɛmisl̩
Prendergast engl. 'prɛndə-
gæst
Prenj serbokr. prɛːnj
Prenonym preno'nyːm
Prentice, …iss engl. 'prɛntɪs
Prenzlau 'prɛntslau̯
Preperception 'priːpərˈ-
ɐ̯ˈsɛpʃn, …pœr'…
Preprint pri'prɪnt, 'priːprɪnt
Preradovic pre'raːdovɪtʃ
Preradović serbokr. 'prɛra-
dɔvitɛ
Prerau 'preːrau̯
Přerov tschech. 'prʃɛrɔf
Prerow 'preːro
Pré-Saint-Gervais fr. presɛ̃-
ʒɛr'vɛ
Presber 'presbɐ

Presbyakusis prɛsbyla'kuː-
zɪs
Presbyopie prɛsbylo'piː
Presbyter 'prɛsbytɐ
presbyterial prɛsbyte'riaːl
Presbyterianer prɛsbyte-
'riaːnɐ
presbyterianisch prɛsbyte-
'riaːnɪʃ
Presbyterium prɛsby'teː-
rium, …ien …iən
preschen 'prɛʃn̩
Prescot[t] engl. 'prɛskət
Presenning pre'zɛnɪŋ
Presenter pri'zɛntɐ
Prešeren slowen. prɛ'ʃeːrən
Preshave[lotion] 'priː-
ʃeːf[loːʃn̩]
**Presidência Roque Sáenz
Peña** span. presi'ðɛnθia
'rrɔke 'saɛnθ 'pena
Presidente Hayes span.
presi'ðɛnte 'ajes
Presidente Prudente bras.
prezi'denti pru'denti
Presidente Vargas bras.
prezi'denti 'vargas
Preslaw bulgar. prɛ'slaf
Presle[s] fr. prɛl
Presley engl. 'prɛzlɪ
Prešov slowak. 'prɛʃɔu̯
Prespasee 'prɛspazeː:
¹Presque Isle (Michigan)
engl. prɛsk'iːl
²Presque Isle (Maine) engl.
prɛsk'ail
press prɛs
pressant[e] prɛ'sant[ə]
Preßburg 'prɛsbʊrk
Presse 'prɛsə
Pressel 'prɛsl̩
pressen 'prɛsn̩
Pressentiment prɛsãti'mãː
Presseur prɛ'søːɐ̯
pressieren prɛ'siːrən
Pressing 'prɛsɪŋ
Pression prɛ'sjoːn
Pressler, Preßler 'prɛslɐ
Pressuregroup 'prɛʃɐgruːp
Prestatyn engl. prɛs'tætɪn
Prestea engl. prɛs'teiə
Prestel 'prɛstl̩
Presti vgl. Presto
Prestidigitateur prɛstidiʒi-
ta'tøːɐ̯
Prestige prɛs'tiːʒə
prestissimo prɛs'tɪsimo
Prestissimo prɛs'tɪsimo,
…mi …mi
presto 'prɛsto

Presto 'prɛsto, …ti …ti
Preston engl. 'prɛstən
Prestonpans engl. prɛstən-
'pænz
Prestwich engl. 'prɛstwɪtʃ
Prestwick engl. 'prɛstwɪk
Prêt-à-porter prɛtapɔr'teː:
Pretest 'priːtɛst
Preti it. 'prɛːti
pretial pre'tsiaːl
Pretiosen pre'tsioːzn̩
Pretoria pre'toːria, engl.
prɪ'tɔːria, afr. prə'toːriːa
Prêtre fr. prɛtr
Preuschen 'prɔyʃn̩
Preusker 'prɔyskɐ
Preuß, Preuss prɔys
Preußag 'prɔysak
Preuße 'prɔysə
Preußen 'prɔysn̩
preußisch 'prɔysɪʃ
Preußler 'prɔyslɐ
Prévert fr. pre'vɛːr
Preview 'priːvjuː
Previn engl. 'prɛvɪn
Previtali it. previ'taːli
Prevorst 'preːfɔrst
Prévôt fr. pre'vo
Prévost d'Exiles fr. prevo-
dɛg'zil
Prewelakis neugr. prɛvɛ'la-
kis
Prewesa neugr. 'prɛvɛza
Prey[er] 'prai[ɐ]
**Preysing-Lichtenegg-
Moos** 'praizɪŋ'lɪçtənɛk-
'moːs
Prežihov slowen. 'preːʒixɔu̯
preziös pre'tsioːs, -e …øːzə
Preziosa pre'tsioːza
Preziosen pre'tsioːzn̩
Preziosität pretsiozi'tɛːt
Prezzolini it. prettso'liːni
Priamel pri'aːml̩
Priam[os] 'priːam[ɔs]
Priamus 'priːamʊs
Priapea pria'peːa
priapeisch pria'peːɪʃ
Priapeus pria'peːʊs, …pei
…peːi
priapisch pri'aːpɪʃ
Priapismus pria'pɪsmʊs
Priapos pri'aːpɔs, 'priːapɔs
Priapus pri'aːpʊs
Pribilof Islands engl. 'prɪbɪ-
ləf 'ailəndz
Priborn 'priːbɔrn
Pribram 'priːbram
Příbram tschech. 'prʃiːbram
Price engl. prais

Prichard *engl.* 'prɪtʃəd
Prichsenstadt 'prɪksn̩ʃtat
Pricke 'prɪkə
Prickelei prɪkə'lai
prick[e]lig 'prɪk[ə]lɪç, -e
...ɪgə
prickeln 'prɪkl̩n
pricken 'prɪkn̩
Pride *engl.* praɪd
Priebke 'priːpkə
Prieche 'priːçə
Priego *span.* 'prieɣo
Priel priːl
Priem priːm
priemen 'priːmən
Prien priːn
Priene pri'eːnə
Prierias pri'eːriɑs
pries priːs
priesen, P... 'priːzn̩
Prieska *afr.* 'priːska
Priessnitz, Prießnitz 'priːs-
nɪts
priest priːst
Priest *engl.* priːst
Priester 'priːstɐ
Priestley *engl.* 'priːstlɪ
Prieto *span.* 'prieto
Prievidza *slowak.* 'prievidza
Prignitz 'priːgnɪts
Přihoda *tschech.* 'prʃiːhɔda
Prijedor *serbokr.* pri.jɛdɔr
Prijepolje *serbokr.* pri.jɛ-
pɔljɛ
Prilep *mak.* 'prilɛp
Priluki *russ.* pri'luki
prim, P... priːm
prima, P... 'priːma
Primaballerina primabale-
'riːna
Primadonna prima'dɔna
Prima-facie-... 'priːma'faː-
tsiə...
Primage pri'maːʒə
Primakow *russ.* prima'kɔf
Primalitäten primali'tɛːtn̩
Primanen pri'maːnən
Primaner pri'maːnɐ
Primanota prima'noːta
Primar pri'maːɐ̯
primär pri'mɛːɐ̯
Primarius pri'maːriʊs, ...ien
...iən
Primary 'praɪməri
Primas 'priːmas, -se ...asə
Primat pri'maːt
Primaticcio *it.* prima'tittʃo
Primatologe primato'loːgə
Primatologie primatolo'giː
prima vista 'priːma 'vɪsta

prima volta 'priːma 'vɔlta
Prime 'priːmə
Primel 'priːml̩
Primerate 'praɪmreːt
Primetime 'praɪmtaɪm
Primeur pri'møːɐ̯
Primi vgl. Primus
Primi inter Pares vgl. Pri-
mus inter Pares
Primipara pri'miːpara,
...ren ...mi'paːrən
Primislaus 'priːmɪslaus
primissima pri'mɪsima
Primitial... primi'tsiɑːl...
primitiv primi'tiːf, -e ...iːvə
primitivisieren primitivi-
'ziːrən
primitivieren primiti-
'viːrən
Primitivismus primiti'vɪs-
mus
Primitivität primitivi'tɛːt
Primitivum primi'tiːvʊm,
...va ...va
Primi Uomini vgl. Primo
uomo
Primiz pri'miːts
Primiziant primi'tsiant
Primizien pri'miːtsiən
primo, [1]P... 'priːmo
[2]Primo (Name) *span.* 'primo
Primogenitur primogeni-
'tuːɐ̯
primordial primɔr'diaːl
Primorje *serbokr.* primɔ'rjɛ
Primorsk *russ.* pri'mɔrsk
Primo Uomo 'priːmo
'uoːmo, Primi Uomini ...mi
...mini
Primrose *engl.* 'prɪmrouz
Primum Mobile 'priːmʊm
'moːbilə
Primus 'priːmʊs; Primi
'priːmi, -se ...ʊsə
Primus inter Pares 'priːmʊs
'ɪntɐ 'paːreːs, Primi - - ...mi
- -

Prince *engl.* prɪns
Princeton *engl.* 'prɪnstən
principaliter prɪntsi'paːlitɐ
Princip *serbokr.* .printsi:p
Principe *it.* 'printʃipe
Príncipe *port.* 'prĩsipə
principiis obsta prɪn'tsi:-
pii:s 'ɔpsta
Principium [Contradictio-
nis, exclusi Tertii, Identi-
tatis, Rationis sufficien-
tis] prɪn'tsiːpiʊm [kɔntra-
dɪk'tsioːnɪs, ɛks'kluːzi 'tɛr-

tsii, idɛnti'taːtɪs, ra'tsjoːnɪs
zʊfi'tsiɛntɪs]
Pring[le] *engl.* prɪŋ[gl]
Pringsheim 'prɪŋshaɪm
Prins *niederl.* prɪns
Prinsep *engl.* 'prɪnsɛp
Print[e] 'prɪnt[ə]
Printed in Germany 'prɪntɪt
ɪn 'dʒøːɐ̯məni, - - 'dʒœr-
məni
Printer 'prɪntɐ
Prin[t]z prɪnts
Printz-Påhlson *schwed.*
'prints'poːlsɔn
Prinzeps 'prɪntsɛps, ...zipes
...tsipeːs
Prinzess[in] prɪn'tsɛs[ɪn]
Prinzip prɪn'tsiːp, -ien
...piən
Prinzipal prɪntsi'paːl
prinzipaliter prɪntsi'paːlitɐ
Prinzipat prɪntsi'paːt
Prinzipes vgl. Prinzeps
prinzipiell prɪntsi'piɛl
Prinz-Thronfolger 'prɪnts-
'troːnfɔlgɐ
Prion 'priːɔn, -en pri'oːnən
[1]Prior 'priːoːɐ̯, -en pri'oːrən
[2]Prior (Name) *engl.* praɪə,
span. pri'ɔr
Priorat prio'raːt
Priorin pri'oːrɪn, *auch:*
'priːorɪn
Priorität priori'tɛːt
Priosjorsk *russ.* pria'zjɔrsk
Pripet 'priːpɛt
Pripjat *russ.* 'pripɪtj
Pripjet 'prɪpjɛt
Prisca 'prɪska
Prischen 'priːsçən
Prischwin *russ.* 'prɪʃvin
Priscian[us] prɪs'tsiaːn[ʊs]
Priscilla prɪs'tsɪla, *engl.* prɪ-
'sɪlə
Priscillian prɪstsɪ'liaːn
Prisco *it.* 'prisko
Priskos 'prɪskɔs
Priscus 'prɪskʊs
Prise 'priːzə
Prishtinë *alban.* priʃ'tinə
Prisma 'prɪsma
prismatisch prɪs'maːtɪʃ
Prismatoid prɪsmato'iːt, -e
...iːdə
prismatoidisch prɪsmato-
'iːdɪʃ
Prismoid prɪsmo'iːt, -e
...iːdə
Prison pri'zõː

Prisoner of War ˈprɪzənɐ ɔf
ˈvɔːɐ̯
Prisonnier de Guerre, -s - -
prizɔˈni̯e: də ˈgɛːɐ̯
Priština *serbokr.* ˈpriːʃtina
Pritchard *engl.* ˈprɪtʃəd
Pritchett *engl.* ˈprɪtʃɪt
Pritsche ˈprɪtʃə
pritschen ˈprɪtʃn̩
Pritstabel ˈprɪtstabl̩
Pritzwalk ˈprɪtsvalk
Privas *fr.* priˈvɑ
privat priˈvaːt
Privatier privaˈti̯e:
Privatiere privaˈti̯e:rə
privatim priˈvaːtɪm
Privation privaˈtsi̯oːn
privatisieren privatiˈziːrən
Privatismus privaˈtɪsmʊs
privatissime privaˈtɪsimə
Privatissimum privaˈtɪsi-
mʊm, ...ma ...ma
Privatist privaˈtɪst
privativ, P... privaˈtiːf, -e
...iːvə
Privileg priviˈleːk, -ien
...ˈleːgi̯ən
privilegieren privileˈgiːrən
Privilegium priviˈleːgi̯ʊm,
...ien ...i̯ən
Privilegium Paulinum pri-
viˈleːgi̯ʊm paʊ̯ˈliːnʊm
Privy Council ˈprɪvɪ ˈkaʊ̯nsl̩
Prix priː, **des -** priː[s], **die -**
priːs
Prizren *serbokr.* ˈprɪzrɛn
Prjanischnikow *russ.* ˈprja-
niʃnikɐf
pro, ¹**Pro** proː:
²**Pro** (Name) *span.* pro
pro anno proː: ˈano
Proanthesis proˌanˈteːzɪs
Proärese proˈɛːreːzə
Proba ˈproːba
probabel proˈbaːbl̩, ...ble
...blə
Probabilismus probabiˈlɪs-
mʊs
Probabilität probabiliˈtɛːt
Proband proˈbant, -en
...dn̩
probat proˈbaːt
Probation probaˈtsi̯oːn
Pröbchen ˈprøːpçən
Probe ˈproːbə
pröbeln ˈprøːbl̩n, **pröble**
ˈprøːblə
proben ˈproːbn̩, **probt!**
proːp, **probt** proːpt
probieren proˈbiːrən

Probiont proˈbi̯ɔnt
Probität probiˈtɛːt
Problem proˈbleːm
Problematik probleˈmaːtɪk
problematisch proble-
ˈmaːtɪʃ
problematisieren proble-
matiˈziːrən
Probolinggo *indon.* probo-
ˈlɪŋgo
Probstei proːpsˈtaɪ̯
Probstzella proːpstˈtsɛla
Probus ˈproːbʊs
Procaccini *it.* prokatˈtʃiːni
Procain® prokaˈiːn
Procedere proˈtseːdərə
pro centum proː: ˈtsɛntʊm
Processus proˈtsɛsʊs
Procházka *tschech.* ˈprɔ-
xaːska
Procheilie proçaɪ̯ˈliː, -n
...iːən
Prochorow *russ.* ˈprɔxɐrɛf
Procida *it.* ˈprɔːtʃida
Procksch prɔkʃ
Proclus ˈproːklʊs
Proco-... ˈproːko...
Procopé *schwed.* prɔkɔˈpe:
pro copia proː: ˈkoːpi̯a
Procopius proˈkoːpi̯ʊs
Procter, ...tor *engl.* ˈprɔktə
Proculejus prokuˈleːjʊs
Prodekan ˈproːdekaːn
prodeutsch ˈproːdɔʏ̯tʃ, pro-
ˈdɔʏ̯tʃ
Prod'homme *fr.* prɔˈdɔm
Prodi *it.* ˈprɔːdi
pro die proː: ˈdiːə
Prodigalität prodigaliˈtɛːt
Prodigium proˈdiːgi̯ʊm,
...ien ...i̯ən
Prodikos ˈproːdikɔs
pro domo proː: ˈdoːmo
pro dosi proː: ˈdoːzi
Prodrom proˈdroːm
Prodromal... prodroˈmaːl...
Prodromos ˈproːdromos
Prodromus ˈproːdromʊs,
...men proˈdroːmən
Producer proˈdjuːsɐ
Product... ˈprɔdakt...
Produkt proˈdʊkt
Produktion prodʊkˈtsi̯oːn
produktiv prodʊkˈtiːf, -e
...iːvə
Produktivität prodʊktivi-
ˈtɛːt
Produktograph prodʊkto-
ˈgraːf
Produzent produˈtsɛnt

produzieren produˈtsiːrən
Proenzym proˌɛnˈtsyːm,
auch: ˈproːˌlɛntsyːm
Prof prɔf
profan proˈfaːn
Profanation profanaˈtsi̯oːn
profanieren profaˈniːrən
Profanität profaniˈtɛːt
Profess[e] proˈfɛs[ə]
Professiogramm profɛsi̯o-
ˈgram
Profession profɛˈsi̯oːn
professional profɛsi̯oˈnaːl
Professional profɛsi̯oˈnaːl,
proˈfɛʃənl̩
professionalisieren profɛ-
si̯onaliˈziːrən
Professionalismus profɛ-
si̯onaˈlɪsmʊs
professionell profɛsi̯oˈnɛl
professioniert profɛsi̯o-
ˈniːɐ̯t
Professionist profɛsi̯oˈnɪst
Professor proˈfɛsoːɐ̯, -en
...ˈsoːrən
professoral profɛsoˈraːl
Professorin profɛˈsoːrɪn,
auch: proˈfɛsorɪn
Professur profɛˈsuːɐ̯
Profi ˈproːfi
proficiat! proˈfiːtsi̯at
Profil proˈfiːl
profilieren profiˈliːrən
Profilograph profiloˈgraːf
Profit proˈfiːt, *auch:* proˈfɪt
profitabel profiˈtaːbl̩, ...ble
...blə
Profiteur profiˈtøːɐ̯
profitieren profiˈtiːrən
Proform ˈproːfɔrm
pro forma proː: ˈfɔrma
Profos proˈfoːs, -e ...oːzə
Profoß proˈfɔs
Proft prɔft
Profumo *engl.* prəˈfjuːmoʊ̯
profund proˈfʊnt, -e ...ndə
Profundal profʊnˈdaːl
Profundität profʊndiˈtɛːt
profus proˈfuːs, -e ...uːzə
progam proˈgaːm
Progenese progeˈneːzə
Progenie progeˈniː, -n
...iːən
Progenitur progeniˈtuːɐ̯
Progerie progeˈriː, -n ...iːən
Progesteron progɛsteˈroːn
Proglottid proglɔˈtiːt, -en
...iːdn̩
Prognath proˈgnaːt
Prognathie prognaˈtiː:

Prognose proˈgnoːzə
Prognostik proˈgnɔstɪk
Prognostikon proˈgnɔsti-kɔn, ...ka ...ka
Prognostikum proˈgnɔsti-kʊm, ...ka ...ka
prognostisch proˈgnɔstɪʃ
prognostizieren prognɔsti-ˈtsiːrən
Progonotaxis progonoˈta-ksɪs
Programm proˈgram
Programmatik progra-ˈmaːtɪk
Programmatiker progra-ˈmaːtikɐ
programmatisch progra-ˈmaːtɪʃ
programmieren progra-ˈmiːrən
progredient progreˈdiɛnt
Progredienz progreˈdiɛnts
Progreso span. proˈɣreso
Progress proˈgrɛs
Progression progrɛˈsioːn
Progressismus progrɛˈsɪs-mʊs
Progressist progrɛˈsɪst
progressiv progrɛˈsiːf, -e ...iːvə
Progressivejazz proˈgrɛsɪf-ˌdʒɛs
Progressivismus progrɛsi-ˈvɪsmʊs
Progressivist progrɛsiˈvɪst
Progymnasium ˈproːgʏm-naːziʊm, ...ien ...iən
Prohaska proˈhaska, ˈproː-haska
prohibieren prohiˈbiːrən
Prohibition prohibiˈtsioːn
Prohibitionist prohibitsio-ˈnɪst
prohibitiv, P... prohibiˈtiːf, -e ...iːvə
prohibitorisch prohibiˈtoː-rɪʃ
Prohibitorium prohibiˈtoː-riʊm, ...ien ...iən
Projekt proˈjɛkt
Projektant projɛkˈtant
Projekteur projɛkˈtøːɐ̯
projektieren projɛkˈtiːrən
Projektil projɛkˈtiːl
Projektion projɛkˈtsioːn
projektiv projɛkˈtiːf, -e ...iːvə
Projektor proˈjɛktoːɐ̯, -en ...ˈtoːrən
projizieren projiˈtsiːrən

Prokaryonten prokaˈrÿɔntn̩
Prokaryoten prokaˈrÿoːtn̩
Prokatalepsis prokaˈtaːlɛ-psɪs, ...lepsen ...taˈlɛpsn̩
Prokeleusmatikus proke-lɔysˈmaːtikʊs, ...izi ...itsi
Proklamation proklama-ˈtsio:n
proklamieren proklaˈmiːrən
Proklise proˈkliːzə
Proklisis ˈproːkliːzɪs, ...sen proˈkliːzn̩
Proklitikon proˈkliːtikɔn, ...ka ...ka
proklitisch proˈkliːtɪʃ
Proklos ˈproːklɔs
Prokne ˈprɔknə
Prokof[f] ˈproːkɔf
Prokofi russ. praˈkɔfij
Prokofjew proˈkɔfjɛf, russ. praˈkɔfjɪf
Prokonsul ˈproːkɔnzʊl
Prokonsulat ˈproːkɔnzulaːt
[1]**Prokop** (Böhmen) ˈproːkɔp
[2]**Prokop** (Antike) proˈkoːp
Pro-Kopf-... proˈkɔpf...
Prokopi russ. praˈkɔpij
Prokopios proˈkoːpiɔs
Prokopius proˈkoːpiʊs
Prokopjewsk russ. praˈkɔp-jɪfsk
Prokopowitsch russ. prɐ-kaˈpɔvitʃ
Prokosch ˈproːkɔʃ, engl. ˈproʊkɔʃ
Prokris ˈproːkrɪs
Prokrustes proˈkrʊstɛs
Proktalgie prɔktalˈgiː, -n ...iːn
Proktitis prɔkˈtiːtɪs, ...itiden ...tiˈtiːdn̩
proktogen prɔktoˈgeːn
Proktologe prɔktoˈloːgə
Proktologie prɔktoloˈgiː
Proktoplastik prɔktoˈplas-tɪk
Proktorrhagie prɔktɔraˈgiː, -n ... iːn
Proktospasmus prɔkto-ˈspasmʊs
Proktostase prɔktoˈstaːzə
Proktotomie prɔktotoˈmiː, -n ...iːn
Proktozele prɔktoˈtseːlə
Prokuplje serbokr. ˌprɔ-kupljɛ
Prokura proˈkuːra
Prokuration prokuraˈtsioːn
Prokurator prokuˈraːtoːɐ̯, -en ...raˈtoːrən

Prokurazien prokuˈraːtsiən, auch: ...raˈtsioːn
Prokurist prokuˈrɪst
Prokuror proˈkuːroːɐ̯, -en ...kuˈroːrən
Prokyon ˈproːkÿɔn
prolabieren prolaˈbiːrən
Prolaktin prolakˈtiːn
Prolamina prolaˈmiːna
Prolan proˈlaːn
Prolaps proˈlaps, ˈproːlaps
Prolapsus proˈlapsʊs, die - ...psuːs
Prolegomenon proleˈgoː-menɔn, ...ena ...ena
Prolepse proˈlɛpsə
Prolepsis ˈproːlɛpsɪs, pro-ˈlɛpsɪs, ...psen proˈlɛpsn̩
proleptisch proˈlɛptɪʃ
Prolet proˈleːt
Proletariat proletaˈriaːt
Proletarier proleˈtaːriɐ
proletarisch proleˈtaːrɪʃ
proletarisieren proletari-ˈziːrən
[1]**Proliferation** prolifera-ˈtsioːn
[2]**Proliferation** (Weitergabe von Atomwaffen) prolifə-ˈreːʃn̩
proliferativ prolifeˈraːtiːf, -e ...iːvə
proliferieren prolifeˈriːrən
prolix proˈlɪks
pro loco pro: ˈloːko
Prolog proˈloːk, -e ...oːgə
Prolongation prolɔŋga-ˈtsioːn
Prolongement prolɔ̃ʒəˈmãː
prolongieren prolɔŋˈgiːrən
Prome engl. proʊm
pro memoria pro: meˈmoː-ria
Promemoria promeˈmoːria, ...ien ...iən
Promenade proməˈnaːdə
promenieren proməˈniːrən
Promesse proˈmɛsə
Promessi Sposi it. pro-ˈmessi ˈspoːzi
prometheisch promeˈteːɪʃ
Prometheus proˈmeːtɔys
Promethium proˈmeːtiʊm
pro mille pro: ˈmɪlə
Promille proˈmɪlə
prominent promiˈnɛnt
Prominenz promiˈnɛnts
promiscue proˈmɪskuə
promisk proˈmɪsk
Promiskuität promɪskuiˈtɛːt

promiskuitiv promɪskuiˈtiːf,
-e ...iːvə
promiskuos promɪsˈkuoːs,
-e ...oːzə
promiskuös promɪsˈkuøːs,
-e ...øːzə
Promission promɪˈsi̯oːn
promissorisch promɪˈsoːrɪʃ
Promissorium promɪˈsoː-
rium, ...ien ...i̯ən
Promittent promɪˈtɛnt
promittieren promɪˈtiːrən
promoten proˈmoːtn̩
Promoter proˈmoːtɐ
¹Promotion promoˈtsi̯oːn
²Promotion (Werbung)
proˈmoːʃn̩
Promotor proˈmoːtoːɐ̯, -en
...moˈtoːrən
Promovend promoˈvɛnt,
-en ...ndn̩
promovieren promoˈviːrən
prompt prɔmpt
Promptuarium prɔmpˈtu̯a:-
rium, ...ien ...i̯ən
Promulgation promʊlga-
ˈtsi̯oːn
promulgieren promʊlˈgiː-
rən
Pronaos ˈproːnaɔs, ...naoi
...naɔy
Pronaszko poln. prɔˈnaʃkɔ
Pronation pronaˈtsi̯oːn
pro nihilo pro: ˈniːhilo
Pronomen proˈnoːmən,
...mina ...mina
pronominal pronomiˈnaːl
Pronominale pronomi-
ˈnaːlə, ...lia ...li̯a, ...lien
...li̯ən
prononcieren pronõˈsiːrən
Prontosil® prɔntoˈziːl
Pronunciamiento pronʊn-
tsi̯aˈmi̯ɛnto
Pronuntius proˈnʊntsi̯ʊs,
...ien ...i̯ən
Pronunziam[i]ento pronʊn-
tsi̯aˈm[i]ɛnto
pronunziato pronʊnˈtsi̯aːto
Prony fr. prɔˈni
Prooimion proˈʔɔymi̯ɔn, ...ia
...i̯a
Proömium proˈʔøːmi̯ʊm,
...ien ...i̯ən
Propädeutik propɛˈdɔytɪk
Propädeutikum propɛˈdɔy-
tikʊm, ...ka ...ka
propädeutisch propɛˈdɔytɪʃ
Propaganda propaˈganda

propagandieren propagan-
ˈdiːrən
Propagandist propagan-
ˈdɪst
Propagation propagaˈtsi̯oːn
Propagator propaˈgaːtoːɐ̯,
-en ...gaˈtoːrən
propagieren propaˈgiːrən
Propan proˈpaːn
Propanon propaˈnoːn
Proparoxytonon proparɔ-
ˈksyˈtonɔn, ...na ...na
pro patria pro: ˈpaːtria
Propeller proˈpɛlɐ
Propemptikon proˈpɛmpti-
kɔn, ...ka ...ka
Propen proˈpeːn
Propepsin propeˈpsiːn
proper ˈproːpɐ
Properdin propɛrˈdiːn
Properispomenon prope-
riˈspoːmenɔn, ...na ...na
Propertius proˈpɛrtsi̯ʊs
Properz proˈpɛrts
Prophase proˈfaːzə
Prophet proˈfeːt
Prophetie profeˈtiː, -n ...i̯ən
prophetisch proˈfeːtɪʃ
prophezeien profeˈtsai̯ən
Prophylaktikum profyˈlak-
tikʊm, ...ka ...ka
prophylaktisch profyˈlaktɪʃ
Prophylaxe profyˈlaksə
Prophylaxis profyˈlaksɪs
Propiol proˈpi̯oːl
Propion proˈpi̯oːn
Propolis ˈproːpolɪs
Proponent propoˈnɛnt
proponieren propoˈniːrən
Propontis proˈpɔntɪs
Proportion proporˈtsi̯oːn
proportional proportsi̯o-
ˈnaːl
Proportionalität proport-
si̯onaliˈtɛːt
proportioniert proportsi̯o-
ˈniːɐ̯t
Proporz proˈpɔrts
Propositio propoˈziːtsi̯o,
-nes ...ziˈtsi̯oːneːs
Propositio maior [- minor]
propoˈziːtsi̯o ˈmaːjoːɐ̯
[- ˈmiːnoːɐ̯]
Proposition propoziˈtsi̯oːn
propositional propozitsi̯o-
ˈnaːl
Propositum proˈpoːzitʊm,
...ta ...ta
Proposta proˈpɔsta
Proppen ˈprɔpn̩

proppenvoll ˈprɔpn̩ˈfɔl
Proprätor proˈprɛːtoːɐ̯, -en
proprɛˈtoːrən
propre ˈprɔprə
Propretät proprəˈtɛːt
proprialisieren propriali-
ˈziːrən
proprie ˈproːprie
Proprietär proprieˈtɛːɐ̯
Proprietät proprieˈtɛːt
pro primo pro: ˈpriːmo
proprio motu ˈproːprio
ˈmoːtu
Proprium ˈproːpri̯ʊm
Proprium de Tempore
ˈproːpri̯ʊm deː ˈtɛmpore
Proprium Sanctorum ˈproː-
pri̯ʊm zaŋkˈtoːrʊm
Propst proːpst, Pröpste
ˈprøːpstə
Propstei proːpsˈtai̯
Pröpstin ˈprøːpstɪn
Propulsion propʊlˈzi̯oːn
propulsiv propʊlˈziːf, -e
...iːvə
Propusk ˈproːpʊsk, ˈprɔp...,
proˈpʊsk
Propyläen propyˈlɛːən
Propylen propyˈleːn
Propylit propyˈliːt
pro rata [parte, temporis]
pro: ˈraːta [ˈpartə, ˈtɛmpo-
rɪs]
Prorektor ˈproːrɛktoːɐ̯,
ˈ-ˈ--, -en ˈproːrɛktoˈrən,
ˈ--ˈ--
Prorektorat ˈproːrɛktoraːt,
ˈ--ˈ--
Prorogation proogaˈtsi̯oːn
prorogativ proogaˈtiːf, -e
...iːvə
prorogieren proroˈgiːrən
Prosa ˈproːza
Prosaiker proˈzaːikɐ
prosaisch proˈzaːɪʃ
Prosaist prozaˈɪst
Prosecco proˈzɛko
Prosektor ˈproːzɛktoːɐ̯,
ˈ-ˈ--, -en ˈproːzɛktoˈrən,
ˈ--ˈ--
Prosektur prozɛkˈtuːɐ̯
Prosekution prozekuˈtsi̯oːn
Prosekutiv ˈproːzekutiːf, -e
...iːvə
Prosekutor prozeˈkuːtoːɐ̯,
-en ...kuˈtoːrən
Proselyt prozeˈlyːt
Proselytenmacherei pro-
zely:tn̩maxəˈrai̯
Proseminar ˈproːzeminaːɐ̯

Prosenchym prozɛn'çy:m
prosenchymatisch prozɛn-
çy'ma:tɪʃ
Proserpina pro'zɛrpina
ProSieben pro:'zi:bn̩
Prosimetrum prozi'me:-
trʊm, **...tra** ...tra
prosit!, Prosit 'pro:zɪt
Prosito *it.* 'prɔ:zito
Proske 'prɔskə
Proskenion pro'ske:niɔn,
...ia ...i̯a
proskribieren proskri'bi:-
rən
Proskription proskrɪp'tsi̯o:n
Proskynese prɔsky'ne:zə
Proskynesis prɔs'ky:nezɪs,
...nesen ...ky'ne:zn̩
Prosodem prozo'de:m
Prosodiakus prozo'di:akʊs,
...zi ...tsi
Prosodie prozo'di:, **-n** ...i:ən
Prosodik pro'zo:dɪk
Prosodion pro'zo:di̯ɔn, **...ia**
...i̯a
prosodisch pro'zo:dɪʃ
Prosodontie prozodɔn'ti:,
-n ...i:ən
Prosopalgie prozopal'gi:,
-n ...i:ən
Prosopographie prozopo-
gra'fi:, **-n** ...i:ən
Prosopolepsie prozopo-
lɛ'psi:
Prosopoplegie prozopo-
ple'gi:, **-n** ...i:ən
Prosopopöie prozopopø'i:,
-n ...i:ən
Prosoposchisis prozopo-
'sçi:zɪs
Prospect *engl.* 'prɔspɛkt
Prospekt pro'spɛkt
prospektieren prospɛk'ti:-
rən
Prospektion prospɛk'tsi̯o:n
prospektiv prospɛk'ti:f, **-e**
...i:və
Prospektor pro'spɛkto:ɐ̯,
-en ...'to:rən
Prosper 'prɔspɐ, *fr.* prɔs-
'pɛːr, *engl.* 'prɔspə
prosperieren prospe'ri:rən
Prosperität prosperi'tɛ:t
Prospermie prospɛr'mi:, **-n**
...i:ən
Prospero 'prɔspero
prospizieren prospi'tsi:rən
Prößnitz 'prɔsnɪts
prost!, Prost pro:st

Prostaglandine prɔstaglan-
'di:nə
Prostata 'prɔstata, **...tae**
...tɛ
Prostatektomie prostatɛk-
to'mi:, **-n** ...i:ən
Prostatiker pro'sta:tikɐ
Prostatitis prosta'ti:tɪs,
...itiden ...ti'ti:dn̩
Prostějov *tschech.* 'prɔstjɛ-
jɔf
prosten 'pro:stn̩
prösterchen!, P... 'prø:stɐ-
çən
Prosternation prostɛrna-
'tsi̯o:n
prosternieren prostɛr'ni:-
rən
Prosthese prɔs'te:zə
Prosthesis 'prɔstezɪs,
...thesen prɔs'te:zn̩
prosthetisch prɔs'te:tɪʃ
prostituieren prostitu'i:rən
Prostituierte prostitu'i:ɐ̯tə
Prostitution prostitu'tsi̯o:n
prostitutiv prostitu'ti:f, **-e**
...i:və
Prostration prostra'tsi̯o:n
Prostylos 'prɔstylɔs, **...loi**
...lɔy
Prosyllogismus prozylo-
'gɪsmʊs
prosyllogistisch prozylo-
'gɪstɪʃ
Proszenium pro'stse:ni̯ʊm,
...ien ...i̯ən
Protactinium protak'ti:-
ni̯ʊm
Protagonist protago'nɪst
Protagoras pro'ta:goras
Protamin prota'mi:n
Protandrie protan'dri:
protandrisch pro'tandrɪʃ
Protanopie protan|o'pi:, **-n**
...i:ən
Protasis 'pro:tazɪs, **...tasen**
pro'ta:zn̩
Protease prote'a:zə
Protegé prote'ʒe:
protegieren prote'ʒi:rən
Proteid prote'i:t, **-e** ...i:də
Protein prote'i:n
Proteinase protei'na:zə
proteisch pro'te:ɪʃ
Protektion protɛk'tsi̯o:n
Protektionismus protɛk-
tsi̯o'nɪsmʊs
Protektionist protɛktsi̯o-
'nɪst

Protektor pro'tɛkto:ɐ̯, **-en**
...'to:rən
Protektorat protɛkto'ra:t
pro tempore pro: 'tɛmpore
Proteohormon 'pro:teohɔr-
mo:n
Proteolyse proteo'ly:zə
proteolytisch proteo'ly:tɪʃ
Proterandrie proteran'dri:
proterogyn protero'gy:n
Proterogynie proterogy'ni:
Proterozoikum protero-
'tso:ikʊm
Protesilaos protezi'la:ɔs
Protest pro'tɛst
Protestant protɛs'tant
protestantisch protɛs'tan-
tɪʃ
protestantisieren protɛs-
tanti'zi:rən
Protestantismus protɛs-
tan'tɪsmʊs
Protestation protɛsta'tsi̯o:n
protestieren protɛs'ti:rən
Proteus pro:tɔys
Protevangelium protevaŋ-
'ge:li̯ʊm, 'pro:te...
Prothallium pro'tali̯ʊm,
...ien ...i̯ən
Prothero[e] *engl.* 'prɔðərou
Prothese pro'te:zə
Prothetik pro'te:tɪk
prothetisch pro'te:tɪʃ
Prothrombin protrɔm'bi:n
Protist pro'tɪst
Protium 'pro:tsi̯ʊm
Protoevangelium
protoĕvaŋ'ge:li̯ʊm
protogen proto'ge:n
Protogin proto'gi:n
protogyn proto'gy:n
Protogynie protogy'ni:
Protokokken proto'kɔkn̩
Protokoll proto'kɔl
Protokollant protoko'lant
protokollarisch protoko-
'la:rɪʃ
Protoköllchen proto'kœl-
çən
protokollieren protokɔ'li:-
rən
Proton 'pro:tɔn, **-en** pro-
'to:nən
Protonema proto'ne:ma
Protonotar protono'ta:ɐ̯
Proton Pseudos 'pro:tɔn
'psɔydɔs
Protophyte proto'fy:tə
Protophyton pro'to:fytɔn,
...ten proto'fy:tn̩

Protoplasma proto'plasma
Protoplast proto'plast
Protos 'pro:tɔs
Prototyp 'pro:toty:p, proto-
'ty:p
prototypisch proto'ty:pɪʃ
Protozoologe prototsoo-
'lo:gə
Protozoologie prototsoo-
lo'gi:
Protozoon proto'tso:ɔn,
...zoen ...'tso:ən
protrahieren protra'hi:rən
Protraktion protrak'tsjo:n
Protreptik pro'trɛptɪk
protreptisch pro'trɛptɪʃ
Protrusion protru'zjo:n
Protti it. 'prɔtti
Protuberanz protube'rants
protypisch pro'ty:pɪʃ
Protypon 'pro:typɔn, ...pen
pro'ty:pn
Protypus pro'ty:pʊs
Protz[e] 'prɔts[ə]
protzen 'prɔtsn
protzig 'prɔtsɪç, -e ...ɪgə
Prou fr. pru
Proudhon fr. pru'dõ
Proust fr. prust
Proustit prʊs'ti:t
pro usu medici pro: 'u:zu
'me:ditsi
Prout[y] engl. 'praʊt[ɪ]
Provence fr. prɔ'vã:s
Provenceröl pro'vã:sœl ø:l
Provenienz prove'njɛnts
¹Provenzale proven'tsa:lə,
auch: proven'sa:lə, provã-
'sa:lə
²Provenzale (Name) it. proven'tsa:le
provenzalisch proven'tsa:-
lɪʃ, auch: proven'sa:lɪʃ,
provã'sa:lɪʃ
Proverb pro'vɛrp, -en ...rbn
Proverbe, -s fr. prɔ'vɛrb
Proverbe dramatique, -s -s
pro'vɛrp drama'tik
proverbial prover'bja:l
proverbiell prover'bjɛl
Proverbium pro'vɛrbjʊm,
...ien ...jən
Proviant pro'vjant
proviantieren provjan'ti:-
rən
Providence engl. 'prɔvi-
dəns, fr. prɔvi'dã:s
Providenz provi'dɛnts
providenziell providɛn'tsjɛl
Provider pro'vaɪdɐ

Province fr. prɔ'vɛ̃:s
Provins fr. prɔ'vɛ̃
Provinz pro'vɪnts
Provinzial[e] provɪn'tsja:l[ə]
provinzialisieren provɪn-
tsjali'zi:rən
Provinzialismus provɪntsja-
'lɪsmʊs
Provinzialist provɪntsja'lɪst
provinziell provɪn'tsjɛl
Provinzler pro'vɪntslɐ
Provision provi'zjo:n
Provisor pro'vi:zo:ɐ̯, -en
provi'zo:rən
provisorisch provi'zo:rɪʃ
Provisorium provi'zo:rjʊm,
...ien ...jən
¹Provo 'pro:vo
²Provo (Ort) engl. 'proʊvoʊ
provokant, P... provo'kant
Provokateur provoka'tø:ɐ̯
Provokation provoka'tsjo:n
provokativ provoka'ti:f, -e
...i:və
provokatorisch provoka-
'to:rɪʃ
provozieren provo'tsi:rən
Prowazek 'prɔvazɛk
Proxenie prɔkse'ni:
Proxima Centauri 'prɔksi-
ma tsɛn'taʊri
proximal prɔksi'ma:l
Proximus 'prɔksimʊs
Prozedere pro'tse:dərə
prozedieren protse'di:rən
Prozedur protse'du:ɐ̯
prozedural protsedu'ra:l
Prozent pro'tsɛnt
...prozentig ...pro.tsɛntɪç, -e
...ɪgə
prozentisch pro'tsɛntɪʃ
prozentual protsɛn'tua:l
prozentualiter protsɛn'tua:-
litɐ
prozentuell protsɛn'tuɛl
prozentuieren protsɛntu-
'i:rən
Prozess pro'tsɛs
prozessieren protse'si:rən
Prozession protse'sjo:n
Prozessor pro'tsɛso:ɐ̯, -en
...'so:rən
Prozessualist protsɛsua'lɪst
prozöl pro'tsø:l
prozyklisch pro'tsy:klɪʃ
Prschewalsk[i] russ. prʒə-
'valjsk[ij]
prüde 'pry:də
Prudelei pru:də'laɪ
prudelig 'pru:dəlɪç, -e ...ɪgə

prudeln 'pru:dln, prudle
'pru:dlə
Prudentia pru'dɛntsja
Prudentius pru'dɛntsjʊs
Prüderie pry:də'ri:, -n ...i:ən
Prudhoe engl. 'pru:doʊ
Prudhomme fr. pry'dɔm
Prud'hon fr. pry'dõ
prudlig 'pru:dlɪç, -e ...ɪgə
prüfen 'pry:fn
Prüfening 'pry:fənɪŋ
Prüfer 'pry:fɐ
Prügel 'pry:gl
Prügelei pry:gə'laɪ
prügeln 'pry:gln, prügle
'pry:glə
Prüm prym
Prünelle pry'nɛlə
prünen 'pry:nən
Prunières fr. pry'njɛ:r
Prunk prʊŋk
prunken 'prʊŋkn
Prunskiene lit. .prʊnskɪɛne:
Pruntrut prʊn'tru:t
Prunus 'pru:nʊs
pruriginös prurigi'nø:s, -e
...ø:zə
Prurigo pru'ri:go, ...gines
...gine:s
Pruritus pru'ri:tʊs
Prus poln. prus
pruschen 'pru:ʃn
Prusias 'pru:zjas
prusten 'pru:stn
Pruszków poln. 'pruʃkuf
Pruszkowski poln. pruʃ-
'kɔfski
Prut russ., rumän. prut
Pruta pru'ta, ...tot pru'tɔt
Pruth pru:t
Prutkow russ. prut'kɔf
Prütz prʊts
Pruzze 'prʊtsə
Prytane pry'ta:nə
Prytaneion pryta'najɔn
Prytaneum pryta'ne:ʊm,
...een ...e:ən
Przemysl 'pʃɛmysl
Przemyśl poln. 'pʃɛmiɕl
Przemyslide pʃɛmys'li:də
Przesmycki poln. pʃɛ-
'smitski
Przeworsk poln. 'pʃɛvɔrsk
Przyboś poln. 'pʃibɔɕ
Przybyszewski poln. pʃibi-
'ʃɛfski
Przywara pʃy'vara
Psaligraphie psaligra'fi:
psaligraphisch psali'gra:fɪʃ
Psalm psalm

Psalmist psal'mıst
Psalmodie psalmo'di:, **-n**
...i:ən
psalmodieren psalmo'di:-
rən
psalmodisch psal'mo:dıʃ
Psalter 'psaltɐ
Psalterium psal'te:rįʊm,
...ien ...įən
Psametich 'psa:metıç
Psammenitos psa'me:nitɔs
Psammetich 'psametıç
Psammetichos psa'me:tı-
çɔs
Psammis 'psamıs
Psammit psa'mi:t
psammophil psamo'fi:l
Psammophyten psamo-
'fy:tn̩
Psammotherapie psamote-
ra'pi:, **-n** ...i:ən
Psammuthis psa'mu:tıs
Pschawe 'pʃa:və
Pschorr pʃɔr
pscht! pʃt (mit silbischem
[ʃ])
Psellismus psɛ'lısmʊs
Psellos 'psɛlɔs
Psephit pse'fi:t
Psephologe psefo'lo:gə
Pseudandronym psɔydan-
dro'ny:m
Pseudanthium psɔy'dan-
tįʊm, **...ien** ...įən
Pseudarthrose psɔydar-
'tro:zə
Pseudepigraph psɔydepi-
'gra:f
pseudo 'psɔydo
pseudo..., P... 'psɔydo...
Pseudogynym psɔydogy-
'ny:m
pseudoisidorisch
psɔydoļizi'do:rıʃ
Pseudolismus psɔydo'lısmʊs
Pseudolist psɔydo'lıst
Pseudologie psɔydolo'gi:,
-n ... i:ən
pseudologisch psɔydo-
'lo:gıʃ
Pseudolyssa psɔydo'lʏsa
Pseudomnesie psɔydɔm-
ne'zi:, **-n** ...i:ən
Pseudomonas psɔydo-
'mo:nas, **...aden**
...mo'na:dn̩
pseudomorph psɔydo'mɔrf
Pseudomorphose psɔydo-
mɔr'fo:zə

pseudonym, P... psɔydo-
'ny:m
Pseudoorganismus
'psɔydoļɔrganısmʊs
Pseudopodium psɔydo'po:-
dįʊm, **...ien** ...įən
Pseudosäure 'psɔydozɔyrə
Psi psi:
Psiax 'psi:aks
Psichari fr. psika'ri
Psicharis neugr. psi'xaris
Psilomelan psilome'la:n
Psilose psi'lo:zə
Psilosis psi'lo:zıs, **...oses**
...o:ze:s
Psittaci 'psıtatsi
Psittakose psıta'ko:zə
Pskow russ. pskɔf
Psoas 'pso:as
Psoriasis pso'ri:azıs,
...iasen ...'rįa:zn̩
pst! pst (mit silbischem [s])
PS-stark pe:'ɛsʃtark
Psunj serbokr. psu:nj
Pusennes psu'zɛnɛs
Psychagoge psyça'go:gə
Psychagogik psyça'go:gık
psychagogisch psyça'go:-
gıʃ
Psychalgie psyçal'gi:, **-n**
...i:ən
Psychanalyse psyçana'ly:zə
Psychasthenie psyças-
te'ni:, **-n** ...i:ən
Psyche 'psyçə
psychedelisch psyçe'de:lıʃ
Psychiater psy'çia:tɐ
Psychiatrie psyçįa'tri:, **-n**
...i:ən
psychiatrieren psyçįa-
'tri:rən
psychiatrisch psy'çįa:trıʃ
psychisch 'psy:çıʃ
Psychismus psy'çısmʊs
psycho..., P... 'psy:ço...
Psychoanalyse psyço-
ļana'ly:zə
psychoanalysieren psyço-
ļanaly'zi:rən
Psychoanalytiker psyço-
ļana'ly:tikɐ
psychoanalytisch psyço-
ļana'ly:tıʃ
Psychodiagnostik psyçodi-
a'gnɔstık
Psychodrama psyço-
'dra:ma
psychogen psyço'ge:n
Psychogenese psyçoge-
'ne:zə

Psychogenesis psyço'ge:-
nezıs, auch: ...gɛn...,
nesen ...ge'ne:zn̩
Psychogenie psyçoge'ni:
Psychoglossie psyçoglɔ'si:
Psychognosie psyço-
gno'zi:, **-n** ...i:ən
Psychognostik psyço'gnɔstık
Psychognostiker psyço-
'gnɔstikɐ
psychognostisch psyço-
'gnɔstıʃ
Psychogramm psyço'gram
Psychograph psyço'gra:f
Psychographie psyço-
gra'fi:, **-n** ...i:ən
Psychohygiene psyçohy-
'gįe:nə
Psychoid psyço'i:t, **-e** ...i:də
Psychokinese psyçoki-
'ne:zə
Psycholinguistik psyçolın-
'gʊıstık
Psychologe psyço'lo:gə
Psychologie psyçolo'gi:
psychologisch psyço'lo:gıʃ
psychologisieren psyçolo-
gi'zi:rən
Psychologismus psyçolo-
'gısmʊs
psychologistisch psyçolo-
'gıstıʃ
Psycholyse psyço'ly:zə
Psychomantie psyço-
man'ti:
Psychometrie psyçome'tri:
psychometrisch psyço-
'me:trıʃ
Psychomonismus psyço-
mo'nısmʊs
Psychomotorik psyçomo-
'to:rık
psychomotorisch psyço-
mo'to:rıʃ
Psychoneurose psyçonɔy-
'ro:zə
Psychopath psyço'pa:t
Psychopathie psyçopa'ti:
Psychopathologe psyçopa-
to'lo:gə
Psychopathologie psyço-
patolo'gi:
Psychopharmakologie
psyçofarmakolo'gi:
Psychopharmakon psyço-
'farmakɔn, **...ka** ...ka
Psychophysik psyçofy'zi:k
Psychophysiker psyço'fy:-
zikɐ

psychophysisch psyço'fy:-zɪʃ
Psychose psy'ço:zə
Psychosomatik psyçozo-'ma:tɪk
psychosomatisch psyçozo-'ma:tɪʃ
Psychotechnik psyço-'teçnɪk
Psychotherapeut[ik] psy-çotera'pɔyt[ɪk]
Psychotherapie psyçote-ra'pi:, **-n** ...i:ən
Psychotiker psy'ço:tikɐ
psychotisch psy'ço:tɪʃ
Psychotop psyço'to:p
psychotrop psyço'tro:p
Psychovitalismus psyçovi-ta'lɪsmʊs
Psychroalgie psyçro|al'gi:, **-n** ...i:ən
Psychrometer psyçro'me:tɐ
psychrophil psyçro'fi:l
Psychrophyt psyçro'fy:t
Psyllen 'psylən
Pszczyna poln. 'pʃtʃina
Ptah pta:
Ptahhotep pta'ho:tɛp
Ptarmikum 'ptarmikʊm, **...ka** ...ka
Ptarmus 'ptarmʊs
Pteranodon pte'ra:nodɔn, **...odonten** ...rano'dɔntn̩
Pteridophyt pterido'fy:t
Pteridosperme pterido-'spɛrmə
Pterine pte'ri:nə
Pterodaktylus ptero'dakty-lʊs, **...len** ...'ty:lən
Pteropode ptero'po:də
Pterosaurier ptero'zaurjɐ
Pterygium pte'ry:gjʊm, **...ia** ...ja
pterygot ptery'go:t
Ptisane pti'za:nə
Ptolemäer ptole'mɛ:ɐ
Ptolemais ptole'ma:ɪs, neugr. ptɔlema'is
ptolemäisch ptole'mɛ:ɪʃ
Ptolemäos ptole'mɛ:os
Ptolemäus ptole'mɛ:ʊs
Ptomain ptoma'i:n
Ptose 'pto:zə
Ptosis 'pto:zɪs
PTT fr. pete'te
Ptuj slowen. ptu:j
Ptyalin ptʝa'li:n
Ptyalismus ptʝa'lɪsmʊs
Ptyalolith ptʝalo'li:t
Pub pap

Pubeotomie pubeoto'mi:, **-n** ...i:ən
puberal pube'ra:l
pubertär pubɛr'tɛ:ɐ̯
Pubertät pubɛr'tɛ:t
pubertieren pubɛr'ti:rən
Pubes 'pu:bɛs, **die -** ...be:s
pubeszent pubɛs'tsɛnt
Pubeszenz pubɛs'tsɛnts
pubisch 'pu:bɪʃ
publice 'pu:blitsə
Publicity pa'blɪsiti
Publicrelations 'pablɪkri-'le:ʃns
Public School 'pablɪk 'sku:l
publik pu'bli:k
Publikandum publi'kan-dʊm, **...da** ...da
Publikation publika'tsjo:n
Publikum 'pu:blikʊm
Publilius pu'bli:ljʊs
...publishing ...'pablɪʃɪŋ
publizieren publi'tsi:rən
Publizist[ik] publi'tsɪst[ɪk]
Publizität publitsi'tɛ:t
Pucallpa span. pu'kalpa
Pucci it. 'puttʃi
Puccini it. put'tʃi:ni
Pucelle fr. py'sɛl
Puchberg 'pʊxbɛrk
Puch[elt] 'pʊx[lt]
Puchheim 'pʊxhaim
Puchmajer 'pʊxmaiɐ̯, tschech. 'puxmajɛr
Puchstein 'pʊxʃtain
Pucić serbokr. 'putsitɕ
Pucioasa rumän. pu'tʃo̯asa
Puck pʊk
puckern 'pʊkɐn
Pückler 'pyklɐ
Pud pu:t
puddeln 'pʊdln̩, **puddle** 'pʊdlə
Pudding 'pʊdɪŋ
Pudel 'pu:dl̩
pudeln 'pu:dln̩, **pudle** 'pu:dlə
pudelnackt 'pu:dl̩'nakt
pudelnass 'pu:dl̩'nas
pudelwohl 'pu:dl̩'vo:l
pudendal pudɛn'da:l
Pudentiana pudɛn'tsja:na
Puder 'pu:dɐ
puderig 'pu:dərɪç, **-e** ...ɪgə
pudern 'pu:dɐn, **pudre** ...drə
Pudowkin russ. pu'dɔfkin
pudrig 'pu:drɪç, **-e** ...ɪgə
Pudsey engl. 'pʌdzɪ
Pudu 'pu:du

Puebla span. 'pu̯eβla
Pueblo 'pu̯e:blo, engl. pʊ'ɛ-blou, span. 'pu̯eβlo
Puelche span. 'pu̯ɛltʃe
Puente Genil span. 'pu̯entɛ xe'nil
pueril pu̯e'ri:l
Puerilismus pu̯eri'lɪsmʊs
Puerilität pu̯erili'tɛ:t
Puerpera 'pu̯ɛrpera, **...rä** ...rɛ
puerperal pu̯ɛrpe'ra:l
Puerperium pu̯ɛr'pe:rjʊm, **...ien** ...jən
Puerto [- Aisén, - Armuelles, - Cabello] span. 'pu̯erto [- aj'sen, - ar'mu̯e-ʎes, - ka'βeʎo]
Puerto de la Cruz span. 'pu̯erto ðe la 'kruθ
Puerto Deseado span. 'pu̯erto ðese'aðo
Puertollano span. pu̯erto-'ʎano
Puerto Madryn span. 'pu̯erto 'maðrin
Puerto Princesa span. 'pu̯erto prin'θesa
Puertoricaner pu̯ertori-'ka:nɐ
Puerto Rico 'pu̯erto 'ri:ko, span. 'pu̯erto 'rriko, engl. 'pwə:tou 'ri:kou
Puerto Vallarta span. 'pu̯erto βa'ʎarta
Pueyrredón span. pu̯ɛi̯rre-'ðon
Pufendorf 'pu:fn̩dɔrf
puff! pʊf
Puff pʊf, **Püffe** 'pyfə
Püffchen 'pyfçən
Puffe 'pʊfə
puffen 'pʊfn̩
Puffer 'pʊfɐ
Püfferchen 'pyfɐçən
puffig 'pʊfɪç, **-e** ...ɪgə
Puganigg 'pʊganɪk
Pugatschow russ. puga'tʃɔf
Puget fr. py'ʒɛ
Puget Sound engl. 'pju:dʒɪt 'saund
Pugilismus pugi'lɪsmʊs
Pugilist[ik] pugi'lɪst[ɪk]
Pugin fr. py'ʒɛ̃, engl. 'pju:dʒɪn
Puglia it. 'puʎʎa
Puglie it. 'puʎʎe
Pugnani it. puɲ'ɲa:ni
Pugni it. 'puɲɲi
Pugwash engl. 'pʌgwɔʃ

puh! pu:
Pühringer 'py:rıŋɐ
Puig *span.* puix, *kat.* putʃ
Pujmanová *tschech.* 'pujma-
...nɔva:
Pujol *kat.* pu'ʒɔl
Pukë *alban.* 'pukə
Pul pu:l
Pula *serbokr.* ,pu:la
Pulaski *engl.* pə'læskı
Pułaski *poln.* pu'uaski
Puławy *poln.* pu'uavi
Pulcheria pʊl'çe:rįa, pʊl-
...'ke:rįa
Pulci *it.* 'pʊltʃi
Pulcinell pʊltʃi'nɛl
Pulcinella pʊltʃi'nɛla, ...**elle**
...ɛlə
Pulegon pule'go:n
pulen 'pu:lən
Pulfrich 'pʊlfrıç
Pulgar *span.* pul'ɣar
Pulheim 'pʊlhaim
Pulitzer 'pʊlıtsɐ, *engl.* ...tsə
Pulk[a] 'pʊlk[a]
Pulkau 'pʊlkau
Pulkowo *russ.* 'pulkɐvɐ
Pull[ach] 'pʊl[ax]
Pulle 'pʊlə
pullen 'pʊlən
Pulli 'pʊli
Pulling 'pʊlıŋ
¹Pullman 'pʊlman
²Pullman (Name) *engl.* 'pʊl-
...mən
Pullover pʊ'lo:vɐ, *auch:*
...pʊl'lo:...
Pullunder pʊ'lʊndɐ, *auch:*
...pʊl'lʊndɐ
Pully *fr.* py'ji
Pulmo 'pʊlmo, **-nes**
...'mo:ne:s
pulmonal pʊlmo'na:l
Pulmonie pʊlmo'ni:, **-n**
...i:ən
Pulp pʊlp
Pulpa 'pʊlpa, **Pulpae** 'pʊlpɛ
Pulpe 'pʊlpə
Pülpe 'pylpə
Pulper 'pʊlpɐ
Pulpitis pʊl'pi:tıs, ...**itiden**
...pi'ti:dn
pulpös pʊl'pø:s, **-e** ...ø:zə
Pulque 'pʊlkə
Puls pʊls, **-e** 'pʊlzə
Pulsar pʊl'za:ɐ
Pulsatilla pʊlza'tıla
Pulsation pʊlza'tsįo:n
Pulsator pʊl'za:to:ɐ, **-en**
...za'to:rən

Pülschen 'pylsçən
pulsen 'pʊlzn, **puls!** pʊls,
pulst pʊlst
pulsieren pʊl'zi:rən
Pulsion pʊl'zįo:n
Pulsnitz 'pʊlsnıts
Pulsometer pʊlzo'me:tɐ
Pult pʊlt
Pültchen 'pyltçən
Pulteney *engl.* 'pʌltnı
Pultusk *poln.* 'puutusk
Pulver 'pʊlfɐ, *auch:* ...lvɐ
Pülverchen 'pylfɐçən, *auch:*
...'pylvɐçən
pulv[e]rig 'pʊlf[ə]rıç, *auch:*
...lv[ə]rıç, **-e** ...ıɡə
Pulverisator pʊlveri'za:-
...to:ɐ, **-en** ...za'to:rən
pulverisieren pʊlveri'zi:rən
pulvern 'pʊlfɐn, *auch:* 'pʊl-
...vɐn, ...**vre** ...frə, *auch:*
...vrə
Puma 'pu:ma
Pumgun 'pamɡan
Pummel[chen] 'pʊml[çən]
pumm[e]lig 'pʊm[ə]lıç, **-e**
...ıɡə
Pump[e] 'pʊmp[ə]
Pumpelly *engl.* pʌm'pɛlı
pumpen 'pʊmpn
pumpern 'pʊmpɐn
Pumpernickel 'pʊmpɐnıkl
Pumphose 'pʊmpho:zə
Pumps pœmps
Puna 'pu:na, *engl.* 'pu:nə,
span. 'puna
Punaluaehe puna'lu:a|e:ə
Puncak Jaya *indon.* 'pʊn-
...tʃak 'dʒaja
Punch pantʃ
Puncher 'pantʃɐ
Punchingball 'pantʃıŋbal
Punctum [Puncti, saliens]
...'pʊŋktʊm ['pʊŋkti,
...'za:lįens]
Pünder 'pyndɐ
Pune *engl.* pju:n
Punier 'pu:nįɐ
punisch 'pu:nıʃ
punitiv puni'ti:f, **-e** ...i:və
Punjab *engl.* pʌn'dʒa:b
Punk paŋk
Punker 'paŋkɐ
punkig 'paŋkıç, **-e** ...ıɡə
Punkrock[er] 'paŋkrɔk[ɐ]
Punkt pʊŋkt
Punktal... pʊŋk'ta:l...
Punktat pʊŋk'ta:t
Punktation pʊŋkta'tsįo:n
Punktatoren pʊŋkta'to:rən

Pünktchen 'pyŋktçən
punkten 'pʊŋktn
punktieren pʊŋk'ti:rən
Punktion pʊŋk'tsįo:n
pünktlich 'pyŋktlıç
punkto 'pʊŋkto
Punktualität pʊŋktüali'tɛ:t
punktuell pʊŋk'tüɛl
Punktum! 'pʊŋktʊm
Punktur pʊŋk'tu:ɐ
Puno *span.* 'puno
Punsch pʊnʃ
Pünschchen 'pynʃçən
¹Punt (Boot) pant
²Punt (Name) pʊnt
Punta Alta *span.* 'punta
...'alta
Punta Arenas *span.* 'punta
...a'renas
Punta Cardón *span.* 'punta
...kar'ðɔn
punta d'arco 'pʊnta 'darko
Punta del Este *span.* 'punta
...ðe 'leste
Puntarenas *span.* punta're-
...nas
Puntila 'puntila
Punto Fijo *span.* 'punto 'fixo
Punxsutawney *engl.* pʌŋk-
...sə'tɔ:nı
Punze 'pʊntsə
punzen 'pʊntsn
punzieren pʊn'tsi:rən
Pup[e] 'pu:p[ə]
pupen 'pu:pn
Pupienus pu'pįe:nʊs
pupillar pupı'la:ɐ
Pupille pu'pılə
Pupin *engl.* pju:'pi:n, 'pju:-
...pın, *serbokr.* 'pupin
pupinisieren pupini'zi:rən
Pupinspule pu'pi:nʃpu:lə
pupipar pupi'pa:ɐ
Pupipara pu'pi:para
Pupiparie pupipa'ri:
Püppchen 'pypçən
Puppe 'pʊpə
puppen 'pʊpn
Pupper 'pʊpɐ
puppern 'pʊpɐn
Puppet 'papıt
puppig 'pʊpıç, **-e** ...ıɡə
Pups pu:ps
pupsen 'pu:psn
pur pu:ɐ
Purana pu'ra:na
Purari pu'ra:ri, *engl.*
...pu:'ra:rı
Purbach 'pu:ɐbax
Purbeck *engl.* 'pə:bɛk

Purcell *engl.* pə:sl
Purchas *engl.* 'pɔːtʃəs
Purdue *engl.* pə:'dju:
Purdy *engl.* 'pə:dɪ
Püree py're:
Purga pʊr'ga:, ...gi ...gi:
Purgans 'pʊrgans, ...anzien
...'gantsjən, ...antia ...'gan-
tsja
Purganz pʊr'gants
Purgation pʊrga'tsjo:n
purgativ, P... pʊrga'ti:f, -e
...i:və
Purgativum pʊrga'ti:vʊm
...va ...va
Purgatorio *it.* purga'tɔ:rjo
Purgatorium pʊrga'to:rjʊm
Purgi *vgl.* Purga
purgieren pʊr'gi:rən
Purgstall 'pʊrkʃtal
Puri *engl.* 'pʊri:, pʊ'ri:
pürieren py'ri:rən
Purifikation purifika'tsjo:n
Purifikatorium purifika'to:-
rjʊm
purifizieren purifi'tsi:rən
Purim pu'ri:m, *auch:*
'pu:rɪm
Purin pu'ri:n
Purismus pu'rɪsmʊs
Purist pu'rɪst
Puritaner puri'ta:nɐ
Puritani *it.* puri'ta:ni
puritanisch puri'ta:nɪʃ
Puritanismus purita'nɪsmʊs
Purität puri'tɛ:t
Purkersdorf 'pʊrkɐsdɔrf
Purkinje 'pʊrkɪnjə
Purkyně *tschech.* 'purkɪnjɛ
Purmerend *niederl.* pʏr-
mər'ɛnt
Purohita pu'ro:hita
Purpur 'pʊrpʊr
Purpura 'pʊrpura, ...rae
...rɛ
purpurn 'pʊrpʊrn
purren 'pʊrən
Purrmann 'pʊrman
Purser 'pø:ɐ̯sɐ, 'pœrsɐ
Pürstinger 'pʏrstɪŋɐ
purulent puru'lɛnt
Purulenz puru'lɛnts
Puruleszenz purulɛs'tsɛnts
Purus *bras.* pu'rus
Purús *span.* pu'rus
Purwodadi *indon.* pʊrwo-
'dadi
Purwokerto *indon.* pʊrwo-
kər'to
Pürzel 'pʊrtsl̩

Pürzel 'pʏrtsl̩
pürzeln 'pʊrtsl̩n
Pusan *korean.* pusan
Puşcariu *rumän.* puʃ'karju
Puschel 'puʃl̩
Püschel 'pyʃl̩
püscheln 'pyʃl̩n
puschen 'puʃn̩
Puschkin 'puʃki:n, *russ.*
'puʃkin
Puschkino *russ.* 'puʃkinɐ
Puschlav puʃ'la:f
Puschmann 'puʃman
Puschti 'puʃti
Pusey *engl.* 'pju:zɪ
Push puʃ
Pushball 'puʃbo:l
pushen 'puʃn̩
Pusher 'puʃɐ
Pu Songling *chin.* pusʊŋlɪŋ
212
Pusselchen 'pʊsl̩çən
pusselig 'pʊsəlɪç, -e ...ɪgə
pusseln 'pʊsl̩n
pusslig 'pʊslɪç, -e ...ɪgə
Puste 'pu:stə
Pustel 'pʊstl̩
pusten 'pu:stn̩
Pustertal 'pʊstɐta:l
Pustet 'pʊstɛt
Pustkuchen 'pʊstku:xn̩
pustulös pʊstu'lø:s, -e
...ø:zə
Puszta 'pʊsta
putativ puta'ti:f, -e ...i:və
Putbus 'pʊtbus
Putbus[s]er 'pʊtbusɐ
Pute 'pu:tə
Puteaux *fr.* py'to
Puteoli pu'te:oli
Puter 'pu:tɐ
Püterich 'py:tərɪç
puterrot 'pu:tɐ'ro:t
Puthahn 'pu:tha:n
Putin *russ.* 'putin
Putinas *lit.* 'pʊtinas
Putiwl *russ.* pu'tivlj
Putman *niederl.* 'pʏtman
Putna *rumän.* 'putna
Putnam *engl.* 'pʌtnəm
Putnik *serbokr.* 'pu:tni:k
put, put! 'pʊt 'pʊt
Putput pʊt'pʊt
Putrament *poln.* pu'tramɛnt
Putrefaktion putrefak-
'tsjo:n
Putreszenz putrɛs'tsɛnts
putreszieren putrɛs'tsi:rən
putrid pu'tri:t, -e ...i:də
Pütsch pʊtʃ

pütschen 'pʊtʃn̩
● pütscherig 'pʏtʃərɪç, -e
...ɪgə
pütschern 'pʏtʃɐn
Putschist pu'tʃist
Putt pʊt, *auch:* pat
Pütt pʏt
Putte 'pʊtə
putten 'pʊtn̩, *auch:* 'patn̩
Putten *niederl.* 'pʏtə
Puttenham *engl.* 'pʌtnəm
Putter 'pʊtɐ
Pütter 'pʏtɐ
Puttgarden 'pʊtgardn̩, -'--
Putti *vgl.* Putto
Puttkamer 'pʊtkamɐ
Püttlingen 'pʏtlɪŋən
Putto 'pʊto, Putti 'pʊti
Putumayo *span.* putu'majo
Putz pʊts
Pütz[e] 'pʏts[ə]
putzen 'pʊtsn̩
Putzerei pʊtsə'rai
Putzete 'pʊtsətə
putzig 'pʊtsɪç, -e ...ɪgə
Putzig 'pʊtsɪç
Putziger 'pʊtsɪgɐ
Puuc *span.* pu'uk
Puulavesi *finn.* 'pu:lavɛsi
Puvis de Chavannes *fr.*
pyvisdəʃa'van, ...idʃ...
Puy *fr.* pɥi
Puyallup *engl.* pju:'æləp
Puy de Dôme *fr.* pɥid'do:m
Puy de Sancy *fr.* pɥidsã'si
Puyo *span.* 'pujo
Puys, Chaîne de *fr.* ʃɛndə-
'pɥi
Puzo *engl.* 'pu:zou
puzzeln 'pazl̩n, 'pasl̩n, *auch:*
'pʊzl̩n, 'pʊsl̩n, 'pʊtsl̩n
Puzzle 'pazl̩, 'pasl̩, *auch:*
'pʊzl̩, 'pʊsl̩, 'pʊtsl̩
Puzzler 'pazlɐ, 'paslɐ, *auch:*
'pʊzlɐ, 'pʊslɐ, 'pʊtslɐ
Puzzolan pʊtso'la:n
Pyämie pyɛ'mi:, -n ...i:ən
Pyarthrose pyar'tro:zə
Pydna 'pʏdna, 'pʏtna
Pyelektasie pyelɛkta'zi:, -n
...i:ən
Pyelitis pye'li:tɪs, ...itiden
...li'ti:dn̩
Pyelogramm pyelo'gram
Pyelographie pyelogra'fi:,
-n ...i:ən
Pyelonephritis pyelone'fri:-
tɪs, ...itiden ...fri'ti:dn̩
Pyelotomie pyeloto'mi:, -n
...i:ən

Pyelozystitis pẙelotsẏs'ti:-tıs, ...it̲i̲den ...ti'ti:dn̩

Pygist py'gıst

Pygmäe pʏ'gmɛ:ə

pygmäisch pʏ'gmɛ:ıʃ

Pygmalion pʏ'gma:li̲ɔn

Pygmalionismus pʏgma-li̲o'nısmʊs

pygmid pʏ'gmi:t, -e ...i:də

pygmoid pʏgmo'i:t, -e ...i:də

Pyhra 'pi:ra

Pyhrn pırn

Pyjama py'dʒa:ma, py'ʒa:ma, pi'dʒa:ma, pi'ʒa:ma, *selten:* py'ja:ma, pi'ja:ma

Pyke *engl.* paık

Pyknidie pʏk'ni:di̲ə

Pykniker 'pʏknikɐ

pyknisch 'pʏknıʃ

Pyknometer pʏkno'me:tɐ

Pyknose pʏk'no:zə

pyknotisch pʏk'no:tıʃ

Pylades 'py:ladɛs

Pylae 'py:lɛ

Pyle *engl.* paıl

Pylephlebitis pylefle'bi:tıs, ...it̲i̲den ...bi'ti:dn̩

Pylkkänen *finn.* 'pʏlkkænɛn

Pylon[e] pʏ'lo:n[ə]

Pylorus py'lo:rʊs

Pylos 'py:lɔs

Pym *engl.* pım

Pynaker *niederl.* 'pɛinɑkɐr

Pynas *niederl.* 'pɛinɑs

Pynson *engl.* pınsn

Pyodermie pyodɛr'mi:, -n ...i:ən

pyogen pyo'ge:n

Pyokokke pyo'kɔkə

Pyometra pyo'me:tra

Pyonephrose pyone'fro:zə

P'yŏngyang *korean.* phjɔŋ-jaŋ

Pyorrhö, ...öe pyɔ'rø:, ...rrhöen ...'rø:ən

pyorrhoisch pyɔ'ro:ıʃ

Pyothorax pyo'to:raks

Pypin *russ.* 'pipin

Pyra 'py:ra

Pyrame *fr.* pi'ram

pyramidal pyrami'da:l

Pyramide pyra'mi:də

Pyramidon® pyrami'do:n

Pyramus 'py:ramʊs

Pyranometer pyrano'me:tɐ

Pyrazol pyra'tso:l

Pyren py're:n

Pyrenäen pyre'nɛ:ən

pyrenäisch pyre'nɛ:ıʃ

Pyrénées fr. pire'ne

Pyrenoid pyreno'i:t, -e ...i:də

Pyrethrum py're:trʊm, ...ra ...ra

Pyretikum py're:tikʊm, ...ka ...ka

pyretisch py're:tıʃ

Pyrexie pyrɛ'ksi:, -n ...i:ən

Pyrgeometer pʏrgeo'me:tɐ

Pyrgozephalie pʏrgotse-fa'li:, -n ...i:ən

Pyrheliometer py:ɐrheli̲o'me:tɐ

Pyridin pyri'di:n

Pyriflegethon pyri'fle:ge-tɔn

Pyrimidin pyrimi'di:n

Pyrit py'ri:t

Pyritz 'py:rıts

Pyrker 'pʏrkɐ

Pyrmont pʏr'mɔnt, '––, pır'mɔnt, '––

pyroelektrisch pyro-le'lɛktrıʃ

Pyroelektrizität pyro-lelɛktritsi'tɛ:t

Pyrogallol pyroga'lo:l

Pyrogallus... pyro'galʊs...

pyrogen, P... pyro'ge:n

Pyrolusit pyrolu'zi:t

Pyrolyse pyro'ly:zə

pyrolytisch pyro'ly:tıʃ

Pyromane pyro'ma:nə

Pyromanie pyroma'ni:

Pyromantie pyroman'ti:

Pyrometer pyro'me:tɐ

Pyrometrie pyrome'tri:

Pyromorphit pyromɔr'fi:t

Pyron py'ro:n

Pyrop py'ro:p

Pyropapier 'py:ropapi:ɐ

Pyrophobie pyrofo'bi:

Pyrophor, P... pyro'fo:ɐ

Pyropto py'rɔpto

Pyrosis py'ro:zis

Pyrosphäre pyro'sfɛ:rə

Pyrotechnik pyro'tɛçnık

Pyrotechniker pyro'tɛçnikɐ

Pyroxen pyrɔ'kse:n

Pyroxenit pyrɔkse'ni:t

Pyrrha 'pyra

Pyrrhiche pʏ'rıçə

Pyrrhichius pʏ'rıçi̲ʊs, ...chii ...çii

Pyrrho 'pyro

Pyrrhon pyrɔn

Pyrrhonismus pyro'nısmʊs

Pyrrhos 'pyrɔs

Pyrrhus 'pyrʊs

Pyrrol py'ro:l

Pyschma *russ.* pıʃ'ma

Pyskowice *poln.* pıskɔ'vitsɛ

Pythagoras py'ta:goras

Pythagoräer pytago'rɛ:ɐ

Pythagoreer pytago're:ɐ

pythagoreisch, P... pytago-'re:ıʃ

Pytheas 'py:teas

Pythia 'py:ti̲a, ...ien ...i̲ən

pythisch 'py:tıʃ

Python 'py:tɔn, -en py'to:-nən

Pyurie pyu'ri:

Pyxis 'pʏksıs, Pyxiden pʏ'ksi:dn̩, Pyxides 'pʏksi-de:s

R

q, Q ku:, *engl.* kju:, *fr.* ky, *it., span.* ku

Qafēzezi *alban.* kjafə'zezi

Qatar 'katar

Qatif ka'ti:f

Qian Long *chin.* tɕi̲ɛnlʊŋ 22

Qi Baishi *chin.* tɕibaiʃi 222

Qigong tʃi'gʊŋ

Qindar 'kındar, -ka kın-'darka

Qingdao *chin.* tɕıŋdau̯ 13

Qinghai *chin.* tɕıŋxai̯ 13

Qinwangdao *chin.* tɕın-u̯aŋdau̯ 223

Qiqihaer *chin.* tɕitɕixaʌr 2233

Qiryat Ata *hebr.* kir'jat 'ata

Qiryat Gat *hebr.* kir'jat 'gat

Qiryat Shemona *hebr.* kir-'jat ʃə'mɔna

Qiu Ying *chin.* tɕi̲ou̯-i̲ıŋ 21

q-te 'ku:tə

qua kva:

Quabbe 'kvabə

quabb[e]lig 'kvab[ə]lıç, -e ...ıgə

quabbeln 'kvabl̩n, quabble ...blə

quabbig 'kvabıç, -e ...ıgə

Quackelei kvakə'lai̯

quackeln 'kvakl̩n

Quacksalber 'kvakzalbɐ
Quacksalberei kvakzal-
bə'raɪ
quacksalbern 'kvakzalbɐn,
quacksalbre ...brə
Quad engl. kwɔd
Quaddel 'kvadl̩
Quade 'kva:də
Quader 'kva:dɐ
quadern 'kva:dɐn, quadre
...drə
Quadflieg 'kvatfli:k
Quadragese kvadra'ge:zə
Quadragesima kvadra-
'ge:zima
Quadral kva'dra:l
Quadrangel kva'draŋəl
quadrangulär kvadraŋgu-
'lɛ:ɐ
Quadrant kva'drant
Quadrantiden kvadran-
'ti:dn̩
Quadrat (Viereck) kva'dra:t
Quadrata kva'dra:ta
quadräteln kva'drɛ:tl̩n
Quadratur kvadra'tu:ɐ
Quadriduum kva'dri:duʊm,
...duen ...duən
Quadriennale kvadriɛ'na:lə
Quadriennium kvadri'ɛ-
njʊm, ...ien ...jən
quadrieren kva'dri:rən
Quadriga kva'dri:ga
Quadrille kva'drɪljə, auch:
ka...
Quadrillé kadri'je:
Quadrilliarde kvadrɪ'ljardə
Quadrillion kvadrɪ'ljo:n
Quadrinom kvadri'no:m
Quadrireme kvadri're:mə
Quadrivium kva'dri:vjʊm
Quadro 'kva:dro
Quadronal kvadro'na:l
quadrophon kvadro'fo:n
Quadrophonie kvadrofo'ni:
quadrophonisch kvadro-
'fo:nɪʃ
Quadros bras. 'kʊadrus
Quadrumane kvadru'ma:nə
Quadrupede kvadru'pe:də
Quadrupel kva'dru:pl̩
Quadrupol 'kva:drupo:l
Quaestio 'kvɛ[:]stjo, -nes
kvɛs'tjo:ne:s
Quaestio Facti 'kvɛ[:]stjo
'fakti, -nes - kvɛs'tjo:ne:s -
Quaestio Juris 'kvɛ[:]stjo
'ju:rɪs, -nes - kvɛs'tjo:ne:s -
Quagga 'kvaga
Quaglio it. 'kʊaʎʎo

Quai ke:, kɛ:
Quai d'Orsay fr. kedɔr'sɛ
quak! kva:k
Quäke 'kvɛ:kə
Quäkelchen 'kva:kl̩çən
quäkeln 'kva:kl̩n
quaken 'kva:kn̩
quäken 'kvɛ:kn̩
Quakenbrück kva:kn̩'brʏk
Quaker 'kve:kɐ
Quäker 'kvɛ:kɐ
Qual kva:l
quälen 'kvɛ:lən
Quälerei kvɛ:lə'raɪ
Qualifikation kvalifika-
'tsjo:n
qualifizieren kvalifi'tsi:rən
Qualität kvali'tɛ:t
qualitativ kvalita'ti:f, auch:
'kva:l..., -e ...i:və
Qualle 'kvalə
quallig 'kvalɪç, -e ...ɪgə
Qualm kvalm
qualmen 'kvalmən
qualmig 'kvalmɪç, -e ...ɪgə
Qualster 'kvalstɐ
qualst[e]rig 'kvalst[ə]rɪç, -e
...ɪgə
qualstern 'kvalstɐn
Qualtinger 'kvaltɪŋɐ
Quandt kvant
Quäne 'kvɛ:nə
Quang Ngai vietn. kʊaŋ ŋaɪ
45
Quang Tri vietn. kʊaŋ tri 46
Quang Yên vietn. kʊaŋ iən
41
Quan Long vietn. kʊan lɔŋ
41
Quant kvant, engl. kwɔnt
Quanta vgl. Quantum
Quäntchen 'kvɛntçən
quanteln 'kvantl̩n
Quantico engl. 'kwɔntɪkoʊ
Quantifikation kvantifika-
'tsjo:n
Quantifikator kvantifi'ka:-
to:ɐ, -en ...ka'to:rən
quantifizieren kvantifi-
'tsi:rən
quantisieren kvanti'zi:rən
Quantität kvanti'tɛ:t
quantitativ kvantita'ti:f,
auch: 'kvantitati:f, -e ...i:və
Quantité négligeable fr.
kãtiteneɡli'ʒabl
quantitieren kvanti'ti:rən
Quantor 'kvanto:ɐ, -en
kvan'to:rən
Quantrill engl. 'kwɔntrɪl

Quantum 'kvantʊm, ...ta
...ta
quantum satis, - vis 'kvantʊm 'za:tɪs, - 'vi:s
Quantz kvants
Quanzhou chin. tɕÿɛndʒoʊ
21
Quappe 'kvapə
Quarantäne karan'tɛ:nə,
selten: karã'tɛ:nə
Quarantotti Gambini it.
kʊaran'totti gam'bi:ni
Quaregnon fr. kar'n̄ő
Quarenghi it. kʊa'reŋgi
¹Quark (Käse) kvark
²Quark (Elementarteilchen)
kvo:ɐk, kvark
quarkig 'kvarkɪç, -e ...ɪgə
Quarles engl. kwɔ:lz
Quarnaro it. kʊar'na:ro
Quarnero it. kʊar'nɛ:ro
Quarre 'kvarə
quarren 'kvarən
¹Quart kvart
²Quart (Maß) kvo:ɐt
Quarta 'kvarta
Quartal kvar'ta:l
quartaliter kvar'ta:litɐ
Quartana kvar'ta:na
Quartaner kvar'ta:nɐ
Quartant kvar'tant
quartär, Q... kvar'tɛ:ɐ
Quarte 'kvartə
Quartel 'kvartl̩
Quarten 'kvartn̩
Quarter 'kvo:ɐtɐ
Quarterback 'kvo:ɐtɐbɛk
Quarterdeck 'kvartɐdɛk
Quartermeister 'kvartɐ-
maɪstɐ
Quarteron kvartə'ro:n
Quartett kvar'tɛt
Quartier kvar'ti:ɐ
quartieren kvar'ti:rən
Quartier latin fr. kartjela'tɛ̃
Quarto 'kvarto
Quartole kvar'to:lə
Quarton fr. kar'tő
Quartsextakkord
kvart'zɛkstlakɔrt
Quar[t]z kva:ɐts
quarzen (rauchen) 'kvartsn̩
quarzig 'kva:ɐtsɪç, -e ...ɪgə
Quarzit kvar'tsi:t
Quas kva:s, -e 'kva:zə
Quasar kva'za:ɐ
quasen 'kva:zn̩, quas!
kva:s, quast kva:st
quasi 'kva:zi
Quasimodo kvazi'mo:do,

kva'zi:modo, *fr.* kazimɔ'do, *it.* kua'zi:modo
Quasimodogeniti kvazimodo'ge:niti
quasioptisch 'kva:zi'lɔptıʃ
Quasselei kvasə'laı
quasseln 'kvasḷn
Quassie 'kvasḭə
Quast kvast, *niederl.* kwɑst
Quästchen 'kvɛstçən
Quaste 'kvastə
Quästion kvɛs'tio̯:n
quästioniert kvɛstio̯'ni:ɐ̯t
Quästor 'kvɛ[:]sto:ɐ̯, **-en** kvɛs'to:rən
Quästur kvɛs'tu:ɐ̯
Quatember kva'tɛmbɐ
quaternär kvatɛr'nɛ:ɐ̯
Quaterne kva'tɛrnə
Quaternio kva'tɛrnio̯, **-nen** ...'nio̯:nən
Quaternion kvatɛr'nio̯:n
Quatrain ka'trɛ̃:
Quatre Bornes *fr.* katrə-'bɔrn
Quatrefages de Bréau *fr.* katrəfaӡdəbre'o
Quatremère de Quincy *fr.* katrəmɛrdəkɛ̃'si
Quatriduum kva'tri:duʊm
quatsch!, Quatsch kvatʃ
quatschen 'kvatʃn̩
Quatscherei kvatʃə'raı
quatschnass 'kvatʃ'nas
Quattrocentist kvatrotʃɛn-'tɪst
Quattrocento kvatro'tʃɛnto
Quatuor 'kvatuo̯:ɐ̯
Quay (Nachn.) *engl.* kweı, *niederl.* kwa:ḭ
Quayle *engl.* kweıl
Quebec kvi'bɛk, *engl.* kwı-'bɛk
Québec *fr.* ke'bɛk
Quebecer kvi'bɛkɐ
Quebracho ke'bratʃo
Quechua 'kɛtʃua
queck kvɛk
Quecke 'kvɛkə
queckig 'kvɛkıç, **-e** ...ıgə
Quecksilber 'kvɛkzılbɐ
quecksilb[e]rig 'kvɛk-zılb[ə]rıç, **-e** ...ıgə
Queder 'kve:dɐ
Quedlinburg 'kve:dlınbʊrk
Quednau 'kve:dnau̯
Queen Annes *engl.* 'kwi:n 'ænz
Queenborough-in-Sheppey *engl.* 'kwi:nbərəın'ʃɛpı

Queene 'kve:nə
Queens *engl.* kwi:nz
Queensberry, Queensbury *engl.* 'kwi:nzbərı
Queensland *engl.* 'kwi:nzlənd
Queenstown *engl.* 'kwi:nztaʊn
Queffélec *fr.* kɛfe'lɛk
Queiroz *port.* kɐḭ'rɔʃ, *bras.* keḭ'rɔs
Queis kvaḭs
Quelea 'kve:lea
Quelimane *port.* kəli'mɛnə
Quell[e] 'kvɛl[ə]
quellen 'kvɛlən
quellig 'kvɛlıç, **-e** ...ıgə
Quellinus *niederl.* kwɛ'linʏs
Quelpart 'kvɛlpart
Queluz *port.* kɛ'luʃ
Quemoy ke'mɔy
Quempas 'kvɛmpas
Quendel 'kvɛndḷ
Queneau *fr.* kə'no
queng[e]lig 'kvɛŋ[ə]lıç, **-e** ...ıgə
quengeln 'kvɛŋln̩
Quengler 'kvɛŋlɐ
Quenstedt 'kvɛnʃtɛt
Quent kvɛnt
Quental *port.* ken'tal
Quentell 'kvɛntḷ
Quentin *fr.* kã'tɛ̃
Que Que *engl.* 'kweı 'kweı
quer kve:ɐ̯
Quérard *fr.* ke'ra:r
querbeet kve:ɐ̯'be:t, *auch:* '––

Quercia *it.* 'ku̯ɛrtʃa
Quercy *fr.* kɛr'si
Querder 'kvɛrdɐ
querdurch kve:ɐ̯'dʊrç
Quere 'kve:rə
Querele kve're:lə
queren 'kve:rən
Querétaro *span.* ke'retaro
querfeldein kve:ɐ̯fɛlt'laḭn
Querfurt 'kve:ɐ̯fʊrt
Querido *niederl.* 'kwe:rido
Querini *it.* ku̯e'ri:ni
querköpfig 'kve:ɐ̯kœpfıç, **-e** ...ıgə
Querol *kat.* kə'rɔl, *span.* ke'rɔl
Querolus 'kve:rolʊs
querschiffs 'kve:ɐ̯ʃıfs
Quertreiberei kve:ɐ̯traḭbə'raḭ
querüber kve:ɐ̯'ly:bɐ
Querulant kveru'lant

Querulanz kveru'lants
Querulation kverula'tsi̯o:n
querulatorisch kverula-'to:rıʃ
querulieren kveru'li:rən
Quervain *fr.* kɛr've̜
quervor kve:ɐ̯'fo:ɐ̯
Querzetin kvɛrtse'ti:n
Querzit kver'tsi:t
Querzitron kvɛrtsi'tro:n
Quesada *span.* ke'saða
Quesal ke'zal
Quese 'kve:zə
quesen 'kve:zn̩, **ques** kve:s, **quest** kve:st
Quesnay *fr.* kɛ'nɛ
Quesnel *fr.* kɛ'nɛl
Quételet *fr.* ke'tlɛ
Quetico *engl.* 'kwɛtıkoʊ
Quetsch[e] 'kvɛtʃ[ə]
quetschen 'kvɛtʃn̩
Quetta *engl.* 'kwɛtə
Quetzal kɛ'tsal
Quétzalcoatl *span.* 'ketsalkoatl
Queue kø:
Queuille *fr.* kœj
Quevedo *span.* ke'βeðo
Quezaltenango *span.* keθalte'naŋgo
Quezón *span.* ke'θon
Quibble *engl.* kwıbl
Quibdó *span.* kiβ'ðo
Quiberon *fr.* ki'brõ
Quiche kıʃ
Quiché *span.* ki'tʃe
Quiche Lorraine 'kıʃ lɔ'rɛ:n
Quichotte *fr.* ki'ʃɔt
quick kvık
Quick kvık, *engl.* kwık
Quickborn 'kvıkbɔrn
Quickie 'kvıki
quicklebendig 'kvıkle'bɛn-dıç
Quickstepp 'kvıkstɛp
Quidam 'kvi:dam
Quidde 'kvıdə
Quidditas 'kvıditas
Quiddität kvıdi'tɛ:t
Quidort *fr.* ki'dɔ:r
Quidproquo kvıtpro'kvo:
Quie kvi:, **-n** kvi:ən
quiek! kvi:k
quiek[s]en 'kvi:k[s]n̩
Quierschied kvi:ɐ̯ʃi:t
Quierzy *fr.* kjɛr'zi
Quieszenz kvi̯ɛs'tsɛnts
quieszieren kvi̯ɛs'tsi:rən
Quietismus kvie'tısmʊs
Quietist kvie'tıst

Quietiv kvie'ti:f, -e ...i:və
Quietivum kvie'ti:vʊm, ...va
...va
quieto kvi'e:to
quietschen 'kvi:tʃn
quietschfidel 'kvi:tʃfi'de:l
quietschvergnügt 'kvi:tʃ-
fɐ'gny:kt
Quijote ki'xo:tə, span.
ki'xote
quill! kvɪl
Quillaja kvɪ'la:ja
Quillard fr. ki'ja:r
quillen 'kvɪlən
Quiller-Couch engl. 'kwɪlə-
'ku:tʃ
quillt kvɪlt
Quilmes span. 'kilmes
Quilon engl. 'kwi:lɔn
Quilt kvɪlt
quilten 'kvɪltn
Quimby engl. 'kwɪmbɪ
Quimper fr. kɛ̃'pɛ:r
Quimperlé fr. kɛ̃pɛr'le
Quinar kvi'na:ɐ
Quinaria kvi'na:ria
Quinault fr. ki'no, engl.
kwɪnlt
Quincey engl. 'kwɪnsɪ
Quincke 'kvɪŋkə
Quinctius 'kvɪŋktsiʊs
Quincunx 'kvɪŋkʊŋks
Quincy engl. 'kwɪnsɪ
Quindio span. kin'dio
Quindt kvɪnt
Quine engl. kwaɪn
Quinet fr. ki'ne
Qui Nho'n vietn. kụi ɲən 11
quinkelieren kvɪŋkə'li:rən
Quinkunx 'kvɪŋkʊŋks
Quinn kvɪn, engl. kwɪn
Quinquagesima kvɪŋkva-
'ge:zima
Quinquennal... kvɪŋkvɛ-
'na:l...
Quinquennium kvɪŋ'kvɛ-
nịʊm, ...ien ...iən
quinquilieren kvɪŋkvi'li:rən
Quinquillion kvɪŋkvɪ'lịo:n
Quint[a] 'kvɪnt[a]
Quintal kvɪn'ta:l
¹Quintana (Fieber) kvɪn-
'ta:na
²Quintana (Name) span.
kin'tana
Quintaner kvɪn'ta:nɐ
Quinte 'kvɪntə
Quinten 'kvɪntn, niederl.
'kwɪntə
Quinterne kvɪn'tɛrnə

Quinternio kvɪn'tɛrnịo,
-nen ...'nịo:nən
Quintero span. kin'tero
Quinteron kvɪntə'ro:n
Quintessenz 'kvɪntɛsɛnts
Quintett kvɪn'tɛt
quintieren kvɪn'ti:rən
Quintilian[us] kvɪnti-
'lịa:n[ʊs]
Quintilius kvɪn'ti:lịʊs
Quintilla kɪn'tɪlja
Quintilliarde kvɪntɪ'lịardə
Quintillion kvɪntɪ'lịo:n
Quintin kvɪn'ti:n, fr. kɛ̃'tɛ̃
Quinto it. 'kụinto
Quintole kvɪn'to:lə
Quintsextakkord
kvɪnt'zɛkstǀakɔrt
Quintuor 'kvɪntụo:ɐ
quintupel kvɪn'tu:pl
Quintus 'kvɪntʊs
Quinzano it. kụin'tsa:no
Quippu 'kɪpu
Quiproquo kvipro'kvo:
Quipu 'kɪpu
Quiriguá span. kiri'ɣụa
Quirin kvi'ri:n, 'kvi:ri:n
Quirinal kviri'na:l
Quirinale it. kụiri'na:le
Quirini it. kụi'ri:ni
Quirino span. ki'rino
Quirinus kvi'ri:nʊs
Quirite kvi'ri:tə
Quirl kvɪrl
quirlen 'kvɪrlən
quirlig 'kvɪrlɪç, -e ...ɪgə
Quiroga span. ki'roɣa
Quiruvilca span. kiru'βilka
Quis tschech. kvis
Quisisana kvizi'za:na
Quisling 'kvɪslɪŋ, norw.
'kvislɪŋ
Quisque span. 'kiske
Quisquilien kvɪs'kvi:lịən
Quita port. 'kitɐ
Quito 'ki:to, span. 'kito
quitt kvɪt
Quitte 'kvɪtə
quittengelb 'kvɪtn'gɛlp,
'---
quittieren kvɪ'ti:rən
Quittung 'kvɪtʊŋ
Quivive ki'vi:f
qui vivra, verra fr. kivi'vra
vɛ'ra
Quiz kvɪs
quizzen 'kvɪsn
Qumran kʊm'ra:n
quod erat demonstran-

dum 'kvɔt 'e:rat demɔn-
'strandʊm
Quodlibet 'kvɔtlibɛt
quod licet Jovi, non licet
bovi 'kvɔt 'li:tsɛt 'jo:vi
'no:n 'li:tsɛt 'bo:vi
quoll kvɔl
quölle 'kvœlə
quorren 'kvɔrən
Quorum 'kvo:rʊm
quos ego! 'kvo:s 'e:go
Quotation kvota'tsịo:n
Quote 'kvo:tə
quotidian kvoti'dịa:n
Quotidiana kvoti'dịa:na
Quotient kvo'tsịɛnt
quotieren kvo'ti:rən
quotisieren kvoti'zi:rən
quousque tandem!
kvo'ʊskvə 'tandɛm
quo vadis? 'kvo: 'va:dis
Qu You chin. tɕy-iọu 24
Qvigstad norw. 'kviksta
Qvisling norw. 'kvislɪŋ
Qwaqwa engl. 'kwækwæ
Qyteti Stalin alban. kjy'teti
'stalin

R

r, R ɛr, engl. ɑ:, fr. ɛ:r, it.
'ɛrre, span. 'ere
ǫ, P ro:
(r+1)-te ɛrplʊs'lạintə
Ra (Gott) ra:
Raab ra:p
Raabe 'ra:bə
Raabs ra:ps
Raaf ra:f
Raahe finn. 'rɑ:hɛ
Raalte niederl. 'ra:ltə
Rab serbokr. rab
Rába ung. 'ra:bɔ
Rabab ra'ba:p
Raban[us] ra'ba:n[ʊs]
Rabat ra'ba:t, auch: ra'bat,
fr. ra'ba
Rabatt[e] ra'bat[ə]
rabattieren raba'ti:rən
Rabatz ra'bats
Rabau ra'baụ
Rabaud fr. ra'bo

Rab**au**ke ra'baukə
Rabaul *engl.* rɑː'baʊl, '—
Rabbani ra'baːni
R**ạ**bbi 'rabi, -nen ra'biːnən
Rabbin**ạ**t rabi'naːt
Rabb**ị**ner ra'biːnɐ
rabb**ị**nisch ra'biːnɪʃ
Rabbitpunch 'rɛbɪtpantʃ
R**ä**bchen 'rɛːpçən
R**ạ**be 'raːbə, *engl.* reɪb
R**ạ**bel 'raːbl̩
Rabelais *fr.* ra'blɛ
Rab**ẹ**llo *bras.* rra'belu
Rabemananjar**ạ** *fr.* rabe-mananʒa'ra
R**ạ**benalt 'raːbn̩lalt
R**ạ**benau 'raːbənaṵ
R**ạ**bener 'raːbənɐ
r**ạ**benschw**ạ**rz 'raːbn̩ʃvartṣ
R**ạ**bi 'raːbi, *engl.* 'rɑːbɪ
rabi**ạ**t ra'bi̯aːt
R**ạ**bie *afr.* 'rɑːbi
R**ạ**bies 'raːbiɛs
Rabin *engl.* 'reɪbɪn, *hebr.* ra'bin
Rabindran**ạ**th rabɪndra'naːt
Rab**ị**nowitsch ra'biːnovɪtʃ, *russ.* rɛbi'nɔvitʃ
R**ạ**bitzwand 'raːbɪtṣvant
R**å**bjerg M**ị**le *dän.* 'rɔbjɛ̞'u̯ 'miːlə
R**ạ**bka *poln.* 'rapka
R**ạ**bl 'raːbl̩
R**ạ**bta 'raːpta
Rabulister**ẹ**i rabulɪstə'rai̯
Rabul**ị**st[ik] rabu'lɪst[ɪk]
Rab**ụ**se ra'buːzə
Rabutin *fr.* raby'tɛ̃
Racan *fr.* ra'kã
Raccon**ị**gi *it.* rakko'niːdʒi
Race *engl.* reɪs
Racem**ạ**t ratṣe'maːt
R**ạ**che 'raxə
R**ạ**chel 'raxl̩, *engl.* 'reɪtʃəl, *fr.* ra'ʃɛl, *hebr.* ra'xɛl
R**ạ**ch**ẹ**le *it.* ra'kɛːle
R**ạ**chen 'raxn̩
r**ä**chen 'rɛçn̩
Rach Gia *vietn.* raịk ʒa 62
Rach**ị**tis ra'xiːtɪs, ...it**ị**den raxi'tiːdn̩
rach**ị**tisch ra'xiːtɪʃ
Rachm**ạ**ninow rax'maːninɔf, *russ.* rax'maninɛf
Rachm**ạ**now *russ.* rax'ma-nɛf
Rachm**ạ**nowa rax'maːnova, *russ.* rax'manɐvɐ
R**ạ**chow *russ.* 'raxɐf
R**ạ**cib**ó**rz *poln.* ra'tɕibuʃ

Racine *fr.* ra'sin, *engl.* rə'siːn
Racing 'reːsɪŋ
Racing Club *fr.* rasiŋ'klœb, res...
Rack rɛk
R**ạ**cke 'rakə
r**ạ**ckeln 'rakl̩n
R**ạ**cker 'rakɐ
Racker**ẹ**i rakə'rai̯
r**ạ**ckern 'rakɐn
¹Racket (Sport; Verbre-cher) 'rɛkət, *auch:* ra'kɛt
²Rack**ẹ**t (Musik) ra'kɛt
Racketeer rɛkə'tiːɐ̯
Rack**ẹ**tt ra'kɛt
Rackham *engl.* 'rækəm
Rackjobbing 'rɛkdʒɔbɪŋ
Raclette 'raklɛt, ra'klɛt
Raczynski ra'tʃʏnski
¹R**ạ**d raːt, -es 'raːdəs, R**ä**der 'rɛːdɐ
²R**ạ**d (Strahlungsdosis) rat
R**ạ**dagais 'raːdagai̯s
R**ạ**dam**ẹ**s *it.* rada'mɛs
Radar ra'daːɐ̯, *auch:* 'raːdaːɐ̯
R**ạ**d**ạ**u[ne] ra'daṵ[nə]
R**ạ**d**ạ**uskas *lit.* ra'daːu̯skas
R**ä**d**äu**ti *rumän.* rədə'utsj
R**ạ**dbod 'raːtbɔt
R**ạ**dbusa 'ratbuza
R**ạ**dbuza *tschech.* 'radbuza
R**ä**dchen 'rɛːtçən
Radcliff[e], Radclyffe *engl.* 'rædklɪf
R**ạ**ddall *engl.* rædl
R**ạ**ddatz 'radatṣ
R**ạ**ddoppio ra'dɔpi̯o
R**ạ**de 'raːdə
R**ạ**deberg 'raːdəbɛrk, —'-
R**ạ**debeul ra'dəbɔyl, '———
r**ạ**debrechen 'raːdəbrɛçn̩
R**ạ**deburg 'raːdəbʊrk
R**ạ**d**ẹ**cki ra'dɛtski
R**ạ**degund 'raːdəgʊnt
R**ạ**deg**ụ**nde ra'dəgʊndə
R**ạ**deg**ụ**ndis ra'dəgʊndɪs
R**ạ**dek 'raːdɛk, *russ.* 'radɪk
R**ạ**del 'raːdl̩
R**ä**del 'rɛːdl̩
r**ạ**deln 'raːdl̩n, r**ạ**dle 'raːdlə
r**ä**deln 'rɛːdl̩n, r**ä**dle 'rɛːdlə
R**ä**delsführer 'rɛːdl̩sfyːrɐ
R**ạ**demacher 'raːdəmaxɐ
R**ạ**denthein 'raːdn̩tai̯n
R**ä**der 'rɛːdɐ
...r**ä**derig ....rɛːdərɪç, -e ...ɪɡə
r**ä**dern 'rɛːdɐn, r**ä**dre 'rɛːdrə
R**ä**derscheidt 'rɛːdɐ̯ʃai̯t

Rad**ẹ**tzky ra'dɛtski
Radevormw**ạ**ld ra'də-fo:ɐ̯m'valt
R**ạ**dewijns *niederl.* 'raːdə-wɛi̯ns
R**ạ**dewin 'raːdəviːn
R**ạ**dewski *bulgar.* 'radɛfski
Radford *engl.* 'rædfəd
Radhakr**ị**shnan *engl.* rɑːdə-'krɪʃnən
R**ạ**di 'raːdi
radi**ạ**l ra'di̯aːl
Radialit**ä**t radi̯ali'tɛːt
Radi**ạ**nt ra'di̯ant
radi**ä**r ra'di̯ɛːɐ̯
Radiästhes**ie** radi̯ɛste'ziː
radi**ä**sth**ẹ**tisch radi̯ɛs'teːtɪʃ
Radi**ạ**t[a] ra'di̯aːt[a]
Radiation radi̯a'tsi̯oːn
Radi**ạ**tor ra'di̯aːtoːɐ̯, -en radi̯a'toːrən
R**ạ**d**ị**ć *serbokr.* ,ra:ditɕ
Rad**ị**cchio ra'dɪki̯o
Rad**ị**čević *serbokr.* ra.di:tʃɛ-vitɕ
R**ạ**dien 'raːdi̯ən
radi**ẹ**ren ra'diːrən
Radi**ẹ**schen ra'diːsçən
Radigu**ẹ**t *fr.* radi'gɛ
radik**ạ**l, R... radi'kaːl
Radikal**ị**nski radika'lɪnski
radikalis**ie**ren radikali'ziː-rən
Radikal**ị**smus radika'lɪsmʊs
Radik**ạ**list radika'lɪst
Radikalit**ä**t radikali'tɛːt
Radik**ạ**nd radi'kant, -en ...ndṇ
Rad**ị**kula ra'diːkula
R**ạ**dio 'raːdi̯o
radioakt**ị**v radi̯olak'tiːf, -e ...iːvə
Radioaktivit**ä**t radi̯o-laktivi'tɛːt
Radioastronom**ie** radi̯o-lastrono'miː
Radiobiol**o**ge radi̯obio-'loːɡə
Radiochem**ie** radi̯oçe'miː
Radioelem**ẹ**nt radi̯o-lele'mɛnt
radiog**ẹ**n, R... radi̯o'geːn
Radiogoniom**ẹ**ter radi̯ogo-ni̯o'meːtɐ
Radiogoniometr**ie** radi̯o-goni̯ome'triː
Radiogr**ạ**mm radi̯o'ɡram
Radiograph**ie** radi̯oɡra'fiː
Radioindik**ạ**tor radi̯o-

|ɪndi'ka:to:ɐ̯, -en ...ka'to:-
rən
Radiolarie radio'la:riə
Radiologe radio'lo:gə
Radiologie radiolo'gi:
radiologisch radio'lo:gɪʃ
Radiolyse radio'ly:zə
Radiometer radio'me:tɐ
Radionuklid radionu'kli:t,
-e ...i:də
radiophon radio'fo:n
Radiophonie radiofo'ni:
Radiorekorder 'ra:diore-
kɔrdɐ
Radioskopie radiosko'pi:
Radiosonde 'ra:diozɔndə
Radiotelefonie radiotele-
fo'ni:
Radiotelegrafie radiotele-
gra'fi:
Radiotherapie radiotera'pi:
Radiothorium radio'to:rium
Radischtschew russ.
ra'diʃtʃɪf
Raditschkow bulgar.
rɐ'ditʃkof
¹Radium 'ra:dium
²Radium (Ort) engl. 'reɪdɪəm
¹Radius 'ra:dius, ...ien ...iən
²Radius (Name) it. 'ra:dius
Radix 'ra:dɪks, ...ices, ...izes
ra'di:tse:s
radizieren radi'tsi:rən
Ra-djedef ra'dje:dɛf
Radkersburg 'ratkɐsburk
Radler 'ra:dlɐ
Radlin poln. 'radlin
Radlkofer ra'dlko:fɐ
Radloff 'ra:tlɔf
Radlow russ. 'radlɐf
Radnor[shire] engl. 'ræd-
nə[ʃiə]
Radnóti ung. 'rɔdno:ti
Radok tschech. 'radɔk
Radolf 'ra:dɔlf
Radolfzell ra:dɔlf'tsɛl
¹Radom ra'do:m
²Radom (Name) poln.
'radɔm
Radomsko poln. ra'dɔmskɔ
Radon 'ra:dɔn, auch:
ra'do:n
Radotage rado'ta:ʒə
Radoteur rado'tø:ɐ̯
radotieren rado'ti:rən
Radowitz 'ra:dovɪts
...**rädrig** ...rɛ:drɪç, -e ...ɪgə
Radscha 'ra:dʒa, auch:
'radʒa
Radschpute ratʃ'pu:tə

Radsinski russ. ra'dzinskij
Radstadt 'ra:tʃtat
Radstädter 'ra:tʃtɛ[:]tɐ
Rådström schwed. ,ro:d-
strœm
Radu rumän. 'radu
Radula 'ra:dula, ...lae ...lɛ
Rădulescu rumän. rədu-
'lesku
Radulf, ...lph 'ra:dulf
Radványi ung. 'rɔdva:nji
Radzionkau ra'tsiɔŋkau
Radzionków poln. ra'dzɔŋ-
kuf
Radziwill 'ratsivɪl
Radziwiłł poln. ra'dziviu
Radziwiłłowa poln. radzi-
viu'uova
Radziwiłłowie poln. radzi-
viu'uovjɛ
Radziwiłłówna poln. radzi-
viu'uuvna
Raeber 'rɛ:bɐ
Rae[burn] engl. 'reɪ[bə:n]
Raeder 'rɛ:dɐ
Raeren 'ra:rən, niederl.
'ra:rə
Raes niederl. ra:s
Raesfeld 'ra:sfɛlt
Raetia 'rɛ:tsia
Raf engl. ræf, it. raf
R.A.F. engl. ɑ:reɪ'ɛf
Rafael 'ra:fae:l, auch: ...aɛl,
span., bras. rrafa'ɛl, port.
rrɐfɐ'ɛl
Rafah (Gasa) 'rafax
Raff raf
Raffael 'rafae:l, auch: ...aɛl
Raffaele it. raffa'ɛ:le
raffaelisch, R... rafa'e:lɪʃ
Raffaëlli fr. rafaɛl'li
Raffaellino it. raffael'li:no
Raffaello it. raffa'ɛllo
Raffalt 'rafalt
Raffel 'rafl
raffeln 'rafl̩n
raffen 'rafn̩
Raffet fr. ra'fɛ
Raffi ra'fi:
Raffiabast 'rafiabast
raffig 'rafɪç, -e ...ɪgə
Raffinade rafi'na:də
Raffinage rafi'na:ʒə
Raffination rafina'tsio:n
Raffinement rafinə'mã:
Raffinerie rafinə'ri:, -n
...i:ən
Raffinesse rafi'nɛsə
Raffineur rafi'nø:ɐ̯
raffinieren rafi'ni:rən

Raffinose rafi'no:zə
Raffke 'rafkə
Raffler 'raflɐ
Raffles engl. ræflz
rafraichieren rafrɛ'ʃi:rən
Rafsandschani pers. ræf-
sændʒɑ'ni:
Raft[ing] 'ra:ft[ɪŋ]
Rag rɛk
Raga 'ra:ga
Ragaz ra'gats
Rage 'ra:ʒə
ragen 'ra:gn̩, **rag!** ra:k, **ragt**
ra:kt
Ragewin 'ra:gəvi:n
Raggi it. 'raddʒi
Ragione ra'dʒo:nə
Raglan 'ragla[:]n, auch:
'rɛglən
Ragna 'ragna
Ragnar 'ragnar, schwed.
'raŋnar
Ragnarök 'ragnarœk
Ragnit ra'gnɪt
Ragout ra'gu:
Ragoût fin, -s -s ra'gu: 'fɛ̃:
Ragtime 'rɛktaɪm
Raguhn ra'gu:n
Ragusa it. ra'gu:za
Ragwurz 'ra:kvʊrts
Rah ra:
Rahab 'ra:hap
Rahbeck dän. 'ra:'beg
Rahden 'ra:dn̩
Rahe 'ra:ə
Rahel 'ra:ɛl
Rahewin 'ra:əvi:n
Rahlfs ra:lfs
Rahimyar Khan engl.
rə'hi:mjə 'kɑ:n
Rahm ra:m
Rähm rɛ:m
Rahman engl. 'rɑ:mɑ:n
Rähmchen 'rɛ:mçən
rahmen, R... 'ra:mən
rahmig 'ra:mɪç, -e ...ɪgə
Rahn[e] 'ra:n[ə]
Rahner 'ra:nɐ
Rahotep ra'ho:tɛp
Rahu[la] 'ra:hu[la]
Rahway engl. 'rɔ:weɪ
Rai pers. reɪ
RAI it. ra:i
Raibl 'raibl̩
Raid re:t
Raiffeisen 'raiflaizn̩
Raigern 'raigɐn
Raigras 'raigra:s
Raillerie rajə'ri:, -n ...i:ən
raillieren ra'ji:rən

Raimar 'raɪmar
Raimbaut fr. rɛ̃'bo
Raimon[d] fr. rɛ'mõ
Raimọndi it. raɪ'mondi
Raimọndo it. raɪ'mondo
Raimu fr. rɛ'my
Raimund 'raɪmʊnt
Raimụnde raɪ'mʊndə
Raimụndo span. raɪ'mundo
Rain[ald] 'raɪn[alt]
Rainạldi it. raɪ'naldi
Rainalter 'raɪnaltɐ
Rainbow engl. 'reɪnboʊ
Raine engl. reɪn
rainen 'raɪnən
Rainer 'raɪnɐ
Rainey engl. 'reɪnɪ
Rainier fr. rɛ'nje
Rainier, Mount engl. 'maʊnt
reɪ'nɪə
Rainis lit. 'raɪnɪs
Rainow bulgar. 'rajnof
Rainwater engl. 'reɪnwɔːtə
Rainy engl. 'reɪnɪ
Raipur engl. 'raɪpʊə
[1]Rais ra'iːs, **-e** ra'iːzə,
Ruasa rua'za:
[2]Rais (Name) tschech. rajs
Raiser 'raɪzɐ
Raison rɛ'zõ:
raisonạbel rɛzo'na:bl̩, ...**ble**
... blə
Raisoneur rɛzo'nøːɐ̯
raisonieren rɛzo'niːrən
Raisonnement rɛzɔnə'mã:
Raissa russ. ra'isɐ
Raisting 'raɪstɪŋ
Raitschew bulgar. 'rajtʃɛf
Raja Ampat indon. 'radʒa
'ampat
Rajah (Untertan) 'ra:ja
Rajasthan engl. raːdʒəs-
'taːn, '---
Rajẹwsky russ. ra'jɛfski
Rajić serbokr. ˌra:jitɕ
Rajiv engl. raːˈdʒiːv
Rajk ung. rɔjk
Rajkot engl. 'raːdʒkoʊt
rajọlen ra'joːlən
Rajshahi engl. 'raːdʒʃaːhi:
Rakan 'ra:kan
Rake 'ra:kə
Rakel 'ra:kl̩
räkeln 'rɛ:kl̩n
Rakẹte ra'ke:tə
Rakẹtt ra'kɛt
Raki 'ra:ki
Rakić serbokr. ˌra:kitɕ
Rakitin bulgar. rɐ'kitin
Rakka 'raka

Rákóczi, ...zy ung. 'ra:ko:tsi
Rakonitz 'rakonɪts
Rákosi ung. 'ra:koʃi
Rakovník tschech.
'rakɔvnji:k
Rakọwski bulgar. rɐ'kɔfski,
poln. ra'kɔfski
Raku 'ra:ku
Rale[i]gh engl. 'rɔ:lɪ, 'ra:lɪ,
'rælɪ
Ralf ralf, dän. ral'f
Ralle 'ralə
rallentạndo ralɛn'tando
Ralliement rali'mã:
ralliieren rali'i:rən
Rallis neugr. 'ralis
Rallye 'rali, auch: 'rɛli
Ralph ralf, engl. reɪf, rælf
RAM (Informatik) ram
Rama 'ra:ma
Ramadan rama'da:n
Ramạdi ra'ma:di
Ramadier fr. rama'dje
Ramagé rama'ʒe:
Ramajana ra'ma:jana
Ramakris[c]hna rama-
'krɪʃna
Ramạlho port., bras. rrɐ-
'maʎu
Ram Allah 'ra:m a'la:
Raman ra:man, engl.
'ra:mən
Ramapithecus rama'pi:te-
kʊs
Ramasan rama'za:n
ramassieren rama'si:rən
Ramasuri rama'zu:ri
Ramat Gan hebr. ra'mat
'gan
Ramberg 'rambɛrk
Rambert 'rambɛrt, engl.
'ræmbət
Rambla 'rambla
Rambler engl. 'ræmblə
Rambo 'rambo
Rambouillet fr. rãbu'je
Rambouillet... rãbu'je:...
Ramboux fr. rã'bu
Rambur ram'bu:ɐ̯
Ramdas ram'da:s
Rameau fr. ra'mo
Ramée fr. ra'me
Ramée, de la engl. dɛlərə-
'meɪ
Ramek 'ra:mɛk
Ramelsloh[er] 'ra:ml̩slo:[ɐ]
Ramenskoje russ. 'ramɪn-
skɐjə
ramẹnten ra'mɛntn̩
ramẹntern ra'mɛntɐn

Ramerberg 'ra:mɐbɛrk
Ramesseum ramɛ'se:ʊm
Ramesside ramɛ'si:də
Rameswaram engl.
'ra:meɪswərəm
Ramholz 'ramhɔlts
Rami vgl. [1]Ramus
Ramie ra'mi:, **-n** ...i:ən
Ramifikation ramifika-
'tsjo:n
ramifizieren ramifi'tsi:rən
Ramillies-Offus fr. ramijiɔ-
'fys
Ramin ra'mi:n
Ramírez span. rra'mireθ
Ramiro span. rra'miro,
port., bras. rrɐ'miru
Ramla hebr. 'ramla
Ramler 'ramlɐ
Ramm ram
rammdösig 'ramdø:zɪç, **-e**
...ɪɡə
Ramme 'ramə
Rammel 'raml̩
Rammelei ramə'laɪ
rammeln 'raml̩n
Rammelsberg 'raml̩sbɛrk
rammen 'ramən
Ramming 'ramɪŋ
Rammler 'ramlɐ
Rammsee 'ramze:
Ramon fr. ra'mõ
Ramón span. rra'mɔn
Ramona ra'mo:na
Ramos span. 'rramos, port.
'rrɐmuʃ, bras. 'rrɐmus
Ramọvš slowen. ra'mo:uʃ
Rampal fr. rã'pal
Rampe 'rampə
Ramphis 'ramfɪs
Rampọlla it. ram'polla
ramponieren rampo'ni:rən
Rampur engl. 'ra:mpʊə
Rams rams
Ramsar pers. ram'sær
Ramsau ram'zaʊ, '--
Ramsauer 'ramzaʊɐ
Ramsay engl. 'ræmzɪ
Ramsch ramʃ
Rämschchen 'rɛmʃçən
ramschen 'ramʃn̩
Ramsden engl. 'ræmzdən
Ramses 'ramzɛs
Ramsey engl. 'ræmzɪ
Ramsgate engl. 'ræmzɡɪt
Ramstein 'ramʃtaɪn
Ramu engl. 'ra:mu:
[1]Ramus (Zweig) 'ra:mʊs,
Rami 'ra:mi

²**Ramus** (Name) 'ra:mʊs, *fr.*
ra'mys
Ramuz *fr.* ra'my
ran ran
Ran ra:n
Rana *norw.* 'ra:na
Rañadoiro *span.* rraɲa'ðojro
Ranafjord *norw.* 'ra:nafju:r
Rancagua *span.* rraŋ'kayua
Rance *fr.* rã:s, *engl.* rɑ:ns
Rancé *fr.* rã'se
Ranch rɛntʃ, *auch:* ra:ntʃ
Rancher 'rɛntʃɐ, *auch:*
'ra:ntʃɐ
Rancheria rantʃe'ri:a
Ranchero ran'tʃe:ro
Ranchi *engl.* 'rɑ:ntʃi:
Rancho 'rantʃo
**Rancho Cordova, - Cuca-
monga** *engl.* 'ræntʃoʊ
'kɔ:dəvə, - ku:kə'mʌŋgə
¹**Rand** rant, **Randes** 'ran-
dəs, **Ränder** 'rɛndɐ
²**Rand** (Währung) rant,
auch: rɛnt
³**Rand** (Name) *engl.* rænd
Randal[e] ran'da:l[ə]
randalieren randa'li:rən
Randall *engl.* rændl
Randallstown *engl.*
'rændlztaʊn
Rändchen 'rɛntçən
Rande 'randə
rändeln 'rɛndl̩n, **rändle**
...dlə
Randen 'randn̩
Ränder vgl. Rand
rändern 'rɛndɐn, **rändre**
...drə
Randers *dän.* 'ranɐs
Randfontein *afr.* 'rantfɔn-
təjn
Randolf 'randɔlf
Randolph *engl.* 'rændɔlf
Random... 'rɛndəm...
randomisieren randomi-
'zi:rən
Randsfjord *norw.* 'ransfju:r
Randstad *niederl.* 'rantstat
Randulf 'randʊlf
Randwick *engl.* 'rændwɪk
Raney *engl.* 'reɪnɪ
Ranft ranft, **Ränfte** 'rɛnftə
Ränftchen 'rɛnftçən
rang raŋ
Rang raŋ, **Ränge** 'rɛŋə
ränge 'rɛŋə
¹**Range** 'raŋə
²**Range** (Name) *engl.* reɪndʒ
Ränge vgl. Rang

rangehen 'range:ən
Rangelei raŋə'laɪ
rangeln 'raŋl̩n
Ranger 're:ndʒɐ
rangieren rã'ʒi:rən, *auch:*
raŋ'ʒ...
...**rangig** ...raŋɪç, -e ...ɪgə
Rangoon *engl.* ræŋ'gu:n
Rangström *schwed.* 'raŋ-
strœm
Rangun raŋ'gu:n
Ranicki ra'nɪtski
Ranieri *it.* ra'niɛ:ri
Raniganj *engl.* 'rɑ:nɪgændʒ
Ranjina *serbokr.* 'ranjina
rank raŋk
¹**Rank** raŋk, **Ränke** 'rɛŋkə
²**Rank** (Name) raŋk, *engl.*
ræŋk
Ranke 'raŋkə, *engl.* ræŋk
Ränke 'rɛŋkə
ranken, R... 'raŋkn̩
Rankett raŋ'kɛt
rankig 'raŋkɪç, -e ...ɪgə
Rankin[e] *engl.* 'ræŋkɪn
Ranking 'rɛŋkɪŋ
Ranković *serbokr.* 'ra:ŋkɔ-
vɪtɕ
Ranküne raŋ'ky:nə
rann, R... ran
ränne 'rɛnə
Rannoch *engl.* 'rænək
rannte 'rantə
Ransom[e] *engl.* 'rænsəm
Ranson *fr.* rã'sõ
Rantoul *engl.* ræn'tu:l
Rantum 'rantʊm
Rantzau 'rantsaʊ
Ranula 'ra:nula, ...lä ...lɛ
Ranunkel ra'nʊŋkl̩
Ranunkulazee ranʊŋkula-
'tse:ə
Ranvier *fr.* rã'vje
Ränzchen 'rɛntsçən
Ranz des Vaches *fr.* rãde-
'vaʃ
Ränzel 'rɛntsl̩
ranzen, R... 'rantsn̩
Ranzer 'rantsɐ
ranzig 'rantsɪç, -e ...ɪgə
Ranzion ran'tsi̯o:n
ranzionieren rantsi̯o'ni:rən
Ranzoni *it.* ran'tso:ni
Rao *engl.* raʊ
Raos *serbokr.* 'raɔs
Raoul ra'u:l, *fr.* ra'ul
Raoult *fr.* ra'ul
Raoux *fr.* ra'u
Rap rɛp
Rapa 'ra:pa, *fr.* ra'pa

Rapacki *poln.* ra'patski
Rapakiwi 'rapakivi
Rapallo ra'palo, *it.* ra'pallo
Rapa Nui *span.* 'rrapa 'nui
Rapazität rapatsi'tɛ:t
Rapfen 'rapfn̩
Raphael 'ra:fae:l, *auch:*
...ael
Raphaela rafa'e:la
Raphaelson *engl.* 'ræfeɪəlsn
Raphe 'ra:fə, 'rafə
Raphia 'rafi̯a, ...ien ...i̯ən
Raphiden ra'fi:dn̩
rapid ra'pi:t, -e ...i:də
rapidamente rapida'mɛntə
Rapid City *engl.* 'ræpɪd 'sɪtɪ
rapide ra'pi:də
Rapidität rapidi'tɛ:t
rapido 'ra:pido
Rapier ra'pi:ɐ
rapieren ra'pi:rən
Rapilli ra'pɪli
Rapisardi *it.* rapi'zardi
Rapoport 'rapopɔrt
Rapp *dt., fr.* rap, *engl.* ræp
Rappahannock *engl.* ræpə-
'hænək
Rappbode 'rapbo:də
Rappe 'rapə
Rappel 'rapl̩
rappeldürr 'rapl̩'dyr
rappelig 'rapəlɪç, -e ...ɪgə
rappelköpfisch 'rapl̩kœpfɪʃ
Rappell ra'pɛl
rappeln 'rapl̩n
rappeltrocken 'rapl̩'trɔkn̩
rappen 'rɛpn̩
Rappen 'rapn̩
Rappenau 'rapənaʊ
Rapper 'rɛpɐ
Rapperswil rapɐs'vi:l
Rapping 'rɛpɪŋ
Räppli 'rɛpli
rapplig 'raplɪç, -e ...ɪgə
Rappomacher 'rapomaxɐ
Rappoport 'rapopɔrt, *engl.*
'ræpəpɔ:t
Rapport ra'pɔrt
rapportieren rapɔr'ti:rən
Rapprochement raprɔ-
ʃə'mã:
raps!, Raps raps
räpschen 'rapʃn̩
räpsen 'rapsn̩
Raptus 'raptʊs, -se ...ʊsə,
die - ...tu:s
Rapünzchen ra'pʏntsçən
Rapunze ra'pʊntsə
Rapunzel ra'pʊntsl̩
Rapuse ra'pu:zə

Raquel *span.* rra'kɛl, *engl.*
rə'kɛl
rar ra:ɐ̯
Rara Avis 'ra:ra 'a:vis
Rarefikation rarefika'tsi̯o:n
rarefizieren rarefi'tsi:rən
Raritan *engl.* 'rærɪtən
Rarität rari'tɛ:t
Raron 'ra:rɔn
Rarotonga *engl.* rɛərə'tɔŋgə
Ras ra:s
Rāša *serbokr.* 'raʃa
Ras Al Ain 'ra:s al'lai̯n
Ras Al Chafdschi 'ra:s
al'xafdʒi
Ras Al Chaima 'ra:s
al'xai̯ma
Ras Al Unuf 'ra:s allu'nu:f
rasant ra'zant
Rasanz ra'zants
rasaunen ra'zau̯nən
rasch, R... raʃ
Raschdorff 'raʃdɔrf
rascheln 'raʃl̩n
Rascher 'raʃɐ
Raschheit 'raʃhai̯t
Raschi 'raʃi
Raschid ra'ʃi:t
Raschidoddin *pers.* ræʃi-
dod'di:n
Raschig 'raʃɪç
Raschke 'raʃkə
Raschomon *jap.* ra'ʃo:ˌmɔn
Rascht *pers.* ræʃt
Rasdan *russ.* raz'dan
Ras Daschän *amh.* ras
daʃɛn
rasen 'ra:zn̩, **ras!** ra:s, **rast**
'ra:st
Rasen 'ra:zn̩
Rasenna ra'zɛna
¹Raser 'ra:zɐ
²Raser (Röntgen) 're:zɐ
Raserei ra:zə'rai̯
Raseur ra'zø:ɐ̯
Ras Gharib 'ra:s 'ga:rɪp
Rasgrad *bulgar.* 'razgrat
Rash *engl.* ræʃ
rasieren ra'zi:rən
rasig 'ra:zɪç, -e ...ɪgə
Rasin *russ.* 'razin
Rask *dän.* rasg
Raskol ras'kɔl
Raskolnik ras'kɔlnɪk, -i ...ki
Raskolnikow *russ.* ras-
'kɔlnikɐf
Raslog *bulgar.* rɐz'lɔk
Rasmus 'rasmʊs, *dän.*
...mus
Rasmussen *dän.* 'rasmusn̩

Räson rɛ'zõ:
räsonabel rɛzo'na:bl̩, ...**ble**
...blə
Räsoneur rɛzo'nø:ɐ̯
räsonieren rɛzo'ni:rən
Räsonnement rɛzɔnə'mã:
Raspa 'raspa
Raspe 'raspə
Raspel 'raspl̩
raspeln 'raspl̩n
Rasputin 'rasputi:n, *russ.*
ras'putin
raß ra:s
räß, Räß rɛ:s
Rasse 'rasə
Rassel 'rasl̩
Rasselei rasə'lai̯
rasseln 'rasl̩n
rassig 'rasɪç, -e ...ɪgə
rassisch 'rasɪʃ
Rassismus ra'sɪsmʊs
Rassist ra'sɪst
Rasskasowo *russ.* ras'ka-
zɐvɐ
Rasso[w] 'raso
Rast[a] 'rast[a]
Rastafari rasta'fa:ri
Rastatt 'raʃtat, 'rastat
Raste 'rastə
Rastede 'ra:ste:də
Rastel 'rastl̩
Rastell *engl.* ræs'tɛl, ra:stl
Rastelli *it.* ras'tɛlli
rasten 'rastn̩
Rastenberg 'rastn̩bɛrk
Rastenburg 'rastn̩bʊrk
Raster 'rastɐ
rastern 'rastɐn
Rastral ras'tra:l
Rastrelli *it.* ras'trɛlli
rastrieren ras'tri:rən
Rasul Allah ra'zu:l a'la:
Rasumowski *russ.* rɛzu-
'mɔfskij
Rasur ra'zu:ɐ̯
Raszien 'rastsi̯ən
Raszwetnikow *bulgar.*
rɐs'tsvɛtnikɐf
Rat ra:t, **Räte** 'rɛ:tə
rät, Rät rɛ:t
Ratafia rata'fi:a
Ratak 'ra:tak, *engl.* 'rɑ:tɑ:k
Ratanhia... ra'tanja...
Ratatouille rata'tui̯
Rat Buri *Thai* ra:dbu'ri: 311
Ratcliff[e], Ratclyffe *engl.*
'rætklɪf
Ratdolt 'ra:tɔlt
Rate 'ra:tə
Räte vgl. Rat

Rateau *fr.* ra'to
Ratekau 'ra:təkau̯
raten 'ra:tn̩
Räter 'rɛ:tɐ
Ratero ra'te:ro
Ratgeb 'ra:tge:p
Rath ra:t
Rathbone *engl.* 'ræθboʊn
Rathen 'ra:tn̩
Rathenau 'ra:tənau̯
Rathenow 'ra:təno
Rathgeber 'ra:tge:bɐ
Rathjens 'ratjəns
Rathke 'ratkə
Rathramnus ra'tramnʊs
Ratibor 'ra:tibo:ɐ̯
Rätien 'rɛ:tsi̯ən
ratierlich ra'ti:ɐ̯lɪç
Ratifikation ratifika'tsi̯o:n
ratifizieren ratifi'tsi:rən
Rätikon 'rɛ:tikɔn
Rätin 'rɛ:tɪn
Ratiné rati'ne:
Rating 're:tɪŋ
Ratingen 'ra:tɪŋən
ratinieren rati'ni:rən
Ratio 'ra:tsi̯o
Ration ra'tsi̯o:n
rational ratsi̯o'na:l
Rationalisator ratsi̯onali-
'za:to:ɐ̯, -en ...za'to:rən
rationalisieren ratsi̯onali-
'zi:rən
Rationalismus ratsi̯ona'lɪs-
mʊs
Rationalist ratsi̯ona'lɪst
Rationalität ratsi̯onali'tɛ:t
rationell ratsi̯o'nɛl
rationieren ratsi̯o'ni:rən
rätisch 'rɛ:tɪʃ
Rätke 'ratkə
rätlich 'rɛ:tlɪç
Ratnagiri *engl.* 'rætˈnɑ:gəri
Ratnapura *engl.* 'rætnə-
pʊərə
Ratonkuchen ra'to:nku:xn̩
Rätoromane rɛtoro'ma:nə
rätoromanisch rɛtoro'ma:-
nɪʃ
Ratpert 'ra:tpɛrt
Ratramnus ra'tramnʊs
ratsam 'ra:tza:m
rätsch! ratʃ
Ratsche 'ra:tʃə
Rätsche 'rɛ:tʃə
¹rätschen (Reißgeräusch;
aufreißen) 'ratʃn̩
²rätschen (rätschen) 'ra:tʃn̩
rätschen 'rɛ:tʃn̩
Ratschlag 'ra:tʃla:k

ratschlagen 'ra:tʃla:gn̩,
...**agl** ...a:k, ...**agt** ...a:kt
Rätsel 'rɛ:tsl̩
rätseln 'rɛ:tsl̩n
Rattan 'ratan
Rattazzi it. rat'tattsi
Ratte 'ratə
Rattenberg 'ratn̩bɛrk
Rätter 'rɛtɐ
rattern 'ratɐn
rättern 'rɛtɐn
Ratti it. 'ratti
Rattigan engl. 'rætɪgən
Rattle engl. rætl
Rattler 'ratlɐ
Ratuschinskaja russ. rɐtu-
'ʃinskɐjɐ
Ratz[e] 'rats[ə]
Ratzeburg 'ratsəbʊrk
ratzekahl 'ratsə'ka:l
Ratzel 'ratsl̩
Rätzel 'rɛtsl̩
ratzen 'ratsn̩
Ratzinger 'ratsɪŋɐ
rau, R... raʊ
Rau raʊ, engl. raʊ
Raub raʊp, **-es** 'raʊbəs
Raubauz 'raʊbaʊts
raubauzig 'raʊbaʊtsɪç, **-e**
...ɪgə
rauben 'raʊbn̩, **raub!** raʊp,
raubt raʊpt
Räuber 'rɔybɐ
Räuberei rɔybə'raɪ
Raubling 'raʊblɪŋ
rauch, R... raʊx
Raucheisen 'raʊxlaɪzn̩
rauchen 'raʊxn̩
räucherig 'rɔyçərɪç, **-e** ...ɪgə
räuchern 'rɔyçɐn
rauchig 'raʊxɪç, **-e** ...ɪgə
Rauchmiller 'raʊxmɪlɐ
Rauchmüller 'raʊxmylɐ
Räude 'rɔydə
Rauden 'raʊdn̩
räudig 'rɔydɪç, **-e** ...ɪgə
Raudnitz 'raʊdnɪts
Raue 'raʊə
rauen 'raʊən
Rauensche Berge 'raʊənʃə
'bɛrgə
Rauerei raʊə'raɪ
rauf raʊf
Raufbold 'raʊfbɔlt, **-e** ...ldə
Raufe 'raʊfə
raufen 'raʊfn̩
Rauferei raʊfə'raɪ
Raugraf 'raʊgra:f
Rauh[e] 'raʊ[ə]
Rauheit 'raʊhaɪt

Rauigkeit 'raʊɪçkaɪt
Rauke 'raʊkə
Raúl span. rra'ul
raum raʊm
Raum raʊm, **Räume** 'rɔymə
Rauma norw. ˌrœÿma,
finn. 'raʊma
räumen 'rɔymən
Raumer 'raʊmɐ
räumlich 'rɔymlɪç
Räumte 'rɔymtə
raunen 'raʊnən
Raunheim 'raʊnhaɪm
raunzen 'raʊntsn̩
Raunzerei raʊntsə'raɪ
raunzig 'raʊntsɪç, **-e** ...ɪgə
Raupach 'raʊpax
Räupchen 'rɔypçən
Raupe 'raʊpə
raupen 'raʊpn̩
Rauriker 'raʊrikɐ
Rauris 'raʊrɪs
raus raʊs
Rausch raʊʃ
Räuschchen 'rɔyʃçən
Rauschebart 'raʊʃəba:ɐt
rauschen, R... 'raʊʃn̩
Rauschenberg 'raʊʃn̩bɛrk,
engl. 'raʊʃnbə:g
Rauscher 'raʊʃɐ
Rauschning 'raʊʃnɪŋ
rausekeln 'raʊsle:kl̩n
räuspern 'rɔyspɐn
Rautavaara finn. 'raʊta-
vɑːra
Raute 'raʊtə
Rautek 'raʊtɛk
Rautendelein raʊ'tɛndəlaɪn
rautiert raʊ'tiːɐt
Rauwolf 'raʊvɔlf
Rauwolfia raʊ'vɔlfia
Rauxel 'raʊksl̩
Rauzzini it. raʊt'tsi:ni
ravagieren rava'ʒi:rən
Ravaillac fr. rava'jak
Ravaisson-Mollien fr. ravɛ-
sõmɔ'ljɛ̃
Rave reːf
Ravel fr. ra'vɛl
Ravelin ravə'lɛ̃
raven 'reːvn̩, **rave!** reːf, **ravt**
reːft
Ravenna ra'vɛna, it.
ra'vɛnna, engl. rə'vɛnə
Ravensberg 'raːvn̩sbɛrk
Ravensbrück raːvn̩s'brʏk
Ravensburg 'raːvn̩sbʊrk,
auch: 'raːf...
Ravenstein 'raːvənʃtaɪn,
niederl. 'raːvənstɛɪn

Ravenswood engl. 'reɪvnz-
wʊd
Ravioli ra'vjo:li
Ravoir fr. ra'vwaːr
ravvivando ravi'vando
Rawalpindi raval'pɪndi,
engl. raːwəl'pɪndɪ, rɔːl-
'pɪndɪ
Rawitsch 'raːvɪtʃ
Rawlings engl. 'rɔːlɪŋz
Rawlinson engl. 'rɔːlɪnsn
Rawmarsh engl. 'rɔːmɑːʃ
Rawson engl. rɔːsn, span.
'rraʊsən
Rawtenstall engl. 'rɔːtnstɔːl
Rax raks
Ray[burn] engl. 'reɪ[bən]
Rayé rɛ'je:
Raygras 'raɪgra:s
Rayleigh engl. 'reɪlɪ
Raymond 'raɪmɔnt, engl.
'reɪmənd, fr. rɛ'mõ
Raymund 'raɪmʊnt
Raynal fr. rɛ'nal
Raynaud fr. rɛ'no
Raynouard fr. rɛ'nwaːr
Rayon rɛ'jõ:
rayonieren rɛjo'niːrən
Rayside-Balfour engl. 'reɪ-
saɪd'bælfə
Rayski 'raɪski
Raysse fr. rɛs
Raytown engl. 'reɪtaʊn
Razelm rumän. ra'zelm
Razemat ratse'ma:t
razemisch ra'tse:mɪʃ
razemos ratse'mo:s, **-e**
...o:zə
razemös ratse'mø:s, **-e**
...ø:zə
Ražice tschech. 'raʒitsɛ
Ražnjići 'raʒnjitʃi
Rázus slowak. 'ra:zus
Razzia 'ratsia, **...ien** ...iən
R. C. A. engl. ɑːsiː'eɪ
re re:
¹Re (Gott; Kartenspiel;
Musik) re:
²Re (Name) it. re
Ré fr. re
Rea 're:a, it. 'rɛ:a
Read[e] engl. ri:d
Reader 'ri:dɐ
Reader's Digest engl.
'ri:dəz 'daɪʒest
Reading (Stadt) engl. 'rɛdɪŋ
Readymade 'rɛdime:t
Reafferenz relafe'rɛnts
Reagan (US-Präsident)
engl. 'reɪgən

Reagens re'a:gɛns, re'|a:..., **...nzien** rea'gɛntsi̯ən
Reagenz rea'gɛnts, **-ien** ...tsi̯ən
reagibel rea'gi:bl̩, **...ble** ...blə
Reagibilität reagibili'tɛ:t
reagieren rea'gi:rən
Reakt re'akt
Reaktanz reak'tants
Reaktion reak'tsi̯o:n
reaktionär, R... reaktsi̯o-'nɛ:ɐ̯
reaktiv, R... reak'ti:f, **-e** ...i:və
reaktivieren reakti'vi:rən, rela...
Reaktivität reaktivi'tɛ:t
Reaktor re'akto:ɐ̯, **-en** ...'to:rən
real re'a:l
¹Real (Münze) re'a:l, *span.* rre'al, *port., bras.* rri̯al, **Reis** rai̯s, *port.* rrei̯ʃ, *bras.* rrei̯s
²Real (Name) re'a:l, *span.* rre'al, *port.* rri̯al
Realgar real'ga:ɐ̯
Realien re'a:li̯ən
Realignment ri:ə'lai̯nmənt
Realisat reali'za:t
Realisation realiza'tsi̯o:n
Realisator reali'za:to:ɐ̯, **-en** ...za'to:rən
realisieren reali'zi:rən
Realismus rea'lɪsmʊs
Realist[ik] rea'lɪst[ɪk]
realistisch rea'lɪstɪʃ
Realität reali'tɛ:t
realiter re'a:litɐ
Reality... ri'ɛliti...
Realo re'a:lo
Real-Time-... 'ri:əl'tai̯m...
reamateurisieren rel̩ama-tøri'zi:rən
Reanimation rel̩anima-'tsi̯o:n
reanimieren rel̩ani'mi:rən
rearmieren rel̩ar'mi:rən
Reassekuranz rel̩aseku-'rants
reassumieren rel̩asu'mi:rən
Reassumption rel̩asʊmp-'tsi̯o:n
Reat re'a:t
Reaumur 're:omy:ɐ̯
Réaumur *fr.* reo'my:r
Rebab re'ba:p
Rebbach 'rɛbax
Rebbe[s] 'rɛbə[s]

Rebberg 're:pbɛrk
Rebe 're:bə
Rebec re'bɛk
Rebecca *engl.* rɪ'bɛkə
Rebekka re'bɛka
¹Rebell re'bɛl
²Rebell (Name) *fr.* rə'bɛl
rebellieren rebɛ'li:rən
Rebellion rebɛ'li̯o:n
rebellisch re'bɛlɪʃ
rebeln 're:bl̩n, **reble** 're:blə
Rebhendl 're:phɛndl̩
Rebhu[h]n 're:phu:n, 'rɛp...
Ré, Île de *fr.* ildə're
Rebirthing *dt.-engl.* ri'bø:ɐ̯-θɪŋ, ...bœrθɪŋ
Reblaus 're:plau̯s
Rebling 're:plɪŋ
Rebmann 're:pman
Rebner 're:bnɐ
Rebolledo *span.* rrɛβo'ʎeðo
Rebora *it.* 'rɛ:bora
Rebound ri'bau̯nt, 'ri:bau̯nt
Rebounder ri'bau̯ndɐ
Rebounding ri'bau̯ndɪŋ
Reboux *fr.* rə'bu
Rebreanu *rumän.* re'brɛanu
Rebroff 're:brɔf
Rebull *span.* rrɛ'βul
Rebus 're:bʊs, **-se** ...ʊsə
rebus sic stantibus 're:bʊs 'zi:k 'stantibʊs
Recall... ri'kɔ:l...
Récamier *fr.* reka'mi̯e
Récamiere reka'mi̯e:rə
Recanati *it.* reka'na:ti
Receiver ri'si:vɐ
recenter paratum re'tsɛntɐ pa'ra:tʊm
Receptaculum retsɛp'ta:-kulʊm, **...la** ...la
Recha 'rɛça
Rechabit rɛça'bi:t
Rechaud re'ʃo:
Rechberg 'rɛçbɛrk
rechen, R... 'rɛçn̩
Rechenei rɛçə'nai̯
Recherche re'ʃɛrʃə
Rechercheur reʃɛr'ʃø:ɐ̯
recherchieren reʃɛr'ʃi:rən
Rechnei rɛç'nai̯
rechnen 'rɛçnən
Rechnerei rɛçnə'rai̯
recht, R... rɛçt
Rechte 'rɛçtə
rechten 'rɛçtn̩
rechtens, R... 'rɛçtn̩s
rechterseits 'rɛçtɐ'zai̯ts
Rechthaberei rɛçtha:bə'rai̯
rechts rɛçts

rechtsaußen, R... rɛçts-'|au̯sn̩
rechtschaffen 'rɛçtʃafn̩
rechtschreiblich 'rɛçtʃrai̯p-lɪç
Rechtser 'rɛçtsɐ
Rechtshänder 'rɛçtshɛndɐ
rechtshändig 'rɛçtshɛndɪç, **-e** ...ɪgə
rechtsher 'rɛçtshe:ɐ̯
rechtsherum 'rɛçtshɛrʊm
rechtshin 'rɛçtshɪn
rechtsrheinisch 'rɛçtsrai̯nɪʃ
rechtsrum 'rɛçtsrʊm
rechtsseitig 'rɛçtszai̯tɪç, **-e** ...ɪgə
rechtsum! rɛçts'|ʊm
Recife *bras.* rre'sifi
recipe! 're:tsipe
Récit re'si:
Recital ri'sai̯tl̩
recitando retʃi'tando
Recitativo accompagnato retʃita'ti:vo akɔmpan'ja:to, **...vi ...ti** ...vi ...ti
Reck rɛk
Recke 'rɛkə
recken 'rɛkn̩
¹Recklinghausen (Stadt) rɛklɪŋ'hau̯zn̩
²Recklinghausen (Syndrom) 'rɛklɪŋhau̯zn̩
Recknagel 'rɛkna:gl̩
Recknitz 'rɛknɪts
Reclam 're:klam
Reclus *fr.* rə'kly
recommandé rəkɔmã'de:
Reconquista rekɔn'kɪsta, *auch:* rekɔŋ...
Recorder re'kɔrdɐ, *auch:* ri'k...
Reco-Reco 'rɛko'rɛko
Recreo, El *span.* ɛlrrɛ'kreo
recte 'rɛktə
Recto 'rɛkto
Rector magnificentissimus 'rɛkto:ɐ̯ magnifɪtsɛn-'tisimʊs, **-es ...mi** rɛk'to:-re:s ...mi
Rector magnificus 'rɛkto:ɐ̯ ma'gni:fikʊs, **-es ...ci** rɛk-'to:re:s ...itsi
Recuay *span.* rre'ku̯ai̯
recyceln ri'sai̯kl̩n
Recycling ri'sai̯klɪŋ
Reda 're:da
Redakteur redak'tø:ɐ̯
Redaktion redak'tsi̯o:n
redaktionell redaktsi̯o'nɛl

Redaktor re'dakto:ɐ, -en
...'to:rən
Redaktrice redak'tri:sə
Redbridge engl. 'rɛdbrɪdʒ
Redcliffe engl. 'rɛdklɪf
Red Deer engl. 'rɛd 'dɪə
Redder 'rɛdɐ
Redding engl. 'rɛdɪŋ
Redditch engl. 'rɛdɪtʃ
Reddition rɛdi'tsjo:n
Reddy engl. 'rɛdɪ
Rede 're:də
Redefin 're:dəfi:n
Redegonda rede'gonda
Redem[p]tio re'dɛm[p]tsjo
Redemptorist redɛmpto-
'rɪst
reden 're:dn̩, **red!** re:t
Reden 're:dn
Redenção bras. rredẽ'sɐu̯
Redentin re:dn̩'ti:n
Rederei re:də'rai
Rederijker niederl. 're:dərɛi-
kɐr
Rederitis re:də'ri:tɪs
Redern 're:dɐn
Redewitz 're:dəvɪts
Redfield engl. 'rɛdfi:ld
Redford engl. 'rɛdfəd
Redgrave engl. 'rɛdgreɪv
Redgrove engl. 'rɛdgrouv
Redgum... 'rɛtgam...
redhibieren re:thi'bi:rən,
rɛthi...
Redhibition re:thibi'tsjo:n,
rɛthi...
redhibitorisch re:thibi-
'to:rɪʃ, rɛthi...
Redi it. 're:di
redigieren redi'gi:rən
redimieren redi'mi:rən
Reding 're:dɪŋ
Redingote redẽ'gɔt, -n ...tn̩
Redintegration re:t-
|integra'tsjo:n, rɛt|ın...
Redisfeder® 're:dɪsfe:dɐ
Rediskont redɪs'kɔnt
rediskontieren redɪskɔn-
'ti:rən
Redistribution redɪstribu-
'tsjo:n
redivivus redi'vi:vʊs
Redlands engl. 'rɛdləndz
redlich, R... 're:tlɪç
Redman engl. 'rɛdmən
Redmond engl. 'rɛdmənd
Redneck 'rɛtnɛk
Redner 're:dnɐ
Rednitz 're:dnɪts
Redol port. rrə'ðɔl

¹**Redon**® 're:dɔn
²**Redon** (Name) fr. rə'dõ
Redondela span. rrɛðɔn-
'dela
Redondilla redɔn'dɪla,
...'dɪlja, **...llen** ...lən, **-s**
...ljas
Redondo Beach engl.
rɪ'dɔndou 'bi:tʃ
Redopp re'dɔp
Redoute re'du:tə
Redouté fr. rədu'te
Redoxsystem re'dɔkszys-
te:m
Redpower 'rɛtpauɐ
Redressement redrɛsə'mã:
redressieren redrɛ'si:rən
redselig 're:tze:lɪç
Redslob 're:tslo:p
Redstone engl. 'rɛdstoun
Redtenbacher 'rɛtn̩baxɐ
redublieren redu'bli:rən
Reduit redy'i:
Reduktase redʊk'ta:zə
Reduktion redʊk'tsjo:n
Reduktionismus redʊktsjo-
'nɪsmʊs
reduktionistisch redʊktsjo-
'nɪstɪʃ
reduktiv redʊk'ti:f, **-e** ...i:və
Reduktor re'dʊkto:ɐ, **-en**
...'to:rən
redundant redʊn'dant
Redundanz redʊn'dants
Reduplikation reduplika-
'tsjo:n
reduplizieren redupli'tsi:-
rən
Reduzent redu'tsɛnt
reduzibel redu'tsi:bl̩, **...ble**
...blə
reduzieren redu'tsi:rən
Red Wing engl. 'rɛdwɪŋ
Redwitz 'rɛdvɪts
¹**Redwood** (Holz) 'rɛtvʊt
²**Redwood** (Name) engl.
'rɛdwʊd
ree! re:
Rée re:
Reed engl. ri:d
Reede 're:də
Reeder 're:dɐ
Reederei re:də'rai
Reedley engl. 'ri:dlɪ
Reel[er] 'ri:l[ɐ]
reell re'ɛl
Reellität reɛli'tɛ:t
Reemtsma 're:mtsma
Reengagement re|ãgaʒə-
'mã:

reengagieren re|ãga'ʒi:rən
Reep[erbahn] 're:p[ɐba:n]
Rees re:s, engl. ri:s
Reese engl. ri:s
reesen 're:zn, **rees!** re:s,
reest re:st
Reet re:t
Reeuwich niederl. 're:wɪx
Reeve[s] engl. ri:v[z]
Reexport relɛks'pɔrt, 're:l...
Reexportation relɛkspɔrta-
'tsjo:n, 're:l...
REFA 're:fa
Refait rə'fɛ:
Refaktie re'faktsjə
refaktieren refak'ti:rən
Refaktorium refɛk'to:rjʊm,
...ien ...jən
Referat refe'ra:t
Referee refə'ri:, auch:
'rɛfəri
Referendar referɛn'da:ɐ
Referendariat referɛnda-
'rja:t
Referendum refe'rɛndʊm,
...da ...da
Referens 're:ferɛns, **...ntia**
refe'rɛntsia
Referent refe'rɛnt
Referenz refe'rɛnts
referenziell referɛn'tsjɛl
referieren refe'ri:rən
Reff rɛf
reffen 'rɛfn̩
refinanzieren refinan-
'tsi:rən
Reflation refla'tsjo:n
reflationär reflatsjo'nɛ:ɐ
Reflektant reflɛk'tant
reflektieren reflɛk'ti:rən
Reflektor re'flɛkto:ɐ, **-en**
...'to:rən
reflektorisch reflɛk'to:rɪʃ
Reflex re'flɛks
Reflexion reflɛ'ksjo:n
reflexiv, R... reflɛ'ksi:f, **-e**
...i:və
Reflexivität reflɛksivi'tɛ:t
Reflexivum reflɛ'ksi:vʊm,
...va ...va
Reflexologe reflɛkso'lo:gə
Reflexologie reflɛksolo'gi:
Reflux re'flʊks
Reform re'fɔrm
Reformatio in Peius refɔr-
'ma:tsjo ɪn 'pe:jʊs, **-nes - -**
...ma'tsjo:ne:s - -
Reformation refɔrma'tsjo:n
Reformator refɔr'ma:to:ɐ,
-en ...ma'to:rən

reformatorisch reforma-
'to:rıʃ
Reformatski *russ.* rıfar-
'matskij
Reformer re'fɔrmɐ
reformerisch re'fɔrmərıʃ
reformieren refɔr'mi:rən
reformiert refɔr'mi:ɐt
Reformismus refɔr'mısmʊs
Reformist refɔr'mıst
Refosco re'fɔsko
refraichieren refrɛ'ʃi:rən
Refrain rə'frɛ̃:, *auch:* re...
refraktär refrak'tɛ:ɐ
Refraktion refrak'tsio:n
Refraktometer refrakto-
'me:tɐ
Refraktometrie refrakto-
me'tri:
refraktometrisch refrakto-
'me:trıʃ
Refraktor re'frakto:ɐ, -en
...'to:rən
Refrakturierung refraktu-
'ri:rʊŋ
Refrigerantia refrige'rantsia
Refrigeranzien refrige'ran-
tsiən
Refrigeration refrigera-
'tsio:n
Refrigerator refrige'ra:to:ɐ,
-en ...ra'to:rən
Refuge, -s re'fy:ʃ
Refugial... refu'gia:l...
Refugié refy'ʒie:
Refugium re'fu:giʊm, ...ien
...iən
refundieren refʊn'di:rən
Refus, Refüs rə'fy:, re...,
des - ...y:[s], die - ...y:s
refüsieren rəfy'zi:rən, re...
Refusion refu'zio:n
Refutation refuta'tsio:n
¹Reg (Wüste) rɛk
²Reg (Vorname) *engl.* rɛdʒ
regal re'ga:l
Regal re'ga:l, -ien -iən
Regale re'ga:lə, ...lien ...liən
regalieren rega'li:rən
Regalität regali'tɛ:t
Regan 're:gan, *engl.* 'ri:gən
Regatta re'gata
rege 're:gə
Regel 're:gl̩
Regelation regela'tsio:n
Regeldetri re:gl̩de'tri:
regeln 're:gl̩n, regle 're:glə
regelrecht 're:gl̩rɛçt
Regelung 're:gəlʊŋ

regen 're:gn̩, reg! re:k, regt
re:kt
Regen 're:gn̩
Régence re'ʒã:s
Regency 'ri:dʒnsi
Regener 're:gənɐ
Regenerat regene'ra:t
Regeneration regenera-
'tsio:n
regenerativ regenera'ti:f, -e
...i:və
Regenerator regene'ra:-
to:ɐ, -en ...ra'to:rən
regeneratorisch regenera-
'to:rıʃ
regenerieren regene'ri:rən
Regens 're:gɛns, Regenten
re'gɛntn̩, Regentes re'gɛn-
te:s
Regensberg 're:gn̩sbɛrk
Regensburg 're:gn̩sbʊrk
Regensburger 're:gn̩sbʊrgɐ
Regens Chori 're:gɛns
'ko:ri, Regentes - re'gɛn-
te:s -
Regenschori re:gɛns'ko:ri
Regensdorf 're:gn̩sdɔrf
Regent re'gɛnt
Regentes vgl. Regens
Regentes Chori vgl.
Regens Chori
Regent's Park *engl.* 'ri:-
dʒənts 'pɑ:k
Régeny 're:geni
Reger 're:gɐ
Reges vgl. Rex
Regest re'gɛst
Reggae 'rɛgɛ, 'rɛgi
Reggane *fr.* rɛ'gan
Regge *niederl.* 'rɛɣə, *it.*
'rɛddʒe
Reggio *it.* 'rɛddʒo
Reghin *rumän.* 'regin
Regie re'ʒi:, -n ...i:ən
regieren re'gi:rən
Regiererei regi:rə'rai
Regierung re'gi:rʊŋ
Regime re'ʒi:m, die - ...mə
Regiment regi'mɛnt
Regina re'gi:na, *engl.*
rı'dʒainə
Regina Caeli re'gi:na 'tsɛ:li,
- Coeli - 'tsø:li
regina regit colorem
re'gi:na 're:gıt ko'lo:rɛm
Reginald 're:ginalt, *engl.*
'rɛdʒınld
Regine re'gi:nə
Régine *fr.* re'ʒin
Regino 're:gino

Reginum re'gi:nʊm
Regio 're:gio, -nes re'gio:-
ne:s
Régio *port., bras.* 'rrɛʒiu
Regiolekt regio'lɛkt
Regiomontanus regiomɔn-
'ta:nʊs
Region re'gio:n
regional regio'na:l
Regionalismus regiona'lıs-
mʊs
Regionalist regiona'lıst
regionär regio'nɛ:ɐ
Regis 're:gıs, *engl.* 'ri:dʒıs
Régis *fr.* re'ʒis
Regisseur reʒı'sø:ɐ
Register re'gıstɐ
registered 'rɛdʒıstɐt
Registrande regıs'trandə
Registrator regıs'tra:to:ɐ,
-en ...stra'to:rən
registratorisch regıstra-
'to:rıʃ
Registratur regıstra'tu:ɐ
registrieren regıs'tri:rən
Reglage re'gla:ʒə
Reglement reglə'mã:
reglementarisch reglemɛn-
'ta:rıʃ
reglementieren reglemɛn-
'ti:rən
Regler 're:glɐ
Reglette re'glɛtə
Regling 're:glıŋ
reglos 're:klo:s
Reglung 're:glʊŋ
Regnard, ...rt *fr.* rɑ'ɲa:r
Regnaud, ...ult *fr.* rə'ɲo
regnen 're:gnən
Regner *dän.* 'rai'nɐ
Regnier *fr.* rə'ɲe
Régnier *fr.* re'ɲe
Regnitz 're:gnıts
Rêgo *bras.* 'rregu
Regranulat regranu'la:t
regranulieren regranu'li:-
rən
Regredient regre'diɛnt
regredieren regre'di:rən
Regress re'grɛs
Regressand regrɛ'sant, -en
...ndn̩
Regressat regrɛ'sa:t
Regression regrɛ'sio:n
regressiv regrɛ'si:f, -e
...i:və
Regressivität regrɛsivi'tɛ:t
Regressor re'grɛso:ɐ, -en
...'so:rən
regsam 're:kza:m

Regula 're:gula
Regula Falsi 're:gula 'falzi
Regula Fidei 're:gula 'fi:dei,
...lae - ...lɛ -
Regular regu'la:ɐ
regulär regu'lɛ:ɐ
Regularien regu'la:rjən
Regularität regulari'tɛ:t
Regulation regula'tsjo:n
regulativ, R... regula'ti:f, -e
...i:və
Regulator regu'la:to:ɐ, -en
...la'to:rən
regulatorisch regula'to:rɪʃ
regulieren regu'li:rən
regulinisch regu'li:nɪʃ
Regulus 're:gulʊs; ...li ...li,
-se ...ʊsə
Regur 're:gʊr
Reh[a] 're:[ha]
Rehabeam re'ha:beam
Rehabilitand rehabili'tant,
-en ...dn̩
Rehabilitation rehabilita-
'tsjo:n
rehabilitieren rehabili'ti:-
rən
Rehan engl. 'ri:ən, 'reɪən
Rehau 're:au̯
Rehaut rə'o:
Rehberg 're:bɛrk
Rehburg 're:bʊrk
Rehe 're:ə
Rehfisch 're:fɪʃ
Rehfues 're:fu:s
rehig 're:ɪç, -e ...ɪɡə
Rehling[en] 're:lɪŋ[ən]
Rehmann 're:man
Rehm[e] 're:m[ə]
Rehmke 're:mkə
Rehn[a] 're:n[a]
¹Rehoboth (USA) engl.
rɪ'hoʊbəθ
²Rehoboth (Afrika) 're:o-
bɔt, engl. 'reɪhəboʊθ
Řehoř tschech. 'rʒɛhɔrʃ
Rehovot hebr. rə'xɔvɔt
Reibach 'raɪbax
Reibe 'raɪbə
reiben 'raɪbn̩, reib! raɪp,
reibt raɪpt
Reiberei raɪbə'raɪ
reich, ¹R... raɪç
²Reich (Name) raɪç, engl.
raɪk
Reicha 'raɪça
Reichard[t] 'raɪçart
Reiche 'raɪçə
Reichelt 'raɪçl̩t
reichen 'raɪçn̩

Reichenau 'raɪçənau̯
Reichenbach 'raɪçn̩bax
Reichenberg 'raɪçn̩bɛrk
Reichenhall raɪçn̩'hal
Reichenow 'raɪçəno
Reichensperger 'raɪçn̩s-
pɛrgɐ
Reichenstein 'raɪçn̩ʃtaɪn
Reichenweier 'raɪçn̩vaɪɐ
Reichersberg 'raɪçɐsbɛrk
Reichert 'raɪçɐt
Reichertshausen raɪçɐts-
'hauzn̩
reichhaltig 'raɪçhaltɪç
Reichle 'raɪçlə
reichlich, R... 'raɪçlɪç
Reichshof 'raɪçsho:f
Reichskammergericht
raɪçs'kamɐgərɪçt
Reichskristallnacht raɪçs-
krɪs'talnaxt
Reichstadt 'raɪçʃtat
Reichstein 'raɪçʃtaɪn
reichsunmittelbar 'raɪçs-
'ʊnmɪtl̩ba:ɐ
Reichtum 'raɪçtu:m,
...tümer ...ty:mɐ
Reichwein 'raɪçvaɪn
Reicke 'raɪkə
Reid engl. ri:d
Reiderland 'raɪdɐlant
Reidsville engl. 'ri:dzvɪl
Reidy bras. 'rreɪdi
reif, R... raɪf
Reife 'raɪfə
reifen, R... 'raɪfn̩
Reifenberg 'raɪfn̩bɛrk
Reifenstein 'raɪfn̩ʃtaɪn
Reiferei raɪfə'raɪ
Reifikation reifika'tsjo:n
reifizieren reifi'tsi:rən
reiflich 'raɪflɪç
Reigate engl. 'raɪgɪt
Reigbert 'raɪkbɛrt
reigen, R... 'raɪgn̩
Reihe 'raɪə
reihen, R... 'raɪən
Reiher 'raɪɐ
reihern 'raɪɐn
reihum raɪ'lʊm
Reil raɪl
Reim raɪm
Reimann 'raɪman
Reimar 'raɪmar
Reimarus raɪ'ma:rʊs
reimen 'raɪmən
Reimer 'raɪmɐ
Reimerei raɪmə'raɪ
Reimmichl 'raɪmmɪçl

Reimplantation re|ɪmplan-
ta'tsjo:n
Reimport re|ɪm'pɔrt, 're:|...
Reimportation re|ɪmpɔrta-
'tsjo:n, 're:|...
Reims raɪms, fr. rɛ̃:s
Reimser 'raɪmzɐ
Reimund 'raɪmʊnt
Reimunde raɪ'mʊndə
rein, Rein raɪn
Reina span. 'rreɪna
Reinach 'raɪnax, fr. rɛ'nak
Reinacher 'raɪnaxɐ
Reinaert niederl. 'rɛɪna:rt
Reinald 'raɪnalt
reinbeißen 'raɪnbaɪsn̩
Reinbek 'raɪnbe:k
Reinbot 'raɪnbɔt
Reindel[l], ...dl 'raɪndl̩
Reindling 'raɪndlɪŋ
Reine 'raɪnə
Reinecke 'raɪnəkə
Reineclaude rɛ:nə'klo:də
Reineke 'raɪnəkə
Reiner 'raɪnɐ, engl. 'raɪnə
Reiners 'raɪnɐs
Reinerz 'raɪnɐts
Reinette rɛ'nɛtə
reineweg 'raɪnəvɛk
Reinfall 'raɪnfal
Reinfarkt re|ɪn'farkt
Reinfektion re|ɪnfɛk'tsjo:n
Reinfeld 'raɪnfɛlt
reinfizieren re|ɪnfi'tsi:rən
Reinforcement ri:ɪn'fo:ɐs-
mənt
Reinfrank 'raɪnfraŋk
Reinfried 'raɪnfri:t
Reinfusion re|ɪnfu'zjo:n
Reinhard 'raɪnhart
Reinhardsbrunn raɪnharts-
'brʊn
Reinhardswald 'raɪnharts-
valt
Reinhardt 'raɪnhart, fr.
rɛ'nart
Reinhart 'raɪnhart, engl.
'raɪnha:t
Reinheim 'raɪnhaɪm
Reinheit 'raɪnhaɪt
Reinhild 'raɪnhɪlt
Reinhilde raɪn'hɪldə
Reinhold 'raɪnhɔlt
Reinholm 'raɪnhɔlm
Reinick[endorf]
'raɪnɪk[n̩dɔrf]
Reinig 'raɪnɪç
reinigen 'raɪnɪgn̩, reinig!
...ɪç, reinigt ...ɪçt
Reiniger 'raɪnɪgɐ

Reining[er] 'raɪnɪŋ[ɐ]
Reinkarnation re|ɪnkarna-
'tsi̯o:n
Reinke 'raɪnkə
Reinken[s] 'raɪnkn̩[s]
Reinking[k] 'raɪnkɪŋ[k]
Reinl 'raɪnl̩
Reinmar 'raɪnmar
Reinold 'raɪnɔlt
Reinosa span. rrɛi̯'nosa
Reinschiff (Schiffsreini-
gung) raɪn'ʃɪf
Reinshagen 'raɪnsha:gn̩
reinstallieren re|ɪnsta'li:rən
Reintegration re|ɪntegra-
'tsi̯o:n
reintegrieren re-
ɪnte'gri:rən
reinweg 'raɪnvɛk
¹Reis raɪs, **-es** 'raɪzəs
²Reis vgl. Real
Reise 'raɪzə
Reisel slowak. 'rɛi̯sɛl
reisen 'raɪzn̩, **reis!** raɪs,
reist raɪst
Reiserei raɪzə'raɪ
reisern 'raɪzɐn, **...sre** ...zrə
reisig 'raɪzɪç, **-e** ...ɪgə
Reisig 'raɪzɪç
Reisige 'raɪzɪgə
Reisiger 'raɪzɪgɐ
Reiske 'raɪskə
Reislauf 'raɪslau̯f
Reisner 'raɪsnɐ, russ.
'rjɛjsnɪr, engl. 'raɪsnə
Reiss norw. rɛɪs
Reißaus raɪs'lau̯s
reißen 'raɪsn̩
Reissig 'raɪsɪç, span. 'rrɛi̯sɪx
Reißiger 'raɪsɪgɐ
Reissner 'raɪsnɐ
Reissue engl. ri:'ʃu:, '–––
Reiste 'raɪstə
reisten 'raɪstn̩
Reisterstown engl. 'raɪstəz-
tau̯n
Reisz engl. raɪs, tschech. rajs
Reit raɪt
Reitel 'raɪtl̩
reiteln 'raɪtl̩n
reiten 'raɪtn̩
Reiter 'raɪtɐ
Reiterei raɪtə'raɪ
reiteretur re|ɪte're:tʊr
Reith raɪt, engl. ri:θ
Reitsch raɪtʃ
Reitz raɪts
Reitzenstein 'raɪtsn̩ʃtaɪn
Reiz raɪts
reizen 'raɪtsn̩

Reizenstein 'raɪtsn̩ʃtaɪn
Reizianum raɪ'tsi̯a:nʊm,
...na ...na
Reizker 'raɪtskɐ
Rej poln. rɛj
Réjane fr. re'ʒan
Rejcha tschech. 'rɛjxa
Rejektion rejɛk'tsi̯o:n
Rejektorium rejɛk'to:ri̯ʊm,
...ien ...i̯ən
Reji 're:ji
rejizieren reji'tsi:rən
Réjouissance reʒu̯i'sã:s, **-n**
...sn̩
Rekaleszenz rekalɛs'tsɛnts
Rekapitulation rekapitula-
'tsi̯o:n
rekapitulieren rekapitu'li:-
rən
Rekel 're:kl̩
Rekelei re:kə'laɪ
rekeln 're:kl̩n
Reklamant[e] rekla'mant[ə]
Reklamation reklama'tsi̯o:n
Reklame re'kla:mə
reklamieren rekla'mi:rən
Reklination reklina'tsi̯o:n
Reklusen re'klu:zn̩
rekodieren reko'di:rən
Rekognition rekɔgni'tsi̯o:n
rekognoszieren rekɔgnɔs-
'tsi:rən
Rekombination rekɔmbina-
'tsi̯o:n
Rekommandation rekɔ-
manda'tsi̯o:n
rekommandieren rekɔman-
'di:rən
Rekompens rekɔm'pɛns,
-en ...nzn̩
Rekompensation rekɔm-
pɛnza'tsi̯o:n
rekompensieren rekɔm-
pɛn'zi:rən
Rekomposition rekɔmpozi-
'tsi̯o:n
Rekompositum rekɔm'po:-
zitʊm, **...ta** ...ta
Rekonstitution rekɔnstitu-
'tsi̯o:n
rekonstruieren rekɔnstru-
'i:rən
rekonstruktabel rekɔn-
strʊk'ta:bl̩, **...ble** ...blə
Rekonstruktion rekɔn-
strʊk'tsi̯o:n
rekonvaleszent, R... rekɔn-
valɛs'tsɛnt
Rekonvaleszenz rekɔnva-
lɛs'tsɛnts

rekonvaleszieren rekɔnva-
lɛs'tsi:rən
Rekonziliation rekɔntsili̯a-
'tsi̯o:n
Rekord re'kɔrt, **-e** ...rdə
Rekorder re'kɔrdɐ
Rekordler re'kɔrtlɐ
Rekreation rekrea'tsi̯o:n
Rekreditiv rekredi'ti:f, **-e**
...i:və
rekreieren rekre'i:rən
Rekret re'kre:t
Rekretion rekre'tsi̯o:n
Rekrimination rekrimina-
'tsi̯o:n
rekriminieren rekrimi'ni:-
rən
Rekrudeszenz rekrudɛs-
'tsɛnts
Rekrut re'kru:t
rekrutieren rekru'ti:rən
Rekta vgl. Rektum
Rektaklausel 'rɛktaklau̯zl̩
rektal rɛk'ta:l
Rektalgie rɛktal'gi:, **-n**
...i:ən
Rektangel rɛk'taŋl̩
rektangulär rɛktaŋgu'lɛ:ɐ
Rektaszension rɛktastsɛn-
'zi̯o:n
rekte 'rɛktə
Rektifikat rɛktifi'ka:t
Rektifikation rɛktifika-
'tsi̯o:n
rektifizieren rɛktifi'tsi:rən
Rektion rɛk'tsi̯o:n
Rekto 'rɛkto
Rektor 'rɛkto:ɐ, **-en**
...'to:rən
Rektorat rɛkto'ra:t
Rektorin rɛk'to:rɪn, auch:
'rɛktorɪn
Rektoskop rɛkto'sko:p
Rektoskopie rɛktosko'pi:,
-n ...i:ən
Rektozele rɛkto'tse:lə
Rektum 'rɛktʊm, **Rekta**
'rɛkta
rekultivieren rekʊlti'vi:rən
Rekuperation rekupera-
'tsi̯o:n
Rekuperator rekupe'ra:-
to:ɐ, **-en** ...ra'to:rən
Rekurrens... re'kʊrɛns...
rekurrent rekʊ'rɛnt
Rekurrenz rekʊ'rɛnts
rekurrieren rekʊ'ri:rən
Rekurs re'kʊrs, **-e** ...rzə
Rekursion rekʊr'zi̯o:n
rekursiv rekʊr'zi:f, **-e** ...i:və

Rekursivität rekʊrzivi'tɛ:t
Rekusation rekuza'tsi̯o:n
Relais rə'lɛ:, des - rə'lɛ:[s],
die - rə'lɛ:s
Relance rə'lã:s, -n rə'lã:sn̩
Relaps re'laps
Relata vgl. Relatum
relatinisieren relatini'zi:rən
Relation rela'tsi̯o:n
relational relatsi̯o'na:l
relativ, R... rela'ti:f, -e ...i:və
relativieren relati'vi:rən
relativisch rela'ti:vɪʃ
Relativismus relati'vɪsmʊs
Relativist relati'vɪst
Relativität relativi'tɛ:t
Relativum rela'ti:vʊm, ...va
...va
Relator re'la:to:ɐ̯, -en rela-
'to:rən
Relatum re'la:tʊm, ...ta ...ta
Relaunch 'ri:lo:ntʃ
Relaxans re'laksans;
...nzien ...'ksantsi̯ən, ...ntia
...'ksantsi̯a
Relaxation relaksa'tsi̯o:n
relaxed ri'lɛkst
relaxen ri'lɛksn̩
Relaxing ri'lɛksɪŋ
Relaxion rela'ksi̯o:n
Release ri'li:s
Releaser ri'li:zɐ
Relegation relega'tsi̯o:n
relegieren rele'gi:rən
relevant rele'vant
Relevanz rele'vants
Relevation releva'tsi̯o:n
reliabel re'li̯a:bl̩, ...ble ...blə
Reliabilität reli̯abili'tɛ:t
Relief re'li̯ɛf
reliefieren reli̯e'fi:rən
Religio re'li:gi̯o, -nes reli-
'gi̯o:ne:s
Religion reli'gi̯o:n
religiös reli'gi̯ø:s, -e ...ø:zə
Religiose reli'gi̯o:zə
Religiosität religi̯ozi'tɛ:t
religioso reli'dʒo:zo
relikt, R... re'lɪkt
Reling 're:lɪŋ
Reliquiar relikvi'a:ɐ̯
Reliquie re'li:kvi̯ə
Relish 'rɛlɪʃ
Relizane fr. rəli'zan
Reljković serbokr. .rɛ:ljkɔ-
vitɛ
Rellstab 'rɛlʃta:p
Relly engl. 'rɛlɪ
Reluktanz relʊk'tants
Reluxation relʊksa'tsi̯o:n

REM... 'rɛm...
Remagen 're:ma:gn̩
Remake ri'me:k, 'ri:me:k
remanent rema'nɛnt
Remanenz rema'nɛnts
remarkabel remar'ka:bl̩,
...ble ...blə
Remarque rə'mark
Remasuri rema'zu:ri
Rematerialisation remate-
ri̯aliza'tsi̯o:n
Rembours rã'bu:ɐ̯, des -
...ɐ̯[s], die - ...ɐ̯s
remboursieren rãbʊr'zi:rən
Rembowski poln. rɛm-
'bɔfski
Rembrandt 'rɛmbrant, nie-
derl. 'rɛmbrɑnt
Remedello it. reme'dɛllo
remedieren reme'di:rən
Remedios span. rrɛ'meði̯os
Remedium re'me:di̯ʊm,
...ien ...i̯ən, ...ia ...i̯a
Remedur reme'du:ɐ̯
Remigio it. re'mi:dʒo, span.
rrɛ'mi:xi̯o
Remigius re'mi:gi̯ʊs
Remigrant remi'grant
remigrieren remi'gri:rən
remilitarisieren remilitari-
'zi:rən
Remington engl. 'rɛmɪŋtən
Reminiszenz remɪnɪs'tsɛnts
Reminiszere remi'nɪstsərə
Remiremont fr. rəmir'mõ
remis rə'mi:
Remis rə'mi:, des -
rə'mi:[s]; die - rə'mi:s, -en
...i:zn̩
Remise rə'mi:zə
Remisier rəmi'zi̯e:
remisieren rəmi'zi:rən
Remisow russ. 'rjemizɐf
Remission remɪ'si̯o:n
Remittende remɪ'tɛndə
Remittent remɪ'tɛnt
remittieren remɪ'ti:rən
Remmele 'rɛmələ
Remmidemmi 'rɛmi'dɛmi
Remmius 'rɛmi̯ʊs
remonetisieren remoneti-
'zi:rən
Remonstranten re-
mɔn'strantn̩
Remonstration remɔnstra-
'tsi̯o:n
remonstrieren remɔns'tri:-
rən
remontant remɔn'tant
Remonte re'mɔntə

remontieren remɔn'ti:rən
Remontoiruhr remõ'tɔa:ɐ̯-
|u:ɐ̯
Remorqueur remɔr'kø:ɐ̯
remorquieren remɔr'ki:rən
Remote Sensing ri'mo:t
'zɛnzɪŋ
Remotion remo'tsi̯o:n
remotiv remo'ti:f, -e ...i:və
Remouchamps fr. rəmu'ʃã
Remoulade remu'la:də
removieren remo'vi:rən
Remp rɛmp
Rempelei rɛmpə'lai̯
rempeln 'rɛmpl̩n
Remplaçant rãpla'sã:
remplacieren rãpla'si:rən
Rempter 'rɛmptɐ
Rems rɛms
Remscheid 'rɛmʃai̯t
Remse 'rɛmzə
Remshalden 'rɛmshaldn̩
Remter 'rɛmtɐ
Remuneration remunera-
'tsi̯o:n
remunerieren remune'ri:-
rən
Remus 're:mʊs
¹Ren (Tier) rɛn, re:n, des
Rens rɛns, re:ns, die Rens
rɛns, die Rene 're:nə
²Ren (Niere) re:n, -es
're:ne:s
Renaissance rənɛ'sã:s, -n
...sn̩
renaissancistisch rənɛsã-
'sɪstɪʃ
Renaix fr. rə'nɛ
renal re'na:l
Renan fr. rə'nã
Renard fr. rə'na:r
Renata dt., it. re'na:ta
Renate re'na:tə
Renato it. re'na:to
renaturieren renatu'ri:rən
Renatus re'na:tʊs
Renau[d] fr. rə'no
Renaudin fr. rəno'dɛ̃
Renaudot fr. rəno'do
Renau[l]t fr. rə'no
Renč tschech. rɛntʃ
Renchen 'rɛnçn̩
Rencontre rã'kõ:trə
Rendant rɛn'dant
Rendantur rɛndan'tu:ɐ̯
Rendement rãdə'mã:
Rendezvous rãde'vu:, auch:
'rã:devu, des - ...'vu[:s],
auch: 'rã:devu, ...vu:s, die -
...'vu:s, auch: 'rã:devu:s

Rendite rɛn'di:tə
Rendl 'rɛndl̩
Rendsburg 'rɛntsbʊrk
Rendtorff 'rɛntɔrf
Rendzina rɛn'tsi:na
René[e] *fr.* rə'ne
Renegat rene'ɡa:t
Renegation renega'tsi̯o:n
Reneklode re:nə'klodə
Renens *fr.* rə'nɑ̃
Renenutet rene'nu:tɛt
Renes vgl. ²Ren
Renette re'nɛtə
Renforcé rãfɔr'se:
Renfrew *engl.* 'rɛnfru:
Renger 'rɛŋɐ
Rengsdorf 'rɛŋsdɔrf
Reni 're:ni, *it.* 'rɛ:ni, *russ.* 'rjeni
renitent reni'tɛnt
Renitenz reni'tɛnts
Renke 'rɛŋkə
renken, R... 'rɛŋkn̩
Renker 'rɛŋkɐ
Renkontre rã'kõ:trə
Renkum *niederl.* 'rɛŋkəm
Renminbi rɛnmɪn'bi:
Renmin Ribao *chin.* rən-mɪnriba̯u 2244
Renn rɛn
Rennell *engl.* rɛnl
rennen, R... 'rɛnən
Rennenberg *niederl.* 'rɛnənbɛrx
Rennenkampf 'rɛnən-kampf, *russ.* rɪnɪn'kampf
Renner 'rɛnɐ
Rennerei rɛnə'rai̯
Rennert 'rɛnɐt
Rennes *fr.* rɛn
Rennewart 'rɛnəvart
Rennin rɛ'ni:n
Rennsteig 'rɛnʃtai̯k
Rennstieg 'rɛnʃti:k
Renntier 'rɛnti:ɐ
Reno *engl.* 'ri:noʊ, *it.* 'rɛ:no
Renographie renogra'fi:
Renoir *fr.* rə'nwa:r
Renommage renɔ'ma:ʒə
Renommee renɔ'me:
renommieren renɔ'mi:rən
Renommist renɔ'mɪst
Renommisterei renɔmɪs-tə'rai̯
Renonce rə'nõ:s[ə], *auch:* re..., **-n** ...sn̩
renoncieren rənõ'si:rən, *auch:* re...
Renouvier *fr.* rənu'vje
Renouvin *fr.* rənu'vɛ̃

Renovation renova'tsi̯o:n
renovieren reno'vi:rən
Renseignement rãsɛn-jə'mã:
Rensi *it.* 'rɛnsi
rentabel rɛn'ta:bl̩, **...ble** ...blə
Rentabilität rɛntabili'tɛ:t
Rente 'rɛntə
Rentei rɛn'tai̯
Rentería *span.* rrɛnte'ria
¹Rentier (Ren) 'rɛnti:ɐ, 're:n...
²Rentier (Rentner) rɛn'tie:
Rentiere rɛn'tie:rə
rentieren rɛn'ti:rən
rentoilieren rãtǫa'li:rən
Renton *engl.* rɛntn̩
Rentrant rã'trã:
Rentsch rɛntʃ
Renumeration renumera-'tsi̯o:n
renumerieren renume'ri:-rən
Renuntiation renʊntsi̯a-'tsi̯o:n
Renunziation renʊntsi̯a-'tsi̯o:n
renunzieren renʊn'tsi:rən
Renvers rã'vɛ:ɐ, *auch:* rã'vɛrs, **des -** rã'vɛ:ɐ[s], *auch:* rã'vɛrs
renversieren rãvɛr'zi:rən
Renvoi rã'vǫa
Reokkupation reɔkkupa-'tsi̯o:n
reokkupieren reɔkʊ'pi:rən
Reorganisation reɔrgani-za'tsi̯o:n
Reorganisator reɔrgani-'za:to:ɐ, **-en** ...za'to:rən
reorganisieren reɔrgani-'zi:rən
Rep rɛp
Repaci *it.* 'rɛ:patʃi
Repanse re'panzə
reparabel repa'ra:bl̩, **...ble** ...blə
Reparateur repara'tø:ɐ
Reparation repara'tsi̯o:n
Reparatur repara'tu:ɐ
reparieren repa'ri:rən
repartieren repar'ti:rən
Repartition reparti'tsi̯o:n
Repassage repa'sa:ʒə
repassieren repa'si:rən
Repatriant repatri'ant
repatriieren repatri'i:rən
Repeat ri'pi:t
Repellents ri'pɛlənts

Repentigny *fr.* rəpãti'ɲi
Repercussa repɛr'kʊsa
Repercussio repɛr'kʊsi̯o
Reperkussion repɛrkʊ'si̯o:n
Repertoire repɛr'tǫa:ɐ
Repertorium repɛr'to:ri̯ʊm, **...ien** ...i̯ən
repetatur repe'ta:tʊr
Repetent repe'tɛnt
repetieren repe'ti:rən
Repetition repeti'tsi̯o:n
Repetitor repe'ti:to:ɐ, **-en** ...ti'to:rən
Repetitorium repeti'to:-ri̯ʊm, **...ien** ...i̯ən
Repgau 'rɛpgau̯
Repgow 'rɛpgo
Repin *russ.* 'rjepin
Repino *russ.* 'rjepinɐ
Repkow 'rɛpko
Replantation replanta-'tsi̯o:n
Replica 're:plika
Replik re'pli:k
Replikat repli'ka:t
Replikation replika'tsi̯o:n
replizieren repli'tsi:rən
reponibel repo'ni:bl̩, **...ble** ...blə
reponieren repo'ni:rən
Report re'pɔrt
Reportage repɔr'ta:ʒə
Reporter re'pɔrtɐ
Reposianus repozi'zi̯a:nʊs
Reposition repozi'tsi̯o:n
Repositorium repozi'to:-ri̯ʊm, **...ien** ...i̯ən
Repoussoir repu'sǫa:ɐ, rəp..., **...pu's...**
Reppe 'rɛpə
repräsentabel reprɛzɛn-'ta:bl̩, **...ble** ...blə
Repräsentant reprɛzɛn'tant
Repräsentanz reprɛzɛn-'tants
Repräsentation reprɛzɛn-ta'tsi̯o:n
repräsentativ reprɛzɛnta-'ti:f, **-e** ...i:və
repräsentieren reprɛzɛn-'ti:rən
Repressalie reprɛ'sa:li̯ə, **-n** ...i̯ən
Repression reprɛ'si̯o:n
repressiv reprɛ'si:f, **-e** ...i:və
Reprimande repri'mandə
Reprint re'prɪnt, 'ri:prɪnt
Reprise re'pri:zə

Repristination reprɪstina-
 'tsi̯o:n
repristinieren reprɪstiˈni:-
 rən
reprivatisieren reprivati-
 'zi:rən
Repro 're:pro
Reprobation reprobaˈtsi̯o:n
reprobieren reproˈbi:rən
Reproduktion reprodʊk-
 'tsi̯o:n
reproduktiv reprodʊkˈti:f,
 -e ...i:və
reproduzieren reproduˈtsi:-
 rən
Reprographie reprograˈfi:,
 -n ...i:ən
reprographieren reprogra-
 'fi:rən
reprographisch reproˈgra:-
 fɪʃ
Reps[e] 'rɛps[ə]
Repsold 'rɛpsɔlt
Reptil rɛpˈti:l, **-ien** ...li̯ən
Republic engl. rɪˈpʌblɪk
República Dominicana
 span. rrɛˈpuβlika ðomini-
 'kana
Republik repuˈbli:k
Republikaner republiˈka:nɐ
republikanisch republiˈka:-
 nɪʃ
Republikanismus republi-
 kaˈnɪsmʊs
Republika Popullore e
 Shqipërisë alban. repu-
 'blika popuˈɫore e ʃkjipə-
 'risə
République française fr.
 repyblikfrãˈsɛ:z
Repudiation repudi̯aˈtsi̯o:n
Repugnanz repuˈgnants
Repuls reˈpʊls, **-e** ...lzə
Repulsion repʊlˈzi̯o:n
repulsiv repʊlˈzi:f, **-e** ...i:və
Repunze reˈpʊntsə
repunzieren repʊnˈtsi:rən
reputabel repuˈta:bl̩, **...ble**
 ...blə
Reputation reputaˈtsi̯o:n
reputierlich repuˈti:ɐlɪç
Requeséns span. rrɛkeˈsens
Requeté rekeˈte:
Réquichot fr. rekiˈʃo
Requiem 're:kvi̯ɛm, **...quien**
 ...kvi̯ən
requiescat in pace!
 rekviˈɛskat ɪn 'pa:tsə
Requirent rekviˈrɛnt
requirieren rekviˈri:rən

Requisit[e] rekviˈzi:t[ə]
Requisiteur rekviziˈtø:ɐ̯
Requisition rekviziˈtsi̯o:n
Rerich russ. 'rerix
Rerum novarum 're:rʊm
 noˈva:rʊm
Res re:s
Resa pers. reˈza:
Resafa reˈza:fa
Resaijje pers. rezaiˈi̯e
resch rɛʃ
Reschef 'rɛʃɛf
Reschen 'rɛʃn̩
Reschenscheideck
 rɛʃn̩ʃai̯ˈdɛk
Reschetnikow russ. rɪˈʃet-
 nikɐf
Reschitza 'rɛʃitsa
Reschke 'rɛʃkə
Res cogitans 're:s 'ko:gi-
 tans
Research[er] riˈzø:ɐ̯tʃ[ɐ],
 ...zœrtʃ[ɐ]
Reseda reˈze:da
Resede reˈze:də
Resektion rezɛkˈtsi̯o:n
Resen mak. 'rɛsɛn
Resende port. rrɛˈzɛndə,
 bras. rreˈzendi
Resene reˈze:nə
resequent rezeˈkvɛnt
Reserpin rezɛrˈpi:n
Reservage rezɛrˈva:ʒə
Reservat[a] rezɛrˈva:t[a]
Reservatio mentalis rezɛr-
 'va:tsi̯o mɛnˈta:lɪs, **-nes**
 ...les ...vaˈtsi̯o:ne:s ...le:s
Reservation rezɛrvaˈtsi̯o:n
Reserve reˈzɛrvə
reservieren rezɛrˈvi:rən
Reservist rezɛrˈvɪst
Reservoir rezɛrˈvoa:ɐ̯
Res extensa 're:s ɛksˈtɛnza
resezieren rezeˈtsi:rən
Reshevsky engl. rɪˈʃɛfskɪ
Resi 're:zi
Resia it. 'rɛ:zi̯a
Resident reziˈdɛnt
Residenz reziˈdɛnts
residieren reziˈdi:rən
residual reziˈdu̯a:l
Residuat reziˈdu̯a:t
Residuum reˈzi:du̯ʊm,
 ...uen ...u̯ən
Resignant rezɪˈgnant
Resignation rezɪgnaˈtsi̯o:n
resignativ rezɪgnaˈti:f, **-e**
 ...i:və
resignieren rezɪˈgni:rən
Resina (Harz) reˈzi:na

Resinarius reziˈna:ri̯ʊs
Resinat reziˈna:t
Resipiszenz rezipɪsˈtsɛnts
Résistance fr. rezɪsˈtã:s
Resistencia span. rrɛsis-
 'tenθi̯a
resistent rezɪsˈtɛnt
Resistenz rezɪsˈtɛnts
Resistenza it. resɪsˈtɛntsa
resistieren rezɪsˈti:rən
resistiv rezɪsˈti:f, **-e** ...i:və
Resistivität rezɪstiviˈtɛ:t
Reşiţa rumän. 'reʃitsa
Res judicata 're:s judi-
 'ka:ta, **-** ...**tae** - ...tɛ
reskribieren reskriˈbi:rən
Reskript reˈskrɪpt
Resnais fr. rɛˈnɛ
Resnik engl. 'rɛsnɪk
resolut rezoˈlu:t
Resolute engl. 'rɛzəlu:t
Resolution rezoluˈtsi̯o:n
Resolution Island engl.
 rɛzəˈlu:ʃən ˈailənd
Resolvente rezɔlˈvɛntə
resolvieren rezɔlˈvi:rən
Resonanz rezoˈnants
Resonator rezoˈna:to:ɐ̯, **-en**
 ...naˈto:rən
resonatorisch rezonaˈto:rɪʃ
resonieren rezoˈni:rən
Resopal® rezoˈpa:l
Resorbens reˈzɔrbɛns,
 ...ntia ...ˈbɛntsi̯a, **...nzien**
 ...ˈbɛntsi̯ən
resorbieren rezɔrˈbi:rən
Resorcin rezɔrˈtsi:n
Resorption rezɔrpˈtsi̯o:n
resozialisieren rezotsi̯ali-
 'zi:rən
Respekt reˈspɛkt, rɛsˈpɛkt
respektabel respɛkˈta:bl̩,
 rɛs..., **...ble** ...blə
Respektabilität respɛktabi-
 liˈtɛt, rɛs...
respektieren respɛkˈti:rən,
 rɛs...
respektiv respɛkˈti:f, rɛs...,
 -e ...i:və
respektive (beziehungs-
 weise) respɛkˈti:və, rɛs...
Respighi it. resˈpi:gi
respirabel respiˈra:bl̩, rɛs...,
 ...ble ...blə
Respiration respiraˈtsi̯o:n,
 rɛs...
Respirator respiˈra:to:ɐ̯,
 rɛs..., **-en** ...raˈto:rən
respiratorisch respiraˈto:-
 rɪʃ, rɛs...

respirieren respi'ri:rən, rɛs...
Respirotag re'spi:rota:k
Respit rɛs'pɪt
Respizient respi'tsiɛnt, rɛs...
respizieren respi'tsi:rən, rɛs...
respondieren respɔn'di:rən, rɛs...
Respons re'spɔns, rɛs'pɔns, -e ...nzə
responsabel respɔn'za:bl̩, rɛs..., ...ble ...blə
Response rɪ'spɔns
Responsion respɔn'zi̯o:n, rɛs...
Responsoriale respɔnzo-'ri̯a:lə, rɛs..., ...lien ...li̯ən
Responsorium respɔn'zo:-ri̯ʊm, rɛs..., ...ien ...i̯ən
Ressel 'rɛsl̩
Ressentiment rɛsɑ̃ti'mã:
Ressort rɛ'so:ɐ̯
ressortieren rɛsɔr'ti:rən
Ressource rɛ'sʊrsə
Rest rɛst
restalinisieren restalini'zi:-rən
Restant rɛs'tant
Restaurant rɛsto'rã:
Restaurateur rɛstora'tø:ɐ̯
¹Restauration (Gaststätte) rɛstora'tsi̯o:n
²Restauration (Wiederherstellung) restau̯ra'tsi̯o:n, rɛs...
restaurativ restau̯ra'ti:f, rɛs..., -e ...i:və
Restaurator restau̯'ra:to:ɐ̯, rɛs..., -en ...ra'to:rən
restaurieren restau̯'ri:rən, rɛs...
restez! *fr.* rɛs'te
restieren rɛs'ti:rən
Restif de la Bretonne *fr.* rɛstifdəlabrə'tɔn, reti...
restituieren restitu'i:rən, rɛs...
Restitutio ad integrum, -in - resti'tu:tsi̯o at 'ɪntegrʊm, - ɪn -, rɛs... - -
Restitution restitu'tsi̯o:n, rɛs...
Restout *fr.* rɛs'tu
Restrepo *span.* rrɛs'trepo
Restrictio mentalis re'strɪktsi̯o mɛn'ta:lɪs, rɛs't... -, -nes ...les ...'tsi̯o:-ne:s ...le:s

Restriktion restrɪk'tsi̯o:n, rɛs...
restriktiv restrɪk'ti:f, rɛs..., -e ...i:və
restringieren restrɪŋ'gi:rən, rɛs...
Resultante rezʊl'tantə
Resultat rezʊl'ta:t
resultativ rezʊlta'ti:f, -e ...i:və
resultieren rezʊl'ti:rən
Resümee rezy'me:
resümieren rezy'mi:rən
Resupination rezupina-'tsi̯o:n
Resurrektion rezʊrɛk'tsi̯o:n
Resuszitation rezʊstsita-'tsi̯o:n
reszindieren restsɪn'di:rən, rɛs...
reszissibel restsɪ'si:bl̩, rɛs..., ...ble ...blə
Reszissibilität restsɪsibili-'tɛ:t, rɛs...
Reszission restsɪ'si̯o:n, rɛs...
Ret re:t
Retabel re'ta:bl̩
retablieren reta'bli:rən
Retablissement retablɪsə-'mã:
Retake ri'te:k, 'ri:te:k
Retalhuleu *span.* rrɛtalu'leu̯
Retaliation retali̯a'tsi̯o:n
Retard rə'ta:ɐ̯
Retardat retar'da:t
Retardation retarda'tsi̯o:n
retardieren retar'di:rən
Retent re'tɛnt
Retention retɛn'tsi̯o:n
Retezat *rumän.* rete'zat
Retford *engl.* 'rɛtfəd
Rethberg 'rɛtbɛrk
Rethel re:tl̩, *fr.* rə'tɛl
Rethem 're:təm
Rethimnon *neugr.* 'rɛθim-nɔn
Réti *slowak.* 'rɛ:tji
Reticella reti'tʃela
Retikül reti'ky:l
retikular retiku'la:ɐ̯
retikulär retiku'lɛ:ɐ̯
retikuliert retiku'li:ɐ̯t
retikuloendothelial retikulo|ɛndote'li̯a:l
Retikulom retiku'lo:m
Retikulose retiku'lo:zə
Retikulum re'ti:kulʊm, ...la ...la
Retina 're:tina, ...nae ...nɛ

Retinitis reti'ni:tɪs, ...itiden ...ni'ti:dn̩
Retinoblastom retinoblas-'to:m
Retinoskopie retinosko'pi:, -n ...i:ən
Retirade reti'ra:də
retirieren reti'ri:rən
Rétköz *ung.* 're:tkøz
Retorsion retɔr'zi̯o:n
Retorte re'tɔrtə
retour, R... re'tu:ɐ̯
Retoure re'tu:rə
retournieren retʊr'ni:rən
Retraite rə'trɛ:tə
Retrakt re'trakt
Retraktion retrak'tsi̯o:n
Retranchement ratrã-ʃə'mã:
Retransfusion retransfu-'zi̯o:n
Retribution retribu'tsi̯o:n
retributiv retribu'ti:f, -e ...i:və
Retrieval ri'tri:vl̩
Retriever ri'tri:vɐ
retroaktiv retrolak'ti:f, -e ...i:və
retrobulbär retrobʊl'bɛ:ɐ̯
retrodatieren retroda'ti:rən
retroflex, R... retro'flɛks
retroflexieren retrofle'ksi:-rən
Retroflexion retrofle'ksi̯o:n
retrograd retro'gra:t, -e ...a:də
retrolental retrolɛn'ta:l
retronasal retrona'za:l
retroperitoneal retroperi-tone'a:l
retropharyngeal retrofa-ryŋge'a:l
Retrospektion retrospɛk-'tsi̯o:n
retrospektiv retrospɛk'ti:f, -e ...i:və
Retrospektive retrospɛk-'ti:və
Retrospiel 're:troʃpi:l
retrosternal retrostɐr'na:l
Retroversion retrovɐr'zi̯o:n
retrovertieren retrovɐr'ti:-rən
Retrovisor retro'vi:zo:ɐ̯, -en ...vi'zo:rən
retrozedieren retrotse'di:-rən
Retrozession retrotsɛ'si̯o:n
Retschiza *russ.* 'rjetʃitsɐ
Retsina rɛ'tsi:na

Retté *fr.* rε'te
retten 'rεtn̩
Rettenbach[er] 'rεtn̩bax[ɐ]
Retti 'rεti
Rettich 'rεtɪç
Rettin rε'ti:n
Return ri'tø:ɐ̯n, ri'tœrn
Retusche re'tʊʃə
Retuscheur retu'ʃø:ɐ̯,
   retʊ'...
retuschieren retu'ʃi:rən,
   retʊ'...
Retz rεt͜s, *fr.* rε, rεs
Retzius *schwed.* 'rεtsiʊs
Reuben *engl.* 'ru:bɪn
Reubeni reu'be:ni
Reuchlin 'rɔyçli:n
Reue 'rɔyə
reuen 'rɔyən
Reuent[h]al 'rɔyənta:l
reuig 'rɔyɪç, -e ...ɪgə
Reuleaux rø'lo:
Reumont rø'mõ:
reumütig 'rɔymy:tɪç, -e
   ...ɪgə
reunieren reˈly'ni:rən
[1]Reunion (Wiedervereini-
gung) reˈlu'njo:n
[2]Reunion (Gesellschafts-
ball) reˈly'njõ:
Réunion (Insel) *fr.* rey'njõ
Reus *span.* rrεʊs
Reuse 'rɔyzə
Reusner 'rɔysnɐ
Reuß, Reuss rɔys
Reuße 'rɔysə
Reußen 'rɔysn̩
reüssieren reˈly'si:rən
reußisch 'rɔysɪʃ
reuten 'rɔytn̩
Reuter 'rɔytɐ, *engl.* 'rɔɪtə
Reuters *engl.* 'rɔɪtəz
Reuterswärd *schwed.* ˌrœi-
tərsvæ:rd
Reuther 'rɔytɐ, *engl.* 'ru:θə
Reutlingen 'rɔytlɪŋən
Reutow *russ.* 'rjɛutɐf
Reutte 'rɔytə
Reutter 'rɔytɐ
Reuwich 'rɔyvɪç
Révai *ung.* 're:vɔi
Revakzination revakt͜sina-
't͜sio:n
revakzinieren revakt͜si'ni:-
rən
Reval 're:val
revalidieren revali'di:rən
revalieren reva'li:rən
Revalorisation revaloriza-
't͜sio:n

revalorisieren revalori'zi:-
rən
Revalvation revalva't͜sio:n
revalvieren reval'vi:rən
Revanche re'vã:ʃ[ə], *auch:*
re'vaŋʃ[ə], -n ...ʃn̩
revanchieren revã'ʃi:rən,
auch: revaŋ'ʃ...
Revanchismus revã'ʃɪsmʊs,
auch: revaŋ'ʃɪsmʊs
Revanchist revã'ʃɪst, *auch:*
revaŋ'ʃɪst
Reve *niederl.* 're:və
Réveil *fr.* re'vɛj
Reveille re'vɛ:jə, ...vɛljə
Revelation revela't͜sio:n
revelatorisch revela'to:rɪʃ
Revelstoke *engl.* 'rɛvlstoʊk
Revenant rəvə'nã:
Reventlow 're:vn̩tlo, *dän.*
'rɪːˈvn̩dlɔu̯
Revenue rəvə'ny:, -n
...'ny:ən
Reverdy *fr.* rəvɛr'di
Revere *engl.* rɪ'vɪə, *it.*
're:vere
Reverend 'rεvərənt
Reverendissimus reverɛn-
'dɪsimʊs
Reverendus [Pater] reve-
'rɛndʊs ['pa:tɐ]
Reverenz reve'rɛnt͜s
Reverie rεvə'ri:, *auch:* re...,
-n ...i:ən
[1]Revers (Umschlag, Auf-
schlag) re've:ɐ̯, re'vɛ:ɐ̯,
rə'v..., des - ...ɐ̯[s], die -
...ɐ̯s
[2]Revers (Rückseite einer
Münze) re'vɛrs, re've:ɐ̯,
re'vɛ:ɐ̯, rə've:ɐ̯, -e[s] re'vɛrzə[s], des - re've:ɐ̯[s],
re've:ɐ̯[s], rə'v..., die -
re've:ɐ̯s, re'vɛ:ɐ̯s, rə'v...
[3]Revers (Erklärung, Ver-
pflichtungsschein) re'vɛrs,
-e[s] re'vɛrzə[s]
Reversale revɛr'za:lə, ...lien
...ljən
Reverse ri'vø:ɐ̯s, ri'vœrs
reversibel revɛr'zi:bl̩, ...ble
...blə
Reversibilität revɛrzibili-
'tɛ:t
[1]Reversible (Gewebe)
revɛr'zi:bl̩
[2]Reversible (Wendemantel)
revɛr'zi:blə, *auch:* revɛr-
'zi:bl̩

reversieren revɛr'zi:rən
Reversing ri'vø:ɐ̯sɪŋ,
ri'vœrsɪŋ
Reversion revɛr'zio:n
Reviczky *ung.* 'rɛvit͜ski
Revident revi'dɛnt
revidieren revi'di:rən
Revier re'vi:ɐ̯
revieren re'vi:rən
Review ri'vju:
Revillagigedo *span.* rrɛβi-
ˈʎaxi'xeðo
Revindikation revɪndika-
't͜sio:n
revindizieren revɪndi't͜si:rən
Revirement revirə'mã:
revisibel revi'zi:bl̩, ...ble
...blə
Revisibilität revizibili'tɛ:t
Revision revi'zio:n
Revisionismus revizio'nɪs-
mʊs
Revisionist revizio'nɪst
Revisor re'vi:zo:ɐ̯, -en revi-
'zo:rən
revitalisieren revitali'zi:rən
Revival ri'vaɪvl̩
Revokation revoka't͜sio:n
Revokatorium revoka'to:-
rɪum, ...ien ...jən
Revoke ri'vo:k
Revolte re'vɔltə
Revolteur revɔl'tø:ɐ̯
revoltieren revɔl'ti:rən
Revolution revolu't͜sio:n
revolutionär, R... revolu-
t͜sio'nɛ:ɐ̯
revolutionieren revolut͜sio-
'ni:rən
Revoluzzer revo'lʊt͜sɐ
Revolver re'vɔlvɐ
revolvieren revɔl'vi:rən
Revolving ri'vɔlvɪŋ
revozieren revo't͜si:rən
Revue re'vy:, rə..., -n ...y:ən
Revueltas *span.* rrɛ'βu̯ɛltas
Rewach 'rɛvax
Rewda *russ.* 'rjɛvdɐ
Rewriter ri'raɪtɐ
[1]Rex (lat. = König) rɛks,
Reges 're:ge:s
[2]Rex (Name) *dt., engl.* rɛks
Rexburg *engl.* 'rɛksbə:g
Rexist rɛ'ksɪst
Rexroth 'rɛksro:t
Rey *fr.* rε, *span.* rrɛi̯, *poln.*
rɛj
Reyer 'raiɐ, *fr.* rε'jε:r
Reyes *span.* 'rrεjes
Reyher 'raiɐ

Reykjanes *isl.* 'rɛikjanɛːs
Reykjavik 'raikjaviːk, ...vɪk
Reykjavík *isl.* 'rɛikjaviːk
Reyles *span.* 'rrɛiles
Reymerswaele *niederl.* 'rɛimərswaːlə
Reymont *poln.* 'rɛimɔnt
Reynaldo rai'naldo, *fr.* rɛnal'do
Reynaud *fr.* rɛ'no
Reynold[s] *engl.* rɛnld[z]
Reynoldsburg *engl.* 'rɛnəldzbəːg
Reynosa *span.* rrɛi'nosa
Reyon rɛ'jõː
Reyser 'raizɐ
Řezáč *tschech.* 'rʒɛzaːtʃ
Rez-de-Chaussée redə-ʃo'se:
Rezé *fr.* rə'ze
Rēzekne *lett.* 're:zekne
Rezensent retsɛn'zɛnt
rezensieren retsɛn'ziːrən
Rezension retsɛn'zjo:n
rezent re'tsɛnt
Rezepisse retse'pɪsə
Rezept re'tsɛpt
Rezeptakulum retsɛp'ta:kulʊm, ...la ...la
rezeptibel retsɛp'ti:bļ, ...ble ...blə
Rezeptibilität retsɛptibiliˈtɛːt
rezeptieren retsɛp'tiːrən
Rezeption retsɛp'tsjo:n
rezeptiv retsɛp'tiːf, -e ...iːvə
Rezeptivität retsɛptivi'tɛːt
Rezeptor re'tsɛpto:ɐ, -en ...'to:rən
rezeptorisch retsɛp'to:rɪʃ
Rezeptur retsɛp'tuːɐ
Rezess re'tsɛs
Rezession retsɛ'sjo:n
rezessiv retsɛ'si:f, -e ...iːvə
Rezessivität retsɛsivi'tɛːt
Rezia 're:tsia
rezidiv, R... retsi'di:f, -e ...iːvə
rezidivieren retsidi'viːrən
Rezipient retsi'pjɛnt
rezipieren retsi'piːrən
reziprok retsi'pro:k
Reziprozität retsiprotsi'tɛːt
Rezital retsi'ta:l
rezitando retsi'tando
Rezitation retsita'tsjo:n
Rezitativ retsita'ti:f, -e ...iːvə
rezitativisch retsita'ti:vɪʃ

Rezitator retsi'ta:to:ɐ, -en ...ta'to:rən
rezitatorisch retsita'to:rɪʃ
rezitieren retsi'tiːrən
Rezniček 'rɛsnitʃɛk
Rezyklat retsy'kla:t
rezyklieren retsy'kliːrən
Rezzori rɛ'tso:ri
Rhabanus ra'ba:nʊs
Rhabarber ra'barbɐ
rhabdoidisch rapdo'i:dɪʃ
Rhabdom rap'do:m
Rhabdomantie rapdoman'ti:
Rhachis 'raxɪs
Rhadamanthys rada'mantys
Rhagä 'ra:gɛ
Rhagade ra'ga:də
Rhages 'ra:gɛs
Rhamnes 'ramnɛs
Rhamnit 'ramnɪt
Rhamnus 'ramnʊs
Rhampsinit rampsi'ni:t,
'‒‒‒

Rhaphiden ra'fi:dn̩
Rhapsode ra'pso:də, rap'z...
Rhapsodie rapso'di:, rapzo..., -n ...i:ən
Rhapsodik ra'pso:dɪk, rap'zo:...
rhapsodisch ra'pso:dɪʃ, rap'zo:...
Rhapsody in Blue *engl.* 'ræpsədɪ ɪn 'blu:
Rharb, El *fr.* ɛl'rarb
Rhät rɛːt
Rhau, Rhaw rau
Rhazes 'ra:tsɛs
rhe! re:
Rhe[d]a 're:[d]a
Rhe[d]e 're:[d]ə
Rheden *niederl.* 're:də
Rhee *engl.* ri:
Rhegion 're:gi̯ɔn
Rhegium 're:gi̯ʊm
Rhegius 're:gi̯ʊs
Rheiderland 'raidɐlant
Rheidt rait
Rhein rain
rheinab[wärts] rain-'ap[vɛrts]
Rheinau 'rainau
rheinauf[wärts] rain-'lauf[vɛrts]
Rheinbach 'rainbax
Rheinberg 'rainbɛrk
Rheinberger 'rainbɛrgɐ
Rheine 'rainə

Rheineck 'rainɛk
Rheiner 'rainɐ
Rheinfelden 'rainfɛldn̩
Rheinfels 'rainfɛls
Rheinfranken 'rainfraŋkn̩
Rheingau 'raingau
Rheingold 'raingɔlt
Rheinhausen rain'hauzn̩
Rheinhessen 'rainhɛsn̩
rheinisch 'rainiʃ
Rheinkamp 'rainkamp
Rheinland 'rainlant
Rheinlande 'rainlandə
Rheinländer 'rainlɛndɐ
rheinländisch 'rainlɛndɪʃ
Rheinland-Pfalz 'rainlant-'pfalts
Rheinpfalz 'rainpfalts
Rheinprovinz 'rainprovɪnts
Rheinsberg 'rainsbɛrk
Rhein-Seitenkanal rain-'zaitn̩kana:l
Rheinstein 'rainʃtain
Rheinwald 'rainvalt
Rheinwaldhorn 'rainvalthorn
Rheinzabern 'raintsa:bɐn
Rhema 're:ma, -ta -ta
rhematisch re'ma:tɪʃ
rhematisieren rematiˈzi:rən
rhenanisch re'na:nɪʃ
Rhenanus re'na:nʊs
Rhenchospasmus rɛnço-'spasmʊs
Rhene[n] *niederl.* 're:nə
Rhenium 're:ni̯ʊm
Rhens rɛns
Rhense 'rɛnzə
Rhenus 're:nʊs
rheobiont reo'bi̯ɔnt
Rheograpie reogra'fi:, -n ...i:ən
Rheokardiographie reokardi̯ogra'fi:, -n ...i:ən
Rheokrene reo'kre:nə
Rheologe reo'lo:gə
Rheologie reolo'gi:
Rheometer reo'me:tɐ
Rheometrie reome'tri:
rheophil reo'fi:l
Rheostat reo'sta:t
Rheotaxis reo'taksɪs
Rheotron 're:otro:n
Rheotropismus reotro'pɪsmʊs
Rhesos 're:zɔs
Rhesus 're:zʊs
rheticus re:tikʊs
Rhetor 're:to:ɐ, -en re'to:rən

Rhetorik re'to:rɪk
Rhetoriker re'to:rikɐ
rhetorisch re'to:rɪʃ
Rheuma 'rɔyma
Rheumarthritis rɔymar'tri:-tɪs, ...itiden ...tri'ti:dn̩
Rheumatiker rɔy'ma:tikɐ
rheumatisch rɔy'ma:tɪʃ
Rheumatismus rɔyma'tɪs-mʊs
rheumatoid, R... rɔyma-to'i:t, -e ...i:də
Rheumatologe rɔymato-'lo:gə
Rhexis 'rɛksɪs
Rheydt raịt
Rhianos 'rịa:nɔs
Rhin ri:n, fr. rɛ̃
Rhinalgie rinal'gi:, -n ...i:ən
Rhinallergose rinalɛr'go:zə
Rhine[lander] engl.
'raɪn[lɛndə]
Rhinitis ri'ni:tɪs, ...itiden
rini'ti:dn̩
Rhinns engl. rɪnz
rhinogen rino'ge:n
Rhinolalie rinola'li:
Rhinologe rino'lo:gə
Rhinologie rinolo'gi:
Rhinophonie rinofo'ni:
Rhinophym rino'fy:m
Rhinoplastik rino'plastɪk
Rhinorrhagie rinɔra'gi:, -n
...i:ən
Rhinosklerom rinoskle-'ro:m
Rhinoskop rino'sko:p
Rhinoskopie rinosko'pi:
Rhinow 'ri:no
Rhinozeros ri'no:tʃerɔs, -se
...ɔsə
R'Hir fr. ri:r
Rhizodermis ritso'dɛrmɪs
rhizoid, R... ritso'i:t, -e
...i:də
Rhizom ri'tso:m
Rhizophore ritso'fo:rə
Rhizophyt ritso'fy:t
Rhizopode ritso'po:də
Rhizopodium ritso'po:-diʊm, ...ien ...ịən
Rhizosphäre ritso'sfɛ:rə
Rh-negativ ɛrha:'ne:gati:f
¹Rho (Buchstabe) ro:
²Rho, Rhò (Name) it. rɔ
Rhodamine roda'mi:nə
Rhodan ro'da:n
Rhodanid roda'ni:t, -e
...i:də
Rhodanus 'ro:danʊs

Rhode Island engl. roʊ'daɪlənd
Rhodeländer 'ro:dəlɛndɐ
Rhoden 'ro:dn̩, engl. roʊdn
Rhodes engl. roʊdz
Rhodesia ro'de:zịa, engl.
roʊ'di:ʒə
Rhodesien ro'de:zịən
rhodesisch ro'de:zɪʃ
rhodinieren rodi'ni:rən
rhodisch 'ro:dɪʃ
Rhodium 'ro:dịʊm
Rhododendron rodo'dɛn-drɔn
Rhodope 'ro:dope
Rhodopen ro'do:pn
Rhodophyzeen rodofy-'tʃe:ən
Rhodos 'rɔdɔs, 'ro:dɔs
Rhodus 'ro:dʊs
Rhoikos 'rɔykɔs
rhombisch 'rɔmbɪʃ
Rhomboeder rɔmbo'|e:dɐ
rhomboid, R... rɔmbo'i:t, -e
...i:də
Rhombus 'rɔmbʊs
Rhön rø:n
Rhonchus 'rɔnçʊs
Rhondda engl. 'rɔndə
Rhöndorf 'rø:ndɔrf
Rhone 'ro:nə
Rhône fr. ro:n
rhopalisch ro'pa:lɪʃ
Rhopographie ropogra'fi:
Rhotazismus rota'tsɪsmʊs
Rhum engl. rʌm
Rhume 'ru:mə
Rhus ru:s
Rhyl engl. rɪl
Rhyn ri:n
Rhynchote rʏn'ço:tə
Rhyolith rỹo'li:t
Rhypia 'ry:pịa
Rhys engl. ri:s
Rhythm and Blues dt.-engl.
'rɪðm ɛnt 'blu:s
Rhytmicon 'rʏtmikɔn
Rhythmik 'rʏtmɪk
Rhythmiker 'rʏtmikɐ
rhythmisch 'rʏtmɪʃ
rhythmisieren rʏtmi'zi:rən
Rhythmus 'rʏtmʊs
Rhytidektomie rytidɛk-to'mi:, -n ...i:ən
Ria 'ri:a
Riad rịa:t
Riade 'rịa:də
Rial rịa:l
Rialto it. ri'alto, engl. rɪ'æl-toʊ

Rias, RIAS 'ri:as
Riau indon. 'riaụ
Riba span. 'rri:βa
Riba Bracóns kat. 'rriβə βrə'kons
Ribalta span. rri'βalta
Ribar serbokr. 'riba:r
Ribatejo port. rriβɐ'teʒu
Ribattuta riba'tu:ta
ribbeln 'rɪbl̩n, ribble 'rɪblə
Ribbentrop 'rɪbn̩trɔp
Ribble engl. rɪbl
Ribe dän. 'ri:bə
Ribeira port. rri'βɐịrɐ, bras.
rri'beịra
Ribeirão port. rriβɐị'rẽụ,
bras. ribeị'rẽụ
Ribeirão Prêto bras. rribeị-'rẽụm 'pretu
Ribeiro port. rri'βɐịru, bras.
rri'beịru
Ribemont fr. rib'mõ
Ribera it. ri'bɛ:ra, span. rri-'βera
Ribes 'ri:bɛs
Ribeyro span. rri'βɛịro
Ribisel 'ri:bi:zl̩
Ribnikar serbokr. 'ribnika:r
Ribnitz 'rɪbnɪts
Riboflavin ribofla'vi:n
Ribonuklein... ribonu-kle'i:n...
Ribose ri'bo:zə
Ribosom ribo'zo:m
Ribot fr. ri'bo
Ricambio ri'kambịo
Ricarda ri'karda
Ricardo engl. rɪ'kɑ:doʊ,
span. rri'karðo, port., bras.
rri'kardu
Riccarda it. rik'karda
Riccardo it. rik'kardo
Riccati it. rik'ka:ti
Riccaut de la Marlinière fr.
rikodlamarli'njɛ:r
Ricci it. 'rɪttʃi, engl. 'rɪtʃɪ
Ricciarelli it. rittʃa'rɛlli
Riccio it. 'rɪttʃo
Riccioli it. rit'tʃɔ:li
Riccione it. rit'tʃo:ne
Riccoboni it. rikko'bo:ni
Rice engl. raɪs, ri:s
Ricercar ritʃɛr'ka:ɐ
ricercare, R... ritʃɛr'ka:rə
Ricercata ritʃɛr'ka:ta
Rich engl. rɪtʃ
Richafort fr. riʃa'fɔ:r
Richard it. 'riçart, engl. 'rɪtʃəd,
fr. ri'ʃa:r, schwed. 'rikard
Richarda rɪ'çarda

Richards *engl.* 'rɪtʃədz
Richardson *engl.* 'rɪtʃədsn
Richard-Toll *fr.* riʃar'tɔl
Richartz 'rɪçarts
Richelieu *fr.* riʃə'ljø
Richelsdorf 'rɪçlsdɔrf
Richemont *fr.* riʃ'mõ
Richenza rɪ'çɛntsa
Richepin *fr.* riʃ'pɛ̃
Richer *fr.* ri'ʃe
Richert 'rɪçɐt
Richet *fr.* ri'ʃɛ
Richfield *engl.* 'rɪtʃfiːld
Richhild 'rɪːçhɪlt
Richhilde rɪːç'hɪldə
Richier *fr.* ri'ʃje
Richild 'rɪːçɪlt
Richilde ri'çɪldə
Richini *it.* ri'kiːni
Richland *engl.* 'rɪtʃlənd
Richler *engl.* 'rɪtʃlə
Richlind 'rɪːçlɪnt
Richlinde rɪːç'lɪndə
Richmodi rɪːç'moːdi
Richmond [Heights] *engl.*
  'rɪtʃmənd ['haɪts]
Richte 'rɪçtə
richten 'rɪçtn̩
Richter 'rɪçtɐ, *engl.* 'rɪktə,
  russ. 'rixtɛr
Richterswil rɪçtɐs'viːl
Richthofen 'rɪçthoːfn̩
richtig 'rɪçtɪç, -e ...ɪgə
Richtung 'rɪçtʊŋ
Ricimer 'riːtsimɛr
Rick[e] 'rɪk[ə]
Rickenbacker *engl.* 'rɪkən-
  bækə
Ricker[t] 'rɪkɐ[t]
Rickett[s] *engl.* 'rɪkɪt[s]
Rickettsie rɪ'kɛtsiə
Rickettsiose rɪkɛ'tsioːzə
Rickey *engl.* 'rɪkɪ
Rickman[sworth] *engl.*
  'rɪkmən[zwə(ː)]θ]
ricochet rikɔ'ʃe:
Ricordi *it.* ri'kɔrdi
Rictus *fr.* rik'tys
Riddagshausen rɪdaːks-
  'hauzn̩
Ridder *engl.* 'rɪdə, *niederl.*
  ...dər
Ridderbusch 'rɪdɐbuʃ
Ridderkerk *niederl.* 'rɪdər-
  kɛrk
Rideamus ride'aːmʊs
Rideau ri'do:
Ridge *engl.* rɪdʒ
Ridgecrest *engl.* 'rɪdʒkrɛst
Ridgefield *engl.* 'rɪdʒfiːld

Ridgewood *engl.* 'rɪdʒwʊd
Ridgway *engl.* 'rɪdʒweɪ
ridikül, R... ridi'kyːl
Riding *engl.* 'raɪdɪŋ
Ridinger 'riːdɪŋɐ
Ridler *engl.* 'rɪdlə
Ridley *engl.* 'rɪdlɪ
Ridpath *engl.* 'rɪdpɑː θ
Ridzard 'rɪtsart
rieb ri:p
Riebeck 'riːbɛk
rieben 'riːbn̩
riebt ri:pt
riechen 'riːçn̩
Riecher 'riːçɐ
Ried riːt, -es 'riːdəs
Riede 'riːdə
Riedel 'riːdl̩
Riedenburg 'riːdn̩bʊrk
Rieder[alp] 'riːdɐ[lalp]
Riedinger 'riːdɪŋɐ
Riedl 'riːdl̩
Riedler 'riːdlɐ
Riedlingen 'riːdlɪŋən
rief ri:f
Riefe 'riːfə
riefeln 'riːfl̩n
riefen 'riːfn̩
Riefenstahl 'riːfn̩ʃtaːl
riefig 'riːfɪç, -e ...ɪgə
Riege 'riːgə
Riegel 'riːgl̩
riegeln 'riːgl̩n, **riegle** 'riːglə
Rieger 'riːgɐ, *tschech.* ...gɛr
Riegersburg 'riːgɐsbʊrk
Riegger 'riːgɐ, *engl.* 'riːgə
Riegl 'riːgl̩
Riego *span.* 'rrjeɣo
rieh ri:
Riehen 'riːən
Riehl ri:l
Riemann 'riːman
Riemen[schneider]
  'riːmən[ʃnaɪdɐ]
Riemer[schmid]
  'riːmɐ[ʃmɪt]
Riemkasten 'riːmkastn̩
Rieneck 'riːnɛk
rien ne va plus *fr.* rjɛ̃nva-
  'ply
Rienzi 'rjɛntsi
Rienzo *it.* 'rjɛntso
Riepenhausen 'riːpn̩hauzn̩
Rieple 'riːplə
Riepp ri:p
Ries riːs, -e 'riːzə
Riesa 'riːza
Riese 'riːzə
rieseln 'riːzl̩n, **riesle** 'riːzlə
Riesenarbeit 'riːzn̩larbaɪt

Riesener 'riːzənɐ, *fr.* riz-
  'nɛːr
Riesengebirge 'riːzŋgə-
  birgə
riesengroß 'riːzn̩groːs
Riesenhuber 'riːzn̩huːbɐ
riesig 'riːzɪç, -e ...ɪgə
riesisch 'riːzɪʃ
Rieslaner riːs'laːnɐ
Riesling 'riːslɪŋ
Riesman *engl.* 'riːsmən
Rießersee 'riːsɛːze:
Riester 'riːstɐ
Riesz *ung.* ri:s
riet, R... ri:t
Rietberg 'riːtbɛrk
Rietenburg 'riːtn̩bʊrk
Rieti *it.* 'rjɛːti
Rietschel 'riːtʃl̩
Rietz riːts
Rif ri:f
Rifat *türk.* ri'fat
Rifbjerg *dän.* 'rifbjɛɐ̯'u̯
Riff[el] 'rɪf[l̩]
riffeln 'rɪfl̩n
Riffler 'rɪflɐ
Rififi 'rɪfifi
Rifiot ri'fjoːt
Riga 'riːga
Riga *lett.* 'riːga
Rigaer 'riːgaɐ
rigaisch 'riːgaɪʃ
Rigas *neugr.* 'riɣas
Rigaud *fr.* ri'go
Rigaudon rigo'dõ:
Rigau[l]t *fr.* ri'go
Rigel 'riːgl̩
Rigg rɪk, *engl.* rɪg
riggen 'rɪgn̩, **rigg!** rɪk, **riggt**
  rɪkt
Riggenbach 'rɪgn̩bax
Riggung 'rɪgʊŋ
Righeit 'rɪkhaɪt
Righi *it.* 'riːgi
right or wrong, my coun-
  try! *engl.* 'raɪt ɔː 'rɔŋ, 'maɪ
  'kʌntrɪ
Rigi 'riːgi
rigid ri'giːt, -e ...iːdə
Rigidität rigidi'tɛːt
Rigole ri'goːlə
rigolen ri'goːlən
Rigoletto rigo'lɛto, *it.*
  ...letto
Rigor ri'goːɐ̯
Rigorismus rigo'rɪsmʊs
Rigorist rigo'rɪst
rigoros rigo'roːs, -e ...o:zə
Rigorosität rigorozi'tɛːt
rigoroso rigo'roːzo

Rigorosum rigo'ro:zʊm,
...sa ...za
Rigsdag dän. 'rigsdɛ:'
Rigweda rɪk've:da
Rihani ri'ha:ni
Riihimäki finn. 'ri:himæki
Riisager dän. 'risɛ:'ɐ
Rijad ri'ja:t
Rijal ri'ja:l
Rijckaert niederl. 'rɛi̯ka:rt
Rijeka serbokr. ri.jɛka
Rijen niederl. 'rɛi̯ə
Rijkevorsel niederl. 'rɛi̯kə-
vɔrsəl
Rijn niederl. rɛi̯n
Rijnland niederl. 'rɛi̯nlant
Rijnmond niederl. 'rɛi̯nmɔnt
Rijnsburg niederl. 'rɛi̯nz-
byrx
Rijsen[burg] niederl. 'rɛi̯-
zə[nbyrx]
Rijssen niederl. 'rɛi̯sə
Rijswij[c]k 'rai̯svai̯k, nie-
derl. 'rɛi̯swɛi̯k
Rik niederl. rɪk
Rikambio ri'kambi̯o, ...ien
...i̯ən
Rikchen 'ri:kçən
Rike 'ri:kə
Rikli 'ri:kli
Rikors... ri'kɔrs...
Rikoschett rikɔ'ʃɛt
rikoschettieren rikɔʃɛ'ti:-
rən
Rikscha 'rɪkʃa
Riksmål 'ri:ksmo:l
Rila bulgar. 'rilɐ
rilasciando rila'ʃando
Riley engl. 'raɪlɪ
Rilke 'rɪlkə
Rilla 'rɪla
Rille 'rɪlə
rillen 'rɪlən
rillig 'rɪlɪç, -e ...ɪgə
Rilling 'rɪlɪŋ
Rilski [Manastir] bulgar.
'rilski [mɐnɐs'tir]
Rimavská Sobota slowak.
'rimau̯ska: 'sɔbota
Rimbach 'rɪmbax
Rimbaud fr. rɛ̃'bo
Rimbert 'rɪmbert, fr. rɛ̃'bɛ:r
Rimessa ri'mɛsa
Rimesse ri'mɛsə
Rimini it. 'ri:mini
Rimlockröhre 'rɪmlɔkrø:rə
Rîmnic rumän. 'rimnik
Rîmnicu Sărat rumän. 'rim-
niku sə'rat

Rîmnicu Vîlcea rumän.
'rimniku 'vɪltʃɛa
Rimouski engl. rɪ'mu:skɪ, fr.
rimus'ki
Rimpar 'rɪmpar
Rimpau 'rɪmpau̯
Rimske Toplice slowen.
'ri:mskɛ tɔ'pli:tsɛ
Rimski-Korsakow 'rɪmski-
'kɔrzakɔf, russ. 'rim-
skij'kɔrsɐkɐf
Rinaldi it. ri'naldi
Rinaldini it. rinal'di:ni
Rinaldo it. ri'naldo
Rinaldone it. rinal'do:ne
Rinascimento rinaʃi'mɛnto
Rinchnach 'rɪnçnax
Rinckart 'rɪŋkart
Rind rɪnt, -es 'rɪndəs
Rinde 'rɪndə
rinderig 'rɪndərɪç, -e ...ɪgə
rindern 'rɪndɐn, rindre 'rɪn-
drə
rindig 'rɪndɪç, -e ...ɪgə
Rinehart engl. 'raɪnha:t
rinforzando rɪnfɔr'tsando
Rinforzando rɪnfɔr'tsando,
...di ...di
rinforzato rɪnfɔr'tsa:to
Rinforzato rɪnfɔr'tsa:to, ...ti
...ti
ring, R... rɪŋ
Ringel 'rɪŋl̩
ringelig 'rɪŋəlɪç, -e ...ɪgə
ringeln 'rɪŋl̩n
Ringelnatz 'rɪŋl̩nats
Ringelpiez 'rɪŋl̩pi:ts
ringen 'rɪŋən
Ringerike norw. ,riŋəri:kə
Ringhals schwed. ,riŋhals
Ringkøbing dän. 'rɪŋkyː'bɪŋ
ringlig 'rɪŋlɪç, -e ...ɪgə
Ringlotte rɪŋ'glɔtə
Ringmann 'rɪŋman
rings rɪŋs
Ringsaker norw. ,riŋsa:kər
Ringseis 'rɪŋslai̯s
ringsherum 'rɪŋshɛ'rʊm
Ringsted dän. 'rɪŋsdeð
ringsum 'rɪŋs'|ʊm
ringsumher 'rɪŋs|ʊm'he:ɐ
Ringvassøy norw. ,riŋvasœi̯
Ringwaldt 'rɪŋvalt
Ringwood engl. 'rɪŋwʊd
Rinieri it. ri'ni̯ɛ:ri
Rink[e] 'rɪŋk[ə]
rinkeln 'rɪŋkl̩n
Rinken 'rɪŋkn̩
Rinne 'rɪnə
rinnen 'rɪnən

Rinnsal 'rɪnza:l
Rinser 'rɪnzɐ
Rintala finn. 'rintala
Rintelen 'rɪntələn
Rinteln 'rɪntl̩n
Rinuccini it. rinut'tʃi:ni
Rio 'ri:o, bras. 'rriu
Riobamba span. rrio'βamba
Río Benito span. 'rrio
βe'nito
Río Branco bras. 'rriu
'brɐŋku
Río Branco span. 'rrio
'βraŋko
Rio Claro bras. 'rriu 'klaru
Río Cuarto span. 'rrio
'ku̯arto
Rio de Janeiro 'ri:o de:
ʒa'ne:ro, bras. 'rriu di
ʒɐ'nei̯ru
Río de Oro span. 'rrio ðe
'oro
Río Grande engl. 'ri:ou
'grændɪ
Río Grande span. 'rrio
'ɣrande
Río Grande do Norte bras.
'rriu 'grɐndi du 'nɔrti
Río Grande do Sul bras.
'rriu 'grɐndi du 'sul
Ríohacha span. 'rrio'atʃa
Rioja span. 'rriɔxa
Riom fr. rjõ
Río Negro bras. 'rriu 'negru
Rioni russ. ri'ɔni
Riopelle fr. rjɔ'pɛl
Ríos span. 'rrios
Ripen 'ri:pn̩
Riphahn 'rɪpha:n
Ripien... ri'pi̯e:n...
Ripienist ripi̯e'nɪst
ripieno ri'pi̯e:no
Ripieno ri'pi̯e:no, ...ni ...ni
Ripley engl. 'rɪplɪ
Ripoli it. 'ri:poli
Ripoll span. rri'pɔl
Ripon engl. 'rɪpən
Riposte ri'pɔstə
ripostieren ripɔs'ti:rən
Riposto it. ri'posto
Rippchen 'rɪpçən
Rippe 'rɪpə
rippeln 'rɪpl̩n
rippen 'rɪpn̩
Ripper 'rɪpɐ
Rippler 'rɪplɐ
Rippli 'rɪpli
Rippoldsau 'rɪpɔltsl̩au̯
Rippon[den] engl.
'rɪpən[dən]

Ripresa [d'Attacco]
ri'pre:za [da'tako]
rips!, Rips rips
rips, raps! 'rɪps'raps
Ripuarien ri'pua:rɪən
ripuarisch ri'pua:rɪʃ
Rip van Winkle engl. 'rɪp-
væn'wɪŋkl
rirarutsch! 'ri:'ra:'rʊtʃ
Risalit riza'li:t
Risaralda span. rrisa'ralda
rischeln 'rɪʃln
Rischi, Rishi 'rɪʃi
Rishon Le Zion hebr. ri'ʃɔn
lətsi'ɔn
Risiko 'ri:ziko
Risi-Pisi, Risipisi rizi'pi:zi
riskant rɪs'kant
riskieren rɪs'ki:rən
Riskontro rɪs'kɔntro
Rîşnov rumän. 'rɪʃnov
Risø dän. 'ri:sʏ:'
risoluto rizo'lu:to
Risorgimento rizɔrdʒi-
'mɛnto
Risotto ri'zɔto
Rispe 'rɪspə
Rispetto rɪs'pɛto, ...tti ...ti
rispig 'rɪspɪç, -e ...ɪgə
Risposta rɪs'pɔsta
Riß, riss, Riss rɪs
Risse 'rɪsə
rissen 'rɪsn̩
rissig 'rɪsɪç, -e ...ɪgə
rissolé rɪso'le:
Rissole rɪ'so:lə
Rissolette rɪso'lɛtə
risst, ¹Rist rɪst
²Rist (Name) rɪst, fr. rist
Riste 'rɪstə
Ristenpart 'rɪstn̩part
Ristić serbokr. .ri:stitc
Ristikivi estn. 'risjtikivi
Ristorante rɪsto'rantə, ...ti
...ti
ristornieren rɪstɔr'ni:rən
Ristorno rɪs'tɔrno
risvegliando rɪsvɛl'jando
risvegliato rɪsvɛl'ja:to
¹Rita (Recht) 'ri:ta
²Rita (Name) 'ri:ta, engl.
'ri:tə, fr. ri'ta, span., bras.
'rrita, port. 'rritɐ
ritardando ritar'dando
Ritardando ritar'dando,
...di ...di
Ritchie, Ritchey engl. 'rɪtʃi
rite 'ri:tə
ritenente rite'nɛntə
ritenuto rite'nu:to

Ritenuto rite'nu:to, ...ti ...ti
Rites de Passage 'rɪt də
pa'sa:ʃ
Ritom it. 'ri:tom
ritornando al tempo ritɔr-
'nando al 'tɛmpo
ritornare al segno ritɔr-
'na:rə al 'zɛnjo
Ritornell ritɔr'nɛl
Ritratte ri'tratə
ritsch! rɪtʃ
Ritschard 'rɪtʃart
Ritscher[t] 'rɪtʃɐ[t]
Ritschl 'rɪtʃl̩
ritsch, ratsch! 'rɪtʃ'ratʃ
Ritsos neugr. 'ritsɔs
ritt, Ritt rɪt
Rittberger 'rɪtbɛrgɐ
Rittelmeyer 'rɪtl̩maiɐ
Ritten 'rɪtn̩
Ritter 'rɪtɐ, engl. ...tə
rittig 'rɪtɪç, -e ...ɪgə
rittlings 'rɪtlɪŋs
Rittner 'rɪtnɐ
ritual ri'tua:l
Ritual ri'tua:l, -ien ...li̯ən
Rituale Romanum ri'tua:lə
ro'ma:nʊm
ritualisieren ritu̯ali'zi:rən
Ritualismus ritu̯a'lɪsmʊs
Ritualist ritu̯a'lɪst
rituell ri'tu̯ɛl
Ritus 'ri:tʊs
Ritz[e] 'rɪts[ə]
Ritzel 'rɪtsl̩
ritzen, R... 'rɪtsn̩
Riukiu 'rju:kju, jap. rju'kju:
Riva it. 'ri:va, span. 'rriβa
Rivale ri'va:lə
rivalisieren rivali'zi:rən
Rivalität rivali'tɛ:t
Rivalta it. ri'valta
Rivarol fr. riva'rɔl
Rivas span. 'rriβas
Riva San Vitale it. 'ri:va san
vi'ta:le
Rive-de-Gier fr. rivdə'ʒje
Rivel[s] span. rri'βɛl[s]
¹River (Name) engl. 'rɪvə
²River (Farbe) 'rɪvɐ
Rivera span. rri'βera
Riverboatshuffle 'rɪvɐbo:t-
ʃafl̩
Riverdale engl. 'rɪvədeɪl
River Edge engl. 'rɪvə 'ɛdʒ
Riverina engl. rɪvə'raɪnə
River Rouge engl. 'rɪvə 'ru:ʒ
Rivers engl. 'rɪvəz
Riverside engl. 'rɪvəsaɪd
riverso ri'vɛrzo

Riverview engl. 'rɪvəvju:
Rivet fr. ri'vɛ
Rivette fr. ri'vɛt
Rivier fr. ri'vje
Riviera ri'vje:ra, it. ri'vjɛ:ra,
engl. rɪ'vɪərə
Rivière fr. ri'vjɛ:r
Rivière du Loup fr. rivjɛr-
dy'lu
Řivnáč tschech. 'rʒivna:tʃ
Rivolgimento rivɔldʒi-
'mɛnto
Rivoli it. 'ri:voli
Rivolto ri'vɔlto
Rivoyre fr. ri'vwa:r
Rix engl. rɪks
Rixhöft 'rɪkshœft
Riyal ri'ja:l
Rizal span. rri'θal, engl.
rɪ'za:l
Rize türk. 'rizɛ
Rizin ri'tsi:n
Rizinus 'ri:tsinʊs, -se ...ʊsə
Rizza it. 'rittsa
Rizz[i]o it. 'ritts[i]o
Rjasan russ. rɪ'zanj
Rjazanow russ. rɪ'zanɐf
Rjorich russ. 'rjɔrix
Rjukan norw. ˌr[j]ʉ:kan
Rjurik russ. 'rjurik
Roa span. 'rrɔa
Roach engl. rootʃ
Roadie 'ro:di
Roadster 'ro:tstɐ
Road Town engl. 'rʊʊdtaʊn
Roanne fr. rwan
Roanoke, - Rapids engl.
'rʊʊənʊʊk, - 'ræpɪdz
Roaring Twenties 'ro:rɪŋ
'twɛntɪs
Roastbeef 'ro:stbi:f
Roatán span. rrɔa'tan
Roatta it. ro'atta
Robakidse georg. 'ro-
bakhidze
Rob[b] engl. rɔb
Robbe 'rɔbə
Robbe-Grillet fr. rɔbgri'jɛ
robben 'rɔbn̩, robb! rɔp,
robbt rɔpt
Robber 'rɔbɐ
Robberechts niederl. 'rɔbə-
rɛxts
Robbers niederl. 'rɔbərs
Robbia it. 'robbi̯a
Robbins engl. 'rɔbɪnz
Robbinsdale engl. 'rɔbɪnz-
deɪl
Robby engl. 'rɔbɪ
Robe 'ro:bə

Röbel 'rø:bl̩
Robert 'ro:bɛrt, *engl.* 'rɔbət,
fr. rɔ'bɛ:r, *niederl.* 'ro:bərt
Roberta *dt., it.* ro'bɛrta,
engl. rou'bə:tə
Robert[h]in 'ro:bɐti:n
Roberti *it.* ro'bɛrti
Robertine robɛr'ti:nə
Roberto *it.* ro'bɛrto, *span.*
rrɔ'βɛrto, *port.* rru'βɛrtu,
bras. rro'bɛrtu
Roberts[on] *engl.* 'rɔbəts[n̩]
Roberval *fr.* rɔbɛr'val
Robeson *engl.* roubsn
Robespierre *fr.* rɔbɛs'pjɛ:r
Robin *engl.* 'rɔbɪn, *fr.* rɔ'bɛ̃,
schwed. 'ro:bin
Robineau *fr.* rɔbi'no
Robinie ro'bi:njə
Robins *engl.* 'roubɪnz,
'rɔbɪnz
Robinson 'ro:bɪnzɔn, *engl.*
'rɔbɪnsn
Robinsonade robɪnzo'na:də
Robles *span.* 'rrɔβles
Roblès *fr.* rɔ'blɛs
Robleto *span.* rrɔ'βleto
Röbling rø:blɪŋ
Roborans 'ro:borans,
...**nzien** robo'rantsjən,
...**ntia** robo'rantsia
roborierend robo'ri:rənt, -e
...ndə
Robot 'rɔbɔt
roboten 'rɔbɔtn̩
Roboter 'rɔbɔtɐ
roboterisieren roboteri'zi:-
rən
robotisieren roboti'zi:rən
Robson *engl.* rɔbsn
Robstown *engl.* 'rɔbztaun
Roburit robu'ri:t
robust[o] ro'bust[o]
robusto ro'busto
Roby *engl.* 'roubi
Roca *span., bras.* 'rrɔka,
port. 'rrɔkɐ
Rocaille ro'ka:j
Rocca *it.* 'rrɔka
Roccatagliata Ceccardi *it.*
rokkataʎ'ʎa:ta tʃek'kardi
Rocco *it.* 'rɔkko
Roc de Sers, Le *fr.* lərɔkdə-
'se:r
roch, Roch rɔx
Rocha *span.* 'rrɔtʃa, *port.*
'rrɔʃɐ, *bras.* 'rrɔʃa
Rochade rɔ'xa:də, *auch:*
rɔ'ʃa:də
Rochdale *engl.* 'rɔtʃdeɪl

Roche *engl.* routʃ, rouʃ, rɔʃ,
fr. rɔʃ
rôche 'rœçə
Rochefort *fr.* rɔʃ'fɔ:r
Rochefoucauld *fr.* rɔʃfu'ko
Rochelle *fr.* rɔ'ʃɛl, *engl.* rou-
'ʃɛl
röcheln 'rœçln̩
Rochen 'rɔxn̩
Rocher de Bronze, -s - -
rɔ'ʃe: də 'brõ:s
Rochester *engl.* 'rɔtʃɪstə
Roche-sur-Yon *fr.* rɔʃsy'rjõ
Rochet *fr.* rɔ'ʃɛ
Rochett rɔ'ʃɛt
rochieren rɔ'xi:rən, *auch:*
rɔ'ʃi:rən
Röchling 'rœçlɪŋ
Rochlitz 'rɔxlɪts
Rochow 'rɔxo
Rochus 'rɔxus
Rocinante *span.* rrɔθi'nante
Rock rɔk, **Röcke** 'rœkə
Rockabilly *engl.* 'rɔkəbɪlɪ
Rockall *engl.* 'rɔkɔ:l
Rock and Roll rɔkn̩'ro:l
Röckchen 'rœkçən
Rockdale *engl.* 'rɔkdeɪl
Rockefeller 'rɔkəfɛlɐ, *engl.*
'rɔkɪfɛlə
Rockelor rɔkə'lo:ɐ̯
rocken, R... 'rɔkn̩
Rocken[bolle] 'rɔkn̩[bɔlə]
Rockenhausen 'rɔkn̩hauzn̩,
—'—
Rocker 'rɔkɐ
Rock [Falls] *engl.* 'rɔk
['fɔ:lz]
Rockford *engl.* 'rɔkfəd
Rockhampton *engl.* rɔk-
'hæmptən
Rock Hill *engl.* 'rɔk 'hɪl
Rockhill *engl.* 'rɔkhɪl
Rockies *engl.* 'rɔkɪz
rockig 'rɔkɪç, -e ...ɪgə
Rock Island *engl.* 'rɔk
'aɪlənd
Rockland *engl.* 'rɔklənd
Rock 'n' Roll rɔkn̩'ro:l
Rocks rɔks
Rock Springs *engl.* 'rɔk
'sprɪŋz
Rockville *engl.* 'rɔkvɪl
Rockwell *engl.* 'rɔkwəl
Rocky Mount[ains] *engl.*
'rɔki 'maunt[ɪnz]
Rod ro:t, *engl., fr.* rɔd
Roda 'ro:da, *span.* 'rrɔða
Rodach 'ro:dax

Rodakowski *poln.* rɔda-
'kɔfski
Rodalben 'ro:tl̩albn̩
Rodari *it.* ro'da:ri
Roda Roda 'ro:da 'ro:da
Rodbertus ro:t'bɛrtus
Rødby *dän.* 'rʏðby:'
Røde 'ro:də, *dän.* 'ruðə, *fr.*
rɔd
Rodel 'ro:dl̩
rodeln 'ro:dl̩n, **rodle** 'ro:dlə
roden 'ro:dn̩, **rod!** ro:t
Roden 'ro:dn̩, *niederl.* 'ro:də
Rodeña ro'dɛnja
Rodenbach 'ro:dn̩bax, *nie-
derl.* 'ro:dənbɑx, *fr.* rɔdɛn-
'bak
Rodenberg 'ro:dn̩bɛrk
Rodenkirchen ro:dn̩'kɪrçn̩
Rodenko *niederl.* ro'dɛŋko
rodens 'ro:dɛns
Rodensky ro'dɛnski
Rodenstock 'ro:dn̩ʃtɔk
Rødental 'rø:dn̩ta:l
Rodentia ro'dɛntsia
Rodentiose rodɛn'tsio:zə
Rodenwaldt 'ro:dn̩valt
Rodeo ro'de:o, *auch:*
'ro:deo
Røder 'rø:dɐ
Roderich 'ro:dərɪç
Roderick *engl.* 'rɔdərɪk
Roderigo rode'ri:go
Rodewisch 'ro:dəvɪʃ
Rodez *fr.* rɔ'dɛs, ...dɛ:z
Rodger[s] *engl.* 'rɔdʒə[z]
Rodi *it.* 'rɔ:di
Rodin *fr.* rɔ'dɛ̃
Roding 'ro:dɪŋ
Rodion[ow] *russ.* rɐdi-
'ɔn[ɐf]
Rodler 'ro:dlɐ
Rodna *rumän.* 'rodna
Rodney *engl.* 'rɔdnɪ
Rodó *span.* rrɔ'ðo
Rodolfo *it.* ro'dɔlfo, *span.*
rrɔ'ðɔlfo
Rodolphe *fr.* rɔ'dɔlf
Rodomonte *it.* rodo'monte
Rodomontade rodomɔn-
'ta:də
rodomontieren rodomɔn-
'ti:rən
Rodonkuchen ro'dõ:ku:xn̩
Rodopi *bulgar.* ro'dɔpi,
neugr. rɔ'ðɔpi
Rodoreda *kat.* rruðu'rɛðə
Rodos *neugr.* 'rɔðɔs
Rødovre *dän.* 'rʏðɔʊ̯rə
Rodrigo ro'dri:go, *span.*

rrə'ðriɣo, *port.* rru'ðriɣu, *bras.* rro'drigu
Rodrigue *fr.* rɔ'drig
Rodrigues *port.* rru'ðriɣɪʃ, *bras.* rro'drigis, *engl.* roʊ'dri:gɪs
Rodriguez *engl.* roʊ'dri:gɪs
Rodríguez *span.* rrɔ'ðriɣeθ
Rodtschenko *russ.* 'rɔt-tʃɪnkɐ
Rodziewiczówna *poln.* rɔ-dʒɛvi'tʃuvna
Rodzinski *engl.* rə'dʒɪnskɪ
Roebling 'rø:blɪŋ
Roeder 'rø:dɐ
Roehler 'rø:lɐ
Roelandt *niederl.* 'rulɑnt
Roelants *niederl.* 'rulɑnts
Roelas *span.* rrɔ'elas
Roemer 'rø:mɐ
Roemheld 'rø:mhɛlt
Röena *schwed.* ˌrø:əna
Roentgen 'rœntgn̩
Roer *niederl.* ru:r
Roerich 'rø:rɪç
Roermond *niederl.* ru:r-'mɔnt
Roeselare *niederl.* 'rusəla:rə
Roethe 'rø:tə
Roethke *engl.* 'rɛtkə
Rofangruppe ro'fa:ngrupə
Rogaland *norw.* ˌru:galan
Rogaška Slatina *slowen.* rɔ'ga:ʃka 'sla:tina
Rogate ro'ga:tə
Rogatin *russ.* ra'gatin
Rogation roga'tsjo:n
Rogationes roga'tsjo:ne:s
Rogen 'ro:gn̩
Rogener 'ro:gənɐ
roger 'rɔdʒɐ
Roger 'ro:gɐ, *fr.* rɔ'ʒe, *engl.* 'rɔdʒə
Rogero ro'dʒe:ro
Rogers *engl.* 'rɔdʒəz
Roget *engl.* 'rɔʒeɪ
Rogge 'rɔgə
Röggelchen 'rœglçən
Roggeman *niederl.* 'rɔɣə-man
Roggen[bach] 'rɔgn̩[bax]
Rogier *niederl.* ro'ɣi:r
Rogner 'ro:gnɐ
Rogowski ro'gɔfski
roh, Roh ro:
Rohan *fr.* rɔ'ɑ̃
Rohde 'ro:də
Rohden 'ro:dn̩
Rohheit 'ro:haɪt
Rohköstler 'ro:kœstlɐ

Rohlfs ro:lfs
Rohling 'ro:lɪŋ
Röhlingen 'rø:lɪŋən
Röhm rø:m
Rohmer *fr.* rɔ'mɛ:r
Rohnert Park *engl.* 'roʊnət 'pa:k
Rohr ro:ɐ̯
Rohracher 'ro:raxɐ
Rohrbach 'ro:ɐ̯bax
Röhrchen 'rø:ɐ̯çən
Rohrdommel 'ro:ɐ̯dɔml̩
Röhre 'rø:rə
röhren 'rø:rən
Rohrer 'ro:rɐ
Röhrich[t] 'rø:rɪç[t]
röhrig 'rø:rɪç, **-e** ...ɪgə
Röhrig 'rø:rɪç
Röhrling 'rø:ɐ̯lɪŋ
Rohse 'ro:zə
Rohtak *engl.* 'roʊtæk
Rohwer 'ro:vɐ
Roidis *neugr.* rɔ'iðis
Roi d'Ys *fr.* rwa'dis
Roig *kat.* rrɔtʃ
Roi l'a dit, Le *fr.* lərwala'di
Roissy *fr.* rwa'si
Rojas *span.* 'rrɔxas
rojen 'ro:jən
Rök *schwed.* rø:k
Rokambole rokam'bo:lə
Rokha *span.* 'rrɔka
Rokitansky roki'tanski
Rokitno *russ.* ra'kitnɐ
Rokitnosümpfe ro'kitno-zympfə
Rökk rœk, *ung.* røk
Rokoko 'rɔkoko, *auch:* ro'kɔko, roko'ko:
Rokossowski *russ.* rɛka-'sɔfskij
Rokotow *russ.* 'rɔkɐtɐf
Rokycany *tschech.* 'rɔki-tsani
Roland 'ro:lant, *engl.* 'roʊlənd, *fr.* rɔ'lɑ̃, *niederl.* 'ro:lant
Rolande ro'landə
Rolando *span.* rrɔ'lando
Rolandseck ro:lants'lɛk
Rold *dän.* rɔl'
Rolde *niederl.* 'rɔldə
Rolf rɔlf, *engl.* rɔlf, roʊf
Rolicz *poln.* 'rɔlitʃ
Roll *fr.* rɔl
Rolla *engl.* 'rɔlə
Rolland *fr.* rɔ'lɑ̃
Rollback ro:lbɛk, '——
Röllchen 'rœlçən
¹Rolle 'rɔlə

²Rolle (Name) *engl.* roʊl, *fr.* rɔl, *it.* 'rɔlle
Rolleiflex® 'rɔlaɪflɛks
rollen 'rɔlən
Rollenhagen 'rɔlənha:gn̩
Roller 'rɔlɐ
Rollerblade 'ro:lɐble:t
Rollerdisco, ...sko 'ro:lɐ-disko
Rollerskate 'ro:lɐske:t
Rollerskating 'ro:lɐske:tɪŋ
Rollett 'rɔlɛt
Rolli *it.* 'rɔlli
Rollier *fr.* rɔ'lje
rollieren rɔ'li:rən
Rollin *fr.* rɔ'lɛ̃
Rollini *engl.* rə'li:nɪ
Rollins *engl.* 'rɔlɪnz
Rollmops 'rɔlmɔps, **...möpse** ...mœpsə
¹Rollo 'rɔlo, *auch:* rɔ'lo:
²Rollo (Name) 'rɔlo
Roll-on-roll-off-... ro:l-'lɔnro:l' lɔf...
Rolls *engl.* roʊlz
Rolls-Royce® rɔls'rɔys, *engl.* 'roʊlz'rɔɪs
Roloff 'ro:lɔf
Rølvaag *norw.* ˌrœlvo:g, *engl.* 'roʊlvɑ:g
¹Rom (Zigeuner) ro:m, **-a** 'ro:ma
²Rom (Stadt) ro:m
ROM (Informatik) rɔm
Röm rø:m
Roma *it.* 'ro:ma, *schwed.* ˌru:ma
Romadin *russ.* ra'madin
Romadur 'rɔmadu:ɐ̯, *auch:* roma'du:ɐ̯
Romagna ro'manja, *it.* ro'maɲɲa
Romaiki *neugr.* rɔmai'ki
Romainmôtier *fr.* rɔmɛ̃-mo'tje
Romain[s] *fr.* rɔ'mɛ̃
Romainville *fr.* rɔmɛ̃'vil
Romako ro'ma:ko
¹Roman (Erzählung) ro'ma:n
²Roman (Name) 'ro:man, *schwed.* 'ru:man, *russ.* ra'man, *bulgar.* 'rɔmɛn, *rumän.* 'roman
Romana ro'ma:na
Romancero roman'se:ro
Romänchen ro'mɛ:nçən
Romancier romã'sie:
Romane ro'ma:nə
Romanelli *it.* roma'nɛlli

Rom**a**nes *engl.* roʊˈmɑːnɪz
Rom**a**nesca romaˈnɛska
roman**e**sk romaˈnɛsk
Romani ˈrɔmani, roˈmaːni
Rom**a**nia roˈmaːnịa
Român**ị**a *rumän.* romiˈnia
Rom**a**nik roˈmaːnɪk
Roman**ị**no *it.* romaˈniːno
rom**a**nisch roˈmaːnɪʃ
romanis**ị**eren romaniˈziːrən
Roman**ị**smus romaˈnɪsmʊs
Roman**ị**st[ik] romaˈnɪst[ɪk]
Romanit**ä**t romaniˈtɛːt
Rom**a**no *it.* roˈmaːno
Rom**a**nos roˈmaːnɔs, roma-
ˈnɔs, *span.* rrɔˈmanos
Rom**a**now roˈmaːnɔf, *russ.*
raˈmanɐf
Rom**a**nowitsch *russ.* raˈma-
nɐvitʃ
Rom**a**nowna *russ.* raˈma-
nɐvnɐ
Rom**a**nshorn ˈroːmanshɔrn
Romans-sur-Isère *fr.* rɔmã-
syriˈzɛːr
Rom**a**ntik roˈmantɪk
Rom**a**ntiker roˈmantikɐ
rom**a**ntisch roˈmantɪʃ
romantis**ị**eren romantiˈziː-
rən
Romantiz**ị**smus romanti-
ˈtsɪsmʊs
romantiz**ị**stisch romanti-
ˈtsɪstɪʃ
rom**a**ntsch, R... roˈmantʃ
Rom**a**nus roˈmaːnʊs
Rom**a**nze roˈmantsə
Romanz**e**ro romanˈtseːro
R**o**mbach ˈrɔmbax, *fr.* rɔm-
ˈbak
R**o**mbaksbotn *norw.* ˈrɔm-
baksbɔtn
Romb**a**s *fr.* rõˈbɑːs
R**o**mberg ˈrɔmbɛrk, *engl.*
ˈrɔmbəːg
R**o**mbouts *niederl.* ˈrɔm-
boʊts
Rome *engl.* roʊm
Rom**ei**n *niederl.* roˈmɛịn
Rom**ei**t romeˈiːt
R**o**meo ˈroːmeo, *engl.* ˈroʊ-
mıoʊ, *it.* roˈmɛːo
Rom**e**oville *engl.* ˈroʊmıoʊ-
vɪl
R**ö**mer ˈrøːmɐ
R**ö**mer *dän.* ˈrʏːˈmɐ
Romerike *norw.* ˌruːˈməriːkə
Rom**e**ro *span.* rrɔˈmero
R**ö**mhild ˈrøːmhɪlt
R**o**mi ˈroːmi

Romilly-sur-Seine *fr.* rɔmi-
jisyrˈsɛn
Rom**i**nte roˈmıntə
r**ö**misch ˈrøːmıʃ
R**o**mm *russ.* rɔm
Romm**é** ˈrome, *auch:* rɔˈme:
R**o**mmel ˈrɔml
R**o**mmersdorf ˈrɔmɐsdɔrf
R**o**mney *engl.* ˈrɔmnı
R**o**mny (Ukr.) *russ.* ramˈni
R**ø**mø *dän.* ˈrœmʏ:ˈ
R**o**mont *fr.* rɔˈmõ
Rom**o**ntsch roˈmɔntʃ
Romorantin *fr.* rɔmɔrãˈtɛ̃
R**o**mpler ˈrɔmplɐ
Rompr**e**s *rumän.* romˈpres
R**o**msdal *norw.* ˈrumsdaːl
R**o**msdalsfjord *norw.*
ˈrumsda:lsfjuːr
R**o**msey *engl.* ˈrʌmzı
R**o**muald ˈroːmụalt
Romuald**i**ner romụalˈdiːnɐ
R**ó**mulo *span.* ˈrrɔmulo
R**o**mulus ˈroːmulʊs
R**o**my ˈroːmi
R**ô**nai, ...**ay** *ung.* ˈroːnɔi
R**o**nald ˈroːnalt, *engl.* rɔnld
Ronc**a**lli *it.* rɔŋˈkalli
Roncesvalles ˈrõːsəval,
span. rrɔnθezˈβaʎes
Roncevaux *fr.* rõsˈvo
Ronchamp *fr.* rõˈʃã
R**o**nchus ˈrɔnçʊs
Ronc**o**ni *it.* rɔŋˈkoːni
R**o**nda *it.* ˈronda, *span.*
ˈrrɔnda
R**o**ndane *norw.* ˌrɔndanə
Rond**a**t[e] rɔnˈdaːt[ə]
R**o**nde ˈrɔndə, ˈrõːdə
Rondeau rõˈdoː, *auch:*
rɔnˈdoː
R**o**ndel rõˈdɛl
Rond**e**ll[us] rɔnˈdɛl[ʊs]
R**o**ndo ˈrɔndo
Rond**o**nia *bras.* rronˈdonịa
R**o**ndschrift ˈrɔntʃrıft
R**o**nin ˈroːnın
ronk**a**lisch rɔŋˈkaːlıʃ
r**ö**nne, R... ˈrœnə
R**ø**nne *dän.* ˈrœnə
R**ø**nneburg ˈrɔnəbʊrk
R**ø**nneby *schwed.* ˌrɔnəby
R**ø**nnefeld ˈrɔnəfɛlt
R**ø**nnenberg ˈrɔnənbɛrk
R**o**nnie *engl.* ˈrɔnı
R**o**nny *engl.* ˈrɔnı
Rons**a**rd *fr.* rõˈsaːr
R**o**nse *niederl.* ˈrɔnsə
r**ö**ntgen, R... ˈrœntgn̩

röntgenis**ie**ren rœntˈgeni-
ˈziːrən
Röntgenogr**a**mm rœntge-
noˈgram
Röntgenograph**ie** rœntge-
nograˈfiː, -**n** ...iːən
röntgenogr**a**phisch rœnt-
genoˈgraːfıʃ
Röntgenol**o**ge rœntgeno-
ˈloːgə
Röntgenolog**ie** rœntgeno-
loˈgiː
röntgenol**o**gisch rœntge-
noˈloːgıʃ
röntgenom**e**trisch rœntge-
noˈmeːtrıʃ
Röntgenoskop**ie** rœntge-
noskoˈpiː, -**n** ...iːən
Rood *engl.* ruːd
R**oo**depoort *afr.* ˈroːdəpoːrt
Rooming-**ịn** ruːmıŋˈlın
R**oo**n roːn
R**oo**rkee *engl.* ˈrʊəkiː
R**oo**s roːs
R**oo**sendaal *niederl.* ˈroːsən-
daːl
R**oo**sevelt ˈroːzəvɛlt, *engl.*
ˈroʊzvɛlt
Root[es] *engl.* ruːt[s]
Rop**a**rtz *fr.* rɔˈparts
R**ö**pke ˈrœpkə
R**o**ps *fr.* rɔps
Roquefort ˈrɔkfoːṛ, *auch:*
-ˈ-, *fr.* rɔkˈfɔːr
Roquepertuse *fr.* rɔkpɛr-
ˈtyːz
R**o**ques *fr.* rɔk
Roqu**e**tte rɔˈkɛt
Rora**ị**ma *span.* rrɔˈraịma,
bras. rroˈraịma, *engl.*
rɔˈraımə
Rorant**ị**st rorantˈɪst
Ror**a**te roˈraːte
R**ø**rdam *dän.* ˈrœɐḍam'
R**o**re *niederl.* ˈroːrə
r**ö**ren ˈrøːrən
R**o**ritzer ˈroːrıtsɐ
Ror**o**ro roroˈroː
R**ø**ros *norw.* ˌrœːruːs
Ro-ro-Schiff ˈroːˈroːʃıf
R**o**rschach ˈroːg̥ʃax, ˈrɔrʃax
R**ö**rstr**a**nd *schwed.* rœr-
ˈstrand
r**o**sa, [1]R... ˈroːza
[2]R**o**sa (Name) ˈroːza, *engl.*
ˈroʊzə, *fr.* roˈza, *it.* ˈroːza,
span. ˈrrɔsa, *bras.* ˈrrɔza,
russ. ˈrɔzɐ
Rosab**e**lla rozaˈbɛla
Ros**a**i *it.* roˈza:ị

Rosal[es] *span.* rrɔ'sal[es]
Rosalia ro'zaːlja
Rosalía *span.* rrɔsa'lia
Rosalie ro'zaːljə, *engl.*
'rozəlı, 'rovzəlı, *fr.* roza'li
Rosalind 'roːzalınt, *engl.*
'rozəlınd
Rosalinde roza'lındə
Rosaline roza'liːnə
Rosalva ro'zalva
Rosamund 'roːzamvnt
Rosamunde roza'mvndə
Rosanilin rozani'liːn
Rosanow *russ.* 'rɔzɛnɛf
Rosario *span.* rrɔ'sarjo
Rosarium ro'zaːrjvm, ...ien
...jən
Rosas *span.* 'rrɔsas
Rosaura *it.* ro'zaːʊra, *span.*
rrɔ'saʊra
Rosay *fr.* ro'zɛ
Rosazea ro'zaːtsea
Rosazee roza'tseːə
Rosbach 'rɔsbax
Rosbaud 'rɔsbaʊt
Roscelin *fr.* rɔs'lɛ̃
rösch røːʃ
Roschal *russ.* ra'ʃalj
Roschana ro'ʃaːna
Roschberg 'rɔʃbɛrk
Roschdestwenski *russ.*
raʒ'djestvınskij
Rösche 'røːʃe, 'rœʃə
Röschen 'røːsçən
Roscher 'rɔʃɐ
Rosch ha-Schanah 'roːʃ
haʃa'naː
Roschsee 'rɔʃzeː
Roschtschin *russ.* 'rɔʃtʃin
Roscius 'rɔstsjʊs
Roscoe *engl.* 'rɔskoʊ
Roscoff *fr.* rɔs'kɔf
Roscommon *engl.* rɔs'kɔ-
mən
[1]Rose 'roːzə
[2]Rose (Name) 'roːzə, *engl.*
rovz, *fr.* roːz
rosé, R... ro'zeː
Roseau *engl.* rov'zov
Rosebery *engl.* 'rovzbərı
Roseburg *engl.* 'rovzbəːg
Rosecrans *engl.* 'rovzkræns
Rosedale *engl.* 'rovzdeıl
Roseg *rät.* ro'zeːtɕ
Rosegg ro'zɛk
Rosegger 'roːzɛgɐ, *auch:*
ro'zɛgɐ, 'rɔsɛgɐ
Rosei 'roːzai̯
Rosel 'roːzl̩
Rösel 'røːzl̩

Roselius ro'zeːljʊs
Roselle *engl.* rov'zɛl
Rosemarie 'roːzəmariː,
---'-
Rosemary *engl.* 'rovzmərı
Rosemead *engl.* 'rovzmiːd
Rosemeyer 'roːzəmai̯ɐ
Rosemont *engl.* 'rovzmɔnt
Rosen 'roːzn̩, *fr.* ro'zɛn,
schwed. 'ruːsən
Rosenau 'roːzənaʊ, --'-
Rosenbach 'roːzn̩bax
Rosenberg 'roːzn̩bɛrk, *engl.*
'rovznbəːg, *schwed.*
,ru:sənbærj
Rosenblut 'roːzn̩bluːt
Rosenborg *dän.* 'ruːsn̩bɔɐ̯'
Rosenburg 'roːzn̩bvrk
Rosendaël *fr.* rozɛn'dal
Rosendahl *schwed.* ,ruːsən-
daːl
Rosendorfer 'roːzn̩dɔrfɐ
Rosenfeld 'roːzn̩fɛlt, *engl.*
'rovznfɛld
Rosengarten 'roːzn̩gartn̩
Rosenheim 'roːzn̩hai̯m
Rosenkranz 'roːzn̩krants
Rosenkreu[t]zer 'roːzn̩-
krɔi̯tsɐ
Rosenmontag roːzn̩'moːn-
taːk, '----
Rosenmüller 'roːzn̩mylɐ
Rosenobel 'roːzəno:bl̩,
auch: ro:zə'no:bl̩
Rosenow 'roːzəno
Rosenplüt 'roːzn̩plyːt
Rosenquist *engl.* 'rovzn-
kwıst
Rosenstock-Huessy
'roːzn̩ʃtɔk'hʏsi
Rosental 'roːzn̩taːl
Rosenthal ro'zn̩taːl, *fr.*
rozɛn'tal, *engl.* 'rovznθɔːl
Rosenwald 'roːzn̩valt, *engl.*
'rovznwɔːld
Rosenzweig 'roːzn̩tsvai̯k
Roseola ro'zeːola, ...len
roze'oːlən
Roseole roze'oːlə
[1]Rosette (Verzierung)
ro'zɛtə
[2]Rosette (Stadt) ro'zɛt[ə]
Rosetti *it.* ro'zetti, *rumän.*
ro'seti
Roseville *engl.* 'rovzvıl
Rosewall *engl.* 'rovzwɔːl
Rosheim 'roːshai̯m, *fr.*
rɔ'sɛm
Rosi 'roːzi, *it.* 'rɔːzi
rosig 'roːzıç, -e ...ıgə

Rosignano *it.* rozin'ɲaːno
Rosina *it.* ro'ziːna
Rosinante rozi'nantə
[1]Rosine ro'ziːnə
[2]Rosine (Name) ro'ziːnə, *fr.*
ro'zin
Rosiori de Vede *rumän.*
ro'ʃjorj de 'vede
Rosita ro'ziːta, *span.* rrɔ'sita
Rositten ro'zıtn̩
Roskilde *dän.* 'rɔskilə
Roskow 'rɔsko
Rosl 'roːzl̩
Roslagen *schwed.* ,ruːslɑː-
gən
Roslawez *russ.* 'rɔslɛvıts
Roslawl *russ.* 'rɔslɛvlj
Röslein 'røːslai̯n
Rösler 'røːslɐ
Roslin *schwed.* rɔ'sliːn
Rosmalen *niederl.* rɔs'maːlə
Rosmarin 'roːsmariːn, *auch:*
--'-
Rosmer 'roːsmɐ
Rosmini *it.* roz'miːni
Rosny *fr.* ro'ni
Rosny-sous-Bois *fr.* roni-
su'bwa
Rosolio ro'zoːljo
Rosow *russ.* 'rɔzɐf
Rösrath 'røːsraːt
[1]Roß (Wabe) roːs
[2]Roß (Name) rɔs
[1]Ross rɔs, **Rösser** 'rœsɐ
[2]Ross (Name) *dt., engl.* rɔs
Rossano *it.* ra'saːno
Rösschen 'rœsçən
Ross Dependency *engl.*
'rɔs dı'pɛndənsı
Roße 'roːsə
Rosse *engl.* rɔs
Rosseels *niederl.* rɔ'seːls
Rössel 'rœsl̩
Rosselli *it.* ros'sɛlli
Rossellini *it.* rossel'liːni
Rossellino *it.* rossel'liːno
rossen 'rɔsn̩
Rössen 'rœsn̩
Rossendorf 'rɔsn̩dɔrf
Rösser vgl. [1]Ross
Rossetti *engl.* rɔ'sɛtı, *it.* ros-
'setti
Rossi *it.* 'rossi, *engl.* 'rɔsı, *fr.*
rɔ'si
Rossija rɔ'siːja, *russ.* ra'sijɐ
Rössing 'rœsıŋ
Rossini *it.* ros'siːni, *it.* ros'siːni
Rossio *port.* rru'siu
Rossiskaja Sowetskaja

Federatiwnaja Sozialis-titscheskaja Respublika *russ.* ra'sijskɐjɐ saˈvjɛtskɐjɐ fɪdɪraˈtivnɐjɐ sɛtsiɐlisˈtitʃɪskɐjɐ rɪsˈpublikɐ
Rossitten rɔˈsɪtn̩
Rossiza *bulgar.* roˈsitsɐ
Rössl ˈrœsl
Roßlau ˈrɔslaʊ
Rösslein ˈrœslaɪn
Rößler ˈrœslɐ
Rosslyn *engl.* ˈrɔslɪn
Rosso *it.* ˈrosso, *fr.* rɔˈso
Rossow ˈrɔso
Ross-Shire *engl.* ˈrɔsʃɪɐ
Rosstäuscherei rɔstɔyˈʃəˈraɪ
Rosstrappe ˈrɔstrapə
Rossum *niederl.* ˈrɔsəm
Roßwein ˈrɔsvaɪn
Røst rɔst
Røst *norw.* rœst
Rostal ˈrɔstal
Rostand *fr.* rɔsˈtɑ̃
Röste ˈrøːstə, *auch:* ˈrœstə
Rostellum rɔsˈtɛlʊm, ...**lla** ...la
rosten ˈrɔstn̩
rösten ˈrøːstn̩, *auch:* ˈrœstn̩
Rösterei røːstəˈraɪ, *auch:* rœs...
Rösti ˈrøːsti
Rosticceria rɔstɪtʃeˈriːa
rostig ˈrɔstɪç, **-e** ...ɪgə
Rostock ˈrɔstɔk
Rostoptschin *russ.* rɐstapˈtʃin
Rostovtzeff *engl.* rɔsˈtɔːftsəf
Rostow *russ.* rasˈtɔf
Rostow-na-Donu *russ.* rasˈtɔvnɐdaˈnu
Rostowski *russ.* rasˈtɔfskij
Rostowzew *russ.* rasˈtɔftsəf
Rostra ˈrɔstra
rostral rɔsˈtraːl
Rostropowitsch *russ.* rɐstraˈpɔvitʃ
Rostrum ˈrɔstrʊm
Rostworowski *poln.* rɔstfɔˈrɔfski
Rosvænge *dän.* ˈrɔsvɛŋə
Roswell *engl.* ˈrɔzwəl
Rosweyde *niederl.* ˈrɔswɛɪdə
Roswith ˈroːsvɪt
Roswitha rɔsˈviːta
Rosyth *engl.* rɔˈsaɪθ
Roszak *engl.* ˈrɔsæk
rot roːt, **röter** ˈrøːtɐ
Rot roːt

Röt røːt
Rota ˈroːta, *engl.* ˈroʊtə, *span.* ˈrrɔta, *it.* ˈrɔːta
Rotan ˈroːtan
Rotang ˈroːtaŋ
Rotaprint® rotaˈprɪnt
Rotari *it.* roˈtaːri
Rotarier roˈtaːrɪɐ
rotarisch roˈtaːrɪʃ
Rotarmist ˈroːt|armɪst
Rota Romana ˈroːta roˈmaːna
Rotary [Club] ˈroːtari [ˈklʊp], *auch:* ˈroːtərɪ -, roˈtaːri -
Rotation rotaˈtsɪoːn
Rotatorien rotaˈtoːrɪən
Rotbart ˈroːtbaːɐt
Röte ˈrøːtə
Rote-Kreuz-Schwester ˈroːtəˈkrɔytsˈʃvɛstɐ
Rotella *it.* roˈtɛlla
Rötel[n] ˈrøːtl̩[n]
röten ˈrøːtn̩
Rotenburg ˈroːtn̩bʊrk
Rotenturmpass roːtn̩ˈtʊrmpas
röter vgl. rot
Rotgans *niederl.* ˈrɔtxans
Rotgüldig... ˈroːtgʏldɪç...
Rotgültig... ˈroːtgʏltɪç...
Roth roːt, *engl.* rɔθ, roʊθ
Rotha *engl.* ˈroʊθə
Rötha ˈrøːta
Rothaargebirge ˈroːthaːɐ̯gəbɪrgə
Rothacker ˈroːthakɐ
Rothari ˈroːtari
Rothe ˈroːtə
Röthenbach ˈrøːtn̩bax
Rothenberg ˈroːtn̩bɛrk, *engl.* ˈroʊθənbəːg
Rothenberger ˈroːtn̩bɛrgɐ
Rothenburg ˈroːtn̩bʊrk
Rothenfelde roːtn̩ˈfɛldə
Rothenstein *engl.* ˈroʊθənstaɪn
Rother ˈroːtɐ, *engl.* ˈrɔðə
Rotherham *engl.* ˈrɔðərɐm
Rothermere *engl.* ˈrɔðəmɪə
Rothesay *engl.* ˈrɔθsɪ
Rothfels ˈroːtfɛls
Rothko *engl.* ˈrɔθkoʊ
Rothmann ˈroːtman, ˈrɔt...
Rothmüller ˈroːtmʏlɐ
Rothschild ˈroːtʃɪlt, *fr.* rɔtˈʃild, *engl.* ˈrɔθstʃaɪld
Rothweil ˈroːtvaɪl
Rothwell *engl.* ˈrɔθwəl
Roti *indon.* ˈroti

rotieren roˈtiːrən
Rotisserie rotɪsəˈriː, **-n** ...iːən
Rotkreuzschwester roːtˈkrɔytsˈʃvɛstɐ
rötlich ˈrøːtlɪç
Rötling ˈrøːtlɪŋ
rotnasig ˈroːtnaːzɪç
Rotor ˈroːtoːɐ̯, **-en** roˈtoːrən
Rotorua *engl.* roʊtəˈruːə
Rotraud, ...ut ˈroːtraʊt
Rotrou *fr.* rɔˈtru
Rotrouenge *fr.* rɔtruˈãːʒ
Rott[a] ˈrɔt[a]
Rottach ˈrɔtax
Rottal[er] ˈrɔtaːl[ɐ]
Rotte ˈrɔtə
Rotteck ˈrɔtɛk
Rötteln ˈrœtl̩n
rotten, R... ˈrɔtn̩
rötten ˈrœtn̩
Rottenbuch rɔtn̩ˈbuːx
Rottenburg ˈrɔtn̩bʊrk
Rottenhammer ˈrɔtn̩hamɐ
Rottenmann ˈrɔtn̩man
Rotterdam rɔtɐˈdam, *auch:* ˈ---, *niederl.* rɔtərˈdɑm
Rotterdamer rɔtɐˈdamɐ, *auch:* ˈrɔt...
Röttger ˈrœtgɐ
Rottluff ˈrɔtlʊf
Rottmann ˈrɔtman
Rottmayer, ...ayr ˈrɔtmaɪɐ
Rottumeroog *niederl.* rɔtəˈmərˈoːx
Rottweil[er] ˈrɔtvaɪl[ɐ]
Rotulus ˈroːtulʊs, **...li** ...li
Rotuma *engl.* rəˈtuːmə
Rotunda roˈtʊnda
Rotunde roˈtʊndə
Roture roˈtyːrə
Roturier rotyˈrɪe
rotwangig ˈroːtvaŋɪç, **-e** ...ɪgə
rotwelsch, R... ˈroːtvɛlʃ
Roty *fr.* rɔˈti
Rotz rɔts
Rotze ˈrɔtsə
rotzen ˈrɔtsn̩
Rotzerei rɔtsəˈraɪ
rotzfrech ˈrɔtsˈfrɛç
rotzig ˈrɔtsɪç, **-e** ...ɪgə
Rouault *fr.* rwo
Roubaix *fr.* ruˈbɛ
Roubiliac *fr.* rubiˈljak
Rouch *fr.* ruʃ
Rouché, ...cher *fr.* ruˈʃe
Roud *fr.* ru
Roudnice *tschech.* ˈrɔudnjitsɛ

Roué rųe:
Rouen rųã:, *fr.* rwã
Rouffach *fr.* ru'fak
Rouffignac *fr.* rufi'ɲak
Rouge ru:ʃ
Rouge et noir *fr.* ruʒe'nwa:r
Rougemont *fr.* ruʒ'mõ
Rouget *fr.* ru'ʒɛ
Rouget de Lisle *fr.* ruʒɛ'dlil
Rougon-Macquart *fr.* rugõma'ka:r
Rouïba *fr.* rwi'ba
Roulade ru'la:də
Rouleau ru'lo:
Roulers *fr.* ru'lɛrs
Roulett ru'lɛt
Roulette ru'lɛt[ə], -n ...tn̩
roulieren ru'li:rən
Roumain *fr.* ru'mɛ̃
Roumanille *fr.* ruma'nij
Round *engl.* raʊnd
Roundhead 'raʊnthɛt
Round-Table-... 'raʊnt-'te:bl̩...
Round-up raʊnt'|ap, '--
Rourke *engl.* rɔ:k
Rourkela *engl.* 'rʊəkəlɑ:
Rous *engl.* raʊs, ru:s
Rousseau ru'so:, *fr.* ru'so
Roussel *fr.* ru'sɛl
Rousselot *fr.* rus'lo
Rousset *fr.* ru'sɛ
Roussillon *fr.* rusi'jõ
Roussin *fr.* ru'sɛ̃
Rout raʊt
Route 'ru:tə
Router 'raʊtɐ
Routine ru'ti:nə
Routinier ruti'nie:
routiniert ruti'ni:ɐt
Routledge *engl.* 'raʊtlɪdʒ
Rouvier *fr.* ru'vje
Roux ru:, *fr.* ru
Roux-Spitz *fr.* rus'pits
Rouyn *fr.* rwɛ̃, *engl.* 'ru:ɪn
Rovani *it.* ro'va:ni
Rovaniemi *finn.* 'rɔvanie̯mi
Rovere *it.* 'ro:vere
Roveredo *it.* rove're:do
Rovereto *it.* rove're:to
Rovero *span.* rrɔ'βero
Rovetta *it.* ro'vetta
Rovigo *it.* ro'vi:go
Rovinj *serbokr.* ˌrɔvinj
Rovuma ro'vu:ma
Rowan *engl.* 'roʊən
Rowdy 'raʊdi
Rowe 'ro:və, *engl.* roʊ
Rowenki *russ.* rɐvinj'ki
Rowicki *poln.* rɔ'vitski

Rowland[son] *engl.* 'roʊlənd[sn]
Rowley *engl.* 'roʊlɪ
Rowno *russ.* 'rɔvnɐ
Rowntree *engl.* 'raʊntri:
Rowohlt 'ro:vɔlt
Rowson *engl.* raʊsn
Rowton *engl.* raʊtn, rɔ:tn
Rowuma ro'vu:ma
Roxane rɔ'ksa:nə
Roxas *span.* 'rrɔxas
Roxburgh[e] *engl.* 'rɔksbərə
Roxen *schwed.* 'rɔksən
Roxolane rɔkso'la:nə
Roy *engl.* rɔɪ, *fr.* rwa, *slowak.* rɔj
royal rɔa'ja:l
Royal *engl.* 'rɔɪəl
Royal Air Force *engl.* 'rɔɪəl 'ɛəfɔ:s
Royalismus rɔaja'lɪsmʊs
Royalist rɔaja'lɪst
Royall *engl.* 'rɔɪəl
Royal Oak *engl.* 'rɔɪəl 'oʊk
Royalty *engl.* 'rɔɪəltɪ
Royan *fr.* rwa'jã
Royce *engl.* rɔɪs
Royer-Collard *fr.* rwajekɔ-'la:r
Rozenburg *niederl.* 'ro:zənbʏrx
Różewicz *poln.* ru'ʒɛvitʃ
Rožmberk *tschech.* 'rɔʒm̩bɛrk
Rožmitál *tschech.* 'rɔʒmita:l
Rožňava *slowak.* 'rɔʒnjava
Rožnyó *ung.* 'rɔʒnjo:
Roztocze *poln.* rɔs'tɔtʃɛ
Różycki *poln.* ru'ʒitski
Rrëshen *alban.* rrə'ʃen
Rschew *russ.* rʒɛf
RSFSR *russ.* ɛr-ɛs-ɛf-ɛs'ɛr
Rtanj *serbokr.* 'r̩:tanj
Rtischtschewo *russ.* 'rtiʃtʃive̯
RTL ɛrte:'|ɛl
Ruanda 'rųanda, *fr.* rwan'da
Ruander 'rųandɐ
ruandisch 'rųandiʃ
Ruapehu *engl.* ru:ə'peɪhu:
Ruark *engl.* 'ru:ɑ:k
Ruasa vgl. ¹Rais
Ruba'i ruba'i:
Rub Al Khali *engl.* 'rʊp al'xa:li
rubato ru'ba:to
Rubato ru'ba:to, ...ti ...ti
Rubatscher 'ru:batʃ͜ɐ
rubbelig 'rʊbəlɪç, -e ...ɪgə
rubbeln 'rʊbl̩n, **rubble** 'rʊblə

Rubber 'rabɐ
Rubbra *engl.* 'rʌbrə
Rübchen 'ry:pçən
Rübe 'ry:bə
Rubeba ru'be:ba
Rubebe ru'be:bə
Rubel 'ru:bl̩
Rübeland 'ry:bəlant
Ruben 'ru:bn̩
Rubén *span.* rru'βen
Rubens 'ru:bn̩s, *niederl.* 'rybəns
Rubeola ru'be:ola
rüber 'ry:bɐ
rüberbringen 'ry:bɐbrɪŋən
Rubeš *tschech.* 'rubɛʃ
Rubeschnoje *russ.* ru'bjɛʒnɐje̯
Rübezahl 'ry:bətsa:l
Rubia 'ru:bia̯
Rubianus ru'bia:nʊs
Rubidium ru'bi:di̯ʊm
Rubikon 'ru:bikɔn
Rubin[er] ru'bi:n[ɐ]
Rubinschtein *russ.* rubin-'ʃtejn
Rubinstein 'ru:bɪnʃtai̯n, *engl.* 'ru:bɪnstaɪn
Rubió *kat.* rru'βi̯o
Rubizell rubi'tsɛl
Rübkohl 'ry:pko:l
Rubljof *russ.* ru'bljɔf
Rubner 'ru:pnɐ
Rubor 'ru:bo:ɐ̯
Rubra vgl. Rubrum
Rubrik ru'bri:k
Rubrikator rubri'ka:to:ɐ̯, -en ...ka'to:rən
rubrizieren rubri'tsi:rən
Rubruk 'ru:brʊk
Rubrum 'ru:brʊm, **Rubra** 'ru:bra
Rübsen 'ry:psn̩
Ruby *engl.* 'ru:bɪ
Rubzowsk *russ.* rup'tsɔfsk
Rucellai *it.* rutʃel'la:i̯
Ruch ru:x, rʊx, **Rüche** 'ry:çə, 'rʏçə
Ruchadlo 'rʊxadlo
ruchbar 'ru:xba:ɐ̯, *auch:* 'rʊxba:ɐ̯
Ruchgras 'rʊxgra:s
ruchlos 'ru:xlo:s, *auch:* 'rʊxlo:s
ruck!, Ruck rʊk
Rück rʏk
rückbezüglich 'rʏkbətsy:k-lɪç
Rückbleibsel 'rʏkblai̯psl̩
rückbuchen 'rʏkbu:xn̩

ruckeln 'rʊkḷn
rucken 'rʊkṇ
rücken, R... 'rʏkṇ
Rucker *engl.* 'rʌkə
Rücker 'rʏkɐ
Ruckers *niederl.* 'rʏkərs
Rückert 'rʏkɐt
rückfragen 'rʏkfra:gṇ
Rückholz 'rʏkhɔlts
rückläufig 'rʏklɔyfɪç
rücklings 'rʏklɪŋs
Rucksack 'rʊkzak
rückseitig 'rʏkzaitɪç
rückseits 'rʏkzaits
rucksen 'rʊksṇ
Rücksicht 'rʏkzɪçt
rückständig 'rʏkʃtɛndɪç
rückwärtig 'rʏkvɛrtɪç, -e
...ɪgə
rückwärts 'rʏkvɛrts
ruck, zuck! 'rʊk'tsʊk
Rucola 'ru:kola
Rucphen *niederl.* 'rʏkfə
rüd ry:t, -e 'ry:də
Rud *dän.* ru:'ð, *norw.* rʉ:d
Ruda *schwed.* ˌrʉ:da, *poln.*
'ruda
Rudabánya *ung.* 'rudɔ-
ba:njɔ
Rudaki *pers.* rudæ'ki:
Ruda Śląska *poln.* 'ruda
'clɔska
Rudbeck *schwed.* ˌrʉ:dbɛk
Rudbeckia ru:t'bɛkia
Rudbeckie ru:t'bɛkiə
Rudd *engl.* rʌd
Rude *fr.* ryd
rüde, Rüde 'ry:də
Rüdeger 'ry:dəgɛr
Rudel 'ru:dl̩, *engl.* ru:dl
Ruden 'ru:dṇ
Rudenko *russ.* ru'djɛnkɐ
Rudenz 'ru:dɛnts
Rudé Právo *tschech.* 'rudɛ:
'pra:vɔ
Ruder 'ru:dɐ
Rudera 'ru:dera
Ruderal... rude'ra:l...
...ruderig ....ru:dərɪç, -e
...ɪgə
rudern 'ru:dɐn, rudre
'ru:drə
Rüdesheim[er] 'ry:dəs-
haim[ɐ]
Rudge *engl.* rʌdʒ
Rudi 'ru:di
Rüdiger 'ry:dɪgɐ, ...gɛr
Rudigier 'ru:digi:ɐ
Rudiment rudi'mɛnt
rudimentär rudimɛn'tɛ:ɐ

Rudisten ru'dɪstṇ
Rudität rudi'tɛ:t
Rudkin *engl.* 'rʌdkɪn
Rudkøbing *dän.* 'ruðkʏbɪŋ
Rudnicki *poln.* rud'nitski
Rudny *russ.* 'rudnij
Rudolf *dt., engl.* 'ru:dɔlf,
tschech. 'rudɔlf, *niederl.*
'rydɔlf, *schwed.* 'rʉ:dɔlf
Rudolfa ru'dɔlfa
Rudolfine rudɔl'fi:nə
Rudolfinisch rudɔl'fi:nɪʃ
Rudolph *dt., engl.* 'ru:dɔlf
Rudolphina rudɔl'fi:na
Rudolstadt 'ru:dɔlʃtat
Rudorff 'ru:dɔrf
Rudrer 'ru:drɐ
...rudrig ....ru:drɪç, -e ...ɪgə
Rudyard (Vorn.) *engl.* 'rʌd-
jəd
Rudziński *poln.* ru'dziĩski
Rueda 'rue̯:da, *span.* 'rrue̯ða
Ruederer 'ru:ɛdərɐ
Ruef 'ru:ɛf
Rueff *fr.* rɥɛf
Rüegg 'ry:ɛk
Rueil *fr.* rɥɛj
Ruelas *span.* 'rrue̯las
Ruf[ach] 'ru:f[ax]
Rufe 'ru:fə
Rüfe 'ry:fə
rufen 'ru:fṇ
Rüffel 'rʏfl̩
rüffeln 'rʏfl̩n
Ruffini *it.* ruf'fi:ni
Ruffo *it.* 'ruffo
Rufiji *engl.* ru:'fi:dʒi:
Rufinus ru'fi:nʊs
Rufio 'ru:fi̯o
Rufisque *fr.* ry'fisk
Rufus 'ru:fus
Rúfus *slowak.* 'ru:fus
Rugantino rugan'ti:no
[1]Rugby (Spiel) 'rakbi
[2]Rugby (Name) *engl.* 'rʌgbɪ
Ruge 'ru:gə
Rüge 'ry:gə
Rugeley *engl.* 'ru:dʒlɪ
rügen 'ry:gṇ, rüg! ry:k, rügt
ry:kt
Rügen 'ry:gṇ
Rugendas 'ru:gṇdas
Rugge 'rʊgə
Ruggeri *it.* rud'dʒɛ:ri
Ruggero *it.* rud'dʒɛ:ro
Ruggieri *it.* rud'dʒɛ:ri
Ruggiero *it.* rud'dʒɛ:ro
Rugier 'ru:gi̯ɐ
rügisch 'ry:gɪʃ
Rugolo *engl.* 'ru:gəlou

Rugove *alban.* ru'gova
Ruhe 'ru:ə
Rühe 'ry:ə
ruhen 'ru:ən
Ruheständler 'ru:əʃtɛntlɐ
ruhig 'ru:ɪç, -e ...ɪgə
Ruhla[nd] 'ru:la[nt]
Ruhm ru:m
Rühm[ann] 'ry:m[an]
rühmen 'ry:mən
Ruhmkorff 'ru:mkɔrf, *fr.*
rym'kɔrf
Rühmkorf[f] 'ry:mkɔrf
ruhmredig 'ru:mre:dɪç, -e
...ɪgə
Ruhner Berge 'ru:nɐ 'bɛrgə
Ruhnow 'ru:no
Ruhpolding 'ru:pɔldɪŋ
Ruhr ru:ɐ̯
Rührei 'ry:ɐ̯lai̯
rühren 'ry:rən
rührig 'ry:rɪç, -e ...ɪgə
Rührmichnichtan
'ry:ɐ̯mɪçnɪçtlan
Ruin ru'i:n
Ruinart *fr.* rɥi'na:r
Ruine ru'i:nə
ruinieren rui'ni:rən
ruinös rui'nø:s, -e ...ø:zə
Ruisbroek *niederl.* 'rœi̯zbruk
Ruisdael *niederl.* 'rœi̯zda:l
Ruiz *span.* rrɥiθ
Rukeyser *engl.* 'ru:kaizə
Rukwasee 'rʊkvaze:
Rul ru:l
Ruländer 'ru:lɛndɐ
Rulfo *span.* 'rrulfo
Rulman 'ru:lman, 'rʊlman
Rülps rʏlps
rülpsen 'rʏlpsṇ
rum, [1]Rum rʊm
[2]Rum (Name) *engl.* rʌm,
ung. rum
[3]Rum (Byzanz) ru:m
Ruma *serbokr.* 'ruma
Rumäne ru'mɛ:nə
Rumänien ru'mɛ:ni̯ən
rumänisch ru'mɛ:nɪʃ
Rumba 'rʊmba
Rumbenkarte 'rʊmbṇkartə
Rumelien ru'me:li̯ən
Rumelija *bulgar.* ru'mɛlijɐ
Rumford 'ramfɔrt, *engl.*
'rʌmfəd
Rumi *pers.* ru'mi:
Rumia *poln.* 'rumja
Rumination rumina'tsi̯o:n
ruminieren rumi'ni:rən
Rumjanzew *russ.* ru'mjan-
tsəf

Rummel 'rʊml̩
rummeln 'rʊml̩n
Rummelsburg 'rʊml̩sbʊrk
Rummy 'ræmi
Rumohr 'ru:mo:ɐ̯
Rumoi jap. 'ru.moi
Rumold 'ru:mɔlt
¹Rumor (Lärm) ru'mo:ɐ̯
²Rumor (Name) it. ru'mor
rumoren ru'mo:rən
Rumpel 'rʊmpl̩
rumpelig 'rʊmpəlɪç, -e …ɪɡə
rumpeln 'rʊmpl̩n
Rumpelstilzchen 'rʊmpl̩-
ʃtɪltsçən
Rumpf rʊmp̯f, Rümpfe
'rʏmp̯fə
rümpfen 'rʏmp̯fən
Rumpler 'rʊmplɐ
rumplig 'rʊmplɪç, -e …ɪɡə
Rumpsteak 'rʊmpste:k
rums! rʊms
rumsen 'rʊmzn̩, rums!
rʊms, rumst rʊmst
Rumsey engl. 'rʌmzɪ
Run ran
Run-about 'ranəbaʊt
Runcie engl. 'rʌnsɪ
Runciman engl. 'rʌnsɪmən
Runcorn engl. 'rʌŋkɔ:n
rund, R… rʊnt, -e 'rʊndə
Runda 'rʊnda
Rundalow 'rʊndalo
Runde 'rʊndə
Rundell rʊn'dɛl
runden 'rʊndn̩, rund! rʊnt
rürden 'rʏndn̩, rund! rʏnt
Rundfunk 'rʊntfʊŋk
rundheraus 'rʊnthɛ'raʊs
rundherum 'rʊnthɛ'rʊm
rundlich 'rʊntlɪç
Rundling 'rʊntlɪŋ
Rundquist schwed. ˌrʊnd-
kvist
Rundstedt 'rʊntʃtɛt
rundum 'rʊnt'ʊm
rundumher 'rʊntʊm'he:ɐ̯
rundweg 'rʊnt'vɛk
Rune 'ru:nə
Runeberg schwed. ˌrʉ:nə-
bærj
Rung dän. rʊŋ'
Runge 'rʊŋə
runisch 'ru:nɪʃ
Runius schwed. 'rʉ:niʊs
Runkel[rübe] 'rʊŋkl̩[rʏ:bə]
Runkelstein 'rʊŋkl̩ʃtain
Runken 'rʊŋkn̩
Runks rʊŋks
runksen 'rʊŋksn̩

Running Gag 'ranɪŋ 'ɡɛk
Runologe runo'lo:ɡə
Runologie runolo'gi:
Runs rʊns, -e 'rʊnzə
Runse 'rʊnzə
runter 'rʊntɐ
runterfallen 'rʊntɐfalən
Runway 'ranve:
Runyon engl. 'rʌnjən
Runzel 'rʊntsl̩
runz[e]lig 'rʊnts[ə]lɪç, -e
…ɪɡə
runzeln 'rʊntsl̩n
Ruodi 'ru:ɔdi
Ruodlieb 'ru:ɔtli:p
Ruof[f] 'ru:ɔf
Ruotger 'ru:ɔtɡɐ, …ɡɐ
Rupel niederl. 'rypəl
Rüpel 'ry:pl̩
Rüpelei ry:pə'lai
Rupelien rype'li̯ɛ̃:
rüpelig 'ry:pəlɪç, -e …ɪɡə
Rupert 'ru:pɛrt, engl.
'ru:pət
Ruperta ru'pɛrta
Rupertiwinkel ru'pɛrtivɪŋkl̩
Rupertus ru'pɛrtʊs
rupfen, R… 'rʊpfn̩
Rupia 'ru:pi̯a, …ien …i̯ən
Rupiah 'ru:pi̯a
Rupie 'ru:pi̯ə
Rupp[el] 'rʊp[l̩]
ruppig 'rʊpɪç, -e …ɪɡə
Ruppin rʊ'pi:n
Rupprecht 'rʊprɛçt
Rüppurr 'rʏpʊr
Ruprecht 'ru:prɛçt
Ruptur rʊp'tu:ɐ̯
Rur ru:ɐ̯
rural ru'ra:l
Rurik 'ru:rɪk
Rurikide ruri'ki:də
Rus ru:s, rʊs, russ. rusj
Rusafa ru'za:fa
Rusafi ru'za:fi
Rusajewka russ. ru'zajɪfkɐ
Rusalka ru'zalka, tschech.
'rusalka
Rusch rʊʃ
Rüsche 'ry:ʃə
Rüschel 'rʊʃl̩
rusch[e]lig 'rʊʃ[ə]lɪç, -e
…ɪɡə
ruscheln 'rʊʃl̩n
rüschen 'ry:ʃn̩
Rusconi it. rus'ko:ni
Rusellae ru'zɛlɛ
Rush[den] engl. 'rʌʃ[dən]
Rushdie engl. 'rʊʃdɪ
Rushhour 'raʃlaʊɐ

Rushing engl. 'rʌʃɪŋ
Rushmore engl. 'rʌʃmɔ:
Rusiñol kat., span. rrusi'ɲɔl
Rusk engl. rʌsk
Ruska 'rʊska
Ruskin engl. 'rʌskɪn
Ruslan[a] russ. rus'lan[ɐ]
Ruspoli it. 'ruspoli
Russ engl. rʌs
Ruß ru:s, -es 'ru:səs
Russalka ru'salka
¹Russe 'rʊsə
²Russe bulgar. 'rusɛ
Rüssel 'rʏsl̩
rüsselig 'rʏsəlɪç, -e …ɪɡə
Russel[l] engl. rʌsl̩
Russellville engl. 'rʌslvɪl
Rüsselsheim 'rʏsl̩shaim
rußen 'ru:sn̩
Russia 'rʊsi̯a
russifizieren rʊsifi'tsi:rən
rußig 'ru:sɪç, -e …ɪɡə
Russinger 'rʊsɪŋɐ
russisch 'rʊsɪʃ
Russist[ik] rʊ'sɪst[ɪk]
Russki 'rʊski
Russland 'rʊslant
rüsslig 'rʏslɪç, -e …ɪɡə
Russo it. 'russo, rumän.
'ruso, engl. 'rʌsoʊ
Russolo it. 'russolo
Rußwurm 'ru:svʊrm
Rust rʊst
Rustaweli georg. 'rustha-
weli
Rustawi russ. rus'tavi
Rüste 'rʏstə
rüsten 'rʏstn̩
Rustenburg afr. 'rœstən-
bœrx
Rüster 'rʏstɐ, auch: 'ry:stɐ
rüstern 'rʏstɐn, auch: 'ry:s-
tɐn
rüstig 'rʏstɪç, -e …ɪɡə
Rustigello it. rusti'dʒɛllo
rustik rʊs'ti:k
Rustika 'rʊstika
rustikal rʊsti'ka:l
Rustikalität rʊstikali'tɛ:t
Rustikation rʊstika'tsi̯o:n
Rustikus 'rʊstikʊs, -se
…ʊsə, …izi …itsi
Rustizität rʊstitsi'tɛ:t
Ruston engl. 'rʌstən
Rüstow 'rʏsto
Rüstringen 'rʏstrɪŋən
Rustschuk 'rʊstʃʊk
Rüstung 'rʏstʊŋ
Rut[e] 'ru:t[ə]
Rutebeuf fr. ryt'bœf

Rutgers engl. 'rʌtgəz
Ruth ru:t, engl. ru:θ
Ruthard 'ru:thart
Ruthen 'ry:tn̩
Ruthenbeck 'ru:tn̩bɛk
Ruthene ru'te:nə
ruthenisch ru'te:nɪʃ
Ruthenium ru'te:niʊm
Rutherford, ...furd engl.
'rʌðəfəd
Rutherfordium dt.-engl.
raðɐ'fɔrdiʊm
Rutherglen engl. 'rʌðəglɛn
Ruthild 'ru:thɪlt
Ruthilde ru:t'hɪldə
Ruthin engl. 'rɪθɪn
Ruths ru:ts
Ruthven engl. 'ru:θvən,
'rɪvən
Rüti 'ry:ti
Rutil ru'ti:l
Rutilismus ruti'lɪsmʊs
Rutin[e] ru'ti:n[ə]
Rutland engl. 'rʌtlənd
Rutledge engl. 'rʌtlɪdʒ
Rütli 'ry:tli
rutsch!, Rutsch rʊtʃ
Rutsche 'rʊtʃə
rutschen 'rʊtʃn̩
Rutscherei rʊtʃə'rai
rutschig 'rʊtʃɪç, -e ...ɪgə
Rutte 'rʊtə
Rüttelei rytə'lai
rütteln 'rʏtl̩n
Rütten 'rʏtn̩
Rüttenauer 'rʏtənaʊɐ
Rüttgers 'rʏtgɐs
Ruttmann 'rʊtman
Rutuler ru'tu:lɐ
Rutz rʊts
Ruusbroec niederl. 'ryzbruk
Ruuth finn. ru:t
Ruvo it. 'ru:vo
Ruwenzori ruvɛn'zo:ri
Ruwer 'ru:vɐ
Ruy span. rrui
Ruy Blas fr. rui'bla:s
Ruyneman niederl. 'rœinə-
man
Ruyra kat. 'rruirə
Ruys niederl. rœis
Ruysbroeck niederl. 'rœiz-
bruk
Ruysch niederl. rœis
Ruysdael niederl. 'rœizda:l
Ruyslinck niederl. 'rœislɪŋk
Ruysum 'rɔyzʊm
Ruyter niederl. 'rœitər
Ruz span. rruθ
Růžička 'ru:ʒɪtʃka

Růžička tschech. 'ru:ʒɪtʃka
Růžičková tschech. 'ru:ʒɪtʃ-
kɔva:
Ruzkoi russ. ruts'kɔj
Ružomberok slowak.
'ruʒɔmbɛrɔk
Ruzzante it. rud'dzante
Rya 'ry:a, Ryor 'ry:ɔr
Ryan engl. 'raiən
Rybakow russ. riba'kɔf
Rybatschi russ. ri'batʃij
Rybinsk russ. 'ribinsk
Rybnik poln. 'ribnik
Rybniza russ. 'ribnitsɐ
Rychner 'ri:çnɐ
Rychwał poln. 'rixfau̯
Ryckaert niederl. 'rɛika:rt
Rydberg schwed. .ry:dbærj
Rydel poln. 'ridɛl
Ryde[r] engl. 'raid[ə]
Rydz poln. rits
Rye[rson] engl. 'rai[əsn]
Ryfylke norw. 'ry:fylkə
Ryga engl. 'raigə
Rykow russ. 'rikɐf
Ryle engl. rail
Rylejew russ. ri'ljejɪf
Ryley engl. 'railɪ
Rylow russ. ri'lɔf
Rylsky ukr. 'rɪljsjkɪj
Ryman engl. 'raimən
Rynda russ. 'rindɐ
Ryor vgl. Rya
Rys ri:s
Rysanek 'ri:zanɛk, 'ry:...
Rysselberghe niederl. 'rɛi-
səlbɛryə
Rysy poln. 'risi
Ryti finn. 'ryti
Ryum dän. 'ry:ʊm
Rzeszów poln. 'ʒɛʃuf
Rzewuski poln. ʒɛ'vuski

S

s, S dt., engl., fr. ɛs, it. 'ɛsse,
span. 'ese
σ, ç, Σ 'zɪgma
Sá port., bras. sa
SA ɛs'la:
Saab® za:p
Saadi 'za:di, pers. sæ'ː'di:

Saal za:l, Säle 'zɛ:lə
Saal[b]ach 'za:l[b]ax
Saalburg 'za:lbʊrk
Saale 'za:lə
Saalfeld 'za:lfɛlt
Saalfelden za:l'fɛldn̩
Saane[n] 'za:nə[n]
Saanenmöser za:nən-
'mø:zɐ
Saar za:ɐ
Saarbrücken za:ɐ'brʏkn̩
Saarburg 'za:ɐbʊrk
Saaremaa estn. 'sɑ:rɛma::
Saargau 'za:ɐgau̯
Saargebiet 'za:ɐgəbi:t
Saargemünd za:ɐgə'mʏnt
Saari[nen] finn. 'sɑ:ri[nən]
Saarikoski finn. 'sɑ:rikɔski
Saariselkä finn. 'sɑ:risɛlkæ
Saaritsa finn. 'sɑ:ritsɑ
Saarland 'za:ɐlant
saarländisch 'za:ɐlɛndɪʃ
Saarlautern za:ɐ'lau̯tɐn
Saarlouis za:ɐ'lui, -er ...uiɐ
Saarpfalz 'za:ɐpfalts
Saas-Fee za:s'fe:
Saat za:t
Saavedra span. saa'βeðra
Saaz[er] 'za:ts[ɐ]
Sab za:p, pers. zɑ:b
Saba 'za:ba, it. 'sa:ba, türk.
sɑ'ba, pers. sæ'ba:, niederl.
'sa:ba
Sababurg 'za:babʊrk
Šabac serbokr. 'ʃabats
Sabadani zaba'da:ni
Sabadell span. saβa'ðɛl
Sabadil[e] zaba'dɪl[ə]
Sabäer za'bɛ:ɐ
Sabah indon. 'sabah
Sabahattin türk. sabahat-
'tin
Sabäismus zabɛ'ɪsmʊs
Sabalan pers. sæbæ'lɑ:n
Sabaoth 'za:baɔt
Sabará bras. saba'ra
Sabas 'za:bas
Sabat Erçasty span. sa'βat
ɛr'kasti
Sabata it. 'sa:bata
Sabatelli it. saba'tɛlli
Sabatier fr. saba'tje
Sabatini it. saba'ti:ni, engl.
sæbə'ti:nɪ
Sábato span. 'saβato
Sabaudia it. sa'ba:udia
Sabayon fr. saba'jõ
Sabazios za'ba:tsiɔs
Sabbat 'zabat
Sabbatai zaba'tai

Sabbatarier zaba'ta:riɐ
Sabbatianismus zabatsịa-
'nısmʊs
Sabbatini *it.* sabba'ti:ni
Sabbatist zaba'tıst
Sabbe *niederl.* 'sabə
Sabbel 'zabl̩
sabbeln 'zabl̩n, sabble
'zablə
Sabber 'zabɐ
sabbern 'zabɐn, sabbre
'zabrə
Säbel 'zɛ:bl̩
Sabeller za'bɛlɐ
Sabellicus za'bɛlikʊs
Sabellius za'bɛlịʊs
säbeln 'zɛ:bl̩n, säble 'zɛ:blə
Säben 'zɛ:bn̩
Sabena za'be:na, *fr.* sabe'na
Sabha 'zapxa
Sabid za'bi:t
Sabin *engl.* 'seıbın, 'sæbın
Sabina za'bi:na, *it.* sa...,
tschech. 'sabina
¹Sabine (Personenname)
za'bi:nə, *engl.* 'sæbaın,
...bın
²Sabine (erdk. Name) *engl.*
sə'bi:n
Sabiner za'bi:nɐ
Sabinianus zabi'nịa:nʊs
sabinisch za'bi:nıʃ
Sabinismus zabi'nısmʊs
Sabino *bras.* sa'binu
Sabinus za'bi:nʊs
Sabiona *it.* sa'bịo:na
Säbisch 'ʃɛ:bıʃ
Sable *engl.* seıbl
Sablé *fr.* sa'ble
Sables-d'Olonne *fr.* sablə-
də'lɔn
Sabol *pers.* za'bol
Sabolozki *russ.* zɐba'lɔtskij
Sabot za'bo:, *fr.* sa'bo
Sabotage zabo'ta:ʒə
Saboteur zabo'tø:ɐ
sabotieren zabo'ti:rən
Sabratha 'za:brata
Sabre 'za:brə, *engl.* 'seıbə
Sabrina za'bri:na
Sabsewar *pers.* sæbze'va:r
Sá-Carneiro *port.* 'sakɐr-
'neịru
Sacavém *port.* sɐkɐ'vɐ̃ị
Saccharase zaxa'ra:zə
Saccharat zaxa'ra:t
Saccharid zaxa'ri:t,
-e ...i:də
Saccharimeter zaxari-
'me:tɐ

Saccharimetrie zaxarime-
'tri:
Saccharin zaxa'ri:n
Saccharose zaxa'ro:zə
Saccharum 'zaxarʊm, ...ra
...ra
Saccheri *it.* sak'kɛ:ri
Sacchetti *it.* sak'ketti
Sacchi *it.* 'sakki
Sacchini *it.* sak'ki:ni
Sacco *it.* 'sakko
Săcele *rumän.* sə'tʃele
sacerdotal zatsɛrdo'ta:l
Sachalin zaxa'li:n, *russ.*
sɛxa'lin
Sachar *russ.* za'xar
Sacharase zaxa'ra:zə
Sacharat zaxa'ra:t
Sachari *russ.* za'xarij
Sachariew *bulgar.* zɐ'xarịɛf
Sacharimeter zaxa'rime:tɐ
Sacharimetrie zaxarime-
'tri:
Sacharin zaxa'ri:n
Sacharja za'xarja
Sacharomyzeten zaxaro-
my'tse:tn̩
Sacharose zaxa'ro:zə
Sacharow (Physiker) *russ.*
'saxɐrɐf
Sacharow *russ.* za'xarɐf
Sacharum 'zaxarʊm, ...ra
...ra
Sache 'zaxə
Sächelchen 'zɛçlçən
Sacher 'zaxɐ
Sachet za'ʃe:
sachlich 'zaxlıç
sächlich 'zɛçlıç
Sachmet 'zaxmɛt
Sachs zaks, *fr.* saks
Sachsa 'zaksa
Sachse 'zaksə
Sachseln 'zaksl̩n
sächseln 'zɛksl̩n
Sachsen 'zaksn̩
Sachsenhausen
zaksn̩'haʊzn̩
Sachsenheim 'zaksn̩haịm
Sachsenwald 'zaksn̩valt
Sächsin 'zɛksın
sächsisch 'zɛksıʃ
Sachso 'zakso
sacht[chen] 'zaxt[çən]
sachte 'zaxtə
Sack zak, Säcke 'zɛkə
Säckchen 'zɛkçən
Säckel 'zɛkl̩
säckeln 'zɛkl̩n
sacken 'zakn̩

säcken 'zɛkn̩
sackerlot! zakɐ'lo:t
sackerment! zakɐ'mɛnt
sackgrob 'zak'gro:p, *auch:*
...rɔp
Säckingen 'zɛkıŋən
Säckler 'zɛklɐ
Sackville *engl.* 'sækvıl
Saclay *fr.* sa'klɛ
Saco *engl.* 'sɔ:koʊ
Sacra Conversazione
'za:kra kɔnvɛrza'tsịo:nə
Sacramento *engl.* sækrə-
'mɛntoʊ, *bras.* sakrɐ'mentu
Sacré-Cœur *fr.* sakre'kœ:r
Sacrificium Intellectus
zakri'fi:tsịʊm ıntɛ'lɛktu:s
Sacro Bosco 'za:kro 'bɔsko
Sacro Egoismo 'za:kro ego-
'ısmo
Sacsay[h]uamán *span.* sak-
saịua'man
Sacy *fr.* sa'si
Sada (Jemen) 'zada
Sá da Bandeira *port.* 'sa
βɐn'deịrɐ
Sadat za'da:t
Saddam za'da:m
Sadduzäer zadu'tsɛ:ɐ
Sade *fr.* sad
Sadebaum 'za:dəbaʊm
Sa Đec *vietn.* sa dɛk 12
Sadeler *niederl.* 'sa:dələr
Sá de Miranda *port.* 'sa ðə
mi'rɐndɐ
Sadhu 'za:du
Sadi *fr.* sa'di
Sa'di 'za:di, *pers.* sæ''di:
Sadismus za'dısmʊs
Sadist za'dıst
Sadji *fr.* sad'ʒi
Sadle[i]r *engl.* 'sædlə
Sadko 'zatko, *russ.* sat'kɔ
Sado *port.* 'saðu, *jap.* 'sa.do
Sado... 'za:do...
Sadoleto *it.* sado'le:to
Sadomaso 'za:do'ma:zo
Sadomasochismus zado-
mazo'xısmʊs
sadomasochistisch zado-
mazo'xıstıʃ
Sadoul *fr.* sa'dul
Sadová *tschech.* 'sadɔva:
Sadoveanu *rumän.* sado-
'vẹanu
Sadowa 'zadova, za'do:va
Sadowski *russ.* sa'dɔfskij
Saeb *pers.* sa''eb
Saedeleer *niederl.* sa:də'le:r
säen 'zɛ:ən

Saenredam *niederl.* ˈsaːnrə-
dɑm
Sáenz *span.* ˈsaenθ
Säer ˈzɛːɐ
Safa *türk.* saˈfa
safaitisch zafaˈiːtɪʃ
Safari zaˈfaːri
Šafárik *slowak.* ˈʃafaˈrik
Šafařík *tschech.* ˈʃafarʒiːk
safatenisch zafaˈteːnɪʃ
Safawide zafaˈwiːdə
Safdie *engl.* ˈsæfdɪ
Safe zeːf
Safersex ˈzeːfɐˈzɛks
Saffaride zafaˈriːdə
Saffian ˈzafjan, …jaːn
Säffle *schwed.* ˌsɛflə
Safi *fr.* saˈfi
Safien ˈzaːfjən
Safita zaˈfiːta
Saflor zaˈfloːɐ
Safonow *russ.* saˈfɔnɐf
Safonowo *russ.* saˈfɔnɐvɐ
Safran ˈzafraːn, …raːn
Saft zaft, **Säfte** ˈzɛftə
Säftchen ˈzeftçən
saften ˈzaftn̩
saftig ˈzaftɪç, -e …ɪɡə
Saftleven *niederl.* ˈsaftleːvə
¹Saga ˈzaːɡa, *auch:* ˈzaga
²Saga *jap.* ˈsaˌɡa
Sagamihara *jap.* saˈɡami-
ˌhara
Sagan ˈzaːɡan, *fr.* saˈɡã
Sagar *engl.* ˈsaːɡə
Sagarra *kat.* səˈɣarrə
Sagasta *span.* saˈɣasta
Sagazität zagatsiˈtɛːt
Sage ˈzaːɡə
Säge ˈzɛːɡə
sagen ˈzaːɡn̩, **sag!** zaːk,
sagt zaːkt
sägen ˈzɛːɡn̩, **säg!** zɛːk,
sägt zɛːkt
Sager ˈzɛːɡɐ
Sägerei zɛːɡəˈraɪ
Saginaw *engl.* ˈsæɡɪnɔː
sagittal zagɪˈtaːl
Sagittarius zagɪˈtaːrjʊs
Sagnac *fr.* saˈɲak
Sago ˈzaːɡo
Sagorsk *russ.* zaˈɡɔrsk
Sagortschinow *bulgar.*
zɐɡorˈtʃinof
Sagoskin *russ.* zaˈɡɔskin
Sagra *span.* ˈsaɣra
Sagrada… zaˈɡraːda…
Sagres *port.* ˈsaɣrɪʃ
Sagros *pers.* zaɡˈros
Sagua *span.* ˈsaɣ̯ua

Saguenay *engl.* ˈsæɡɪneɪ
Sagum ˈzaːɡʊm, …**ga** …ɡa
Sagunt zaˈɡʊnt
Sagunto *span.* saˈɣunto
sah zaː
Saha *engl.* ˈsaːhaː
Sahagún *span.* saaˈɣun
Sahara zaˈhaːra, *auch:*
ˈzaːhara, *fr.* saaˈra
Saharanpur *engl.* səˈhaːrən-
pʊə
Sahara Occidental *span.*
saˈara ɔkθiˈdenˈtal
Saharier zaˈhaːrjɐ
sähe ˈzɛːə
Sahedan *pers.* zaheˈdaːn
Sahel zaˈheːl, *auch:* ˈzaːhɛl
Sahia *rumän.* saˈçia
Sahib ˈzaːhɪp
Sahla (Libanon) ˈzaxla
Sahl[i] ˈzaːl[i]
Sahm zaːm
Sahne ˈzaːnə
sahnen ˈzaːnən
sahnig ˈzaːnɪç, -e …ɪɡə
Sahure zahuˈreː
Saibling ˈzaɪplɪŋ
Said *türk.* saˈit
Saida ˈzaɪda
Saïda *fr.* saiˈda
Saidan zaɪˈdaːn
Saidenbach ˈzaɪdn̩bax
Saidpur *engl.* ˈsaɪdpʊə
Saiga ˈzaɪɡa
Saignelégier *fr.* sɛnleˈʒje
Saigon ˈzaɪɡɔn, *auch:* –ˈ–
Saïgon *fr.* saiˈɡõ
Saijab zaɪˈjaːp
Saiko ˈzaɪko
Sailer ˈzaɪlɐ
Saillant zaˈjã
Saimaa *finn.* ˈsaɪmaː
Sainete zaɪˈnetə
Saint Albans *engl.* snt̩ˈɔːl-
bənz
Saint-Amand *fr.* sɛtaˈmã
Saint-Amand-les-Eaux *fr.*
sɛtamãleˈzo
Saint-Amand-Montrond *fr.*
sɛtamãmõˈrõ
Saint-Amant *fr.* sɛtaˈmã
Saint Andrews *engl.*
snt̩ˈændruːz
Saint Ann[e] *engl.* snt̩ˈæn
Saint-Arnaud *fr.* sɛtarˈno
Saint-Aubin *fr.* sɛtoˈbɛ̃
Saint Augustine *engl.*
snt̩ˈɔːɡəstiːn
Saint Austell *engl.* snt̩ˈɔːstl̩
Saint-Avold *fr.* sɛtaˈvɔl

Saint-Barthélemy *fr.* sɛbar-
telˈmi
Saint Boniface *engl.* snt̩ˈbɔ-
nɪfeɪs
Saint-Brieuc *fr.* sɛbriˈø
**Saint-Bruno-de-Montar-
ville** *fr.* sɛbrynodmõtarˈvil
Saint Catharines *engl.*
snt̩ˈkæθərɪnz
Saint Christopher *engl.*
snt̩ˈkrɪstəfə
Saint Clair [Shores] *engl.*
snt̩ˈklɛə [ˈʃɔːz]
Saint-Claude *fr.* sɛˈkloːd
Saint Cloud (USA) *engl.*
snt̩ˈklaʊd
Saint-Cloud *fr.* sɛˈklu
Saint Croix *engl.* snt̩ˈkrɔɪ
Saint-Cyr *fr.* sɛˈsiːr
Saint-Denis *fr.* sɛdˈni, *engl.*
snt̩ˈdenɪs
Saint-Dié *fr.* sɛˈdje
Saint-Dizier *fr.* sɛdiˈzje
Sainte-Ampoule *fr.* sɛtãˈpul
Sainte-Anne *fr.* sɛˈtaːn
Sainte-Beuve *fr.* sɛtˈbœːv
Sainte-Claire Deville *fr.*
sɛtklɛrdəˈvil
Sainte-Croix *fr.* sɛtˈkrwa
Sainte-Foy *fr.* sɛtˈfwa
Saint Elias *engl.* snt̩ˈlaɪəs
Sainte-Marie *fr.* sɛtmaˈri
Saint-Émilion *fr.* sɛtemiˈljõ
Sainte-More *fr.* sɛtˈmɔːr
Saintes *fr.* sɛːt
Saintes-Maries-de-la-Mer
fr. sɛtmaridlaˈmɛːr
Sainte-Soline *fr.* sɛtsɔˈlin
Sainte-Thérèse *fr.* sɛtte-
ˈrɛːz
Saint-Étienne *fr.* sɛteˈtjen
Saint-Étienne-du-Rouvray
fr. sɛtetjɛndyruˈvrɛ
Saint-Eustache *fr.* sɛtøsˈtaʃ
Saint-Évremond *fr.*
sɛtevrəˈmõ
Saint-Exupéry *fr.* sɛtɛɡzy-
peˈri
Saint-Flour *fr.* sɛˈfluːr
Saint-Gaudens *fr.* sɛɡo-
ˈdɛ̃ːs, *engl.* snt̩ˈɡɔːdnz
Saint-Gelais *fr.* sɛˈʒlɛ
Saint George *engl.*
snt̩ˈdʒɔːdʒ
Saint-Georges *fr.* sɛˈʒɔrʒ
Saint George's *engl.*
snt̩ˈdʒɔːdʒɪz
**Saint-Georges de Bouhé-
lier** *fr.* sɛʒɔrʒdəbueˈlje
Saint-Germain *fr.* sɛʒɛrˈmɛ̃

Saint-Germain-en-Laye *fr.* sɛ̃ʒɛrmɛ̃ãˈlɛ
Saint-Gervais *fr.* sɛ̃ʒɛrˈvɛ
Saint-Gilles *fr.* sɛ̃ˈʒil
Saint-Gingolph *fr.* sɛ̃ʒɛ̃ˈgɔlf
Saint-Girons *fr.* sɛ̃ʒiˈrõ
Saint-Gobain *fr.* sɛ̃gɔˈbɛ̃
Saint-Gratien *fr.* sɛ̃graˈsjɛ̃
Saint Helena (Insel) *engl.* sɛntɪˈliːnə
Saint Helens *engl.* snt'hɛlɪnz
Saint Helier *engl.* snt'hɛljə
Saint-Hélier *fr.* sɛteˈlje
Saint-Hilaire *fr.* sɛtiˈlɛːr
Saint Hyacinthe *fr.* sɛtjaˈsɛːt, *engl.* snt'haɪəsɪnθ
Saint-Imier *fr.* sɛtiˈmje
Saint Ives *engl.* snt'aɪvz
Saint James *engl.* snt'dʒeɪmz
Saint-Jean *fr.* sɛ̃ˈʒɑ̃
Saint-Jean-d'Angély *fr.* sɛ̃ʒɑ̃dãʒeˈli
Saint-Jean-de-Luz *fr.* sɛ̃ʒɑ̃ˈdly:z
Saint-Jérôme *fr.* sɛ̃ʒeˈroːm
Saint John *engl.* snt'dʒɔn
Saint-John Perse *fr.* sɛ̃dʒɔnˈpɛrs
Saint Johns, - John's *engl.* snt'dʒɔnz
Saint Joseph *engl.* snt'dʒoʊzɪf
Saint-Josse *fr.* sɛ̃ˈʒɔs
Saint-Junien *fr.* sɛ̃ʒyˈnjɛ̃
Saint-Just *fr.* sɛ̃ˈʒyst
Saint Kilda *engl.* snt'kɪldə
Saint Kitts *engl.* snt'kɪts
Saint Lambert *engl.* snt'læmbət
Saint-Lambert *fr.* sɛlãˈbɛːr
Saint Laurent, Saint-Laurent *fr.* sɛlɔˈrã
Saint Lawrence *engl.* snt'lɔrəns
Saint Leger *engl.* snt'lɛdʒə
Saint-Léon *fr.* sɛleˈõ
Saint-Lô *fr.* sɛ̃ˈlo
Saint Louis *engl.* snt'lʊɪs
Saint-Louis *fr.* sɛ̃ˈlwi
Saint Lucia *engl.* snt'luːʃə
Saint-Malo *fr.* sɛ̃maˈlo
Saint-Mandé *fr.* sɛ̃mãˈde
Saint-Martial *fr.* sɛ̃marˈsjal
Saint Martin *engl.* snt'mɑːtɪn
Saint-Martin *fr.* sɛ̃marˈtɛ̃
Saint-Martin-d'Hères *fr.* sɛ̃martɛ̃ˈdɛːr

Saint-Martin-d'Uriage *fr.* sɛ̃martɛ̃dyˈrjaːʒ
Saint Mary[s] *engl.* snt'mɛərɪ[z]
Saint Matthews *engl.* snt'mæθjuːz
Saint-Maur-des-Fossés *fr.* sɛ̃mɔrdefoˈse
Saint Maurice *engl.* snt'mɔrɪs
Saint-Maurice *fr.* sɛ̃mɔˈris
Saint Michel, Saint-Michel *fr.* sɛ̃miˈʃɛl
Saint-Michel-de-Cuxa *fr.* sɛ̃miʃɛldəkykˈsa
Saint-Mihiel *fr.* sɛ̃miˈjɛl, sɛ̃ˈmjɛl
Saint-Nazaire *fr.* sɛ̃naˈzɛːr
Saint-Nectaire *fr.* sɛ̃nɛkˈtɛːr
Saint-Nicolas *fr.* sɛ̃nikɔˈlɑ
Saint-Non *fr.* sɛ̃ˈnõ
Saint-Omer *fr.* sɛ̃tɔˈmɛːr
Saintonge *fr.* sɛ̃ˈtõːʒ
Saint-Ouen (Paris) *fr.* sɛ̃ˈtwɛ̃
Saint-Paul *fr.* sɛ̃ˈpɔl
Saint Paul['s] *engl.* snt'pɔːl[z]
Saint Peter Port *engl.* snt'piːtə 'pɔːt
Saint Peters[burg] *engl.* snt'piːtəz[bəːg]
Saint Phalle *fr.* sɛ̃ˈfal
Saint Pierre, Saint-Pierre *fr.* sɛ̃ˈpjɛːr
Saint-Pol *fr.* sɛ̃ˈpɔl
Saint-Preux *fr.* sɛ̃ˈprø
Saint-Quentin *fr.* sɛ̃kɑ̃ˈtɛ̃
Saint-Raphaël *fr.* sɛrafaˈɛl
Saint-Rémy-de-Provence *fr.* sɛremidprɔˈvãːs
Saint-Saëns *fr.* sɛ̃ˈsãːs
Saintsbury *engl.* 'seɪntsbərɪ
Saint-Simon *fr.* sɛ̃siˈmõ
Saint-Simonismus sɛsimoˈnɪsmʊs
Saint-Simonist sɛsimoˈnɪst
Saint-Sorlin *fr.* sɛ̃sɔrˈlɛ̃
Saint-Sulpice *fr.* sɛ̃sylˈpis
Saint-Sylvestre *fr.* sɛ̃silˈvɛstr
Saint Thomas *engl.* snt'tɔməs
Saint-Trond *fr.* sɛ̃ˈtrõ
Saint-Tropez *fr.* sɛ̃trɔˈpe
Saint-Venant *fr.* sɛ̃ˈvnã
Saint-Victor *fr.* sɛvikˈtɔːr
Saint Vincent *engl.* snt'vɪnsənt
Saint-Vincent *fr.* sɛvɛ̃ˈsã

Saint-Vulbas *fr.* sɛ̃vylˈba
Saipan 'zaɪpan *engl.* saɪˈpæn
Sais 'zaːɪs
Saison zɛˈzõː, *auch:* zɛˈzɔŋ, -en zɛˈzoːnən
saisonal zɛzoˈnaːl
Saisonier zɛzoˈnịe:
Saison morte zɛˈzõː: 'mɔrt
Saisonnier zɛzoˈnịe:
Saissan *russ.* zajˈsan
Saitama *jap.* 'sa.itama, saˈi-tama
¹Saite 'zaịtə
²Saite (Altägypten) za'iːtə
...saitig ...ˈzaịtịç, -e ...ɪgə
Saitling 'zaịtlɪŋ
Saito *jap.* saˈito
Saitscho *jap.* 'sa.itʃo:
Saiun zaịˈuːn
Saizew *russ.* 'zajtsəf
Sajama *span.* saˈxama
Sajó *ung.* 'ʃɔjo:
Sakai *jap.* 'sakai
Sakakura *jap.* sa'kakura
Sakalave zaka'laːvə
Sakarya *türk.* sa'karja
Sakasik zaka'ziːk
Sakata *jap.* 'sa.kata
Sake 'zaːkə
Saki 'za:ki, *russ.* 'saki, *engl.* 'saːkɪ
Sakije 'za:kijə
Sakinthos *neugr.* 'zakinθɔs
sakisch 'za:kịʃ
sakkadiert zaka'diːɐ̯t
Sakkara za'ka:ra
Sakko 'zako
Sakmara *russ.* sak'marɐ
Sakon Nakhon *Thai* sakon-na'khɔ:n 1111
Sakowski za'kɔfski
sakral 'zakra
sakral za'kraːl
Sakrament zakra'mɛnt
sakramental zakramɛn'taːl
Sakramentalien zakramɛn-'ta:lịən
Sakramentar zakramɛn-'taːɐ̯
Sakramenter zakra'mɛntɐ
Sakramentierer zakramɛn-'tiːrɐ
Sakrarium za'kraːrịʊm, ...ien ...ịən
Sakrau 'zaːkraụ
sakrieren za'kriːrən
Sakrifizium zakri'fiːtsịʊm, ...ien ...ịən
Sakrileg zakri'leːk, -e ...'leːgə

sakrilegisch zakri'le:gɪʃ
Sakrilegium zakri'le:gi̯ʊm,
...**ien** ...i̯ən
sakrisch 'zakrɪʃ
Sakristan zakrɪs'ta:n
Sakristei zakrɪs'tai̯
Sakrodynie zakrody'ni:, -n
...i:ən
sakrosankt zakro'zaŋkt
Sakskøbing dän.
'sagskʏ:'bɪŋ
säkular zɛku'la:ɐ̯
Säkularisation zɛkulariza-
'tsi̯o:n
säkularisieren zɛkulari'zi:-
rən
Säkulum 'zɛ:kulʊm, ...**la**
...**la**
Sakuntala za'kʊntala
Sakuski za'kʊski
Sal (Sial) za:l
Sal russ. sal
Sala 'za:la, engl. 'sælə,
schwed. :sa:la, span. 'sala
Salaamkrämpfe za'la:m-
krɛmpfə
Salacrou fr. sala'kru
Saladin 'za:ladi:n
Salado span. sa'laðo
Salafijja zala'fi:ja
Salair russ. sɐla'ir
Sălaj rumän. sə'laʒ
Salala za'la:la
Salam [alaikum!] za'la:m
[a'lai̯kʊm]
Salama finn. 'salama
Salamá span. sala'ma
Sälama amh. sɛlama
Salamanca zala'maŋka,
span. sa..., engl. sælə-
'mæŋkə
Salamander zala'mandɐ
Salami za'la:mi
Salamijja zala'mi:ja
Salaminier zala'mi:ni̯ɐ
Salamis 'za:lamɪs, neugr.
sala'mis
Salammbô fr. salam'bo
Salamon ung. 'ʃɔlɔmon
Salan fr. sa'lã
Salån schwed. ˌsa:lo:n
Salandra it. sa'landra
Salangane zalaŋ'ga:nə
Salar za'la:ɐ̯
Salär za'lɛ:ɐ̯
salarieren zala'ri:rən
Salarino zala'ri:no
Salas span. 'salas
¹Salat (Speise; islam.
Gebet) za'la:t

²Salat (Dichter) 'za:lat
Salatiere zala'ti̯e:rə
Salatiga indon. sala'tiga
Salaverry span. sala'βɛrri
Salawat russ. sɐla'vat
Salayar indon. sa'lajar
Salazar port. sɐlɐ'zar, span.
sala'θar
Salazität zalatsi'tɛ:t
Salbader zal'ba:dɐ
Salbaderei zalba:də'rai̯
salbadern zal'ba:dɐn, **sal-**
badre ...drə
Salband 'za:lbant, -es
...ndəs, ...**bänder** ...bɛndɐ
Salbe 'zalbə
Salbei 'zalbai̯, auch: –'–
salben 'zalbn̩, **salb!** zalp,
salbt zalpt
salbig 'zalbɪç, -e ...ɪgə
Salbling 'zalplɪŋ
Sälchen 'zɛ:lçən
Salchow 'zalço
Şalda tschech. 'ʃalda
Saldanha port. sal'dɐɲɐ,
bras. ...ɲa, engl. sæl'dænjə
Sälde 'zɛ:ldə
saldieren zal'di:rən
Saldo 'zaldo, ...**di** ...di
Sale it. 'sa:le
Salé fr. sa'le
Säle vgl. Saal
Salechard russ. sɐli'xart
Salem 'za:lɛm, engl. 'sei̯ləm
Salem aleikum! 'za:lɛm
a'lai̯kʊm
salentinisch zalɛn'ti:nɪʃ
Salep 'za:lɛp
Saleph 'za:lɛf
Salerio za'le:ri̯o, it. sa'lɛ:ri̯o
Salerno it. sa'lɛrno
Sales fr. sal
Sales... :ze:ls...
Salesianer zale'zi̯a:nɐ
Salesmanager 'ze:lsmɛ-
nɪdʒɐ
Salesmanship 'ze:lsmɛnʃɪp
Salespromoter 'ze:lspro-
mo:tɐ
Salespromotion 'ze:lspro-
mo:ʃn̩
Salett[e]l za'lɛtl̩
Salford engl. 'sɔ:lfəd
Salgado bras. sal'gadu
Salgharide zalga'ri:də
Salgótarján ung. 'ʃɔlgo:tɔr-
ja:n
Salicin zali'tsi:n
Salicyl... zali'tsy:l...
Salicylat zalitsy'la:t

Salier 'za:li̯ɐ
Salieri it. sa'li̯ɛ:ri
Salies-de-Béarn fr. salidbe-
'arn
Salihli türk. 'sɑ:lihli
Salim za'li:m
Salima (Malawi) engl.
sɑ:'li:mɑ:
Salimbene it. salim'bɛ:ne
Salin za'li:n, schwed. sa'li:n
Salina engl. sə'lai̯nə, it.
sa'li:na, span. sa'lina
Salinar span. sali'nar
Salinas engl. sə'li:nəs, bras.,
span. sa'linas, port. sɐ'linɐʃ
Salinator zali'na:to:ɐ̯
¹Saline za'li:nə
²Saline (USA) engl. sə'li:n
Saling 'za:lɪŋ
Salinger 'za:lɪŋɐ, engl.
'sælɪndʒə
salinisch za'li:nɪʃ
Saliromanie zaliroma'ni:,
-n ...i:ən
Salis za'lɪs
Salisbury engl. 'sɔ:lzbərɪ
salisch 'za:lɪʃ
Salish engl. 'sei̯lɪʃ
Salivation zaliva'tsi̯o:n
Salizin zali'tsi:n
Salizyl... zali'tsy:l...
Salizylat zalitsy'la:t
Saljany russ. salj'jani
Saljut russ. sa'ljut
Salk zalk, engl. sɔ:k, sɔ:lk
Salkante 'za:lkantə
Salla 'zala, finn. 'salla
Salland 'zalant, niederl.
'salant
Salle, de la fr. dəla'sal
Salleiste 'za:llai̯stə
Saller 'zalɐ
Sallet 'zalɛt
Sallie engl. 'sælɪ
Sallust[ius] za'lʊst[i̯ʊs]
Sallwürk 'zalvʏrk
Sally 'zalɪ, engl. 'sælɪ
Salm 'zalm
Salman 'zalman, engl. 'sæl-
mæn
Salmanassar zalma'nasar
Salmantizenser zalmanti-
'tsɛnzɐ
Salmasius zal'ma:zi̯ʊs
Salmenhaara finn. 'salmɛn-
hɑ:rɑ
Salmerón span. salme'rɔn
Salmhofer 'zalmho:fɐ
Salmi 'zalmi, it. 'salmi
Salmiak zal'mi̯ak, auch: '––

Sạlminen *finn.* 'sɑlminɛn
Sạlmler 'zɑlmlɐ
Sạ̈lmling 'zɛlmlɪŋ
Salmon *engl.* 'sæ[l]mən, *fr.*
sal'mõ
Salmonẹlle zalmo'nɛlə
Salmonellọse zalmonɛ-
'lo:zə
Salmonịden zalmo'ni:dn̩
Sạlo *finn.* 'sɑlɔ
Salò *it.* sa'lɔ
Salome 'za:lome, *auch:*
za'lomə; *engl.* sə'loʊmɪ
Sạlomo 'za:lomo
Sạlomon 'za:lomɔn, *schwed.*
ˌsaː:lumɔn, *fr.* salɔ'mõ, *engl.*
'sæləmən
Salomọnen zalo'mo:nən
salomọnisch zalo'mo:nɪʃ
Sạlomons *niederl.* 'sa:lo-
mɔns
Salon za'lõ:, *auch:* za'lɔŋ,
za'lo:n
Salọna za'lo:na
Salonịki zalo'ni:ki
Salonịk[i]er zalo'ni:k[i]ɐ
Saloon zə'lu:n
Salop *engl.* 'sæləp
salọpp za'lɔp
Salopperiẹ zalɔpə'ri:, -n
...i:ən
Salọrno *it.* sa'lorno
Sạlpausselkä *finn.* 'sɑl-
paʊssɛlkæ
Sạlpe 'zalpə
Sạlpeter zal'pe:tɐ
salpẹt[e]rig zal'pe:t[ə]rɪç, -e
...ɪgə
Salpêtrière *fr.* salpɛtri'ɛ:r
Sạlpikon 'zalpikɔn
Salpingịtis zalpɪŋ'gi:tɪs,
...itịden ...gi'ti:dn̩
Salpingogrạmm zalpɪŋgo-
'gram
Sạlpinx 'zalpɪŋks, **Salpịn-
gen** zal'pɪŋən
Sạlsa 'zalza, *span.* 'salsa
Sạlse 'zalzə
Sạlsk *russ.* saljsk
Salt, SALT zalt, *engl.* sɔ:lt
¹Sạlta (Spiel) 'zalta
²Sạlta (Name) *span.* 'salta
Saltarẹllo zalta'rɛlo, ...ẹlli
...ɛli
Saltash *engl.* 'sɔ:ltæʃ
saltạto zal'ta:to
Saltạto zal'ta:to, ...ti ...ti
saltatọrisch zalta'to:rɪʃ
Saltburn and Mạrske by

the Sea *engl.* 'sɔ:ltbə:n ənd
ˈmɑ:sk baɪ ðə 'si:
Saltcoats *engl.* 'sɔ:ltkoʊts
Sạlten 'zaltn̩, *norw.* 'saltən
Sạltfjord *norw.* ˌsaltfju:r
Saltholm *dän.* 'sældhɔl'm
Saltịllo *span.* sal'tiʎo
Saltimbọcca zaltɪm'bɔka
Salt Lake Cịty *engl.* 'sɔ:lt
ˌleɪk 'sɪtɪ
¹Sạlto 'zalto, ...ti ...ti
²Sạlto (Name) *span.* 'salto,
port., bras. 'saltu
Sạlto mortạle 'zalto mɔr-
'ta:lə, ...ti ...li ...ti ...li
Salton Sea *engl.* 'sɔ:ltn 'si:
Sạltus 'zaltʊs, *engl.* 'sɔ:ltəs
Saltykọw *russ.* sɐlti'kɔf
salü! 'zaly, za'ly:
Salubritạ̈t zalubri'tɛ:t
Salụcci *it.* sa'luttʃi
Saluen za'lụe:n, ˌza:lụe:n
Salurẹtikum zalu're:tikʊm,
...ka ...ka
Sạlurn za'lʊrn
Sạlus 'za:lʊs
Salụt za'lu:t
Salutạti *it.* salu'ta:ti
Salutation zaluta'tsịo:n
salutiẹren zalu'ti:rən
Salutịsmus zalu'tɪsmʊs
Salutịst zalu'tɪst
Salụzzo *it.* sa'luttso
Salvador zalva'do:ɐ̯, *span.*
salβa'ðɔr, *fr.* salva'dɔ:r,
port. salvɐ'ðor, *bras.* salva-
'dor, *engl.* 'sælvədɔ:
Salvadoriạner zalvado-
ˈrịa:nɐ
salvadoriạnisch zalvado-
ˈrịa:nɪʃ
Salvarsạn® zalvar'za:n
Salvation zalva'tsịo:n
Salvation Ạrmy *engl.* sæl-
'veɪʃən 'ɑ:mɪ
Salvạtor zal'va:to:ɐ̯, -en
zalva'to:rən
Salvatọre *it.* salva'to:re
Salvatoriạner zalvato-
ˈrịa:nɐ
salvatọrisch zalva'to:rɪʃ
Salvatọrium zalva'to:rịʊm,
...ien ...ịən
sạlva venịa 'zalva 've:nịa
sạlve! 'zalve
Sạlve 'zalvə
Salvẹmini *it.* sal'vɛ:mini
Sạlvi *it.* 'salvi
Sạlvia 'zalvịa
Salviạnus zal'vịa:nʊs

Salviạti *it.* sal'vịa:ti
salviẹren zal'vi:rən
Sạlvisberg 'zalvɪsbɛrk
sạlvis omịssis 'zalvi:s oˈmɪ-
si:s
sạlvo errọre 'zalvo ɛ'ro:rə
sạlvo errọre cạlculi 'zalvo
ɛ'ro:rə 'kalkuli
sạlvo errọre et omissiọne
'zalvo ɛ'ro:rə ɛt omɪ'sịo:nə
sạlvo jụre 'zalvo 'ju:rə
sạlvo tịtulo 'zalvo 'ti:tulo
Salween *engl.* 'sælwi:n,
birm. θaŋlwiŋ 22
Sạlweide 'za:lvaịdə
Salygịn *russ.* za'lịgin
Sạlz zalts
Sạlza[ch] 'zaltsạ[x]
Sạlzbrunn 'zaltsbrʊn
Sạlzburg 'zaltsbʊrk
Salzdẹtfurth zalts'dɛtfʊrt
Salzẹdo *fr.* salze'do
sạlzen 'zaltsn̩
Sạ̈lzer 'zɛltsɐ
Salzgịtter zalts'gɪtɐ
Salzhạusen zalts'haʊzn̩
Salzhẹmmendorf zalts'hɛ-
məndɔrf
sạlzig 'zaltsɪç, -e ...ɪgə
Sạlzig 'zaltsɪç
Sạlzkammergut 'zaltska-
mɐ.gu:t
Salzkọtten zalts'kɔtn̩
Sạlzmann 'zaltsman
Salzmụ̈nde zalts'mʏndə
Salzschlịrf zalts'ʃlɪrf
Salzụflen zalts'ʊflən
Sạlzungen 'zaltsʊŋən
Sạlzwedel 'zaltsᴠe:dl̩
Sạm za:m, *engl.* sæm
Samạden za'ma:dn̩
Samael 'za:mae:l, *auch:*
...aɛl
Samain *fr.* sa'mɛ̃
Samandạği *türk.* sa'man-
dɑ:ˌi
Samanịde zama'ni:də
Samaniẹgo *span.* sama-
ˈnịeɣo
Sạ̈mann 'zɛ:man
Samạr *span.* sa'mar
Samạra *russ.* sa'marɐ
Samarạkis *neugr.* sama'ra-
kis
Samarạnch *span.* sama-
ˈraŋk, *kat.* səmə'raŋ
Samạras *engl.* sə'mærəs
Samaria za'ma:rịa, zama-
ˈri:a
Samạrin *russ.* sa'marin

Samarinda *indon.* sama-'rɪnda
Samaritaner zamari'ta:nɐ
samaritanisch zamari'ta:-nɪʃ
Samariter zama'ri:tɐ
Samarium za'ma:rjʊm
Samarkand zamar'kant, *russ.* sɐmar'kant
Samarra (Irak) zama'ra:
Samarski *russ.* sa'marskij
Samarskit zamars'ki:t
Samawa za'ma:va
Sambalpur *engl.* 'sæmbəl-pʊə
Samba[l] 'zamba[l]
Sambaqui *bras.* sɐmba'ki
Sambar 'zambar
Samberger 'zambɛrgɐ
Sambesi zam'be:zi
Sambia 'zambja
Sambier 'zambjɐ
Sambin *fr.* sã'bɛ̃
sambisch 'zambɪʃ
Sambre *fr.* sã:br
Sambuca zam'bu:ka
Samch'ŏk *korean.* samtʃhɔk
Same 'za:mə
Samedan *rät.* sɐ'me:dən
Samen 'za:mən
Sämerei zɛ:mə'rai
Samhitas 'zamhitas
Samiel 'za:mje:l, *auch:* ...jɛl
...samig ....za:mɪç, -e ...ɪgə
sämig 'zɛ:mɪç, -e ...ɪgə
samisch 'za:mɪʃ
sämisch 'zɛ:mɪʃ
Samisdat zamɪs'dat
Samisen 'za:mizɛn
Samjatin *russ.* za'mjatin
Samkhja 'zamkja
Samland 'za:mlant
Samländer 'za:mlɛndər
samländisch 'za:mlɛndɪʃ
Sämling 'zɛ:mlɪŋ
Sammarco *it.* sam'marko
Sammartini *it.* sammar'ti:ni
sammeln 'zamln̩
Sammelsurium zaml̩'zu:-rjʊm, ...ien ...jən
Sammet 'zamət
Sammy 'zami, *engl.* 'sæmɪ
Samnaun zam'naun
Samnite zam'ni:tə
Samniter zam'ni:tɐ
Samnium 'zamnjʊm
Samnorsk 'zamnɔrsk
Samo 'za:mo

Samoa za'mo:a, *engl.* sə'moʊə
Samoaner zamo'a:nɐ
samoanisch zamo'a:nɪʃ
Samogitien zamo'gi:tsjən
Samoilowitsch *russ.* sɐ-maj'lɔvitʃ
Samojede zamo'je:də
Samokow *bulgar.* 'samokof
Samos 'za:mɔs, *neugr.* 'samɔs
Samosch 'za:mɔʃ
Samossud *russ.* sɐma'sut
Samothrake zamo'tra:kə
Samothraki *neugr.* samɔ-'θraki
Samowar 'zamova:ɐ̯, zamo-'va:ɐ̯
Sampaio *port.* sɐm'paju
Sampan 'zampan
Samper *span.* sam'pɛr
Sampi 'zampi
Sample 'zampl̩
Sampler 'zamplɐ
Sampson *engl.* 'sæmpsən
Samsara zam'za:ra
Samsø *dän.* 'samsʏ:'
Samson 'zamzɔn, *engl.* sæmsn̩, *fr.* sã'sõ
Samstag 'zamsta:k
Samsun *türk.* 'samsun
samt, Samt zamt
samten 'zamtn̩
samtig 'zamtɪç, -e ...ɪgə
sämtlich 'zɛmtlɪç
Samuel 'za:mʊe:l, *auch:* ...mʊɛl, *fr.* sa'mɥɛl, *engl.* 'sæmjʊəl, *schwed.* sa:mʊɛl, *span.* sa'mɥɛl, *port.*, *bras.* sɐ'mɥɛl
Samuels *engl.* 'sæmjʊəlz
Samuelson *engl.* 'sæmjʊ-əlsn
Samuil *bulgar., russ.* sɐmu'il
Samuilowitsch *russ.* sɐmu-'ilɐvitʃ
Samum 'za:mʊm, *auch:* za'mu:m
Sämund 'zɛ:mʊnt
Samurai zamu'rai
Samut Prakan *Thai* samud-pra:'ka:n 1211
Samut Sakhon *Thai* sa-mudsa:'khɔ:n 1251
San *poln.* san, *fr.* san
Sana (Jemen) 'za:na, za'na:
sanabel za'na:bl̩, ...ble ...blə
Sanaga *fr.* sana'ga
Sanandadsch *pers.* sænæn-'dædʒ

San Agustín *span.* sanaɣus-'tin
Sanai *pers.* sæna''i:
Sanain *russ.* sɐna'in
San Andreas Fault *engl.* 'sænæn'dreɪəs 'fɔ:lt
San Andrés *span.* sanan-'dres
San Angelo *engl.* sæn'æn-dʒəloʊ
San Antonio *engl.* sænən-'toʊnɪoʊ, *span.* sanan'tonjo
Sanatogen® zanato'ge:n
Sanatorium zana'to:rjʊm, ...ien ...jən
San Benedetto *it.* sambe-ne'detto
San Benito *engl.* sænbə'ni:-toʊ
San Bernardino *it.* samber-nar'di:no, *engl.* 'sænbə:nə-'di:noʊ
San Bernardo *span.* sam-bɛr'narðo
Sanborn *engl.* 'sænbən
San Bruno *engl.* sæn'bru:-noʊ
San Buenaventura *engl.* sænbweɪnəven'tʊərə
Sancak *türk.* san'dʒak
San Carlo *it.* saŋ'karlo
San Carlos *span.* saŋ'kar-los, *engl.* sæn'ka:ləs
Sanches *port.* 'sẽʃɪʃ
Sánchez *span.* 'santʃeθ
Sanchi *engl.* 'sa:ntʃɪ
Sancho *span.* 'santʃo, *port., bras.* 'sẽ̃ʃu
Sancho Pansa 'zantʃo 'panza
Sancho Panza 'zantʃo 'panza, *span.* 'santʃo 'panθa
San Cristóbal *span.* saŋ-kris'toβal
Sancroft *engl.* 'sænkrɔft
Sancta 'zaŋkta, ...tae ...tɛ
Sancta Sedes 'zaŋkta 'ze:dɛs
sancta simplicitas! 'zaŋkta zɪm'pli:tsitas
Sancti *vgl.* Sanctus
Sanctis *it.* 'saŋktis
Sancti Spíritus *span.* 'saŋkti 'spiritus
Sanctissimum zaŋk'tɪsi-mʊm
Sanctitas 'zaŋktitas
Sanctum Officium 'zaŋk-tʊm ɔ'fi:tsjʊm

Sanctus 'zaŋktʊs, ...ti ...ti
¹Sand zant, -e 'zandə
²Sand (Name) zant, fr. sã:d
Sandakan indon. san'dakan
Sandal 'zandal
Sandale zan'da:lə
Sandalette zanda'lɛtə
Sandanski bulgar. san-
'danski
Sandarak 'zandarak
Sandawe zan'da:və
Sanday engl. 'sændeɪ
Sandbach engl. 'sændbætʃ
Sandberg 'zantbɛrk, nie-
derl. 'sandbɛrx
Sandberger 'zantbɛrgɐ
Sandburg engl. 'sændbɔ:g
Sandby engl. 'sændbɪ
Sande 'zandə
Sandeau fr. sã'do
Sandebeck 'zandəbɛk
Sandefjord norw. ˌsanəfju:r
Sandel norw. 'sandəl
Sandelholz 'zandl̩hɔlts
sandeln 'zandl̩n, sandle
'zandlə
sändeln 'zɛndl̩n, sändle
'zɛndle
Sandemose norw. ˌsandə-
mu:sə
sanden 'zandn̩, sand! zant
Sander 'zandɐ, engl. 'sɑ:ndə
Sanderling 'zandɐlɪŋ
Sanders 'zandɐs, engl.
'sɑ:ndəz
Sanderson engl. 'sɑ:ndəsn
Sandez 'zandɛts
Sandgren schwed. ˌsand-
gre:n
Sandhi 'zandi
Sandhurst engl. 'sændhɔ:st
Sandia engl. sæn'di:ə
Sandie engl. 'sændɪ
San Diego span. san'dieyo,
engl. sændi:'eɪgoʊ
sandig 'zandɪç, -e ...ɪgə
San Dimas engl. sæn'di:məs
Sandinist zandi'nɪst
Sandino span. san'dino
Sandler schwed. 'sandlər
Sandloff 'zandlɔf
Sandnes norw. ˌsanəs
Sandomierz poln. san-
'dɔmjɛʃ
Sándor ung. 'ʃa:ndor
Sandown engl. 'sændaʊn
Sandoy fär. 'sandɔ:i̯
Sandoz fr. sã'do
Sandr 'zandɐ
Sandra 'zandra

Sandrart 'zandrart
Sandreuter 'zantrɔi̯tɐ
Sandrina zan'dri:na
Sandringham engl. 'sæn-
drɪŋəm
Sandro 'zandro
Sandrock 'zandrɔk
Sands engl. sændz
Sandschak zan'dʒak, '––
Sandschan pers. zæn'dʒa:n
Sand Springs engl. 'sænd
'sprɪŋz
sandte 'zantə
Sandusky engl. sən'dʌskɪ
Sandviken schwed. ˌsandvi:-
kən
¹Sandwich (Brötchen)
'zɛntvɪtʃ
²Sandwich (Name) engl.
'sænwɪtʃ
Sandwichman, ...men
zɛntvɪtʃmɛn
Sandy engl. 'sændɪ
Sandys engl. sændz
San Felipe span. sanfe'lipe
San Fernando span. sanfɛr-
'nando, engl. sænfə'næn-
doʊ
Sanford engl. 'sænfəd
sanforisieren zanfori'zi:rən
San Francisco zanfran-
'tsɪsko, engl. sænfrən'sɪs-
koʊ, span. sanfran'θisko
San Franzisko zanfran-
'tsɪsko
sanft zanft
Sänfte 'zɛnftə
sänftigen 'zɛnftɪgn̩, sänf-
tig! 'zɛnftɪç, sänftigt 'zɛnf-
tɪçt
sänftiglich 'zɛnftɪklɪç
Sanfuentes span. san'fu̯en-
tes
sang zaŋ
Sang zaŋ, Sänge 'zɛŋə
Sanga 'zaŋga, fr. sã'ga
San Gabriel engl. sæn'geɪ-
brɪəl
Sangallo it. saŋ'gallo
Sangaree engl. sæŋgə'ri:
sänge 'zɛŋə
Sänge vgl. Sang
Sanger engl. 'sæŋ[g]ə
Sänger 'zɛŋɐ
Sangerhausen zaŋɐ'haʊzn̩
San Germán span. saŋxɛr-
'man
San Germano it. sandʒɛr-
'ma:no
Sangesar pers. sæŋge'sær

Sangihe indon. sa'ŋihe
San Gimignano it. sandʒi-
miŋ'ɲa:no
San Giuliano it. sandʒu-
'lia:no
Sangli engl. 'sɑ:ŋlɪ
Sango 'zaŋgo
Sangre de Cristo Moun-
tains engl. 'sæŋgrɪ dɪ 'krɪs-
toʊ 'maʊntɪnz
Sangria zaŋ'gri:a, auch:
'zaŋgria
Sangrita zaŋ'gri:ta
Sangro it. 'saŋgro
Sanguineti it. saŋgui'ne:ti
Sanguinetti span. saŋgi'nɛti
Sanguiniker zaŋgu'i:nikɐ
sanguinisch zaŋgu'i:nɪʃ
sanguinolent zaŋguino'lɛnt
Sanhedrin zanhe'dri:n
Sanherib 'zanherɪp
Sani (Sanitäter) 'zani
Sanidin zani'di:n
sanieren za'ni:rən
San Isidro span. sani'siðro
sanitär, S... zani'tɛ:ɐ̯
sanitarisch zani'ta:rɪʃ
Sanität[er] zani'tɛ:t[ɐ]
sanitized 'zɛnitaɪst
San Jose engl. sæn[h]oʊ'zeɪ
San José span. saŋxo'se
San Juan span. saŋ'xu̯an,
engl. sæn'wɔn
Sanjust it. sa'ni̯ust
sank zaŋk
Sanka 'zaŋka
sänke 'zɛŋkə
Sankey engl. 'sæŋkɪ
Sankhja 'zaŋkja
Sankra 'zaŋkra
Sankt Andrä zaŋkt an'drɛ:
Sankt Andreas[berg] zaŋkt
an'drɛ:as[bɛrk]
Sankt Anton zaŋkt 'anto:n
Sankt Avold zaŋkt a'vɔlt
Sankt Bartholomä (Bay-
ern) zaŋkt bartolo'mɛ:
Sankt Bernhard zaŋkt
'bɛrnhart
Sankt Bernhardin zaŋkt
bɛrnhar'di:n
Sankt Blasien zaŋkt 'bla:-
zi̯ən
Sankt Egidien zaŋkt e'gi:-
di̯ən
Sankt-Elms-Feuer zaŋkt-
'lɛlmsfɔi̯ɐ
Sankt Florian zaŋkt 'flo:-
ria:n
Sankt Gallen zaŋkt 'galən

Sankt-Gall[en]er zaŋkt
'gal[ən]ɐ
sankt-gallisch zaŋkt'galɪʃ
Sankt Georgen zaŋkt
ge'ɔrgn
Sankt Goar zaŋkt go'aːɐ
Sankt Goarshausen zaŋkt
goaːɐs'hauzn
Sankt Gotthard zaŋkt 'gɔt-
hart
Sankt Helena zaŋkt
'heːlena
Sankti vgl. Sanktus
Sankt Immer zaŋkt 'ɪmɐ
Sankt Ingbert zaŋkt 'ɪŋbɛrt
Sanktion zaŋk'tsjoːn
sanktionieren zaŋktsjo'niː-
rən
Sanktissimum zaŋk'tɪsi-
mʊm
Sankt Johann zaŋkt jo'han
Sankt Kanzian zaŋkt 'kan-
tsjaːn
Sankt Lambrecht zaŋkt
'lambrɛçt
Sankt Leon[hard] zaŋkt
'leːɔn[hart]
Sankt-Lorenz-Strom
zaŋkt'loːrɛntsʃtroːm
Sankt Mang zaŋkt 'maŋ
Sankt Märgen zaŋkt
'mɛrgn
Sankt Margrethen zaŋkt
mar'greːtn
Sankt-Michaelis-Tag
zaŋktmiça'eːlɪstaːk
Sankt Moritz zaŋkt mo'rɪts,
auch: zaŋkt 'moːrɪts
Sankt-Nimmerleins-Tag
zaŋkt'nɪmɐlainstaːk
Sankt Paul[i] zaŋkt 'paul[i]
Sankt Peter zaŋkt 'peːtɐ
Sankt Peterburg russ.
sankt pɪtɪr'burk
Sankt Petersburg zaŋkt
'peːtɐsburk
Sankt Pölten zaŋkt 'pœltn
Sankt Radegund zaŋkt
'raːdəgʊnt
Sanktuarium zaŋk'tua:-
rjʊm, ...ien ...jən
Sanktus 'zaŋktʊs, ...ti ...ti
Sankt Veit zaŋkt 'fait
Sankt Wendel zaŋkt 'vɛndl̩
Sankt Wolfgang zaŋkt
'vɔlfgaŋ
San Leandro engl. sænlɪ-
'ændroʊ
San Lorenzo it. sanlo-

'rɛntso, span. ...renθo,
engl. sænlə'rɛnzoʊ
Sanlúcar span. san'lukar
San Luis span. san'luis
Sanluri it. san'luːri
San Manuel engl. sænmæn-
'wɛl
San Marcos engl. sæn'maː-
kəs, span. san'markos
San-Marinese zanmari-
'neːzə
san-marinesisch zanmari-
'neːzɪʃ
San Marino zanma'riːno, it.
samma'riːno, engl. sænmə-
'riːnoʊ
San Martín span. sanmar-
'tin
San Mateo engl. sænmə-
'teɪoʊ
San Michele it. sammi'keːle
Sanmicheli it. sammi'kɛːli
San Miguel span. sanmi'ɣɛl
San Miniato it. sammi-
'njaːto
sann zan
Sann[a] 'zan[a]
Sannar za'naːɐ
Sannazaro it. san-
nad'dzaːro
Sannchen 'zançən
sänne 'zɛnə
San Nicolaas niederl. sɑn-
'nɪkolaːs
San Nicolás span. sanniko-
'las
Sanno it. 'sanno, schwed.
'sanu
Sanntaler 'zantaːlɐ
Sano it. 'saːno
Sanok poln. 'sanɔk
San Pablo engl. sæn'pæ-
bloʊ, span. sam'paβlo
San Pedro engl. sæn'piː-
droʊ, span. sam'peðro
San Pietro it. sam'pjeːtro
San Rafael span. sanrra-
fa'ɛl, engl. sænrə'fɛl
Sanraku jap. 'san.raku
San Ramon engl. sænrə-
'mɔn
San Remo, Sanremo it.
san'rɛːmo
San Salvador zanzalva-
'doːɐ, span. sansalβa'ðɔr,
engl. sæn'sælvədɔː
Sansara zan'zaːra
sans cérémonie zã: sere-
mo'niː

Sansculotte zãsky'lɔt[ə], -n
...tn̩
San Sebastián span. san-
seβas'tjan
San Severo it. sanse'vɛːro
Sansevieria zanze'vjeːrja
Sansevierie zanze'vjeːrjə
sans façon zã: fa'sõ:
sans gêne zã: 'ʒɛːn
Sansibar 'zanziba:ɐ, auch:
__'__
Sansibarer 'zanziba:rɐ,
auch: --'--
sansibarisch 'zanziba:rɪʃ,
auch: --'--
Sanskrit 'zanskrɪt
sanskritisch zans'kriːtɪʃ
Sanskritist[ik] zanskri-
'tɪst[ɪk]
Sansom engl. 'sænsəm
Sanson fr. sã'sõ
Sansovino it. sanso'viːno
Sanspareil fr. sãpa'rɛj
sans phrase zã: 'fraːz
Sanssouci 'zã:susi, zãsu'siː,
fr. sãsu'si
San Stefano zan'steːfano
Sánta ung. 'ʃaːntɔ
Santa Ana span. 'santa
'ana, engl. 'sæntə 'ænə,
bras. sɐn'tɐna
Santa Anna span. 'santa
'ana
Santa Barbara engl. 'sæntə
'baːbərə
Santa Catalina engl. 'sæntə
kæt'liːnə
Santa Catarina port. 'sɐntɐ
kɐtɐ'rinɐ, bras. 'sɐntɐ kata-
'rina
Santa Clara engl. 'sæntə
'klɛərə, span. 'santa 'klara,
port. 'sɐntɐ 'klarɐ, bras.
'sɐnta 'klara
Santa Claus engl. 'sæntə-
klɔːz
Santa Coloma span. 'santa
ko'loma
Santa Conversazione
'zanta kɔnvɛrza'tsjoːnə
Santa Cruz engl. 'sæntə
'kruːz, span. 'santa 'kruθ,
port. 'sɐntɐ 'kruʃ, bras.
'sɐnta 'krus
Santa Fe engl. 'sæntə 'feɪ,
span. 'santa 'fe
Santa Isabel span. 'santa
isa'βɛl, bras. 'sɐntɐ iza'bɛl,
engl. 'sæntə 'ɪzəbɛl

Santa Lucia *it.* 'santa lu'tʃi:a

Santa Lucía *span.* 'santa lu'θia

Santa Margarita *span.* 'santa marɣa'rita

Santa Maria *it.* 'santa ma'ri:a, *port.* 'sɐntɐ mɐ'ria, *bras.* 'sɐnta ma'ria, *engl.* 'sæntə mə'ri:ə

Santa María *span.* 'santa ma'ria

Santa Marta *span.* 'santa 'marta

Santa Monica *engl.* 'sæntə 'mɔnɪkə

Santana zan'ta:na, *span.* san'tana, *bras.* sɐn'tɐna

Santander *span.* santan'dɛr

Sant'Antioco *it.* santan-'ti:oko

Santa Paula *engl.* 'sæntə 'pɔ:lə

Santarém *port.* sɐntɐ'rɐ̃ɪ, *bras.* sɐnta'rẽɪ

Santa Rita *span.* 'santa 'rrita, *bras.* 'sɐnta 'rrita

Santa Rosa *engl.* 'sæntə 'rouzə, *span.* 'santa 'rrɔsa, *bras.* 'sɐnta 'rrɔza

Santa Rosalía *span.* 'santa rrɔsa'lia

Santa Tecla *span.* 'santa 'tekla

Santayana *span.* santa-'jana, *engl.* sæntɪ'ænə

Santee *engl.* sæn'ti:

Sant'Elia *it.* sante'li:a

Santenay *fr.* sãt'nɛ

Santer 'zantɐ, *fr.* sã'tɛ:r

Santi *it.* 'santi

Santiago zan'tia:go, *span.* san'tiaɣo, *engl.* sæntɪ'ɑ:gou

Šantić *serbokr.* ʃa:ntitɕ

Santifaller 'zantifalɐ

Santiklaus 'zantiklaus, ...kläuse ...klɔyzə

Santillana *span.* santi'ʎana

Santini *it.* san'ti:ni

Santi Pietro e Paolo *it.* 'santi 'piɛ:tro ep'pa:olo

Säntis 'zɛntɪs

Santo André *port., bras.* 'sɐntu ɐn'drɛ

Santo Ângelo *bras.* 'sɐntu 'ɐ̃ʒelu

Santo António *port.* 'sɐntu ɐn'tɔnɪu

Santo Domingo 'zanto

do'mɪŋgo, *span.* 'santo ðo'miŋgo

Santomaso *it.* santo'ma:zo

Santonin zanto'ni:n

Santorin zanto'ri:n

Santorio *it.* san'tɔ:rɪo

Santo Tomás *span.* 'santo to'mas

Santo Tomé *span.* 'santo to'me

Santos 'zantɔs, *span.* 'san-tos, *port.* 'sɐntuʃ, *bras.* 'sɐntus

Santo Spirito *it.* 'santo 'spi:rito

Santo Stefano *it.* 'santo 'ste:fano

Santucci *it.* san'tuttʃi

Santuzza *it.* san'tuttsa

Santvoort *niederl.* 'sɑntfo:rt

San Vicente *span.* sambi-'θente

Sanyasi zan'ja:zi

Sanz *span.* sanθ

Sanzara zan'za:ra

Sanzio *it.* 'santsio

Sanzogno *it.* san'dzɔɲɲo

São Bernardo *bras.* sɐ̃ʊm-ber'nardu

Saõ Caetano do Sul *bras.* sɐ̃ʊŋkai'tɐnu du 'sul

São Carlos *bras.* sɐ̃ʊŋ'kar-lus

São Francisco *bras.* sɐ̃ʊfrɐ̃-'sisku

São Gonçalo *bras.* sɐ̃ʊŋgõ-'salu

São Joăo *port., bras.* sɐ̃ʊ-'ʒʊɐ̃ʊ

São Jorge *port.* sɐ̃ʊ'ʒɔrʒɪ

São José *bras.* sɐ̃ʊʒo'zɛ

São Leopoldo *bras.* sɐ̃ʊljo-'poldu

São Luís *bras.* sɐ̃ʊ'luis

São Miguel *port.* sɐ̃ʊmi'ɣɛl

Saône *fr.* so:n

São Paulo *bras.* 'za:o 'paulo, *bras.* sɐ̃ʊm'paulu

São Salvador *bras.* sɐ̃ʊsal-va'dor

São Sebastião *bras.* sɐ̃ʊse-bas'tĩɐ̃ʊ

São Tomé *bras.* 'za:o to'me:, *port.* sɐ̃ʊntu'me, *bras.* sɐ̃ʊnto'me

Saoura *fr.* sau'ra

São Vicente *port.* sɐ̃ʊvi-'sentə, *bras.* sɐ̃ʊvi'senti

Sapadnaja Dwina *russ.* 'zapɐdnɐjɐ dvi'na

Sapanca *türk.* sa'pandʒɑ

Sapele *engl.* sɑ:'peɪleɪ

sapere aude 'za:pərə 'aʊdə

Saphir 'za:fɪr, ...fi:ɐ̯, *auch:* za'fi:ɐ̯

saphiren za'fi:rən

sapienti sat! za'piɛnti 'zat

Sapin[e] za'pi:n[ə]

Sapir *engl.* sə'pɪə

Saponaria zapo'na:rɪa

Saponifikation zaponifika-'tsjo:n

Saponin zapo'ni:n

Saporoger zapo'ro:gɐ

Saporoschje *russ.* zɐpa-'rɔʒjɛ

Sapotill... zapo'tɪl...

Sapotoxin zapotɔ'ksi:n

Sappanholz 'zapanhɔlts

Sappe 'zapə

Sappel 'zapl̩

Sapper 'zapɐ

sapperlot! zapɐ'lo:t

sapperment! zapɐ'mɛnt

Sappeur za'pø:ɐ̯

sapphisch 'zapfɪʃ, *auch:* 'zafɪʃ

Sapphismus za'pfɪsmʊs, *auch:* za'fɪ...

Sappho 'zapfo, *auch:* 'zafo

Sapporo za'po:ro, *jap.* sa'pporo

sappradi! zapra'di:

Saprämie zaprɛ'mi:

sapristi! za'prɪsti

Saprobie za'pro:bjə

Saprobiont zapro'bjɔnt

saprobisch za'pro:bɪʃ

saprogen zapro'ge:n

Saprokoll zapro'kɔl

Saprolegnia zapro'lɛgnia, ...ien ...iən

Sapropel zapro'pe:l

Sapropelit zaprope'li:t

Saprophage zapro'fa:gə

saprophil zapro'fi:l

Saprophyt zapro'fy:t

Saprozoon zapro'tso:ɔn, ...oen ...o:ən

Sapulpa *engl.* sə'pʌlpə

Sara 'za:ra

Saraband zara'bant

Sarabanda zara'banda

Sarabande zara'bandə

Saraburi *Thai* sarabu'ri: 1211

Saraceni *it.* sara'tʃɛ:ni

Sarafan zara'fa:n

Saragat *it.* 'sa:ragat

Saragossa zara'gɔsa

Sarah 'za:ra, *engl.* 'sɛərə, *fr.*
sa'ra
Sarajevo zara'je:vo, *ser-
bokr.* ˌsarajɛvɔ
Sarajewo zara'je:vo
Sarakatschane zaraka-
'tʃa:nə
Saramago *span.* sara'mayo
Saran 'za:ran, *russ.* sa'ranj
Sarandë *alban.* sa'randə
Saransk *russ.* sa'ransk
Sarapis za'ra:pɪs
Sarapul *russ.* sa'rapul
Sarasate *span.* sara'sate
Sarasin 'za:razi:n, *fr.*
sara'zɛ̃
Sarasota *engl.* særə'soutə
Sarastro za'rastro
Saratoga *engl.* særə'touɡə
Saratow *russ.* sa'ratɐf
Sarawak *indon.* sa'rawak
Sarazene zara'tse:nə
sarazenisch zara'tse:nɪʃ
Sarazin *fr.* sara'zɛ̃
Sarbiewski *poln.* sar'bjɛfski
Sarcelles *fr.* sar'sɛl
Sardanapal zardana'pa:l
Sarde 'zardə
Sardegna *it.* sar'deɲɲa
Sardelle zar'dɛlə
Sardes 'zardɛs
Sardine zar'di:nə
Sardinien zar'di:niən
Sardinier zar'di:niɐ
sardinisch zar'di:nɪʃ
sardisch 'zardɪʃ
sardonisch zar'do:nɪʃ
Sardonyx zar'do:nʏks
Sardou *fr.* sar'du
Sarduy *span.* sar'ðu̯i
Sarentino *it.* saren'ti:no
Sarepta... za'rɛpta...
Sarfatti *it.* sar'fatti
¹Sarg zark, **Särge** 'zɛrɡə
²Sarg (Name) *engl.* sa:g
Sargans zar'gans
Sargasso zar'gaso
Sargeant, ...gent *engl.*
'sa:dʒənt
Sargeson *engl.* 'sa:dʒɪsn
Särglein 'zɛrklai̯n
Sargodha *engl.* sɛə'ɡoudə
Sargon 'zargɔn
Sarh *fr.* sa:r
¹Sari 'za:ri
²Sari (Name) *pers.* sa'ri:
Sarin za'ri:n
Sariwŏn *korean.* sariwɔn
Sarja *russ.* za'rja
Sarjan *russ.* sarj'jan

Sark *engl.* sa:k
Sarka (Jordanien) zar'ka:
Šárka *tschech.* 'ʃa:rka
Sarkasmus zar'kasmʊs
sarkastisch zar'kastɪʃ
Sarkiker 'zarkikɐ
Sarkode zar'ko:də
sarkoid zarko'i:t, **-e** ...i:də
Sarkolemm zarko'lɛm
Sarkom zar'ko:m
Sarkoma zar'ko:ma, **-ta** -ta
sarkomatös zarkoma'tø:s,
-e ...ø:zə
Sarkomatose zarkoma-
'to:zə
Sarkophag zarko'fa:k, **-e**
...'fa:ɡə
Sárköz *ung.* 'ʃa:rkøz
Sarmat[e] zar'ma:t[ə]
Sarmatien zar'ma:tsiən
Sarment *fr.* sar'mã
Sarmiento *span.* sar'miento
Sarmizegethusa zarmitse-
ge'tu:za
Sarnath *engl.* 'sa:na:t
Sarnelli *it.* sar'nɛlli
Sarnen 'zarnən
Sarnia *engl.* 'sa:niə
Sarno *it.* 'sarno
Sarnoff *engl.* 'sa:nɔf
Sarntal 'zarnta:l
Sarong 'za:rɔŋ
saronisch za'ro:nɪʃ
Saronno *it.* sa'rɔnno
Saros 'za:rɔs
Sárospatak *ung.* 'ʃa:roʃpɔ-
tɔk
Saroyan *engl.* sə'rɔiən
Sarpedon zar'pe:dɔn
Sarpi *it.* 'sarpi
Sar planjna *serbokr.* 'ʃar
pla.nina
Sarpsborg *norw.* 'sarps-
bɔr[ɡ]
Sarrasani zara'za:ni
Sarrass 'zaras
Sarraut *fr.* sa'ro
Sarraute *fr.* sa'ro:t
Sarrazin *fr.* sara'zɛ̃
Sarre 'zarə, *fr.* sa:r
Sarrebourg *fr.* sar'bu:r
Sarreguemines *fr.* sarɡə-
'min
Sarria *span.* 'sarria
Sarruf *fr.* za'ru:f
Sarrus *fr.* sa'rys
Sarrusophon zaruzo'fo:n
Sarsaparille zarzapa'rɪlə
Sarsenett zarzə'nɛt
Sarstedt 'za:ɐʃtɛt

Sartène *fr.* sar'tɛn
Sarthe *fr.* sart
Sarti *it.* 'sarti
Sartine *fr.* sar'tin
Sarto *it.* 'sarto
Sartori[s] *it.* sar'tɔ:ri[s]
Sartorius zar'to:rius
Sartre *fr.* sartr
Sartrouville *fr.* sartru'vil
Sarudin *russ.* za'rudin
Sarugh, ...uk 'za:rʊk
Sárvár *ung.* 'ʃa:rva:r
Sarvig *dän.* 'sa:ɐ̯vi:'
Sarzine zar'tsi:nə
SAS zas
sasa! 'sasa
Sascha 'zaʃa, *russ.* 'saʃɐ
Saschen 'zaʃn, *auch:*
za'ʃe:n
Sasebo *jap.* sa'sebo
Saseno *it.* 'sa:zeno
säsieren zɛ'zi:rən
Saskatchewan *engl.* səs-
'kætʃiwən
Saskatoon *engl.* sæskə'tu:n
Saskia 'zaskia, *niederl.* 'sas-
kia
Sasonow *russ.* sa'zɔnɐf
Sa-Springen ɛs'la:ʃprɪŋən
Sass zas, *ung.* ʃɔʃ
saß za:s
Sass zas
Sassafras 'zasafras
Sassafras Mountain *engl.*
'sæsəfræs 'maʊntɪn
Sassandra *fr.* sasã'dra
Sassari *it.* 'sassari
sassanidisch zasa'ni:dɪʃ
Sasse 'zasə
säße 'zɛ:sə
Sassenbach 'zasnbax
Sassenberg 'zasnbɛrk
Sassendorf 'zasndɔrf
Sassenheim *niederl.* 'sasn-
hɛi̯m
Sassetta *it.* sas'setta
Saßnitz 'zasnɪts
Sasso 'zaso, *it.* 'sasso
Sassoferrato *it.* sassofer-
'ra:to
Sassolin zaso'li:n
Sassoon *engl.* sə'su:n
Sassulitsch *russ.* za'sulitʃ
Sassuolo *it.* sas'su̯ɔ:lo
Sastre *span.* 'sastre
Satakunta *finn.* 'satakunta
Sat 1 zat'lai̯ns
Satan 'za:tan

Satanas 'za:tanas, ...**se**
...asə
Satang 'za:taŋ
Satanie zata'ni:, -**n** ...i:ən
satanisch za'ta:nɪʃ
Satanismus zata'nɪsmʊs
Satellit zatɛ'li:t
Satemsprachen 'za:tɛm-
ʃpra:xn̩
Saterland 'za:tɐlant
Satertag 'za:tɐta:k
Sathmar 'zatmar
Satie *fr.* sa'ti
Satin za'tɛ̃:, *auch:* za'tɛŋ
Satinage zati'na:ʒə
Satinella zati'nɛla
satinieren zati'ni:rən
Satire za'ti:rə
Satiriker za'ti:rikɐ
satirisch za'ti:rɪʃ
satirisieren zatiri'zi:rən
Satis 'za:tɪs
Satisfaktion zatɪsfak'tsi̯o:n
Satka *russ.* 'satkɐ
Sato *jap.* 'sa.to:
Sátoraljaújhely *ung.* 'ʃa:-
torɔjjou:jhɛj
Sator-Arepo-... 'za:to:ɐ̯-
la're:po...
Šatov *tschech.* 'ʃatɔf
Satrap za'tra:p
Satrapie zatra'pi:, -**n** ...i:ən
Šatrijos Ragana *lit.* ʃatrɪ-
,jo:s ,ra:gana
Satsang 'zatsaŋ
¹Satsuma (Ort) *jap.*
'sa.tsuma, sa'tsuma
²Satsuma (Frucht)
za'tsu:ma
satt zat
Sattahip *Thai* sadta'hi:b
222
Satte 'zatə
Sattel 'zatl̩, **Sättel** 'zɛtl̩
satteln 'zatl̩n
sattgrün 'zatgry:n
sättigen 'zɛtɪgn̩, **sättig!**
...ɪç, **sättigt** ...ɪçt
Sattler 'zatlɐ
Sattlerei zatlə'rai̯
sattsam 'zatza:m
Satu Mare *rumän.* 'satu
'mare
Saturation zatura'tsi̯o:n
Saturei zatu'rai̯, *auch:* 'za:...
Satureja zatu're:ja
saturieren zatu'ri:rən
Saturn za'tʊrn
Saturnalien zatʊr'na:li̯ən
Saturnier za'tʊrni̯ɐ

saturnin zatʊr'ni:n
Saturninus zatʊr'ni:nʊs
Saturnismus zatʊr'nɪsmʊs
Saturnus za'tʊrnʊs
Satyr 'za:tyr
Satyriasis zaty'ri:azɪs
Satyros 'za:tyrɔs
Satz zats, **Sätze** 'zɛtsə
Sätzchen 'zɛtsçən
Satzung 'zatsʊŋ
Sau zau̯, **Säue** 'zɔy̯ə
Saualpe 'zau̯lalpə
sauber 'zau̯bɐ, **saubre**
'zau̯brə
säuberlich 'zɔy̯bɐlɪç
säubern 'zɔy̯bɐn, **säubre**
'zɔy̯brə
saublöd 'zau̯blø:t
Sauce 'zo:sə
Sauce béarnaise 'zo:s
bear'nɛ:s
Sauce hollandaise 'zo:s
ɔlã'dɛ:s
Säuchen 'zɔy̯çən
Saucier zo'si̯e:
Sauciere zo'si̯e:rə
saucieren zo'si:rən
Saucischen zo'si:sçən
Sauckel 'zau̯kl̩
Saud zau̯t, *auch:* za'u:t
Sauda *norw.* 'sœÿda
Sauðárkrókur *isl.* 'sœÿðau̯r-
krou̯kur
Saudi 'zau̯di, *auch:* za'u:di
saudumm 'zau̯'dʊm
Säue vgl. Sau
sauen 'zau̯ən
sauer, S... 'zau̯ɐ
Sauerbruch 'zau̯ɐbrʊx
Sauerbrunn 'zau̯ɐbrʊn
Sauerei zau̯ə'rai̯
Sauerland[t] 'zau̯ɐlant
Sauerländer 'zau̯ɐlɛndɐ
sauerländisch 'zau̯ɐlɛndɪʃ
säuerlich 'zɔy̯ɐlɪç
Säuerling 'zɔy̯ɐlɪŋ
säuern 'zɔy̯ɐn
Säuernis 'zɔy̯ɐnɪs
Sauerstoff 'zau̯ɐʃtɔf
sauersüß 'zau̯ɐzy:s, --'-
sauertöpfisch 'zau̯ɐtœpfɪʃ
Saufaus 'zau̯flau̯s
saufbold 'zau̯fbɔlt, -**e** ...ldə
saufen 'zau̯fn̩
Sauferei zau̯fə'rai̯
Säufer 'zɔy̯fɐ
säuft zɔy̯ft
saugen 'zau̯gn̩, **saug!** zau̯k,
saugt zau̯kt

säugen 'zɔy̯gn̩, **säug!** zɔy̯k,
säugt zɔy̯kt
Säugling 'zɔy̯klɪŋ
saugrob 'zau̯'gro:p, *auch:*
...rɔp
Sauguet *fr.* so'gɛ
Saugus *engl.* 'sɔ:gəs
Sauhag zau̯'ha:k
säuisch 'zɔy̯ɪʃ
Sauk *engl.* 'sɔ:k
saukalt 'zau̯'kalt
Saul zau̯l
Säulchen 'zɔy̯lçən
Säule 'zɔy̯lə
Saulgau 'zau̯lgau̯
Saulin zau̯'li:n
Sault Sainte Marie *engl.*
'su:seɪntmə'ri:
Saulus 'zau̯lʊs
Saum zau̯m, **Säume** 'zɔy̯mə
Saumaise *fr.* so'mɛ:z
säumen 'zɔy̯mən
säumig 'zɔy̯mɪç, -**e** ...ɪgə
Säumnis 'zɔy̯mnɪs, -**se** ...isə
Saumsal 'zau̯mza:l
saumselig 'zau̯mze:lɪç, -**e**
...ɪgə
Saumur *fr.* so'my:r
Sauna 'zau̯na
Saunders *engl.* 'sɔ:ndəz,
'sɑ:n...
saunen 'zau̯nən
saunieren zau̯'ni:rən
Saura *span.* 'sau̯ra
Säure 'zɔy̯rə
Saure-Gurken-Zeit zau̯rə-
'gʊrkn̩zai̯t
Saurier 'zau̯ri̯ɐ
Saurischier zau̯'rɪsçi̯ɐ
Saurolith zau̯ro'li:t
Sauropode zau̯ro'po:də
Sauropsiden zau̯rɔ'psi:dn̩
Saus zau̯s, -**es** 'zau̯zəs
Sausalito *engl.* sɔsə'li:tou̯
Sause 'zau̯zə
säuseln 'zɔy̯zl̩n, **säusle**
'zɔy̯zlə
sausen 'zau̯zn̩, **saus!** zau̯s,
saust zau̯st
Säusler 'zɔy̯zlɐ
Saussure *fr.* so'sy:r
sauté zo'te:
Sauter 'zau̯tɐ, *engl.* 'sɔ:tə
Sauternes *fr.* so'tɛrn
sautieren zo'ti:rən
Sautter 'zau̯tɐ
Sauvage *fr.* so'va:ʒ
Sauvegarde zo:f'gart, -**n**
...rdn̩
sauve qui peut! *fr.* sovki'pø

Sauveur *fr.* soˈvœːr
Sauwald ˈzaͧvalt
sauwohl ˈzaͧˈvoːl
Sauwut ˈzaͧˈvuːt
¹Sava (Ortsname) *it., slowen.* ˈsaːva, *serbokr.* ˌsaːva
²Sava (Heiliger) *serbokr.* ˈsava
Savage *engl.* ˈsævɪdʒ
Savaï'i *engl.* saːˈvaiː
Savaladi zavaˈlaːdi
Savalou *fr.* savaˈlu
Savannah *engl.* səˈvænə
Savanne zaˈvanə
Savard, ...rt *fr.* saˈvaːr
¹Savarin (Speise) ˈzavarɛ̃, *auch:* ...ˈrɛ̃:
²Savarin (Name) *fr.* savaˈrɛ̃
Savary *fr.* savaˈri
Save ˈzaːvə, *port.* ˈsavə
Saverio *it.* saˈveːrio
Saverne *fr.* saˈvɛrn
Sæverud *norw.* ˌseːvərͧːd
Savery *niederl.* ˈsaːvəri, *engl.* ˈseɪvərɪ
Savigny ˈzavɪnji, *fr.* saviˈɲi
Savigny-sur-Orge *fr.* saviɲisyˈrɔrʒ
Savile *engl.* ˈsævɪl
Savimbi *port.* sɐˈvimbi
Savinio *it.* saˈviːnio
Savits *ung.* ˈʃovitʃ
Savo *serbokr.* ˌsaːvɔ, *finn.* ˈsavɔ
Savoia *it.* saˈvɔːi̯a
Savoie *fr.* saˈvwa
Savoir-faire zavɔarˈfɛːͅ
Savoir-vivre zavɔarˈviːvrə
Savoldo *it.* saˈvɔldo
Savona *it.* saˈvoːna
Savonarola zavonaˈroːla, *it.* savonaˈrɔːla
Savonlinna *finn.* ˈsavɔnlinnɑ
Savoy *engl.* səˈvɔɪ
Savoyarde zavoˈjardə
Savoyen zaˈvɔyən
Savoyer zaˈvɔyͅe
savoyisch zaˈvɔyɪʃ
Savudrija *serbokr.* saˌvudrija
Sawahlunto *indon.* sawahˈlunto
Sawakin zaˈvaːkɪn
Sawallisch zaˈvalɪʃ
Sawe *pers.* sɑˈve
Sawija ˈzaːvija
Sawin[kow] *russ.* ˈsavɪn[kͅɐf]

Sawitri ˈzaːvitri
Sawizki *russ.* saˈvitskij
Sawolschie *russ.* zaˈvɔlʒjɛ
Sawrassow *russ.* saˈvrasɐf
Sawu *indon.* ˈsawu
Sawyer *engl.* ˈsɔːjə
Sax zaks, *fr.* saks
Saxeten ˈzaksətn̩
Saxifraga zaˈksiːfraga, ...agen ...ksiˈfraːgn̩
Saxifragazee zaksifragaˈtseːə
Saxl ˈzaksl̩
Saxo Grammaticus ˈzakso graˈmatikͧs
Saxone zaˈksoːnə
saxonisch zaˈksoːnɪʃ
Saxophon zaksoˈfoːn
Saxophonist zaksofoˈnɪst
¹Say *engl.* seɪ, *fr.* sɛ
²Say (Mali) *fr.* saj
Sayer[s] *engl.* ˈseɪə[z]
Sayil *span.* saˈjil
Sayn zaɪn
Saynète zɛˈnɛt, -n ...tn̩
Sayre[ville] *engl.* ˈsɛə[vɪl]
Sayville *engl.* ˈseɪvɪl
Sazan *alban.* saˈzan
Sázava *tschech.* ˈsaːzava
Sazawa ˈzaːzava
sazerdotal zatsɛrdoˈtaːl
Sazerdotium zatsɛrˈdoːtsiͧm
Sbeïtla *fr.* sbɛiˈtla
Sbirre ˈsbɪrə
Sbrinz sbrɪnts
Scabies ˈskaːbiͅɛs
Scacchi *it.* ˈskakki
Scafell *engl.* ˈskɔːˈfɛl
Scagliola skalˈjoːla
Scala *dt., it.* ˈskaːla
Scalfaro *it.* ˈskalfaro
Scaliger ˈskaːligɛr
Scaligero *it.* skaˈliːdʒero
Scaling ˈskeːlɪŋ
Scalping Operations ˈskɛlpɪŋ opəˈreːʃn̩s
Scamozzi *it.* skaˈmɔttsi
Scampi ˈskampi
Scan skɛn
Scandello *it.* skanˈdɛllo
Scandium ˈskandiͧm
Scannel *engl.* skænl
scannen ˈskɛnən
Scanner ˈskɛnɐ
Scanning ˈskɛnɪŋ
Scapa Flow *engl.* ˈskæpə ˈfloͧ
Scapigliatura *it.* skapiʎʎaˈtuːra

Scapin *fr.* skaˈpɛ̃
Scapino *it.* skaˈpiːno
Scaramouche, -s skaraˈmuʃ
Scaramuccio skaraˈmͧtʃo, *it.* ...muttʃo
Scaramuz skaraˈmͧts
Scaramuzza skaraˈmͧtsa, ...uzze ...ͧtsə
Scarb[o]rough *engl.* ˈskaːbrə
Scarlatti *it.* skarˈlatti
Scarlett *engl.* ˈskaːlɪt
Scarpa *it.* ˈskarpa
Scarpi ˈskarpi
Scarpia *it.* ˈskarpiͅa
Scarron *fr.* skaˈrõ
Scart skaˈͅɐt
Scat skɛt
Scattering ˈskɛtərɪŋ
Sceaux *fr.* so
Scelba *it.* ˈʃɛlba
scemando ʃeˈmando
Scene siːn
Scenonym stsenoˈnyːm
Scenotest ˈstseːnotɛst
Scesaplana ʃezaˈplaːna
Scève *fr.* sɛːv
sch! ʃ (mit silbischem [ʃ])
Schaaf *fr.* ʃaːf, *niederl.* sxaːf
Schaaffhausen ˈʃaːfhaͧzn̩
Schaalsee ˈʃaːlzeː
Schaar ʃaːͅ
Schaarbeek *niederl.* ˈsxaːrbeːk
Schabau ʃaˈbaͧ
Schabbes ˈʃabəs
Schabe ˈʃaːbə
Schäbe ˈʃɛːbə
schaben ˈʃaːbn̩, **schab!** ʃaːp, **schabt** ʃaːpt
Schaberei ʃaːbəˈraɪ
Schabernack ˈʃaːbɐnak
Schabes ˈʃaːbəs
schäbig ˈʃɛːbɪç, -e ...ɪgə
Schablone ʃaˈbloːnə
schablonieren ʃabloˈniːrən
schablonisieren ʃabloniˈziːrən
Schabotte ʃaˈbɔtə
Schabracke ʃaˈbrakə
Schabrunke ʃaˈbrͧŋkə
Schabsel ˈʃaːpsl̩
Schacham *hebr.* ʃaˈxam
Schach[en] ˈʃax[n̩]
Schächental ˈʃɛçn̩taːl
Schacher ˈʃaxɐ
Schächer ˈʃɛçɐ
Schacherei ʃaxəˈraɪ
schachern ˈʃaxɐn

Schachmatow *russ.* 'ʃax-
mɐtɐf
schachmatt ʃax'mat, *auch:*
'_'_
Schachrissabs *russ.* ʃɐxri-
'saps
Schacht ʃaxt, Schächte
'ʃɛçtə
Schachtel 'ʃaxtl̩
Schächtelchen 'ʃɛçtl̩çən
schachteln 'ʃaxtl̩n
schachten 'ʃaxtn̩
schächten 'ʃɛçtn̩
Schachtinsk *russ.* 'ʃaxtinsk
Schachtjorsk *russ.*
ʃax'tjɔrsk
Schachty *russ.* 'ʃaxtɨ
Schack ʃak, *dän.* sjag
Schad[chen] ʃa:t[çən]
schade 'ʃa:də
Schade 'ʃa:də, *dän.* 'sjɛ:ðə
Schädel 'ʃɛ:dl̩
Schädelin 'ʃɛ:dəli:n
schaden 'ʃa:dn̩, schad! ʃa:t
Schaden 'ʃa:dn̩, Schäden
'ʃɛ:dn̩
Schadewaldt 'ʃa:dəvalt
schadhaft 'ʃa:thaft
schädigen 'ʃɛ:dɪgn̩, schä-
dig! ...ɪç, schädigt ...ɪçt
Schadli 'ʃa:dli
schädlich, S... 'ʃɛ:tlɪç
Schädling 'ʃɛ:tlɪŋ
schadlos 'ʃa:tlo:s
Schador ʃa'do:ɐ̯
Schadow 'ʃa:do
Schadr[insk] *russ.*
'ʃadr[insk]
Schaduf ʃa'du:f
Schaefer 'ʃɛ:fɐ
Schaeffer 'ʃɛ:fɐ, *fr.* ʃɛ'fɛ:r
Schaerbeek *niederl.* 'sxa:r-
be:k
Schaf[berg] 'ʃa:f[bɛrk]
Schäfchen 'ʃɛ:fçən
Schäfer 'ʃɛ:fɐ
Schäferei ʃɛ:fə'raɪ
Schaff *dt., poln.* ʃaf
Schäffchen 'ʃɛfçən
Schaffe 'ʃafə
Schaffel 'ʃafl̩
schaffen, Sch... 'ʃafn̩
Schaffer 'ʃafɐ
Schäffer 'ʃɛfɐ, *poln.* 'ʃɛfɛr
Schafferei ʃafə'raɪ
Schaffgotsch 'ʃafgɔtʃ
Schaffhausen ʃaf'haʊzn̩
schaffig 'ʃafɪç, -e ...ɪgə
Schäffle 'ʃɛflə
Schäffler 'ʃɛflɐ

Schaffner 'ʃafnɐ
Schaffnerei ʃafnə'raɪ
schafig 'ʃa:fɪç, -e ...ɪgə
Schafiit ʃafi'i:t
Schafott ʃa'fɔt
Schaft ʃaft, Schäfte 'ʃɛftə
Schäftchen 'ʃɛftçən
schäften 'ʃɛftn̩
Schäftlarn 'ʃɛftlarn
Schah ʃa:
Schahi *pers.* ʃa'hi:
Schah-in-Schah ʃahɪn'ʃa:
Schah-name *pers.* ʃah-
na'me
Schahpur *pers.* ʃah'pu:r
Schahr e Kord *pers.* 'ʃæhre-
'kord
Schahresa *pers.* ʃæhre'za:
Schahrud *pers.* ʃah'ru:d
Schaich Uthman 'ʃaɪç
ʊt'ma:n
Schaitan ʃaɪ'ta:n
Schaitberger 'ʃaɪtbɛrgɐ
Schaiwa 'ʃaɪva
Schakal ʃa'ka:l, *auch:*
'ʃa:ka:l
Schakaré ʃaka're:
Schake 'ʃa:kə
Schäkel 'ʃɛ:kl̩
schäkeln 'ʃɛ:kl̩n
Schäker 'ʃɛ:kɐ
Schäkerei ʃɛ:kə'raɪ
schäkern 'ʃɛ:kɐn
Schaktas 'ʃaktas
Schakti 'ʃakti
Schakuhuhn 'ʃa:kuhu:n
schal, Schal ʃa:l
Schäl 'ʃɛ:l
Schalander ʃa'landɐ
Schalanken ʃa'laŋkn̩
Schalauen ʃa'laʊən
Schalbrett 'ʃa:lbrɛt
Schälchen 'ʃɛ:lçən
Schalcken *niederl.* 'sxalkə
Schale 'ʃa:lə
schalen 'ʃa:lən
schälen 'ʃɛ:lən
Schaljapin *russ.* ʃa'ljapin
Schalk ʃalk, Schälke 'ʃɛlkə
Schalke 'ʃalkə
schalken 'ʃalkn̩
Schalksmühle ʃalks'my:lə
Schall ʃal, Schälle 'ʃɛlə
Schalla 'ʃala
schallen 'ʃalən
Schallenberg 'ʃalənbɛrk
Schaller[bach] 'ʃalɐ[bax]
Schallück 'ʃalʏk
Schally *engl.* 'ʃælɪ
Schalm ʃalm

Schalmei ʃal'maɪ
schalmen 'ʃalmən
Schalom! ʃa'lɔm
Schalotte ʃa'lɔtə
schalt[en] 'ʃalt[n̩]
Schalter 'ʃaltɐ
Schaluppe ʃa'lʊpə
Schalwar ʃal'va:ɐ̯
Scham ʃa:m
Schamade ʃa'ma:də
Schamadrossel 'ʃa:madrɔsl̩
Schamaiten ʃa'maɪtn̩
Schamane ʃa'ma:nə
Schamanismus ʃama'nɪs-
mʊs
schämen 'ʃɛ:mən
schamfilen ʃam'fi:lən
Schami *pers.* ʃæ'mi:
schämig 'ʃɛ:mɪç, -e ...ɪgə
Schamil ʃa'mɪl, *russ.* ʃa'milj
Schamir *hebr.* ʃa'mir
Schamisen 'ʃa:mizɛn
Schammes 'ʃaməs
Schamo 'ʃa:mo, *chin.* ʃamɔ
14
Schamoni ʃa'mo:ni
Schamott[e] ʃa'mɔt[e]
schamottieren ʃamɔ'ti:rən
Schampon 'ʃampɔn
schamponieren ʃampo'ni:-
rən
Schampun 'ʃampu:n, *auch:*
_'_
schampunieren ʃampu'ni:-
rən
Schampus 'ʃampʊs
schamrot 'ʃa:mro:t
Schams ʃams
Schamun ʃa'mu:n
Schandau 'ʃandaʊ
schandbar 'ʃantba:ɐ̯
Schande 'ʃandə
Schandeck[el] 'ʃandɛk[l̩]
schänden 'ʃɛndn̩, schänd!
ʃɛnt
Schandi 'ʃandi
schändlich 'ʃɛntlɪç
Schandorff *dän.* 'sjændɔɐ̯f
Schanfigg ʃan'fɪk
Schang ʃaŋ
Schanghai 'ʃaŋhaɪ, *auch:*
_'_
schanghaien ʃaŋ'haɪən,
auch: '---
Schani[dar] 'ʃa:ni[dar]
Schänis 'ʃɛ:nɪs
Schank ʃaŋk, Schänke
'ʃɛŋkə
Schankara 'ʃaŋkara
Schanker 'ʃaŋkɐ

Schankwirt 'ʃaŋkvɪrt
Schansi 'ʃanzi
Schanstaat 'ʃa:nʃta:t
Schantung 'ʃantʊŋ
Schanz[e] 'ʃants[ə]
schanzen 'ʃantsn̩
Schapel 'ʃa:pl̩
Schaper 'ʃa:pɐ
Schapf[e] 'ʃapf[ə]
Schaporin russ. ʃa'pɔrin
Schapp[e] 'ʃap[ə]
Schappel 'ʃapl̩
Schapur ʃa'pu:ɐ̯
Schar 'ʃa:ɐ̯
Schär ʃɛ:ɐ̯
Scharade ʃa'ra:də
Scharaff ʃa'raf
Scharaku jap. 'ʃa.raku
Scharang 'ʃa:raŋ
Schararaka ʃara'ra:ka
Scharbe 'ʃarbə
Scharbeutz ʃar'bɔyts
Scharbock 'ʃa:ɐ̯bɔk
Schärding 'ʃɛrdɪŋ
Schardscha 'ʃardʒa
Schardt ʃart, niederl. sxɑrt
Schäre 'ʃɛ:rə
scharen 'ʃa:rən
schären 'ʃɛ:rən
Scharett hebr. ʃa'rɛt
scharf ʃarf, schärfer 'ʃɛrfɐ
Scharf ʃarf
Schärf[e] 'ʃɛrf[ə]
schärfen 'ʃɛrfn̩
Scharfenberg 'ʃarfn̩bɛrk
schärfer vgl. scharf
Scharff ʃarf
Scharfmacherei ʃarfma-
xə'rai
Scharhörn ʃar'hœrn
Schari 'ʃa:ri
Scharia ʃa'ri:a
Scharif ʃa'ri:f
Scharl[ach] 'ʃarl[ax]
scharlachen 'ʃarlaxn̩
Scharlatan 'ʃarlatan
Scharlatanerie ʃarlata-
nə'ri:, -n ...i:ən
Scharlatanismus ʃarlata-
'nɪsmʊs
scharlenzen ʃar'lɛntsn̩
Scharm ʃarm
scharmant ʃar'mant
Scharm Asch Schaich
'ʃarm a'ʃaiç
scharmieren ʃar'mi:rən
Scharmützel ʃar'mʏtsl̩
scharmützeln ʃar'mʏtsl̩n
scharmutzieren ʃarmʊ'tsi:-
rən

Scharn[horst] 'ʃarn[hɔrst]
Scharnier ʃar'ni:ɐ̯
Scharnitz 'ʃarnɪts
Scharoun ʃa'ru:n
Schärpe 'ʃɛrpə
Scharpenberg 'ʃarpn̩bɛrk
¹Scharpie (Material) ʃar'pi:
²Scharpie (Boot) 'ʃarpi
Scharping 'ʃarpɪŋ
Scharre[lmann] 'ʃarə[lman]
scharren, Sch... 'ʃarən
Scharrer 'ʃarɐ
scharrieren ʃa'ri:rən
Scharschmied 'ʃa:ɐ̯ʃmi:t
Scharstorf 'ʃarstɔrf
Scharte 'ʃartə
Scharteke ʃar'te:kə
Scharten niederl. 'sxɑrtə
schartig 'ʃartɪç, -e ...ɪgə
Scharuni ʃa'ru:ni
Scharwache 'ʃa:ɐ̯vaxə
Scharwasser 'ʃa:ɐ̯vasɐ
Scharwenka ʃar'vɛŋka
Scharwenzel ʃar'vɛntsl̩
scharwenzeln ʃar'vɛntsl̩n
Schasar hebr. ʃa'zar
Schaschämäne amh. ʃaʃɛ-
mɛnə
Schaschka 'ʃaʃka
Schaschkewytsch ukr.
ʃaʃ'kɛvɪtʃ
Schaschlik 'ʃaʃlɪk
Schäßburg 'ʃɛsbʊrk
schassen 'ʃasn̩
schassieren ʃa'si:rən
Schat niederl. sxɑt
Schatrow russ. ʃa'trɔf
Schatt Al Arab 'ʃat al'larap
schatten, S... 'ʃatn̩
schattieren ʃa'ti:rən
schattig 'ʃatɪç, -e ...ɪgə
Schatulle ʃa'tʊlə
Schatz ʃats, Schätze 'ʃɛtsə
Schätzchen 'ʃɛtsçən
schätzen 'ʃɛtsn̩
Schatzlar 'ʃatslar
schau, S... ʃau
Schaub ʃaup, Schäube
'ʃɔybə
Schaube 'ʃaubə
Schäuble 'ʃɔyplə
Schauder 'ʃaudɐ
schaudern 'ʃaudɐn,
schaudre 'ʃaudrə
Schaudinn 'ʃaudɪn
schauen 'ʃauən
Schauenburg 'ʃauənbʊrk
Schauenburger 'ʃauən-
bʊrgɐ
Schauer 'ʃauɐ

schauern 'ʃauɐn
Schaufel 'ʃaufl̩
Schäufele 'ʃɔyfələ
Schäufelein 'ʃɔyfəlain
schauf[e]lig 'ʃauf[ə]lɪç, -e
...ɪgə
schaufeln 'ʃaufl̩n
Schauinsland 'ʃauˌinslant
Schaukal 'ʃaukal
Schaukel 'ʃaukl̩
Schaukelei ʃaukə'lai
schauk[e]lig 'ʃauk[ə]lɪç, -e
...ɪgə
schaukeln 'ʃaukl̩n
Schauki 'ʃauki
Schaulen 'ʃaulən
Schaum ʃaum, Schäume
'ʃɔymə
Schaumann 'ʃauman
Schaumburg 'ʃaumbʊrk
schäumen 'ʃɔymən
schaumig 'ʃaumɪç, -e ...ɪgə
Schaumschlägerei ʃaum-
ʃlɛ:gə'rai
Schaunard fr. ʃo'na:r
schaurig 'ʃaurɪç, -e ...ɪgə
schaurig-schön 'ʃauriç'ʃø:n
Schauspiel[er] 'ʃauʃpi:l[ɐ]
Schauspielerei ʃauʃpi:-
lə'rai
schauspielerisch 'ʃauʃpi:-
lərɪʃ
schauspielern 'ʃauʃpi:lɐn
Schaute 'ʃautə
Schayk niederl. sxa:ik
Schazk[i] russ. 'ʃatsk[ij]
Schdanow russ. 'ʒdanɐf
Scheat 'ʃe:at
Schebalin russ. ʃə'balin
Schebecke ʃe'bɛkə
Schebelinka russ. ʃəbɪ'linkɐ
Schebesta ʃe'bɛsta
Schech ʃe:ç
Schechter ʃɛçtɐ, engl.
'ʃɛktɐ
Scheck[e] 'ʃɛk[ə]
schecken 'ʃɛkn̩
scheckig 'ʃɛkɪç, -e ...ɪgə
Scheda 'ʃe:da
Schedbau 'ʃɛtbau
Scheddach 'ʃɛtdax,
...dächer ...dɛçɐ
Schede 'ʃe:də
Schedel 'ʃe:dl̩
Schedir 'ʃe:dɪr
Schedoni it. ske'do:ni
Schedula 'ʃe:dula, ...lae ...lɛ
Schee[ben] 'ʃe:[bn̩]
scheel, Scheel ʃe:l
Scheele schwed. 'ʃe:lə

Scheer[bart] 'ʃeːɐ̯[baːɐ̯t]
Schef ʃɛf
Schefe 'ʃeːfə
Scheffel 'ʃɛfl̩
scheffeln 'ʃɛfl̩n
Scheffer 'ʃɛfɐ, *fr.* ʃɛˈfɛːr,
  niederl. 'sxɛfər
Schefferville *engl.* 'ʃɛfəvɪl
Scheffler 'ʃɛflɐ
Schéhadé *fr.* ʃeaˈde
Scheherazade ʃehera'zaːdə
Scheherezade ʃehere'zaːdə
Scheibbs ʃaips
Scheibchen 'ʃaipçən
Scheibe 'ʃaibə
Scheibelreiter 'ʃaiblraitɐ
scheiben 'ʃaibn̩, **scheib!**
  ʃaip, **scheibt** ʃaipt
Scheibenberg 'ʃaibn̩bɛrk
scheibig 'ʃaibɪç, **-e** ...ɪgə
Scheibner 'ʃaibnɐ
Scheich ʃaiç
Scheide 'ʃaidə
Scheidegg (Bayern)
  'ʃaidɛk, (Schweiz) ʃai'dɛk
Scheidemann 'ʃaidəman
scheiden 'ʃaidn̩, **scheid!**
  ʃait
Scheidt ʃait
Scheik ʃaik
Scheimpflug 'ʃaimpflu:k
Schein ʃain
scheinen 'ʃainən
Scheiner 'ʃainɐ
Scheinfeld 'ʃainfɛlt
scheinheilig 'ʃainhailɪç
Scheiß[e] 'ʃais[ə]
scheißegal ʃaislˈeːgaːl
scheißen 'ʃaisn̩
Scheißeritis ʃaisəˈriːtɪs
scheißfreundlich 'ʃais-
  'frɔyntlɪç
scheißliberal ʃaislibeˈraːl
scheißvornehm 'ʃaisˈfoːɐ̯-
  neːm
Scheit[el] 'ʃait[l̩]
scheiteln 'ʃaitl̩n
scheiten 'ʃaitn̩
scheitern 'ʃaitɐn
Scheits ʃaits
Schekel 'ʃeːkl̩
Scheki *russ.* ʃəˈki
Schelch ʃɛlç
Schelde 'ʃɛldə, *niederl.*
  'sxɛldə
Schelechow *russ.* 'ʃelɪxɐf
Schelepin *russ.* ʃəˈljepin
Scheler 'ʃeːlɐ
Schelesnodoroschny *russ.*
  ʒəlɪznɐdaˈrɔʒnɪj

Schelesnogorsk *russ.* ʒəlɪz-
  naˈgɔrsk
Schelesnowodsk *russ.*
  ʒəlɪznaˈvɔtsk
Schelew *bulgar.* 'ʒɛlɛf
Schelf[e] 'ʃɛlf[ə]
schelfen 'ʃɛlfn̩
schelf[e]rig 'ʃɛlf[ə]rɪç, **-e**
  ...ɪgə
schelfern 'ʃɛlfɐn
Schelfhout *niederl.* 'sxɛlf-
  hɔut
Schelichow *russ.* 'ʃelixɐf
Schell[ack] 'ʃɛl[ak]
Schelle 'ʃɛlə
schellen, Sch... 'ʃɛlən
Schellenberg 'ʃɛlənbɛrk
Scheller 'ʃɛlɐ, *russ.* 'ʃɛlɪr
Schelling *dt., engl.* 'ʃɛlɪŋ
Schelm ʃɛlm
Schelmerei ʃɛlməˈrai
Schelmuffsky ʃɛlˈmʊfski
Schelsky 'ʃɛlski
Schelte 'ʃɛltə
Scheltema *niederl.* 'sxɛl-
  təma
schelten 'ʃɛltn̩
Scheltopusik ʃɛltoˈpuːzɪk
Schema 'ʃeːma, **-ta** -ta
Schemacha *russ.* ʃamaˈxa
schematisch ʃeˈmaːtɪʃ
schematisieren ʃematiˈziː-
  rən
Schematismus ʃemaˈtɪs-
  mʊs
Schembart 'ʃɛmbaːɐ̯t,
  ...bärte ...bɛːɐ̯tə
Schemel 'ʃeːml̩
Scheme[n] 'ʃeːmə[n]
Schemnitz 'ʃɛmnɪts
Schen ʃɛn
Schenau 'ʃeːnau
Schenck ʃɛŋk
Schendel *niederl.* 'sxɛndəl
Schenectady *engl.* skɪˈnɛk-
  tədɪ
Schenefeld 'ʃeːnəfɛlt
Scheng[en] 'ʃɛŋ[ən]
Schenhar *hebr.* ʃɛnˈhar
Schenk[e] 'ʃɛŋk[ə]
Schenkel 'ʃɛŋkl̩
schenken 'ʃɛŋkn̩
Schenkendorf 'ʃɛŋkn̩dɔrf
Schenker 'ʃɛŋkɐ
Schenkin 'ʃɛŋkɪn
Schenschin *russ.* ʃənˈʃin
Schensi 'ʃɛnzi
Schenute ʃeˈnuːtə
Schenzinger 'ʃɛntsɪŋɐ
Scheol ʃeˈoːl
Schepenupet ʃepeˈnuːpɛt

Schepetowka *russ.* ʃəpɪ-
  'tɔfkɐ
Schepilow *russ.* ʃəˈpilɐf
schepp[ern] 'ʃɛp[ɐn]
Schepseska[e]f ʃɛpsɛs-
  'kaː[ɛ]f
Scher ʃeːɐ̯
Scherasmin 'ʃeːrasmɪn
Scherbe 'ʃɛrbə
Scherbel 'ʃɛrbl̩
scherbeln 'ʃɛrbl̩n, ...**ble**
  ...blə
Scherben 'ʃɛrbn̩
Scherbett ʃɛrˈbɛt
¹Scherchen (Werkzeug)
  'ʃeːɐ̯çən
²Scherchen (Name) 'ʃɛrçn̩
Schere 'ʃeːrə
Scheremetjewo *russ.*
  ʃɐrɪˈmjetjɪvɐ
scheren 'ʃeːrən
Scherenberg 'ʃeːrənbɛrk
Scherer 'ʃeːrɐ
Schererei ʃeːrəˈrai
Schererville *engl.* 'ʃiərəvɪl
Scherf ʃɛrf
scherfig *dän.* 'sjɛɐ̯fi
Scherflein 'ʃɛrflain
Scherge 'ʃɛrgə
Scheria (islam. Gesetz)
  ʃeˈriːa
Scherif ʃeˈriːf
Schering[er] 'ʃeːrɪŋ[ɐ]
Scherl ʃɛrl
Schermaus 'ʃeːɐ̯maus
Schermer *niederl.* 'sxɛrmər
Schernken 'ʃɛrnkn̩
Scherr[er] 'ʃɛr[ɐ]
Scherschenewitsch *russ.*
  ʃɐrʃəˈnjevitʃ
Schertenleib 'ʃɛrtn̩laip
Schertlin 'ʃɛrtliːn
Scherwenzel ʃɛrˈvɛntsl̩
scherwenzeln ʃɛrˈvɛntsl̩n
Scherz ʃɛrts
scherzando skɛrˈtsando
Scherzando skɛrˈtsando,
  ...**di** ...di
Scherz[e]l 'ʃɛrtsl̩
scherzen 'ʃɛrtsn̩
Scherzer 'ʃɛrtsɐ
Scherzo 'skɛrtso, ...**zi** ...tsi
scherzoso skɛrˈtsoːzo
Schesaplana ʃezaˈplaːna
Scheschonk 'ʃeʃɔŋk
Scheschuppe ʃeˈʃʊpə
schesen 'ʃeːzn̩, **sches!** ʃeːs,
  schest ʃeːst
scheu, Scheu ʃɔy
Scheuch[e] 'ʃɔyç[ə]

scheuchen 'ʃɔyçn̩
Scheuchzer 'ʃɔyçtsɐ
scheuen 'ʃɔyən
Scheuer[l] 'ʃɔyɐ[l]
Scheuermann 'ʃɔyɐman,
dän. 'sjɔi̯'ɛmæn'
scheuern, S... 'ʃɔyɐn
Scheune 'ʃɔynə
Scheuner 'ʃɔynɐ
Scheur niederl. sxøː r
Scheurer 'ʃɔyrɐ
Scheurich 'ʃɔyrɪç
Scheusal 'ʃɔyzaːl, ...säler
...zɛːlɐ
scheußlich 'ʃɔyslɪç
Scheveningen niederl.
'sxeː vənɪŋə
Schewardnadse russ.
ʃəvard'nadzɪ, georg.
'ʃewardnadze
Schewtschenko ukr. ʃɛu̯-
'tʃɛnkɔ, russ. ʃəf'tʃɛnkɐ
Scheyern 'ʃai̯ɐn
Schi ʃiː, -er 'ʃiːɐ
Schia 'ʃiːa
Schiaparelli it. skiapa'rɛlli
Schiavone it. skia'voːne
Schibam ʃi'baːm
Schibbeke 'ʃibəkə
schibbeln 'ʃibl̩n, schibble
'ʃiblə
Schibbike 'ʃibɪkə
Schibboleth ʃi'boːlɛt
Schibin ʃi'biːn
Schibin Al Kaum ʃi'biːn
al'kaum
Schibler 'ʃiːblɐ
Schicchi it. 'skikki
Schicht[e] 'ʃɪçt[ə]
schichten 'ʃɪçtn̩
schichtig 'ʃɪçtɪç, -e ...ɪgə
schick ʃɪk
Schick dt., engl. ʃɪk
Schickedanz 'ʃɪkədants
Schickele 'ʃɪkələ
schicken 'ʃɪkn̩
schicker 'ʃɪkɐ
Schickeria ʃɪkə'riːa
schickern 'ʃɪkɐn
Schickhardt 'ʃɪkhart
Schickimicki ʃɪki'mɪki
Schicklgruber 'ʃɪkl̩gruːbɐ
schicklich 'ʃɪklɪç
Schicksal 'ʃɪkzaːl
Schickse 'ʃɪksə
Schidjak ʃi'dja:k
Schiebelhuth 'ʃiːbl̩huːt
schieben 'ʃiːbn̩, schieb!
'ʃiːp, schiebt 'ʃiːpt
Schieber 'ʃiːbɐ

Schieberei ʃiːbə'rai̯
schiech ʃiːç
schied ʃiːt
Schied ʃiːt, -e 'ʃiːdə
Schiedam niederl. sxi'dam
Schiedamer (Schnaps)
ʃi'damɐ
schieden 'ʃiːdn̩
Schieder[mair] 'ʃiːdɐ[mai̯ɐ]
schiedlich 'ʃiːtlɪç
schiedlich-friedlich 'ʃiːtlɪç'friːtlɪç
Schiedmayer 'ʃiːtmai̯ɐ
schiedsrichtern 'ʃiːtsrɪçtɐn
schief ʃiːf
Schiefe 'ʃiːfə
Schiefer 'ʃiːfɐ
schief[e]rig 'ʃiːf[ə]rɪç, -e
...ɪgə
schiefern 'ʃiːfɐn
schieg ʃiːk, -e 'ʃiːgə
schiegen 'ʃiːgn̩, schieg!
'ʃiːk, schiegt ʃiːkt
Schieland niederl. 'sxilant
Schiele 'ʃiːlə
schielen 'ʃiːlən
schien ʃiːn
Schienbein 'ʃiːnbai̯n
Schiene 'ʃiːnə
schienen 'ʃiːnən
schier 'ʃiːɐ̯
Schier vgl. Schi
Schierbeek niederl. 'sxiːr-
beːk
schieren 'ʃiːrən
Schierke 'ʃiːɐ̯kə
Schierling 'ʃiːɐ̯lɪŋ
Schiermonnikoog niederl.
sxiːrmɔnɪk'oːx
schießen 'ʃiːsn̩
Schießerei ʃiːsə'rai̯
Schiestl 'ʃiːstl̩
Schiet[e] 'ʃiːt[ə]
Schiff dt., engl. ʃɪf
Schiffe 'ʃɪfə
schiffeln 'ʃɪfl̩n
schiffen 'ʃɪfn̩
Schiffer[stadt] 'ʃɪfɐ[ʃtat]
Schifffahrt 'ʃɪffaːɐ̯t
schiften 'ʃɪftn̩
Schiga jap. 'ʃi̯ga
Schigemitsu jap. ʃi'ge-
.mitsu
Schigolch 'ʃiːgɔlç
Schiguli russ. ʒɪgu'li
Schiguljowsk russ. ʒɪ-
gu'ljɔfsk
Schiismus ʃi'ɪsmʊs
Schiit ʃi'iːt
Schikane ʃi'kaːnə

Schikaneder ʃika'neːdɐ
Schikaneur ʃika'nøːɐ̯
schikanieren ʃika'niːrən
schikanös ʃika'nøːs, -e
...øːzə
Schikoku ʃi'ko:ku, jap.
ʃi'ko.ku
Schilbach 'ʃɪlbax
Schilcher 'ʃɪlçɐ
Schild ʃɪlt, -e 'ʃɪldə, -er
'ʃɪldɐ
Schilda 'ʃɪlda
schilden 'ʃɪldn̩, schild! ʃɪlt
Schilderei ʃɪldə'rai̯
schildern 'ʃɪldɐn, schildre
'ʃɪldrə
Schildkröte 'ʃɪltkrøːtə
Schildt schwed. ʃɪlt
Schilf ʃɪlf
schilfen 'ʃɪlfn̩
schilf[e]rig 'ʃɪlf[ə]rɪç, -e
...ɪgə
schilfern 'ʃɪlfɐn
schilfig 'ʃɪlfɪç -e ...ɪgə
Schilka russ. 'ʃilkɐ
Schill ʃɪl
Schillebold 'ʃɪləbɔlt, -e
...ldə
Schiller 'ʃɪlɐ, engl. 'ʃɪlə
schill[e]rig 'ʃɪl[ə]rɪç, -e ...ɪgə
schillern 'ʃɪlɐn
Schilling[s] 'ʃɪlɪŋ[s]
Schilluk 'ʃɪlʊk
Schillum 'ʃɪlʊm
schilpen 'ʃɪlpn̩
schilt ʃɪlt
Schiltach 'ʃɪltax
Schilten 'ʃɪltn̩
Schiltigheim 'ʃɪltɪçhai̯m, fr.
ʃilti'gɛm
Schily 'ʃiːli
Schimane jap. 'ʃi.manə
Schimäre ʃi'mɛːrə
schimärisch ʃi'mɛːrɪʃ
Schimasaki jap. ʃi'mazaki
Schimisu jap. 'ʃi.mizu
¹Schimmel 'ʃɪml̩
²Schimmel (Name) 'ʃɪml̩,
niederl. 'sxɪməl
schimmelig 'ʃɪmətlɪç, -e
...ɪgə
schimmeln 'ʃɪml̩n
Schimmer 'ʃɪmɐ
schimmern 'ʃɪmɐn
schimmlig 'ʃɪmlɪç, -e ...ɪgə
Schimoni hebr. ʃim''ɔni
Schimonoseki jap. ʃi'mo-
no.seki
Schimpanse ʃɪm'panzə

schimpansoid ʃɪmpanzoˈiːt, -e ...iːdə
Schimpf[e] ˈʃɪmpf[ə]
schimpfen ˈʃɪmpfn̩
Schimpferei ʃɪmpfəˈraɪ
schimpfieren ʃɪmˈpfiːrən
schimpflich ˈʃɪmpflɪç
Schinakel ʃiˈnakl̩
Schindel ˈʃɪndl̩
schindeln ˈʃɪndl̩n, schindle ˈʃɪndlə
schinden ˈʃɪndn̩, schind! ʃɪnt
Schinderei ʃɪndəˈraɪ
Schinderhannes ˈʃɪndɐhanəs
schindern ˈʃɪndɐn, schindre ˈʃɪndrə
Schindler ˈʃɪndlɐ
Schiner ˈʃɪnɐ
Schinkel ˈʃɪŋkl̩
Schinken ˈʃɪŋkn̩
Schinn[e] ˈʃɪn[ə]
Schinner ˈʃɪnɐ
Schinnerer ˈʃɪnərɐ
Schinto ˈʃɪnto
Schintoismus ʃɪntoˈɪsmʊs
Schintoist ʃɪntoˈɪst
Schio it. ˈskiːo
Schionatulander ʃi̯onatuˈlandɐ
Schipa it. ˈskiːpa
Schiphol niederl. sxɪpˈhɔl, ˈ‒‒
Schipka bulgar. ˈʃɪpkɐ
Schippchen ˈʃɪpçən
Schippe ˈʃɪpə
schippen, S... ˈʃɪpn̩
Schipper ˈʃɪpɐ
schippern ˈʃɪpɐn
Schippers engl. ˈʃɪpəz
Schirach ˈʃiːrax
Schiras ˈʃiːras, pers. ʃiˈraːz
Schirdewan ˈʃɪrdəvan
Schiri ˈʃiːri
Schirinowski russ. ʒiriˈnɔfskij
Schirgiswalde ʃɪrgɪsˈvaldə
schirken ˈʃɪrkn̩
Schirm[beck] ˈʃɪrm[bɛk]
Schirmeck ˈʃɪrmɛk, fr. ʃɪrˈmɛk
schirmen ˈʃɪrmən
Schirmer ˈʃɪrmɐ
Schirò alban. ʃiˈro
Schirokko ʃiˈrɔko
Schirra ˈʃɪra, engl. ʃiˈrɑː
schirren, S... ˈʃɪrən
Schirrmann ˈʃɪrman
Schirting ˈʃɪrtɪŋ

Schirwan ˈʃɪrvan, russ. ʃɪrˈvan
Schischkin russ. ˈʃiʃkin
Schischkow russ. ʃɪʃˈkɔf
Schischman bulgar. ˈʃɪʃˈman
Schisgal engl. ˈʃɪzgəl
Schisma ˈʃɪsma, auch: ˈsçɪ..., -ta -ta
Schismatiker ʃɪsˈmaːtikɐ, auch: sçɪ...
schismatisch ʃɪsˈmaːtɪʃ, auch: sçɪ...
schiss, Schiss ʃɪs
schissen ˈʃɪsn̩
Schisslaweng ʃɪslaˈvɛŋ
Schistoprosopie ʃɪstoprozoˈpiː, auch: sçɪ...
Schistosoma ʃɪstoˈzoːma, auch: sçɪ..., -ta -ta
Schistosomiase ʃɪstozoˈmi̯aːzə, auch: sçɪ...
Schisuoka jap. ʃiˈzuˌoka
Schitomir russ. ʒiˈtɔmir
Schivelbein ˈʃiːfl̩baɪn
Schiwa ˈʃiːva
Schiwago russ. ʒiˈvagɐ
Schiwatschew bulgar. ʃiˈvatʃɛf
Schiwkow bulgar. ˈʒifkof
schizogen ʃitsoˈgeːn, auch: sçɪ...
Schizogonie ʃitsogoˈniː, auch: sçɪ..., -n ...iːən
schizoid ʃitsoˈiːt, auch: sçɪ..., -e ...iːdə
Schizomyzet ʃitsomyˈtseːt, auch: sçɪ...
Schizonychie ʃitsonyˈçiː, auch: sçɪ..., -n ...iːən
schizophren ʃitsoˈfreːn, auch: sçɪ...
Schizophrenie ʃitsofreˈniː, auch: sçɪ..., -n ...iːən
Schizophyten ʃitsoˈfyːtn̩, auch: sçɪ...
Schizophyzee ʃitsofyˈtseːə, auch: sçɪ...
schizothym ʃitsoˈtyːm, auch: sçɪ...
Schizothymie ʃitsotyˈmiː, auch: sçɪ..., -n ...iːən
Schjelderup norw. ˈʃɛldərʉp
Schkeuditz ˈʃkɔydɪts
Schkipetar ˈʃkipeˈtaːɐ
Schklowsk[i] russ. ˈʃklɔfsk[ij]
Schkopau ˈʃkoːpaʊ

Schlabber ˈʃlabɐ
Schlabberei ʃlabəˈraɪ
schlabb[e]rig ˈʃlab[ə]rɪç, -e ...ɪgə
schlabbern ˈʃlabɐn, schlabbre ˈʃlabrə
Schlacht[a] ˈʃlaxt[a]
schlachten ˈʃlaxtn̩
Schlächter ˈʃlɛçtɐ
Schlachterei ʃlaxtəˈraɪ
Schlächterei ʃlɛçtəˈraɪ
...schlächtig ...ˈʃlɛçtɪç, -e ...ɪgə
Schlachtschitz ˈʃlaxtʃɪts
schlack, Schlack ʃlak
Schlacke ˈʃlakə
schlacken ˈʃlakn̩
schlack[e]rig ˈʃlak[ə]rɪç, -e ...ɪgə
schlackern ˈʃlakɐn
schlackig ˈʃlakɪç, -e ...ɪgə
Schladming ˈʃlaːtmɪŋ
Schlaf ʃlaːf
Schläfchen ˈʃlɛːfçən
Schläfe ˈʃlɛːfə
schlafen ˈʃlaːfn̩
Schläfer ˈʃlɛːfɐ
schläfern ˈʃlɛːfɐn
schlaff ʃlaf
Schlafittchen ʃlaˈfɪtçən
Schlafittich ʃlaˈfɪtɪç
schlafmützig ˈʃlaːfmyˌtsɪç, -e ...ɪgə
schläfrig ˈʃlɛːfrɪç, -e ...ɪgə
schläft ʃlɛːft
Schlag ʃlaːk, -es ˈʃlaːgəs, Schläge ˈʃlɛːgə
Schlagbrügge ʃlaːkˈbrʏgə
Schlägel ˈʃlɛːgl̩
Schlägelchen ˈʃlɛːgl̩çən
schlägeln ˈʃleːgl̩n, schlägle ˈʃleːglə
schlagen ˈʃlaːgn̩, schlagt! ʃlaːk, schlagt ʃlaːkt
Schlager ˈʃlaːgɐ
Schläger ˈʃlɛːgɐ
Schlägerei ʃlɛːgəˈraɪ
schlägern ˈʃleːgɐn, schlägre ˈʃleːgrə
Schlageter ˈʃlaːgətɐ
...schlägig ...ˈʃleːgɪç, -e ...ɪgə
Schlagobers ˈʃlaːkˌoːbɐs
schlägt ʃlɛːkt
Schlaks ʃlaːks
schlaksig ˈʃlaːksɪç, -e ...ɪgə
Schlamassel ʃlaˈmasl̩
Schlamastik ʃlaˈmastɪk
Schlamm ʃlam, Schlämme ˈʃlɛmə

schlammen 'ʃlamən
schlämmen 'ʃlɛmən
schlammig 'ʃlamɪç, -e ...ɪgə
schlampampen ʃlam-'pampn̩
Schlamp[e] 'ʃlamp[ə]
schlampen 'ʃlampn̩
Schlamper 'ʃlampɐ
Schlamperei ʃlampə'raɪ
schlampert 'ʃlampɐt
schlampig 'ʃlampɪç, -e ...ɪgə
Schlan 'ʃlaːn
schlang 'ʃlaŋ
Schlange 'ʃlaŋə
schlänge 'ʃlɛŋə
Schlängelchen 'ʃlɛŋl̩çən
schläng[e]lig 'ʃlɛŋ[ə]lɪç, -e ...ɪgə
schlängeln 'ʃlɛŋl̩n
Schlangen[bad] 'ʃla-ŋən[baːt]
Schlänglein 'ʃlɛŋlaɪn
Schlankel 'ʃlaŋkl̩
schlankerhand 'ʃlaŋkɐ'hant
schlank[weg] 'ʃlaŋk[vɛk]
Schlapfen 'ʃlapfn̩
Schlapp 'ʃlap
Schläppchen 'ʃlɛpçən
Schlappe 'ʃlapə
schlappen, Sch... 'ʃlapn̩
schlappern 'ʃlapɐn
schlappig 'ʃlapɪç, -e ...ɪgə
Schlaraffe ʃla'rafə
Schlaraffia ʃla'rafia
Schlarfe 'ʃlarfə
Schlarpe 'ʃlarpə
Schlärpfe 'ʃlarpfə
Schlat 'ʃlaːt
schlau 'ʃlau
Schlaube 'ʃlaubə
schlauben 'ʃlaubn̩, schlaub! 'ʃlaup, schlaubt 'ʃlaupt
Schlauberger 'ʃlaubɛrgɐ
Schlauch 'ʃlaux, Schläuche 'ʃlɔyçə
Schläuchelchen 'ʃlɔyçlçən
schlauchen 'ʃlauxn̩
Schläuchlein 'ʃlɔyçlaɪn
Schlauder 'ʃlaudɐ
schlaudern 'ʃlaudɐn, schlaudre 'ʃlaudrə
Schläue 'ʃlɔyə
Schlaufe 'ʃlaufə
Schlaun 'ʃlaun
Schlawiner ʃla'viːnɐ
schlecht 'ʃlɛçt
Schlechta 'ʃlɛçta
Schlechte 'ʃlɛçtə

schlechterdings 'ʃlɛçtɐ-'dɪŋs
schlechthin 'ʃlɛçt'hɪn
schlechthinnig 'ʃlɛçt'hɪnɪç, -e ...ɪgə
schlechtweg 'ʃlɛçt'vɛk
Schlechtwetterfront ʃlɛçt-'vɛtɐfrɔnt
Schleck 'ʃlɛk
schlecken 'ʃlɛkn̩
Schleckerei ʃlɛkə'raɪ
schleckern 'ʃlɛkɐn
schleckig 'ʃlɛkɪç, -e ...ɪgə
Schleef 'ʃleːf
Schlegel 'ʃleːgl̩
Schlehdorn 'ʃleːdɔrn
Schlehe 'ʃleːə
Schlei 'ʃlaɪ
Schleich[e] 'ʃlaɪç[ə]
schleichen 'ʃlaɪçn̩
Schleicher 'ʃlaɪçɐ
Schleiden 'ʃlaɪdn̩
Schleie 'ʃlaɪə
Schleier 'ʃlaɪɐ
Schleiermacher 'ʃlaɪɐmaxɐ
Schleife 'ʃlaɪfə
schleifen 'ʃlaɪfn̩
Schleiferei ʃlaɪfə'raɪ
Schleifsel 'ʃlaɪfsl̩
Schleim 'ʃlaɪm
schleimen 'ʃlaɪmən
schleimig 'ʃlaɪmɪç, -e ...ɪgə
Schleinitz 'ʃlaɪnɪts
Schleiße 'ʃlaɪsə
schleißen 'ʃlaɪsn̩
Schleißheim 'ʃlaɪshaɪm
schleißig 'ʃlaɪsɪç, -e ...ɪgə
Schleitheim 'ʃlaɪthaɪm
Schleiz 'ʃlaɪts
Schlemihl 'ʃleːmiːl, auch: ʃleˈmiːl
schlemm, Sch... 'ʃlɛm
schlemmen 'ʃlɛmən
Schlemmer 'ʃlɛmɐ
Schlemmerei ʃlɛmə'raɪ
Schlempe 'ʃlɛmpə
schlendern 'ʃlɛndɐn, schlendre 'ʃlɛndrə
Schlendrian 'ʃlɛndriaːn
Schlenge 'ʃlɛŋə
Schlenke 'ʃlɛŋkə
Schlenker 'ʃlɛŋkɐ
Schlenk[e]rich 'ʃlɛŋk[ə]rɪç
schlenkern 'ʃlɛŋkɐn
Schlenther 'ʃlɛntɐ
schlenzen 'ʃlɛntsn̩
Schlepp[e] 'ʃlɛp[ə]
schleppen 'ʃlɛpn̩
Schlepper 'ʃlɛpɐ
Schlepperei ʃlɛpə'raɪ

Schlern 'ʃlɛrn
Schlesien 'ʃleːzjən
Schlesier 'ʃleːziɐ
Schlesinger 'ʃleːzɪŋɐ, engl. 'ʃlɛsɪndʒə, 'sl...
schlesisch 'ʃleːzɪʃ
Schleswig 'ʃleːsvɪç
Schleswiger 'ʃleːsvɪgɐ
Schleswig-Holstein 'ʃleːs-vɪç'hɔlʃtaɪn
schleswigisch 'ʃleːsvɪgɪʃ
schleswigsch 'ʃleːsvɪçʃ
Schlettau 'ʃlɛtau
Schletterer 'ʃlɛtərɐ
Schlettstadt 'ʃlɛtʃtat
Schlettwein 'ʃlɛtvaɪn
schletzen 'ʃlɛtsn̩
Schleuder 'ʃlɔydɐ
Schleuderei ʃlɔydə'raɪ
schleudern 'ʃlɔydɐn, schleudre 'ʃlɔydrə
schleunig 'ʃlɔynɪç, -e ...ɪgə
Schleuse 'ʃlɔyzə
schleusen 'ʃlɔyzn̩, schleus! 'ʃlɔys, schleust 'ʃlɔyst
Schleusingen 'ʃlɔyzɪŋən
schleuß[t] 'ʃlɔys[t]
Schley 'ʃlaɪ, engl. slaɪ
Schleyer 'ʃlaɪɐ
schlich 'ʃlɪç
Schlich 'ʃlɪç, engl. ʃlɪk
schlicht, S... 'ʃlɪçt
Schlichte 'ʃlɪçtə
schlichten 'ʃlɪçtn̩
Schlichter 'ʃlɪçtɐ
Schlichterei ʃlɪçtə'raɪ
schlichtweg 'ʃlɪçt'vɛk
Schlick 'ʃlɪk
schlicken 'ʃlɪkn̩
schlick[e]rig 'ʃlɪk[ə]rɪç, -e ...ɪgə
schlickern 'ʃlɪkɐn
schlickig 'ʃlɪkɪç, -e ...ɪgə
schlief, S... 'ʃliːf
schliefen, S... 'ʃliːfn̩
schlief[e]rig 'ʃliːf[ə]rɪç, -e ...ɪgə
schliefen 'ʃliːfn̩
Schliefen 'ʃliːfn̩
schliefig 'ʃliːfɪç, -e ...ɪgə
Schlieker 'ʃliːkɐ
Schliemann 'ʃliːman
Schlier[bach] 'ʃliːɐ[bax]
Schliere 'ʃliːrə
schlieren, S... 'ʃliːrən
schlierig 'ʃliːrɪç, -e ...ɪgə
Schliersee[r] 'ʃliːɐze:[ɐ]
Schließe 'ʃliːsə
schließen 'ʃliːsn̩
schließlich 'ʃliːslɪç

schliff, S... ʃlɪf
schliffig 'ʃlɪfɪç, -e ...ɪgə
Schlik ʃlɪk
schlimm ʃlɪm
schlimmstenfalls
  'ʃlɪmstn̩ˈfals
Schlinge 'ʃlɪŋə
Schlingel 'ʃlɪŋ!
schlingen 'ʃlɪŋən
schlingern 'ʃlɪŋɐn
Schlipf ʃlɪpf
Schlipp[e] 'ʃlɪp[ə]
schlippen 'ʃlɪpn̩
Schlipper 'ʃlɪpɐ
schlipp[e]rig 'ʃlɪp[ə]rɪç, -e
  ...ɪgə
Schlips ʃlɪps
schliss ʃlɪs
Schlittel 'ʃlɪtl̩
schlitteln 'ʃlɪtln̩
schlitten, S... 'ʃlɪtn̩
schlittern 'ʃlɪtɐn
Schlittschuh 'ʃlɪtʃu:
Schlitz ʃlɪts
schlitzen 'ʃlɪtsn̩
Schliz ʃlɪts
Schlochau 'ʃlɔxau
schloff ʃlɔf
schlöffe 'ʃlœfə
Schlögl 'ʃlø:gl̩
schlohweiß 'ʃloːˈvais
Schlöndorff 'ʃlø:ndɔrf
Schlonski hebr. 'ʃlɔnski
Schlorre 'ʃlɔrə
schlorren 'ʃlɔrən
schloss (zu: schließen) ʃlɔs
Schloss ʃlɔs, Schlösser
  'ʃlœsɐ
Schlossberg 'ʃlɔsbɛrk
Schlösschen 'ʃlœsçən
Schloße 'ʃlo:sə
schlösse 'ʃlœsə
schloßen 'ʃlo:sn̩
Schlosser 'ʃlɔsɐ
Schlosserei ʃlɔsəˈrai
schlossern 'ʃlɔsɐn
schloßweiß 'ʃlo:sˈvais
Schlot ʃlo:t
Schlöte 'ʃlø:tə
Schlöth ʃlø:t
Schlotheim 'ʃlo:thaim
Schlotte 'ʃlɔtə
Schlotten 'ʃlɔtn̩
Schlotter 'ʃlɔtɐ
schlott[e]rig 'ʃlɔt[ə]rɪç, -e
  ...ɪgə
schlottern 'ʃlɔtɐn
schlotzen 'ʃlɔtsn̩
Schlözer 'ʃlø:tsɐ
Schluchsee 'ʃluxze:

Schlucht ʃluxt
Schlücht[ern] 'ʃlʏçt[ɐn]
schluchzen 'ʃluxtsn̩
Schluchzer 'ʃluxtsɐ
Schluck[auf] 'ʃluk[ˈlauf]
Schlückchen 'ʃlʏkçən
schlucken, S... 'ʃlukn̩
schlucksen 'ʃluksn̩
Schluderei ʃlu:dəˈrai
schlud[e]rig 'ʃlu:drɪç, -e
  ...ɪgə
schludern 'ʃlu:dɐn,
  schludre 'ʃlu:drə
Schludrian 'ʃlu:dria:n
Schluff ʃluf, Schlüffe 'ʃlʏfə
schluffen, S... 'ʃlufn̩
Schluft ʃluft, Schlüfte
  'ʃlʏftə
schlug ʃlu:k
schlüge 'ʃly:gə
schlugen 'ʃlu:gn̩
schlugt ʃlu:kt
schlügt ʃly:kt
Schlumberger 'ʃlumbɛrgɐ,
  fr. ʃlœbɛrˈʒe, ʃlumb...
Schlummer 'ʃlumɐ
schlummern 'ʃlumɐn
Schlumpe 'ʃlumpə
schlumpen 'ʃlumpn̩
Schlumpf ʃlumpf
Schlumps ʃlumps
Schlund ʃlunt, -es 'ʃlundəs,
  Schlünde 'ʃlʏndə
Schlunk ʃluŋk
Schlunze 'ʃluntsə
schlunzen 'ʃluntsn̩
schlunzig 'ʃluntsɪç, -e ...ɪgə
Schlup ʃlu:p
Schlupf ʃlupf, Schlüpfe
  'ʃlʏpfə
schlupfen 'ʃlupfn̩
schlüpfen 'ʃlʏpfn̩
Schlüpfer 'ʃlʏpfɐ
schlüpfrig 'ʃlʏpfrɪç, -e ...ɪgə
Schluppe 'ʃlupə
Schlurf ʃlurf
schlurfen 'ʃlurfn̩
schlürfen 'ʃlʏrfn̩
schlurren, S... 'ʃlurən
Schluse 'ʃlu:zə
Schlusnus 'ʃlusnus
Schluss ʃlus, Schlüsse
  'ʃlʏsə
Schlüssel 'ʃlʏsl̩
Schlüsselburg 'ʃlʏsl̩burk
Schlüsselchen 'ʃlʏsl̩çən
schlüsseln 'ʃlʏsln̩
schlüssig 'ʃlʏsɪç, -e ...ɪgə
Schlüter 'ʃly:tɐ
Schlüttchen 'ʃlʏtçən

Schlutte 'ʃlutə
Schlüttli 'ʃlʏtli
Schma[ch] 'ʃma:[x]
schmachten 'ʃmaxtn̩
schmächtig 'ʃmɛçtɪç, -e
  ...ɪgə
Schmack[e] 'ʃmak[ə]
Schmackes 'ʃmakəs
Schmadder 'ʃmadɐ
schmaddern 'ʃmadɐn,
  schmaddre 'ʃmadrə
Schmaedl 'ʃmɛːdl̩
schmafu ʃmaˈfu:
Schmäh ʃmɛː
schmähen 'ʃmɛːən
schmal ʃma:l, schmäler
  'ʃmɛːlɐ
Schmalenbach 'ʃma:lənbax
schmälen 'ʃmɛːlən
Schmaler 'ʃma:lɐ
schmäler vgl. schmal
schmälern 'ʃmɛːlɐn
Schmalhans 'ʃma:lhans,
  -en ...nzn̩, ...hänse ...hɛnzə
Schmalkalden 'ʃmalˈkaldn̩
schmalkaldisch ʃmalˈkaldɪʃ
Schmallenberg 'ʃmalən-
  bɛrk
Schmalstich 'ʃma:lʃtɪç
Schmalte 'ʃmaltə
schmalten 'ʃmaltn̩
Schmalz ʃmalts
Schmälze 'ʃmɛltsə
schmalzen 'ʃmaltsn̩
schmälzen 'ʃmɛltsn̩
schmalzig 'ʃmaltsɪç, -e
  ...ɪgə
Schmalzler 'ʃmaltslɐ
Schmankerl 'ʃmaŋkɐl
Schmant ʃmant
schmarotzen ʃmaˈrɔtsn̩
Schmarre[n] 'ʃmarə[n]
Schmarsow 'ʃmarzo
Schmasche 'ʃmaʃə
Schmatz ʃmats
Schmätzchen 'ʃmɛtsçən
schmatzen 'ʃmatsn̩
Schmätzer 'ʃmɛtsɐ
Schmauch ʃmaux
schmauchen 'ʃmauxn̩
Schmaus ʃmaus, -es 'ʃmau-
  zəs, Schmäuse 'ʃmɔyzə
Schmäuschen 'ʃmɔysçən
schmausen 'ʃmauzn̩,
  schmaus! 'ʃmaus,
  schmaust ʃmaust
Schmauserei ʃmauzəˈrai
schmecken 'ʃmɛkn̩
Schmeichelei ʃmaiçəˈlai
schmeicheln 'ʃmaiçl̩n

Schmeichler 'ʃmaiçlɐ
schmeidig 'ʃmaidıç. -e
...ıgə
schmeidigen 'ʃmaidıgn,
schmeidig! ...ıç, schmei-
digt ...ıçt
Schmeidler 'ʃmaidlɐ
Schmeil ʃmail
schmeißen 'ʃmaisn
Schmeling 'ʃme:lıŋ
Schmeljow russ. ʃmı'ljof
Schmeller 'ʃmɛlɐ
Schmeltzl 'ʃmɛltsl
Schmelz[e] 'ʃmɛlts[ə]
schmelzen 'ʃmɛltsn
Schmelzer 'ʃmɛltsɐ
Schmelzerei ʃmɛltsə'rai
Schmer ʃme:ɐ
Schmerl[e] 'ʃmɛrl[ə]
Schmerling 'ʃme:ɐlıŋ
Schmerz ʃmɛrts
schmerzen 'ʃmɛrtsn
Schmettau 'ʃmɛtau
Schmetten 'ʃmɛtn
Schmetterling 'ʃmɛtɐlıŋ
schmettern 'ʃmɛtɐn
Schmicke 'ʃmıkə
Schmid ʃmi:t, ʃmıt
Schmidli 'ʃmi:tli
Schmidseder 'ʃmıtsle:dɐ
Schmidt[bonn] 'ʃmıt[bon]
Schmiechen 'ʃmi:çn
Schmied ʃmi:t, -e 'ʃmi:də
Schmiede[berg] 'ʃmi:-
də[bɛrk]
schmieden 'ʃmi:dn,
schmied! ʃmi:t
Schmiege 'ʃmi:gə
schmiegen 'ʃmi:gn,
schmieg! ʃmi:k
Schmiele 'ʃmi:lə
Schmierage ʃmi'ra:ʒə
Schmieralie ʃmi'ra:liə
Schmiere 'ʃmi:rə
schmieren 'ʃmi:rən
Schmierer 'ʃmi:rɐ
Schmiererei ʃmi:rə'rai
schmierig 'ʃmi:rıç, -e ...ıgə
schmilz! ʃmılts
Schminke 'ʃmıŋkə
schminken 'ʃmıŋkn
Schmirgel 'ʃmırgl
schmirgeln 'ʃmırgln,
schmirgle 'ʃmırglə
schmiss ʃmıs
Schmiss ʃmıs
schmissig 'ʃmısıç, -e ...ıgə
Schmitt ʃmıt, fr. ʃmit
Schmitthenner 'ʃmıthɛnɐ
Schmittolini ʃmıto'li:ni

Schmitz[e] 'ʃmıts[ə]
schmitzen 'ʃmıtsn
Schmock ʃmok, Schmöcke
'ʃmœkə
Schmok ʃmo:k
schmöken 'ʃmø:kn
Schmöker 'ʃmø:kɐ
schmökern 'ʃmø:kɐn
Schmoll[e] 'ʃmol[ə]
schmollen 'ʃmolən
Schmoller 'ʃmolɐ
Schmollis 'ʃmolıs
Schmölln ʃmœln
schmolz ʃmolts
schmölze 'ʃmœltsə
Schmone esre ʃmo'ne:
ɛs're:
Schmonzes 'ʃmontsəs
Schmonzette ʃmon'tsɛtə
schmoren 'ʃmo:rən
schmorgen 'ʃmorgn,
schmorg! ʃmork,
schmorgt ʃmorkt
Schmu ʃmu:
schmuck, Sch... ʃmʊk
Schmück[l]e 'ʃmʏk[l]ə
schmücken 'ʃmʏkn
Schmuddel 'ʃmʊdl
Schmuddelei ʃmʊdə'lai
schmudd[e]lig 'ʃmʊd[ə]lıç,
-e ...ıgə
schmuddeln 'ʃmʊdln,
schmuddle 'ʃmʊdlə
Schmuel 'ʃmu:əl
Schmuggel 'ʃmʊgl
Schmuggelei ʃmʊgə'lai
schmuggeln 'ʃmʊgln,
schmuggle 'ʃmʊglə
Schmuggler 'ʃmʊglɐ
Schmul 'ʃmu:l
schmulen 'ʃmu:lən
schmunzeln 'ʃmʊntsln
schmurgeln 'ʃmʊrgln,
schmurgle 'ʃmʊrglə
Schmus ʃmu:s, -es 'ʃmu:zəs
schmusen 'ʃmu:zn,
schmus! 'ʃmu:s, schmust
ʃmu:st
Schmuserei ʃmu:zə'rai
Schmutz ʃmʊts
schmutzen 'ʃmʊtsn
schmutzen 'ʃmʏtsn
Schmut[z]er 'ʃmʊtsɐ
Schmutzian 'ʃmʊtsia:n
schmutzig 'ʃmʊtsıç, -e ...ıgə
Schnabel 'ʃna:bl, Schnäbel
'ʃnɛ:bl
Schnäbelchen 'ʃnɛ:blçən
Schnäbelei ʃnɛ:bə'lai

schnäbeln 'ʃnɛ:bln,
schnäble 'ʃnɛ:blə
schnabulieren ʃnabu'li:rən
Schnabus 'ʃna:bʊs, -se
...ʊse
Schnack ʃnak, Schnäcke
'ʃnɛkə
schnackeln 'ʃnakln
schnacken 'ʃnakn
Schnackerl 'ʃnakɐl
Schnadahüpfl 'ʃna:dahʏpfl
Schnaderhüpferl 'ʃna:dɐ-
hʏpfɐl
schnadern 'ʃna:dɐn,
schnadre 'ʃna:drə
schnafte 'ʃnaftə
Schnake 'ʃna:kə
schnaken 'ʃnɛ:kn
schnakig 'ʃna:kıç, -e ...ıgə
schnäkig 'ʃnɛ:kıç, -e ...ıgə
Schnällchen 'ʃnɛlçən
Schnalle 'ʃnalə
schnallen 'ʃnalən
Schnalser Tal 'ʃnalzɐ 'ta:l
Schnalz ʃnalts
schnalzen 'ʃnaltsn
Schnäpel 'ʃnɛ:pl
schnapp! ʃnap
Schnäppchen 'ʃnɛpçən
schnappen 'ʃnapn
Schnäpper 'ʃnɛpɐ
schnappern 'ʃnapɐn
schnäppern 'ʃnɛpɐn
Schnapphahn 'ʃnapha:n
schnaps! ʃnaps
Schnaps ʃnaps, Schnäpse
'ʃnɛpsə
Schnapsbrennerei 'ʃnaps-
brɛnərai, ---'-
Schnäpschen 'ʃnɛpsçən
schnäpseln 'ʃnɛpsln
schnapsen 'ʃnapsn
schnarchen 'ʃnarçn
Schnarre 'ʃnarə
schnarren 'ʃnarən
Schnars ʃnars
Schnat[e] 'ʃna:t[ə]
Schnätel 'ʃnɛ:tl
schnätt[e]rig 'ʃnat[ə]rıç, -e
...ıgə
schnattern 'ʃnatɐn
schnatz, S... ʃnats
schnätzeln 'ʃnɛtsln
schnatzen 'ʃnatsn
Schnau ʃnau
schnauben 'ʃnaubn,
schnaub! ʃnaup,
schnaubt ʃnaupt
schnäubig 'ʃnɔybıç, -e ...ıgə
Schnauf ʃnauf

schnaufen ˈʃnaʊfn̩
Schnauferl ˈʃnaʊfɐl
Schnaupe ˈʃnaʊpə
Schnauz ˈʃnaʊts, Schnäuze
  ˈʃnɔʏtsə
Schnäuzchen ˈʃnɔʏtsçən
Schnauze ˈʃnaʊtsə
schnauzen ˈʃnaʊtsn̩
schnäuzen ˈʃnɔʏtsn̩
Schnauzer ˈʃnaʊtsɐ
Schnäuzer ˈʃnɔʏtsɐ
schnauzig ˈʃnaʊtsɪç, -e
  ...ɪɡə
...schnäuzig ...ˈʃnɔʏtsɪç, -e
  ...ɪɡə
Schneck[e] ˈʃnɛk[ə]
Schneckenberg ˈʃnɛkn̩bɛrk
Schneckenburger
  ˈʃnɛkn̩bʊrɡɐ
Schneckerl ˈʃnɛkɐl
schnedderengteng ˈʃnɛdə-
  rɛŋˈtɛŋ
schneddderengtengteng!
  ˈʃnɛdərɛŋtɛŋˈtɛŋ
Schnee ʃne:
Schneeberg ˈʃne:bɛrk
Schnee-Eifel ˈʃne:|aɪfl̩
schneeig ˈʃne:ɪç, -e ...ɪɡə
Schneekoppe ˈʃne:kɔpə
schneeweiß ˈʃne:ˈvaɪs
Schneeweißchen ʃne:-
  ˈvaɪsçən
Schneewittchen ʃne:ˈvɪt-
  çən
Schneid ʃnaɪt, -es ˈʃnaɪdəs
Schneide[mühl] ˈʃnaɪ-
  də[my:l]
schneiden ˈʃnaɪdn̩,
  schneid! ʃnaɪt
Schneider ˈʃnaɪdɐ, fr. ʃnɛ-
  ˈdɛ:r
Schneiderei ʃnaɪdəˈraɪ
Schneiderha[h]n ˈʃnaɪdɐ-
  ha:n
schneidern ˈʃnaɪdɐn,
  schneidre ˈʃnaɪdrə
schneidig ˈʃnaɪdɪç, -e ...ɪɡə
Schneidler ˈʃnaɪdlɐ
schneien ˈʃnaɪən
Schneifel ˈʃnaɪfl̩
Schneise ˈʃnaɪzə
schneiteln ˈʃnaɪtl̩n
schnell, S... ʃnɛl
Schnelle ˈʃnɛlə
schnellen ˈʃnɛlən
Schneller ˈʃnɛlɐ
schnellstmöglich ˈʃnɛlst-
  ˈmø:klɪç
Schnepf[e] ˈʃnɛpf[ə]
Schneppe ˈʃnɛpə

Schnepper ˈʃnɛpɐ
schneppern ˈʃnɛpɐn
schnetzeln ˈʃnɛtsl̩n
Schne'ur hebr. ʃnɛˈur
Schneuß ʃnɔʏs
Schneuze ˈʃnɔʏtsə
Schneverdingen ʃne:ˈvɛdɪ-
  ŋən
schnicken ˈʃnɪkn̩
Schnickschnack ˈʃnɪkʃnak
schnieben ˈʃni:bn̩,
  schnieb! ʃni:p, schniebt
  ʃni:pt
Schniedelwutz ˈʃni:dl̩vʊts
schniefen ˈʃni:fn̩
schniegeln ˈʃni:ɡl̩n,
  schniegle ˈʃni:ɡlə
schnieke ˈʃni:kə
Schniepel ˈʃni:pl̩
Schnipfel ˈʃnɪpfl̩
schnipfeln ˈʃnɪpfl̩n
schnipp! ʃnɪp
Schnippchen ˈʃnɪpçən
Schnippel[chen] ˈʃnɪpl̩[çən]
Schnippelei ʃnɪpəˈlaɪ
schnippeln ˈʃnɪpl̩n
schnippen ˈʃnɪpn̩
schnippisch ˈʃnɪpɪʃ
schnipp, schnapp! ˈʃnɪp
  ˈʃnap
Schnippschnappschnurr
  ˈʃnɪpˈʃnapˈʃnʊr
schnips! ʃnɪps
Schnipsel ˈʃnɪpsl̩
Schnipselei ʃnɪpsəˈlaɪ
schnipseln ˈʃnɪpsl̩n
schnipsen ˈʃnɪpsn̩
Schnitger ˈʃnɪtɡɐ
Schnitke russ. ˈʃnɪtkɪ
schnitt, S... ʃnɪt
Schnitte ˈʃnɪtə
schnittig ˈʃnɪtɪç, -e ...ɪɡə
Schnittke ˈʃnɪtkə
Schnittlauch ˈʃnɪtlaʊx
Schnitz[el] ˈʃnɪts[l̩]
Schnitzelei ʃnɪtsəˈlaɪ
schnitzeln ˈʃnɪtsl̩n
schnitzen ˈʃnɪtsn̩
Schnitzer ˈʃnɪtsɐ
Schnitzerei ʃnɪtsəˈraɪ
Schnitzler ˈʃnɪtslɐ
schnob ʃno:p
schnöbe ˈʃnø:bə
schnoben ˈʃno:bn̩
schnöben ˈʃnø:bn̩,
  schnöbre ˈʃnø:brə
schnobt ʃno:pt
schnöbt ʃnø:pt
schnöd ʃnø:t, -e ˈʃnø:də
Schnodder ˈʃnɔdɐ

schnodd[e]rig ˈʃnɔd[ə]rɪç,
  -e ...ɪɡə
schnöde ˈʃnø:də
schnöden ˈʃnø:dn̩, schnöd!
  ʃnø:t
Schnödigkeit ˈʃnø:dɪçkaɪt
schnofeln ˈʃno:fl̩n
schnökern ˈʃnø:kɐn
Schnorchel ˈʃnɔrçl̩
Schnörchel ˈʃnœrçl̩
schnorcheln ˈʃnɔrçl̩n
Schnörkel ˈʃnœrkl̩
Schnörkelei ʃnœrkəˈlaɪ
schnörk[e]lig ˈʃnœrk[ə]lɪç,
  -e ...ɪɡə
schnörkeln ˈʃnœrkl̩n
Schnorr ʃnɔr
schnorren ˈʃnɔrən
Schnorrerei ʃnɔrəˈraɪ
Schnösel ˈʃnø:zl̩
schnöselig ˈʃnø:zəlɪç, -e
  ...ɪɡə
Schnucke ˈʃnʊkə
Schnuckelchen ˈʃnʊkl̩çən
schnuck[e]lig ˈʃnʊk[ə]lɪç, -e
  ...ɪɡə
schnuckern ˈʃnʊkɐn
Schnucki ˈʃnʊki
schnudd[e]lig ˈʃnʊd[ə]lɪç,
  -e ...ɪɡə
Schnuddelnase ˈʃnʊdl̩na:zə
Schnüffelei ʃnʏfəˈlaɪ
schnuffeln ˈʃnʊfl̩n
schnüffeln ˈʃnʏfl̩n
Schnüffis ˈʃnʏfis
schnullen ˈʃnʊlən
Schnuller ˈʃnʊlɐ
Schnulze ˈʃnʊltsə
schnulzen ˈʃnʊltsn̩
schnulzig ˈʃnʊltsɪç, -e ...ɪɡə
schnupfen, Sch... ˈʃnʊpfn̩
schnuppe, Sch... ˈʃnʊpə
schnuppern ˈʃnʊpɐn
Schnur ʃnu:ɐ̯, Schnüre
  ˈʃny:rə
Schnürchen ˈʃny:ɐ̯çən
schnüren ˈʃny:rən
schnurgerade ˈʃnu:ɐ̯ɡə-
  ˈra:də
Schnurrant ʃnʊˈrant
Schnurrbart ˈʃnʊrba:ɐ̯t
Schnürre ˈʃnʊrə
schnurren ˈʃnʊrən
schnurrig ˈʃnʊrɪç, -e ...ɪɡə
Schnurrpfeiferei ʃnʊrpfaɪ-
  fəˈraɪ
schnurstracks ˈʃnu:ɐ̯ʃtraks
schnurz ʃnʊrts
schnurzpiepe ˈʃnʊrtsˈpi:pə

schnurzpiepegal
 ˈʃnʊrtsˈpiːpleˈgaːl
Schnütchen ˈʃnyːtçən
Schnute ˈʃnuːtə
Schnyder ˈʃniːdɐ
Schoah ˈʃoːa, ʃoˈaː
schob ʃoːp
schöbe ˈʃøːbə
schoben ˈʃoːbn̩
Schober ˈʃoːbɐ
Schöberl ˈʃøːbɐl
schobern ˈʃoːbɐn, schobre
 ˈʃoːbrə
schöbern ˈʃøːbɐn, schöbre
 ˈʃøːbrə
Schobert ˈʃoːbɐt, fr. ʃɔˈbɛːr
schobt ʃoːpt
schöbt ʃøːpt
Schoch[en] ˈʃɔx[n̩]
Schock ʃɔk
schockant ʃɔˈkant
schockeln ˈʃɔkl̩n
schocken ˈʃɔkn̩
Schocker ˈʃɔkɐ
schockieren ʃɔˈkiːrən
schocking ˈʃɔkɪŋ
Schockschwerenot! ˈʃɔk-
 ʃveːraˈnoːt
Schoden ˈʃoːdn̩
Schodino russ. ˈʒɔdinɐ
Schoeck ʃœk, auch: ʃøːk
Schoeller ˈʃœlɐ
Schoeman afr. ˈskuːman
Schoenflies ˈʃøːnfliːs
Schoenholtz ˈʃøːnhɔlts
Schoeps ʃœps
Schoetensack ˈʃoːtn̩zak
Schof ʃoːf
Schofar foˈfaːɐ
schofel, Sch... ˈʃoːfl̩
schof[e]lig ˈʃoːf[ə]lɪç, -e
 ...ɪgə
Schöffe ˈʃœfə
Schöffel ˈʃœfl̩
Schöffer ˈʃœfɐ, fr. ʃɛˈfɛːr
Schöfferlin ˈʃœfɐliːn
Schöff[l]er ˈʃœf[l]ɐ
Schofför ʃɔˈføːɐ
Schofield engl. ˈskoʊfiːld
Schogun ˈʃoːgʊn
Schogunat ʃoguˈnaːt
Schoham hebr. ʃoˈham
Schoitasch ˈʃɔytaʃ
Schoko ˈʃoːko
Schokolade ʃokoˈlaːdə
schokoladen ʃokoˈlaːdn̩,
 ...dne ...dnə
schokolieren ʃokoˈliːrən
Schokze ˈʃɔktsə

Schola ˈskoːla, auch: ˈsço:la,
 ...lae ...lɛ
Schola Cantorum ˈskoːla
 kanˈtoːrʊm, fr. skɔlakāto-
 ˈrɔm
Scholar ʃoˈlaːɐ
Scholarch ʃoˈlarç
Scholarchat ʃolarˈçaːt
Scholast[ik] ʃoˈlast[ɪk]
Scholastika ʃoˈlastika
Scholastikat ʃolastiˈkaːt
Scholastiker ʃoˈlastikɐ
Scholastikus ʃoˈlastikʊs
scholastisch ʃoˈlastɪʃ
Scholastizismus ʃolasti-
 ˈtsɪsmʊs
Scholderer ˈʃɔldərɐ
Scholem ˈʃoːlɛm
Scholiast ʃoˈliast
Scholie ˈʃoːliə
Scholion ˈʃoːliɔn, ...ien
 ...iən
scholl, S... ʃɔl
Scholle ˈʃɔlə
schölle ˈʃœlə
Schöllenen ˈʃœlənən
schollern ˈʃɔlɐn
Scholli ˈʃɔli
schollig ˈʃɔlɪç, -e ...ɪgə
Schöllkraut ˈʃœlkraut
Schollum ˈʃɔlʊm
Scholochow russ. ˈʃɔlɐxɐf
schölte ˈʃœltə
Scholtis ˈʃɔltɪs
Scholtisei ʃɔltiˈzai
Scholtyje Wody russ. ˈʒɔl-
 tiji ˈvɔdɨ
Scholz[e] ˈʃɔlts[ə]
Schomberg ˈʃɔmbɛrk, engl.
 ˈʃɔmbəːg, fr. ʃɔmˈbɛrg,
 ...bɛːr
Schömberg ˈʃœmbɛrk,
 ˈʃøːm...
Schomburgk ˈʃɔmbʊrk,
 engl. ˈʃɔmbəːk
schon ʃoːn
schön, S... ʃøːn
Schona ˈʃoːna
Schönaich ˈʃøːnaiç
Schönau ˈʃøːnau
Schönbach ˈʃøːnbax
Schönberg ˈʃøːnbɛrk
Schönborn ˈʃøːnbɔrn
Schönbrunn ʃøːnˈbrʊn
Schönbuch ˈʃøːnbuːx
Schönbühel ˈʃøːnbyːəl
Schöne[beck] ˈʃøːnə[bɛk]
Schöneck ˈʃøːnɛk
Schönefeld ˈʃøːnəfɛlt
Schönemann ˈʃøːnəman

schonen, S... ˈʃoːnən
schönen ˈʃøːnən
Schönenwerd ʃøːnənˈvɛrt
Schoner ˈʃoːnɐ
Schöner ˈʃøːnɐ
Schönerer ˈʃøːnərɐ
Schönfärberei ʃøːnfɛrbəˈrai
Schönfeld ˈʃøːnfɛlt
Schongau[er] ˈʃoːngau[ɐ]
Schöngeisterei ʃøːngais-
 təˈrai
Schöngrabern ˈʃøːngraːbɐn
Schönhagen ʃøːnˈhaːgn̩
Schönhengst[gau] ˈʃøːn-
 hɛŋst[gau]
Schönherr ˈʃøːnhɛr
Schöningen ˈʃøːnɪŋən
Schöningh ˈʃøːnɪŋ
Schönkopf ˈʃøːnkɔpf
Schönlank ˈʃøːnlaŋk
Schönlanke ʃøːnˈlaŋkə
Schönlein ˈʃøːnlain
Schönred[n]erei ʃøːn-
 reːd[n]əˈrai
Schönstatt ˈʃøːnʃtat
Schöntal ˈʃøːntaːl
Schönthan ˈʃøːntan
Schöntuer ˈʃøːntuːɐ
Schöntuerei ʃøːntuːəˈrai
Schönwald ˈʃøːnvalt
Schönwetterlage ʃøːnˈvɛ-
 tɐlaːgə
Schönwiese ˈʃøːnviːzə
Schoof[s] ˈʃoːf[s]
Schoon ʃoːn
Schoonhoven niederl.
 ˈsxoːnhoːvə
Schoop ˈʃoːp
Schopenhauer ˈʃoːpn̩hauɐ
Schopenhauerianer
 ʃoːpn̩hauəˈriaːnɐ
Schopf ʃɔpf, Schöpfe
 ˈʃœpfə
Schöpf ʃœpf
Schöpfe ˈʃœpfə
schöpfen ˈʃœpfn̩
schöpferisch ˈʃœpfərɪʃ
Schopfheim ˈʃɔpfhaim
Schöpfl ˈʃœpfl̩
Schöpflin ˈʃœpfliːn
Schopp ʃɔp
Schöppchen ˈʃœpçən
Schoppe ˈʃɔpə
Schöppe ˈʃœpə
schöppeln ˈʃœpl̩n
schoppen, Sch... ˈʃɔpn̩
Schöppenstedt ˈʃœpn̩ʃtɛt
Schöps ʃœps
Schöpserne ˈʃœpsənə
schor, Sch... ʃoːɐ

Schore 'ʃoːrə
schöre 'ʃøːrə
schoren 'ʃoːrən
Schorf[heide] 'ʃɔrf[haidə]
schorfig 'ʃɔrfɪç, -e ...ɪgə
Schörl ʃœrl
Schorle 'ʃɔrlə
Schorlemorle 'ʃɔrlə'mɔrlə
Schorm ʃɔrm
Schorndorf 'ʃɔrndɔrf
Schörner 'ʃœrnɐ
Schornstein 'ʃɔrnʃtain
Schorsch ʃɔrʃ
Schortens 'ʃɔrtn̩s
Schoschone ʃo'ʃoːnə
Schose 'ʃoːzə
Schoß (Mitte des Leibes)
ʃoːs, Schöße 'ʃøːsə
schoss ʃɔs
Schoss (junger Trieb; ver-
alt. für: Zoll, Steuer) ʃɔs
Schößchen (zu: Schoß)
'ʃøːsçən
Schösschen (zu: Schoss)
'ʃœsçən
schösse 'ʃœsə
Schößel 'ʃøːsl
Schössling 'ʃœslɪŋ
Schostakowitsch ʃɔsta-
'koːvɪtʃ, russ. ʃesta'kɔvitʃ
Schostka russ. 'ʃɔstkɐ
Schot ʃoːt
Schota georg. 'ʃotha
Schötchen 'ʃøːtçən
Schote 'ʃoːtə
Schotel niederl. 'sxoːtəl
Schoten niederl. 'sxoːtə
Schötmar 'ʃœtmar
Schott[e] 'ʃɔt[ə]
Schottel 'ʃɔtl
Schottelius 'ʃoːteːljus
Schotten[loher] 'ʃɔtn̩[loːɐ]
Schottenmeister
'ʃɔtn̩maistɐ
Schotter 'ʃɔtɐ
schottern 'ʃɔtɐn
schottisch 'ʃɔtɪʃ
Schottky 'ʃɔtki
Schottland 'ʃɔtlant
Schottländer 'ʃɔtlɛndɐ
schottländisch 'ʃɔtlɛndɪʃ
Schöttli 'ʃœtli
Schoubroeck niederl. 'sxoʊ-
bruk
Schoultz schwed. ʃʊlts
Schouten niederl. 'sxɔʊtə
Schouwen niederl. 'sxɔʊwə
Schowa 'ʃoːva
Schøyen norw. 'skœjən
Schrader 'ʃraːdɐ

Schraffe 'ʃrafə
schraffen, S... 'ʃrafn̩
schraffieren ʃra'fiːrən
Schraffur ʃra'fuːɐ
schräg ʃrɛːk, -e 'ʃrɛːgə
Schräge 'ʃrɛːgə
schragen 'ʃraːgn̩, schrag!
ʃraːk, schragt ʃraːkt
Schragen 'ʃraːgn̩
schrägen 'ʃrɛːgn̩, schräg!
ʃrɛːk, schrägt ʃrɛːkt
schräghin 'ʃrɛːkhɪn
schrägüber ʃrɛːk'lyːbɐ
schrak ʃraːk
schräke 'ʃrɛːkə
schral ʃraːl
schralen 'ʃraːlən
Schram ʃraːm, Schräme
'ʃrɛːmə
Schramberg 'ʃrambɛrk
schrämen 'ʃrɛːmən
Schramm[e] 'ʃram[ə]
Schrammel 'ʃraml̩
schrammen 'ʃramən
schrammig 'ʃramɪç, -e ...ɪgə
Schrank ʃraŋk, Schränke
'ʃrɛŋkə
Schränkchen 'ʃrɛŋkçən
Schranke 'ʃraŋkə
schranken 'ʃraŋkn̩
schränken 'ʃrɛŋkn̩
Schranne 'ʃranə
Schranz[e] 'ʃrants[ə]
Schrape 'ʃraːpə
schrapen 'ʃraːpn̩
Schraper 'ʃraːpɐ
Schrapnell ʃrap'nɛl
schrappen 'ʃrapn̩
Schrapsel 'ʃrapsl̩
Schrat ʃraːt
Schrätel 'ʃrɛːtl
Schrätlein 'ʃrɛːtlain
Schratt[e] 'ʃrat[ə]
Schräubchen 'ʃrɔypçən
Schraube 'ʃraubə
Schraubel 'ʃraubl̩
schrauben 'ʃraubn̩,
schraub! ʃraup, schraubt
ʃraupt
schraubig 'ʃraubɪç, -e ...ɪgə
Schraudolph 'ʃraudɔlf
Schraufen 'ʃraufn̩
Schreber 'ʃreːbɐ
Schreck[e] 'ʃrɛk[ə]
schrecken, Sch... 'ʃrɛkn̩
Schreckenbach 'ʃrɛknbax
schreckensblass 'ʃrɛkns-
'blas
schreckensbleich 'ʃrɛkns-
'blaiç

schrecklich 'ʃrɛklɪç
Schrecknis 'ʃrɛknɪs, -se
...ɪsə
Schredder 'ʃrɛdɐ
Schrei[b] ʃrai[p]
Schreibe 'ʃraibə
schreiben 'ʃraibn̩, schreib!
ʃraip, schreibt ʃraipt
Schreiben 'ʃraibn̩
Schreiber[hau] 'ʃraibɐ[hau]
Schreiberei ʃraibə'rai
Schreiberling 'ʃraibɐlɪŋ
schreien 'ʃraiən
Schreier 'ʃraiɐ
Schreierei ʃraiə'rai
Schrein ʃrain
Schreiner 'ʃrainɐ, engl.
'ʃrainə, afr. 'ʃra:jnɐr
Schreinerei ʃrainə'rai
schreinern 'ʃrainɐn
schreiten 'ʃraitn̩
Schreiter 'ʃraitɐ
Schreker 'ʃreːkɐ
Schrems ʃrɛms
Schrenz ʃrɛnts
Schrey[er] 'ʃrai[ɐ]
Schreyvog[e]l 'ʃraifoːgl̩
Schri[ber] 'ʃriː[bɐ]
schrick!, Schrick ʃrɪk
schrickt ʃrɪkt
schrie[b] ʃriː[p]
Schrieb ʃriːp, -e 'ʃriːbə
schrieben 'ʃriːbn̩
schriebt ʃriːpt
schrieen 'ʃriːən
schrieest 'ʃriːəst
schrieet 'ʃriːət
Schrieffer engl. 'ʃriːfə
schrien ʃriːn
Schriesheim 'ʃriːshaim
schriest ʃriːst
schriet ʃriːt
Schrift ʃrɪft
schriftlich 'ʃrɪftlɪç
Schriftsteller 'ʃrɪftʃtɛlɐ
Schriftstellerei ʃrɪftʃtɛ-
lə'rai
schriftstellerisch 'ʃrɪftʃtɛ-
lərɪʃ
schriftstellern 'ʃrɪftʃtɛlɐn
Schrifttum 'ʃrɪfttuːm
Schrijnen niederl. 'sxrɛinə
schrill[en] 'ʃrɪl[ən]
Schrimpf ʃrɪmpf
schrinken 'ʃrɪŋkn̩
schrinnen 'ʃrɪnən
Schrippe 'ʃrɪpə
schritt, S... ʃrɪt
Schro ʃro:

24*

Schrobenhausen
ˈʃroːbnˈhauzn̩
Schröckh ʃrœk
Schröder ˈʃrøːdɐ
Schrödinger ˈʃrøːdɪŋɐ
Schroeder ˈʃrøːdɐ
Schroedter ˈʃrøːtɐ
Schröer ʃrøːɐ
Schroers ʃrøːɐs
Schroeter ˈʃrøːtɐ
Schroetter ˈʃrœtɐ
Schrofen ˈʃroːfn̩
schroff, S... ʃrɔf
Schroffen ˈʃrɔfn̩
schroh ʃroː
Schroll ʃrɔl
schröpfen ˈʃrœpfn̩
Schropphobel ˈʃrɔphoːbl̩
Schrörs ʃrøːɐs
Schrot ʃroːt
schroten ˈʃroːtn̩
Schröter ˈʃrøːtɐ
Schroth ʃroːt
Schrötling ˈʃrøːtlɪŋ
Schrott ʃrɔt
schrotten ˈʃrɔtn̩
schrubben ˈʃrʊbn̩,
  schrubb! ʃrʊp, schrubbt
  ʃrʊpt
Schrubber ˈʃrʊbɐ
Schrulle ˈʃrʊlə
schrullig ˈʃrʊlɪç, -e ...ɪɡə
schrumm! ʃrʊm
schrummfidebumm!
  ˈʃrʊmfidəˈbʊm
Schrumpel ˈʃrʊmpl̩
schrump[e]lig ˈʃrʊmp[ə]lɪç,
  -e ...ɪɡə
schrumpeln ˈʃrʊmpl̩n
schrumpfen ˈʃrʊmpfn̩
schrumpfig ˈʃrʊmpfɪç, -e
  ...ɪɡə
Schrund ʃrʊnt, -es ˈʃrʊn-
  dəs, Schründe ˈʃryndə
Schrunde ˈʃrʊndə
schrundig ˈʃrʊndɪç, -e ...ɪɡə
Schruns ʃrʊns
schruppen ˈʃrʊpn̩
Schtein russ. ʃtejn
Schtschedrin russ. ʃtʃiˈdrin
Schtscherba russ. ˈʃtʃɛrbɐ
Schtscherbatow russ.
  ʃtʃɪrˈbatɐf
Schtscherbina russ. ʃtʃɪr-
  ˈbinɐ
Schtschipatschow russ.
  ʃtʃipaˈtʃɔf
Schtschokino russ. ˈʃtʃɔ-
  kinɐ

Schtscholkowo russ. ˈʃtʃɔl-
  kɐvɐ
Schtschukin russ. ˈʃtʃukin
Schtschussew russ. ˈʃtʃusɪf
Schtschutschinsk russ.
  ˈʃtʃutʃinsk
Schuaiba ʃuˈaiba
Schub ʃuːp, Schubes
  ˈʃuːbəs, Schübe ˈʃyːbə
Schubart ˈʃuːbart
Schubbejack ˈʃubəjak
schubben ˈʃubn̩, schubb!
  ʃup, schubbt ʃupt
schubbern ˈʃubɐn,
  schubbre ˈʃubrə
Schübel ˈʃyːbl̩
Schuber[t] ˈʃuːbɐ[t]
Schubertiade ʃuːbɐˈtiaːdə
Schubiack ˈʃuːbiak
Schublade ˈʃuːplaːdə
schubladisieren ʃuːpladi-
  ˈziːrən
Schüblig ˈʃyːblɪç, -e ...ɪɡə
Schübling ˈʃyːplɪŋ
Schubra Al Chaima ˈʃubra
  alˈxaima
Schubring ˈʃuːbrɪŋ
Schubs ʃups
schubsen ˈʃupsn̩
Schubserei ʃupsəˈrai
Schuch[ardt] ˈʃux[art]
Schuchhardt ˈʃuxart
Schüchlin ˈʃyːçliːn
Schüchter ˈʃyçtɐ
schüchtern ˈʃyçtɐn
Schuckelei ʃukəˈlai
schuckeln ˈʃukl̩n
Schuckert ˈʃukɐt
Schücking ˈʃykɪŋ
schuddern ˈʃudɐn,
  schuddre ˈʃudrə
Schuder ˈʃuːdɐ
Schudra[ka] ˈʃuːdra[ka]
schuf ʃuːf
schüfe ˈʃyːfə
Schuffel ˈʃufl̩
Schuft ʃuft
schuften ˈʃuftn̩
Schufterei ʃuftəˈrai
schuftig ˈʃuftɪç, -e ...ɪɡə
Schuh ʃuː
Schühchen ˈʃyːçən
Schuhmacher ˈʃuːmaxɐ
Schuhmacherei ʃuːma-
  xəˈrai
Schuhplattler ˈʃuːplatlɐ
Schuhu ˈʃuːhu
Schuiski russ. ˈʃujskij
Schuja russ. ˈʃujɐ
Schukostecker ˈʃuːkoʃtɛkɐ

Schukow russ. ˈʒukɐf
Schukowski russ. ʒuˈkɔfskij
Schukschin russ. ʃukˈʃin
Schul ʃuːl
Schulammit ˈʃuːlamɪt
Schulberg engl. ˈʃulbəːɡ
Schulchan Aruch ʃʊlˈxaːn
  aˈruːx
Schuld ʃʊlt, -en ˈʃʊldn̩
schulden ˈʃʊldn̩, schuld!
  ʃʊlt
schuldig ˈʃʊldɪç, -e ...ɪɡə
Schuldner ˈʃʊldnɐ
Schule ˈʃuːlə
schulen ˈʃuːlən
Schulenburg ˈʃuːlənbʊrk
Schuler ˈʃuːlɐ
Schüler ˈʃyːlɐ
Schulerloch ˈʃuːlɐlɔx
Schulhoff tschech. ˈʃuːlhɔf
schulisch ˈʃuːlɪʃ
Schuller engl. ˈʃulə
Schullern ˈʃulɐn
Schulmeisterei ʃuːlmaist-
  təˈrai
Schulp ʃʊlp
Schulpforta ʃuːlˈpfɔrta
Schuls ʃʊls
Schult[e] ˈʃʊlt[ə]
Schulten ˈʃʊltn̩
Schultens niederl. ˈsxʏltəns
Schulter ˈʃʊltɐ
...schult[e]rig ....ʃʊlt[ə]rɪç,
  -e ...ɪɡə
schultern ˈʃʊltɐn
Schultheiß, ...eiss ˈʃʊltais
Schultheß ˈʃʊltɛs
Schultz[e] ˈʃʊlts[ə]
Schulz ʃʊlts, poln. ʃults
Schulze ˈʃʊltsə
Schumacher ˈʃuːmaxɐ
Schuman ˈʃuːman, engl.
  ˈʃuːmən, fr. ʃuˈman
Schumann ˈʃuːman, fr.
  ʃuˈman
Schumen bulgar. ˈʃumɛn
Schummelei ʃuməˈlai
schummeln ˈʃuml̩n
Schummer ˈʃumɐ
schumm[e]rig ˈʃum[ə]rɪç,
  -e ...ɪɡə
schummern ˈʃumɐn
schumpern ˈʃumpɐn
Schumpeter ˈʃumpeːtɐ,
  engl. ˈʃumpɛɪtə
schund ʃunt
Schund ʃunt, -es ˈʃundəs
schünde ˈʃyndə
schunden ˈʃundn̩
schundig ˈʃundɪç, -e ...ɪɡə

schunkeln ˈʃʊŋkl̩n
Schünzel ˈʃʏnts̩l
Schupf ʃʊpf
schupfen, S... ˈʃʊpf̩n
Schupo ˈʃuːpo
Schupp ʃʊp
Schuppanzigh ˈʃʊpants̩ɪk
Schuppe ˈʃʊpə
Schüppe ˈʃʏpə
Schüppel ˈʃʏpl̩
schüppeln ˈʃʏpl̩n
schuppen, S... ˈʃʊpn̩
schüppen, Sch... ˈʃʏpn̩
schuppig ˈʃʊpɪç, -e ...ɪɡə
Schups ʃʊps
schupsen ˈʃʊpsn̩
Schur ʃuːɐ̯
Schuré fr. ʃyˈre
Schurek ˈʃuːrɛk
schüren ˈʃyːrən
Schurf ʃʊrf, Schürfe ˈʃʏrfə
schürfen ˈʃʏrfn̩
Schürff ʃʏrf
schürgen ˈʃʏrɡn̩, schürg!
ʃʏrk, schürgt ʃʏrkt
Schuricht ˈʃuːrɪçt
Schurigelei ʃuːriɡəˈlai
schurigeln ˈʃuːriːɡl̩n, schu-
rigle ...ɡlə
Schurke ˈʃʊrkə
Schurkerei ʃʊrkəˈrai
schurkisch ˈʃʊrkɪʃ
Schürmann ˈʃyːɐ̯man
Schurre ˈʃʊrə
schurren ˈʃʊrən
Schurrmurr ʃʊrˈmʊr
Schurwald ˈʃuːɐ̯valt
Schurz ʃʊrts̩, engl. ʃʊəts
Schürze ˈʃʏrts̩ə
schürzen ˈʃʏrts̩n̩
Schuschenskoje russ.
ˈʃuʃənskɐjɐ
Schuschnigg ˈʃʊʃnɪk
Schuschtar pers. ʃʊʃˈtær
Schuss ʃʊs, Schüsse ˈʃʏsə
Schüssel ˈʃʊsl̩
Schüssel ˈʃʏsl̩
schüsselig ˈʃʊsəlɪç, -e ...ɪɡə
schüsseln ˈʃʊsl̩n
Schussen ˈʃʊsn̩
Schussenried ˈʃʊsn̩ˈriːt
Schusser ˈʃʊsɐ
schüssern ˈʃʊsɐn
schüssig ˈʃʊsɪç, -e ...ɪɡə
Schüssler ˈʃʊslɐ
schüsslig ˈʃʊslɪç, -e ...ɪɡə
Schuster ˈʃuːstɐ
Schusterei ʃuːstəˈrai
schustern ˈʃuːstɐn
Schut niederl. sxyt

Schute ˈʃuːtə
Schutt ʃʊt
Schütt[e] ˈʃʏt[ə]
schütteln ˈʃʏtl̩n
schütten, Sch... ˈʃʏtn̩
schütter[n] ˈʃʏtɐ[n]
Schutting ˈʃʊtɪŋ
Schüttorf ˈʃʏtɔrf
Schutz ʃʊts̩, fr. ʃyts
Schütz[e] ˈʃʏts̩[ə]
schützen, Sch... ˈʃʏts̩n̩
schutzimpfen ˈʃʊts̩lɪmpf̩n
Schützling ˈʃʏts̩lɪŋ
Schuwalow russ. ʃuˈvalɐf
Schuyler engl. ˈskailə
Schuylkill engl. ˈskuːlkɪl
Schüz ʃyts̩
Schwa ʃva:
Schwaan ʃva:n
Schwab ʃva:p, engl. ʃvɔb
Schwabach[er] ˈʃva:bax[ɐ]
Schwabbelei ʃvabəˈlai
schwabb[e]lig ˈʃvab[ə]lɪç,
-e ...ɪɡə
schwabbeln ˈʃvabl̩n
schwabble ˈʃvablə
Schwabber ˈʃvabɐ
schwabbern ˈʃvabɐn
schwabbre ˈʃvabrə
Schwabe ˈʃva:bə
schwäbeln ˈʃvɛ:bl̩n
schwäble ˈʃvɛ:blə
Schwaben ˈʃva:bn̩
Schwäbin ˈʃvɛ:bɪn
Schwabing ˈʃva:bɪŋ
schwäbisch ˈʃvɛ:bɪʃ
Schwäbisch Gmünd ˈʃvɛ:-
bɪʃ ˈɡmʏnt
Schwäbisch Hall ˈʃvɛ:bɪʃ
ˈhal
schwäbisch-hällisch ˈʃvɛ:-
bɪʃˈhɛlɪʃ
Schwabmünchen ˈʃva:p-
ˈmʏnçn̩
schwach ʃvax, schwächer
ˈʃvɛçɐ
Schwäche ˈʃvɛçə
schwächen ˈʃvɛçn̩
schwächlich ˈʃvɛçlɪç
Schwächling ˈʃvɛçlɪŋ
Schwachmatikus
ˈʃvax'ma:tikus, -se ...uːsə
Schwade ˈʃva:də
Schwaden ˈʃva:dn̩
schwadern ˈʃva:dɐn,
schwadre ˈʃva:drə
Schwadron ʃva'dro:n
Schwadronade ʃvadro-
'na:də
Schwadroneur ʃvadro'nøːɐ̯

schwadronieren
ʃvadro'ni:rən
Schwafelei ʃva:fəˈlai
schwafeln ˈʃva:fl̩n
Schwager ˈʃva:ɡɐ, Schwä-
ger ˈʃvɛ:ɡɐ
Schwägerin ˈʃvɛ:ɡərɪn
Schwäher ˈʃvɛ:ɐ
schwaien ˈʃvaiən
Schwaige ˈʃvaiɡə
schwaigen, Sch... ˈʃvaiɡn̩
Schwaiger[n] ˈʃvaiɡɐ[n]
Schwalbach ˈʃvalbax
Schwälbchen ˈʃvɛlpçən
Schwalbe ˈʃvalbə
Schwalch ʃvalç
schwälchen ˈʃvalçn̩
Schwalenberg ˈʃva:lənbɛrk
Schwalk ʃvalk
schwalken ˈʃvalkn̩
Schwall ʃval
schwallen ˈʃvalən
Schwälmer ˈʃvɛlmɐ
Schwalm[stadt]
ˈʃvalm[ʃtat]
schwamm ʃvam
Schwamm ʃvam,
Schwämme ˈʃvɛmə
Schwämmchen ˈʃvɛmçən
schwämme ˈʃvɛmə
Schwämmerl ˈʃvamɐl
schwammig ˈʃvamɪç, -e
...ɪɡə
Schwan ʃva:n, Schwäne
ˈʃvɛ:nə
Schwänchen ˈʃvɛ:nçən
schwand, S... ʃvant
Schwanda ˈʃvanda
schwände ˈʃvɛndə
schwanden, Sch... ˈʃvandn̩
Schwandorf ˈʃva:ndɔrf
Schwanebeck ˈʃva:nəbɛk
schwanen ˈʃva:nən
schwang, S... ʃvaŋ
Schwangau ˈʃvaŋɡau
schwänge ˈʃvɛŋə
schwanger ˈʃvaŋɐ
schwängern ˈʃvɛŋɐn
Schwanhardt ˈʃva:nhart
schwank ʃvaŋk
Schwank ʃvaŋk,
Schwänke ˈʃvɛŋkə
schwanken ˈʃvaŋkn̩
Schwann ʃvan
Schwansen ˈʃvanzn̩
Schwanthaler ˈʃva:nta:lɐ
Schwanz ʃvants̩,
Schwänze ˈʃvɛnts̩ə
Schwänzchen ˈʃvɛnts̩çən
schwänzeln ˈʃvɛnts̩l̩n

schwänzen 'ʃvɛntsn̩
...schwänzig ...ʃvɛntsɪç, -e
...ɪɡə
schwapp!, Schwapp ʃvap
schwappen 'ʃvapn̩
schwaps!, Schwaps ʃvaps
schwapsen 'ʃvapsn̩
Schwär ʃvɛ:ɐ̯
Schwäre 'ʃvɛ:rə
schwären, Sch... 'ʃvɛ:rən
schwärig 'ʃvɛ:rɪç, -e ...ɪɡə
Schwarm ʃvarm,
Schwärme 'ʃvɛrmə
schwärmen 'ʃvɛrmən
Schwärmerei ʃvɛrmə'raɪ
Schwartau 'ʃvartaʊ
Schwarte 'ʃvartə, 'ʃva:ɐ̯tə
schwarten 'ʃvartn̩, 'ʃva:ɐ̯tn̩
schwartig 'ʃvartɪç, 'ʃva:ɐ̯-
tɪç, -e ...ɪɡə
Schwartz ʃvarts, engl.
ʃwɔ:ts, fr. ʃvarts
Schwartze niederl. 'ʃwartsə
schwarz ʃvarts, schwärzer
'ʃvɛrtsɐ
Schwarz ʃvarts, russ. ʃvarts
Schwarza[ch] 'ʃvartsa[x]
Schwarz-Bart fr. ʃvarts'ba:r
Schwarzburg 'ʃvartsbʊrk
Schwärze 'ʃvɛrtsə
schwärzen 'ʃvɛrtsn̩
Schwarzenacker 'ʃvartsn̩-
lakɐ
Schwarzenbach
'ʃvartsn̩bax
Schwarzenbek 'ʃvartsn̩be:k
Schwarzenberg
'ʃvartsn̩bɛrk
Schwarzenburg
'ʃvartsn̩bʊrk
Schwarzer 'ʃvartsɐ
schwärzer vgl. schwarz
Schwarzkopf 'ʃvartskɔpf,
engl. 'ʃwɔ:tskɔpf
schwärzlich 'ʃvɛrtslɪç
Schwarzmalerei ʃvartsma:-
lə'raɪ
Schwarzort ʃvarts'ɔrt
Schwarz-Rheindorf
'ʃvarts'raɪndɔrf
Schwarzrotgold 'ʃvarts-
'ro:t'ɡɔlt
Schwarzschild 'ʃvartsʃɪlt
Schwarzseherei ʃvarts-
ze:ə'raɪ
Schwarzwald 'ʃvartsvalt
Schwarzwälder 'ʃvarts-
vɛldɐ
Schwarzwasser 'ʃvarts-
vasɐ

schwarzweiß..., S... ʃvarts-
'vaɪs...
Schwatz ʃvats
Schwätzchen 'ʃvɛtsçən
schwatzen 'ʃvatsn̩
schwätzen 'ʃvɛtsn̩
Schwätzerei ʃvɛtsə'raɪ
Schwaz ʃva:ts
Schwebe 'ʃve:bə
Schwebel 'ʃve:bl̩
schweben 'ʃve:bn̩,
schweb! ʃve:p, schwebt
ʃve:pt
Schweberei ʃve:bər'aɪ
Schwechat 'ʃvɛçat
Schwechten 'ʃvɛçtn̩
Schwede 'ʃve:də
Schweden 'ʃve:dn̩
Schwedhelm 'ʃve:thɛlm
schwedisch 'ʃve:dɪʃ
Schwedler 'ʃve:dlɐ
Schwedt ʃve:t
Schwefel 'ʃve:fl̩
schwef[e]lig 'ʃve:f[ə]lɪç, -e
...ɪɡə
schwefeln 'ʃve:fl̩n
Schwefelwasserstoff
'ʃve:fl̩'vasɐʃtɔf
Schwegel 'ʃve:ɡl̩
Schwegler 'ʃve:ɡlɐ
Schweidnitz 'ʃvaɪdnɪts
Schweif ʃvaɪf
schweifen 'ʃvaɪfn̩
schweigen 'ʃvaɪɡn̩,
schweig! ʃvaɪk, schweigt
ʃvaɪkt
Schweigger 'ʃvaɪɡɐ
schweigsam 'ʃvaɪkza:m
Schweikart 'ʃvaɪkart
Schwein ʃvaɪn
Schweinerei ʃvaɪnə'raɪ
schweinern 'ʃvaɪnɐn
Schweinfurt[h] 'ʃvaɪnfʊrt
Schweinigel 'ʃvaɪnli:ɡl̩
Schweinigelei ʃvaɪnli:ɡə'laɪ
schweinigeln 'ʃvaɪnli:ɡl̩n,
...gle ...ɡlə
Schweiß ʃvaɪs
schweißen 'ʃvaɪsn̩
schweißig 'ʃvaɪsɪç, -e ...ɪɡə
Schweitzer 'ʃvaɪtsɐ
Schweiz[er] 'ʃvaɪts[ɐ]
schweizerdeutsch 'ʃvaɪtsɐ-
dɔʏtʃ
Schweizerei ʃvaɪtsə'raɪ
Schweizerhalle 'ʃvaɪtsɐhalə
schweizerisch 'ʃvaɪtsərɪʃ
Schwejk ʃvaɪk, tschech.
ʃvɛjk
Schwela 'ʃve:la

Schwelchmalz 'ʃvɛlçmalts
schwelen 'ʃve:lən
Schwelerei ʃve:lə'raɪ
schwelgen 'ʃvɛlɡn̩,
schwelg! ʃvɛlk, schwelgt
ʃvɛlkt
Schwelgerei ʃvɛlɡə'raɪ
Schwelle 'ʃvɛlə
schwellen 'ʃvɛlən
Schweller 'ʃvɛlɐ
Schwelm ʃvɛlm
Schwemme 'ʃvɛmə
schwemmen 'ʃvɛmən
Schwemsel 'ʃvɛmzl̩
Schwenckfeld 'ʃvɛŋkfɛlt
Schwenckfelder 'ʃvɛŋk-
fɛldɐ
Schwende 'ʃvɛndə
schwenden 'ʃvɛndn̩,
schwend! ʃvɛnt
Schwengel 'ʃvɛŋl̩
Schwenk[e] 'ʃvɛŋk[ə]
schwenken 'ʃvɛŋkn̩
Schwenker 'ʃvɛŋkɐ
Schwenkfeld 'ʃvɛŋkfɛlt
Schwenningen 'ʃvɛnɪŋən
Schwentine ʃvɛn'ti:nə
Schweppermann 'ʃvɛpɐ-
man
Schweppe[s] engl. ʃvɛp[s]
schwer ʃve:ɐ̯
Schwere 'ʃve:rə
Schwerenot 'ʃve:rəno:t
Schwerenöter 'ʃve:rənø:tɐ
Schwerin ʃve'ri:n
schwermütig 'ʃve:ɐ̯my:tɪç,
-e ...ɪɡə
Schwernik russ. 'ʃvjernik
Schwert[e] 'ʃve:ɐ̯t[ə]
Schwertel 'ʃve:ɐ̯tl̩
Schweser 'ʃve:zɐ
Schwester 'ʃvɛstɐ
Schwetz[ingen]
'ʃvɛts[ɪŋən]
Schwibbogen 'ʃvɪpbo:ɡn̩
Schwieberdingen 'ʃvi:bɐ-
dɪŋən
Schwiebus 'ʃvi:bʊs
Schwiebus[s]er 'ʃvi:bʊsɐ
schwiebus[s]isch 'ʃvi:bʊsɪʃ
Schwiefert 'ʃvi:fɐt
schwieg ʃvi:k
Schwiegel 'ʃvi:ɡl̩
schwiegen 'ʃvi:ɡn̩
Schwieger 'ʃvi:ɡɐ
schwiegt ʃvi:kt
Schwiele 'ʃvi:lə
schwielig 'ʃvi:lɪç, -e ...ɪɡə
Schwieloch 'ʃvi:lɔx
Schwielowsee 'ʃvi:loze:

Schwiemel ʃviːml̩
schwiem[e]lig ʃviːm[ə]lɪç,
 -e ...ɪɡə
schwiemeln ʃviːml̩n
Schwientochlowitz ʃviɛn-
 'tɔxlovɪts
schwierig ʃviːrɪç, -e ...ɪɡə
schwill! ʃvɪl
schwillt ʃvɪlt
schwimmen ʃvɪmən
Schwimmer ʃvɪmɐ
Schwimmerei ʃvɪmə'rai
Schwind ʃvɪnt
Schwindel ʃvɪndl̩
Schwindelei ʃvɪndə'lai
schwind[e]lig ʃvɪnd[ə]lɪç,
 -e ...ɪɡə
schwindeln ʃvɪndl̩n,
 schwindle ʃvɪndlə
schwinden ʃvɪndn̩,
 schwind! ʃvɪnt
Schwindler ʃvɪndlɐ
Schwinge ʃvɪŋə
Schwingel ʃvɪŋl̩
schwingen, S... ʃvɪŋən
Schwinger ʃvɪŋɐ, *engl.*
 'ʃvɪŋɡə
Schwinget ʃvɪŋət
schwipp! ʃvɪp
Schwippe ʃvɪpə
schwippen ʃvɪpn̩
Schwippert ʃvɪpɐt
Schwippschwager ʃvɪp-
 ʃvaːɡɐ
schwipp, schwapp! ʃvɪp
 ʃvap
Schwips ʃvɪps
schwirb[e]lig ʃvɪrb[ə]lɪç, -e
 ...ɪɡə
schwirbeln ʃvɪrbl̩n, ...**ble**
 ...blə
Schwirl ʃvɪrl
schwirren ʃvɪrən
Schwitters ʃvɪtɐs
Schwitze ʃvɪtsə
schwitzen ʃvɪtsn̩
schwitzig ʃvɪtsɪç, -e ...ɪɡə
Schwob ʃvoːp, *fr.* ʃvɔb
Schwöbber ʃvœbɐ
Schwof ʃvoːf
schwofen ʃvoːfn̩
schwojen ʃvɔyən
schwojen ʃvoːjən
schwoll ʃvɔl
schwölle ʃvœlə
schwömme ʃvœmə
schwor ʃvoːɐ
schwören ʃvøːrən
Schwuchtel ʃvʊxtl̩
schwul ʃvuːl

schwül, S... ʃvyːl
Schwüle ʃvyːlə
Schwuli[bus] ʃvuːli[bʊs]
Schwulität ʃvuliˈtɛːt
Schwulst ʃvʊlst,
 Schwülste ʃvyːlstə
schwulstig ʃvʊlstɪç, -e
 ...ɪɡə
schwülstig ʃvyːlstɪç, -e
 ...ɪɡə
schwumm[e]rig
 ʃvʊm[ə]rɪç, -e ...ɪɡə
Schwund ʃvʊnt, **-es** ʃvʊn-
 dəs
Schwung ʃvʊŋ, **Schwünge**
 ʃvʏŋə
schwupp!, Schwupp ʃvʊp
schwuppdiwupp! ʃvʊpdi-
 'vʊp
schwups!, S... ʃvʊps
Schwur ʃvuːɐ, **Schwüre**
 ʃvyːrə
schwüre ʃvyːrə
Schwyz[er] ʃviːts[ɐ]
Schwyzerdütsch ʃviːtsɐ-
 dyːtʃ
Schwyzertütsch ʃviːtsɐ-
 tyːtʃ
Schynige Platte ʃiːnɪɡə
 'platə
Sciacca *it.* ʃakka
Sciarrone *it.* ʃarˈroːne
Sciascia *it.* ʃaʃʃa
Science-Fiction 'saiəns-
 'fɪkʃn̩
Scientia stsiɛntsia
Scientismus stsiɛn'tɪsmʊs
Scientology saiən'tɔlodʒi
Sciliar *it.* ʃiˈliar
scilicet stsiːlitsɛt
Scilla 'stsɪla, *it.* 'ʃilla
Scilly *engl.* 'sɪlɪ
Scinteia *rumän.* skinˈteia
sciolto 'ʃɔlto
Scipio 'stsiːpio, **-nen** stsi-
 'piːonən
Scipione *it.* ʃiˈpiːone
Scirocco ʃiˈrɔko
Sciutti *it.* ʃutti
Sckell skɛl
Scliar *bras.* isˈkliar
Scoop skuːp
Scooter 'skuːtɐ
Scopolamin skopolaˈmiːn
Scordatura skɔrdaˈtuːra
Score skoːɐ
Scorel *niederl.* 'sxoːrəl
scoren 'skoːrən
Scorer 'skoːrɐ

Scoresby *engl.* 'skɔːzbɪ
Scoresbysund *dän.* sgɔːˈɡs-
 byˈsʊnˀ
Scorpius 'skɔrpiʊs
Scorsese *engl.* skɔːˈsiːsɪ
Scorza *span.* esˈkɔrθa
Scot *engl.* skɔt
Scotch skɔtʃ
Scotia 'skoːtsia, *engl.*
 'skoʊʃə
Scotismus skoˈtɪsmʊs
Scotist skoˈtɪst
Scotland *engl.* 'skɔtlənd
Scott *engl.* skɔt
Scotti *it.* 'skɔtti
Scotto *it.* 'skɔtto
Scottsbluff *engl.* 'skɔtsblʌf
Scottsboro *engl.* 'skɔtsbə-
 roʊ
Scottsdale *engl.* 'skɔtsdeil
Scottus 'skɔtʊs
Scotus 'skoːtʊs
Scout skaut
Scrabble® 'skrɛbl̩
Scranton *engl.* 'skræntən
Scrapie 'skreːpi
Scraps skrɛps
scratch skrɛtʃ
scratchen 'skrɛtʃn̩
Scratching 'skrɛtʃɪŋ
Screening 'skriːnɪŋ
Screenshot 'skriːnʃɔt
Screwball 'skruːbɔːl
Scribble 'skrɪbl̩
Scribe *fr.* skriːb
Scrip skrɪp
Scripps *engl.* skrɪps
Script[or] 'skrɪpt[oːɐ]
Scriptoris 'skrɪptoːrɪs
Scrittura skrɪˈtuːra
scrollen 'skroːlən
Scrolling 'skroːlɪŋ
Scrotum 'skroːtʊm, ...**ta**
 ...ta
Scrub skrap
Scudéry *fr.* skydeˈri
Scudo 'skuːdo, ...**di** ...di
Scullin *engl.* 'skʌlɪn
sculpsit 'skʊlpsɪt
Sculptor 'skʊlptoːɐ
Scultetus skʊl'teːtʊs
Scunthorpe *engl.* 'skʌnθɔːp
Scutari 'skuːtari
Scutellum skuˈtɛlʊm, ...**lla**
 ...la
Scylla 'stsʏla
Scyth[e] 'stsyːt[ə]
Seaborg *engl.* 'siːbɔːɡ
Seabury *engl.* 'siːbərɪ

Seaford *engl.* 'si:fəd
Seaga *engl* 'si:gə
Seaham *engl.* 'si:əm
Seal zi:l
Sealab 'zi:lɛp
Sealsfield *engl.* 'si:lzfi:ld
Sealskin 'zi:lskın
Sealyham *engl.* 'si:lıəm
Seaman *engl.* 'si:mən
Sean *engl.* ʃɔ:n
Séance ze'ã:s[ə], -n ...sn̩
Searcy *engl.* 'sıəsı
Searle[s] *engl.* sə:l[z]
Sears *engl.* sıəz
Seashore *engl.* 'si:ʃɔ:
Seaside *engl.* 'si:saıd
Season 'zi:zn̩
SEAT *span.* se'at
SEATO ze'a:to, *engl.* 'si:toʊ
Seaton *engl.* si:tn
Seattle *engl.* sı'ætl
Sebald 'ze:balt
Sebaldus ze'baldʊs
Sebastian ze'bastjan,
rumän. sebas'tjan
Sebastián *span.* seβas'tjan
Sebastiano *it.* sebas'tja:no,
span. seβas'tjano
Sebastião *port.* səβeʃ'tjɐ̃ʊ̯
Sebastopol ze'bastopɔl
Sebcha 'zɛpxa
Sebeknefrure zebɛkne-
fru're:
Sebenico *it.* sebe'ni:ko
Seberg *engl.* 'si:bə:g
Sebeş *rumän.* 'sebeʃ
Sebeş Körös *ung.* 'ʃebeʃ
'kørøʃ
Sebestyén *ung.* 'ʃebɛʃtje:n
Sebisch 'ze:bıʃ
Sebnitz 'ze:bnıts
Seborrhö, ...öe zebɔ'rø:,
...rrhöen ...'rø:ən
Sebou *fr.* se'bu
Sebulon 'ze:bulɔn
sec zɛk
SECAM 'ze:kam, *fr.* se'kam
Secaucus *engl.* sı'kɔ:kəs
Secchi *it.* 'sekki
secco, S... 'zɛko
Secentismus zetʃɛn'tısmʊs
Secentist zetʃɛn'tıst
Secento ze'tʃento
Sech zɛç
sechs, S... zɛks
sechseinhalb 'zɛkslaın'halp
Sechser 'zɛksɐ
sechserlei 'zɛksɐ'laı
sechsfach 'zɛksfax
sechshundert 'zɛks'hʊndɐt

Sechspass 'zɛkspas
sechst zɛkst
Sechstagerennen zɛks'ta:-
gərɛnən
sechstausend 'zɛks'tauznt̩
sechste 'zɛkstə
sechstel, S... 'zɛkstl̩
sechstens 'zɛkstn̩s
sechsundeinhalb
'zɛkslʊntlaın'halp
Sechsundsechzig
'zɛkslʊnt'zɛçtsıç
sechsundzwanzig
'zɛkslʊnt'tsvantsıç
Sechter 'zɛçtɐ
Sechuana *engl.* sɛ'tʃwa:na
sechzehn 'zɛçtse:n
sechzig 'zɛçtsıç
seckant ze'kant
Seckau 'zɛkau
Seckendorff 'zɛkn̩dɔrf
seconda volta ze'kɔnda
'vɔlta
Secondhand... 'zɛkn̩thɛnt...
Secondline 'zɛkn̩tlaın
secondo ze'kɔndo
Secondo ze'kɔndo, ...di ...di
Secrétan *fr.* sɔkre'tã
Secret Service 'zi:krət
'zø:ɐvıs, - 'zœrvıs
Sectio aurea 'zɛktsio 'aurea
Sectio caesarea 'zɛktsio
tsɛ'za:rea
Section 'zɛkʃn̩
Secundus ze'kʊndʊs
Securitate *rumän.* sekuri-
'tate
SED ɛsle:'de:
Seda *vgl.* Sedum
Sedah *indon.* sə'dah
Sedaine *fr.* sə'dɛn
Sedalia *engl.* sı'deılıə
Sedan *fr.* sə'dã
Sedarim *vgl.* Seder
sedat ze'da:t
sedativ, S... zeda'ti:f, -e
...i:və
Sedativum zeda'ti:vʊm,
...va ...va
Seddin zɛ'di:n
Seddon *engl.* sɛdn
Sede Boqer *hebr.* sə'dɛ
bɔ'kɛr
Sedekias zede'ki:as
sedentär zedɛn'tɛ:ɐ̯
Seder 'ze:dɐ, Sedarim
zeda'ri:m
Sedes Apostolica 'ze:dɛs
apɔs'to:lika
Sedez ze'de:ts

Sedezimal... zedetsi'ma:l...
Sedgwick *engl.* 'sɛdʒwık
Sedia gestatoria 'ze:dia
dʒɛsta'to:rja
Sedico *it.* 'se:diko
sedieren ze'di:rən
Sedile ze'di:lə, ...lien ...liən
Sediment zedi'mɛnt
sedimentär zedimɛn'tɛ:ɐ̯
Sedimentation zedimɛnta-
'tsio:n
sedimentieren zedimɛn'ti:-
rən
Sedisvakanz zedısva'kants
Sedition zedi'tsio:n
seditiös zedi'tsiø:s, -e
...ø:zə
Sedlacek 'zɛdlatʃɛk
Sedlmayr 'ze:dlmaıɐ̯
Sedlnitzky ze:dl̩'nıtski
Sedow *russ.* sı'dɔf
Seduktion zedʊk'tsio:n
Sedulius ze'du:liʊs
Sedum 'ze:dʊm, Seda
'ze:da
seduzieren zedu'tsi:rən
¹See ze:, -n 'ze:ən
²See (Name) *engl.* si:
Sée *fr.* se
Seebeck 'ze:bɛk
Seeberg *engl.* 'ze:bɛrk, *dän.*
'sı:bɛɐ̯'u, *schwed.* ˌse:bærj
Seebohm 'ze:bo:m, *engl.*
'si:boʊm
Seebrügge 'ze:brʏgə
Seebüll ze:'bʏl
Seeck[t] 'ze:k[t]
Seedorff 'ze:dɔrf, *dän.*
'sı:dɔɐ̯f
Seefehlner 'ze:fe:lnɐ
Seefeld 'ze:fɛlt
Seefelder 'ze:fɛldɐ
Seefried 'ze:fri:t
Seeger 'ze:gɐ, *engl.* 'si:gə
Seegfrörne 'ze:kfrø:ɐ̯nə
Seegfrörni 'ze:kfrø:ɐ̯ni
Seehausen 'ze:hauzn̩
Seeheim 'ze:haım
Seehofer 'ze:ho:fɐ
Seekatz 'ze:kats
Seekonk *engl.* 'si:kɔŋk
Seeland 'ze:lant
Seelchen 'ze:lçən
Seele 'ze:lə
seelen[s]gut 'ze:lən[s]'gu:t
seelenruhig 'ze:lən'ru:ıç
seelenvergnügt 'ze:lənfɛɐ̯-
'gny:kt
Seeley *engl.* 'si:lı
Seeliger 'ze:lıgɐ

seelisch 'ze:lɪʃ
Seelow 'ze:lo
Seelsorger 'ze:lzɔrgɐ
seelsorglich 'ze:lzɔrklɪç
Seelze 'ze:ltsə
Seemann 'ze:man
seemännisch 'ze:mɛnɪʃ
Seeräuberei ze:rɔybə'raɪ
Seesen 'ze:zn̩
Seesken 'ze:skn̩
Seesker 'ze:skɐ
Seet[h]al 'ze:ta:l
Seewald 'ze:valt
seewärts 'ze:vɛrts
Seewiesen ze:'vi:zn̩
Seewinkel 'ze:vɪŋkl̩
Seewis 'ze:vɪs
Seez ze:ts
Seferis neugr. sɛ'fɛris
Sefewide zefe'vi:də
Seffi 'zɛfi
Sefrou fr. se'fru
Segal engl. 'si:gəl
Ségalen fr. sega'lɛn
Segall bras. se'gal
Segantini it. segan'ti:ni
Segar engl. 'si:gɑ:
Segarcea rumän. se'gartʃea
Segeberg 'ze:gəbɛrk
Šegedin serbokr. 'ʃɛgɛdin
Segel 'ze:gl̩
segeln 'ze:gl̩n, **segle** 'ze:glə
Segen 'ze:gn̩
Seger 'ze:gɐ
Segescha russ. sɪ'gjɛʒɐ
Segerstam schwed. ˌse:gərstam
Segesser 'ze:gɛsə
Segesta ze'gɛsta, it. se-'dʒɛsta
Segge 'zɛgə
Seghers 'ze:gɐs, niederl. 'se:ɣərs, fr. se'gɛrs
Segl rät. seʎ
Segler 'ze:glɐ
Segment zɛ'gmɛnt
segmental zɛgmɛn'ta:l
segmentär zɛgmɛn'tɛ:ɐ
Segmentation zɛgmɛnta-'tsi̯o:n
segmentieren zɛgmɛn'ti:-rən
Segna it. 'zeɲɲa
segnen 'ze:gnən
Segner 'ze:gnɐ
Segni it. 'zeɲɲi
Segno 'zɛnjo, ...ni 'zɛnji
Segnung 'ze:gnʊŋ
Segonzac fr. səgõ'zak
Ségou fr. se'gu

Segovia span. se'ɣoβi̯a
Segrais fr. sə'grɛ
Segre span. 'seɣre
Segrè it. se'grɛ, engl. sə'greɪ
Segregat zegre'ga:t
¹**Segregation** (Biologie) zegrega'tsi̯o:n
²**Segregation** (Rassentrennung usw.) zegrega'tsi̯o:n, auch: zegre'ge:ʃn
segregieren zegre'gi:rən
segue 'ze:gu̯ə
Séguéla fr. sege'la
Seguidilla zegi'dɪlja
Seguin engl. sɪ'gi:n, fr. sə'gɛ̃
Ségur fr. se'gy:r
Segura span. se'ɣura, port. sə'ɣurɐ
Séguy fr. se'gi
sehen 'ze:ən
Sehn[d]e 'ze:n[d]ə
sehnen 'ze:nən
sehnig 'ze:nɪç, -e ...ɪgə
sehnlich 'ze:nlɪç
Sehnsucht 'ze:nzʊxt
sehnsüchtig 'ze:nzʏçtɪç
sehr 'ze:ɐ
sehren 'ze:rən
sei, sei! zaɪ
Seiber 'zaɪbɐ
seibern 'zaɪbɐn, **seibre** 'zaɪbrə
Seibersdorf 'zaɪbɐsdɔrf
Seicento zei'tʃɛnto
Seich[e] 'zaɪç[ə]
seichen 'zaɪçn̩
Seicherl 'zaɪçɐl
Seiches fr. sɛʃ
seicht zaɪçt
seid zaɪt
Seide 'zaɪdə
Seidel[bast] 'zaɪdl̩[bast]
seiden 'zaɪdn̩
Seidenfaden 'zaɪdn̩fa:dn̩
seidenweich 'zaɪdn̩'vaɪç
seidig 'zaɪdɪç, -e ...ɪgə
Seidl 'zaɪdl̩
Seidler 'zaɪdlɐ
Seidlitz 'zaɪdlɪts
seien 'zaɪən
seiend 'zaɪənt, -e ...ndə
seiest 'zaɪəst
seiet 'zaɪət
Seife 'zaɪfə
seifen, S... 'zaɪfn̩
Seifer 'zaɪfɐ
seifern 'zaɪfɐn
Seifert 'zaɪfɐt, tschech. 'sajfert
Seiferts 'zaɪfɐts

Seiffen 'zaɪfn̩
seifig 'zaɪfɪç, -e ...ɪgə
Seifner 'zaɪfnɐ
Seifrid, ...ried 'zaɪfri:t
Seifullina russ. sɪj'fullinɐ
Seige 'zaɪgə
seiger, S... 'zaɪgɐ
seigern 'zaɪgɐn, **seigre** 'zaɪgrə
Seignette... zɛn'jɛt...
Seigneur zɛn'jø:ɐ
seigneural zɛnjø'ra:l
Seigneurie zɛnjø'ri:, -n ...i:ən
Seihe 'zaɪə
seihen 'zaɪən
Seiherl 'zaɪɐl
Seikan jap. se':kaɲ
Seil zaɪl
Seiland norw. ˌsɛɪlan
seilen 'zaɪlən
Seiler 'zaɪlɐ
Seilerei zaɪlə'raɪ
Seiliger 'zaɪlɪgɐ
Seillière fr. sɛ'jɛ:r
Seim zaɪm
seimig 'zaɪmɪç, -e ...ɪgə
sein, S... zaɪn
Seinäjoki finn. 'sɛɪnæjɔki
seine 'zaɪnə
Seine 'zɛ:n[ə], fr. sɛn
Seine-et-Marne fr. sɛne-'marn
Seine-Maritime fr. sɛnmari'tim
seiner 'zaɪnɐ
seinerseits 'zaɪnɐ'zaɪts
seinerzeit 'zaɪnɐtsaɪt
Seine-Saint-Denis fr. sɛn-sɛ̃d'ni
seinesgleichen 'zaɪnəs-'glaɪçn̩
seinethalben 'zaɪnət'halbn̩
seinetwegen 'zaɪnət've:gn̩
seinetwillen 'zaɪnət'vɪlən
Seingalt fr. sɛ̃'galt
seinige 'zaɪnɪgə
Seipel 'zaɪpl̩
Seisenegger 'zaɪzənɛgɐ
Seiser 'zaɪzɐ
Seismik 'zaɪsmɪk
Seismiker 'zaɪsmikɐ
seismisch 'zaɪsmɪʃ
Seismizität zaɪsmitsi'tɛ:t
Seismogramm zaɪsmo-'gram
Seismograph zaɪsmo'gra:f
Seismologe zaɪsmo'lo:gə
Seismologie zaɪsmolo'gi:

seismologisch zaismo'lo:-
giʃ
Seismometer zaismo'me:tɐ
seismometrisch zaismo-
'me:trɪʃ
Seismonastie zaismonas'ti:
Seismophon zaismo'fo:n
Seismos 'zaismɔs
Seismoskop zaismo'sko:p
seist zaist
seit zait
seitab zait'|ap
seitdem zait'de:m
Seite 'zaitə
seitens 'zaitns
Seitenstetten zaitn'ʃtɛtn
Seiters 'zaitɐs
seither zait'he:ɐ
seitherig zait'he:rɪç, -e
...igə
...seitig ...zaitɪç, -e ...igə
seitlich 'zaitlɪç
Seitling 'zaitlɪŋ
seitlings 'zaitlɪŋs
Seitschen 'zaitʃn
seitwärts 'zaitvɛrts
Seitz zaits
Seiwal 'zaiva:l
Seixal port. sei'ʃal
Seja russ. 'zjejɐ
Sejan ze'ja:n
Sejm zaim, poln. sɛjm
Sejunktion zejʊŋk'tsio:n
Sekans 'ze:kans, ...nten
ze'kantn
Sekante ze'kantə
Sekel 'ze:kl
Sekenen-Re zekɛnɛn're:
Seki jap. 'se.ki
sekkant zɛ'kant
Sekkatur zɛka'tu:ɐ
sekkieren zɛ'ki:rən
Sekko... 'zɛko...
Sekles 'zɛkləs
Sekondeleutnant ze'kɔn-
dəlɔytnant, ze'kõ:də...
Sekondhieb ze'kɔnthi:p
Sekondi-Takoradi engl.
sɛkən'di:ta:kə'ra:dɪ
Sékou Touré fr. sekutu're
sekret, S... ze'kre:t
Sekretär zekre'tɛ:ɐ
Sekretariat zekreta'ria:t
Sekretärie zekreta'ri:, -n
...i:ən
Sekretarius zekre'ta:rius,
...rii ...rii
sekretieren zekre'ti:rən
Sekretin zekre'ti:n

Sekretion zekre'tsio:n
sekretorisch zekre'to:rɪʃ
Sekt[e] 'zɛkt[ə]
Sektierer zɛk'ti:rɐ
Sektiererei zɛkti:rə'rai
sektiererisch zɛk'ti:rərɪʃ
Sektion zɛk'tsio:n
Sektor 'zɛkto:ɐ, -en
...'to:rən
Sekulić serbokr. .sɛkulitɕ
Sekund ze'kʊnt, -en ...ndn
sekunda, S... ze'kʊnda
Sekundakkord
ze'kʊntlakɔrt
Sekundaner zekʊn'da:nɐ
Sekundant zekʊn'dant
Sekundanz zekʊn'dants
Sekundar... zekʊn'da:ɐ...
sekundär zekʊn'dɛ:ɐ
Sekündchen ze'kʏntçən
Sekunde ze'kʊndə
sekundieren zekʊn'di:rən
Sekundipara zekʊn'di:para,
...ren ...di'pa:rən
Sekundiz zekʊn'di:ts
sekundlich ze'kʊntlɪç
sekündlich ze'kʏntlɪç
Sekundogenitur zekʊndo-
geni'tu:ɐ
Sekurit® zeku'ri:t
Sekurität zekuri'tɛ:t
sela!, Sela 'ze:la
Selachier ze'laxiɐ
seladon, S... 'ze:ladɔn,
zela'dõ:
Selaginella zelagi'nɛla,
...llae ...lɛ
Selaginelle zelagi'nɛlə
Selam (Heil) ze'la:m
Selamlik 'ze:lamlık
Selander schwed. se'landɐr
Selangor indon. sə'laŋɔr
selb zɛlp, -e ...zɛlbə
Selb zɛlp
selbander zɛlp'|andɐ
selbdritt zɛlp'drɪt
selber 'zɛlbɐ
selbig 'zɛlbɪç, -e ...igə
Selbitz 'zɛlbɪts
Selbmann 'zɛlpman
selbst, S... zɛlpst
selbständig 'zɛlpʃtɛndɪç
selbstisch 'zɛlpstɪʃ
selbstständig 'zɛlpstʃtɛn-
dɪç
Selby engl. 'sɛlbɪ
Selce serbokr. .sɛ:ltsɛ
selchen 'zɛlçn
Selcherei zɛlçə'rai
Selçuk türk. sɛl'tʃuk

Selden engl. 'sɛldən
Seldschuke zɛl'dʒʊkə
Seldte 'zɛltə
Seldwyla zɛlt'vi:la
Sele it. 'sɛ:le
Selegat zele'ga:t
selegieren zele'gi:rən
Selekta ze'lɛkta
Selektaner zelɛk'ta:nɐ
Selekteur zelɛk'tø:ɐ
selektieren zelɛk'ti:rən
Selektion zelɛk'tsio:n
selektionieren zelɛktsio-
'ni:rən
selektiv zelɛk'ti:f, -e ...i:və
Selektivität zelɛktivi'tɛ:t
Selen ze'le:n
Selenat zele'na:t
Selendro ze'lɛndro
Selene ze'le:nə
Selenga russ. sılın'ga
selenig ze'le:nɪç, -e ...igə
Selenit zele'ni:t
Selenodolsk russ. zılına-
'dɔljsk
Selenograd[sk] russ. zılına-
'grat[sk]
Selenographie zeleno-
gra'fi:
Selenologie zelenolo'gi:
selenologisch zeleno'lo:gɪʃ
Selenter ze'lɛntɐ
Selentschuk russ. zılın'tʃuk
Seler ze:lɐ
Sélestat fr. seles'ta
Seleucus ze'lɔykʊs
Seleukeia zelɔy'kaia
Seleukia zelɔy'ki:a
Seleukide zelɔy'ki:də
Seleukos ze'lɔykɔs
Seleuzide selɔy'tsi:də
Selfaktor zɛl'fakto:ɐ
Selfappeal 'zɛlflɛ.pi:l
Selffulfilling Prophecy
'zɛlffʊl.fılıŋ 'prɔfəsi
Selfgovernment 'zɛlf-
gavɐnmənt
Selfkant 'zɛlfkant
Selfmademan, ...men 'zɛlf-
me:tmɛn
Selfoss isl. 'sɛlfɔs
Selfridge engl. 'sɛlfrıdʒ
Selghuride zɛlgu'ri:də
selig 'ze:lıç, -e ...igə
Seligenstadt 'ze:lıgnʃtat
Seliger (See) russ. sılı'gjer
Seligman 'ze:lıçman, engl.
'sɛlıgmən
Selim türk. sɛ'lim

Selimović *serbokr.* sɛˈliːmɔ-
vitɕ
Selinko *dän.* sɪˈliŋgʊ
Selinunt zeliˈnʊnt
Selinunte *it.* seliˈnunte
Selinus zeˈliːnʊs
Seljonyj Mys *russ.* zɪˈljɔnij
ˈmis
Selke ˈzɛlkə, *engl.* ˈsɛlkɪ
Selkirk[s] *engl.* ˈsɛlkɔːk[s]
Selkirkshire *engl.* ˈsɛlkɔːk-
ʃɪə
Selkupe zɛlˈkuːpə
Sella *it.* ˈsɛlla
Sellafield *engl.* ˈsɛləfiːld
Selle ˈzɛlə, *fr.* sɛl
Seller ˈzɛlɐ
Sellerie ˈzɛləri
Sellers *engl.* ˈsɛləz
Sellner ˈzɛlnɐ
Selma ˈzɛlma, *engl.* ˈsɛlmə,
schwed. ˈsɛlma, ˌ––, *dän.*
ˈselmæ
Selmar ˈzɛlmar
Selous *engl.* səˈluː
Selsdon *engl.* ˈsɛlsdən
selten, S... ˈzɛltn̩
Selters ˈzɛltɐs
seltsam ˈzɛltzaːm
Selvas ˈzɛlvas, *bras.* ˈsɛlvas,
span. ˈsɛlβas
Selvon *engl.* ˈsɛlvən
Selwinski *russ.* sɪljˈvinskij
Selwyn *engl.* ˈsɛlwɪn
Selye ˈzɛljə, *engl.* ˈzɛljɛ
Selznick *engl.* ˈsɛlznɪk
¹Sem (Sprachw.) zeːm
²Sem (Name) zɛm, *norw.*
sɛm
Seman *alban.* ˈseman
Semănătorul *rumän.*
semənəˈtorul
Semantem zemanˈteːm
Semantik zeˈmantɪk
Semantiker zeˈmantɪkɐ
semantisch zeˈmantɪʃ
semantisieren zemantiˈziː-
rən
Semaphor zemaˈfoːɐ̯
semaphorisch zemaˈfoːrɪʃ
Semarang *indon.* səˈmaraŋ
Semasiologie zemaˈzi̯oloˈgiː
semasiologisch zemaˈzi̯o-
ˈloːgɪʃ
Sematologie zematoloˈgiː
Semé *fr.* səˈme
Semeiographie zemai̯o-
graˈfiː
Semeiotik zemai̯ˈoːtɪk
Semele ˈzeːmele

Semem zeˈmeːm
Semen ˈzeːmən, Semina
ˈzeːmina
Semendria zeˈmɛndria
Semenko *ukr.* sɛmɛnˈkɔ
Semeru *indon.* səˈmeru
Semester zeˈmɛstɐ
semestral zemɛsˈtraːl
Semettschino *russ.*
zɪˈmjɛttʃinɐ
Semgallen zɛmˈgalən
semiarid zemi̯aˈriːt, -e
...iːdə
Semi-Bantu zemiˈbantu
Semibrevis zemiˈbreːvɪs,
...ves ...veːs
Semideponens zemideˈpoː-
nɛns, ...ntia ...poˈnɛntsi̯a,
...nzien ...poˈnɛntsi̯ən
Semifinale ˈzeːmifinaːlə
semihumid zemihuˈmiːt, -e
...iːdə
Semikolon zemiˈkoːlɔn, ...la
...la
semilateral zemilateˈraːl
semilunar zemiluˈnaːɐ̯
Semiminima zemiˈmiːnima,
...mae ...mɛ
Semina vgl. Semen
Seminar zemiˈnaːɐ̯
Seminarist zeminaˈrɪst
Semiologie zemi̯oloˈgiː
Semiotik zeˈmi̯oːtɪk
semiotisch zeˈmi̯oːtɪʃ
Semipalatinsk *russ.* sɪmipa-
ˈlatinsk
Semipelagianismus zemi-
pelagi̯aˈnɪsmʊs
semipermeabel zemipɛr-
meˈaːbl̩, ...ble ...blə
Semipermeabilität zemi-
pɛrmeabiliˈtɛːt
semiprofessionell zemi-
profɛsi̯oˈnɛl
Semiramis zeˈmiːramɪs
Semiretschje *russ.* sɪmi-
ˈrjɛtʃjɛ
Semis *fr.* səˈmi
semisch ˈzeːmɪʃ
Semiseria zemiˈzeːri̯a
Semit zeˈmiːt
semitisch zeˈmiːtɪʃ
Semitist[ik] zemiˈtɪst[ɪk]
Semitonium zemiˈtoːni̯ʊm,
...ia ...i̯a, ...ien ...i̯ən
Semiversus zemiˈvɛrzʊs,
...si ...zi
Semivokal ˈzeːmivokaːl
Semjon *russ.* sɪˈmjɔn
Semjonow *russ.* sɪˈmjɔnɐf

Semjonowa *russ.* sɪˈmjɔ-
nɐvɐ
Semjonowitsch *russ.*
sɪˈmjɔnɐvitʃ
Semler ˈzɛmlɐ
Semmel[weis] ˈzɛml̩[vai̯s]
Semmering ˈzɛmərɪŋ
Semmes *engl.* sɛmz
Semna ˈzɛmna
Semnan *pers.* semˈnaːn
Semnone zɛmˈnoːnə
Semois *fr.* səˈmwa
Semon ˈzeːmɔn, *engl.*
ˈsiːmən
Semonides zeˈmoːnidɛs
Sempach ˈzɛmpax
Sempé *fr.* sãˈpe
Semper ˈzɛmpɐ
semper aliquid haeret
ˈzɛmpɐ ˈaːlikvɪt ˈhɛːrɛt
Semperit zɛmpeˈriːt
sempern ˈzɛmpɐn
Sempervivum zɛmpɛrˈviː-
vʊm, ...va ...va
Sempione *it.* semˈpi̯oːne
semplice ˈzɛmplitʃe
sempre ˈzɛmprə
Sempronian zɛmˈproːni̯aːn,
zɛmproˈni̯aːn
Sempronianus zɛmproː-
ˈni̯aːnʊs
Sempronius zɛmˈproːni̯ʊs
Semprun *fr.* sãˈprœ̃
Semprún *span.* semˈprun
Semstwo ˈzɛmstvo
Sen (Münze) zɛn
Sena Gallica ˈzeːna ˈgalika
Senana zeˈnaːna
Senanayake *engl.* sənɑːnɑː-
ˈjɑːkɪ
Senancour *fr.* sənãˈkuːr
Senar zeˈnaːɐ̯
Senat zeˈnaːt
Senator zeˈnaːtoːɐ̯, -en
zenaˈtoːrən
senatorisch zenaˈtoːrɪʃ
Senatus Populusque
Romanus zeˈnaːtʊs popu-
ˈlʊskvə roˈmaːnʊs
Senckenberg ˈzɛŋkn̩bɛrk
senckenbergisch
ˈzɛŋkn̩bɛrgɪʃ
Send zɛnt, -e ˈzɛndə
Sendai *jap.* ˈseˌn̩dai
Sendak *engl.* ˈsɛndæk
senden ˈzɛndn̩, send! zɛnt
Senden[horst]
ˈzɛndn̩[hɔrst]
Sender *span.* senˈdɛr

Sendero Luminoso *span.*
sen'dero lumi'noso
Sendling (Bote) 'zɛntlɪŋ
Seneca 'ze:neka, *engl.*
'sɛnɪkə
Sénéchaussée *fr.* seneʃo'se
Senefelder 'ze:nəfɛldɐ
Senegal 'ze:negal
Sénégal *fr.* sene'gal
Senegaler zene'ga:lɐ
Senegalese zenega'le:zə
senegalisch zene'ga:lɪʃ
Senegambien zene'gambiən
Senegawurzel 'ze:negavʊrt͜sl̩
Senenmut zenɛn'mu:t
Senesblätter 'ze:nəsblɛtɐ
Seneschall 'ze:nəʃal
Senesino *it.* sene'si:no
Seneszenz zenɛs't͜sɛnts
Senf[l] 'zɛnf[l̩]
Senftenberg 'zɛnftn̩bɛrk
Senge 'zɛŋə
sengen 'zɛŋən
seng[e]rig 'zɛŋ[ə]rɪç, -e
...ɪgə
Senghor *fr.* sã'gɔ:r, sɛ̃'gɔ:r
Sengi 'zɛŋgi
Sengide zɛŋ'gi:də
Sengsengebirge 'zɛŋzŋ̩gəbɪrgə
Senhor zɛn'jo:ɐ, -es zɛn'jo:-rɛs
Senhora zɛn'jo:ra
Senhorita zɛnjo'ri:ta
Seni 'ze:ni, *it.* 'sɛ:ni
Senigallia *it.* seni'gallia
senil ze'ni:l
Senilität zenili'tɛ:t
senior 'ze:niο:ɐ
¹Senior 'ze:niο:ɐ, -en ze'niο:rən
²Senior (Name) *engl.* 'si:njə
Seniorat zeniο'ra:t
Seniorin ze'niο:rɪn
Senium 'ze:niʊm
Senj *serbokr.* sɛnj
Senja *norw.* 'sɛnja
Senke 'zɛŋkə
Senkel 'zɛŋkl̩
senken 'zɛŋkn̩
Senkowski *russ.* sɪn'kɔfskij
senkrecht 'zɛŋkrɛçt
Senlis *fr.* sã'lis
Senn zɛn, *engl.* sɛn
Senna 'zɛna
¹Senne 'zɛnə
²Senne (Teppich) zɛ'ne:

³Senne (Name) 'zɛnə, *fr.* sɛn
sennen 'zɛnən
Senner[t] 'zɛnɐ[t]
Sennesblätter 'zɛnəsblɛtɐ
Sennestadt 'zɛnəʃtat
Sennett *engl.* 'sɛnɪt
Šenoa *serbokr.* 'ʃɛnoa
Senon[e] ze'no:n[ə]
senonisch ze'no:nɪʃ
Señor zɛn'jo:ɐ, -es zɛn'jo:-rɛs
Señora zɛn'jo:ra
Señorita zɛnjo'ri:ta
Sens *fr.* sã:s
Sensal zɛn'za:l
Sensalie zɛnza'li:, -n ...i:ən
Sensarie zɛnza'ri:, -n ...i:ən
Sensation zɛnza't͜sio:n
sensationell zɛnzat͜sio'nɛl
Sense 'zɛnzə
Sensée *fr.* sã'se
sensen 'zɛnzn̩, **sens!** zɛns, **senst** zɛnst
Sensenschmidt 'zɛnzn̩ʃmɪt
sensibel zɛn'zi:bl̩, ...**ble** ...blə
Sensibelchen zɛn'zi:bl̩çən
Sensibilisator zɛnzibili'za:tο:ɐ, -en ...za'to:rən
sensibilisieren zɛnzibili'zi:rən
Sensibilismus zɛnzibi'lɪsmʊs
Sensibilität zɛnzibili'tɛ:t
sensitiv zɛnzi'ti:f, -e ...i:və
sensitivieren zɛnziti'vi:rən
Sensitivität zɛnzitivi'tɛ:t
Sensitivity... zɛnzi'tɪviti...
Sensitometer zɛnzito'me:tɐ
Sensitometrie zɛnzitome'tri:
sensitometrisch zɛnzito'me:trɪʃ
Sensomobilität zɛnzomobili'tɛ:t
Sensomotorik zɛnzomo'to:rɪk
Sensor 'zɛnzo:ɐ, -en ...'zo:rən
sensoriell zɛnzo'riɛl
Sensorien zɛn'zo:riən
sensorisch zɛn'zo:rɪʃ
Sensorium zɛn'zo:riʊm
Sensualismus zɛnzua'lɪsmʊs
Sensualist zɛnzua'lɪst
Sensualität zɛnzuali'tɛ:t
sensuell zɛn'zuɛl

Sensumotorik zɛnzumo-'to:rɪk
sensumotorisch zɛnzumo-'to:rɪʃ
Sensus 'zɛnzʊs, **die** - ...zu:s
Sensus communis 'zɛnzʊs kɔ'mu:nɪs
Senta 'zɛnta, *serbokr.* 'sɛ:nta
Sente 'zɛntə
Sentenz zɛn'tɛnt͜s
sentenziös zɛntɛn't͜siø:s, -e ...ø:zə
Sentiment zãti'mã:
sentimental zɛntimɛn'ta:l
Sentimentale zɛntimɛn'ta:lə
sentimentalisieren zɛntimɛntali'zi:rən
Sentimentalität zɛntimɛntali'tɛ:t
Sentoku zɛn'to:ku
Senufo ze'nu:fo
Senussi ze'nʊsi, ...**ssen** ...sn̩
senza pedale 'zɛntsa pe'da:lə
senza sordino 'zɛntsa zɔr'di:no
senza tempo 'zɛntsa 'tɛmpo
Seo de Urgel *span.* 'seo ðe ur'xɛl
Seoul ze'u:l, 'ze:ʊl, *korean.* sɔul
Sepalum 'ze:palʊm, **Sepalen** ze'pa:lən
Separandum zepa'randʊm, ...**da** ...da
separat zepa'ra:t
Separata vgl. Separatum
Separate 'zɛpərət
Separation zepara't͜sio:n
Separatismus zepara'tɪsmʊs
Separatist zepara'tɪst
Separativ 'ze:parati:f, -e ...i:və
Separator zepa'ra:tο:ɐ, -en ...ra'to:rən
Separatum zepa'ra:tʊm, ...**ta** ...ta
Separee, Séparée zepa're:
separieren zepa'ri:rən
Sephardim ze'fardi:m, *auch:* ...'di:m
sephardisch ze'fardɪʃ
sepia 'ze:pia
Sepia 'ze:pia, **Sepien** ...iən
Sepie 'ze:piə
Sepik 'ze:pɪk, *engl.* 'sɛpɪk

Sepoy 'zi:pɔy
Seppänen *finn.* 'sɛppænɛn
Sepp[el] 'zɛp[l]
Sepphoris 'zɛp̣forɪs, *auch:*
'zɛfo...
Seppl 'zɛpḷ
Seppuku 'zɛpuku
Sepsis 'zɛpsɪs
Sept zɛpt
Septa vgl. Septum
Septakkord 'zɛptḷakɔrt
Septarie zɛp'ta:rjə
Septe 'zɛptə
September zɛp'tɛmbɐ
Septenar zɛptɛ'na:ɐ̯
septennal zɛptɛ'na:l
Septennat zɛptɛ'na:t
Septennium zɛp'tɛniʊm,
...**ien** ...jən
septentrional zɛptɛntrio-
'na:l
Septett zɛp'tɛt
Septhämie zɛpthɛ'mi:, -n
...i:ən
septifrag zɛpti'fra:k, -e
...a:gə
Septikämie zɛptikɛ'mi:, -n
...i:ən
Septikhämie zɛptikhɛ'mi:,
-n ...i:ən
Septikopyämie zɛptiko-
pyɛ'mi:, -n ...i:ən
Sept-Îles *fr.* sɛ'til
Septim zɛp'ti:m
Septima 'zɛptima
Septimanien zɛpti'ma:njən
Septime zɛp'ti:mə
Septimer 'zɛptimɐ
Septimia 'zɛp'ti:mja
Septimius zɛp'ti:mjʊs
Septimole zɛpti'mo:lə
Septimus 'zɛptimʊs
septisch 'zɛptɪʃ
septizid zɛpti'tsi:t, -e ...i:də
Septole zɛp'to:lə
Septuagesima zɛptŭa'gɛ:-
zima, ...**mä** ...mɛ
Septuaginta zɛptŭa'gɪnta
Septum 'zɛptʊm, ...**ta** ...ta
Septuor 'zɛptŭo:ɐ̯
Sepulcrum ze'pʊlkrʊm,
...**ra** ...ra
sepulkral zepʊl'kra:l
Sepúlveda *span.* se'pulβeða
Sequana 'ze:kvana
Sequaner 'ze:kvanɐ
Sequeira *port.* sə'kɐi̯rɐ
sequens 'ze:kvɛns
sequentes ze'kvɛnte:s
Sequenz[er] ze'kvɛntş[ɐ]

sequenziell zekvɛn'tşiɛl
sequenzieren zekvɛn'tşi:-
rən
Sequester ze'kvɛstɐ
Sequestration zekvɛstra-
'tşio:n
sequestrieren zekvɛs'tri:-
rən
Sequestrotomie zekvɛstro-
to'mi:, -n ...i:ən
Sequoia ze'kvo:ja
Sequoia National Park
engl. sɪ'kwɔɪə 'næʃənəl
'pɑ:k
Sequoie ze'kvo:jə
Sequoyah *engl.* sɪ'kwɔɪə
Ser zɛr
Sera vgl. Serum
Sérac ze'rak
¹Serafim (Lichtengel)
Mehrz. 'ze:rafi:m
²Serafim *russ.* sɪra'fim
Serafima *russ.* sɪra'fimɐ
Serafimowna *russ.* sɪra'fi-
mɐvnɐ
¹Serafimowitsch (Famili-
enname) *russ.* sɪrɐfi'mɔvitʃ
²Serafimowitsch (Sohn des
Serafim) *russ.* sɪra'fimɐvitʃ
Serafin *it.* sera'fin
Serai ze'rai̯
Serail ze'rai̯, *auch:* ze'rai̯l
Seraing *fr.* sə'rɛ̃
Seram *indon.* 'seram
Serampore *engl.* 'sɛrəmpɔ:
Serao *it.* se'ra:o
Serapeion zera'pai̯on, ...**eia**
...ai̯a
Serapeum zera'pe:ʊm,
...**peen** ...'pe:ən
Seraph 'ze:raf, -**im** ...fi:m
Seraphim (Name) 'ze:ra-
fi:m
Seraphimenorden
zera'fi:mənｌɔrdn̩
Seraphimerorden *schwed.*
sera.fi:mərɔ:rdən
Seraphine zera'fi:nə
Séraphine *fr.* sera'fin
seraphisch ze'ra:fɪʃ
Serapion ze'ra:pi̯on, *russ.*
sɪrɐpi'on
Serapis ze'ra:pɪs
Serawschan *russ.* zɪraf'ʃan
Serbe 'zɛrbə
serbeln 'zɛrbḷn, **serble**
'zɛrblə
Serbien 'zɛrbi̯ən
serbisch 'zɛrbɪʃ
Serbokroate zɛrbokro'a:tə

serbokroatisch zɛrbo-
kro'a:tɪʃ
Serchio *it.* 'sɛrki̯o
Sercq *fr.* sɛrk
Serdica 'zɛrdika
Serdika 'zɛrdika, *bulgar.*
'sɛrdikɐ
Serdobsk *russ.* sɪr'dɔpsk
Sère 'zɛ:re
Sered' *slowak.* 'sɛrɛtj
Seremban *indon.* sərəm-
'ban
seren ze're:n
Serena ze're:na, *span.*
se'rena, *engl.* sə'ri:nə
Serenade zere'na:də
Serengeti *engl.* sɛrɛn'gɛti:
Serenissima zere'nɪsima,
...**mä** ...mɛ
Serenissimus zere'nɪsimʊs,
...**mi** ...mi
Serenität zereni'tɛ:t
Serenus ze're:nʊs
Sereth 'ze:rɛt
¹Serge (Stoff) zɛrʃ, 'zɛrʒə,
-n 'zɛrʒn̩
²Serge (Name) *fr.* sɛrʒ
¹Sergeant zɛr'ʒant,
'za:ɐ̯dʒn̩t (UK, USA); -**en**
zɛr'ʒantn̩; -**s** 'za:ɐ̯dʒn̩ts
(UK, USA)
²Sergeant (Name) *engl.*
'sɑ:dʒənt
Sergei *russ.* sɪr'gjej
Sergejewitsch *russ.* sɪr'gje-
jivitʃ
Sergejewna *russ.* sɪr'gje-
jivnɐ
Sergejew-Zenski *russ.*
sɪr'gjejiʃ tsɛnskij
Sergel *schwed.* 'særgəl
Sergijew Possad *russ.* 'sjɛr-
gijif pa'sat
Sergio *it.* 'sɛrdʒo
Sergios 'zɛrgi̯ɔs
Sergipe *bras.* ser'ʒipi
Sergius 'zɛrgi̯ʊs
Seria 'ze:rja
Serial 'zi:rjəl
Serie 'ze:rjə
seriell ze'rjɛl
Serife ze'ri:fə
Serifos *neugr.* 'sɛrifɔs
Serigraphie zerigra'fi:, -n
...i:ən
Sering 'ze:rɪŋ
serio 'ze:rjo
seriös ze'rjø:s, -e ...ø:zə
Seriosität zerjozi'tɛ:t

Seripando *it.* seri'pando
Serir ze'ri:ɐ̯
Serizit zeri'tsi:t
Serkin 'zɛrki:n, *engl.* 'sə:kın
Serlio *it.* 'sɛrljo
Sermisy *fr.* sɛrmi'zi
Sermon zɛr'mo:n
Serna *span.* 'sɛrna
Serner 'zɛrnɐ, *schwed.* 'sæ:rnər
Serocki *poln.* sɛ'rɔtski
Serodiagnostik zerodia-'gnɔstık
Serodine *it.* se'rɔ:dine
serofibrinös zerofibri'nø:s, -e ...ø:zə
Serologe zero'lo:gə
Serologie zerolo'gi:
serologisch zero'lo:gıʃ
Serom ze'ro:m
Seronen ze'ro:nən
seropurulent zeropuru'lɛnt
serös ze'rø:s, -e ...ø:zə
Serosa ze'ro:za
Serosiom zero'zjom
Serositis zero'zi:tıs, ...iti-den ...zi'ti:dn
Serotherapie zerotera'pi:, -n ...i:ən
Serow *russ.* sı'rɔf
Serozele zero'tse:lə
Serpa *port.* 'sɛrpɐ
Serpan *fr.* sɛr'pã
Serpel 'zɛrpl̩
serpens 'zɛrpɛns
Serpent zɛr'pɛnt
Serpentin[e] zɛrpɛn'ti:n[ə]
Serpentone zɛrpɛn'to:nə
serpiginös zɛrpigi'nø:s, -e ...ø:zə
Serpollet *fr.* sɛrpo'lɛ
Serpotta *it.* ser'pɔtta
Serpuchow *russ.* 'sjɛrpuxɐf
Serpula 'zɛrpula
¹Serra (Gebirgskette) 'zɛra, *port.* 'sɛrrɐ, *bras.* 'sɛrra
²Serra (Name) *port.* 'sɛrrɐ, *span., bras., it.* 'sɛrra, *kat.* 'sɛrrə, *engl.* 'sɛrə
Serrä 'zɛrɛ, *neugr.* 'sɛrɛ
Serra da Estrêla *port.* 'sɛrrɐ ðɐ ıʃ'trelɐ
Serra das Divisões *bras.* 'sɛrra daz divi'zõis
Serradella zɛra'dɛla
Serradelle zɛra'dɛlə
Serra do Mar *bras.* 'sɛrra du 'mar
Serra Geral *bras.* 'sɛrra ʒe'ral

Serranía *span.* sɛrra'nia
Serrano *span.* sɛ'rrano
Serré *fr.* sɛ're
Sersche 'zɛrʃə
Sert *span.* sɛr, *kat.* sɛrt, *engl.* sɛət
Sertão *bras.* ser'tɐ̃u̯
Sertorius zɛr'to:rjʊs
Sertürner 'zɛrtyrnɐ
Serubabel zeru'ba:bl̩
Serum 'ze:rʊm, ...ra 'ze:ra
Sérusier *fr.* sery'zje
Servaes *niederl.* sɛr'va:s
Serval 'zɛrval
Servan *fr.* sɛr'vã
Servandoni *it.* servan'do:ni
Servan-Schreiber *fr.* sɛr-vãʃrɛ'bɛ:r
Servante zɛr'vantə
Serva Padrona *it.* 'sɛrva pa'dro:na
Servatius zɛr'va:tsjʊs
Servaz zɛr'va:ts
Serve-and-Volley 'zø:ɐ̯flɛnt'vɔli, 'zøːrf...
Servela 'zɛrvəla
Servelat... zɛrvo'la:t...
Serventese zɛrvɛn'te:zə
Serventois zɛrvã'tɔa, des -...a[s], die -...as
Servet *fr.* sɛr'vɛ
Servette *fr.* sɛr'vɛt
Servianisch zɛr'vja:nıʃ
¹Service (Tafelgeschirr) zɛr'vi:s, des -...vi:s, des -s ...vi:səs, die -...vi:s, ...vi:sə
²Service (Kundendienst) 'zø:ɐ̯vıs, 'zœrvıs
servieren zɛr'vi:rən
Serviette zɛr'vjɛtə
servil zɛr'vi:l
Servilia zɛr'vi:lja
Servilismus zɛrvi'lısmʊs
Servilität zɛrvili'tɛ:t
Servis zɛr'vi:s
Servit[a] zɛr'vi:t[a]
Serviteur zɛrvi'tø:ɐ̯
Servitium zɛr'vi:tsjʊm, ..ien ...jən
Servitut zɛrvi'tu:t
Servius 'zɛrvjʊs
Servo... 'zɛrvo...
Servranckx *niederl.* 'sɛrvraŋks
servus! 'zɛrvʊs
Servus Servorum Dei 'zɛr-vʊs zɛr'vo:rʊm 'de:i
Serwela 'zɛrvəla
Sesam 'ze:zam
Seschellen ze'ʃɛlən

Sesel 'ze:zl̩
Sesenheim 'ze:znhaim
Seshego *engl.* sɛ'ʃeı̯gou
Sesia *it.* 'sɛ:zja
Sesimbra *port.* sə'zimbrə
Sesklo *neugr.* 'sɛsklɔ
Sesoosis zezo'o:zıs
Sesostris ze'zɔstrıs
Sessa Aurunca *it.* 'sɛssa au̯'ruŋka
Sesschu *jap.* 'se.ʃʃu:
Sessel 'zɛsl̩
sesshaft 'zeshaft
sessil zɛ'si:l
Sessilität zesili'tɛ:t
¹Session (Sitzung) zɛ'sjo:n
²Session (Jazz) 'zɛʃn̩
Sesson *jap.* 'se.ssoņ
Sester 'zɛstɐ
Sesterz zɛs'tɛrts
Sesterzium zɛs'tɛrtsjʊm, ...ien ...jən
Sestine zɛs'ti:nə
Sesto *it.* 'sɛsto
Sestri *it.* 'sɛstri
Sestriere *it.* sestri'ɛ:re
¹Set (Satz) zɛt,
²Set (Name) ze:t
Seta 'ze:ta
Setälä *finn.* 'sɛtælæ
Sète *fr.* sɛt
Sete Lagoas *bras.* 'sɛti la'goas
Sete Quedas *bras.* 'sɛti 'kɛdas
Setesdal *norw.* ˌse:təsda:l
Seth ze:t, *engl.* sɛθ
Sethe 'ze:tə
Sethianer ze'tja:nɐ
Sethit ze'ti:t
Sethnacht zɛt'naxt
Sethos 'ze:tɔs
Sethus 'ze:tʊs
Sétif *fr.* se'tif
Seto *jap.* 'se.to
Seton *engl.* si:tn
Settat *fr.* sɛt'tat
Settecento zɛte'tʃɛnto
Sette Comuni *it.* 'sɛtte ko'mu:ni
Settegast 'zɛtəgast
Settembrini *it.* settem-'bri:ni
Setter 'zɛtɐ
Settignano *it.* settıɲ'ɲa:no
Setting 'zɛtıŋ
Settle *engl.* sɛtl
Settlement 'zɛtl̩mənt
Set-Top... 'zɛttɔp...
Setúbal *port.* sə'tuβal

sẹtzen 'zɛtsn̩
Setzerei zɛtsə'rai̯
Sẹtzling 'zɛtslɪŋ
Seuche 'zɔ̯yçə
sẹufzen 'zɔ̯yftsn̩
Sẹulingwald 'zɔ̯ylɪŋvalt
Sẹume 'zɔ̯ymə
Seuphọr fr. sø'fɔːr
Seurạt fr. sœ'ra
Sẹuren 'zɔ̯yrən
Sẹuse 'zɔ̯yzə
Sẹuthọpolis zɔ̯y'toːpolɪs
Šẹvčík tschech. 'ʃɛftʃiːk
Sẹvelingen 'zeːvəlɪŋən
Sẹven Islands engl. 'sɛvn
'ai̯ləndz
Sẹvenoaks engl. 'sɛvnoʊks
Sevẹrer ze've:rɐ
Sevẹri it. se've:ri
Severin zeve'riːn, auch:
'ze:veri:n; rumän. seve'rin
Séverin fr. se'vrɛ̃
Sẹvering 'ze:vərɪŋ
Severini it. seve'ri:ni
Severinus zeve'ri:nʊs
Severitạ̈t zeveri'tɛ:t
Sẹvern engl. 'sɛvən
Severna Pạrk engl. sə'vɔ:nə
'paːk
Severọlus zeve'ro:lʊs
Sevẹros ze've:rɔs
Sevẹrus ze've:rʊs
Sẹveso it. 'sɛ:vezo
Sévigné fr. sevi'ɲe
Sevịlla ze'vɪlja, span. se'βiʎa
Sevillạna zevɪl'jaːna
Sevran fr. sə'vrã
Sèvre[s] fr. sɛ:vr
Sẹwa 'ze:va, engl. 'sɛwa:
Sewall engl. 'sju:əl
Sewạn russ. sɪ'van
Seward engl. 'si:wəd,
'sju:əd
Sewạstopol ze'vastopɔl,
russ. sɪvas'tɔpɐlj
Sewẹla russ. si'vjɛlɐ
Sewerjạnin russ. sɪvɪ'rjanin
Sẹwernaja Semljạ russ.
'sjevɪrnɐjɐ zɪm'lja
Sewerodonẹzk russ. sɪvɪrɐ-
da'njɛtsk
Sewerodwịnsk russ. sɪvɪ-
ra'dvinsk
Seweromọrsk russ. sɪvɪra-
'mɔrsk
Sewerourạlsk russ. sjevɪ-
rɐu'raljsk
Sẹwerzow russ. 'sjevɪrtsɐf
Sewlịewo bulgar. sɛv'lievo
Sẹx zɛks

Sexagẹsima zɛksa'ge:zima
Sexagẹsimä zɛksa'ge:zimɛ
sexagesimạl zɛksagezi'ma:l
Sexagọn zɛksa'go:n
Sẹx and Crime 'zɛks ɛnt
'krai̯m
Sẹx-Appeal 'zɛks|ɛ,pi:l
Sẹxau 'zɛksau̯
Sẹxer 'zɛksɐ
Sexịsmus ze'ksɪsmʊs
Sexịst ze'ksɪst
Sexlẹkt zɛks'lɛkt
Sexologe zɛkso'lo:gə
Sexologie zɛksolo'gi:
Sẹxt[a] 'zɛkst[a]
Sẹxtakkord 'zɛkst|akɔrt
Sextạner zɛks'ta:nɐ
Sextạnt zɛks'tant
Sẹxte[ner] 'zɛkstə[nɐ]
Sextẹtt zɛks'tɛt
Sextillịon zɛkstɪ'lio:n
Sextọle zɛks'to:lə
Sẹxton engl. 'sɛkstən
Sextuor 'zɛkstu̯o:ɐ
Sẹxtus 'zɛkstʊs
sexuạl ze'ksu̯a:l
sexualisịeren zɛksu̯ali'zi:-
rən
Sexualitạ̈t zɛksu̯ali'tɛ:t
sexuẹll ze'ksu̯ɛl
Sexuologe zɛksu̯o'lo:gə
Sexuologie zɛksu̯olo'gi:
sexuologisch zɛksu̯o'lo:gɪʃ
Sẹxus 'zɛksʊs, die - ...su:s
sẹxy 'zɛksi
Sẹybold 'zai̯bɔlt
Seychẹllen ze'ʃɛlən
Seychẹlle[s] engl. sei̯'ʃɛl[z]
Seydịsehir türk. sei̯'diʃɛ,hir
Seyðịsfjörður isl.
'sei̯ðɪsfjœrðʏr
Sẹydlitz 'zai̯dlɪts
Sẹyfer[t] 'zai̯fɐ[t]
Sẹyfried 'zai̯fri:t
Sẹyhan türk. 'sei̯han
Sẹyler 'zai̯lɐ
Seymour engl. 'si:mɔ:,
'sei̯mɔ:
Seyne-sur-Mẹr fr. sɛnsyr-
'mɛ:r
Sẹyppel 'zai̯pl̩
Sẹyß-Ịnquart 'zai̯s'ɪnkvart
Sežạna serbokr. sɛ,ʒa:na
sezernịeren zɛtsɐr'ni:rən
Sezession zɛtsɛ'sio:n
Sezessionịst zɛtsɛsi̯o'nɪst
sezịeren ze'tsi:rən
Sẹzuan 'ze:tsu̯an
Sfạx fr. sfaks

Sfịntu Gheọrghe rumän.
'sfɪntu 'gɛ̯orge
s-förmig 'ɛsfœrmɪç, -e ...ɪgə
Sfọrza it. 'sfɔrtsa
sforzạndo sfɔr'tsando
Sforzạndo sfɔr'tsando, ...di
...di
sforzạto sfɔr'tsa:to
Sforzạto sfɔr'tsa:to, ...ti ...ti
sfumạto sfu'ma:to
Sgambạti it. zgam'ba:ti
Sganarẹlle fr. sgana'rɛl
Sgraffịato sgra'fi̯a:to, ...ti
...ti
Sgraffịto sgra'fi:to, ...ti ...ti
's Gravenhạge niederl.
syra:vən'ha:γə
Shaanxi chin. ʃanci 31
Shabạ fr. ʃa'ba
Shabạni engl. ʃə'ba:nɪ
Shackleton engl. 'ʃækltən
Shadowing 'ʃɛdoɪŋ
Shadwell engl. 'ʃædwəl
Shaffer engl. 'ʃæfə
Shaftesbury engl. 'ʃa:fts-
bərɪ
Shag ʃɛk
Shagamu engl. ʃa:'ga:mu:
Shahạr hebr. ʃa'har
Shahjahạnpur engl. ʃa:dʒə-
'ha:npʊə
Shairp engl. ʃɛ̯əp, ʃa:p
Shaiva 'ʃai̯va
Shake ʃe:k
Shakehands 'ʃe:khɛnts
Shaker 'ʃe:kɐ
shakern 'ʃe:kɐn
Shakers 'ʃe:kɐs
Shakespeare 'ʃe:kspi:ɐ,
engl. 'ʃei̯kspɪə
shakespearesch 'ʃe:kspi:ɐʃ
shakespearisch 'ʃe:kspi:rɪʃ
Shạkta 'ʃakta
Shạkti 'ʃakti
Shalọm hebr. ʃa'lɔm
Shamokin engl. ʃə'moʊkɪn
Shampoo 'ʃampu, ʃɛmpu,
'ʃampo, ʃam'pu:
Shampoon ʃam'po:n, auch:
ʃɛm'pu:n
shampoonịeren ʃampo'ni:-
rən, ʃɛm...; ...pu...
Shamrock engl. 'ʃæmrɔk
Shandong chin. ʃandʊŋ 11
Shane engl. ʃeɪn, ʃa:n, ʃɔ:n
Shange engl. 'ʃa:ŋɪ
Shanghai 'ʃaŋhai̯, auch: -'-,
chin. ʃaŋxai̯ 43

shanghaien

shanghaien ʃaŋˈhaiən, *auch:* '---
Shangqiu *chin.* ʃaŋtɕi̯oṷ 11
Shankar *engl.* ʃaˈnkɑː
Shanklin *engl.* ˈʃæŋklɪn
Shannon *engl.* ˈʃænən
Shantou *chin.* ʃantoṷ 42
Shantung ˈʃantʊŋ
Shanty ˈʃɛnti, *auch:* ˈʃanti
Shanxi *chin.* ʃanɕi 11
Shaoguan *chin.* ʃaṷgu̯an 21
Shaoxing *chin.* ʃaṷɕiŋ 41
Shaoyang *chin.* ʃaṷ-i̯aŋ 42
SHAPE *engl.* ʃeip
Shaping... ˈʃeːpɪŋ...
Shapiro *engl.* ʃəˈpɪərou
Shapley *engl.* ˈʃæpli
Share ʃɛːɐ̯
Shareholder ˈʃɛːɐ̯hoːldɐ
Shareware ˈʃɛːɐ̯vɛːɐ̯
Sharif ʃaˈriːf
Shark[s] Bay *engl.* ˈʃɑːk[s] ˈbei
Sharma[n] *engl.* ˈʃɑːmə[n]
Sharon *engl.* ˈʃærən, *hebr.* ʃaˈrɔn
Sharonville *engl.* ˈʃærənvɪl
sharp ʃarp
Sharp[e] *engl.* ʃɑːp
Sharpie ˈʃarpi
Sharpsburg *engl.* ˈʃɑːpsbəːg
Shashi *chin.* ʃaʃi 12
Shasta *engl.* ˈʃæstə
Shastri *engl.* ˈʃɑːstri
Shavers *engl.* ˈʃeivəz
Shaw *engl.* ʃɔː
Shawcross *engl.* ˈʃɔːkrɔs
Shawinigan *engl.* ʃəˈwinigən
Shawl ʃaːl
Shawn *engl.* ʃɔːn
Shawnee *engl.* ʃɔːˈniː
Shays *engl.* ʃeiz
Shear[er] *engl.* ˈʃiɐ[rə]
Shearing *engl.* ˈʃiərɪŋ
Sheboygan *engl.* ʃiˈbɔigən
Shedbau ˈʃɛtbaṷ
Sheddach ˈʃɛtdax
Sheehan *engl.* ˈʃiːhən
Sheeler *engl.* ˈʃiːlə
Sheen *engl.* ʃiːn
Sheffield *engl.* ˈʃɛfiːld
Shehu *alban.* ˈʃehu
Sheil[a] *engl.* ˈʃiːl[ə]
Shelburne *engl.* ˈʃɛlbən
Shelby[ville] *engl.* ˈʃɛlbi[vɪl]
Sheldon *engl.* ˈʃɛldən
Shelf ʃɛlf
Shell[ey] *engl.* ˈʃɛl[i]
Shelton *engl.* ʃɛltn̩

Shemya *engl.* ˈʃɛmjə
Shenandoah *engl.* ʃɛnənˈdouə
Shenstone *engl.* ˈʃɛnstən
Shenyang *chin.* ʃən-i̯aŋ 32
Shen Zhou *chin.* ʃəndʒoṷ 31
Shepard, Shepherd, Sheppard *engl.* ˈʃɛpəd
Shepp[arton] *engl.* ˈʃɛp[ətn]
Sheraton *engl.* ˈʃɛrətn
Sherbrooke *engl.* ˈʃəːbrʊk
Sheridan *engl.* ˈʃɛrɪdn
Sheriff ˈʃɛrif
Sherley *engl.* ˈʃəːli
Sherlock Holmes ˈʃɛrlɔk ˈhɔlms, *engl.* ˈʃəːlɔk ˈhoumz
Sherman ˈʃɛrman, *engl.* ˈʃəːmən
Sherpa[ni] ˈʃɛrpa[ni]
Sherriff *engl.* ˈʃɛrif
Sherrill *engl.* ˈʃɛrɪl
Sherrington *engl.* ˈʃɛrɪŋtən
Sherry *engl.* ˈʃɛri
's Hertogenbosch *niederl.* s[h]ɛrtoːɣənˈbɔs
Sherwood *engl.* ˈʃəːwʊd
Shetland ˈʃɛtlant, *engl.* ˈʃɛtlənd
Shield[s] *engl.* ʃiːld[z]
Shigelle ʃiˈgɛlə
Shijiazhuang *chin.* ʃidʑi̯adʒu̯aŋ 211
Shilling ˈʃilɪŋ
Shillong *engl.* ˈʃilɔŋ
Shimmy ˈʃimi
Shimose *span.* siˈmose
Shintoismus ʃintoˈismʊs
Shinwell *engl.* ˈʃinwəl
Shinyanga *engl.* ʃiːnˈja:ŋaː
Shipley *engl.* ˈʃipli
Shire[r] *engl.* ˈʃaiə[rə]
Shirley *engl.* ˈʃəːli
Shirt ʃəːɐ̯t, ʃœrt
Shit ʃit
Shively *engl.* ˈʃaivli
Shkodër *alban.* ˈʃkodər
Shkodra *alban.* ˈʃkodra
Shkumbin *alban.* ʃkumˈbin
Shock ʃɔk
shocking ˈʃɔkɪŋ
Shockley *engl.* ˈʃɔkli
Shoddy ˈʃɔdi
Shogun ˈʃoːgun
Shogunat ʃoguˈnaːt
Sholapur *engl.* ˈʃoʊləpʊə, ʃoʊˈlaːpʊə
Shootingstar ˈʃuːtɪŋstaːɐ̯
Shop[ping] ˈʃɔp[ɪŋ]
Shoppinggoods *engl.* ˈʃɔpɪŋgʊts

Shoreditch *engl.* ˈʃɔːdɪtʃ
Shoreham-by-Sea *engl.* ˈʃɔːrəmbaiˈsiː
Shorehärte ˈʃoːɐ̯hɛrtə
Shoreview *engl.* ˈʃɔːvjuː
Short[er] *engl.* ˈʃɔːt[ə]
Shorthorn... ˈʃoːɐ̯thɔːn..., ˈʃɔrt...
Shorthouse *engl.* ˈʃɔːthaʊs
Shorts ˈʃoːɐ̯ts, ʃɔrts
Short Story *engl.* ˈʃɔːt ˈstoːri, ˈʃɔrt -; - ˈstɔri
Shortton ˈʃoːɐ̯tˈtan, ˈʃɔrt...
Shorttrack ˈʃoːɐ̯tˈtrɛk, ˈʃɔrt...
Shorty ˈʃoːɐ̯ti, ˈʃɔrti
Shoshone *engl.* ʃoʊˈʃouni
Shotwell *engl.* ˈʃɔtwəl
Shout[er] ˈʃaʊt[ɐ]
Shouting ˈʃaʊtɪŋ
Shovell *engl.* ˈʃʌvl
Show ʃoː
Showbusiness ˈʃoːbɪznɪs, ...nɛs
Show-down ʃoːˈdaʊn, '--
Showman ˈʃoːmən, ...men ...mən
Showmaster ˈʃoːmaːstɐ
Shqipëri *alban.* ʃkjipəˈri
Shredder ˈʃrɛdɐ
Shreveport *engl.* ˈʃriːvpɔːt
Shrewsbury *engl.* ˈʃrouzbəri, ˈʃruːz..., *USA* ˈʃruːz...
Shrimp ʃrimp
shrinken ˈʃrɪŋkn̩
Shropshire *engl.* ˈʃrɔpʃiə
shrunken ˈʃrʊŋkn̩, ˈʃraŋkn̩
Shuangyashan *chin.* ʃu̯aŋi̯aʃan 111
Shudra ˈʃuːdra
Shuffleboard ˈʃaflbo:ɐ̯t
Shultz ʃʊlts
Shunt ʃant
shunten ˈʃantn̩
Shute ˈʃuːt
Shuteriqi *alban.* ʃuteˈrikji
Shuttle ˈʃatl̩
Shylock ˈʃailɔk
si (Ton h) ziː
Sial ˈziːal
Sialadenitis zi̯aladeˈniːtɪs, ...itiden ...niˈtiːdn̩
sialisch ˈzi̯aːlɪʃ
Sialkot *engl.* siˈælkoʊt
siallitisch zi̯aˈliːtɪʃ
Sialolith zi̯aloˈliːt
Sialorrhö, ...öe zi̯alɔˈrøː, ...rrhöen ...ˈrøːən
Siam ˈziːam
Siamese zi̯aˈmeːzə

siamesisch zi̯a'me:zıʃ
Siamosen zi̯a'mo:zn̩
Šiauliai *lit.* ʃjæṷ.ljæi̯
Sibai *russ.* si'baj
Sibari *it.* 'si:bari
Sibelius zi'be:li̯ʊs, *schwed.*
  si'be:lius
Šibenik *serbokr.* 'ʃibɛni:k
Siberch 'zi:bɛrç
Siberut *indon.* si'berʊt
Sibich 'zi:bıç
Sibilant zibi'lant
sibilieren zibi'li:rən
Sibir *russ.* si'birj
Sibirer zi'bi:rɐ
sibirid zibi'ri:t, -e ...i:də
Sibiride zibi'ri:də
Sibirien zi'bi:ri̯ən
Sibirier zi'bi:ri̯ɐ
sibirisch zi'bi:rıʃ
Sibiu *rumän.* si'biṷ
Sibley *engl.* 'sıblı
Sibljak 'zıbljak
Sibolga *indon.* si'bɔlga
Sibu *indon.* 'sibu
Sibut *fr.* si'byt
Sibyl *engl.* 'sıbəl
Sibylla zi'bʏla
¹Sibylle (Wahrsagerin)
  zi'bʏlə
²Sibylle (Name) zi'bıl[ə], *fr.*
  si'bil
Sibyllinen zibʏ'li:nən
sibyllinisch zibʏ'li:nıʃ
sic! zi:k, *auch:* zık
Sica, de *it.* de'si:ka
Sicardo *it.* si'kardo
sic et non 'zi:k ɛt 'no:n
sich zıç
Sichard 'zıçart
Sichardus zı'çardʊs
Sichausweinen zıç'lａͧs-
  vai̯nən
Sichel 'zıçl̩
sicheln 'zıçl̩n
Sichem 'zıçɛm
sicher 'zıçɐ
sichern 'zıçɐn
Sichler 'zıçlɐ
Sicht zıçt
sichten 'zıçtn̩
sichtig 'zıçtıç, -e ...ıgə
Sichuan *chin.* sıtʃṷan 41
Sichulski *poln.* çi'xulski
Sicilia *it.* si'tʃi:li̯a
Siciliano zitʃi'li̯a:no, ...ni
  ...ni
Sicilienne zisi'li̯ɛn
Sicke 'zıkə
sicken 'zıkn̩

sickern 'zıkɐn
Sickert 'zıkɐt, *engl.* 'sıkət
Sickingen 'zıkıŋən
Sickinger 'zıkıŋɐ
Sickles *engl.* sıklz
Sick-out zık'lａͧt, '--
sic transit gloria mundi!
  'zi:k 'tranzıt 'glo:ri̯a
  'mʊndi, *auch:* 'zık - - -
Sid *engl.* sıd
Siddhanta zi'danta
Siddharta zi'darta
Siddons *engl.* sıdnz
Siddur zı'du:ɐ̯
Side 'zi:də
Sideboard 'zaḭtbo:ɐ̯t
sideral zide'ra:l
siderisch zi'de:rıʃ
Siderit zide'ri:t
Siderographie zidero-
  gra'fi:, -n ...i:ən
Siderolith zidero'li:t
Siderologie ziderolo'gi:
Sideronym zidero'ny:m
Sideropenie ziderope'ni:
siderophil zidero'fi:l
Siderophilin ziderofi'li:n
sideropriv zidero'pri:f, -e
  ...i:və
Siderose zide'ro:zə
Siderosis zide'ro:zıs
Sideroskop zidero'sko:p
Siderosphäre zidero'sfɛ:rə
Siderozyt zidero'tsy:t
Siders 'zi:dɐs
Siderurgie zidərʊr'gi:
siderurgisch zide'rʊrgıʃ
sidetisch zi'de:tıʃ
Sidgwick *engl.* 'sıdʒwık
Sidi-bel-Abbès *fr.* sidi-
  bɛla'bɛs
Sidi-Kacem *fr.* sidika'sɛm
Sidmouth *engl.* 'sıdməθ
Sidney *engl.* 'sıdnı
Sidon 'zi:dɔn
Sidonia zi'do:ni̯a, *span.*
  si'ðoni̯a
Sidonier zi'do:ni̯ɐ
sidonisch zi'do:nıʃ
Sidonius zi'do:ni̯ʊs
Sidra zi'dra:
sie zi:
Sieb zi:p, -e 'zi:bə
Siebeck 'zi:bɛk
¹sieben, S... 'zi:bn̩
²sieben 'zi:bn̩, sieb! zi:p,
  siebt zi:pt
Siebenbürgen zi:bn̩'bʏrgn̩
Siebenbürger zi:bn̩'bʏrgɐ

siebenbürgisch zi:bn̩'bʏr-
  gıʃ
Siebeneck 'zi:bn̩|ɛk
siebeneckig 'zi:bn̩|ɛkıç
siebeneinhalb 'zi:bn̩|ain-
  'halp
Siebener 'zi:bənɐ
siebenerlei 'zi:bənɐ'lai̯
siebenfach 'zi:bn̩fax
Siebengebirge 'zi:bn̩gə-
  bırgə
siebenhundert 'zi:bn̩'hʊndɐt
siebenjährig 'zi:bn̩jɛ:rıç
siebenmal 'zi:bn̩ma:l
siebenmalig 'zi:bn̩ma:lıç, -e
  ...ıgə
Siebenmeilenstiefel
  zi:bn̩'mai̯lənʃti:fl̩
Siebenmeter zi:bn̩'me:tɐ
Siebenmonatskind
  zi:bn̩'mo:natskınt
Siebensachen 'zi:bn̩'zaxn̩
Siebenstromland zi:bn̩-
  'ʃtro:mlant
siebent 'zi:bn̩t
Siebentagefieber zi:bn̩'ta:-
  gəfi:bɐ
siebentausend
  'zi:bn̩'tau̯znt
siebente 'zi:bn̩tə
siebentel, S... 'zi:bn̩tl̩
siebentens 'zi:bn̩təns
siebenundeinhalb
  'zi:bn̩|ʊntlai̯n'halp
siebenundsiebzig
  'zi:bn̩|ʊnt'zi:ptsıç
Siebold 'zi:bɔlt
Siebs zi:ps
siebt[e] 'zi:pt[ə]
siebtel, S... 'zi:ptl̩
siebtens 'zi:ptn̩s
Sieburg 'zi:bʊrk
siebzehn 'zi:ptse:n
siebzig 'zi:ptsıç
siech[en] 'zi:ç[n̩]
Siechling 'zi:çlıŋ
Siede 'zi:də
siedeheiß 'zi:də'hai̯s
siedeln 'zi:dl̩n, siedle 'zi:dlə
sieden 'zi:dn̩, sied! zi:t
Siederei zi:də'rai̯
Siedlce *poln.* 'ɕɛdltsɛ
Siedler 'zi:dlɐ
Siedlung 'zi:dlʊŋ
Siefkes 'zi:fkəs
Sieg zi:k, -e 'zi:gə
Siegbahn *schwed.* 'si:gbɑːn
Siegbert 'zi:kbɛrt
Siegburg 'zi:kbʊrk

Siegel 'zi:gl̩
siegeln 'zi:gl̩n, siegle 'zi:glə
siegen 'zi:gn̩, sieg! zi:k,
  siegt zi:kt
Siegen 'zi:gn̩
Siegerland 'zi:gɐlant
Siegerländer 'zi:gɐlɛndɐ
Siegfried 'zi:kfri:t, fr. sig-
  'frid
Sieghard 'zi:khart
Siegher 'zi:khɛr
Sieghild 'zi:khɪlt
Sieglind 'zi:klɪnt
Sieglinde zi:k'lɪndə
Sieglung 'zi:glʊŋ
Siegmund 'zi:kmʊnt
Siegrune 'zi:kru:nə
Siegwurz 'zi:kvʊrts
sieh[e]! 'zi:[ə]
sieht zi:t
Siek[e] 'zi:k[ə]
Siel[e] 'zi:l[ə]
sielen, S... 'zi:lən
Sielmann 'zi:lman
Siemens 'zi:məns, engl.
  'si:mənz
Siemianowice poln. cɛmja-
  nɔ'vitsɛ
Siem Reap Khmer siəm'rɪəp
siena 'zje:na
Siena 'zje:na, it. 'sjɛ:na
Sienese zje'ne:zə
Sieneser zje'ne:zɐ
Sienkiewicz poln. cɛŋ'kjɛ-
  vitʃ
Siepi it. 'sjɛ:pi
Sieradz poln. 'cɛrats
Sierck fr. zjɐk
Sieroszewski poln. cɛrɔ-
  'ʃɛfski
Sierra 'zjɛra, span. 'sjɛrra
Sierra Leone 'zjɛra le'o:nə,
  engl. 'sɪərəlɪ'oʊn
Sierra-Leoner zjɛrale'o:nɐ
Sierra Nevada 'zjɛra
  ne'va:da, engl. sɪ'ɛrə
  nə'vædə, span. 'sjɛrra
  ne'βaða
Sierre fr. sjɛːr
Siesta 'zjɛsta, span. 'sjɛsta
Siet... 'zi:t...
Sieur zjø:ɐ
Sieveking 'zi:vəkɪŋ, engl.
  'si:vkɪŋ
Sievers 'zi:vɐs, 'zi:f...
Sievert, Siewerth 'zi:vɐt
Sieyès fr. sje'jɛs
siezen zi:tsn̩
Sif[ema] 'zi:f[ema]
Sifflöte 'zɪflø:tə

Sifnos neugr. 'sifnɔs
Sig fr. sig
Sigebert 'zi:gəbɛrt, fr. siʒ-
  'bɛːr
Sigeher 'zi:gəhe:ɐ
Sigel (Zeichen) 'zi:gl̩
sigeln 'zi:gl̩n, sigle 'zi:glə
Sigenot 'zi:gəno:t
Siger 'zi:gɐ
Sigerist 'zi:gərɪst
Sigfrid 'zi:kfri:t
Sighet rumän. 'siget
Sighetul Marmației rumän.
  'sigetul marma'tsjei
Sighișoara rumän. sigi-
  'ʃoara
Sightseeing 'zaitzi:ıŋ
Sigi 'zɪgi, 'zi:gi
Sigibert 'zi:gibɛrt
Sigill zi'gɪl
Sigillarie zıgı'la:rjə
sigillieren zıgı'li:rən
Sigillum zi'gılʊm, ...lla ...la
Sigirya engl. 'sıgırjə
Sigismund 'zi:gısmʊnt
Sigl[e] 'zi:gl̩
Siglind 'zi:klɪnt
Siglo de Oro 'zi:glo de: 'o:ro
Siglufjörður isl. 'sıglʏfjœr-
  ðʏr
Sigma 'zıgma
Sigmaringen 'zi:kmarıŋən
Sigmatiker zı'gma:tikɐ
Sigmatismus zıgma'tısmʊs
Sigmoid zıgmo'i:t, -e ...i:də
Sigmund 'zi:kmʊnt
Signa vgl. Signum
Signac fr. si'ɲak
Signachi russ. sig'naxi
Signal zı'gna:l
Signalement zıgnalə'mã:
signalisieren zıgnali'zi:rən
Signatar zıgna'ta:ɐ
signatum zı'gna:tʊm
Signatur zıgna'tu:ɐ
Signau 'zi:gnau
Signem zı'gne:m
Signet zı'gne:t, zı'gnɛt,
  zın'je:, -e zı'gne:tə,
  zı'gnɛtə, die -s zın'je:s
signieren zı'gni:rən
Signifiant zınji'fjã:
Signifié zınji'fje:
signifikant, S... zıgnifi'kant
Signifikanz zıgnifi'kants
Signifikat zıgnifi'ka:t
signifikativ zıgnifika'ti:f, -e
  ...i:və
signifizieren zıgnifi'tsi:rən
Signor zın'jo:ɐ, -i zın'jo:ri

Signora zın'jo:ra, ...re ... rə
Signore zın'jo:rə, ...ri ...ri
Signorelli it. sıɲɲo'rɛlli
Signoret fr. siɲɔ'rɛ
Signoria zınjo'ri:a, ...ien
  ...i:ən
Signorie zınjo'ri:, -n ...i:ən
Signorina zınjo'ri:na, -e
  zınjo'ri:nə, -en zınjo'ri:nən
Signorini it. sıɲɲo'ri:ni
Signorino zınjo'ri:no, ...ni
  ...ni
Signum 'zıgnʊm, ...na ...na
Sigonio it. si'gɔ:njo
Sigrid 'zi:grıt, ...ri:t, dän.
  'siɣrið, norw. .sigri, schwed.
  'si:grid, ,--
Sigrist 'zi:grıst, zi'grıst
Sigrun 'zi:kru:n
Sigrune 'zi:kru:nə
Sigsfeld 'zi:ksfɛlt
Sigtuna schwed. .sigtɐ:na
Sigune zi'gu:nə
Sigurd 'zi:gʊrt, schwed.
  'si:gʊrd, norw. .sigɐr
Sigurðardóttir isl. 'sı:ɣʏr-
  ðardoyhtır
Sigurðsson isl. 'sı:ɣʏrðsɔn
Sigurður isl. 'sı:ɣʏrðʏr
Sigurim zigu'ri:m, alban.
  sigu'rim
Sigurjónsson isl. 'sı:ɣʏr-
  joʏnsɔn
Sigwart 'zi:kvart
Sihanuk 'zi:hanʊk
Sihl zi:l
Sijada zi'ja:da
Siirt türk. si'irt
Sík ung. ʃi:k
Šik tschech. ʃik
Sikahirsch 'zi:kahırʃ
Sikaner zi'ka:nɐ
Sikasso fr. sika'so
Sikeler 'zi:kelɐ
Sikelianos neugr. sikɛlja'nɔs
Sikeston engl. 'saıkstən
Sikh zi:k
Sikiang 'zi:kjaŋ
Sikkativ zıka'ti:f, -e ...i:və
Sikkim 'zıkım
Sikkimer 'zıkımɐ
sikkimesisch zıki'me:zıʃ
sikkimisch 'zıkımıʃ
Sikorski zi'kɔrski, poln.
  ci'kɔrski
Sikorsky engl. sı'kɔ:skı
Šikula serbokr. 'ʃikula
Sikuler zi:kulɐ
Sikyon 'zi:kÿɔn

Sil *span.* sil
Sila *it.* 'si:la
Silage zi'la:ʒə
Silan zi'la:n
Silanion zi'la:niɔn
Silas 'zi:las, *engl.* 'saɪləs
Silastik zi'lastɪk
Silay *span.* si'laɪ
Silba *serbokr.* 'si:lba
Silbe 'zɪlbə
Silber 'zɪlbɐ
silberig 'zɪlbərɪç, -e ...ɪgə
Silberling 'zɪlbəlɪŋ
Silbermann 'zɪlbɐman
silbern 'zɪlbɐn
...silbig ...zɪlbɪç, -e ...ɪgə
silbisch 'zɪlbɪʃ
...silbler ...zɪlplɐ
silbrig 'zɪlbrɪç, -e ...ɪgə
Silcher 'zɪlçɐ
Sild zɪlt, -e 'zɪldə
Silen[os] zi'le:n[ɔs]
Silentium [obsequiosum]
zi'lɛntsiʊm [ɔpzekvi'o:zʊm]
Silent Meeting 'zaɪlənt
'mi:tɪŋ
Siles *span.* 'siles
Silesius zi'le:ziʊs
Silex 'zi:lɛks
Silfverstolpe *schwed.* ˌsil-
vərstɔlpə
Silge 'zɪlgə
¹Silhouette zi'luɛtə
²Silhouette (Name) *fr.*
si'lwɛt
silhouettieren zilue'ti:rən
Silicagel® zilika'ge:l
Silicat zili'ka:t
Silicid zili'tsi:t, -e ...i:də
Silicium zi'li:tsiʊm
Silicon zili'ko:n, *engl.* 'sɪlɪ-
kən
silieren zi'li:rən
Silifikation zilifika'tsio:n
silifizieren zilifi'tsi:rən
Silifke *türk.* si'lifkɐ
Siliguri *engl.* sɪ'li:gʊrɪ
Silikastein 'zi:likaʃtaɪn
Silikat zili'ka:t
Silikatose zilika'to:zə
Silikon zili'ko:n
Silikose zili'ko:zə
Silinge 'zi:lɪŋə
Silistra *bulgar.* si'listrɐ
Silius 'zi:liʊs
Silivri *türk.* si'livri
Silizid zili'tsi:t, -e ...i:də
Silizium zi'li:tsiʊm
Silja 'zɪlja
Siljan *schwed.* ˌsiljan

¹Silk (Stoff) zɪlk
²Silk (Name) *engl.* sɪlk
Silke 'zɪlkə
Silkeborg *dän.* 'sɪlgəbɔʁ'
Silkin *engl.* 'sɪlkɪn
Silko *engl.* 'sɪlkoʊ
Silkscreen 'zɪlkskri:n
Silkworm 'zɪlkvø:ʁm,
...vœrm
¹Sill zɪl
²Sill (Name) *engl.* sɪl
Sillabub 'zɪləbap
Sillanpää *finn.* 'sɪllɑmpæ:
Sillein zɪ'laɪn, 'zɪ...
Sillen 'zɪlən
Sillery *fr.* sij'ri, *engl.* 'sɪlərɪ
Silliman *engl.* 'sɪlɪmən
Sillito[e] *engl.* 'sɪlɪtoʊ
Sillograph zɪlo'gra:f
Sills *engl.* sɪlz
Sillybos 'zɪlybɔs, ...boi
...bɔy
Silo 'zi:lo
Siloah zi'lo:a
Siloé *span.* silo'e
Silon® zi'lo:n
Silone *it.* si'lo:ne
Sils zɪls
Silsbee *engl.* 'sɪlzbɪ
Silumin® zilu'mi:n
Silur zi'lu:ʁ
Silurer zi'lu:rɐ
silurisch zi'lu:rɪʃ
Šilutė *lit.* ʃi'lʊte
Silva 'zɪlva, *span.* 'sɪlβa,
port. 'sɪlvɐ, *bras.* 'sɪlva
Silvae 'zɪlvɛ
Silvain *fr.* sil'vɛ̃
Silvan zɪl'va:n
Silvana zɪl'va:na, *it.* sɪl-
'va:na
Silvaner zɪl'va:nɐ
Silvanus zɪl'va:nʊs
Silvaplana zɪlva'pla:na
Silver[man] *engl.* 'sɪl-
və[mən]
Silverius zɪl've:riʊs
Silves *port.* 'sɪlvɪʃ, *bras.* 'sɪl-
vis
Silvester zɪl'vɛstɐ, *engl.* sɪl-
'vɛstə
Silvestre *fr.* sil'vɛstr, *span.*
sil'βestre
Silvia 'zɪlvia, *engl.* 'sɪlvɪə, *it.*
'silvia
Silvio 'zɪlvio, *it.* 'silvio
Silvio *port., bras.* 'silviu
Silvretta zɪl'vrɛta
Sim *engl.* sɪm
¹Sima (Sims, Kruste) 'zi:ma

²Sima (Name) *serbokr.*
ˌsi:ma, *rumän.* 'sima, *fr.*
si'ma, *russ.* zi'ma
Sima Guang *chin.* sɪma-
guaŋ 131
Simandl 'zi:mandl̩
Simandron 'zi:mandrɔn,
...ren zi'mandrən
Simão *port., bras.* si'mɐ̃u
Sima Qian *chin.* sɪmatɕiɛn
131
Simarre zi'marə
simatisch zi'ma:tɪʃ
Sima Xiangru *chin.* sɪma-
cianru 1312
Simbabwe zɪm'bapvə
Simbabwer zɪm'bapvɐ
simbabwisch zɪm'bapvɪʃ
Simbach 'zɪmbax
Simberg *schwed.* ˌsimbærj
Simbirsk *russ.* sim'birsk
Simca 'zɪmka, *fr.* sim'ka
Simcoe *engl.* 'sɪmkoʊ
Simenon *fr.* sim'nõ
Simeon 'zi:meɔn, *russ.*
simɪ'ɔn, *bulgar.* simɛ'ɔn,
engl. 'sɪmɪən
Siméon *fr.* sime'õ
Simeria *rumän.* si'meria
Simferopol *russ.* simfɪ'rɔ-
pəlj
Simi *neugr.* 'simi
Simia 'zi:mia
Simias 'zi:mias
Simić *serbokr.* ˌsi:mitɕ
similär zimi'lɛ:ʁ
Similarität zimilari'tɛ:t
Similaun zimi'laun
simile, S... 'zi:mile
Simili 'zi:mili
similia similibus [curantur]
zi'mi:lia zi'mi:libʊs [ku'ran-
tʊr]
Simion *bulgar.* simi'ɔn
Simionato *it.* simio'na:to
simisch 'zi:mɪʃ
Simitis *neugr.* si'mitis
Simi Valley *engl.* sɪ'mi: 'vælɪ
Simla *engl.* 'sɪmlə
Šimleu Silvaniei *rumän.*
ʃim'leusil'vanieɪ
Simme 'zɪmə
Simmel 'zɪml̩
Simmental[er] 'zɪmənta:l[ɐ]
Simmer 'zɪmɐ
Simmering 'zɪmərɪŋ
Simmern 'zɪmɐn
Simmias 'zɪmias
Simmons *engl.* 'sɪmənz
Simms *engl.* sɪmz

Simões *port.* si'mõi̯ʃ, *bras.*
si'mõi̯s
Simon 'zi:mɔn, *engl.* 'sai̯-
mən, *fr.* si'mõ, *schwed.*
'si:mɔn, *russ.* 'simɐn, *ung.*
'ʃimon
Simón *span.* si'mɔn
Šimon *tschech.* 'ʃimɔn
Simonaitytė *lit.* simo:nai̯-
'ti:te:
Simond *engl.* 'sai̯mənd,
'sim...
Simonde *fr.* si'mõ:d
Simone zi'mo:nə, *fr.* si'mɔn,
it. si'mo:ne
Simoneau *fr.* simɔ'no
Simonides zi'mo:nidɛs
Simonie zimo'ni:, -n ...i:ən
Simonis zi'mo:nis
simonisch zi'mo:niʃ
simonistisch zimo'nistiʃ
Simonow *russ.* 'simɐnɐf
Simons 'zi:mɔns, *niederl.*
'simɔns, *engl.* 'sai̯mənz
Simonstown *engl.* 'sai̯-
mənztau̯n
Simonsz *niederl.* 'simɔns
simpel, S... 'zimpl̩
simpeln 'zimpl̩n
Simperl 'zimpɐl
Simpla vgl. Simplum
Simplex 'zimplɛks, ...lizia
...'li:tsi̯a
Simplicissimus zimpli'tsisi-
mʊs
simpliciter zim'pli:tsitɐ
Simplicius zim'pli:tsi̯ʊs
Simplifikation zimplifika-
'tsi̯o:n
simplifizieren zimplifi'tsi:-
rən
Simplikios zim'pli:ki̯ɔs
Simplizia vgl. Simplex
Simpliziade zimpli'tsi̯a:də
Simplizissimus zimpli'tsisi-
mʊs
Simplizität zimplitsi'tɛ:t
Simplon 'zimplo:n
Simplum 'zimplʊm, ...la
...la
Simpson 'zimpsɔn, *engl.*
simpsn
Simris *schwed.* 'simris
Simrishamn *schwed.* simris-
'hamn
Simrock 'zimrɔk
¹Sims zims, -e 'zimzə
²Sims (Name) *engl.* simz
Simsalabim zimzala'bim,
'---'-

Simsbury *engl.* 'simzbəri
Simse 'zimzə
Simson 'zimzɔn, *engl.* simsn
Simulant zimu'lant
Simulation zimula'tsi̯o:n
Simulator zimu'la:toɐ̯, -en
...la'to:rən
simulieren zimu'li:rən
simultan zimʊl'ta:n
Simultan[e]ität zimʊl-
tan[e]i'tɛ:t
Simultaneous Engineering
zimlʹte:nʲi̯əs ɛndʒi'ni:riŋ
Simultaneum zimʊl'ta:-
neʊm
Šimunović *serbokr.* 'ʃimu:-
nɔvitɛ
Sina (Vorname) 'zi:na, *russ.*
'zinɐ
Sinai 'zi:nai
Sinaia *rumän.* si'nai̯a
Sinalco® zi'nalko
Sinaloa *span.* sina'loa
Sinan *türk.* si'nan
Sinán *span.* si'nan
Sinanthropus zi'nantropʊs,
...pi ...pi
Sinapis zi'na:pis
Şinasi *türk.* ʃina'si
Sinatra *engl.* si'na:trə
Sinau 'zi:nau̯
Sincelejo *span.* sinθe'lɛxo
¹Sinclair (England) *engl.*
'siŋklɛə, 'siŋklə
²Sinclair (USA) *engl.* siŋ-
'klɛə
sind zint
Sind zint, *engl.* sind
Sindaco 'zindako, ...ci ...tʃi
Sindbad zint'ba:t, '--, *pers.*
send'ba:d
Sindelfingen 'zindl̩fiŋən
Sindermann 'zindɐman
Sindfeld 'zintfɛlt
Sindh zint, *engl.* sind
Sindhi 'zindi
Sinding *norw.* 'sindiŋ
Sindri *engl.* 'sindri
Siné *fr.* si'ne
sine anno [et loco] 'zi:nə
'ano [ɛt 'lo:ko]
sine ira et studio 'zi:nə 'i:ra
ɛt 'stu:di̯o
sine loco [et anno] 'zi:nə
'lo:ko [ɛt 'ano]
sine obligo 'zi:nə 'o:bligo
sine qua non 'zi:nə 'kva:
'no:n
Sines *port.* 'siniʃ

sine tempore 'zi:nə 'tɛm-
pore
Sinfonia concertante zin-
fo'ni:a kɔntʃɛr'tantə
Sinfonie zinfo'ni:, -n ...i:ən
Sinfonietta zinfo'ni̯eta
Sinfonik zin'fo:nik
Sinfoniker zin'fo:nikɐ
sinfonisch zin'fo:niʃ
sing! ziŋ
Singapore *engl.* siŋgə'pɔ:
Singapur 'ziŋgapu:ɐ̯
Singapurer 'ziŋgapu:rɐ
singapurisch 'ziŋgapu:riʃ
Singaraja *indon.* siŋa'radʒa
singen, S... 'ziŋən
Singenberg 'ziŋənbɛrk
Singer 'ziŋɐ, *engl.* 'siŋə,
'siŋgə
Singerei ziŋə'rai̯
Singh *engl.* siŋ
Singhalese ziŋga'le:zə
singhalesisch ziŋga'le:ziʃ
Singier *fr.* sɛ̃'ʒje
Singkep *indon.* 'siŋkɛp
Single 'ziŋl̩
Singleton 'ziŋl̩tn̩
Sing-out 'ziŋlau̯t, -'-
Singrün 'ziŋgry:n
Singsang 'ziŋzaŋ
Sing Sing *engl.* 'siŋsiŋ
Singular 'ziŋgula:ɐ̯
singulär ziŋgu'lɛ:ɐ̯
Singularetantum ziŋgula:-
rə'tantʊm, Singulariatan-
tum ...ri̯a't...
Singularis ziŋgu'la:ris,
...res ...re:s
singularisch ziŋgu'la:riʃ
Singularismus ziŋgula'ris-
mʊs
Singularität ziŋgulari'tɛ:t
Singulett ziŋgu'lɛt
Singultus ziŋ'gʊltʊs, die -
...tu:s
Sinia 'zi:ni̯a
Sinica 'zi:nika
sinid zi'ni:t, -e ...i:də
Sinide zi'ni:də
Sinika 'zi:nika
Sining 'zi:niŋ
Sinisgalli *it.* siniz'galli
sinister zi'nistɐ
sinistra mano zi'nistra
'ma:no
Sinistrose zinis'tro:zə
Sinj *serbokr.* si:nj
Sinjawski *russ.* si'njafskij
Sinjen 'zinjən
Sinkel 'ziŋkl̩

sinken 'zɪŋkn̩
Sinkiang 'zɪŋkjaŋ
Sinkó *ung.* 'ʃiŋko:
Sinn zɪn
sinnen 'zɪnən
Sinn Fein *engl.* 'ʃɪn 'feɪn
Sînnicolau Marc *rumän.*
    sinniko'laṳ 'mark
sinnieren zɪ'ni:rən
sinnig 'zɪnɪç, -e ...ɪgə
Sinnuris zɪ'nu:rɪs
Sinologe zino'lo:gə
Sinologie zinolo'gi:
sinologisch zino'lo:gɪʃ
Sinop *türk.* 'sinɔp
Sinope zi'no:pə
Sinopie zi'no:pi̯ə
Sinopoli *it.* si'nɔ:poli
sinotibetisch 'zi:noti'be:tɪʃ
Sinowatz 'zi:novats
Sinowjew *russ.* zi'nɔvji̯f
Sinsheim 'zɪnshaɪm
Sint-Amandsberg *niederl.*
    sɪntɑ'mɑndzbɛrx
sintemal[en] 'zɪntə'ma:l[ən]
Sintenis 'zɪntənɪs
Sinter 'zɪntɐ
sintern 'zɪntɐn
Sint-Eustatius *niederl.* sɪn-
    tøs'ta:tsi̯ɐs
Sintfeld 'zɪntfɛlt
Sintflut 'zɪntflu:t
Sint-Genesius-Rode *nie-
derl.* sɪntxe'ne:si̯ɐs'ro:də
Sint-Gillis *niederl.* sɪnt'xɪlɪs
Sinti vgl. Sinto
Sintiza 'zɪntitsa
Sint-Joost-ten-Node *nie-
derl.* sɪntjo:sttɛn'no:də
Sint-Kruis *niederl.* sɪnt-
    'krœɪs
Sint-Maarten *niederl.* sɪnt-
    'ma:rtə
Sint-Niklaas *niederl.* sɪnt-
    ni'kla:s
Sinto 'zɪnto, ...ti ...ti
Sint-Pieters-Leeuw *nie-
derl.* sɪnt'pitərs'le:u̯
Sint-Pieters-Woluwe *nie-
derl.* sɪnt'pitərs'wo:lywə
Sintra *port.* 'sintrɐ
Sint-Truiden *niederl.* sɪnt-
    'trœɪdə
Sinuhe zi'nu:he
Sinüiju *korean.* sini̯idʒu
Sinuitis zinu'i:tɪs, ...itiden
    ...ui'ti:dn̩
sinuös zi'nu̯ø:s, -e ...ø:zə
Sinus 'zi:nʊs, -se ...ʊsə,
    die - ...nu:s

Sinusitis zinu'zi:tɪs, ...iti-
den ...zi'ti:dn̩
Sinzig 'zɪntsɪç
Sió *ung.* 'ʃio:
Siodmak 'zi:ɔtmak
Siófok *ung.* 'ʃio:fok
Sion *fr.* sjõ
Sioux 'zi:ʊks, *engl.* su:
Sioux City, - Falls *engl.* 'su:
    'sɪtɪ, - 'fɔ:lz
Šipan *serbokr.* ʃipan
Sipho 'zi:fo, -nen zi'fo:nən
Siphon 'zi:fõ, zi'fõ:, zi'fo:n
Siphonophore zifono'fo:rə
Siping *chin.* sipɪŋ 42
Sipo 'zi:po
Sippar 'zɪpar
Sippe 'zɪpə
Sipura *indon.* si'pura
Siqueiros *span.* si'keɪros
Sir zø:ɐ, *engl.* sə:
Sirach 'zi:rax
Si Racha *Thai* si:ra:'tʃha:
    511
Siracusa *it.* sira'ku:za
Sirdschan *pers.* sir'dʒɑ:n
Sire zi:ɐ
Sirén *finn.* si're:n
Sirene zi're:nə
Sirenput zi'rɛnpʊt
Siret *rumän.* si'ret
Siricius zi'ri:tsi̯ʊs
Siriometer zirio'me:tɐ
Sirius 'zi:ri̯ʊs
Sirk *engl.* sə:k
Sirleto *it.* sir'lɛ:to
Sirmien 'zɪrmi̯ən
Sirmione *it.* sir'mi̯o:ne
Sirmium 'zɪrmi̯ʊm
Sirmond *fr.* sir'mõ
Sirnach 'zɪrnax
Široký *tschech.* 'ʃirɔki:
Sironi *it.* si'ro:ni
Siros *neugr.* 'sirɔs
Sirrah 'zɪra, *auch:* zɪ'ra:
sirren 'zɪrən
Sirtaki zɪr'ta:ki
Sirup 'zi:rʊp
Sirventes zɪrvɛn'te:s
Sisak *serbokr.* .si:sak
Sisal 'zi:zal
Sisenna zi'zɛna
Sisinnius zi'zɪnjʊs
Sisley *fr.* si'slɛ
Sismondi *fr.* sismõ'di
Sissach 'zɪsax
Sissy 'zɪsi
Sistan *pers.* sis'tɑ:n
sistieren zɪs'ti:rən
Sistina *it.* sis'ti:na

Sistrum 'zɪstrʊm
Sisyphos 'zi:zyfɔs
Sisyphus 'zi:zyfʊs
Sitar zi'ta:ɐ
Sitcom 'zɪtkɔm
Sitges *span.* 'sitʃes
Sitieirgie ziti̯ai̯ɐr'gi:, -n
    ...i:ən
Sit-in zɪt'lɪn, '--
Sitiomanie ziti̯oma'ni:, -n
    ...i:ən
Sitka *engl.* 'sɪtkə
Sitomanie zitoma'ni:, -n
    ...i:ən
Sitophobie zitofo'bi:, -n
    ...i:ən
Sitta[h] 'zɪta
Sittard *niederl.* 'sɪtɑrt
Sitte 'zɪtə
Sitten[feld] 'zɪtn̩[fɛlt]
Sitter 'zɪtɐ, *niederl.* 'sɪtər
Sittewald 'zɪtəvalt
Sittich 'zɪtɪç
sittig 'zɪtɪç, -e ...ɪgə
sittigen 'zɪtɪgn̩, sittig! 'zɪtɪç,
    sittigt 'zɪtɪçt
Sittingbourne *engl.* 'sɪtɪŋ-
    bɔ:n
Sittling 'zɪtlɪŋ
Sittow 'zɪto
sittsam 'zɪtza:m
Situation zitu̯a'tsi̯o:n
situationell zitu̯atsi̯o'nɛl
Situationist zitu̯atsi̯o'nɪst
situativ zitu̯a'ti:f, -e ...i:və
situieren zitu'i:rən
Situla 'zi:tula, ...len zi'tu:lən
Situmorang *indon.* situ'mo-
    raŋ
Situs 'zi:tʊs, die - ...tu:s
sit venia verbo 'zɪt 've:ni̯a
    'vɛrbo
Sitwell *engl.* 'sɪtwəl
Sitz zɪts
sitzen 'zɪtsn̩
Siv *schwed.* si:v
Sivapithecus ziva'pi:tekʊs,
    ...ci ...tsi
Sivas *türk.* 'sivas
Siverek *türk.* sive'rɛk
Siviglia *it.* si'viʎʎa
Sivle *norw.* .sivlə
Siw zi:f
Siwa[h] 'zi:va
Siwasch *russ.* si'vaʃ
Siwertz *schwed.* 'si:vərts
Six zɪks
Sixdays 'zɪksde:s
Sixpence 'zɪkspɛns
Sixt[a] 'zɪkst[a]

Sixtina zɪksˈtiːna
sixtinisch zɪksˈtiːnɪʃ
Sixtus ˈzɪkstʊs
Sixty-nine ˈzɪkstiˈnaɪn
Sizewell *engl.* ˈsaɪzwəl
Siziliane zitsiˈlɪ̯aːnə
Sizilianer zitsiˈlɪ̯aːnɐ
sizilianisch zitsiˈlɪ̯aːnɪʃ
Sizilien ziˈtsiːlɪ̯ən
Sizilienne zitsiˈlɪ̯ɛn
Sizilier ziˈtsiːlɪ̯ɐ
sizilisch ziˈtsiːlɪʃ
Sjælland *dän.* ˈsjɛlæn'
Sjöberg *schwed.* ˈʃøːbærj
Sjögren *schwed.* ˈʃøːgreːn
Sjöman *schwed.* ˈʃøːman
Sjöstrand *schwed.* ˌʃøːstrand
Sjöström *norw.* ˌʃøːstrœm
Sjöwall *schwed.* ˈʃøːval
Sjuganova *russ.* zjuˈganɐf
Ska[bies] ˈskaːˈ[bɪɛs]
skabiös skaˈbɪ̯øːs, -e …øːzə
Skabiose skaˈbɪ̯oːzə
skabrös skaˈbrøːs, -e …øːzə
Skácel *tschech.* ˈskaːtsɛl
Skadenz skaˈdɛnts
Skagastølstindane *norw.* ˌskaːgastøːlstindanə
Skagen *dän.* ˈsgɛːʔən
Skagerack *schwed.* ˈskɑːgərak
Skagerrak ˈskaːgərak, *dän.* ˈsgɛːərag
Skagit *engl.* ˈskægɪt
Skagway *engl.* ˈskægweɪ
Skai® skaɪ
skål! skoːl
Skala ˈskaːla
skalar, S… skaˈlaːɐ
Skalbe *lett.* ˈskalbe
Skalde ˈskaldə
skaldisch ˈskaldɪʃ
Skale ˈskaːlə
Skalenoeder skalenoˈ|eːdɐ
skalieren skaˈliːrən
Skalkotas *neugr.* skalˈkɔtas
Skallagrímsson *isl.* ˈskadlaˌgrimsɔn
Skalp skalp
Skalpell skalˈpɛl
skalpieren skalˈpiːrən
Skamander skaˈmandɐ
Skandal skanˈdaːl
skandalieren skandaˈliːrən
skandalisieren skandaliˈziːrən
Skandalon ˈskandalɔn
skandalös skandaˈløːs, -e …øːzə

Skanderbeg *alban.* ˈskandərbeg, --ˈ-
Skanderborg *dän.* ˈsgænɐˌbɔʁˈ, --ˈ-
skandieren skanˈdiːrən
Skandinave skandiˈnaːvə
Skandinavien skandiˈnaː-vɪ̯ən
Skandinavier skandiˈnaːvɪ̯ɐ
skandinavisch skandiˈnaː-vɪʃ
Skandium ˈskandɪ̯ʊm
Skåne *schwed.* ˌskoːnə
Skansen *schwed.* ˈskansən
Skansion skanˈzɪ̯oːn
Skapolith skapoˈliːt
Skapulamantie skapula-manˈtiː
Skapulamantik skapula-ˈmantɪk
Skapulier skapuˈliːɐ
Skara *schwed.* ˌskɑːra
Skarabäus skaraˈbɛːʊs, …äen …ˈbɛːən
Skaraborg *schwed.* ˌskɑːra-bɔrj
Skara Brae *engl.* ˈskærə ˈbreɪ
Skaramuz skaraˈmʊts
Skarbek *poln.* ˈskarbɛk
Skarbina skarˈbiːna
Skarga *poln.* ˈskarga
Skarifikation skarifika-ˈtsɪ̯oːn
skarifizieren skarifiˈtsiːrən
Skariol skaˈrɪ̯oːl
Skármeta *span.* esˈkarmeta
Skarn skarn
skartieren skarˈtiːrən
Skaryna *weißruss.* skɐˈrinɐ
Skarżysko-Kamienna *poln.* skarˈʒiskɔkaˈmjɛnna
Skat skaːt
Skateboard ˈskeːtbɔːɐ̯t
Skateboarder ˈskeːtbɔːɐ̯dɐ
skaten ˈskeːtn̩
¹Skater (Skatspieler) ˈskaːtɐ
²Skater (Rollschuhläufer) ˈskeːtɐ
Skating… ˈskeːtɪŋ…
Skatol skaˈtoːl
Skatologie skatoloˈgiː
skatologisch skatoˈloːgɪʃ
Skatophage skatoˈfaːgə
Skatophagie skatofaˈgiː
Skatophilie skatofiˈliː
Skautrup *dän.* ˈsgaʊˈtrʊb
Skawina *poln.* skaˈvina
Skazon ˈskaːtsɔn, -ten skaˈtsɔntn̩

Skeat[s] *engl.* skiːt[s]
Skeena *engl.* ˈskiːnə
Skeet… ˈskiːt…
Skegness *engl.* skɛgˈnɛs
Skelet skeˈlɛt
Skeleton ˈskɛlətn̩, …leton
skeletotopisch skeletoˈtoː-pɪʃ
Skelett skeˈlɛt
skelettieren skelɛˈtiːrən
Skellefte *schwed.* ʃɛˈlɛftə
Skellefteå *schwed.* ʃɛˈlɛftəoː
Skelmersdale *engl.* ˈskɛl-məzdeɪl
Skelton *engl.* skɛltn̩
Skene (Szene) skeˈneː, Skenai skeˈnai
Skenographie skenograˈfiː
Skepsis ˈskɛpsɪs
Skeptiker ˈskɛptikɐ
skeptisch ˈskɛptɪʃ
Skeptizismus skɛptiˈtsɪs-mʊs
Sketch skɛtʃ
Sketsch skɛtʃ
Ski ʃiː, -er ˈʃiːɐ
Skiagraphie skiagraˈfiː, -n …iːən
Skiameter skiaˈmeːtɐ
Skiaskopie skiaskoˈpiː, -n …iːən
Skiathos *neugr.* ˈskiaθɔs
Skien *norw.* ˈʃeːən
Skierniewice *poln.* skjɛrnjɛˈvitsɛ
Skiff skɪf
Skiffle *engl.* skɪfl
Skikda *fr.* skikˈda
Skikjöring ˈʃiːjøˌrɪŋ
Skin… ˈskɪn…
Skinhead ˈskɪnhɛt
Skink skɪŋk
Skinner *engl.* ˈskɪnə
Skinoid® skinoˈiːt, -es …iːdəs
Skioptikon skiˈɔptikɔn
Skip skɪp
Skipetar skipeˈtaːɐ̯
Skipper ˈskɪpɐ
Skiros *neugr.* ˈskirɔs
Skis skiːs
Skitalez *russ.* skiˈtalits
Skive *dän.* ˈsgiːvə
Skizze ˈskɪtsə
skizzieren skɪˈtsiːrən
Skjoldborg *dän.* ˈsgjɔlbɔʁ
Skladanowsky sklada-ˈnɔfski
Sklave ˈsklaːvə, *auch:* …aːfə

Sklaverei skla:vəˈraɪ, *auch:* ...aːfə...
sklavisch ˈskla:vɪʃ, *auch:* ...aːfɪʃ
Sklera ˈskle:ra
Skleradenitis sklerade'ni:tɪs, ...itiden ...niˈti:dn̩
Sklereide sklereˈi:də
Sklerem skleˈre:m
Sklerenchym sklerɛnˈçy:m
Skleritis skleˈri:tɪs, ...itiden ...riˈti:dn̩
Sklerödem sklerøˈde:m
Sklerodermie sklerodɛrˈmi:
Sklerom skleˈro:m
Sklerometer skleroˈme:tɐ
Sklerophyllen skleroˈfyllən
Sklerose skleˈro:zə
Skleroskop skleroˈsko:p
sklerotisch skleˈro:tɪʃ
Sklerotium skleˈro:tsiʊm, ...ien ...iən
Skłodowska *poln.* skuɔˈdɔfska
Skobelew *russ.* ˈskɔbɪlɪf
Škocjan *slowen.* ˈʃko:tsjan
Skoczyłas *poln.* skɔˈtʃiɥas
Skoda ˈsko:da
Škoda *tschech.* ˈʃkɔda
Škofja Loka *slowen.* ˈʃko:fja ˈlo:ka
Skógafoss *isl.* ˈskoɥyafɔs
Skogekär Bärgbo *schwed.* ˌsku:gəçær ˈbærjbu
Skoghall *schwed.* ˌsku:ghal
Skokie *engl.* ˈskoʊkɪ
Sköld *schwed.* ʃœld
Skole *russ.* ˈskɔlɪ
Skolex ˈsko:lɛks, ...lizes ...litsǝs
Skolimowski *poln.* skɔliˈmɔfski
Skolion ˈsko:liɔn, ...ien ...iən
Skoliose skoˈlio:zə
Skolopender skoloˈpɛndɐ
skontieren skɔnˈti:rən
Skonto ˈskɔnto
Skontration skɔntraˈtsio:n
skontrieren skɔnˈtri:rən
Skontro ˈskɔntro
Skooter ˈsku:tɐ
Skop skɔp
Skopas ˈsko:pas
Skopelos *neugr.* ˈskɔpɛlɔs
Skopje *mak.* ˈskɔpjɛ
Skoplje *serbokr.* ˈskɔpljɛ
Skopolamin skopolaˈmi:n
Skopophilie skopofiˈli:, -n ...i:ən

Skopophobie skopofoˈbi:, -n ...i:ən
Skopus ˈsko:pʊs
Skopze ˈskɔptsə
Skorbut skɔrˈbu:t
Skordatur skɔrdaˈtu:ɐ
skoren ˈsko:rən
Skorpion skɔrˈpio:n
Skorzonere skɔrtsoˈne:rə
Skot[e] ˈsko:t[ə]
Skotodinie skotodiˈni:, -n ...i:ən
Skotom skoˈto:m
Skotomisation skotomizaˈtsio:n
skotomisieren skotomiˈzi:rən
Skotophobie skotofoˈbi:, -n ..i:ən
Skou *dän.* sgɔɥ
Skövde *schwed.* ˌʃœvdə
Skovgaard *dän.* ˈsgɔɥgɔ:ˈɐ
Skoworoda *russ.* skɐvɐraˈda
Skowroński *poln.* skɔˈvrɔi̯ski
Skradin *serbokr.* ˌskradi:n
Skräling ˈskrɛ:lɪŋ
Skram *norw.* skram
Skraper ˈskre:pɐ
Škréta *tschech.* ˈʃkrɛ:ta
Skribent skriˈbɛnt
Skribifax ˈskri:bifaks
Skribler ˈskri:blɐ
Skrip[t] skrɪp[t]
Skriptor ˈskrɪptoˈɐ, -en ...ˈto:rən
Skriptorium skrɪpˈto:riʊm, ...ien ...iən
Skriptum ˈskrɪptʊm, ...ta ...ta
Skriptur skrɪpˈtu:ɐ
skriptural skrɪptuˈra:l
Skrjabin *russ.* ˈskrjabin
Skrofel ˈskro:fl̩
skrofulös skrofuˈløːs, -e ...øːzə
Skrofulose skrofuˈlo:zə
skrotal skroˈta:l
Skrotum ˈskro:tʊm, ...ta ...ta
Skrowaczewski *poln.* skrɔvaˈtʃɛfski
Skrubber ˈskrabɐ
Skrubs skraps
Skrupel ˈskru:pl̩
skrupulös skrupuˈløːs, -e ...øːzə
Skrupulosität skrupulozi-ˈtɛ:t

Skrutator skruˈta:toːɐ, -en ...taˈto:rən
Skrutinium skruˈti:niʊm, ...ien ...iən
Skua ˈsku:a
Skubanken skuˈbaŋkn̩
Skubanki skuˈbaŋki
Skuld skʊlt
Skull skʊl
skullen ˈskʊlən
Skuller ˈskʊlɐ
Skulpteur skʊlpˈtøːɐ
skulptieren skʊlpˈti:rən
Skulptur skʊlpˈtu:ɐ
skulptural skʊlptuˈra:l
skulpturieren skʊlptuˈri:rən
Skunk[s] skʊŋk[s]
Skunk River *engl.* ˈskʌŋk ˈrɪvə
Skupschtina ˈskʊpʃtina
skurril skʊˈri:l
Skurrilität skʊriliˈtɛ:t
Skus sku:s
Sküs sky:s
Skutari ˈsku:tari
Skutsch skʊtʃ
Skutskär *schwed.* ˈskuːtʃæ:r
Škvorecký *tschech.* ˈʃkvɔrɛtski:
Skwierzyna *poln.* skfjɛˈʒina
Sky... ˈskai̯...
Skye *engl.* skai̯
Skyjacker ˈskai̯dʒɛkɐ
Skylab ˈskai̯lɛp
Skylax ˈsky:laks
Skylight ˈskai̯lai̯t
Skyline ˈskai̯lai̯n
Skylla ˈsky:la
Skymnos ˈskymnɔs
Skyphos ˈsky:fɔs, ...phoi ...fɔy
Skythe ˈsky:tə
Skythien ˈsky:tjən
skythisch ˈsky:tɪʃ
Slaby ˈsla:bi
Slacks slɛks
Sládek *tschech.* ˈsla:dɛk
Sládkovič *slowak.* ˈsla:tkɔvitʃ
Slagelse *dän.* ˈslɛ:əlsə
Slalom ˈsla:lɔm
Slamet *indon.* ˈslamɛt
Slang slɛŋ
Slănic *rumän.* sləˈnik
Slánský *tschech.* ˈsla:nski:
Slaný *tschech.* ˈslani:
Slanzy *russ.* ˈslantsi
Slapstick ˈslɛpstɪk
Slapy *tschech.* ˈslapi
slargando slarˈgando

Slash slɛʃ
Śląsk *poln.* ɕlõsk
Slater *engl.* 'sleɪtə
Slatin 'slatɪn
Slatina *serbokr., rumän.* 'slatina
Slatoust *russ.* zlɐta'ust
Slauerhoff *niederl.* 'slɔuwərhɔf
¹Slave (Slawe) 'sla:və
²Slave *engl.* sleɪv
Slavíček *tschech.* 'slavi:tʃɛk
Slavici *rumän.* 'slavitʃ
Slavkovský Les *tschech.* 'slafkɔfski: 'lɛs
Slavona sla'vo:na
Slavonija *serbokr.* ˌslavɔ:nija
Slavonski Brod *serbokr.* ˌslavɔ:nski: 'brɔ:d
Sława! 'sla:va
Sławe 'sla:və
Sławeikow *bulgar.* slɐ'vɛjkof
Sławgorod *russ.* 'slavgɐrɐt
Sławine sla'vi:nə
sławisch 'sla:vɪʃ
sławisieren slavi'zi:rən
Sławismus sla'vɪsmʊs
Sławist[ik] sla'vɪst[ɪk]
Sławjansk *russ.* sla'vjansk
Sławkin *russ.* 'slafkin
Sławno *poln.* 'suavnɔ
Sławonien sla'vo:nɪən
Sławonier sla'vo:nɪɐ
sławonisch sla'vo:nɪʃ
sławophil slavo'fi:l
Sleeper 'sli:pɐ
Sleidanus slaɪ'da:nʊs
Sleipnir 'slaɪpnɪr
Slendro 'slɛndro
slentando slɛn'tando
Slessor *engl.* 'slɛsə
Slesvig *dän.* slɪ:'svi
Slevogt 'sle:fo:kt
Ślewiński *poln.* ɕlɛ'viĩski
Ślęzak 'slɛzak
Slezák *tschech.* 'slɛza:k
Slibowitz 'sli:bovɪts
Slice slaɪs
slicen 'slaɪsn̩
Slick slɪk
Slide[II] *engl.* slaɪd[l]
Slidingtackling 'slaɪdɪŋˌtɛklɪŋ
Sliedrecht *niederl.* 'slidrɛxt
Sligo *engl.* 'slaɪgoʊ
slim slɪm
Slim *engl.* slɪm, *fr.* slim
Slimhemd 'slɪmhɛmt

Sling slɪŋ
Slingeland[t] *niederl.* 'slɪŋə-lant
Slink slɪŋk
Slip slɪp
Slipher *engl.* 'slaɪfə
Slipon 'slɪpɔn
slippen, S... 'slɪpn̩
Slipper 'slɪpɐ
Sliwen *bulgar.* 'slivɛn
Sliwowitz 'sli:vovɪts
Sloan[e] *engl.* sloʊn
Slobodan *serbokr.* 'slɔbɔdan
Slobodskoi *russ.* slɐbat'skɔj
Slobozia *rumän.* slobo'zia
Slochteren *niederl.* 'slɔxtərə
Slocum, ...combe *engl.* 'sloʊkəm
Slodtz *fr.* slɔts
Slogan 'slo:gn̩
Sloka 'slo:ka
Sloman 'slo:man
Slonimski *russ.* sla'nimskij
Słonimski *poln.* suɔ'nimski
Sloop slu:p
Slop (Tanz) slɔp
Slotracing 'slɔtre:sɪŋ
Slough *engl.* slaʊ
Slovenija *slowen.* slɔ've:nija
Slovenski *serbokr.* slɔˌvenski:
Slovensko *slowak.* 'slɔvɛnskɔ
slow slo:
Słowacki *poln.* suɔ'vatski
Slowake slo'va:kə
Slowakei slova'kai
slowakisch slo'va:kɪʃ
Slowene slo've:nə
Slowenien slo've:nɪən
Slowenier slo've:nɪɐ
slowenisch slo've:nɪʃ
Slowfox 'slo:fɔks
slowinzisch slo'vɪntsɪʃ
Słubice *poln.* suu'bitsɛ
Sluckis *lit.* 'slʊtskɪs
Slum slam
Slump slamp
Slup slu:p
Słupsk *poln.* suupsk
Sluter *niederl.* 'slytər, *fr.* sly'tɛ:r
Slutschewski *russ.* slu'tʃɛfskij
Słuzk[i] *russ.* 'slutsk[ij]
Småland *schwed.* 'smo:lan[d]
small smo:l
Smallband 'smo:lbɛnt
Small[ey] *engl.* 'smo:l[ɪ]

Smallingerland *niederl.* 'smalɪŋərlant
Smalltalk 'smo:lto:k
Smalte 'smaltə
Smaltin smal'ti:n
Smaltit smal'ti:t
Smaragd sma'rakt, -e ...'rakdə
smaragden sma'rakdn̩
smart sma:ɐ̯t, *auch:* smart
Smart[t] *engl.* sma:t
Smash smɛʃ
Smeaton *engl.* smi:tn
Smederevo *serbokr.* 'smɛdɛrɛvɔ
Smedley *engl.* 'smɛdlɪ
Smegma 'smɛgma
Smeinogorsk *russ.* zmɪˌinaˈgɔrsk
Smekal 'smɛkal
Smela *russ.* 'smjɛlɐ
Smellie *engl.* 'smɛlɪ
Smend smɛnt
Smet *niederl.* smɛt
Smetáček *tschech.* 'smɛta:tʃɛk
Smetana *tschech.* 'smɛtana
Smethwick *engl.* 'smɛðɪk
Smidt smɪt
Śmigły *poln.* 'ɕmiguĩ
Smirke *engl.* smə:k
Smirnenski *bulgar.* 'smir-nenski
Smirnow *russ.* smir'nɔf
Smit *niederl.* smɪt, *afr.* smət
Smith *engl.* smɪθ
Smithfield *engl.* 'smɪθfi:ld
Smithson *engl.* smɪθsn̩
Smithsonian Institution *engl.* smɪθ'soʊnɪən ɪnstɪ'tju:ʃən
Smithsonit smɪtso'ni:t
Smithtown *engl.* 'smɪθtaʊn
Smits *niederl.* smɪts
Smog smɔk
Smögen *schwed.* 'smø:gən
Smoke-in 'smo:k'[ɪn, '--
smoken 'smo:kn̩
Smoking 'smo:kɪŋ
Smoky River, - Hill *engl.* 'smoʊkɪ 'rɪvə, - 'hɪl
Smolensk smo'lɛnsk, *russ.* sma'ljɛnsk
Smolenskin *hebr.* smɔ'lɛns-kin
Smoleř *obersorb.* 'smɔlɛr
Smoljan *bulgar.* 'smɔljɐn
Smollett *engl.* 'smɔlɪt
Smolny *russ.* 'smɔljnij

Smörgåsbord 'smø:ɐgo:s-
bɔrt
Smörrebröd 'smœrəbrø:t
smorzando smɔr'tsando
Smorzando smɔr'tsando,
...**di** ...di
Smrek *slowak.* smrɛk
Smrkovský *tschech.*
'smr̩kɔfski:
Smurde 'smʊrdə
Smutje 'smʊtjə
Smuts smʊt̩s, *afr.* smœts,
engl. smʌts
Smyrna 'smyrna, *engl.*
'smə:nə
Smyrnaer 'smyrnaɐ
smyrnaisch 'smyrnaɪʃ
Smyslow *russ.* smis'lɔf
Smyth *engl.* smɪθ, smaɪθ,
smaɪð
Smythe *engl.* smaɪð, smaɪθ
Snack snɛk
Snæfellsjökull *isl.* 'snaɪfɛls-
jœ:kʏdl
Snæfellsnes *isl.* 'snaɪfɛls-
nɛ:s
Snake Island, - River *engl.*
'sneɪk 'aɪlənd, - 'rɪvə
Snåsavatn *norw.* 'sno:sa-
vatn
Snayers *niederl.* 'sna:jərs
SNCF *fr.* ɛsɛnse'ɛf
Sneek *niederl.* sne:k
Sneewittchen sne:'vɪtçən
Snegur *rumän.* 'snegur
Snell *dt., engl.* snɛl
Snellaert *niederl.* 'snɛla:rt
Snellen *niederl.* 'snɛlə
Snellius *niederl.* 'snɛliʏs
Snellman *schwed.* 'snɛlman
Sneschnoje *russ.* snɪʒ'nɔjɐ
Snieders *niederl.* 'snidərs
sniefen 'sni:fn̩
Sniff snɪf
sniffen 'snɪfn̩
Sniffing 'snɪfɪŋ
Snijders *niederl.* 'snɛɪdərs
Snob snɔp
Snobappeal 'snɔplɛ,pi:l
Snobiety sno'baɪiti
Snobismus sno'bɪsmʊs
snobistisch sno'bɪstɪʃ
Snodgrass *engl.* 'snɔdgrɑ:s
Snoek *niederl.* snuk
Snofru 'sno:fru
Snøhetta *norw.* ,snø:hɛta
Snøilsky *schwed.* 'snɔɪlski
Snooker 'snu:kɐ
Snoqualmie *engl.*
snoʊ'kwɔlmɪ

Snorri *isl.* 'snɔrɪ
¹Snow (Name) *engl.* snoʊ
²Snow sno:
Snowboard 'sno:bo:ɐt
snowboarden 'sno:bo:ɐdn̩,
...**d!** ...ɐt
Snowboarding 'sno:bo:ɐdɪŋ
Snowden, Snowdon *engl.*
snoʊdn
Snowdonia *engl.* snoʊ-
'doʊnjə
Snowmobil 'sno:mobi:l
Snowy Mountains, - River
engl. 'snoʊɪ 'maʊntɪnz,
- 'rɪvə
Snyder *engl.* 'snaɪdə
Snyders *niederl.* 'snɛɪdərs
so zo:
Soames *engl.* soʊmz
Soane[s] *engl.* soʊn[z]
Soap Lake *engl.* 'soʊp 'leɪk
Soapopera 'zo:plɔpərə
Soares *port.* 'suarɪʃ, *bras.*
'suaris
soave zo'a:və
sobald zo'balt
Sobernheim 'zo:bɐnhaɪm
Sobibór *poln.* sɔ'bibur
Sobieski *poln.* sɔ'bjɛski
Sobk-hoteps zɔpk'ho:tɛps
Sobolew *russ.* 'sɔbɐlɪf
Sobor zo'bo:ɐ, *russ.* sa'bɔr
Sobornost zo'bo:ɐnɔst,
russ. sa'bɔrnəstj
Sobral *port.* su'βral, *bras.*
so'bral
Sobranje zo'branjə
Sobrietät zobrie'tɛ:t
Soča *slowen.* 'so:tʃa
Soccer 'zɔkɐ
Soccus 'zɔkʊs, **Socci** 'zɔktsi
Sochaczew *poln.* sɔ'xatʃɛf
Sochaux *fr.* sɔ'ʃo
**Social Costs, - enginee-
ring** 'zo:ʃl'kɔst̩s, - lɛndʒi-
'ni:rɪŋ
**Societas Jesu, - Mariae,
- Verbi Divini** zo'tsi:etas
'je:zu, - ma'ri:ɛ, - 'vɛrbi
di'vi:ni
Société, Îles de la *fr.* ildəla-
sɔsje'te
Society zo'saɪiti
Söckchen 'zœkçən
Socke 'zɔkə
Sockel 'zɔkl̩
socken, S... 'zɔkn̩
Socorro *span.* so'kɔrro,
bras. so'korru

Socotra zo'ko:tra, *engl.*
sə'koʊtrə
Sod zo:t, **-e** 'zo:də
Soda 'zo:da
Sodale zo'da:lə
Sodalität zodali'tɛ:t
Sodalith zoda'li:t
sodann zo'dan
sodass zo'das
Soddo *amh.* soddo
Soddy *engl.* 'sɔdɪ
Sode 'zo:də
Soden 'zo:dn̩
Söderberg *schwed.* ,sø:dər-
bærj
Söderblom *schwed.* ,sø:dər-
blum
Södergran *schwed.* ,sø:dər-
grɑ:n
Söderhamn *schwed.* sø:dər-
hamn
Södermanland *schwed.*
,sø:dərmanlan[d]
Söderström *schwed.*
,sø:dərstrœm
Södertälje *schwed.* sø:dər-
,tɛljə
Sodium 'zo:djʊm
Sodoku 'zo:doku
Sodom 'zo:dɔm
Sodoma *it.* 'sɔ:doma
Sodomie zodo'mi:, **-n** ...i:ən
sodomisieren zodomi'zi:-
rən
Sodomit zodo'mi:t
soeben zo'le:bn̩
Soennecken 'zœnəkn̩
Soergel 'zœrgl̩
Soest zo:st, *niederl.* sust
Soestdijk *niederl.* suzd'dɛɪk
Soester 'zo:stɐ
Sofa 'zo:fa
sofern zo'fɛrn
soff, S... zɔf
söffe 'zœfə
Söffel 'zœfl̩
Söffer 'zœfɐ
Soffici *it.* 'sɔffitʃi
Soffione zo'fjo:nə
Soffitte zo'fɪtə
¹Sofia (Hptst. Bulgariens)
'zɔfɪa, *auch:* 'zo:fɪa
²Sofia (Vorname) *it.* so'fi:a,
port. su'fiɐ
Sofiaer 'zɔfɪaɐ, *auch:* 'zo:f...
Sofie zo'fi:[ə], *auch:* 'zɔfi
¹Sofija (Hptst. Bulgariens)
bulgar. 'sofijɐ
²Sofija (Vorname) *russ.*
sa'fijɐ

Sofioter zoˈfi̯oːtɐ
Sofiski Sobor *russ.* saˈfijskij saˈbɔr
Sofja *russ.* ˈsɔfji̯ɐ
sofort zoˈfɔrt
sofortig zoˈfɔrtɪç, -e ...ɪgə
Sofroni *bulgar.* soˈfrɔnij
soft zɔft
Softa ˈzɔfta
Softball ˈzɔftboːl
Softcopy ˈzɔftkɔpi
Softdrug ˈzɔftdrak
Softeis ˈzɔftlai̯s
soften ˈzɔftn̩
Softener ˈzɔftənɐ
Softie ˈzɔfti
Softrock ˈzɔftrɔk
Software ˈzɔftvɛːɐ̯
sog zoːk
Sog zoːk, -e ˈzoːgə
sogar zoˈgaːɐ̯
Sogde ˈzɔkdə
Sogdiana zɔkˈdi̯aːna
sogdisch ˈzɔkdɪʃ
söge ˈzøːgə
sogen ˈzoːgn̩
soggen ˈzɔgn̩, sogg! zɔk, soggt zɔkt
sogleich zoˈglai̯ç
Sogliani *it.* soʎˈʎaːni
Sogn *norw.* sɔŋn
Sognefjord *norw.* ˌsɔŋnəˈfjuːr
Sograf *bulgar.* zoˈgraf
sogt zoːkt
sögt zøːkt
Sohar ˈzoːhar
sohin zoˈhɪn
Sohl[e] ˈzoːl[ə]
sohlen ˈzoːlən
sohlig ˈzoːlɪç, -e ...ɪgə
Sohm zoːm
Sohn zoːn, Söhne ˈzøːnə
Söhnchen ˈzøːnçən
Söhnker ˈzøːnkɐ
Sohnrey ˈzoːnrai̯
Soho *engl.* ˈsouˈhou, -ˈ–
sohr, S... zoːɐ̯
Sohrau ˈzoːrau̯
Söhre ˈzøːrə
söhren ˈzøːrən
Søiberg *dän.* ˈsɔi̯bɐˈu̯
soi-disant zo̯adiˈzãː
soignieren zo̯anˈjiːrən
Soignies *fr.* swaˈɲi
Soilerosion ˈzɔyli̯iˌroːʒn̩
Soir, Le *fr.* ləˈswaːr
Soirée zo̯aˈre
Soissons *fr.* swaˈsõ
Soixante-neuf zo̯asãtˈnœf

¹Soja (Pflanze) ˈzoːja
²Soja (Name) *russ.* ˈzɔjɐ
Sojus ˈzoːjus, zoˈjuːs, *russ.* saˈjus
Sojus Sowetskich Sozialistitscheskich Respublik *russ.* saˈjus saˈvjɛtskix sɛtsi̯ɛlisˈtitʃiskix rɪsˈpublik
Söke *türk.* ˈsœkɛ
Sokobanja *serbokr.* ˌsɔkɔbanja
Sokodé *fr.* sɔkɔˈde
¹Sokol (Turnverband) ˈzɔkɔl
²Sokol (Name) *russ.* ˈsɔkɐl
Sokolist zokoˈlɪst
Sokolov *tschech.* ˈsɔkɔlɔf
Sokolow *russ.* sɛkaˈlɔf
Sokolowski *russ.* sɛkaˈlɔfskij
Sokoto *engl.* ˈsoukətou̯, souˈkoutou̯, –ˈ–
Sokotra zoˈkoːtra
Sokrates ˈzoːkratɛs
Sokratik zoˈkraːtɪk
Sokratiker zoˈkraːtikɐ
sokratisch zoˈkraːtɪʃ
sol zoːl
Sol zoːl
sola fide ˈzoːla ˈfiːdə
Solana *span.* soˈlana
solang[e] zoˈlaŋ[ə]
Solanin zolaˈniːn
Solanismus zolaˈnɪsmus
Solanum zoˈlaːnum
Solapur *engl.* souˈlɑːpʊə
solar zoˈlaːɐ̯
Solari *it.* soˈlaːri
Solarimeter zolariˈmeːtɐ
Solario *it.* soˈlaːri̯o
Solarisation zolarizaˈtsi̯oːn
solarisch zoˈlaːrɪʃ
Solarium zoˈlaːri̯ʊm, ...ien ...i̯ən
Solarte *span.* soˈlarte
Solawechsel ˈzoːlavɛksl̩
Solca *rumän.* ˈsolka
solch zɔlç
solcherart ˈzɔlçɐˈlaːɐ̯t
solchergestalt ˈzɔlçɐgəˈʃtalt
solcherlei ˈzɔlçɐˈlai̯
solchermaßen ˈzɔlçɐˈmaːsn̩
solcherweise ˈzɔlçɐˈvai̯zə
Sold zɔlt, -e ˈzɔldə
Soldanella zɔldaˈnɛla
Soldanelle zɔldaˈnɛlə
Soldani zɔlˈdaːni
Soldat zɔlˈdaːt
Soldateska zɔldaˈtɛska

Soldati *it.* solˈdaːti
Sölden ˈzœldn̩
Soldi *vgl.* Soldo
Söldling ˈzœltlɪŋ
Söldner ˈzœldnɐ
Soldo ˈzɔldo, Soldi ˈzɔldi
Sole ˈzoːlə
Soleb ˈzoːlɛp
Soleil *fr.* sɔˈlɛj
solenn zoˈlɛn
solennisieren zolɛniˈziːrən
Solennität zolɛniˈtɛːt
Solenoid zolenoˈiːt, -e ...iːdə
Soler *kat.* suˈle, *span.* soˈlɛr
Soleri *it.* soˈlɛːri
Solesmes *fr.* sɔˈlɛm
Solf zɔlf
¹Solfatara (Dampf) zɔlfaˈtaːra
²Solfatara (Name) *it.* solfaˈtaːra
Solfatare zɔlfaˈtaːrə
solfeggieren zɔlfɛˈdʒiːrən
Solfeggio zɔlˈfɛdʒo, ...ien ...dʒn̩
Solferino *it.* solfeˈriːno
Soli *vgl.* Solo
Soli (Beitrag) ˈzoːli
Solicitor zoˈlɪsitɐ
solid zoˈliːt, -e ...iːdə
Solidar... zoliˈdaːɐ̯...
solidarisch zoliˈdaːrɪʃ
solidarisieren zolidariˈziːrən
Solidarismus zolidaˈrɪsmus
Solidarität zolidariˈtɛːt
Solidarność *poln.* sɔliˈdarnɔçtɕ
solide zoˈliːdə
Soli Deo zoːli ˈdeːo
soli Deo gloria ˈzoːli ˈdeːo ˈgloːri̯a
solidieren zoliˈdiːrən
Solidität zolidiˈtɛːt
Solidus ˈzoːlidʊs, ...di ...di
solifluidal zoliflu̯iˈdaːl
Solifluktion zoliflʊkˈtsi̯oːn
Soligorsk *russ.* sɛliˈgɔrsk
Solihull *engl.* soʊliˈhʌl
Solikamsk *russ.* sɛliˈkamsk
Soliloquent zoliloˈkvɛnt
Soliloquist zoliloˈkvɪst
Soliloquium zoliˈloːkvi̯ʊm, ...ien ...i̯ən
Soliman ˈzoːliman
Solimena *it.* soliˈmɛːna
Solin *serbokr.* ˌsɔliːn
Soling[en] ˈzoːlɪŋ[ən]
Solinus zoˈliːnʊs

Solion zo'lịo:n
Solipsismus zolı'psısmʊs
Solipsist zolı'psıst
Solis 'zo:lıs
Solis *span.* so'lis
Solist zo'lıst
solitär, S... zoli'tɛ:ɐ̯
Solitario *span.* soli'tarịo
Solitude zoli'ty:t
Solitüde zoli'ty:də
Šoljan *serbokr.* ʃɔ:ljan
Soll zɔl
Söll[e] 'zœl[ə]
Sollefteå *schwed.* sɔ'lɛftəo:
sollen 'zɔlən
Sollentuna *schwed.* ˌsɔlən-
 tu:na
Söller 'zœlɐ
Søllerød *dän.* 'sʏlərʏ:'ð
Sollers *fr.* sɔ'lɛrs
Solling 'zɔlıŋ
Sollizitant zɔlitsi'tant
Sollizitation zɔlitsita'tsịo:n
Sollizitator zɔlitsi'ta:to:ɐ̯,
 -en ...ta'to:rən
sollizitieren zɔlitsi'ti:rən
Solln[itz] 'zɔln[ɪts]
Solloguб *russ.* sɐla'gup
Sollux® 'zɔlʊks
Solmisation zɔlmiza'tsịo:n
solmisieren zɔlmi'zi:rən
Solms zɔlms
Solna *schwed.* ˌso:lna
Solneß 'zo:lnɛs
Solnetschnogorsk *russ.*
 sɐlnıtʃna'gɔrsk
Solnhofen 'zo:lnho:fn̩
Solnhofener 'zo:lnho:fənɐ
Solnzewo *russ.* 'sɔntsəvɐ
solo 'zo:lo
¹Solo 'zo:lo, **Soli** 'zo:li
²Solo (Name) *indon.* 'solo
Soloɔcha *russ.* sa'lɔxɐ
Sologne *fr.* sɔ'lɔɲ
Solognb *russ.* sɐla'gup
Solomon *engl.* 'sɔləmən
Solomos *neugr.* sɔlɔ'mɔs
Solon 'zo:lɔn
solonisch zo'lo:nɪʃ
Solor *indon.* 'solɔr
Solothurn 'zo:lotʊrn
Solouchin *russ.* sɐla'uxin
Solowezki *russ.* sɐla'vjɛtskij
Solowjow *russ.* sɐlavj'jɔf
Solözismus zolø'tsısmʊs
Solper 'zɔlpɐ
Solschenizyn zɔlʒe'nıtsi:n,
 russ. sɐlʒə'nitsin
Solstad *norw.* ˌsu:lsta
Solstitial... zɔlsti'tsịa:l...

Solstitium zɔl'sti:tsịʊm,
 ...ien ...ịən
Solstiz zɔl'sti:ts
Solt *ung.* ʃolt
Šolta *serbokr.* 'ʃɔlta
Soltau 'zɔltau
Solti *ung.* 'ʃolti
solubel zo'lu:bl̩, **...ble** ...blə
solubile zo'lu:bilə
Solubilisation zolubiliza-
 'tsịo:n
Soluntum zo'lʊntʊm
Solutio zo'lu:tsịo, **-nes**
 zolu'tsịo:ne:s
Solution zolu'tsịo:n
Solutré *fr.* sɔly'tre
Solutréen zolytre'ɛ̃:
solvabel zɔl'va:bl̩, **...ble**
 ...blə
Solvat zɔl'va:t
Solvatation zɔlvata'tsịo:n
Solvay *engl.* 'sɔlveı, *fr.* sɔl'vɛ
Solvejg 'zɔlvaik, 'zo:l...
Solvens 'zɔlvɛns, **...nzien**
 ...'vɛntsịən, **...ntia** ...'vɛn-
 tsịa
solvent zɔl'vɛnt
Solvenz zɔl'vɛnts
Sölvesborg *schwed.* sœlvəs-
 'bɔrj
solvieren zɔl'vi:rən
Solway *engl.* 'sɔlweı
Solwezi *engl.* soʊl'wɛzi:
Som zo:m, *ung.* ʃom
¹Soma 'zo:ma, **-ta** -ta
²Soma (Ort) *türk.* 'somɑ
³Soma (Opfertrank) 'zo:ma
Somal zo'ma:l
Somali zo'ma:li, *engl.* soʊ-
 'mɑ:lı
Somalia zo'ma:lịa, *it.*
 so'ma:lịa
Somaliland zo'ma:lilant
Somatiker zo'ma:tikɐ
somatisch zo'ma:tıʃ
somatogen zomato'ge:n
Somatogramm zomato-
 'gram
Somatologie zomatolo'gi:
Somatometrie zomatome-
 'tri:
Somatopsychologie zoma-
 tɔpsyçolo'gi:
Somatoskopie zomato-
 sko'pi:, **-n** ...i:ən
Somatotropin zomatotro-
 'pi:n
Sombart 'zɔmbart
Sombor *serbokr.* ˌsɔmbɔr
Sombrero zɔm'bre:ro

Somer *niederl.* 'so:mər
Somers *engl.* 'sʌməz
Somerset *engl.* 'sʌməsıt,
 -shire -ʃıə
Somervell, Somerville
 engl. 'sʌməvıl
Someş *rumän.* 'someʃ
somit zo'mıt, *auch:* 'zo:mıt
Sommation zɔma'tsịo:n
Somme *fr.* sɔm
Sommelier zɔmə'lịe:
Sommelière zɔmə'lịe:rə,
 ...ịɛ:rə
Sommer 'zɔmɐ
Sömmerda 'zœmɐda
Sommerfeld 'zɔmɐfɛlt
sommern 'zɔmɐn
sömmern 'zœmɐn
Sommernacht 'zɔmɐnaxt
Sommernachtstraum
 'zɔmɐnaxtsˌtraum
Sömmerring 'zœmərıŋ
sommersüber 'zɔmɐsˌly:bɐ
sommertags 'zɔmɐta:ks
Sommität zɔmi'tɛ:t
somnambul zɔmnam'bu:l
somnambulieren zɔmnam-
 bu'li:rən
Somnambulismus zɔm-
 nambu'lısmus
somnolent zɔmno'lɛnt
Somnolenz zɔmno'lɛnts
Somogy *ung.* 'ʃomodj
Somow *russ.* 'sɔmɐf
Somoza *span.* so'moθa
Somport *span.* sɔm'pɔr, *fr.*
 sõ'pɔ:r
son zo:n
Son *engl.* sʌn, *niederl.* sɔn
sonach zo'na:x, *auch:* 'zo:...
Sonagramm zona'gram
Sonagraph zona'gra:f
Sonant zo'nant
Sonar zo'na:ɐ̯, 'zo:nar
Sonata zo'na:ta, **...te** ...tə
Sonata a tre zo'na:ta a 'tre:
Sonata da Camera zo'na:ta
 da 'ka:mera
Sonata da Chiesa zo'na:ta
 da 'kịe:za
¹Sonate zo'na:tə
²Sonate vgl. Sonata
Sonatine zona'ti:nə
Soncino it. son'tʃi:no
Sond *russ.* zɔnt
Sonde 'zɔndə
sonder[bar] 'zɔndɐ[ba:ɐ̯]
Sønderborg 'zɔndɐbɔrk
Sønderborg *dän.* 'sʏnɐbɔɐ̯'

Sonderbündel**ei** zɔndɐbyn-
dəˈlai
Sonderbündler 'zɔndɐ-
byntlɐ
Sonderburg 'zɔndɐbʊrk
Sønderby *dän.* 'sʏnɐby:'
sondergl**ei**chen 'zɔndɐ-
ˈglaiçn̩
Sønderjylland *dän.* 'sʏnɐjy-
læn'
sonderlich 'zɔndɐlıç
Sonderling 'zɔndɐlıŋ
¹sondern (Konjunktion)
'zɔndɐn
²sondern (Verb) 'zɔndɐn,
sondre 'zɔndrə
sonders 'zɔndɐs
Sondershausen 'zɔndɐs-
hauzn̩
Sondershäuser 'zɔndɐs-
hɔyzɐ
sond**ie**ren zɔnˈdi:rən
Sondrio *it.* 'sɔndrio
sone, S... 'zoːnə
Sonepat *engl.* souˈneıpət
Son**ett** zoˈnɛt
Song zɔŋ
Songbook 'zɔŋbʊk
Sŏngjin *korean.* sɔŋdʒin
Songwriter 'zɔŋraitɐ
Sonja 'zɔnja, *russ.* 'sɔnjɐ
Sonnabend 'zɔnⅼaːbn̩t
Sonn**a**mbula *it.* sonˈnam-
bula
Sonne 'zɔnə
sönne 'zœnə
Sonneberg 'zɔnəbɛrk
Sonnemann 'zɔnəman
sonnen 'zɔnən
Sonnenfels 'zɔnənfɛls
sonnenkl**a**r 'zɔnənˈklaːɐ̯
Sonnenthal 'zɔnəntaːl
Sonnevi *schwed.* 'sɔnəvi
sonnig 'zɔnıç, -e ...ıgə
Sonn**i**n zɔˈniːn
Sonn**i**no *it.* sonˈniːno
Sonnleitner 'zɔnlaitnɐ
Sonntag 'zɔnta:k
Sonnwendfeier 'zɔnvɛnt-
faiɐ
Sonny *engl.* 'sʌnı
Sonnyboy 'zɔnibɔy, 'za...
Sonogr**a**ph zonoˈgraːf
Sonograph**ie** zonograˈfiː,
-n ...iːən
Sonolumineszenz zonolu-
minɛsˈtsɛnts
Sonoma *engl.* səˈnoumə
Sonom**e**ter zonoˈmeːtɐ
son**o**r, S... zoˈnoːɐ̯

Sonora *engl.* souˈnɔːrə,
span. soˈnora
Son**o**re zoˈnoːrə
son**o**risch zoˈnoːrıʃ
Sonorität zonoriˈtɛ:t
Sonon**a**te *span.* sɔnsoˈnate
sonst zɔnst
sonstig 'zɔnstıç, -e ...ıgə
Sonstorp *schwed.* 'sɔnstɔrp
Sontag 'zɔntaːk, *engl.* 'sɔn-
tæg
Sontheim[er] 'zɔnthaim[ɐ]
Sonthofen zɔntˈhoːfn̩
Sontra 'zɔntra
Sony 'zoːni, *engl.* 'sounı
Sonz**o**gno *it.* sonˈdzɔɲɲo
Sooden 'zoːdn̩
sooft zoˈlɔft
Soor zoːɐ̯
Soph**i**a zoˈfiːa
Soph**ie** zoˈfiː[ə], 'zɔfi
Sophienkirche zoˈfiːən-
kırçə
Soph**i**los 'zoːfilɔs
Sophisma zoˈfısma
Sophismus zoˈfısmʊs
Soph**i**st zoˈfıst
Sophister**ei** zofıstəˈrai
sophisticated zoˈfıstike:tıt
Soph**i**stik zoˈfıstık
Sophistikati**o**n zofıstika-
ˈtsjoːn
sophokl**ei**sch zofoˈkleːıʃ
Sophokles 'zoːfoklɛs
Sophon**i**sbe zofoˈnısbə
Sophron 'zoːfrɔn
Sophr**o**nius zoˈfroːnius
Sophrosyne zofroˈzyːnə
Sophus 'zoːfʊs
Sopoćani *serbokr.* 'sɔpɔ-
tɕaːni
Sopor 'zoːpoːɐ̯
soporös zopoˈrøːs, -e ...øːzə
Sopot *poln.* 'sɔpɔt
sopra 'zoːpra
Sopran zoˈpraːn
Sopranist[in] zopraˈnıst[ın]
Sopraporte zopraˈpɔrtə
Sopron *ung.* 'ʃopron
Sor *port.* sor, *span.* sɔr
S**o**ra zoˈra, *it.* 'sɔːra
Sorab**i**st[ik] zoraˈbıst[ık]
Sorabji *engl.* sɔːˈraːbdʒı
Sor**a**cte zoˈraktə
Soraja zoˈraːja
Soran[us] zoˈraːn[ʊs]
Sor**a**ta *span.* soˈrata
Sorau 'zoːrau
Soraya zoˈraːja
Sorbe 'zɔrbə

Sorbet 'zɔrbɛt, zɔrˈbe:
Sorb**ett** zɔrˈbɛt
Sorb**i**n... zɔrˈbiːn...
sorbisch 'zɔrbıʃ
Sorb**i**t zɔrˈbiːt
Sorbon *fr.* sɔrˈbõ
Sorbonne *fr.* sɔrˈbɔn
Sorby *engl.* 'sɔːbı
Sord**e**llo *it.* sorˈdɛllo
Sord**i**ne zɔrˈdiːnə
Sord**i**no zɔrˈdiːno, ...ni ...ni
sordo 'zɔrdo
Sord**u**n zɔrˈduːn
Sore 'zoːrə
Sor**e**dien zoˈreːdjən
Sorek 'zoːrɛk
Sorel *fr.* sɔˈrɛl
Sören 'zøːrən
Sørensen *dän.* 'sœɐ̯'nsn̩,
norw. 'sø:rənsən
Sorescu *rumän.* soˈresku
Soret *fr.* sɔˈrɛ
Sørfjord *norw.* ˌsøːrfjuːr
Sorge 'zɔrgə
sorgen 'zɔrgn̩, sorg! zɔrk,
sorgt zɔrkt
Sorgfalt 'zɔrkfalt
Sorgho 'zɔrgo
Sorghum 'zɔrgʊm
sorglich 'zɔrklıç
sorglos 'zɔrkloːs
sorgsam 'zɔrkzaːm
Sori vgl. Sorus
Soria *span.* 'sorja
Soriano *it.* soˈrjaːno, *span.*
soˈrjano, *port.* suˈrjɐnu
Sorin *russ.* 'zɔrin
Sor**i**tes zoˈriːtɛs
Sorø *dän.* 'suːrʏː'
Sorocaba *bras.* soroˈkaba
Soroki[n] *russ.* saˈrɔki[n]
Sorolla *span.* soˈroʎa
Sororat zoroˈraːt
Sørøy *norw.* ˌsøːrœi
Sorpe 'zɔrpə
Sorpti**o**n zɔrpˈtsjoːn
Sorrent zɔˈrɛnt
Sorrent**i**no *engl.* sɔrənˈtiː-
nou
Sorr**e**nto *it.* sorˈrɛnto
Sorsa *finn.* 'sɔrsa
Sorski *russ.* 'sɔrskij
Sorte 'zɔrtə
Sorter 'zɔrtɐ, *auch:* 'zoːɐ̯tɐ
Sortes 'zɔrteːs
sort**ie**ren zɔrˈtiːrən
Sortilegium zɔrtiˈleːgiʊm,
...ien ...jən
Sortiment[er] zɔrtiˈmɛnt[ɐ]

Sortita zɔrˈtiːta
Sør-Trøndelag *norw.* ˌsøːr-ˈtrœndəlaːg
Sörup ˈzøːrʊp
Sorus ˈzoːrʊs, Sori ˈzoːri
SOS ɛsloːˈlɛs
Sosa ˈzoːza
Sosch *russ.* sɔʃ
Soschtschenko *russ.* ˈzɔʃtʃɪŋkɐ
Sösdala *schwed.* ˌsøːsdɑːla
Söse ˈzøːzə
sosehr zoˈzeːɐ̯
Sosein ˈzoːzaɪ̯n
Sosias zoˈziːas, ˈzoːzi̯as
Sosigenes zoˈziːgenɛs
Sositheos zoˈziːteɔs
Sosnowiec *poln.* sɔsˈnɔvjɛts
Sosnowitz ˈzɔsnovɪts
Sosnowy Bor *russ.* sasˈnɔvɨj ˈbɔr
soso zoˈzoː
sospirando zɔspiˈrando
sospirante zɔspiˈrantə
Sospiro zɔsˈpiːro, ...ri ...ri
Soße ˈzoːsə
soßen ˈzoːsn̩
Sossjura *ukr.* sɔˈsjura
sostenuto zɔsteˈnuːto
Sostenuto zɔsteˈnuːto, ...ti ...ti
Sostratos ˈzɔstratɔs
Sosulja *russ.* zaˈzuljɐ
Sotades ˈzoːtadɛs
Sotadeus zotaˈdeːʊs, ...dei ...ˈdeːi
sotan zoˈtaːn
Sotatsu *jap.* ˈsoːˌtatsʊ
Sotelo *span.* soˈtelo
Soter zoˈteːɐ̯
Soteriologie zoteri̯oloˈgiː
soteriologisch zoteri̯oˈloːgɪʃ
Sotheby *engl.* ˈsʌðəbɪ
Sothis ˈzoːtɪs
Sotho ˈzoːto
Sotie zoˈtiː
Sotin ˈzoːtiːn
Sotnie ˈzɔtni̯ə
Soto *span.* ˈsoto
Sotola *tschech.* ˈʃɔtɔla
Sotschi *russ.* ˈsɔtʃi
sott, S... zɔt
sötte ˈzœtə
Sottens *fr.* sɔˈtɑ̃
Sottie zɔˈtiː
sottig ˈzɔtɪç, -e ...ɪgə
Sottise zɔˈtiːzə
sotto ˈzɔto
sotto voce ˈzɔto ˈvoːtʃə

Sou, -s zu:
Soubirous *fr.* subiˈru
Soubise *fr.* suˈbiːz
Soubrette zuˈbrɛtə
Souche ˈzuːʃə
Souchong ˈzuːʃɔŋ
Soudan *fr.* suˈdɑ̃
Souf *fr.* suf
Soufflé, ...lee zuˈfleː
Souffleur zuˈfløːɐ̯
Souffleuse zuˈfløːzə
souffligeren zuˈfliːrən
Soufflot *fr.* suˈflo
Souflaki zuˈflaki
Soufrière *fr.* sufriˈɛːr
Souk zuːk
Souk-Ahras *fr.* sukaˈrɑːs
Soul zoːl
Sŏul *korean.* sɔul
Sŏul ˈzɔːʊl, zøˈuːl, *korean.* sɔul
Soulac *fr.* suˈlak
Soulagement zulaʒəˈmɑ̃
Soulages *fr.* suˈlaːʒ
soulagieren zulaˈʒiːrən
Soulouque *fr.* suˈluk
Soult *fr.* sult
Soumet *fr.* suˈmɛ
Sound zaʊnt
Soundcheck ˈzaʊnttʃɛk
soundso ˈzoːlʊntzo:
Soundso, Herr ˈhɛr ˈzoː-lʊntzo:
soundsovielte ˈzoː-lʊntzoˈfiːltə
Soundtrack ˈaʊnttrɛk
Soupault *fr.* suˈpo
Soupçon zʊˈpsoː
Souper zuˈpe:
soupieren zuˈpiːrən
Soupir zuˈpiːɐ̯
Sour ˈzaʊɐ̯
Sourdine zʊrˈdiːn[ə], -n ...ˈdiːnən
Sour-el-Ghozlane *fr.* surɛl-gɔˈzlan
Sousa *engl.* ˈsuːzə, ˈsuːsə, *port.* ˈsozɐ, *bras.* ˈsoza
Sousaphon zuzaˈfoːn
Souschef zuˈʃɛf
Sous-le-vent, Îles *fr.* ilsulˈvɑ̃
Sousse *fr.* sus
Soustelle *fr.* susˈtɛl
Souster *engl.* ˈsuːstə
Soutache zuˈtaʃ[ə], -n ...ʃn̩
soutachieren zutaˈʃiːrən
Soutane zuˈtaːnə
Soutanelle zutaˈnɛlə
Soutar *engl.* ˈsuːtə

soutenieren zutəˈniːrən
Souterrain zutɛˈrɛ̃:, ˈzuːtɛrɛ̃
Souterraine *fr.* sutɛˈrɛn
South[all] *engl.* ˈsaʊθ[ɔːl]
Southampton *engl.* saʊˈθæmptən
South Bend *engl.* ˈsaʊθ ˈbɛnd
Southbery *engl.* ˈsaʊθbərɪ
Southbridge *engl.* ˈsaʊθ-brɪdʒ
Southcott *engl.* ˈsaʊθkɔt
Southend *engl.* ˈsaʊˈθɛnd
Southern[e] *engl.* ˈsʌðən
Southern Uplands *engl.* ˈsʌðən ˈʌpləndz
Southey *engl.* ˈsaʊðɪ, ˈsʌðɪ
South Farmingdale *engl.* ˈsaʊθ ˈfɑːmɪŋdeɪl
Southfield *engl.* ˈsaʊθfiːld
Southgate *engl.* ˈsaʊθgɪt, *USA* ...geɪt
Southington *engl.* ˈsʌðɪŋtən
Southon *engl.* ˈsaʊðən
Southport *engl.* ˈsaʊθpɔːt
Southwark *engl.* ˈsʌðək
Southwell *engl.* ˈsaʊθwəl, ˈsʌðəl
Soutien zuˈti̯ɛ̃
Soutine *fr.* suˈtin
Soutter *fr.* suˈteːr
Souvenir zuvəˈniːɐ̯
souverän, S... zuvəˈrɛːn
Souveränität zuvərɛniˈtɛːt
Souza *bras.* ˈsoza
Souzay *fr.* suˈzɛ
Sova *tschech.* ˈsɔva
Sovata *rumän.* soˈvata
Sovereign ˈzɔvrɪn
soviel zoˈfiːl
sovielmal zoˈfiːlmaːl
Sowchos ˈzɔfxɔs, -e zɔf-ˈxoːzə, ...ço:zə
Sowchose zɔfˈxoːzə, ...ço:zə
soweit zoˈvaɪt
sowenig zoˈveːnɪç
Sower[by] *engl.* ˈsaʊə[bɪ]
Soweto zoˈveːto, *engl.* səˈweɪtoʊ
Sowetsk *russ.* saˈvjɛtsk
Sowetskaja Gawan *russ.* saˈvjɛtskɐjɐ
Sowetskaja Gawan *russ.* saˈvjɛtskɐjɐ ˈgavɐnj
Sowetski Sojus *russ.* saˈvjɛtskij saˈjus
sowie zoˈviː
sowieso zoviˈzoː
Sowiński *poln.* sɔˈviĩski

Sowjet zɔ'vjɛt, auch: 'zɔvjɛt
sowjetisch zɔ'vjɛtɪʃ, auch:
...je:tɪʃ
sowjetisieren zɔvjɛti'zi:-
rən, auch: zɔvje...
sowjetrussisch zɔ'vjɛtrʊ-
sɪʃ, auch: '----
Sowjetrussland zɔ'vjɛtrʊs-
lant, auch: '----
Sowjetunion zɔ'vjɛt|unjo:n,
auch: '----
sowohl zo'vo:l
Sowohl-als-auch zo'vo:l-
|als'|aux
Soxhlet® 'zɔkslɛt
Soya dän. 'sɔjæ
Soyfer 'zɔyfɐ
Soyinka engl. sɔ:'jɪŋkə, ʃɔ:...
Soyka 'zɔyka
Soysal türk. sɔj'sal
Sozi 'zo:tsi
Sozia 'zo:tsia
soziabel zo'tsia:bl̩, ...ble
...blə
Soziabilität zotsiabili'tɛ:t
sozial zo'tsia:l
Sozialdemokrat zo'tsia:lde-
mokra:t
Sozialdemokratie zo'tsia:l-
demokrati:
Sozialisation zotsializa-
'tsio:n
sozialisieren zotsiali'zi:rən
Sozialismus zotsia'lismʊs
Sozialist zotsia'lɪst
sozialistisch zotsia'lɪstɪʃ
Soziativ 'zo:tsiati:f, -e ...i:və
sozietär, S... zotsie'tɛ:ɐ
Sozietät zotsie'tɛ:t
soziieren zotsi'i:rən
Sozinianer zotsi'nia:nɐ
Sozinianismus zotsinia'nɪs-
mʊs
sozio..., S... 'zo:tsio...
Soziogramm zotsio'gram
Soziographie zotsiogra'fi:
Soziolekt zotsio'lɛkt
Soziolinguistik zotsiolɪŋ-
'gʊɪstɪk
Soziologe zotsio'lo:gə
Soziologie zotsiolo'gi:
soziologisch zotsio'lo:gɪʃ
Soziologismus zotsiolo'gɪs-
mʊs
Soziometrie zotsiome'tri:
soziometrisch zotsio'me:-
trɪʃ
soziomorph zotsio'mɔrf
Soziopathie zotsiopa'ti:, -n
...i:ən

Sozius 'zo:tsiʊs, -se ...ʊsə
Sozomenos zo'tso:menɔs
sozusagen zo:tsu'za:gn̩,
'----
Spa ʃpa:, spa:, fr. spa
Spaak fr. spak, niederl.
spa:k
Spacelab 'spe:slɛp
Spaceshuttle 'spe:sʃatl̩
spachteln 'ʃpaxtl̩n
spack ʃpak
Spada 'spa:da, 'ʃpa:da
Spadille spa'dɪljə, ʃpa'dɪlə
Spadix 'spa:dɪks, 'ʃp...
Spadolini it. spado'li:ni
Spaer 'ʃpa:ɐ, 'spa:ɐ
Spagat ʃpa'ga:t
Spaghetti ʃpa'gɛti
Spagirik spa'gi:rɪk, ʃp...
Spagiriker spa'gi:rikɐ, ʃp...
spagirisch spa'gi:rɪʃ, ʃp...
Spagna it. 'spaɲɲa
Spagnolett ʃpanjo'lɛt, sp...
Spagnoli it. spaɲ'ɲɔ:li
spähen 'ʃpɛ:ən
Späher 'ʃpɛ:ɐ
Späherei ʃpɛ:ə'rai
Spahi 'spa:hi, 'ʃp...
Spaichingen 'ʃpaiçɪŋən
Spakat ʃpa'ka:t
Spake 'ʃpa:kə
spakig 'ʃpa:kɪç, -e ...igə
Spal it. spal
Spalatin 'ʃpa:lati:n
Spalato it. 'spa:lato
Spalding 'ʃpaldɪŋ, engl.
'spɔ:ldɪŋ
Spalet[t] ʃpa'lɛt, sp...
Spalier ʃpa'li:ɐ
Spallanzani it. spallan-
'tsa:ni
Spalt ʃpalt
Spältchen 'ʃpɛltçən
Spalte 'ʃpaltə
spalten 'ʃpaltn̩
...spaltig ....ʃpaltɪç, -e ...igə
Span ʃpa:n, Späne 'ʃpɛ:nə
Spänchen 'ʃpɛ:nçən
Spandau 'ʃpandau
Spandrille ʃpan'drɪlə
spanen 'ʃpa:nən
spänen 'ʃpɛ:nən
Spanferkel 'ʃpa:nfɛrkl̩
Spängchen 'ʃpɛŋçən
Spange 'ʃpaŋə
Spängelchen 'ʃpɛŋlçən
Spangenberg 'ʃpaŋənbɛrk
Spaniel 'ʃpa:njəl, auch:
'spɛn...
Spanien 'ʃpa:njən

Spanier 'ʃpa:niɐ
Spaniol[e] ʃpa'njo:l[ə]
spanisch 'ʃpa:nɪʃ
Spanischfliegenpflaster
'ʃpa:nɪʃ'fli:gn̩pflastɐ
Spanish Town engl. 'spænɪʃ
'taʊn
spann, S... ʃpan
Spanne 'ʃpanə
spänne 'ʃpɛnə
spannen 'ʃpanən
spannenlang 'ʃpanənlaŋ
...spänner ....ʃpɛnɐ
...spännig ...ʃpɛnɪç, -e ...igə
Spant ʃpant
Sparafucile it. sparafu'tʃi:le
sparen 'ʃpa:rən
Spargel 'ʃpargl̩
Spark ʃpark, engl. spa:k
Sparks engl. spa:ks
spärlich 'ʃpɛ:ɐlɪç
Sparmannie ʃpar'maniə,
sp...
Sparre 'ʃparə
sparren, S... 'ʃparən
sparrig 'ʃparɪç, -e ...igə
Sparring 'ʃparɪŋ
sparsam 'ʃpa:ɐza:m
Spart ʃpart
Sparta 'ʃparta, 'spa..., engl.
'spa:tə, türk. 'sparta
Spartak russ. spar'tak,
tschech. 'spartak
Spartakiade ʃparta'kia:də,
sp...
Spartakide ʃparta'ki:də,
sp...
Spartakist ʃparta'kɪst, sp...
Spartakus 'ʃpartakʊs, 'sp...
Spartanburg engl.
'spa:tnbə:g
Spartaner ʃpar'ta:nɐ, sp...
spartanisch ʃpar'ta:nɪʃ,
sp...
Sparte 'ʃpartə
Spartein ʃparte'i:n, sp...
Sparterie ʃpartə'ri:
Spartiat ʃpar'tia:t, sp...
spartieren ʃpar'ti:rən, sp...
spasmatisch ʃpas'ma:tɪʃ,
sp...
spasmisch 'ʃpasmɪʃ, 'sp...
spasmodisch ʃpas'mo:dɪʃ,
sp...
spasmogen ʃpasmo'ge:n,
sp...
Spasmolytikum ʃpasmo'ly:-
tikʊm, sp..., ...ka ...ka
spasmolytisch ʃpasmo'ly:-
tɪʃ, sp...

spasmophil ʃpasmoˈfiːl, sp...
Spasmophilie ʃpasmofiˈliː, sp...
Spasmus ʃpasmʊs, 'sp...
Spaß ʃpaːs, Späße ˈʃpɛːsə
Späßchen ˈʃpɛːsçən
Spasse *alban.* 'spase
spaßen ˈʃpaːsn̩
Spaßerei ʃpaːsəˈrai
spaßig ˈʃpaːsɪç, -e ...ɪɡə
Spasti ˈʃpasti
Spastiker ˈʃpastikɐ, 'sp...
spastisch ˈʃpastɪʃ, 'sp...
spat ʃpaːt
Spat ʃpaːt, Späte ˈʃpɛːtə
spät ʃpɛːt
spätabends ʃpɛːtˈlaːbn̩ts
Späte ˈʃpɛːtə
Spatel ˈʃpaːtl̩
spaten, S... ˈʃpaːtn̩
später ˈʃpɛːtɐ
späterhin ˈʃpɛːtɐˈhɪn
spätestens ˈʃpɛːtəstn̩s
Späth ʃpɛːt
Spatha ˈspaːta, ˈʃp...
spatig ˈʃpaːtɪç, -e ...ɪɡə
spatiieren ʃpatsiˈiːrən, sp...
spationieren ʃpatsioˈniːrən, sp...
spatiös ʃpaˈtsiøːs, sp..., -e ...øːzə
Spatium ˈʃpaːtsiʊm, 'sp..., ...ien ...iən
Spätling ˈʃpɛːtlɪŋ
Spatz ʃpats
Spätzchen ˈʃpɛtsçən
Spätzin ˈʃpɛtsɪn
Spätzle ˈʃpɛtslə
Spätzli ˈʃpɛtsli
spazieren ʃpaˈtsiːrən
SPD ɛspeˈdeː
Speaker ˈspiːkɐ
Specht ʃpɛçt
Special [Effect] ˈspɛʃl̩ [ɪˈfɛkt]
Species ˈʃpeːtsiɛs, 'sp..., *Mehrz.* ...tsiːes
Speck ʃpɛk
Speckbacher ˈʃpɛkbaxɐ
speckig ˈʃpɛkɪç, -e ...ɪɡə
Speckter ˈʃpɛktɐ
Speculum ˈʃpeːkulʊm, 'sp..., ...la ...la
spedieren ʃpeˈdiːrən
Spediteur ʃpediˈtøːɐ
Spedition ʃpediˈtsioːn
speditiv ʃpediˈtiːf, -e ...iːvə
Spee ʃpeː
Speech spiːtʃ

Speed spiːt
Speedball ˈspiːtboːl
Speedway ˈspiːtveː
Speer ʃpeːɐ
speiben ˈʃpaibn̩, speib!
ˈʃpaip, speibt ʃpaipt
Speiche ˈʃpaiçə
Speichel ˈʃpaiçl̩
Speichelleckerei ʃpaiçl̩lɛkəˈrai
speicheln ˈʃpaiçl̩n
Speicher ˈʃpaiçɐ, *engl.* ˈspaikɐ
speichern ˈʃpaiçɐn
speien ˈʃpaiən
Speigat[t] ˈʃpaigat
Speik ʃpaik
Speil ʃpail
speilen ˈʃpailən
Speinshart ˈʃpainshart
[1]Speis (Speisekammer)
ʃpais, -en ˈʃpaizn
[2]Speis (Mörtel) ʃpais, -es
ˈʃpaizəs
Speise ˈʃpaizə
speisen ˈʃpaizn, speis!
ʃpais, speist ʃpaist
Speiser ˈʃpaizɐ, *engl.*
ˈspaizɐ
speiübel ˈʃpaiˈlyːbl̩
Speke *engl.* spiːk
spektabel ʃpɛkˈtaːbl̩, sp..., ...ble ...blə
Spektabilität ʃpɛktabiliˈtɛːt, sp...
[1]Spektakel (Lärm) ʃpɛkˈtaːkl̩
[2]Spektakel (Schauspiel)
ʃpɛkˈtaːkl̩, sp...
spektakeln ʃpɛkˈtaːkl̩n
spektakulär ʃpɛktakuˈlɛːɐ, sp...
spektakulös ʃpɛktakuˈløːs, sp..., -e ...øːzə
Spektakulum ʃpɛkˈtaːkulʊm, sp..., ...la ...la
Spektator ʃpɛkˈtaːtoːɐ, sp..., -en ...taˈtoːrən
Spektiv ʃpɛkˈtiːf, sp..., -e ...iːvə
Spektra *vgl.* Spektrum
spektral ʃpɛkˈtraːl, sp...
Spektrograph ʃpɛktroˈgraːf, sp...
Spektrographie ʃpɛktroˈgraˈfiː, sp..., -n ...iən
Spektrophotometrie ʃpɛktrofotomeˈtriː, sp...
Spektroskop ʃpɛktroˈskoːp, sp...

Spektroskopie ʃpɛktroskoˈpiː, sp...
Spektrum ˈʃpɛktrʊm, 'sp..., ...ra ...ra
Spekula *vgl.* Spekulum
Spekulant ʃpekuˈlant
Spekulation ʃpekulaˈtsioːn
Spekulatius ʃpekuˈlaːtsiʊs
spekulativ ʃpekulaˈtiːf, -e ...iːvə
spekulieren ʃpekuˈliːrən
Spekulum ˈʃpeːkulʊm, 'sp..., ...la ...la
Speläologe ʃpelɛoˈloːgə, sp...
Speläologie ʃpelɛologiː, sp...
speläologisch ʃpelɛoˈloːgɪʃ, sp...
Spel[l]man *engl.* ˈspɛlmən
Spelt ʃpɛlt
Spelunke ʃpeˈlʊŋkə
Spelz[e] ˈʃpɛlts[ə]
spelzig ˈʃpɛltsɪç, -e ...ɪɡə
Spemann ˈʃpeːman
Spenborough *engl.* ˈspɛnbərə
Spence[r] *engl.* ˈspɛns[ə]
spendabel ʃpɛnˈdaːbl̩, ...ble ...blə
Spende ˈʃpɛndə
spenden ˈʃpɛndn̩, spend!
ʃpɛnt
[1]Spender ˈʃpɛndɐ
[2]Spender (Name) *engl.*
ˈspɛndɐ
spendieren ʃpɛnˈdiːrən
Spener ˈʃpeːnɐ
Spenge ˈʃpɛŋə
Spengler ˈʃpɛŋlɐ
Spenglerei ʃpɛŋləˈrai
Spennymoor *engl.* ˈspɛnimɔː
[1]Spenser (Name) *engl.*
ˈspɛnsə
[2]Spenser (Jäckchen)
ˈʃpɛnzɐ
Spenzer ˈʃpɛntsɐ
Speos Artemidos ˈspeːɔs arˈteːmidɔs
Sperandio *it.* speranˈdiːo
Speranski *russ.* spɪˈranski
Speratus speˈraːtʊs
Sperber ˈʃpɛrbɐ, *fr.* spɛrˈbɛːr
sperbern ˈʃpɛrbɐn, sperbre
ˈʃpɛrbrə
Sperenzchen ʃpeˈrɛntsçən
Sperenzien ʃpeˈrɛntsiən
Spergel ˈʃpɛrgl̩

Sperillen *norw.* ˌspɛrilən
Sperl[ing] ˈʃpɛrl[ɪŋ]
Sperlonga *it.* spɛrˈlɔŋga
Sperm... ˈʃpɛrm..., ˈspɛrm...
Sperma ˈʃpɛrma, ˈsp..., -ta -ta
Spermatide ʃpɛrmaˈtiːdə, sp...
Spermatitis ʃpɛrmaˈtiːtɪs, sp..., ...itiden ...tiˈtiːdn̩
Spermatium ʃpɛrˈmaːtsiʊm, sp..., ...ien ...iən
spermatogen ʃpɛrmatoˈgeːn, sp...
Spermatogenese ʃpɛrmatoɡeˈneːzə, sp...
Spermatogramm ʃpɛrmatoˈgram, sp...
Spermatophore ʃpɛrmatoˈfoːrə, sp...
Spermatophyt ʃpɛrmatoˈfyːt, sp...
Spermatorrhö, ...öe ʃpɛrmatoˈrøː, sp..., ...rrhöen ...ˈrøːən
Spermatozoid ʃpɛrmatoˈtsoˈiːt, sp..., -en ...iˈdn̩
Spermatozoon ʃpɛrmatoˈtsoːɔn, sp..., ...oen ...oːən
Spermazet[i] ʃpɛrmaˈtsɛːt[i], sp...
Spermin ʃpɛrˈmiːn, sp...
Spermiogenese ʃpɛrmioɡeˈneːzə, sp...
Spermiogramm ʃpɛrmioˈgram, sp...
Spermium ˈʃpɛrmiʊm, ˈsp..., ...ien ...iən
spermizid, S... ʃpɛrmiˈtsiːt, sp..., -e ...iːdə
Spermogonien ʃpɛrmoˈgoːniən, sp...
Speroni *it.* speˈroːni
Sperontes speˈrɔntɛs
Sperr ʃpɛr
sperrangelweit ˈʃpɛrˈʔaŋlˈvait
Sperre ˈʃpɛrə
sperren ˈʃpɛrən
sperrig ˈʃpɛrɪç, -e ...ɪgə
sperrweit ˈʃpɛrˈvait
Sperry *engl.* ˈspɛri
Spervogel ˈʃpeːrfoːgl̩
Spesen ˈʃpeːzn̩
Spessart ˈʃpɛsart
spetten ˈʃpɛtn̩
Speusippos spɔyˈzɪpɔs
Spey *engl.* spei
Speyer ˈʃpaiɐ, *engl.* ˈspaiə
Spey[e]rer ˈʃpai[ə]rɐ

spey[e]risch ˈʃpai[ə]rɪʃ
Spezerei ʃpeːtsəˈrai
Spezi ˈʃpeːtsi
Spezia *it.* ˈspɛttsia
spezial, S... ʃpeˈtsiaːl
Spezialien ʃpeˈtsiaːliən
Spezialisation ʃpetsializaˈtsioːn
spezialisieren ʃpetsialiˈziːrən
Spezialist ʃpetsiaˈlɪst
Spezialität ʃpetsialiˈtɛːt
speziell ʃpeˈtsiɛl
Spezies ˈʃpeːtsiɛs, ˈsp..., *Mehrz.* ...tsiɛs
Spezifik ʃpeˈtsiːfɪk, sp...
Spezifikation ʃpetsifikaˈtsioːn, sp...
Spezifikum ʃpeˈtsiːfikʊm, sp..., ...ka ...ka
spezifisch ʃpeˈtsiːfɪʃ, sp...
Spezifität ʃpetsifiˈtɛːt, sp...
spezifizieren ʃpetsifiˈtsiːrən, sp...
Spezimen ˈʃpeːtsimən, ˈsp..., ...mina ʃpeˈtsiːmina, sp...
speziös ʃpeˈtsiøːs, sp..., -e ...øːzə
Sphagnum ˈsfagnʊm
Sphalerit sfaleˈriːt
Sphäre ˈsfɛːrə
Sphärik ˈsfɛːrɪk
sphärisch ˈsfɛːrɪʃ
Sphäroid sfɛroˈiːt, -e ...iːdə
sphäroidisch sfɛroˈiːdɪʃ
Sphärolith sfɛroˈliːt
Sphärologie sfɛroloˈgiː
Sphärometer sfɛroˈmeːtɐ
Sphärosiderit sfɛrozideˈriːt
Sphen sfeːn
Sphenoid sfenoˈiːt, -e ...iːdə
sphenoidal sfenoiˈdaːl
Sphenozephalie sfenotsefaˈliː, -n ...iːən
Sphinkter ˈsfɪŋktɐ, -e ...ˈteːrə
Sphinx sfɪŋks, Sphingen ˈsfɪŋən
Sphragistik sfraˈgɪstɪk
sphragistisch sfraˈgɪstɪʃ
Sphygmogramm sfʏgmoˈgram
Sphygmograph sfʏgmoˈgraːf
Sphygmographie sfʏgmograˈfiː, -n ...iːən
Sphygmomanometer sfʏgmomanoˈmeːtɐ
spianato spiaˈnaːto

spiccato spɪˈkaːto
Spiccato spɪˈkaːto, ...ti ...ti
Spich[erer] ˈʃpɪç[ərɐ]
Spichern ˈʃpɪçɐn
Spicilegium ʃpitsiˈleːgiʊm, sp..., ...ia ...ia
Spick ʃpɪk
Spickel ˈʃpɪkl̩
spicken ˈʃpɪkn̩
Spider ˈʃpaidɐ, ˈsp...
spie ʃpiː
spieb ʃpiːp
spieben ˈʃpiːbn̩
spieen ˈʃpiːən
spieest ˈʃpiːəst
spieet ˈʃpiːət
¹Spiegel ˈʃpiːgl̩
²Spiegel (Name) ˈʃpiːgl̩, *engl.* ˈspiːgəl, *niederl.* ˈspiːɣəl
Spiegelau ʃpiːgəˈlau
Spiegelberg ˈʃpiːgl̩bɛrk
spiegelblank ˈʃpiːgl̩ˈblaŋk
Spiegelfechterei ʃpiːgl̩fɛçtəˈrai
spiegelglatt ˈʃpiːgl̩ˈglat
spiegelig ˈʃpiːgəlɪç, -e ...igə
spiegeln ˈʃpiːgl̩n, spiegle ˈʃpiːglə
Spieg[e]lung ˈʃpiːg[ə]lʊŋ
Spiegler ˈʃpiːglɐ
spieglig ˈʃpiːglɪç, -e ...ɪgə
Spieker ˈʃpiːkɐ
spiekern ˈʃpiːkɐn
Spiekeroog ˈʃpiːkɐloːk
Spiel ʃpiːl
Spielberg ˈʃpiːlbɛrk, *engl.* ˈspiːlbɔːg
spielen ˈʃpiːlən
Spieler ˈʃpiːlɐ
Spielerei ʃpiːləˈrai
Spielfeld ˈʃpiːlfɛlt
Spielhagen ˈspiːlhaːgn̩
Spiel[i]othek ʃpil[i]oˈteːk
spien ˈʃpiːn
spienzeln ˈʃpiːntsl̩n
Spier ʃpiːɐ
Spiere ˈʃpiːrə
Spierling ˈʃpiːɐlɪŋ
Spies, Spieß ʃpiːs
Spiess ʃpiːs, *fr.* spjɛs
spießen ˈʃpiːsn̩
Spießer ˈʃpiːsɐ
spießig ˈʃpiːsɪç, -e ...ɪgə
spiest ʃpiːst
spiet ʃpiːt
Spiez ʃpiːts
Spijkenisse *niederl.* spɛikəˈnisə
Spika ˈʃpiːka, ˈsp...

¹**Spike** ʃpiːkə
²**Spike** (für Rennschuhe, Autoreifen) ʃpaik, spaik
Spilimbergo it. spilim-
ˈbɛrgo
Spill ʃpɪl
Spillage ʃpɪˈlaːʒə, sp...
Spillane engl. spɪˈleɪn
Spille ˈʃpɪlə
Spillebeen niederl. ˈspɪlə-
beːn
spill[e]rig ˈʃpɪl[ə]rɪç, -e
...ɪgə
Spilliaert niederl. ˈspɪliaːrt
Spilling ˈʃpɪlɪŋ
Spillman ˈʃpɪlman, engl.
ˈspɪlmən
Spilosit ʃpiloˈziːt, sp...
Spin spɪn
¹**Spina** (Stachel) ˈʃpiːna,
ˈsp...
²**Spina** (Name) dt., it.
ˈspiːna
spinal ʃpiˈnaːl, sp...
Spinalgie ʃpinalˈgiː, sp..., -n
...iːən
Spinaliom ʃpinaˈljoːm, sp...
Spinat ʃpiˈnaːt
Spind ʃpɪnt, -e ˈʃpɪndə
Spindel ˈʃpɪndl̩
spindeldürr ˈʃpɪndl̩ˈdʏr
spindeln ˈʃpɪndl̩n, **spindle**
ˈʃpɪndlə
Spindler ˈʃpɪndlɐ
Spinell ʃpiˈnɛl
Spinelli it. spiˈnɛlli
Spinello it. spiˈnɛllo
Spinett ʃpiˈnɛt
Spinettino ʃpinɛˈtiːno
Spingarn engl. ˈspɪŋgɑːn
Spinifex ˈʃpiːnifɛks, ˈsp...
Spinnaker ˈʃpɪnakɐ
Spinne ˈʃpɪnə
spinnefeind ˈʃpɪnəˈfaint
spinnen ˈʃpɪnən
Spinner ˈʃpɪnɐ, engl. ˈspɪnə
Spinnerei ʃpɪnəˈrai
spinnert ˈʃpɪnɐt
spinnig ˈʃpɪnɪç, -e ...ɪgə
Spin-off ˈspɪnl̩ɔf, -ˈ-
Spinola it. ˈspiːnola
Spínola port. ɪˈʃpinulɐ,
span. esˈpinola
Spinor ˈʃpiːnoːɐ̯, ˈsp..., -en
ʃpiˈnoːrən, sp...
spinös ʃpiˈnøːs, sp..., -e
...øːzə
Spinoza ʃpiˈnoːtsa, spi...,
niederl. spiˈnoːza

spinozaisch ʃpiˈnoːtsaɪʃ,
sp...
Spinozismus ʃpinoˈtsɪsmʊs,
sp...
Spinozist ʃpinoˈtsɪst, sp...
Spint ʃpɪnt
Spintherismus ʃpɪnteˈrɪs-
mʊs, sp...
spintig ˈʃpɪntɪç, -e ...ɪgə
spintisieren ʃpɪntiˈziːrən
Spintisiererei ʃpɪntiziːrəˈrai
Spion ʃpioːn
Spionage ʃpioˈnaːʒə
spionieren ʃpioˈniːrən
Spioniererei ʃpioniːrəˈrai
Spiräe ʃpiˈrɛːə, sp...
spiral ʃpiˈraːl
Spirale ʃpiˈraːlə
spiralig ʃpiˈraːlɪç, -e ...ɪgə
Spirans ˈʃpiːrans, ˈsp...,
Spiranten ʃpiˈrantn̩, sp...
Spirant ʃpiˈrant, sp...
Spirdingsee ˈʃpɪrdɪŋzeː
Spire fr. spiːr
Spiridon russ. spiriˈdɔn
Spirifer ˈʃpiːrifɛr, ˈsp..., -en
ʃpiriˈfeːrən, sp...
Spirille ʃpiˈrɪlə, sp...
spirillizid ʃpirɪliˈtsiːt, sp...,
-e ...iːdə
Spirit spɪrɪt
Spirituaner ʃpiriˈtaːnɐ, sp...
Spiritismus ʃpiriˈtɪsmʊs,
sp...
Spiritist ʃpiriˈtɪst, sp...
spiritual, ¹**S...** ʃpiriˈtʊaːl,
sp...
²**Spiritual** (Lied) ˈspɪrɪtʃʊəl
Spirituale ʃpiriˈtʊaːlə, sp...
Spiritualien ʃpiriˈtʊaːljən,
sp...
spiritualisieren ʃpiritʊali-
ˈziːrən, sp...
Spiritualismus ʃpiritʊaˈlɪs-
mʊs, sp...
Spiritualist ʃpiritʊaˈlɪst,
sp...
Spiritualität ʃpiritʊaliˈtɛːt,
sp...
spirituell ʃpiriˈtʊɛl, sp...
spirituos ʃpiriˈtʊoːs, sp...,
-e ...oːzə
spirituös ʃpiriˈtʊøːs, sp...,
-e ...øːzə
Spirituose ʃpiriˈtʊoːzə, sp...
spirituoso spiriˈtʊoːzo
¹**Spiritus** (Atem, Hauch,
Geist) ˈspiːrɪtʊs, **die -**
...tuːs

²**Spiritus** (Weingeist) ˈʃpiːri-
tʊs, **-se** ...ʊsə
Spiritus asper, - familiaris,
- lenis, - Rector, - Sanctus
ˈspiːrɪtʊs ˈaspɐ, - famiˈlia:-
rɪs, - ˈleːnɪs, - ˈrɛktoːɐ̯,
- ˈzaŋktʊs
Spirkel ˈʃpɪrkl̩
Spiro engl. ˈspaɪərou
Spirochäte ʃpiroˈçɛːtə, sp...
Spiroergometer ʃpiro-
ɛrgoˈmeːtɐ, sp...
Spiroergometrie ʃpiro-
ɛrgomeˈtriː, sp..., -n ...iːən
Spirogyra ʃpiroˈgyːra, sp...
Spirometer ʃpiroˈmeːtɐ,
sp...
Spirometrie ʃpiromeˈtriː,
sp...
Spirre ˈʃpɪrə
spissen ˈʃpɪsn̩
Spišská Nová Ves slowak.
ˈspiʃska: ˈnɔva: ˈvɛs
Spišské Podhradie slowak.
ˈspiʃskɛ: ˈpɔdhradiɛ
Spital ʃpiˈtaːl, ...täler
...ˈtɛːlɐ
Spitfire engl. ˈspɪtfaɪə
Spithead engl. ˈspɪtˈhɛd
Spitta ˈʃpɪta
Spittal ʃpiˈtaːl
Spittel ˈʃpɪtl̩
Spitt[e]ler ˈʃpɪt[ə]lɐ
spitz, S... ʃpɪts
Spitzbergen ˈʃpɪtsbɛrgn̩
Spitzbüberei ʃpɪtsbyːbəˈrai
spitze, S... ˈʃpɪtsə
Spitzel ˈʃpɪtsl̩
spitzeln ˈʃpɪtsl̩n
spitzen ˈʃpɪtsn̩
Spitzer ˈʃpɪtsɐ
spitzig ˈʃpɪtsɪç, -e ...ɪgə
Spitzweg ˈʃpɪtsveːk
Spitzwegerich ˈʃpɪtsveːgə-
rɪç, -ˈ---
Spix ʃpɪks
splanchnisch ˈsplançnɪʃ
Splanchnologie splançno-
loˈgiː
Splattermovie ˈsplɛtɐmuːvi
Spleen ʃpliːn, auch: sp...
spleenig ˈʃpliːnɪç, auch:
ˈsp..., -e ...ɪgə
Spleiße ˈʃplaisə
spleißen ˈʃplaisn̩
Splen spleːn, ʃpleːn
splendid ʃplɛnˈdiːt, sp..., -e
...iːdə
Splendid Isolation ˈsplɛndɪt
aizoˈleːʃn̩

Splendidität ʃplɛndidiˈtɛːt, sp...
Splenektomie splenɛktoˈmiː, ʃp...
Splenitis spleˈniːtɪs, ʃp..., ...itiden ...niˈtiːdn̩
splenogen splenoˈgeːn, ʃp...
Splenohepatomegalie splenohepatomegaˈliː, ʃp..., -n ...iːən
Splenom spleˈnoːm, ʃp...
Splenomegalie splenomegaˈliː, ʃp..., -n ...iːən
Splenotomie splenotoˈmiː, ʃp..., -n ...iːən
Spließ ʃpliːs
Splint ʃplɪnt
spliss, S... ʃplɪs
Split ʃplɪt, *serbokr.* split
Splitt ʃplɪt
splitten ˈʃplɪtn̩, ˈsp...
Splitter ˈʃplɪtɐ
splitterfasernackt ˈʃplɪtɐ-faːzɐˈnakt
splitt[e]rig ˈʃplɪt[ə]rɪç, -e ...ɪgə
splittern ˈʃplɪtɐn
splitternackt ˈʃplɪtɐˈnakt
Splitting ˈʃplɪtɪŋ, ˈsp...
Spluga *it.* ˈspluːga
Splügen ˈʃplyːgn̩
Spode *engl.* spoʊd
Spodium ˈʃpoːdiʊm, ˈsp...
Spodumen ʃpoduˈmeːn, sp...
Spoerl ʃpœrl
Spoerri ˈʃpœri
Spofford *engl.* ˈspɔfəd
Spohn ʃpoːn
Spohr ˈʃpoːɐ̯
Spoiler ˈʃpɔylɐ, ˈsp...
Spoils... ˈspɔyls...
Spokane *engl.* spoʊˈkæn
Spöke ˈʃpøːkə
Spökenkiekerei ʃpøːkn̩kiːkəˈrai
Spoleto *it.* spoˈleːto
Spoletta *it.* spoˈletta
Spoliant ʃpoˈliant, sp...
Spoliation ʃpoliaˈtsi̯oːn, sp...
spoliieren ʃpoliˈiːrən, sp...
Spolium ˈʃpoːli̯ʊm, ˈsp..., ...ien ...i̯ən
Špoljar *serbokr.* ˈʃpɔljar
Spompanadeln ʃpompaˈnaːdl̩n
Spompanaden ʃpompaˈnaːdn̩

Sponde *fr.* spõːd
spondeisch ʃpɔnˈdeːɪʃ, sp...
Spondeus ʃpɔnˈdeːʊs, sp..., ...een ...eːən
Spondiakus ʃpɔnˈdiːakʊs, sp..., ...zi ...tsi
spondieren ʃpɔnˈdiːrən, sp...
Spondylarthritis ʃpɔndylarˈtriːtɪs, sp..., ...itiden ...riˈtiːdn̩
Spondylitis ʃpɔndyˈliːtɪs, sp..., ...itiden ...liˈtiːdn̩
Spondylose ʃpɔndyˈloːzə, sp...
Spongia ˈʃpɔŋgi̯a, ˈsp..., ...ien ...i̯ən
Spongin ʃpɔŋˈgiːn, sp...
Spongiologie ʃpɔŋgi̯oloˈgiː, sp...
spongiös ʃpɔŋˈgi̯øːs, sp..., -e ...øːzə
Spongiosa ʃpɔŋˈgi̯oːza, sp...
Sponheim ˈʃpoːnhaim
spönne ˈʃpœnə
Sponsa ˈʃpɔnza, ˈsp..., -e ...zɛ
Sponsalien ʃpɔnˈzaːli̯ən, sp...
sponsern ˈʃpɔnzɛn, ˈsp..., sponsre ...nzrə
sponsieren ʃpɔnˈziːrən, sp...
Sponsion ʃpɔnˈzi̯oːn, sp...
Sponsor ˈʃpɔnzoːɐ̯, ˈʃpɔnzɐ, ˈsp..., -en ...ˈzoːrən
Sponsoring ˈʃpɔnzorɪŋ, ˈsp..., ˈʃpɔnzərɪŋ
Sponsorship ˈʃpɔnzoːɐ̯ʃɪp, ˈsp..., ˈʃpɔnzəʃɪp
Sponsus ˈʃpɔnzʊs, ˈsp..., ...si ...zi
spontan ʃpɔnˈtaːn, sp...
Spontan[e]ität ʃpɔn-tan[e]iˈtɛːt, sp...
Sponti ˈʃpɔnti
Spontini *it.* spɔnˈtiːni
Sponton ʃpɔnˈtoːn, sp..., spõˈtõː
Spoon spuːn, ʃpuː...
Spor ʃpoːɐ̯
Spora ˈʃpoːra
Sporade ʃpoˈraːdə, sp...
sporadisch ʃpoˈraːdɪʃ, sp...
Sporangium ʃpoˈraŋgi̯ʊm, sp..., ...ien ...i̯ən
sporco ˈʃpɔrko, ˈsp...
Spore ˈʃpoːrə
Spörgel ˈʃpœrgl̩

sporig ˈʃpoːrɪç, -e ...ɪgə
Sporko ˈʃpɔrko, ˈsp...
Sporn ʃpɔrn, **Sporen** ˈʃpoː-rən
spornen ˈʃpɔrnən
spornstreichs ˈʃpɔrnʃtraiçs
sporogen ʃporoˈgeːn, sp...
Sporogon ʃporoˈgoːn, sp...
Sporogonie ʃporogoˈniː, sp...
Sporophyll ʃporoˈfʏl, sp...
Sporophyt ʃporoˈfyːt, sp...
Sporotrichose ʃporotrɪˈçoːzə, sp...
Sporozoit ʃporotsoˈiːt, sp...
Sporozoon ʃporoˈtsoːɔn, sp..., ...oen ...oːən
Sporozyste ʃporoˈtsʏstə, sp...
Sport[el] ˈʃpɔrt[l̩]
sporteln ˈʃpɔrtl̩n
sportiv spɔrˈtiːf, ʃp..., -e ...iːvə
Sportler ˈʃpɔrtlɐ
sportlich ˈʃpɔrtlɪç
Sportswear ˈspoːɐ̯tsvɛːɐ̯, ˈʃpɔrts...
Sposalizio spozaˈliːtsi̯o, ʃp...
Spot spɔt, ʃpɔt
Spota *span.* esˈpota
Spotlight ˈspɔtlait, ˈʃp...
Spott ʃpɔt
spottbillig ˈʃpɔtˈbɪlɪç
Spöttelei ʃpœtəˈlai
spötteln ˈʃpœtl̩n
spotten ˈʃpɔtn̩
Spötter ˈʃpœtɐ
Spötterei ʃpœtəˈrai
spöttisch ˈʃpœtɪʃ
sprach ʃpraːx
Sprache ˈʃpraːxə
spräche ˈʃprɛːçə
...sprachig ...ˈʃpraːxɪç, -e ...ɪgə
Sprague *engl.* spreig
sprang ʃpraŋ
spränge ˈʃprɛŋə
Spranger ˈʃpraŋɐ, *niederl.* ˈsprɑŋɐr
spratzen ˈʃpratsn̩
Spray ʃpreː, spreː
sprayen ˈʃpreːən, ˈsp...
Sprayer ˈʃpreːɐ, ˈsp...
Spreader ˈʃprɛdɐ, ˈsprɛdɐ
Spreche ˈʃprɛçə
sprechen ˈʃprɛçn̩
Spree-Athen ˈʃpreː|ateːn
Spreewald ˈʃpreːvalt
Spreewälder ˈʃpreːvɛldɐ

Sprehe 'ʃpre:ə
Spreißel 'ʃpraisl̩
Spreite 'ʃpraitə
spreiten 'ʃpraitn̩
Spreize 'ʃpraitsə
spreizen 'ʃpraitsn̩
Spremberg 'ʃprɛmbɛrk
Sprendlingen 'ʃprɛndlɪŋən
Sprengel 'ʃprɛŋl̩
sprengen 'ʃprɛŋən
Sprengsel 'ʃprɛŋzl̩
Sprenkel 'ʃprɛŋkl̩
sprenk[e]lig 'ʃprɛŋk[ə]lɪç,
-e ...ɪgə
sprenkeln 'ʃprɛŋkl̩n
sprenzen 'ʃprɛntsn̩
Spreu ʃprɔy
spreuig 'ʃprɔyɪç, -e ...ɪgə
sprich! ʃprɪç
spricht ʃprɪçt
Sprichwort 'ʃprɪçvɔrt
Sprickmann 'ʃprɪkman
Spriegel 'ʃpri:gl̩
Sprieß[e] 'ʃpri:s[ə]
Sprießel 'ʃpri:sl̩
sprießen 'ʃpri:sn̩
Spriet ʃpri:t
Sprigg engl. sprɪg
¹Spring ʃprɪŋ
²Spring (Name) engl. sprɪŋ
Springbok afr. 'sprəŋbɔk
Springdale engl. 'sprɪŋdeɪl
Springe 'ʃprɪŋə
springen, S... 'ʃprɪŋən
Springer 'ʃprɪŋɐ, engl.
'sprɪŋə
Springerl[e] 'ʃprɪŋɐl[ə]
Springerli 'ʃprɪŋɐli
Springfield engl. 'sprɪŋfi:ld
Springinklee 'ʃprɪŋɪnkle:
Springinsfeld 'ʃprɪŋɪnsfɛlt
springlebendig 'ʃprɪŋle-
'bɛndɪç
Springs engl. sprɪŋz
Springvale engl. 'sprɪŋveɪl
Springville engl. 'sprɪŋvɪl
Sprinkler 'ʃprɪŋklɐ
Sprint ʃprɪnt
sprinten 'ʃprɪntn̩
Sprit ʃprɪt
spritig 'ʃprɪtɪç, -e ...ɪgə
Spritze 'ʃprɪtsə
spritzen 'ʃprɪtsn̩
Spritzerei ʃprɪtsə'rai
spritzig 'ʃprɪtsɪç, -e ...ɪgə
Sprockhövel ʃprɔk'hø:fl̩,
'---
spröd ʃprø:t, -e 'ʃprø:də
spröde, S... 'ʃprø:də
Sprödigkeit 'ʃprø:dɪçkait

spross, S... ʃprɔs
Sprösschen 'ʃprœsçən
Sprosse 'ʃprɔsə
sprösse 'ʃprœsə
Sprosser 'ʃprɔsɐ
Sprössling 'ʃprœslɪŋ
Sprottau 'ʃprɔtau
Sprotte 'ʃprɔtə
Spruch ʃprʊx, **Sprüche**
'ʃpryçə
Sprücheklopferei ʃpryçə-
klɔpfə'rai
Sprüchelchen 'ʃpryçl̩çən
Sprudel 'ʃpru:dl̩
sprudeln 'ʃpru:dl̩n, **sprudle**
'ʃpru:dlə
Sprudler 'ʃpru:dlɐ
Sprue spru:
sprühen 'ʃpry:ən
Sprung ʃprʊŋ, **Sprünge**
'ʃpryŋə
Spucht ʃpʊxt
spuchtig 'ʃpʊxtɪç, -e ...ɪgə
Spucke 'ʃpʊkə
spucken 'ʃpʊkn̩
Spui niederl. spœi
Spuk ʃpu:k
spuken 'ʃpu:kn̩
Spukerei ʃpu:kə'rai
Spule 'ʃpu:lə
Spüle 'ʃpy:lə
spulen 'ʃpu:lən
spülen 'ʃpy:lən
Spülicht 'ʃpy:lɪçt
Spumante spu'mantə, ʃp...
Spund ʃpʊnt, -es 'ʃpʊndəs,
Spünde 'ʃpʏndə
Spunda 'ʃpʊndə
spunden 'ʃpʊndn̩, **spund!**
ʃpʊnt
spundig 'ʃpʊndɪç, -e ...ɪgə
Spur ʃpu:ɐ
spuren 'ʃpu:rən
spüren 'ʃpy:rən
Spurgeon engl. 'spə:dʒən
...spurig ...ʃpu:rɪç, -e ...ɪgə
Spurt ʃpʊrt
spurten 'ʃpʊrtn̩
sputen 'ʃpu:tn̩
Sputnik 'ʃpʊtnɪk, 'sp...
Sputter... 'spatɐ...
Sputum 'ʃpu:tʊm, 'sp...,
...ta ...ta
Spütze 'ʃpʊtsə
sputzen 'ʃpʊtsn̩
Spy engl. spai, fr. spi
Spychalski poln. spɨ'xalski
Spyri 'ʃpɨ:ri
Squarcione it. skʊar'tʃo:ne
Square skvɛ:ɐ

Squaredance 'skvɛ:ɐda:ns
Squash skvɔʃ
Squatter 'skvɔtɐ
Squaw skvo:
Squenz skvɛnts
Squibb engl. skwɪb
Squire 'skvaiɐ
Šrámek tschech. 'ʃra:mɛk
Srbija serbokr. 'sr̩bija
Srbik 'zɪrbɪk
Srbobran serbokr. 'sr̩bɔ-
bra:n
Srem serbokr. srɛ:m
Sremac serbokr. 'srɛ:mats
Sremska Mitrovica serbokr.
'srɛ:mska: 'mitrɔvitsa
Sremski Karlovci serbokr.
'srɛ:mski: 'ka:rlɔ:ftsi
Sri Lanka 'sri: 'laŋka
Sri-Lanker sri'laŋkɐ
sri-lankisch sri'laŋkɪʃ
Srinagar engl. 'sri:nəgə
Sruoga lit. 'srʊəga
ß ɛs'tse:
SSSR ɛs|ɛs|ɛs'|ɛr
st! st (mit silbischem [s])
s.t. ɛs'te:
Staab[s] ʃta:p[s]
Staat ʃta:t
Stab ʃta:p, -es 'ʃta:bəs,
Stäbe 'ʃtɛ:bə
Stabat Mater 'sta:bat
'ma:tɐ
Stäbchen 'ʃtɛ:pçən
Stabelle ʃta'bɛlə
stäbeln 'ʃtɛ:bl̩n, **stäble**
'ʃtɛ:blə
staben 'ʃta:bn̩, **stab!** ʃta:p,
stabt ʃta:pt
Staberl[e] 'ʃta:bɐl[ə]
Stabiae sta:'biɛ
stabil ʃta'bi:l, st...
Stabile (Konstruktion) 'ʃta:-
bilə, 'st...
Stabilisation ʃtabiliza-
'tsio:n, st...
Stabilisator ʃtabili'za:to:ɐ,
st..., -en ...za'to:rən
stabilisieren ʃtabili'zi:rən,
st...
Stabilität ʃtabili'tɛ:t, st...
Stablack 'ʃtablak
Stäbli 'ʃtɛ:bli
staccato ʃta'ka:to, st...
Staccato ʃta'ka:to, st..., **...ti**
...ti
stach ʃta:x
Stach ʃtax
Stachanow ʃta'xa:nɔf, russ.
sta'xanɐf

stäche 'ʃtɛ:çə
Stachel 'ʃtaxl̩
stachelig 'ʃtaxəlɪç, -e …ɪgə
stacheln 'ʃtaxl̩n
Staches 'ʃtaxəs
Stachiewicz poln. sta'xjɛ-vitʃ
Stachlerkopf 'ʃtaxlɐkɔpf
stachlig 'ʃtaxlɪç, -e …ɪgə
Stachus 'ʃtaxʊs
¹Stack ʃtak
²Stack (EDV) stɛk
Stacy engl. 'steɪsɪ
stad ʃta:t, -e 'ʃta:də
Stade 'ʃta:də
Stadel 'ʃta:dl̩
Städel 'ʃtɛ:dl̩
Stadelmann 'ʃta:dl̩man
Staden 'ʃta:dn̩, niederl. 'sta:də
Stader 'ʃta:dɐ
stadial ʃta'dja:l, st…
Stadialität ʃtadjali'tɛ:t, st…
Stadion 'ʃta:djɔn, …ien …jən
Stadium 'ʃta:djʊm, …ien …jən
Stadl 'ʃta:dl̩
Stadler 'ʃta:dlɐ
Stadlmayr 'ʃta:dl̩maɪɐ
Stadskanaal niederl. 'stɑts-kɑna:l
Stadt ʃtat; Städte 'ʃtɛ:tə, auch: 'ʃtɛtə
Stadtallendorf ʃtat-'laləndɔrf
Städtchen 'ʃtɛ:tçən, auch: 'ʃtɛt…
Städter 'ʃtɛ:tɐ, auch: 'ʃtɛtɐ
Stadthagen ʃtat'ha:gn̩
Stadtilm ʃtat'ɪlm
städtisch 'ʃtɛ:tɪʃ, auch: 'ʃtɛ-tɪʃ
Stadtlohn 'ʃtatlo:n
Stadtoldendorf ʃtat-'ɔldn̩dɔrf
Stadtroda ʃtat'ro:da
Stadtsteinach ʃtat'ʃtaɪnax
Staeck ʃtɛ:k
Staehelin 'ʃtɛ:əli:n
Staël fr. stal
Stäfa 'ʃtɛ:fa
Stafel 'ʃta:fl̩, Stäfel 'ʃtɛ:fl̩
Stafette ʃta'fɛtə
Staff poln. staf
Staffa engl. 'stæfə, it. 'staffa
Staffage ʃta'fa:ʒə
Staffel[berg] 'ʃtafl̩[bɛrk]
Staffeldt dän. 'sdafel'd
Staffelei ʃtafə'laɪ

staff[e]lig 'ʃtaf[ə]lɪç, -e …ɪgə
staffeln 'ʃtafl̩n
Staffelsee 'ʃtaflze:
Staffelstein 'ʃtaflʃtaɪn
staffieren ʃta'fi:rən
Stafford engl. 'stæfəd, -shire -ʃɪə
Stag ʃta:k, -e 'ʃta:gə
Stage 'sta:ʒə
Stageira sta'gaɪra
Stagflation ʃtakfla'tsio:n, st…
Stagiaire sta'ʒiɛ:ɐ̯
Stagione sta'dʒo:nə
Stagira sta'gi:ra
Stagirit stagi'ri:t
Stagnation ʃtagna'tsio:n, st…
Stagnelius schwed. staŋ'ne:-liʊs
stagnieren ʃta'gni:rən, st…
Stagoskopie ʃtagosko'pi:, st…
stahl ʃta:l
Stahl ʃta:l, Stähle 'ʃtɛ:lə
Stahlbrode ʃta:l'bro:də
stähle 'ʃtɛ:lə
stählen 'ʃtɛ:lən
stählern 'ʃtɛ:lɐn
stahlhart 'ʃta:l'hart
Stählin 'ʃtɛ:li:n
Stahly 'ʃta:li
stahn ʃta:n
Stahr ʃta:ɐ̯
Staiger 'ʃtaɪgɐ
Stainer 'ʃtaɪnɐ, engl. 'steɪnə
Staines engl. steɪnz
Stainless Steel 'ste:nlɛs 'sti:l
Stainow bulgar. 'stajnof
Stains fr. stɛ̃
stak ʃta:k
Stake 'ʃta:kə
stäke 'ʃtɛ:kə
staken, S… 'ʃta:kn̩
Stakes ste:ks, ʃte:ks
Staket[e] ʃta'ke:t[ə]
Stakkato ʃta'ka:to, sta…, …ti …ti
staksen 'ʃta:ksn̩
staksig 'ʃta:ksɪç, -e …ɪgə
Stalagmit ʃtala'gmi:t, st…
Stalagmometer ʃtalagmo-'me:tɐ, st…
Stalaktit stalak'ti:t, ʃt…
Stalbemt niederl. 'stalbɛmt
Stalder 'ʃtaldɐ
Stalin 'ʃta:li:n, 'st…, russ., rumän., bulgar. 'stalin

Stalinabad russ. stɛlina'bat
Stalingrad 'ʃta:li:ngra:t, russ. stɛlin'grat
Stalingrader ʃta:li:ngra:dɐ
Staliniri russ. stɛli'niri
stalinisieren ʃtalini'zi:rən, st…
Stalinismus ʃtali'nɪsmʊs, st…
Stalinist ʃtali'nɪst, st…
Stalino russ. 'stalinɐ
Stalinogorsk russ. stɛlina-'gɔrsk
Stalinogród poln. stali'no-grut
Stalinsk russ. 'stalinsk
Stalinstadt ʃta:li:nʃtat
Stall ʃtal, Ställe 'ʃtɛlə
Ställchen 'ʃtɛlçən
stallen 'ʃtalən
Stallone engl. sta'loʊn
Stallupönen ʃtalu'pø:nən
Stalowa Wola poln. sta'lɔva 'vɔla
Stalpart niederl. 'stalpart
Stalski russ. 'staljskij
Staltach 'ʃtaltax
Stalybridge engl. 'steɪlɪ-brɪdʒ
Stamatow bulgar. stɛ'matof
Stamatu rumän. sta'matu
Stamboliski bulgar. stɛm-bo'lijski
Stambolow bulgar. stɛmbo-'lɔf
Stambul 'ʃtambʊl, 'st…
Stamen 'ʃta:mən, 'st…, Sta-mina …mina
Stamford engl. 'stæmfəd
Stamic tschech. 'stamits
Staminodium ʃtami'no:-djʊm, st…, …ien …jən
Stamitz 'ʃta:mɪts
Stamm ʃtam, Stämme 'ʃtɛmə
Stämmchen 'ʃtɛmçən
Stammel 'ʃtaml̩
stämmeln, S… 'ʃtaml̩n
stammen 'ʃtamən
stammern 'ʃtamɐn
Stammheim 'ʃtamhaɪm
stämmig 'ʃtɛmɪç, -e …ɪgə
Stammler 'ʃtamlɐ
Stamokap 'ʃta:mokap
Stampa it. 'stampa
Stampe 'ʃtampə
Stampede ʃtam'pe:də, st…, stɛm'pi:t
Stamper[l] 'ʃtampɐ[l]
Stampfe 'ʃtampfə

stampfen, S... 'ʃtampfn̩
Stampiglie ʃtam'pɪljə
Stams ʃtams
Stan engl. stæn
Stancu rumän. 'staŋku
stand ʃtant
Stand ʃtant, **-es** 'ʃtandəs,
Stände 'ʃtɛndə
¹Standard 'ʃtandart, auch:
st...
²Standard (Jazz) engl.
'stɛndəd
Standardisation ʃtandardi-
za'tsi̯oːn, auch: st...
standardisieren ʃtandardi-
'ziːrən, auch: st...
Standarte ʃtan'dartə
Stand-by ʃtɛnt'bai̯,
st...; '‒‒
Ständchen 'ʃtɛntçən
Stande 'ʃtandə
stände, S... 'ʃtɛndə
Ständel 'ʃtɛndl̩
standen 'ʃtandn̩
Stander 'ʃtandɐ
Ständer 'ʃtɛndɐ
Standerton engl. 'stændətn
Standfuß 'ʃtantfuːs
standhalten 'ʃtanthaltn̩
ständig 'ʃtɛndɪç, **-e** ...ɪgə
Standing Ovations 'stɛndɪŋ
o've:ʃn̩s
ständisch 'ʃtɛndɪʃ
Standl 'ʃtandl̩
Stănescu rumän. stə'nesku
Stanew bulgar. 'stanɛf
Stanford engl. 'stænfəd
Stange 'ʃtaŋə
Stängel 'ʃtɛŋl̩
Stängelchen 'ʃtɛŋlçən
...stäng[e]lig ...ʃtɛŋ[ə]lıç, **-e**
...ɪgə
stängeln 'ʃtɛŋln̩
Stänglein 'ʃtɛŋlai̯n
Stanhope engl. 'stænhoʊp
Stanislau[s] ʃta'nɪslau̯[s]
Stanislav tschech. 'stanjislaf
Stanislaw ʃta'nɪslaf, russ.
stɛni'slaf
Stanisław poln. sta'nisu̯af
Stanisławski russ. stɛni-
'slafskij
Stanisławski poln.
stani'su̯afski
Stanitz[e]l ʃta'nɪtsl̩
Stanjukowitsch russ. stɛ-
nju'kɔvitʃ
stank, S... ʃtaŋk
stänke 'ʃtɛŋkə

Stanke Dimitrow bulgar.
stɛŋ'kɛ dimi'trɔf
Stänkerei ʃtɛŋkə'rai̯
Stänk[er]er 'ʃtɛŋk[ər]ɐ
stänk[e]rig 'ʃtɛŋk[ə]rɪç, **-e**
...ɪgə
stänkern 'ʃtɛŋkɐn
Stanković serbokr. 'sta:ŋko-
vitɕ
Stanley engl. 'stænlɪ
Stanleyville fr. stanlɛ'vil
Stannat ʃta'na:t, st...
Stannin ʃta'ni:n, st...
Stanniol ʃta'ni̯oːl, st...
stanniolieren ʃtani̯o'li:rən,
st...
Stannum 'ʃtanʊm, 'st...
Stanowoi Chrebet russ.
stɛna'vɔi̯ xrɪ'bjɛt
Stans ʃtans
Stanser 'ʃtanzɐ
Stanske 'ʃtanskə
Stansstad ʃtans'ʃta:t
stantape ʃtanta'pe:
stante pede 'stantə 'pe:də,
'ʃt... -
Stanthorpe engl. 'stænθɔ:p
Stanton engl. 'sta:ntən,
'stæn...
Stanwyck engl. 'stænwɪk
Stanze 'ʃtantsə
stanzen 'ʃtantsn̩
Stanzi 'ʃtantsi̯
Stanzioni it. stan'tsi̯o:ni
Stapel 'ʃta:pl̩, niederl. 'sta:-
pəl
Stapelholm 'ʃta:plhɔlm
Stapelia ʃta'pe:li̯a
Stapelie ʃta'pe:li̯ə
stapeln 'ʃta:pln̩
Stapfe 'ʃtapfə
stapfen, S... 'ʃtapfn̩
Stapfer 'ʃtapfɐ
Staphyle ʃta'fy:lə, st...
Staphylinide ʃtafyli'ni:də,
st...
Staphylitis ʃtafy'li:tɪs, st...,
...itiden ...li'ti:dn̩
Staphylodermie ʃtafylo-
dɛr'mi:, st..., **-n** ...i:ən
Staphylokokkus ʃtafylo'ko-
kʊs, st...
Staphylolysin ʃtafyloly-
'zi:n, st...
Staphylom ʃtafy'lo:m, st...
Staphyloma ʃtafy'lo:ma,
st..., **...ta** ...ta
Staphylomykose ʃtafylo-
my'ko:zə, st...
Stapledon engl. 'steɪpldən

Stappen niederl. 'stapə
Staps ʃtaps
¹Star (Vogel, Krankheit)
ʃta:ɐ̯
²Star (Berühmtheit) ʃta:ɐ̯,
sta:ɐ̯
³Star (Name) engl. sta:
Stär ʃtɛ:ɐ̯
Stará Boleslav tschech.
'stara: 'bɔlɛslaf
Starachowice poln. stara-
xɔ'vitsɛ
Staraja Russa russ. 'starɐjɐ
'rusɐ
Stara Pazova serbokr.
'sta:ra: 'pazɔva
Stara planina serbokr.
'sta:ra: pla.nina, bulgar.
'starɐ plɛni'na
Stara Sagora bulgar. 'starɐ
zɐ'gɔrɐ
starb ʃtarp
starben 'ʃtarbn̩
starbt ʃtarpt
Starčevo serbokr. 'sta:rtʃɛvɔ
Staré Město tschech. 'starɛ:
'mnjɛstɔ
stären 'ʃtɛ:rən
Starewitsch russ. sta'rjevitʃ
Starez 'sta:rɛts, 'ʃt..., **Star-
zen** 'startsn̩, 'ʃt...
Starfighter engl. 'sta:faɪtə
Stargard 'ʃta:ɐ̯gart
Stargard Szczeciński
poln. 'stargart ʃtʃɛ'tɕii̯ski
Starhemberg 'ʃta:rəmbɛrk
Starine sta'ri:nə, ʃt...
Staring niederl. 'sta:rɪŋ
stark ʃtark, **stärker** 'ʃtɛrkɐ
Stark ʃtark, engl. sta:k
Stärke 'ʃtɛrkə
stärken 'ʃtɛrkn̩
Starkenburg 'ʃtarkn̩bʊrk
stärker vgl. stark
Starkey, ...ki engl. 'sta:kɪ
Starking 'ʃtarkɪŋ
Starlet[t] 'ʃta:ɐ̯lɛt, 'st...
Starling engl. 'sta:lɪŋ
Starnberg 'ʃtarnbɛrk
Starnberger 'ʃtarnbɛrgɐ
Starnina it. star'ni:na
Starobinski fr. starɔbɛ̃s'ki
Starogard Gdański poln.
sta'rɔgart 'gdai̯ski
Starost sta'rɔst, auch: ʃt...
Starostei starɔs'tai̯, auch:
ʃt...
Starow russ. sta'rɔf
Starowerzen staro'vɛrtsn̩
starr ʃtar

Starre 'ʃtarə
starren 'ʃtarən
Stars and Stripes engl.
'staːz ənd 'straɪps
Start ʃtart, auch: start
START sta:ɐ̯t, engl. sta:t
starten 'ʃtartn̩, auch: 'st...
¹Starter 'ʃtartɐ, auch: 'st...
²Starter niederl. 'startər
Stary Oskol russ. 'starij
as'kɔl
Staryzky ukr. sta'rɪtsjkɪj
Starzen vgl. Starez
Stase 'ʃtaːzə, 'st...
Stašek tschech. 'staʃɛk
Stasi 'ʃtaːzi
Stasimon 'ʃtaːzimɔn, 'st...,
...ma ...ma
Stasimorphie ʃtazimɔr'fiː,
st..., -n ...iːən
Stasis 'ʃtaːzɪs, 'staːzɪs, Sta-
sen 'ʃtaːzn̩, 'st...
Stassen 'ʃtasn̩, engl. sta:sn,
stæsn
Staßfurt 'ʃtasfʊrt
Stassow russ. 'stasɐf
Staszic poln. 'staʃits
Stat ʃtaːt, sta:t
statarisch ʃta'taːrɪʃ, st...
State Department 'ste:t
di'pa:ɐ̯tmənt
Statement 'ste:tmənt
Staten Island engl. 'stætn
'aɪlənd
Stater ʃta'teːɐ̯, st...
Statesboro engl. 'steɪtsbərə
Statesville engl. 'steɪtsvɪl
Stathmograph ʃtatmo-
'gra:f, st...
statieren ʃta'tiːrən
stätig 'ʃtɛːtɪç, -e ...ɪɡə
Statik 'ʃtaːtɪk, 'st...
Statiker 'ʃtaːtikɐ, 'st...
Station ʃta'tsi̯oːn
stationär ʃtatsi̯o'nɛːɐ̯
stationieren ʃtatsi̯o'niːrən
statiös ʃta'tsi̯øːs, -e ...øːzə
statisch 'ʃtaːtɪʃ, 'st...
stätisch 'ʃtɛːtɪʃ
Statist ʃta'tɪst
Statisterie ʃtatɪstə'riː, -n
...iːən
Statistik ʃta'tɪstɪk
Statistiker ʃta'tɪstikɐ
statistisch ʃta'tɪstɪʃ
Statius 'sta:tsi̯ʊs
¹Stativ (Gestell) ʃta'tiːf, -e
...iːvə
²Stativ (Grammatik) 'ʃta:-
tiːf, 'st...

Statler engl. 'stætlə
Statoblast ʃtato'blast, st...
Statolith ʃtato'liːt, st...
Stator 'ʃta:toːɐ̯, 'st..., -en
ʃta'toːrən, st...
Statoskop ʃtato'sko:p, st...
statt, S... ʃtat
Stätte 'ʃtɛtə
stattfinden 'ʃtatfɪndn̩
Statthalter 'ʃtathaltɐ
Statthalterei ʃtathaltə'raɪ
Stattler 'ʃtatlɐ
stattlich 'ʃtatlɪç
Statuarik ʃta'tu̯aːrɪk, st...
statuarisch ʃta'tu̯aːrɪʃ, st...
Statue 'ʃta:tu̯ə, 'st...
Statuette ʃta'tu̯ɛtə, st...
statuieren ʃtatu'iːrən, st...
Statur ʃta'tuːɐ̯
Status 'ʃta:tʊs, 'st..., die -
...tuːs
Status [- Nascendi, - praesens, - quo, - quo ante]
'ʃta:tʊs, 'st... [- nas'tsɛndi,
- 'preːzens, - kvo:, - kvo:
'antə]
Statut ʃta'tuːt
statutarisch ʃtatu'ta:rɪʃ
Statute Law 'stɛtjuːt 'lo:
Stau ʃtau
Staub ʃtaup, -es 'ʃtaubəs,
Stäube 'ʃtɔybə
Stäubchen 'ʃtɔypçən
stauben 'ʃtaubn̩, staub!
ʃtaup, staubt ʃtaupt
stäuben 'ʃtɔybn̩, stäub!
ʃtɔyp, stäubt ʃtɔypt
stäubern 'ʃtɔybɐn, stäubre
'ʃtɔybrə
staubig 'ʃtaubɪç, -e ...ɪɡə
Stäubling 'ʃtɔyplɪŋ
¹staubtrocken (sehr tro-
cken) 'ʃtaup'trɔkn̩
²staubtrocken (Lack)
'ʃtauptrɔkn̩
Stauche 'ʃtauxə
stauchen 'ʃtauxn̩
Staude 'ʃtaudə
stauden 'ʃtaudn̩, staud!
ʃtaut
staudig 'ʃtaudɪç, -e ...ɪɡə
Staudinger 'ʃtaudɪŋɐ
Stäudlin 'ʃtɔydliːn
Staudt[e] 'ʃtaut[ə]
stauen 'ʃtauən
Stauf[e] 'ʃtauf[ə]
Staufen 'ʃtaufn̩
Staufenberg 'ʃtaufn̩bɛrk
Staufer 'ʃtaufɐ
Stauffacher 'ʃtaufaxɐ

Stauffenberg 'ʃtaufn̩bɛrk
Stauffer 'ʃtaufɐ
staufisch 'ʃtaufɪʃ
staunen, S... 'ʃtaunən
Stauning dän. 'sdaunɪŋ
¹Staunton (Virginia) engl.
'stænton
²Staunton (Personenname)
engl. 'stɔːnton, 'sta:nton
Staupe 'ʃtaupə
stäupen 'ʃtɔypn̩
Staupitz 'ʃtaupɪts
Staurolith ʃtauro'liːt, st...
Staurothek ʃtauro'te:k, st...
Stavanger norw. sta'vaŋər
Stavelot fr. sta'vlo
¹Stavenhagen (Ort)
ʃta'nˑha:gn
²Stavenhagen (Nachn.)
'ʃta:vn̩ha:gn
Staviski fr. stavis'ki
Stawropol russ. 'stavrɐpɐlj
St. Clair engl. 'sɪŋkleə
Stead engl. stɛd, sti:d
Steadyseller 'stɛdizɛlɐ
Steadystate 'stɛdiste:t
Steak ste:k, ʃte:k
Steaklet 'ste:klət, 'ʃt...
Stealth engl. stɛlθ
Steam[er] 'sti:m[ɐ], 'ʃt...
Steapsin ʃtea'psi:n, st...
Stearat ʃtea'ra:t, st...
Stearin ʃtea'ri:n, st...
Stearrhö, ...öe ʃtea'rø:, st...,
...rrhöen ...'rø:ən
Steatit ʃtea'ti:t
Steatom ʃtea'to:m, st...
Steatopygie ʃteatopy'gi:,
st...
Steatose ʃtea'to:zə, st...
Steatozele ʃteato'tse:lə,
st...
Stebark poln. 'stɛmbark
Stebbins engl. 'stɛbɪnz
Steben 'ʃte:bn̩
Stebich 'ʃte:bɪç
Stecchetti it. stek'ketti
Stech ʃtɛç
stechen 'ʃtɛçn̩
Stechlin ʃtɛç'li:n
Steckborn 'ʃtɛkbɔrn
Steckel 'ʃtɛkl̩
steckeln, S... 'ʃtɛkn̩
Steckling 'ʃtɛklɪŋ
Stedingen 'ʃte:dɪŋən
Stedinger 'ʃte:dɪŋɐ
Stedman engl. 'stɛdmən
Steeg ʃte:k
Steelband 'sti:lbɛnt
Steele 'ʃte:lə, engl. sti:l

Steen *engl.* sti:n, *dän.*
sdı:'n, *niederl.* ste:n
Steenbergen *niederl.* 'ste:n-
bɛryə
Steenbeck 'ʃte:nbɛk
Steenbock *engl.* 'sti:nbɔk
Steenwij[c]k *niederl.* 'ste:n-
wɛi̯k
Steeplechase 'sti:plt̬ʃe:s,
'ʃt..., **-n** ...tʃe:sn̩
Steepler 'sti:plɐ, 'ʃt...
Steer[s] *engl.* stɪə[z]
Stefan 'ʃtɛfan, *russ.* stı'fan,
bulgar. 'stɛfɐn, *poln.* 'stɛfan
Ştefan *rumän.* 'ʃtefan
Ştefán *isl.* 'stɛ:faṷn
Stefani *it.* 'ste:fani, *poln.*
stɛ'fani
Stefania ʃte'fa:nja
Stefanie ʃte'fa:njə, 'ʃtɛfani,
ʃtefa'ni:
Stefano *it.* 'ste:fano
Stefanopulos *neugr.* stɛfa-
'nɔpulɔs
Stefanović *serbokr.* stɛ.fa:-
nɔvitɕ
Stefanson *engl.* stɛfnsn
Stefánsson *isl.* 'stɛ:faṷnsɔn
Steffani *it.* 'stɛffani
Steffe[c]k 'ʃtɛfɛk
Steffen 'ʃtɛfn̩
Steffens 'ʃtɛfn̩s, *engl.*
stɛfnz
Steffi 'ʃtɛfi
Steffisburg 'ʃtɛfɪsbʊrk
Steg ʃte:k, **-e** 'ʃte:gə
Steganographie ʃtegano-
gra'fi:, st...
Steger[wald] 'ʃte:gɐ[valt]
Stegmann 'ʃte:kman
Stegmüller 'ʃte:kmʏlɐ
Stegner *engl.* 'stɛgnə
Stegodon 'ʃte:godɔn, 'st...,
-ten ʃtego'dɔntn̩, st...
Stegosaurier ʃtego'zaṷrjɐ,
st...
Stegozephale ʃtegotse-
'fa:lə, st...
Stegreif 'ʃte:kra͜if
Steguweit 'ʃte:guva͜it
Stehauf 'ʃte:la͜uf
Stehaufmännchen 'ʃte:-
la͜uf.mɛnçən
stehen 'ʃte:ən
stehlen 'ʃte:lən
Stehlík *tschech.* 'stɛhli:k
Stehr ʃte:ɐ
Steidl 'ʃta͜idl̩
Steierin 'ʃta͜iərin
Steiermark 'ʃta͜iɐmark

Steiermärker 'ʃta͜iɐmɛrkɐ
steiermärkisch 'ʃta͜iɐmɛr-
kɪʃ
steif ʃta͜if
Steife 'ʃta͜ifə
steifen 'ʃta͜ifn̩
Steiff® ʃta͜if
Steig ʃta͜ik, **-e** 'ʃta͜igə
Steige 'ʃta͜igə
steigen 'ʃta͜ign̩, **steig!** ʃta͜ik,
steigt ʃta͜ikt
Steigenberger 'ʃta͜ignbɛrgɐ
Steigentesch 'ʃta͜igntɛʃ
Steiger 'ʃta͜igɐ, *engl.* 'sta͜igə
steigern 'ʃta͜ign̩, **steigre**
'ʃta͜igrə
Steigerwald 'ʃta͜igɐvalt
steil ʃta͜il
Steile 'ʃta͜ilə
steilen 'ʃta͜ilən
¹Stein ʃta͜in
²Stein (Name) ʃta͜in, *nie-
derl.* stɛin, *engl.* sta͜in
Steinach 'ʃta͜inax
steinalt 'ʃta͜in'lalt
Steinamanger ʃta͜ina'maŋɐ
Steinarr *isl.* 'stɛi̯nar
Steinau 'ʃta͜ina͜u
Steinbach 'ʃta͜inbax
Steinbeck 'ʃta͜inbɛk, *engl.*
'sta͜inbɛk
Steinberg 'ʃta͜inbɛrk, *engl.*
'sta͜inbə:g
Steinberger *engl.* 'sta͜in-
bə:gə
Steinbrück 'ʃta͜inbrʏk
Steinbuch 'ʃta͜inbu:x
Steinburg 'ʃta͜inbʊrk
Steindl 'ʃta͜indl̩
steinen, S... 'ʃta͜inən
Steiner 'ʃta͜inɐ, *engl.* 'sta͜inə
steinern 'ʃta͜inɐn
Steinfeld 'ʃta͜infɛlt
Steinfurt[h] 'ʃta͜infʊrt
Steingaden 'ʃta͜in'ga:dn̩
Steingruber 'ʃta͜ingru:bɐ
steinguten 'ʃta͜ingu:tn̩
Steinhagen 'ʃta͜inha:gn̩
Steinhäger® 'ʃta͜inhɛ:gɐ
steinhart 'ʃta͜in'hart
Steinhaus 'ʃta͜inha͜us
¹Steinhausen (Maler)
'ʃta͜inha͜uzn̩
²Steinhausen (Ort) ʃta͜in-
'ha͜uzn̩
Steinheil 'ʃta͜inha͜il
Steinheim 'ʃta͜inha͜im
Steinhöfel 'ʃta͜inhø:fl̩
Steinhöwel 'ʃta͜inhø:vl̩
Steinhude 'ʃta͜inhu:də

Steinhuder 'ʃta͜inhu:dɐ
steinig 'ʃta͜inɪç, **-e** ...Igə
steinigen 'ʃta͜inɪgn̩, **steinig!**
...ɪç, **steinigt** ...ɪçt
Steinitz 'ʃta͜inɪts, *engl.* 'sta͜i-
nɪts
Steinke 'ʃta͜inkə
Steinkjer *norw.* ˌsta͜inçæ:r
Steinl 'ʃta͜inəl
Steinle 'ʃta͜inlə
Steinlen 'ʃta͜inlən, *fr.* stɛ-
'lɛn, stɛn'lɛn
Steinman *engl.* 'sta͜inmən
Steinmar[k] 'ʃta͜inmar[k]
Steinmetz 'ʃta͜inmɛts, *engl.*
'sta͜inmɛts, *niederl.* 'stɛin...
¹steinreich (reich an Stei-
nen) 'ʃta͜inra͜iç
²steinreich (sehr reich)
ʃta͜in'ra͜iç
Steinsburg 'ʃta͜insbʊrk
Steinschneider 'ʃta͜in-
ʃna͜idɐ
Steinstücken 'ʃta͜inʃtʏkn̩
Steint[h]al 'ʃta͜inta:l
Steinway 'ʃta͜inve, *engl.*
'sta͜inwe͜i
Steinweg 'ʃta͜inve:k
steipen 'ʃta͜ipn̩
Steiper 'ʃta͜ipɐ
steipern 'ʃta͜ipɐn
Steirer 'ʃta͜irɐ
steirisch 'ʃta͜irɪʃ
Steiß ʃta͜is
Stek ste:k, ʃte:k
Stele 'ste:lə, 'ʃte:lə
Stella 'ʃtɛla, *engl.* 'stɛlə, *it.*
'stella, *fr.* stɛl'la
Stellage ʃte'la:ʒə
stellar ʃtɛ'la:ɐ, st...
Stellarator ʃtɛla'ra:tɔ:ɐ, **-en**
ʃtɛlara'to:rən
Stellaris ʃtɛ'la:rɪs, st...
Stelldichein 'ʃtɛldɪçla͜in
Stelle 'ʃtɛlə
stellen 'ʃtɛlən
Stellenbosch *afr.* stɛləm-
'bɔs
Steller 'ʃtɛlɐ
Stellerator ʃtɛlɐ'ra:tɔ:ɐ, **-en**
...ra'to:rən
...stellig ...ʃtɛlɪç, **-e** ...ɪgə
Stelling 'ʃtɛlɪŋ
Stellmacherei ʃtɛlmaxə'ra͜i
St.-Ęlms-Feuer zaŋkt-
'lɛlmsfɔyɐ
Stelvio *it.* 'stelvjo, 'stɛlvjo
Stelze 'ʃtɛltsə
stelzen, S... 'ʃtɛltsn̩
Stelzer 'ʃtɛltsɐ

Stelzhamer 'ʃtɛltʃhamɐ
stelzig 'ʃtɛltsɪç, -e ...ɪgə
Stemma 'ʃtɛma, 'st..., -ta
-ta
stemmatologisch ʃtɛmato-
'lo:gɪʃ, st...
Stemme 'ʃtɛmə
stemmen, S... 'ʃtɛmən
Stemmle 'ʃtɛmlə
Stempel 'ʃtɛmpl̩
stempeln 'ʃtɛmpl̩n
Stempen 'ʃtɛmpn̩
Sten ʃte:n, engl. stɛn,
schwed. ste:n, dän. sdɪ:'n
Stendal 'ʃtɛnda:l
Stenden 'ʃtɛndn̩
Stendhal fr. stɛ̃'dal
Stenge 'ʃtɛŋə
Stengel 'ʃtɛŋl̩
Stenhammar schwed.
ˌste:nhamar
Stenius schwed. 'ste:niʊs
¹Steno (Kurzschrift) 'ʃte:no
²Steno (Name) 'ʃte:no,
'ste:no
Stenodaktylo ʃteno'dak-
tylo
Stenodaktylographie ʃte-
nodaktylogra'fi:
Stenodaktylographin ʃte-
nodaktylo'gra:fɪn
Stenograf ʃteno'gra:f
Stenografie ʃtenogra'fi:, -n
...i:ən
stenografieren ʃtenogra'fi:-
rən
Stenogramm ʃteno'gram
stenohalin ʃtenoha'li:n, st...
stenök ʃte'nø:k, st...
Stenokardie ʃtenokar'di:,
st..., -n ...i:ən
Stenokorie ʃtenoko'ri:, st...
stenophag ʃteno'fa:k, st...,
-e ...'fa:gə
Stenose ʃte'no:zə, st...
Stenosis ʃte'no:zɪs, st...
stenotherm ʃteno'tɛrm,
st...
Stenothorax ʃteno'to:raks,
st...
stenotop ʃteno'to:p, st...
Stenotypie ʃtenoty'pi:, -n
...i:ən
stenotypieren ʃtenoty'pi:-
rən
Stenotypist ʃtenoty'pɪst
stenoxybiont ʃtenɔksy-
'bjɔnt, st...
Stensen dän. 'sdensn̩
stentando stɛn'tando

stentato stɛn'ta:to
Stentor 'ʃtɛnto:ɐ̯, 'st...
Stentsch ʃtɛntʃ
Stenungsund schwed. ste:-
nʊŋ'sʊnd
Stenz ʃtɛnts
Stepan russ. stɪ'pan, ser-
bokr. 'stɛpa:n
Stepanakert russ. stɪpɐ-
na'kjɛrt
Štěpán[ov] tschech.
'ʃtjɛpa:n[ɔf]
Stepanow russ. stɪ'panɐf
Stepanowitsch russ. stɪ'pa-
nɐvitʃ
Stepanow[n]a russ. stɪ'pa-
nɐv[n]ɐ
Stepaschin russ. stɪ'paʃin
Stephan 'ʃtɛfan
Stephani ʃte'fa:ni, 'ʃtɛfani
Stephanie ʃte'fa:niə, 'ʃtɛ-
fani, ʃtefa'ni:
Stephanit ʃtefa'ni:t
Stephanitag ʃte'fa:nita:k
Stephano 'stɛfano
Stephansson engl. stɛfnsn
Stephanus 'ʃtɛfanʊs, 'st...
Stephen[s] engl. sti:vn[z]
Stephensen dän. 'sdefn̩sn̩
Stephenson engl. sti:vnsn
Stepinac serbokr. stɛ'pi:nats
Stepney engl. 'stɛpnɪ
Stepp ʃtɛp, stɛp
Steppe 'ʃtɛpə
¹steppen (tanzen) 'ʃtɛpn̩,
'st...
²steppen (nähen) 'ʃtɛpn̩
Stepper (Tänzer) 'ʃtɛpɐ,
'st...
Stepperei (zu: ²steppen)
ʃtɛpə'rai
Steppke 'ʃtɛpkə
Stepun ʃte'pu:n
Ster ʃte:ɐ̯
Steradiant ʃtera'djant
sterben 'ʃtɛrbn̩
Sterbensangst 'ʃtɛrbn̩s-
'laŋst
sterbenselend 'ʃtɛrbn̩s-
'|e:lɛnt
sterbenskrank 'ʃtɛrbn̩s-
'kraŋk
sterbenslangweilig
'ʃtɛrbn̩s'laŋvailɪç
sterbensmatt 'ʃtɛrbn̩s'mat
Sterbensseele 'ʃtɛrbn̩s-
'ze:lə
Sterbenswort 'ʃtɛrbn̩s'vɔrt
Sterbenswörtchen
'ʃtɛrbn̩s'vœrtçən

Sterbet 'ʃtɛrbət
sterblich 'ʃtɛrplɪç
Sterculia ʃtɛr'ku:lia, st...
Stere rumän. 'stere
stereo, S... 'ʃte:reo, 'st...
Stereoagnosie ʃtereo-
|agno'zi:, st...
Stereoautograph ʃtereo-
|auto'gra:f, st...
Stereobat ʃtereo'ba:t, st...
Stereochemie ʃtereoçe'mi:,
st...
stereochemisch ʃtereo'çe:-
mɪʃ, st...
Stereochromie ʃtereo-
kro'mi:, st..., -n ...i:ən
Stereofilm 'ʃte:reofɪlm, 'st...
Stereofotografie ʃtereofotogra'fi:, st...
Stereograph ʃtereo'gra:f,
st...
Stereom ʃtere'o:m, st...
Stereometer ʃtereo'me:tɐ,
st...
Stereometrie ʃtereome'tri:,
st...
stereometrisch ʃtereo'me:-
trɪʃ, st...
stereophon ʃtereo'fo:n, st...
Stereophonie ʃtereofo'ni:,
st...
Stereophotogrammme-
trie ʃtereofotograme'tri:,
st...
stereophotogrammme-
trisch ʃtereofotogra'me:-
trɪʃ, st...
Stereoplanigraph ʃtereo-
plani'gra:f, st...
Stereoskop ʃtereo'sko:p,
st...
Stereoskopie ʃtereosko'pi:,
st...
stereotaktisch ʃtereo'taktɪʃ, st...
Stereotaxie ʃtereota'ksi:,
st...
Stereotaxis ʃtereo'taksɪs,
st...
Stereotomie ʃtereoto'mi:,
st...
stereotyp, S... ʃtereo'ty:p,
st...
Stereotypeur ʃtereoty'pø:ɐ̯,
st...
Stereotypie ʃtereoty'pi:,
st..., -n ...i:ən
stereotypieren ʃtereoty'pi:-
rən, st...
steril ʃte'ri:l, st...

Sterilisatiọn ∫teriliza'tsi̯o:n, st...
Sterilisạtor ∫terili'za:to:ɐ̯, st..., -en ...za'to:rən
sterilisieren ∫terili'zi:rən, st...
Sterilität ∫terili'tɛ:t, st...
Sterịn ∫te'ri:n, st...
Stẹrke '∫tɛrkə
Stẹrkfontein afr. 'stɛrkfɔn-tai̯n
sterkorạl ∫tɛrko'ra:l, st...
Stẹrkrade '∫tɛrkra:də
Stẹrlet[t] '∫tɛrlɛt
¹Stẹrling '∫tɛrlɪŋ, 'st..., auch: 'stø:ɐ̯lɪŋ, 'stœrlɪŋ
²Sterling (Name) engl. 'stə:-lɪŋ
Sterlitamạk russ. stɪrlita-'mak
¹Stẹrn ∫tɛrn
²Stẹrn (Name) ∫tɛrn, engl. stə:n, fr., poln. stɛrn
sternạl ∫tɛr'na:l, st...
Sternalgie ∫tɛrnal'gi:, st..., -n ...i:ən
Stẹrnberg '∫tɛrnbɛrk, engl. 'stə:nbə:g
Stẹrnberger '∫tɛrnbɛrgɐ
Sterndeutereị ∫tɛrndɔy-tə'rai̯
Stẹrne '∫tɛrnə, engl. stə:n
Stẹrneder '∫tɛrnle:dɐ
stẹrnenhell '∫tɛrnənhɛl
stẹrnhagelvọll '∫tɛrn-'ha:gl̩'fɔl
Stẹrnheim '∫tɛrnhai̯m
stẹrnklar '∫tɛrnkla:ɐ̯
Stẹrnum '∫tɛrnʊm, 'st..., ...na ...na
Steroịd ∫tero'i:t, st..., -e ...i:də
Stẹrt ∫te:ɐ̯t
Stẹrtor '∫tɛrto:ɐ̯, 'st...
stertorọs ∫tɛrto'rø:s, st..., -e ...ø:zə
Stẹrz ∫tɛrts
stẹrzeln '∫tɛrts̩ln
Stẹrz[ing] '∫tɛrts[ɪŋ]
Stesịchoros ste'zɪçorɔs
stẹt ∫te:t
Stẹte '∫te:tə
Stẹthaimer '∫tɛthai̯mɐ
Stethoskọp ∫teto'sko:p, st...
stẹtig '∫te:tɪç, -e ...ɪgə
stẹts ∫te:ts
stẹtsfort '∫te:tsfɔrt
Stẹtson engl. stɛtsn
Stẹtten[heim] '∫tɛtn̩[hai̯m]

Stẹttheimer '∫tɛthai̯mɐ
Stẹttin[er] ∫tɛ'ti:n[ɐ]
Stẹttinius ∫tɛ'ti:ni̯ʊs, engl. stə'tɪni̯əs
Steuart engl. stjʊət
Stẹuben '∫tɔybn̩, engl. 'st[j]u:bən
Steubenville engl. 'st[j]u:bənvɪl
Stẹuer '∫tɔyɐ
steụerbord, S... '∫tɔyɐbɔrt
Steụermann '∫tɔyɐman
steụern '∫tɔyɐn
Stẹvan serbokr. 'stɛva:n
Steve engl. sti:v
¹Stẹven '∫te:vn̩
²Stẹven (Name) engl. sti:vn
Stevenage engl. 'sti:vnɪdʒ
Stevens engl. sti:vnz, nie-derl. 'ste:vəns, fr. stə've:s
Stevenson engl. sti:vnsn
Stẹver '∫te:vɐ
Stevịn niederl. stə'vin
Stevịnus ste'vi:nʊs, ∫t...
Stẹvns dän. sdeu̯'ns
¹Steward 'stju:ɐt, '∫t[j]u:ɐt
²Steward (Name) engl. stjʊəd
Stewardess 'stju:ɐdɛs, '∫t[j]u:ɐdɛs, auch: stjuɐ'dɛs, ∫t[j]uɐ'dɛs
Stewardship 'stju:ɐt∫ɪp, '∫t[j]u:...
Stewart engl. stjʊət
Stẹyler '∫tai̯lɐ
Stẹyr '∫tai̯ɐ
Sthenie ∫te'ni:, st...
sthenisch '∫te:nɪ∫, 'st...
stibịtzen ∫ti'bɪts̩n
Stịbium '∫ti:bi̯ʊm, 'st...
stịch!, Stịch ∫tɪç
Sticharịon stɪ'ça:ri̯ɔn, ∫t..., ...ia ...i̯a
Stịchel '∫tɪçl̩
Stichelei ∫tɪçə'lai̯
stịcheln '∫tɪçl̩n
stịchig '∫tɪçɪç, -e ...ɪgə
stịchisch '∫tɪçɪ∫, 'st...
Stịchler '∫tɪçlɐ
Stịchling '∫tɪçlɪŋ
Stichomantie ∫tɪçoman'ti:, st..., -n ...i:ən
Stichometrie ∫tɪçome'tri:, st...
Stichomythie ∫tɪçomy'ti:, st..., -n ...i:ən
stịcht ∫tɪçt
Stịchwort '∫tɪçvɔrt
Stịck stɪk, ∫tɪk
Stịckel '∫tɪkl̩

Stịckelberger '∫tɪklbɛrgɐ
stịcken '∫tɪkn̩
Stịcker (Aufkleber) '∫tɪkɐ, 'st...
Stickereị ∫tɪkə'rai̯
stịckig '∫tɪkɪç, -e ...ɪgə
Stịckney engl. 'stɪknɪ
Stịckstoff '∫tɪk∫tɔf
Stiebel '∫ti:bl̩
stieben '∫ti:bn̩, stieb! ∫ti:p, stiebt ∫ti:pt
Stief... '∫ti:f...
Stief[el] '∫ti:f[l̩]
Stiefelette ∫tifə'lɛtə
stiefeln '∫ti:fl̩n
Stiefografie, ...aphie ∫tifo-gra'fi:
stieg ∫ti:k
Stiege '∫ti:gə
stiegen '∫ti:gn̩
Stieglitz '∫ti:glɪts, engl. 'sti:g-lɪts
stiegt ∫ti:kt
stiehl!, Stiehl ∫ti:l
stiehlt ∫ti:lt
stiekum '∫ti:kʊm
stielen '∫ti:lən
Stiel[er] '∫ti:l[ɐ]
Stieltjes niederl. 'stiltjəs
stiemen '∫ti:mən
stier, S... '∫ti:ɐ̯
stieren '∫ti:rən
stierig '∫ti:rɪç, -e ...ɪgə
Stiernhielm schwed. ∫æ:rn-jɛlm
Stiernstedt schwed. ∫æ:rn-stɛt
Stiesel '∫ti:zl̩
sties[e]lig '∫ti:z[ə]lɪç, -e ...ɪgə
stieß ∫ti:s
Stießel '∫ti:sl̩
stieß[e]lig '∫ti:s[ə]lɪç, -e ...ɪgə
Stifel '∫ti:fl̩
Stift ∫tɪft
stiften '∫tɪftn̩
Stifter '∫tɪftɐ
Stig schwed. sti:g, dän. sdi:
Stigand engl. ' stɪgənd
Stigel '∫ti:gl̩
Stigen norw. .sti:gən
Stiglmaier '∫ti:glmai̯ɐ
Stigma '∫tɪgma, 'st..., -ta -ta
Stigmarie ∫tɪ'gma:ri̯ə, st...
Stigmatisatiọn ∫tɪgmatiza-'tsi̯o:n, st...
stigmatisieren ∫tɪgmati'zi:-rən, st...

Stigmator ʃtɪˈgmaːtoːɐ̯, st..., -en ...maˈtoːrən
Stigmonym ʃtɪgmoˈnyːm, st...
Stignani it. stɪɲˈɲaːni
Stijl niederl. stɛi̯l
Stikker niederl. ˈstɪkər
Stil ʃtiːl, auch: stiːl
Stilb ʃtɪlp, st...
Stile antico ˈstiːlə anˈtiːko
Stile concitato ˈstiːlə kɔn-tʃiˈtaːto
Stile osservato ˈstiːlə ɔssɛrˈvaːto
Stile rappresentativo ˈstiːlə rapprezɛntaˈtiːvo
Stile recitativo ˈstiːlə retʃitaˈtiːvo
Stilett ʃtiˈlɛt, st...
Stilfser Joch ˈʃtɪlfsɐ̯ ˈjɔx
Stili vgl. Stilus
Stilicho ˈstiːlɪço
stilisieren ʃtiliˈziːrən, auch: st...
Stilist[ik] ʃtiˈlɪst[ɪk], auch: st...
Stiljagi stɪlˈjaːgi
still ʃtɪl
Still ʃtɪl, engl. stɪl
stille, S... ˈʃtɪlə
stillen ˈʃtɪlən
Stiller schwed. ˈstilər
Stilling ˈʃtɪlŋ
Stillingfleet engl. ˈstɪlŋfliːt
Stillleben ˈʃtɪlleːbn̩
Stillman engl. ˈstɪlmən
stillschweigend ˈʃtɪlˌʃvai̯gn̩t, -e ...ndə
Stillson engl. stɪlsn
Stillwater engl. ˈstɪlwɔːtə
Stilo ˈstiːlo
Stilpnosiderit ʃtɪlpnozideˈriːt, st...
Stilton (Käse) ˈstɪltn̩
Stilus ˈʃtiːlʊs, ˈst..., ...li ...li
Stilwell engl. ˈstɪlwəl
Stimme ˈʃtɪmə
stimmen ˈʃtɪmən
Stimmer ˈʃtɪmɐ̯
stimmig ˈʃtɪmɪç, -e ...ɪɡə
Stimson engl. stɪmsn
Stimulans ˈʃtiːmulans, ˈst..., ...nzien ʃtimuˈlantsi̯ən, st..., ...ntia ʃtimuˈlantsi̯a, st...
Stimulation ʃtimulaˈtsi̯oːn, st...
Stimulator ʃtimuˈlaːtoːɐ̯, st..., -en ...laˈtoːrən

stimulieren ʃtimuˈliːrən, st...
Stimulus ˈʃtiːmulʊs, ˈst..., ...li ...li
Stina ˈʃtiːna
Stinde ˈʃtɪndə
Stine ˈʃtiːnə
Stinger ˈstɪŋɐ̯
Stinkadores ʃtɪŋkaˈdoːrɛs
stinkbesoffen ˈʃtɪŋkbəˈzɔfn̩
stinken ˈʃtɪŋkn̩
stinkfaul ˈʃtɪŋkˈfau̯l
stinkfein ˈʃtɪŋkˈfai̯n
stinkig ˈʃtɪŋkɪç, -e ...ɪɡə
stinknormal ˈʃtɪŋknɔrˈmaːl
stinkreich ˈʃtɪŋkˈrai̯ç
stinksauer ˈʃtɪŋkˈzau̯ɐ̯
stinkvornehm ˈʃtɪŋkˈfoːɐ̯neːm
Stinkwut ˈʃtɪŋkˈvuːt
stinkwütend ˈʃtɪŋkˈvyːtn̩t
Stinnes ˈʃtɪnəs
Stint ʃtɪnt
Stip mak. ʃtip
Stipel ˈʃtiːpl̩, ˈst...
Stipendiat ʃtipɛnˈdi̯aːt
Stipendist ʃtipɛnˈdɪst
Stipendium ʃtiˈpɛndi̯ʊm, ...ien ...i̯ən
Stipp[e] ˈʃtɪp[ə]
stippen ˈʃtɪpn̩
stippig ˈʃtɪpɪç, -e ...ɪɡə
Stipulation ʃtipulaˈtsi̯oːn, st...
stipulieren ʃtipuˈliːrən, st...
stirb! ʃtɪrp
stirbt ʃtɪrpt
Stirling engl. ˈstəːlŋ
Stirn[e] ˈʃtɪrn[ə]
Stirner ˈʃtɪrnɐ̯
Štítný tschech. ˈʃtjiːtni:
St. John Nachname engl. ˈsɪndʒən, Ort engl. sntˈdʒɔn
Stjørdal norw. ˈstjœːrdaːl
St. Laurent fr. sɛlɔˈrɑ̃
St. Leger engl. sntˈlɛdʒə, ˈsɛlɪndʒə
St. Leonards engl. sntˈlɛnədz
Stoa ˈstoːa, ˈstoːa
stob ʃtoːp
Stobaeus stoˈbɛːʊs
Stobaios stoˈbai̯os
Stobbe ˈʃtɔbə
stöbe ˈʃtøːbə
stoben ˈʃtoːbn̩
Stöber ˈʃtøːbɐ̯
Stöberei ʃtøːbəˈrai̯
stöbern ˈʃtøːbɐ̯n, stöbre ˈʃtøːbrə

stobt ʃtoːpt
stöbt ʃtøːpt
Stobwasser ˈʃtoːpvasɐ̯
Stochastik ʃtɔˈxastɪk, st...
stochastisch ʃtɔˈxastɪʃ, st...
stochern ˈʃtɔxɐn
Stöchiometrie ʃtøçi̯omeˈtriː, st...
stöchiometrisch ʃtøçi̯oˈmeːtrɪʃ, st...
¹Stock ʃtɔk, Stöcke ˈʃtœkə
²Stock (Warenvorrat) stɔk
³Stock (Name) ʃtɔk, fr., engl. stɔk
Stockach ˈʃtɔkax
stockbesoffen ˈʃtɔkbəˈzɔfn̩
stockbetrunken ˈʃtɔkbəˈtrʊŋkn̩
stockblind ˈʃtɔkˈblɪnt
Stockcar ˈstɔkkaːɐ̯
Stöckchen ˈʃtœkçən
stockdumm ˈʃtɔkˈdʊm
stockdunkel ˈʃtɔkˈdʊŋkl̩
stockduster ˈʃtɔkˈduːstɐ̯
Stöckel ˈʃtœkl̩
stöckeln ˈʃtœkl̩n
stocken ˈʃtɔkn̩
Stockenström afr. ˈstɔkənstrœm
Stöcker ˈʃtœkɐ̯
Stockerau ˈʃtɔkəˈrau̯
Stocker[l] ˈʃtɔkɐ̯[l]
Stock Exchange stɔk ɪksˈtʃeːntʃ
Stockfinster ˈʃtɔkˈfɪnstɐ̯
Stockhausen ˈʃtɔkhau̯zn̩
stockheiser ˈʃtɔkˈhai̯zɐ̯
Stockholm ˈʃtɔkhɔlm, schwed. ˌstɔkhɔlm
Stockholms-Tidningen schwed. ˌstɔkhɔlmstiːdniŋən
stockig ˈʃtɔkɪç, -e ...ɪɡə ...stöckig ....ʃtœkɪç, -e ...ɪɡə
Stockjobber ˈstɔkdʒɔbɐ̯
stockkonservativ ˈʃtɔkkɔnzɛrvaˈtiːf
Stöckli ˈʃtœkli
Stockport engl. ˈstɔkpɔːt
stocksauer ˈʃtɔkˈzau̯ɐ̯
stocksolide ˈʃtɔkzoˈliːdə
stocksteif ˈʃtɔkˈʃtai̯f
stocktaub ˈʃtɔkˈtau̯p
Stockton engl. ˈstɔktən
Stoddard engl. ˈstɔdəd
Stodertal ˈʃtoːdɐ̯taːl
Stodola slowak. ˈstɔdɔla
Stoecker ˈʃtœkɐ̯
Stoessl ˈʃtœsl̩
Stoff[el] ˈʃtɔf[l̩]

stoff[e]lig 'ʃtɔf[ə]lıç, -e
...ıgə
stofflich 'ʃtɔflıç
Stöger[mayer] 'ʃtø:-
gɐ[maıɐ]
Stogumber (Shaw) engl.
'stɔgəmbə
stöhle 'ʃtø:lə
stöhnen 'ʃtø:nən
stoi! stɔy
Stoiber 'ʃtɔybɐ
Stoica rumän. 'stɔika
Stoichedon stɔyçe'dɔn
Stoiker 'ʃtɔ:ikɐ, 'st...
stoisch 'ʃtɔ:ıʃ, 'st...
Stoizismus ʃtɔi'tsısmʊs,
st...
Stojan serbokr. ˌstɔjan, bul-
gar. sto'jan
Stojanow bulgar. sto'janof
Stoke [Poges] engl. 'stoʊk
['poʊdʒız]
Stoker engl. 'stoʊkə
¹Stokes (Name) engl.
stoʊks
²Stokes (Maßeinheit)
ʃto:ks, sto:ks
Stokowski poln. stɔ'kɔfski,
engl. stoʊ'kɔfskı
Stokowsky ʃto'kɔfski, st...
Stola 'ʃto:la, 'st...
Stolberg 'ʃtɔlbɛrk
Stolbowo russ. stal'bɔvɐ
Stolgebühren 'ʃto:lgəby:-
rən
Stollberg 'ʃtɔlbɛrk
Stolle[n] 'ʃtɔlə[n]
Stolo 'ʃto:lo, 'st..., -nen ʃto-
'lo:nən, st...
Stolojan rumän. stolo'ʒan
Stolon 'ʃto:lɔn, 'st..., -en
ʃto'lo:nən, st...
Stolowaja sto'lo:vaja
Stolp ʃtɔlp
Stolpe 'ʃtɔlpə, schwed.
ˌstɔlpə
Stolpen 'ʃtɔlpn̩
Stolper 'ʃtɔlpɐ
stolp[e]rig 'ʃtɔlp[ə]rıç, -e
...ıgə
stolpern 'ʃtɔlpɐn
Stoltenberg 'ʃtɔltn̩bɛrk
Stoltze 'ʃtɔltsə
Stoltzer 'ʃtɔltsɐ
Stolypin russ. sta'lipin
stolz, S... ʃtɔlts
Stolze 'ʃtɔltsə
Stölzel 'ʃtœltsl̩
stolzieren ʃtɔl'tsi:rən
Stoma 'ʃto:ma, 'st..., -ta -ta

stomachal ʃtoma'xa:l, st...
Stomachikum ʃto'maxi-
kʊm, st..., ...ka ...ka
Stomakaze ʃtoma'ka:tsə,
st...
Stomata vgl. Stoma
Stomatitis ʃtoma'ti:tıs, st...,
...itiden ...ti'ti:dn̩
stomatogen ʃtomato'ge:n,
st...
Stomatologe ʃtomato-
'lo:gə, st...
Stomatologie ʃtomato-
lo'gi:, st...
stomatologisch ʃtomato-
'lo:gıʃ, st...
Stomp stɔmp, ʃtɔmp
Stone engl. stoʊn
stoned sto:nt
Stoneham engl. 'stoʊnəm
Stonehaven engl. stoʊn-
'heıvn
Stonehenge engl. 'stoʊn-
'hɛndʒ
stone-washed 'sto:nvɔʃt
Stoney engl. 'stoʊnı
Stonington engl. 'stoʊnıŋ-
tən
Stony Point engl. 'stoʊnı
'pɔint
Stooß ʃto:s
stop! ʃtɔp, stɔp
Stop-and-go-... 'stɔp-
lɛnt'go:...
Stopes engl. stoʊps
stopfen, S... 'ʃtɔpfn̩
Stoph ʃto:f
Stop-over ʃtɔp|o:vɐ,
'st...; –'––
stopp! Stopp ʃtɔp
Stoppard engl. 'stɔpəd
Stoppel 'ʃtɔpl̩
stopp[e]lig 'ʃtɔp[ə]lıç, -e
...ıgə
stoppeln 'ʃtɔpl̩n
stoppen 'ʃtɔpn̩
Stopper 'ʃtɔpɐ
Stopping 'stɔpıŋ, 'ʃt...
Stopsel 'ʃtɔpsl̩
Stöpsel 'ʃtœpsl̩
stöpseln 'ʃtœpsl̩n
Stoptime 'stɔptaim
Stör ʃtø:ɐ
Storå dän. 'sdʊ:ro:'
Stora Sjöfallet schwed.
ˌstu:ra 'ʃø:falət
Storavan schwed. ˌstu:rɑ:-
van
Storax 'ʃto:raks, 'st...

Storch ʃtɔrç, **Störche**
'ʃtœrçə
Störchelchen 'ʃtœrçlçən
storchen 'ʃtɔrçn̩
Störchin 'ʃtœrçın
Stord norw. stu:r, sturd
¹Store (Vorhang) ʃto:ɐ,
sto:ɐ
²Store (Lager) sto:ɐ
Store-Bælt dän. 'sdʊ:rə-
bel'd
Storen 'ʃto:rən
stören 'ʃtø:rən
Störerei ʃtø:rə'rai
Storey engl. 'stɔ:rı
Storfjord norw. ˌstu:rfju:r
storgen 'ʃtɔrgn̩, **storg!**
ʃtɔrk, **storgt** ʃtɔrkt
Storm ʃtɔrm, engl. stɔ:m
Stormarn 'ʃtɔrmarn
Stormont engl. 'stɔ:rmɔnt
Stornello stɔr'nɛlo, ...lli ...li
Storni it. 'storni, span.
es'tɔrni
stornieren ʃtɔr'ni:rən, st...
Storno 'ʃtɔrno, 'st..., ...ni
...ni
Stornoway engl. 'stɔ:nəweı
störrig 'ʃtœrıç, -e ...ıgə
störrisch 'ʃtœrıʃ
Storstrøm dän.
'sdʊ:rsdrœm
Störtebecker 'ʃtœrtəbɛkɐ
Störtebeker 'ʃtœrtəbe:kɐ
Storting 'ʃto:ɐtıŋ, 'st...
Storuman schwed. ˌstu:rʉ:-
man
Story 'sto:rı, 'stɔrı; auch:
'ʃt...
Storyville engl. 'stɔ:rıvıl
Storz ʃtɔrts
stoß! ʃto:s
Stoß ʃto:s, **Stöße** ʃtø:sə
Stößchen ʃtø:sçən
Stößel 'ʃtø:sl̩
stoßen 'ʃto:sn̩
Stoßerei ʃto:sə'rai
stößig 'ʃtø:sıç, -e ...ıgə
stößt ʃtø:st
Stoßtruppler 'ʃto:struplɐ
Stotinka sto'tıŋka, ...ki ...ki
stott[e]rig 'ʃtɔt[ə]rıç, -e
...ıgə
stottern 'ʃtɔtɐn
Stotz[en] 'ʃtɔts[n̩]
stotzig 'ʃtɔtsıç, -e ...ıgə
Stouffville engl. 'stoʊvıl
Stoughton engl. stɔ:tn,
staʊtn, stoʊtn

Stourbridge *engl.* 'stavǝ-
bridʒ
Stout staut
Stoutz *fr.* stuts
Stovchen 'ʃto:fçǝn
Stövchen 'ʃtø:fçǝn
Stove 'ʃto:vǝ
Stöver 'ʃtø:vɐ
Stow[e] *engl.* stou
Stowell *engl.* 'stouǝl
stowen 'ʃto:vṇ, stow! ʃto:f,
stowt ʃto:ft
Strabane *engl.* strǝ'bæn
strabanzen ʃtra'bantsṇ
Strabismus ʃtra'bɪsmʊs,
st...
Strabo 'stra:bo
Strabometer ʃtrabo'me:tɐ,
st...
Strabometrie ʃtrabome'tri:,
st...
Strabon 'stra:bɔn
strabonisch stra'bo:nɪʃ
Strabotomie ʃtraboto'mi:,
st..., -n ...i:ǝn
Stracchino stra'ki:no
Stracciatella stratʃa'tɛla
Strachey *engl.* 'streɪtʃɪ
Strachwitz 'ʃtraxvɪts
strack ʃtrak
Strack[e] 'ʃtrak[ǝ]
stracks ʃtraks
Straddle 'strɛdḷ, 'ʃt...
Stradella *it.* stra'dɛlla
Straden 'ʃtra:dṇ
Stradivari *it.* stradi'va:ri
Stradivario *it.* stradi'va:rio
Stradivarius stradi'va:rius,
...rii ...rii
Straelen 'ʃtra:lǝn
Strafe 'ʃtra:fǝ
strafen 'ʃtra:fṇ
straff[en] 'ʃtraf[ṇ]
Strafford *engl.* 'stræfǝd
sträflich 'ʃtrɛ:flɪç
Sträfling 'ʃtrɛ:flɪŋ
Stragula® 'ʃtra:gula, 'st...
Strahl ʃtra:l
strahlen 'ʃtra:lǝn
strählen 'ʃtrɛ:lǝn
strahlig 'ʃtra:lɪç, -e ...ɪgǝ
Strähn[e] 'ʃtrɛ:n[e]
strähnen 'ʃtrɛ:nǝn
strähnig 'ʃtrɛ:nɪç, -e ...ɪgǝ
Strahov *tschech.* 'strahɔf
straight, S... stre:t
Straightflush 'stre:tflaʃ
Straits Settlements *engl.*
'streɪts 'sɛtlmǝnts
Strak ʃtrak

straken 'ʃtrakṇ
Strakonice *tschech.* 'stra-
kɔnjitsɛ
Strakonitz ʃtrakonɪts
Stralsund 'ʃtra:lzʊnt, *auch:*
-'-
stralzieren ʃtral'tsi:rǝn, st...
Stralzio 'ʃtraltsio, 'st...
Strambotto stram'bɔto,
...tti ...ti
Stramin ʃtra'mi:n
stramm, S... ʃtram
strammen 'ʃtramǝn
strampeln 'ʃtrampḷn
strampfen 'ʃtrampfṇ
¹Strand ʃtrant, -e 'ʃtrandǝ,
Strände 'ʃtrɛndǝ
²Strand *engl.* strænd, *afr.*
strant, *norw.* stran
Strandberg *schwed.* ˌstrand-
bærj
stranden 'ʃtrandṇ, strand!
ʃtrant
Strandscha *bulgar.*
'strandʒɐ
¹Strang ʃtraŋ, Stränge
'ʃtrɛŋǝ
²Strang *engl.* stræŋ
¹Strange 'ʃtraŋǝ
²Strange (Name) *engl.*
streɪndʒ
strängen 'ʃtrɛŋǝn
Strangeness 'stre:ntʃnɛs
Strangford *engl.* 'stræŋfǝd
Strängnäs *schwed.* ˌstrɛŋ-
nɛ:s
Strangulation ʃtraŋgula-
'tsio:n, st...
strangulieren ʃtraŋgu'li:-
rǝn, st...
Strangurie ʃtraŋgu'ri:, st...,
-n ...i:ǝn
Stranitzky ʃtra'nɪtski
Stranraer *engl.* stræn'rɑ:ǝ
Stranz ʃtrants
Straparola *it.* strapa'rɔ:la
strapazieren ʃtrapa'tsi:rǝn
strapaziös ʃtrapa'tsiø:s, -e
...ø:zǝ
Strappatura strapa'tu:ra,
ʃt...
Straps ʃtraps, st...; *auch:*
...rɛps
Strasberg *engl.* 'strɑ:sbǝ:g,
'stræs...
Strasbourg *fr.* stras'bu:r
Strasburg 'ʃtra:sbʊrk
Strasburger 'ʃtra:sbʊrgɐ

Straschimirow *bulgar.* strɐ-
ʃi'mirof
strascinando straʃi'nando
Strass ʃtras
straßab ʃtra:s'lap
straßauf ʃtra:s'lauf
¹Straßburg 'ʃtra:sbʊrk
²Straßburg (Österr.) 'ʃtras-
bʊrk
Straßburger 'ʃtra:sbʊrgɐ
(zu: ¹Straßburg)
Sträßchen 'ʃtrɛ:sçǝn
Straße 'ʃtra:sǝ
Strasser ʃtrasɐ
Straßmann 'ʃtrasman
Strata vgl. Stratum
Stratagem ʃtrata'ge:m, st...
Stratameter ʃtrata'me:tɐ,
st...
Stratas *neugr.* 'stratas, *engl.*
'strætǝs
Stratege ʃtra'te:gǝ, st...
Strategie ʃtrate'gi:, st..., -n
...i:ǝn
strategisch ʃtra'te:gɪʃ, st...
Stratford *engl.* 'strætfǝd
Strathclyde *engl.* stræθ-
'klaɪd
Strati vgl. Stratus
Stratifikation ʃtratifika-
'tsio:n, st...
stratifikationell ʃtratifika-
tsio'nɛl, st...
stratifizieren ʃtratifi'tsi:-
rǝn, st...
Stratigraphie ʃtratigra'fi:,
st...
stratigraphisch ʃtrati'gra:-
fɪʃ, st...
Strato 'stra:to
Stratokles 'stra:toklɛs
Stratokumulus ʃtrato'ku:-
mulʊs, st..., ...li ...li
Straton 'stra:tɔn, *engl.*
streɪtn
Stratonike strato'ni:kǝ
Stratopause ʃtrato'pauzǝ,
st...
Stratosphäre ʃtrato'sfɛ:rǝ,
st...
stratosphärisch ʃtrato'sfɛ:-
rɪʃ, st...
Stratton *engl.* strætn
Stratum 'ʃtra:tʊm, 'st...,
...ta ...ta
Stratus 'ʃtra:tʊs, 'st..., ...ti
...ti
Stratz ʃtrats
Straub ʃtraup, *fr.* stro:b
Straube 'ʃtraubǝ

sträuben 'ʃtrɔybn̩, sträub!
ʃtrɔyp, sträubt ʃtrɔypt
straubig 'ʃtraubɪç, -e ...ɪɡə
Straubing[er] 'ʃtraubɪŋ[ɐ]
Strauch ʃtraux, Sträucher
'ʃtrɔyçɐ
Sträuchelchen 'ʃtrɔyçlçən
straucheln 'ʃtrauxln̩
strauchig 'ʃtrauxɪç, -e ...ɪɡə
Sträuchlein 'ʃtrɔyçlaɪn
Straus ʃtraus, engl. straus
Strausberg 'ʃtrausbɛrk
Strauß ʃtraus, Sträuße
'ʃtrɔysə
Strauss ʃtraus, engl. straus
Sträußchen 'ʃtrɔysçən
strawanzen ʃtra'vantsn̩
Strawinski ʃtra'vɪnski, st...,
russ. stra'vinskij
Strawinsky ʃtra'vɪnski, st...
Strayhorn engl. 'streɪhɔ:n
Strazdas lit. ˌstra:zdas
Strazza 'ʃtratsa, 'st...
Strazze 'ʃtratsə, 'st...
streaken 'stri:kn̩
Streaker 'stri:kɐ
Streamer 'stri:mɐ
Stream of Consciousness
'stri:m ɔf 'kɔnʃəsnɛs
Streamwood engl. 'stri:m-
wʊd
Streator engl. 'stri:tə
Streb ʃtre:p, -e 'ʃtre:bə
Strebe 'ʃtre:bə
streben 'ʃtre:bn̩, streb!
ʃtre:p, strebt ʃtre:pt
Streber 'ʃtre:bɐ
strebsam 'ʃtre:pza:m
Strecke 'ʃtrɛkə
strecken 'ʃtrɛkn̩
Streckfuß 'ʃtrɛkfu:s
Streep engl. stri:p
Streetball 'stri:tbɔ:l
Street[er] engl. 'stri:t[ə]
Streetwork[er] 'stri:tvɔ:ɐ̯-
k[ɐ], ...vœrk[ɐ]
Strehaia rumän. stre'haia
Strehl[a] 'ʃtre:l[a]
Strehlen[au] 'ʃtre:lən[au]
Strehler 'ʃtre:lɐ
Streich[e] 'ʃtraiç[ə]
streicheln 'ʃtraiçln̩
streichen 'ʃtraiçn̩
Streicher 'ʃtraiçɐ
Streicherei ʃtraiçə'rai
Streif[e] 'ʃtraif[ə]
streifen, S... 'ʃtraifn̩
Streiferei ʃtraifə'rai
streifig 'ʃtraifɪç, -e ...ɪɡə
Streifling 'ʃtraiflɪŋ

Streik ʃtraik
streiken 'ʃtraikn̩
Streisand engl. 'straisænd
¹Streit ʃtrait
²Streit (Name) ʃtrait, engl.
strait, streit
streiten 'ʃtraitn̩
Streiter 'ʃtraitɐ
Streiterei ʃtraitə'rai
streitig 'ʃtraitɪç, -e ...ɪɡə
Strela 'ʃtre:la
Strelerte lett. 'stre:lerte
Strelitz 'ʃtre:lɪts
Strelitze ʃtre'litsə
Strelna russ. 'strjeljnɐ
Stremel 'ʃtre:ml̩
Stremma 'ʃtrɛma, 'st..., -ta
-ta
stremmen, S... 'ʃtrɛmən
streng, S... ʃtrɛŋ
Strenge 'ʃtrɛŋə
strengen 'ʃtrɛŋən
strengstens 'ʃtrɛŋstn̩s
Strenuität ʃtrenui'tɛ:t, st...
Strenz[e] 'ʃtrɛnts[ə]
strenzen 'ʃtrɛntsn̩
strepit[u]oso strepi't[u]o:zo
Strepponi it. strep'po:ni
Streptokinase ʃtrɛptoki-
'na:zə, st...
Streptokokke ʃtrɛpto'kɔkə,
st...
Streptokokkus ʃtrɛpto'kɔ-
kʊs, st...
Streptomycin, ...zin ʃtrɛp-
tomy'tsi:n, st...
Streptotrichose ʃtrɛptotrɪ-
'ço:zə, st...
Stresa it. 'strɛ:za
Stresau 'ʃtre:zau
Stresemann 'ʃtre:zəman
Stress ʃtrɛs, st...
stressen 'ʃtrɛsn̩
stressig 'ʃtrɛsɪç, -e ...ɪɡə
Stressor 'ʃtrɛso:ɐ̯, -en
...'so:rən
Stretch strɛtʃ
Stretching 'strɛtʃɪŋ
Stretford engl. 'strɛtfəd
Stretta 'strɛta
stretto 'strɛto
Strettweg 'ʃtrɛtve:k
Streu[ben] 'ʃtrɔy[bn̩]
streu[n]en 'ʃtrɔy[n]ən
Streusel 'ʃtrɔyzl̩
Streuvels niederl. 'strø:vəls
Streymoy fär. 'strɛ:imɔ:i̯
Stria 'ʃtri:a, 'st..., Striae
'ʃtri:ɛ, 'st...
Strib dän. sdri:'b

Stribling engl. 'strɪblɪŋ
strich, S... ʃtrɪç
Strichelchen 'ʃtrɪçlçən
stricheln 'ʃtrɪçln̩
strichlieren ʃtrɪç'li:rən
Strick ʃtrɪk
stricken 'ʃtrɪkn̩
Stricker 'ʃtrɪkɐ
Strickerei ʃtrɪkə'rai
Strickland engl. 'strɪklənd
stricte 'ʃtrɪktə, 'st...
strictissime ʃtrɪk'tɪsime,
st...
Stridor 'ʃtri:do:ɐ̯, 'st...
Stridulation ʃtridula'tsi̯o:n,
st...
Striegau 'ʃtri:gau
Striegel 'ʃtri:gl̩
striegeln 'ʃtri:gln̩, striegle
'ʃtri:glə
Strieme[n] 'ʃtri:mə[n]
striemig 'ʃtri:mɪç, -e ...ɪɡə
Striezel 'ʃtri:tsl̩
striezen 'ʃtri:tsn̩
Strigel 'ʃtri:gl̩
Striggio it. 'strɪddʒo
strigiliert ʃtrigi'li:ɐ̯t, st...
Strike straik, ʃtraik
strikt[e] 'ʃtrɪkt[ə], 'st...
Striktion ʃtrɪk'tsi̯o:n, st...
Struktur ʃtrɪk'tu:ɐ̯, st...
Strindberg 'ʃtrɪntbɛrk,
schwed. ˌstrɪndbærj
String... 'ʃtrɪŋ..., st...
stringendo strɪn'dʒɛndo
Stringendo strɪn'dʒɛndo,
...di ...di
stringent ʃtrɪŋ'gɛnt, st...
Stringenz ʃtrɪŋ'gɛnts, st...
Stringer 'ʃtrɪŋɐ, 'strɪŋɐ
stringieren ʃtrɪŋ'gi:rən, st...
Strip ʃtrɪp, strɪp
Strippe 'ʃtrɪpə
strippen 'ʃtrɪpn̩, 'strɪpn̩
Stripper 'ʃtrɪpɐ, 'st...
Stripping 'ʃtrɪpɪŋ, st...
Strips ʃtrɪps, st...
Striptease 'ʃtrɪpti:s, 'st...
Stripteaseuse ʃtrɪpti'zø:zə,
st...
Stripteuse ʃtrɪp'tø:zə, st...
strisciando strɪ'ʃando
Strisciando strɪ'ʃando, ...di
...di
Stritar slowen. 'stri:tar
stritt, S... ʃtrɪt
strittig 'ʃtrɪtɪç, -e ...ɪɡə
Strittmatter 'ʃtrɪtmatɐ
Strizzi 'ʃtrɪtsi
Strnad tschech. 'strnat

Strob[e]l 'ʃtro:bl̩
strob[e]lig 'ʃtro:b[ə]lɪç, -e
...ɪgə
strobeln 'ʃtro:bl̩n, **stroble**
'ʃtro:blə
Strobo 'ʃtro:bo
Strobolight 'ʃtro:bolaɪt,
'st...
Stroboskop ʃtrobo'sko:p,
'st...
Stroessner 'ʃtrœʃnɐ, *span.*
es'treznɐr
Stroganoff 'stro:ganɔf,
'strɔg...
Stroganow *russ.* 'strɔgɐnɐf
Stroh ʃtro:
strohdumm 'ʃtro:'dʊm
Stroheim 'ʃtro:haɪm
strohern 'ʃtro:ɐn
Strohgäu 'ʃtro:gɔy
strohig 'ʃtro:ɪç, -e ...ɪgə
Strolch ʃtrɔlç
strolchen 'ʃtrɔlçn̩
Strom ʃtro:m, **Ströme**
'ʃtrø:mə
Stroma 'ʃtro:ma, 'st...
stromab ʃtro:m'ʔap
stromabwärts ʃtro:m-
'ʔapvɛrts
stroman ʃtro:m'ʔan
Stromatik ʃtro'ma:tɪk, st...
stromauf ʃtro:m'ʔaʊf
stromaufwärts ʃtro:m-
'ʔaʊfvɛrts
Stromberg 'ʃtro:mbɛrk
Stromboli *it.* 'stromboli
Ströme *vgl.* Strom
strömen 'ʃtrø:mən
Stromer 'ʃtro:mɐ
stromern 'ʃtro:mɐn
Strömgren *schwed.* ˌstrœm-
gre:n
Strömholm *schwed.* ˌstrœm-
holm
Strömling 'ʃtrø:mlɪŋ
Strömsund *schwed.* ˌstrœm-
sʊnd
Strongsville *engl.* 'strɔŋzvɪl
Strontian *engl.* stron'ti:ən
Strontianit ʃtrɔntsi̯a'ni:t,
st...
Strontium 'ʃtrɔntsi̯ʊm, 'st...
Strophanthin ʃtrofan'ti:n,
st...
Strophanthus ʃtro'fantʊs,
st...
Strophe 'ʃtro:fə
...**strophig** ...ʃtro:fɪç, -e
...ɪgə
Strophik 'ʃtro:fik, 'st...

strophisch 'ʃtro:fɪʃ
Strophoide ʃtrofo'i:də, st...
Stropp ʃtrɔp
Strosse 'ʃtrɔsə
strotzen 'ʃtrɔtsn̩
Stroud *engl.* straʊd
Štrougal *tschech.* 'ʃtrɔʊgal
Stroupežnický *tschech.*
'strɔʊpɛʒnjitski:
Stroux ʃtrʊks
Strozzi *it.* 'strɔttsi
strub, S... ʃtru:p
strubb[e]lig 'ʃtrʊb[ə]lɪç, -e
...ɪgə
Strubbelkopf 'ʃtrʊbl̩kɔpf
Strubberg 'ʃtrʊbɛrk
Struck ʃtrʊk, strak
Strudel 'ʃtru:dl̩
strudeln 'ʃtru:dl̩n, **strudle**
'ʃtru:dlə
Strudengau 'ʃtru:dŋgaʊ
Struensee 'ʃtru:ənze:, *dän.*
'sdru:ənsə
Struer *dän.* 'sdru:ɐ
Strug *poln.* struk
Struga *mak.* 'struga
Strugazki *russ.* stru'gatskij
struktiv ʃtrʊk'ti:f, st..., -e
...i:və
Struktogramm ʃtrʊkto-
'gram, st...
Struktur ʃtrʊk'tu:ɐ, st...
struktural ʃtrʊktu'ra:l, st...
Strukturalismus ʃtrʊktura-
'lɪsmʊs, st...
Strukturalist ʃtruktura'lɪst,
st...
strukturell ʃtrʊktu'rɛl, st...
strukturieren ʃtrʊktu'ri:-
rən, st...
strullen 'ʃtrʊlən
¹Struma (Kropf) 'ʃtru:ma,
'st..., -e ...mɛ
²Struma (Name) *bulgar.*
'strumɐ
Strumektomie ʃtrumɛk-
to'mi:, st..., -n ...i:ən
Strumica *mak.* 'strumitsa
Strumień *poln.* 'strumjɛjn
Strumitis ʃtru'mi:tɪs, st...,
...**itiden** ...mi'ti:dn̩
strumös ʃtru'mø:s, st..., -e
...ø:zə
Strümpell 'ʃtrʏmpl̩
Strumpf ʃtrʊmpf,
Strümpfe 'ʃtrʏmpfə
Strümpfchen 'ʃtrʏmpfçən
Strunk ʃtrʊŋk
Strunk ʃtrʊŋk, **Strünke**
'ʃtrʏŋkə

Strünkchen 'ʃtrʏŋkçən
Strunze 'ʃtrʊntsə
strunzen 'ʃtrʊntsn̩
Strupfe 'ʃtrʊpfə
strupfen 'ʃtrʊpfn̩
Strupp[en] 'ʃtrʊp[n̩]
struppig 'ʃtrʊpɪç, -e ...ɪgə
Strusa 'ʃtru:za, 'st...
Strutt *engl.* strʌt
Strutz 'ʃtrʊts
Struve 'ʃtru:və
Struwe *russ.* 'struvɪ
Struwwelkopf 'ʃtrʊvl̩kɔpf
Struwwelpeter 'ʃtrʊvl̩pe:tɐ
Stry *russ.* strij
Strychnin ʃtrʏç'ni:n, st...
Stryjkowski *poln.*
strij'kɔfski
Strzegom *poln.* 'ʃtʃʃɛgɔm
Stuart 'ʃtu:art, 'st..., *engl.*
stjʊət
Stub *dän.* sdub
Stubach 'ʃtu:bax
Stubai 'ʃtu:baɪ
Stubben 'ʃtʊbn̩
Stubbenkammer
'ʃtʊbn̩kamɐ
Stubb[e]s *engl.* stʌbz
Stubbins *engl.* 'stʌbɪnz
Stübchen 'ʃty:pçən
Stube 'ʃtu:bə
Stubenhockerei ʃtu:bn̩hɔ-
kə'raɪ
Stüber 'ʃty:bɐ
Stubsnase 'ʃtʊpsna:zə
¹Stuck (Ornamentik) ʃtʊk
²Stuck (Name) ʃtʊk, *engl.*
stʌk
Stück ʃtʏk
Stuckateur ʃtʊka'tø:ɐ
Stuckator ʃtʊ'ka:to:ɐ, -en
...ka'to:rən
Stuckatur ʃtʊka'tu:ɐ
Stückelberg 'ʃtʏkl̩bɛrk
stückeln 'ʃtʏkl̩n
stücken, S... 'ʃtʊkn̩
stücken 'ʃtʏkn̩
Stuckenberg *dän.*
'sdʊgn̩bɛʁ'u
stuckerig 'ʃtʊkərɪç, -e ...ɪgə
stuckern 'ʃtʊkɐn
stuckieren ʃtʊ'ki:rən
Stücklen 'ʃtʏklən
stud. ʃtu:t, ʃtʊt
Studebaker *engl.* 'stju:də-
beɪkə
Student ʃtu'dɛnt
Studentika ʃtu'dɛntika
Studie 'ʃtu:di̯ə
studieren ʃtu'di:rən

Stu̱diker 'ʃtu:dikɐ
Stu̱dio 'ʃtu:dio
Studio̱lo ʃtu'dio:lo
Studio̱sus ʃtu'dio:zʊs, ...si
...zi
Stu̱dium 'ʃtu:diʊm, ...ien
...iən
Stu̱dium genera̱le 'ʃtu:-
diʊm genə'ra:lə, 'st... -
Stu̱dy 'ʃtu:di
Stufa̱ta stu'fa:ta
Stu̱fe 'ʃtu:fə
stu̱fen 'ʃtu:fn̩
Stuffer engl. 'stʌfə
stu̱fig 'ʃtu:fɪç, -e ...ɪgə
Stu̱hl ʃtu:l, Stü̱hle 'ʃty:lə
Stü̱hlchen 'ʃty:lçən
Stü̱hlingen 'ʃty:lɪŋən
Stuhlwei̱ßenburg ʃtu:l-
'vaisn̩bʊrk
Stu̱ka 'ʃtu:ka, auch: 'ʃtʊka
stu̱ken 'ʃtu:kn̩
Stü̱ler 'ʃty:lɐ
Stu̱lle 'ʃtʊlə
Stu̱lpe 'ʃtʊlpə
Stü̱lpe 'ʃtʏlpə
stü̱lpen 'ʃtʏlpn̩
Stü̱lpnagel 'ʃtʏlpna:gl̩
stu̱mm, S... ʃtʊm
Stu̱mmel 'ʃtʊml̩
Stü̱mmelchen 'ʃtʏml̩çən
stü̱mmeln 'ʃtʏml̩n
Stu̱mp ʃtʊmp
Stü̱mpchen 'ʃtʏmpçən
Stu̱mp[e] 'ʃtʊmp[ə]
Stu̱mpen 'ʃtʊmpn̩
Stü̱mper 'ʃtʏmpɐ
Stümpere̱i ʃtʏmpə'rai
stü̱mpern 'ʃtʏmpɐn
stu̱mpf ʃtʊmpf
Stu̱mpf ʃtʊmpf, Stü̱mpfe
'ʃtʏmpfə
Stü̱mpfchen 'ʃtʏmpfçən
stu̱mpfen 'ʃtʊmpfn̩
Stü̱ndchen 'ʃtʏntçən
Stu̱nde 'ʃtʊndə
stü̱nde 'ʃtʏndə
stu̱nden 'ʃtʊndn̩, stu̱nd!
ʃtʊnt
...stü̱ndig ...ʃtʏndıç, -e
...ɪgə
Stundi̱smus ʃtʊn'dɪsmʊs
Stundi̱st ʃtʊn'dɪst
stü̱ndlich 'ʃtʏntlıç
Stu̱nk ʃtʊŋk
Stunt stant, auch: ʃtant
Stuntman, ...men 'stant-
mɛn; auch: 'ʃt...
Stuntwoman 'stantvʊmən,
...men ...vɪmɪn; auch: 'ʃt...

Stu̱pa 'ʃtu:pa, 'stu:pa
Stu̱parich it. 'stu:parɪtʃ
stupe̱nd ʃtu'pɛnt, st..., -e
...ndə
Stu̱pf ʃtʊpf
stu̱pfeln 'ʃtʊpfl̩n
stu̱pfen 'ʃtʊpfn̩
stupi̱d ʃtu'pi:t, st..., -e ...i:də
stupi̱de ʃtu'pi:də, st...
Stupiditä̱t ʃtupidi'tɛ:t, st...
Stu̱pino russ. 'stupinɐ
Stu̱por 'ʃtu:po:ɐ, 'st...
Stu̱pp[ach] 'ʃtʊp[ax]
stu̱ppen 'ʃtʊpn̩
stupie̱ren ʃtu'pri:rən, st...
Stu̱prum 'ʃtu:prʊm, 'st...,
...ra ...ra
Stu̱ps ʃtʊps
stu̱psen 'ʃtʊpsn̩
Stupsere̱i ʃtʊpsə'rai
stu̱r ʃtu:ɐ
Štú̱r slowak. ʃtu:r
stü̱rbe 'ʃtʏrbə
Sturbridge engl. 'stə:brɪdʒ
stü̱rbt ʃtʏrpt
Stu̱re schwed. ˌstu:rə
Sturgeon Bay, – Falls engl.
'stə:dʒən 'bei, – 'fɔ:lz
Stu̱rgis engl. 'stə:dʒɪs
Stü̱rgkh ʃtʏrk
Stu̱rla isl. 'stʏrdla
Sturluson 'stʊrluzən, isl.
'stʏrdlʏsən
stu̱rm ʃtʊrm
¹Stu̱rm ʃtʊrm, Stü̱rme
'ʃtʏrmə
²Stu̱rm (Name) ʃtʊrm, fr.
styrm
stü̱rmen 'ʃtʏrmən
Stü̱rmer 'ʃtʏrmɐ
Stürmere̱i ʃtʏrmə'rai
Stu̱rmi 'ʃtʊrmi
stü̱rmisch 'ʃtʏrmɪʃ
Stu̱rmius 'ʃtʊrmiʊs
Sturt engl. stə:t
Stu̱rz ʃtʊrts, Stü̱rze 'ʃtʏrtsə
stu̱rzbetru̱nken 'ʃtʊrtsbə-
ˌtrʊŋkn̩
Stü̱rze 'ʃtʏrtsə
Stu̱rzel 'ʃtʊrtsl̩
Stü̱rzel 'ʃtʏrtsl̩
stü̱rzen 'ʃtʏrtsn̩
Stu̱rzen-Be̱cker schwed.
'stʊrtsən'bɛkər
Stu̱rzo it. 'stʊrtso
Stu̱s ukr. stus
Stu̱ss ʃtʊs
Stu̱te 'ʃtu:tə
Stu̱ten 'ʃtu:tn̩
Stutere̱i ʃtu:tə'rai

Stutterheim afr. 'stœtər-
haim
Stu̱ttgart[er] 'ʃtʊtgart[ɐ]
Stu̱tz ʃtʊts, engl. stʌts
Stü̱tz[e] 'ʃtʏts[ə]
stu̱tzen, S... 'ʃtʊtsn̩
stü̱tzen 'ʃtʏtsn̩
Stu̱tzer 'ʃtʊtsɐ
stu̱tzig 'ʃtʊtsıç, -e ...ɪgə
stü̱tzig 'ʃtʏtsıç, -e ...ɪgə
Stuyvesant 'ʃtɔyvəzant,
niederl. 'stœivəzant
Styga̱l ʃty'ga:l, st...
stygisch 'ʃty:gɪʃ, 'st...
Stygobio̱nt ʃtygo'biɔnt, st...
...stylə ....stail
stylen 'stailən
Styli vgl. Stylus
Styling 'stailıŋ
Stylist stai'lɪst
styli̱t ʃty'li:t, st...
Styloba̱t ʃtylo'ba:t, st...
Stylographie̱ ʃtylogra'fi:,
st...
Stylolith ʃtylo'li:t
Sty̱lus 'ʃty:lʊs, 'st..., Styli
...li
Stymphali̱de ʃtʏmfa'li:də,
st...
Stympha̱lisch ʃtʏm'fa:lıʃ,
st...
Sty̱psis 'ʃtʏpsıs, 'st...
Sty̱ptikum 'ʃtʏptikʊm, 'st...,
...ka ...ka
Sty̱rax 'ʃty:raks, 'st...
Styro̱l ʃty'ro:l, st...
Styron engl. 'staıərən
Styropo̱r® ʃtyro'po:ɐ, st...
Sty̱rum 'ʃti:rʊm
Styx ʃtʏks, st...
Sua̱da 'zu̯a:da
Sua̱de 'zu̯a:də
Suahe̱li zu̯a'he:li
Suarès fr. sɥa'rɛs
Suárez span. 'sɥareθ
Suaso̱rie zu̯a'zo:riə
suaso̱risch zu̯a'zo:rıʃ
su̱a spo̱nte 'zu:a 'spɔntə
Suassu̱na bras. sɥa'suna
sua̱ve 'zu̯a:və
¹Sub zʊp
²Sub (subkultur. Lokalität
oder Person) zap
Subacidität zʊp|atsidi'tɛ:t
subae̱risch zʊp|a'e:rıʃ
suba̱ir zu'bai̯ɐ
subaku̱t zʊp|a'ku:t
subalpi̱n[isch] zʊp-
|al'pi:n[ıʃ]
subalte̱rn zʊp|al'tɛrn

Subalternation zʊp-
|altɛrna'tsi̯o:n
subalternieren zʊp-
|altɛr'ni:rən
Subalternität zʊp-
|altɛrni'tɛ:t
Subandrio *indon.* suban-
'drio
subantarktisch zʊp|ant-
'|arktɪʃ
subapenninisch zʊp-
|apɛ'ni:nɪʃ
Subapennini *it.* subappen-
'ni:ni
subaqual zʊp|a'kva:l
subaquatisch zʊp|a'kva:tɪʃ
Subaräer zuba'rɛ:ɐ
subarktisch zʊp'|arktɪʃ
Subarrendator zʊp-
|arɛn'da:to:ɐ̯, -en ...da'to:-
rən
subarrendieren zʊp-
|arɛn'di:rən
Subatlantikum zʊp-
|at'lantikʊm
subatlantisch zʊp|at'lantɪʃ
subatomar zʊp|ato'ma:ɐ̯
Subazidität zʊp|atsidi'tɛ:t
Subboreal zʊpbore'a:l
Subbotnik zʊ'bɔtnɪk
subdermal zʊpdɛr'ma:l
Subdiakon 'zʊpdiako:n
Subdiakonat 'zʊpdiakona:t
Subdivision zʊpdivi'zi̯o:n
Subdominante zʊpdomi-
'nantə, '-----
subdural zʊpdu'ra:l
Suberin zube'ri:n
subfebril zʊpfe'bri:l
subfossil zʊpfɔ'si:l
subglazial zʊpgla'tsi̯a:l
subglottal zʊpglɔ'ta:l
sub hasta zʊp 'hasta
Subhastation zʊphasta-
'tsi̯o:n
subhastieren zʊphas'ti:rən
Subiaco *it.* su'bi̯a:ko, *engl.*
su:bɪ'ɑ:koʊ
Šubic *slowen.* 'ʃu:bits
Subimago zʊpli'ma:ɡo,
...gines ...gine:s
Subitanei zubi'ta:n|ai̯
subito 'zu:bito
Subjekt zʊp'jɛkt, *auch:* '--
Subjektion zʊpjɛk'tsi̯o:n
subjektiv zʊpjɛk'ti:f, *auch:*
'---, -e ...i:və
subjektivieren zʊpjɛkti'vi:-
rən

Subjektivismus zʊpjɛkti-
'vɪsmʊs
Subjektivist zʊpjɛkti'vɪst
Subjektivität zʊpjɛktivi'tɛ:t
Subjunktiv 'zʊpjʊŋkti:f, -e
...i:və
Subkategorie 'zʊpkateɡori:
subkonszient zʊpkɔns-
'tsi̯ɛnt
Subkontinent 'zʊpkɔnti-
nɛnt
Subkontra... zʊp'kɔntra...
subkrustal zʊpkrʊs'ta:l
Subkultur 'zʊpkʊltu:ɐ̯
subkulturell 'zʊpkʊlturɛl
subkutan zʊpku'ta:n
Subleyras *fr.* sybləˈrɑ:s
sublim zu'bli:m
Sublimat zubli'ma:t
Sublimation zublima'tsi̯o:n
sublimieren zubli'mi:rən
subliminal zʊplimi'na:l
Sublimität zublimi'tɛ:t
sublingual zʊplɪŋ'ɡu̯a:l
Sublokation zʊploka'tsi̯o:n
sublunarisch zʊplu'na:rɪʃ
Subluxation zʊplʊksa-
'tsi̯o:n
submarin zʊpma'ri:n
submental zʊpmɛn'ta:l
Submergenz zʊpmɛr'ɡɛnts
submers zʊp'mɛrs, -e ...rzə
Submersion zʊpmɛr'zi̯o:n
Submikronen zʊpmi'kro:-
nən
submikroskopisch zʊpmi-
kro'sko:pɪʃ
Subministration zʊpmɪnɪs-
tra'tsi̯o:n
subministrieren zʊpmɪnɪs-
'tri:rən
submiss zʊp'mɪs
Submission zʊpmɪ'si̯o:n
Submittent zʊpmɪ'tɛnt
submittieren zʊpmɪ'ti:rən
submukös zʊpmu'kø:s, -e
...ø:zə
subnival zʊpni'va:l
Subnormale zʊpnɔr'ma:lə,
'----
suborbital zʊplɔrbi'ta:l
Subordination zʊp-
|ɔrdina'tsi̯o:n
subordinativ zʊp-
|ɔrdina'ti:f, -e ...i:və
subordinieren zʊp-
|ɔrdi'ni:rən
Subotica *serbokr.* ,subɔtitsa
Subow *russ.* 'zubɐf
Suboxid 'zʊplɔksi:t

Suboxyd 'zʊplɔksy:t
subperiostal zʊpperi|ɔs'ta:l
subphrenisch zʊp'fre:nɪʃ
subpolar zʊppo'la:ɐ̯
Subreption zʊprɛp'tsi̯o:n
subrezent zʊpre'tsɛnt
subrogieren zʊpro'ɡi:rən
sub rosa zʊp 'ro:za
Subrosion zʊpro'zi̯o:n
subsekutiv zʊpzeku'ti:f, -e
...i:və
Subsemitonium zʊpzemi-
'to:ni̯ʊm
subsequent zʊpze'kvɛnt
subsidiär zʊpzi'di̯ɛ:ɐ̯
subsidiarisch zʊpzi'di̯a:rɪʃ
Subsidiarismus zʊpzidi̯a-
'rɪsmʊs
Subsidiarität zʊpzidi̯ari'tɛ:t
Subsidium zʊp'zi:di̯ʊm,
...ien ...i̯ən
sub sigillo [confessionis]
zʊp zi'ɡɪlo [kɔnfɛ'si̯o:nɪs]
Subsistenz zʊpzɪs'tɛnts
subsistieren zʊpzɪs'ti:rən
Subskribent zʊpskri'bɛnt
subskribieren zʊpskri'bi:-
rən
Subskription zʊpskrɪp-
'tsi̯o:n
subsonisch zʊp'zo:nɪʃ
sub specie aeternitatis
zʊp 'spe:tsi̯ə ɛtɛrni'ta:tɪs
Subspezies 'zʊpspe:tsi̯ɛs,
Mehrzahl ...i̯e:s
Substandard 'zʊpʃtandart
Substantiv 'zʊpstanti:f, -e
...i:və
substantivieren zʊpstanti-
'vi:rən
substantivisch 'zʊpstanti:-
vɪʃ, *auch:* --'--
Substantivum 'zʊpstanti:-
vʊm, *auch:* --'--, ...va ...va
Substanz zʊp'stants
substanzial zʊpstan'tsi̯a:l
Substanzialismus zʊpstan-
tsi̯a'lɪsmʊs
Substanzialität zʊpstan-
tsi̯ali'tɛ:t
substanziell zʊpstan'tsi̯ɛl
substanziieren zʊpstan-
tsi̯i'i:rən
Substituent zʊpsti'tu̯ɛnt
substituieren zʊpstitu̯i'i:rən
Substitut zʊpsti'tu:t
Substitution zʊpstitu'tsi̯o:n
Substrat zʊp'stra:t
Substruktion zʊpstrʊk-
'tsi̯o:n

subsumieren zʊpzuˈmiːrən
Subsumption zʊpzʊmpˈtsioːn
subsumptiv zʊpzʊmpˈtiːf,
-e …iːvə
Subsumtion zʊpzʊmˈtsioːn
subsumtiv zʊpzʊmˈtiːf, -e
…iːvə
Subsystem ˈzʊpzʏsteːm
Subtangente ˈzʊptaŋɡɛntə
Subteen ˈzaptiːn
subtemporal zʊptɛmpoˈraːl
subterran zʊptɛˈraːn
subtil zʊpˈtiːl
Subtilität zʊptiliˈtɛːt
Subtrahend zʊptraˈhɛnt,
-en …ndn̩
subtrahieren zʊptraˈhiːrən
Subtraktion zʊptrakˈtsioːn
subtraktiv zʊptrakˈtiːf, -e
…iːvə
Subtropen ˈzʊptroːpn̩
subtropisch ˈzʊptroːpɪʃ,
auch: -ˈ--
subungual zʊplʊŋˈɡu̯aːl
Subunternehmer ˈzʊp-
lʊntɐneːmɐ
Suburb ˈzabɵːɐ̯p, …bœrp
Suburbia zəˈbɵːɐ̯bi̯ə,
zəˈbœrbi̯ə
suburbikarisch zʊp-
ʊrbiˈkaːrɪʃ
Suburbisation zʊp-
ʊrbizaˈtsioːn
Suburbium zʊpˈlʊrbi̯ʊm,
…ien …i̯ən
sub utraque specie zʊp
uˈtraːkvə ˈspeːtsi̯ə
subvenieren zʊpveˈniːrən
Subvention zʊpvɛnˈtsioːn
subventionieren zʊpvɛn-
tsi̯oˈniːrən
Subversion zʊpvɛrˈzi̯oːn
subversiv zʊpvɛrˈziːf, -e
…iːvə
sub voce zʊp ˈvoːtsə
Subvulkan ˈzʊpvʊlkaːn
Subway ˈzapveː
Subwoofer ˈzapvuːfɐ
Succase zʊˈkaːzə
Succotash ˈzakɔtɛʃ
Succus ˈzʊkʊs, **Succi**
ˈzʊktsi
Suceava rumän. suˈtʃe̯ava
Suchard fr. syˈʃaːr
Suche ˈzuːxə
suchen ˈzuːxn̩
Suchensinn ˈzuːxn̩zɪn
Suchenwirt ˈzuːxn̩vɪrt
Sucherei zuːxəˈrai̯

Suchier fr. syˈʃi̯e
Suchoň slowak. ˈsuxɔnj
Suchona russ. ˈsuxɛnɐ
Suchos ˈzuːxɔs
Suchowei zuxoˈvai̯, …ˈveːi
Suchowo-Kobylin russ.
suxaˈvɔkaˈbɨlin
Sucht zʊxt, **Süchte** ˈzʏçtə
Suchtelen niederl. ˈsʏxtələ
Süchteln ˈzʏçtl̩n
süchtig ˈzʏçtɪç, -e …ɪɡə
Suchumi russ. suˈxumi
Suci vgl. Sucus
suckeln ˈzʊkl̩n
Suckling engl. ˈsaklɪŋ
[1]Sucre (Name) span. ˈsukre
[2]Sucre (Währung) ˈzʊkrə
Sucus ˈzuːkʊs, …ci …tsi
[1]Sud zuːt, -es ˈzuːdəs
[2]Sud it. sud
Süd zyːt, -e ˈzyːdə
Suda ˈzuːda
Südafrika ˈzyːtˈlaˌfrika,
auch: …ˈlaf…
südafrikanisch ˈzyːt-
lafriˈkaːnɪʃ
Sudak russ. suˈdak
Sudamen zuˈdaːmən,
…mina …mina
Sudamérica span. suðaˈme-
rika
Südamerika ˈzyːtlaˈmeːrika
Sudan zuˈdaːn, auch:
ˈzuːdan
Sudaner zuˈdaːnɐ
Sudanese zudaˈneːzə
sudanesisch zudaˈneːzɪʃ
Südasien ˈzyːtˈlaˌzi̯ən
Sudation zudaˈtsioːn
Sudatorium zudaˈtoːri̯ʊm,
…ien …i̯ən
Sudauer ˈzuːdau̯ɐ
Südaustralien ˈzyːt-
lau̯sˈtraːli̯ən
Südbaden ˈzyːtˈbaːdn̩
Sudbury engl. ˈsadbəri
Süddakota zyːtdaˈkoːta
Suddendeath dt.-engl.
ˈzadn̩dɛθ
süddeutsch ˈzyːtdɔy̯tʃ
Süddeutschland ˈzyːtdɔy̯tʃ-
lant
Sudel ˈzuːdl̩
Sudelei zuːdəˈlai̯
Sudeler ˈzuːdəlɐ
sudelig ˈzuːdəlɪç, -e …ɪɡə
sudeln ˈzuːdl̩n, **sudle** ˈzuːdlə
Süden ˈzyːdn̩
Sudermann ˈzuːdɐman
Suderode zuːdəˈroːdə

Süderoog ˈzyːdɐloːk
Sudeten zuˈdeːtn̩
sudetisch zuˈdeːtɪʃ
Südeuropa ˈzyːtlɔy̯ˈroːpa
Südfall ˈzyːtfal
Südgeorgien ˈzyːtgeˈɔrɡi̯ən
Südholland ˈzyːtˈhɔlant
Süditalien ˈzyːtliˈtaːli̯ən
Südkarolina ˈzyːtkaroˈliːna
Südkorea ˈzyːtkoˈreːa
Südländer ˈzyːtlɛndɐ
Sudler ˈzuːdlɐ
südlich ˈzyːtlɪç
sudlig ˈzuːdlɪç, -e …ɪɡə
Su Dongpo chin. sudʊŋpɔ
111
Sudor ˈzuːdoːɐ̯
Sudoration zudoraˈtsioːn
Sudoriferum zudoˈriːferʊm,
…ra …ra
Südost zyːtˈlɔst
Südostasien zyːtˈlɔstˈlaːzi̯ən
Südosten zyːtˈlɔstn̩
südöstlich zyːtˈlœstlɪç
Südostwind zyːtˈlɔstvɪnt
Südpol ˈzyːtpoːl
Sudra ˈzuːdra
Südsee ˈzyːtzeː
Südslawe ˈzyːtslaːvə
südslawisch ˈzyːtslaːvɪʃ
Südstaaten ˈzyːtʃtaːtn̩
Südsüdost[en] zyːtzyːtˈ-
ˈlɔst[n̩]
Südsüdwest[en] zyːtzyːtˈ-
ˈvɛst[n̩]
Südtirol[er] ˈzyːtˈtiːroːl[ɐ]
südtirolisch ˈzyːtˈtiːroːlɪʃ
Suðuroy fär. ˈsuːʊrɔːi̯
südwärts ˈzyːtvɛrts
Südwestafrika ˈzyːtˈvɛst-
laˈfrika, auch: …ˈlaf…
Südwest[en] zyːtˈvɛst[n̩]
Südwester zyːtˈvɛstɐ
südwestlich zyːtˈvɛstlɪç
Sue fr. sy
Suebe ˈzu̯eːbə, ˈsveːbə
Sues[kanal] ˈzuːɛs[kanaːl]
Sueß, Suess zyːs
Sueton[ius] zu̯eˈtoːn[i̯ʊs]
Sueve ˈzu̯eːvə, ˈsveːvə
Suez ˈzuːɛs, ˈzuːɛts
Suff zʊf
Süffel ˈzʏfl̩
suffeln ˈzʊfl̩n
süffeln ˈzʏfl̩n
Suffern engl. ˈsafən
sufficit ˈzufitsɪt
süffig ˈzʏfɪç, -e …ɪɡə
suffigieren zʊfiˈɡiːrən

Suffimentum zʊfi'mɛntʊm,
...ta ...ta
Süffisance zyfi'zã:s
süffisant zyfi'zant
Süffisanz zyfi'zants̩
Suffitte zʊ'fɪtə
Suffix zʊ'fɪks, 'zʊfɪks
suffixal zʊfɪ'ksa:l
suffixoid, S... zʊfɪkso'i:t -e
...i:də
suffizient zʊfi'tsi̯ɛnt
Suffizienz zʊfi'tsi̯ɛnts̩
Süffling 'zyflɪŋ
suffocato zʊfo'ka:to
Suffokation zʊfoka'tsi̯o:n
Suffolk engl. 'sʌfək
Suffragan zʊfra'ga:n
Suffragette zʊfra'gɛtə
Suffragium zʊ'fra:gi̯ʊm,
...ien ...i̯ən
Suffusion zʊfu'zi̯o:n
Sufi 'zu:fi
Sufismus zu'fɪsmʊs
Sufist zu'fɪst
Sugardaddy 'ʃʊgɐdɛdi
Sugdidi russ. zug'didi
Suger 'zu:gɐ, fr. sy'ʒɛ
suggerieren zʊgɛ'ri:rən
suggestibel zʊgɛs'ti:bl̩,
...ble ...blə
Suggestibilität zʊgɛstibili-
'tɛ:t
Suggestion zʊgɛs'ti̯o:n
suggestiv zʊgɛs'ti:f, -e
...i:və
Suggestivität zʊgɛstivi'tɛ:t
Sugestopädie zʊgɛsto-
pɛ'di:
Sugillation zugɪla'tsi̯o:n
Su Hanchen chin. suxan-
tʃən 142
Suharto indon. su'harto
Suhl[e] 'zu:l[ə]
suhlen zu:lən
Sühne 'zy:nə
sühnen 'zy:nən
Suhr[kamp] 'zu:ɐ̯[kamp]
Suicid zui'tsi:t, -e ...i:də
sui generis 'zu:i 'ge:nerɪs,
auch: - 'gɛn...
Suisse fr. sɥis
Suisun City engl. sə'su:n
'sɪtɪ
Suita jap. su'ita
Suitbert 'zu:ɪtbɛrt, zu'i:t...
Suitcase 'sju:tke:s
Suite 'svi:tə, auch: zu'i:tə
Suitier svi'ti̯e:, auch: zui...
Suitland engl. 'su:tlənd
Suits estn. sɥi::ts

suivez svi've:, zyi've:
Suizid zui'tsi:t, -e ...i:də
suizidal zuitsi'da:l
Suizidalität zuitsidali'tɛ:t
Suizidant zuitsi'dant
suizidär zuitsi'dɛ:ɐ̯
Suizident zuitsi'dɛnt
Suizidologie zuitsidolo'gi:
Sujet zy'ʒe:, fr. sy'ʒɛ
Suk zu:k, tschech. suk
Sukabumi indon. suka'bumi
Sukarno indon. su'karno
Sukenick engl. 'su:kənɪk
Sukhotai Thai su'kho:'thai̯
251
Sukijaki zuki'ja:ki
Sukkade zʊ'ka:də
Sukkertopen dän. 'sʊgɐ-
tɔbn̩
Sukkoth zʊ'ko:t
Sukkubus 'zʊkubʊs, ...ben
zʊ'ku:bn̩
sukkulent zʊku'lɛnt
Sukkulente zʊku'lɛntə
Sukkulenz zʊku'lɛnts̩
Sukkur engl. 'sʌkə
Sukkurs zʊ'kʊrs, -e ...rzə
Sukkursale zʊkʊr'za:lə
Suktion zʊk'tsi̯o:n
Suktorien zʊk'to:ri̯ən
sukzedan zʊktse'da:n
sukzedieren zʊktse'di:rən
Sukzess zʊk'tsɛs
Sukzession zʊktse'si̯o:n
sukzessiv zʊktse'si:f, -e
...i:və
Sukzessor zʊk'tsɛso:ɐ̯, -en
...'so:rən
Sukzinat zʊkt̩si'na:t
Sukzinit zʊkt̩si'ni:t
Sukzinyl... zʊkt̩si'ny:l...
sul zʊl
Sul port. sul
¹Sula (Vogel) 'zu:la
²Sula russ. su'la, indon.,
span. 'sula
Sulaimanijja zulai̯ma'ni:ja
Sulak russ. su'lak
¹Sulamith (Vorn.) 'zu:lamɪt,
auch: zula'mi:t
²Sulamith (bibl. Name)
'zu:lamɪt
Sulawesi indon. sula'wesi
Suleika zu'lai̯ka
Suleiman zulai̯'ma:n
Süleiman zylai̯'ma:n
Süleyman türk. sylɛi̯'mɑn
Sulfat zʊl'fa:t
Sulfid zʊl'fi:t, -e ...i:də
sulfidisch zʊl'fi:dɪʃ

Sulfit zʊl'fi:t
Sülfmeister 'zylfmai̯stɐ
Sulfonamid zʊlfona'mi:t, -e
...i:də
sulfonieren zʊlfo'ni:rən
Sulfur 'zʊlfʊr
sulfurieren zʊlfu'ri:rən
Sulina rumän. su'lina
Sulingen 'zu:lɪŋən
Suliote zu'li̯o:tə
Sulitjelma norw. sɐlit'jɛlma
Sulky 'zʊlki, 'zalki
Süll zyl
Sulla 'zʊla
Sullana span. su'ʎana
sulla tastiera 'zʊla tas'ti̯e:ra
Sullivan[t] engl. 'sʌlɪvən[t]
Sully engl. 'sʌli, fr. syl'li
Sully Prudhomme fr. sylli-
pry'dɔm
Sulmona it. sul'mo:na
Sulpice fr. syl'pis
Sulpicia zʊl'pi:tsi̯a
Sulpicio span. sul'pi̯θi̯o
Sulpicius zʊl'pi:tsi̯ʊs
Sulpitius zʊl'pi:tsi̯ʊs
Sulpiz zʊl'pi:ts
Sulpizianer zʊlpi'tsi̯a:nɐ
sul ponticello zʊl pɔnti-
'tʃelo
Sultan 'zʊlta:n
Sultanat zʊlta'na:t
Sultanin 'zʊltanɪn, auch:
zʊl'ta:nɪn
Sultanine zʊlta'ni:nə
Sultanow russ. sul'tanɐf
Sulu indon. 'sulu
Sulz[a] 'zʊlts[a]
Sulzbach 'zʊltsbax
Sulzberger engl. 'sʌlzbə:gə
Sulzburg 'zʊltsbʊrk
Sülze 'zʊltsə
Sülze 'zyltsə
sülzen 'zʊltsn̩
sülzen 'zyltsn̩
Sülzer 'zʊltsɐ
sülzig 'zʊltsɪç, -e ...ɪgə
Sumac span. su'mak
Sumach 'zu:max
Šumadija serbokr. ʃu.madija
Sumak zu'mak
Sumarokow russ. suma'rɔ-
kɐf
Sumatera indon. su'matra
Sumatra zu'ma:tra, 'zu:ma-
tra
Sumba indon. 'sʊmba
Sumbawa indon. sʊm'bawa
Sumer 'zu:mɐ
Sumerer zu'me:rɐ

sumerisch zuˈmeːrɪʃ
Sumgait *russ.* sumgaˈit
Sumiswald ˈzʊmɪsvalt
summ! zʊm
Summa ˈzʊma
summa cum laude ˈzʊma kʊm ˈlaʊdə
Summand zʊˈmant, **-en**
...ndn̦
summarisch zʊˈmaːrɪʃ
Summarium zʊˈmaːriʊm,
...**ien** ...jən
Summary ˈzamərɪ
summa summarum ˈzʊma zʊˈmaːrʊm
Summation zʊmaˈtsi̯oːn
summativ zʊmaˈtiːf, **-e**
...iːvə
Sümmchen ˈzʏmçən
Summe ˈzʊmə
summen ˈzʊmən
Summepiskopat zʊmepɪskoˈpaːt
Summer ˈzʊmɐ
Summerside *engl.* ˈsʌməsaɪd
summieren zʊˈmiːrən
Summist zʊˈmɪst
Summit *engl.* ˈsʌmɪt
summ, summ! ˈzʊm ˈzʊm
Summum Bonum ˈzʊmʊm ˈboːnʊm
summum jus summa injuria ˈzʊmʊm ˈjuːs ˈzʊma ɪnˈjuːri̯a
Summus Episcopus ˈzʊmʊs eˈpɪskopʊs
Sumner *engl.* ˈsʌmnə
Sumo ˈzuːmo
Sumper ˈzʊmpɐ
Šumperk *tschech.* ˈʃumpɛrk
Sumpf zʊmpf̦, **Sümpfe** ˈzʏmpfə
Sümpfchen ˈzʏmpf̦çən
sumpfen ˈzʊmpf̦n̦
sümpfen ˈzʏmpf̦n̦
sumpfig ˈzʊmpf̦ɪç, **-e** ...ɪgə
sumptuös zʊmpˈtu̯øːs, **-e**
...øːzə
Sums zʊms, **-es** ˈzʊmzəs
sumsen ˈzʊmzn̦, **sums!**
zʊms, **sumst** zʊmst
Sumter *engl.* ˈsʌmtə
Sumy *russ.* ˈsumɨ
Sun *engl.* sʌn
Sunbury *engl.* ˈsʌnbərɪ
Sunch'ŏn *korean.* suːntʃhɔn
Sund zʊnt, **-e** ˈzʊndə
Sunda *indon.* ˈsʊnda
Sundainseln ˈzʊndaɪnzl̦n

Sundanese zʊndaˈneːzə
Sunday [Review] *engl.* ˈsʌndɪ [rɪˈvjuː]
Sundbyberg *schwed.* sʊndbyˈbærj
Sünde ˈzʏndə
Sunderland *engl.* ˈsʌndələnd
Sundern ˈzʊndɛn
Sündflut ˈzʏntfluːt
Sundgau ˈzʊntgaʊ
sündhaft ˈzʏnthaft
sündig ˈzʏndɪç, **-e** ...ɪgə
sündigen ˈzʏndɪgn̦, **sündig!** ...ɪç, **sündigt** ...ɪçt
sündlich ˈzʏntlɪç
sündlos ˈzʏntloːs
Sundman *schwed.* ˌsʊndman
Sundsvall *schwed.* ˌsʊndsval, sʊndsˈval
sündteuer ˈzʏntˈtɔyɐ
Suñer *span.* suˈn̦ɛr
Sunesøn *dän.* ˈsuːnəsøn
Sunflower *engl.* ˈsʌnflaʊə
Sung zʊŋ
Sungir *russ.* sunˈgirj
Sunion ˈzuːni̯ɔn, *neugr.* ˈsunjɔn
Sunn zan
Sunna ˈzʊna
Sunndalsøra *norw.* ˌsʊndaːlsøːra
Sunnit zʊˈniːt
Sunnyvale *engl.* ˈsʌnɪveɪl
Sun Prairie *engl.* ˈsʌn ˈprɛərɪ
Sun Ra *engl.* ˈsʌn ˈraɪ
Sunrise *engl.* ˈsʌnraɪz
Süntel ˈzʏntl̦
Sunyani *engl.* suːnˈjaːni:
Sun Yat-sen zʊnjaˈtsɛn
Suomalaiset *finn.* ˈsu̯omalaɪsɛt
Suomenlahti *finn.* ˈsu̯omɛnlahti
Suomenmaa *finn.* ˈsu̯omɛmma:
Suomenselkä *finn.* ˈsu̯omɛnsɛlkæ
Suomi ˈzu̯oːmi, *finn.* ˈsu̯omi
Suomusjärvi *finn.* ˈsu̯omusjærvi
Suora ˈzu̯oːra
Suovetaurilia zu̯ovetaṵˈriːli̯a
super, S... ˈzuːpɐ
Superacidität zʊpɐlatsidiˈtɛːt
Superädifikat zʊpɐlɛdifiˈkaːt

superarbitrieren zʊpɐlarbiˈtriːrən
Superarbitrium zʊpɐlarˈbiːtriʊm, ...**ien** ...i̯ən
Superazidität zʊpɐlatsidiˈtɛːt
superb zuˈpɛrp, *auch:* zyˈpɛrp, **-e** ...rbə
süperb zyˈpɛrp, **-e** ...rbə
Superbus zuˈpɛrbʊs
Supercup ˈzuːpɐkap
Supererogation zʊpɐlerogaˈtsi̯oːn
Superexlibris zʊpɐlɛksˈliːbriːs
superfein ˈzuːpɐfaɪn
Superfekundation zʊpɐfekʊndaˈtsi̯oːn
Superfetation zʊpɐfetaˈtsi̯oːn
superfiziarisch zʊpɐfiˈtsi̯aːrɪʃ
superfiziell zʊpɐfiˈtsi̯ɛl
Superfizies zʊpɐˈfiːtsi̯es, *Mehrz.* ...ˈtsi̯eːs
Super-G ˈzuːpɐdʒiː
Superhet zuːpɐˈhɛt
Superheterodyn... zʊpɐhetero'dyːn...
superieren zupeˈriːrən
Superintendent zʊpɐlɪntɛnˈdɛnt, *auch:* ˈzuːp...
Superintendentur zʊpɐlɪntɛndɛnˈtuːɐ
Superinvolution zʊpɐlɪnvoluˈtsi̯oːn
¹Superior zuˈpeːri̯oːɐ, **-en** zupeˈri̯oːrən
²Superior *engl.* sjuˈpɪərɪə
Superiorin zupeˈri̯oːrɪn
Superiorität zupeˈri̯oriˈtɛːt
Superkargo zʊpɐˈkargo, ˈzuːp...
superkrustal zʊpɐkrʊsˈtaːl
Superlativ ˈzuːpɐlatiːf, **-e** ...iːvə
superlativisch ˈzuːpɐlatiːvɪʃ
Superlativismus zʊpɐlatiˈvɪsmʊs
Superlearning ˈzuːpɐløːɐnɪŋ, ...ˈlœrnɪŋ
superleicht ˈzuːpɐlaɪçt
Supermarket ˈzuːpɐmaːɐkət
Supermarkt ˈzuːpɐmarkt
Supernaturalismus zʊpɐnaturaˈlɪsmʊs
supernaturalistisch zʊpɐnaturaˈlɪstɪʃ

Supernova zupɐˈnoːva, ...vä ...vɛ
Supernumerar zupɐnumeˈraːɐ̯
Supernumerariat zupɐnumeraˈri̯aːt
Supernumerarius zupɐnumeˈraːri̯ʊs, ...ien ...i̯ən
Supernym zupɐˈnyːm
Supernymie zupɐnyˈmiː, -n ...iːən
Superonym zuperoˈnyːm
Superonymie zuperonyˈmiː, -n ...iːən
Superoxid ˈzuːpɐlɔksiːt
Superoxyd ˈzuːpɐlɔksyːt
Superpelliceum zupɐpɛˈliːtseʊm, ...cea ...ea
superponieren zupɐpoˈniːren
Superposition zupɐpoziˈtsi̯oːn
Superrevision zupɐreviˈzi̯oːn
Supersekretion zupɐzekreˈtsi̯oːn
supersonisch zupɐˈzoːnɪʃ
Superstition zupɐstiˈtsi̯oːn
superstitiös zupɐstiˈtsi̯øːs, -e ...øːzə
Superstrat zupɐˈstraːt
Supervielle *fr.* sypɐˈvi̯ɛl
Supervision zupɐviˈzi̯oːn, *auch:* zupɐˈvɪʒn̩
Supervisor ˈzuːpɐvaɪ̯zɐ
Supin zuˈpiːn
Supinum zuˈpiːnʊm, ...na ...na
Süppchen ˈzʏpçən
Suppe ˈzʊpə
Suppé zʊˈpeː, *auch:* ˈzʊpe
Suppedaneum zupɐˈdaːneʊm, ...nea ...nea
suppen ˈzʊpn̩
¹Supper (Abendessen) ˈzapɐ
²Supper (Name) ˈzʊpɐ
suppig ˈzʊpɪç, -e ...ɪɡə
Suppleant zupleˈant
Supplement zupleˈmɛnt
supplementär zuplemɛnˈtɛːɐ̯
Supplent zʊˈplɛnt
Suppletion zupleˈtsi̯oːn
Suppletiv... zupleˈtiːf...
Suppletivismus zupletiˈvɪsmʊs
suppletorisch zupleˈtoːrɪʃ
supplieren zʊˈpliːrən
Supplik zʊˈpliːk

Supplikant zupliˈkant
Supplikation zuplikaˈtsi̯oːn
Supplinburg ˈzʊplɪnbʊrk
supplizieren zupliˈtsiːrən
Supply zəˈplaɪ̯
supponieren zupoˈniːrən
Support zʊˈpɔrt
Supposition zʊpoziˈtsi̯oːn
Suppositorium zʊpoziˈtoːri̯ʊm, ...ien ...i̯ən
Suppositum zʊˈpoːzitʊm, ...ta ...ta
Suppression zʊprɛˈsi̯oːn
suppressiv zʊprɛˈsiːf, -e ...iːvə
Suppressor zʊˈprɛsoːɐ̯, -en ...ˈsoːrən
supprimieren zʊpriˈmiːrən
Suppuration zʊpuraˈtsi̯oːn
suppurativ zʊpuraˈtiːf, -e ...iːvə
supra..., S... ˈzuːpra...
Supraexlibris zupraˌlɛksˈliːbriːs
Suprafluidität zuprafluidiˈtɛːt
suprakrustal zuprakrʊsˈtaːl
Supraleiter ˈzuːpralaɪ̯tɐ
Supralibros zupraˈliːbroːs
Supramid® zupraˈmiːt, -es ...iːdəs
supranational zupranatsi̯oˈnaːl
Supranaturalismus zupranaturaˈlɪsmʊs
supranaturalistisch zupranaturaˈlɪstɪʃ
supraorbital zupralɔrbiˈtaːl
Supraporte zupraˈpɔrtə
suprarenal zuprareˈnaːl
Suprarenin® zuprareˈniːn
suprasegmental zuprazɛgmɛnˈtaːl
Supraśl *poln.* ˈsupraɕl
suprasternal zuprastɛrˈnaːl
Suprastrom ˈzuːpraʃtroːm
supravaginal zupravagiˈnaːl
Supremat zupreˈmaːt
Suprematie zupremaˈtiː, -n ...iːən
Suprematismus zupremaˈtɪsmʊs
Suprematist zupremaˈtɪst
Sur zuːɐ̯
Sura *russ.* suˈra
Surabaya *indon.* suraˈbaja
Surah zuˈraː
Surakarta *indon.* suraˈkarta
Surat *engl.* ˈsʊrət

Surat Thani *Thai* suˈraːd thaːˈniː: 1211
Surbiton *engl.* ˈsəːbɪtn̩
Surchandarja *russ.* surˈxandarjˈja
Surcot zyrˈkoː
Surdas ˈzuːɐ̯da:s
Surditas ˈzʊrditas
Surdomutitas zʊrdoˈmuːtiːtas
Sure ˈzuːrə
Sûre *fr.* syːr
Surema zuˈreːma
Suresnes *fr.* syˈrɛn
surfen ˈzøːɐ̯fn̩, ˈzœrfn̩
Surfing ˈzøːɐ̯fɪŋ, ˈzœrfɪŋ
Surfleisch ˈzuːɐ̯flaɪ̯ʃ
Surfriding ˈzøːɐ̯fraɪ̯dɪŋ, ˈzœrf...
Surgut *russ.* surˈgut
Suriano *it.* suˈri̯aːno
Surigao *span.* suriˈɣao
Surikate zuriˈkaːtə
Surikow *russ.* ˈsurikɐf
Surilho zuˈrɪljo
Surimono zuriˈmoːno
Surinam zuriˈnam
Suriname *niederl.* syriˈnaːmə
Surius ˈzuːri̯ʊs
surjektiv zʊrjɛkˈtiːf, -e ...iːvə
Surkow *russ.* surˈkɔf
Surminski zʊrˈmɪnski
Surplus ˈzøːɐ̯plɔs, ˈzœrp...
Surprise-... zøːɐ̯ˈpraɪ̯s..., zœr...
Surra ˈzʊra
Surre ˈzʊrə
surreal ˈzʊreaːl, *auch:* ˈzyr...
Surrealismus zʊreaˈlɪsmʊs, *auch:* zyr...
Surrealist zʊreaˈlɪst, *auch:* zyr...
surren ˈzʊrən
Surrey *engl.* ˈsarɪ
Surrogat zʊroˈgaːt
Surrogation zʊrogaˈtsi̯oːn
Sursee ˈzuːɐ̯zeː
sursum corda! ˈzʊrzʊm ˈkɔrda
Surt zʊrt
Surtax ˈzøːɐ̯tɛks, ˈzœrt...
Surtaxe zyrˈtaks, -n ...ksn̩
Surtees *engl.* ˈsəːtiːz
Surtout zyrˈtuː
Surtsey *isl.* ˈsʏrtseɪ̯
Survage *fr.* syrˈvaːʒ
Survey ˈzøːɐ̯ve, ˈzœrve
Surveyor zøːɐ̯ˈveːɐ̯, zœr...

Survival[s] zøɐ̯'va̯i̯vl̩[s], zœr'...
Susa 'zu:za, *it.* 'su:za
Susak *serbokr.* ˌsu:sak
Susan *engl.* su:zn
Susana *span.* su'sana
Susann *engl.* su:'zæn
Susanna zu'zana, *engl.* su:'zænə
Susanne zu'zanə
Susato zu'za:to
Suschen 'zu:sçən
Susdal *russ.* 'suzdɐlj
Suse 'zu:zə
Sushi 'zu:ʃi
Su Shi *chin.* suʃï14
Susi 'zu:zi
Sušice *tschech.* 'suʃitsɛ
Susie *engl.* 'su:zɪ
Susine zu'zi:nə
Süskind 'zy:skɪnt
Suslik 'zʊslɪk, 'zu:slɪk
Suslow *russ.* 'suslɐf
Susman 'zu:sman
Suso 'zu:zo
suspekt zʊs'pɛkt
suspendieren zʊspɛn'di:-rən
Suspension zʊspɛn'zi̯o:n
suspensiv zʊspɛn'zi:f, -e ...i:və
Suspensorium zʊspɛn'zo:-ri̯ʊm, ...ien ...i̯ən
Susquehanna *engl.* sʌskwɪ-'hænə
süß, S... zy:s
Süss zy:s
Sussanin *russ.* su'sanin
Süße 'zy:sə
süßen, S... 'zy:sn̩
Sussex *engl.* 'sʌsɪks
Süßigkeit 'zy:sɪçka̯it
Süßkind 'zy:skɪnt
Süßmayr 'zy:sma̯iɐ̯
Süssmuth, Süßm... 'zy:s-mu:t
süßsauer 'zy:s'za̯uɐ
Sustain zəs'te:n
Sust[en] 'zʊst[n̩]
Sustentation zʊstɛnta-'tsi̯o:n
Süsterhenn 'zystɐhɛn
Sustris *niederl.* 'sʏstrɪs
Susuka *jap.* su'zuka
Susuki *jap.* su'zuki
Susy 'zu:zi
suszeptibel zʊstsɛp'ti:bl̩, ...ble ...blə
Suszeptibilität zʊstsɛptibi-li'tɛ:t

Suszeption zʊstsɛp'tsi̯o:n
suszipieren zʊstsi'pi:rən
Sutane zu'ta:nə
Sutanelle zuta'nɛlə
Sutasch zu'taʃ, *auch:* 'zu:taʃ
Sutcliff *engl.* 'sʌtklɪf
Suter 'zu:tɐ
Sutera *it.* su'tɛ:ra
Sutermeister 'zu:tɐma̯istɐ
Sutherland *engl.* 'sʌðələnd
Sutlej *engl.* 'sʌtlɪdʒ
Sütő *ung.* 'ʃytø:
Sutra 'zu:tra
Sutri *it.* 'su:tri
Sutro *engl.* 'su:troʊ
Sutsos *neugr.* 'sutsɔs
Sutter 'zʊtɐ, *engl.* 'su:tə, *niederl.* 'sʏtər
Sütterlin 'zʏtɐli:n
Sutterman[s] *niederl.* 'sʏtərmɑn[s]
Suttner 'zʊtnɐ
Sutton [Hoo] *engl.* 'sʌtn ['hu:]
Sutur zu'tu:ɐ̯
suum cuique 'zu:ʊm ku'i:kvə, - 'ku:ikvə
SUVA 'zu:va
Suvanna Phuma zu'vana 'fu:ma
Suvannavong zuvana'vɔŋ
Süverkrüp 'zy:vɐkryp
Süvern 'zy:vɐn
Suwaida zuva̯i'da:
Suwałki *poln.* su'va̯uki
Suwannee *engl.* sʊ'wɔ:nɪ
Suwon *korean.* suwɔn
Suworow *russ.* su'vɔrɐf
Suys 'zu:ɪs, *niederl.* sœi̯s
Suzanne *fr.* sy'zan, *engl.* su:'zæn
suzerän, S... zuts̯e'rɛ:n
Suzeränität zuts̯erɛni'tɛ:t
Suzhou *chin.* sudʒou̯ 11
Suzkewer 'zʊtskevɐ
Suzuki zu'tsu:ki
Svalbard *norw.* ˌsva:lbar[d]
Švantner *slowak.* 'ʃvantnɛr
Svappava[a]ra *schwed.* ˌsvapava:ra
Svarabhakti svara'bakti
Svarez 'sva:rɛts̯
Svatopluk *tschech.* 'svato-pluk
Svatoslav *tschech.* 'svatɔslaf
Svealand *schwed.* ˌsve:a-lan[d]
Svear *schwed.* ˌsve:ar

Svedberg *schwed.* ˌsve:d-bɐrj
Sveg *schwed.* sve:g
svegliato svɛl'ja:to
Švejda *tschech.* 'ʃvɛjda
Švejk *tschech.* ʃvɛjk
Svekofenniden svekofɛ-'ni:dn̩
Sven *schwed.* svɛn, *dän.* sven'
Svend *dän.* sven'
Svendborg *dän.* 'svenbɔɐ̯'
Svendsen *norw.* 'svɛnsən
Svenska Dagbladet *schwed.* ˌsvɛnska ˌda:gbla:-dət
Svensson *schwed., isl.* 'svɛnsɔn
Svenstedt *schwed.* ˌsvɛnstɛt
Sverdrup *norw.* ˌsværdrɐp
Sverige *schwed.* 'sværjə
Sveti Stefan *serbokr.* 'svɛ:ti: 'stɛ:fa:n
Světlá *tschech.* 'svjɛtla:
Svetozarevo *serbokr.* 'svɛ-tɔzarɛvɔ
Svevo *it.* 'zvɛ:vo
Svinhufvud *schwed.* ˌsvi:n-hɐ:vɐd
Svitavy *tschech.* 'svitavi
Svizzera *it.* 'zvittsera
Svoboda *tschech.* 'svɔbɔda
Svobodová *tschech.* 'svɔbɔ-dɔva:
Svolvær *norw.* ˌsvɔlvæ:r
Swaanswijk *niederl.* 'swa:nswe̯ik
Swahili sva'hi:li
Swain[s] *engl.* swe̯in[z]
Swakop 'svakɔp, *engl.* 'swa:-kɔp
Swakopmund svakɔp'mʊnt
Swami 'sva:mi
Swammerdam *niederl.* swamɐr'dam
Swamps svɔmps
Swampscott *engl.* 'swɔmpskət
Swan[age] *engl.* 'swɔn[ɪdʒ]
Swanboy 'svɔnbɔy
Swane 'sva:nə
Swansea *engl.* 'swɔnzɪ
Swanskin *engl.* 'swɔnskɪn
Swanson *engl.* swɔnsn
Swante[wit] 'svantə[vɪt]
Swantje 'svantjə
Swap... 'svɔp...
SWAPO 'sva:po
Swapper 'svɔpɐ
Swarabhakti svara'bakti

Swarowsky sva'rɔfski
Swartka 'svartka
Swarth *niederl.* swɑrt
Swarzędz *poln.* 'sfaʒɛnts
Swasi 'sva:zi
Swasiland 'sva:zilant
Swastika 'svastika
Swatopluk 'svatopluk
Swatch® svɔtʃ
Swaziland *engl.* 'swɑ:zilænd
Sweat... 'svɛt...
Sweater 'sve:tɐ, 'svɛtɐ
Sweatshirt 'svɛtʃø:ɐt, ...ʃœrt
Swebe 'sve:bə
swebisch 'sve:bɪʃ
Swedenborg 'sve:dn̩bɔrk, *schwed.* ˌsve:dənbɔrj
Swedenborgianer sve:dn̩bɔr'gia:nɐ
Sweelinck *niederl.* 'swe:lɪŋk
Sweepstake 'svi:pste:k
Sweerts *niederl.* swe:rts
¹Sweet (Name) *engl.* swi:t
²Sweet (Tanz) svi:t
Sweetheart 'svi:tha:ɐt
Swellendam *afr.* svɛlən-'dam
Swen svɛn
Swenigorod *russ.* zvɪ'nigɐ-rɐt
Swerdlow[sk] *russ.* svɪr-'dlɔf[sk]
Swert *niederl.* swɛrt
Swertia 'svɛrtsi̯a, ...iae ...i̯ɛ
Swete *engl.* swi:t
Swetlana *russ.* svɪt'lanɐ
Swetlanow *russ.* svɪt'lanɐf
Swetlogorsk *russ.* svɪtla-'gɔrsk
Swetlow *russ.* svɪt'lɔf
Swetogorsk *russ.* svɪta-'gɔrsk
Sweynheim 'svai̯nhai̯m
Swidbert 'svi:tbɛrt, 'svɪt...
Swidérien svide'ri̯ɛ̃:
Świdnica *poln.* ɕfid'nitsa
Świdry *poln.* 'ɕfidri
Święcie *poln.* 'ɕfi̯ɛtɕɛ
Świerądów Zdrój *poln.* ɕfi̯ɛ'raduf 'zdruj
Świeten 'svi:tn̩
Świętochłowice *poln.* ɕfi̯ɛntɔxu̯ɔ'vitsɛ
Świętochowski *poln.* ɕfi̯ɛn-tɔ'xɔfski
Swift svɪft, *engl.* swɪft
Swift Current *engl.* 'swɪft 'kʌrənt

Swilengrad *bulgar.* 'svilɛŋ-grat
Swimmingpool 'svɪmɪŋpu:l
Swinarski *poln.* sfi'narski
Swinburne *engl.* 'swɪnbə:n
Swindon *engl.* 'swɪndən
Swine 'svi:nə
Swinegel 'svi:nʲe:gl̩
Swinemünde svi:nə'mʏndə
Swineshead *engl.* 'swaɪnz-hɛd
¹Swing (Tanz) svɪŋ
²Swing (Name) *engl.* swɪŋ
Swing-by 'svɪŋ'bai̯, '--
swingen 'svɪŋən
Swinger 'svɪŋɐ
Swingfox 'svɪŋfɔks
swinging, S... 'svɪŋɪŋ
Swinnerton *engl.* 'swɪnətn̩
Swinton *engl.* swɪntn̩
Swir *russ.* svɪrj
Swiridow *russ.* svi'ridɐf
Switschtow *bulgar.* sviʃ'tɔf
Swiss *engl.* swɪs
Swissair 'svɪsɛ:ɐ̯
Swissvale *engl.* 'swɪsveɪl
switchen 'svɪtʃn̩
Switzerland *engl.* 'swɪtsə-lənd
Swjatopolk *russ.* svɪta'pɔlk
Swjatoslaw *russ.* svɪta'slaf
Šwjela *niedersorb.* 'ʃvi̯ɛla
Swoboda 'svɔbɔda
Swobodny *russ.* sva'bɔdnij
Syagrius zy'a:griʊs
Sybaris 'zy:barɪs
Sybarit zyba'ri:t
Sybaritismus zybari'tɪsmʊs
Sybel 'zy:bl̩
Syberberg 'zy:bɐbɛrk
Sydenham *engl.* 'sɪdnəm
Sydney [Mines] *engl.* 'sɪdnɪ ['maɪnz]
Sydow 'zy:do
Syene 'zy̆e:nə
Syenit zy̆e'ni:t
Syke 'zi:kə
Sykes *engl.* saɪks
Sykomore zyko'mo:rə
Sykophant zyko'fant
Sykose zy'ko:zə
Sykosis zy'ko:zɪs
Syktywkar *russ.* sɪktɪf'kar
Sylacauga *engl.* sɪlə'kɔ:gə
Sylarna *schwed.* ˌsy:larna
Sylhet *engl.* 'sɪlhɛt
Syllabar zyla'ba:ɐ̯
Syllabarium zyla'ba:ri̯ʊm, ...ien ...i̯ən
Syllabem zyla'be:m

syllabieren zyla'bi:rən
syllabisch zy'la:bɪʃ
Syllabus 'zylabʊs, ...bi ...bi
Syllepse zy'lɛpsə
Syllepsis 'zylɛpsɪs, ...epsen zy'lɛpsn̩
sylleptisch zy'lɛptɪʃ
Syllogismus zylo'gɪsmʊs
Syllogistik zylo'gɪstɪk
syllogistisch zylo'gɪstɪʃ
Sylphe 'zylfə
Sylphide zyl'fi:də
Sylt zylt
Sylvania *engl.* sɪl'veɪni̯ə
Sylvanit zylva'ni:t
Sylvanus zyl'va:nʊs
Sylvensteinsee 'zylvn̩-ˌʃtai̯nze:
Sylvester zɪl'vɛstɐ, zyl..., *engl.* sɪl'vɛstə
Sylvia 'zɪlvi̯a, 'zylvi̯a, *engl.* 'sɪlvɪə
Sylvin zyl'vi:n
Sylvinit zylvi'ni:t
Sylvius 'zɪlvi̯ʊs, 'zylvi̯ʊs
Sylwa *russ.* 'sɪlvɐ
Symbiont zym'bi̯ɔnt
Symbiose zym'bi̯o:zə
symbiotisch zym'bi̯o:tɪʃ
Symblepharon zym'ble:fa-rɔn
Symbol zym'bo:l
Symbola vgl. Symbolum
Symbolik zym'bo:lɪk
Symbolisation zymboliza-'tsi̯o:n
symbolisch zym'bo:lɪʃ
symbolisieren zymboli'zi:-rən
Symbolismus zymbo'lɪs-mʊs
Symbolist zymbo'lɪst
Symbolum 'zymbolʊm, ...la ...la
Symbolum apostolicum 'zymbolʊm apɔs'to:likʊm
Syme 'zy:mə, *engl.* saɪm
Symeon 'zy:meɔn
Symington *engl.* 'saɪmɪŋtən, 'sɪm...
Symmachie zyma'xi:, -n ...i:ən
Symmachus 'zymaxʊs
Symmetrie zyme'tri:, -n ...i:ən
symmetrisch zy'me:trɪʃ
Symonds *engl.* 'saɪməndz, 'sɪm...
Symons *engl.* 'saɪmənz, 'sɪm...

Sympathektomie zʏmpa-tɛkto'miː, **-n** ...iːən

sympathetisch zʏmpa'teː-tɪʃ

Sympathie zʏmpa'tiː, **-n** ...iːən

Sympathikolytikum zʏm-patiko'lyːtikʊm, **...ka** ...ka

Sympathikomimetikum zʏmpatikomi'meːtikʊm, **...ka** ...ka

Sympathikotonie zʏmpati-koto'niː, **-n** ...iːən

Sympathikotonikum zʏm-patiko'toːnikʊm, **...ka** ...ka

Sympathikus zʏm'paːtikʊs, **...izi** ...itsi

Sympathisant zʏmpati-'zant

sympathisch zʏm'paːtɪʃ

sympathisieren zʏmpati'ziː-rən

Sympatholytikum zʏmpa-to'lyːtikʊm, **...ka** ...ka

Sympetalen zʏmpe'taːlən

Sympher 'zʏmfɐ

Symphonie zʏmfo'niː, **-n** ...iːən

Symphonik zʏm'foːnɪk

Symphoniker zʏm'foːnikɐ

symphonisch zʏm'foːnɪʃ

Symphony *engl.* 'sɪmfənɪ

symphronistisch zʏmfro-'nɪstɪʃ

Symphyse zʏm'fyːzə

symphytisch zʏm'fyːtɪʃ

Symplegaden zʏmple-'gaːdn̩

Symploke zʏmplo'keː, 'zʏmploke, **-n** zʏm'ploːkn̩

sympodial zʏmpo'dja:l

Sympodium zʏm'poːdjʊm, **...ien** ...jən

Symposion zʏm'poːzjɔn, ...pɔz..., **...ien** ...jən

Symposium zʏm'poːzjʊm, ...pɔz..., **...ien** ...jən

Symptom zʏmp'toːm

Symptomatik zʏmpto'maː-tɪk

symptomatisch zʏmpto-'maːtɪʃ

Symptomatologie zʏmpto-matolo'giː

synagogal zʏnago'gaːl

Synagoge zʏna'goːgə

Synalgie zʏnal'giː, zʏn|a..., **-n** ...iːən

Synallage zʏ'naːlage, zʏn-'|a..., **-n** ...'laːgn̩

Synallagma zʏ'nalagma, zʏn|a..., **...men** ...'lagmən

synallagmatisch zʏnala-'gmaːtɪʃ, zʏn|a...

Synalöphe zʏna'løːfə, zʏn|a...

synandrisch zʏ'nandrɪʃ, zʏn'|...

Synandrium zʏ'nandriʊm, zʏn'|a..., **...ien** ...iən

Synanthie zʏnan'tiː, zʏn|a..., **-n** ...iːən

Synaphie zʏna'fiː, zʏn|a..., **-n** ...iːən

synaphisch zʏ'na:fɪʃ, zʏn-'|a:...

Synapse zʏ'napsə, zʏn-'|apsə

Synapte zʏ'naptə, zʏn'|a...

synaptisch zʏ'naptɪʃ, zʏn-'|a...

Synärese zʏnɛ're:zə, zʏn-|ɛ...

Synäresis zʏ'nɛ:rezɪs, zʏn-'|ɛ:..., **...resen** zʏnɛ're:zn̩, zʏn|ɛ...

Synarthrose zʏnar'tro:zə, zʏn|a...

Synästhesie zʏnɛste'zi:, zʏn|ɛ..., **-n** ...iːən

synästhetisch zʏnɛs'te:tɪʃ, zʏn|ɛ...

Synaxarion zʏna'ksa:rjɔn, zʏn|a..., **...ien** ...jən

Synaxis 'zy:naksɪs, 'zʏn|a..., *auch:* zy'naksɪs, zʏn'|a..., **...xen** zy'naksn̩, zʏn'|a...

Synchorologie zʏnkorolo'gi:

synchron zʏn'kro:n

Synchronie zʏnkro'ni:

Synchronisation zʏnkroniza'tsjo:n

synchronisieren zʏnkroni-'zi:rən

Synchronismus zʏnkro-'nɪsmʊs

synchronistisch zʏnkro-'nɪstɪʃ

Synchronopse zʏnkro-'nɔpsə

synchronoptisch zʏnkro-'nɔptɪʃ

Synchrotron 'zʏnkrotro:n

Syncopated music 'zɪŋkope:tɪt 'mju:zɪk

Syndaktylie zʏndakty'li:, **-n** ...iːən

Synderesis zʏn'de:rezɪs

Syndesmologie zʏndɛsmo-lo'gi:

Syndesmose zʏndɛs'mo:zə

Syndet zʏn'de:t

Syndetikon® zʏn'de:tikɔn

syndetisch zʏn'de:tɪʃ

Syndikalismus zʏndika'lɪs-mʊs

Syndikalist zʏndika'lɪst

Syndikat zʏndi'ka:t

Syndikus 'zʏndikʊs, **-se** ...ʊsə, **...dizi** ...ditsi

syndizieren zʏndi'tsi:rən

Syndrom zʏn'dro:m

Synechie zʏnɛ'çi:, zʏn|ɛ..., **-n** ...iːən

Synechologie zʏnɛçolo'gi:, zʏn|ɛ...

Synedrion zy'ne:driɔn, zʏn'|e:..., **...ien** ...jən

Synedrium zy'ne:driʊm, zʏn'|e:..., **...ien** ...jən

Synekdoche zy'nɛkdɔxe, zʏn'|ɛ..., **-n** ...'dɔxn̩

synekdochisch zʏnɛk'dɔ-xɪʃ, zʏn|ɛ...

Synektik zy'nɛktɪk, zʏn'|ɛ...

Synephebe zyne'fe:bə, zʏn-|e...

Synergeten zʏnɛr'ge:tn̩, zʏn|ɛ...

synergetisch zʏnɛr'ge:tɪʃ, zʏn|ɛ...

Synergiden zʏnɛr'gi:dn̩, zʏn|ɛ...

Synergie zʏnɛr'gi:, zʏn|ɛ...

Synergismus zʏnɛr'gɪsmʊs, zʏn|ɛ...

Synergist zʏnɛr'gɪst, zʏn-|ɛ...

Synesios zy'ne:zjɔs

Synesis 'zy:nezɪs, **...esen** zy'ne:zn̩

Syng[e] *engl.* sɪŋ

syngenetisch zʏnge'ne:tɪʃ

Syngman Rhee *engl.* 'sɪŋ-'ma:n 'ri:

Synhyperonym zʏn-hypero'ny:m

Synhyponym zʏnhypo-'ny:m

Synizese zyni'tse:zə, zʏn-|i...

Synizesis zy'ni:tsezɪs, zʏn-'|i:..., **...esen** zyni'tse:zn̩, zʏn|i...

synkarp zʏn'karp

Synkarpie zʏnkar'pi:

Synkaryon zʏn'ka:rŷɔn, **...ya** ...ŷa

Synkatạthesis zɪnka'ta:te-
zɪs
Synkategọrema zɪnkate-
'goːrema, **-ta** ...goː'reːmata
Synkinẹse zɪnki'neːzə
synklinạl zɪnkli'naːl
Synklinạle zɪnkli'naːlə
Synklịne zɪn'kliːnə
¹Sỵnkope (Sprach-, Vers-
lehre; Medizin) 'zɪnkope,
-n ...'koːpn̩
²Synkọpe (Musik) zɪn-
'koːpə
synkopịeren zɪnko'piːrən
synkọpisch zɪn'koːpɪʃ
Synkotylịe zɪnkoty'liː
Synkretịsmus zɪnkre'tɪsmʊs
Synkretịst zɪnkre'tɪst
Synkrịse zɪn'kriːzə
Sỵnkrisis 'zɪnkrizɪs, **...kri-
sen** ...'kriːzn̩
synkrịtisch zɪn'kriːtɪʃ
Synọd zy'noːt, **-e** ...oːdə
synodạl zyno'daːl
Synodạle zyno'daːlə
Synọde zy'noːdə
synọdisch zy'noːdɪʃ
Synọkiẹ zynø'kiː, zɪnlø...,
-n ...iːən
Synọkologiẹ zynøkolo'giː,
zɪnlø...
synonym zyno'nyːm
Synonym zyno'nyːm, **-a**
zy'noːnyma
Synonymiẹ zynony'miː, **-n**
...iːən
Synonymik zyno'nyːmɪk
Synophrys 'zy:nofrys, 'zɪnlo...
Synọpse zy'nɔpsə, zɪn'lɔ...
Synopsis 'zy:nɔpsɪs, 'zɪn-
lɔ..., ...ọpsen zy'nɔpsn̩,
zɪn'lɔ...
Synọptik zy'nɔptɪk, zɪn'lɔ...
Synọptiker zy'nɔptikɐ,
zɪn'lɔ...
synọptisch zy'nɔptɪʃ, zɪn-
'lɔ...
synorogẹn zynoro'geːn,
zɪnlo..
Synostọse zynɔs'toːzə, zɪn-
lɔ...
Synọvia zy'noːvia
Synovialọm zynovia'loːm
Synovịtis zyno'viːtɪs, ...itị-
den ...vi'tiːdn̩
Synọziẹ zynø'tsiː, zɪnlø...,
-n ...iːən

synọzisch zy'nøːtsɪʃ, zɪn-
'lø:...
Synsemạntikon zɪnze-
'mantikɔn, ...ka ...ka
synsemạntisch zɪnze'mantɪʃ
Syntạgma zɪn'tagma
syntagmạtisch zɪnta'gma:-
tɪʃ
Syntạktik zɪn'taktɪk
Syntạktikum zɪn'taktikʊm,
...ka ...ka
syntạktisch zɪn'taktɪʃ
Sỵntax 'zɪntaks
Synteresis zɪn'te:rezɪs
Synthẹse zɪn'te:zə
Sỵnthesis 'zɪntezɪs, ...thẹ-
sen ...'te:zn̩
Sỵnthesizer 'zɪntəzaɪzɐ,
auch: dt.-engl. 'zɪnθɪzaɪzɐ
Synthẹtics zɪn'te:tɪks
Synthẹtik[s] zɪn'te:tɪk[s]
synthẹtisch zɪn'te:tɪʃ
synthetisịeren zɪnteti'zi:-
rən
Sỵntheton 'zɪntetɔn, ...ta
...ta
Sỵnthi 'zɪnti
Syntropiẹ zɪntro'pi:, -n
...iːən
Synuriẹ zynu'ri:, zɪnlu..., -n
...iːən
Synzỵtium zɪn'tsy:tsiʊm,
...ien ...iən
Sỵph zyf
Sỵphax 'zy:faks
Syhilịd zyfi'li:t, -e ...i:də
Syphilis 'zy:filɪs
Syphilịtiker zyfi'li:tikɐ
syphilịtisch zyfi'li:tɪʃ
Syphilodẹrma zyfilo-
'dɛrma, -ta -ta
Syphiloịd zyfilo'i:t, -e ...i:də
Syphilọm zyfi'lo:m
Syphilọse zyfi'lo:zə
Syracuse engl. 'sɪrəkju:s
Syrakụs zyra'ku:s
Syrakusạner zyraku'za:nɐ
Syrakụser zyra'ku:zɐ
syrakụsisch zyra'ku:zɪʃ
Syr-Darja russ. sɪrdarj'ja
Sỵrer 'zy:rɐ
Sỵrien 'zy:rjən
Sỵrier 'zy:rjɐ
Syrịnge zy'rɪŋə
Syringịtis zyrɪŋ'gi:tɪs, ...itị-
den ...gi'ti:dn̩
Syringomyelịe zyrɪŋgo-
mÿe'li:, -n ...i:ən

Sỵrinx 'zy:rɪŋks, **Sỵringen**
zy'rɪŋən
sỵrisch 'zy:rɪʃ
Syrjäne zyr'jɛ:nə
Syrlin 'zyrli:n, 'zy:ɐ̯li:n
Sỵrmien 'zyrmiən
Syrokọmla poln. sirɔ'kɔmla
Syrolọge zyro'lo:gə
Syrologiẹ zyrolo'gi:
Sỵros 'zy:rɔs
Sỵrte 'zyrtə
Sỵrus 'zy:rʊs
Sỵsran russ. 'sizrɐnj
systạltisch zys'taltɪʃ
Systẹm zys'te:m
Systemạtik zyste'ma:tɪk
Systemạtiker zyste'ma:tikɐ
systemạtisch zyste'ma:tɪʃ
systematisịeren zystemati-
'zi:rən
systẹmisch zys'te:mɪʃ
Systemoịd zystemo'i:t, -e
...i:də
Systole 'zystole, auch:
...'to:lə, -n ...'to:lən
systọlisch zys'to:lɪʃ
Syzygiẹ zytsy'gi:, -n ...i:ən
Syzygium zy'tsy:giʊm,
...ien ...iən
Szạbo 'sa:bo
Szabó 'sa:bo, ung. 'sɔbo:
Szabolcs[i] ung. 'sɔboltʃ[i]
Szakasits ung. 'sɔkɔʃitʃ
Szálasi ung. 'sa:lɔʃi
Szamos ung. 'sɔmoʃ
Szaniạwski poln. ʃa'njafski
Szarvas ung. 'sɔrvɔʃ
Szathmáry ung. 'sɔtma:ri
Szatmár ung. 'sɔtma:r
Százhalombatta ung.
'sa:shɔlombɔttɔ
Szczạwno Zdrój poln.
'ʃtʃawnɔ 'zdruj
Szczecin poln. 'ʃtʃɛtɕin
Szczecịnek poln. ʃtʃɛ'tɕinɛk
Szczepạński poln. ʃtʃɛ-
'paĩski
Szczęsny 'tʃɛsni
Szczọdry poln. 'ʃtʃɔdri
Szczypiọrski poln. ʃtʃi-
'pjɔrski
Szczỵtno poln. 'ʃtʃitnɔ
Széchenyi ung. 'se:tʃɛnji
Szẹged ung. 'sɛgɛd
Szegedin ung. 'sɛgedi:n
Székely ung. 'se:kɛj
Székesfehérvár ung.
'se:kɛʃfɛheːrva:r
Szękfű ung. 'sɛkfy:
Szekler 'se:klɐ, 'sɛk...

Szekszárd *ung.* 'sɛksa:rd
Szelburg *poln.* 'ʃɛlburk
Szell (George) *engl.* sɛl
Széll *ung.* se:ll
Szenar ṣtṣe'na:ɐ̯
Szenario ṣtṣe'na:rio
Szenarist ṣtṣena'rɪst
Szenarium ṣtṣe'na:rium,
...ien ...iǝn
Szenczi *ung.* 'sɛntsi
Szene 'ṣtṣe:nǝ
Szenerie ṣtṣenǝ'ri:, -n ...i:ǝn
Szenessy *ung.* 'sɛnɛʃi
szenisch 'ṣtṣe:nɪʃ
Szenograph ṣtṣeno'gra:f
Szenographie ṣtṣenogra'fi:
Szenotest 'ṣtṣe:notɛst
Szentendre *ung.* 'sɛntɛndrɛ
Szentes *ung.* 'sɛntɛʃ
Szentgotthárd *ung.* 'sɛnd-
gotha:rd
Szent-Györgyi *ung.* 'sɛn-
djørdji, *engl.* sɛnt'dʒɔ:dʒɪ
Szepter 'ṣtṣɛptɐ
Szerb *ung.* sɛrb
Szerém *ung.* 'sɛre:m
Szeryng 'ʃe:rɪŋ, *poln.* 'ʃɛriŋk
Szetschuan 'zɛtʃuan
szientifisch ṣtṣiɛn'ti:fɪʃ
Szientifismus ṣtṣiɛnti'fɪs-
mus
Szientismus ṣtṣiɛn'tɪsmus
Szientist ṣtṣiɛn'tɪst
Szigeti *ung.* 'sigɛti
Szigetköz *ung.* 'sigɛtkøz
Szigetmonostor *ung.*
'sigɛtmonoʃtor
Szigetvár *ung.* 'sigɛtva:r
Szigligeti *ung.* 'sigligɛti
Szilard *engl.* 'sɪlɑ:d
Szilárd *ung.* 'sila:rd
Szilla 'ṣtṣɪla
Szinnyei *ung.* 'sinnjɛi
Szintigramm ṣtṣɪnti'gram
Szintigraph ṣtṣɪnti'gra:f
Szintigraphie ṣtṣɪntigra'fi:,
-n ...i:ǝn
Szintillation ṣtṣɪntɪla'tṣio:n
szintillieren ṣtṣɪnti'li:rǝn
Szintillometer ṣtṣɪntɪlo-
'me:tɐ
Szinyei Merse *ung.* 'sinjɛi
'mɛrʃɛ
Szirrhus 'ṣtṣɪrus
Szission ṣtṣɪ'sio:n
Szissur ṣtṣɪ'su:ɐ̯
Szlachta *poln.* 'ʃlaxta
Szmaglewska *poln.* ʃma-
'glɛfska
Szolnok *ung.* 'solnok

Szombathely *ung.* 'sombɔt-
hɛj
Szondi *ung.* 'sondi
Szprotawa *poln.* ʃprɔ'tava
Sztálinváros *ung.* 'sta:linva:-
roʃ
Szujski *poln.* 'ʃujski
Szürös *ung.* 'sy:røʃ
Szylla 'ṣtṣyla
Szymanowski *poln.* ʃima-
'nɔfski
Szymański *poln.* ʃi'majski
Szymborska *poln.* ʃim-
'bɔrska
Szymon *poln.* 'ʃimɔn
Szymonowic *poln.* ʃimɔ'nɔ-
vits
Szythe 'ṣtṣy:tǝ
Szythien 'ṣtṣy:tjǝn
szythisch 'ṣtṣy:tɪʃ

T

t, T te:, *engl.* ti:, *fr., span.* te,
it. ti
τ, Τ tau
ϑ, Θ 'te:ta
Taaffe 'ta:fǝ
Tab ta:p, *auch:* tɛp, -e
'ta:bǝ, -s tɛps
Tabagie taba'ʒi:, -n ...i:ǝn
Tabak 'ta:bak, 'tabak, *auch:*
ta'bak
Tabakose taba'ko:zǝ
Tabarca *fr.* tabar'ka
Tabarz 'ta:barts
¹Tabasco® ta'basko
²Tabasco (Name) *span.*
ta'βasko
Tabatiere taba'tje:rǝ
tabellarisch tabɛ'la:rɪʃ
tabellarisieren tabɛlari'zi:-
rǝn
Tabellarium tabɛ'la:rium,
...ia ...ia
Tabelle ta'bɛlǝ
tabellieren tabɛ'li:rǝn
Tabernakel tabɛr'na:kl̩
Taberne ta'bɛrnǝ
Tabes 'ta:bɛs
Tabeszenz tabɛs'tsɛnts
Tabetiker ta'be:tikɐ

tabetisch ta'be:tɪʃ
Tabgha 'ta:pga
Tabiker 'ta:bikɐ
tabisch 'ta:bɪʃ
Tablar 'tabla:ɐ̯
Tablas *span.* 'taβlas
Tableau, Tableau! ta'blo:
Tableau économique
ta'blo: ekono'mɪk, -x -s
ta'blo: zekono'mɪk
Table d'Hôte 'ta:blɔ 'do:t
Tabletop 'te:bltɔp
Tablett[e] ta'blɛt[ǝ]
tablettieren tablɛ'ti:rǝn
Tablic *slowak.* 'tabljits
tablieren ta'bli:rǝn
Tablinum ta'bli:num, ...na
...na
Taboparalyse tabopara-
'ly:zǝ
Tabophobie tabofo'bi:
Tabor 'ta:bo:ɐ̯
Tábor *tschech.* 'ta:bɔr
Tabora *engl.* tǝ'bɔ:rǝ
Tabori *engl.* tǝ'bɔ:rɪ
Taborit tabo'ri:t
Täbris 'tɛ:brɪs, *auch:*
tɛ'bri:s, *pers.* tæ'bri:z
tabu, T... ta'bu:
Tabucchi *it.* ta'bukki
tabuieren tabu'i:rǝn
tabuisieren tabui'zi:rǝn
tabuistisch ta'buɪstɪʃ
Tabula gratulatoria 'ta:bula
gratula'to:ria
Tabula rasa 'ta:bula 'ra:za
Tabulaten tabu'la:tn̩
Tabulator tabu'la:to:ɐ̯, -en
...la'to:rǝn
Tabulatur tabula'tu:ɐ̯
Tabulett tabu'lɛt
Tabun ta'bu:n
Taburett tabu'rɛt
Tacaná *span.* taka'na
Tacca *it.* 'takka
tacet ta'tsɛt
Taché *fr.* ta'ʃe
Tacheles 'taxǝlǝs
Tacheng *chin.* tatʃǝŋ 32
Tacheometer taxeo'me:tɐ
Tachina ta'xi:na
tachinieren taxi'ni:rǝn
Táchira *span.* 'tatʃira
Tachismus ta'ʃɪsmus
Tachist ta'ʃɪst
Tachistoskop taxɪsto'sko:p
Tacho 'taxo
Tachograph taxo'gra:f
Tachometer taxo'me:tɐ
Tachtel 'taxtl̩

Tacht e Solaimạn *pers.*
ˈtæxtesoleĭˈmɑːn
Tachygraph taxyˈgraːf
Tachygraphiẹ taxygraˈfiː,
-n …iːən
Tachykardiẹ taxykarˈdiː, -n
…iːən
Tachymẹter taxyˈmeːtɐ
Tachymetriẹ taxymeˈtriː
tachymẹtrisch taxyˈmeːtrɪʃ
Tạchyon ˈtaxȳɔn, -en
taˈxȳoːnən
Tachyphagiẹ taxyfaˈgi
Tachyphylaxiẹ taxyfy-
laˈksiː, -n …iːən
Tachypnọe taxyˈpnoːə
tachysẹismisch taxyˈzaĭs-
mɪʃ
tacitẹisch, T… tatsiˈteːɪʃ
Tạcitus ˈtaːtsitʊs
tạcken ˈtakn̩
Tạcker ˈtakɐ
tạckern ˈtakɐn
Tackling ˈtɛklɪŋ
Tacks, Tặcks tɛks
Taclobán *span.* takloˈβan
Tạcna *span.* ˈtakna
Tacoma *engl.* təˈkoʊmə
Tạctus ˈtaktʊs
Tacuarembó *span.* taku̯a-
rɛmˈbo
Taddạus taˈdɛːʊs
Taddeĭ *it.* tadˈdɛːĭ
Taddẹo *it.* tadˈdɛːo
Tạdel ˈtaːdl̩
tạdeln ˈtaːdl̩n, tạdle ˈtaːdlə
Tạdema *niederl.* ˈtaːdəmɑ
Tadẹo *span.* taˈðeo
Tadẹusz *poln.* taˈdɛʊʃ
Tadjourah *fr.* tadʒuˈra
Tạdler ˈtaːdlɐ
Tadschịke taˈdʒiːkə
Tadschịkistan taˈdʒiːkɪs-
ta[ː]n, *russ.* tɛdʒikɪsˈtan
Tadschịmi *jap.* taˈdʒimi
Tạdsch Mahạl ˈtaːtʃ maˈhaːl
Tadschrịsch *pers.* tɛdʒˈriːʃ
Taegu *korean.* tɛgu
Taehan *korean.* tɛːhan
Taejŏn *korean.* tɛdʒɔn
Taekwọndo tɛˈkvɔndo
Tael tɛːl, *auch.* teːl
Taenia ˈtɛːni̯a
Taeuber ˈtɔybɐ
Tạf taːf
Tạfel ˈtaːfl̩
Tặfelchen ˈtɛːflçən
tạfeln ˈtaːfl̩n
tặfeln ˈtɛːfl̩n
Tặfer ˈtɛːfɐ

täfern ˈtɛːfɐn
Tạfers ˈtaːfɐs
Tặf[e]rung ˈtɛːf[ə]rʊŋ
tạff taf
Taff *engl.* tæf
Tạffet ˈtafət
Tafilalẹt *fr.* tafilaˈlɛt
Tặflein ˈtɛːflaĭn
Tafsịr tafˈziːɐ̯
¹Tạft (Gewebe) taft
²Taft (Name) *engl.* tæft,
tɑːft
tạften ˈtaftn̩
¹Tạg taːk, -e ˈtaːgə
²Tag (Anhängsel) tɛk
Tagạle taˈgaːlə
Tagạlog taˈgaːlɔk
Taganrọg *russ.* tɐganˈrɔk
tagaus taːkˈlaụs
Tạge *schwed.* .taːgə
tagein taːkˈlaĭn
Tagelöhner ˈtaːgəløːnɐ
tagelöhnern ˈtaːgəløːnɐn
tagen ˈtaːgn̩, tag! taːk, tagt
taːkt
tageshẹll ˈtaːgəsˈhɛl
Tagẹtes taˈgeːtɛs
Tạgger ˈtagɐ
taghẹll taːkˈhɛl
…tägig …tɛːgɪç, -e …ɪgə
Tagil *russ.* taˈgil
Tạgle *span.* ˈtaylə
Tagliamẹnto *it.* taʎʎa-
ˈmento
Tagliạta talˈjaːta
Tagliatẹlle taljaˈtɛlə
Tagliati talˈjaːti
Tagliavịni *it.* taʎʎaˈviːni
tạglich ˈtɛːklɪç
Taglionị *it.* taʎˈʎoːni
taglöhnern taːkløːnɐn
Tagmẹm[ik] taˈgmeːm[ɪk]
Tagore taˈgoːɐ̯, taˈgoːrə,
engl. təˈgɔː
tạgs taːks
tạgsüber ˈtaːksƖyːbɐ
tạgtặglich ˈtaːkˈtɛːklɪç
Tạguan ˈtaːgu̯aːn
Tạgung ˈtaːgʊŋ
Tahạrka taˈharka
Tahiride tahiˈriːdə
Tahịti taˈhiːti, *fr.* taiˈti
Tahouạ *fr.* taˈwa
Tạhr taːɐ̯
Tạhta ˈtaxta
Taĭ taĭ
Taibei *chin.* taĭbeĭ 23
Tai-Chị taĭˈtʃi
Tai-Chi-Chuạn taĭtʃiˈtʃu̯an
Taidong *chin.* taĭdʊŋ 21

Tạif ˈtaːɪf
Taifun taĭˈfuːn
Tạiga ˈtaĭga, *russ.* tajˈga
Taihu *chin.* taĭxu 42
Tạilfingen ˈtaĭlfɪŋən
Tailgate ˈteːlgeːt
Tailhạde *fr.* taˈjad
Taille ˈtaljə
Taillefẹrre *fr.* tajˈfɛːr
Tailleur taˈjøːɐ̯
taillịeren ta[l]ˈjiːrən
…taillig ….taljɪç, -e …ɪgə
Tailor ˈteːlɐ
Tailormade ˈteːlɐmeːt
Taimyr[a] *russ.* tajˈmir[ɐ]
Tain *fr.* tɛ̃
Tainan *chin.* taĭnan 22
Taine *fr.* tɛn
¹Taipan (Schlange) ˈtaĭpan
²Taipan (Direktor) taĭˈpaːn
Taipeh ˈtaĭpe, taĭˈpeː
Taiping ˈtaĭpɪŋ, *indon.* ˈtaĭ-
pɪŋ
Tairow *russ.* taˈirɐf
Taischẹt *russ.* tajˈʃɛt
Taịss taˈɪs
Tait *engl.* teɪt
Taiwan ˈtaĭvan, taĭˈva[ː]n,
chin. taĭ-u̯an 21
Taiwaner taĭˈvaːnɐ
taiwạnisch taĭˈvaːnɪʃ
Taiyuan *chin.* taĭ-ȳɛn 42
Taizhong *chin.* taĭdʒʊŋ 21
Taizhou *chin.* taĭdʒoʊ 41
Tajín, El *span.* ɛltaˈxin
Tạjo *span.* ˈtaxo
Tajumulco *span.* taxuˈmulko
Takamahạk takamaˈhak
Takamatsu *jap.* taˈka.matsu̯
Takạnobu *jap.* taˈka.nobu
Takạoka *jap.* taˈka.oka
Takapuna *engl.* tækəˈpuːnə
Takạrasuka *jap.* taˈkara-
.zuka
Takạsaki *jap.* taˈkasaki
Takạtsuki *jap.* taˈka.tsu̯ki
Take teːk
Tạkel ˈtaːkl̩
Takelạge takəˈlaːʒə
tạkeln ˈtaːkl̩n
Take-off ˈteːkƖɔf, -ˈ–
Take-over ˈteːkƖoːvɐ, -ˈ––
Tåkern *schwed.* ˈtoːkɐrn
Takịkawa *jap.* taˈki.kawa
Takịn ˈtaːkɪn
Takịsawa Bakịn *jap.* taˈki-
zawa baˈkin
Tạkla-Makạn ˈtaːklamaˈ-
ˈkaːn
Tặks tɛks

Takt takt
Taktakischwili *georg.* 'thak-thakiʃwili
takten 'taktn̩
taktieren tak'ti:rən
Taktik 'taktɪk
Taktiker 'taktikɐ
taktil tak'ti:l
taktisch 'taktɪʃ
Takyr 'ta:kʏr, -e ta'ky:rə
¹Tal ta:l, **Täler** 'tɛ:lɐ
²Tal (Name) *hebr.* tal
talabwärts ta:l'|apvɛrts
Talalgie talal'gi:, -n ...i:ən
Talar ta'la:ɐ
Talara *span.* ta'lara
Talas *russ.* ta'las
talauf[wärts] ta:l'|au̯f[vɛrts]
talaus ta:l'|au̯s
Talavera de la Reina *span.* tala'βera ðe la 'rreɪna
Talayots tala'jɔts
Talbot 'talbɔt, *engl.* 'tɔ:lbət, *fr.* tal'bo
Talbotypie talboty'pi:
Talca *span.* 'talka
Talcahuano *span.* talka'u̯ano
Talcha (Ägypten) 'talxa
Tälchen 'tɛ:lçən
Taldy-Kurgan *russ.* tal'di-kur'gan
talein ta:l'|ai̯n
Talence *fr.* ta'lã:s
Talent ta'lɛnt
Talenti *it.* ta'lɛnti
talentiert talɛn'ti:ɐt
tale quale 'ta:lə 'kva:lə
Taler 'ta:lɐ
Täler *vgl.* Tal
Talew *bulgar.* 'talɛf
Talg talk, -e 'talgə
Talgar *russ.* tal'gar
talgen 'talgn̩, **talg!** talk, **talgt** talkt
talgig 'talgɪç, -e ...ɪgə
Talhoff 'ta:lhɔf
Taliban tali'ba:n
Talich *tschech.* 'talix
Taliesin *engl.* tælɪ'ɛsɪn
Talion ta'li̯o:n
Talipes 'ta:lipe:s, ...edes ta'li:pede:s, tali'pe:de:s
Talipomanus talipo'ma:-nʊs, *Mehrz.* ...nu:s
Talisman 'ta:lɪsman
Talje 'taljə
taljen 'taljən
¹Talk (Stoff) talk
²Talk (Gespräch) tɔ:k

talken 'tɔ:kn̩
talkig 'talkɪç, -e ...ɪgə
Talkum 'talkʊm
talkumieren talku'mi:rən
Talladega *engl.* tælə'di:gə
Tallahassee *engl.* tælə'hæsɪ
Tallemant des Réaux *fr.* talmãdere'o
Talleyrand *fr.* ta'lrã, talɛ'rã
Tallien *fr.* ta'ljɛ̃
Tallinn 'talɪn, *estn.* 'tɑll:jinn:
¹Tallis (Tallith) ta'lɪs
²Tallis (Name) *engl.* 'tælɪs
Tallith ta'li:t
Tallmadge *engl.* 'tælmɪdʒ
Tallöl 'tal|ø:l
Tallulah *engl.* tə'lu:lə
Tallymann 'taliman
Tally[s] *engl.* 'tælɪ[s]
Talma *fr.* tal'ma
talmi, T... 'talmi
talmin 'talmɪn
Talmud 'talmu:t, -e ...u:də
talmudisch tal'mu:dɪʃ
Talmudismus talmu'dɪsmʊs
Talmudist talmu'dɪst
Talon ta'lõ:
Taltal *span.* tal'tal
Taltamanu talta'ma:nu
Talvela *finn.* 'talvɛla
Talvio *finn.* 'talvi̯o
talwärts 'ta:lvɛrts
Talysch *russ.* ta'lɪʃ
Tamale *engl.* tə'ma:lɪ
Taman *russ.* ta'man
Tamano *jap.* 'ta.mano
Tamanrasset *fr.* tamanra-'sɛt
Tamara ta'ma:ra, *russ.* ta'marɐ
Tamarac *engl.* 'tæməræk
Tamarak 'tamarak
Tamarinde tama'rɪndə
Tamariske tama'rɪskə
Tamás[i] *ung.* 'tɔma:ʃ[i]
Tamatave *fr.* tama'ta:v
Tamaulipas *span.* tamau̯'li-pas
Tamayo *span.* ta'majo
Tambach 'tambax
Tambacounda *fr.* tamba-kun'da
Tambour 'tambu:ɐ, *auch:* -'-, -e[n] tam'bu:rə[n]
Tambourin tãbu'rɛ̃:
Tambow *russ.* tam'bɔf
Tambre *span.* 'tambre
Tambroni *it.* tam'bro:ni
Tambur 'tambu:ɐ, *auch:* -'-, -e tam'bu:rə

tamburieren tambu'ri:rən
Tamburin tambu'ri:n, '---
Tamburizza tambu'rɪtsa
Tamerlan 'ta:mɐla:n
Tamil 'ta:mɪl
Tamile ta'mi:lə
tamilisch ta'mi:lɪʃ
Tamil Nadu *engl.* 'tæməl 'na:du:
Tamina ta'mi:na
Tamines *fr.* ta'min
Tamino ta'mi:no
Tamm *dt., russ.* tam
Tammann 'taman
Tammany *engl.* 'tæmənɪ
Tammerfors *schwed.* tamər-'fɔrs
Tamminga 'tamɪŋga
Tammisaari *finn.* 'tɑmmi-sɑ:ri
Tammuz *hebr.* ta'muz
Tamora ta'mo:ra
Tamp[en] 'tamp[n̩]
Tampa *engl.* 'tæmpə
Tampere *finn.* 'tampɛrɛ
Tampico *span.* tam'piko
Tampiko... tam'pi:ko...
Tampon 'tampɔn, *auch:* tam'po:n, tã'põ:
Tamponade tampo'na:də, *auch:* tãp...
Tamponage tampo'na:ʒə, *auch:* tãp...
tamponieren tampo'ni:rən, *auch:* tãp...
Tamsweg 'tamsve:k
Tamtam tam'tam, *auch:* '--
Tamuin *span.* ta'mu̯in
Tamule ta'mu:lə
tamulisch ta'mu:lɪʃ
Tamworth *engl.* 'tæmwə[:]θ
Tana *dt., norw.* 'ta:na, *engl.* 'tɑ:nɑ:, *amh.* t'ana
Tana[elv] *norw.* 'ta:na[ɛlv]
Tanaga *engl.* tə'nɑ:gə
Tanagra 'ta:nagra
Tanais 'ta:naɪs
Tanaka *jap.* ta'naka
Tanana *engl.* 'tænənɑ:
Tananarive *fr.* tanana'ri:v
Tananarivo tanana'ri:vo
Tanaquil 'ta:nakvɪl
Tanaro *it.* 'ta:naro
Tänaron 'tɛ:narɔn
Tanasee ta'na:ze:
Tanbur 'tanbu:ɐ, *auch:* -'-, -e tan'bu:rə
Tancredi *it.* taŋ'kre:di
Tand tant, -es 'tandəs
tandaradei! tandara'daɪ

Tändelei tɛndəˈlai
tändeln ˈtɛndl̩n, tändle
...dlɐ
Tandem ˈtandɛm
Tandil span. tanˈdil
Tandler ˈtandlɐ
Tändler ˈtɛndlɐ
Tandschur ˈtandʒʊr
Tanejew russ. taˈnjejɪf
Taner türk. tɑˈnɛr
Tanew bulgar. ˈtanɛf
Taney engl. ˈtɔːnɪ
Tang taŋ
¹Tanga ˈtaŋga
²Tanga (Name) engl. ˈtæŋgə
Tanganjika taŋganˈjiːka
Tanganyika engl.
tæŋgəˈnjiːkə
Tangare taŋˈgaːrə
Tange jap. ˈtaŋɡe
Tangens ˈtaŋgɛns
Tangente taŋˈgɛntə
tangential taŋgɛnˈtsiaːl
Tanger ˈtaŋɐ, auch: ˈtandʒɐ,
fr. tãˈʒe
Tánger span. ˈtaŋxɛr
Tangerhütte taŋɐˈhytə
Tangermünde taŋɐˈmʏndə
Tanggu chin. taŋgu 21
tangieren taŋˈgiːrən
Tango ˈtaŋgo
Tangorezeptoren taŋgore-
tsɛpˈtoːrən
Tangram ˈtaŋgram
Tangshan chin. taŋˈʃan 21
Tangute taŋˈguːtə
Tanguy fr. tãˈgi
Tang Yin chin. taŋ-ĭin 22
Tänie ˈtɛːnĭə
Tanimbar indon. taˈnɪmbar
Tanis ˈtaːnɪs
Tanja ˈtanja, russ. ˈtanjɐ
Tanjug serbokr. ˈtanjug
Tanjung indon. ˈtandʒʊŋ
Tanjungbalai indon. tan-
dʒʊŋˈbalai
Tanjungpandan indon.
tandʒʊŋˈpandan
Tanjungpinang indon. tan-
dʒʊŋˈpinaŋ
Tanjungpriok indon. tan-
dʒʊŋˈpriɔk
¹Tank taŋk
²Tank (Name) taŋk, weiß-
russ. tank
Tanka ˈtaŋka
tanken ˈtaŋkn̩
Tanker ˈtaŋkɐ
Tankred ˈtaŋkreːt
Tann[a] ˈtan[a]

Tannat taˈnaːt
Tännchen ˈtɛnçən
Tanne ˈtanə
tannen ˈtanən
Tannenberg ˈtanənbɛrk
Tanner ˈtanɐ, finn. ˈtɑnnɛr,
engl. ˈtænə, fr. taˈnɛːr
Tannhäuser ˈtanhɔyzɐ
Tännicht ˈtanıçt
Tännicht ˈtɛnıçt
tannieren taˈniːrən
Tannin taˈniːn
Tännling ˈtɛnlıŋ
Tanrek ˈtanrɛk
Tansania tanzaˈniːa, auch:
tanˈzaːnĭa
Tansanier tanˈzaːnĭɐ
tansanisch tanˈzaːnıʃ
Tansanit tanzaˈniːt
Tanse ˈtanzə
Tansillo it. tanˈsillo
Tansman fr. tãsˈman
Tanta[l] ˈtanta[l]
Tantalit tantaˈliːt
Tantalus ˈtantalʊs
Tante[s] ˈtantə[s]
Tantieme tãˈtĭeːmə
tant mieux ˈtãː ˈmĭø
tanto ˈtanto
Tantra ˈtantra
Tantriker ˈtantrikɐ
tantrisch ˈtantrıʃ
Tantrismus tanˈtrɪsmʊs
Tantum ergo ˈtantʊm ˈɛrgo
Tanum schwed. ˌtaːnʊm
Tanya ˈtanja, ung. ˈtɔnjɔ
Tanz tants, Tänze ˈtɛntsə
Tänzchen ˈtɛntsçən
tänzeln ˈtɛntsl̩n
tanzen ˈtantsn̩
Tänzer ˈtɛntsɐ
Tao ˈtaːo, tau
Taoismus taoˈɪsmʊs, tau̯...
Taoist taoˈɪst, tau̯...
Taormina it. taorˈmiːna
Taos engl. taʊs
Tao-Te-King taoteˈkıŋ,
taut...
Taoyuan chin. tau̯-ỹɛn 22
Tao Yuanming chin. tau̯-
ỹɛnmıŋ 212
¹Tapa (Stoff) ˈtaːpa
²Tapa (Speise) ˈtapa
Tapachula span. tapaˈtʃula
Tapajós bras. tapaˈʒɔs
Tape teːp
Tápé ung. ˈtaːpeː
Tapeinosis taˈpai̯nozıs
tapen ˈteːpn̩
taperig ˈtaːpərıç, -e ...ıgə

tapern ˈtaːpɐn
Taperoá bras. tapeˈru̯a
Tapet[e] taˈpeːt[ə]
Tapezier tapeˈtsiːɐ
tapezieren tapeˈtsiːrən
Tapfe ˈtapfə
Täpfen ˈtapfn̩
tapfer ˈtapfɐ
Tapiau taˈpi̯au̯
Tàpies kat. ˈtapĭəs
Tapioka taˈpĭoːka
Tapir ˈtaːpiːɐ
Tapisserie tapısəˈriː, -n
...iːən
Tapisseristin tapısəˈrıstın
Tapotement tapotəˈmãː
tapp!, Tapp tap
Tappan engl. ˈtæpən
tappen ˈtapn̩
tappig ˈtapıç, -e ...ıgə
täppisch ˈtɛpıʃ
tapprig ˈtaprıç, -e ...ıgə
taprig ˈtaːprıç, -e ...ıgə
Taps taps
tapsen ˈtapsn̩
tapsig ˈtapsıç, -e ...ıgə
Taquari bras. taku̯aˈri
¹Tara ˈtaːra
²Tara (Name) engl. ˈtærə,
russ. ˈtarɐ, serbokr. ˈtara
Tarafa ˈtarafa
Tarakan indon. taˈrakan
Tarancı türk. tarɑnˈdʒi
Tanrancón span. taraŋˈkɔn
Tarantas taranˈtaːs, ...ˈtas
Tarantel taˈrantl̩
Tarantella taranˈtɛla
Taranto it. ˈtaːranto
Tarapacá span. tarapaˈka
Tarapoto span. taraˈpoto
Tarar taˈraːɐ
Taras russ. taˈras
Tarascon fr. tarasˈkõ
Taraske taˈraskə
Tarasp taˈrasp
Tarassow russ. taˈrasɛf
Tarawa engl. təˈraːwə
Tarazona span. taraˈθona
Tarbagatai tarbagaˈtai
Tarbell engl. ˈtaːbəl
Tarbes fr. tarb
Tarbusch tarˈbuːʃ
tardando tarˈdando
Tardando tarˈdando, ...di
...di
Tarde fr. tard
Tardenois fr. tardəˈnwa
Tardenoisien tardənɔu̯aˈzĭɛ̃
Tardieu fr. tarˈdjø
tardiv tarˈdiːf, -e ...iːvə

tardo 'tardo
Tarent ta'rɛnt
Tarentaise *fr.* tarã'tɛ:z
Tarentiner tarɛn'ti:nɐ
tarentinisch tarɛn'ti:nɪʃ
Target 'targət, 'ta:ɐɡət
Targi 'targi
Targovischte *bulgar.* tər'ɡɔ-
viʃtɐ
Targum tar'ɡu:m, -im
...ɡu'mi:m
Tarhonya 'tarhɔnja
tarieren ta'ri:rən
Tarif ta'ri:f
Tarifa *span.* ta'rifa
tarifär tari'fɛ:ɐ
tarifarisch tari'fa:rɪʃ
Tarifeur tari'fø:ɐ
tarifieren tari'fi:rən
Tarija *span.* ta'rixa
Tarik 'ta:rɪk
¹Tarim (Fluss) ta'rɪm
²Tarim (Jemen) ta'ri:m
Tarkington *engl.* 'tɑ:kɪŋtən
Tarkowski *russ.* tar'kɔfskij
Tarkwa *engl.* 'tɑ:kwɑ:
Tarlac *span.* tar'lak
Tarlatan 'tarlata:n
Tarle *russ.* 'tarlı
Tarl[e]ton *engl.* 'tɑ:ltən
Tarn *engl.* tɑ:n, *fr.* tarn
Tårnby *dän.* 'tɔɐnby:'
tarnen 'tarnən
Tarn-et-Garonne *fr.* tarne-
ga'rɔn
Tarnobrzeg *poln.* tar'nɔbʒɛk
Tarnopol *russ.* tar'nɔpɐlj,
poln. tar'nɔpɔl
Tarnow 'tarno
Tarnów *poln.* 'tarnuf
Tarnowitz 'tarnovɪts
Tarnowo *bulgar.* 'tərnovo
Tarnowski *poln.* tar'nɔfski
Tarnowskie Góry *poln.* tar-
'nɔfskjɛ 'guri
¹Taro (Frucht) 'ta:ro
²Taro (Name) *it.* 'ta:ro
Tarock ta'rɔk
tarocken ta'rɔkṇ
tarockieren tarɔ'ki:rən
Tárogató 'ta:rogɔto
Tarok ta'rɔk
Tarot ta'ro:
Taroudannt *fr.* taru'dant
Tarpan tar'pa:n
Tarpaulin ta:ɐ'po:lın, 'ta:ɐ-
polın
Tarpejischer Fels tar'pe:-
jıʃɐ 'fɛls
Tarpon tar'po:n

Tarpon Springs *engl.*
'tɑ:pən 'sprɪŋz
Tarquin tar'kvi:n
Tarquinia *it.* tar'kui:nja
Tarquinier tar'kvi:njɐ
Tarquinius tar'kvi:njʊs
Tarr *engl.* tɑ:
Tarragona tara'ɡo:na, *span.*
tarra'ɣona
Tarragonese tarago'ne:zə
Tarrasa *span.* ta'rrasa
Tárrega *span.* 'tarreɣa
tarsal tar'za:l
Tarsalgie tarzal'ɡi:, -n
...i:ən
Tarsektomie tarzɛkto'mi:,
-n ...i:ən
Tarsis *russ.* 'tarsis
tarsisch 'tarzɪʃ
Tarsitis tar'zi:tıs, ...itiden
...zi'ti:dṇ
Tarski *poln.* 'tarski
Tarsos 'tarzɔs
¹Tarsus 'tarzʊs
²Tarsus *türk.* 'tarsus
Tartaglia *it.* tar'taʎʎa
Tartan 'tartan, *auch:* 'ta:ɐtṇ
Tartane tar'ta:nə
Tartar tar'ta:ɐ
tartareisch tarta're:ıʃ
Tartarin *fr.* tarta'rɛ̃
Tartaros 'tartarɔs
Tartarus 'tartarʊs
Tartelette tartə'lɛtə
Tartessos tar'tɛsɔs
Tartini *it.* tar'ti:ni
Tartrat tar'tra:t
Tartsche 'tartʃə
Tartu *estn.* 'tarr:tu
Tartüff tar'tʏf
Tartuffe *fr.* tar'tyf
Tartüfferie tartʏfə'ri:, -n
...i:ən
Tarzan 'tartsa:n
Tas *russ.* tas
Taschau 'taʃau
Taschaus *russ.* tɐʃa'us
Täschchen 'tɛʃçən
Tasche 'taʃə
Täschelkraut 'tɛʃlkraut
Tascherl 'taʃɐl
Taschi-Lama 'taʃi'la:ma
Taschkent taʃ'kɛnt, *russ.*
taʃ'kjɛnt
Taschner 'taʃnɐ
Täschner 'tɛʃnɐ
Taschtagol *russ.* tɐʃta'ɡɔl
Tåsinge *dän.* 'to:sıŋə
Task[force] 'ta:sk[fo:ɐs]

Tasman 'tasman, *engl.* 'tæz-
mən, *niederl.* 'tɑsman
Tasmania tas'ma:nja, *engl.*
tæz'meınıə
Tasmanien tas'ma:njən
TASS tas, *russ.* tass
Tassaert *niederl.* 'tɑsa:rt
Tässchen 'tɛsçən
Tasse 'tasə
Tassejewa *russ.* ta'sjejıvɐ
Tassel *fr.* ta'sɛl
Tassigny *fr.* tasi'ɲi
Tassilo 'tasilo
Tasso 'taso, *it.* 'tasso
Tassoni *it.* tas'so:ni
Tastatur tasta'tu:ɐ
Taste 'tastə
tasten 'tastṇ
Taster 'tastɐ
Tastiera tas'tje:ra
tasto solo 'tasto 'zo:lo
tat, Tat ta:t
Tát *ung.* ta:t
Tata[bánya] *ung.*
'tɔtɔ[ba:njɔ]
Tatar ta'ta:ɐ
Tătărăscu *rumän.* tətə-
'rəsku
Tatarei tata'rai
Tatarien ta'ta:rjən
tatarisch ta'ta:rɪʃ
Tatarka *slowak.* 'tatarka
Tatarstan 'ta[:]tarsta[:]n
tatauieren tatau'i:rən
täte 'tɛ:tə
Tate [Gallery] *engl.* 'teıt
['ɡælərı]
Täter 'tɛ:tɐ
Tati *fr.* ta'ti
Tatian ta'tsja:n
tätig 'tɛ:tıç, -e ...ıɡə
tätigen 'tɛ:tıɡṇ, **tätig!** ...ıç,
tätigt ...ıçt
Tatischtschew *russ.*
ta'tiʃtʃıf
Tatius 'ta:tsjʊs
Tatjana tat'ja:na, *russ.*
tatj'janɐ
Tatler *engl.* 'tætlə
tätlich 'tɛ:tlıç
Tatlin *russ.* 'tatlin
tätowieren tɛto'vi:rən
Tatra 'tatra
Tátrai *ung.* 'ta:trɔi
Tatry *slowak.* 'tatri, *poln.*
'tatri
Tatsache 'ta:tzaxə
tatsächlich 'ta:tzɛçlıç,
auch: -'--
Tätsch tɛtʃ

Tatsche 'tatʃə
tätscheln 'tɛtʃln
tatschen 'tatʃn
Tatschikawa *jap.* ta'tʃi-ka.wa
Tatschkerl 'tatʃkɐl
Tattedl ta'te:dl
Tatterich 'tatərɪç
tatt[e]rig 'tat[ə]rɪç, -e ...ɪgə
tattern 'tatɐn
Tattersall 'tatɐzal
Tattoo tɛ'tu:, *auch:* ta'tu:
tat twam asi 'tat 'tvam 'azi
Tatum *engl.* 'teitəm
tatütata!, T... ta'ty:ta'ta:
Tatvan *türk.* 'tatvan
Tätzchen 'tɛtsçən
Tatze 'tatsə
Tatzelwurm 'tatslvʊrm
Tau tau
taub taup, -e 'taubə
Täubchen 'tɔypçən
¹Taube 'taubə
²Taube (Name) 'taubə, *schwed.* to:b
Taubensuhl taubn'zu:l
Tauber 'taubɐ
Täuber 'tɔybɐ
Tauberbischofsheim taubɐ'bɪʃɔfshaim
Tauberich 'taubərɪç
Täuberich 'tɔybərɪç
Täubin 'tɔybɪn
Täubling 'tɔyplɪŋ
Taucha 'tauxa
tauchen 'tauxn
Taucher 'tauxɐ
Tauchnitz 'tauxnɪts
tauen 'tauən
Tauentzien 'tauəntsi:n
Tauer[n] 'tauɐ[n]
Taufe 'taufə
taufen 'taufn
Täufer 'tɔyfɐ
taugen 'taugn, **taug!** tauk, **taugt** taukt
Taugenichts 'taugənɪçts
tauglich 'tauklɪç
tauig 'tauɪç, -e ...ɪgə
Tauler 'taulɐ
Taumel 'tauml
taum[e]lig 'taum[ə]lɪç, -e ...ɪgə
taumeln 'taumln
Taunay *bras.* to'nɛ
Taunggyi *birm.* tauŋdʒi 23
Taungoo *birm.* tauŋŋu 22
Taung[s] *engl.* tauŋ[z]
Taunton *engl.* 'tɔ:ntən
Taunus 'taunʊs

Taunusstein 'taunʊsʃtain
taupe to:p
Taupo *engl.* 'taupou
Tauragé *lit.* taura'ge:
Tauranga *engl.* tau'ra:ŋgə
Taurellus tau'rɛlʊs
Taurien 'taurjən
Taurier 'taurjɐ
Tauris 'taurɪs
Taurisker tau'rɪskɐ
Taurobolium tauro'bo:ljʊm, ...ien ...jən
Tauroggen tau'rɔgn, '---
Tauromachie tauroma'xi:, -n ...i:ən
Taurus 'taurʊs
Tausch tauʃ
tauschen 'tauʃn
täuschen 'tɔyʃn
Tauscherei tauʃə'rai
Täuscherei tɔyʃə'rai
tauschieren tau'ʃi:rən
Tauschinski tau'ʃɪnski
Täuschung 'tɔyʃʊŋ
Tausen *dän.* 'tau'sn
tausend 'tauznt
Tausend 'tauznt, -e ...ndə
tausendeins 'tauznt'lains
Tausender 'tauzndɐ
tausenderlei 'tauzndɐ'lai
tausendfach 'tauzntfax
Tausendfuß 'tauzntfu:s
Tausendfüß[l]er 'tauznt-fy:s[l]ɐ
Tausendguldenkraut 'tauznt'guldnkraut
Tausendgüldenkraut 'tauznt'gyldnkraut
tausendjährig 'tauzntjɛ:rɪç, -e ...ɪgə
Tausendkünstler 'tauznt-kynstlɐ
tausendmal 'tauzntma:l
tausendmalig 'tauzntma:-lɪç, -e ...ɪgə
tausendsackerment! 'tauzntzakɐ'mɛnt
Tausendsasa 'tauzntsasa
Tausendschön 'tauzntʃø:n
tausendste 'tauzntstə
Tausendstel, T... 'tauzntstl
tausendstens 'tauzntstəns
tausendundeins 'tauznt-lunt'lains
Tausig *poln.* 'taucik
Taussig *engl.* 'tausɪg
Taut taut
Tautazismus tauta'tsɪsmʊs
Tautenhayn 'tautnhain
Tautogramm tauto'gram

Tautologie tautolo'gi:, -n ...i:ən
tautologisch tauto'lo:gɪʃ
tautomer tauto'me:ɐ
Tautomerie tautome'ri:, -n ...i:ən
Tavannes *fr.* ta'van
Tavas *türk.* 'tavas
Tavastland *schwed.* ,tavast-lan[d]
Tavaststjerna *schwed.* ,tavastʃæ:rna
Tavčar *slowen.* 'ta:ʊtʃar
Tavel 'ta:vɛl
Taverne ta'vɛrnə
Tavetsch ta'vɛtʃ
Tavoy *engl.* tə'vɔi, *birm.* dawe 22
Tavşanlı *türk.* tav'ʃanlɨ
Tawau *indon.* 'tawau
Tawda *russ.* tav'da
Tawe 'ta:və
Tawney *engl.* 'tɔ:nɪ
Taxa vgl. Taxon
Taxameter taksa'me:tɐ
Taxation taksa'tsio:n
Taxator ta'ksa:to:ɐ, -en ...ksa'to:rən
Taxco *span.* 'tasko
Taxe 'taksə
Taxem ta'kse:m
taxen 'taksn
Taxi 'taksi
Taxidermie taksidɐ'mi:
Taxidermist taksidɐ'mɪst
Taxie ta'ksi:, -n ...i:ən
taxieren ta'ksi:rən
Taxila 'taksila
Taxis 'taksɪs, **Taxes** 'takse:s
Taxiway 'tɛksive:
Taxler 'takslɐ
Taxodium ta'kso:djʊm, ...ien ...jən
Taxodie ta'kso:djə
Taxon 'taksɔn, **Taxa** 'taksa
taxonom takso'no:m
Taxonomie taksono'mi:
Taxus 'taksʊs
Tay *engl.* tei
Taygetos ta'y:getɔs
Tayler, Taylor *engl.* 'teilə
Taylorismus telo'rɪsmʊs
Taylorville *engl.* 'teiləvɪl
Tây Ninh *vietn.* təi niŋ 11
Tayside *engl.* 'teisaid
Taza *fr.* ta'za
Tazette ta'tsetə
Ťažký *slowak.* 'tjaʃki:
Tbc te:be:'tse:
Tbilissi *russ.* dbi'lisi

T-Bone-... 'ti:bo:n...
Tchad *fr.* tʃad
Tcherina *fr.* tʃeri'na
Tchicaya U Tam'si *fr.* tʃika-
jaytam'si
Tczew *poln.* ttʃɛf
Tea ti:
Teach *engl.* ti:tʃ
Teach-in ti:tʃ'|ɪn, '--
Teak ti:k
teaken 'ti:kn̩
Team ti:m
Teamster 'ti:mstɐ
Teamteaching 'ti:mti:tʃɪŋ
Teamwork 'ti:mvøːɐ̯k,
...vœrk
Tearoom 'ti:ru:m
Teasdale *engl.* 'ti:zdeɪl
Teaser 'ti:zɐ
Tebaldeo *it.* tebal'dɛːo
Tebaldi *it.* te'baldi
Teberda *russ.* tɪbɪr'da
Tébessa *fr.* tebɛ'sa
Tebingtinggi *indon.* təbɪŋ-
'tɪŋgi
Tecchi *it.* 'tekki
Tech *fr.* tɛʃ, tɛk
Techirghiol *rumän.*
'tekɪrgjol
Technetium tɛç'ne:tsiʊm
Technicolor® tɛçniko'loːɐ̯
technifizieren tɛçnifi'tsi:-
rən
Technik 'tɛçnɪk
Techniker 'tɛçnikɐ
Technikum 'tɛçnikʊm, ...ka
...ka
technisch 'tɛçnɪʃ
technisieren tɛçni'zi:rən
Technizismus tɛçni'tsɪsmʊs
Techno 'tɛçno
technoid tɛçno'i:t, -e ...i:də
Technokrat tɛçno'kra:t
Technokratie tɛçnokra'ti:
Technolekt tɛçno'lɛkt
Technologe tɛçno'lo:gə
Technologie tɛçnolo'gi:
technologisch tɛçno'lo:gɪʃ
technomorph tɛçno'mɔrf
Technopägnion tɛçno'pɛ:-
gniɔn, ...ien ...iən
Techtelmechtel tɛçtl̩'mɛçtl̩
Teck *dt., engl.* tɛk
Teckel 'tɛkl̩
Tecklenburg 'tɛklənbʊrk
Tecla *it.* 'tɛ:kla, *span.* 'tekla
Tecuci *rumän.* te'kutʃ
Tecumseh 'te:kʊmze, *engl.*
tɪ'kʌmsɪ
Ted tɛt, *engl.* tɛd

TED tɛt
Tedder *engl.* 'tɛdə
Teddy 'tɛdi, *engl.* 'tɛdɪ
tedesca te'dɛska
Tedeum te'de:ʊm
Tedschen *russ.* tɛ'dʒɛn
¹Tea te:
²Tee (Golf) ti:
Teen ti:n
Teenager 'ti:ne:dʒɐ
Teener 'ti:nɐ
Teenie, Teeny 'ti:ni
Teer te:ɐ̯
teeren 'te:rən
teerig 'te:rɪç, -e ...ɪgə
Tees *engl.* ti:z
Teeside *engl.* 'ti:saɪd
Tef te:f
Teff tɛf
Teffi *russ.* 'tɛffi
Tefilla tefɪ'la:
Tefillin tefɪ'li:n
Teflon® 'tɛflo:n, tɛf'lo:n
Tefnachte tɛf'naxtə
Tefnut 'tɛfnʊt
Tefsir tɛf'zi:ɐ̯
Tegal *indon.* tə'gal
Tegea te'ge:a
Tegel 'te:gl̩
Tegelen *niederl.* 'te:ɣələ
Tegernsee[r] 'te:gɐnze:[ɐ]
Tegetthoff 'te:gəthɔf
Tegment tɛ'gmɛnt
Tegnér *schwed.* tɛŋ'ne:r
Tegucigalpa *span.* teɣuθi-
'ɣalpa
Teheran 'te:həra:n, *auch:*
tehə'ra:n, *pers.* teh'ra:n
Tehuacán *span.* teu̯a'kan
Tehuantepec *span.* teu̯an-
te'pɛk
Tehuelche *span.* te'u̯ɛltʃe
Teich[a] 'taiç[a]
Teichmann 'taiçman
Teichmüller 'taiçmʏlɐ
Teichopsie taiçɔ'psi:, -n
...i:ən
Teichoskopie taiçosko'pi:,
-n ...i:ən
Teide *span.* 'tɛɪðe
teig, T... taik, -e 'taigə
Teige *tschech.* 'tajgɛ
teigig 'taigɪç, -e ...ɪgə
Teikowo *russ.* 'tjejkɐvɐ
Teil tail
teilen 'tailən
teilhaftig 'tailhaftɪç, -'--, -e
...ɪgə
Teilhard de Chardin *fr.*
tɛjardəʃar'dɛ̃

...teilig ...tailɪç, -e ...ɪgə
Teilnahme 'tailna:mə
teilnehmen 'tailne:mən
teils tails
teilweise 'tailvaizə
Tein te'i:n
Teinach 'tainax
Teint tɛ̃:
Teiresias tai're:zias,
...re'zi:as
Teirlinck *niederl.* 'te:rlɪŋk
Teisserenc de Bort *fr.* tɛs-
räd'bɔ:r
Teiste 'taistə
Teitgen *fr.* tɛd'ʒɛn
Teixeira *port.* tɐi̯'ʃɐi̯rɐ, *bras.*
tei'ʃɐi̯ra
Teja[s] 'te:ja[s]
Tejo *port.* 'tɐʒu
Teju 'te:ju
Te Kanawa *engl.* 'teɪ
ka:'na:wa:, - 'ka:nəwə
Tekeli *russ.* tɪkɪ'li
Tekin *türk.* tɛ'kin
Tekirdağ *türk.* tɛ'kirda:
tektieren tɛk'ti:rən
tektisch 'tɛktɪʃ
Tektit tɛk'ti:t
Tektogen tɛkto'ge:n
Tektogenese tɛktoge'ne:zə
Tektonik tɛk'to:nɪk
tektonisch tɛk'to:nɪʃ
Tektonosphäre tɛktono-
'sfɛ:rə
Tektur tɛk'tu:ɐ̯
Tela 'te:la, *span.* 'tela
Telamon 'te:lamo:n, *auch:*
tela'mo:n, -en tela'mo:nən
Telanthropus te'lantropʊs,
...pi ...pi
Telaribühne te'la:riby:nə
Tel Aviv tɛlla'vi:f, *hebr.*
tɛl'a'viv
Telchinen tɛl'çi:nən
tele..., T... 'te:lə...
Teleangiektasie tele-
laŋgiɛkta'zi:, -n ...i:ən
Telebanking te:ləbɛŋkɪŋ
Telefax 'te:ləfaks
telefaxen 'te:ləfaksn̩
Telefon tele'fo:n, *auch:*
'te:ləfo:n
Telefonat telefo'na:t
Telefonie telefo'ni:
telefonieren telefo'ni:rən
Telefoniererei telefoni:-
rə'rai
Telefonist telefo'nɪst
Telefoto 'te:ləfo:to
Telefunken® tele'fʊŋkn̩

telegen teleˈgeːn
Telegonie telegoˈniː
Telegonos teˈleːɡɔnɔs
Telegraaf *niederl.* teləˈɣraːf
Telegraf teleˈgraːf
Telegrafie telegraˈfiː
telegrafieren telegraˈfiːrən
Telegrafist telegraˈfɪst
Telegram *engl.* ˈtɛlɪɡræm
Telegramm teleˈgram
Telegraph teleˈgraːf, *engl.* ˈtɛlɪɡrɑːf
Telegraphie telegraˈfiː
telegraphieren telegraˈfiːrən
Telegraphist telegraˈfɪst
Teleki *ung.* ˈtɛlɛki
Telekie teˈleːkjə
Telekinese teleki·neːzə
Telekolleg ˈteːləkɔleːk
Telekom ˈteːləkɔm
telekopieren teleko·piːrən
Telemach ˈteːlemax
Telemachos teˈleːmaxɔs
Telemann ˈteːləman
Telemark ˈteːləmark, *norw.* ˌteː...
Telemeter teleˈmeːtɐ
Telemetrie teleme·triː
telemetrisch teleˈmeːtrɪʃ
Telencephalon, Telenze... telɛnˈtsɛ·falɔn, ...la ...la
Teleobjektiv ˈteːləɔpjɛktiːf, -e ...iːvə
Teleologie teleolo·giː
teleologisch teleo·loːɡɪʃ
Teleonomie teleono·miː, -n ...iːən
teleonomisch teleo·noːmɪʃ
Teleorman *rumän.* telˌɛorˈman
Teleosaurus teleo·zaʊrʊs, ...rier ...rjɐ
Teleostier teleˈɔstjɐ
Telepath teleˈpaːt
Telepathie telepa·tiː
Telephon teleˈfoːn; *auch:* ˈteːləfoːn
Telephonat telefoˈnaːt
Telephonie telefoˈniː
telephonieren telefoˈniːrən
Telephonist telefoˈnɪst
Telephos ˈteːlefɔs
Teleplasma teleˈplasma
Teleprocessing ˈteːləproː·sɛsɪŋ
Teleprompter ˈteːlə·prɔmptɐ
Teleshopping ˈteːləʃɔpɪŋ
Telesilla teleˈzɪla

Telesilleion teleˈzɪlaiɔn, ...eia ...aia
Telesio *it.* teˈlɛːzio
Teleskomat® telesko·maːt
Teleskop teleˈskoːp
Teleskopie telesko·piː
Telesphorus teˈlɛsforʊs
Telestichon teˈlɛstɪçɔn, ...cha ...ça
Teletype... ˈteːlətaip...
Teleutosporen telˌɔyto·spoː·rən
Television televi·zio:n
Telex ˈteːlɛks
telexen ˈteːlɛksn̩
Telexogramm telɛkso·gram
Telezker See teˈlɛtskɐ ˈzeː
Telford *engl.* ˈtɛlfəd
Telfs tɛlfs
Telgte ˈtɛlktə
Tell *dt., engl.* tɛl
Telle ˈtɛlə
Tell el Amarna ˈtɛl ɛl aˈmarna
Teller ˈtɛlɐ
tellern ˈtɛlɐn
Téllez *span.* ˈteʎeθ
Telloh ˈtɛlo
Tellskapelle ˈtɛlskapɛlə
Tellur tɛˈluːɐ
tellurig tɛˈluːrɪç, -e ...ɪɡə
tellurisch tɛˈluːrɪʃ
Tellurit telu·riːt
Tellurium tɛˈluːri̯ʊm, ...ien ...i̯ən
Tellus ˈtɛlʊs
Telodendron teloˈdɛndrɔn
telolezithal telˌoletsiˈtaːl
Telok Anson *indon.* təˈlɔk ˈansɔn
Telom teˈloːm
Telonisnym telonɪsˈnyːm
Telophase teloˈfaːzə
Telos ˈteːlɔs, ˈtɛlɔs
telquel, tel quel tɛlˈkɛl
Telramund ˈtɛlramʊnt
Telschow ˈtɛlʃo
Telson ˈtɛlzɔn, ...sa ...za
Telstar ˈtɛlstaːɐ
Teltow[er] ˈtɛltoːɐ]
Teltsch tɛltʃ
Telugu teˈluɡu, teˈluːɡu
Telukbetung *indon.* təlukbəˈtʊŋ
Tema *engl.* ˈteɪmə
Tema con Variazioni ˈteːma kɔn varˈi̯aˈtsi̯oːni
Tembe ˈtɛmbə
Temenos ˈteːmenɔs, ...ne ...ne

Temes *ung.* ˈtɛmɛʃ
Temeschwar ˈtɛmɛʃvaːɐ̯
Temesvár *ung.* ˈtɛmɛʃvaːr
Temeswar ˈtɛmɛʃvaːɐ̯
Temex ˈteːmɛks
Temin *engl.* ˈtɛmɪn
Temir *russ.* tɪˈmir
Temirtau *russ.* tɪmirˈtau
Temmoku ˈtɛmoku
Temp tɛmp
Tempe ˈtɛmpə, *engl.* ˈtɛmpɪ
Tempel ˈtɛmpl̩
Tempelhof ˈtɛmpl̩hoːf
tempeln, T... ˈtɛmpl̩n
Temper... ˈtɛmpɐ...
Tempera ˈtɛmpəra
Temperament tɛmpəraˈmɛnt
Temperantium tɛmpəˈrantsi̯ʊm, ...ia ...i̯a
Temperatur tɛmpəraˈtuːɐ̯
Temperenz tɛmpəˈrɛnts
temperieren tɛmpəˈriːrən
Temperley *span.* tɛmpɛrˈlɛi̯, *engl.* ˈtɛmpəlɪ
tempern ˈtɛmpɐn
Tempest ˈtɛmpɪst
Tempesta *it.* temˈpɛsta
tempestoso tɛmpɛsˈtoːzo
Tempi *vgl.* Tempo
tempieren temˈpiːrən
Tempi passati! ˈtɛmpi paˈsaːti
Temple *engl.* tɛmpl̩, *fr.* tãːpl
Templeise tɛmˈplaizə
Templer ˈtɛmplɐ
Templewood *engl.* ˈtɛmplwʊd
Templin tɛmˈpliːn
tempo ˈtɛmpo
Tempo ˈtɛmpo, ...pi ...pi
tempo di marcia, tempo giusto, tempo primo ˈtɛmpo di ˈmartʃa, ˈtɛmpo ˈdʒʊsto, ˈtɛmpo ˈpriːmo
Tempora *vgl.* Tempus
temporal tɛmpoˈraːl
Temporalien tɛmpoˈraːli̯ən
Temporalis tɛmpoˈraːlɪs, ...les ...leːs
tempora mutantur ˈtɛmpora muˈtantʊr
temporär tɛmpoˈrɛːɐ̯
temporell tɛmpoˈrɛl
temporisieren tɛmporiˈziːrən
tempo rubato ˈtɛmpo ruˈbaːto
Temps *fr.* tã

Tempus 'tɛmpʊs, ...**pora**
...pora
Temrjuk *russ.* tɪm'rjuk
Temse *niederl.* 'tɛmsə
Temuco *span.* te'muko
Temulenz temu'lɛnts
Tenafly *engl.* 'tɛnəflaɪ
Tenaille tə'naːjə, te'naljə
Tenakel te'naːkl̩
Tenalgie tenal'giː, **-n** ...iːən
Tenayuca *span.* tena'juka
Tenazität tenatsi'tɛːt
ten Bruggencate *niederl.*
tɛn 'bryənkaːtə
Tenda *it.* 'tɛnda
Tende *fr.* tãːd
Tendenz tɛn'dɛnts
tendenziell tɛndɛn'tsi̯ɛl
tendenziös tɛndɛn'tsi̯øːs, **-e**
...øːzə
Tender 'tɛndɐ
tendieren tɛn'diːrən
Tendinitis tɛndi'niːtɪs, ...**iti-**
den ...ni'tiːdn̩
Tendovaginitis tɛndovagi-
'niːtɪs, ...**itiden** ...ni'tiːdn̩
Tendre, -s 'tãːdrə, ...dɐ
Tendresse tã'drɛs, **-n** ...sn̩
Tendrjakow *russ.* tɪndrɪ'kɔf
Tène, La *fr.* la'tɛn
Teneber... 'teːnebɐ...
Tenebrae 'teːnebrɛ
Tenedos 'teːnedɔs
teneramente tenera'mɛntə
Tenerife *span.* tene'rife
Teneriffa tene'rɪfa
Tenesmus te'nɛsmʊs
Tengler 'tɛŋlɐ
Teniente, El *span.* ɛlte-
'niente
Teniers *niederl.* tə'niːrs
Tenkodogo *fr.* tɛŋkɔdɔ'go
Tenkterer 'tɛŋktərɐ
Tenn tɛn
Tennant *engl.* 'tɛnənt
Tenne 'tɛnə
Tennengebirge 'tɛnəŋgə-
bɪrgə
Tennent *engl.* 'tɛnənt
Tennessee *engl.* tɛnɛ'siː,
'___
Tenniel *engl.* 'tɛniəl
Tennis 'tɛnɪs
Tenno 'tɛno
Tennstedt 'tɛnʃtɛt
Tennyson *engl.* 'tɛnɪsn
Tenochtitlán *span.* tenɔtʃ-
tit'lan
[1]Tenor (Männerstimme)
te'noːɐ, **Tenöre** te'nøːrə

[2]Tenor (Wortlaut) 'teːnoːɐ
Tenora te'noːra
tenoral teno'raːl
Tenorio *span.* te'nori̯o
Tenorist teno'rɪst
Tenos 'teːnɔs
Tenotom teno'toːm
Tenotomie tenoto'miː
Tensid tɛn'ziːt, **-e** ...iːdə
Tensing 'tɛnzɪŋ
Tension tɛn'zi̯oːn
Tensor 'tɛnzoːɐ, **-en** tɛn'zoː-**
rən
Tentakel tɛn'taːkl̩
Tentakulit tɛntaku'liːt
Tentamen tɛn'taːmən,
...**mina** ...mina
tentativ tɛnta'tiːf, **-e** ...iːvə
tentieren tɛn'tiːrən
Tenü, Tenue tə'nyː
tenuis te'nuɪs, **tenue**
'teːnuə
Tenuis 'teːnuɪs, ...**ues** ...ueːs
tenuto te'nuːto
Tenzone tɛn'tsoːnə
Teo 'teːo, *it.* 'tɛːo
Teobald 'teːobalt
Teocalli teo'kali
Teoderich te'oːdərɪç
Teodor *russ.* tɪa'dɔr
Teodoreanu *rumän.* tɛodo-
'ri̯eanu
Teodoro *span.* teo'ðoro
Teodulo *it.* teo'duːlo
Teófilo Otoni *bras.* 'ti̯ɔfilu
o'toni
Teos 'teːɔs
Teotihuacán *span.* teoti̯ua-
'kan
Tepache te'patʃə
Tepalen te'paːlən
Tepaneke tepa'neːkə
Tepeaca *span.* tepe'aka
Tepelenë *alban.* tepe'lenə
Tepeş *rumän.* 'tsepeʃ
Tepexpan *span.* tepes'pan
Tephigramm tefi'gram
Tephrit te'friːt
Tephroit tefro'iːt
Tepic *span.* te'pik
Tepidarium tepi'daːri̯ʊm,
...**ien** ...i̯ən
Tepl 'teːpl̩
Teplice *tschech.* 'tɛplitsɛ
Teplitz 'tɛplɪts, 'teːplɪts
Tepoztlán *span.* tepɔs'tlan
Tepp tɛp
teppert 'tɛpɐt
Teppich 'tɛpɪç
Teques *span.* 'tekes

Tequila te'kiːla
Ter *engl.* tɑː, *span.* tɛr
Tera... 'teːra...
Terameter tera'meːtɐ
Teramo *it.* 'tɛːramo
teratogen terato'geːn
Teratologie teratolo'giː
Teratom tera'toːm
Terbium 'tɛrbi̯ʊm
Terborch, ...rg *niederl.* tɛr-
'bɔrx
Terbrugghen *niederl.* tɛr-
'bryɣə
Terceira *port.* tər'sɐi̯rɐ
Terebenjow *russ.* tɪrɪbɪ'njɔf
Terebinthe tere'bɪntə
Terebratel tere'braːtl̩
Terek 'teːrɛk, *russ.* 'tjerɪk
Terence *engl.* 'tɛrəns
Terengganu *indon.* tərəŋ-
'ganu
Terentius te'rɛntsi̯ʊs
Terény *ung.* 'tɛrɛːnj
Terenz te'rɛnts
Teresa *engl.* tə'riːzə, *span.*
te'resa, *it.* te'rɛːza, *port.*
tə'rezɐ, *bras.* te'reza, *russ.*
tɪ'rjezɐ
Tereschkowa *russ.* tɪrɪʃ-
'kɔvɐ
Teresina *bras.* tere'zina
Teresópolis *bras.* tere'zɔpu-
lis
Terezín *tschech.* 'tɛrɛziːn
Tergal® tɛr'gaːl
Tergnier *fr.* tɛr'ɲe
Terhune *engl.* tə'hjuːn
Terlan[er] tɛr'laːn[ɐ]
Terlecki *poln.* tɛr'lɛtski
Term[e] 'tɛrm[ə]
Termer 'tɛrmɐ
Termes *russ.* tɪr'mjɛs
Termin tɛr'miːn
terminal tɛrmi'naːl
Terminal 'tɔːɐ̯mɪnl, 'tœr...
Terminant tɛrmi'nant
Termination tɛrmina'tsi̯oːn
terminativ tɛrmina'tiːf, **-e**
...iːvə
Terminator tɛrmi'naːtoːɐ,
-en ...na'toːrən
Terminer tɛr'miːnɐ
[1]Termini *it.* 'tɛrmini
[2]Termini vgl. Terminus
terminieren tɛrmi'niːrən
Terminismus tɛrmi'nɪsmʊs
Terminologe tɛrmino'loːgə
Terminologie tɛrminolo'giː,
-n ...iːən

26 Duden 6

terminologisch tɛrmino'lo:-gɪʃ
Terminus 'tɛrminʊs, ...ni ...ni
Terminus ad quem 'tɛrminʊs 'at 'kvɛm
Terminus ante quem 'tɛrminʊs 'antə 'kvɛm
Terminus a quo 'tɛrminʊs 'a: 'kvo:
Terminus interminus 'tɛrminʊs 'ıntɛrminʊs
Terminus post quem 'tɛrminʊs 'pɔst 'kvɛm
Terminus technicus 'tɛrminʊs 'tɛçnikʊs, ...ni ...ci ...ni ...tsi
Termite tɛr'mi:tə
Termon tɛr'mo:n
ternär tɛr'nɛ:ɐ̯
Ternate indon. tər'nate
Terne 'tɛrnə
Terneuzen niederl. tɛr'nø:zə
Terni it. 'tɛrni
Ternifine fr. tɛrni'fin
Ternion tɛr'nio:n
Ternitz 'tɛrnɪts
Terno 'tɛrno
Ternopol russ. tır'nɔpɐlj
Ternovaner tɛrno'va:nɐ
Terp tɛrp
Terpander tɛr'pandɐ
Terpandros 'tɛrpandrɔs, -'--
Terpen tɛr'pe:n
Terpentin tɛrpɛn'ti:n
Terpigorew russ. tırpi'gɔrıf
Terpsichore tɛr'psi:çore
¹Terra (lat. = Erde) 'tɛra
²Terra (Name) it. 'tɛrra
Terrace engl. 'tɛrəs
Terracina it. terra'tʃi:na
Terrain tɛ'rɛ̃:
Terra incognita 'tɛra ın'kɔgnita
Terrakotta tɛra'kɔta
Terrakotte tɛra'kɔtə
Terramare tɛra'ma:rə
Terramycin® tɛramy'tsi:n
Terranova it. terra'nɔ:va
Terrarium tɛ'ra:riʊm, ...ien ...iən
Terra rossa 'tɛra 'rɔsa
Terra sigillata 'tɛra zigı'la:ta
Terrasse tɛ'rasə
terrassieren tɛra'si:rən
Terray fr. tɛ'rɛ
Terrazzo tɛ'ratso, ...zzi ...tsi
Terrebonne fr. tɛr'bɔn

terre des hommes 'tɛ:ɐ̯ de 'zɔm
Terre Haute engl. 'tɛrə 'hoʊt
Terrell engl. 'tɛrəl
terrestrisch tɛ'rɛstrıʃ
terribel tɛ'ri:bl̩, ...ble ...blə
Terrible Simplificateur, -s -s tɛ'ri:blə zɛplifika'tø:ɐ̯
Terrier 'tɛriɐ
terrigen tɛri'ge:n
Terrine tɛ'ri:nə
Territion tɛri'tsio:n
territorial tɛrito'ria:l
Territorialität tɛritoriali'tɛ:t
Territorium tɛri'to:riʊm, ...ien ...iən
Terror 'tɛro:ɐ̯
terrorisieren tɛrori'zi:rən
Terrorismus tɛro'rısmʊs
Terrorist tɛro'rıst
Terry engl. 'tɛri
Tersakis neugr. tɛr'zakis
Tersánszky ung. 'tɛrʃa:nski
Terschelling niederl. tɛr'sxɛlıŋ
Terson engl. tə:sn
Tersteegen tɛr'ste:gn̩
Tertia 'tɛrtsia
Tertial tɛr'tsia:l
tertian tɛr'tsia:n
Tertian[a] tɛr'tsia:n[a]
Tertianer tɛr'tsia:nɐ
tertiär, T... tɛr'tsiɛ:ɐ̯
Tertiarier tɛr'tsia:riɐ
Tertie 'tɛrtsiə
Tertium Comparationis 'tɛrtsiʊm kɔmpara'tsio:nıs, ...ia - 'tɛrtsia -
tertium non datur 'tɛrtsiʊm 'no:n 'da:tʊr
Tertius gaudens 'tɛrtsiʊs 'gaʊdens
Tertullian[us] tɛrtʊ'lia:n[ʊs]
Teruel span. te'ruɛl
Tervuren niederl. tɛr'vy:rə
Terylen® tery'le:n
Terz tɛrts
Terzaghi tɛr'tsa:gi
Terzel 'tɛrtsl̩
Terzerol tɛrtsə'ro:l
Terzerone tɛrtsə'ro:nə
Terzett tɛr'tsɛt
Terziar tɛr'tsia:ɐ̯
Terzine tɛr'tsi:nə
Terzka 'tɛrtska
Terzky 'tɛrtski
Terzo it. 'tɛrtso
Terzquartakkord tɛrts'kvartlakɔrt

Tesafilm® 'te:zafılm
Teschemacher 'tɛʃəmaxɐ
Teschen 'tɛʃn̩
Teschik-Tasch russ. tı'ʃık-'taʃ
Tesching 'tɛʃıŋ
Teschner 'tɛʃnɐ
Teshie engl. 'tɛʃi:
Těšín tschech. 'tjɛʃi:n
Tesla serbokr. 'tɛsla, engl. 'tɛslə
Teslić serbokr. 'tɛslitɕ
Tesman 'tɛsman
Tesnière fr. tɛ'njɛ:r
Těsnohlídek tschech. 'tjɛsnɔhli:dɛk
Tessar® tɛ'sa:ɐ̯
Tessarini it. tessa'ri:ni
tessellarisch tɛsɛ'la:rıʃ
tessellieren tɛsɛ'li:rən
Tessenderlo niederl. tɛ'sɛndərlo
Tessenow 'tɛsəno
tesseral tɛsɛ'ra:l
Tessin dt., schwed. tɛ'si:n
Test tɛst
Testament tɛsta'mɛnt
testamentarisch tɛstamɛn'ta:rıʃ
Testat tɛs'ta:t
Testator tɛs'ta:to:ɐ̯, -en ...ta'to:rən
Testazee tɛsta'tse:ə
Teste fr. tɛst
testen 'tɛstn̩
¹Testi it. 'tɛsti
²Testi vgl. Testo
testieren tɛs'ti:rən
Testifikation tɛstifika'tsio:n
Testikel tɛs'ti:kl̩
Testimonial tɛsti'mo:niəl
Testimonium tɛsti'mo:niʊm, ...ien ...iən
Testimonium Paupertatis tɛsti'mo:niʊm paʊpɛr'ta:tıs, ...ia - ...ia -
Testo 'tɛsto, ...ti ...ti
Testore it. tɛs'to:re
Testori it. tɛs'to:ri
Testosteron tɛstoste'ro:n
Testudo tɛs'tu:do, ...dines ...dine:s
Tetanie teta'ni:, -n ...i:ən
tetaniform tetani'fɔrm
tetanisch te'ta:nıʃ
Tetanus 'te:tanʊs, auch: 'tɛ...
Tetartoedrie tetartole'dri:
Tete 'te:tə, 'tɛ:tə

tête-à-tête, Tete-a-Tete tɛta'tɛ:t

Tetens 'te:tn̥s

Teterow 'te:təro

Tetewen *bulgar.* 'tɛtɛvɛn

Tethys 'te:tʏs

Teti 'te:ti

Tetka 'tɛtka

Tetmajer *poln.* tɛt'majɛr

Teton *engl.* 'ti:tən

Tétouan *fr.* te'twã

Tetovo *mak.* 'tɛtɔvɔ

Tetra 'te:tra

Tetrachlor... tetra'klo:ɐ̯...

Tetrachord tetra'kɔrt, **-e** ...rdə

Tetrade te'tra:de

Tetraeder tetra'le:dɐ

Tetraedrit tetrale'dri:t

Tetragon tetra'go:n

tetragonal tetrago'na:l

Tetragonopterus tetrago-'nɔpterʊs, ...**ri** ...ri

Tetragramm tetra'gram

Tetragrammaton tetra'gramatɔn, ...**ta** ...ta

Tetrakishexaeder tetrakɪshɛksa'le:dɐ

Tetraktys tetrak'ty:s

Tetralemma tetra'lɛma, **-ta** ...ta

Tetralin® tetra'li:n

Tetralogie tetralo'gi:, **-n** ...i:ən

tetramer tetra'me:ɐ̯

Tetrameter te'tra:metɐ

Tetramorph tetra'mɔrf

Tetrapanax te'tra:panaks

tetrapetalisch tetrape'ta:lɪʃ

Tetraplegie tetraple'gi:

Tetrapode tetra'po:də

Tetrapodie tetrapo'di:

Tetrarch te'trarç

Tetrarchie tetrar'çi:, **-n** ...i:ən

Tetrastichon te'trastɪçɔn, ...**cha** ...ça

Tetrazzini *it.* tetrat'tsi:ni

Tetrode te'tro:də

Tetryl te'try:l

Tetschen 'te:tʃn̥

Tettnang 'tɛtnaŋ

Tetuán *span.* te'tu̯an

Tetz[el] 'tɛts[l̥]

Tetzner 'tɛtsnɐ

Teubner 'tɔybnɐ

Teuchel 'tɔyçl̥

Teuchern 'tɔyçɐn

Teucrium 'tɔykriʊm

teuer 'tɔyɐ

Teuerdank 'tɔyɐdaŋk

Teuerung 'tɔyərʊŋ

Teufe 'tɔyfə

Teufel 'tɔyfl̥

Teufelei tɔyfə'lai

Teufelsmoor 'tɔyfl̥smo:ɐ̯

teufen, T... 'tɔyfn̥

teuflisch 'tɔyflɪʃ

Teuge *niederl.* 'tø:ɣə

Teukros 'tɔykrɔs

Teunz tɔynts

Teurnia te'ʊrnia

Teutoburger Wald 'tɔytobʊrgɐ 'valt

Teutone tɔy'to:nə

Teutonia tɔy'to:nia

teutonisch tɔy'to:nɪʃ

Teutonismus tɔyto'nɪsmʊs

teutsch, T... tɔytʃ

Tevere *it.* 'te:vere

Tevfik *türk.* tɛv'fik

Tewkesbury *engl.* 'tju:ksbərɪ

Tews te:fs

tex, Tex tɛks

Texaco 'tɛksako, *engl.* 'tɛksəkoʊ

Texaner tɛ'ksa:nɐ

Texarkana *engl.* tɛksɑ:-'kænə

Texas 'tɛksas, *engl.* 'tɛksəs

Texcoco *span.* tes'koko

Texel *niederl.* 'tɛsəl

Texoprint... tɛkso'prɪnt...

Text tɛkst

Textem tɛks'te:m

texten 'tɛkstn̥

textieren tɛks'ti:rən

textil tɛks'ti:l

Textilien tɛks'ti:li̯ən

Textor 'tɛksto:ɐ̯

Textur tɛks'tu:ɐ̯

texturieren tɛkstu'ri:rən

Tezett 'te:tsɛt, *auch:* te'tsɛt

T-förmig 'te:fœrmɪç, **-e** ...ɪgə

TGV *fr.* teʒe've

Thackeray *engl.* 'θækərɪ

Thaddäl ta'dɛ:dl̥

Thaddäus ta'dɛ:ʊs

Thadden 'tadn̥

Thaer tɛ:ɐ̯

Thai tai

Thailand 'tailant

Thailänder 'tailɛndɐ

thailändisch 'tailɛndɪʃ

Thais 'ta:ɪs

Thal ta:l

Thalamus 'ta:lamʊs, ...**mi** ...mi

thalassogen talaso'ge:n

Thalassographie talasogra'fi:

thalassokrat talaso'kra:t

Thalassometer talaso-'me:tɐ

Thalassophobie talasofo'bi:, **-n** ...i:ən

Thalassotherapie talasotera'pi:, **-n** ...i:ən

Thalatta! 'talata

Thalberg 'ta:lbɛrk, *engl.* 'θɔ:lbɑ:g

Thale 'ta:lə

Thalenser ta'lɛnzɐ

Thales 'ta:lɛs

Thalheim 'ta:lhaim

Thalia ta'li:a

Thaliarch ta'li̯arç

Thalidomid talido'mi:t, **-es** ...i:dəs

Thalleiochin talai̯ɔ'xi:n

Thallium 'tali̯ʊm

Thallophyt talo'fy:t

Thallus 'talʊs, ...**lli** 'tali

Thälmann 'tɛ:lman

Thalwil ta:l'vi:l

Thames *engl.* tɛmz

Than ta:n

Thana *engl.* 'tɑ:nə

Thanatologie tanatolo'gi:

Thanatomanie tanatoma'ni:, **-n** ...i:ən

Thanatophobie tanatofo'bi:, **-n** ...i:ən

Thanatos 'ta:natɔs

Thane *engl.* θeɪn

Thanet *engl.* 'θænɪt

Thanh Hoa *vietn.* θai̯n hu̯a 12

Thanh Phô Hô Chi Minh *vietn.* θai̯n fo ho tʃi mi̯n 32321

Thanjavur *engl.* tændʒə'vʊə

Thankmar 'taŋkmar

Thanksgiving *dt.-engl.* 'θɛŋksgɪvɪŋ

Thann *dt., fr.* tan

Thaps[ak]os taps[ak]ɔs

Thapsus 'tapsʊs

Thar ta:ɐ̯

Tharandt 'ta:rant

Tharau 'ta:rau̯

Tharaud *fr.* ta'ro

Thargelien tar'ge:li̯ən

Tharsicius tar'zi:tsi̯ʊs

Thasos 'ta:zɔs, *neugr.* 'θasɔs

Thassilo 'tasilo

Thatcher *engl.* 'θætʃə

Thatcherismus *dt.-engl.* θɛtʃə'rɪsmʊs

Thau *fr.* to
Thaulow *norw.* 'tœÿlɔv
Thaumatologie taumato-
lo'gi:
Thaumaturg tauma'tʊrk,
-en ...rgn̩
Thaya 'ta:ja
Thayer *engl.* 'θeɪə, θɛə
Thayngen 'ta:ŋən
Thea 'te:a
Theater te'a:tɐ
Theatiner tea'ti:nɐ
Theatralik tea'tra:lɪk
theatralisch tea'tra:lɪʃ
theatralisieren teatrali'zi:-
rən
Theatrum Mundi te'a:trʊm
'mʊndi
Thebais te'ba:ɪs
Thebaner te'ba:nɐ
thebanisch te'ba:nɪʃ
Theben 'te:bn̩
Theda 'te:da
Thé dansant, -s -s 'te: dã'sã:
Theer *tschech.* tɛ:r
Theile 'taɪlə
Theiler 'taɪlɐ, *engl.* 'taɪlə
Thein te'i:n
Theismus te'ɪsmʊs
Theiß taɪs
Theist te'ɪst
Theka 'te:ka
Theke 'te:kə
Thekla 'te:kla
Thelalgie telal'gi:, -n ...i:ən
Thelema 'te:lema, -ta te'le:-
mata
Thelematismus telema'tɪs-
mʊs
Thelematologie telemato-
lo'gi:
thelematologisch telema-
to'lo:gɪʃ
Thelen 'te:lən
Thelismus te'lɪsmʊs
thelistisch te'lɪstɪʃ
Thelitis te'li:tɪs, ...itiden
teli'ti:dn̩
Thelot 'te:lɔt
Thelygenie telyge'ni:, -n
...i:ən
Thelytokie telyto'ki:, -n
...i:ən
thelytokisch tely'to:kɪʃ
Thema 'te:ma, -ta ...ta
Thematik te'ma:tɪk
thematisch te'ma:tɪʃ
thematisieren temati'zi:rən
Themis 'te:mɪs
Themistios the'mɪstjɔs

Themistokles te'mɪstoklɛs
Themse 'tɛmzə
Thenar 'te:nar, -e te'na:rə
Thenard, Thénard *fr.*
te'na:r
Theo 'te:o, *engl.* 'θi:oʊ, *nie-
derl.* 'te:o
Theobald 'te:obalt, *engl.*
'θɪəbɔ:ld
Theobaldy teo'baldi
Theobroma teo'bro:ma
Theobromin teobro'mi:n
Theoda 'te:oda
Theodektes teo'dɛktɛs
Theodelinde teode'lɪndə
Theoderich te'o:dərɪç
Theodizee teodi'tse:, -n
...e:ən
Theodolit teodo'li:t
Theodor 'te:odo:ɐ, *schwed.*
'te:ɔdor
Theodora teo'do:ra
Theodorakis *neugr.* θeɔðo-
'rakis
Theodore teo'do:rə, *engl.*
'θɪədɔ:
Theodoret teodo're:t
Theodoros teo'do:rɔs
Theodosia teo'do:zja
Theodosianisch teodo'zja:-
nɪʃ
Theodosius teo'do:zjʊs
Theodotion teo'do:tjɔn
Theodotos te'o:dotɔs
Theodotus te'o:dotʊs
Theodul teo'du:l
Theodulus teo'du:lʊs
Theognis 'te:ɔgnɪs
Theognosie teogno'zi:
Theognosis teo'gno:zɪs
Theogonie teogo'ni:, -n
...i:ən
Theokathokles teo'ka:to-
klɛs
Theokrat teo'kra:t
Theokratie teokra'ti:, -n
...i:ən
Theokrit teo'kri:t
Theolatrie teola'tri:, -n
...i:ən
Theologe teo'lo:gə
Theologie teolo'gi:, -n
...i:ən
theologisch teo'lo:gɪʃ
theologisieren teologi'zi:-
rən
Theologumenon teolo'gu:-
menɔn, ...mena ...mena

Theomanie teoma'ni:, -n
...i:ən
Theomantie teoman'ti:, -n
...i:ən
theomorph teo'mɔrf
theonom teo'no:m
Theonomie teono'mi:
Theophan teo'fa:n
Theophanes te'o:fanɛs
Theophanie teofa'ni:, -n
...i:ən
Theophano te'o:fano
Theophil 'te:ofi:l
Théophile *fr.* teo'fil
Theophilos te'o:filɔs
Theophilus te'o:filʊs
theophor teo'fo:ɐ
Theophrast[us] teo-
'frast[ʊs]
Theophylakt[os] teofy-
'lakt[ɔs]
Theophyllin teofy'li:n
Theopneustie teopnɔys'ti:,
-n ...i:ən
Theopomp[os] teo-
'pɔmp[ɔs]
Theorbe te'ɔrbə
Theorell *schwed.* teu'rɛl
Theorem teo're:m
Theoretiker teo're:tikɐ
theoretisch teo're:tɪʃ
theoretisieren teoreti'zi:-
rən
Theorie teo'ri:, -n ...i:ən
Theosoph teo'zo:f
Theosophie teozo'fi:, -n
...i:ən
Theotokas *neugr.* θeɔtə'kas
Theotokis *neugr.* θeɔ'tɔkis
Theotokopulos teoto'ko:-
pulɔs, *neugr.* θeɔtɔ'kɔpulɔs
Theotokos te'o:tokɔs
Theoxenien teɔ'kse:njən
theozentrisch teo'tsɛntrɪʃ
The Pas *engl.* ðə 'pɑ:
Thera 'te:ra
Theramen tera'me:n
Therapeut[ik] tera'pɔyt[ɪk]
Therapeutikum tera'pɔyti-
kʊm, ...ka ...ka
therapeutisch tera'pɔytɪʃ
Therapie tera'pi:, -n ...i:ən
therapieren tera'pi:rən
Therbusch tɛr'bʊʃ
Theres 'te:rɛs
Theresa *engl.* tə'ri:zə
Thereschen te're:sçən
Therese te're:zə
Thérèse *fr.* te'rɛ:z
Theresia te're:zja

theresianisch tere'zi̯a:nɪʃ
Theresienstadt te're:zi̯ən-
ʃtat
Theriak 'te:ri̯ak
Thériault *fr.* te'rjo
theriomorph teri̯o'mɔrf
theriophor teri̯o'fo:ɐ̯
Thérive *fr.* te'ri:v
Therkel *dän.* 'tɛɐ̯gl
Therm[ä] 'tɛrm[ɛ]
thermaktin tɛrmak'ti:n
Thermal... tɛr'ma:l...
Thermanästhesie
tɛrmanɛste'zi:, tɛrm|an|ɛ...
Therme 'tɛrmə
Thermi 'tɛrmi, *neugr.* 'θɛrmi
Thermidor tɛrmi'do:ɐ̯
Thermik 'tɛrmɪk
Thermionen tɛr'mi̯o:nən
thermionisch tɛr'mi̯o:nɪʃ
thermisch 'tɛrmɪʃ
Thermistor tɛr'mɪsto:ɐ̯, **-en**
...'to:rən
Thermit® tɛr'mi:t
Thermobarograph tɛrmo-
baro'gra:f
Thermochemie tɛrmo-
çe'mi:
thermochemisch tɛrmo'çe:-
mɪʃ
Thermochromie tɛrmo-
kro'mi:
Thermochrose tɛrmo-
'kro:zə
Thermodynamik tɛrmody-
'na:mɪk
thermodynamisch tɛrmo-
dy'na:mɪʃ
Thermoeffekt 'tɛrmo|ɛfɛkt
thermoelektrisch tɛrmo-
|e'lɛktrɪʃ
Thermoelektrizität tɛrmo-
|elɛktritsi'tɛ:t
Thermoelement 'tɛrmo-
|elemɛnt
thermofixieren tɛrmofɪ'ksi:-
rən
Thermogramm tɛrmo'gram
Thermograph tɛrmo'gra:f
thermohalin tɛrmoha'li:n
Thermohygrograph tɛrmo-
hygro'gra:f
Thermokaustik tɛrmo-
'kaʊstɪk
Thermokauter tɛrmo'kaʊtɐ
Thermokraft 'tɛrmokraft
thermolabil tɛrmola'bi:l
Thermolumineszenz tɛr-
molumines'tsɛnts
Thermolyse tɛrmo'ly:zə

Thermometamorphose
tɛrmometamɔr'fo:zə
Thermometer tɛrmo'me:tɐ
Thermometrie tɛrmome-
'tri:, **-n** ...i:ən
thermometrisch tɛrmo'me:-
trɪʃ
Thermomorphosen tɛrmo-
mɔr'fo:zn̩
thermonuklear tɛrmonu-
kle'a:ɐ̯
thermooxidiert tɛrmo-
lɔksi'di:ɐ̯t
Thermopane® tɛrmo'pe:n
thermophil tɛrmo'fi:l
Thermophilie tɛrmofi'li:
Thermophor tɛrmo'fo:ɐ̯
Thermoplast tɛrmo'plast
Thermopylae tɛr'mo:pylɛ
Thermopylen tɛrmo'py:lən
Thermosflasche® 'tɛrmɔs-
flaʃə
thermostabil tɛrmosta'bi:l
Thermostat tɛrmo'sta:t
Thermotherapie tɛrmote-
ra'pi:, **-n** ...i:ən
Therophyt tero'fy:t
Theroux *engl.* θə'ru:
Thersites tɛr'zi:tɛs
thesaurieren tezaʊ'ri:rən
Thesaurus te'zaʊrʊs, **...ri**
...ri
These 'te:zə
Theseion te'zai̯ɔn
Theseus 'te:zɔʏs
Thesis 'te:zɪs, **Thesen** 'te:zn̩
Thesmophorien tɛsmo'fo:-
ri̯ən
Thespis 'tɛspɪs
Thessalien tɛ'sa:li̯ən
Thessalier tɛ'sa:li̯ɐ
thessalisch tɛ'sa:lɪʃ
Thessalonich tɛsa'lo:nɪç
Thessalonicher tɛsa'lo:nɪçɐ
Thessalonike tɛsalo'ni:kə
Thessaloniki *neugr.* θɛsalo-
'niki
thessalonisch tɛsa'lo:nɪʃ
Theta 'te:ta
Thetford [Mines] *engl.* 'θɛt-
fəd ['maɪnz]
Thetik 'te:tɪk
Thetis 'te:tɪs
thetisch 'te:tɪʃ
Theuerdank 'tɔʏɐdaŋk
Theun *niederl.* tø:n
Theurg te'ʊrk, **-en** ...rgn̩
Theurgie teʊr'gi:
Theuriet *fr.* tœ'rjɛ
Thiais *fr.* tjɛ

Thiamin ti̯a'mi:n
Thiaminase ti̯ami'na:zə
Thiazin... ti̯a'tsi:n...
Thibaud *fr.* ti'bo
Thibaudeau *fr.* tibo'do
Thibaudet *fr.* tibo'dɛ
Thibau[l]t *fr.* ti'bo
Thibodaux *engl.* tɪbə'doʊ
Thidrek 'ti:drɛk
Thiel[e] 'ti:l[ə]
Thielicke 'ti:lɪkə
Thiem[e] 'ti:m[ə]
Thiemo 'ti:mo
Thierry *fr.* tjɛ'ri
Thiers *fr.* tjɛ:r
Thierse 'ti:ɐ̯zə
Thierstein 'ti:ɐ̯ʃtai̯n
Thierstein 'ti:ɐ̯ʃtai̯n
Thiès *fr.* tjɛs
Thieß[en] 'ti:s[n̩]
Thietmar 'ti:tmar
Thigmotaxis tɪgmo'taksɪs
Thijsen *niederl.* 'tɛi̯sə
Thika *engl.* 'ti:ka:
Thilde 'tɪldə
Thilenius ti'le:ni̯ʊs
Thilo 'ti:lo
Thimbu *engl.* tɪm'bu:
Thimig 'ti:mɪç
Thimphu *engl.* tɪm'pu:
Thing tɪŋ
Thiodolf 'ti:odɔlf
Thiokol® tio'ko:l
Thional... tio'na:l...
Thionville *fr.* tjõ'vil
Thiophen tio'fe:n
Thioplast tio'plast
Thiosalz 'ti:ozalts
Thiosulfat tiozʊl'fa:t
Thiozyanat tiotsʸa'na:t
Thira *neugr.* 'θira
Thisbe 'tɪsbə
Thisted *dän.* 'tisdeð
thixotrop tɪkso'tro:p
Thixotropie tɪksotro'pi:
Thoas 'to:as
Thohoyandou *engl.* toʊhɔɪ-
æn'du:
Thököly *ung.* 'tøkøli
Tholen *niederl.* 'to:lə
Tholey 'to:lai̯
Tholos 'to:lɔs, **...loi** ...lɔy
Thom *engl., fr.* tɔm
Thoma 'to:ma
Thomalla to'mala
Thomaner to'ma:nɐ
Thoman[n] 'to:man
Thomas 'to:mas, *engl.*
'tɔməs, *fr.* tɔ'ma

Thomas a Kempis 'to:mas
a 'kɛmpi:s
Thomasin 'to:mazi:n
Thomasius to'ma:zɪʊs
Thomason engl. 'tɔməsn
Thomasville engl. 'tɔməsvɪl
Thomismus to'mɪsmʊs
Thomist to'mɪst
Thomm[en] 'tɔm[ən]
Thompson[ville] engl.
'tɔmpsn[vɪl]
Thomsen dän. 'tɔmsn̩
Thomson engl. tɔmsn
Thon to:n
Thonburi Thai 'thonbu'ri:
111
Thonet 'tɔnɛt
Thonon-les-Bains fr. tɔnõ-
le'bɛ̃
Thöny 'tø:ni
'THooft niederl. ət'ho:ft
Thor to:ɐ̯
¹Thora (Vorname) 'to:ra
²Thora (Bücher Mosis)
to'ra:, auch: 'to:ra
thorakal tora'ka:l
Thorakoplastik torako-
'plastɪk
Thorakoskop torako'sko:p
Thorakoskopie torako-
sko'pi:, -n ...i:ən
Thorakotomie torako-
to'mi:, -n ...i:ən
Thorakozentese torako-
tsɛn'te:zə
Thórarensen isl. 'θoʊrarɛn-
sɛn
Thorax 'to:raks, ...aces
to'ra:tse:s
Thorbecke 'to:ɐ̯bɛkə
Thoreau engl. 'θɔ:roʊ,
θə'roʊ
Thorén schwed. tɔ're:n
Thoret fr. tɔ'rɛ
Thorez fr. tɔ'rɛ:z
Thorild schwed. 'tu:rɪld
Thorium 'to:rjʊm
Thorn to:ɐ̯n, fr., niederl.
tɔrn, engl. θɔ:n
Thornaby engl. 'θɔ:nəbɪ
Thorndike engl. 'θɔ:ndaɪk
Thorneycroft engl. 'θɔ:nɪ-
krɔft
Thornhill engl. 'θɔ:nhɪl
Thornton engl. 'θɔ:ntən
Thornycroft engl. 'θɔ:nɪ-
krɔft
Thorold engl. 'θɔ:rəld
Thorolf 'to:rɔlf
Thoron to'ro:n

Thorp[e] engl. θɔ:p
Thorsberg 'to:ɐ̯sbɛrk
Thorshavn dän. 'tɔ:'ɐ̯shau̯'n
Thorsten 'tɔrstn̩
Thorup dän. 'tʊ:'rʊb
Thorvaldsen dän. 'tɔɐ̯vælsn̩
Thorwald 'to:ɐ̯valt
Thot to:t
Thouars fr. twa:r
Thouret fr. tu're
Thoursie schwed. 'tʊrsi
Thousand Islands engl.
'θaʊzənd 'aɪləndz
Thraker 'tra:kɐ
Thrakien 'tra:kjən
thrakisch 'tra:kɪʃ
Thrale engl. θreɪl
Thrasolt 'tra:zɔlt
Thrasybul trazy'bu:l
Thrasybulos tra'zy:bulɔs,
trazy'bu:lɔs
Thrax traks
Thrazien 'tra:tsiən
Thrazier 'tra:tsiɐ̯
thrazisch 'tra:tsɪʃ
Three Mile Island engl. 'θri:-
maɪl 'aɪlənd
Three Rivers engl. 'θri:
'rɪvəz
Threni 'tre:ni
Threnodie treno'di:, -n
...i:ən
Threnos 'tre:nɔs, ...noi
...nɔy
Thrill[er] dt.-engl. 'θrɪl[ɐ]
Thrips trɪps
Throckmorton engl. θrɔk-
'mɔ:tn
Throgmorton engl. θrɔg-
'mɔ:tn
Thrombasthenie trɔmbas-
te'ni:, -n ...i:ən
Thrombin trɔm'bi:n
Thromboarteriitis trɔmbo-
|arteri'i:tɪs, ...iitiden ...rii-
'ti:dn̩
Thrombogen trɔmbo'ge:n
Thrombolytikum trɔmbo-
'ly:tikʊm, ...ka ...ka
Thrombopenie trɔmbo-
pe'ni:, -n ...i:ən
Thrombophlebitis trɔmbo-
fle'bi:tɪs, ...itiden ...bi'ti:dn̩
Thrombose trɔm'bo:zə
thrombotisch trɔm'bo:tɪʃ
Thrombozyt trɔmbo'tsy:t
Thrombozytolyse trɔmbo-
tsyto'ly:zə
Thrombozytose trɔmbotsy-
'to:zə

Thrombus 'trɔmbʊs
Thron tro:n
thronen 'tro:nən
Thrym trym
thucydideisch, T... tutsydi-
'de:ɪʃ
Thucydides tu'tsy:dɪdɛs
Thugga 'tʊga
Thugut 'tu:gu:t
Thuille 'tʊɪlə
Thuin fr. tɥɛ̃
Thuja 'tu:ja
Thuje 'tu:jə
thukydideisch, T... tukydi-
'de:ɪʃ
Thukydides tu'ky:dɪdɛs
Thulden niederl. 'tɪldə
Thule dt., dän. 'tu:lə
Thulin schwed. tɥ'li:n
Thulium 'tu:ljʊm
Thum tu:m
Thumb tʊmp, engl. θʌm
Thumelicus tu'me:likʊs
Thümmel 'tɪml̩
Thun tu:n
Thunder Bay engl. 'θʌndə
'beɪ
Thünen 'ty:nən
Thunfisch 'tu:nfɪʃ
Thur tu:ɐ̯
Thurber engl. 'θə:bə
Thureau-Dangin fr. tyro-
dã'ʒɛ̃
Thurgau 'tu:ɐ̯gau̯
Thurii 'tu:rii
Thüring[en] 'ty:rɪŋ[ən]
Thüringer 'ty:rɪŋɐ
thüringisch 'ty:rɪŋɪʃ
Thuringit turɪŋ'gi:t
Thurio 'tu:rio
Thurloe, Thurlow engl.
'θə:loʊ
Thurn tʊrn
Thurneysser 'tʊrnlaɪsɐ
Thurnwald 'tʊrnvalt
Thurrock engl. 'θʌrək
Thursday Island engl.
'θə:zdɪ 'aɪlənd
Thurstan, Thurston[e]
engl. 'θə:stən
Thusis 'tu:zɪs
Thusnelda tʊs'nɛldə
Thusnelde tʊs'nɛldə
Thutmosis tʊt'mo:zɪs
Thwaite[s] engl. θweɪt[s]
Thy dän. ty:'
Thyborøn dän. tybo'rœn'
Thyestes 'tyɛstɛs
Thylle 'tylə
Thymian 'ty:mia:n

Thymitis ty'mi:tɪs, ...**itiden** ...mi'ti:dn̩
thymogen tymo'ge:n
Thymol ty'mo:l
Thymoleptikum tymo'lɛptikʊm, ...**ka** ...ka
Thymom ty'mo:m
Thymopath tymo'pa:t
Thymopathie tymopa'ti:, -**n** ...i:ən
Thymopsyche tymɔ'psy:çə
Thymose ty'mo:zə
Thymus 'ty:mʊs
Thyratron 'ty:ratro:n
Thyräus ty'rɛ:ʊs
thyreogen tyreo'ge:n
Thyreoidea tyreo'i:dea
Thyreoidektomie tyreoidɛkto'mi:, -**n** ...i:ən
Thyreoiditis tyreoi'di:tɪs, ...**itiden** ...di'ti:dn̩
Thyreojodin tyreojo'di:n
thyreopriv tyreo'pri:f, -**e** ...i:və
Thyreostatikum tyreo'sta:tikʊm, ...**ka** ...ka
Thyreotomie tyreoto'mi:, -**n** ...i:ən
Thyreotoxikose tyreotɔksi-'ko:zə
thyreotoxisch tyreo'tɔksɪʃ
thyreotrop tyreo'tro:p
Thyristor ty'rɪsto:ɐ̯, -**en** ...'to:rən
Thyroxin tyrɔ'ksi:n
Thyrsos 'tyrzɔs, ...**soi** ...zɔy
Thyrsus 'tyrzʊs, ...**si** ...zi
Thyssen 'tysn̩
Tiahuanaco span. tịaṵa-'nako
Tian'anmen chin. tịɛn-an-mən 112
Tianjin chin. tịɛndʒɪn 11
Tianshan chin. tịɛnʃan 11
Tiara 'tịa:ra
Tiaret fr. tja'rɛt
Tibaldi it. ti'baldi
Tiber 'ti:bɐ
Tiberias ti'be:rịas
Tiberius ti'be:rịʊs
Tibesti ti'bɛsti, fr. tibɛs'ti
Tibet 'ti:bɛt, auch: ti'be:t
tibetanisch tibe'ta:nɪʃ
Tibeter ti'be:tɐ, auch: 'ti:bɛtɐ
tibetisch ti'be:tɪʃ, auch: 'ti:bɛtɪʃ
tibetoburmanisch ti'be:to-bʊr'ma:nɪʃ
Tibia 'ti:bịa, **Tibiae** ...ịɛ

Tibor 'ti:bo:ɐ̯, ung. 'tibor
Tibull[us] ti'bʊl[ʊs]
Tibur 'ti:bʊr
Tiburón span. tiβu'rɔn
Tic tɪk
Tichau 'tɪçaṵ
Tichon[ow] russ. 'tixɐn[ɐf]
Tichorezk russ. tixa'rjɛtsk
Tichwin russ. 'tixvin
Ticino it. ti'tʃi:no
Tick tɪk
Tickell engl. 'tɪkəl
ticken 'tɪkn̩
Ticker 'tɪkɐ
tickern 'tɪkɐn
Ticket 'tɪkət
Tickfever 'tɪkfi:vɐ
Ticknor engl. 'tɪknə
ticktack!, Ticktack 'tɪk'tak
Ticonius ti'ko:nịʊs
Tide 'ti:də
Tidemand norw. .ti:dəman
Tidore indon. ti'dore
Tiebreak 'tạịbre:k
Tieck ti:k
Tiede[mann] 'ti:də[man]
Tiedge 'ti:tgə
Tiedo 'ti:do
tief, Tief ti:f
Tiefe 'ti:fə
Tiefenbronn ti:fn̩'brɔn
Tiefencastel 'ti:fn̩kastl̩
tiefernst 'ti:f'lɛrnst
Tieffenbrucker ti:fn̩brʊkɐ
Tiefland 'ti:flant
tieftraurig 'ti:f'trạṵrịç
Tiefurt 'ti:fʊrt
Tiegel 'ti:gl̩
Tiekholz 'ti:khɔltṣ
Tiel[e] niederl. 'til[ə]
Tielke 'ti:lkə
Tielt niederl. tilt
Tiemann 'ti:man
Tienen niederl. 'tinə
Tiengen 'tɪŋən
Tienschan 'tịɛnʃan
Tientsin 'tịɛntṣɪn
Tiepolo it. 'tịɛ:polo
Tier ti:ɐ̯
tierisch 'ti:rɪʃ
Tierp schwed. .ti:ærp
Tierquälerei ti:ɐ̯kvɛ:lə'rạị
Tierra caliente 'tịɛra ka'lịɛntə
Tierra del Fuego span. 'tịɛrra ðɛl 'fṵeɣo
Tierra fría 'tịɛra 'fri:a
Tierra templada 'tịɛra tɛm-'pla:da
Tiersétat fr. tjɛrze'ta

Tiessen 'ti:sn̩
Tiétar span. 'tjɛtar
Tietê bras. tịe'te
Tietjen 'ti:tjən
Tietmeyer 'ti:tmạịɐ
Tiffany engl. 'tɪfənɪ
Tiffin engl. 'tɪfin
Tiflis 'tɪflɪs, 'ti:flɪs
Tifoso ti'fo:zo, ...**si** ...zi
Tifton engl. 'tɪftən
Tigard engl. 'tạɪgəd
Tiger 'ti:gɐ
tigern 'ti:gɐn, **tigre** 'ti:grə
Tiger River engl. 'tạɪgə 'rɪvɐ
Tighe engl. tạɪ
Tighennif fr. tige'nif
Tiglatpileser tiglatpi'le:zɐ
Tignes fr. tiɲ
Tigon 'ti:gɔn
Tigranes ti'gra:nɛs
Tigranokerta tigrano'kɛrta
¹Tigre (Hispanoamerika) span. 'tiɤre
²Tigre (Äthiopien) ti'gre:, 'ti:grə
Tigriña, ...**nja** ti'grɪnja
Tigris 'ti:grɪs
tigroid tigro'i:t, -**e** ...i:də
Tihama (Arabien) ti'ha:ma
Tihany ung. 'tihɔnj
Tijuana span. ti'xṵana
Tikal 'ti:kal
Tiki 'ti:ki
Tikkanen finn. 'tikkɑnɛn
Tilburg niederl. 'tɪlbyrx
Tilbury 'tɪlbəri
Tilde 'tɪldə
tilgen 'tɪlgn̩, **tilg!** tɪlk, **tilgt** tɪlkt
Tiliazeen tilịa'tṣe:ən
Till[a] 'tɪl[a]
Tillandsie tɪ'lantṣịə
Tille tschech. 'tilɛ
Tillemont fr. tij'mõ
Tiller 'tɪlɐ
Tilli 'tɪli
Tillich 'tɪlɪç
Tillier fr. ti'lje
Tillit tɪ'li:t
Tilly 'tɪli
Tilmann 'tɪlman
Tilo 'ti:lo
Tilos neugr. 'tilɔs
Tilschová tschech. 'tilʃova:
Tilsit[er] 'tɪlzɪt[ɐ]
Tim tɪm
Timaios ti'mạịɔs
Timan russ. ti'man
Timandra ti'mandra

Timarchie timar'çi:, -n
...i:ən
Timaru engl. 'tımǝru:
Timbal[e] tım'ba:l[ǝ]
Timbaúba bras. timba'uba
Timber 'tımbɐ
Timbre 'tɛ̃:brǝ, 'tɛ̃:bɐ
timbrieren tɛ̃'bri:rǝn
Timbuktu tım'buktu
time is money 'taim ıs
'mani
Timelag 'taimlɛk
timen 'taimǝn
Time-out 'taimlaut, -'-
Timer 'taimɐ
Times engl. taimz
Timesampling 'taimzam-
plıŋ
Timesharing 'taimʃɛ:rıŋ
Timgad fr. tim'gad
timid ti'mi:t, -e ...i:dǝ
timide ti'mi:dǝ
Timidität timidi'tɛ:t
Timing 'taimıŋ
Timirjasew russ. timi'rjazıf
Timiş rumän. 'timiʃ
Timiskaming engl. tı'mıskǝ-
mıŋ
Timişoara rumän. timi-
'ʃoara
Timm tım
Timmelsjoch 'tımlsjɔx
Timmendorfer Strand
'tımǝndɔrfɐ 'ʃtrant
Timmermans niederl.
'tımǝrmans
Timmins engl. 'tımınz
Timmo 'tımo
Timmons engl. 'tımǝnz
Timo 'ti:mo
Timofei russ. tima'fjej
Timofejew russ. tima'fjejıf
Timofejewitsch russ.
tima'fjejıvıtʃ
Timofejewna russ. tima'fje-
jıvnɐ
Timok serbokr. ,timɔk, bul-
gar. 'timok
Timokratie timokra'ti:, -n
...i:ən
Timoleon ti'mo:leɔn
Timon 'ti:mɔn
Timoneda span. timo'neða
timonisch, T... ti'mo:nıʃ
Timor 'ti:mo:ɐ, indon.
'timɔr, port. ti'mor
Timoschenko russ. tima-
'ʃɛnkɐ
Timotheegras timo'te:-
gra:s, 'ti:motegra:s

Timotheos ti'mo:teɔs
Timotheus ti'mo:teʊs
Timothy engl. 'tımǝθı
Timothygras ti'mo:tigra:s,
auch: 'ti:motig...
Timpano 'tımpano, ...ni ...ni
Timrå schwed. ,timro:
Timrava slowak. 'tjimrava
Timur 'ti:mʊr
Timuride timu'ri:dǝ
Timur-Leng 'ti:mʊr'lɛŋ
Tina dt., it. 'ti:na
Tinbergen niederl. 'tınbɛrxǝ
Tinchen 'ti:nçǝn
Tinctoris niederl. tıŋk'to:rıs
Tindal[e] engl. tındl
Tindouf fr. tin'duf
Tine 'ti:nǝ
Ting engl. tıŋ
tingeln 'tıŋln
Tingeltangel 'tıŋltaŋḷ
tingieren tıŋ'gi:rǝn
Tingo María span. 'tıŋgo
ma'ria
Tinguely fr. tɛ̃'gli
þingvellir isl. 'θiŋvɛdlır
Tini 'ti:ni
Tinker engl. 'tıŋkǝ
Tinktion tıŋk'tsio:n
Tinktur tıŋk'tu:ɐ
Tinnef 'tınǝf
Tinnitus 'tınitʊs
Tino dt., it. 'ti:no, fr. ti'no
Tinos neugr. 'tınɔs
Tinseltown engl. 'tınsǝltaʊn
Tintagel engl. tın'tædʒǝl
Tinte 'tıntǝ
tintig 'tıntıç, -e ...ıgǝ
Tintometer tınto'me:tɐ
Tintoretto it. tınto'retto
Tinwell engl. 'tınwǝl
Tiorba 'tiɔrba
Tipasa fr. tipa'za
Tipi 'ti:pi
tipp!, T... tıp
Tippecanoe engl. tıpıkǝ'nu:
Tippel[chen] 'tıpl[çǝn]
Tippelei tıpǝ'lai
tipp[e]lig 'tıp[ǝ]lıç, -e ...ıgǝ
tippeln 'tıpln
tippen, T... 'tıpn̩
Tipperary engl. tıpǝ'rɛǝrı
Tippett engl. 'tıpıt
Tipp-Ex® 'tıpɛks
Tippse 'tıpsǝ
tipp, tapp! 'tıp 'tap
tipptopp 'tıp'tɔp
Tipster 'tıpstɐ
Tiptoft engl. 'tıptɔft
Tipton engl. 'tıptǝn

Tiraboschi it. tira'bɔski
Tirade ti'ra:dǝ
Tiradentes bras. tira'dentis
Tirailleur tira[l]'jø:ɐ
tiraillieren tira[l]'ji:rǝn
Tiramisu tirami'zu:
Tiran ti'ra:n
Tirana ti'ra:na, alban.
ti'rana
Tiranë alban. ti'ranǝ
Tiraspol russ. ti'raspɐlj
Tirass 'ti:ras
tirassieren tira'si:rǝn
Tire türk. 'tirɐ
Tiree engl. taı'ri:
Tiresias ti're:zias
Tiret ti're:
Tîrgovişte rumän. tir'go-
viʃte
Tîrgu Jiu rumän. 'tırgu 'ʒiu
Tîrgu Mureş rumän. 'tırgu
'mureʃ
Tîrgu Neamţ rumän. 'tırgu
'ņeamts
Tîrgu Ocna rumän. 'tırgu
'okna
Tîrgu Secuiesc rumän.
'tırgu seku'iesk
tirili!, Tirili tiri'li:
tirilieren tiri'li:rǝn
Tîrnava rumän. 'tırnava
Tîrnăveni rumän. tırnǝ'venj
tirol ti'ro:
Tiro (Rekrut, Anfänger)
'ti:ro, ...nen ti'ro:nǝn
Tirocinium tiro'tsi:niʊm
Tirol[er] ti'ro:l[ɐ]
Tirolienne tiro'liɛn, -n
...nǝn
Tirolo it. ti'rɔ:lo
tironisch, T... ti'ro:nıʃ
Tiros 'ti:rɔs, engl. 'taıǝrɔs
Tirpitz 'tırpıts
Tirreno it. tir'rɛ:no
Tirs tırs
Tirschenreuth tırʃn̩'rɔyt
Tirso span., it. 'tırso
Tirso de Molina span. 'tırso
ðe mo'lina
Tiruchirapalli engl. tırǝtʃı-
rǝ'pʌlı
Tirunelveli engl. tırʊ'nɛl-
vǝlı
Tirupati engl. 'tırʊpǝti:
Tiryns 'ti:ryns
Tirynther ti'ryntɐ
tirynthisch ti'ryntıʃ
Tisa serbokr., rumän. 'tisa
Tisch tıʃ
Tischbein 'tıʃbain

tischen 'tɪʃn̩
Tischendorf 'tɪʃn̩dɔrf
Tischleindeckdich tɪʃlaɪn-
'dɛkdɪç
Tischler 'tɪʃlɐ
Tischlerei tɪʃlə'raɪ
tischlern 'tɪʃlɐn
Tiselius schwed. ti'se:liʊs
Tisiphone ti'zi:fone
Tiso slowak. 'tjisɔ
Tissandier fr. tisã'dje
Tissaphernes tɪsa'fɛrnɛs
Tisserand, ...nt fr. ti'srã
Tissot fr. ti'so
Tisza ung. 'tisɔ
Tiszántúl ung. 'tisa:ntu:l
Tiszapolgár ung. 'tisɔpol-
ga:r
Tiszavasvári ung. 'tisɔvɔʃ-
va:ri
Tit russ. tit
Titan[e] ti'ta:n[ə]
Titania ti'ta:nia
Titanic ti'ta:nɪk, engl. taɪ'tæ-
nɪk
Titanide tita'ni:də
titanisch ti'ta:nɪʃ
Titanit tita'ni:t
Titanomachie titanoma'xi:
Titchener engl. 'tɪtʃnə
Titel 'ti:tl̩, auch: 'tɪtl̩
Titelei ti:tə'laɪ, auch: tɪt...
titeln 'ti:tl̩n, auch: 'tɪtl̩n
Titelouze fr. ti'tlu:z
Titer 'ti:tɐ
Tithon[os] ti'to:n[ɔs]
Tithonus ti'to:nʊs
Titicaca span. titi'kaka
Titinius ti'ti:niʊs
Titisee 'tɪtize:
Titius 'ti:tsiʊs
Titlis 'ti:tlɪs
Titlonym titlo'ny:m
Tito dt., it. 'ti:to, serbokr.
'titɔ
Titograd serbokr. 'titɔgra:d
Titoismus tito'ɪsmʊs
Titoist tito'ɪst
Titovo Užice serbokr. 'titɔvɔ
'u:ʒitsɛ
Titov Veles mak. 'titɔf 'vɛlɛs
Titow russ. ti'tɔf
Titration titra'tsio:n
Titre 'ti:tɐ, 'ti:trə
titrieren ti'tri:rən
Titrimetrie titrime'tri:
titschen 'tɪtʃn̩
Titte 'tɪtə
Titu rumän. 'titu
Titular titu'la:ɐ̯

Titulatur titula'tu:ɐ̯
Titulescu rumän. titu'lesku
titulieren titu'li:rən
Titulus 'ti:tulʊs, auch: 'tɪt...,
...li ...li
Titurel 'ti:turɛl
Titus 'ti:tʊs
Titusville engl. 'taɪtəsvɪl
Tityos 'ti:tŷɔs
Titz tɪts
Tiu 'ti:u
Tiveden schwed. ,ti:ve:dən
Tiverton engl. 'tɪvətn
Tivoli dt., it. 'ti:voli, dän.
'tivʊli
Tixi russ. tik'si
Tizatlan span. tiθat'lan
tizian, T... 'ti:tsia:n
tizianisch, T... ti'tsia:nɪʃ
Tiziano it. tit'tsia:no
Tizi-Ouzou fr. tiziu'zu
Tiznit fr. tiz'nit
tja! tja, auch: tja:
Tjäle 'tjɛ:lə
Tjalk tjalk
Tjällmo schwed. 'çɛlmu:
Tjörn schwed. çœ:rn
Tjost tjɔst
tjostieren tjɔs'ti:rən
Tjumen russ. tju'menj
Tjust schwed. çʉ:st
Tjuttschew russ. 'tjuttʃɪf
Tkatschow russ. tka'tʃɔf
Tkwartscheli russ. tkvar-
'tʃeli
Tlalnepantla span. tlalne-
'pantla
Tlalpan span. 'tlalpan
Tlaquepaque span. tlake-
'pake
Tlatilco span. tla'tilco
Tlaxcala span. tlas'kala
Tlemcen fr. tlɛm'sɛn
Tlingit 'tlɪŋɡɪt
Tmesis 'tme:zɪs
Tmutarakan russ. tmutɐra-
'kanj
Toast to:st
toasten 'to:stn̩
Toba 'to:ba, indon. 'toba,
jap. 'to.ba
Tobago to'ba:ɡo, engl.
tə'beɪɡou
Tobak 'to:bak
Tobaldi it. to'baldi
Tobar[ra] span. to'βar[ra]
Tobel 'to:bl̩
toben 'to:bn̩, tob! to:p, tobt
to:pt
Toberei to:bə'raɪ

Tobey engl. 'toʊbɪ
Tobias to'bi:as, engl.
tə'baɪɔs
Tobías span. to'βias
Tobiáš tschech. 'tɔbia:ʃ
Tobie engl. 'toʊbɪ
Tobino it. to'bi:no
Toblach 'to:blax
Tobler 'to:blɐ
Toboggan to'bɔɡan
Tobol[sk] russ. ta'bɔl[jsk]
Tobruk 'to:brʊk
Toby engl. 'toʊbɪ
Tocantins bras. tokɐn'tĩs
Toccata tɔ'ka:ta
Toce it. 'tɔ:tʃe
Tocharer tɔ'xa:rɐ
tocharisch, T... tɔ'xa:rɪʃ
Tochter 'tɔxtɐ, Töchter
'tœçtɐ
Töchterchen 'tœçtɐçən
töchterlich 'tœçtɐlɪç
tockieren tɔ'ki:rən
Tocopilla span. toko'piʎa
Tocqué fr. tɔ'ke
Tocqueville fr. tɔk'vil
Tocumen span. to'kumen
Tod to:t, -es 'to:dəs
todbang 'to:t'baŋ
todblass 'to:t'blas
todbleich 'to:t'blaɪç
Todd engl. tɔd
Toddy 'tɔdi
todelend 'to:t'le:lɛnt
todernst 'to:t'ɛrnst
todfeind 'to:t'faɪnt
Todfeind 'to:t'faɪnt
Todi it. 'tɔ:di
Tødi 'tø:di
todkrank 'to:t'kraŋk
todlangweilig 'to:t'laŋvaɪlɪç
tödlich 'tø:tlɪç
todmatt 'to:t'mat
Todmorden engl. 'tɔdmədn
todmüde 'to:t'my:də
Todor bulgar. 'tɔdor
Tódor ung. 'to:dor
Todorow bulgar. 'tɔdorof
Todos os Santos bras.
'toduz us 'sɐntus
todschick 'to:t'ʃɪk
todsicher 'to:t'zɪçɐ
todsterbenskrank 'to:t-
'ʃtɛrbn̩s'kraŋk
Todt tɔt
Todtmoos 'tɔtmo:s, auch:
–'–
Todtnau 'tɔtnaʊ
todtraurig 'to:t'traʊrɪç

todunglücklich 'to:t-
'|ʊnglʏklɪç
todwund 'to:t'vʊnt
Toeloop 'to:lu:p, 'tu:...
Toepffer 'tœpfɐ, fr. tœp'fɛ:r
Toepler 'tø:plɐ
Toeris to'e:rɪs
Toesca it. to'eska, fr. tɔɛs'ka
Toeschi it. to'eski
toff tɔf
Töff tœf
Toffee 'tɔfi, 'tɔfe
Toffel 'tɔfl̩
Töffel 'tœfl̩
töff, töff! 'tœf 'tœf
Töfftöff 'tœf'tœf
Tofu 'to:fu
Toga 'to:ga
Togal® to'ga:l
Togata to'ga:ta
Toggenburg 'tɔgn̩bʊrk
Togliatti it. toʎ'ʎatti
Togo 'to:go, fr. tɔ'go, engl.
'tougou
Togoer 'to:goɐ
togoisch 'to:goɪʃ
Togolese togo'le:zə
togolesisch togo'le:zɪʃ
Tohuwabohu to:huva'bo:hu
Toile tɔa:l
Toilette tɔa'lɛtə
Toise tɔa:s, -n 'tɔa:zn̩
toi, toi, toi! 'tɔy 'tɔy 'tɔy
Tojama jap. 'to:jama
Tojohaschi jap. to'johaʃi
Tojokuni jap. to'jo.kuni
Tojonaka jap. to'jonaka
Tojonobu jap. to'jo.nobu
Tojota jap. 'to:jota
Tokadille toka'dɪljə
Tokai jap. to':kai
Tokaido jap. to':kaido.:
Tokaier to'kaiɐ
Tokaj 'to:kai, ung. 'tokɔj
Tokajer to'kaiɐ
Tokat türk. 'tɔkɑt
Tokelau engl. toʊkɛ'lau
Token 'to:kn̩
Tokio to'kio, jap. to':kjo:
Tokioer 'to:kioɐ
Tokioter to'kio:tɐ
Tokkata to'ka:ta
tokkieren tɔ'ki:rən
Tokmak russ. tak'mak
Toko 'to:ko
Tokogonie tokogo'ni:, -n
...i:ən
Tokologie tokolo'gi:
Tokorosawa jap. to'koro-
zawa

Tokugawa toku'ga:va
Tokujama jap. to'ku.jama
Tokus 'to:kʊs, -se ...ʊsə
Tokuschima jap. to'kuʃi.ma
Tola 'to:la
Toland engl. 'toʊlənd
Tolbuchin russ. tal'buxin,
bulgar. tol...
Toldy ung. 'toldi
Töle 'tø:lə
Toledaner tole'da:nɐ
Toledo to'le:do, span.
to'leðo, engl. tə'li:doʊ
Tolentino it. tolen'ti:no,
port. tulen'tinu
tolerabel tole'ra:bl̩, ...ble
...blə
tolerant tole'rant
Toleranz tole'rants
tolerieren tole'ri:rən
Toletum to'le:tʊm
Toletus to'le:tʊs
Tolima span. to'lima
Tolita span. to'lita
Toljatti russ. talj'jatti
Tolkien engl. 'tɔlki:n, -'–
toll tɔl
Tolle 'tɔlə
tollen 'tɔlən
Tollens niederl. 'tɔləns
Tollense tɔ'lɛnzə
Toller 'tɔlɐ
Tollerei tɔlə'rai
Tollität tɔli'tɛ:t
tollkühn 'tɔlky:n
Tollpatsch 'tɔlpatʃ
tollpatschig 'tɔlpatʃɪç, -e
...ɪgə
Tolna[y] ung. 'tolnɔ[i]
Tolnau 'tɔlnau
Tolo indon. 'tolo
Tolosa to'lo:za, span. to'losa
tolosanisch tolo'za:nɪʃ
Tölpel 'tœlpl̩
Tölpelei tœlpə'lai
tölpeln 'tœlpl̩n
tölpisch 'tœlpɪʃ
Tolstoi tɔl'stɔy, russ. tal'stɔj
Tölt tœlt
Tolteke tɔl'te:kə
Tolú span. to'lu
Tolubalsam 'to:lubalzam
Toluca span. to'luka
Toluidin tolui'di:n
Toluol to'luo:l
Tölz tœlts
Tom engl. tɔm
Toma it. 'tɔ:ma
Tomahawk 'tɔmaha:k,
auch: ...ho:k

Tomakomai jap. to'mako-
mai
¹Toman (Münze) to'ma:n
²Toman (Name) 'to:man,
tschech. 'tɔman
Tomar port. tu'mar
Tomas 'to:mas
Tomás bras., span. to'mas,
port. tu'maʃ
Tomáš tschech. 'tɔma:ʃ
Tomášek tschech. 'tɔma:ʃɛk
Tomasi fr. tɔma'zi, it.
to'ma:zi
Tomaso it. to'ma:zo
Tomasz poln. 'tɔmaʃ
Tomaszewski poln. tɔma-
'ʃɛfski
Tomaszów poln. tɔ'maʃuf
Tomate to'ma:tə
tomatieren toma'ti:rən
tomatisieren tomati'zi:rən
Tombak 'tɔmbak
tombaken 'tɔmbakn̩
Tombalbaye fr. tɔbal'baj
Tombaugh engl. 'tɔmbɔ:
Tombigbee engl. tɔm'bɪgbi
Tombola 'tɔmbola
Tombouctou fr. tõbuk'tu
Tomé span. to'me, port.
tu'mɛ, bras. to'mɛ
Tomelloso span. tome'ʎoso
Tomi vgl. Tomus
Tomizza it. to'mittsa
Tomkins engl. 'tɔmkɪnz
Tomlin[son] engl. 'tɔm-
lɪn[sn]
Tommaseo it. tomma'zɛ:o
Tommasini it. tomma'zi:ni
Tommaso it. tom'ma:zo
Tommy 'tɔmi, engl. 'tɔmɪ
Tomographie tomogra'fi:
Tomomanie tomoma'ni:, -n
...i:ən
Tomowa bulgar. 'tɔmovɐ
Tomsk[i] russ. 'tɔmsk[ij]
Tomtom tɔm'tɔm
Tomus to:mʊs, ...mi ...mi
Ton to:n, Töne 'tø:nə
tonal to'na:l
Tonale it. to'na:le
Tonalität tonali'tɛ:t
Tonawanda engl. tɔnə-
'wɔndə
Tonbridge engl. 'tʌnbrɪdʒ
Tønder dän. 'tøndɐ
Tondern 'tɔndɐn
Tondo 'tɔndo, ...di ...di
Tôn Đu'c Thăng vietn. ton
dik θaịn 122
Tone engl. toʊn

Töne vgl. Ton
Tonem to'ne:m
Tonemik to'ne:mɪk
tonen 'to:nən
tönen 'tø:nən
Toner 'to:nɐ
tönern 'tø:nɐn
Tonetik to'ne:tɪk
tonetisch to'ne:tɪʃ
Tonga (Insel) 'toŋga, engl. 'tɔŋə
Tongchuan chin. toŋtʃuan 21
Tongeren niederl. 'toŋərə
Tongern 'toŋɐn
Tonghua chin. toŋxua 14
Tongking 'toŋkɪŋ
Tongling chin. toŋlɪŋ 22
Tongres fr. tõ:gr
Toni 'to:ni, it. 'to:ni
Tonia 'to:nia, it. 'to:nia
Tonic engl. 'tonɪk
tonig 'to:nɪç, -e ...ɪgə
...tonig ...to:nɪç, -e ...ɪgə
Tonika 'to:nika
Tonika-Do 'to:nika'do:
Tonikum 'to:nikom, ...ka ...ka
Tonio 'to:nio, it. 'to:nio
tonisch 'to:nɪʃ
tonisieren toni'zi:rən
Tönisvorst 'tø:nɪsfɔrst
Tonja 'tonja, russ. 'tonjɐ
Tonka... 'tonka...
Tonkin fr. tõ'kɛ̃
Tonle Sap Khmer tuonlɪ'sa:p
Tonnage to'na:ʒə
Tönnchen 'tœnçən
Tonne 'tonə
Tonneau to'no:
Tönnies 'tœniəs
Tönning 'tœnɪŋ
tonnlägig 'tonlɛ:gɪç, -e ...ɪgə
Tonographie tonogra'fi:
Tonologie tonolo'gi:
Tonometer tono'me:tɐ
tonometrisch tono'me:trɪʃ
Tønsberg norw. 'tœnsbær
tonsillar tonzɪ'la:ɐ̯
tonsillär tonzɪ'lɛ:ɐ̯
Tonsille ton'zɪlə
Tonsillektomie tonzɪlɛkto'mi:, -n ...i:ən
Tonsillitis tonzɪ'li:tɪs, ...itiden ...li'ti:dn̩
Tonsillotom tonzɪlo'to:m
Tonsillotomie tonzɪloto'mi:, -n ...i:ən
Tonsur ton'zu:ɐ̯

tonsurieren tonzu'ri:rən
Tonus 'to:nos
Tony 'to:ni, engl. 'touni
Tooele engl. tu'ɛlə
Tooke engl. tok
Tool tu:l
Toombs engl. tu:mz
Toomer engl. 'tu:mə
Toonder niederl. 'to:ndər
Toorop niederl. 'to:rop
Toowoomba engl. tə'wombə
top, Top, TOP top
Topalgie topal'gi:, -n ...i:ən
Topas to'pa:s, -e ...a:zə
topasen to'pa:zn̩, ...sne ...znə
topasieren topa'zi:rən
Topaze fr. tɔ'pa:z
Topazolith topatso'li:t
Tope 'to:pə
Topeka engl. tə'pi:kə
Topelius schwed. tɔ'pe:lios
Topf topf, **Töpfe** 'tœpfə
Töpfchen 'tœpfçən
Topfen 'topfn̩
Töpfer 'tœpfɐ
Töpferei tœpfə'rai̯
töpfern 'tœpfɐn
topfit 'top'fit
Tophus 'to:fos, **Tophi** 'to:fi
Tophus arthriticus 'to:fos ar'tri:tikos
Topik 'to:pɪk
Topika 'to:pika
topikal topi'ka:l
topikalisieren topikali'zi:rən
Topinambur topinam'bu:ɐ̯
Topîrceanu rumän. topɪr'tʃe̯anu
topisch 'to:pɪʃ
Toplady 'tople:di
topless 'toplɛs
Toplice slowen. tɔ'pli:tsɛ
Topliţa rumän. 'toplitsa
Topmanagement engl. 'topmɛnɪtʃmənt
Topoalgie topo|al'gi:, -n ...i:ən
topogen topo'ge:n
Topograph topo'gra:f
Topographie topogra'fi:, -n ...i:ən
Topoi vgl. Topos
Topol tschech. 'topol
Topola serbokr. tɔ.pola
Topol'čany slowak. 'topoljtʃani
Topolniza bulgar. to'polnitsɐ

Topologie topolo'gi:
topologisch topo'lo:gɪʃ
Toponomastik topono'mastik
Toponymie topony'mi:
Toponymik topo'ny:mɪk
Topophobie topofo'bi:
Topos 'topos, auch: 'to:pos, ...oi ...pɔy
topp!, Topp top
Töppel 'tœpl̩
toppen 'topn̩
Töpper 'tœpɐ
topsecret 'top'zi:krət
Topsøe dän. 'tobsʏ:'
Top Ten 'top 'tɛn
Topusko serbokr. 'topuskɔ:
Toque tɔk
Tor to:ɐ̯
Toraus 'to:ɐ̯laos̯
Torbay engl. 'tɔ:'bei̯
Torberg 'to:ɐ̯bɛrk
Tord tort
Tordalk 'tort|alk
Þórðarson isl. 'θoʊ̯rðarson
Tordesillas span. tɔrðe'siʎas
tordieren tɔr'di:rən
Toreador torea'do:ɐ̯
Torell schwed. tɔ'rɛl
Torelli it. to'rɛlli
Torero to're:ro
Tores russ. ta'rɛs
Toreut[ik] to'rɔy̯t[ɪk]
Torf tɔrf
Torga port. 'tɔrgɐ
Torgau[er] 'tɔrgaʊ̯[ɐ]
torgauisch 'tɔrgaoi̯ʃ
Torgelow 'tɔrgəlo
törggelen 'tœrgələn, **törggle** 'tœrglə
Torgny schwed. 'tɔrgny
Torgote tɔr'go:tə
Torhout niederl. 'tɔrhoʊ̯t
Tori vgl. Torus
töricht 'tø:rɪçt
Tories 'tɔri:s
Torii 'to:rii
Torino it. to'ri:no
torisch 'to:rɪʃ
törisch 'tø:rɪʃ
Torkel 'tɔrkl̩
tork[e]lig 'tɔrk[ə]lɪç, -e ...ɪgə
torkeln 'tɔrkln̩
torkretieren tɔrkre'ti:rən
Törl tø:ɐ̯l
Þorláksson isl. 'θɔrlaʊ̯kson
Torlonia it. tor'lo:nia
Tormay ung. 'tormɔi
Tormentill tɔrmɛn'til
Törn tœrn

Tornado tɔrˈnaːdo
Torneå schwed. ˌtoːrnəoː
Torne schwed. ˌtoːrnə
Törne ˈtœrnə
törnen ˈtœrnən
Torneträsk schwed. toːrnə-
ˈtrɛsk
Tornio finn. ˈtɔrniɔ
Tornister tɔrˈnɪstɐ
Toro ˈtoːro, span. ˈtoro
Török ung. ˈtørøk
Törökszentmiklós ung.
ˈtørøksɛntmikloːʃ
Toronto toˈrɔnto, engl.
təˈrɔntoʊ
Tororo engl. tɔˈrɔːroʊ
Toross toˈrɔs
Torp norw. tɔrp
torpedieren tɔrpeˈdiːrən
Torpedo tɔrˈpeːdo
torpid tɔrˈpiːt, -e ...iːdə
Torpidität tɔrpidiˈtɛːt
Torpor ˈtɔrpoːɐ̯
Torquato tɔrˈkvaːto, it. tor-
ˈku̯aːto
Torquatus tɔrˈkvaːtʊs
Torquay engl. tɔːˈkiː
Torquemada span. tɔrke-
ˈmaða
Torques ˈtɔrkvɛs
torquieren tɔrˈkviːrən
Torr tɔr
Torralba span. tɔˈrralβa
Torrance engl. ˈtɔrəns
Torras span. ˈtɔrras
Torre it. ˈtorre, span. ˈtɔrrɛ,
port. ˈtorrə, bras. ˈtorri
Torre Annunziata it. ˈtorre
annunˈtsi̯aːta
Torre del Greco it. ˈtorre
del ˈgrɛːko
Torremolinos span. tɔrrɛ-
moˈlinos
Torrence engl. ˈtɔrəns
Torrens engl. ˈtɔrənz
[1]Torrente (Bach) tɔˈrɛntə
[2]Torrente (Name) span.
tɔˈrrɛnte
Torreón span. tɔrrɛˈon
Torres ˈtɔrɛs, engl. ˈtɔːrɪs,
span. ˈtɔrrɛs, port. ˈtorrɪʃ,
bras. ˈtorris
Torres Vedras port. ˈtorrɪʒ
ˈvɛðrɐʃ
Torrey engl. ˈtɔrɪ
Torriani it. torˈri̯aːni
Torricelli tɔriˈtʃɛli, it. torri-
ˈtʃɛlli
Torrijos span. tɔˈrrixos
Törring ˈtœrɪŋ

Torrington engl. ˈtɔrɪŋtən
Torschok russ. tarˈʒɔk
Torselett tɔrzəˈlɛt
Tórshavn fär. ˈtɔːʊ̯rshaːu̯n
Torsiograph tɔrzi̯oˈgraːf
Torsion tɔrˈzi̯oːn
Torso ˈtɔrzo, ...si ...zi
Torsten ˈtɔrstn̩, dän.
ˈtɔɐ̯sdn̩, schwed. ˈtɔrstən,
ˌ––
Torstenson schwed. ˌtɔrs-
tənsɔn
Tort tɔrt
Törtchen ˈtœrtçən
Torte ˈtɔrtə
Tortelett[e] tɔrtəˈlɛt[ə]
Tortelier fr. tɔrtəˈlje
Tortellino tɔrtɛˈliːno, ...ni
...ni
Törten ˈtœrtn̩
Tortikollis tɔrtiˈkɔlɪs
Tortilla tɔrˈtɪlja
Tortola ˈtɔrtola, engl.
tɔːˈtoʊlə
Tortona it. torˈtoːna
Tortosa span. tɔrˈtosa
Tortuga span. tɔrˈtuɣa
Tortur tɔrˈtuːɐ̯
Toruń poln. ˈtɔrui̯n
Torus ˈtoːrʊs, Tori ˈtoːri
[1]Tory (Konservativer) ˈtɔri
[2]Tory (Name) fr. tɔˈri
Torysmus toˈrɪsmʊs
torystisch toˈrɪstɪʃ
Tosca it. ˈtoska
Toscana it. tosˈkaːna
Toscanini it. toskaˈniːni
Tosefta toˈzɛfta
Toselli it. toˈzɛlli
tosen ˈtoːzn̩, tos! toːs, tost
toːst
Tosi (Nachname) dt., it.
ˈtoːzi
tosisch ˈtoːzɪʃ
Toska ˈtoska
Toskana tɔsˈkaːna
Toskaner tɔsˈkaːnɐ
toskanisch tɔsˈkaːnɪʃ
Toson toˈzɔn
Töß tøːs
Tost toːst
tosto ˈtɔsto
tot toːt
Tota vgl. Totum
total, T... toˈtaːl
Totalisator totaliˈzaːtoːɐ̯,
-en ...zaˈtoːrən
totalisieren totaliˈziːrən
totalitär totaliˈtɛːɐ̯

Totalitarismus totalitaˈrɪs-
mʊs
Totalität totaliˈtɛːt
totaliter toˈtaːlitɐ
Tote ˈtoːtə
Totem ˈtoːtɛm
Totemismus toteˈmɪsmʊs
totemistisch toteˈmɪstɪʃ
töten ˈtøːtn̩
totenblass ˈtoːtn̩ˈblas
totenbleich ˈtoːtn̩ˈblai̯ç
totenstill ˈtoːtn̩ˈʃtɪl
Totenstille ˈtoːtn̩ˈʃtɪlə
Tóth ung. toːt
Toties-quoties-Ablass
ˈtoːtsi̯ɛsˈkvoːtsi̯ɛs|aplas
Totila ˈtoːtila
totipotent totipoˈtɛnt
Totis ˈtɔtis
Tótkomlós ung. ˈtoːtkom-
loːʃ
Totnes engl. ˈtɔtnɪs
Toto ˈtoːto
Totò it. toˈtɔ
Totonake totoˈnaːkə
Totonicapán span. totoni-
kaˈpan
Totschigi jap. ˈtoˌtʃigi
Tottel engl. tɔtl
Totten[ham] engl. ˈtɔtn[əm]
Tottington engl. ˈtɔtɪŋtən
Tottori jap. toˈttori
Totum ˈtoːtʊm, Tota ˈtoːta
Touamotou fr. twamɔˈtu
Touat fr. twat
Touch tatʃ
touchant tuˈʃãː, tʊˈ..., -e
...ʃãntə
touchieren tuˈʃiːrən, tʊˈ...
Toucouleurs fr. tukuˈlœːr
Touggourt fr. tuˈgurt
Tough engl. tʌf
Toul fr. tul
Toulet fr. tuˈlɛ
Toullier fr. tuˈlje
Toulon fr. tuˈlõ
Toulouse fr. tuˈluːz
Toulouse-Lautrec fr. tuluz-
loˈtrɛk
Toupet tuˈpe
toupieren tuˈpiːrən
Touquet, Le fr. lətuˈkɛ
[1]Tour tuːɐ̯
[2]Tour (Name) fr. tuːr
Touraine fr. tuˈrɛn
Tourangeau fr. turãˈʒo
Tourcoing fr. turˈkwẽ
Tour de Force, -s - - ˈtuːɐ̯ də
ˈfɔrs

Tour de France, -s - - 'tuːɐ̯ də 'frãːs
Tour de Suisse, -s - - 'tuːɐ̯ də 'svɪs
Tour d'Horizon, -s - 'tuːɐ̯ dori'zõː
Touré fr. tu're
touren 'tuːrən
Tourgée engl. tuə'ʒɛɪ
...tourig ....tuːrɪç, -e ...ɪɡə
Tourill tu'rɪl
Tourismus tu'rɪsmʊs
Tourist[ik] tu'rɪst[ɪk]
Touristiker tu'rɪstikɐ
Tourmalet fr. turma'lɛ
Tournai fr. tur'nɛ
Tournant tʊr'nãː
Tourné tʊr'neː
Tournedos tʊrnə'doː, des - ...oː[s], die - ...oːs
Tournee tʊr'neː, -n ...'neːən
Tournefort fr. turnə'fɔːr
Tourneur engl. 'tə:nə
Tournier fr. tur'nje
tournieren tʊr'niːrən
Tourniquet tʊrni'keː
Tournüre tʊr'nyːrə
Tournus fr. tur'ny
Touropa tu'roːpa
tour-retour tuːɐ̯re'tuːɐ̯
Tours fr. tuːr
Toussain[t] fr. tu'sɛ̃
Toussidé fr. tusi'de
Tovey engl. 'tʊʊvɪ, 'tʌvɪ
Tovote to'voːtə
Towarischtsch to'vaːrɪʃtʃ
Tower[s] engl. 'taʊə[z]
Towgarn 'toːɡarn
Towiański poln. tɔ'vjai̯ski
Town engl. taʊn
Towne[s] engl. taʊn[z]
Towns[h]end engl. 'taʊnzɛnd
Township 'taʊnʃɪp
Townsville engl. 'taʊnzvɪl
Towson engl. taʊsn
Toxalbumin tɔksalbu'miːn
Toxämie tɔksɛ'miː, -n ...iːən
Toxhämie tɔkshɛ'miː, -n ...iːən
Toxidermie tɔksidɐ'miː, -n ...iːən
Toxiferin tɔksife'riːn
toxigen tɔksi'geːn
Toxika vgl. Toxikum
Toxikämie tɔksikɛ'miː, -n ...iːən
Toxikodendron tɔksiko-'dɛndrɔn, ...dra ...dra
Toxikologe tɔksiko'loːgə

Toxikologie tɔksikolo'giː
toxikologisch tɔksiko'loːgɪʃ
Toxikomanie tɔksikoma'niː, -n ...iːən
Toxikose tɔksi'koːzə
Toxikum 'tɔksikʊm, ...ka ...ka
Toxin tɔ'ksiːn
Toxinämie tɔksinɛ'miː, -n ...iːən
toxisch 'tɔksɪʃ
Toxizität tɔksitsi'tɛːt
toxogen tɔkso'geːn
Toxoid tɔkso'iːt, -e ...iːdə
Toxon tɔ'ksoːn
Toxonose tɔkso'noːzə
Toxophobie tɔksofo'biː, -n ...iːən
Toxoplasmose tɔksoplas-'moːzə
Toxoprotein tɔksoprote'iːn
Toy tɔy
Toynbee engl. 'tɔɪnbɪ
Toyota® to'joːta
Tozeur fr. to'zœːr
Tozzi it. 'tɔttsi
Trab traːp, -es 'traːbəs
Trabakel tra'baːkl̩
Trabant tra'bant
Trabbi 'traːbi
Trabekel tra'beːkl̩
traben 'traːbn̩, trab! traːp, trabt traːpt
Traben 'traːbn̩
Trabert 'traːbɐt, engl. 'treɪbət
Trabi 'traːbi
Trabucchi it. tra'bukki
Trabuko tra'buːko
Trabzon türk. 'trabzɔn
Tracer 'treːsɐ
Tracey engl. 'treɪsɪ
Trachea tra'xeːa, auch: 'traxea, ...een ...'xeːən
tracheal traxe'aːl
Trachee tra'xeːə
Tracheide traxe'iːdə
Tracheitis traxe'iːtɪs, ...iti-den ...ei̯'tiːdn̩
Tracheomalazie traxeoma-la'tsi:
Tracheoskop traxeo'skoːp
Tracheoskopie traxeo-sko'piː, -n ...iːən
tracheoskopieren traxeo-sko'piːrən
Tracheostenose traxeoste-'noːzə
Tracheotomie traxeoto'miː, -n ...iːən

tracheotomieren traxeoto-'miːrən
Tracheozele traxeo'tseːlə
Trachom tra'xoːm
Trachselwald 'traksl̩valt
Tracht traxt
trachten 'traxtn̩
trächtig 'trɛçtɪç, -e ...ɪɡə
Trachyt tra'xyːt
Track trɛk
Trackball 'trɛkbɔːl
Tractus 'traktʊs, die - ...tuːs
Tracy engl. 'treɪsɪ, fr. tra'si
Tradate it. tra'daːte
Trademark 'treːtmaːɐ̯
Tradescant engl. 'treɪdzkænt
Tradeskantie tradɛs'kantsiə
Trade Union 'treːt 'juːnjən
Tradeunionismus treːt-junjo'nɪsmʊs
tradieren tra'diːrən
Tradition tradi'tsioːn
Traditionalismus traditsio-na'lɪsmʊs
Traditionalist traditsiona-'lɪst
Traditional Jazz trə'dɪʃənl̩ 'dʒɛs
traditionell traditsio'nɛl
Traduktion traduk'tsioːn
Traduktionym traduktsio-'nyːm
Traduzianismus tradutsia-'nɪsmʊs
Traetta it. tra'etta
traf traːf
träf trɛːf
Trafalgar tra'falgar, engl. trə'fælgə, span. trafal'ɣar
träfe 'trɛːfə
Trafik tra'fɪk
Trafikant trafi'kant
Trafo tra'foː
Traft traft
träg trɛːk, -e 'trɛːgə
Tragant tra'gant
Trage 'traːgə
Tragédie lyrique, -s -s tra-ʒe'diː li'rɪk
Tragelaph trage'laːf
tragen 'traːgn̩, trag! traːk, tragt traːkt
tragieren tra'giːrən
Tragik 'traːgɪk
Tragiker 'traːgikɐ
Tragikomik tragi'koːmɪk, auch: 'traːgiko'mɪk
tragikomisch tragi'koːmɪʃ, auch: 'traːgiko:mɪʃ

Tragikomödie tragiko'mø:-
djə, *auch:* 'tra:gikomø:djə
tragisch 'tra:gɪʃ
Tragöde tra'gø:də
Tragödie tra'gø:djə
trägt trɛ:kt
Traherne *engl.* trə'hə:n
Traid... 'traɪt...
Trailer 'tre:lɐ
Trail[I] *engl.* treɪl
Traille 'tra:jə, 'traljə
Train trɛ̃:
Trainee trɛ'ni:, tre'ni:
Trainer 'trɛ:nɐ, 'tre:...
Traini *it.* tra'i:ni
trainieren trɛ'ni:rən, tre'n...
Training 'trɛ:nɪŋ, 'tre:n...
Traisen 'traɪzn̩
Traiskirchen traɪs'kɪrçn̩
Traismauer traɪs'maʊɐ
Trait tre:t
Traité trɛ'te:
Traiteur trɛ'tø:ɐ̯
Trajan[us] tra'ja:n[ʊs]
Trajanow *bulgar.* trɐ'janof
Trajekt tra'jɛkt
Trajektorie trajɛk'to:rjə
Trakasserie trakasə'ri:, -n
...i:ən
trakassieren traka'si:rən
Trakehnen tra'ke:nən
Trakehner tra'ke:nɐ
Trakl 'tra:kl̩
Trakt trakt
traktabel trak'ta:bl̩, ...ble
...blə
Traktament trakta'mɛnt
Traktandum trak'tandʊm
Traktarianismus traktarja-
'nɪsmʊs
Traktat trak'ta:t
Traktätchen trak'tɛ:tçən
traktieren trak'ti:rən
Traktion trak'tsjo:n
Traktor 'trakto:ɐ̯, -en
...'to:rən
Traktorie trak'to:rjə
Traktorist trakto'rɪst
Traktrix 'traktrɪks, ...izes
...'tri:tse:s
Traktur trak'tu:ɐ̯
Traktus 'traktʊs, die - ...tu:s
Tralee *engl.* trə'li:
Tralje 'traljə
Trall *engl.* trɔ:l
tralla! tra'la:
tralla[la]la! trala[la]'la:,
'--[-]-
Tralleis 'tralaɪs
trällern 'trɛlɐn

Tralles 'tralɛs
Tralow 'tra:lo
¹Tram (Balken) tra:m,
Träme 'trɛ:mə
²Tram (Straßenbahn) tram
Trame tra[:]m
Trämel 'trɛ:ml̩
Tramelogödie tramelo'gø:-
djə
Tramen 'tra:mən
Tramette tra'mɛtə
Tramin[er] tra'mi:n[ɐ]
Tramontana tramɔn'ta:na
Tramontane tramɔn'ta:nə
Tramp trɛmp, *auch:* tramp
Tramp... (Trampschiff usw.)
'tramp..., *auch:* 'trɛmp...
Trampel 'trampl̩
trampeln 'trampl̩n
trampen 'trɛmpn̩, *auch:*
'tram...
Tramper 'trɛmpɐ, *auch:*
'trampɐ
Trampolin trampo'li:n, '---
trampsen 'trampsn̩
Tramway 'tramvaɪ
Tran tra:n
Tranås *schwed.* ˌtrɑ:no:s
Trance 'trã:s[ə], *auch:*
tra[:]ns, -n ...sn̩
Tranche 'trã:ʃ[ə], -n 'trã:ʃn̩
Trancheur trã'ʃø:ɐ̯
tranchieren trã'ʃi:rən
Träne 'trɛ:nə
tränen 'trɛ:nən
Trani *it.* 'tra:ni
tranig 'tra:nɪç, -e ...ɪgə
Tranio 'tra:njo
trank traŋk
Trank traŋk, Tränke 'trɛŋkə
Tränkchen 'trɛŋkçən
tränke, T... 'trɛŋkə
tränken 'trɛŋkn̩
Tranovský *slowak.* 'tra-
nɔʊski:
Tranquilizer 'trɛŋkvilaɪzɐ
tranquillamente traŋkvɪla-
'mɛntə
Tranquillität traŋkvɪli'tɛ:t
tranquillo traŋ'kvɪlo
Tranquillo traŋ'kvɪlo, ...lli
...lli
Transaktion translak'tsjo:n
Transall trans'|al, '--
transalpin translal'pi:n
Transamazônica *bras.*
trɛ̃zema'zonika
Transaminase trans-
|ami'na:zə

transatlantisch trans-
|at'lantɪʃ
Transbaikalien transbaɪ'ka:-
ljən
transchieren tran'ʃi:rən
Transduktor trans'dʊkto:ɐ̯,
-en ...'to:rən
Transept tran'zɛpt
transeunt tranze'ʊnt
Trans-Europ-... trans-
|ɔʏ'ro:p...
Transfer trans'fe:ɐ̯
transferabel transfe'ra:bl̩,
...ble ...blə
Transferenz transfe'rɛnts
transferieren transfe'ri:rən
Transfiguration transfigu-
ra'tsjo:n
transfinit transfi'ni:t
Transfluxor trans'flʊkso:ɐ̯,
-en ...'kso:rən
Transfokator transfo'ka:-
to:ɐ̯, -en ...ka'to:rən
Transformation transfɔr-
ma'tsjo:n
transformationell transfɔr-
matsjo'nɛl
Transformator transfɔr'ma:-
to:ɐ̯, -en ...ma'to:rən
transformieren transfɔr-
'mi:rən
Transformismus transfɔr-
'mɪsmʊs
transfundieren transfʊn'di:-
rən
Transfusion transfu'zjo:n
transgalaktisch transga-
'laktɪʃ
transgredient transgre-
'djɛnt
transgredieren transgre'di:-
rən
Transgression transgrɛ-
'sjo:n
Transhimalaja transhi'ma:-
laja, *auch:* ...ma'la:ja
transhumant transhu'mant
Transhumanz transhu-
'mants
transient tran'zjɛnt
Transiente tran'zjɛntə
transigieren tranzi'gi:rən
Transilvania *rumän.* transil-
'vania
Transistor tran'zɪsto:ɐ̯, -en
...'to:rən
transistorieren trɑ̃nzɪsto'ri:-
rən
transistorisieren tranzɪsto-
ri'zi:rən

Transit tran'zi:t, *auch:* tran-'zɪt, 'tranzɪt
transitieren tranzi'ti:rən
Transition tranzi'tsi̯o:n
transitiv 'tranziti:f, *auch:* --'-, -e ...i:və
Transitiv 'tranziti:f, -e ...i:və
transitivieren tranziti'vi:-rən
Transitivum tranzi'ti:vʊm, ...va ...va
transitorisch tranzi'to:rɪʃ
Transitorium tranzi'to:-ri̯ʊm, ...ien ...i̯ən
Transitron 'tranzitro:n
Transjordanien transjɔr'da:-ni̯ən
Transkaukasien transkau-'ka:zi̯ən
transkaukasisch transkau-'ka:zɪʃ
Transkei trans'kai̯, *engl.* trɛns'kai̯, *afr.* trans'kai̯
transkontinental transkɔn-tinɛn'ta:l
transkribieren transkri'bi:-rən
Transkript tran'skrɪpt
Transkription transkrɪp-'tsi̯o:n
transkristallin transkrɪsta-'li:n
Transkristallisation trans-krɪstaliza'tsi̯o:n
transkutan transku'ta:n
Translateur transla'tø:ɐ̯
Translation transla'tsi̯o:n
Translator trans'la:to:ɐ̯, -en ...la'to:rən
translatorisch transla'to:rɪʃ
Transleithanien translai̯'ta:-ni̯ən
Transliteration translɪtera-'tsi̯o:n
transliterieren translɪte'ri:-rən
Translokation transloka-'tsi̯o:n
translozieren translo'tsi:rən
translunar translu'na:ɐ̯
transluzent translu'tsɛnt
transluzid translu'tsi:t, -e ...i:də
transmarin transma'ri:n
Transmission transmɪ'si̯o:n
Transmitter trans'mɪtɐ
transmittieren transmɪ'ti:-rən
transmontan transmɔn'ta:n

Transmutation transmuta-'tsi̯o:n
transnational transnatsi̯o-'na:l
transneuronal transnɔyro-'na:l
transobjektiv trans-lɔpjɛk'ti:f, -e ...i:və
Transozeandampfer trans-'lo:tsea:ndampfɐ, *auch:* ---'---
transozeanisch trans-lotse'a:nɪʃ
transpadanisch transpa-'da:nɪʃ
transparent, T... transpa-'rɛnt
Transparenz transpa'rɛnts
Transphrastik trans'frastɪk
transphrastisch trans'fras-tɪʃ
Transpiration transpira-'tsi̯o:n
transpirieren transpi'ri:rən
Transplantat transplan'ta:t
Transplantation transplan-ta'tsi̯o:n
Transplanteur transplan-'tø:ɐ̯
transplantieren transplan-'ti:rən
Transponder trans'pɔndɐ
transponieren transpo'ni:-rən
Transport trans'pɔrt
transportabel transpɔr-'ta:bļ, ...ble ...blə
Transportation transpɔrta-'tsi̯o:n
Transporter trans'pɔrtɐ
Transporteur transpɔr'tø:ɐ̯
transportieren transpɔr'ti:-rən
Transposition transpozi-'tsi̯o:n
Transrapid® transra'pi:t
Transsexualismus trans-zɛksua'lɪsmʊs
transsexuell transzɛ'ksuɛl
transsibirisch transzi'bi:rɪʃ
Transsilvanien transzɪl'va:-ni̯ən
transsilvanisch transzɪl'va:-nɪʃ
transsonisch trans'zo:nɪʃ
transsubjektiv transzʊp-jɛk'ti:f, -e ...i:və
Transsubstantiation trans-zʊpstantsi̯a'tsi̯o:n
Transsudat transzu'da:t

Transsudation transzuda-'tsi̯o:n
transsumieren transzu'mi:-rən
Transsylvanien transzyl'va:-ni̯ən
Tranströmer *schwed.* ˌtrɑːnstrœmər
Transuran translu'ra:n
Transvaal trans'va:l, *engl.* 'trænzvɑ:l, *afr.* trans'fɑ:l
transversal transver'za:l
Transversale transver'za:lə
transvestieren transvɛs'ti:-rən
Transvestismus transvɛs-'tɪsmʊs
Transvestit transvɛs'ti:t
Transvestitismus transvɛs-ti'tɪsmʊs
transzendent transtsɛn-'dɛnt
transzendental transtsɛn-dɛn'ta:l
Transzendentalien trans-tsɛndɛn'ta:li̯ən
Transzendentalismus transtsɛndɛnta'lɪsmʊs
Transzendenz transtsɛn-'dɛnts
transzendieren transtsɛn-'di:rən
Traoré *fr.* traɔ're
Trap trap
Trapa 'tra[:]pa
Trapani *it.* 'tra:pani
Trapez tra'pe:ts
Trapezoeder trapetso'le:dɐ
Trapezoid trapetso'i:t, -e ...i:də
Trapezunt trape'tsʊnt
trapp!, Trapp trap
Trappe 'trapə
trappeln 'trapļn
trappen 'trapn̩
Trapper[t] 'trapɐ[t]
Trappes *fr.* trap
Trappist tra'pɪst
Trappstadt 'trapʃtat
Traps traps
trapsen 'trapsn̩
trara!, Trara tra'ra:
Trarbach 'tra:ɐ̯bax
trascinando traʃi'nando
Trascinando traʃi'nando, ...di ...di
trasimenisch trazi'me:nɪʃ
Trasimeno *it.* trazi'mɛ:no
Trás-os-Montes *port.* ˌtrazuʒ'montɪʃ

Tr**a**ss tras
Tr**a**ssant tra'sant
Tr**a**ssat tra'sa:t
Tr**a**sse 'trasə
Tr**a**ssee 'trase
trass**ie**ren tra'si:rən
Trast**á**mara *span.* tras'ta-
 mara
Trast**e**vere *it.* tras'te:vere
Trastever**i**ner trasteve'ri:nɐ
tr**a**t tra:t
tr**ä**tabel trɛ'ta:bl̩, ...**ble** ...blə
tr**ä**te 'trɛ:tə
Tr**ä**teur trɛ'tø:ɐ̯
trät**ie**ren trɛ'ti:rən
Tr**a**tsch tra:tʃ
tr**a**tschen 'tra:tʃn̩
tr**ä**tschen 'trɛ:tʃn̩
Tratscher**ei** tra:tʃə'rai̯
Tr**a**tte 'tratə
Trattor**ia** trato'ri:a
Trattor**ie** trato'ri:, **-n** ...i:ən
Tr**a**tzberg 'tratsbɛrk
tr**a**tzen 'tratsn̩
tr**ä**tzen 'trɛtsn̩
Tr**a**ù *it.* tra'u
Tr**au**b traup
Tr**äu**bchen 'trɔypçən
Tr**au**be 'traubə
Tr**au**berg *russ.* 'traubɪrk
tr**au**big 'traubɪç, **-e** ...ɪgə
Tr**au**dchen 'trautçən
Tr**au**de 'traudə
Tr**au**del 'traudl̩
tr**au**en, T... 'trauən
Tr**au**er 'trauɐ
tr**au**ern 'trauɐn
Tr**au**f[e] 'trauf[ə]
tr**äu**feln 'trɔyfln̩
tr**äu**fen 'trɔyfn̩
Tr**au**gott 'traugɔt
Tr**au**m traum, Tr**äu**me
 'trɔymə
Tr**au**ma 'trauma, **-ta** ...ta
Traumat**i**n trauma'ti:n
traum**a**tisch trau'ma:tɪʃ
Traumatiz**i**n traumati'tsi:n
Traumatol**o**ge traumato-
 'lo:gə
Traumatolog**ie** traumato-
 lo'gi:
tr**äu**men 'trɔymən
Tr**äu**mer 'trɔymɐ
Träumer**ei** trɔymə'rai̯
Tr**au**minet 'trauminɛt
tr**au**n!, Tr**au**n traun
Tr**au**ner 'traunɐ
Tr**au**nreut traun'rɔyt
Tr**au**nsee 'traunze:
Tr**au**nstein 'traunʃtai̯n

tr**au**rig 'traurɪç, **-e** ...ɪgə
Tr**au**snitz 'trausnɪts
Tr**au**sti *isl.* 'trœÿstɪ
tr**au**t, T... traut
Tr**au**tchen 'trautçən
Tr**au**te[nau] 'trautə[nau̯]
Tr**au**tmann 'trautman
Traut**o**nium® trau'to:niʊm
Tr**au**ttmannsdorff 'traut-
 mansdɔrf
Tr**au**twein 'trautvai̯n
Tr**au**ung 'trauʊŋ
Travanc**o**re *engl.* trævəŋ'kɔ:
Tr**a**ve 'tra:və
Trav**é**e tra've:, **-n** ...e:ən
Tr**a**veller 'trɛvəlɐ
Travem**ü**nde tra:və'mʏndə
Tr**a**ven 'tra:vn̩
trav**e**rs tra'vɛrs, **-e** ...rzə
¹Tr**a**vers (Gangart) tra've:ɐ̯,
 ...vɛ:ɐ̯, tra'vɛrs, **des -**
 ...ve:ɐ̯s, ...vɛ:ɐ̯s, ...vɛrs
²Tr**a**vers *engl.* 'trævəz, *fr.*
 tra'vɛ:r
Trav**e**rse tra'vɛrzə
travers**ie**ren travɐr'zi:rən
Travert**i**n travɐr'ti:n
Travest**ie** travɛs'ti:, **-n**
 ...i:ən
travest**ie**ren travɛs'ti:rən
Trav**ia**ta *it.* travi'a:ta
Tr**a**vis *engl.* 'trævɪs
Tr**a**vnik *serbokr.* 'tra:vni:k
Trav**o**lta tra'vɔlta, *engl.* trə-
 'voultə
Tr**aw**l[er] 'tro:l[ɐ]
Tr**aw**sfynydd *engl.* traus'vʌ-
 nɪð
Tr**a**x[el] 'traks[l̩]
Tr**a**z *fr.* tra
Trb**o**vlje *slowen.* tər'bo:vljɛ
Treasure Island *engl.* 'trɛʒə
 'ai̯lənd
Tr**ea**sury 'trɛʒəri
Tr**ea**tment 'tri:tmənt
Tr**e**bbia *it.* 'trebbi̯a
Tr**e**bbin trɛ'bi:n
Tr**e**be 'tre:bə
Tr**e**ber 'tre:bɐ
Tr**e**bević *serbokr.* trɛ,bɛvitɕ
Tr**e**bia 'tre:bi̯a
Tř**e**bíč *tschech.* 'trʃɛbi:tʃ
Tr**e**binje *serbokr.* ,trɛbinjɛ
Tr**e**bišov *slowak.* 'trɛbiʃou̯
Tr**e**bitsch 'tre:bɪtʃ
Tr**e**ble 'trɛbl̩
Tr**e**blinka *poln.* trɛ'blinka
Tr**e**bnitz 'tre:bnɪts
Tř**e**boň *tschech.* 'trʃɛbɔnj
Tr**e**bonianus trebo'ni̯a:nʊs

Treb**o**nius tre'bo:niʊs
Tr**e**bur 'tre:bu:ɐ̯
Trecc**a**ni *it.* trek'ka:ni
Trecent**i**st tretʃɛn'tɪst
Trec**e**nto tre'tʃɛnto
Tr**e**ck trɛk
tr**e**cken 'trɛkn̩
Tr**e**cking 'trɛkɪŋ
Tredegar *engl.* trɪ'di:gə
Trediak**o**wski *russ.* trɪdia-
 'kɔfskij
Tree[ce] *engl.* tri:[s]
Tr**ee**ne 'tre:nə
Tr**e**ff trɛf
Tr**e**ffas 'trɛflas, *auch:* -'-
tr**e**ffen, T... 'trɛfn̩
Tr**e**ffnis 'trɛfnɪs, **-se** ...ɪsə
Tr**e**ffurt 'trɛfʊrt
Tr**e**fulka *tschech.* 'trɛfulka
tr**ei**ben 'trai̯bn̩, tr**ei**b! trai̯p,
 tr**ei**bt trai̯pt
Tr**ei**ber 'trai̯bɐ
Treiber**ei** trai̯bə'rai̯
Tr**ei**del 'trai̯dl̩
Treidel**ei** trai̯də'lai̯
Tr**ei**d[e]ler 'trai̯d[ə]lɐ
tr**ei**deln 'trai̯dl̩n, tr**ei**dle
 'trai̯dlə
tr**ei**fe 'trai̯fə
Tr**ei**lle 'trɛ:jə
Tr**ei**nta y Tr**e**s *span.* 'trɛi̯nta
 i 'tres
Tr**ei**tschke 'trai̯tʃkə
Tr**e**kking 'trɛkɪŋ
Trel**aw**ny *engl.* trɪ'lɔ:nɪ
Trel**e**w *span.* tre'leu̯
Tr**e**lleborg 'trɛləbɔrk,
 schwed. trɛlə'bɔrj, *dän.* 'tre-
 ləbɔɐ̯'
Tr**e**lon® 'tre:lɔn
Tr**e**ma 'tre:ma, **-ta** ...ta
Tremad**o**ck *engl.* trɪ'mædək
Tremat**o**de trema'to:də
Tremb**e**cki *poln.* trɛm'bɛtski
Tremblay *fr.* trã'blɛ
trembl**ie**ren trã'bli:rən
Tr**e**miti *it.* 'trɛ:miti
tremol**a**ndo tremo'lando
tremol**ie**ren tremo'li:rən
Tr**e**molo 'tre:molo, ...**li** ...li
Tr**e**mor 'tre:mo:ɐ̯, **-es** tre-
 'mo:re:s
Trém**ou**ille *fr.* tre'muj
Tr**e**mse 'trɛmzə
Tremul**a**nt tremu'lant
tremul**ie**ren tremu'li:rən
Tr**e**nch[ard] *engl.*
 'trɛntʃ[ɑ:d]
Tr**e**nchcoat 'trɛntʃko:t
Tren**čí**n *slowak.* 'trɛntʃi:n

Trenck trɛŋk
Trend trɛnt
Trendelenburg 'trɛndələnbʊrk
trendeln 'trɛndl̩n, ...dle
...dlə
trendy 'trɛndi
Trénet *fr.* tre'nɛ
Trengganu *indon.* trəŋ'ganu
Trenjow *russ.* trɪ'njɔf
Trenker 'trɛŋkɐ
trennen 'trɛnən
Trennfurt 'trɛnfʊrt
Trense 'trɛnzə
Trent *dt., engl.* trɛnt
Trente-et-quarante trãteka'rã:t
Trente-et-un trãte'œ̃:
Trentini trɛn'ti:ni
Trentino *it.* trɛn'ti:no
Trento *it.* 'trɛnto
Trenton *engl.* trɛntn̩
Trentschin 'trɛntʃi:n
trenzen 'trɛntsn̩
Trepan tre'pa:n
Trepanation trepana'tsi̯o:n
Trepang 'tre:paŋ
trepanieren trepa'ni:rən
Trepča *serbokr.* 'trɛptʃa
Trephine tre'fi:nə
Tréport *fr.* tre'pɔ:r
treppab trɛp'|ap
treppauf trɛp'|au̯f
Treppe 'trɛpə
Treppelweg 'trɛpl̩ve:k
Trepper *poln.* 'trɛpɐr
Treptow 'tre:pto
Tresckow 'trɛsko
Tres Cruces *span.* 'tres 'kruθes
Tres de Febrero *span.* 'trez ðe fe'βrero
Tresen 'tre:zn̩
Tresić *serbokr.* ˌtre:sitɕ
Tresor tre'zo:ɐ̯
Trespe 'trɛspə
trespig 'trɛspɪç, -e ...ɪgə
Tresse 'trɛsə
tressieren trɛ'si:rən
Trester 'trɛstɐ
très vite trɛ'vɪt
treten, T... 'tre:tn̩
Treter 'tre:tɐ
Treterei tre:tə'rai̯
Tretjakow *russ.* trɪtjı'kɔf
treu, T... trɔy̯
Treuchtlingen 'trɔy̯çtlɪŋən
treudoof trɔy̯'do:f
Treue 'trɔy̯ə

Treuenbrietzen trɔy̯ən-'bri:tsn̩
Treuga Dei 'trɔy̯ga 'de:i
Treuge 'trɔy̯gə
Treuhänder 'trɔy̯hɛndɐ
Trevelyan *engl.* trı'vɪljən, ...'vɛljən
Treverer 'tre:vərɐ
Trevira ® tre'vi:ra
Treviranus trevi'ra:nʊs
Trevirer 'tre:virɐ
Trevisan *bras.* trevi'zɐ̃
Trevisani *it.* trevi'za:ni
Treviso *it.* tre'vi:zo
Trevithick *engl.* 'trɛvıθık
Trevor *engl.* 'trɛvə
Trevrizent 'trɛvritsɛnt
Treysa 'trai̯za
Trezzini *it.* tret'tsi:ni
Tri tri:
Triade tri'a:də
triadisch tri'a:dıʃ
Triage tri'a:ʒə
Triakisdodekaeder triakısdodeka'|e:dɐ
Triakisoktaeder triakıs|ɔkta'|e:dɐ
¹Trial (Dreizahl) 'tri:a:l, tri'a:l
²Trial (Probe) 'trai̯əl
Trial-and-Error-... 'trai̯əl|ɛnt'|ɛrɐ...
Trialeti *russ.* tria'ljeti
Trialismus tria'lısmʊs
Triana *span.* 'trı̯ana
Triangel 'tri:aŋl̩
triangulär tri̯aŋgu'lɛ:ɐ̯
Triangulation triaŋgula-'tsi̯o:n
Triangulatur tri̯aŋgula'tu:ɐ̯
triangulieren triaŋgu'li:rən
Trianon *fr.* tria'nõ
Triarchie triar'çi:, -n ...i:ən
Triarier tri'a:ri̯ɐ
Trias 'tri:as
triassisch tri'asıʃ
Triathlet 'tri:atle:t
Triathlon 'tri:atlɔn
Tribade tri'ba:də
Tribadie triba'di:
Tribadismus triba'dısmʊs
Tribalismus triba'lısmʊs
tribalistisch triba'lıstıʃ
Triberg 'tri:bɛrk
Triboelektrizität tribo|elɛktritsi'tɛ:t
Tribolo *it.* 'tri:bolo
Tribologie tribolo'gi:
Tribolumineszenz triboluminɛs'tsɛnts

Tribometer tribo'me:tɐ
Tribonianus tribo'ni̯a:nʊs
Tribrachys 'tri:braxys
Tribsees tri:p'ze:s
Tribulation tribula'tsi̯o:n
tribulieren tribu'li:rən
Tribun tri'bu:n
Tribunal tribu'na:l
Tribunat tribu'na:t
Tribune *engl.* 'trıbju:n, *fr.* tri'byn
Tribüne tri'by:nə
tribunizisch tribu'ni:tsıʃ
Tribur 'tri:bu:ɐ̯
Tribus 'tri:bʊs, *Mehrzahl* ...bu:s
Tribut tri'bu:t
tributär tribu'tɛ:ɐ̯
Tricase *it.* tri'ka:se
Trichalgie trıçal'gi:, -n ...i:ən
Trichiasis trı'çi:azıs, ...asen trı'çi̯a:zn̩
Trichine trı'çi:nə
trichinös trıçi'nø:s, -e ...ø:zə
Trichinose trıçi'no:zə
Trichit trı'çi:t
Trichloräthen triklo:ɐ̯'ɛ'te:n
Trichloräthylen triklo:ɐ̯|ɛty'le:n
Trichom trı'ço:m
Trichomonas trıço'mo:nas, ...aden trıço̯mo:a:dn̩
Trichomoniase trıçomo-'ni̯a:zə
Trichophytie trıçofy'ti:, -n ...i:ən
Trichophytose trıçofy'to:zə
Trichoptilose trıçɔpti'lo:zə
Trichose trı'ço:zə
Trichosis trı'ço:zıs
Trichosporie trıçospo'ri:, -n ...i:ən
Trichotillomanie trıçotiloma'ni:, -n ...i:ən
Trichotomie trıçoto'mi:, -n ...i:ən
trichotomisch trıço'to:mıʃ
Trichozephalus trıço'tse:falʊs, ...li ...li, ...len ...tse'fa:-lən
Trichter 'trıçtɐ
trichtern 'trıçtɐn
Trichur *engl.* trı'tʃʊɐ
Trichuriasis trıçu'ri:azıs
Trichuris trı'çu:rıs
Tricinium tri'tsi:ni̯ʊm, ...ia ...i̯a, ...ien ...i̯ən
Trick trık

tricksen 'trɪksn̩
Trickster 'trɪkstɐ
Tricktrack 'trɪktrak
tricky 'trɪki
Trident tri'dɛnt
Tridentiner tridɛn'ti:nɐ
tridentinisch tridɛn'ti:nɪʃ
Tridentinum tridɛn'ti:nʊm
Triduum 'tri:duʊm, ...duen
...duən
Tridymit tridy'mi:t
trieb tri:p
Trieb tri:p, -e 'tri:bə
trieben, T... 'tri:bn̩
Triebes 'tri:bəs
triebt tri:pt
Trieder tri'|e:dɐ
Triefel 'tri:fl̩
triefen 'tri:fn̩
Triefenstein 'tri:fn̩ʃtain
triefnass 'tri:f'nas
Trieglaff 'tri:glaf
Triel tri:l
trielen 'tri:lən
triennal triɛ'na:l
Triennale triɛ'na:lə
Triennium tri'ɛnjʊm, ...ien
...jən
Trient[er] tri'ɛnt[ɐ]
Trier tri:ɐ
Triere tri'e:rə
Trierer 'tri:rɐ
trierisch 'tri:rɪʃ
Trier Mørch dän. 'tri:'ɐ
'mœɐg
Triest tri'ɛst
Trieste it. tri'ɛstə
Triester tri'ɛstɐ
Triestino it. tries'ti:no
Trieur tri'ø:ɐ
triezen 'tri:tsn̩
Trifail tri'fail
Trifels 'tri:fɛls
triff! trɪf
trifft trɪft
Trifle 'traifl̩
Trifokal... trifo'ka:l...
Trifolium tri'fo:ljʊm, ...ien
...jən
Trifon[ow] russ. 'trifɐn[ɐf]
Triforium tri'fo:rjʊm, ...ien
...jən
Trift trɪft
triften 'trɪftn̩
triftig 'trɪftɪç, -e ...ɪgə
Triga 'tri:ga
Trigeminus tri'ge:minʊs
Trigger 'trɪgɐ
Triglav slowen. tri'glaṷ, 'tri:-
glaṷ

Triglaw 'tri:glaf
Triglotte tri'glɔtə
Triglyph[e] tri'gly:f[ə]
Trigo span. 'triɣo
Trigon tri'go:n
trigonal trigo'na:l
Trigonometer trigono-
'me:tɐ
Trigonometrie trigonome-
'tri:
trigonometrisch trigono-
'me:trɪʃ
Trik[k]ala neugr. 'trikala
Triklinios tri'kli:njɔs
triklin[isch] tri'kli:n[ɪʃ]
Triklinium tri'kli:njʊm,
...ien ...jən
Trikoline triko'li:nə
Trikolon 'tri:kolɔn, tri'ko:-
lɔn, ...la ...la
trikolor 'tri:kolo:ɐ
Trikolore triko'lo:rə
Trikompositum 'tri:kɔmpo:-
zitʊm, trikɔm'..., ...ta ...ta
Trikora indon. tri'kora
Trikot tri'ko:, auch: 'trɪko
Trikotage triko'ta:ʒə
Trikotine triko'ti:n
Trikuspidal... trikʊspi'da:l...
trilateral trilate'ra:l
Trilemma tri'lɛma, -ta ...ta
trilinguisch tri'lɪŋgu̯ɪʃ
Trilith tri'li:t
Triller 'trɪlɐ
Trillhaase 'trɪlha:zə
Trilliarde trɪ'ljardə
Trilling engl. 'trɪlɪŋ
Trillion trɪ'ljo:n
Trilobit trilo'bi:t
Trilogie trilo'gi:, -n ...i:ən
Trilussa it. tri'lussa
Trilysin® trily'zi:n
Trimalchio tri'malçio
Trimaran trima'ra:n
Trimbach 'trɪmbax
Trimberg 'trɪmbɛrk
trimer tri'me:ɐ
Trimester tri'mɛstɐ
Trimeter 'tri:metɐ
Trimm trɪm
trimmen 'trɪmən
Trimmer 'trɪmɐ
Trimorphie trimɔr'fi:
trimorph[isch] tri'mɔrf[ɪʃ]
Trimorphismus trimɔr'fɪs-
mʊs
Trimurti tri'mʊrti
trinär tri'nɛ:ɐ
Trination trina'tsjo:n

Trincomalee engl. trɪŋkoʊ-
mə'li:
Trinculo 'trɪŋkulo
Trindade bras. trin'dadi,
port. trin'daðə
¹Trine 'tri:nə
²Trine (Name) 'tri:nə, engl.
train
Třinec tschech. 'trʃinɛts
Trinidad 'trɪnidat, engl. 'trɪ-
nɪdæd, span. trini'ðað
Trinitarier trini'ta:rjɐ
trinitarisch trini'ta:rɪʃ
Trinität trini'tɛ:t
Trinitatis trini'ta:tɪs
Trinité fr. trini'te
Trinitrophenol trinitrofe-
'no:l
Trinitrotoluol trinitroto-
'luo:l
Trinity engl. 'trɪnətɪ
Trinius 'tri:njʊs
trinken 'trɪŋkn̩
Trinom tri'no:m
Trintignant fr. trɛti'ɲã
Trinummus tri'nʊmʊs
Trio 'tri:o
Triode tri'o:də
Triole tri'o:lə
Triolett fr. trio'lɛ
Triolismus trio'lɪsmʊs
Triolist trio'lɪst
Triotar® trio'ta:ɐ
Triözie trio'tsi:
triözisch tri'ø:tsɪʃ
Trip trɪp
Tripalmitin tripalmi'ti:n
Tripartition triparti'tsjo:n
Tripel 'tri:pl̩
Triphthong trɪf'tɔŋ
Tripitaka tri'pi:taka
Tripla vgl. Triplum
Triplé, ...let tri'ple:
Triplett[e] tri'plɛt[ə]
triplieren tri'pli:rən
Triplik tri'pli:k
Triplikat tripli'ka:t
Triplikation triplika'tsjo:n
Triplit tri'pli:t
Triplizität triplitsi'tɛ:t
triploid triplo'i:t, -e ...i:də
Triplum 'tri:plʊm, ...pla
...pla
Tripmadam 'trɪpmadam
Tripoden vgl. Tripus
Tripodie tripo'di:, -n ...i:ən
Tripoli it. 'tri:poli
Tripolis 'tri:polɪs, neugr. 'tri-
pɔlɪs

Tripolitania *it.* tripoli'ta:nia
Tripolitanien tripoli'ta:nian
tripolitanisch tripoli'ta:nıʃ
Tripolje *russ.* tri'pɔljɛ
Tripotage tripo'ta:ʒə
Tripp[el] 'trıp[l̩]
trippeln 'trıpl̩n
Tripper 'trıpɐ
Triptik 'trıptık
Triptis 'trıptıs
Triptolemos trıp'to:lemɔs
Tripton 'trıptɔn
Triptychon 'trıptyçɔn,
...cha ...ça
Triptyk 'trıptyk
Tripura *engl.* 'trıpʊrə
Tripus 'tri:pu:s, ...poden tri-
'po:dn̩
Triquet *fr.* tri'kɛ
Trireme tri're:mə
Trirotron 'tri:rotro:n
trischacken trı'ʃakn̩
Trisektion trizɛk'tsi̯o:n
Trisektrix tri'zɛktrıks,
...rizen ...'tri:tsn̩, ...rizes
...'tri:tse:s
Triset 'tri:zɛt
Trishagion trıs'ha:gi̯ɔn,
...ien ...i̯ɔn
Triskaidekaphobie trıskai-
dekafo'bi:
Trismegistos trıs'me:gıstɔs
Trismus 'trısmʊs
Trissino *it.* 'trissino
Trissotin *fr.* trisɔ'tɛ̃
trist trıst
Tristan 'trıstan, *fr.* tris'tã
Tristán *span.* tris'tan
Tristan da Cunha *engl.* 'trıs-
tən də 'ku:nə
Tristan L'Hermite *fr.* tristã-
lɛr'mit
Tristano *engl.* trıs'tænoʊ
Triste 'trıstə
Tristesse trıs'tɛs, -n ...sn̩
tristich tri'stıç
Tristichiasis trıstı'çi:azıs
Tristichon 'trıstıçɔn
Tristien 'trıstiɔn
Tristram *engl.* 'trıstrəm
trisyllabisch trizy'la:bıʃ
Trisyllabum tri'zylabʊm,
...ba ...ba
Tritagonist tritago'nıst
Tritanopie tritano'pi:, -n
...i:ən
Triterium tri'te:ri̯ʊm
Tritheismus trite'ısmʊs
Trithemimeres tritemime-
're:s

Trithemius tri'te:mi̯ʊs
Triticum 'tri:tikʊm
Tritium 'tri:tsi̯ʊm
Tritojesaja 'tri:tojeza:ja
¹Triton 'tri:tɔn, -en tri'to:-
nən
²Triton (Name) 'tri:tɔn,
engl. traıtn
Tritonus 'tri:tonʊs
tritt!, Tritt trıt
Trittin trı'ti:n
Trituration tritura'tsi̯o:n
Triumph tri'ʊmf
triumphal tri̯ʊm'fa:l
triumphant tri̯ʊm'fant
Triumphator tri̯ʊm'fa:to:ɐ̯,
-en ...fa'to:rən
triumphieren tri̯ʊm'fi:rən
Triumvir tri'ʊmvır
Triumvirat tri̯ʊmvi'ra:t
trivalent triva'lɛnt
Trivandrum *engl.* trı'væn-
drəm
Trivet *engl.* 'trıvıt
trivial tri'vi̯a:l
trivialisieren trivi̯ali'zi:rən
Trivialität trivi̯ali'tɛ:t
Trivium 'tri:vi̯ʊm
Trivulzio *it.* tri'vultsi̯o
Trix[i] 'trıks[i]
Trizeps 'tri:tsɛps
Trnava *slowak.* 'tr̩nava
Trnka *tschech.* 'tr̩ŋka
Troas 'tro:as
Trobriand *engl.* 'troʊbri̯ænd
Trocadero troka'de:ro,
span. troka'ðero
Trocadéro *fr.* trɔkade'ro
Trocchi *engl.* 'trɔkı
trochäisch trɔ'xɛːɪʃ
Trochäus trɔ'xɛːʊs
Trochilus 'trɔxilʊs, ...len
...'xi:lən
Trochit trɔ'xi:t
Trochoide trɔxo'i:də
Trochophora trɔ'xo:fora,
...ren ...xo'fo:rən
Trochozephalie trɔxotse-
fa'li:, -n ...i:ən
Trochtelfingen 'trɔxtl̩fıŋən
trocken 'trɔkn̩
Tröckne 'trœknə
trocknen 'trɔknən
Troddel[chen] 'trɔdl̩[çən]
Tröddelchen 'trœdl̩çən
Trödel 'trø:dl̩
Trödelei trø:də'lai̯
trödeln 'trø:dl̩n, trödle
'trø:dlə
Trödler 'trø:dlɐ

Troelstra *niederl.* 'trulstrɑ
Troeltsch trœltʃ
Troer 'tro:ɐ̯
troff trɔf
tröffe 'trœfə
Trofim[ow] *russ.* tra'fim[ɐf]
trog tro:k
Trog tro:k, Tröge 'trø:gə
tröge 'trø:gə
trogen, T... 'tro:gn̩
Troger 'tro:gɐ
Trogir *serbokr.* ˌtrɔgi:r
Troglodyt troglo'dy:t
Trogon 'tro:gɔn, -ten tro-
'gɔntn̩
trogt tro:kt
trögt trø:kt
Trogus 'tro:gʊs
Troia *it.* 'tro:ja
Troicart trɔa'ka:ɐ̯
Troier 'trɔyɐ
Troika 'trɔyka, *auch:* 'tro:ika
Troikart trɔa'ka:ɐ̯
Troiler 'trɔylɐ
Troilos 'tro:ilɔs
Troilus 'tro:ilʊs
troisch 'tro:ɪʃ
Troisdorf 'tro:sdɔrf
Trois-Frères *fr.* trwɑ'frɛːr
Trois-Rivières *fr.* trwari-
'vi̯eːr
Troizen 'trɔytse:n
Troizk *russ.* 'trɔitsk
Troja 'tro:ja
Trojahn 'tro:ja:n
Trojan 'tro:jan, *bulgar.* tro-
'jan
Trojaner tro'ja:nɐ
trojanisch tro'ja:nıʃ
Trokar tro'ka:ɐ̯
Trökes 'trø:kəs
Troki 'tro:ki
trokieren tro'ki:rən
trölen 'trø:lən
Trölerei trø:lə'rai̯
Troll trɔl
trollen 'trɔlən
Trolleybus 'trɔlibʊs
Trollhättan *schwed.* ˌtrɔlhɛ-
tan
Trollinger 'trɔlıŋɐ
Trollope *engl.* 'trɔləp
Tromba [marina] 'trɔmba
[ma'ri:na]
Trombe 'trɔmbə
Trombidiose trɔmbi'di̯o:zə
Trombikulose trɔmbiku-
'lo:zə
Tromboncino *it.* trombon-
'tʃi:no

Trombone trɔmˈboːnə, ...ni
...ni
Tromm[el] ˈtrɔm[l̩]
Trommelei trɔməˈlai
trommeln ˈtrɔml̩n
Trommsdorff ˈtrɔmsdɔrf
Tromp *niederl.* trɔmp
Trompe ˈtrɔmpə
Trompe-l'Œil *fr.* trõpˈlœj
Trompete trɔmˈpeːtə
trompeten trɔmˈpeːtn̩
Trompeuse trõˈpøːzə
trompieren trɔmˈpiːrən
Troms *norw.* trums
Tromsø ˈtrɔmzø, *norw.*
ˌtrumsø
Trondheim ˈtrɔnthaim,
norw. ˌtrɔnhɛim
Trondhjem *norw.* ˌtrɔnjɛm,
ˌtrunjɛm
Troodos ˈtroːodɔs
Trooper ˈtruːpɐ
Troost *dt., niederl.* troːst, *fr.*
trɔst
¹Troostit (Mineral) truːsˈtiːt
²Troostit (chemisch) trɔsˈtiːt
Tropaeolum troˈpɛːolum
Troparion troˈpaːriɔn, ...ien
...iən
Troparium troˈpaːrium,
...ien ...iən
Trope ˈtroːpə
Tropen ˈtroːpn̩
Tropf trɔpf, Tröpfe ˈtrœpfə
tropfbarflüssig ˈtrɔpfbaːɐ̯-
ˈflʏsɪç
Tröpfchen ˈtrœpfçən
tröpfeln ˈtrœpfl̩n
tropfen, T... ˈtrɔpfn̩
Tröpferlbad ˈtrœpfɐlbaːt
Trophäe troˈfɛːə
trophisch ˈtroːfɪʃ
Trophobiose trofoˈbioːzə
Trophoblast trofoˈblast
Trophologe trofoˈloːgə
Trophologie trofoloˈgiː
trophologisch trofoˈloːgɪʃ
Trophoneurose trofonɔy-
ˈroːzə
Trophophyll trofoˈfʏl
Tropical ˈtrɔpikl̩
Tropika ˈtroːpika
Tropikluft ˈtroːpɪkluft
Tropinin *russ.* traˈpinin
tropisch ˈtroːpɪʃ
Tropismus troˈpɪsmus
Tropojë *alban.* troˈpojə
Tropopause tropoˈpauzə
Tropophyt tropoˈfyːt
Troposphäre tropoˈsfɛːrə

Tropotaxis tropoˈtaksɪs
Troppau ˈtrɔpau
troppo ˈtrɔpo
Tropsch trɔpʃ
Tropus ˈtroːpus
Tross!, Tross trɔs
Trossachs *engl.* ˈtrɔsəks
Trosse ˈtrɔsə
Trossingen ˈtrɔsɪŋən
Trost troːst
Trostberg ˈtroːstbɛrk
trösten ˈtrøːstn̩
Tröte ˈtrøːtə
tröten ˈtrøːtn̩
trott!, Trott trɔt
Trotta ˈtrɔta
Trotte ˈtrɔtə
Trottel ˈtrɔtl̩
trott[e]lig ˈtrɔt[ə]lɪç, -e ...ɪgə
trotteln ˈtrɔtl̩n
trotten ˈtrɔtn̩
Trotteur... trɔˈtøːɐ̯..., *fr.* trɔ-
ˈtœːr...
trottieren trɔˈtiːrən
Trottinett ˈtrɔtinɛt
Trottoir trɔˈtoaːɐ̯
Trotuș *rumän.* ˈtrotuʃ
Trotyl troˈtyːl
trotz, T... trɔts
trotzdem ˈtrɔtsdeːm, *auch:*
ˈ-ˈ-
trotzen ˈtrɔtsn̩
trotzig ˈtrɔtsɪç, -e ...ɪgə
Trotzig *schwed.* ˌtrɔtsig
Trotzki ˈtrɔtski
Trotzkismus trɔtsˈkɪsmus
Trotzkist trɔtsˈkɪst
Troubadour ˈtruːbaduːɐ̯,
auch: trubaˈduːɐ̯
Trouble[shooterr]
ˈtrabl̩[ʃuːtɐ]
Troupier truˈpie:
¹Trousseau truˈsoː
²Trousseau (Name) *fr.*
truˈso
Trouton *engl.* trautn̩
Trouvaille truˈvaːjə
Trouvère *fr.* truˈvɛːr
Trouville-sur-Mer *fr.* truvil-
syrˈmɛːr
Trovatore *it.* trovaˈtoːre
Trowbridge *engl.* ˈtroubrɪdʒ
Troxler ˈtrɔkslɐ
Troy *engl.* trɔɪ, *fr.* trwa
Troyanos *engl.* trɔɪˈɑːnɔs
Troyat *fr.* trwaˈja
Troyer ˈtrɔyɐ
Troyes trɔa, *fr.* trwa
Troygewicht ˈtrɔygəvɪçt
Troyler ˈtrɔylɐ

Troyon *fr.* trwaˈjõ
Trozki ˈtrɔtski, *russ.* ˈtrɔtskij
Trst *serbokr.* tr̩st
Trub truːp, -es ˈtruːbəs
trüb tryːp, -e ˈtryːbə
Trubar *slowen.* ˈtruːbar
trübe, T... ˈtryːbə
Trubel ˈtruːbl̩
trüben, T... ˈtryːbn̩, trüb!
tryːp, trübt tryːpt
Trubezkoi *russ.* trubɪtsˈkɔj
Trübner ˈtryːbnɐ, *engl.*
ˈtruːbnə
Trübnis ˈtryːpnɪs, -se ...ɪsə
Trübsal ˈtryːpzaːl
Truchsess ˈtruxzɛs
Trucial Oman *engl.* ˈtruːsjəl
ouˈmɑːn
Truck trak
Trucker ˈtrakɐ
Trud *russ., bulgar.* trut
Trudbert ˈtruːtbɛrt
Trudchen ˈtruːtçən
Trude ˈtruːdə
Trudeau *engl.* ˈtruːdou, -ˈ-,
fr. tryˈdo
Trudel ˈtruːdl̩
trudeln ˈtruːdl̩n, trudle
...dlə
Trudhild ˈtruːthɪlt
Trudi ˈtruːdi
Trudpert ˈtruːtpɛrt
Trudwin ˈtruːtviːn
Trudy ˈtruːdi, *engl.* ˈtruːdɪ
Trueba *span.* ˈtrueβa
Truffaut *fr.* tryˈfo
Trüffel ˈtrʏfl̩
trüffeln ˈtrʏfl̩n
trug truːk
Trug truːk, -es ˈtruːgəs
trüge ˈtryːgə
trugen ˈtruːgn̩
trügen ˈtryːgn̩, trüg! tryːk,
trügt tryːkt
trügerisch ˈtryːgərɪʃ
trugt truːkt
trügt tryːkt
Truhe ˈtruːə
Truismus truˈɪsmus
Trujillo *span.* truˈxiʎo
Truk trʊk, *engl.* trʌk
Trulla ˈtrʊla
Trulle ˈtrʊlə
Trullo ˈtrʊlo, ...lli ...li
Trum trʊm
Truman *engl.* ˈtruːmən
Trumbull *engl.* ˈtrʌmbəl
Trumeau tryˈmo:
Trumm trʊm
Trümmer ˈtrʏmɐ

Trump[p] tromp
Trumpf trompf, **Trümpfe** 'trympfə
Trumpfass 'trompflas, -'– trumpfen 'trompfn̩
Trundholm *dän.* 'tronhɔl'm
Trunk tronk, **Trünke** 'trʏŋkə
Trünkchen 'trʏŋkçən
trunken 'tronkn̩
Trunz tronts
Trupp trop
Trüppchen 'trʏpçən
Truppe 'tropə
Truro *engl.* 'troərou
Trüsche 'trʏʃə, 'try:ʃə
Trust trast, *seltener:* trost
Trustee tras'ti:
Truthahn 'tru:tha:n
Trutnov *tschech.* 'trutnɔf
Trutz trots
trutzen 'trotsn̩
trutzig 'trotsɪç, -e ...ɪgə
Truyère *fr.* try'jɛ:r
Trybuna Ludu *poln.* tri'buna 'ludu
Tryggve *norw., schwed.* ˌtrygvə
Trypanosoma trypano-'zo:ma
Trypanosomiasis trypano-zo'mi:azɪs, ...ąsen ...'mja:zn̩
Trypsin trʏ'psi:n
Tryptophan trypto'fa:n
Trzcianka *poln.* 'tʃtʃaŋka
Trzciniec *poln.* 'ttʃtɕinjɛts
Trzebinia *poln.* ttʃɛ'binja
Trzebnica *poln.* ttʃɛb'nitsa
Tržič *slowen.* tər'ʒits
Trzynietz 'tʃinjɛts
Tsaldaris *neugr.* tsal'ðaris
Tsantsa 'tsantsa
Tsatsiki tsa'tsi:ki
Tsavo *engl.* 'tsɑːvou
Tschaadajew *russ.* tʃɐa'da-jıf
Tschad tʃat, tʃa:t
Tschader 'tʃadɐ, 'tʃa:dɐ
tschadisch 'tʃadıʃ, 'tʃa:dıʃ
Tschador tʃa'do:ɐ̯
Tschadyr tʃa'dy:ɐ̯
Tschagatai tʃaga'tai
Tschagoda *russ.* 'tʃagɐdɐ
Tschagodoschtscha *russ.* tʃɐga'dɔʃtʃɐ
Tschaikowski, ...ky tʃai'kɔfski, *russ.* tʃij'kɔfskij
Tschaja 'tʃa:ja
Tschako 'tʃako

Tschakowski *russ.* tʃi'kɔfs-kij
Tschakra 'tʃa:kra
Tschamara tʃa'ma:ra
Tschandidas tʃan'di:das
Tschandragupta tʃandra-'gupta
Tschan[du] 'tʃan[du]
Tschanoju 'tʃa:noju
Tschapajewsk *russ.* tʃi'pa-jıfsk
Tschapka 'tʃapka
Tschaplitskij tʃa'plıtski
Tschaplygin *russ.* tʃɪp'lıgin
Tschapperl 'tʃapɐl
Tschapygin *russ.* tʃi'pıgin
Tscharda[sch] 'tʃarda[ʃ]
Tschardschou *russ.* tʃɪr-'dʒou
Tscharka 'tʃarka
Tscharot *weißruss.* tʃɐ'rot
Tschassow Jar *russ.* 'tʃasɐf 'jar
Tschatschot *weißruss.* tʃɐ-'tʃot
tschau!, Tschau tʃau
Tschausch tʃa'uʃ
Tschawtschawadse *georg.* 'tʃawtʃawadze
Tschebarkul *russ.* tʃıbar-'kulj
Tscheboxary *russ.* tʃıbak-'sari
Tschebyschow *russ.* tʃıbı-'ʃɔf
Tscheche 'tʃɛçə
Tschecherl 'tʃɛçɐl
Tschechien 'tʃɛçiən
tschechisch 'tʃɛçıʃ
tschechisieren tʃɛçi'zi:rən
Tschechoslowake tʃɛço-slo'va:kə
Tschechoslowakei tʃɛçoslova'kai
tschechoslowakisch tʃɛçoslo'va:kıʃ
Tschechow 'tʃɛçɔf, *russ.* 'tʃɛxɐf
Tscheka 'tʃɛka
Tschekiang 'tʃe:kịaŋ
Tschekist tʃe'kıst
Tschekko 'tʃɛko
Tscheleken *russ.* tʃılı'kjɛn
Tscheljabinsk *russ.* tʃı'lja-binsk
Tscheljuskin *russ.* tʃı'ljus-kin
Tschelkar *russ.* tʃıl'kar
Tschenstochau 'tʃɛnstɔxau

Tscheremchowo *russ.* tʃı-rım'xovɐ
Tscheremisse tʃere'mısə
Tscheremschyna *ukr.* tʃɛ-rɛm'ʃına
Tscherenkow *russ.* tʃırın-'kɔf
Tscherepnin *russ.* tʃırıp'nin
Tscherepowez *russ.* tʃırı-pa'vjɛts
Tscherkassy *russ.* tʃır'kası
Tscherkesse tʃɛr'kɛsə
tscherkessisch tʃɛr'kɛsıʃ
Tscherkessk *russ.* tʃır'kjɛsk
Tscherkesska tʃɛr'kɛska
Tschermak 'tʃɛrmak
Tschernenko *russ.* tʃır-'njɛnkɐ
Tschernichowski tʃɛrnı-xɔfski
Tschernigow *russ.* tʃır'ni-gɐf
Tscherning 'tʃɛrnıŋ
Tschernjachow[sk] *russ.* tʃırnı'xɔf[sk]
Tschernobyl tʃɛr'no:bʏl, *russ.* tʃır'nɔbılj
Tschernogorsk *russ.* tʃırna-'gɔrsk
Tschernomyrdin *russ.* tʃır-na'mirdin
Tschernosem, ...sjom tʃɛr-no'zjɔm
Tschernow *russ.* tʃır'nɔf
Tschernowzy *russ.* tʃır-naf'tsi
Tschernyschewski *russ.* tʃırnı'ʃɛfskij
Tschernyschow *russ.* tʃır-nı'ʃɔf
Tscherokese tʃero'ke:zə
Tscheroki tʃero'ki:
Tscherper 'tʃɛrpɐ
Tscherskij *russ.* 'tʃɛrskij
Tschertomlyk *russ.* tʃırtam-'lik
Tscherwen brjag *bulgar.* tʃɛr'vɛm 'brjak
Tscherwenkow *bulgar.* tʃɛr'vɛŋkof
Tscherwenopartisansk *russ.* tʃırvjɛnɐpɐrti'zansk
Tscherwonez tʃɛr'vo:nɛts, ...onzen ...ntsn̩
Tschetnik 'tʃɛtnık
Tschetschene tʃe'tʃe:nə
Tschetschenien tʃe'tʃe:-njən
Tschetschnja *russ.* tʃɪtʃ'nja
Tschi tʃi:

Tschiangkaischek tʃiaŋkai-
 'ʃɛk
Tschiatura russ. tʃia'turɐ
Tschiba jap. 'tʃi.ba
Tschibuk tʃi'bʊk, auch:
 'tʃi:bʊk
Tschichold 'tʃiçɔlt
Tschick tʃik
Tschiftlik tʃift'lik
Tschigasaki jap. tʃi'ga.saki
Tschigirin russ. tʃigi'rin
Tschigorin russ. tʃi'gɔrin
Tschikamatsu Monsae-
 mon jap. tʃi'kamatsumoṇ-
 zaemoṇ
Tschikoi russ. tʃi'kɔj
Tschikosch 'tʃi:ko:ʃ, auch:
 'tʃiko:ʃ
Tschilingirow bulgar. tʃiliŋ-
 'girof
tschilpen 'tʃilpṇ
Tschimkent russ. tʃim'kjɛnt
Tschin tʃin
Tschinelle tʃi'nɛlə
tsching! 'tʃiŋ
tschingbum! tʃiŋ'bʊm
tschingderassabum tʃiŋ-
 dərasa'bʊm
tschingderassassa 'tʃiŋdə-
 rasasa
Tschingis Chan 'tʃiŋgis
 'ka:n
tschintschen 'tʃintʃṇ
Tschintulow bulgar. tʃin'tu-
 lof
Tschirikow russ. 'tʃirikɐf
Tschirnhaus 'tʃirnhaus
Tschirpan bulgar. tʃi'pan
Tschirtschik russ. tʃir'tʃik
Tschisma 'tʃisma
Tschistjakow russ. tʃisti'kɔf
Tschistka 'tʃistka
Tschistopol russ. 'tʃistɐpɐlj
Tschita russ. tʃi'ta
Tschitose jap. tʃi'tose
Tschitraka 'tʃi:traka
Tschitscherin russ. tʃi'tʃe-
 rin
Tschkalow russ. 'tʃkalɐf
Tschoch[erl] 'tʃɔx[ɐl]
Tschofu jap. tʃo'ː:fu
Tschoibalsan 'tʃɔybalzan
Tschokta 'tʃɔkta
Tschombe 'tʃɔmbə, fr.
 tʃɔ'be
Tschomolungma tʃomo-
 'luŋma
Tschona russ. 'tʃɔnɐ
Tschormos russ. 'tʃɔrmɐs
Tschorny weißruss. 'tʃɔrni

Tschorten 'tʃɔrtṇ
Tschoschi jap. tʃo'ː:ʃi
Tschou tʃau
Tschou En-lai tʃulɛn'lai
Tschu russ. tʃu
Tschuangtse 'tʃuaŋtsə
Tschubais russ. tʃu'bajs
Tschubak pers. tʃu'bæk
Tschuchonzew russ. tʃu-
 'xɔntsəf
Tschudi 'tʃu:di, norw. 'tʃʉ:di
Tschudomir bulg. tʃudo'mir
Tschu En-lai tʃulɛn'lai
Tschugujew russ. tʃu'gujif
Tschugunow russ. tʃugu-
 'nɔf
Tschuikow russ. tʃuj'kɔf
Tschuja russ. 'tʃujɐ
Tschukowskaja russ. tʃu-
 'kɔfskɐjɐ
Tschukowski russ. tʃu'kɔf-
 skij
Tschuktsche 'tʃʊktʃə
Tschulman russ. tʃul'man
Tschulym russ. tʃu'lim
Tschumak tʃu'ma:k
Tschumandrin russ. tʃu-
 man'drin
Tschumi 'tʃu:mi
Tschungking 'tʃʊŋkiŋ
Tschun[j]a russ. 'tʃun[j]ɐ
Tschurtsche 'tʃʊrtʃə
tschüss! tʃy:s
Tschusch tʃu:ʃ
tschüss! tʃy:s
Tschussowaja russ. tʃusa-
 'vajɐ
Tschussowoj russ. tʃusa'vɔj
Tschuwasche tʃu'vaʃə
tschuwaschisch tʃu'vaʃiʃ
Tsetse... 'tse:tse..., auch:
 'tsɛtse...
Tsévié fr. tse'vje
Tshikapa fr. tʃika'pa
T-Shirt 'ti:ʃø:ɐ̯t, ...ʃœrt
Tsing[hai] tsiŋ[hai]
Tsingtau 'tsintau
Tsirane fr. tsi'ran
Tsitsikar 'tsitsikar
Tsjao 'tsja:o
Tsu jap. 'tsu
Tsuba 'tsu:ba
Tsuboutschi jap. tsu'bo.utʃi
Tsuga 'tsu:ga
Tsumeb 'tsu:mɛp
Tsunami tsu'na:mi,
 'tsu:nami
Tsuruga jap. 'tsu.ruga
Tsuruoka jap. tsu'ru.oka
Tsuschima jap. 'tsu.ʃima

Tuaillon tŷa'jõ:
Tuamotu tua'mo:tu
Tuapse russ. tuap'sɛ
Tuareg 'tua:rɛk, 'tu:arɛk,
 tua'rɛk
tua res agitur 'tu:a 're:s
 'a:gitʊr
Tub tap
Tuba 'tu:ba
Tubarão bras. tuba'rɐ̃ṳ
Tübbing 'tybiŋ
Tube 'tu:bə
tubeless 'tju:plɛs
Tuberkel tu'bɛrkl
tuberkular tubɛrku'la:ɐ̯
Tuberkulid tubɛrku'li:t, -e
 ...i:də
Tuberkulin tubɛrku'li:n
Tuberkulom tubɛrku'lo:m
tuberkulos tubɛrku'lo:s, -e
 ...o:zə
tuberkulös tubɛrku'lø:s, -e
 ...ø:zə
Tuberkulose tubɛrku'lo:zə
tuberos tube'ro:s, -e ...o:zə
tuberös tube'rø:s, -e ...ø:zə
Tuberose tube'ro:zə
Tübingen 'ty:biŋən
Tubize fr. ty'bi:z
Tübke 'typkə
Tubman engl. 'tʌbmən
Tuborg dän. 'tubɔɐ̯'
tubular tubu'lɛ:ɐ̯
tubulös tubu'lø:s, -e ...ø:zə
Tubus 'tu:bʊs, -se ...ʊsə
TUC engl. ti:ju:'si:
Tucana tu'ka:na
Tucci it. 'tuttʃi
Tuc d'Audoubert fr. tykdo-
 du'bɛ:r
Tučepi serbokr. .tutʃɛpi
Tuch tu:x, Tücher 'ty:çɐ
Tuchatschewski russ.
 tuxa'tʃɛfskij
Tuchel 'tʊxl̩, 'tu:xl̩
Tüchelchen 'ty:çlçən
tuchen 'tu:xṇ
Tuchent 'tʊxṇt
Tücher vgl. Tuch
Tuchman engl. 'tʌtʃmən
Tuchola poln. tu'xɔla
Tucholsky tʊ'xɔlski
tüchtig 'tyçtiç, -e ...igə
Tučić serbokr. 'tutsitɕ
Tucke 'tʊkə
Tücke 'tykə
Tucker[man] engl.
 'tʌkə[mən]
tuckern 'tukɐn
tückisch 'tykiʃ

tücksch tʏkʃ
tückschen 'tʏkʃn̩
tucktuck! tʊk'tʊk
Tucson *engl.* 'tu:sɔn
Tucumán *span.* tuku'man
Tucupita *span.* tuku'pita
Tude *pers.* tu'de
tüdelig 'ty:dəlıç, -e ...ıgə
Tüder 'ty:dɐ
tüdern 'ty:dɐn, **tüdre** 'ty:drə
Tudman *serbokr.* 'tudzman
Tudor 'tu:do:ɐ, *engl.* 'tju:də, *rumän.* 'tudor
Tuerei tu:ə'raı
Tuff tʊf
Tüffer 'tʏfɐ
Tüftelei tʏftə'laı
tüft[e]lig 'tʏft[ə]lıç, -e ...ıgə
tüfteln 'tʏftl̩n
Tuftex® 'tʊftɛks
Tufting 'taftıŋ
Tufts *engl.* tʌfts
Tugan-Baranowski *russ.* tu'gambɐra'nɔfskij
Tügel 'ty:gl̩
Tugela *afr.* tu:'ge:la
Tugend 'tu:gn̩t, -en ...n̩dən
Tuggurt 'tʊgʊrt
Tugh tʊk
Tughra tu'gra:
Tuglas 'tʊglas
Tugwell *engl.* 'tʌgwəl
TUI 'tu:i
Tuilerien tʏilə'ri:ən
Tuileries *fr.* tʏil'ri
Tuimasy *russ.* tujma'zı
Tuisko 'tʊısko
Tuisto 'tʊısto
Tukan 'tu:kan, *auch:* tu'ka:n
Tukulor tuku'lo:ɐ
Tula 'tu:la, *russ.* 'tʊlɐ, *span.* 'tula
Tulancingo *span.* tulan-'θiŋgo
Tularämie tularɛ'mi:
Tulare *engl.* tu:'lɛərı, tu:'lɛə
Tulcán *span.* tul'kan
Tulcea *rumän.* 'tultʃɐa
Tuléar *fr.* tyle'a:r
Tulifäntchen 'tu:lifɛntçən
Tulipan 'tu:lipa:n, tuli'pa:n
Tulipane tuli'pa:nə
Tulkarm tu:l'karm
Tüll tʏl
Tulla 'tʊla
Tullahoma *engl.* tʌlə'hoʊmə
Tullamore *engl.* tʊlə'mɔ:
Tulle *fr.* tyl
Tülle 'tʏlə
Tullia 'tʊlja

Tullin *norw.* tʉ'li:n
Tullio *it.* 'tʊljo
Tullius 'tʊljʊs
Tulln tʊln
Tullus 'tʊlʊs
Tuloma *russ.* tu'lɔmɐ
Tulpe 'tʊlpə
Tulsa *engl.* 'tʌlsə
Tuluá *span.* tu'lṵa
Tulun *russ.* tu'lun
Tulunide tulu'ni:də
Tumaco *span.* tu'mako
tumb tʊmp, -e 'tʊmbə
¹Tumba 'tʊmba
²Tumba (Name) *schwed.* .tʊmba, *fr.* tum'ba
Tumbes *span.* 'tumbes
Tumbler 'tamblɐ
Tumeszenz tumɛs'tsɛnts
Tumler 'tʊmlɐ
Tummel 'tʊml̩
tummeln 'tʊml̩n
Tummler 'tʊmlɐ
Tümmler 'tʏmlɐ
Tumor 'tu:mo:ɐ, *auch:* tu'mo:ɐ, -e[n] tu'mo:rə[n]
Tümpel 'tʏmpl̩
Tumuli vgl. Tumulus
Tumult tu'mʊlt
tumultuant tumʊl'tṵant
tumultuarisch tumʊl'tṵa:rıʃ
tumultuieren tumʊltu'i:rən
tumultuös tumʊl'tṵø:s, -e ...ø:zə
tumultuoso tumʊl'tṵo:zo
Tumulus 'tu:mulʊs, ...li ...li
tun tu:n
Tun *dt., pers.* tu:n
Tuna *schwed.* .tʉ:na
Tunbridge *engl.* 'tʌnbrıdʒ
Tunceli *türk.* 'tundʒɛli
Tünche 'tʏnçə
tünchen 'tʏnçn̩
Tünder 'tʊndɐ
Tundra 'tʊndra
Tundscha *bulgar.* 'tundʒɐ
Tunell tu'nɛl
tunen 'tju:nən
Tuner 'tju:nɐ
Tuneser tu'ne:zɐ
Tunesien tu'ne:zjən
Tunesier tu'ne:zjɐ
tunesisch tu'ne:zıʃ
Tunfisch 'tu:nfıʃ
tungid tʊŋ'gi:t, -e ...i:də
Tungide tʊŋ'gi:də
Tungrer 'tʊŋgrɐ
Tungurahua *span.* tuŋgu-'raṵa
Tunguse tʊŋ'gu:zə

Tunguska *russ.* tun'guskɐ
Tunica 'tu:nika, ...cae ...tsɛ
Tunichtgut 'tu:nıçtgu:t
Tunika 'tu:nika
Tunikate tuni'ka:tə
Tuning 'tju:nıŋ
Tunis 'tu:nıs, *fr.* ty'nis
Tuniser 'tu:nizɐ
Tunisie *fr.* tyni'zi
tunisisch tu'ni:zıʃ
Tunizella tuni'tsɛla
Tunja *span.* 'tʊŋxa
Tunke 'tʊŋkə
tunken 'tʊŋkn̩
Tunnel 'tʊnl̩
tunnelieren tʊnə'li:rən
Tünnes 'tʏnəs
Tunström *schwed.* .tʉ:nstrœm
Tunte 'tʊntə
tuntig 'tʊntıç, -e ...ıgə
Tuohy *engl.* 'tu:ı
Tuonela *finn.* tṵɔnɛlɑ
Tuotilo 'tṵo:tilo
Túpac Amaru *span.* 'tupak a'maru
Tupamaro tupa'ma:ro
Tupelo... tu'pe:lo...
Tupf tʊpf
Tüpfchen 'tʏpfçən
Tüpfel 'tʏpfl̩
tüpf[e]lig 'tʏpf[ə]lıç, -e ...ıgə
tüpfeln 'tʏpfl̩n
tupfen, T... 'tʊpfn̩
Tupi tu'pi:
Tupí *span.* tu'pi
Tupolew *russ.* 'tupɐlıf
Tupper *engl.* 'tʌpə
Tupungato *span.* tupuŋ-'gato
Tur tu:ɐ
Tür ty:ɐ
Tura *dt., it.* 'tu:ra, *russ.* tu'ra, *ung.* 'turə
Tur-Abdin 'tu:ɐlap'di:n
Turan tu'ra:n, *russ.* tu'ran
Turandot 'tu:randɔt, *it.* tu-ran'dɔt
turanid tura'ni:t, -e ...i:də
Turanide tura'ni:də
Turanier tu'ra:njɐ
turanisch tu'ra:nıʃ
Turas 'tu:ras, -se ...asə
türaus ty:ɐ'|aʊs
Turba 'tʊrba, ...bae ...bɛ
Turban 'tʊrba:n
Turbation tʊrba'tsjo:n
Turbator tʊr'ba:to:ɐ, -en ...ba'to:rən

Türbe 'tʏrbə
Turbellarie tʊrbɛ'laːrɪə
turbieren tʊr'biːrən
turbinal tʊrbi'naːl
Turbine tʊr'biːnə
¹Turbo 'tʊrbo
²Turbo *span.* 'turβo
Turbogenerator 'tʊrbogenəraːtoːɐ̯
Turbo-Prop-... 'tʊrbo'prɔp...
turbulent tʊrbu'lɛnt
Turbulenz tʊrbu'lɛnts
turca 'tʊrka
Türchen 'tyːɐ̯çən
Turchi *it.* 'turki
Turck *engl.* təːk
Turda *rumän.* 'turda
Türe 'tyːrə
türein tyːɐ̯'laɪn
Turek 'tuːrɛk, *poln.* 'turɛk
Turèll *dän.* tu'rel
Turenne *fr.* ty'rɛn
Turf tʊrf, *auch:* tøːɐ̯f, tœrf
Turfan tʊr'faːn
Turgai *russ.* tur'gaj
Turgenew *russ.* tur'gjenɪf
Turgenjew tʊr'gɛnjɛf
Turgeszenz tʊrgɛs'tsɛnts
turgeszieren tʊrgɛs'tsiːrən
Turgor 'tʊrgoːɐ̯
Turgot *fr.* tyr'go
Turgutlu *türk.* tur'gutlu
Turhal *türk.* 'turhal
Türheim 'tyːɐ̯haɪm
Turiddu *it.* tu'riddu
Turille tu'rɪlə
Turin tu'riːn
Turina *span.* tu'rina
Turing *engl.* 'tjʊərɪŋ
Turing... 'tjuːrɪŋ...
Turione tu'rioːnə
Türje *ung.* 'tyrjɛ
Turk... 'tʊrk...
Turkana *engl.* tʊə'kɑːnə
Turkbaff 'tʊrkbaf
Türk[e] 'tʏrk[ə]
Türkei tʏr'kaɪ
türken 'tʏrkn̩
Turkestan 'tʊrkɛstaˌ[ː]n, *russ.* turkɪs'tan
Turkey 'tøːɐ̯ki, 'tœrki
türkis tʏr'kiːs
Türkis tʏr'kiːs, -e ...iːzə
türkisch 'tʏrkɪʃ
turkisieren turki'ziːrən
Turkistan 'tʊrkɪstaˌ[ː]n
Türkiye Cumhuriyeti *türk.* 'tyrkijɛ dʒumhuːrije'ti
Turkmene tʊrk'meːnə
Turkmenien tʊrk'meːniən

turkmenisch tʊrk'meːnɪʃ
Turkmenistan tʊrk'meːnɪstaˌ[ː]n, *russ.* turkmɪnis'tan
Turko 'tʊrko
Turkologe tʊrko'loːgə
Turkologie tʊrkolo'giː
Turks *engl.* təːks
Turksib *russ.* turk'sip
Turku *finn.* 'turku
Türlin 'tyːɐ̯liːn
Turlock *engl.* 'təːlɔk
Turm tʊrm, Türme 'tʏrmə
Turmalin tʊrma'liːn
Turmberg 'tʊrmbɛrk
Türmchen 'tʏrmçən
türmen 'tʏrmən
Türmer 'tʏrmɐ
turmhoch 'tʊrmhoːx, *auch:* '-'-
¹Turn tøːɐ̯n, tœrn
²Turn (Name) tʊrn
Turnau 'tʊrnaʊ
Turnbull *engl.* 'təːnbʊl
¹turnen, T... 'tʊrnən
²turnen (Rauschgift) 'tøːɐ̯nən, 'tœrnən
¹Turner 'tʊrnɐ
²Turner (Name) 'tʊrnɐ, *engl.* 'təːnə
Turnerei tʊrnə'raɪ
Turnhout *niederl.* 'tʏrnhaʊt
Turnier tʊr'niːɐ̯
turnieren tʊr'niːrən
Turnitz 'tʊrnɪts
Turnov *tschech.* 'turnɔf
Turnpike 'təːɐ̯npaɪk, 'tœrn...
Turnu Măgurele *rumän.* 'turnu məgu'rele
Turnüre tʊr'nyːrə
Turnus 'tʊrnʊs, -se ...ʊsə
Turnu Severin *rumän.* 'turnu seve'rin
Turoldus tu'rɔldʊs
Turon tu'roːn
Turpin tʊr'piːn, *engl.* 'təːpɪn, *fr.* tyr'pɛ̃
Turrach 'tʊrax
Turrini tu'riːni
Turrizephalie tʊritsefa'liː, -n ...iːən
turteln 'tʊrtln̩
Turteltaube 'tʊrtl̩taʊbə
Turtiainen *finn.* 'turtiɑinen
Turzismus tʊr'tsɪsmʊs
TuS tʊs, tuːs
Tuscaloosa *engl.* tʌskə'luːsə
Tuscarora tʊska'roːra
Tusch[e] 'tʊʃ[ə]
Tuschelei tʊʃə'laɪ
tuscheln 'tʊʃl̩n

tuschen 'tʊʃn̩
tuschieren tu'ʃiːrən, tu'...
Tusculum 'tʊskulʊm
Tuskulum 'tʊskulʊm, ...la ...la
Tusnelda tʊs'nɛlda
Tussahseide 'tʊsazaɪdə
Tussaud *fr.* ty'so, *engl.* tuːˈsoʊ, 'tjuːsoʊ
Tussi 'tʊsi
Tussis 'tʊsɪs
Tustin *engl.* 'tʌstɪn
Tuszien 'tʊstsiən
tut! tuːt
Tutanchamun tutanˈçaː-mʊn
Tutand tu'tant, -en ...ndn̩
Tütchen 'tyːtçən
Tute 'tuːtə
Tüte 'tyːtə
Tutel tu'teːl
tutelarisch tuteˈlaːrɪʃ
tuten 'tuːtn̩
Tutenchamun tutɛnˈçaː-mʊn
tüterig 'tyːtərɪç, -e ...ɪgə
tütern 'tyːtɐn
Tuticorin *engl.* tuːtɪkoˈrɪn
Tutilo 'tuːtilo
Tuti-name *pers.* tutinɑ'me
Tutiorismus tutsioˈrɪsmʊs
Tutor 'tuːtoːɐ̯, -en tu'toːrən
Tutorium tu'toːriʊm, ...ien ...iən
tutta la forza 'tʊta la 'fɔrtsa
Tüttel[chen] 'tʏtl̩[çən]
tutte [le] corde 'tʊtə [le:] 'kɔrdə
tutti, T... 'tʊti
Tuttifrutti tutiˈfruti
tutti quanti 'tʊti 'kvanti
Tuttist 'tʊtɪst
Tuttle *engl.* tʌtl̩
Tuttlingen 'tʊtlɪŋən
tut, tut! 'tuːt 'tuːt
¹Tutu ty'tyː
²Tutu *engl.* 'tuːtuː
Tutuila *engl.* tuːtuːˈiːlɑ
Tutuola *engl.* tʊtʊ'oʊlə
Tützing 'tʊtsɪŋ
Tuuri *finn.* 'tuːri
TÜV tʏf
Tuvalu tu'vaːlu
Tuwa *russ.* tu'va
Tuwhare *engl.* 'tuːfɑːreɪ
Tuwim *poln.* 'tuvim
Tuwiner tu'viːnɐ
Tux tʊks
Tuxedo *engl.* tʌk'siːdoʊ
Tuxen *dän.* 'tugsn̩
Tuxer 'tʊksɐ

Tuxpan *span.* 'tuspan
Tuxtla *span.* 'tustla
Túy *span.* tu̯i
Tuz gölü *türk.* 'tuz gœ'ly
Tuzla *serbokr.* 'tuzla
Tvedt *norw.* tvɛt
TWA *engl.* tiːdʌbljuː'eɪ
Twain *engl.* tweɪn
Twardowski *poln.* tfar-
  'dɔfski, *russ.* tvar'dɔfskij
Tweed tviːt, -e …iːdə
Tweeddale *engl.* 'twiːddeɪl
Tweedsmuir *engl.*
  'twiːdzmjʊə
Twen tvɛn
Twente *niederl.* 'twɛntə
Twenter 'tvɛntɐ
Twer *russ.* tvjerj
Twerza *russ.* tvɪr'tsa
Twi tvi:
Twickenham *engl.*
  'twɪknəm
Twiete 'tviːtə
Twill tvɪl
Twinger 'tvɪŋɐ
Twinset 'tvɪnzɛt
Twist[e] 'tvɪst[ə]
twisten 'tvɪstn̩
Twistringen 'tvɪstrɪŋən
Twobeat 'tuː:biːt
Two Rivers *engl.* 'tuː: 'rɪvəz
Twostepp 'tuː:stɛp
Ty *dän.* tyː'
Tyard *fr.* tjaːr
Tybalt 'tiː:balt
Tyche 'tyː:çə
Tychismus ty'çɪsmʊs
Tycho 'tyː:ço
Tycho Brahe *dän.* tygʊ-
  'braː:ə
Tychon 'tyː:çɔn
Tychy *poln.* 'tɪxɨ
Tyconius ty'koː:nɪʊs
Tycoon taɪ'kuː:n
Tydeus 'tyː:dɔys
Tyl *tschech.* til
Tyler, Tylor *engl.* 'taɪlə
Tylom ty'loː:m
Tylose ty'loː:zə
Tylosis ty'loː:zɪs
Tympanal… tʏmpa'naː:l…
Tympanie tʏmpa'niː:
Tympanitis tʏmpa'niː:tɪs
Tympanon 'tʏmpanɔn, …na
  …na
Tympanum 'tʏmpanʊm,
  …na …na
Tynan *engl.* 'taɪnən
Tynda *russ.* 'tɪndɐ
Tyndale, …all *engl.* tɪndl

Tyndareos tʏn'daː:reɔs
Tyne *engl.* taɪn
Tynemouth *engl.* 'taɪnmaʊθ
Tynjanow *russ.* tɪ'njanɐf
Tynni *finn.* 'tʏnni
Typ[e] 'tyː:p[ə]
typen 'tyː:pn̩
Typhlitis ty'fliː:tɪs, …itiden
  …liˈtiː:dn̩
Typhlon 'tyː:flɔn, …la …la
Typhlotomie tyfloto'miː:, -n
  …iː:ən
Typhoeus ty'foː:ɔys
Typhoid tyfo'iː:t, -e …iː:də
Typhomanie tyfoma'niː:
¹Typhon (Schiffssirene)
  ty'foː:n
²Typhon (Wasserhose)
  'tyː:fɔn, -e ty'foː:nə
³Typhon (Name) 'tyː:fo:n,
  …fɔn
typhös ty'fø:s, -e …øː:zə
Typhus 'tyː:fʊs
Typik 'tyː:pɪk
Typikon typi'kɔn, …ka …ka
typisch 'tyː:pɪʃ
typisieren typi'ziː:rən
Typizität typitsi'tɛ:t
Typogenese typoge'neː:zə
Typograph typo'graː:f
Typographie typogra'fiː:, -n
  …iː:ən
typographisch typo'graː:fɪʃ
Typologie typolo'giː:, -n
  …iː:ən
typologisch typo'loː:gɪʃ
Typometer typo'meː:tɐ
Typoskript typo'skrɪpt
Typus 'tyː:pʊs
Tyr tyː:ɐ
Tyrann ty'ran
Tyrannei tyra'naɪ
Tyrannis ty'ranɪs
tyrannisch ty'ranɪʃ
tyrannisieren tyrani'ziː:rən
Tyras 'tyː:ras
Tyrer 'tyː:rɐ
Tyresö *schwed.* ˌtyː:rəsøː:
Tyrier 'tyː:rɪɐ
Tyrifjord *norw.* ˌtyː:rifjuː:r
tyrisch 'tyː:rɪʃ
Tyrmand *poln.* 'tɪrmant
Tyrnau 'tɪrnaṷ
Tyro 'tyː:ro
Tyrolia tiˈroː:lia
Tyrolienne tiro'liɛn
Tyrom ty'roː:m
Tyrone tɪ'roʊn
Tyros 'tyː:rɔs
Tyrosin tyroˈziː:n

Tyrosis ty'roː:zɪs
Tyrrell *engl.* 'tɪrəl
Tyrrhener tʏ're:nɐ
tyrrhenisch tʏ're:nɪʃ
Tyrtaios tʏr'taɪɔs
tyrtäisch, T… tʏr'tɛ:ɪʃ
Tyrtäus tʏr'tɛ:ʊs
Tyrus 'tyː:rʊs
Tyrwhitt *engl.* 'tɪrɪt
Tyson *engl.* taɪsn
Tytschyna *ukr.* tɪ'tʃɪna
Tzara *fr.* tsa'ra

U

u, U uː:, *engl.* juː:, *fr.* y, *it.,*
  span. u
ü, Ü yː:
Uakari ua'kaː:ri
Ubac *fr.* y'bak
Ubach 'y:bax
Ubangi u'baŋgi
Ubbelohde 'ʊbəloː:də
Ube *jap.* 'u.be
Úbeda *span.* 'uβeða
übel 'yː:bl̩, **üble** 'yː:blə
Übel 'yː:bl̩
Übelhör 'yː:bl̩høː:ɐ
Übelnehmerei yː:bl̩ne:-
  mə'raɪ
¹üben 'yː:bn̩, **üb!** yː:p, **übt**
  yː:pt
²üben (drüben) 'yː:bn̩
über 'yː:bɐ
Uberaba *bras.* ube'raba
überall yː:bɐ'|al
überallher yː:bɐ|al'he:ɐ,
  auch: --'-'-, --'--
überallhin yː:bɐ|al'hɪn, *auch:*
  --'-'-, --'--
überaltert yː:bɐ'|altɐt
Überalterung yː:bɐ'|altərʊŋ
überanstrengen yː:bɐ-
  '|anʃtrɛŋən
überantworten yː:bɐ-
  '|antvɔrtn̩
Überantwortung yː:bɐ-
  '|antvɔrtʊŋ
überarbeiten 1. 'yː:bɐ-
  |arbaɪtn̩ 2. --'---
Überarbeitung yː:bɐ-
  '|arbaɪtʊŋ

überaus 'y:bɐlaus, *auch:*
--'-, '--–

überbacken y:bɐ'bakn̩

Überbau 'y:bɐbau

überbauen 1. 'y:bɐbauən
2. --'--

überbieten y:bɐ'bi:tn̩

überbinden 1. 'y:bɐbɪndn̩
2. --'--

überblasen y:bɐ'bla:zn̩

überblatten y:bɐ'blatn̩

Überbleibsel 'y:bɐblaipsl̩

überblenden y:bɐ'blɛndn̩

Überblick 'y:bɐblɪk

überblicken y:bɐ'blɪkn̩

überborden y:bɐ'bɔrdn̩,
überbord! y:bɐ'bɔrt

Überborsäure 'y:bɐbo:ɐ̯-
zɔyrə

Überbrettl 'y:bɐbrɛtl̩

überbringen y:bɐ'brɪŋən

überbrücken y:bɐ'brʏkn̩

überbürden y:bɐ'bʏrdn̩,
überbürd! y:bɐ'bʏrt

überdachen y:bɐ'daxn̩

überdauern y:bɐ'dauɐn

überdecken 1. 'y:bɐdɛkn̩
2. --'--

überdehnen y:bɐ'de:nən

überdenken y:bɐ'dɛŋkn̩

überdies y:bɐ'di:s, '---

überdrehen y:bɐ'dre:ən

überdrucken y:bɐ'drʊkn̩

Überdruss 'y:bɐdrʊs

überdrüssig 'y:bɐdrʏsɪç, **-e**
...ɪɡə

überdüngen y:bɐ'dʏŋən

übereck y:bɐ'lɛk

Übereifer 'y:bɐlaifɐ

übereignen y:bɐ'laignən

übereilen y:bɐ'lailən

übereinander y:bɐlai'nandɐ

übereinfallen y:bɐ'lainfalən

übereinkommen, Ü... y:bɐ-
'lainkɔmən

Übereinkunft y:bɐ-
'lainkʊnft, **...künfte**
...kʏnftə

übereinstimmen y:bɐ-
'lainʃtɪmən

übereintreffen y:bɐ-
'laintrɛfn̩

übererfüllen 'y:bɐlɛɐ̯fʏlən

überessen 1. 'y:bɐlɛsn̩
2. --'--

überfahren 1. 'y:bɐfa:rən
2. --'--

überfallen 1. 'y:bɐfalən
2. --'--

überfärben y:bɐ'fɛrbn̩

überfeinern y:bɐ'fainɐn

überfirnissen y:bɐ'fɪrnɪsn̩

überfischen y:bɐ'fɪʃn̩

überfliegen 1. 'y:bɐfli:gn̩
2. --'--

überfließen 1. 'y:bɐfli:sn̩
2. --'--

überflügeln y:bɐ'fly:gl̩n,
...gle ...glə

überfluten 1. 'y:bɐflu:tn̩
2. --'--

Überflutung y:bɐ'flu:tʊŋ

überfordern y:bɐ'fɔrdɐn

überfrachten y:bɐ'fraxtn̩

überfragen y:bɐ'fra:gn̩

überfremden y:bɐ'frɛmdn̩

überfressen y:bɐ'frɛsn̩

überfrieren y:bɐ'fri:rən

überführen 1. 'y:bɐfy:rən,
auch: --'--; 2. --'--

Überführung y:bɐ'fy:rʊŋ

überfüllen y:bɐ'fʏlən

überfüttern y:bɐ'fʏtən

übergeben 1. 'y:bɐge:bn̩
2. --'--

übergehen 1. 'y:bɐge:ən
2. --'--

übergießen 1. 'y:bɐgi:sn̩
2. --'--

Übergießung y:bɐ'gi:sʊŋ

übergipsen y:bɐ'gɪpsn̩

überglasen y:bɐ'gla:zn̩

übergolden y:bɐ'gɔldn̩,
übergold! ...gɔlt

übergrünen y:bɐ'gry:nən

überhalten 1. 'y:bɐhaltn̩
2. --'--

überhand y:bɐ'hant

überhängen 1. 'y:bɐhɛŋən
2. --'--

überhapps y:bɐ'haps

überhasten y:bɐ'hastn̩

überhäufen y:bɐ'hɔyfn̩

überhaupt y:bɐ'haupt

überheben 1. 'y:bɐhe:bn̩
2. --'--

überheblich y:bɐ'he:plɪç

überheizen y:bɐ'haitsn̩

überhin y:bɐ'hɪn

überhitzen y:bɐ'hɪtsn̩

überhöhen y:bɐ'høːən

überholen 1. 'y:bɐho:lən
2. --'--

überhören 1. 'y:bɐhøːrən
2. --'--

Überich 'y:bɐlɪç

überirdisch 'y:bɐlɪrdɪʃ

überjährig 'y:bɐjɛːrɪç

überkandidelt 'y:bɐkan-
.di:dl̩t

überkleben y:bɐ'kle:bn̩

überkleiden y:bɐ'klaidn̩

[1]Überkleidung (Überklei-
der) 'y:bɐklaidʊŋ

[2]Überkleidung (Bede-
ckung) y:bɐ'klaidʊŋ

überklettern y:bɐ'klɛtɐn

überklug 'y:bɐklu:k

überkochen 1. 'y:bɐkɔxn̩
2. --'--

überkommen 1. 'y:bɐkɔmən
2. --'--

überkreuzen y:bɐ'krɔytsn̩

überkronen y:bɐ'kro:nən

überkrusten y:bɐ'krʊstn̩

überkühlen y:bɐ'ky:lən

überladen 1. 'y:bɐla:dn̩
2. --'--

überlagern y:bɐ'la:gɐn

Überlandbahn 'y:bɐlant-
ba:n, --'--

Uberlândia *bras.* uber-
'lɐndja

überlappen y:bɐ'lapn̩

überlassen 1. 'y:bɐlasn̩
2. --'--

überlasten y:bɐ'lastn̩

überlastig 'y:bɐlastɪç

überlaufen 1. 'y:bɐlaufn̩
2. --'--

überleben y:bɐ'le:bn̩

überlebensgroß 'y:bɐ-
.le:bn̩sgro:s

[1]überlegen (Verb) 1. 'y:bɐ-
le:gn̩ 2. --'--

[2]überlegen (Adjektiv) y:bɐ-
'le:gn̩

überlegt y:bɐ'le:kt

Überlegung y:bɐ'le:gʊŋ

überlesen y:bɐ'le:zn̩

überliefern y:bɐ'li:fɐn

Überlingen 'y:bɐlɪŋən

überlisten y:bɐ'lɪstn̩

überm 'y:bɐm

übermachen y:bɐ'maxn̩

übermalen 1. 'y:bɐma:lən
2. --'--

übermangansauer 'y:bɐ-
maŋ.ga:nzauɐ

übermannen y:bɐ'manən

übermärchen y:bɐ'mɛrçn̩

übermästen y:bɐ'mɛstn̩

übermitteln y:bɐ'mɪtl̩n

übermorgen 'y:bɐmɔrgn̩

übermüden y:bɐ'my:dn̩,
übermüd! ...my:t

übermütig 'y:bɐmy:tɪç, **-e**
...ɪɡə

übern 'y:bɐn

übernächst 'y:bɐnɛː.çst

übernachten y:bɐˈnaxtn̩
übernächtig ˈy:bɐnɛçtɪç, -e
…ɪgə
übernächtigt y:bɐˈnɛçtɪçt
Übernächtler y:bɐˈnɛçtlɐ
Überna[h]me ˈy:bɐna:mə
übernehmen 1. ˈy:bɐne:mən
2. –ˈ–
überpflanzen y:bɐˈpflantsn̩
überpinseln y:bɐˈpɪnzl̩n
überprüfen y:bɐˈpry:fn̩
überpudern y:bɐˈpu:dɐn
überquer y:bɐˈkve:ɐ̯
überqueren y:bɐˈkve:rən
überragen 1. ˈy:bɐra:gn̩
2. –ˈ–
überraschen y:bɐˈraʃn̩
überrechnen y:bɐˈrɛçnən
überreden y:bɐˈre:dn̩
überreichen y:bɐˈraiçn̩
überreißen y:bɐˈraisn̩
überreiten y:bɐˈraitn̩
überreizen y:bɐˈraitsn̩
überrennen y:bɐˈrɛnən
überrieseln 1. ˈy:bɐri:zl̩n
2. –ˈ–
Überries[e]lung y:bɐ-
ˈri:z[ə]lʊŋ
überrollen y:bɐˈrɔlən
überrumpeln y:bɐˈrʊmpl̩n
überrunden y:bɐˈrʊndn̩
übers ˈy:bɐs
übersäen y:bɐˈzɛ:ən
übersättigen y:bɐˈzɛtɪgn̩
übersäuern y:bɐˈzɔyɐn
überschatten y:bɐˈʃatn̩
überschätzen y:bɐˈʃɛtsn̩
überschauen y:bɐˈʃauən
überschäumen ˈy:bɐʃɔy-
mən
überschießen 1. ˈy:bɐʃi:sn̩
2. –ˈ–
überschlächtig ˈy:bɐʃlɛçtɪç
überschlafen y:bɐˈʃla:fn̩
überschlagen 1. ˈy:bɐʃla:gn̩
2. –ˈ–
überschläglich ˈy:bɐʃlɛ:klɪç
überschneiden y:bɐˈʃnaidn̩
überschneien y:bɐˈʃnaiən
überschreiben y:bɐˈʃraibn̩
überschreien y:bɐˈʃraiən
überschreiten y:bɐˈʃraitn̩
überschuldet y:bɐˈʃʊldət
überschüssig ˈy:bɐʃʏsɪç, -e
…ɪgə
überschütten 1. ˈy:bɐʃʏtn̩
2. –ˈ–
überschwänglich ˈy:bɐ-
ʃvɛŋlɪç
überschwappen ˈy:bɐʃvapn̩

überschwemmen y:bɐˈʃvɛ-
mən
Übersee ˈy:bɐze:
überseeisch ˈy:bɐze:ɪʃ
übersehbar y:bɐˈze:ba:ɐ̯
übersehen 1. ˈy:bɐze:ən
2. –ˈ–
übersenden y:bɐˈzɛndn̩
übersetzen 1. ˈy:bɐzɛtsn̩
2. –ˈ–
übersiedeln ˈy:bɐzi:dl̩n,
auch: –ˈ–
übersonnt y:bɐˈzɔnt
überspannen y:bɐˈʃpanən
überspielen y:bɐˈʃpi:lən
überspitzen y:bɐˈʃpɪtsn̩
überspönig ˈy:bɐʃpø:nɪç, -e
…ɪgə
übersprechen y:bɐˈʃprɛçn̩
übersprenkeln y:bɐ-
ˈʃprɛŋkl̩n
überspringen 1. ˈy:bɐʃprɪ-
ŋən 2. –ˈ–
übersprühen 1. ˈy:bɐʃpry:ən
2. –ˈ–
überspülen y:bɐˈʃpy:lən
überstechen 1. ˈy:bɐʃtɛçn̩
2. –ˈ–
überstehen 1. ˈy:bɐʃte:ən
2. –ˈ–
übersteigbar y:bɐˈʃtaikba:ɐ̯
übersteigen 1. ˈy:bɐʃtaign̩
2. –ˈ–
übersteigern y:bɐˈʃtaigɐn
Übersteigung y:bɐˈʃtaigʊŋ
überstellen y:bɐˈʃtɛlən
überstempeln y:bɐˈʃtɛmpl̩n
überstimmen y:bɐˈʃtɪmən
überstrahlen y:bɐˈʃtra:lən
überstreichen 1. ˈy:bɐ-
ʃtraiçn̩ 2. –ˈ–
überstreuen y:bɐˈʃtrɔyən
überströmen 1. ˈy:bɐʃtrø:-
mən 2. –ˈ–
überstürzen y:bɐˈʃtʏrtsn̩
übertäuben y:bɐˈtɔybn̩
übertauchen y:bɐˈtauxn̩
überteuern y:bɐˈtɔyɐn
übertippen y:bɐˈtɪpn̩
Ubérti[s] it. uˈberti[s]
Ubérto it. uˈberto
übertölpeln y:bɐˈtœlpl̩n
Übertrag ˈy:bɐtra:k, -es
…a:gəs, …träge …trɛ:gə
übertragbar y:bɐˈtra:kba:ɐ̯
übertragen y:bɐˈtra:gn̩
Übertrager y:bɐˈtra:gɐ
Überträger y:bɐˈtrɛ:gɐ
übertreffen y:bɐˈtrɛfn̩
übertreiben y:bɐˈtraibn̩

übertreten 1. ˈy:bɐtre:tn̩
2. –ˈ–
Übertretung y:bɐˈtre:tʊŋ
übertrumpfen y:bɐ-
ˈtrʊmpfn̩
übertun 1. ˈy:bɐtu:n 2. –ˈ–
übertünchen y:bɐˈtʏnçn̩
überübermorgen ˈy:bɐ-
…ly:bɐmɔrgn̩
übervölkern y:bɐˈfœlkɐn
Übervölkerung y:bɐˈfœlkə-
rʊŋ
übervorteilen y:bɐˈfɔrtailən
überwachen y:bɐˈvaxn̩
überwachsen y:bɐˈvaksn̩
überwallen 1. ˈy:bɐvalən
2. –ˈ–
überwältigen y:bɐˈvɛltɪgn̩,
…ig! …ɪç, …igt …ɪçt
überwalzen y:bɐˈvaltsn̩
überwälzen y:bɐˈvɛltsn̩
überwechseln y:bɐvɛksl̩n
überwechten y:bɐˈvɛçtn̩
überweiden y:bɐˈvaidn̩
überweisen y:bɐˈvaizn̩
überweißen y:bɐˈvaisn̩
überwendlich y:bɐˈvɛntlɪç
überwendlings y:bɐˈvɛnt-
lɪŋs
überwerfen 1. ˈy:bɐvɛrfn̩
2. –ˈ–
Überwerfung y:bɐˈvɛrfʊŋ
überwerten y:bɐˈve:ɐ̯tn̩
überwiegen 1. ˈy:bɐvi:gn̩
2. –ˈ–
überwiegend y:bɐˈvi:gn̩t,
auch: ˈ––––, -e …ndə
überwinden y:bɐˈvɪndn̩
überwintern y:bɐˈvɪntɐn
überwölben y:bɐˈvœlbn̩
überwuchern y:bɐˈvu:xɐn
überzählen y:bɐˈtsa:lən
überzählen y:bɐˈtsɛ:lən
überzeichnen y:bɐˈtsaiçnən
Überzeichnung y:bɐ-
ˈtsaiçnʊŋ
überzeugen y:bɐˈtsɔygn̩
Überzeugung y:bɐˈtsɔygʊŋ
überziehen 1. ˈy:bɐtsi:ən
2. –ˈ–
Überzieher ˈy:bɐtsi:ɐ
überzüchtet y:bɐˈtsʏçtət
überzuckern y:bɐˈtsʊkɐn
überzwerch, Ü… ˈy:bɐ-
tsvɛrç
ubi bene, ibi patria ˈu:bi
ˈbe:nə ˈi:bi ˈpa:tria
Ubier ˈu:biɐ
Übigau ˈy:bɪgau
Ubikation ubikaˈtsi̯o:n

Ubiquist ubi'kvɪst
ubiquitär ubikvi'tɛ:ɐ
Ubiquität ubikvi'tɛ:t
üblich 'y:plɪç
Ubon Ratchathani *Thai*
u'bon ra:dtʃha'tha:'ni:
213111
U-Boot 'u:bo:t
übrig 'y:brɪç, -e ...ɪgə
übrigens 'y:brɪgn̩s
Ubundu *fr.* ubun'du
Übung 'y:bʊŋ
Ubyche u'bʏçə
Ucayali *span.* uka'jali
Uccello *it.* ut'tʃɛllo
Uccle *fr.* ykl
Uchá ʊ'xa
Uchi-Mata ʊtʃi'ma:ta
Ucht ʊxt
Uchta *russ.* ux'ta
Üchtland 'yçtlant
Ucicky u'tsɪtski
UÇK u:tʃe:'ka:
Učka *serbokr.* 'utʃka
Uckermark 'ʊkɐmark
Uckermärker 'ʊkɐmɛrkɐ
uckermärkisch 'ʊkɐmɛrkɪʃ
Ud u:t
Udaeta *span.* uða'eta
Udaipur *engl.* u:'daɪpʊə,
'---
Udall *engl.* 'ju:dəl
Udalrich 'u:dalrɪç
Udalricus udal'ri:kʊs
Uddevalla *schwed.* ʊdəvala
Uden *niederl.* 'ydə
Udet 'u:dɛt
Udine *it.* 'u:dine
Uditore udi'to:rə, ...ri ...ri
Udmurte ʊt'mʊrtə
Udo 'u:do
Udometer udo'me:tɐ
Udon Thani *Thai* u'dɔ:n
tha:'ni: 2111
Udschaili u'dʒaili
Udschi *jap.* 'u'dʒi
UdSSR u:de:|ɛs|ɛs'|ɛr
Udvar[i] *ung.* 'udvɔr[i]
Ueberweg 'y:bɐve:k
Uebigau 'y:bɪgaʊ
Üechtland 'y:ɛçtlant
Uechtritz 'yçtrɪts
Uecker 'ʏkɐ
Ueckermünde ʏkɐ'mʏndə
UEFA u'e:fa
Uelzen 'ʏltsn̩
Uentrop 'y:ntrɔp
Uerdingen 'y:ɐdɪŋən
Uetersen 'y:tɐzn̩

Üetliberg 'y:ɛtlibɐrk
Uexküll 'ʏkskʏl
¹Ufa® 'u:fa
²Ufa (Name) *russ.* u'fa
Ufer 'u:fɐ
uff! ʊf
Uffenbach 'ʊfn̩bax
Uffenheim 'ʊfn̩haɪm
Uffizi *it.* uf'fittsi
Uffizien ʊ'fi:tsiən
Ufo, UFO 'u:fo
Ufologe ufo'lo:gə
Ufologie ufolo'gi:
...ufrig ...|u:frɪç, -e ...ɪgə
Uganda u'ganda, *engl.*
ju'gændə
Ugander u'gandɐ
ugandisch u'gandɪʃ
Ugarit uga'ri:t
Ugine *fr.* y'ʒin
Uglegorsk *russ.* uglɪ'gɔrsk
Uglitsch *russ.* 'uglitʃ
Ugo *it.* 'u:go
Ugolini *it.* ugo'li:ni
Ugolino *it.* ugo'li:no
Ugrier 'u:griɐ
ugrisch 'u:grɪʃ
ugrofinnisch 'u:gro'fɪnɪʃ
uh! u:
Uhde 'u:də
Uhehe u'he:he
Uher 'u:ɐ
Uherské Hradiště *tschech.*
'uhɛrskɛ: 'hradjiʃtjɛ
Uherský Brod *tschech.*
'uhɛrski: 'brɔt
Uhl[and] 'u:l[ant]
Uhle 'u:lə
Uhlenbeck *niederl.* 'ylənbɛk
Uhlmann 'u:lman
Uhr u:ɐ
Ührchen 'y:ɐçən
Uhrmacherei u:ɐmaxə'raɪ
Uhse 'u:zə
Uhu 'u:hu
Uhuru Peak *engl.* u:'hu:ru:
'pi:k
ui! uj
Uigure uj'gu:rə
Uinta *engl.* ju:'ɪntə
Uist *engl.* 'ju:ɪst
Uitenhage *afr.* 'œýtənha:xə
Uithoorn *niederl.* œit'ho:rn
Ujević *serbokr.* .u:jɛvitɕ
Ujiji *engl.* u:'dʒi:dʒi:
Ujjain *engl.* 'u:dʒaɪn
Ujpest *ung.* 'u:jpɛʃt
Ujung Pandang *indon.*
'udʒʊŋ 'pandaŋ
Ujvari 'ujvari

Újvidék *ung.* 'u:jvide:k
UK *engl.* ju:'keɪ
Ukas 'u:kas, -se ...asə
Ukelei 'u:kəlaɪ
Ukena 'u:kena
Ukiah *engl.* ju:'kaɪə
Ukkel *niederl.* 'ʏkɔl
Ukraine ukra'i:nə, *auch:*
u'kraɪnə
Ukrainer ukra'i:nɐ, *auch:*
u'kraɪnɐ
ukrainisch ukra'i:nɪʃ, *auch:*
u'kraɪnɪʃ
Ukrajinka *ukr.* ukra'jinka
Ukulele uku'le:lə
UKW u:ka:'ve:, *auch:* '---
Ul u:l
Ulan u'la:n
Ulan Bator 'u:lan 'ba:to:ɐ
Ulanka u'laŋka
Ulanowa *russ.* u'lanɐvɐ
Ulan-Ude *russ.* u'lanu'dɛ
Ulbrich[t] 'ʊlbrɪç[t]
Ulcinj *serbokr.* 'ultsinj
Ulcus 'ʊlkʊs, Ulcera 'ʊltsɐra
Uleåborg *schwed.* ɐ:ləo:'bɔrj
Ulema ule'ma:
Ulenspiegel 'u:lənʃpi:gl̩
Ulf ʊlf
Ulfilas 'ʊlfilas
Ulhasnagar *engl.* ʊlhɑ:s-
'nʌgə
Uli 'u:li, *auch:* 'ʊli
Ulinger 'u:lɪŋɐ
Ulitis u'li:tɪs, Ulitiden uli-
'ti:dn̩
Ulitz 'u:lɪts
Ulivo *it.* u'li:vo
Ulixes u'lɪksɛs
Uljanow[sk] *russ.* ulj'ja-
nɐf[sk]
Ulk ʊlk
Ülk ʏlk
ulken 'ʊlkn̩
Ulkerei ʊlkə'raɪ
ulkig 'ʊlkɪç, -e ...ɪgə
Ulkus 'ʊlkʊs, Ulzera 'ʊltsɐra
Ull ʊl
Ulla 'ʊla, *dän.* 'ulæ, *span.*
'uʎa
Uller 'ʊlɐ
Ullman 'ʊlman, *schwed.*
.ʊlman
Ullmann 'ʊlman
Ullsfjord *norw.* 'ɐlsfju:r
Ullstein 'ʊlʃtaɪn
Ullŭng-do *korean.* ulliŋdo
Ulm ʊlm
Ulmanis *lett.* 'ʊlmanɪs
Ulmazeen ʊlma'tse:ən

Ulme 'ʊlmə
Ulmer 'ʊlmɐ
Ulna 'ʊlna, **Ulnae** 'ʊlnɛ
ulnar ʊl'naːɐ̯
Ulnaris ʊl'naːrɪs
Ulose u'loːzə
Ulothrix 'uːlotrɪks, u'loː:...
Ulphilas 'ʊlfilas
Ulpianus ʊl'pi̯aːnʊs
Ulricehamn *schwed.* ʊlriːsə-
'hamn
Ulrich 'ʊlrɪç
Ulrike ʊl'riːkə
Ulsan *korean.* ulssan
¹Ulster (Name) 'ʊlstɐ, *engl.*
'ʌlstə
²Ulster (Mantel) 'alstɐ, 'ʊl...
Ultima 'ʊltima, ...mä ...mɛ
Ultima Ratio [Regum]
'ʊltima 'raːtsi̯o ['reːgʊm]
ultimativ ʊltima'tiːf, -e
...iːvə
Ultimatum ʊlti'maːtʊm
ultimo, U... 'ʊltimo
ultra, U... 'ʊltra
Ultrafax 'ʊltrafaks
Ultraismo ʊltra'ɪsmo
Ultraist ʊltra'ɪst
Ultrakurzwellen ʊltra-
'kʊrtsvɛlən, '-----
ultramarin, U... ʊltrama'riːn
Ultramikroskop 'ʊltrami-
krosko:p
ultramontan ʊltramɔn'taːn
Ultramontanismus ʊltra-
mɔnta'nɪsmʊs
ultramundan ʊltramʊn'daːn
**ultra posse nemo obliga-
tur** 'ʊltra 'pɔsə 'neːmo obli-
'gaːtʊr
ultrarot, U... 'ʊltraroːt
Ultraschall 'ʊltraʃal
Ultraschalltherapie 'ʊltra-
ʃaltera.piː, --'----
Ultrasonographie ʊltrazo-
nogra'fiː, -n ...i:ən
Ultrasonoskop ʊltrazono-
'skoːp
ultraviolett, U... 'ʊltravi̯olɛt
Uludağ *türk.* u'luda:
Ulyss u'lʏs
Ulysses u'lʏsɛs, *engl.* jʊ'lɪ-
siːz
Ulzera vgl. Ulkus
Ulzeration ʊltsera'tsi̯oːn
ulzerieren ʊltse'riːrən
ulzerös ʊltse'røːs, -e ...øːzə
um ʊm
Umag *serbokr.* ,umag
Uman *russ.* 'umɐnj

Umar 'umar
umarmen ʊm'|armən
Umbach 'umbax
umbauen 1. 'umbau̯ən
2. -'--
Umbelliferen ʊmbɛli'feːrən
Umbellifloren ʊmbɛli'floː-
rən
Umber 'umbɐ
Umberto *it.* um'bɛrto
umbeschreiben 'umbə-
ʃraibn̩
Umbilicus ʊmbi'liːkʊs, ...ci
...tsi
umbinden 1. 'umbɪndn̩
2. -'--
umblasen 1. 'umbla:zn̩
2. -'--
Umbra 'umbra
Umbrail *rät.* um'brai̯l
Umbral... ʊm'braːl...
umbranden ʊm'brandn̩
umbrausen ʊm'brau̯zn̩
umbrechen 1. 'umbrɛçn̩
2. -'--
Umbria *it.* 'umbri̯a
Umbriel 'umbrieːl, *auch:*
...iɛl
Umbrien 'umbri̯ən
umbrisch 'umbrɪʃ
Umbruch 'umbrʊx, **Umbrü-
che** 'umbrʏçə
umdrängen ʊm'drɛŋən
¹Umdrehung (Rotation)
ʊm'dreːʊŋ
²Umdrehung (Umkehrung)
'umdreːʊŋ
umdüstern ʊm'dyːstɐn
Ume *schwed.* ,ʉ:mə
Umeå *schwed.* ,ʉ:mɛɔ:
umeinander ʊm|ai'nandɐ
umerziehen 'um|ɛɐ̯tsi:ən
umfächeln ʊm'fɛçln̩
umfahren 1. 'umfa:rən
2. -'--
Umfahrung ʊm'faːrʊŋ
umfangen ʊm'faŋən
umfänglich 'umfɛŋlɪç
umfassen 1. 'umfasn̩ 2. -'--
umfassend, -e ʊm'fasn̩t, -e
...n̩də
Umfassung ʊm'fasʊŋ
umflechten ʊm'flɛçtn̩
umfliegen 1. 'umfliːgn̩
2. -'--
umfließen ʊm'fliːsn̩
umfloren ʊm'floːrən
umfluten ʊm'flu:tn̩
Umfors *schwed.* ,ʉ:mfɔrs

umfrieden ʊm'friːdn̩,
umfried! ʊm'friːt
umfriedigen ʊm'friːdɪgn̩
...ig! ...ıç, ...igt ...ıçt
umgänglich 'umgɛŋlıç
umgarnen ʊm'garnən
umgaukeln ʊm'gau̯kln̩
umgeben 1. 'umgeːbn̩
2. -'--
Umgebung ʊm'geːbʊŋ
umgehen 1. 'umgeːən
2. -'--
umgehend 'umgeːənt, -e
...ndə
Umgehung ʊm'geːʊŋ
umgießen 'umgiːsn̩
umgittern ʊm'gɪtɐn
umglänzen ʊm'glɛntsn̩
umgolden ʊm'gɔldn̩,
umgold! ʊm'gɔlt
umgreifen 1. 'umgrai̯fn̩
2. -'--
umgrenzen ʊm'grɛntsn̩
umgürten 1. 'umgʏrtn̩
2. -'--
umhäkeln ʊm'hɛ:kln̩
umhalsen ʊm'halzn̩
umhängen 1. 'umhɛŋən
2. -'--
umhauen 1. 'umhau̯ən
2. -'--
umheben ʊm'heːbn̩
umhegen ʊm'heːgn̩
umher ʊm'heːɐ̯
umherblicken ʊm'heːɐ̯blɪkn̩
umhin ʊm'hɪn
umhinkönnen ʊm'hɪnkœ-
nən
umhüllen ʊm'hʏlən
Umiak 'u:mi̯ak
umjubeln ʊm'juːbln̩
umkämpfen ʊm'kɛmpfn̩
Umkehr 'umkeːɐ̯
umklammern ʊm'klamɐn
umkleiden 1. 'umklai̯dn̩
2. -'--
umkränzen ʊm'krɛntsn̩
umkreisen ʊm'krai̯zn̩
umlagern 1. 'umla:gɐn
2. -'--
umlauern ʊm'lau̯ɐn
Umlauf[f] 'umlau̯f
umlaufen 1. 'umlau̯fn̩
2. -'--
Umlazi *engl.* ʊm'laːzı
umlegen 1. 'umleːgn̩ 2. -'--
umleuchten ʊm'lɔyçtn̩
umliegend 'umli:gn̩t, -e
...ndə
ummanteln ʊm'mantln̩

Ụmma[nz] 'ʊma[nts̩]
ummạuern ʊm'maʊɐn
Ụmmendorf 'ʊməndɔrf
umnạchten ʊm'naxtn̩
Ụmnak engl. 'u:mnæk
umnẹbeln ʊm'ne:bl̩n
umorịstico umo'rɪstiko
umpflanzen 1. 'ʊmpflantsn̩
2. -'--
umpflügen 1. 'ʊmpfly:gn̩
2. -'--
Umpire 'ampaɪɐ
Umpqua engl. 'ʌmpkwə
umrahmen 1. 'ʊmra:mən
2. -'--
umrạnden ʊm'randn̩
umrạndert ʊm'rɛndɐt
umrạnken ʊm'raŋkn̩
umrẹisen ʊm'raɪzn̩
umrẹißen 1. 'ʊmraɪsn̩ 2.
-'--
umrẹiten 1. 'ʊmraɪtn̩ 2. -'--
umrịngen ʊm'rɪŋən
Ụmru Al Kạis 'ʊmru al'kaɪs
umrụnden ʊm'rʊndn̩
ụms ʊms
umsäumen 1. 'ʊmzɔymən
2. -'--
Umschạlung ʊm'ʃa:lʊŋ
umschạtten ʊm'ʃatn̩
umschịffen 1. 'ʊmʃɪfn̩
2. -'--
umschlagen 1. 'ʊmʃla:gn̩
2. -'--
umschlẹichen ʊm'ʃlaɪçn̩
umschlịeßen ʊm'ʃli:sn̩
umschlịngen 1. 'ʊmʃlɪŋən
2. -'--
umschmẹicheln ʊm-
'ʃmaɪçl̩n
umschnụ̈ren ʊm'ʃny:rən
umschrẹiben 1. 'ʊmʃraɪbn̩
2. -'--
umschwạ̈rmen ʊm'ʃvɛr-
mən
umschwẹben ʊm'ʃve:bn̩
Ụmschweife 'ʊmʃvaɪfə
umschwẹifen ʊm'ʃvaɪfn̩
umsegeln 1. 'ʊmze:gl̩n
2. -'--
ụmseitig 'ʊmzaɪtɪç
ụmseits 'ʊmzaɪts
ụmsetzbar 'ʊmzɛtsba:ɐ
umsetzen 1. 'ʊmzɛtsn̩
2. -'--
Ụmsichgreifen
'ʊmzɪçgraɪfn̩
umsọnst ʊm'zɔnst
umsọrgen ʊm'zɔrgn̩

umspannen 1. 'ʊmʃpanən
2. -'--
Ụmspanner 'ʊmʃpanɐ
umspielen ʊm'ʃpi:lən
umspịnnen ʊm'ʃpɪnən
umspringen 1. 'ʊmʃprɪŋən
2. -'--
umspülen 1. 'ʊmʃpy:lən
2. -'--
ụmständlich 'ʊmʃtɛntlɪç
umstechen 1. 'ʊmʃtɛçn̩
2. -'--
umstecken 1. 'ʊmʃtɛkn̩
2. -'--
umstehen 1. 'ʊmʃte:ən
2. -'--
ụmstehend 'ʊmʃte:ənt, -e
...ndə
Ụmstellbahnhof 'ʊmʃtɛl-
‚ba:nho:f
umstellen 1. 'ʊmʃtɛlən
2. -'--
umstempeln 1. 'ʊmʃtɛmpl̩n
2. -'--
umstrạhlen ʊm'ʃtra:lən
umstrịcken 1. 'ʊmʃtrɪkn̩
2. -'--
umstrịtten ʊm'ʃtrɪtn̩
umströmen ʊm'ʃtrø:mən
ụmstülpen 'ʊmʃtʏlpn̩
Ụmstürzler 'ʊmʃtʏrtslɐ
Umtạli engl. ʊm'tɑ:lɪ
umtạnzen ʊm'tantsn̩
Umtạta engl. ʊm'tɑ:tə
umtọsen ʊm'to:zn̩
umwạchsen ʊm'vaksn̩
umwạllen ʊm'valən
umwạ̈lzen 'ʊmvɛltsn̩
umwandeln 1. 'ʊmvandl̩n
2. -'--
umwehen 1. 'ʊmve:ən
2. -'--
Ụmwelt 'ʊmvɛlt
umwẹrben ʊm'vɛrbn̩
umwịckeln 1. 'ʊmvɪkl̩n
2. -'--
umwịnden 1. 'ʊmvɪndn̩
2. -'--
umwịttern ʊm'vɪtɐn
umwọben ʊm'vo:bn̩
umwọgen ʊm'vo:gn̩
ụmwohnend 'ʊmvo:nənt,
-e ...ndə
Ụmwohner 'ʊmvo:nɐ
umwọ̈lken ʊm'vœlkn̩
umzäunen ʊm'tsɔynən
umziehen 1. 'ʊmtsi:ən
2. -'--
umzịngeln ʊm'tsɪŋl̩n
UN u:'ɛn, engl. ju:'ɛn

unabänderlich ʊn|ap-
'|ɛndɐlɪç, auch: '-----
unabdingbar ʊn|ap'dɪŋba:ɐ,
auch: '----
unabdinglich ʊn|ap'dɪŋlɪç,
auch: '----
ụnabhängig 'ʊn|aphɛŋɪç
unabkömmlich 'ʊn-
|apkœmlɪç, auch: --'--
unablässig ʊn|ap'lɛsɪç,
auch: '----
unabsehbar ʊn|ap'ze:ba:ɐ,
auch: '----
unabsetzbar ʊn-
|ap'zɛtsba:ɐ, auch: '-----
ụnabsichtlich 'ʊn|apzɪçtlɪç
unabweisbar ʊn-
|ap'vaɪsba:ɐ, auch: '----
unabweislich ʊn|ap'vaɪslɪç,
auch: '----
unabwendbar ʊn-
|ap'vɛntba:ɐ, auch: '-----
ụnachtsam 'ʊn|axtza:m
ụna cọrda 'u:na 'kɔrda
ụnadlig 'ʊn|a:dlɪç
ụnähnlich 'ʊn|ɛ:nlɪç
Unalạska engl. u:nə'læskə,
ʌn...
Unamụno span. una'muno
unanbringlich 'ʊn|anbrɪŋlɪç
unanfechtbar ʊn-
|an'fɛçtba:ɐ, auch: '----
ụnangebracht 'ʊn-
|angəbraxt
ụnangefochten 'ʊn-
|angəfɔxtn̩
ụnangemeldet 'ʊn-
|angəmɛldət
ụnangemessen 'ʊn-
|angəmɛsn̩
ụnangenehm 'ʊn|angəne:m
ụnangepasst 'ʊn|angəpast
ụnangesehen 'ʊn-
|angəze:ən
ụnangetastet 'ʊn-
|angətastət
unangreifbar 'ʊn-
|angraɪfba:ɐ, auch: --'--
unanịm una'ni:m
Unanimịsmus unani'mɪs-
mʊs
Unanimitạ̈t unanimi'tɛ:t
unannehmbar ʊn-
|an'ne:mba:ɐ, auch: '----
Ụnannehmlichkeit 'ʊn-
|anne:mlɪçkaɪt
ụnansehnlich 'ʊn|anze:nlɪç
ụnanständig 'ʊn|anʃtɛndɪç
ụnanstößig 'ʊn|anʃtø:sɪç

unantastbar ʊn|anˈtastbaːɐ̯,
auch: '‒‒‒‒
una poenitentium 'uːna
pøniˈtɛntsi̯ʊm
unappetitlich 'ʊn|apetiːtlɪç
Ụnart 'ʊn|aːɐ̯t
unartig 'ʊn|aːɐ̯tɪç
unartikuliert 'ʊn|artikuliːɐ̯t
Ụnas 'uːnas
Ụna Sạncta 'uːna 'zaŋkta
unästhetisch 'ʊn|ɛsteːtɪʃ
Ụnau 'uːnaʊ
unaufdringlich 'ʊn-
|aʊfdrɪŋlɪç
unauffällig 'ʊn|aʊffɛlɪç
unauffindbar ʊn-
|aʊfˈfɪntbaːɐ̯, *auch:* '‒‒‒‒
unaufgefordert 'ʊn-
|aʊfɡəfɔrdɐt
unaufgeklärt 'ʊn-
|aʊfɡəklɛːɐ̯t
unaufhaltbar ʊn-
|aʊfˈhaltbaːɐ̯, *auch:* '‒‒‒‒
unaufhaltsam ʊn-
|aʊfˈhaltzaːm, *auch:* '‒‒‒‒
unaufhörlich ʊn|aʊfˈhøːɐ̯lɪç,
auch: '‒‒‒‒
unauflösbar ʊn-
|aʊfˈløːsbaːɐ̯, *auch:* '‒‒‒‒
unauflöslich ʊn|aʊfˈløːslɪç,
auch: '‒‒‒‒
unaufmerksam 'ʊn-
|aʊfmɛrkzaːm
unaufrichtig 'ʊn|aʊfrɪçtɪç
unaufschiebbar ʊn-
|aʊfˈʃiːpbaːɐ̯, *auch:* '‒‒‒‒
unaufschieblich ʊn-
|aʊfˈʃiːplɪç, *auch:* '‒‒‒‒
unausbleiblich ʊn-
|aʊsˈblaɪplɪç, *auch:* '‒‒‒‒
unausdenkbar ʊn-
|aʊsˈdɛŋkbaːɐ̯, *auch:* '‒‒‒‒
unausdenklich ʊn-
|aʊsˈdɛŋklɪç, *auch:* '‒‒‒‒
unausführbar ʊn-
|aʊsˈfyːɐ̯baːɐ̯, *auch:* '‒‒‒‒
unausgefüllt 'ʊn|aʊsɡəfʏlt
unausgeglichen 'ʊn-
|aʊsɡəɡlɪçn̩
unausgegoren 'ʊn-
|aʊsɡəɡoːrən
unausgeschlafen 'ʊn-
|aʊsɡəʃlaːfn̩
unausgesetzt 'ʊn-
|aʊsɡəzɛtst
unauslöschlich ʊn-
|aʊsˈlœʃlɪç, *auch:* '‒‒‒‒
unausrottbar ʊn-
|aʊsˈrɔtbaːɐ̯, *auch:* '‒‒‒‒

unaussprechbar ʊn-
|aʊsˈʃprɛçbaːɐ̯, *auch:* '‒‒‒‒
unaussprechlich ʊn-
|aʊsˈʃprɛçlɪç, *auch:* '‒‒‒‒
unausstehlich ʊn-
|aʊsˈʃteːlɪç, *auch:* '‒‒‒‒
unaustilgbar ʊn-
|aʊsˈtɪlkbaːɐ̯, *auch:* '‒‒‒‒
unausweichlich ʊn-
|aʊsˈvaɪçlɪç, *auch:* '‒‒‒‒
Ụnband 'ʊnbant
unbändig 'ʊnbɛndɪç, -e
...ɪɡə
unbar 'ʊnbaːɐ̯
unbarmherzig 'ʊnbarmhɛr-
tsɪç
unbeabsichtigt 'ʊnbə-
|apzɪçtɪçt
unbeachtet 'ʊnbə|axtət
unbeanstandet 'ʊnbə-
|anʃtandət
unbeantwortbar ʊnbə-
'|antvɔrtbaːɐ̯, *auch:* '‒‒‒‒‒
unbeantwortet 'ʊnbə-
|antvɔrtət
unbearbeitet 'ʊnbə|arbaɪtət
unbebaut 'ʊnbəbaʊt
unbedacht 'ʊnbədaxt
unbedachtsam 'ʊnbə-
daxtzaːm
unbedacht[sam]erweise
'ʊnbədaxt[zaːm]ɐ̯vaɪzə
unbedarft 'ʊnbədarft
unbedenklich 'ʊnbədɛŋklɪç
unbedeutend 'ʊnbədɔytn̩t
unbedingt 'ʊnbədɪŋt, *auch:*
‒‒'‒
unbeeindruckt 'ʊnbə-
|aɪndrʊkt
unbeeinflussbar ʊnbə-
'|aɪnflʊsbaːɐ̯, *auch:* '‒‒‒‒‒
unbeeinflusst 'ʊnbə-
|aɪnflʊst
unbefahrbar 'ʊnbəfaːɐ̯baːɐ̯,
auch: ‒‒'‒
unbefangen 'ʊnbəfaŋən
unbefleckt 'ʊnbəflɛkt
unbefriedigend 'ʊnbəfriː-
dɪɡnt, -e ...ndə
unbefriedigt 'ʊnbəfriːdɪçt
unbefristet 'ʊnbəfrɪstət
unbefugt 'ʊnbəfuːkt
unbegabt 'ʊnbəɡaːpt
unbegreiflich 'ʊnbəɡraɪflɪç,
auch: ‒‒'‒
unbegrenzt 'ʊnbəɡrɛntst
unbegründet 'ʊnbəɡrʏndət
unbehaart 'ʊnbəhaːɐ̯t
Ụnbehagen 'ʊnbəhaːɡn̩
unbehaglich 'ʊnbəhaːklɪç

unbehauen 'ʊnbəhaʊən
unbehelligt 'ʊnbəhɛlɪçt,
auch: ‒‒'‒
unbeherrscht 'ʊnbəhɛrʃt
unbehilflich 'ʊnbəhɪlflɪç
unbehindert ʊnbəˈhɪndɐt,
auch: '‒‒‒‒
unbeholfen 'ʊnbəhɔlfn̩
unbeirrbar ʊnbəˈ|ɪrbaːɐ̯,
auch: '‒‒‒‒
unbeirrt ʊnbəˈ|ɪrt, *auch:*
'‒‒‒
unbekannt 'ʊnbəkant
unbekleidet 'ʊnbəklaɪdət
unbekümmert 'ʊnbəkʏmɐt,
auch: ‒‒'‒
unbelastet 'ʊnbəlastət
unbelebt 'ʊnbəleːpt
unbeleckt 'ʊnbəlɛkt
unbelehrbar 'ʊnbəleːɐ̯baːɐ̯,
auch: ‒‒'‒
unbeleuchtet 'ʊnbəlɔyçtət
unbelichtet 'ʊnbəlɪçtət
unbeliebt 'ʊnbəliːpt
unbemannt 'ʊnbəmant
unbemerkt 'ʊnbəmɛrkt
unbemittelt 'ʊnbəmɪtl̩t
unbenommen ʊnbəˈnɔmən,
auch: '‒‒‒‒
unbenutzbar 'ʊnbənʊts-
baːɐ̯, *auch:* ‒‒'‒
unbenutzt 'ʊnbənʊtst
unbeobachtet 'ʊnbə-
|oːbaxtət
unbequem 'ʊnbəkveːm
unberechenbar ʊnbə-
'rɛçn̩baːɐ̯, *auch:* '‒‒‒‒‒
unberechtigt 'ʊnbərɛçtɪçt
unberücksichtigt 'ʊnbərʏk-
zɪçtɪçt, *auch:* ‒‒'‒
unberufen ʊnbəˈruːfn̩,
auch: '‒‒‒‒
unberührbar ʊnbəˈryːɐ̯baːɐ̯,
auch: '‒‒‒‒
unberührt 'ʊnbəry:ɐ̯t
unbeschadet 'ʊnbəʃaːdət,
auch: ‒‒'‒
unbeschäftigt 'ʊnbəʃɛftɪçt
unbescheiden 'ʊnbəʃaɪdn̩
unbescholten 'ʊnbəʃɔltn̩
unbeschrankt 'ʊnbəʃraŋkt
unbeschränkt 'ʊnbəʃrɛŋkt,
auch: ‒‒'‒
unbeschreiblich ʊnbə-
'ʃraɪplɪç, *auch:* ‒‒'‒‒
unbeschrieben 'ʊnbəʃriːbn̩
unbeschützt 'ʊnbəʃʏtst
unbeschwert 'ʊnbəʃveːɐ̯t
unbeseelt 'ʊnbəzeːlt

unbesehen ʊnbə'ze:ən,
  auch: '----
unbesiegbar ʊnbə'zi:kba:ɐ̯,
  auch: '----
unbesieglich ʊnbə'zi:klɪç,
  auch: '----
unbesonnen 'ʊnbəzɔnən
unbesorgt 'ʊnbəzɔrkt
unbeständig 'ʊnbəʃtɛndɪç
unbestätigt 'ʊnbəʃtɛ:tɪçt,
  auch: --'--
unbestechlich 'ʊnbəʃtɛçlɪç,
  auch: --'--
unbestimmbar 'ʊnbəʃtɪm-
  ba:ɐ̯, *auch:* --'--
unbestimmt 'ʊnbəʃtɪmt
unbestreitbar ʊnbə'ʃtraɪt-
  ba:ɐ̯, *auch:* '----
unbestritten 'ʊnbəʃtrɪtn̩,
  auch: --'--
unbeteiligt 'ʊnbətaɪlɪçt,
  auch: --'--
unbetont 'ʊnbəto:nt
unbeträchtlich 'ʊnbətrɛçt-
  lɪç, *auch:* --'--
unbetreten 'ʊnbətre:tn̩
unbeugbar ʊn'bɔykba:ɐ̯,
  auch: '----
unbeugsam ʊn'bɔykza:m,
  auch: '----
unbewacht 'ʊnbəvaxt
unbewaffnet 'ʊnbəvafnət
unbewältigt 'ʊnbəvɛltɪçt,
  auch: --'--
unbeweglich 'ʊnbəve:klɪç,
  auch: --'--
unbewegt 'ʊnbəve:kt
unbeweibt 'ʊnbəvaɪpt
unbewiesen 'ʊnbəvi:zn̩
unbewohnbar ʊnbə'vo:n-
  ba:ɐ̯, *auch:* '----
unbewusst 'ʊnbəvʊst
unbezahlbar ʊnbə'tsa:lba:ɐ̯,
  auch: '----
unbezähmbar ʊnbə'tsɛ:m-
  ba:ɐ̯, *auch:* '----
unbezweifelt 'ʊnbətsvaɪflt,
  auch: --'--
unbezwingbar ʊnbə'tsvɪŋ-
  ba:ɐ̯, *auch:* '----
unbezwinglich ʊnbə'tsvɪŋ-
  lɪç, *auch:* '----
Unbilden 'ʊnbɪldn̩
Unbill 'ʊnbɪl
unbillig 'ʊnbɪlɪç
unblutig 'ʊnblu:tɪç
unbotmäßig 'ʊnbo:tmɛ:sɪç
unbrauchbar 'ʊnbrauxba:ɐ̯
unbürokratisch 'ʊnbyro-
  kra:tɪʃ

unbußfertig 'ʊnbu:sfɛrtɪç
Unchrist 'ʊnkrɪst
unchristlich 'ʊnkrɪstlɪç
Uncle Sam *engl.* 'ʌŋkl 'sæm
UNCTAD 'ʊŋktat
und ʊnt
Undank 'ʊndaŋk
undankbar 'ʊndaŋkba:ɐ̯
undatiert 'ʊndati:ɐ̯t
Undation ʊnda'tsi̯o:n
undefinierbar 'ʊndefini:ɐ̯-
  ba:ɐ̯, *auch:* ---'--
undeklinierbar 'ʊndekli-
  ni:ɐ̯ba:ɐ̯, *auch:* ---'--
undemokratisch 'ʊndemo-
  kra:tɪʃ, *auch:* ---'--
Undén *schwed.* ʊn'de:n
undenkbar ʊn'dɛŋkba:ɐ̯
undenklich ʊn'dɛŋklɪç
Undercoveragent
  'andɐkavɐlaˌgɛnt
Underdog 'andɐdɔk
Underflow 'andɐflo:
Underground 'andɐgraʊnt
Underhill *engl.* 'ʌndəhɪl
Understatement 'andɐ-
  'ste:tmənt
Underwriter 'andɐraɪtɐ
undeutlich 'ʊndɔytlɪç
undeutsch, U... 'ʊndɔytʃ
Undezime ʊn'de:tsimə,
  auch: ʊnde'tsi:mə
undicht 'ʊndɪçt
undifferenziert 'ʊndɪfərɛn-
  tsi:ɐ̯t
Undine ʊn'di:nə
Unding 'ʊndɪŋ
undiplomatisch 'ʊndiplo-
  ma:tɪʃ
undiskutabel 'ʊndɪskuta:bl̩,
  auch: ---'--
undiszipliniert 'ʊndɪstsipli-
  ni:ɐ̯t
undogmatisch 'ʊndɔgma:-
  tɪʃ
Undograph ʊndo'gra:f
Undset *norw.* ˌɵnsɛt
Undulation ʊndula'tsi̯o:n
Undulator ʊndu'la:to:ɐ̯, -en
  ...la'to:rən
undulatorisch ʊndula'to:rɪʃ
unduldsam 'ʊndʊltza:m
undulieren ʊndu'li:rən
undurchdringbar
  ʊndʊrç'drɪŋba:ɐ̯, *auch:*
  '----
undurchdringlich
  ʊndʊrç'drɪŋlɪç, *auch:* '----
undurchführbar

undurchlässig 'ʊndʊrçlɛsɪç
undurchschaubar
  ʊndʊrç'ʃaʊba:ɐ̯, *auch:*
  '----
undurchsichtig
  'ʊndʊrçzɪçtɪç
uneben 'ʊnˌe:bn̩
unecht 'ʊnˌɛçt
unedel 'ʊnˌe:dl̩
unehelich 'ʊnˌe:əlɪç
unehrenhaft 'ʊnˌe:rənhaft
unehrerbietig 'ʊnˌe:ɐ̯-
  lɛɐ̯bi:tɪç
unehrlich 'ʊnˌe:ɐ̯lɪç
uneigennützig 'ʊn-
  ˌlaɪɡn̩nʏtsɪç
uneigentlich 'ʊnˌlaɪɡn̩tlɪç
uneingeschränkt 'ʊn-
  ˌlaɪŋɡəʃrɛŋkt, *auch:* ---'-
uneingeweiht 'ʊnˌlaɪŋɡəvaɪt
uneinig 'ʊnˌlaɪnɪç
uneinnehmbar ʊn-
  ˌlaɪn'ne:mba:ɐ̯, *auch:* '----
uneins 'ʊnˌlaɪns
uneinsichtig 'ʊnˌlaɪnzɪçtɪç
unempfänglich 'ʊn-
  ˌlɛmpfɛŋlɪç
unempfindlich 'ʊn-
  ˌlɛmpfɪntlɪç
unendlich ʊn'ˌlɛntlɪç
unentbehrlich 'ʊn-
  ˌlɛntbe:ɐ̯lɪç, *auch:* --'--
unentdeckt 'ʊnˌlɛntdɛkt
unentgeltlich 'ʊnˌlɛntgɛltlɪç,
  auch: --'--
unentrinnbar 'ʊn-
  ˌlɛnt'rɪnba:ɐ̯, *auch:* '----
unentschieden 'ʊnˌlɛntʃi:dn̩
unentschlossen 'ʊn-
  ˌlɛntʃlɔsn̩
unentschuldbar 'ʊn-
  ˌlɛntʃʊltba:ɐ̯, *auch:* '----
unentschuldigt 'ʊn-
  ˌlɛntʃʊldɪçt
unentwegt 'ʊnˌlɛnt've:kt,
  auch: '---
unentwirrbar 'ʊn-
  ˌlɛnt'vɪrba:ɐ̯, *auch:* '----
unerachtet ʊnˌlɛɐ̯'laxtət,
  auch: '----
unerbittlich ʊnˌlɛɐ̯'bɪtlɪç,
  auch: '----
unerfahren 'ʊnˌlɛɐ̯fa:rən
unerfindlich 'ʊnˌlɛɐ̯fɪntlɪç,
  auch: --'--
unerforschlich 'ʊn-
  ˌlɛɐ̯fɔrʃlɪç, *auch:* --'--
unerfreulich 'ʊnˌlɛɐ̯frɔylɪç

unerfüllbar ʊn|ɛɐ̯ˈfʏlbaːɐ̯,
  auch: '----
unerfüllt 'ʊn|ɛɐ̯fʏlt
unergiebig ʊn|ɛɐ̯ˈgiːbɪç
unergründbar ʊn-
  |ɛɐ̯ˈgryntbaːɐ̯, *auch:* '----
unergründlich ʊn-
  |ɛɐ̯ˈgryntlɪç, *auch:* '----
unerheblich 'ʊn|ɛɐ̯heːplɪç
[1]unerhört (unglaublich)
  'ʊn|ɛɐ̯høːɐ̯t
[2]unerhört (nicht erhört)
  'ʊn|ɛɐ̯høːɐ̯t
unerkannt 'ʊn|ɛɐ̯kant
unerkennbar ʊn-
  |ɛɐ̯ˈkɛnbaːɐ̯, *auch:* '----
unerklärbar ʊn-
  |ɛɐ̯ˈklɛːɐ̯baːɐ̯, *auch:* '----
unerklärlich ʊn|ɛɐ̯ˈklɛːɐ̯lɪç,
  auch: '----   •
unerlässlich ʊn|ɛɐ̯ˈlɛslɪç,
  auch: '----
unerlaubt 'ʊn|ɛɐ̯laʊpt
unerledigt 'ʊn|ɛɐ̯leːdɪçt
unermesslich ʊn|ɛɐ̯ˈmɛslɪç,
  auch: '----
unermüdlich ʊn|ɛɐ̯ˈmyːtlɪç,
  auch: '----
unernst 'ʊn|ɛrnst
unerquicklich 'ʊn|ɛɐ̯kvɪklɪç
unerreichbar ʊn-
  |ɛɐ̯ˈraɪçbaːɐ̯, *auch:* '----
unerreicht ʊn|ɛɐ̯ˈraɪçt,
  auch: '---
unersättlich ʊn|ɛɐ̯ˈzɛtlɪç,
  auch: '----
unerschlossen 'ʊn|ɛɐ̯ʃlɔsn̩
unerschöpflich ʊn-
  |ɛɐ̯ˈʃœpflɪç, *auch:* '----
unerschrocken 'ʊn|ɛɐ̯ʃrɔkn̩
unerschütterlich ʊn-
  |ɛɐ̯ˈʃʏtɐlɪç, *auch:* '----
unerschwinglich ʊn-
  |ɛɐ̯ˈʃvɪŋlɪç, *auch:* '----
unersetzbar ʊn|ɛɐ̯ˈzɛtsbaːɐ̯,
  auch: '----
unersetzlich ʊn|ɛɐ̯ˈzɛtslɪç,
  auch: '----
unersprießlich ʊn-
  |ɛɐ̯ˈʃpriːslɪç, *auch:* '----
unerträglich ʊn|ɛɐ̯ˈtrɛːklɪç,
  auch: '----
unerwähnt 'ʊn|ɛɐ̯vɛːnt
unerwartet 'ʊn|ɛɐ̯vartət,
  auch: --'--
unerweisbar ʊn-
  |ɛɐ̯ˈvaɪsbaːɐ̯, *auch:* '----
unerweislich ʊn|ɛɐ̯ˈvaɪslɪç,
  auch: '----
unerwidert 'ʊn|ɛɐ̯viːdɐt

unerwünscht 'ʊn|ɛɐ̯vʏnʃt
unerzogen 'ʊn|ɛɐ̯tsoːgn̩
UNESCO uˈnɛsko,
  engl. juˈnɛskoʊ
Unĕtice *tschech.* 'uːnjɛtjitsɛ
unfähig 'ʊnfɛːɪç
Unfälle 'ʊnfɛlɐ
unfair 'ʊnfɛːɐ̯
Unfall 'ʊnfal
unfassbar ʊnˈfasbaːɐ̯, *auch:*
  '---
unfasslich ʊnˈfaslɪç, *auch:*
  '---
unfehlbar ʊnˈfeːlbaːɐ̯, *auch:*
  '---
unfein 'ʊnfaɪn
unfern 'ʊnfɛrn
unfertig 'ʊnfɛrtɪç
Unflat 'ʊnflaːt
unflätig 'ʊnflɛːtɪç, -e ...ɪgə
unflektiert 'ʊnflɛktiːɐ̯t
unflott 'ʊnflɔt
unfolgsam 'ʊnfɔlkzaːm
Unform 'ʊnfɔrm
unförmig 'ʊnfœrmɪç, -e
  ...ɪgə
unförmlich 'ʊnfœrmlɪç
unfrankiert 'ʊnfraŋkiːɐ̯t
unfrei 'ʊnfraɪ
unfrei[willig] 'ʊnfraɪ[vɪlɪç]
unfreundlich 'ʊnfrɔyntlɪç
Unfriede 'ʊnfriːdə
Unfrieden 'ʊnfriːdn̩
unfrisiert 'ʊnfriziːɐ̯t
unfromm 'ʊnfrɔm
unfruchtbar 'ʊnfrʊxtbaːɐ̯
Unfug 'ʊnfuːk, -es ...uːgəs
unfundiert 'ʊnfʊndiːɐ̯t
ungalant 'ʊngalant
ungangbar 'ʊngaŋbaːɐ̯,
  auch: -'--
ungar 'ʊngaːɐ̯
Ungar 'ʊŋgar
Ungaretti *it.* uŋgaˈrɛtti
ungarisch, U... 'ʊŋgarɪʃ
ungarländisch 'ʊŋgarlɛndɪʃ
Ungarn 'ʊŋgarn
ungastlich 'ʊngastlɪç
Ungava *engl.* ʌnˈgɑːvə
ungeachtet 'ʊngə|axtət,
  auch: --'--
ungeahndet 'ʊngə|aːndət,
  auch: --'--
ungeahnt 'ʊngə|aːnt, *auch:*
  --'-
ungebärdig 'ʊngəbɛːɐ̯dɪç,
  -e ...ɪgə
ungebeten 'ʊngəbeːtn̩
ungebeugt 'ʊngəbɔykt
ungebildet 'ʊngəbɪldət

ungeboren 'ʊngəboːrən
ungebräuchlich 'ʊngə-
  brɔyçlɪç
ungebrochen 'ʊngəbrɔxn̩
ungebührend 'ʊngəbyːrənt,
  -e ...ndə
ungebührlich 'ʊngəbyːɐ̯lɪç
ungebunden 'ʊngəbʊndn̩
ungedeckt 'ʊngədɛkt
ungedient 'ʊngədiːnt
ungedruckt 'ʊngədrʊkt
Ungeduld 'ʊngədʊlt
ungeduldig 'ʊngədʊldɪç
ungeeignet 'ʊngə|aɪgnət
ungefähr, U... 'ʊngəfɛːɐ̯,
  auch: --'-
ungefährdet 'ʊngəfɛːɐ̯dət,
  auch: --'--
ungefährlich 'ʊngəfɛːɐ̯lɪç
ungefällig 'ʊngəfɛlɪç
ungefärbt 'ʊngəfɛrpt
ungefragt 'ʊngəfraːkt
ungefrühstückt 'ʊngəfryː-
  ʃtʏkt
ungefüge 'ʊngəfyːgə
ungefügig 'ʊngəfyːgɪç
ungegessen 'ʊngəgɛsn̩
ungegliedert 'ʊngəgliːdɐt
ungehalten 'ʊngəhaltn̩
ungeheißen 'ʊngəhaɪsn̩
ungeheizt 'ʊngəhaɪtst
ungehemmt 'ʊngəhɛmt
ungeheuer 'ʊngəhɔyɐ,
  auch: --'--
Ungeheuer 'ʊngəhɔyɐ
ungeheuerlich ʊngəˈhɔyɐ-
  lɪç, *auch:* '-----
ungehindert 'ʊngəhɪndɐt
ungehobelt 'ʊngəhoːblt,
  auch: --'--
ungehörig 'ʊngəhøːrɪç
ungehorsam, U... 'ʊngə-
  hoːɐ̯zaːm
ungehört 'ʊngəhøːɐ̯t
ungeklärt 'ʊngəklɛːɐ̯t
ungekocht 'ʊngəkɔxt
ungekrönt 'ʊngəkrøːnt
ungekündigt 'ʊngəkʏndɪçt
ungekünstelt 'ʊngəkʏnstlt
ungekürzt 'ʊngəkʏrtst
ungeladen 'ʊngəlaːdn̩
ungeläutert 'ʊngəlɔytɐt
ungelegen 'ʊngəleːgn̩
ungelehrig 'ʊngəleːrɪç
ungelehrt 'ʊngəleːɐ̯t
ungelenk[ig] 'ʊngəlɛŋk[ɪç]
ungelernt 'ʊngəlɛrnt
ungeliebt 'ʊngəliːpt
ungelogen 'ʊngəloːgn̩
ungelöst 'ʊngəløːst

Ungemach 'ʊngəma:x
ungemäß 'ʊngəmɛ:s
ungemein 'ʊngəmain, *auch:*
__'-
ungemessen 'ʊngəmɛsn̩,
auch: __'--
ungemindert 'ʊngəmɪndɐt
ungemischt 'ʊngəmɪʃt
ungemütlich 'ʊngəmy:tlɪç
ungenannt 'ʊngənant
ungenau 'ʊngənau̯
ungeniert 'ʊnʒeni:ɐt, *auch:*
__'-
ungenießbar 'ʊngəni:sba:ɐ,
auch: __'--
ungenügend 'ʊngəny:gn̩t
ungenutzt 'ʊngənʊtst
ungenützt 'ʊngənʏtst
Ungeny *russ.* un'gjɛni
ungeordnet 'ʊngəlɔrdnət
ungepflegt 'ʊngəpfle:kt
ungeprüft 'ʊngəpry:ft
Unger 'ʊŋɐ
ungerächt 'ʊngərɛçt
ungerade 'ʊngəra:də
ungeraten 'ʊngəra:tn̩
ungerechnet 'ʊngərɛçnət
ungerecht 'ʊngərɛçt
ungerechtfertigt 'ʊngə-
rɛçtfɛrtɪçt
ungeregelt 'ʊngəre:glt
ungereimt 'ʊngəraimt
Ungerer 'ʊŋərɐ
ungern 'ʊngɛrn
Ungern 'ʊŋɐn
ungerührt 'ʊngəry:ɐt
ungerupft 'ʊngərʊpft
ungesagt 'ʊngəza:kt
ungesalzen 'ʊngəzaltsn̩
ungesättigt 'ʊngəzɛtɪçt
ungesäuert 'ʊngəzɔyɐt
¹ungesäumt (ohne Verzug)
'ʊngəzɔymt, *auch:* __'-
²ungesäumt (ohne Saum)
'ʊngəzɔymt
ungeschält 'ʊngəʃɛ:lt
ungeschehen 'ʊngəʃe:ən
ungescheut 'ʊngəʃɔyt
Ungeschick 'ʊngəʃɪk
ungeschicklich 'ʊngəʃɪklɪç
ungeschickt 'ʊngəʃɪkt
ungeschlacht 'ʊngəʃlaxt
ungeschlagen 'ʊngəʃla:gn̩
ungeschliffen 'ʊngəʃlɪfn̩
ungeschmälert 'ʊngəʃmɛ:-
lɐt
ungeschmeidig 'ʊngəʃmai-
dɪç
ungeschminkt 'ʊngəʃmɪŋkt
ungeschoren 'ʊngəʃo:rən

ungeschrieben 'ʊngəʃri:bn̩
ungeschult 'ʊngəʃu:lt
ungesehen 'ʊngəze:ən
ungesellig 'ʊngəzɛlɪç
ungesetzlich 'ʊngəzɛtslɪç
ungesittet 'ʊngəzɪtət
ungestalt[et] 'ʊngəʃtalt[ət]
ungestempelt 'ʊngəʃtɛmplt
ungestielt 'ʊngəʃti:lt
ungestillt 'ʊngəʃtɪlt
ungestört 'ʊngəʃtø:ɐt
ungestraft 'ʊngəʃtra:ft
ungestüm, U... 'ʊngəʃty:m
ungesühnt 'ʊngəzy:nt
ungesund 'ʊngəzʊnt
ungetan 'ʊngəta:n
ungeteilt 'ʊngətailt
ungetreu 'ʊngətrɔy
ungetrübt 'ʊngətry:pt
Ungetüm 'ʊngəty:m
ungeübt 'ʊngəly:pt
ungewandt 'ʊngəvant
ungewaschen 'ʊngəvaʃn̩
ungewiss 'ʊngəvɪs
Ungewitter 'ʊngəvɪtɐ
ungewöhnlich 'ʊngəvø:nlɪç
ungewohnt 'ʊngəvo:nt
ungewollt 'ʊngəvɔlt
ungezählt 'ʊngətsɛ:lt
ungezähmt 'ʊngətsɛ:mt
Ungeziefer 'ʊngətsi:fɐ
ungeziemend 'ʊngətsi:-
mənt, -e ...ndə
ungezogen 'ʊngətso:gn̩
ungezügelt 'ʊngətsy:glt
ungezwungen 'ʊngətsvʊ-
ŋən
ungherese 'ʊŋe're:zə
ungiftig 'ʊngɪftɪç
Unglaube 'ʊnglaubə
unglaubhaft 'ʊnglaup̯haft
ungläubig 'ʊnglɔybɪç
unglaublich ʊn'glauplɪç,
auch: __'---
unglaubwürdig 'ʊnglaup-
vyrdɪç
ungleich, U... 'ʊnglaiç
ungleichförmig
'ʊnglaiçfœrmɪç
ungleichstoffig 'ʊnglaiçʃtɔ-
fɪç
Unglimpf 'ʊnglɪmpf
Unglück 'ʊnglʏk
unglücklich 'ʊnglʏklɪç
unglückselig 'ʊnglʏkze:lɪç
Ungnad 'ʊngna:t
Ungnade 'ʊngna:də
ungnädig 'ʊngnɛ:dɪç
ungrad 'ʊngra:t, -e ...a:də
ungraziös 'ʊngratsiø:s

Unguentum ʊŋ'gu̯ɛntʊm,
...ta ...ta
Ungulat ʊŋgu'la:t
ungültig 'ʊngʏltɪç
ungünstig 'ʊngʏnstɪç
ungustiös 'ʊngʊstiø:s
ungut 'ʊngu:t
Ungvár *ung.* 'ʊngva:r
unhaltbar 'ʊnhaltba:ɐ,
auch: -'--
unhaltig 'ʊnhaltɪç
unhandlich 'ʊnhantlɪç
unharmonisch 'ʊnharmo:-
nɪʃ
Unheil 'ʊnhail
unheilbar 'ʊnhailba:ɐ, *auch:*
-'--
unheilig 'ʊnhailɪç
unheilvoll 'ʊnhailfɔl
unheimisch 'ʊnhaimɪʃ
unheimlich 'ʊnhaimlɪç,
auch: -'--
unhöflich 'ʊnhø:flɪç
unhold 'ʊnhɔlt
Unhold 'ʊnhɔlt, -es ...ldəs
unhörbar ʊn'hø:ɐba:ɐ,
auch: '---
unhygienisch 'ʊnhygie:nɪʃ
uni, Uni (einfarbig) 'ʏni,
y'ni:
Uni 'ʊni, *auch:* 'u:ni
UNICEF 'u:nitsɛf, *engl.*
'ju:nɪsɛf
unieren u'ni:rən
Unifikation unifika'tsi̯o:n
unifizieren unifi'tsi:rən
uniform uni'fɔrm
Uniform uni'fɔrm, 'ʊnifɔrm,
'u:nifɔrm
uniformieren unifɔr'mi:rən
uniformisieren uniformi-
'zi:rən
Uniformismus unifɔr'mɪs-
mʊs
Uniformist unifɔr'mɪst
Uniformität uniformi'tɛ:t
unikal uni'ka:l
Unikat uni'ka:t
Unikum 'u:nikʊm, ...ka ...ka
unilateral unilate'ra:l
Unilever *engl.* 'ju:nɪli:vɐ
unilokulär uniloku'lɛ:ɐ
uninteressant 'ʊn-
ɪntərɛsant
uninteressiert 'ʊn-
ɪntərɛsi:ɐt
Unio mystica 'u:nio 'mʏs-
tika
Union u'ni̯o:n, *engl.* 'ju:njən
Unión *span.* u'ni̯ɔn

Uniondale engl. 'juːnjəndeɪl
Union française fr. ynjõfrãˈseːz
Unionist unioˈnɪst
Union Jack engl. 'juːnjən 'dʒæk
Uniontown engl. 'juːnjəntaʊn
unipetal unipeˈtaːl
unipolar unipoˈlaːɐ̯
unirdisch 'ʊnˌɪrdɪʃ
Unisex 'uːnizɛks
unisexuell 'uːnizɛksŭel
unison[o] uniˈzoːn[o]
Unisono uniˈzoːno, ...ni ...ni
Unit 'juːnɪt
Unità it. uniˈta
unitär uniˈtɛːɐ̯
Unitarier uniˈtaːri̯ɐ
unitarisch uniˈtaːrɪʃ
Unitarismus unitaˈrɪsmʊs
Unitarist unitaˈrɪst
Unität uniˈtɛːt
United [Kingdom] engl. jʊˈnaɪtɪd [ˈkɪŋdəm]
United Nations engl. jʊˈnaɪtɪd 'neɪʃənz
United Press International engl. jʊˈnaɪtɪd 'prɛs ɪntəˈnæʃənəl
United States [of America] engl. jʊˈnaɪtɪd 'steɪts [əv əˈmɛrɪkə]
unitonico uniˈtoːniko
univalent univaˈlɛnt
Univerbierung univɛrˈbiːrʊŋ
universal univɛrˈzaːl
¹Universal (Sprache) univɛrˈzaːl
²Universal (Name) span. uniβɛrˈsal
Universal City engl. juːnɪˈvɔːsl 'sɪtɪ
Universale univɛrˈzaːlə, ...lien ...li̯ən
Universalie univɛrˈzaːli̯ə
Universalismus univɛrzaˈlɪsmʊs
Universalist univɛrzaˈlɪst
Universalität univɛrzaliˈtɛːt
universell univɛrˈzɛl
Universiade univɛrˈzi̯aːdə
Universismus univɛrˈzɪsmʊs
universitär univɛrziˈtɛːɐ̯
Universitas Litterarum uniˈvɛrzitas lɪteˈraːrʊm
Universität univɛrziˈtɛːt
University [City, Heights,

Park] engl. juːnɪˈvəːsətɪ [ˈsɪtɪ, 'haɪts, 'paːk]
Universum uniˈvɛrzʊm
univok uniˈvoːk
Univozität univotsiˈtɛːt
UNIX 'juːnɪks
Unkair 'ʊnkaːr
unkameradschaftlich 'ʊnkaməraːtʃaftlɪç
unkanonisch 'ʊnkanoːnɪʃ
Unke 'ʊŋkə
Unkel 'ʊŋkl̩
unken 'ʊŋkn̩
unkenntlich 'ʊnkɛntlɪç
Unkenntnis 'ʊnkɛntnɪs
unkeusch 'ʊnkɔy̆ʃ
unkindlich 'ʊnkɪntlɪç
unkirchlich 'ʊnkɪrçlɪç
unklar 'ʊnklaːɐ̯
unklug 'ʊnkluːk
unkollegial 'ʊnkɔlegi̯aːl
unkompliziert 'ʊnkɔmpliˌtsiːɐ̯t
unkontrollierbar 'ʊnkɔntrɔliːɐ̯baːɐ̯, auch: ---'--
unkontrolliert 'ʊnkɔntrɔliːɐ̯t
unkonventionell 'ʊnkɔnvɛntsi̯onɛl
unkonzentriert 'ʊnkɔntsɛntriːɐ̯t
unkorrekt 'ʊnkɔrɛkt
Unkosten 'ʊnkɔstn̩
Unkraut 'ʊnkrau̯t
unkritisch 'ʊnkriːtɪʃ
Unktion ʊŋkˈtsi̯oːn
unkultiviert 'ʊnkʊltiviːɐ̯t
Unkultur 'ʊnkʊltuːɐ̯
unkündbar 'ʊnkʏntbaːɐ̯, auch: -'--
unkundig 'ʊnkʊndɪç
unlängst 'ʊnlɛŋst
unlauter 'ʊnlau̯tɐ
unleidlich 'ʊnlai̯tlɪç
unlesbar ʊnˈleːsbaːɐ̯, auch: '---
unleserlich 'ʊnleːzɐlɪç, auch: -'---
unleugbar 'ʊnlɔy̆kbaːɐ̯, auch: -'--
unlieb 'ʊnliːp
unliebsam 'ʊnliːpzaːm
unlimitiert 'ʊnlimitiːɐ̯t
unlogisch 'ʊnloːgɪʃ
unlösbar ʊnˈløːsbaːɐ̯, auch: '---
unlöslich ʊnˈløːslɪç auch: '---
Unlust 'ʊnlʊst
unlustig 'ʊnlʊstɪç

unmanierlich 'ʊnmaniːɐ̯lɪç
unmännlich 'ʊnmɛnlɪç
Unmaß 'ʊnmaːs
Unmasse 'ʊnmasə
unmaßgeblich 'ʊnmaːsgeːplɪç, auch: --'--
unmäßig 'ʊnmɛːsɪç
Unmenge 'ʊnmɛŋə
Unmensch 'ʊnmɛnʃ
unmenschlich 'ʊnmɛnʃlɪç, auch: -'--
unmerkbar ʊnˈmɛrkbaːɐ̯, auch: '---
unmerklich ʊnˈmɛrklɪç, auch: '---
unmessbar ʊnˈmɛsbaːɐ̯, auch: '---
unmilitärisch 'ʊnmilitɛːrɪʃ
unmissverständlich 'ʊnmɪsfɛɐ̯ʃtɛntlɪç, auch: ---'--
unmittelbar 'ʊnmɪtlbaːɐ̯
unmöbliert 'ʊnmøbliːɐ̯t
unmodern 'ʊnmodɛrn
unmodisch 'ʊnmoːdɪʃ
unmöglich 'ʊnmøːklɪç, auch: -'--
unmoralisch 'ʊnmoraːlɪʃ
unmotiviert 'ʊnmotiviːɐ̯t
unmündig 'ʊnmʏndɪç
unmusikalisch 'ʊnmuzikaːlɪʃ
Unmut 'ʊnmuːt
unmutig 'ʊnmuːtɪç
Unna 'ʊna
unnachahmlich 'ʊnnaːxˌlaːmlɪç, auch: --'--
unnachgiebig 'ʊnnaːxgiːbɪç
unnachsichtig 'ʊnnaːxzɪçtɪç
unnahbar ʊnˈnaːbaːɐ̯, auch: '---
Unnatur 'ʊnnatuːɐ̯
unnatürlich 'ʊnnatyːɐ̯lɪç
unnennbar ʊnˈnɛnbaːɐ̯, auch: '---
Unno 'ʊno
unnormal 'ʊnnɔrmaːl
unnötig 'ʊnnøːtɪç
unnütz 'ʊnnʏts
UNO 'uːno, engl. 'juːnoʊ
uno actu 'uːno 'aktu
unökonomisch 'ʊnˌøkonoːmɪʃ
Unold 'uːnɔlt
unordentlich 'ʊnˌɔrdn̩tlɪç
Unordnung 'ʊnˌɔrdnʊŋ
unorganisch 'ʊnˌɔrgaːnɪʃ
unorthodox 'ʊnˌɔrtodɔks
unorthographisch 'ʊnˌɔrtograːfɪʃ

unpaar ˈʊnpaːɐ̯
Unpaarhufer ˈʊnpaːɐ̯ˌhuːfɐ
unpaarig ˈʊnpaːrɪç
Unpaarzeher ˈʊnpaːɐ̯ˌtseːɐ
unpädagogisch ˈʊnpɛdago:gɪʃ
unparteiisch ˈʊnpartaɪ̯ɪʃ
unparteilich ˈʊnpartaɪ̯lɪç
unpass ˈʊnpas
unpassend ˈʊnpasn̩t, -e
    ...ndə
unpassierbar ˈʊnpasiːɐ̯baːɐ̯,
    auch: --ˈ--
unpässlich ˈʊnpɛslɪç
unpathetisch ˈʊnpateːtɪʃ
Unperson ˈʊnpɛrzoːn
unpersönlich ˈʊnpɛrzøːnlɪç
unpfändbar ʊnˈpfɛntbaːɐ̯,
    auch: ˈ---
unplugged ˈanplakt
un pochettino ʊn pɔkɛˈtiːno
un poco ʊn ˈpɔko, ʊn ˈpoːko
unpoliert ˈʊnpoliːɐ̯t
unpolitisch ˈʊnpoliːtɪʃ
unpopulär ˈʊnpopulɛːɐ̯
unpraktisch ˈʊnpraktɪʃ
unproblematisch ˈʊnproblemaːtɪʃ
unproduktiv ˈʊnprodʊktiːf
unproportioniert ˈʊnproportsi̯oniːɐ̯t
unpünktlich ˈʊnpʏŋktlɪç
unqualifiziert ˈʊnkvalifitsiːɐ̯t
unrasiert ˈʊnraziːɐ̯t
Unrast ˈʊnrast
Unrat ˈʊnraːt
unrationell ˈʊnratsi̯onɛl
unratsam ˈʊnraːtzaːm
unreal ˈʊnreaːl
unrealistisch ˈʊnrealɪstɪʃ
unrecht, U... ˈʊnrɛçt
unrechtmäßig ˈʊnrɛçtmɛːsɪç
unredigiert ˈʊnrediɡiːɐ̯t
unredlich ˈʊnreːtlɪç
unreell ˈʊnreɛl
unreflektiert ˈʊnreflɛktiːɐ̯t
unregelmäßig ˈʊnreːɡl̩mɛːsɪç
unregierbar ˈʊnreɡiːɐ̯baːɐ̯,
    auch: --ˈ--
unreif ˈʊnraɪ̯f
unrein[lich] ˈʊnraɪ̯n[lɪç]
unrentabel ˈʊnrɛnta:bl̩
unrettbar ʊnˈrɛtbaːɐ̯, auch:
    ˈ---
unrichtig ˈʊnrɪçtɪç
UNRRA ˈʊnra, engl. ˈʌnrə

Unruh[e] ˈʊnruː[ə]
unruhig ˈʊnruːɪç
unrühmlich ˈʊnryːmlɪç
unrund ˈʊnrʊnt
uns ʊns
unsachgemäß ˈʊnzaxɡəmɛːs
unsachlich ˈʊnzaxlɪç
unsagbar ʊnˈzaːkbaːɐ̯,
    auch: ˈ---
unsäglich ʊnˈzɛːklɪç, auch:
    ˈ---
unsanft ˈʊnzanft
unsauber ˈʊnzaʊ̯bɐ
unschädlich ˈʊnʃɛːtlɪç
unscharf ˈʊnʃarf
unschätzbar ʊnˈʃɛtsbaːɐ̯,
    auch: ˈ---
unscheinbar ˈʊnʃaɪ̯nbaːɐ̯
unschicklich ˈʊnʃɪklɪç
unschlagbar ʊnˈʃlaːkbaːɐ̯,
    auch: ˈ---
Unschlitt ˈʊnʃlɪt
unschlüssig ˈʊnʃlʏsɪç
unschmelzbar ʊnˈʃmɛltsbaːɐ̯, auch: ˈ---
unschön ˈʊnʃøːn
Unschuld ˈʊnʃʊlt
unschuldig ˈʊnʃʊldɪç
unschwer ˈʊnʃveːɐ̯
unselbständig ˈʊnzɛlpʃtɛndɪç
unselbstständig ˈʊnzɛlpstʃtɛndɪç
unselig ˈʊnzeːlɪç
unser ˈʊnzɐ
unsere ˈʊnzərə
unsereiner ˈʊnzɐˈaɪ̯nɐ
unsereins ˈʊnzɐˈaɪ̯ns
unsererseits ˈʊnzərɐˈzaɪ̯ts
unseresgleichen ˈʊnzərɐsˈɡlaɪ̯çn̩
unseresteils ˈʊnzərɐsˈtaɪ̯ls
unserethalben ˈʊnzərətˈhalbn̩
unseretwegen ˈʊnzərətˈveːɡn̩
unseretwillen ˈʊnzərətˈvɪlən
unserige ˈʊnzərɪɡə
unseriös ˈʊnzerɪ̯øːs
unserseits ˈʊnzɐˈzaɪ̯ts
unsersgleichen ˈʊnzɐsˈɡlaɪ̯çn̩
unserthalben ˈʊnzɐtˈhalbn̩
unsertwegen ˈʊnzɐtˈveːɡn̩
unsertwillen ˈʊnzɐtˈvɪlən
Unservater ˈʊnzɐfaːtɐ
unsicher ˈʊnzɪçɐ
unsichtbar ˈʊnzɪçtbaːɐ̯

unsinkbar ˈʊnzɪŋkbaːɐ̯,
    auch: -ˈ--
Unsinn ˈʊnzɪn
unsinnig ˈʊnzɪnɪç
Unsitte ˈʊnzɪtə
unsittlich ˈʊnzɪtlɪç
Unsöld ˈʊnzœlt
unsolid ˈʊnzoliːt, -e ...iːdə
unsozial ˈʊnzotsi̯aːl
unspielbar ʊnˈʃpiːlbaːɐ̯,
    auch: ˈ---
unsportlich ʊnˈʃpɔrtlɪç
unsre ˈʊnzrə
unsrerseits ˈʊnzrɐˈzaɪ̯ts
unsresgleichen ˈʊnzrɐsˈɡlaɪ̯çn̩
unsresteils ˈʊnzrɐsˈtaɪ̯ls
unsrige ˈʊnzrɪɡə
Unst engl. ʌnst
unstabil ˈʊnʃtabiːl
unstarr ˈʊnʃtar
Unstäte ˈʊnʃtɛːtə
unstatthaft ˈʊnʃtathaft
unsterblich ˈʊnʃtɛrplɪç,
    auch: -ˈ--
Unstern ˈʊnʃtɛrn
unstet[ig] ˈʊnʃteːt[ɪç]
unstillbar ʊnˈʃtɪlbaːɐ̯, auch:
    ˈ---
unstimmig ˈʊnʃtɪmɪç
unsträflich ʊnˈʃtrɛːflɪç,
    auch: -ˈ--
unstreitig ʊnˈʃtraɪ̯tɪç, auch:
    -ˈ--
unstrittig ʊnˈʃtrɪtɪç, auch:
    -ˈ--
Unstrut ˈʊnstruːt, ˈʊnʃtruːt
Unsumme ˈʊnzʊmə
unsymmetrisch ˈʊnzyme:trɪʃ
unsympathisch ˈʊnzympaːtɪʃ
unsystematisch ˈʊnzystemaːtɪʃ
untad[e]lig ˈʊntaːd[ə]lɪç,
    auch: -ˈ-[-]-
untalentiert ˈʊntalɛntiːɐ̯t
Untat ˈʊntaːt
Untätchen ˈʊntɛːtçən
untätig ˈʊntɛːtɪç
untauglich ˈʊntaʊ̯klɪç
unteilbar ʊnˈtaɪ̯lbaːɐ̯, auch:
    ˈ---
unteilhaft[ig] ˈʊntaɪ̯lhaft[ɪç]
unten ˈʊntn̩
untenan ˈʊntn̩ˈan
untendrunter ˈʊntn̩ˈdrʊntɐ
untendurch ˈʊntn̩ˈdʊrç
untenher ˈʊntn̩ˈheːɐ̯
untenherum ˈʊntn̩heˈrʊm

untenhin 'ʊntn̩'hɪn
untenrum 'ʊntn̩'rʊm
unter, U... 'ʊntɐ
Unterabteilung 'ʊntɐ-
  lap͜,taɪlʊŋ
Unterarm 'ʊntɐlarm
Unterbau 'ʊntɐbaʊ
unterbauen ʊntɐ'baʊən
Unterberger 'ʊntɐbɛrgɐ
Unterbewusstsein 'ʊntɐ-
  bəvʊstzaɪn
unterbieten ʊntɐ'bi:tn̩
unterbinden 1. 'ʊntɐbɪndn̩
  2. --'--
Unterbindung ʊntɐ'bɪndʊŋ
unterbleiben ʊntɐ'blaɪbn̩
unterbrechen ʊntɐ'brɛçn̩
unterbreiten 1. 'ʊntɐbraɪtn̩
  2. --'--
Unterbruch 'ʊntɐbrʊx,
  ...brüche ...bryçə
unterchlorig 'ʊntɐklo:rɪç
unterdes[sen] ʊntɐ'dɛs[n̩]
unterdrücken ʊntɐ'drʏkn̩
unterdurchschnittlich
  'ʊntɐdʊrçʃnɪtlɪç
untere 'ʊntərə
untereinander ʊntɐ-
  laɪ'nandɐ
Unterelsass 'ʊntɐlɛlzas
unterfahren ʊntɐ'fa:rən
unterfangen, U... ʊntɐ'faŋən
unterfertigen ʊntɐ'fɛrtɪgn̩
Unterfeuerung ʊntɐ'fɔyə-
  rʊŋ
unterfliegen ʊntɐ'fli:gn̩
unterflur 'ʊntɐflu:ɐ
Unterflurstraße ʊntɐ'flu:ɐ-
  ʃtra:sə
Unterfranken 'ʊntɐfraŋkn̩
unterführen ʊntɐ'fy:rən
Unterführung ʊntɐ'fy:rʊŋ
unterfüttern ʊntɐ'fʏtɐn
untergärig 'ʊntɐgɛ:rɪç, -e
  ...ɪgə
untergeben ʊntɐ'ge:bn̩
untergliedern ʊntɐ'gli:dɐn
untergraben 1. 'ʊntɐgra:bn̩
  2. --'--
Untergrund 'ʊntɐgrʊnt
untergründig 'ʊntɐgrʏndɪç
unterhalb 'ʊntɐhalp
Unterhalt 'ʊntɐhalt
unterhalten 1. 'ʊntɐhaltn̩
  2. --'--
unterhaltsam ʊntɐ-
  'haltza:m
Unterhaltung ʊntɐ'haltʊŋ
unterhandeln ʊntɐ'handln̩

Unterhändler 'ʊntɐhɛndlɐ
Unterhandlung ʊntɐ'hand-
  lʊŋ
Unterhaus 'ʊntɐhaʊs
Unterhemd 'ʊntɐhɛmt
unterhöhlen ʊntɐ'hø:lən
Unterhose 'ʊntɐho:zə
unterirdisch 'ʊntɐlɪrdɪʃ
Unteritalien 'ʊntɐlita:ljən
unterjochen ʊntɐ'jɔxn̩
unterkant 'ʊntɐkant
unterkellern ʊntɐ'kɛlɐn
Unterkiefer 'ʊntɐki:fɐ
Unterkleid 'ʊntɐklaɪt
Unterkleidung 'ʊntɐklaɪdʊŋ
unterkötig 'ʊntɐkø:tɪç, -e
  ...ɪgə
unterkühlen ʊntɐ'ky:lən
Unterkunft 'ʊntɐkʊnft,
  ...künfte ...kʏnftə
Unterlage 'ʊntɐla:gə
Unterland 'ʊntɐlant
Unterländer 'ʊntɐlɛndɐ
Unterlass 'ʊntɐlas
unterlassen ʊntɐ'lasn̩
Unterlassung ʊntɐ'lasʊŋ
Unterlauf 'ʊntɐlaʊf
unterlaufen 1. 'ʊntɐlaʊfn̩
  2. --'--
unterläufig 'ʊntɐlɔyfɪç
Unterlaufung ʊntɐ'laʊfʊŋ
unterlegen (Verb) 1. 'ʊntɐ-
  le:gn̩ 2. --'--
unterlegen (Adjektiv) ʊntɐ-
  'le:gn̩
unterliegen 1. 'ʊntɐli:gn̩
  2. --'--
Unterliezheim ʊntɐ'li:ts-
  haɪm
unterm 'ʊntɐm
untermalen ʊntɐ'ma:lən
untermauern ʊntɐ'maʊɐn
untermeerisch 'ʊntɐme:rɪʃ
untermengen 1. 'ʊntɐme-
  ŋən 2. --'--
Untermensch 'ʊntɐmɛnʃ
untermieten 'ʊntɐmi:tn̩
unterminieren ʊntɐmi'ni:-
  rən
untermischen 1. 'ʊntɐmɪʃn̩
  2. --'--
untern 'ʊntɐn
unternehmen 1. 'ʊntɐne:-
  mən 2. --'--
Unternehmen ʊntɐ'ne:mən
unternehmend ʊntɐ'ne:-
  mənt, -e ...ndə
Unternehmer ʊntɐ'ne:mɐ
unternehmerisch ʊntɐ'ne:-
  mərɪʃ

Unternehmung ʊntɐ'ne:-
  mʊŋ
Unteroffizier 'ʊntɐlɔfitsi:ɐ
Unteröwisheim 'ʊntɐ-
  lø:vɪshaɪm
Unterpflasterbahn ʊntɐ-
  'pflastɐba:n
unterprivilegiert 'ʊntɐpri-
  vilegi:ɐt
unterqueren ʊntɐ'kve:rən
unterreden ʊntɐ're:dn̩
Unterricht 'ʊntɐrɪçt
unterrichten ʊntɐ'rɪçtn̩
unterrichtlich 'ʊntɐrɪçtlɪç
Unterrichtung ʊntɐ'rɪçtʊŋ
Unterrock 'ʊntɐrɔk
unters 'ʊntɐs
untersagen ʊntɐ'za:gn̩
Untersatz 'ʊntɐzats
unterschätzen ʊntɐ'ʃɛtsn̩
unterscheiden ʊntɐ'ʃaɪdn̩
unterschieben 1. 'ʊntɐʃi:bn̩
  2. --'--
Unterschied 'ʊntɐʃi:t, -es
  ...i:dəs
unterschieden ʊntɐ'ʃi:dn̩
unterschiedlich 'ʊntɐʃi:tlɪç
unterschlächtig 'ʊntɐ-
  ʃlɛçtɪç, -e ...ɪgə
Unterschlag 'ʊntɐʃla:k
unterschlagen 1. 'ʊntɐ-
  ʃla:gn̩ 2. --'--
Unterschlagung ʊntɐ'ʃla:-
  gʊŋ
Unterschleif 'ʊntɐʃlaɪf
Unterschlupf 'ʊntɐʃlʊpf
unterschneiden ʊntɐ-
  'ʃnaɪdn̩
unterschreiben ʊntɐ'ʃraɪbn̩
unterschreiten ʊntɐ'ʃraɪtn̩
Unterschrift 'ʊntɐʃrɪft
unterschweflig 'ʊntɐ-
  ʃve:flɪç
unterschwellig 'ʊntɐʃvɛlɪç,
  -e ...ɪgə
Untersee 'ʊntɐze:
Unterseeboot 'ʊntɐze:.bo:t
unterseeisch 'ʊntɐze:ɪʃ
unterseits 'ʊntɐzaɪts
Untersekunda 'ʊntɐze-
  kʊnda, auch: ---'--
untersetzen 1. 'ʊntɐzɛtsn̩
  2. --'--
Untersetzer 'ʊntɐzɛtsɐ
untersetzt ʊntɐ'zɛtst
unterspickt ʊntɐ'ʃpɪkt
unterspielen ʊntɐ'ʃpi:lən
unterspülen ʊntɐ'ʃpy:lən
unterst 'ʊntɐst
Unterstaatssekretär

ʊntɐˈʃtaːtszekretɛːɐ̯,
ˈ--,----
Unterstammheim ˈʊntɐ-
ˌʃtamhaim
Unterstand ˈʊntɐʃtant
Unterständer ˈʊntɐʃtɛndɐ
unterständig ˈʊntɐʃtɛndɪç
unterste ˈʊntɐstə
unterstehen 1. ˈʊntɐʃteːən
 2. --ˈ--
unterstellen 1. ˈʊntɐʃtɛlən
 2. --ˈ--
untersteuern ʊntɐˈʃtɔyɐn
unterstreichen ʊntɐˈʃtraiçn̩
unterstützen 1. ˈʊntɐʃtʏtsn̩
 2. --ˈ--
Untersuch ʊntɐˈzuːx
untersuchen ʊntɐˈzuːxn̩
Untertagebau ʊntɐ-
 ˈtaːɡəbau
untertags ʊntɐˈtaːks
untertan, U... ˈʊntɐtaːn
untertänig ˈʊntɐtɛːnɪç, -e
 ...ɪɡə
untertauchen 1. ˈʊntɐtauxn̩
 2. --ˈ--
Unterteil ˈʊntɐtail
unterteilen ʊntɐˈtailən
untertiteln ʊntɐˈtiːtl̩n, auch:
 ʊntɐˈtɪtl̩n
Unterton ˈʊntɐtoːn
untertreiben ʊntɐˈtraibn̩
untertunneln ʊntɐˈtʊnl̩n
Unteruhldingen ʊntɐ-
 ˈ|uːldɪŋən
Unterwalden ˈʊntɐvaldn̩
Unterwaldner ˈʊntɐvaldnɐ
unterwandern ʊntɐˈvandɐn
unterwärts ˈʊntɐvɛrts
Unterwäsche ˈʊntɐvɛʃə
unterwaschen ʊntɐˈvaʃn̩
Unterwasser ˈʊntɐvasɐ
Unterwasserjagd ˈʊntɐvaˈ-
 sɐjaːkt
unterwegs ʊntɐˈveːks
unterweilen ʊntɐˈvailən
unterweisen ʊntɐˈvaizn̩
Unterwelt ˈʊntɐvɛlt
unterweltlich ˈʊntɐvɛltlɪç
unterwerfen ʊntɐˈvɛrfn̩
Unterwerksbau ʊntɐ-
 ˈvɛrksbau
unterwertig ˈʊntɐveːɐ̯tɪç
Unterweser ˈʊntɐveːzɐ
Unterwesterwaldkreis
 ʊntɐvɛstɐˈvaltkrais,
 --ˈ----
unterwinden ʊntɐˈvɪndn̩
Unter-Wisternitz ʊntɐˈvɪs-
 tɐnɪts

unterwürfig ʊntɐˈvʏrfɪç,
 auch: ˈ----, -e ...ɪɡə
unterzeichnen ʊntɐ-
 ˈtsaiçnən
Unterzeichner ʊntɐˈtsaiçnɐ
Unterzeichnete ʊntɐ-
 ˈtsaiçnətə
Unterzeug ˈʊntɐtsɔyk
unterziehen 1. ˈʊntɐtsiːən
 2. --ˈ--
untief ˈʊntiːf
Untiefe ˈʊntiːfə
Untier ˈʊntiːɐ̯
untilgbar ʊnˈtɪlkbaːɐ̯, auch:
 ˈ---
untragbar ʊnˈtraːkbaːɐ̯,
 auch: ˈ---
untrennbar ʊnˈtrɛnbaːɐ̯,
 auch: ˈ---
untreu ˈʊntrɔy
untröstlich ʊnˈtrøːstlɪç,
 auch: ˈ---
untrüglich ʊnˈtryːklɪç, auch:
 ˈ---
Untugend ˈʊntuːɡn̩t
untunlich ˈʊntuːnlɪç
unüberbietbar ʊn-
 ly:bɐˈbiːtbaːɐ̯, auch: ˈ-----
unüberbrückbar ʊn-
 ly:bɐˈbrʏkbaːɐ̯, auch:
 ˈ-----
unüberhörbar ʊn-
 ly:bɐˈhøːɐ̯baːɐ̯, auch:
 ˈ-----
unüberlegt ˈʊnly:bɐleːkt
unüberschaubar ʊn-
 ly:bɐˈʃaubaːɐ̯, auch: ˈ-----
unüberschreitbar ʊn-
 ly:bɐˈʃraitbaːɐ̯, auch:
 ˈ-----
unübersehbar ʊn-
 ly:bɐˈzeːbaːɐ̯, auch: ˈ-----
unübersetzbar ʊn-
 ly:bɐˈzɛtsbaːɐ̯, auch: ˈ-----
unübersichtlich ˈʊn-
 ly:bɐzɪçtlɪç
unübertragbar ʊn-
 ly:bɐˈtraːkbaːɐ̯, auch:
 ˈ-----
unübertrefflich ʊn-
 ly:bɐˈtrɛflɪç, auch: ˈ-----
unübertroffen ʊn-
 ly:bɐˈtrɔfn̩, auch: ˈ-----
unüberwindbar ʊn-
 ly:bɐˈvɪntbaːɐ̯, auch: ˈ-----
unüberwindlich ʊn-
 ly:bɐˈvɪntlɪç, auch: ˈ-----
unüblich ˈʊnlyːplɪç
unumgänglich (unvermeid-

lich) ʊnlʊmˈɡɛŋlɪç, auch:
 ˈ----
unumschränkt ʊn-
 lʊmˈʃrɛŋkt, auch: ˈ---
unumstößlich ʊn-
 lʊmˈʃtøːslɪç, auch: ˈ----
unumstritten ʊnlʊmˈʃtrɪtn̩,
 auch: ˈ----
unumwunden ˈʊn-
 lʊmvʊndn̩, auch: --ˈ--
ununterbrochen ˈʊn-
 lʊntɐbrɔxn̩, auch: ---ˈ--
ununterscheidbar ʊn-
 lʊntɐˈʃaitbaːɐ̯, auch: ˈ-----
unus pro multis ˈuːnʊs proˈ-
 ˈmʊltiːs
unveränderlich ʊnfɛɐ̯-
 ˈ|ɛndɐlɪç, auch: ˈ-----
unverändert ˈʊnfɛɐ̯|ɛndɐt,
 auch: --ˈ--
unverantwortlich ʊnfɛɐ̯-
 ˈ|antvɔrtlɪç, auch: ˈ-----
unverarbeitet ˈʊnfɛɐ̯-
 |arbaitət, auch: --ˈ---
unveräußerlich ʊnfɛɐ̯-
 ˈ|ɔysɐlɪç, auch: ˈ-----
unverbaubar ʊnfɛɐ̯ˈbau-
 baːɐ̯, auch: ˈ----
unverbesserlich ʊnfɛɐ̯ˈbe-
 sɐlɪç, auch: ˈ-----
unverbildet ˈʊnfɛɐ̯bɪldət
unverbindlich ˈʊnfɛɐ̯bɪntlɪç,
 auch: --ˈ--
unverbleit ˈʊnfɛɐ̯blait
unverblümt ʊnfɛɐ̯ˈblyːmt,
 auch: ˈ---
unverbraucht ˈʊnfɛɐ̯brauxt
unverbrüchlich ʊnfɛɐ̯-
 ˈbrʏçlɪç, auch: ˈ----
unverbürgt ʊnfɛɐ̯ˈbʏrkt,
 auch: ˈ---
unverdächtig ˈʊnfɛɐ̯dɛçtɪç,
 auch: --ˈ--
unverdaulich ˈʊnfɛɐ̯daulɪç,
 auch: --ˈ--
unverdaut ˈʊnfɛɐ̯daut,
 auch: --ˈ-
unverdient ˈʊnfɛɐ̯diːnt,
 auch: --ˈ-
unverdorben, U... ˈʊnfɛɐ̯-
 dɔrbn̩
unverdrossen ˈʊnfɛɐ̯drɔsn̩,
 auch: --ˈ--
unverdünnt ˈʊnfɛɐ̯dʏnt
unverehelicht ˈʊnfɛɐ̯|eːəlɪçt
unvereinbar ʊnfɛɐ̯ˈlainbaːɐ̯,
 auch: ˈ----
unverfälscht ˈʊnfɛɐ̯fɛlʃt,
 auch: --ˈ-

unverfänglich 'ʊnfɛɐ̯fɛŋlıç, *auch:* --'--
unverfroren 'ʊnfɛɐ̯fro:rən, *auch:* --'--
unvergänglich 'ʊnfɛɐ̯gɛŋlıç, *auch:* --'--
unvergessen 'ʊnfɛɐ̯gɛsn̩
unvergesslich ʊnfɛɐ̯'gɛslıç, *auch:* '----
unvergleichbar ʊnfɛɐ̯'glaiçba:ɐ̯, *auch:* '----
unvergleichlich ʊnfɛɐ̯'glaiçlıç, *auch:* '----
unvergoren 'ʊnfɛɐ̯go:rən
unverhältnismäßig 'ʊnfɛɐ̯hɛltnısmɛ:sıç, *auch:* --'----
unverheiratet 'ʊnfɛɐ̯haira:tət
unverhofft 'ʊnfɛɐ̯hɔft, *auch:* --'-
unverhohlen 'ʊnfɛɐ̯ho:lən, *auch:* --'--
unverhüllt 'ʊnfɛɐ̯hʏlt
unverkäuflich 'ʊnfɛɐ̯kɔyflıç, *auch:* --'--
unverkennbar ʊnfɛɐ̯'kɛnba:ɐ̯, *auch:* '----
unverletzlich ʊnfɛɐ̯'lɛtslıç, *auch:* '----
unverletzt 'ʊnfɛɐ̯lɛtst
unverlierbar ʊnfɛɐ̯'li:ɐ̯ba:ɐ̯, *auch:* '----
unverlöschlich ʊnfɛɐ̯'lœʃlıç, *auch:* '----
unvermählt 'ʊnfɛɐ̯mɛ:lt
unvermeidbar ʊnfɛɐ̯'maitba:ɐ̯, *auch:* '----
unvermeidlich ʊnfɛɐ̯'maitlıç, *auch:* '----
unvermerkt 'ʊnfɛɐ̯mɛrkt
unvermindert 'ʊnfɛɐ̯mındɐt
unvermittelt 'ʊnfɛɐ̯mıtlt
Unvermögen 'ʊnfɛɐ̯mø:gn̩
unvermögend 'ʊnfɛɐ̯mø:gn̩t
unvermutet 'ʊnfɛɐ̯mu:tət
Unvernunft 'ʊnfɛɐ̯nʊnft
unvernünftig 'ʊnfɛɐ̯nʏnftıç
unveröffentlicht 'ʊnfɛɐ̯lœfn̩tlıçt
unverpackt 'ʊnfɛɐ̯pakt
unverputzt 'ʊnfɛɐ̯pʊtst
unverrichtet 'ʊnfɛɐ̯rıçtət
unverrückbar ʊnfɛɐ̯'rʏkba:ɐ̯, *auch:* '----
unverschämt 'ʊnfɛɐ̯ʃɛ:mt
unverschlossen 'ʊnfɛɐ̯ʃlɔsn̩, *auch:* --'--

unverschuldet 'ʊnfɛɐ̯ʃʊldət, *auch:* --'--
unversehens 'ʊnfɛɐ̯ze:əns, *auch:* --'--
unversehrt 'ʊnfɛɐ̯ze:ɐ̯t
unversiegbar ʊnfɛɐ̯'zi:kba:ɐ̯, *auch:* '----
unversieglich ʊnfɛɐ̯'zi:klıç, *auch:* '----
unversöhnbar 'ʊnfɛɐ̯zø:nba:ɐ̯, *auch:* --'--
unversöhnlich 'ʊnfɛɐ̯zø:nlıç, *auch:* --'--
unversorgt 'ʊnfɛɐ̯zɔrkt
Unverstand 'ʊnfɛɐ̯ʃtant
unverstanden 'ʊnfɛɐ̯ʃtandn̩
unverständig 'ʊnfɛɐ̯ʃtɛndıç
unverständlich 'ʊnfɛɐ̯ʃtɛntlıç
unverstellt 'ʊnfɛɐ̯ʃtɛlt, *auch:* --'--
unversteuert 'ʊnfɛɐ̯ʃtɔyɐt, *auch:* --'--
unversucht 'ʊnfɛɐ̯zu:xt, *auch:* --'--
unverträglich 'ʊnfɛɐ̯trɛ:klıç, *auch:* --'--
unvertretbar ʊnfɛɐ̯'tre:tba:ɐ̯, *auch:* '----
unverwechselbar ʊnfɛɐ̯'vɛkslba:ɐ̯, *auch:* '-----
unverwehrt 'ʊnfɛɐ̯ve:ɐ̯t, *auch:* --'-
unverweilt 'ʊnfɛɐ̯vailt, *auch:* --'-
unverwertbar ʊnfɛɐ̯'ve:ɐ̯tba:ɐ̯, *auch:* '----
unverweslich 'ʊnfɛɐ̯ve:slıç, *auch:* --'--
unverwischbar ʊnfɛɐ̯'vıʃba:ɐ̯, *auch:* '----
unverwundbar ʊnfɛɐ̯'vʊntba:ɐ̯, *auch:* '----
unverwüstlich ʊnfɛɐ̯'vy:stlıç, *auch:* '----
unverzagt 'ʊnfɛɐ̯tsa:kt
unverzeihbar ʊnfɛɐ̯'tsaiba:ɐ̯, *auch:* '----
unverzeihlich ʊnfɛɐ̯'tsailıç, *auch:* '----
unverzichtbar ʊnfɛɐ̯'tsıçtba:ɐ̯, *auch:* '----
unverzinslich ʊnfɛɐ̯'tsınslıç, *auch:* '----
unverzollt 'ʊnfɛɐ̯tsɔlt
unverzüglich ʊnfɛɐ̯'tsy:klıç, *auch:* '----
unvollendet 'ʊnfɔlɛndət, ...lɛ...; *auch:* --'--

unvollkommen 'ʊnfɔlkɔmən, *auch:* --'--
unvollständig 'ʊnfɔlʃtɛndıç, *auch:* --'--
unvorbereitet 'ʊnfo:ɐ̯bərait ət
unvordenklich 'ʊnfo:ɐ̯dɛŋklıç
unvoreingenommen 'ʊnfo:ɐ̯laingənɔmən
unvorgreiflich ʊnfo:ɐ̯'graiflıç, *auch:* '----
unvorhergesehen 'ʊnfo:ɐ̯he:ɐ̯gəze:ən
unvorsätzlich 'ʊnfo:ɐ̯zɛtslıç
unvorschriftsmäßig 'ʊnfo:ɐ̯ʃrıftsmɛ:sıç
unvorsichtig 'ʊnfo:ɐ̯zıçtıç
unvorstellbar ʊnfo:ɐ̯'ʃtɛlba:ɐ̯, *auch:* '----
unvorteilhaft 'ʊnfɔrtailhaft
unwägbar ʊn'vɛ:kba:ɐ̯, *auch:* '----
unwahr 'ʊnva:ɐ̯
unwahrhaftig 'ʊnva:ɐ̯haftıç
unwahrscheinlich 'ʊnva:ɐ̯ʃainlıç
unwandelbar ʊn'vandlba:ɐ̯, *auch:* '----
unwegsam 'ʊnve:kza:m
unweigerlich ʊn'vaigɐlıç, *auch:* '----
unweit 'ʊnvait
unwert, U... 'ʊnve:ɐ̯t
Unwesen 'ʊnve:zn̩
unwesentlich 'ʊnve:zn̩tlıç
Unwetter 'ʊnvɛtɐ
unwichtig 'ʊnvıçtıç
unwiderlegbar ʊnvi:dɐ'le:kba:ɐ̯, *auch:* '-----
unwiderleglich ʊnvi:dɐ'le:klıç, *auch:* '-----
unwiderruflich ʊnvi:dɐ'ru:flıç, *auch:* '-----
unwidersprochen ʊnvi:dɐ'ʃprɔxn̩, *auch:* '-----
unwiderstehlich ʊnvi:dɐ'ʃte:lıç, *auch:* '-----
unwiederbringlich ʊnvi:dɐ'brıŋlıç, *auch:* '-----
Unwille[n] 'ʊnvılə[n]
unwillig 'ʊnvılıç
unwillkommen 'ʊnvılkɔmən
unwillkürlich 'ʊnvılky:ɐ̯lıç, *auch:* --'--
Unwin *engl.* ˈʌnwın
unwirklich 'ʊnvırklıç
unwirksam 'ʊnvırkza:m
unwirsch 'ʊnvırʃ

unwirtlich 'ʊnvɪrtlɪç
unwirtsam 'ʊnvɪrtza:m
unwirtschaftlich 'ʊnvɪrt-
ʃaftlɪç
unwissend 'ʊnvɪsn̩t, -e
...ndə
Unwissenheit 'ʊnvɪsn̩haɪt
unwissenschaftlich
'ʊnvɪsn̩ʃaftlɪç
unwissentlich 'ʊnvɪsn̩tlɪç
unwohl 'ʊnvo:l
Unwohlsein 'ʊnvo:lzaɪn
Unwucht 'ʊnvʊxt
unwürdig 'ʊnvʏrdɪç
Ünye türk. 'ynjɛ
Unzahl 'ʊntsa:l
unzählbar ʊn'tsɛ:lba:ɐ̯,
auch: '---
unzählig ʊn'tsɛ:lɪç, auch:
'---
unzählmbar ʊn'tsɛ:mba:ɐ̯,
auch: '---
Unze 'ʊntsə
Unzeit 'ʊntsaɪt
unzeitgemäß 'ʊntsaɪtgə-
mɛ:s
unzeitig 'ʊntsaɪtɪç
Unzelmann 'ʊntsl̩man
unzensiert 'ʊntsɛnzi:ɐ̯t
unzerbrechlich 'ʊntsɛɐ̯-
brɛçlɪç, auch: --'--
unzerreißbar ʊntsɛɐ̯'raɪs-
ba:ɐ̯, auch: '----
unzerstörbar ʊntsɛɐ̯'ʃtø:ɐ̯-
ba:ɐ̯, auch: '----
unzertrennbar ʊntsɛɐ̯'trɛn-
ba:ɐ̯, auch: '----
unzertrennlich ʊntsɛɐ̯'trɛn-
lɪç, auch: '----
Unziale ʊn'tsia:lə
Unzicker 'ʊntsɪkɐ
unziemend 'ʊntsi:mənt, -e
...ndə
unziemlich 'ʊntsi:mlɪç
unzivilisiert 'ʊntsivilizi:ɐ̯t
Unzucht 'ʊntsʊxt
unzüchtig 'ʊntsʏçtɪç
unzufrieden 'ʊntsufri:dn̩
unzugänglich 'ʊntsu:gɛŋlɪç
unzukömmlich 'ʊntsu:-
kœmlɪç
unzulänglich 'ʊntsu:lɛŋlɪç
unzulässig 'ʊntsu:lɛsɪç
unzumutbar 'ʊntsu:mu:t-
ba:ɐ̯, auch: --'--
unzurechnungsfähig
'ʊntsu:rɛçnʊŋsfɛ:ɪç
unzureichend 'ʊntsu:raɪçn̩t
unzusammenhängend

'ʊntsuzamənhɛŋənt, -e
...ndə
unzuständig 'ʊntsu:ʃtɛndɪç
unzustellbar 'ʊntsu:ʃtɛlba:ɐ̯
unzuträglich 'ʊntsu:trɛ:klɪç
unzutreffend 'ʊntsu:trɛfn̩t,
-e ...ndə
unzuverlässig 'ʊntsu:fɛɐ̯lɛ-
sɪç
unzweckmäßig 'ʊntsvɛk-
mɛ:sɪç
unzweideutig 'ʊntsvaɪdɔy-
tɪç
unzweifelhaft 'ʊntsvaɪfl̩-
haft, auch: -'---
UP engl. ju:'pi:
Upanischad u'pa:niʃat, -en
upani'ʃa:dn̩
Upas 'u:pas
Update 'apde:t
Updike engl. 'ʌpdaɪk
Uperisation uperiza'tsio:n
uperisieren uperi'zi:rən
upgrade 'apgre:t
Upholland engl. ʌp'hɔlənd
UPI engl. ju:pi:'aɪ
Úpice tschech. 'u:pitsɛ
Upington engl. 'ʌpɪŋtən
Upjohn engl. 'ʌpdʒɔn
Upland 'ʊplant, engl.
'ʌplənd
Upload 'aplo:t
uploaden 'aplo:dn̩, ...d!
...o:t
Upolu engl. u:'poʊlu:
Uppdal norw. 'ʊpda:l
Upperclass 'apɛkla:s
Uppercut 'apɛkat
Upper Hut engl. 'ʌpə 'hʌt
Upperten 'apɛ'tɛn
üppig 'ʏpɪç, -e ...ɪgə
Uppland schwed. 'ʊplan[d]
Uppsala 'ʊpsala, schwed.
,ʊpsɑ:la
Upstallsboom 'ʊpstalsbo:m
up to date 'aptu'de:t
Upton engl. 'ʌptən
Upuaut u'puaʊt
Ur u:ɐ̯
Urabá span. ura'βa
Urach 'u:rax
Urahn[e] u:ɐ̯|a:n[ə]
Ural u'ra:l, russ. u'ral
uralaltaisch u'ra:l|al'ta:ɪʃ
Uralsk russ. u'raljsk
uralt 'u:ɐ̯|alt
Urämie urɛ'mi:, -n ...i:ən
urämisch u'rɛ:mɪʃ
Uran u'ra:n
Urania u'ra:nia

Uranis neugr. u'ranis
Uranismus ura'nɪsmʊs
Uranist ura'nɪst
Uranium u'ra:niʊm
Uranium City engl. juə-
'reɪnɪəm 'sɪtɪ
Uranographie uranogra'fi:
Uranolatrie uranola'tri:
Uranologie uranolo'gi:
Uranometrie uranome'tri:
Uranos 'u:ranɔs
Uranoskop urano'sko:p
Uranoskopie uranosko'pi:
Uranus 'u:ranʊs
urartäisch urar'tɛ:ɪʃ
Urartu ur'artu
urassen 'u:rasn̩
Urat u'ra:t
uraufführen 'u:ɐ̯,|aʊffy:rən
Uräus u'rɛ:ʊs
Urawa jap. u'rawa
Urbach u'ɐ̯bax
Urbain fr. yr'bɛ̃
urban ʊr'ba:n
Urban 'ʊrba:n, engl. 'ə:bən,
slowak. 'urban
Urbana engl. ə:'bænə
Urbandale engl. 'ə:bəndeɪl
Urbanisation ʊrbaniza-
'tsio:n
urbanisieren ʊrbani'zi:rən
Urbanistik ʊrba'nɪstɪk
Urbanität ʊrbani'tɛ:t
Urbanitzky ʊrba'nɪtski
Urbanus ʊr'ba:nʊs
urbar u'ɐ̯ba:ɐ̯
Urbar ʊr'ba:ɐ̯, auch: 'u:ɐ̯ba:ɐ̯
urbarial ʊrba'ria:l
urbarisieren ʊrbari'zi:rən
Urbarium ʊr'ba:riʊm, ...ien
...iən
urbi et orbi 'ʊrbi ɛt 'ɔrbi
Urbino it. ʊr'bi:no
Urbs aeterna 'ʊrps ɛ'tɛrna
urchig 'ʊrçɪç, -e ...ɪgə
Urd ʊrt
urdeutsch 'u:ɐ̯dɔytʃ
Urdinger 'y:rdɪŋɐ
Urdorf 'u:ɐ̯dɔrf
Urdu 'ʊrdu
Urdunn ʊr'dʊn
Ure engl. jʊə
Urea 'u:rea
Urease ure'a:zə
Ureat ure'a:t
Ureche rumän. u'reke
Uredosporen u're:doʃpo:-
rən
Ureid ure'i:t, -e ...i:də
ureigen 'u:ɐ̯'laɪgn̩

ureigentümlich 'uːɐ̯-
　'laignty:mlıç
Ureltern 'uːɐ̯|ɛltɐn
Urenkel 'uːɐ̯|ɛŋkl̩
Ureometer ureoˈmeːtɐ
Urese uˈreːzə
Ureter uˈreːtɐ, -en ureˈteː-
　rən
Ureteritis ureteˈriːtıs, ...iti-
　den ...riˈtiːdn̩
Urethan ureˈtaːn
Urethra uˈreːtra
urethral ureˈtraːl
Urethralgie uretralˈgiː, -n
　...iːən
Urethrismus ureˈtrısmʊs
Urethritis ureˈtriːtıs, ...iti-
　den ...riˈtiːdn̩
Urethrodynie uretrodyˈniː,
　-n ...iːən
Urethrorrhö, ...öe ure-
　troˈrøː, ...rrhöen ...ˈrøːən
Urethroskop uretroˈskoːp
Urethrotomie uretrotoˈmiː,
　-n ...iːən
Urethrozele uretroˈtseːlə
uretisch uˈreːtıʃ
Urewe engl. ʊˈreıweı
urewig 'uːɐ̯ˈleːvıç
Urey engl. ˈjʊərı
Urfa türk. ˈurfɑ
Urfahr 'uːɐ̯faːɐ̯
Urfé fr. yrˈfe
Urfehde 'uːɐ̯feːdə
Urfey, d' engl. ˈdəːfı
Urft urft
Urga ˈurga
Urgel span. urˈxɛl
urgemütlich 'uːɐ̯gəˈmyːtlıç
urgent urˈgɛnt
Urgentsch russ. urˈgjentʃ
Urgenz urˈgɛnts
urgermanisch 'uːɐ̯gɛrmaː-
　nıʃ
Urgeschichte 'uːɐ̯gəʃıçtə
Urgeschichtler 'uːɐ̯gəʃıçtlɐ
urgieren urˈgiːrən
Urgroßeltern 'uːɐ̯ˌgroːs-
　|ɛltɐn
Urgroßmutter 'uːɐ̯ˌgroːs-
　mʊtɐ
Urgüp türk. ˈyrgyp
Urheber 'uːɐ̯heːbɐ
Urhidrose uːɐ̯hiˈdroːzə
Urho finn. ˈurhɔ
Uri 'uːri
Uria uˈriːa
Urian 'uːrjaːn
Urias uˈriːas
Uridrose uriˈdroːzə

Uriel 'uːrjeːl, auch: ...jɛl
urig 'uːrıç, -e ...ıgə
Urija uˈriːja
Urikämie urikɛˈmiː
Urin uˈriːn
urinal, U... uriˈnaːl
urinieren uriˈniːrən
urinös uriˈnøːs, -e ...øːzə
Uris engl. ˈjʊərıs
Urjupinsk russ. uˈrjupınsk
urkomisch 'uːɐ̯ˈkoːmıʃ
Urkunde 'uːɐ̯kʊndə
urkundlich 'uːɐ̯kʊntlıç
Úrkút ung. 'uːrkuːt
Urlaub 'uːɐ̯laup, -e 'uːɐ̯laubə
Urlinde ʊrˈlındə
Urmia[see] 'urmja[zeː]
Urmston engl. 'əːmstən
Urne 'urnə
Urner 'urnɐ
urnerisch 'urnərıʃ
Urnes norw. ˌuːrneːs
Urninde ʊrˈnındə
Urning 'urnıŋ
urnisch 'urnıʃ
Urobilin urobiˈliːn
Urobilinogen urobilinoˈgeːn
Urobilinurie urobilinuˈriː
Uroboros uˈroːbɔrɔs
Urochesie uroçeˈziː, -n
　...iːən
Urochrom uroˈkroːm
Urodynie uroˈdyˈniː, -n
　...iːən
urogenital urogeniˈtaːl
Urohämatin urohɛmaˈtiːn
Urolalie urolaˈliː, -n ...iːən
Urolith uroˈliːt
Urolithiasis uroliˈtiːazıs,
　...asen ...ˈtjaːzn̩
Urologe uroˈloːgə
Urologie uroloˈgiː
Uromelanin uromelaˈniːn
Urometer uroˈmeːtɐ
Uromyzeten uromyˈtseːtn̩
Urondo span. uˈrɔndo
Uropenie uropeˈniː, -n
　...iːən
Urophilie urofiˈliː
Urophobie urofoˈbiː, -n
　...iːən
Uropolemie uropoleˈmiː
Urosepsis uroˈzɛpsıs
Uroševac serbokr. uˈrɔːʃɛ-
　vats
Uroskopie uroskoˈpiː, -n
　...iːən
urplötzlich 'uːɐ̯ˈplœtslıç
Urquhart engl. 'əːkət

Urraca span. uˈrraka, port.
　...kɐ
Urs urs
Ursache 'uːɐ̯zaxə
ursächlich 'uːɐ̯zɛçlıç
Urschel 'urʃl
urschen 'urʃn̩
Urschweiz 'uːɐ̯ʃvaits
Ursel[mann] 'orzl̩[man]
Urseren[tal] 'urzərən[taːl]
Ursina ʊrˈziːna
Ursinus ʊrˈziːnʊs
Ursner 'ursnɐ
Ursprung 'uːɐ̯ʃprʊŋ
ursprünglich 'uːɐ̯ʃpryŋlıç,
　auch: -'--
urst uːɐ̯st
Urständ 'uːɐ̯ʃtɛnt
Ursula 'urzula
Ursuleac rumän. ursuˈlɛak
Ursuline ʊrzuˈliːnə
Ursulinerin ʊrzuˈliːnərın
Ursus 'urzʊs, poln. 'ursus
Urteil 'urtail
Ur-Teil 'uːɐ̯tail
urteilen 'urtailən
Urteilchen (Physik) 'uːɐ̯tail-
　çən
Urtika ʊrˈtiːka, ...kä ...kɛ
Urtikaria urtiˈkaːrja
urtümlich 'uːɐ̯tyːmlıç
Uruapan span. uˈruapan
Urubamba span. uruˈβamba
Uru[bu] 'uːruˈbu]
Uruguai bras. uruˈguai
Uruguaiana bras. uru-
　guaˈiɐna
Uruguay 'uːrugvai, 'ʊr...,
　uruˈguai, span. uruˈγuai
Uruguayer 'uːrugvaiɐ, 'ʊr...,
　uruˈguaiɐ
uruguayisch 'uːrugvaiıʃ,
　'ʊr..., uruˈguaiıʃ
Uruk 'uːrʊk
Urumtschi uˈrʊmtʃi,
　urʊmˈtʃi:
Ururahn 'uːɐ̯luːɐ̯laːn
Urvater 'uːɐ̯faːtɐ
urverwandt 'uːɐ̯fɛɐ̯vant
Urville fr. yrˈvil
Urwald 'uːɐ̯valt
Urwelt 'uːɐ̯vɛlt
Ury 'uːri
Urzidil 'urtsidıl
US uːˈlɛs, engl. juːˈɛs
USA uːlɛsˈlaː, engl. juːɛsˈeı
Uşak türk. 'uʃak
Usakos 'uːzakɔs
Usambara uzamˈbaːra

US-amerikanisch u:'ɛs-
ǀamerika:nɪʃ
Usance y'zã:s, -n ...sn̩
Usanz u'zants
Usbeke ʊs'be:kʊ
usbekisch ʊs'be:kɪʃ
Usbekistan ʊs'be:kista[:]n,
russ. uzbɪkis'tan
Uschak 'ʊʃak
Uschakow russ. uʃa'kɔf
Uschanka ʊ'ʃaŋka
Uschebti ʊ'ʃɛpti
Uschgorod russ. 'ʊʒgɐʀɐt
Usch[k]i 'ʊʃ[k]i, ʊʃ'ki:
Usedom 'u:zədɔm
Usen russ. u'zjenj
User 'ju:zɐ
Userkare uzɛrka're:
Usher engl. 'ʌʃə
Ushuaia span. u'suaja
Usie u'zi:, -n ...i:ən
Usiel 'u:zi̯e:l, auch: ...i̯ɛl
Usigli span. u'siɣli
Usingen 'u:zɪŋən
Usinger 'u:zɪŋɐ
Uspeter u'zi:petɐ
Uskoke ʊs'kɔkə
Üsküdar türk. 'yskydɑr
Uslar 'ʊslar, span. uz'lar
Uslowaja russ. uzla'vajɐ
Usnea barbata 'ʊsnea bar-
'ba:ta
Uso 'u:zo
Uspallata span. uspa'ʎata
Uspenski russ. us'pjɛnskij
Ussé fr. y'se
Ussher engl. 'ʌʃə
Ussinsk russ. u'sinsk
Ussolje russ. u'sɔlje
USSR u:|ɛs|ɛs'|ɛr
Ussuri russ. ɑs'suri
Ussurisk russ. ussu'rijsk
Ustascha 'ʊstaʃa
Ustaw ʊs'taf
Uster 'ʊstɐ
Usteri 'ʊstəri
Ustí tschech. 'u:stji:
Ustica it. 'ustika
Ustilago ʊsti'la:go
Ust-Ilimsk russ. ustji'limsk
Ustin[ow] russ. us'tin[ɐf]
Ustinov engl. '[j]u:stɪnɔf
Ust-Kamenogorsk russ.
ustjkɐmɪna'gɔrsk
Ust-Ordynski russ. ustjar-
'dɪnskij
U-Strab 'u:ʃtra[:]p
Üstün türk. ys'tyn
Ust-Urt russ. us'tjurt
usuell u'zu̯ɛl

Usukapion uzuka'pi̯o:n
Usulután span. usulu'tan
Usumacinta span. usuma-
'θinta
Usumbura uzʊm'bu:ra, fr.
uzumbu'ra
Usur u'zu:ɐ̯
Usurpation uzʊrpa'tsi̯o:n
Usurpator uzʊr'pa:to:ɐ̯, -en
...pa'to:rən
usurpatorisch uzʊrpa'to:rɪʃ
usurpieren uzʊr'pi:rən
Usus 'u:zʊs
Ususfruktus u:zʊs'frʊktʊs
ut ʊt, fr. yt
Uta 'u:ta
Utah 'ju:ta, engl. 'ju:tɑ:
Utamaro jap. u'tamaro
Ute 'u:tə, engl. 'ju:t[ɪ]
Utensil utɛn'zi:l, -ien .. i̯ən
uterin ute'ri:n
Uterus 'u:terʊs, ...ri ...ri
Utgard 'u:tgart
U Thant u'tant
Utica 'u:tika, engl. 'ju:tɪkə
utilisieren utili'zi:rən
Utilismus uti'lɪsmʊs
utilitär utili'tɛ:ɐ̯
Utilitarier utili'ta:ri̯ɐ
Utilitarismus utilita'rɪsmʊs
Utilitarist utilita'rɪst
Utilität utili'tɛ:t
ut infra ʊt 'ɪnfra
Utlande 'u:tlandə
Uto 'u:to
Utopia u'to:pi̯a
Utopie uto'pi:, -n ...i:ən
utopisch u'to:pɪʃ
Utopismus uto'pɪsmʊs
Utopist uto'pɪst
Utraquismus utra'kvɪsmʊs
Utraquist utra'kvɪst
Utrecht 'u:trɛçt, niederl.
'ytrɛxt
Utrechter 'u:trɛçtɐ
Utrera span. u'trera
Utricularia utriku'la:ri̯a
Utrillo u'trɪljo, fr. ytri'jo
Utrum 'u:trʊm, ...ra ...ra
Utsjoki finn. 'utsjɔki
Utsunomija jap. u'tsuno-
mija
ut supra ʊt 'zu:pra
Utta 'ʊta
Uttar Pradesch engl. 'ʊtə
prə'deɪʃ
Utterance engl. 'ʌtərəns
Uttmann 'ʊtman
Utuado span. u'tu̯aðo

Utz ʊts
Utzon dän. 'udsɔn
Uusimaa finn. 'u:sima:
Uvachromie uvakro'mi:
Uvagras 'u:vagra:s
Uvala u'va:la
Uvalde engl. ju:'vældɪ
Uvioglas® u'vi̯o:lgla:s
Uvula 'u:vula, ...lae ...lɛ
uvular, U... uvu'la:ɐ̯
Uwarowit uvaro'vi:t
Uwarowo russ. u'varɐvɐ
Uwe 'u:və
Uxbridge engl. 'ʌksbrɪdʒ
Uxmal span. uz'mal
Uyo engl. 'u:jɔ:
Uys afr. œys
Uyuni span. u'juni
Uz u:ts
uzen 'u:tsn̩
Uzerei u:tsə'rai̯
Uzès fr. y'zɛs
Užice serbokr. 'uʒitsɛ
Uznach 'ʊtsnax
Uzunköprü türk. u'zunkœ-
ˌpry
Uzwil 'ʊtsvi:l

V

v, V fau, engl. vi:, fr. ve, it.
vu, span. be,'uβe
Vaa norw. vo:
Vaal va:l, engl. va:l, afr. fɑ:l
Vaals niederl. va:ls
Vaara finn. 'va:ra
Vaarandi estn. 'va:randi
Vaasa finn. 'va:sa
va banque, Vabanque
va'bã:k
Vác ung. va:ts
Văcărescu rumän. vəkə-
'resku
Văcăroiu rumän. vəkə'roi̯u
vacat 'va:kat
Vacaville engl. 'vækəvɪl
Vaccarès fr. vaka'rɛs
Vaccination vaktsina'tsi̯o:n
Vaccine vak'tsi:nə
Vacha 'faxa
Vachek tschech. 'vaxɛk
Vacheleder 'vaʃle:dɐ

Vacherin vaʃəˈrɛ̃:
Vachetten vaˈʃɛtn̩
vacillando vatʃiˈlando
Václav *tschech.* ˈvaːtslaf
Vaculík *tschech.* ˈvatsuliːk
Vădastra *rumän.* vəˈdastra
Vadder *niederl.* ˈvadər
Vademekum vadeˈmeːkʊm
Vadianus vaˈdiaːnʊs
Vadim *fr.* vaˈdim
Vadium ˈvaːdiʊm, ...**ien**
...ĭən
Vadodara *engl.* vəˈdoʊdərə
vados vaˈdoːs, -e ...oːzə
Vadsø *norw.* ˌvatsø
Vaduz faˈdʊts, *auch:*
vaˈduːts
Vaet *niederl.* vaːt
vae victis! ˈvɛː ˈvɪktiːs
vag vaːk, -e ˈvaːgə
Vág *ung.* vaːg
Vagabondage vagabɔn-
ˈdaːʒə
Vagabund vagaˈbʊnt, -en
...ndn̩
vagabundieren vagabʊn-
ˈdiːrən
Vagans ˈvaːgans
Vagant vaˈgant
Vágar *fär.* ˈvɔːar
vage ˈvaːgə
vagieren vaˈgiːrən
vagil vaˈgiːl
Vagilität vagiliˈtɛːt
Vagina vaˈgiːna, *auch:*
ˈvaːgina
vaginal vagiˈnaːl
Vaginismus vagiˈnɪsmʊs
Vaginitis vagiˈniːtɪs, ...**iti**-
den ...niˈtiːdn̩
Vaginoskopie vagino-
skoˈpiː, -n ...iːən
Vagotomie vagotoˈmiː, -n
...iːən
Vagotonie vagotoˈniː, -n
...iːən
Vagotoniker vagoˈtoːnikɐ
Vagotonikum vagoˈtoːni-
kʊm, ...**ka** ...ka
vagotrop vagoˈtroːp
Vagus ˈvaːgʊs
Váh *tschech., slowak.* vaːx
Vaičiulaitis *lit.* vaitʃjʊˈlaːitɪs
Vaihingen ˈfaiŋən
Vaihinger (Philosoph)
ˈfaiŋɐ, ˈvai...
Vailland, ...**nt** *fr.* vaˈjã
Vair *fr.* vɛːr
Vaishnava ˈvaiʃnava
Vaishya ˈvaiʃja

Vaison-la-Romaine *fr.*
vezõlarɔˈmɛn
Vaižgantas *lit.* ˌvaiʒgantas
Vajanský *slowak.* ˈvaianski:
Vajda *ung.* ˈvɔjdɔ
Vajrayana vadʒraˈjaːna
vakant vaˈkant
Vakanz vaˈkants
vakat, V... ˈvaːkat
Vakuf *serbokr.* ˌvakuf
Vakuole vaˈkuoːlə
Vakuum ˈvaːkuʊm, **Vakua**
ˈvaːkua
vakuumieren vakuuˈmiːrən
Vakuummeter ˈvaːkuʊm-
meːtɐ, vakuʊmˈmeːtɐ
Vakzin vakˈtsiːn
Vakzination vaktsinaˈtsioːn
Vakzine vakˈtsiːnə
vakzinieren vaktsiˈniːrən
Val (Grammmenge) vaːl
Vál *ung.* vaːl
Vala *finn.* ˈvala
Valadon *fr.* valaˈdõ
Valais *fr.* vaˈlɛ
Valand ˈfaːlant, -es ...ndəs
Valašské Meziříčí *tschech.*
ˈvalaʃskɛː ˈmɛzirʒiːtʃi:
Val-Bélair *fr.* valbeˈlɛːr
Valckenborch, ...rgh *nie-*
derl. ˈvalkənbɔrx
Valcour ˈvalkuːɐ̯, *engl.* vælˈ
ˈkuə
Val d'Aosta *it.* ˈval daˈɔsta
Val-de-Grâce *fr.* valdəˈgraːs
Valdelomar *span.* baldelo-
ˈmar
Valdepeñas *span.* baldeˈpe-
ɲas
Valderrábano *span.* baldɛ-
ˈrraβano
Valdes *engl.* ˈvɑːldɛs
Valdés *span.* balˈdes
Valdez *engl.* vælˈdiːz
Val-d'Isère *fr.* valdiˈzeːr
Valdivia valˈdiːvia, *span.*
balˈdiβia
Val-d'Oise *fr.* valˈdwaːz
Val d'Or *fr.* valˈdɔːr
Valdosta *engl.* vælˈdɔstə
Valdres *norw.* ˈvaldrəs
vale! ˈvaːle
Vale *engl.* veɪl, *port.* ˈvalə
Valediktion valedɪkˈtsioːn
valedizieren valediˈtsiːrən
Válek *slowak.* ˈvaːlɛk
Valen *norw.* ˈvaːlən
Valença *port.* vɐˈlẽsɐ, *bras.*
vaˈlẽsa
Valençay *fr.* valãˈsɛ

Valence *fr.* vaˈlãːs
Valencia vaˈlɛntsia, *auch:*
vaˈlɛnsia; *span.* baˈlenθia,
engl. vəˈlɛnʃiə
Valenciennes *fr.* valãˈsjɛn
Valens ˈvaːlɛns
Valente *it.* vaˈlɛnte, *span.*
baˈlente
Valentia vaˈlɛntsia, *it.*
vaˈlɛntsia, *engl.* vəˈlɛnʃiə
Valentigney *fr.* valãtiˈɲɛ
¹Valentin (Name) ˈvaːlɛn-
tiːn, *fr.* valãˈtɛ̃
²Valentin (Komiker) ˈfalɛn-
tiːn
Valentine valɛnˈtiːnə, *fr.*
valãˈtin, *engl.* ˈvæləntaɪn,
...tɪn
Valentinian valɛntiˈniaːn
Valentino *it.* valɛnˈtiːno
Valentinus valɛnˈtiːnʊs
Valenz vaˈlɛnts
Valera *span.* baˈlera
Valera, de *engl.* dəvəˈlɛərə
Valère *fr.* vaˈlɛːr
Valeri *it.* vaˈlɛːri
Valeria vaˈleːria
Valerian valeˈriaːn, *auch:*
vaˈleːriaːn
Valeriana valeˈriaːna
Valeriane valeˈriaːnə
Valeriat valeˈriaːt
Valerie vaˈleːriə
Valérie *fr.* valeˈri
Valérien, Mont *fr.* mõvaː
leˈrjɛ̃
Valerio *it.* vaˈlɛːrio
Valerius vaˈleːriʊs, *niederl.*
vaˈleːriʏs
Valéry *fr.* valeˈri
Valeska vaˈlɛska
¹Valet (Lebewohl) vaˈlɛt,
vaˈleːt
²Valet (Kartenspiel) vaˈleː
valete! vaˈleːtə
valetieren valeˈtiːrən
Valeur vaˈløːɐ̯
Vali *türk.* ˈvaːli
Valiant *engl.* ˈvæliənt
valid vaˈliːt, -e ...iːdə
Validation validaˈtsioːn
validieren valiˈdiːrən
Validität validiˈtɛːt
Valier vaˈliːe
valieren vaˈliːrən
Valin vaˈliːn
Valinda *engl.* vəˈlɪndə
Valjevo *serbokr.* ˈvaːljevɔ
Valkeakoski *finn.* ˈvalkɛa-
kɔski

Valkenauer ˈfalkənaup
Valkenburg *niederl.* ˈvalkənbyrx
Valkenswaard *niederl.* valkənsˈwaːrt
Valla *it.* ˈvalla
Valladolid *span.* baʎaðoˈlið
Vallauris *fr.* valɔˈris
Valle *it.* ˈvalle, *span.* ˈbaʎe
Valle d'Aosta *it.* ˈvalle daˈɔsta
Valle de la Pascua *span.* ˈbaʎe ðe la ˈpaskua
Valle del Cauca *span.* ˈbaʎe ðɛl ˈkauka
Valledupar *span.* baʎeðuˈpar
Vallée *fr.* vaˈle
Valle-Inclán *span.* ˈbaʎeiŋˈklan
Vallejo *span.* baˈʎɛxo, *engl.* vəˈleiou
Vallenar *span.* baʎeˈnar
Vallendar ˈfaləndar
Vallentin ˈvaləntiːn
Vallentuna *schwed.* ˌvaləntɐːna
vallera! faləˈraː, va...
valleri, vallera! faləˈriː, faləˈraː, *auch:* va... va...
Vallès *fr.* vaˈlɛs
Vallet *fr.* vaˈlɛ
Valletta vaˈlɛta, *it.* valˈletta, *engl.* vəˈlɛtə
Valley[field] *engl.* ˈvælɪ[fiːld]
Valley Stream *engl.* ˈvælɪ ˈstriːm
Vallisneri *it.* vallizˈnɛːri
Vallisneria valɪsˈneːria, ...ien ...iən
Vallois *fr.* vaˈlwa
Vallombrosa *it.* vallomˈbroːsa
Vallone *it.* valˈloːne
Vallorbe *fr.* vaˈlɔrb
Vallot *fr.* vaˈlo
Vallot[t]on *fr.* valɔˈtõ
Valmore *fr.* valˈmɔːr
Valmy *fr.* valˈmi
Valnera *span.* balˈnera
Valois *fr.* vaˈlwa
Valona *it.* vaˈloːna
Valor ˈvaːloːp, **-en** vaˈloːrən
Valorisation valorizaˈtsioːn
valorisieren valoriˈziːrən
Valparaiser valparaˈiːzɐ
Valparaiso valparaˈiːzo, *engl.* vælpəˈraɪzou
Valparaíso *span.* balparaˈiso

Valpolicella *it.* valpoliˈtʃɛlla
Vals (Schweiz) vals
Valsalva *it.* valˈsalva
Valsgärde *schwed.* ˌvalsˈjæːrdə
Valtellina *it.* valtelˈliːna
Valuta vaˈluːta
valutieren valuˈtiːrən
Valvassori valvaˈsoːrən
Valvation valvaˈtsioːn
Valve *engl.* vælv
Valverde *span.* balˈβɛrðe, *it.* valˈverde
valvieren valˈviːrən
Vámoš *slowak.* ˈvaːmɔʃ
Vamp vɛmp
Vampir ˈvampiːɐ, vamˈpiːɐ
Vampire *engl.* ˈvæmpaɪə
Vampirismus vampiˈrɪsmus
van van, fan, *niederl.* van
Van *engl.* væn, *türk.* van
Vanadat vanaˈdaːt
Vanadin vanaˈdiːn
Vanadinit vanadiˈniːt
Vanadium vaˈnaːdiʊm
Van-Allen-... *engl.* vænˈælən...
Vanbrugh *engl.* ˈvænbrə, vænˈbruː
Van Buren *engl.* vænˈbjuərən
Vance *engl.* vɑːns, væns
Vancouver *engl.* vænˈkuːvə
Vančura *tschech.* ˈvantʃura
Vandale van'daːlə
Vandalia *engl.* vænˈdeɪliə
vandalisch van'daːlɪʃ
Vandalismus vandaˈlɪsmus
Vandenberg *engl.* ˈvændənbəːg
Vandenhoeck ˈfandn̩huːk
Vanderbijlpark *afr.* fandərˈbeilpark
Vanderbilt *engl.* ˈvændəbɪlt
Van der Meersch *fr.* vɑːdɛrˈmɛrʃ
Vandermonde *fr.* vɑːdɛrˈmõːd
Vandervelde *niederl.* vandərˈvɛldə
Van Diemen *niederl.* vanˈdiːmə, *engl.* vænˈdiːmən
Vandœuvre-lès-Nancy *fr.* vɑːdœvrəlɛnãˈsi
Van Doren *engl.* vænˈdɔːrən
Van Druten *engl.* vænˈdruːtn̩
van Dyck fan ˈdaik, van -; *niederl.* vanˈdɛik
Vane *engl.* vein

Vanen ˈvaːnən
Vänern *schwed.* ˌvɛːnərn, ˈ--
Vänersborg *schwed.* vɛːnərsˈbɔrj
Vänersee ˈvɛːnɐze:
Vanessa vaˈnɛsa, *engl.* vəˈnɛsə
Vangione vaŋˈgioːnə
Van gölü *türk.* ˈvan gœˈly
Vanguard *engl.* ˈvængaːd
Vaňhal *tschech.* ˈvanjhal
Vanier *fr.* vaˈnje, *engl.* ˈvænjeɪ
vanille, V... vaˈnɪljə, vaˈnɪlə
Vanillin vanɪˈliːn
Van Itallie *engl.* vænˈɪtəlɪ
vanitas vanitatum ˈvaːnitas vaniˈtaːtʊm
Vanloo *fr.* vãˈlo
Van Loon *engl.* vænˈluːn
Vanne[s] *fr.* van
Vanni *it.* vanni
Vannucci *it.* vanˈnuttʃi
Vanoise *fr.* vaˈnwaːz
Van Rensselaer *engl.* vænˈrɛnsələ
Vansen ˈfanzn̩
Vansittart *engl.* vænˈsɪtət
Vantaa *finn.* ˈvanta:
van't Hoff *niederl.* vanət ˈhɔf
Vantongerloo *niederl.* vantɔŋərlo
Van Tyne *engl.* vænˈtaɪn
Vanua Lava, - Levu *engl.* vaːˈnuːə ˈlaːvə, - ˈlɛvu:
Vanuatu *engl.* vaˈnuˈaːtu:
Van Vechten *engl.* vænˈvɛktən
Vanves *fr.* vãːv
Vanvitelli *it.* vanviˈtɛlli
Van Vleck *engl.* vænˈvlɛk
Van Wert *engl.* vænˈwəːt
Vanzetti *it.* vanˈtsetti
Vapeurs vaˈpøːɐs
Vaporetto vapoˈrɛto, ...tti ..ti
Vaporimeter vaporiˈmeːtɐ
Vaporisation vaporizaˈtsioːn
vaporisieren vaporiˈziːrən
¹Vaquero (Cowboy) vaˈkeːro
²Vaquero[s] *span.* baˈkero[s]
Var *fr.* vaːr
Varady *ung.* ˈvɔrɔdi
Varanasi *engl.* vəˈrɑːnəsɪ

Varangerfjord 'va:raŋɐ-
fjɔrt, *norw.* va'raŋɐrfjuːr
Varaždin *serbokr.* va,raʒdiːn
Varberg *schwed.* ,vɑ:rbærj
Varchi *it.* 'varki
Varda *fr.* var'da
Várda *ung.* 'va:rdɔ
Vardar *mak.* 'vardar
Varde *dän.* 'vaɐ̯dǝ
Vardø *norw.* ,vardø
Varè *it.* va'rɛ
Varel 'fa:rǝl
Varela *span.* ba'rela
Varende *fr.* va'rã:d
Varenius va're:njʊs
Varenne[s] *fr.* va'rɛn
Varese *it.* va're:se
Varèse *fr.* va'rɛ:z
Varg[h]a *ung.* 'vɔrgɔ
Vargas *span.* 'barɣas, *bras.*
'vargas
Varginha *bras.* var'ʒiɲa
Varia 'va:rɪa
variabel va'rɪa:bl̩, ...ble
...blǝ
Variabilität var,ɪabili'tɛ:t
Variable va'rɪa:blǝ
variant va'rɪant
Variante va'rɪantǝ
Varianz va'rɪants
variatio delectat va'rɪa:tsɪo
de'lɛktat
Variation varɪa'tsɪo:n
variativ varɪa'ti:f, -e ...ɪ:vǝ
Variator va'rɪa:to:ɐ̯, -en
...ɪa'to:rǝn
Varietät varɪe'tɛ:t
Varietee, ...iété varɪe'te:
Varignon *fr.* vari'ɲõ
variieren vari'i:rǝn
varikös vari'kø:s, -e ...ø:zǝ
Varikose vari'ko:zǝ
Varikosität varikozi'tɛ:t
Varikozele variko'tse:lǝ
Varin *fr.* va'rɛ̃
Varinas 'va:rinas, va'ri:nas
Väring *schwed.* ,væ:riŋ
Vario... 'va:rɪo...
Variograph varɪo'gra:f
Variola va'ri:ola; ...lä ...lɛ,
...len va'rɪo:lǝn
Variolation varɪola'tsɪo:n
Variole va'rɪo:lǝ
Variometer varɪo'me:tɐ
variskisch va'rɪskɪʃ
varistisch va'rɪstɪʃ
Varistor va'rɪsto:ɐ̯, -en
...'to:rǝn
variszisch va'rɪstsɪʃ
Variszit varɪs'tsi:t

Varityper 'vɛritaɪpɐ
Varius 'va:rɪʊs
Varix 'va:rɪks, ...izen
va'ri:tsn̩
Varize va'ri:tsǝ
Varizelle vari'tsɛlǝ
Varkaus *finn.* 'vɑrkaus
Varley *engl.* 'va:lɪ
Varlin 'fa:ɐ̯li:n
Värmland *schwed.* 'værm-
lan[d]
Värnamo *schwed.* ,væ:r-
namu:
Varnay 'varnaɪ
Varnhagen 'farnha:gn̩
Värnlund *schwed.* ,væ:rn-
lʊnd
Varnsdorf *tschech.* 'varnz-
dɔrf
Varona *span.* ba'rona
Várpalota *ung.* 'va:rpɔlotɔ
Varro 'varo
Vars *fr.* va:r
Varsinais-Suomi *finn.* 'vɑr-
sinaɪssʊomi
Varsovienne varzo'vɪɛn, -n
...nǝn
Varta® 'varta
Vartio *finn.* 'vartɪo
Varuna 'va:runa
Varus 'va:rʊs
Varviso var'vi:zo
Vas *ung.* vɔʃ
Vasa *schwed.* ,vɑ:sa
vasal va'za:l
Vasalis *niederl.* va'za:lɪs
Vasall va'zal
Vasallität vazali'tɛ:t
Vasarély *fr.* vazare'li
Vasari *it.* va'za:ri
Väschen 'vɛ:sçǝn
Vasco da Gama 'vasko da
'ga:ma, *port.* 'vaʃku ðɐ
'ɣɐmɐ, *bras.* 'vasku da
'ɡɐma
Vasconcelos *port.* vɐʃkõ'sɛ-
luʃ, *bras.* vaskõ'sɛlus, *span.*
baskon'θelos
Vascongadas *span.* baskoŋ-
'ɡaðas
Vascuence *span.*
bas'kɥenθe
Vase 'va:zǝ
Vasektomie vazɛkto'mi:, -n
...i:ǝn
Vaselin[e] vaze'li:n[ǝ]
Vasenol® vaze'no:l
Vasile *rumän.* va'sile
vaskular vasku'la:ɐ̯
vaskulär vasku'lɛ:ɐ̯

Vaskularisation vaskulari-
za'tsɪo:n
vaskulös vasku'lø:s, -e
...ø:zǝ
Vaslui *rumän.* vas'luɪ
Vasmer 'fasmɐ
Vasodilatator vazodila'ta:-
to:ɐ̯, -en ...ta'to:rǝn
Vasokonstriktor vazokon-
'strɪkto:ɐ̯, -en ...'to:rǝn
Vasoligatur vazoliga'tu:ɐ̯
Vasomotion vazomo'tsɪo:n
Vasomotoren vazomo'to:-
rǝn
vasomotorisch vazomo'to:-
rɪʃ
Vasoneurose vazonɔy'ro:zǝ
Vasoplegie vazople'gi:, -n
...i:ǝn
Vasopressin vazoprɛ'si:n
Vasotomie vazoto'mi:, -n
...i:ǝn
Vassar *engl.* 'væsǝ
Vassé *fr.* va'se
vast vast
Vastation vasta'tsɪo:n
Västerås *schwed.* vɛstǝr'o:s
Västerbotten *schwed.* ,vɛs-
tǝrbotǝn
Västergötland *schwed.* ,vɛs-
tǝrjø:tlan[d]
Västernorrland *schwed.*
,vɛstǝrnɔrlan[d]
Västervik *schwed.* ,vɛstǝr-
vi:k
Västmanland *schwed.* 'vɛst-
manlan[d]
Vasvár *ung.* ,vɔʃva:r
Vaszar[y] *ung.* 'vɔsɔr[i]
Vatan *türk.* vɑ'tan
Vater 'fa:tɐ, **Väter** 'fɛ:tɐ
Väterchen 'fɛ:tɐçǝn
Vaterland 'fa:tɐlant
väterlich 'fɛ:tɐlɪç
Vatersbruder 'fa:tɐsbru:dɐ
Vaterunser fa:tɐ'lʊnzɐ,
auch: '‒‒'‒‒
Vati 'fa:ti
Vaticana *it.* vati'ka:na
Vaticano *it.* vati'ka:no
Vatikan vati'ka:n
Vatikanum vati'ka:nʊm
Vatizinium vati'tsi:nɪʊm,
...ien ...ǝn
Vatnajökull *isl.* 'vahtnajœ:-
kʏdl
Vatra Dornei *rumän.* 'vatra
'dorneɪ
Vattel 'fatl̩
Vättern *schwed.* 'vɛtɐrn

Vättersee 'vɛtɐze:
Vattina ung. 'vɔttinɔ
Vauban fr. vo'bã
Vaucanson fr. vokã'sõ
Vaucluse fr. vo'kly:z
Vaud fr. vo
Vaudémont fr. vode'mõ
Vaudeville vodə'vi:l, vo:t'vɪl
Vaudreuil fr. vo'drœj
Vaugelas fr. vo'ʒlɑ
Vaughan engl. vɔ:n
Vaugoin fr. vo'gwɛ̃
Vaupés span. bau'pes
Vauquelin de la Fresnaye fr. voklɛ̃dlafrɛ'nɛ
Vaut[h]ier fr. vo'tje
Vauvenargues fr. vov'narg
Vaux engl. vɔ:z, vɔks, vɔ:ks, vouks, fr. vo
Vauxhall engl. 'vɔks[h]ɔ:l
Vaux-le-Vicomte fr. volvi-'kõ:t
Vavau engl. vɑ:'vau
Vaxholm schwed. ˌvaksholm
Växjö schwed. ˌvɛkʃø:
Vaz port. vaʃ, bras. vas
vazieren va'tsi:rən
Vázquez span. 'baθkeθ
VEBA 'fe:ba
Veblen engl. 'vɛblən
Vecchi it. 'vɛkki
Vecchietta it. vek'kjetta
Vecchio it. 'vɛkkjo
Vecelli it. ve'tʃɛlli
Vecellio it. ve'tʃɛlljo
Vechta 'fɛçta
Vechte 'fɛçtə
Veda 've:da
Vedette ve'dɛtə
vedisch 've:dɪʃ
Vedova it. 've:dova
Vedute ve'du:tə
¹Veen fe:n
²Veen (Name) niederl. ve:n
Veendam niederl. ve:n'dɑm
Veenendaal niederl. 've:nənda:l
Veere niederl. 've:rə
Veerhoff 'fe:ɐhɔf
Vefsn norw. 'vɛfsən
Vega 've:ga, span. 'beɣa
Vega Alta, - Baja span. 'beɣa 'alta, - 'βaxa
vegan ve'ga:n
Veganer ve'ga:nɐ
Veganismus vega'nɪsmʊs
Vegesack 'fe:gəzak
Vegetabilien vegeta'bi:ljən
vegetabil[isch] vegeta-'bi:l[ɪʃ]

Vegetarianer vegeta'rja:nɐ
Vegetarianismus vegeta-rja'nɪsmʊs
Vegetarier vege'ta:rjɐ
vegetarisch vege'ta:rɪʃ
Vegetarismus vegeta'rɪsmʊs
Vegetation vegeta'tsjo:n
vegetativ vegeta'ti:f, -e ...i:və
vegetieren vege'ti:rən
Végh ung. ve:g
Veghe 'fe:gə
Veghel niederl. 've:ɣəl
Vegio it. 've:dʒo
Vegius 've:gjʊs
Veglia it. 'veʎʎa
vehement vehe'mɛnt
Vehemenz vehe'mɛnts
Vehikel ve'hi:kl̩
Veidt fait
Veigelein 'faigəlain
Veigerl 'faigɐl
Veil fr. vɛj
Veilchen 'failçən
Veillon fr. vɛ'jõ
Veilsdorf 'failsdɔrf
Veit fait
Veitshöchheim faits-'hø:çhaim
Veji 've:ji
Vejle dän. 'vailə
Vektor 'vɛkto:ɐ, -en ...'to:rən
vektoriell vɛkto'rjɛl
¹Vela it. 've:la, span. 'bela
²Vela vgl. Velum
Velamen ve'la:mən
Vela palatina vgl. Velum palatinum
velar, V... ve'la:ɐ
velarisieren velari'zi:rən
Velasco span. be'lasko
Velatice tschech. 'vɛlatjitsɛ
Velay fr. və'lɛ
Velazquez ve'laskɛs
Velázquez span. be'laθkeθ
Velber[t] 'fɛlbɐ[t]
Velde 'fɛldə, niederl. 'vɛldə
Veldeke 'fɛldəkə
Veldes 'fɛldəs
Veldhoven niederl. 'vɛlt-ho:və
Velebit serbokr. vɛˌlɛbit
Velehrad tschech. 'vɛlɛhrat
Velen 'fe:lən
Velence[itó] ung. 'vɛlɛn-tsɛ[ito:]
Velencer 'vɛlɛntsɐ
Velenje slowen. vɛ'le:njɛ

Veles serbokr. ˌvɛlɛs
Vélez span. 'beleθ
Velhagen 'fɛlha:gn̩
Velin ve'li:n, auch: ve'lɛ̃:
Velké Losiny tschech. 'vɛlkɛ: 'losini
Velké Meziříčí tschech. 'vɛlkɛ: 'mɛzirʒi:tʃi:
Vellberg 'fɛlbɛrk
Velleius ve'le:jʊs
Velletri it. vel'le:tri
Vellin vɛ'li:n
Vellmar 'fɛlmar
Vellore engl. vɛ'lɔ:
Velo 've:lo
veloce ve'lo:tʃə
Velodrom velo'dro:m
Velour və'lu:ɐ, auch: ve'lu:ɐ
Velours və'lu:ɐ, auch: ve'lu:ɐ, des - ...lu:ɐ[s], die - ...lu:ɐs
veloutieren vəlu'ti:rən, auch: vel...
Veloutine vəlu'ti:n, auch: vel...
Velozipedist velotsipe'dɪst
Velozipedist velotsipe'dɪst
Velpel 'fɛlpl̩
Velsen niederl. 'vɛlsə
Velten 'fɛltn̩
Veltheim 'fɛlthaim
Veltlin vɛlt'li:n, auch: fɛ...
Velum ve:lʊm, auch ve'lu:m, Vela 've:la
Velum palatinum 've:lʊm pala'ti:nʊm, Vela ...na 've:la ...na
Velutus ve'lu:tʊs
Veluwe niederl. 've:lywə
Velvet 'vɛlvət
Ven schwed. ve:n
Venado span. be'naðo
venal ve'na:l
Venantius ve'nantsjʊs
Vence fr. vã:s
Venda 'vɛnda
Vendee ve'de:
Vendée fr. vã'de
Vendeer vã'de:ɐ
Vendel schwed. 'vɛndəl
Vendemiaire väde'mjɛ:ɐ
Vendetta vɛn'dɛta
Vendôme fr. vã'do:m
Vendômois fr. vãdo'mwa
Vendsyssel dän. 'vensysl̩
Vene 've:nə
Veneder 've:nedɐ
Venedig ve'ne:dɪç
Venediger ve'ne:dɪgɐ

Veneficium vene'fi:tsiʊm,
...ia ...i̯a
Venektasie venɛkta'zi:, -n
...i:ən
venenös vene'nø:s, -e
...ø:zə
Venenum ve'ne:nʊm, ...na
...na
venerabel vene'ra:bl̩, ...ble
...blə
Venerabile vene'ra:bile
venerabilis, V... vene'ra:bi-lis
Veneration venera'tsi̯o:n
venerieren vene'ri:rən
venerisch ve'ne:rɪʃ
Venerologe venero'lo:gə
Venerologie venerolo'gi:
venerologisch venero'lo:gɪʃ
Venerophobie venerofo'bi:, -n ...i:ən
Veneter 've:netɐ
Venetia ve'ne:tsi̯a
Venetien ve'ne:tsi̯ən
Veneto it. 've:neto
Venetus 've:netʊs
Venezia ve'ne:tsi̯a, it. ve'nɛttsi̯a
Venezianer vene'tsi̯a:nɐ
venezianisch vene'tsi̯a:nɪʃ
Veneziano it. venet'tsi̯a:no
Venezolaner venetso'la:nɐ
venezolanisch venetso'la:-nɪʃ
Venezuela vene'tsu̯e:la,
span. bene'θu̯ela
Venezueler vene'tsu̯e:lɐ
venezuelisch vene'tsu̯e:lɪʃ
Venia Legendi 've:ni̯a le'gɛndi
Venice engl. 'vɛnɪs
Veni, creator spiritus!
've:ni kre'a:to:ɐ̯ 'spi:ritʊs
Veni, sancte spiritus! 've:ni 'zaŋktə 'spi:ritʊs
Vénissieux fr. veni'si̯ø
veni, vidi, vici 've:ni 'vi:di 'vi:tsi
Venlo niederl. 'vɛnlo
¹Venn fɛn
²Venn (Name) fɛn, engl. vɛn
Vennberg schwed. ˌvɛnbærj
Venne niederl. 'vɛnə
Venner 'fɛnɐ
Vennesla norw. ˌvɛnəsla
venös ve'nø:s, -e ...ø:zə
Venosta it. ve'nɔsta
Venraij niederl. 'vɛnra:i̯
Venta span. 'benta
Ventadour fr. vãta'du:r

Ventana Cave engl. vɛn-'tæna 'keɪv
Ventidius vɛn'ti:di̯ʊs
Ventil vɛn'ti:l
Ventilabro vɛnti'la:bro
Ventilation vɛntila'tsi̯o:n
Ventilator vɛnti'la:to:ɐ̯, -en ...la'to:rən
ventilieren vɛnti'li:rən
Ventimiglia it. venti'miʎʎa
Ventnor engl. 'vɛntnə
Vento 'vɛnto
Ventose, -s vã'to:s
Ventoux fr. vã'tu
ventral vɛn'tra:l
ventre à terre vã:trə a 'tɛ:ɐ̯
Ventriculus vɛn'tri:kulʊs, ...li ...li
Ventrikel vɛn'tri:kl̩
ventrikular vɛntriku'la:ɐ̯
ventrikulär vɛntriku'lɛ:ɐ̯
Ventriloquismus vɛntri-lo'kvɪsmʊs
Ventriloquist vɛntrilo'kvɪst
Ventris engl. 'vɛntrɪs
Ventura it. ven'tu:ra, engl. vɛn'tʊərə, span. ben'tura
Venturi it. ven'tu:ri, engl. vɛn'tʊəri
Venus 've:nʊs
Venuti engl. və'nu:tɪ
Vera dt., it. 've:ra, engl. 'vɪərə, span. 'bera
verabfolgen fɛɐ̯'lapfɔlgn̩
verabsolutieren fɛɐ̯-lapzolu'ti:rən
Verächter fɛɐ̯'lɛçtɐ
verächtlich fɛɐ̯'lɛçtlɪç
Veracini it. vera'tʃi:ni
Veracruz vera'kru:s, span. bera'kruθ
Verakruz vera'kru:s
veralgen fɛɐ̯'lalgn̩, ...g! ...lk, ...gt ...lkt
verallgemeinern fɛɐ̯-'lalgə'mai̯nɐn
veralten fɛɐ̯'laltn̩
Veranda ve'randa
veranlagen fɛɐ̯'lanla:gn̩ ...g! ...a:k, ...gt ...a:kt
veranschaulichen fɛɐ̯-'lanʃau̯lɪçn̩
veranstalten fɛɐ̯'lanʃtaltn̩
Verapaz span. bera'paθ
veräppeln fɛɐ̯'lɛpl̩n
verargen fɛɐ̯'largn̩, ...g! ...rk, ...gt ...rkt
verarmen fɛɐ̯'larmən

verarschen fɛɐ̯'larʃn̩, auch: ...a:ɐ̯ʃn̩
verarzten fɛɐ̯'la:ɐ̯tstn̩, auch: fɛɐ̯'lartstn̩
veraschen fɛɐ̯'laʃn̩
verästeln fɛɐ̯'lɛstl̩n
Veratrin vera'tri:n
verausgaben fɛɐ̯'lau̯sga:bn̩ ...b! ...a:p, ...bt ...a:pt
verauslagen fɛɐ̯'lau̯sla:gn̩, ...g! ...a:k ...gt ...a:kt
veräußerlichen fɛɐ̯-'lɔysɐlɪçn̩
Verazio ve'ra:tsi̯o
Verazität veratsi'tɛ:t
Verb vɛrp, -en 'vɛrbn̩
Verba vgl. Verbum
verbal vɛr'ba:l
Verbale vɛr'ba:lə, ...lien ...li̯ən
verbalisieren vɛrbali'zi:rən
Verbalismus vɛrba'lɪsmʊs
Verbalist vɛrba'lɪst
verbaliter vɛr'ba:litɐ
verballhornen fɛɐ̯'balhɔr-nən
Verband fɛɐ̯'bant
Verbania it. ver'ba:ni̯a
Verbano it. ver'ba:no
Verbaskum vɛr'baskʊm
verbauern fɛɐ̯'bau̯ɐn
verbeamten fɛɐ̯bə'lamtn̩
Verbene vɛr'be:nə
verbi causa 'vɛrbi 'kau̯za
Verbier fr. vɛr'bje
Verbiest niederl. vər'bist
verbiestern fɛɐ̯bi:stɐn
Verbigeration vɛrbigera-'tsi̯o:n
verbi gratia 'vɛrbi 'gra:tsi̯a
verbildlichen fɛɐ̯'bɪltlɪçn̩
verbindlich fɛɐ̯'bɪntlɪç
verbittern fɛɐ̯'bɪtɐn
Verbleib fɛɐ̯'blai̯p, -es ...ai̯bəs
verbleien fɛɐ̯'blai̯ən
verblichen fɛɐ̯'blɪçn̩
verblöden fɛɐ̯'blø:dn̩, ...d! ...ø:t
verblüffen fɛɐ̯'blʏfn̩
verblümt fɛɐ̯'bly:mt
verbodmen fɛɐ̯bo:dmən
verborgen fɛɐ̯'bɔrgn̩
verbos vɛr'bo:s, -e ...o:zə
verbösern fɛɐ̯bø:zɐn, ...sre ...zrə
Verbosität vɛrbozi'tɛ:t
Verbot fɛɐ̯'bo:t
verbotenus vɛr'bo:tenʊs
verbrämen fɛɐ̯'brɛ:mən

verbreitern fɛɐ̯'braitɐn
verbriefen fɛɐ̯'bri:fn̩
verbrüdern fɛɐ̯'bry:dɐn,
...dre ...drə
Verbruggen *niederl.* vər-
'bryɣə
Verbum 'vɛrbʊm, Verba
'vɛrba
Verbum [abstractum,
attributivum, finitum,
infinitum] 'vɛrbʊm
[ap'straktʊm, atribu'ti:-
vʊm, fi'ni:tʊm, 'ɪnfini:tʊm]
verbumfeien fɛɐ̯'bʊmfaiən
verbumfiedeln fɛɐ̯'bʊm-
fi:dl̩n, dle... dlə
Verbund fɛɐ̯'bʊnt
verbünden fɛɐ̯'byndn̩, ...d!
...nt
Verbunkos *ung.* 'vɛrbʊŋkoʃ
verbüxen fɛɐ̯'bʏksn̩
Vercammen *niederl.* vər-
'kamə
Vercellä vɛr'tsɛlɛ
Vercelli *it.* vɛr'tʃɛlli
verchristlichen fɛɐ̯'krɪstlɪçn̩
verchromen fɛɐ̯'kro:mən
Vercingetorix vɛrt͜sɪŋ'ge:to-
rɪks
Vercors *fr.* vɛr'kɔ:r
Verdacht fɛɐ̯'daxt
verdächtig fɛɐ̯'dɛçtɪç, -e
...ɪgə
verdächtigen fɛɐ̯'dɛçtɪgn̩,
...g! ...ɪç, ...gt ...ɪçt
Verdaguer *kat.* bərðə'ɣe
Verdal *norw.* ˌvɛ:rda:l
verdammen fɛɐ̯'damən
Verdammnis fɛɐ̯'damnɪs
verdarb fɛɐ̯'darp
verdarben fɛɐ̯'darbn̩
verdarbt fɛɐ̯'darpt
verdaten fɛɐ̯'da:tn̩
verdattert fɛɐ̯'datɐt
verdauen fɛɐ̯'dauən
Verde *port.* 'verdə
Verdelot *fr.* vɛrdə'lo
Verden 'fe:ɐ̯dn̩
Verderb fɛɐ̯'dɛrp, -es ...rbəs
verderben fɛɐ̯'dɛrbn̩, ...bt
...rpt
verderblich fɛɐ̯'dɛrplɪç
Verderbnis fɛɐ̯'dɛrpnɪs, -se
...ɪsə
verdeutlichen fɛɐ̯'dɔytlɪçn̩
verdeutschen fɛɐ̯'dɔytʃn̩
Verdi 'vɛrdi, *it.* 'verdi
Verdienst fɛɐ̯'di:nst
verdient fɛɐ̯'di:nt
Verdigris *engl.* 'və:dɪgri:s

Verdikt vɛr'dɪkt
Verding fɛɐ̯'dɪŋ
verdinglichen fɛɐ̯'dɪŋlɪçn̩
verdirb! fɛɐ̯'dɪrp
verdirbt fɛɐ̯'dɪrpt
verdolen fɛɐ̯'do:lən
Verdon *fr.* vɛr'dõ
verdorben fɛɐ̯'dɔrbn̩
verdorren fɛɐ̯'dɔrən
verdreifachen fɛɐ̯'draifaxn̩
verdrießen fɛɐ̯'dri:sn̩
verdrießlich fɛɐ̯'dri:slɪç
verdross fɛɐ̯'drɔs
Verdross 'fɛrdrɔs
verdrösse fɛɐ̯'drœsə
verdrossen fɛɐ̯'drɔsn̩
Verdruss fɛɐ̯'drʊs
verdummen fɛɐ̯'dʊmən
verdumpfen fɛɐ̯'dʊmpfn̩
Verdun *fr.* vɛr'dœ̃
verdünnen fɛɐ̯'dʏnən
verdünnisieren fɛɐ̯dʏni'zi:-
rən
verdürbe fɛɐ̯'dʏrbə
verdürbt fɛɐ̯'dʏrpt
Verdure vɛr'dy:rə
verdutzt fɛɐ̯'dʊtst
Vere *engl.* vɪə
veredeln fɛɐ̯'|e:dl̩n, ...dle
...dlə
Vereeniging *afr.* fər'e:naxəŋ
vereiden fɛɐ̯'|aidn̩, ...d!
...ait
vereidigen fɛɐ̯'|aidɪgn̩, ...g!
...ɪç, ...gt ...ɪçt
Verein fɛɐ̯'|ain
vereinbaren fɛɐ̯'|ainba:rən
vereinfachen fɛɐ̯'|ainfaxn̩
vereinheitlichen fɛɐ̯-
'|ainhaitlɪçn̩
vereinnahmen fɛɐ̯-
'|ainna:mən
vereinsamen fɛɐ̯-
'|ainza:mən
vereinseitigen fɛɐ̯-
'|ainzaitɪgn̩, ...g! ...ɪç, ...gt
...ɪçt
Vereinsmeierei fɛɐ̯-
|ainsmaiə'rai
vereinzeln fɛɐ̯'|aintsl̩n
vereiteln fɛɐ̯'|aitl̩n
verelenden fɛɐ̯'|e:lɛndn̩,
...d! ...nt
Verena ve're:na
verengen fɛɐ̯'|ɛŋən
verengern fɛɐ̯'|ɛŋɐn
Veres[s] *ung.* 'vɛrɛʃ
verestern fɛɐ̯'|ɛstɐn
verewigen fɛɐ̯'|e:vɪgn̩, ...g!
...ɪç, ...gt ...ɪçt

Verfahren fɛɐ̯'|fa:rən
Verfall fɛɐ̯'fal
verfänglich fɛɐ̯'fɛŋlɪç
Verfasser fɛɐ̯'fasɐ
verfeinden fɛɐ̯'faindn̩, ...d!
...nt
verfeinern fɛɐ̯'fainɐn
verfemen fɛɐ̯'fe:mən
verfinstern fɛɐ̯'fɪnstɐn
verflachen fɛɐ̯'flaxn̩
verflixt fɛɐ̯'flɪkst
verflüchtigen fɛɐ̯'flʏçtɪgn̩,
...g! ...ɪç, ...gt ...ɪçt
verflüssigen fɛɐ̯'flʏsɪgn̩,
...g! ...ɪç, ...gt ...ɪçt
Verfolg fɛɐ̯'fɔlk, -es ...lgəs
Verfolgte fɛɐ̯'fɔlktə
verfrachten fɛɐ̯'fraxtn̩
verfrühen fɛɐ̯'fry:ən
verführerisch fɛɐ̯'fy:rərɪʃ
Verga *it.* 'verga
Vergabe fɛɐ̯'ga:bə
vergaben fɛɐ̯'ga:bn̩, ...b!
...a:p, ...bt ...a:pt
vergackeiern fɛɐ̯'gaklaiɐn
vergagt fɛɐ̯'gɛkt
vergällen fɛɐ̯'gɛlən
Vergangenheit fɛɐ̯'gaŋən-
hait
vergänglich fɛɐ̯'gɛŋlɪç
verganten fɛɐ̯'gantn̩
vergaß fɛɐ̯'ga:s
vergäße fɛɐ̯'gɛ:sə
vergebens fɛɐ̯'ge:bn̩s
vergeblich fɛɐ̯'ge:plɪç
vergegenständlichen fɛɐ̯-
'ge:gn̩ʃtɛntlɪçn̩
vergegenwärtigen fɛɐ̯-
'ge:gn̩vɛrtɪgn̩, ---'---,
...g! ...ɪç, ...gt ...ɪçt
Vergehen fɛɐ̯'ge:ən
vergeistigen fɛɐ̯'gaistɪgn̩,
...g! ...ɪç, ...gt ...ɪçt
Vergennes *fr.* vɛr'ʒɛn
vergent vɛr'gɛnt
Vergenz vɛr'gɛnt͜s
Vergerio *it.* vɛr'dʒe:rio
vergesellschaften fɛɐ̯gə-
'zɛlʃaftn̩
vergessen fɛɐ̯'gɛsn̩
vergesslich fɛɐ̯'gɛslɪç
vergeuden fɛɐ̯'gɔydn̩, ...d!
...ɔyt
vergewaltigen fɛɐ̯gə'val-
tɪgn̩, ...g! ...ɪç, ...gt ...ɪçt
vergewissern fɛɐ̯gə'vɪsɐn
Vergil vɛr'gi:l
Vergilius vɛr'gi:lius
Vergine *it.* 'verdʒine
vergiss! fɛɐ̯'gɪs

Vergissmeinnicht fɛɐ̯'gɪs-
mainnɪçt
vergisst fɛɐ̯'gɪst
Vergleich fɛɐ̯'glaiç
vergnatzt fɛɐ̯'gnatst
vergnügen fɛɐ̯'gny:gn̩, ...g!
...y:k, ...gt ...y:kt
Vergnügen fɛɐ̯'gny:gn̩
vergnüglich fɛɐ̯'gny:klɪç
vergnügt fɛɐ̯'gny:kt
vergolden fɛɐ̯'gɔldn̩, ...d!
...lt
vergotten fɛɐ̯'gɔtn̩
vergöttern fɛɐ̯'gœtɐn
vergrätzen fɛɐ̯'grɛtsn̩
vergreisen fɛɐ̯'graizn̩, ...s!
...ais, ...st ...aist
vergrellen fɛɐ̯'grɛlən
vergröbern fɛɐ̯'grø:bɐn,
...bre ...brə
vergrößern fɛɐ̯'grø:sɐn
vergroßstädtern fɛɐ̯'gro:s-
ʃtɛ:tɐn, auch: ...ʃtɛtɐn
vergülden fɛɐ̯'gyldn̩, ...d!
...lt
Vergunst fɛɐ̯'gʊnst
vergünstigen fɛɐ̯'gynstɪgn̩,
...g! ...ɪç, ...gt ...ɪçt
vergüten fɛɐ̯'gy:tn̩
Verhack[ert] fɛɐ̯'hak[ɐt]
Verhaeren fr. vɛrɑ'rɛn
Verhalten fɛɐ̯'haltn̩
Verhältnis fɛɐ̯'hɛltnɪs, -se
...ɪsə
Verhängnis fɛɐ̯'hɛŋnɪs, -se
...ɪsə
verharmlosen fɛɐ̯'harm-
lo:zn̩, ...s! ...o:s, ...st ...o:st
verhärmt fɛɐ̯'hɛrmt
verharschen fɛɐ̯'harʃn̩
verhasst fɛɐ̯'hast
verhatscht fɛɐ̯'ha:tʃt
Verhau fɛɐ̯'hau
verheddern fɛɐ̯'hɛdɐn,
...ddre ...drə
verheeren fɛɐ̯'he:rən
verheimlichen fɛɐ̯'haimlɪçn̩
Verhelst fɛɐ̯'hɛlst, niederl.
vər'hɛlst
verherrlichen fɛɐ̯'hɛrlɪçn̩
verhochdeutschen fɛɐ̯-
'ho:xdɔytʃn̩
Verhoeven fɛɐ̯'hø:vn̩
verhohlen fɛɐ̯'ho:lən
verhohnepipeln fɛɐ̯'ho:nə-
pi:pl̩n
Verhör fɛɐ̯'hø:ɐ̯
verhornen fɛɐ̯'hɔrnən
Verhulst niederl. vər'hʏlst

verhundertfachen fɛɐ̯'hʊn-
dɐtfaxn̩
Verhüterli fɛɐ̯'hy:tɐli
verhütten fɛɐ̯'hʏtn̩
verhutzelt fɛɐ̯'hʊtsl̩t
Verifikation verifika'tsi̯o:n
verifizieren verifi'tsi:rən
Veringenstadt 'fe:rɪŋənʃtat
verinnerlichen fɛɐ̯'ɪnɐlɪçn̩
Verismo ve'rɪsmo
Verismus ve'rɪsmʊs
Verissimo bras. ve'risimu
Verist ve'rɪst
veritabel veri'ta:bl̩, ...ble
...blə
Verités de Fait veri'te: də
'fɛ:
Verités de Raison veri'te: də
rɛ'zõ:
verjüngen fɛɐ̯'jʏŋən
Verkade niederl. vər'ka:də
verkadmen fɛɐ̯'katmən
verkamisolen fɛɐ̯kami'zo:-
lən
verkapseln fɛɐ̯'kapsl̩n
verkarsten fɛɐ̯'karstn̩
verkasematuckeln fɛɐ̯ka:-
zəma'tʊkl̩n
verkästen fɛɐ̯'kɛstn̩
verkatert fɛɐ̯'ka:tɐt
Verkauf fɛɐ̯'kauf
Verkäufer fɛɐ̯'kɔyfɐ
Verkehr fɛɐ̯'ke:ɐ̯
verkieseln fɛɐ̯'ki:zl̩n, ...sle
...zlə
verkitschen fɛɐ̯'kɪtʃn̩
verklammen fɛɐ̯'klamən
verklaren fɛɐ̯'kla:rən
verklauseln fɛɐ̯'klauzl̩n,
...sle ...zlə
verklausulieren fɛɐ̯klauzu-
'li:rən
verkleinern fɛɐ̯'klainɐn
verklommen fɛɐ̯'klɔmən
verkloppen fɛɐ̯'klɔpn̩
verklüften fɛɐ̯'klʏftn̩
verknassen fɛɐ̯'knasn̩
verknasten fɛɐ̯'knastn̩
verknöchern fɛɐ̯'knœçɐn
verknorpeln fɛɐ̯'knɔrpl̩n
verknusen fɛɐ̯'knu:zn̩, ...s!
...u:s, ...st ...u:st
Verkolje niederl. vər'kɔljə
verkorksen fɛɐ̯'kɔrksn̩
verkörpern fɛɐ̯'kœrpɐn
verköstigen fɛɐ̯'kœstɪgn̩,
...g! ...ɪç, ...gt ...ɪçt
verkraften fɛɐ̯'kraftn̩
verkrusten fɛɐ̯'krʊstn̩
Verlag fɛɐ̯'la:k, -es ...a:gəs

Verlaine fr. vɛr'lɛn
verlängern fɛɐ̯'lɛŋɐn
verlangsamen fɛɐ̯'laŋza:-
mən
Verlass fɛɐ̯'las
verlässigen fɛɐ̯'lɛsɪgn̩, ...g!
...ɪç, ...gt ...ɪçt
verlässlich fɛɐ̯'lɛslɪç
Verlaub fɛɐ̯'laup
Verlauf fɛɐ̯'lauf
verlautbaren fɛɐ̯'lautba:rən
verlebendigen fɛɐ̯le'bɛn-
dɪgn̩, ...g! ...ɪç, ...gt ...ɪçt
verlegen (Adjektiv)
fɛɐ̯'le:gn̩
Verleih fɛɐ̯'lai
verleitgeben fɛɐ̯'laitge:bn̩
verletzen fɛɐ̯'lɛtsn̩
verleumden fɛɐ̯'lɔymdn̩,
...d! ...mt
verleumderisch fɛɐ̯'lɔym-
dərɪʃ
verlieren fɛɐ̯'li:rən
Verlies fɛɐ̯'li:s, -e ...i:zə
Verlöbnis fɛɐ̯'lø:pnɪs, -se
...ɪsə
verlogen fɛɐ̯'lo:gn̩, ...gne
...gnə
verlor fɛɐ̯'lo:ɐ̯
verlöre fɛɐ̯'lø:rə
verloren fɛɐ̯'lo:rən
Verlust fɛɐ̯'lʊst
verlustieren fɛɐ̯lʊs'ti:rən
verlustig fɛɐ̯'lʊstɪç, -e ...ɪgə
Vermächtnis fɛɐ̯'mɛçtnɪs,
-se ...ɪsə
vermählen fɛɐ̯'mɛ:lən
vermaledeien fɛɐ̯male-
'daiən
vermannigfachen fɛɐ̯'ma-
nɪçfaxn̩
vermännlichen fɛɐ̯'mɛnlɪçn̩
vermarken fɛɐ̯'markn̩
vermasseln fɛɐ̯'masl̩n
vermassen fɛɐ̯'masn̩
Vermeer niederl. vər'me:r
vermeil, V., fr. vɛr'mɛj
Vermeille vɛr'mɛ:jə
vermeintlich fɛɐ̯'maintlɪç
vermenschlichen fɛɐ̯-
'mɛnʃlɪçn̩
Vermerk fɛɐ̯'mɛrk
vermessen (Adjektiv)
fɛɐ̯'mɛsn̩
Vermey[i]en niederl. vər-
'mɛi[l]ə
Vermicelli vɛrmi'tʃɛli
vermickert fɛɐ̯'mɪkɐt
vermieft fɛɐ̯'mi:ft
vermiekert fɛɐ̯'mi:kɐt

vermiesen fɛɐ̯ˈmiːzn̩, ...**s!** ...i:s, ...**st** ...iːst
vermiform vɛrmiˈfɔrm
vermifug vɛrmiˈfuːk, -e ...ˈfuːgə
Vermifugum vɛrˈmiːfugʊm, ...**ga** ...ga
Vermigli it. verˈmiʎʎi
vermikular vɛrmikuˈlaːɐ̯
Vermillion engl. vəˈmɪljən
Vermillon vɛrmiˈjõː
verminen fɛɐ̯ˈmiːnən
vermizid, V... vɛrmiˈtsiːt, -e ...iːdə
vermöbeln fɛɐ̯ˈmøːbl̩n, ...**ble** ...blə
vermöge fɛɐ̯ˈmøːgə
Vermögen fɛɐ̯ˈmøːgn̩
vermögend fɛɐ̯ˈmøːgn̩t, -e ...ndə
Vermont vɛrˈmɔnt, engl. vəˈmɔnt
vermooren fɛɐ̯ˈmoːrən
vermorschen fɛɐ̯ˈmɔrʃn̩
vermottet fɛɐ̯ˈmɔtət
vermückert fɛɐ̯ˈmʏkɐt
vermükert fɛɐ̯ˈmyːkɐt
vermummen fɛɐ̯ˈmʊmən
vermundarten fɛɐ̯ˈmʊntlaːɐ̯tn̩
vernachlässigen fɛɐ̯ˈnaːxlɛsɪɡn̩, ...**g!** ...ɪç, ...**gt** ...ɪçt
Vernakular... vɛrnakuˈlaːɐ̯...
Vernalisation vɛrnalizaˈtsi̯oːn
vernalisieren vɛrnaliˈziːrən
Vernation vɛrnaˈtsi̯oːn
Vernatsch fɛrˈnatʃ
Verne fr. vɛrn
vernehmlich fɛɐ̯ˈneːmlɪç
verneinen fɛɐ̯ˈnai̯nən
Verner dän. ˈvɛɐ̯ˈnɐ
Vernet fr. vɛrˈnɛ
Verneuil fr. vɛrˈnœj
vernichten fɛɐ̯ˈnɪçtn̩
vernickeln fɛɐ̯ˈnɪkl̩n
verniedlichen fɛɐ̯ˈniːtlɪçn̩
Vernier fr. vɛrˈnje
Vernis mou vɛrˈniː ˈmuː
Vernissage vɛrnɪˈsaːʒə
Vernon engl. ˈvɜːnən, fr. vɛrˈnõ
Vernunft fɛɐ̯ˈnʊnft
Vernünftelei fɛɐ̯nʏnftəˈlai̯
vernünfteln fɛɐ̯ˈnʏnftl̩n
vernünftig fɛɐ̯ˈnʏnftɪç, -e ...ɪɡə
Vernünftler fɛɐ̯ˈnʏnftlɐ
vernuten fɛɐ̯ˈnuːtn̩

Vero Beach engl. ˈvɪəroʊ ˈbiːtʃ
veröffentlichen fɛɐ̯ˈlœfn̩tlɪçn̩
Verona it. veˈroːna, engl. vəˈroʊnə
Veronal® veroˈnaːl
¹Veronese (Bewohner von Verona) veroˈneːzə
²Veronese (Name) it. veroˈneːse
Veroneser veroˈneːzɐ
veronesisch veroˈneːzɪʃ
Veronica veˈroːnika, it. veˈrɔːnika
Verónica span. veˈronika
Veronika veˈroːnika
Véronique fr. veroˈnik
verpesten fɛɐ̯ˈpɛstn̩
verpflichten fɛɐ̯ˈpflɪçtn̩
verpfründen fɛɐ̯ˈpfrʏndn̩, ...**d!** ...nt
verplomben fɛɐ̯ˈplɔmbn̩, ...**b!** ...mp, ...**bt** ...mpt
verpönen fɛɐ̯ˈpøːnən
verpoppen fɛɐ̯ˈpɔpn̩
verproletarisieren fɛɐ̯proletariˈziːrən
verproviantieren fɛɐ̯provi̯anˈtiːrən
verquer fɛɐ̯ˈkveːɐ̯
verquicken fɛɐ̯ˈkvɪkn̩
verquisten fɛɐ̯ˈkvɪstn̩
verquollen fɛɐ̯ˈkvɔlən
verrabbensacken fɛɐ̯ˈrabn̩zakn̩
verrabbesacken fɛɐ̯ˈrabəzakn̩
Verrall engl. ˈvɛrɔːl
verrannt fɛɐ̯ˈrant
Verrat fɛɐ̯ˈraːt
Verräter fɛɐ̯ˈrɛːtɐ
Verräterei fɛɐ̯rɛːtəˈrai̯
verratzt fɛɐ̯ˈratst
Verrazano it. verratˈtsaːno, engl. vɛrəˈzɑːnoʊ
verrenten fɛɐ̯ˈrɛntn̩
Verres ˈvɛrɛs
Verri it. ˈvɛrri
Verriest niederl. vəˈrist
Verrillon veriˈjõː
Verrina vɛˈriːna
verringern fɛɐ̯ˈrɪŋɐn
Verrocchio it. verˈrɔkki̯o
verrohen fɛɐ̯ˈroːən
verrohren fɛɐ̯ˈroːrən
Verroterie cloisonnée vɛrotəˈriː klɔazɔˈneː
Verroterien vɛrotəˈriːən
verrotten fɛɐ̯ˈrɔtn̩

Verruca it. verˈruːka
Verrucano vɛruˈkaːno
verrucht fɛɐ̯ˈruːxt
verrückt fɛɐ̯ˈrʏkt
Verrue fr. vɛˈry
verrukös vɛruˈkøːs, -e ...øːzə
verrunzelt fɛɐ̯ˈrʊntsl̩t
Vers fɛrs, -e ˈfɛrzə
Versace it. verˈsaːtʃe
versachlichen fɛɐ̯ˈzaxlɪçn̩
Ver sacrum ˈveːɐ̯ ˈzaːkrʊm
Versailler vɛrˈzai̯ɐ
Versailles vɛrˈzai̯, fr. vɛrˈsaːj, engl. vəˈseɪlz
Versal vɛrˈzaːl, -ien ...i̯ən
Versand fɛɐ̯ˈzant, -es ...ndəs
versatil vɛrzaˈtiːl
Versatilität vɛrzatiliˈtɛːt
versaubeuteln fɛɐ̯ˈzau̯bɔy̯tl̩n
versauern fɛɐ̯ˈzau̯ɐn
Versäumnis fɛɐ̯ˈzɔy̯mnɪs, -se ...ɪsə
Vers blancs ˈvɛːɐ̯ ˈblãː
verschachtelt fɛɐ̯ˈʃaxtl̩t
Verschaeve niederl. vərˈsxaːvə
Verschaffelt fɛɐ̯ˈʃafl̩t, niederl. vərˈsxafəlt
verschämt fɛɐ̯ˈʃɛːmt
verschandeln fɛɐ̯ˈʃandl̩n, ...**dle** ...dlə
verscheißern fɛɐ̯ˈʃai̯sɐn
verschieden fɛɐ̯ˈʃiːdn̩, ...**dne** ...dnə
verschiedentlich fɛɐ̯ˈʃiːdn̩tlɪç
verschilfen fɛɐ̯ˈʃɪlfn̩
verschimpfieren fɛɐ̯ʃɪmˈpfiːrən
verschlanken fɛɐ̯ˈʃlaŋkn̩
verschlechtern fɛɐ̯ˈʃlɛçtɐn
verschleiern fɛɐ̯ˈʃlai̯ɐn
Verschleiß fɛɐ̯ˈʃlai̯s
verschlimmbessern fɛɐ̯ˈʃlɪmbɛsɐn
verschlossen fɛɐ̯ˈʃlɔsn̩
verschlüsseln fɛɐ̯ˈʃlʏsl̩n
verschmitzt fɛɐ̯ˈʃmɪtst
verschmockt fɛɐ̯ˈʃmɔkt
verschmust fɛɐ̯ˈʃmuːst
verschnupft fɛɐ̯ˈʃnʊpft
verschollen fɛɐ̯ˈʃɔlən
verschönern fɛɐ̯ˈʃøːnɐn
verschorfen fɛɐ̯ˈʃɔrfn̩
verschrie[e]n fɛɐ̯ˈʃriː[ə]n
verschriften fɛɐ̯ˈʃrɪftn̩
verschroben fɛɐ̯ˈʃroːbn̩

verschüchtern fɛɐ̯'ʃʏçtɐn
Verschuer fɛɐ̯'ʃyːɐ̯
verschütt fɛɐ̯'ʃʏt
verschwägern fɛɐ̯'ʃvɛːgɐn,
...**gre** ...grə
verschwägert fɛɐ̯'ʃvɛːgɐt
verschwiegen fɛɐ̯'ʃviːgn̩
verschwistern fɛɐ̯'ʃvɪstɐn
Vers commun, - -s 'vɛːɐ̯
kɔ'mœ̃:
Verse 'fɛrzə
Versehen fɛɐ̯'zeːən
versehentlich fɛɐ̯'zeːəntlɪç
versehren fɛɐ̯'zeːrən
verselbständigen fɛɐ̯'zɛlp-
ʃtɛndɪɡn̩, ...**g!** ...ɪç, ...**gt**
...ɪçt
verselbstständigen fɛɐ̯-
'zɛlpstʃtɛndɪɡn̩, ...**g!** ...ɪç,
...**gt** ...ɪçt
versessen fɛɐ̯'zɛsn̩
Versetto vɛr'zeto, ...**tti** ...ti
verseuchen fɛɐ̯'zɔyçn̩
Vershofen 'fɛrshoːfn̩
versieren vɛr'ziːrən
Versifex 'vɛrzifɛks
versifft fɛɐ̯'zɪft
Versifikation vɛrzifika-
'tsi̯oːn
versifizieren vɛrzifi'tsiːrən
Versikel vɛr'ziːkl̩
versilbern fɛɐ̯'zɪlbɐn, ...**bre**
...brə
Versi liberi 'vɛrzi 'liːbəri
versinnbilden fɛɐ̯'zɪnbɪldn̩
versinnbildlichen fɛɐ̯'zɪn-
bɪltlɪçn̩
versinnlichen fɛɐ̯'zɪnlɪçn̩
Version vɛr'zi̯oːn
versippen fɛɐ̯'zɪpn̩
Versi sciolti 'vɛrzi 'ʃɔlti
versklaven fɛɐ̯'sklaːvn̩,
auch: ...aːfn̩, ...**v!** ...aːf, ...**vt**
...aːft
Vers libres 'vɛːɐ̯ 'liːbrə
verslumen fɛɐ̯'slaːmən
Versmold 'fɛrsmɔlt
versnoben fɛɐ̯'snoːbn̩, ...**b!**
...ɔp, ...**bt** ...ɔpt
Verso 'vɛrzo
versoffen fɛɐ̯'zɔfn̩
versöhnen fɛɐ̯'zøːnən
versöhnlich fɛɐ̯'zøːnlɪç
Versoix *fr.* vɛr'swa
versonnen fɛɐ̯'zɔnən
versotten fɛɐ̯'zɔtn̩
verspakt fɛɐ̯'ʃpaːkt
verspäten fɛɐ̯'ʃpɛːtn̩
verspießern fɛɐ̯'ʃpiːsɐn
verspillern fɛɐ̯'ʃpɪlɐn

versponnen fɛɐ̯'ʃpɔnən
Verspronck *niederl.* vər-
'ʃprɔŋk
verspünden fɛɐ̯'ʃpʏndn̩,
...**d!** ...nt
verstaatlichen fɛɐ̯'ʃtaːtlɪçn̩
verstädtern fɛɐ̯'ʃtɛːtɐn,
auch: ...'ʃtɛtɐn
verstadtlichen fɛɐ̯'ʃtatlɪçn̩
Verstand fɛɐ̯'ʃtant
verständig fɛɐ̯'ʃtɛndɪç
verständigen fɛɐ̯'ʃtɛndɪgn̩,
...**g!** ...ɪç, ...**gt** ...ɪçt
verständlich fɛɐ̯'ʃtɛntlɪç
Verständnis fɛɐ̯'ʃtɛntnɪs,
-se ...ɪsə
verstäten fɛɐ̯'ʃtɛːtn̩
verstatten fɛɐ̯'ʃtatn̩
Versteck fɛɐ̯'ʃtɛk
Versteckenspielen fɛɐ̯-
'ʃtɛknʃpiːlən
versteinern fɛɐ̯'ʃtainɐn
versteppen fɛɐ̯'ʃtɛpn̩
verstetigen fɛɐ̯'ʃteːtɪgn̩,
...**g!** ...ɪç, ...**gt** ...ɪçt
verstiegen fɛɐ̯'ʃtiːgn̩
verstohlen fɛɐ̯'ʃtoːlən
verstorben fɛɐ̯'ʃtɔrbn̩
verstört fɛɐ̯'ʃtøːɐ̯t
Verstoß fɛɐ̯'ʃtoːs
verstromen fɛɐ̯'ʃtroːmən
verstrubbeln fɛɐ̯'ʃtrʊbl̩n,
...**bble** ...blə
verstümmeln fɛɐ̯'ʃtʏml̩n
verstummen fɛɐ̯'ʃtʊmən
Versuch fɛɐ̯'zuːx
versunken fɛɐ̯'zʊŋkn̩
Versur vɛr'zuːɐ̯
versus 'vɛrzʊs
Versus memoriales 'vɛr-
zu:s memo'ri̯aːleːs
Versus quadratus 'vɛrzʊs
kva'draːtʊs, - ...**ti** ...zu:s ...ti
Versus rapportati 'vɛrzu:s
rapɔr'taːti
Versus rhopalici 'vɛrzu:s
ro'paːli̯si
Vert *fr.* vɛːr
vertatur vɛr'taːtʊr
vertauben fɛɐ̯'taubn̩, ...**b!**
...aup, ...**aupt**
vertäuen fɛɐ̯'tɔyən
vertausendfachen fɛɐ̯-
'tauzn̩tfaxn̩
vertausendvielfältigen
fɛɐ̯'tauzn̩tfiːlfɛltɪgn̩, ...**g!**
...ɪç, ...**gt** ...ɪçt
verte! 'vɛrtə
vertebragen vɛrtebra'geːn
vertebral vɛrte'braːl

Vertebrat[e] vɛrte'braːt[ə]
verteidigen fɛɐ̯'taidɪgn̩,
...**g!** ...ɪç, ...**gt** ...ɪçt
Vértes *ung.* 'veːrtɛʃ
verte, si placet! 'vɛrtə zi:
'plaːtsɛt
Vértesszőllős *ung.* 'veːrtɛs-
søːlløːʃ
verteuern fɛɐ̯'tɔyɐn
verteufeln fɛɐ̯'tɔyfl̩n
Vertex 'vɛrtɛks, ...**tices**
...titsɛːs
vertiefen fɛɐ̯'tiːfn̩
[1]vertieren (zum Tier werden) fɛɐ̯'tiːrən
[2]vertieren (umwenden,
übersetzen) vɛr'tiːrən
vertiginös vɛrtigi'nøːs, **-e**
...øːzə
vertikal vɛrti'kaːl
vertikalisieren vɛrtikali'ziː-
rən
Vertikalismus vɛrtika'lɪsmʊs
Vertiko 'vɛrtiko
vertikulieren vɛrtiku'liːrən
vertikutieren vɛrtiku'tiːrən
Vertizillaten vɛrtitsɪ'laːtn̩
vertobaken fɛɐ̯'toːbakn̩
vertorfen fɛɐ̯'tɔrfn̩
vertrackt fɛɐ̯'trakt
Vertrag fɛɐ̯'traːk, **-es** ...traː-
gəs, ...**träge** ...trɛːgə
verträglich fɛɐ̯'trɛːklɪç
verträglich fɛɐ̯'trɛːklɪç
vertrusten fɛɐ̯'trastn̩, *seltener* ...rʊs...
Vertumnalien vɛrtʊm'naː-
li̯ən
Vertumnus vɛr'tʊmnʊs
verübeln fɛɐ̯'lyːbl̩n, ...**ble**
...blə
Verulam *engl.* 'veːrʊləm
verunechten fɛɐ̯'lʊnlɛçtn̩
verunedeln fɛɐ̯'lʊnleːdl̩n,
...**dle** ...dlə
verunehren fɛɐ̯'lʊnleːrən
verunglimpfen fɛɐ̯-
'lʊnglɪmpfn̩
verunglücken fɛɐ̯'lʊnglʏkn̩
verunheiligen fɛɐ̯-
'lʊnhailɪgn̩
verunklaren fɛɐ̯'lʊnklaːrən
verunkrauten fɛɐ̯'lʊnkrautn̩
verunmöglichen fɛɐ̯-
'lʊnmøːklɪçn̩
verunsichern fɛɐ̯'lʊnzɪçɐn

verunstalten fɛɐ̯'lʊnʃtaltn̩
veruntreuen fɛɐ̯'lʊntrɔyən
verunzieren fɛɐ̯'lʊntsi:rən
verursachen fɛɐ̯'lu:ɐ̯zaxn̩
Verus 've:rʊs
Verve 'vɛrvə
vervielfachen fɛɐ̯'fi:lfaxn̩
vervielfältigen fɛɐ̯'fi:lfɛltɪɡn̩, ...g! ...ɪç, ...gt ...ɪçt
vervierfachen fɛɐ̯'fi:ɐ̯faxn̩
Verviers fr. vɛr'vje
Vervins fr. vɛr'vɛ̃
vervollkommnen fɛɐ̯'fɔlkɔmnən
vervollständigen fɛɐ̯'fɔlʃtɛndɪɡn̩, ...g! ...ɪç, ...gt ...ɪçt
Verwahr fɛɐ̯'va:ɐ̯
verwahrlosen fɛɐ̯'va:ɐ̯lo:zn̩, ...s! ...o:s, ...st ...o:st
Verwahrsam fɛɐ̯'va:ɐ̯za:m
verwaisen fɛɐ̯'vaizn̩, ...s! ...ais, ...st ...aist
Verwallgruppe fɛɐ̯'valgrʊpə
verwandt fɛɐ̯'vant
verwanzen fɛɐ̯'vantsn̩
verwegen fɛɐ̯'ve:gn̩
verweiblichen fɛɐ̯'vaiplɪçn̩
verweichlichen fɛɐ̯'vaiçlɪçn̩
Verweis fɛɐ̯'vais, -e ...aizə
verweltlichen fɛɐ̯'vɛltlɪçn̩
verwesen fɛɐ̯'ve:zn̩, ...s! ...e:s, ...st ...e:st
verweslich fɛɐ̯'ve:slɪç
verwestlichen fɛɐ̯'vɛstlɪçn̩
Verwey niederl. vər'wɛi
Verweyen fɛɐ̯'vaiən
verwichen fɛɐ̯'vɪçn̩
verwinkelt fɛɐ̯'vɪŋkl̩t
verwirklichen fɛɐ̯'vɪrklɪçn̩
verwissenschaftlichen fɛɐ̯'vɪsn̩ʃaftlɪçn̩
verwitwet fɛɐ̯'vɪtvət
Verwoerd afr. fər'vu:rt
verwöhnen fɛɐ̯'vø:nən
Verworn fɛɐ̯'vɔrn
verworren fɛɐ̯'vɔrən
verwunden fɛɐ̯'vʊndn̩, ...d! ...nt
verwunschen fɛɐ̯'vʊnʃn̩
Very engl. 'vɪɐrɪ, 'vɛrɪ
verzehnfachen fɛɐ̯'tse:nfaxn̩
Verzehr fɛɐ̯'tse:ɐ̯
Verzicht fɛɐ̯'tsɪçt
verzichten fɛɐ̯'tsɪçtn̩
verzinnen fɛɐ̯'tsɪnən
verzogen fɛɐ̯'tso:gn̩
verzopft fɛɐ̯'tsɔpft

verzundern fɛɐ̯'tsʊndɐn, ...dre ...drə
verzwackt fɛɐ̯'tsvakt
verzweigen fɛɐ̯'tsvaign̩, ...g! ...aik, ...gt ...aikt
verzwergen fɛɐ̯'tsvɛrgn̩, ...g! ...rk, ...gt ...rkt
verzwickt fɛɐ̯'tsvɪkt
Vesaas norw. 've:so:s
Vesal[ius] ve'za:l[iʊs]
Vesdre fr. vɛsdr
Veselinović serbokr. vɛsɛ.li:novitɕ
Vesey engl. 'vi:zɪ
Vesica ve'zi:ka, ...cae ...tsɛ
vesikal vezi'ka:l
Vesikans ve'zi:kans, ...ntia vezi'kantsia, ...nzien vezi-'kantsian
Vesikatorium vezika'to:riʊm, ...ien ...iən
vesikulär veziku'lɛ:ɐ̯
vesikulös veziku'lø:s, -e ...ø:zə
Vesoul fr. və'zul
Vespa® 'vɛspa
Vespasian[us] vɛspa-'zia:n[ʊs]
Vesper 'fɛspɐ
vespern 'fɛspɐn
Vespri Siciliani it. 'vɛspri sitʃi'lia:ni
Vespucci vɛsp'ʊtʃi, it. ves'puttʃi
Vesta 'vɛsta
Vest-Agder norw. ˌvɛstagdər
Vestale it. vɛs'ta:le
Vestalin vɛs'ta:lɪn
Vestavia Hills engl. vɛs'teɪvɪə 'hɪlz
Vestdijk niederl. 'vɛzddɛik
Veste 'fɛstə
Vesterålen norw. 'vɛstərɔ:lən
Vestfjord norw. 'vɛstfju:r
Vestfold norw. ˌvɛstfɔl
Vestibul vɛsti'by:l
Vestibular... vɛstibu'la:ɐ̯...
Vestibulum vɛs'ti:bulʊm, ...la ...la
Vestitur vɛsti'tu:ɐ̯
Vestmannaeyjar isl. 'vɛstmanaɛijar
Veston vɛs'tõ:
Vestris it. 'vɛstris
Vestvågøy norw. ˌvɛstvo:gœi
Vesuv ve'zu:f
Vesuvian vezu'via:n

vesuvisch ve'zu:vɪʃ
Veszprém ung. 'vɛspre:m
Veszprim 'vɛsprɪm
Vetera 've:tera
Veteran vete'ra:n
veterinär, V... veteri'nɛ:ɐ̯
Vetlanda schwed. ˌve:tlanda
Veto 've:to
Vetorin veto'ri:n
Vetschau 'fɛtʃau
Vettel 'fɛtl̩
Vetter 'fɛtɐ
Vetterleswirtschaft 'fɛtɐləsvɪrtʃaft
Vetterliwirtschaft 'fɛtɐlivɪrtʃaft
Vettersfelde fɛtɐs'fɛldə
Vettius 'vɛtiʊs
Vetturino vɛtu'ri:no, ...ni ...ni
Vetus Latina 've:tʊs la'ti:na
Veuillot fr. vœ'jo
Vevey fr. və'vɛ
Vexation vɛksa'tsio:n
vexatorisch vɛksa'to:rɪʃ
vexieren vɛ'ksi:rən
Vexilla regis vɛ'ksɪla 're:gɪs
Vexillologie vɛksɪlolo'gi:
Vexillum vɛ'ksɪlʊm, ...lla ...la
Vézelay fr. ve'zlɛ
Vézère fr. ve'zɛ:r
Vezier ve'zi:ɐ̯
vezzoso vɛ'tso:zo
via 'vi:a
Via dt., it. 'vi:a
Via Appia 'vi:a 'apia
Viadana it. via'da:na
Viadukt via'dʊkt
Via Eminentia 'vi:a emi-'nɛntsiɐ
VIAG 'fi:ak
Viagra® 'viagra
via il sordino 'vi:a ɪl zɔr'di:no
Vialar fr. vja'la:r
Via Mala 'vi:a 'ma:la
Via moderna 'vi:a mo'dɛrna
Vian fr. vjã
Viana port. 'viɐnɐ
Viana do Castelo port. 'viɐnɐ ðu kɐʃ'tɛlu
Vianden 'fjandn̩
Via Negationis 'vi:a nega-'tsio:nis
Vianen niederl. vi'a:nə
Viani it. vi'a:ni
Vianna port. 'viɐnɐ, bras. 'viɐna
Vianney fr. vja'nɛ

Viarda 'vi̯arda
Viardot *fr.* vjar'do
Viareggio *it.* via'reddʒo
Viaţa Românească *rumän.* vi'atsa romi'neaskǝ
Viatikum 'vi̯a:tikʊm, ...**ka** ...ka
Viau[d] *fr.* vjo
Viborg *dän.* 'vibɔɐ̯', *schwed.* 'vi:bɔrj
Vibrant vi'brant
Vibraphon vibra'fo:n
Vibraphonist vibrafo'nɪst
Vibration vibra'tsi̯o:n
vibrato vi'bra:to
Vibrato vi'bra:to, ...**ti** ...ti
Vibrator vi'bra:to:ɐ̯, -**en** ...ra'to:rǝn
vibrieren vi'bri:rǝn
Vibrio 'vi:brio, -**nen** vibri'o:nǝn
Vibrogramm vibro'gram
Vibrograph vibro'gra:f
Vibromassage 'vi:broma-sa:ʒǝ
Vibrorezeptoren vibrore-tsɛp'to:rǝn
Viburnum vi'bʊrnʊm
Vicari vi'ka:ri
Vicelinus vitse'li:nʊs
Vicente *span.* bi'θente, *port.* vi'sentǝ, *bras.* vi'senti
vicentinisch vitʃɛn'ti:nɪʃ
Vicentino *it.* vitʃen'ti:no
Vicenza *it.* vi'tʃɛntsa
vice versa 'vi:tsǝ 'vɛrza
Vich *span.* bik
Vichada *span.* bi'tʃaða
Vichy vi'ʃi:, *fr.* vi'ʃi
Vicker[s] *engl.* 'vɪkǝ[z]
Vicki 'vɪki
Vicksburg *engl.* 'vɪksbǝ:g
Vicky 'vɪki
Vico *it.* 'vi:ko
Vicomte vi'kõ:t
Vicomtesse vikõ'tɛs, -**n** ...sn̩
Vicosoprano *it.* vikoso-'pra:no
Vic-sur-Cère *fr.* viksyr'sɛ:r
Vic-sur-Seille *fr.* viksyr'sɛj
Victimologie vɪktimolo'gi:
Victor 'vɪkto:ɐ̯, *engl.* 'vɪktǝ, *fr.* vik'tɔ:r
Victor *span.* 'biktɔr
Victoria vɪk'to:ri̯a, *engl.* vɪk-'tɔ:ri̯ǝ, *fr.* viktǝ'rja, *rumän.* vik'toria, *span.* bik'tori̯a, *schwed.* vik'tu:rja

Victoria regia vɪk'to:ri̯a 're:gi̯a
Victoriaville *engl.* vɪk'tɔ:riǝ-vɪl
Victorine vɪkto'ri:nǝ, *fr.* vikto'rin
Victorinus vɪkto'ri:nʊs
Victorius vɪk'to:ri̯ʊs
Victors *niederl.* 'vɪktɔrs
Victorville *engl.* 'vɪktǝvɪl
[1] **Vicuña** vi'kʊnja,
[2] **Vicuña** (Name) *span.* bi'kuɲa
Vicús *span.* bi'kus
Vida *it.* 'vi:da, *serbokr.* ˌvi:da
Vidal *fr., bras.* vi'dal, *engl.* vi:'da:l, vaɪdl
Vidal de la Blache *fr.* vidal-dǝla'blaʃ
vide! 'vi:dǝ
videatur vide'a:tʊr
Videm-Krško *slowen.* 'vi:dǝm'kǝrʃkǝ
Video 'vi:deo
Videograph video'gra:f
videographieren videogra-'fi:rǝn
Videothek video'te:k
Videothekar videote'ka:ɐ̯
vidi, V... 'vi:di
Vidie *fr.* vi'di
vidieren vi'di:rǝn
Vidikon 'vi:diko:n, -**e** 'vi:di-'ko:nǝ
Vidimation vidima'tsi̯o:n
Vidimatum vidi'ma:tʊm, ...**ta** ...ta
vidimieren vidi'mi:rǝn
vidit 'vi:dɪt
Vidmar *slowen.* 'vidmar
Vidor *engl.* 'vi:dɔ:
Vidrić *serbokr.* 'vidritɕ
Viebahn 'fi:ba:n
Viebig 'fi:bɪç
Viech fi:ç
Viecherei fi:çǝ'raɪ
Viechtach 'fi:çtax
Viedma *span.* 'bi̯eðma
Vieh fi:
viehisch 'fi:ɪʃ
Vieira *port.* 'vi̯eirɐ, *bras.* 'vi̯eira
viel fi:l
Vieleck 'fi:llɛk
Vielé-Griffin *fr.* vjelegri'fɛ̃
Vielehe 'fi:lle:ǝ
vielenorts 'fi:lǝn'|ɔrts
vielerlei 'fi:lɐ'laɪ
vielerorten 'fi:lɐ'|ɔrtn̩
vielerorts 'fi:lɐ'|ɔrts

vielfach 'fi:lfax
Vielfalt 'fi:lfalt
vielfältig fi:lfɛltɪç, -**e** ...ɪgǝ
Vielfraß 'fi:lfra:s
Vielgötterei fi:lgœtǝ'raɪ
vielhundertmal fi:l'hʊndɐt-ma:l
Viella (Instrument) 'vi̯ɛla
Vielle 'vi̯ɛlǝ
vielleicht fi'laɪçt
viellieb fi:l'li:p
Vielliebchen fi:l'li:pçǝn
Vielling 'fi:llɪŋ
vielmal fi:lma:l
vielmalig 'fi:lma:lɪç, -**e** ...ɪgǝ
vielmals 'fi:lma:ls
Vielmännerei fi:lmɛnǝ'raɪ
vielmehr fi:l'me:ɐ̯, *auch:* '--
vielseitig 'fi:lzaɪtɪç
Vielstaaterei fi:lʃta:tǝ'raɪ
vieltausendmal fi:l'tauznt-ma:l
vieltausendstimmig fi:l-'tauzntʃtɪmɪç
Vielweiberei fi:lvaɪbǝ'raɪ
Vien *fr.* vjɛ̃
Vienenburg 'fi:nǝnbʊrk
Vienna 'vi̯ɛna, *engl.* vɪ'ɛnǝ
Vienne *fr.* vjɛn
Vientiane *fr.* vjɛn'tjan
Vienuolis *it.* vi̯ɐ.ɲɔlɪs
Vieques *span.* 'bi̯ekes
vier fi:ɐ̯
Vierachteltakt fi:ɐ̯'|axtl̩takt
Vieraugengespräch fi:ɐ̯-'|augngǝʃprɛ:ç
vierbeinig 'fi:ɐ̯baɪnɪç, -**e** ...ɪgǝ
Vierdanck 'fi:ɐ̯daŋk
vierdimensional 'fi:ɐ̯di-mɛnzi̯ona:l
[1] **Viereck** 'fi:ɐ̯lɛk
[2] **Viereck** *engl.* 'vɪɐrɛk
viereckig 'fi:ɐ̯lɛkɪç
viereinhalb 'fi:ɐ̯laɪn'halp
vieren 'fi:rǝn
Vierer 'fi:rɐ
viererlei 'fi:rɐ'laɪ
vierfältig 'fi:ɐ̯fɛltɪç, -**e** ...ɪgǝ
Vierfarbendruck fi:ɐ̯'farbn̩-drʊk
vierflach 'fi:ɐ̯flax
Vierflächner fi:ɐ̯'flɛçnɐ
Vierfürst 'fi:ɐ̯fyrst
vierfüßig 'fi:ɐ̯fy:sɪç, -**e** ...ɪgǝ
Vierfüß[l]er 'fi:ɐ̯fy:s[l]ɐ
Vierhänder 'fi:ɐ̯hɛndɐ
vierhändig 'fi:ɐ̯hɛndɪç, -**e** ...ɪgǝ
vierhundert 'fi:ɐ̯hʊndɐt

Vierkandt; vierkant, V...
'fi:ɐkant
Vierlande fi:ɐ'landə
Vierling 'fi:ɐlɪŋ
Vierlingsbeek niederl. vi:r-
lɪŋz'be:k
Viermächtekonferenz fi:ɐ-
'mɛçtəkɔnferɛnts
viermal 'fi:ɐma:l
viermalig 'fi:ɐma:lɪç, -e
...ɪgə
Vierne fr. vjɛrn
Viernheim 'fi:ɐnhaim
vierschrötig 'fi:ɐʃrø:tɪç, -e
...ɪgə
Viersen 'fi:ɐzn̩
Viersitzer 'fi:ɐzɪtsɐ
viersitzig 'fi:ɐzɪtsɪç, -e ...ɪgə
Vierspänner 'fi:ɐʃpɛnɐ
viert fi:ɐt
viertausend 'fi:ɐ'tauznt̩
vierte 'fi:ɐtə
vierteilen 'fi:ɐtailən
vierteilig 'fi:ɐtailɪç, -e ...ɪgə
viertel, V... 'fɪrtl̩
Viertele 'fɪrtələ
Viertelgeviert 'fɪrtl̩gəfi:ɐt
Vierteljahr fɪrtl̩'ja:ɐ
Vierteljahrhundert
fɪrtl̩ja:ɐ'hundɐt
vierteljährig 'fɪrtl̩jɛ:rɪç,
auch: --'--
vierteljährlich 'fɪrtl̩jɛ:ɐlɪç,
auch: --'--
vierteln 'fɪrtl̩n
Viertelpfund 'fɪrtl̩pfunt,
auch: --'--
Viertelstunde fɪrtl̩'ʃtundə
viertelstündig 'fɪrtl̩ʃtʏndɪç,
auch: --'--, -e ...ɪgə
viertelstündlich 'fɪrtl̩ʃtʏnt-
lɪç, auch: --'--
Viertelswendung 'fɪrtl̩s-
vɛnduŋ
viertens 'fi:ɐtn̩s
viertletzt 'fi:ɐt'lɛtst
Vieru rumän. 'vjeru
vierundeinhalb 'fi:ɐlʊnt-
lain'halp
vierundzwanzig 'fi:ɐ-
lʊnt'tsvantsɪç
Vierundzwanzigflach 'fi:ɐ-
lʊnt'tsvantsɪçflax
Vierung 'fi:ruŋ
Vierwaldstätter See fi:ɐ-
'valtʃtɛtɐ 'zee:
vierzehn 'fɪrtse:n
Vierzehnheiligen fɪrtse:n-
'hailɪgn̩
Vierzeiler 'fi:ɐtsailɐ

vierzig 'fɪrtsɪç
Vierzimmerwohnung fi:ɐ-
'tsɪmɐvo:nuŋ
Vierzon fr. vjɛr'zõ
Vierzylinder 'fi:ɐtsilɪndɐ,
auch: ...tsyl...
Viesèr vi'zɛ:ɐ
Vietcong vjɛt'kɔŋ, '--
Viète fr. vjɛt
Vieth fi:t
Vietmin[h] vjɛt'mɪn
Vietnam vjɛt'na[:]m, auch:
'--
Viêt-nam vietn. viɐtnam 61
Vietnamese vjɛtna'me:zə
vietnamesisch vjɛtna'me:-
zɪʃ
vietnamisch vjɛt'na[:]mɪʃ
Vietnamisierung vjɛtnami-
'zi:ruŋ
Viëtor 'fi:eto:ɐ, 'vje:to:ɐ
Vietta 'vjeta
Viêt Tri vietn. vjɐt tri 63
Vieux Saxe fr. vjø'saks
Vieuxtemps fr. vjø'tã
View engl. vju:
Vieweg 'fi:ve:k
Viez fi:ts
vif vi:f
Vigan fr. vi'gã, span. 'biɣan
Viganò it. viga'nɔ
Vigantol® vigan'to:l
Vigarny span. bi'garni
Vigée fr. vi'ʒe
Vigeland norw. 'vi:gəlan
Vigevano it. vi'dʒe:vano
vigil vi'gi:l
Vigil vi'gi:l, -ien -jən
vigilant, V... vigi'lant
Vigilanz vigi'lants
Vigilia vi'gi:lia
Vigilie vi'gi:liə
vigilieren vigi'li:rən
Vigilius vi'gi:lius
Vigne 'vinjə, 'vi:njə
Vigneaud engl. 'vi:njou
Vignemale fr. vin'mal
Vignette vin'jɛtə
Vignettierung vinjɛ'ti:ruŋ
Vignola it. vin'nɔ:la
Vignon fr. vi'nõ
Vigny fr. vi'ɲi
Vigo fr. vi'go, span. 'biɣo
Vigogne vi'gɔnjə
Vigone it. vi'go:ne
Vigor 'vi:go:ɐ
Vigorelli it. vigo'rɛlli
vigorōs vigo'rø:s, -e ...ø:zə
vigoroso vigo'ro:zo

Vigoureux.vigu'rø:, des -
...'rø:[s]
Vihanti finn. 'vihanti
Vihorlat slowak. 'vihɔrlat
Viipuri finn. 'vi:puri
Viita finn. 'vi:ta
Vijayawada engl. vi:dʒəjə-
'wa:də
Vik norw. vi:k
Vík isl. vi:k
Vikar vi'ka:ɐ
Vikarianten vika'riantn̩
Vikariat vika'ria:t
vikariieren vikari'i:rən
Viking engl. 'vaıkıŋ
Viklau schwed. .vi:klau̯
Viková-Kunětická tschech.
'vikɔva:'kunjɛtjitska:
Viksjö schwed. .vik'ʃø:
Viksten schwed. .vi:kste:n
Viktimologie vıktimolo'gi:
Viktor 'vıktɔ:ɐ, ung. 'viktor,
serbokr. .viktɔ:r
Viktoria vık'tɔ:ria
viktorianisch vıktɔ'ria:nıʃ
Viktorianismus vıktɔria-
'nısmus
Viktorin[e] vıkto'ri:n[ə]
Viktorinus vıkto'ri:nus
Viktring 'fıktrıŋ
Viktualien vık'tua:liən
Vikunja vi'kunja
Vila port. 'vilɐ, bras. 'vila,
engl. 'vi:lə
Vila do Conde port. 'vilɐ ðu
'kondə
Vila Franca de Xira port.
'vilɐ 'frɐŋkɐ ðə 'ʃirɐ
Világos ung. 'vila:goʃ
Vilaine fr. vi'lɛn
Vilallonga span. bila'ʎɔŋga
Vila-Lobos bras. 'vila'lobus
Vila Nova port. 'vilɐ 'nɔvɐ,
bras. 'vilɐ 'nɔva
Vila Nova de Gaia port. 'vilɐ
'nɔvɐ ðə 'ɣaiɐ
Vilar fr. vi'la:r
Vila Real port. 'vilɐ 'rrial
Vila Velha bras. 'vila 'vɛʎa
Vilâyet türk. vila:'jɛt
Vilbel 'fılbl̩
Vîlcea rumän. 'vîltʃea
Vilde estn. 'vildɛ
Vildrac fr. vil'drak
Vilhelmina schwed. vilhɛl-
.mi:na
Vilhjálmsson isl. 'vilhjaulm-
sɔn
Vilich 'fi:lıç
Viljandi estn. 'viljandi

Viljanen *finn.* 'vɪljɑnɛn
¹Villa (Haus) 'vɪla
²Villa (Name) *span.* 'biʎa, *it.*
'villa, *engl.* 'vɪlə
Villach 'fɪlax
Villacoublay *fr.* vilaku'blɛ
Villaespesa *span.*
biʎaes'pesa
Villafranca *span.* biʎa-
'fraŋka, *it.* villa'fraŋka
Villagarcía *span.* biʎaɣar-
'θia
Village *engl.* 'vɪlɪdʒ
Villahermosa *span.* biʎaɛr-
'mosa
Villa-Lobos *bras.* 'vila'lobus
Villancico *span.* biʎan'θiko
Villandry *fr.* vilã'dri
Villanell[a] vɪla'nɛl[a]
Villanelle vɪla'nɛlə
Villani *it.* vil'la:ni
Villanova *it.* villa'nɔ:va,
engl. vɪlə'nouvə
Villanueva *span.* biʎa'nu̯eβa
Villány *ung.* 'villa:nj
Villar *fr.* vi'la:r
Villard *fr.* vi'la:r, *engl.*
vɪ'la:[d]
Villari *it.* 'villari
Villarreal *span.* biʎarrɛ'al
Villarrica *span.* biʎa'rrika
Villarrobledo *span.* biʎarrɔ-
'βleðo
Villarroel *span.* biʎarrɔ'ɛl
Villars *fr.* vi'la:r
Villatte *fr.* vi'lat
Villaume vi'lo:m
Villaurrutia *span.* biʎau̯'rru-
tia
Villavicencio *span.* biʎaβi-
'θenθio
Ville 'vɪlə, *schwed.* ,vilə
Villeda *span.* bi'ʎeða
Ville-de-Paris *fr.* vildəpa'ri
Villefranche *fr.* vil'frã:ʃ
Villegas *span.* bi'ʎeɣas
Villeggiatur vɪlɛdʒa'tu:ɐ̯
Villehardouin *fr.* vilǝar'dwɛ̃
Villejuif *fr.* vil'ʒɥif
Villem[a]in *fr.* vil'mɛ̃
Villena *span.* bi'ʎena
Villenave-d'Ornon *fr.* vil-
navdǝr'nɔ̃
Villeneuve *fr.* vil'nœ:v
Villeroy *fr.* vilǝ'rwa
Villers *fr.* vi'lɛ:r
Villers-Cotterêts *fr.* vilɛr-
kɔ'trɛ
Villerupt *fr.* vil'ry
Villette *fr.* vi'lɛt

Villeurbanne *fr.* vilœr'ban
Villiers *fr.* vi'lje, *engl.*
'vɪl[j]əz
Villiers de l'Isle-Adam *fr.*
viljedlila'dã
Villiger *fr.* 'fɪlɪgɐ
Villingen 'fɪlɪŋən
Villon *fr.* vi'jɔ̃
villös vɪ'lø:s, -e ...ø:zə
Villot *fr.* vi'jo
Vilm fɪlm
Vilma 'vɪlma, *ung.* 'vilmɔ,
engl. 'vɪlmə
Vilmar 'fɪlma:ɐ̯
Vilmorin *fr.* vilmɔ'rɛ̃
Vilmos *ung.* 'vilmoʃ
Vilnius *lit.* 'vɪlnjus
Vils fɪls
Vilsbiburg fɪls'bi:burk
Vilshofen fɪls'ho:fn̩
Vilvoorde *niederl.* 'vɪlvo:rdə
Viminal vimi'na:l
Viminale *it.* vimi'na:le
Viminalis vimi'na:lɪs
Vimose *dän.* 'vi:mu:sə
Vina 'vi:na
Viña del Mar *span.* 'biɲa ðɛl
'mar
Vinaigrette vinɛ'grɛt[ə], -n
...tn̩
Viñas *span.* 'biɲas
Vinaver *serbokr.* vi'navɛr
Vincennes *fr.* vɛ̃'sɛn, *engl.*
vɪn'sɛnz
Vincent *engl.* 'vɪnsənt, *fr.*
vɛ̃'sã, *niederl.* vɪn'sɛnt
Vincent de Paul *fr.* vɛ̃sãd-
'pɔl
Vincentio vɪn'tʃɛntsio
Vincentius vɪn'tsɛntsiʊs
Vincenzo *it.* vɪn'tʃɛntso
Vinci 'vɪntʃi, *it.* 'vɪntʃi
Vinckboons *niederl.* 'vɪŋ-
bo:ns
Vincke 'fɪŋkə
Vinckeboons *niederl.* 'vɪŋ-
kəbo:ns
Vindeliker vɪn'de:likɐ
Vindelizier vɪnde'li:tsiɐ̯
vindelizisch vɪnde'li:tsɪʃ
Vindex 'vɪndɛks
Vindhya *engl.* 'vɪndjə
Vindikant vɪndi'kant
Vindikation vɪndika'tsi̯o:n
vindizieren vɪndi'tsi:rən
Vindobona vɪndo'bo:na
Vindonissa vɪndo'nɪsa
Vinea 'vi:nea
Vineland *engl.* 'vaɪnlənd
Vinet *fr.* vi'nɛ

Vineta vi'ne:ta
Vingboons *niederl.* 'vɪŋ-
bo:ns
Vingt-et-un vɛ̃te'œ̃:
Vingt-un vɛ̃'tœ̃:
Vinh *vietn.* vɪɲ l
Vinje *norw.* ,vinjə
Vinkenoog *niederl.* 'vɪŋkə-
no:x
Vinkovci *serbokr.* 'vi:ŋkɔ:ftsi
Vinkulation vɪŋkula'tsi̯o:n
vinkulieren vɪŋku'li:rən
Vinland 'vi:nlant
Vinnie *engl.* 'vɪnɪ
Vinodol *serbokr.* 'vinɔdɔ:l
Vinothek vino'te:k
Vinson *engl.* vɪnsn
Vintimille *fr.* vɛ̃ti'mij
Vintler 'fɪntlɐ
Vintschgau 'fɪntʃgau̯
Vinyl vi'ny:l
Vinzentiner vɪntsɛn'ti:nɐ
Vinzenz 'vɪntsɛnts
Vio, de *de:* vi:o
¹Viola (Veilchen) 'vi:ola,
Violen 'vi̯o:lən
²Viola (Instrument) 'vi̯o:la
³Viola (Name) 'vi:ola,
'vi̯o:la, *it.* vi'ɔ:la, *engl.*
'vaɪələ
Viola bastarda 'vi̯o:la bas-
'tarda, **Viole ...de** ...lə ...də
Viola da Braccio 'vi̯o:la da
'bratʃo, **Viole - -** ...lə - -
Viola da Gamba 'vi̯o:la da
'gamba, **Viole - -** ...lə - -
Viola d'Amore 'vi̯o:la
da'mo:rə, **Viole - -** ...lə -
Violanta vi̯o'lanta
Viola pomposa 'vi̯o:la pɔm-
'po:za, **Viole ...se** ...lə ...zə
Violation vi̯ola'tsi̯o:n
Viola tricolor 'vi:ola 'tri:ko-
lo:ɐ̯
Violazeen vi̯ola'tse:ən
Viole 'vi̯o:lə
Viole d'Amour, -s - 'vi̯ɔl
da'mu:ɐ̯
violent vi̯o'lɛnt
Violenta vi̯o'lɛnta
violento vi̯o'lɛnto
Violenz vi̯o'lɛnts
Violet *engl.* 'vaɪələt
violett, V... vi̯o'lɛt
Violetta vi̯o'lɛta, *it.* vio'letta
Violette *fr.* vi̯ɔ'lɛt
Violinata vi̯oli'na:ta
Violine vi̯o'li:nə
Violinist vi̯oli'nɪst

Violino [piccolo, primo, secondo] vio'li:no ['pıkolo, 'pri:mo, ze'kɔndo]
Viollet-le-Duc *fr.* vjɔlɛl'dyk
Violoncell violɔn'tʃɛl
Violoncellist violɔntʃɛ'lıst
Violoncello violɔn'tʃelo, ...lli ...ɛli
Violone vio'lo:nə, ...ni ...ni
Violophon violo'fo:n
Vionville *fr.* vjõ'vil
Viotti *it.* vi'ɔtti
VIP, V. I. P. vıp
Vipava *slowen.* vi'pa:va
Viper 'vi:pɐ
Vipiteno *it.* vipi'tɛ:no
Vira *it.* 'vi:ra
Viraginität viragini'tɛ:t
Virago vi'ra:go, ...gines ...gine:s
viral vi'ra:l
Virchow 'fırço, *auch:* 'vı...
Virdung 'fırdʊŋ
Vire *fr.* vi:r
Virelai virə'lɛ:
Virement virə'mã:
Viret *fr.* vi'rɛ
Virgation vırga'tsio:n
Virgel 'vırgl
Virgil vır'gi:l, *engl.* 'vəːdʒıl
Virgilia vır'gi:lia
Virginal vırgi'na:l
Virginalist vırgina'lıst
Virgin Gorda *engl.* 'vəːdʒın 'gɔːdə
¹Virginia (Vorname) vır'gi:-nia, *it.* vir'dʒi:nia, *engl.* və'dʒınjə
²Virginia (Staat; Zigarre) vır'gi:nia, *auch:* vır'dʒi:nia, *engl.* və'dʒınjə
Virginier vırgi'ni:ɐ
virginisch vır'gi:nıʃ
Virgin Islands *engl.* 'vəːdʒın 'aıləndz
Virginität vırgini'tɛ:t
Virginium vır'gi:niʊm
Virginius vır'gi:niʊs
Viriat[h]us vi'ria:tʊs
viribus unitis 'vi:ribʊs u'ni:ti:s
Viridarium viri'da:riʊm, ...ien ...iən
viril vi'ri:l
Virilismus viri'lısmʊs
Virilität virili'tɛ:t
viritim vi'ri:tım
Virius *serbokr.* 'vi:rius
Virje *serbokr.* 'vi:rjɛ
Virologe viro'lo:gə

Virologie virolo'gi:
virologisch viro'lo:gıʃ
virös vi'rø:s, -e ...ø:zə
Virose vi'ro:zə
Virovitica *serbokr.* vi.rɔvi-titsa
Virtanen *finn.* 'virtanɛn
virtual vır'tua:l
Virtualität vırtuali'tɛ:t
virtualiter vır'tua:litɐ
virtuell vır'tuɛl
virtuos vır'tuo:s, -e ...o:zə
Virtuose vır'tuo:zə
Virtuosität vırtuozi'tɛ:t
Virtuoso vır'tuo:zo
Virtus 'vırtʊs
Virú *span.* bi'ru
virulent viru'lɛnt
Virulenz viru'lɛnts
Virunga *fr.* viruŋ'ga
Virunum vi'ru:nʊm
Virus 'vi:rʊs
Viry *fr.* vi'ri
Virza *lett.* 'vırza
Vis *serbokr.* vi:s
Visa *vgl.* Visum
Visage vi'za:ʒə
Visagist viza'ʒıst
Visakhapatnam *engl.* vı'sa:kə'pætnəm
Visalia *engl.* vı'seılıə
vis-a-vis viza'vi:
Visavis viza'vi:, des - ...vi:[s], die - ...vi:s
Visayas *span.* bi'sajas
Visby *schwed.* 'vi:sby
Viscardi vıs'kardi, *it.* vis...
Viscera 'vıstsera
Vischer 'fıʃɐ
Visconte vıs'kɔntə, ...ti ...ti
Viscontessa vıskɔn'tɛsa, ...sse ...ɛsə
Visconti *it.* vis'konti, *fr.* vis-kõ'ti
Viscount 'vaikaunt
Viscountess 'vaikauntıs
Visé[e] *fr.* vi'ze
Višegrad *serbokr.* 'viʃɛ-gra:d, vi.ʃegrad
Visegrád *ung.* 'viʃɛgra:d
Viseu *port., bras.* vi'zeu
Vişeu de Sus *rumän.* vi'ʃeu de 'sus
visibel vi'zi:bl, ...ble ...blə
Visible Speech 'vızıbl 'spi:tʃ
Visier vi'zi:ɐ
visieren vi'zi:rən
Vis Inertiae 'vi:s i'nɛrtsiɛ
Visingsö *schwed.* vi:sıŋs'ø:

Vision vi'zio:n
visionär, V... vizio'nɛ:ɐ
visionieren vizio'ni:rən
Visitatio vizi'ta:tsio, -nen ...ta'tsio:nən
Visitation vizita'tsio:n
Visitator vizi'ta:to:ɐ, -en ...ta'to:rən
Visite vi'zi:tə
visitieren vizi'ti:rən
viskos vıs'ko:s, -e ...o:zə
viskös vıs'kø:s, -e ...ø:zə
Viskose vıs'ko:zə
Viskosimeter vıskozi'me:tɐ
Viskosimetrie vıskozime-'tri:
Viskosität vıskozi'tɛ:t
Vis magna *vi:s 'ma:jo:ɐ
Visnapuu *estn.* 'visnapu::
Visp fısp
Visselhövede fısl'hø:vədə
Viss[ch]er *niederl.* 'vısɐr
Visser't Hooft *niederl.* vısə-rət'ho:ft
Vista 'vısta, *engl.* 'vıstə
Vistra® 'vıstra
visualisieren vizuali'zi:rən
Visualizer 'vızuəlaizɐ
visuell vi'zuɛl
Visum 'vi:zʊm, ...sa 'vi:za
viszeral vıstse'ra:l
Viszeroptose vıstserɔp-'to:zə
viszid vıs'tsi:t, -e ...i:də
Vita 'vi:ta, Vitae 'vi:tɛ
Vita activa, - communis, - contemplativa 'vi:ta ak'ti:va, - kɔ'mu:nıs, - kɔntempla'ti:va
vitae, non scholae discimus 'vi:tɛ 'no:n 'sço:lɛ 'dıstsimʊs, - - 'sko:lɛ -
vital vi'ta:l
Vitale *it.* vi'ta:le
Vitali *it.* vi'ta:li
Vitalian vita'lia:n
Vitalianer vita'lia:nɐ
Vitalienbrüder vi'ta:lienbry:dɐ
Vitalis vi'ta:lıs
vitalisieren vitali'zi:rən
Vitalismus vita'lısmʊs
Vitalist vita'lıst
Vitalität vitali'tɛ:t
Vitamin vita'mi:n
vitaminieren vitami'ni:rən
vitaminisieren vitamini'zi:-rən
Vita reducta 'vi:ta re'dʊkta
vite vi:t, vıt, *fr.* vit

Vitellia vi'tɛlia
Vitell[i]us vi'tɛl[i]ʊs
vitement vitə'mãː, vɪt'mãː
Viterbo it. vi'tɛrbo
Vitezović serbokr. 'vitɛːzɔ-
vitɕ
Vithkuq alban. viθ'kukj
Viti it. 'vi:ti
Vitia vgl. Vitium
Viti [Levu] engl. 'vi:ti:
['lɛvu:]
Vitiligo viti'li:go
vitiös vi'tsiøːs, -e ...øːzə
Vitis (Rebe) 'vi:tɪs
Vitium 'vi:tsiʊm, ...ia ...ia
Vitium Cordis 'vi:tsiʊm
'kɔrdɪs
Vito it. 'vi:to
Vitoria span. bi'toria
Vitória bras. vi'tɔria
Vitra vgl. Vitrum
Vitrac fr. vi'trak
Vitrage vi'traːʒə
Vitré fr. vi'tre
Vitrine vi'triːnə
Vitriol vitri'oːl
Vitrit vi'tri:t
Vitroid vitro'i:t, -e ...iːdə
Vitrolles fr. vi'trɔl
Vitrophyr vitro'fy:ɐ̯
Vitrum 'vi:trʊm, ...ra ...ra
Vitruv vi'tru:f
Vitruvius vi'tru:viʊs
Vitry fr. vi'tri
Vittel fr. vi'tɛl
Vittone it. vit'to:ne
Vittore it. vit'to:re
Vittoria it. vit'tɔːria
Vittorini it. vitto'ri:ni
Vittorino it. vitto'ri:no
Vittorio it. vit'tɔːrio
Vittozzi it. vit'tɔttsi
Vitus 'vi:tʊs
Vitzliputzli vɪtsli'pʊtsli
Vitznau 'fɪtsnaʊ
Vitzt[h]um 'fɪtstu:m
viv vi:f
vivace, V... vi'vaːtʃə
vivacetto viva'tʃɛto
vivacissimo viva'tʃɪsimo
Vivacissimo viva'tʃɪsimo,
...mi ...mi
Vivaldi it. vi'valdi
Vivanco[s] span. bi'βaŋ-
ko[s]
Vivanti it. vi'vanti
vivant [sequentes]!
'vi:vant [ze'kvɛnte:s]
Vivarais fr. viva'rɛ
Vivarini it. viva'ri:ni

Vivarium vi'va:riʊm, ...ien
...iən
vivat!, Vivat 'vi:vat
vivat, crescat, floreat!
'vi:vat 'krɛskat 'flo:reat
vivat sequens! 'vi:vat
'ze:kvɛns
Vivazität vivatsi'tɛ:t
Vivero span. bi'βero
Vives kat. 'biβəs, span.
'biβes
Vivian engl. 'vɪvɪən
Viviane vi'via:nə, fr. vi'vjan
Viviani fr. vivja'ni, it.
vi'via:ni
Vivianit vivia'ni:t
Vivien fr. vi'vjɛ̃, engl. 'vɪvɪən
Vivin fr. vi'vɛ̃
vivipar vivi'pa:ɐ̯
Viviparie vivipa'ri:
Vivisektion vivizɛk'tsio:n
vivisezieren vivize'tsi:rən
Vizcaya span. biθ'kaja
Vize... 'fi:tsə..., auch:
'vi:tsə...
Vizenor engl. 'vaɪzənə
Vizeu port., bras. vi'zeʊ
Vizille fr. vi'zij
vizinal vitsi'na:l
Viztum 'fɪtstu:m, auch:
'vi:ts...
Vlaanderen niederl. 'vla:n-
dərə
Vlaardingen niederl. 'vla:r-
dɪŋə
Vlad rumän. vlad
Vladimír tschech. 'vladjimi:r
Vladimirescu rumän. vladi-
mi'resku
Vladislav tschech. 'vladjislaf
Vlăhiţa rumän. vlə'hitsa
Vlahuţă rumän. vla'hutsə
Vlame 'fla:mə
Vlaminck fr. vla'mɛ̃:k
Vlieger niederl 'vliɣər
Vlieland niederl. 'vli:lɑnt
Vlies fli:s, -e 'fli:zə
Vlieseline® flizə'li:nə
Vliet niederl. vlit
Vlissingen 'flɪsɪŋən, niederl.
'vlɪsɪŋə
Vlorë alban. 'vlorə
Vlotho 'flo:to
Vltava tschech. 'vltava
vocale vo'ka:lə
Voce 'vo:tʃə, **Voci** 'vo:tʃi
**Voce alta, - bassa, - di
Testa, - pastosa, - spic-
cata** 'vo:tʃə 'alta, - 'basa,

- di 'tɛsta, - pas'to:za,
- spɪ'ka:ta
Voces vgl. Vox
Voces aequales 'vo:tse:s
ɛ'kva:le:s
Voci vgl. Voce
Vocke 'fɔkə
Vöcklabruck fœkla'brʊk
Vocoder vo'ko:dɐ
Vodice serbokr. .vɔditsɛ
Vodnik slowen. 'vo:dnik
Voerde 'foːɐ̯də
Voerendaal niederl. 'vu:rən-
da:l
VÖEST-Alpine 'fø:st-
lal'pi:nə
Voet niederl. vut
Voetius vo'e:tsiʊs
Vogan fr. vɔ'gã
Vöge 'fø:gə
¹**Vogel** 'fo:gl̩, **Vögel** 'fø:gl̩
²**Vogel** (Name) 'fo:gl̩, nie-
derl. 'vo:ɣəl
Vogelaar niederl. 'vo:ɣəla:r
Vogelaere 'fo:gələːrə
Vögelchen 'fø:glçən
Vögelei fø:gə'laɪ
Vögelein 'fø:gəlaɪn
Vogeler 'fo:gəlɐ
vögeln 'fø:gl̩n, **vögle** 'fø:glə
Vogels 'fo:gl̩s
Vogelsberg 'fo:gl̩sbɛrk
Vogel-Strauß-Politik
fo:gl̩'ʃtraʊspoliti:k
Vogelweide 'fo:gl̩vaɪdə
Vogesen vo'ge:zn̩
Voghera it. vo'gɛːra
Vogl 'fo:gl̩
Voglein 'fø:glaɪn
Vogler 'fo:glɐ
¹**Vogt** fo:kt, **Vögte** 'fø:ktə
²**Vogt** (Name) fo:kt, norw.
fukt
Vogtei fo:k'taɪ
Vögtin 'fø:ktɪn
Vogtland 'fo:ktlant
Vogtländer 'fo:ktlɛndɐ
vogtländisch fo:ktlɛndɪʃ
Vogtsburg 'fo:ktsbʊrk
Vogue vo:k, fr. vɔg
Vogüé fr. vɔ'gɥe
Vohburg 'fo:bʊrk
Vohenstrauß 'fo:ənʃtraʊs
Vöhrenbach 'fø:rənbax
Vohrer 'fo:rɐ
Vöhringen 'fø:rɪŋən
Voicegramm vɔys'gram, '--
Voiculescu rumän. voiku-
'lesku

Voigt fo:kt
Voigtländer® 'fo:ktlɛndɐ
voilà! vǫa'la
Voile vǫa:l
Voiron fr. vwa'rõ
Voisenon fr. vwaz'nõ
Voisin fr. vwa'zɛ̃
Voit[h] fɔyt
Voitsberg 'fɔytsbɛrk
Voiture fr. vwa'ty:r
Voix mixte 'vǫa 'mɪkst
Vojnović serbokr. ˌvɔjnɔvitɕ
Vojtěch tschech. 'vɔjtjɛx
Vojvodina serbokr. ˌvɔjvɔ-
dina
Vokabel vo'ka:bḷ
Vokabular vokabu'la:ɐ̯
Vokabularium vokabu'la:-
riʊm, ...ien ...i̯ən
vokal, V... vo'ka:l
Vokalisation vokaliza'tsi̯o:n
vokalisch vo'ka:lɪʃ
Vokalise voka'li:zə
vokalisieren vokali'zi:rən
Vokalismus voka'lɪsmʊs
Vokalist voka'lɪst
Vokation voka'tsi̯o:n
Vokativ 'vo:kati:f, -e ...i:və
Vokativus voka'ti:vʊs
Voland 'fo:lant, -es ...ndəs
Volant vo'lã:
Volapük vola'py:k
volar vo'la:ɐ̯
Volata vo'la:ta, ...te ...tə
volatil vola'ti:l
Vol-au-Vent, -s volo'vã:
Volcano vɔl'ka:no, engl. vɔl-
'keɪnoʊ
Volci 'vɔltʃi
Vold norw. vɔld
Volendam niederl. vo:lən-
'dam
Volhard 'fɔlhart
Voliere vo'li̯e:rə
volitional volitsi̯o'na:l
volitiv voli'ti:f, -e ...i:və
Volk fɔlk, Völker 'fœlkɐ
Volkach 'fɔlkax
Volkard 'fɔlkart
Völkchen 'fœlkçən
Volkelt 'fɔlkḷt
Volker 'fɔlkɐ
¹Völker vgl. Volk
²Völker (Name) 'fœlkɐ
Völkermarkt 'fœlkɐmarkt
Volkert 'fɔlkɐt
Volkhard 'fɔlkhart
völkisch 'fœlkɪʃ
Völklingen 'fœlklɪŋən
Volkmann 'fɔlkman

Volkmar 'fɔlkmar
Volkskundler 'fɔlkskʊntlɐ
volkskundlich 'fɔlkskʊntlɪç
Volksrust afr. 'fɔlksrœs
Volkstum 'fɔlkstu:m
Volkstümelei fɔlksty:mə'lai̯
volkstümeln 'fɔlksty:mḷn
volkstümlich 'fɔlksty:mlɪç
voll fɔl
vollauf 'fɔl|au̯f, auch: -'-
vollbringen fɔl'brɪŋən
Völle 'fœlə
vollenden fɔl'|ɛndn̩, fɔ'lɛ...,
vollend! ...nt
vollends 'fɔlɛnts
Vollendung fɔl'|ɛndʊŋ,
...'lɛ...
Völlerei fœlə'rai̯
volley, V... 'vɔli
vollführen fɔl'fy:rən
vollgültig 'fɔlɡʏltɪç
vollieren vɔ'li:rən
völlig 'fœlɪç, -e ...ɪɡə
volljährig 'fɔljɛ:rɪç
vollkommen fɔl'kɔmən,
auch: '---
Vollmacht 'fɔlmaxt
Vollmar 'fɔlmar
vollmast, V... 'fɔlmast
Vollmer 'fɔlmɐ
Vollmoeller 'fɔlmœlɐ
Vollon fr. vɔ'lõ
Vollrad 'fɔlra:t
vollständig 'fɔlʃtɛndɪç
vollstock 'fɔlʃtɔk
vollstrecken fɔl'ʃtrɛkn̩
vollzählig 'fɔltsɛ:lɪç, -e ...ɪɡə
vollziehen fɔl'tsi:ən
Vollzug fɔl'tsu:k
Volmar 'fɔlmar
Volmer 'fɔlmɐ, dän. 'vɔl'mɐ
Volney fr. vɔl'nɛ
Volontär volɔn'tɛ:ɐ̯, auch:
volõ't...
Volontariat volɔnta'ri̯a:t,
auch: ...lõt...
volontieren volɔn'ti:rən,
auch: volõ't...
Volpato it. vol'pa:to
Volpi it. 'volpi
Volpone it. vol'po:ne
Volponi it. vol'po:ni
Volsinii vɔl'zi:nii
Volsker 'vɔlskɐ
volskisch 'vɔlskɪʃ
Volstead engl. 'vɔlstɛd
Völsunge 'vœlzʊŋə
Volt vɔlt
Volta (Name) dt., it. 'vɔlta,
engl. 'voltə

Voltaire fr. vɔl'tɛ:r
Voltairianer vɔltɛ'ri̯a:nɐ
voltaisch, V... 'vɔltai̯ʃ
Voltameter vɔlta'me:tɐ
Voltampere vɔlt|am'pe:ɐ̯
Volta Redonda bras. 'vɔlta
rre'donda
Volte 'vɔltə
Volterra it. vol'tɛrra
voltieren vɔl'ti:rən
Voltige vɔl'ti:ʒə
Voltigeur vɔlti'ʒø:ɐ̯
voltigieren vɔlti'ʒi:rən
Voltimand 'vɔltimant
volti subito 'vɔlti 'zu:bito
Voltmeter 'vɔltme:tɐ
Volturno it. vol'turno
volubel vo'lu:bḷ, ...ble ...blə
Volubilis vo'lu:bilɪs
Volubilität volubili'tɛ:t
Volum vo'lu:m
Volumen vo'lu:mən, ...mina
...mina
Volumenometer volume-
no'me:tɐ
Volumeter volu'me:tɐ
Volumetrie volume'tri:
voluminös volumi'nø:s, -e
...ø:zə
Volumnia vo'lʊmnia
Volumnius vo'lʊmniʊs
Voluntarismus volʊnta'rɪs-
mʊs
Voluntarist volʊnta'rɪst
voluntativ volʊnta'ti:f, -e
...i:və
Volunteers engl. vɔlən'tɪəz
voluptuös volʊp'tu̯ø:s, -e
...ø:zə
Voluspa 'vø:lʊspa
Volute vo'lu:tə
Volutin volu'ti:n
Volva 'vɔlva, ...vae ...vɛ
Völva 'vœlva, ...vur ...vʊr
volvieren vɔl'vi:rən
Volvo® 'vɔlvo
Volvox 'vɔlvɔks
Volvulus 'vɔlvulʊs, ...li ...li
Volz fɔlts
vom fɔm
Vomhundertsatz fɔm'hʊn-
dɐtsats
vomieren vo'mi:rən
Vomitio vo'mi:tsi̯o, -nes
...mi'tsi̯o:nɛs
Vomitiv vomi'ti:f, -e ...i:və
...va ...va
Vomitivum vomi'ti:vʊm,
...va ...va
Vomitorium vomi'to:ri̯ʊm,
...ien ...i̯ən

Vomitus 'vo:mitʊs
Vomt_au_sendsatz fɔm-'tauzn̩tzats
von fɔn
Vondel *niederl.* 'vɔndəl
voneinander fɔn|ai'nandɐ
Vonnegut *engl.* 'vɔnɪgət
vonnöten fɔn'nø:tn̩
vonstatten fɔn'ʃtatn̩
Voodoo 'vu:du, vu'du:
Voorburg *niederl.* 'vo:rbʏrx
Voorde *niederl.* 'vo:rdə
Voorne *niederl.* 'vo:rnə
Voorschoten *niederl.* 'vo:rsxo:tə
VOPO, Vopo 'fo:po
vor fo:ɐ̯
vorab fo:ɐ̯'|ap
Vorabend 'fo:ɐ̯|a:bn̩t
Voralpen 'fo:ɐ̯|alpn̩
voran fo'ran
voranbringen fo'ranbrɪŋən
voranmelden 'fo:ɐ̯|anmɛldn̩
Vorarlberg 'fo:ɐ̯|arlbɛrk, -'--
Vorarlberger 'fo:ɐ̯|arlbɛrgɐ, -'---
vorarlbergisch 'fo:ɐ̯|arlbɛrgɪʃ, -'---
Vorau 'fo:rau
vorauf fo'rauf
voraufgehen fo'raufge:ən
voraus fo'raus
Voraus fo'raus
voraus..., Voraus... fo'raus...
Voraus, im ɪm fo:raus
vorausgehen fo'rausge:ən
voraussichtlich fo'rauszɪçtlɪç
Vorauswahl (vorläufige Auswahl) 'fo:rausva:l
Vorazität voratsi'tɛ:t
Vorbeck 'fo:ɐ̯bɛk
Vorbau 'fo:ɐ̯bau
vorbedacht, V... 'fo:ɐ̯bədaxt
Vorbehalt 'fo:ɐ̯bəhalt
vorbei fo:ɐ̯'bai
vorbeigehen fo:ɐ̯'baige:ən
Vorbild 'fo:ɐ̯bɪlt
vordatieren 'fo:ɐ̯dati:rən
vordem fo:ɐ̯'de:m, *auch:* '--
Vordemberge 'fo:ɐ̯de:mbɛrgə
Vörden 'fø:ɐ̯dn̩
Vorderasien 'fɔrdɐ'|a:ziən
vordere 'fɔrdərə
vorderhand 'fo:ɐ̯de:ɐ̯hant, 'fɔrdɐ:ɐ̯hant, 'fordɐhant; *auch:* --'-, '--'-

Vorderhand 'fɔrdɐhant
Vorderindien 'fɔrdɐ|ɪndiən
Vorderösterreich 'fɔrdɐ-|ø:stəraiç
Vorderpfalz 'fɔrdɐpfalts
Vorderrhein 'fɔrdɐrain
vorderste 'fɔrdɐstə
Vorderteil 'fɔrdɐtail
Vordingborg *dän.* vɔɐ̯dɪŋ-'bɔɐ̯'
vordringlich 'fo:ɐ̯drɪŋlɪç
Vordtriede 'fo:ɐ̯ttri:də
voreilig 'fo:ɐ̯|ailɪç
voreinander fo:ɐ̯|ai'nandɐ
voreingenommen 'fo:ɐ̯-|aingənɔmən
voreinst fo:ɐ̯'|ainst
Voremberg 'fo:ɐ̯rəmbɛrk
vorenthalten 'fo:ɐ̯|ɛnthaltn̩
vorerst 'fo:ɐ̯|e:ɐ̯st, *auch:* -'-
vorerwähnt 'fo:ɐ̯|ɛɐ̯vɛ:nt
Vorfahr[t] 'fo:ɐ̯fa:ɐ̯[t]
vorgeblich 'fo:ɐ̯ge:plɪç
vorgestern 'fo:ɐ̯gɛstɐn
vorhaben, V... 'fo:ɐ̯ha:bn̩
Vorhand 'fo:ɐ̯hant
vorhanden fo:ɐ̯'handn̩
Vorhang 'fo:ɐ̯haŋ
vorher fo:ɐ̯'he:ɐ̯, *auch:* '--
vorher..., V... fo:ɐ̯'he:ɐ̯...
vorhergehen fo:ɐ̯'he:ɐ̯ge:ən
vorherig fo:ɐ̯'he:rɪç, *auch:* '---, -e ...ɪgə
Vorhersage fo:ɐ̯'he:ɐ̯za:gə
vorhin fo:ɐ̯'hɪn, *auch:* '--
Vorhinein, im ɪm 'fo:ɐ̯hɪnain
vorig 'fo:rɪç, -e ...ɪgə
Vøringsfoss *norw.* ˌvø:rɪŋs-fɔs
Vořišek *tschech.* 'vɔrʒi:ʃɛk
Vorkehrung 'fo:ɐ̯ke:rʊŋ
Vorkommnis 'fo:ɐ̯kɔmnɪs, -se ...ɪsə
vorkragen 'fo:ɐ̯kra:gn̩, **krag vor!** 'kra:k 'fo:ɐ̯, **vorkragt** 'fo:ɐ̯kra:kt
Vorkriegs... 'fo:ɐ̯kri:ks...
Vorland 'fo:ɐ̯lant
Vorländer 'fo:ɐ̯lɛndɐ
vorlängst 'fo:ɐ̯lɛŋst
vorläufig 'fo:ɐ̯lɔyfɪç
vorlaut 'fo:ɐ̯laut
vorletzte 'fo:ɐ̯lɛtstə
vorlieb fo:ɐ̯'li:p
Vorliebe 'fo:ɐ̯li:bə
vorlings 'fo:ɐ̯lɪŋs
vorm fo:ɐ̯m
vormalig 'fo:ɐ̯ma:lɪç, -e ...ɪgə
vormals 'fo:ɐ̯ma:ls

vormärzlich 'fo:ɐ̯mɛrtslɪç
Vormittag 'fo:ɐ̯mɪta:k
vormittägig 'fo:ɐ̯mɪtɛ:gɪç
vormittäglich 'fo:ɐ̯mɪtɛ:klɪç
vormittags 'fo:ɐ̯mɪta:ks
Vormund 'fo:ɐ̯mʊnt, -e ...ndə, ...münder ...mʏndɐ
Vormundschaft 'fo:ɐ̯mʊnt-ʃaft
¹vorn (vorne) fɔrn
²vorn (vor den) fo:ɐ̯n
Vorna[h]me 'fo:ɐ̯na:mə
vornan fɔrn'|an, *auch:* '--
vorne 'fɔrnə
vornehm 'fo:ɐ̯ne:m
Vornehmtuerei fo:ɐ̯ne:m-tu:ə'rai
vorneweg 'fɔrnəvɛk, *auch:* --'-
vornherein 'fɔrnhɛrain, *auch:* --'-
vornhin 'fɔrnhɪn, *auch:* -'-
vornüber fɔrn'|y:bɐ
vornüberbeugen fɔrn-'|y:bɐbɔygn̩
vornweg 'fɔrnvɛk, *auch:* -'-
Voronca *rumän.* vo'rɔŋka
Voronet *rumän.* voro'nets
Vorort 'fo:ɐ̯|ɔrt
Vörösmarty *ung.* 'vørøʃ-mɔrti
Vorpommern 'fo:ɐ̯pɔmɐn
Vorposten 'fo:ɐ̯pɔstn̩
Vorrat 'fo:ɐ̯ra:t, **Vorräte** 'fo:ɐ̯rɛ:tə
vorrätig 'fo:ɐ̯rɛ:tɪç, -e ...ɪgə
vors fo:ɐ̯s
Vorsatz 'fo:ɐ̯zats
vorsätzlich 'fo:ɐ̯zɛtslɪç
Vorschmack 'fo:ɐ̯ʃmak
Vorschoter fo:ɐ̯ʃo:tɐ
vorschuhen 'fo:ɐ̯ʃu:ən
Vorschuss 'fo:ɐ̯ʃʊs
Vorsehung 'fo:ɐ̯ze:ʊŋ
Vorsicht 'fo:ɐ̯zɪçt
vorsintflutlich 'fo:ɐ̯zɪnt-flu:tlɪç
Vorsitz 'fo:ɐ̯zɪts
Vorspann 'fo:ɐ̯ʃpan
Vorst fɔrst, *niederl.* vɔrst
Vorsteher 'fo:ɐ̯ʃte:ɐ̯
vorstellig 'fo:ɐ̯ʃtɛlɪç
Vorster *afr.* 'fɔrstɐr
Vorsterman *niederl.* 'vɔr-stɐrman
Vorstius 'fɔrstjʊs
vorsündflutlich 'fo:ɐ̯zʏnt-flu:tlɪç
Vorteil 'fɔrtail, *auch:* 'fo:ɐ̯-tail

Vortiz**i**smus vɔrti'tsɪsmʊs
V**o**rtrag 'fo:ɐ̯tra:k, **-es**
...a:gəs, V**o**rträge 'fo:ɐ̯-
trɛ:gə
vortr**e**fflich fo:ɐ̯'trɛflɪç
Vortumn**a**lien vɔrtʊm'na:-
liən
vor**ü**ber fo'ry:bɐ
vor**ü**berfahren fo'ry:bɐfa:-
rən
V**o**r- und N**a**chteil 'fo:ɐ̯-
|ʊnt'na:xtai̯l
V**o**rurteil 'fo:ɐ̯|ʊrtai̯l
v**o**rvorgestern 'fo:ɐ̯.fo:ɐ̯-
gɛstɐn
v**o**rvorig 'fo:ɐ̯fo:rɪç
V**o**rwand 'fo:ɐ̯vant, **-es**
...ndəs, ...wände ...vɛndə
vorw**ä**rts 'fo:ɐ̯vɛrts, 'fɔr-
vɛrts
vorw**e**g fo:ɐ̯'vɛk
Vorw**e**gnahme fo:ɐ̯'vɛk-
na:mə
vorw**e**gnehmen fo:ɐ̯'vɛk-
ne:mən
V**o**rweis 'fo:ɐ̯vai̯s, **-es**
...vai̯zəs
V**o**rwitz 'fo:ɐ̯vɪts
V**o**rzeit 'fo:ɐ̯tsai̯t
vorz**ei**ten fo:ɐ̯'tsai̯tn̩
v**o**rzeitig 'fo:ɐ̯tsai̯tɪç
v**o**rzeitlich 'fo:ɐ̯tsai̯tlɪç
vorz**u** 'fo:ɐ̯'tsu:
V**o**rzug 'fo:ɐ̯tsu:k
vorz**ü**glich fo:ɐ̯'tsy:klɪç,
auch: '---
V**o**s *niederl.* vɔs
V**o**scherau 'fɔʃərau̯
V**o**sges *fr.* vo:ʒ
V**ö**slau fœs'lau̯
V**o**smaer *niederl.* 'vɔsma:r
V**o**ss fɔs, *norw.* vɔs
V**o**ß fɔs
v**o**ssisch 'fɔsɪʃ
V**o**ssius 'fɔsiʊs, *niederl.*
'vɔsiɣs
V**o**ßler 'fɔslɐ
Vost**e**ll fɔs'tɛl
V**o**stro... 'vɔstro...
V**o**ta *vgl.* Votum
Vot**a**nt vo'tant
Vot**a**tion vota'tsi̯o:n
vot**ie**ren vo'ti:rən
V**o**tiv vo'ti:f, **-e** ...i:və
V**o**tum 'vo:tʊm, ...ta 'vo:ta
V**o**ucher 'vau̯tʃɐ
Voudou vu'du:
Vou**e**t *fr.* vwɛ
Voulli**é**me vʊl'je:m
Voute 'vu:tə

V**o**x vɔks, V**o**ces 'vo:tse:s
Vox ac**u**ta, **- cel**e**stis,
- huma**na, **- m**e**dia** 'vɔks
a'ku:ta, **-** tse'lɛstɪs,
- hu'ma:na, **-** 'me:di̯a
V**o**x n**i**hili 'vɔks 'ni:hili
vox p**o**puli vox D**e**i 'vɔks
'po:puli 'vɔks 'de:i
Vox virg**i**nea 'vɔks vɪr'gi:-
nea
V**o**yager *engl.* 'vɔi̯ədʒɐ
Voyag**e**ur vɔaja'ʒø:ɐ̯
Voyer d'Argenson *fr.* vwa-
jedarʒã'sõ
Voy**e**ur vɔa'jø:ɐ̯
Voyeur**i**smus vɔajø'rɪsmʊs
voyeur**i**stisch vɔajø'rɪstɪʃ
Voy**e**use vɔa'jø:zə
V**o**ynich *engl.* 'vɔɪnɪtʃ
voy**o**ns! vɔa'jõ:
V**o**ysey *engl.* 'vɔɪzi
voz**ie**ren vo'tsi:rən
Vr**a**ncea *rumän.* 'vrantʃea
Vr**a**ncx *niederl.* vraŋks
Vran**é** *tschech.* 'vranɛ:
Vr**a**nitzky vra'nɪtski, fr...
Vr**a**nje *serbokr.* 'vranjɛ
Vr**a**njska B**a**nja *serbokr.*
'vranjska: 'banja
Vr**a**z *slowen.* vra:z
Vrbas *serbokr.* 'vr̩ba:s
Vrchlab**í** *tschech.* 'vr̩xlabi:
Vrchlick**ý** *tschech.* 'vr̩xlitski:
Vr**e**de *afr.* 'fre:də
Vr**e**deman *niederl.* 'vre:də-
man
Vr**e**den 'fre:dn̩
Vr**e**neli 'fre:nəli
Vr**e**ni 'fre:ni, *auch:* 'vre:ni
Vr**í**danc 'fri:daŋk
Vr**i**di *fr.* vri'di
Vr**ie**s fri:s, *niederl.* vris
Vr**ie**sland *niederl.* 'vrislɑnt
Vr**i**ng frɪŋ
Vris**e**a 'fri:zea
Vrnj**a**čka B**a**nja *serbokr.*
.vr̩njatʃka: 'banja
Vr**o**man *niederl.* 'vro:man
Vr**o**ni 'fro:ni, *auch:* 'vro:ni
Vr**oo**m *niederl.* vro:m
Vrš**a**c *serbokr.* 'vr̩ʃats
Vrs**a**r *serbokr.* .vr̩sa:r
Vr**y**burg *afr.* 'frəi̯bœrx
Vryh**ei**d *afr.* 'frəi̯həi̯t
Vš**e**hrd *tschech.* 'fʃɛhr̩t
Vset**í**n *tschech.* 'fsɛtji:n
Vuč**e**dol *serbokr.* vu.tʃɛdɔl
Vuč**e**tić *serbokr.* 'vutʃɛtitɕ
Vucht, Vught *niederl.* vʏxt
Vuill**a**rd *fr.* vɥi'ja:r

Vuillaume *fr.* vɥi'jo:m
V**u**k *serbokr.* vu:k
Vuk**o**var *serbokr.* vu.kɔva:r
Vulcan *engl.* 'vʌlkən,
rumän. vul'kan
Vulc**a**no *it.* vul'ka:no
Vulc**a**nus vʊl'ka:nʊs
V**u**lci 'vʊltsi
vulg**ä**r vʊl'gɛ:ɐ̯
vulgaris**ie**ren vʊlgari'zi:rən
Vulgar**i**smus vʊlga'rɪsmʊs
Vulgarit**ä**t vʊlgari'tɛ:t
Vulg**a**ta vʊl'ga:ta
vulg**i**vag vʊlgi'va:k, **-e**
...a:gə
Vulg**i**vaga vʊl'gi:vaga
v**u**lgo 'vʊlgo
V**u**lkan vʊl'ka:n
vulk**a**nisch vʊl'ka:nɪʃ
Vulkanis**a**t vʊlkani'za:t
Vulkanis**a**tion vʊlkaniza-
'tsi̯o:n
vulk**a**nisch vʊl'ka:nɪʃ
Vulkanis**eu**r vʊlkani'zø:ɐ̯
vulkanis**ie**ren vʊlkani'zi:-
rən
Vulkan**i**smus vʊlka'nɪsmʊs
Vulkan**i**t vʊlka'ni:t
Vulkan**o**loge vulkano'lo:gə
Vulkanolog**ie** vʊlkanolo'gi:
vulkanol**o**gisch vʊlkano-
'lo:gɪʃ
Vulkaz**i**t vʊlka'tsi:t
vuln**e**rabel vʊlne'ra:bl̩,
...ble ...blə
Vulnerabilit**ä**t vʊlnerabili-
'tɛ:t
V**u**lpius 'vʊlpiʊs
V**u**lture *it.* 'vulture
V**u**lva 'vʊlva
Vulv**i**tis vʊl'vi:tɪs, ...**itiden**
...vi'ti:dn̩
Vulvovagin**i**tis vʊlvovagi-
'ni:tɪs, ...**itiden** ...ni'ti:dn̩
Vu**o**ksi *finn.* 'vu̯ɔksi
vu**o**ta 'vu̯o:ta
Vu**o**to 'vu̯o:to
VW fau̯'ve:, *auch:* '--
Vyd**ū**nas *lit.* vi:du:nas
Vyšehrad *tschech.* 'viʃɛhrat
Vyskočil *tschech.* 'viskɔtʃil
V**ý**škov *tschech.* 'vi:ʃkɔf
Vysok**é** M**ý**to *tschech.*
'visɔkɛ: 'mi:tɔ
Vysok**é** T**a**try *slowak.*
'visɔkɛ: 'tatri
Vyšš**í** Br**o**d *tschech.* 'viʃi:
'brɔt
Vyt**a**utas *lit.* 'vi:tau̯tas

W

w, W veː, *engl.* 'dʌbljuː, *fr.*
dublə've, *it.* vud'doppi̯o,
span. 'doβleβe, doβle'uβe
Wa *engl.* wɑː
Waadt va[ː]t
Waadtland 'va[ː]tlant
Waadtländer 'va[ː]tlɛndɐ
waadtländisch 'va[ː]tlɛndɪʃ
Waag vaːk
¹Waage 'vaːgə
²Waage (Name) *norw.*
 ˌvoːgə
waagerecht 'vaːgərɛçt
waagrecht 'vaːkrɛçt
Waal vaːl, *niederl.* waːl
Waals *niederl.* waːls
Waalwijk *niederl.* 'waːlwɛi̯k
Waart *niederl.* waːrt
Waas *niederl.* waːs
Waase 'vaːzə
Waasen 'vaːzn̩
Waasland 'vaːslant
Wabana *engl.* wɔː'bænə
Wabash *engl.* 'wɔːbæʃ
wabb[e]lig 'vab[ə]lɪç, -e
 ...ɪgə
wabbeln 'vabl̩n, wabble
 ...blə
Wabe 'vaːbə
Waber[lohe] 'vaːbɐ[loːə]
wabern 'vaːbɐn, wabre
 ...brə
Wąbrzęźno *poln.*
 vɔm'bʒɛznɔ
Wabush *engl.* 'wɔːbuʃ
Wace *engl.* weɪs, *fr.* vas
wach, Wach vax
Wachau va'xau̯
Wache 'vaxə
wachen 'vaxn̩
Wachler 'vaxlɐ
Wacholder va'xɔldɐ
Wachs vaks
wachsam 'vaxzaːm
wachsbleich 'vaks'blai̯ç
Wachsch *russ.* vaxʃ
wachseln 'vaksl̩n
wachsen 'vaksn̩
wächsern 'vɛksɐn

wächst vɛkst
Wachstum 'vakstuːm
wachsweich 'vaks'vai̯ç
Wacht vaxt
Wachtangow *russ.* vax'tan-
 gɐf
Wachtel 'vaxtl̩
Wächter[sbach]
 'vɛçtɐ[sbax]
Wacke 'vakə
Wackelei vakə'lai̯
wackelig 'vakəlɪç, -e ...ɪgə
wackeln 'vakl̩n
Wackenheim 'vaknhai̯m
Wackenroder 'vaknroːdɐ
wacker 'vakɐ
Wackernagel 'vakɐnaːgl̩
Wackersdorf 'vakɐsdɔrf
wacklig 'vaklɪç, -e ...ɪgə
Waco *engl.* 'weɪkoʊ
Wad vat
Wadai va'dai̯
Waddenzee *niederl.*
 'wadənzeː
Waddike 'vadɪkə
Wadding *engl.* 'wɔdɪŋ
Waddington *engl.* 'wɔdɪŋ-
 tən, *fr.* vadɛ̃'tõ
Wade 'vaːdə
Wädenswil 'vɛːdn̩sviːl
Wader[sloh] 'vaːdɐ[sloː]
Wadi 'vaːdi
Wadi-Halfa 'vaːdi'halfa
Wädli 'vɛːtli
Wad Madani 'vat 'madani
Wadmann 'vatman
Wadschrajana vadʒra'jaːna
Wadsworth *engl.*
 'wɔdzwə[ː]θ
Waechter 'vɛçtɐ
Wael *niederl.* waːl
Waerden *niederl.* 'waːrdə
Waerland *schwed.* 'væːr-
 lan[d]
Waetzoldt 'vɛːtsɔlt
Wafd vaft
Wafer 'veːfɐ
Waffe 'vafə
Waffel 'vafl̩
waffnen 'vafnən
Wafio *neugr.* va'fiɔ
wäg vɛːk, -e 'vɛːgə
Waga *russ.* 'vagɐ
Wagadugu vaga'duːgu
wagehalsig 'vaːgəhalzɪç, -e
 ...ɪgə
Wägelchen 'vɛːglçən
wagen 'vaːgn̩, wag! vaːk,
 wagt vaːkt
Wagen 'vaːgn̩

wägen 'vɛːgn̩, wäg! vɛːk,
 wägt vɛːkt
Wagenbauer 'vaːgn̩bau̯ɐ
Wagener 'vaːgənɐ
Wagenfeld[t] 'vaːgn̩fɛlt
Wageningen *niederl.*
 'waːɣənɪŋə
Wagenseil 'vaːgn̩zai̯l
Wagga Wagga *engl.* 'wɔgə
 'wɔgə
Waggerl 'vagɐl
Waggon va'gõː, va'gɔŋ,
 auch: va'goːn, des -s
 ...gõːs, ...gɔŋs, *auch:*
 ...goːns, die -s ...gõːs,
 ...gɔŋs, die -e ...goːnə
waghalsig 'vaːkhalzɪç, -e
 ...ɪgə
Waging[er] 'vaːgɪŋ[ɐ]
Wagner 'vaːgnɐ, *engl.*
 'wægnə
Wägner *schwed.* 'vɛːgnər
Wagnerianer vaːgnə'ri̯aːnɐ
Wagnis 'vaːknɪs, -se ...ɪsə
Wagon-Lit, Wagons-Lits
 vagõ'li
Wagram 'vaːgram
Wagrien 'vaːgri̯ən
Wagrowiec *poln.* vɔŋ-
 'grɔvi̯ɛts
Wähe 'vɛːə
Wahehe va'heːhe
Wahhabit vaha'biːt
Wahiawa *engl.* 'waːhi̯ə'waː
Wahl va:l
Wahlberg *schwed.* ˌvaːlbærj
Wahle[n] 'vaːlə[n]
wählen 'vɛːlən
wählerisch 'vɛːlərɪʃ
wählig 'vɛːlɪç, -e ...ɪgə
wahllos 'vaːlloːs
Wahlöö *schwed.* ˌvaːløː
Wahlstatt 'vaːlʃtat
Wahlstedt 'vaːlʃtɛt
Wahn vaːn
wähnen 'vɛːnən
Wahnfried 'vaːnfriːt
Wahnsinn 'vaːnzɪn
Wahnwitz 'vaːnvɪts
wahr vaːɐ̯
wahren, W... 'vaːrən
währen[d] 'vɛːrən[t]
währenddem vɛːrənt'deːm
währenddes[sen] vɛːrənt-
 'dɛs[n̩]
wahrhaft 'vaːɐ̯haft
wahrhaftig vaːɐ̯'haftɪç,
 auch: '---, -e ...ɪgə
Wahrheit 'vaːɐ̯hai̯t
Währing 'vɛːrɪŋ

wahrlich 'vaː'ɐ̯lɪç
Wahrmund 'vaː'ɐ̯mʊnt
wahrnehmen 'vaː'ɐ̯neːmən
wahrsagen 'vaː'ɐ̯zaːgn̩
Wahrsager 'vaː'ɐ̯zaːgɐ
Wahrsagerei vaː'ɐ̯zaːgə'raɪ
wahrsagerisch 'vaː'ɐ̯zaːgə-rɪʃ
währschaft, W... 'vɛː'a̱ʃaft
wahrschauen 'vaː'ɐ̯ʃaʊən
wahrscheinlich vaː'ɐ̯'ʃaɪn-lɪç, auch: '–––
Wahrung 'vaːrʊŋ
Währung 'vɛːrʊŋ
Wahrzeichen 'vaː'ɐ̯tsaɪçn̩
Waiblingen 'vaɪblɪŋən
Waiblinger 'vaɪblɪŋɐ
Waibstadt 'vaɪpʃtat
Waid vaɪt, -e 'vaɪdə
Waidhofen vaɪt'hoːfn̩
Waigatsch russ. vaj'gatʃ
Waigel 'vaɪgl̩
Waikato engl. waɪ'kaːtoʊ
Waikiki engl. waɪkɪ'kiː, 'waɪ-kɪkiː
Wailly fr. va'ji
Wailuku engl. waɪ'luːkuː
Wain vaɪn, engl. weɪn
Wainonen russ. vaj'nɔnɛn
Wainwright engl. 'weɪnraɪt
Waipahu engl. waɪ'paːhuː
Waischja 'vaɪʃja
Waischnawa 'vaɪʃnava
Waise 'vaɪzə
Wait[e] engl. weɪt
Waitwell engl. 'weɪtwəl
Waitz[en] 'vaɪts[n̩]
Wajang 'vaːjaŋ
Wajda poln. 'vajda
Wakajama jap. wa'kajama
Wakatipu engl. waːkaː-'tiːpuː
[1]Wake (Eisloch) 'vaːkə
[2]Wake (Name) engl. weɪk
Wakefield engl. 'weɪkfiːld
Wakkanai jap. wa'kkaˌnai
Wakonda va'kɔnda
Wakoski engl. wə'kɔskɪ
Waksman 'vaksman, engl. 'wæksmən
Wal[a] 'vaːl[a]
Walache va'laxə
Walachei vala'xaɪ
walachisch va'laxɪʃ
Walahfrid 'vaːlafriːt
Walaoritis neugr. valaɔ'ritis
Walbaum 'valbaʊm
Wałbrzych poln. 'vaʊbʒix
Walburg 'valbʊrk
Walburga val'bʊrga

Walch[a] 'valç[a]
Walchen[see] 'valçn̩[zeː]
Walcheren niederl. 'walxərə
Walcker 'valkɐ
Wałcz poln. vaʊtʃ
[1]Wald valt, -es 'valdəs, Wälder 'vɛldɐ
[2]Wald (Name) valt, engl. wɔːld
Waldai russ. val'daj
Waldau 'valdaʊ
waldaus valt'l̩aʊs
Waldbröl valt'brøːl
Waldburg 'valtbʊrk
Waldburga valt'bʊrga
Waldburger 'valtbʊrgɐ
Wäldchen 'vɛltçən
Waldeck[er] 'valdɛk[ɐ]
waldeckisch 'valdɛkɪʃ
Waldeck-Rousseau fr. val-dɛkru'soː
waldein valt'l̩aɪn
Waldemar dt., schwed. 'val-dəmar
Walden 'valdn̩, engl. 'wɔːl-dən
Waldenbuch 'valdn̩buːx
Waldenburg 'valdn̩bʊrk
Waldenser val'dɛnzɐ
Walderbach 'valdɐbax
Waldersee 'valdɐzeː
Waldes 'valdɛs
Waldfelden valt'fɛldn̩
[1]Waldhausen (Prediger) 'valthaʊzn̩
[2]Waldhausen (Ort) valt-'haʊzn̩
Waldhäuser 'valthɔyzɐ
Waldheim 'valthaɪm
Waldhof 'valthoːf
waldig 'valdɪç, -e ...ɪgə
Waldinger 'valdɪŋɐ
Waldis 'valdɪs
Waldkirch 'valtkɪrç
Waldkirchen valt'kɪrçn̩
Waldkraiburg valt'kraɪbʊrk
Waldliesborn valt'liːsbɔrn
Waldmann 'valtman
Waldmüller 'valtmʏlɐ
Waldmünchen valt'mʏnçn̩
Waldo 'valdo, engl. 'wɔːldoʊ
Waldoff 'valdɔf
Waldorf 'valdɔrf, engl. 'wɔːldɔːf
Waldorp niederl. 'waldɔrp
Waldsassen valt'zasn̩
Waldschrat 'valtʃraːt
Waldsee 'valtzeː

Waldseemüller 'valtzeː:-mʏlɐ
Waldshut 'valtshuːt
Waldstädte 'valtʃtɛːtə, auch: ...ʃtɛtə
Waldstatt 'valtʃtat, ...stätte ...ʃtɛtə
Waldstein 'valtʃtaɪn
Waldteufel 'valttɔyfl̩, fr. valtø'fɛl
Waldtraut 'valttraʊt
Waldung 'valdʊŋ
Waldus 'valdʊs
Waldviertel 'valtfɪrtl̩
waldwärts 'valtvɛrts
Waldwick engl. 'wɔːldwɪk
Walensee 'valənzeː
Walenstadt 'valənʃtat
Walentin russ. vɛlɪn'tin
Walentina russ. vɛlɪn'tinɐ
Waleri russ. va'ljerij
Walerian russ. vɛlri'an
Walerija russ. va'ljerijɐ
Walerjan russ. vɛlɪrj'jan
Wales engl. weɪls
Wałęsa poln. va'u̯ɛsa
Walewein niederl. 'waːlə-weɪn
Walewska poln. va'lɛfska
Walewski poln. va'lɛfski, fr. valɛv'ski
Walfang 'vaːlfaŋ
Walfisch 'valfɪʃ
Walfrid 'valfriːt, schwed. 'vaːlfrid
Walgau 'vaːlgaʊ
wälgern 'vɛlgɐn, wälgre 'vɛlgrə
Walhall 'valhal, –'–
Walhalla[straße] val'hala[ʃtraːsə]
[1]Wali (Statthalter) 'vaːli
[2]Wali (Heiliger) va'liː
Walid (Kalif) va'liːt
Walide vali'deː
Waliser va'liːzɐ
walisisch va'liːzɪʃ
Walk valk
Walke (Maschine) 'valkə
walken 'valkn̩
Walkenried valkn̩'riːt
Walker 'valkɐ, engl. 'wɔːkə
Walkie-Talkie 'vɔːki'tɔːki
Walkingbass 'vɔːkɪŋbeːs
Walkman, ...men® 'vɔːk-mɛn
Walkocherei vaːlkɔxə'raɪ
Walküre val'kyːrə, auch: 'val...
[1]Wall val, Wälle 'vɛlə

²**Wall** (Name) *dt., schwed.* val, *engl.* wɔːl

Wallaby *engl.* 'wɔləbɪ

Wallace[burg] *engl.* 'wɔlɪs[bəːg]

Wallach 'valax

Wallant *engl.* 'wɔlənt

Wallas[ey] *engl.* 'wɔləs[ɪ]

Wallat 'valat

Walla Walla *engl* 'wɔlə 'wɔlə

Wallbaum 'valbaʊm

Wallberg 'valbɛrk

Walldorf 'valdɔrf

Walldürn val'dʏrn

wallen, W... 'valən

wällen 'vɛlən

Wallenberg *schwed.* ˌvalən-bærj

Wallenstein 'valənʃtaɪn

Waller 'valɐ, *engl.* 'wɔlə

Wallerstein 'valɐʃtaɪn

wallfahren 'valfaːrən

Wallfahrt 'valfaːɐt

wallfahrten 'valfaːɐtn̩

Walli 'vali

Wallia 'valia

Wallin *schwed.* va'liːn

Wallingford *engl.* 'wɔlɪŋfəd

Wallington *engl.* 'wɔlɪŋtən

Wallis 'valɪs, *engl.* 'wɔlɪs, *fr.* wa'lis

Wallisch 'valɪʃ

Wallisellen 'valizɛlən

Walliser 'valizɐ

Wallmann 'valman

Wallner 'valnɐ

Wallone va'loːnə

Wallonie *fr.* walɔ'ni, va...

Wallonien va'loːnjən

wallonisch va'loːnɪʃ

Wallot[h] 'valɔt

Wallquist *schwed.* ˌvalkvist

Wallraf[f] 'valraf

Wallsend *engl.* 'wɔːlzɛnd

Wallstreet, Wall Street 'voːlstriːt, *engl.* 'wɔːlstriːt

Wally 'vali

Walm valm

Walnuss 'valnʊs

Walnut Creek *engl.* 'wɔːlnʌt 'kriːk

Walone va'loːnə

Walpertinger 'valpɐtɪŋɐ

Walplatz 'vaːlplats, 'val...

Walpole *engl.* 'wɔːlpoʊl

Walpurga val'pʊrga

Walpurgis val'pʊrgɪs

Walras *fr.* val'ra

Walrat 'valraːt

Walross 'valrɔs

Walsall *engl.* 'wɔːlsɔːl

Walschap *niederl.* 'walsxap

Walser[tal] 'valzɐ[taːl]

Walsh *engl.* wɔːlʃ

Walsingham *engl.* 'wɔːlsɪŋəm

Walsrode vals'roːdə

Walstatt 'vaːlʃtat, 'val..., ...stätten ...ʃtɛtn̩

Walsum 'valzʊm, 'vaːl...

Wälsunge 'vɛlzʊŋə

Walt *engl.* wɔːlt

Waltari *finn.* 'valtari

walten, W... 'valtn̩

Waltensburg 'valtn̩sbʊrk

Walter 'valtɐ, *engl.* 'wɔːltə, *fr.* val'tɛːr, *it.* 'valter

Walternienburg valtɐ'niːnbʊrk

Waltershausen (Ort) valtɐs'haʊzn̩

¹**Waltham** (England) *engl.* 'wɔːltəm, ...lθəm

²**Waltham** (USA) *engl.* 'wɔːlθəm

Walthamstow *engl.* 'wɔːl-θəmstoʊ

Walthari[lied] 'valtari[liːt], *auch:* val'ta:...

Waltharius val'taːriʊs

Walther 'valtɐ

Walton *engl.* 'wɔːltən

Waltraud, Waltraut 'valtraʊt

Waltrop 'valtrɔp

Waltrud 'valtruːt

Waltrun 'valtruːn

Walvater 'vaːlfaːtɐ, 'val...

Walvis Bay *engl.* 'wɔːlvɪs 'beɪ

Walze 'valtsə

walzen 'valtsn̩

wälzen 'vɛltsn̩

Walzer 'valtsɐ

Wälzer 'vɛltsɐ

walzig 'valtsɪç, -e ...ɪgə

Wamme[n] 'vamə[n]

Wammerl 'vamɐl

Wampe 'vampə

wampert 'vampɐt

Wampilow *russ.* vam'pilɐf

Wampum 'vampʊm, vam-'puːm

Wams vams, -es 'vamzəs, **Wämser** 'vɛmzɐ

Wämschen 'vɛmsçən

wamsen 'vamzn̩, **wams!** vams, **wamst** vamst

Wanamaker *engl.* 'wɔnə-meɪkə

Wanaque *engl.* 'wɔnəkjuː, wə'naːk[w]ɪ

wand vant

Wand vant, **Wände** 'vɛndə

Wanda *dt., poln.* 'vanda, *russ.* 'vandɐ

Wandale van'daːlə

wandalisch van'daːlɪʃ

Wandalismus vanda'lɪsmʊs

wände 'vɛndə

Wandel 'vandl̩

wandeln 'vandl̩n, **wandle!** ...dlə

wanden 'vandn̩

Wander 'vandɐ

Wanderer 'vandərɐ

wandern 'vandɐn, **wandre** ...drə

Wandersleben 'vandɐs-leːbn̩

Wanderung 'vandərʊŋ

Wandler 'vandlɐ

Wandlung 'vandlʊŋ

Wandsbecker Bote 'vants-beːkɐ 'boːtə

Wandsbek 'vantsbeːk

Wandsworth *engl.* 'wɔndzwə[ː]θ

wandte 'vantə

Wane 'vaːnə

Wanfried 'vaːnfriːt

Wang Anshi *chin.* uaŋanʃi 212

Wanganui *engl.* wɔŋə'nuːɪ

Wang Chong *chin.* uaŋtʃʊŋ 21

Wang Chonghui *chin.* uaŋtʃʊŋxueɪ 234

Wang[e] 'vaŋ[ə]

Wangen[heim] 'vaŋən[haɪm]

Wangeroog vaŋɐ'loːk, *auch:* '---

Wangerooge vaŋɐ'loːgə, *auch:* '----

Wang Fuzhi *chin.* uaŋfudʒi 221

Wang Hongwen *chin.* uaŋxʊŋuən 222

Wang Hui *chin.* uaŋxueɪ 21 ...wangig ....vaŋɪç, -e ...ɪgə

Wangionen vaŋ'gioːnən

Wang Jingwei *chin.* uaŋ-dzɪŋueɪ 214

Wänglein 'vɛŋlaɪn

Wang Meng *chin.* uaŋməŋ 22

Wang Shifu *chin.* uaŋʃifu 223

Wang Wei *chin.* uaŋueɪ 22

Wang Yangming *chin.*
ŋaŋiaŋmɪŋ 222
Wang Yuanqi *chin.* ŋaŋ-
 y̆ɛntɕi 222
Wanino *russ.* 'vaninɐ
Wanja *russ.* 'vanjɐ
Wank vaŋk
Wankel[mut] 'vaŋkl̩[muː t]
wankelmütig 'vaŋkl̩myː tɪç,
-e …ɪɡə
wanken 'vaŋkn̩
Wankie *engl.* 'wɔŋkɪ
Wańkowicz *poln.* vaiṇ'kɔ-
vitʃ
wann van
Wännchen 'vɛnçən
Wanne 'vanə
wannen 'vanən
Wannsee 'vanzeː
Wanst vanst, **Wänste**
'vɛnstə
Wänstchen 'vɛnstçən
Wanstead *engl.* 'wɔnstɪd
Want vant
Wantagh *engl.* 'wɔntɔː
wanted 'vɔntɪt
Wanxian *chin.* ŋancĭɛn 44
Wanze 'vantsə
wanzen 'vantsn̩
Wanzleben 'vantsleː bṇ
Wapiti va'piː ti
Wappen 'vapn̩
Wappers *niederl.* 'wɑpərs
wappnen 'vapnən
Wapzarow *bulgar.* vɐp'tsa-
rof
war vaː ɐ̯
Waräger va'rɛː ɡɐ
Waran va'raː n
Warangal *engl.* 'wɔː rəŋɡəl
Warasdin 'varaʃdiː n,
…sdiː n
warb varp
Warbeck 'varbɛk, *engl.*
'wɔː bɛk
warben 'varbn̩
warbt varpt
Warburg 'vaː ɐ̯bʊrk, *engl.*
'wɔː bəːɡ, *schwed.* 'vɑː rbʊrj
Warburton *engl.* 'wɔː bətn
ward vart
Ward *engl.* wɔː d
Wardar 'vardar
Wardaris *neugr.* var'ðaris
Wardein var'daɪn
Wardenburg 'vardṇbʊrk
wardieren var'diː rən
wäre 'vɛː rə
Ware 'vaː rə

Waregem *niederl.* 'waː rə-
yɛm
Waremme *fr.* wa'rɛm, va…
waren, W… 'vaː rən
wären 'vɛː rən
Warendorf 'vaː rəndɔrf
Wareniki va'reː niki
Warens *fr.* va'rɑ̃
warf, W… varf
Warfield *engl.* 'wɔː fiː ld
Warft varft
Warga *niederl.* 'wɑryɑ, *russ.*
'varɡɐ
Warhol *engl.* 'wɔː hoʊl
Warin va'riː n, *fr.* va'rɛ̃
Waring[ton] *engl.* 'wɛə-
rɪŋ[tən]
Warka *poln.* 'varka
Warlaam *russ.* vɐrla'am
Warlamow *russ.* var'lamɐf
Warley *engl.* 'wɔː lɪ
Warlock *engl.* 'wɔː lɔk
Warlord 'voː ɐ̯lɔrt
warm varm, **wärmer**
'vɛrmɐ
Warmbad 'varmbaː t, *afr.*
…bat
Warmbrunn 'varmbrʊn
Wärme 'vɛrmə
wärmen 'vɛrmən
wärmer vgl. warm
Warmien 'varmiən
Warminster *engl.*
'wɔː mɪnstə
Warm-up voː ɐ̯m'|ap, '– –
Warmwasserbereiter
varm'vasɐbəraitɐ
Warna 'varna, *bulgar.*
'varnɐ
Warnalis *neugr.* 'varnalis
Warndt varnt
Warnemünde varnə'mʏndə
warnen 'varnən
Warner 'varnɐ, *engl.* 'wɔː nə
Warnke 'varnkə
Warnow 'varno
Warnsdorf 'varnsdɔrf
Warp varp
warpen 'varpn̩
Warrant va'rant, 'vɔrənt
Warrego *engl.* 'wɔrɪɡoʊ
Warren *engl.* 'wɔrɪn
Warrensburg *engl.* 'wɔrɪnz-
bəːɡ
Warrensville *engl.* 'wɔrɪnz-
vɪl
Warri *engl.* 'wɔri:
Warrington *engl.* 'wɔrɪŋtən
Warrnambool *engl.*
'wɔː nəmbu: l

Warschau 'varʃau̯
Warstein 'vaː ɐ̯ʃtain, 'var…
Warszawa *poln.* var'ʃava
wärt vɛː ɐ̯t
Wart vart
Warta *poln.* 'varta
Wartburg 'vartbʊrk
Warte 'vartə
warten 'vartṇ
Wartenberg 'vartṇbɛrk
Wartenburg 'vartṇbʊrk
Wärter 'vɛrtɐ
Warterei vartə'rai
Warth[a] 'vart[a]
Warthe 'vartə
Wartislaw 'vartɪslaf
Warton *engl.* wɔː tn
warum va'rʊm
Warve 'varvə
Warvit var'vi: t
Warwara *russ.* var'varɐ
Warwick *engl.* 'wɔrɪk, *USA*
'wɔː wɪk
Warwit var'vi: t
Würzchen 'vɛrtsçən
Warze 'vartsə
warzig 'vartsɪç, -e …ɪɡə
was vas
Wasa 'vaː za
Wasatch Range *engl.*
'wɔː sætʃ 'reɪndʒ
Wascha-Pschawela *georg.*
'vaʒa'phʃawela
waschen 'vaʃn̩
Wäscher 'vɛʃɐ
Wäscherei vɛʃə'rai
wäscht vɛʃt
Wasen 'vaː zn̩
Waser[l] 'vaː zɐ[l]
Wasgau 'vasɡau̯
Wasgenwald 'vasɡṇvalt
Wash *engl.* wɔʃ
Washburn[e] *engl.* 'wɔʃbən
wash and wear 'vɔʃ|ɛnt-
|'vɛː ɐ̯
Washboard 'vɔʃboː ɐ̯t
Washington 'vɔʃɪŋtn, *engl.*
'wɔʃɪŋtən
Washingtonia vɔʃɪŋ'to: nia,
…ien …iən
Washita *engl.* 'wɔʃitɔ:
Washprimer 'vɔʃpraimɐ
Wasielewski vazi'lɛfski
Wasigenstein 'vaː zɪɡṇʃtain
Wasilewska *poln.* vaɕi-
'lɛfska
Wasilewski *poln.* vaɕi'lɛfski
Wasmann 'vasman
Wasmes *fr.* wam, vam
Wasnezow *russ.* vɛsnɪ'tsɔf

Wąsow *bulgar.* 'vazof
Wạssenaar *niederl.* 'wasə-
na:r
Wạssenberg 'vasnbɛrk
Wạssenhove *niederl.*
'wasənho:və
Wạsser 'vasɐ, **Wässer** 'vɛsɐ
Wasserạlfingen vasɐ-
'|alfɪŋən
Wạsserburg 'vasɐbʊrk
Wässerchen 'vɛsɐçən
wässerig 'vɛsərɪç, -e ...ɪgə
Wạsserkuppe 'vasɐkʊpə
Wạssermann 'vasɐman
wạssern 'vasɐn
wässern 'vɛsɐn
Wassíl *bulgar.* vɐ'sil
Wassilẹnko *russ.* vɐsi-
'ljɛnkɐ
Wassílew *bulgar.* vɐ'silɛf
Wassilẹwski *russ.* vɐsi'ljɛf-
skij
Wassíli va'si:li, *russ.* va'silij
Wassilikọs *neugr.* vasili'kɔs
Wassíljew *russ.* va'siljɪf
Wassíljewitsch *russ.* va'sil-
jɪvitʃ
Wassíljewka *russ.* va'sil-
jɪfkɐ
Wassíljewna *russ.* va'sil-
jɪvnɐ
Wassíltschenko *russ.*
va'siljtʃɪnkɐ
Wạssing *schwed.* 'vasɪŋ
Wassjugạn *russ.* vɛsju'gan
Wạssmo *norw.* 'vasmu
wässrig 'vɛsrɪç, -e ...ɪgə
Wassyltschenko *ukr.*
va'sɪljtʃɛnkɔ
Wästberg *schwed.* ,vɛstbærj
Wạstl 'vastl̩
Wạsungen 'va:zʊŋən
Wasụsa *russ.* va'zuzɐ
¹Wạt (Kloster) va:t
²Wat (Name) *engl.* wɔt,
poln. vat
Watauga *engl.* wɔ'tɔ:gə
...watcher ....vɔtʃɐ
Wạte 'va:tə
wạten 'va:tn̩
Wạtenstedt 'va:tn̩ʃtɛt
Waterbury *engl.* 'wɔ:təbərɪ
Waterford *engl.* 'wɔ:təfəd
Watergate *engl.* 'wɔ:təgeɪt
Waterhouse *engl.* 'wɔ:tə-
haʊs
Waterjacket 'vo:tɐdʒɛkɪt
Wạterkant 'va:tɐkant
Waterloo 'va:tɐlo, *fr.*

vatɛr'lo, *niederl.* 'wa:tərlo,
engl. wɔ:tə'lu:, '––'–, '–––
Watermaal-Bọsvoorde
niederl. 'wa:tərma:l'bɔs-
fo:rdə
Watermael-Boisfọrt *fr.*
watɛrmalbwa'fɔ:r, va...
waterproof, W... 'vo:tɐpru:f
Waters *engl.* 'wɔ:təz
Waterton *engl.* 'wɔ:tətən
Watertown *engl.* 'wɔ:tətaʊn
Waterville *engl.* 'wɔ:təvɪl
Watervliet *engl.* 'wɔ:təvli:t
Watford *engl.* 'wɔtfəd
Wathi *neugr.* va'θi
Watkin[s] *engl.* 'wɔtkɪn[z]
Watling[s] *engl.* 'wɔtlɪŋ[z]
Watrụschki va'trʊʃki
Watsạ *fr.* wat'sa
Watsche 'va:tʃə, *auch:*
'vatʃə
watsch[e]lig 'va:tʃ[ə]lɪç,
auch: 'vatʃ..., -e ...ɪgə
watscheln 'va:tʃln̩, *auch:*
'vatʃln̩
watschen, W... 'va:tʃn̩,
auch: 'vatʃn̩
Watson[ville] *engl.*
'wɔtsn̩[vɪl]
¹Wạtt (Maßeinheit) vat
²Wạtt (Name) vat, *engl.* wɔt
Wạtte 'vatə
Watteau *fr.* va'to
Wattelíne vatə'li:nə
Wạtten 'vatn̩
Wạttens 'vatn̩s
Wạttenscheid 'vatn̩ʃaɪt
Watterson *engl.* 'wɔtəsn̩
wattíeren va'ti:rən
wạttig 'vatɪç, -e ...ɪgə
Wattrelọs *fr.* vatrə'lo
Watts[-Dunton] *engl.*
'wɔts['dʌntən]
Wạttwil 'vatvi:l
Watụssi va'tʊsi
Watwạt *pers.* væt'va:t
Wạtzlik 'vatslɪk
Wạtzmann 'vatsman
wau!, Wau vaʊ
wau, wau! 'vaʊ'vaʊ, –'–, '––
Wauer 'vaʊɐ
Waugh *engl.* wɔ:, wɔf, wɑ:f
Waukegan *engl.* wɔ:'ki:gən
Waukesha *engl.* 'wɔ:kɪʃɔ:
Wausau *engl.* 'wɔ:sɔ:
Wauters *niederl.* 'woʊtərs
Wauwatosa *engl.* wɔ:wə-
'toʊsə
Wauwau 'vaʊvaʊ
Wauwil 'vaʊvi:l, –'–

Wavell *engl.* 'weɪvəl
Wavellít vevə'li:t
Waverley *engl.* 'weɪvəlɪ
Wavre *fr.* wɑ:vr, vɑ:vr
Wạwel *poln.* 'vavɛl
Wawíla *russ.* va'vilɐ
Wawílow *russ.* va'vilɐf
Waxahachie *engl.* 'wɔ:ksə-
hætʃi
Wạxenstein 'vaksn̩ʃtain
Waycross *engl.* 'weɪkrɔs
Wayland *engl.* 'weɪlənd
Wayne *engl.* weɪn
Waynesboro *engl.* 'weɪnz-
bərə
Waza *russ.* 'vatsɐ, *fr.* wa'za
Wążyk *poln.* 'vaʒik
WC ve:'tse:
Weald[en] 'vi:ld[ən]
Weatherford *engl.* 'wɛðəfəd
Weathers *engl.* 'wɛðəz
Weaver *engl.* 'wi:və
Wẹbb[e] *engl.* wɛb
Wẹbe 've:bə
wẹben 've:bn̩, **web!** ve:p,
wẹbt ve:pt
Wẹber 've:bɐ
Weberẹi ve:bə'rai
Wẹbern 've:bɐn
Wẹbster *engl.* 'wɛbstə
Websterít vɛpstə'ri:t
Wẹchsel[burg] 'vɛksl̩[bʊrk]
wẹchseln 'vɛksl̩n
Wẹchselreiterẹi vɛksl̩rai-
tə'rai
Wẹchsler 'vɛkslɐ
Wẹchte 'vɛçtə
Wẹchtlin 'vɛçtli:n
Wẹck (*auch:* ®) vɛk
Wẹckamin vɛk|ami:n
Wẹcke 'vɛkə
wẹcken, W... 'vɛkn̩
Wẹcker[l] 'vɛkɐ[l]
Wẹckherlin 'vɛkɐli:n
Wẹckmann 'vɛkman
Wẹda 've:da
Wedạnta ve'danta
Wẹdda 'vɛda
Wẹddell *engl.* wɛdl̩
Wẹdderburn *engl.* 'wɛdə-
bə:n
Wẹdekind 've:dəkɪnt
Wẹdel 've:dl̩
wẹdeln 've:dl̩n, **wẹdle** ...dlə
Wẹdemeier 've:dəmaiɐ
wẹder 've:dɐ
Wẹdge *engl.* wɛdʒ
Wẹdgwood 'vɛtʃvʊt
wẹdisch 've:dɪʃ
Wedísmus ve'dɪsmʊs

Wednesday engl. 'wɛnzdɪ
Wedro ve'dro:
Weed engl. wi:d
Weekend 'vi:klɛnt
Weekl[e]y engl. 'wi:klɪ
Weeks engl. wi:ks
Weelkes engl. wi:lks
Weems engl. wi:mz
Weener 've:nɐ
Weenix niederl. 'we:nɪks
Weert ve:ɐt, niederl. we:rt
Weerth ve:ɐt
Weesp niederl. we:sp
Weft vɛft
weg vɛk
Weg ve:k, -e 've:gə
Wega 've:ga
wegarbeiten 'vɛklarbaɪtn̩
Wegberg 've:kbɛrk
Wegelagerei ve:gəla:gə'raɪ
Wegeleben 've:gəle:bn̩
Wegelius schwed. ve'ge:lius
wegen 've:gn̩
Wegener 've:gənɐ
Weger 've:gɐ
Wegerich 've:gərɪç
wegern 've:gɐn, **wegre** 've:grə
Weggen 'vɛgn̩
Weggis 'vɛgɪs
Weggli 'vɛkli
Węgierski poln. vɛŋ'gjɛrski
Wegner 've:gnɐ
Węgorapa poln. vɛŋgɔ'rapa
Węgorzewo poln. vɛŋgɔ-'ʒɛvɔ
wegsam 've:kza:m
Wegscheid 've:kʃaɪt, -e ...aɪdə
wegwärts 've:kvɛrts
weh, Weh ve:
wehe, W... 've:ə
wehen, W... 've:ən
Wehingen 've:ɪŋən
wehklagen 've:kla:gn̩
¹Wehl (Bucht) ve:l
²Wehl (Name) ve:l, niederl. we:l
Wehlau 've:laʊ
Wehl[t]e 've:l[t]ə
Wehmut 've:mu:t
wehmütig 've:my:tɪç, -e ...ɪgə
Wehne 've:nə
Wehnelt 've:nl̩t
Wehner 've:nɐ
Wehr ve:ɐ
wehren, W... 've:rən
Wehrli 've:ɐli
Wehweh 've:ve:, auch: -'-

Wehwehchen ve:'ve:çən, auch: '---
Wei chin. ɥeɪ 4
Weib vaɪp, -er 'vaɪbɐ
Weibchen 'vaɪpçən
Weibel 'vaɪbl̩
weibeln 'vaɪbl̩n, ...ble ...blə
weibisch 'vaɪbɪʃ
weiblich 'vaɪplɪç
Weibsen 'vaɪpsn̩
weich vaɪç
Weichbild 'vaɪçbɪlt
Weiche 'vaɪçə
weichen 'vaɪçn̩
Weichert 'vaɪçɐt
Weichling 'vaɪçlɪŋ
Weichsel[baum] 'vaɪksl̩[baʊm]
Weida 'vaɪda
Weide 'vaɪdə
Weidelgras 'vaɪdl̩gra:s
Weidelsburg 'vaɪdl̩sbʊrk
weiden 'vaɪdn̩, **weid!** vaɪt
Weiden 'vaɪdn̩
Weiderich 'vaɪdərɪç
Weidicht 'vaɪdɪçt
Weiditz 'vaɪdɪts
weidlich 'vaɪtlɪç
Weidling 'vaɪtlɪŋ
Weidman engl. 'waɪdmən
Weidmann 'vaɪtman
Weidmannsdank! vaɪtmans'daŋk
Weidmannsheil! vaɪtmans-'haɪl
Weidwerk 'vaɪtvɛrk
Weierstraß 'vaɪɐʃtra:s
Weifang chin. ɥeɪfaŋ 21
Weife 'vaɪfə
weifen 'vaɪfn̩
Weigand 'vaɪgant, -e ...ndə
Weigel[t] 'vaɪgl̩[t]
Weigelie vaɪ'ge:liə
weigern 'vaɪgɐn, **weigre** 'vaɪgrə
Weih vaɪ
Weihai chin. ɥeɪxaɪ 13
¹Weihe 'vaɪə
²Weihe (Fluss) chin. weɪxʌ 42
weihen 'vaɪən
Weihenstephan vaɪən'ʃtɛfan
Weiher 'vaɪɐ
Weihling 'vaɪlɪŋ
Weihnacht 'vaɪnaxt
weihnachten, W... 'vaɪnaxtn̩
Weihrauch 'vaɪraʊx
Weihtum 'vaɪtu:m

Weikersheim 'vaɪkɐshaɪm
Weikl 'vaɪkl̩
weil vaɪl
Weil vaɪl, tschech. vajl, fr. vɛj
weiland 'vaɪlant
Weilburg 'vaɪlbʊrk
Weile[n] 'vaɪlə[n]
Weiler 'vaɪlɐ
Weilheim 'vaɪlhaɪm
Weill vaɪl, fr. vɛj
Weimar[er] 'vaɪmar[ɐ]
weimarisch 'vaɪmarɪʃ
Weimutskiefer 'vaɪmu:ts-ki:fɐ
Wein vaɪn
Weinberg 'vaɪnbɛrk, engl. 'waɪnbɜ:g
Weinberger 'vaɪnbɛrgɐ, tschech. 'vajnbɛrgɛr, engl. 'waɪnbɜ:gɐ
Weinbrenner 'vaɪnbrɛnɐ
weinen 'vaɪnən
Weiner 'vaɪnɐ, tschech. 'vajnɛr
Weinert 'vaɪnɐt
Weinfelden 'vaɪnfɛldn̩
Weingarten 'vaɪngartn̩
Weingartner 'vaɪngartnɐ
Weinhandl 'vaɪnhandl̩
Weinheber 'vaɪnhe:bɐ
Weinheim 'vaɪnhaɪm
weinig 'vaɪnɪç, -e ...ɪgə
Weininger 'vaɪnɪŋɐ
Weinreich 'vaɪnraɪç
Weinrich 'vaɪnrɪç
Weinsberg 'vaɪnsbɛrk
Weinstadt 'vaɪnʃtat
Weinstraße 'vaɪnʃtra:sə
Weinzierl 'vaɪntsi:ɐl
Weir[ton] engl. wɪə[tn̩]
weis, W... vaɪs
weise, W... 'vaɪzə
Weisel 'vaɪzl̩
weisen 'vaɪzn̩, **weis!** vaɪs, **weist** vaɪst
Weisenborn 'vaɪzn̩bɔrn
Weiser 'vaɪzɐ
Weisgerber 'vaɪsgɛrbɐ
Weisheit 'vaɪshaɪt
Weiskopf 'vaɪskɔpf
weislich 'vaɪslɪç
Weismann 'vaɪsman
Weismantel 'vaɪsmantl̩
weiß, W... vaɪs
Weiss vaɪs, fr. va'is, vɛs, tschech. vajs
Weiße 'vaɪsə
weißeln 'vaɪsl̩n
weißen, W... 'vaɪsn̩

Weißenau 'vaisənau
Weißenberg 'vaisn̩bɛrk
Weißenborn 'vaisn̩bɔrn
Weißenburg 'vaisn̩burk
Weißenburger 'vaisn̩burgɐ
weißenburgisch 'vaisn̩bur-
   gıʃ
Weißenfels 'vaisn̩fɛls
Weißenhorn 'vaisn̩hɔrn
Weißenkirchen vaisn̩'kırçn̩
Weißenkirchner
   'vaisn̩kırçnɐ
[1]Weißensee (Berlin)
   vaisn̩'ze:
[2]Weißensee (Erfurt, Kärn-
   ten) 'vaisn̩ze:
Weißenthurm 'vaisn̩turm,
   --'-
Weißer, ...sser 'vaisɐ
Weißeritz 'vaisərıts
Weißfluhjoch vaisflu:'jɔx
Weißgerberei vaisgɛrbə'rai
weiß Gott! 'vais 'gɔt
weißgrau 'vais'grau
Weißkirchen vais'kırçn̩
Weißkopf 'vaiskɔpf
Weißling 'vaislıŋ
Weissmuller engl. 'wais-
   mʌlə
Weißrusse 'vaisrusə
Weißrussland 'vaisruslant
weißt vaist
Weißwasser 'vaisvasɐ
Weistum 'vaistu:m, **Weis-**
tümer ...ty:mɐ
Weisweiler 'vaisvailɐ
weit, W... vait
weitab 'vait'lap
weitaus 'vait'laus
Weitbrecht 'vaitbrɛçt
Weite 'vaitə
weiten, W... 'vaitn̩
weiter 'vaitɐ
weiterarbeiten 'vaitɐ-
   larbaitn̩
weiterhin 'vaitɐ'hın
weitern 'vaitɐn
weiters 'vaitɐs
weither 'vait'he:ɐ
weiterum 'vaitɐ'rum
weitherzig 'vaithɛrtsıç
weithin 'vait'hın
weithinaus 'vaithı'naus
weitläufig 'vaitlɔyfıç
Weitling 'vaitlıŋ
weitmaschig 'vaitmaʃıç, -e
   ...ıgə
Weitra 'vaitra
Weitsch vaitʃ
weitschichtig 'vaitʃıçtıç

weitschweifig 'vaitʃvaifıç,
   -e ...ıgə
Weitsicht 'vaitzıçt
weitsichtig 'vaitzıçtıç
weitum 'vait'|um
Wei Yang chin. uei-iaŋ 44
Weiz vaits
Weizacker 'vaitslakɐ
Weizen 'vaitsn̩
Weizmann 'vaitsman
Weizsäcker 'vaitszɛkɐ
Wejherowo poln. vɛjhxɛ-
   'rɔvɔ
Wękerle ung. 'vɛkɛrlɛ
Wękhrlin 'vɛkɐli:n
Wekil ve' ki:l, **Wukela**
   vuke'la:
Wękwerth 'vɛkvɛrt
Welajati pers. velajæ'ti:
welch vɛlç
Welch engl. wɛltʃ
Welcker 'vɛlkɐ
Weldon engl. 'wɛldən
Welensky engl. wı'lɛnskı
Welf[e] 'vɛlf[ə]
Welhaven norw. 'vɛlha:vən
Weli ve'li:
Welikije Łuki russ. vı'likıjı
   'luki
Weliki Ustjug, russ. vı'likij
   'ustjuk
Weliko Tarnowo bulgar.
   vɛ'liko 'tərnovo
Welin schwed. ve'li:n
Welingrad bulgar. 'vɛlıŋgrat
Welitsch 've:lıtʃ
Welitschkow bulgar. vɛ'litʃ-
   kof
welk, W... vɛlk
welken 'vɛlkn̩
Welkom afr. 'vɛlkɔm
Welland engl. 'wɛlənd
Welle 'vɛlə
Wellek 'vɛlɛk
wellen, W... 'vɛlən
Weller vɛlə, engl. 'wɛlə
Weller[shoff] 'vɛlɐ[shɔf]
Wellerswalde vɛlɐs'valdə
Welles[ley] engl. 'wɛlz[lı]
Wellesz 'vɛlɛs
wellig 'vɛlıç, -e ...ıgə
Welliné vɛli'ne:
Wellingborough engl.
   'wɛlıŋbərə
Wellington 'vɛlıŋtɔn, engl.
   'wɛlıŋtən
Wellingtonia vɛlıŋ'to:nia,
   ...ien ...iən
Wellman engl. 'wɛlmən
Wellness 'vɛlnɛs

Wells engl. wɛlz
Welpe 'vɛlpə
Wels vɛls, -e 'vɛlzə
welsch, W... vɛlʃ
Welschbillig 'vɛlʃbılıç
Welsche 'vɛlʃə
welschen, W... 'vɛlʃn̩
Welscherei vɛlʃə'rai
Welser 'vɛlzɐ
Welsh vɛlʃ, engl. wɛlʃ
Welshpool engl. 'wɛlʃpu:l
Welshrabbit 'vɛlʃrɛbıt
Welshrarebit 'vɛlʃrɛ:ɐbıt
Welskopf-Henrich 'vɛls-
   kɔpf'hɛnrıç
Welsunge 'vɛlzuŋə
Welt vɛlt
weltbest... 'vɛltbɛst...
Welte 'vɛltə
Weltenburg 'vɛltn̩burk
Welter 'vɛltɐ
Welti 'vɛlti
weltlich 'vɛltlıç
Weltman russ. 'vjeljtmɛn
Welty 'vɛlti, engl. 'wɛltı
Welwitsch 'vɛlvıtʃ
Welwitschia vɛl'vıtʃia
Welwyn engl. 'wɛlın
Welzheim 'vɛltshaim
Welzow 'vɛltso
wem ve:m
Wembley engl. 'wɛmblı
Wemyss engl. wi:mz
wen ve:n
Wenau[er] 've:nau[ɐ]
Wencke 'vɛŋkə
Wende 'vɛndə
Wendehals 'vɛndəhals
Wendel 'vɛndl̩
Wendelin 'vɛndəli:n
Wendell engl. wɛndl̩
Wendelstein 'vɛndlʃtain
Wendeltreppe 'vɛndl̩trɛpə
wenden 'vɛndn̩, **wend!**
   vɛnt
Wenden 'vɛndn̩
Wenders 'vɛndɐs
Wendhausen 'vɛnthauzn̩
wendig 'vɛndıç, -e ...ıgə
wendisch 'vɛndıʃ
Wendla 'vɛndla
Wendland 'vɛntlant
Wendler 'vɛndlɐ
Wendlingen 'vɛndlıŋən
Wendy 'vɛndi
Wenedikt russ. vını'dikt
Wenesis neugr. vɛ'nɛzis
Wenetwinow russ. vınıt'vi-
   nɐf

Wenezianow *russ.* vɪnɪtsi'a-
nɐf
Wengen 'vɛŋən
Wengernalp vɛŋən'|alp
Wenglein 'vɛŋlaɪn
Weniaminow *russ.* vɪnia-
'minɐf
wenig 've:nɪç, -e ...ɪɡə
Wenig 've:nɪç
wenigstens 've:nɪçstn̩s
Weniselos *neugr.* vɛni'zɛlɔs
Wenker 'vɛŋkɐ
Wenlock *engl.* 'wɛnlɔk
wenn, W... vɛn
Wennerberg *schwed.*
,vɛnərbærj
Wenner-Gren *schwed.*
,vɛnər'gre:n
wenngleich vɛn'ɡlaɪç
Wenningstedt 'vɛnɪnʃtɛt
wennschon vɛn'ʃo:n
wennschon! 'vɛnʃo:n
wennschon, dennschon
'vɛnʃo:n, 'dɛnʃo:n
Wenschow 'vɛnʃo
Wenssler 'vɛnslɐ
Wenter 'vɛntɐ
Wen Tong *chin.* ɥəntʊŋ 22
Wentworth *engl.* 'wɛnt-
wə[:]θ
Wenzel 'vɛntsl̩
Wenzeslaus 'vɛntsəslaʊs
Wen Zhengming *chin.*
ɥəndʒəŋmɪŋ 212
Wenzhou *chin.* ɥəndʒoʊ 11
Wenzinger 'vɛntsɪŋɐ
Weöres *ung.* 'vørɛʃ
Wepse 'vɛpsə
wer ve:ɐ̯
Wera 've:ra, *russ.* 'vjɛrɐ
Werba[ch] 'vɛrba[x]
Werbellin vɛrbɛ'li:n
werben 'vɛrbn̩, **werbt** vɛrpt
werberisch 'vɛrbərɪʃ
werblich 'vɛrplɪç
Werchni Ufalei *russ.*
'vjɛrxnij ufa'ljej
Werchnjaja Pyschma *russ.*
'vjɛrxnijɐ pɪʃ'ma
Werchnjaja Salda *russ.*
'vjɛrxnijɐ sal'da
Werchojansk *russ.* vɪrxa-
'jansk
Werckmeister 'vɛrkmaɪstɐ
Werda 've:ɐ̯da
Werdandi 'vɛrdandi
Werdau 've:ɐ̯daʊ
Werdehaus 'verdəhaʊs
werden 've:ɐ̯dn̩, **werd!**
ve:ɐ̯t

Werdenberg 'vɛrdn̩bɛrk
Werdenfels 've:ɐ̯dn̩fɛls
Werder 'vɛrdɐ
Werdohl vɛr'do:l
Werefkin ve'rɛfki:n
Werenfels 've:rənfɛls
Werenskiold *norw.* 've:rən-
ʃɔld
Wereschtschagin *russ.*
vɪrɪ'ʃtʃagin
Weressajew *russ.* vɪrɪ'sajɪf
Werfel 'vɛrfl̩
werfen, W... 'vɛrfn̩
Werff *niederl.* wɛrf
Werft vɛrft
Werg vɛrk, **-es** 'vɛrgəs
Wergeland *norw.* 'værgəlan
Wergeld 've:ɐ̯gɛlt
wergen 'vɛrgn̩
Weria *neugr.* 'vɛrja
Werk vɛrk
Werkel[tag] 'vɛrkl̩[ta:k]
werkeln 'vɛrkl̩n
werken, W... 'vɛrkn̩
werktäglich 'vɛrktɛ:klɪç
werktätig 'vɛrktɛ:tɪç
Werl[a] 'vɛrl[a]
Werle 'vɛrlə
Werlhof 'vɛrlho:f
Wermelskirchen 'vɛrml̩s-
kɪrçn̩
Wermsdorf 'vɛrmsdorf
Wermut 've:ɐ̯mu:t
Wernardakis *neugr.* vɛrnar-
'ðakis
Wernau 'vɛrnaʊ
Werne 'vɛrnə
Werneck vɛr'nɛk
Werner 'vɛrnɐ, *engl.* 'wə:nə,
schwed. 'væ:rnər
Wernhard 'vɛrnhart
Wernher 'vɛrnhɐr
Wernicke 'vɛrnɪkə
Wernigerode vɛrnɪgə'ro:də
Wernigeröder vɛrnɪgə-
'rø:dɐ
Werra 'vɛra
Werre[meier] 'vɛrə[maɪɐ]
Werschetz 'vɛrʃɛts
Werst vɛrst
Werstowski *russ.* vɪr'stɔf-
skij
wert, W... ve:ɐ̯t
Wertach 'vɛrtax
Werth ve:ɐ̯t, *niederl.* vɛrt
Wertheim[er] 've:ɐ̯thaɪm[ɐ]
Werthenstein 'vɛrtn̩ʃtaɪn
Werther 've:ɐ̯tɐ
Werthes 'vɛrtəs
Werthmann 've:ɐ̯tman

...wertig ....ve:ɐ̯tɪç, **-e** ...ɪɡə
Wertingen 'vɛrtɪŋən
Wertinger 'vɛrtɪŋɐ
Wertmüller 've:ɐ̯tmylɐ
Wertow *russ.* 'vjɛrtɐf
Werumeus Buning *niederl.*
wery'me:ʏs 'bynɪŋ
Werve 'vɛrvə, *niederl.*
'wɛrvə
werweißen 've:ɐ̯vaɪsn̩
Wervik *niederl.* 'vɛrvɪk
Werwolf 've:ɐ̯vɔlf
wes vɛs
Weschinow *bulgar.* 'vɛʒinof
Wescott *engl.* 'wɛskət
Wesel[berg] 've:zl̩[bɛrk]
wesen 've:zn̩, **wes!** ve:s,
west ve:st
Wesen[berg] 've:zn̩[bɛrk]
Wesendon[c]k 've:zn̩dɔŋk
wesentlich 've:zn̩tlɪç
Weser 've:zɐ
Weserbergland ve:zɐ'bɛrk-
lant
Wesermünde ve:zɐ'mʏndə
weshalb vɛs'halp, *auch:* '--
Wesir ve'zi:ɐ̯
Wesirat vezi'ra:t
Wesker *engl.* 'wɛskə
Weslaco *engl.* 'wɛsləkoʊ
Wesley *engl.* 'wɛzlɪ, 'wɛslɪ
Wesleyaner vɛsli'a:nɐ,
...le'ja:...
Wespe 'vɛspə
Wespel 'vɛspl̩
Wessel 'vɛsl̩, *norw.* 'vɛsəl,
engl. wɛsl
Wesselburen vɛsl̩'bu:rən
Wesselényi *ung.* 'vɛʃɛle:nji
Wesseling 'vɛsəlɪŋ
Wesselowski *russ.* vɪsɪ'lɔf-
skij
Wessely 'vɛsəli
wessen, W... 'vɛsn̩
Wessén *schwed.* vɛ'se:n
Wessenberg 'vɛsn̩bɛrk
wessenthalben 'vɛsn̩t-
'halbn̩
wessentwegen 'vɛsn̩t-
've:gn̩
wessentwillen 'vɛsn̩t'vɪlən
Wessex *engl.* 'wɛsɪks
Wessi 'vɛsi
Wessjoly *russ.* vɪ'sjɔlɪj
Wessobrunn vɛso'brʊn
Wessum 'vɛsʊm
¹West vɛst
²West (Name) vɛst, *engl.*
wɛst
West Allis *engl.* 'wɛst 'ælɪs

Westarp 'vɛstarp
Westaustralien 'vɛst-|aus̯'tra:li̯ən
West Babylon engl. 'wɛst 'bæbɪlən
West Bank engl. 'wɛst 'bæŋk
West Bend engl. 'wɛst 'bɛnd
Westberlin 'vɛstbɛrli:n
Westberliner 'vɛstbɛrli:nɐ
Westborough engl. 'wɛstbərou̯
West Bromwich engl. 'wɛst 'brɔmɪdʒ
Westbrook engl. 'wɛstbrʊk
Westbury engl. 'wɛstbərɪ
West Carrolton engl. 'wɛst 'kærəlten
Westchester engl. 'wɛst-tʃestə
Westcoast... engl. 'wɛst-'koʊst...
Westcott engl. 'wɛstkət
westdeutsch 'vɛstdɔy̯tʃ
Westdeutschland 'vɛstdɔy̯tʃlant
Weste 'vɛstə
Westen 'vɛstn̩
Westend 'vɛst|ɛnt, engl. 'wɛstend
Westerberg schwed. ˌvɛs-tərbærj
Westerbork niederl. 'wɛs-tərbɔrk
Westerburg 'vɛstɐbʊrk
Westerholt vɛstɐ'hɔlt
Westerland 'vɛstɐlant
Westerlinck niederl. 'wɛs-tərlɪŋk
Westerly engl. 'wɛstəlɪ
Westermann 'vɛstɐman, fr. vɛstɛr'man
Westermar[c]k schwed. ˌvɛstərmark
Western 'vɛstɐn, engl. 'wɛs-tən
Westerner 'vɛstɐnɐ
Westerschelde niederl. 'wɛstərsxɛldə
Westerstede vɛstɐ'ʃte:də
Westerville engl. 'wɛstəvɪl
Westerwald 'vɛstɐvalt, --'-
westerwäldisch 'vɛstɐvɛl-dɪʃ, --'--
Westerwanna vɛstɐ'vana
Westerwinkel 'vɛstɐvɪŋkl̩
Westeuropa 'vɛst|ɔy̯'ro:pa
westeuropäisch 'vɛst-|ɔy̯ro'pɛ:ɪʃ
Westfal 'vɛstfa:l, -'-

Westfale[n] vɛst'fa:lə[n]
Westfalia vɛst'fa:li̯a
Westfälin vɛst'fɛ:lɪn
westfälisch vɛst'fɛ:lɪʃ
Westfield engl. 'wɛstfi:ld
Westflandern 'vɛstflandɐn
Westford engl. 'wɛstfəd
West-Friesland niederl. wɛst'fri:slant
Westgermane 'vɛstgɐr-ma:nə
Westgote 'vɛstgo:tə
West Ham engl. 'wɛst 'hæm
West Helena engl. 'wɛst 'hɛlɪnə
Westhofen 'vɛstho:fn̩
Westhoughton engl. 'wɛst-'hɔ:tn
Westindien 'vɛst'|ɪndi̯ən
West Indies engl. 'wɛst 'ɪndɪz
westindisch 'vɛst'|ɪndɪʃ
Westinghouse engl. 'wɛs-tɪŋhaʊs
Westinghousebremse® 'vɛstɪŋhaʊsbrɛmzə
westisch 'vɛstɪʃ
Westlake engl. 'wɛstleɪk
Westland engl. 'wɛstlənd, niederl. 'wɛstlant
Westler 'vɛstlɐ
westlerisch 'vɛstlərɪʃ
westlich 'vɛstlɪç
West Linn engl. 'wɛst 'lɪn
Westmacott engl. 'wɛstmə-kət
Westman schwed. 'vɛstman
Westmännerinseln 'vɛstmɛnɐˌ|ɪnzl̩n
Westmeath engl. wɛst'mi:ð, '--
West Mifflin engl. 'wɛst-'mɪflɪn
Westminster 'vɛstmɪnstɐ, engl. 'wɛstmɪnstə
Westmont engl. 'wɛstmɔnt
Westmor[e]land engl. 'wɛstmələnd
Westmount engl. 'wɛst-maʊnt
Westnordwest[en] vɛst-nɔrt'vɛst[n̩]
West Norriton engl. 'wɛst 'nɔrɪtn
Weston engl. 'wɛstən
westöstlich 'vɛst'|œstlɪç
¹Westover (Kleidung) vɛst'|o:vɐ
²Westover (Name) engl. 'wɛstoʊvə

Westphal 'vɛstfa:l
West Point engl. 'wɛst 'pɔɪnt
Westport engl. 'wɛstpɔ:t
Westpreußen 'vɛstprɔy̯sn̩
Westray engl. 'wɛstreɪ
Westrich 'vɛstrɪç
Westrom 'vɛstro:m
weströmisch 'vɛstrø:mɪʃ
Westsamoa vɛstza'mo:a
Westsüdwest[en] vɛstzy:t-'vɛst[n̩]
West-Vlaanderen niederl. wɛst'fla:ndərə
westwärts 'vɛstvɛrt̯s
Westwego engl. wɛst'wi:-gou̯
Westwood engl. 'wɛstwʊd
weswegen vɛs've:gn̩, auch: '---
Wet niederl. wɛt
Wetar indon. 'wetar
Wetaskiwin engl. wɛ'tæskɪ-wɪn
Wethersfield engl. 'wɛðəz-fi:ld
Wetluga russ. vɪt'luɡɐ
wett vɛt
Wettbewerb 'vɛtbəvɛrp
Wette 'vɛtə
Wetteifer 'vɛt|ai̯fɐ
wetten, W... 'vɛtn̩
Wetter 'vɛtɐ
Wetterau 'vɛtərau̯
Wetteren niederl. 'wɛtərə
Wetterhorn 'vɛtɐhɔrn
wetterkundlich 'vɛtɐkʊnt-lɪç
wetterleuchten 'vɛtɐlɔy̯çtn̩
wettern, W... 'vɛtɐn
Wettersteingebirge 'vɛtɐ-ʃtai̯ngəbɪrgə
wetterwendisch 'vɛtɐvɛn-dɪʃ
Wettin[er] vɛ'ti:n[ɐ]
Wettingen 'vɛtɪŋən
wettinisch vɛ'ti:nɪʃ
Wettling engl. 'wɛtlɪŋ
wettmachen 'vɛtmaxn̩
Wettstein 'vɛtʃtai̯n
wettstreiten 'vɛtʃtrai̯tn̩
Wetz[el] 'vɛt̯s[l̩]
wetzen, W... 'vɛt̯sn̩
Wetzikon 'vɛt̯siko:n
Wetzlar 'vɛt̯slar
Wetzstein 'vɛt̯sʃtai̯n
Wevelgem niederl. 'we:vəl-ɣɛm
Wevelinghoven ve:vəlɪŋ-'ho:fn̩

Wewak *engl.* 'weɪwɑːk
Wexford *engl.* 'weksfəd
Weyburn *engl.* 'weɪbən
Weyden *niederl.* 'weɪdə
Weyer 'vaɪɐ
Weyergans *fr.* vɛjɛrˈgãː s
Weygand *fr.* vɛˈgã
Weyl vaɪl
Weymouth *engl.* 'weɪməθ
Weymouth[s]kiefer
 'vaɪmuːtski:fɐ
Weyprecht 'vaɪprɛçt
Weyr 'vaɪɐ
Weyrauch 'vaɪraʊx
Weyse *dän.* 'vaɪsə
Weyssenhoff *poln.* 'vɛjsɛn-
 xɔf
Wezel 'vɛtsl̩
Whalsay, ...sey *engl.* 'wɔːlsɪ
Whangarei *engl.* wɑːŋɑːˈreɪ
Wharton *engl.* wɔːtn̩
Wheatley *engl.* 'wiːtlɪ
Wheaton *engl.* wiːtn̩
Wheat Ridge *engl.* 'wiːt
 'rɪdʒ
Wheatstone *engl.* 'wiːtstən
Wheatstone... 'viːtstn̩...
Wheeler *engl.* 'wiːlə
Wheeling *engl.* 'wiːlɪŋ
Wheelock *engl.* 'wiːlɔk
Wheelright *engl.* 'wiːlraɪt
Whetstone *engl.* 'wɛtstoʊn
Whewell *engl.* 'hjuːəl
Whig vɪk
Whip vɪp
Whipcord 'vɪpkɔrt
Whipper 'vɪpɐ
Whipple *engl.* wɪpl
Whirlpool® 'vøːɐlpuːl,
 'vœrl...
Whisker 'vɪskɐ
Whisk[e]y 'vɪski
Whist[ler] 'vɪst[lɐ]
Whistler (Name) *engl.*
 'wɪslə
Whit[aker] *engl.* 'wɪt[əkə]
Whitby *engl.* 'wɪtbɪ
Whitchurch *engl.* 'wɪtʃɔːtʃ
White[chapel] *engl.*
 'waɪt[tʃæpəl]
Whitecoat *engl.* 'waɪtkout
White-Collar-... 'vaɪtˈkɔlɐ...
Whitefield *engl.* 'waɪtfiːld
Whitefish Bay *engl.* 'waɪtfɪʃ
 'beɪ
Whitegate *engl.* 'waɪtgeɪt
Whitehall *engl.* 'waɪtˈhɔːl
Whitehaven *engl.* 'waɪt-
 heɪvn
Whitehead *engl.* 'waɪthɛd

Whitehill *engl.* 'waɪthɪl
Whitehorse *engl.* 'waɪthɔːs
Whitehouse *engl.* 'waɪthaʊs
Whitelaw *engl.* 'waɪtlɔː
Whiteman *engl.* 'waɪtmən
White Plains *engl.* 'waɪt
 'pleɪnz
Whitewater *engl.* 'waɪt-
 wɔːtə
Whitgift *engl.* 'wɪtgɪft
Whiting *engl.* 'waɪtɪŋ
Whitlam *engl.* 'wɪtləm
Whitley *engl.* 'wɪtlɪ
Whitman *engl.* 'wɪtmən
Whitney *engl.* 'wɪtnɪ
Whitstable *engl.* 'wɪtstəbl
Whitta[c]ker *engl.* 'wɪtəkə
Whittier *engl.* 'wɪtɪə
Whittle *engl.* wɪtl
Whitworth *engl.* 'wɪtwə[ː]θ
Whodunit hu:'danɪt
Whorf *engl.* wɔːf
Who's who? 'hu:s 'hu:
Whyalla *engl.* waɪˈælə
Whyburn *engl.* 'waɪbən
Whyle *engl.* 'waɪl
Whymper *engl.* 'wɪmpə
Whyte, Whytt *engl.* waɪt
Wibald 'vi:balt
wibbelig 'vɪbəlɪç, -e ...ɪgə
Wibbelt 'vɪblt
Wibert 'vi:bɛrt
Wibke 'vi:pkə
Wibmer-Pedit 'vi:pmɐ'pe:-
 dɪt
Wiborada vibo'ra:da
Wiborg 'vi:bɔrk
Wicelius vi'tse:lɪʊs
wich, W... vɪç
Wichern 'vɪ:çɛn
Wichert 'vi:çɛt
Wichita *engl.* 'wɪtʃɪtɔː
Wichmann 'vi:çman
Wichren *bulgar.* 'vixrɛn
Wichs[e] 'vɪks[ə]
wichsen 'vɪksn̩
Wichstadtl 'vɪçʃtatl̩
Wicht[e] 'vɪçt[ə]
Wichtel[männchen]
 'vɪçtl̩[mɛnçən]
wichtig 'vɪçtɪç, -e ...ɪgə
Wichtigtuer 'vɪçtɪçtuːɐ
Wichtigtuerei vɪçtɪçtuːəˈraɪ
wichtigtuerisch 'vɪçtɪçtuːə-
 rɪʃ
Wick *engl.* wɪk
Wicke[de] 'vɪkə[də]
Wickel 'vɪkl̩
wickeln 'vɪkl̩n
Wicker[t] 'vɪkɐ[t]

Wicki 'vɪki
Wickler 'vɪklɐ
Wickliffe *engl.* 'wɪklɪf
Wicklow *engl.* 'wɪkloʊ
Wicklung 'vɪklʊŋ
Wickram 'vɪkram
Wickrath 'vɪkraːt
Wicksell *schwed.* vik'sɛl
Wiclif *engl.* 'wɪklɪf
Widah 'vi:da
Widder 'vɪdɐ
Widenow *bulgar.* 'vidɛnof
wider 'vi:dɐ
Widerberg *schwed.* ˌvi:dɐr-
 bærj
widerborstig 'vi:dɐbɔrstɪç
Widerchrist 'vi:dɐkrɪst
Widerdruck 'vi:dɐdrʊk
widereinander vi:dɐ-
 laɪ'nandɐ
widerfahren vi:dɐ'fa:rən
widerhaarig 'vi:dɐha:rɪç
Widerhall 'vi:dɐhal
widerhallen 'vi:dɐhalən
Widerhalt 'vi:dɐhalt
widerhalten 'vi:dɐhaltn̩
Widerklage 'vi:dɐkla:gə
widerklagen 'vi:dɐkla:gn̩
widerklingen 'vi:dɐklɪŋən
Widerlager 'vi:dɐla:gɐ
widerlegen vi:dɐ'le:gn̩
Widerlegung vi:dɐ'le:gʊŋ
widerlich 'vi:dɐlɪç
widern 'vi:dɐn, widre
 'vi:drə
widernatürlich 'vi:dɐna-
 ty:ɐlɪç
Wideröe 'vi:dərø
Widerpart 'vi:dɐpart
widerraten vi:dɐ'ra:tn̩
Widerrede 'vi:dɐre:də
widerreden vi:dɐ're:dn̩
Widerrist 'vi:dɐrɪst
Widerruf 'vi:dɐruːf
widerrufen vi:dɐ'ru:fn̩
widerruflich 'vi:dɐruːflɪç,
 auch: --'--
Widerrufung vi:dɐ'ru:fʊŋ
Widersacher 'vi:dɐzaxɐ
widerschallen 'vi:dɐʃalən
Widerschein 'vi:dɐʃaɪn
widerscheinen 'vi:dɐʃaɪnən
widersetzen vi:dɐ'zɛtsn̩
widersetzlich vi:dɐ'zɛtslɪç,
 auch: ----
Widersinn 'vi:dɐzɪn
widerspenstig 'vi:dɐʃpɛns-
 tɪç, -e ...ɪgə
widerspiegeln 'vi:dɐʃpi:gl̩n
Widerspiel 'vi:dɐspi:l

widersprechen vi:dɐ-
ʃprɛçn̩

Widerspruch 'vi:dɐʃprʊx

widersprüchlich 'vi:dɐ-
ʃprʏçlɪç

Widerstand 'vi:dɐʃtant

widerstehen vi:dɐ'ʃte:ən

widerstrahlen 'vi:dɐʃtra:-
lən

widerstreben vi:dɐ'ʃtre:bn̩

Widerstreit 'vi:dɐʃtraɪt

widerstreiten vi:dɐ'ʃtraɪtn̩

Widerton 'vi:dɐto:n

widerwärtig 'vi:dɐvɛrtɪç, -e
...ɪgə

Widerwille 'vi:dɐvɪlə

Widin *bulgar.* 'vidin

Widmann 'vi:tman

Widmark *engl.* 'wɪdmɑ:k

widmen 'vɪtmən

Widmer 'vɪtmɐ

Widmung 'vɪtmʊŋ

Widnau 'vɪtnaʊ

Widnes *engl.* 'wɪdnɪs

Wido 'vi:do

Widone vi'do:nə

Widor *fr.* vi'dɔ:r

widrig 'vi:drɪç, -e ...ɪgə

Widuchowa *poln.* vidu'xɔva

Widukind 'vi:dukɪnt

Widum 'vɪdʊm

wie vi:

Wiebe *engl.* 'wi:b[ɪ]

Wiebel 'vi:bl̩

wiebeln 'vi:bl̩n, **wieble**
...blə

Wiebelskirchen 'vi:bl̩skɪrçn̩

Wiebke 'vi:pkə

Wiechert 'vi:çɐt

Wieck vi:k

Wied vi:t, *dän.* vi:'ð

Wiede[hopf] 'vi:də[hɔpf]

Wiedemann 'vi:dəman

Wieden 'vi:dn̩

Wiedenbrück vi:dn̩'bryk

wieder 'vi:dɐ

Wiederabdruck vi:dɐ-
'|apdrʊk

Wiederanpfiff vi:dɐ'|anpfɪf

Wiederanstoß vi:dɐ-
'|anʃto:s

Wiederau 'vi:dəraʊ

Wiederaufbau vi:dɐ-
'|aʊfbaʊ

Wiederaufnahme vi:dɐ-
'|aʊfna:mə

Wiederaufrüstung vi:dɐ-
'|aʊfrʏstʊŋ

wiederbringen 'vi:dɐbrɪŋən

Wiederdruck 'vi:dɐdrʊk

Wiedereinpflanzung
vi:dɐ'|aɪnpflantsʊŋ

Wiedereinsetzung vi:dɐ-
'|aɪnzɛtsʊŋ

Wiedereintritt 'vi:dɐ|aɪntrɪt

wiedererhalten 'vi:dɐ-
|ɛɐ̯haltn̩

wiedererlangen 'vi:dɐ-
|ɛɐ̯laŋən

wiederersetzen 'vi:dɐ-
|ɛɐ̯zɛtsn̩

wiedererstatten 'vi:dɐ-
|ɛɐ̯ʃtatn̩

wiederfordern 'vi:dɐfɔrdɐn

Wiedergabe 'vi:dɐga:bə

wiedergeben 'vi:dɐge:bn̩

Wiedergeburt 'vi:dɐgə-
bu:ɐ̯t

wiedergewinnen 'vi:dɐgə-
vɪnən

wiederhaben 'vi:dɐha:bn̩

wiederherstellen vi:dɐ-
'he:ɐ̯ʃtɛlən

wiederholen 1. 'vi:dɐho:lən
2. --'--

Wiederholung (zu: wiederholen 2) vi:dɐ'ho:lʊŋ

Wiederhören 'vi:dɐhø:rən

Wiederimpfung 'vi:dɐ-
|ɪmpfʊŋ

Wiederinbesitznahme
vi:dɐ|ɪnbə'zɪtsna:mə

Wiederinstandsetzung
vi:dɐ|ɪn'ʃtantzɛtsʊŋ

wiederkäuen 'vi:dɐkɔyən

Wiederkäufer 'vi:dɐkɔyfɐ

Wiederkehr 'vi:dɐke:ɐ̯

wiederkehren 'vi:dɐke:rən

wiederkommen 'vi:dɐkɔ-
mən

Wiederkunft 'vi:dɐkʊnft

Wiedernahme 'vi:dɐna:mə

Wiedersehen 'vi:dɐze:ən

Wiedertaufe 'vi:dɐtaʊfə

Wiedertäufer 'vi:dɐtɔyfɐ

wiederum 'vi:dərʊm

Wiedervereinigung
'vi:dɐfɛɐ̯|aɪnɪgʊŋ

wiedervergelten 'vi:dɐfɛɐ̯-
gɛltn̩

Wiederverheiratung
'vi:dɐfɛɐ̯haɪra:tʊŋ

Wiedervorlage 'vi:dɐfo:ɐ̯-
la:gə

Wiederwahl 'vi:dɐva:l

Wiedewelt *dän.* 'vi:ðəvel'd

Wiedewitte 'vi:dəvɪtə

wiefeln 'vi:fl̩n

wiefern vi'fɛrn

Wiegand 'vi:gant

Wiege 'vi:gə

wiegeln 'vi:gl̩n, ...gle ...glə

wiegen 'vi:gn̩, **wieg!** vi:k,
wiegt vi:kt

Wiehengebirge 'vi:əngə-
bɪrgə

wiehern 'vi:ɐn

Wiehl vi:l

Wiek vi:k

Wieland 'vi:lant

wielandisch 'vi:landɪʃ

wielandsch 'vi:lantʃ

Wieliczka *poln.* vjɛ'litʃka

Wieling 'vi:lɪŋ

Wieman 'vi:man

Wiemen 'vi:mən

Wiemer 'vi:mɐ

Wiemken 'vi:mkn̩

Wien vi:n

Wienbarg 'vi:nbark

Wiene 'vi:nə

Wiener 'vi:nɐ, *engl.* 'wi:nə

wienerisch 'vi:nərɪʃ

Wienerli 'vi:nɐli

wienern 'vi:nɐn

Wieners *engl.* 'wi:nɐz

Wienerstadt 'vi:nɐʃtat

Wienerwald 'vi:nɐvalt

Wienhausen 'vi:nhaʊzn̩

Wieniawski *poln.*
vjɛ'njafski

Wiens vi:ns

Wiepe 'vi:pə

Wieprz *poln.* vjɛpʃ

Wierden *niederl.* 'wi:rdə

Wieringen *niederl.* 'wi:rɪŋə

Wieringermeer *niederl.*
wi:rɪŋɐr'me:r

Wiertz *fr.* wirts, virts

Wieruszów *poln.* vjɛ'ruʃuf

Wierzyński *poln.* vjɛ'ʒiĩski

wies vi:s

Wies vi:s, *niederl.* wis

Wiesbaden 'vi:sba:dn̩

Wiesbad[e]ner 'vi:s-
ba:d[ə]nɐ

wiesbadensch 'vi:sba:dn̩ʃ

wiesbadisch 'vi:sba:dɪʃ

Wiesbaum 'vi:sbaʊm

Wieschen 'vi:sçən

Wiese 'vi:zə

Wiesel 'vi:zl̩, *engl.* wɪ'zɛl

Wieselburg 'vi:zl̩bʊrk

wieselflink 'vi:zl̩'flɪŋk

wieseln 'vi:zl̩n, **wiesle**
'vi:zlə

wiesen, W... 'vi:zn̩

Wiesensteig vi:zn̩ʃtaik

Wiesent 'vi:znt

Wiesent[h]al 'vi:znta:l

Wi̯eser 'vi:zɐ
Wi̯esloch 'vi:slɔx
Wi̯esmoor 'vi:smo:ɐ̯
wieso̯ vi'zo:
Wi̯essee 'vi:sze:
wi̯est vi:st
wi̯eten 'vi:tn̩
Wi̯etenberg 'vi:tn̩bɛrk
wie viel vi'fi:l, auch: 'vi:fi:l
wievielerlei vi'fi:lɐ'lai̯,
  auch: 'vi:fi:lɐ'lai̯
wievielmal vi'fi:lma:l, auch:
  'vi:fi:lma:l
wievielte vi'fi:ltɐ, auch:
  'vi:fi:ltɐ
wiewei̯t vi'vai̯t
wiewo̯hl vi'vo:l
Wieżyca poln. vje'ʒitsa
Wigalois 'vi:galɔys
Wigamur 'vi:gamu:ɐ̯
Wigan engl. 'wɪgən
Wigand 'vi:gant
Wigbert 'vi:kbɛrt
Wiggin[s] engl. 'wɪgɪn[z]
Wigglesworth engl. 'wɪglz-
  wə[:]θ
Wight, Isle of engl. 'ail əv
  'wait
Wigman 'vi:gman
Wigner engl. 'wɪgnə
Wigry poln. 'vigri
Wigtown engl. 'wɪgtən
Wigwam 'vɪkvam
Wijchen niederl. 'wixə
Wijnants niederl. 'wei̯nants
Wik vi:k
Wiking[er] 'vi:kɪŋ[ɐ]
wikingisch 'vi:kɪŋɪʃ
Wiklif 'vɪklɪf
Wiklifi̯t vɪkli'fi:t
Wiktor poln. 'viktɔr, russ.
  'viktɐr
Wiktorowitsch russ. 'viktɐ-
  revitʃ
Wiktorowna russ. 'viktɐ-
  revnɐ
Wil vi:l
Wila̯ja vi'la:ja
Wilajęt vila'jɛt
Wilamo̯witz vila'mo:vɪts
Wilanów poln. vi'lanuf
Wilberforce engl. 'wɪlbəfɔ:s
Wilbert 'vɪlbɛrt
Wilbraham engl. 'wɪlbrə-
  hæm
Wilbrandt 'vɪlbrant
Wilbur engl. 'wɪlbə
Wilbye engl. 'wɪlbɪ
Wilcox engl. 'wɪlkɔks
Wilczek 'vɪltʃɛk

wild vɪlt, -e 'vɪldə
Wild vɪlt, -es 'vɪldəs
Wildau 'vɪldau̯
Wildbad 'vɪltba:t
Wildberg 'vɪltbɛrk
Wildberger 'vɪltbɛrgɐ
Wildbret 'vɪltbrɛt
Wildcard 'vai̯ltka:ɐ̯t
wilddi̯eben 'vɪltdi:bn̩, ...b!
  ...i:p, ...bt ...i:pt
Wilddi̯eberei̯ vɪltdi:bə'rai̯
¹Wilde 'vɪldə
²Wilde (Name) 'vɪldə, engl.
  waild
wildeln 'vɪldl̩n, ...dle ...dlə
Wildemann 'vɪldəman
Wildenbruch 'vɪldn̩brux
Wildenburg 'vɪldn̩bʊrk
Wildenhahn 'vɪldn̩ha:n
Wildens niederl. 'wɪldəns
Wildenschwert 'vɪldn̩ʃve:ɐ̯t
Wildenstein 'vɪldn̩ʃtai̯n
Wildenvey norw. 'vɪldənvei̯
wildenzen 'vɪldɛntsn̩
Wilder engl. 'wai̯ldə
Wilderei̯ vɪldə'rai̯
Wilderer 'vɪldərɐ
Wildermuth 'vɪldɛmu:t
wildern 'vɪldɐn, wi̯ldre
  'vɪldrə
Wilderness engl. 'wɪldənɪs
Wilderode niederl. 'wɪldə-
  ro:də
Wildervank niederl. 'wɪldɐr-
  vaŋk
Wildeshausen vɪldəs'hau̯zn̩
Wildfang 'vɪltfaŋ
wildfremd 'vɪlt'frɛmt
Wildgans 'vɪltgans
Wildhorn 'vɪlthɔrn
Wilding 'vɪldɪŋ, engl. 'wai̯l-
  dɪŋ
Wildkirchli 'vɪltkɪrçli, -'--
Wildling 'vɪltlɪŋ
Wildman engl. 'wai̯ldmən
Wildnis 'vɪltnɪs, -se ...ɪsə
Wildo̯n[ie] vɪl'do:n[jə]
Wildo̯nje vɪl'dɔnjə
wildromantisch 'vɪltro-
  'mantɪʃ
Wildschur 'vɪltʃu:ɐ̯
Wildschütz 'vɪltʃʏts
Wildspitze 'vɪltʃpɪtsə
Wildstrubel 'vɪltʃtru:bl̩
Wildt vɪlt, it. vilt
Wildungen 'vɪldʊŋən
Wildwest vɪlt'vɛst
Wilfred engl. 'wɪlfrɪd, fr. vil-
  'frɛd
Wilfrid engl. 'wɪlfrɪd

Wilfried 'vɪlfri:t
Wilge afr. 'vəlxə
Wilhelm 'vɪlhɛlm, schwed.
  'vɪlhɛlm, engl. 'wɪlhɛlm
Wilhelma vɪl'hɛlma
Wilhelmi, ...mj vɪl'hɛlmi
Wilhelmina vɪlhɛl'mi:na,
  niederl. wɪlhɛl'mina,
  schwed. vɪlhɛl'mi:na
Wilhelmine vɪlhɛl'mi:nə
wilhelminisch vɪlhɛl'mi:nɪʃ
Wilhelmsburg 'vɪlhɛlms-
  bʊrk
Wilhelmshaven vɪlhɛlms-
  'ha:fn̩
Wilhelmson schwed. .vɪl-
  hɛlmsɔn
Wilhelmst[h]al 'vɪlhɛlmsta:l
Wilhering 'vɪlherɪŋ, ...lərɪŋ
Wilia 'vi:li̯a
Wiligelmus vili'gɛlmʊs
Wilija russ. 'vilijɐ
Wilju̯i russ. vi'lju̯j
Wilkau 'vɪlkau̯
Wilke 'vɪlkə
Wilkes engl. wɪlks
Wilkes-Barre engl. 'wɪlks-
  .bærə
Wilkie engl. 'wɪlkɪ
Wilkins[burg] engl. 'wɪl-
  kɪnz[bə:g]
Wilkinson engl. 'wɪlkɪnsn̩
Wilki̯zki russ. vilj'kitskij
will vɪl
Will vɪl, engl. wɪl
Willaert[s] niederl.
  'wɪla:rt[s]
Willamette engl. wɪ'læmɪt
Willard engl. 'wɪləd
Willberg 'vɪlbɛrk
Wille 'vɪlə
Willebadessen 'vɪləba:t[ɛsn̩
Willebroek niederl. 'wɪlə-
  bruk
Willegis 'vɪləgɪs
Willehad 'vɪləha:t
Willehalm 'vɪləhalm
Willem niederl. 'wɪləm
Willemer 'vɪləmɐ
Willems niederl. 'wɪləms, fr.
  wi'lɛms, vi'lɛms
Willemstad niederl.
  'wɪləmstat
willen, W... 'vɪlən
Willendorf 'vɪləndɔrf
willens 'vɪləns
willentlich 'vɪləntlıç
Willes[den] engl. 'wɪlz[dən]
Willett engl. 'wɪlɪt
Willette fr. vi'lɛt

willfahren vɪlˈfaːrən, *auch:*
ˈ---

willfährig ˈvɪlfɛːrɪç, *auch:*
-ˈ--, -e ...ɪɡə

Willi ˈvɪli

William[s] *engl.* ˈwɪljəm[z]

Williamsburg *engl.* ˈwɪl-
jəmzbɔːɡ

Williams Christ ˈvɪljams
ˈkrɪst

Williamson *engl.* ˈwɪljəmsn

Williamsport *engl.* ˈwɪl-
jəmzpɔːt

Williamstown *engl.* ˈwɪl-
jəmztaʊn

Willibald ˈvɪlibalt

Willibert ˈvɪlibɛrt

Willibrord ˈvɪlibrɔrt

Willich ˈvɪlɪç

Willie[s] *engl.* ˈwɪlɪ[z]

willig ˈvɪlɪç, -e ...ɪɡə

willigen ˈvɪlɪɡn̩, ...ɡ! ...ɪç,
...ɡt ...ɪçt

Willigis ˈvɪliɡɪs

Willimantic *engl.* wɪlɪˈmæn-
tɪk

Willingdon *engl.* ˈwɪlɪŋdən

Willingen ˈvɪlɪŋən

Willingshausen vɪlɪŋs-
ˈhauzn̩

Williram ˈvɪliram

Willis *engl.* ˈwɪlɪs

Willisau ˈvɪlizau

Williston *engl.* ˈwɪlɪstən

Willkie *engl.* ˈwɪlkɪ

Willkomm ˈvɪlkɔm

willkommen, W... vɪlˈkɔ-
mən

Willkür ˈvɪlkyːɐ̯

willkürlich ˈvɪlkyːɐ̯lɪç

Willmann ˈvɪlman

Willmar ˈvɪlmar, *engl.*
ˈwɪlmaː

Willoch *norw.* ˈvɪlɔk

Willoughby *engl.* ˈwɪləbɪ

Willowbrook *engl.* ˈwɪlou-
brʊk

Willowick *engl* ˈwɪləwɪk

Willow Run *engl.* ˈwɪlou
ˈrʌn

Wills *engl.* wɪlz

Willson *engl.* wɪlsn

Willstätter ˈvɪlʃtɛtɐ

Willumsen *dän.* ˈvɪlʊmˈsn̩

Willy ˈvɪli, *engl.* ˈwɪlɪ

Willys *engl.* ˈwɪlɪz

Wilma ˈvɪlma, *engl.* ˈwɪlmə

Wilmanns ˈvɪlmans

Wilmar ˈvɪlmar

Wilmette *engl.* wɪlˈmɛt

Wilmington *engl.* ˈwɪlmɪŋ-
tən

Wilmot[t] *engl.* ˈwɪlmət

Wilms vɪlms

Wilna ˈvɪlna

Wilno *poln.* ˈvilnɔ

Wilpert ˈvɪlpɛt

Wilsdruff ˈvɪlsdrʊf

Wilsede ˈvɪlzədə

Wilsnack ˈvɪlsnak

Wilson *engl.* wɪlsn, *fr.* vil-
ˈsɔn

Wilster[marsch] ˈvɪls-
tɐ[marʃ]

Wilt[h]en ˈvɪltn̩

Wilton *engl.* ˈwɪltən

Wiltraud ˈvɪltraut

Wiltrud ˈvɪltruːt

Wilts *engl.* wɪlts

Wiltshire *engl.* ˈwɪltʃɪə

Wiltz vɪlts

Wilze ˈvɪltsə

Wim vɪm, *niederl.* wɪm

Wimberger ˈvɪmbɛrɡɐ

Wimbledon *engl.*
ˈwɪmbldən

wimmeln ˈvɪmln̩

wimmen ˈvɪmən

Wimmer ˈvɪmɐ

Wimmera *engl.* ˈwɪmərə

wimmerig ˈvɪmərɪç, -e ...ɪɡə

Wimmerl ˈvɪmɛl

wimmern, W... ˈvɪmɐn

Wimmet ˈvɪmət

Wimpel ˈvɪmpl̩

wimpeln ˈvɪmpln̩

Wimper ˈvɪmpɐ

Wimperg ˈvɪmpɛrk, -e ...rɡə

Wimpfeling ˈvɪmpfəlɪŋ

Wimpfen ˈvɪmpfn̩

Wimpheling ˈvɪmfəlɪŋ

Wimpina ˈvɪmpina

Wimsbach ˈvɪmsbax

Wina ˈviːna

Winawer *poln.* viˈnavɛr

Winberg *afr.* ˈvənbœrx

Wincenty *poln.* vinˈtsɛnti

Winchell *engl.* ˈwɪntʃəl

Winchester *engl.* ˈwɪntʃɪstə

Winckelmann ˈvɪŋkl̩man

Winckler ˈvɪŋklɐ

wind vɪnt

Wind vɪnt, -e ˈvɪndə

Windau[s] ˈvɪndau[s]

Windband ˈvɪntbɛnt

Windber *engl.* ˈwɪndbə

Windbeutelei vɪntbɔytəˈlai

Windchill ˈvɪnttʃɪl

Winde ˈvɪndə

Windeby[er] ˈvɪndəbyː[ɐ]

Windei ˈvɪntlai

Windel ˈvɪndl̩

Windelband ˈvɪndl̩bant

Windelen ˈvɪndələn

windeln ˈvɪndl̩n, windle
ˈvɪndlə

windelweich ˈvɪndl̩ˈvaiç

winden ˈvɪndn̩, wind! vɪnt

Windermere *engl.* ˈwɪndə-
mɪə

Windesheim ˈvɪndəshaim,
niederl. ˈwɪndəshɛim

Windgälle ˈvɪntɡɛlə

Windgassen ˈvɪntɡasn̩

Windhager ˈvɪnthaːɡɐ

Windham *engl.* ˈwɪndəm

Windhoek ˈvɪnthʊk, ...huːk

Windhuk ˈvɪnthʊk, ...huːk

windig ˈvɪndɪç, -e ...ɪɡə

windisch, W... ˈvɪndɪʃ

Windischgarsten ˈvɪndɪʃ-
ˈɡarstn̩

Windischgrätz ˈvɪndɪʃ-
ɡrɛːts, ˈ--ˈ-

Windleite ˈvɪntlaitə

Windmacherei vɪntma-
xəˈrai

Windmill *engl.* ˈwɪndmɪl

Window[s] ˈvɪndo[ːs]

Windowshopping ˈvɪndo-
ʃɔpɪŋ

Wind River *engl.* ˈwɪnd ˈrɪvə

Winds vɪnts

Windsbraut ˈvɪntsbraut

Windscale ˈvɪntskeːl

Windsheim ˈvɪntshaim

Windsor ˈvɪntsoːɐ̯, *engl.*
ˈwɪnzə

Windspiel ˈvɪntʃpiːl

windsurfen ˈvɪntzøːɐ̯fn̩,
...zœrfn̩

Windsurfing ˈvɪntzøːɐ̯fɪŋ,
...zœrfɪŋ

Windthorst ˈvɪnthɔrst

Windward Islands *engl.*
ˈwɪndwəd ˈailəndz

Winesap ˈvainzɛp

Winfred *engl.* ˈwɪnfrɪd

Winfri[e]d ˈvɪnfriːt

Winfrieda vɪnˈfriːda

Wingert ˈvɪŋɐt

Wingfield *engl.* ˈwɪŋfiːld

Wingolf ˈvɪŋɡɔlf

Wingolfit vɪŋɡɔlˈfiːt

Wingst vɪŋst

Winibert ˈviːnibɛrt

Wink vɪŋk

winke ˈvɪŋkə

Winkel ˈvɪŋkl̩

winkelig ˈvɪŋkəlɪç, -e ...ɪɡə

Winkelried 'vɪŋkl̩riːt
winke, wӏnke 'vɪŋkə·vɪŋkə
wӏnken 'vɪŋkn̩
Winkl 'vɪŋkl̩
Wӏnkler 'vɪŋklɐ
winklig 'vɪŋklɪç, -e ...ɪɡə
Wӏnnacker 'vɪnakɐ
Wӏnneba engl. 'wɪniːbə
Winnebago engl. wɪnɪ'beɪgoᴜ
Wӏnnenden 'vɪnəndn̩
Wӏnnent[h]al 'vɪnənta:l
Wӏnnętka engl. wɪ'nɛtkə
Wӏnnetou 'vɪnatu
Wӏnnie engl. 'wɪnɪ
Wӏnnig 'vɪnɪç
Wӏnnipeg engl. 'wɪnɪpɛg
Winnipegosis engl. wɪnɪpɪ-'goᴜsɪs
Winnipesaukee engl. wɪnə-pə'sɔːkɪ
Wӏnniza russ. 'vɪnnɪtsɐ
Winogrạdow russ. vɪna-'gradɐf
Winokụrow russ. vɪna'kurɐf
Winona engl. wɪ'noᴜnə
Wӏnrich 'vɪnrɪç
Wӏnsbeke 'vɪnsbeːkə
Wӏnsch vɪnʃ
Wӏnschoten niederl. 'wɪnsxoːtə
Winselẹi vɪnzə'laɪ̯
Wins[e]ler 'vɪnz[ə]lɐ
wӏnseln 'vɪnzl̩n, wӏnsle 'vɪnzlə
Wӏnsen 'vɪnzn̩
Wӏnsford engl. 'wɪnzfəd
Wӏnslow engl. 'wɪnzloᴜ
Wӏnsor engl. 'wɪnzə
Wӏnston engl. 'wɪnstən
¹Wӏnter 'vɪntɐ
²Wӏnter (Name) 'vɪntɐ, engl. 'wɪntə, tschech. 'vɪntɛr
Wӏnterberg 'vɪntɐbɛrk
Wӏnterburger 'vɪntɐbᴜrgɐ
Wӏnterfeld[t] 'vɪntɐfɛlt
Wӏntergerst 'vɪntɐgɛrst
Wӏnterhalter 'vɪntɐhaltɐ
wӏnterlang 'vɪntɐlaŋ
wӏnterlich 'vɪntɐlɪç
Wӏnterling 'vɪntɐlɪŋ
wӏntern 'vɪntɐn
wӏnters 'vɪntɐs
Wӏnters engl. 'wɪntəz
Wӏntersberger 'vɪntɐsbɛrgɐ
Wӏnterstein 'vɪntɐʃtaɪ̯n
Wӏnterstetten 'vɪntɐʃtɛtn̩
wӏntersüber 'vɪntɐs|yːbɐ
Wӏnterswijk niederl. 'vɪntərs'wɛi̯k

Wӏnterthur 'vɪntɐtuːɐ̯
Wӏnther dän. 'vɪn'dɐ
Wӏnthrop engl. 'wɪnθrəp
Wӏnthuis 'vɪnthɔʏs
Wӏnzer 'vɪntsɐ
wӏnzig 'vɪntsɪç, -e ...ɪɡə
Wӏnzling 'vɪntsl̩ɪŋ
Wӏpfel 'vɪpfl̩
wӏpf[e]lig 'vɪpfl̩[ə]lɪç, -e ...ɪɡə
Wӏpfing 'vɪpfɪŋ
Wӏpo 'viːpo
wipp! vɪp
Wӏppach 'vɪpax
Wӏppchen 'vɪpçən
Wӏppe 'vɪpə
wӏppen 'vɪpn̩
Wӏpper 'vɪpɐ
Wipperfụ̈rth (Ort) vɪpɐ'fʏrt
wӏppern 'vɪpɐn
Wӏpptal 'vɪptaːl
Wӏpprecht 'viːprɛçt
wips! vɪps
wӏr viːɐ̯
wirb! vɪrp
Wӏrbel 'vɪrbl̩
wӏrb[e]lig 'vɪrbl̩[ə]lɪç, -e ...ɪɡə
wӏrbeln 'vɪrbl̩n, wӏrble 'vɪrblə
wӏrbt vɪrpt
wird vɪrt
wirf! vɪrf
wӏrft vɪrft
wӏrken 'vɪrkn̩
Wӏrker 'vɪrkɐ
Wirkerẹi vɪrkə'raɪ̯
wӏrklich 'vɪrklɪç
wӏrksam 'vɪrkzaːm
Wӏrkung 'vɪrkᴜŋ
Wӏrnt vɪrnt
Wӏrpsza poln. 'vɪrpʃa
wӏrr vɪr
Wӏrral engl. 'wɪrəl
wӏrren, W... 'vɪrən
wӏrrig 'vɪrɪç, -e ...ɪɡə
Wӏrrnis 'vɪrnɪs, -e ...ɪsə
Wӏrrsal 'vɪrzaːl
Wӏrrwarr 'vɪrvar
wӏrsch vɪrʃ
Wirsén schwed. vir'seːn
Wӏrsing 'vɪrzɪŋ
Wӏrt vɪrt
Wӏrtạ russ. vir'ta
Wӏrtel 'vɪrtl̩
wӏrt[e]lig 'vɪrt[ə]lɪç, -e ...ɪɡə
wӏrten 'vɪrtn̩
Wӏrth vɪrt
Wӏrtschaft 'vɪrtʃaft
wӏrtschaften 'vɪrtʃaftn̩

wӏrtschaftlich 'vɪrtʃaftlɪç
Wӏrz vɪrts
Wӏsbar 'vɪsbaːɐ̯
Wӏsbech engl. 'wɪzbiːtʃ
Wӏsby 'vɪsbi
Wӏsch[au] 'vɪʃ[aᴜ]
Wӏsche 'vɪʃə
wӏschen 'vɪʃn̩
Wӏschera russ. 'vɪʃərɐ
wӏschig 'vɪʃɪç, -e ...ɪɡə
Wischiwạschi vɪʃi'vaʃi
Wischnẹwskaja russ. vɪʃ'nɛfskɐjɐ
Wischnẹwski vɪʃ'nɛfski, russ. vɪʃ'njɛfskij
Wӏschnu 'vɪʃnu
Wisconsin [Rapids] engl. wɪs'kɔnsɪn ['ræpɪdz]
Wise engl. waɪz, russ. 'vɪzɐ
Wiseman engl. 'waɪzmən
Wӏsent 'viːzɛnt
Wӏshart engl. 'wɪʃət
Wӏsła poln. 'vɪsu̯a
Wisliçẹnus vɪsli'tsɛːnᴜs
Wӏsłok poln. 'vɪsu̯ɔk
Wisłọka poln. vi'su̯ɔka
Wӏsmar 'vɪsmar
Wӏsmut 'vɪsmuːt
wӏsmuten 'vɪsmuːtn̩
Wӏspelaere niederl. 'wɪspə-laːrə
wӏspeln 'vɪspl̩n
Wӏsper 'vɪspɐ
wӏspern 'vɪspɐn
Wissariọn russ. vɪsɐri'ɔn
Wissariọnowitsch russ. vɪsɐri'ɔnɐvɪtʃ
Wӏssbegier[de] 'vɪsbə-giːɐ̯[də]
Wissembourg fr. visã'buːr
wӏssen, W... 'vɪsn̩
Wӏssenschaft 'vɪsn̩ʃaft
wӏssenschaftlich 'vɪsn̩ʃaft-lɪç
wӏssentlich 'vɪsn̩tlɪç
Wӏssler engl. 'wɪslə
Wӏssmann, Wӏß... 'vɪsman
Wissọwa vɪ'sɔːva
wӏsst, wӏst! vɪst
Wӏstar 'vɪstar, engl. 'wɪstə
Wistạria vɪs'taːrɪa
Wӏsten 'vɪstn̩
Wӏster engl. 'wɪstə
Wӏt niederl. wɪt, bulgar. vit
Witạli russ. vi'talij
Wӏtasek 'vɪtazɛk
Wӏtbank afr. 'vətbaŋk
Wӏtberg 'vɪtbɪrk
Wӏtebsk russ. 'vɪtɪpsk
Wӏtege 'viːtegə

Witelo 'vi:təlo
Witfrau 'vɪtfrau̯
Wither[ing] engl. 'wɪðə[rɪŋ]
Witherspoon engl. 'wɪðə-
  spu:n
Witib 'vɪtɪp, -e ...ɪbə
Witigis 'vi:tɪgɪs
Witiko 'vi:tiko
Witim russ. vi'tim
Witiza 'vi:tɪtsa
Witjas russ. 'vɪtɪsj
Witkiewicz poln. vit'kjɛvitʃ
Witkowski poln. vit'kɔfski
Witmann 'vɪtman
Witold 'vi:tɔlt, poln. 'vitɔlt
Witoscha bulgar. 'vitoʃɐ
witschen 'vɪtʃn̩
Witschuga russ. 'vɪtʃugɐ
Witt vɪt, niederl. wɪt
Wittdün 'vɪtdy:n
Witte 'vɪtə, niederl. 'wɪtə,
  russ. 'vɪtɛ
Wittek 'vɪtɛk
Wittekind 'vɪtəkɪnt
Wittel niederl. 'wɪtəl
Wittelsbach[er] 'vɪtl̩sbax[ɐ]
Witten 'vɪtn̩
Wittenberg 'vɪtn̩bɛrk
Wittenberge vɪtn̩'bɛrgə
¹Wittenberger (von Wit-
  tenberg) 'vɪtn̩bɛrgɐ
²Wittenberger (von Wit-
  tenberge) vɪtn̩'bɛrgɐ
Wittenborn 'vɪtn̩bɔrn
Wittenburg 'vɪtn̩burk
Wittenweiler 'vɪtn̩vai̯lɐ
Wittenwiler 'vɪtn̩vi:lɐ
wittern 'vɪtɐn
Wittgenstein 'vɪtgn̩ʃtai̯n
Wittib 'vɪtɪp, -er ...ɪbɐ
Wittich, ...ig 'vɪtɪç
Wittichenau vɪtɪçə'nau̯
Wittig 'vɪtɪç, fr. vi'tig, poln.
  'vitik
Wittingau 'vɪtɪŋau̯
Wittingen 'vɪtɪŋən
Wittinger 'vɪtɪŋɐ
Wittlich 'vɪtlɪç
Wittlin poln. 'vitlin
Wittling[er] 'vɪtlɪŋ[ɐ]
Wittmaack 'vɪtma:k
Wittmund 'vɪtmʊnt
Wittrisch 'vɪtrɪʃ
Wittstock 'vɪtʃtɔk
Wittum 'vɪtu:m, **Wittümer**
  'vɪty:mɐ
Witukind 'vi:tukɪnt
Witwatersrand afr. vətva:-
  tərs'rant
Witwe 'vɪtvə

Witwer 'vɪtvɐ
Witwicki poln. vit'fitski
Witz vɪts
Witzbold 'vɪtsbɔlt, -e ...ldə
Witzelei vɪtsə'lai̯
witzeln 'vɪtsl̩n
Witzenhausen vɪtsn̩'hau̯zn̩
witzig 'vɪtsɪç, -e ...ɪgə
witzigen 'vɪtsɪgn̩, **witzig!**
  ...ɪç, **witzigt** ...ɪçt
Witzleben 'vɪtsle:bn̩
Witzling 'vɪtslɪŋ
Wivel dän. 'vi:'vl̩
Wiwallius schwed. vi'valiʊs
Wixell schwed. vik'sɛl
Wjasa 'vja:za
Wjasemski russ. 'vjazɪmskij
Wjasma russ. 'vjazjmɐ
Wjasniki russ. 'vjazniki
Wjatka russ. 'vjatkɐ
Wjatscheslaw russ. vɪtʃɪ-
  'slaf
Wkra poln. fkra
Wlache 'vlaxə
wlachisch 'vlaxɪʃ
Wladigerow bulgar. vlɐdi-
  'gerof
Wladika 'vla:dika
Wladikawkas russ. vlɐdi-
  kaf'kas
Wladimir vla'di:mi:ɐ̯, auch:
  'vla:dimi:ɐ̯, russ. vla'dimir,
  bulgar. vlɐdi'mir
Wladimirowitsch russ. vla-
  'dimirɐvitʃ
Wladimirowna russ. vla'di-
  mirɐvnɐ
Wladimir-Wolynski russ.
  vla'dimirva'li:nskij
Wladimow russ. vla'dimɐf
Wladislaus 'vla:dɪslau̯s
Wladislaw 'vla:dɪslaf, russ.
  vlɐdi'slaf
Wladiwostok vladivɔs'tɔk,
  russ. vlɐdivas'tɔk
Władysław poln. vua'disuaf
Wlaikow bulgar. 'vlajkof
Wlas russ. vlas
Wlassow vlasɔf, russ. 'vla-
  sɐf
Wlasta 'vlasta
Włocławek poln. vu̯ɔ'tsua-
  vɛk
Włodzimierz poln. vu̯ɔ-
  'dzimjɛʃ
Wnukowo russ. 'vnukɐvɐ
wo vo:
woanders vo'landɐs
woandershin vo'landɐs'hɪn
wob vo:p

Wöbbelin vœbə'li:n
wobbeln 'vɔbl̩n, **wobble**
  'vɔblə
Wobbler 'vɔblɐ
wöbe 'vø:bə
wobei vo'bai̯
woben 'vo:bn̩
wobt vo:pt
wöbt vø:pt
Woburn engl. 'woubən
Woche 'vɔxə
Wochein[er] vɔ'xai̯n[ɐ]
Wochenende 'vɔxn̩lɛndə
Wochenendhaus 'vɔxn̩-
  lɛnt.hau̯s
Wochenendler 'vɔxn̩lɛntlɐ
wochenlang 'vɔxnlaŋ
wochentags 'vɔxn̩ta:ks
wöchentlich 'vœçn̩tlɪç
Wochern 'vɔxɐn
...wochig ....vɔxɪç, -e ...ɪgə
...wöchig ....vœçɪç, -e ...ɪgə
Wöchnerin 'vœçnərɪn
Wocken 'vɔkn̩
Wodan 'vo:dan
Wodehouse engl. 'wʊdhaʊs
Wodka 'vɔtka
Wodla russ. 'vɔdlɐ
Wodonga engl. wɔ'dɔŋgə
wodran vo'dran
wodrauf vo'drau̯f
Wodu 'vo:du
wodurch vo'dʊrç
Wodzisław poln. vɔ'dzisu̯af
Woensam 'vo:nzam
Woerden niederl. 'wu:rdə
Woermann 'vø:ɐ̯man
Woerner 'vœrnɐ
Woestijne niederl.
  wus'tɛi̯nə
Woëvre fr. vwa:vr
wofern vo'fɛrn
wofür vo'fy:ɐ̯
wog vo:k
Wogatzki vo'gatski
wöge 'vø:gə
Woge 'vo:gə
wogegen vo'ge:gn̩
wogen 'vo:gn̩, **wog!** vo:k,
  wogt vo:kt
wogig vo:gɪç, -e ...ɪgə
wogt vo:kt
wögt vø:kt
Wogule vo'gu:lə
woher vo'he:ɐ̯
woherum vohɛ'rʊm
wohin vo'hɪn
wohinauf vohɪ'nau̯f
wohinaus vohɪ'nau̯s
wohinein vohɪ'nai̯n

wohingegen vohɪnˈgeːgn̩
wohinter voˈhɪntɐ
wohinunter vohɪˈnʊntɐ
wohl, W... voːl
wohlachtbar 'voːlǀaxtbaːɐ̯
wohlan voˈlan, auch: voːl-
ˈǀan
wohlanständig 'voːl-
ǀanʃtɛndɪç
Wohlau 'voːlau̯
wohlauf voːlˈǀau̯f, voˈlau̯f
Wohlbrück 'voːlbrʏk
Wohleb 'voːleːp
Wohlen 'voːlən
Wöhler 'vøːlɐ
Wohlfahrt 'voːlfaːɐ̯t
wohlfeil 'voːlfai̯l
Wohlgeboren 'voːlɡəboːrən
Wohlgefallen 'voːlɡəfalən
wohlgemerkt! 'voːlɡə-
mɛrkt, auch: '--'-
wohlgemut 'voːlɡəmuːt
wohlgestalt[et] 'voːlɡə-
ʃtalt[ət]
wohlgetan 'voːlɡətaːn
wohlig 'voːlɪç, -e ...ɪɡə
Wohlverleih 'voːlfɐlai̯
wohlweislich 'voːlvai̯slɪç,
auch: '-'--
Wohlwollen 'voːlvɔlən
Wohmann 'voːman
wohnen 'voːnən
wohnhaft 'voːnhaft
wohnlich 'voːnlɪç
Wöhrde 'vøːɐ̯də
Woilach 'vɔi̯lax
Woinikow bulgar. voi̯ˈnikof
Woinowitsch russ. vai̯ˈnɔ-
vitʃ
Woiwod vɔy̯ˈvoːt, -en ...oːdn̩
Woiwode vɔy̯ˈvoːdə
Woiwodschaft vɔy̯ˈvoːtʃaft
Wojaczek poln. vɔˈjatʃɛk
Wojciechowski poln.
vɔi̯tɕɛˈxɔfski
Wójcikowski poln. vui̯tɕi-
ˈkɔfski
Wojtyła poln. vɔi̯ˈtiu̯a
Wojwodina vɔy̯ˈvoːdina,
vɔy̯voˈdiːna
Wok vɔk
Woking[ham] engl. 'wou̯-
kɪŋ[əm]
Wola poln. 'vɔla
wölben 'vœlbn̩, wölb! vœlp,
wölbt vœlpt
wölbig 'vœlbɪç, -e ...ɪɡə
Wolchow russ. 'vɔlxɐf
Wolcot[t] engl. 'wʊlkət
Woldegk 'vɔldɛk

Woldemar 'vɔldəmar
Woldenberg 'vɔldn̩bɛrk
Wolds engl. wou̯ldz
Wolen bulgar. 'vɔlɛn
¹Wolf vɔlf, Wölfe 'vœlfə
²Wolf (Name) dt., fr. vɔlf,
engl. wʊlf
Wolfach 'vɔlfax
Wölfchen 'vœlfçən
Wolfdietrich vɔlfˈdiːtrɪç,
auch: '---
Wolfe engl. wʊlf
Wölfe vgl. ¹Wolf
Wolfegg 'vɔlfɛk
Wölfel 'vœlfl̩
Wolfen 'vɔlfn̩
wölfen 'vœlfn̩
Wolfenbüttel 'vɔlfn̩bʏtl̩,
--'--
Wolfenstein 'vɔlfn̩ʃtai̯n
Wolff dt., it., fr. vɔlf, engl.
wʊlf, niederl. wɔlf
Wölffl 'vœlfl̩
Wölfflin 'vœlfliːn
Wolfgang[see] 'vɔlf-
ɡaŋ[zeː]
Wolfgruber 'vɔlfɡruːbɐ
Wolfhagen vɔlfˈhaːɡn̩
Wolfhard, ...rt 'vɔlfhart
Wölfin 'vœlfɪn
wölfisch 'vœlfɪʃ
Wölfl 'vœlfl̩
Wölfling 'vœlflɪŋ
Wolfram 'vɔlfram
Wolframat vɔlfraˈmaːt
Wolframit vɔlfraˈmiːt
Wolframs-Eschenbach
vɔlframsˈǀɛʃn̩bax
Wolfratshausen vɔlfraːts-
ˈhau̯zn̩
Wolfrum 'vɔlfrʊm
Wolfsberg 'vɔlfsbɛrk
Wolfsburg 'vɔlfsbʊrk
Wolfshunger 'vɔlfsˈhʊŋɐ
Wolfskehl 'vɔlfskeːl
Wolga 'vɔlɡa, russ. 'vɔlɡɐ
Wolgast 'vɔlɡast
Wolgemut 'voːlɡəmuːt
Wolgodonsk russ. vɐlɡa-
ˈdɔnsk
Wolgograd 'vɔlɡoɡraːt,
russ. vɐlɡaˈɡrat
Wolhynien voˈlyːnjən
Wolin poln. 'vɔlin
Wölkchen 'vœlkçən
Wolke 'vɔlkə
wölken 'vœlkn̩
Wolken[burg] 'vɔlkn̩[bʊrk]
Wolkenkuckucksheim
vɔlkn̩ˈkʊkʊkshai̯m

Wolken[stein] 'vɔlkn̩[ʃtai̯n]
Wolker 'vɔlkɐ, tschech. 'vɔl-
kɐr
Wolkers niederl. 'wɔlkɐrs
Wolkersdorf 'vɔlkɐsdɔrf
wolkig 'vɔlkɪç, -e ...ɪɡə
Wolkow russ. 'vɔlkɐf
Wollaston engl. 'wʊləstən
Wollastonit vɔlastoˈniːt
Wolle 'vɔlə
wollen 'vɔlən
wöllen 'vœlən
Wollerau 'vɔlərau̯
wollig 'vɔlɪç, -e ...ɪɡə
Wollin vɔˈliːn
Wöllner 'vœlnɐ
Wollongong engl. 'wʊlən-
ɡɔŋ
Wollschläger 'vɔlʃlɛːɡɐ
Wollstonecraft engl. 'wʊl-
stənkrɑːft
Wollust 'vɔlʊst
wollüstig 'vɔlʏstɪç, -e ...ɪɡə
Wollüstling 'vɔlʏstlɪŋ
Wollweber 'vɔlveːbɐ
Wolmirstedt 'vɔlmɪrʃtɛt
Wolodin russ. vaˈlɔdin
Wolof 'voːlɔf
Wologda russ. 'vɔlɐɡdɐ
Wolokolamsk russ. vɐlɐka-
ˈlamsk
Wołomin poln. vɔˈu̯omin
Wolos neugr. 'vɔlɔs
Woloschin russ. vaˈlɔʃin
Wolpe 'vɔlpə
Wolpertinger 'vɔlpɐtɪŋɐ
Wols vɔls
Wolschsk[i] russ. 'vɔlʃsk[ij]
Wolseley engl. 'wʊlzlɪ
Wolsey engl. 'wʊlzɪ
Wolsk russ. vɔljsk
Wolska poln. 'vɔlska
Wölsunge 'vœlzʊŋə
Wolter[s] 'vɔltɐ[s]
Wöltingerode vœltɪŋəˈroːdə
Woltman[n] 'vɔltman
Wolverhampton engl. 'wʊl-
vəhæmptən
Wolverines engl. 'wʊl-
vəriːnz
Wolwi neugr. 'vɔlvi
Wolynien voˈlyːnjən
wolynisch voˈlyːnɪʃ
Wolzogen 'vɔltsoːɡn̩
Wombat 'vɔmbat
Women's Lib 'vɪmɪns 'lɪp
womit voˈmɪt
womöglich voˈmøːklɪç
Won vɔn
wonach voˈnaːx

Wonder engl. 'wʌndə
Wondratschek 'vɔndratʃɛk
Wondreb 'vɔndrɛp
woneben vo'ne:bn̩
Wongrowitz 'vɔŋgrovɪts
Wŏnju korean. wɔndʒu
Wonne 'vɔnə
wonnesam 'vɔnəza:m
wonnig 'vɔnɪç, -e ...ɪgə
wonniglich 'vɔnɪklɪç
Wŏnsan korean. wɔnsan
Wonsees vɔn'ze:s
Wonseradeel niederl. wɔn-
sərɑ'de:l
Wood (Golfschläger) vʊt
Wood[berry] engl.
'wʊd[bərɪ]
Woodbridge engl. 'wʊd-
brɪdʒ
Woodburn engl. 'wʊdbən
Woodbury engl. 'wʊdbərɪ
Woodcock... 'vʊtkɔk...
Woodhaven engl. 'wʊd-
heɪvn
Woodhull engl. 'wʊdhʌl
Woodland engl. 'wʊdlənd
Woodmere engl. 'wʊdmɪə
Woodridge engl. 'wʊdrɪdʒ
Woodroffe engl. 'wʊdrɔf
Woodrow engl. 'wʊdrou
Woodruff engl. 'wʊdrʌf
Woods engl. wʊdz
Woodstock engl. 'wʊdstɔk
Woodville engl. 'wʊdvɪl
Woody engl. 'wʊdɪ
Woofer 'vu:fɐ
Woodward engl. 'wʊdwəd
Woog vo:k, -e 'vo:gə
Woolf engl. wʊlf
Woolhara engl. wʊ'lɑ:rə
Woollcott engl. 'wʊlkət
Woollett engl. 'wʊlɪt
Woolley engl. 'wʊlɪ
Woolliams engl. 'wʊljəmz
Woolman engl. 'wʊlmən
Woolson engl. wʊlsn
Woolwich engl. 'wʊlɪdʒ
Woolworth 'vo:lvɔrt, engl.
'wʊlwə[:]θ
Woomera engl. 'wu:mərə
Woonsocket engl. wu:n'sɔ-
kɪt
Wooster engl. 'wʊstə
Wŏpfner 'vɔpfnɐ
woran vo'ran
worauf vo'rauf
woraus vo'raus
Worb vɔrp, **Wŏrbe** 'vœrbə
Wŏrbe 'vɔrbə
Wŏrbis 'vɔrbɪs

Wŏrcell poln. 'vɔrtsɛl
Worcester engl. 'wʊstə,
-shire ...ʃɪə
Worcestersoße 'vʊstɛzo:sə
Worde engl. wɔ:d
Wordsworth engl.
'wɔ:dzwə[:]θ
worein vo'rain
worfeln 'vɔrfl̩n
Wŏrgl 'vœrgl̩
worin vo'rɪn
Wŏringen 'vo:rɪŋən
Wŏrishofen 'vœ:rɪsho:fn̩
Workaholic vœ:ɐ̯kə'hɔlɪk,
vœrk...
Work[ington] engl.
'wə:k[ɪŋtən]
Work-out 'vœ:ɐ̯klaut,
'vœrk..., -'-
Workshop 'vœ:ɐ̯kʃɔp,
'vœrk...
Worksong 'vœ:ɐ̯kzɔŋ,
'vœrk...
Worksop engl. 'wə:ksɔp
Workstation 'vœ:ɐ̯kste:ʃn̩,
'vœrk...
Workuta russ. vɐrku'ta
Worldcup 'vœ:ɐ̯ltkap,
'vœrl...
World Wide Web 'vœ:ɐ̯lt
'vait 'vɛp, 'vœrlt - -
Wŏrlitz 'vœrlɪts
Wŏrm dän. vɔg̍'m
Wormatia vɔr'ma:tsia
Wormerveer niederl. wɔr-
mər've:r
Wŏrms dt., fr. vɔrms
Wŏrmser 'vɔrmzɐ
wormsisch 'vɔrmzɪʃ
Wŏrn[er] 'vœrn[ɐ]
Worobjof russ. vɐrabj'jɔf
Woronesch russ. va'rɔnɪʃ
Woronicz poln. vɔ'rɔnitʃ
Woronzow russ. vɐran'tsɔf
Woroschilow russ. vɐra'ʃi-
lɐf
Woroschilowgrad russ.
vɐrɐʃilaw'grat
Woroschilowsk russ. vɐra-
'ʃilɐfsk
Woroszylski poln.
vɔrɔ'ʃilski
Wŏrpe 'vɔrpə
Worpswede vɔrps've:də
Wŏrringen 'vɔrɪŋən
Worsley engl. 'wə:slɪ
Wort vɔrt, **Wŏrter** vœrtɐ
Wŏrt[chen] 'vœrt[çən]
Wortemacherei vɔrtəma-
xə'rai

Wŏrth vɔrt, engl. wə:θ
Wŏrth vœrt
Wŏrthersee 'vœrtɐze:
Wŏrther See 'vœrtɐ 'ze:
Worthing engl. 'wə:ðɪŋ
Wŏrthsee 'vœrtze:
Wortklauberei vɔrtklau-
bə'rai
Wortley engl. 'wə:tlɪ
wŏrtlich 'vœrtlɪç
wortwŏrtlich 'vɔrt'vœrtlɪç
worŭber vo'ry:bɐ
worum vo'rʊm
worunter vo'rʊntɐ
Woschod russ. vas'xɔt
woselbst vo'zɛlpst
Woskressensk[i] russ. vɐs-
krɪ'sjɛnsk[ij]
Wosnessenskaja russ. vɐz-
nɪ'sjɛnskɐjɐ
Wosnessensk[i] russ. vɐz-
nɪ'sjɛnsk[ij]
Wostok[ow] russ. vas-
'tɔk[ɐf]
Wostotschny russ. vas'tɔtʃ-
nij
Wotan 'vo:tan
Wotjake vɔt'ja:kə
Wotkinsk russ. 'vɔtkinsk
Wotruba 'vɔtruba, 'vo:...
Wotton engl. wɔtn, wʊtn
Wouk engl. wouk
Woulfe engl. wʊlf
Wounded Knee engl. 'wu:n-
dɪd 'ni:
Wŏuter[s] niederl. 'wɔy-
tər[s]
Wouwerman[s] niederl.
'wɔywərman[s]
wovon vo'fɔn
wovor vo'fo:ɐ̯
Wowtschok ukr. vɔu̯'tʃɔk
Woyzeck 'vɔytsɛk
wozu vo'tsu:
wozwischen vo'tsvɪʃn̩
Wŏzzeck 'vɔtsɛk
wrack, W... vrak
Wran vra:n
wrang vraŋ
wränge 'vrɛŋə
Wrangel 'vraŋl̩, schwed.
'vraŋəl, russ. 'vrangɪlj
Wrangell engl. 'ræŋgəl
Wranitzky vra'nɪtski
Wrasen 'vra:zn̩
Wraza bulgar. 'vratsɐ
Wrede 'vre:də, schwed.
,vre:də
Wren[ch] engl. rɛn[tʃ]
Wreschen 'vrɛʃn̩

Wrestling '[v]rɛslɪŋ
Wrettakos *neugr.* vrɛ'takɔs
Wrexham *engl.* 'rɛksəm
wricken 'vrɪkn̩
Wriezen 'vri:tsn̩
wriggeln 'vrɪgl̩n, **wriggle** 'vrɪglə
wriggen 'vrɪgn̩, **wrigg!** vrɪk, **wriggt** vrɪkt
Wright *engl.* raɪt
Wrigley *engl.* 'rɪglɪ
wringen 'vrɪŋən
Wrisbergholzen vrɪsbɛrk- 'hɔltsn̩
Wrist vrɪst
Writ *engl.* rɪt
Wrobel 'vro:bl̩
Wróblewski *poln.* vru- 'blɛfski
Wrocław *poln.* 'vrɔtsu̯af
Wronke 'vrɔŋkə
Wroński *poln.* 'vrɔi̯ski
Wrubel *russ.* 'vrubɪlj
Wruke 'vru:kə
Września *poln.* 'vʒɛɕnja
Wsetin 'fsɛti:n
Wsewolod *russ.* 'fsjɛvɛlɐt
Wttewael *niederl.* 'œi̯təwa:l
Wu *engl.* wu:
Wu Cheng'en *chin.* ɥutʃəŋ-ən 221
Wucher 'vu:xɐ
Wucherei vu:xə'rai̯
Wucherer 'vu:xərɐ
wucherisch 'vu:xərɪʃ
wuchern 'vu:xɐn
wuchs, W... vu:ks
wüchse 'vy:ksə
...wüchsig ....vy:ksɪç, -e ...ɪgə
Wucht vʊxt
wuchten 'vʊxtn̩
wuchtig 'vʊxtɪç, -e ...ɪgə
Wu Daozi *chin.* ɥudau̯dzi 243
Wudu 'vu:du
Wuffinga 'vʊfɪŋga
Wüger 'vy:gɐ
Wuhan *chin.* ɥuxan 34
wühlen 'vy:lən
Wühler 'vy:lɐ
Wühlerei vy:lə'rai̯
wühlerisch 'vy:lərɪʃ
Wuhne 'vu:nə
Wuhr vu:ɐ̯
Wühr vy:ɐ̯
Wuhre 'vu:rə
Wührer 'vy:rɐ
Wuhu *chin.* ɥuxu 22
Wujiang *chin.* ɥudzi̯aŋ 21

Wu Jingzi *chin.* ɥudzɪŋdzi 223
Wukela vgl. Wekil
Wulf vʊlf, *fr.* vylf
Wulfenit vʊlfə'ni:t
Wulff vʊlf, *dän.* vul'f
Wulfila 'vʊlfila
Wulfram 'vʊlfram
Wülfrath 'vʏlfra:t
Wulfstan *engl.* 'wʊlfstən
Wulkow 'vʊlko
Wullenwever 'vʊlənve:vɐ
Wüllner 'vʏlnɐ
Wülpensand 'vʏlpn̩zant
Wulst vʊlst, **Wülste** 'vʏlstə
Wülstchen 'vʏlstçən
wulsten 'vʊlstn̩
wulstig 'vʊlstɪç, -e ...ɪgə
Wulstling 'vʊlstlɪŋ
Wulumuqi *chin.* ɥulumutɕi 1342
wumm! vʊm
wümmen 'vʏmən
wümmern 'vʊmɐn
Wümmet 'vʏmət
wund vʊnt, -e ...'vʊndə
Wunde 'vʊndə
wunder, W... 'vʊndɐ
wunderbar 'vʊndɐba:ɐ̯
wunderhold 'vʊndɐ'hɔlt
wunderlich, W... 'vʊndɐlɪç
wundermild 'vʊndɐ'mɪlt
wundern 'vʊndɐn, **wundre** ...drə
wundernehmen 'vʊndɐne:- mən
wunders 'vʊndɐs
wundersam 'vʊndɐza:m
wunderschön 'vʊndɐ'ʃø:n
Wundt vʊnt
Wune 'vu:nə
Wunibald 'vʊnibalt, 'vu:...
Wünnenberg 'vʏnənbɛrk
Wunnibald 'vʊnibalt
Wunsch vʊnʃ, **Wünsche** 'vʏnʃə
Wünsche 'vʏnʃə
Wünschelrute 'vʏnʃl̩ru:tə
wünschen 'vʏnʃn̩
Wünsdorf 'vy:nsdɔrf
Wunsiedel 'vʊnzi:dl̩
Wunstorf 'vʊnstɔrf
Wuolijoki *finn.* 'vu̯ɔlijɔki
Wuotan 'vu:otan
Wuoxa *russ.* vu'ɔksɐ
wupp! vʊp
wuppdich!, Wuppdich 'vʊpdɪç
Wupper[tal] 'vʊpɐ[ta:l]
wupps! vʊps

Wuqi *chin.* ɥutɕi 22
würbe 'vʏrbə
würbt vʏrpt
wurde 'vʊrdə
würde, W... 'vʏrdə
würdig 'vʏrdɪç, -e ...ɪgə
würdigen 'vʏrdɪgn̩, **wür- dig!** ...ɪç, **würdigt** ...ɪçt
Würenlingen 'vy:rənlɪŋən
Wurf vʊrf, **Würfe** 'vʏrfə
Würfchen 'vʏrfçən
würfe 'vʏrfə
Würfel 'vʏrfl̩
würf[e]lig 'vʏrf[ə]lɪç, -e ...ɪgə
würfeln 'vʏrfl̩n
würgeln 'vʏrgl̩n, ...**gle** ...glə
würgen 'vʏrgn̩, **würg!** vʏrk, **würgt** vʏrkt
Würger 'vʏrgɐ
würgerisch 'vʏrgərɪʃ
wurlen 'vʊrlən
Wurlitzer 'vʊrlɪtsɐ
Wurm vʊrm, **Würmer** 'vʏrmɐ
Würm vʏrm
Wurmb vʊrmp
Würmchen 'vʏrmçən
wurmen 'vʊrmən
Würmer vgl. Wurm
wurmig 'vʊrmɪç, -e ...ɪgə
Würmsee 'vʏrmze:
Wurmser 'vʊrmzɐ, *fr.* vyrm'sɛ:r
wurmstichig 'vʊrmʃtɪçɪç, -e ...ɪgə
Wurscht[el] 'vʊrʃt[l̩]
Würschtel 'vʏrʃtl̩
Wurschtelei vʊrʃtə'lai̯
wurschteln 'vʊrʃtl̩n
Würselen 'vʏrzələn
Wurst vʊrst, **Würste** 'vʏrstə
Würstchen 'vʏrstçən
Wurstel 'vʊrstl̩
Würstel 'vʏrstl̩
Wurstelei vʊrstə'lai̯
wursteln 'vʊrstl̩n
wursten, W... 'vʊrstn̩
Wursterei vʊrstə'rai̯
wurstig 'vʊrstɪç, -e ...ɪgə
Wurstlerei vʊrstlə'rai̯
Wurt[e] 'vʊrt[ə]
Würtenberger 'vʏrtn̩bɛrgɐ
Württemberg 'vʏrtəmbɛrk
Württemberger 'vʏrtəm- bɛrgɐ
württembergisch 'vʏrtəm- bɛrgɪʃ
Wurtz *fr.* vyrts

Wurtzit vʊr'tsi:t
Wurz[ach] 'vʊrts[ax]
Würzburg 'vʏrtsbʊrk
Würzburger 'vʏrtsbʊrgɐ
würzburgisch 'vʏrtsbʊrgɪʃ
Würze 'vʏrtsə
Wurzel 'vʊrtsḷ
Wurzelbauer 'vʊrtsḷbaʊɐ
Würzelchen 'vʏrtsḷçən
wurzelig 'vʊrtsəlɪç, -e ...ɪgə
wurzeln 'vʊrtsḷn
wurzen, W... 'vʊrtsn̩
würzen 'vʏrtsn̩
würzig 'vʏrtsɪç, -e ...ɪgə
würzlig 'vʊrtsĺɪç, -e ...ɪgə
Wurz[e]ner 'vʊrts[ə]nɐ
Wu Sangui chin. ụusangụei 214
wusch vu:ʃ
Wusche 'vu:ʃə
wüsche 'vy:ʃə
Wuschelhaar 'vʊʃḷha:ɐ
wuschelig 'vʊʃəlɪç, -e ...ɪgə
wuscheln 'vʊʃḷn
wuselig 'vu:zəlɪç, -e ...ɪgə
wuseln 'vu:zḷn, wusle 'vu:zlə
wusste 'vʊstə
wüsste 'vʏstə
¹Wust (Schutt; Unrat; Familienname) vu:st
²WUST, Wust (Warenumsatzsteuer) vʊst
wüst, W... vy:st
Wüste 'vy:stə
wüsten 'vy:stn̩
Wüstenei vy:stə'nai
Wüstenfeld 'vy:stn̩fɛlt
Wüstenhöfer 'vy:stn̩hø:fɐ
Wüstenrot 'vy:stn̩ro:t
Wusterhausen vʊstɐ'haʊzn̩
Wüstling 'vy:stlɪŋ
Wustrow 'vʊstro
Wüstung 'vy:stʊŋ
Wusulijiang chin. ụusulidzịaŋ 1131
Wut[ach] 'vu:t[ax]
Wutaishan chin. ụutaịʃan 321
wüten 'vy:tn̩
Wüterei vy:tə'rai
Wüterich 'vy:tərɪç
Wuthenow 'vu:təno
Wuthering Heights engl. 'vʌðərɪŋ 'haɪts
wütig 'vy:tɪç, -e ...ɪgə
Wutike 'vu:tɪkə
wutsch! vʊtʃ
wutschen 'vʊtʃn̩
Wutz vʊts

wutzen 'vʊtsn̩
Wuwei chin. ụu-ụei 24
Wuxi chin. ụuci 22
Wuyishan chin. ụu-ịiʃan 321
wuzeln 'vu:tsḷn
Wuzerl 'vu:tsɐl
Wuzhou chin. ụudʒoụ 21
Wwedenski russ. vvɪ'djɛnskij
Wyandot 'vaiəndɔt
Wyandotte 'vaiəndɔt[ə], -n ...tn̩
Wyant engl. 'waiənt
Wyat[t] engl. 'waiət
Wyatville engl. 'waiətvɪl
Wybicki poln. vi'bitski
Wyborg 'vi:bɔrk, russ. 'vibɐrk
Wyborny vi'bɔrni
Wycherley engl. 'wɪtʃəlɪ
Wychuchol 'vʏxʊxɔl
Wyckaert niederl. 'wɛika:rt
Wyclif[fe] engl. 'wɪklɪf
Wye engl. wai
Wyeth engl. 'waiθ
Wyg russ. vik
Wygodzki poln. vi'gɔtski
Wyhl[en] 'vi:l[n̩]
Wyk vi:k, niederl. wɛik
Wyka poln. 'vika
Wyld[e] engl. waild
Wyle 'vi:lə
Wyler 'vi:lɐ, engl. 'wailə
Wylfa engl. 'wɪlvə
Wyl[l]ie engl. 'waɪlɪ
Wynants niederl. 'wɛinɑnts
Wyndham engl. 'wɪndəm
Wyneken 'vʏnəkn̩
Wynkyn engl. 'wɪŋkɪn
Wynn[e] engl. wɪn
Wynnytschenko ukr. vɪnnɪ'tʃɛnkɔ
Wyntoun engl. wɪntn
Wyoming vai'o:mɪŋ, engl. wai'oʊmɪŋ
Wyrsch vɪrʃ
Wyschensky ukr. 'vɪʃɛnskɪj
Wyschinski russ. vi'ʃinskij
Wyschnegradski russ. viʃnɪ'gratskij
Wyschni Wolotschok russ. 'viʃnij vɐlɐ'tʃɔk
Wyspiański poln. vis'pjaiski
Wyß vi:s
Wyssokaja, ...koje russ. vi'sɔkɐjɐ
Wyszyński poln. vi'ʃiịski
Wytschegda russ. 'vitʃigdɐ

Wyttenbach 'vɪtn̩bax
Wyxa russ. 'viksɐ
Wyżyna Małopolska poln. vi'ʒina maụɔ'pɔlska

x, X ɪks, engl. ɛks, fr., it. iks, span. 'ekis
χ, X çi:
ξ, Ξ ksi:
Xai-Xai port. 'ʃai'ʃai
Xanten 'ksantn̩
Xanthalin ksanta'li:n
Xanthat ksan'ta:t
Xanthe 'ksantə
Xanthelasma ksante'lasma, -ta ...ta
Xanthen ksan'te:n
Xanthi neugr. 'ksanθi
Xanthin ksan'ti:n
Xanthinurie ksantinu'ri:
Xanthippe ksan'tɪpə
xanthochrom ksanto'kro:m
Xanthochromie ksanto-kro'mi:, -n ...i:ən
xanthoderm ksanto'dɛrm
Xanthodermie ksantodɛr'mi:, -n ...i:ən
Xanthogen... ksanto'ge:n...
Xanthogenat ksantoge'na:t
Xanthom ksan'to:m
Xanthomatose ksantoma-'to:zə
Xanthophyll ksanto'fʏl
Xanthophyllit ksantofʏ'li:t
Xanthopsie ksantɔ'psi:, -n ...i:ən
Xanthorrhoea ksantɔ'rø:a
Xanthos 'ksantɔs
Xanthoxylum ksan'tɔksylʊm
Xaver 'ksa:vɐ
Xaveria ksa've:rịa
Xaverius ksa've:rịʊs
Xavier span. xa'βịɛr, port. ʃe'vịɐr, bras. ʃa'vịɐr
X-Beine 'iksbainə
x-beliebig iksbə'li:bɪç, '-_'-_
Xenakis neugr. ksɛ'nakis, fr. gzena'kis

Xenia 'kse:nịa, engl. 'zi:njə,
  'zi:nɪ
Xenie 'kse:nịə
Xenija russ. 'ksjenijɐ
Xenion 'kse:nịɔn, ...ien
  ...ịən
Xenios 'kse:nịɔs
Xenizität ksenitsị'tɛ:t
xenoblastisch kseno'blastıʃ
Xenodochium kseno'dɔ-
  xịʊm, ...ien ...ịən
Xenogamie ksenoga'mi:, -n
  ...i:ən
Xenoglossie ksenoglɔ'si:,
  -n ...i:ən
Xenokrates kse'no:kratɛs
Xenokratie ksenokra'ti:, -n
  ...i:ən
Xenolith kseno'li:t
Xenologie ksenolo'gi:
xenomorph kseno'mɔrf
Xenon 'kse:nɔn
Xenophanes kse'no:fanɛs
xenophil kseno'fi:l
Xenophilie ksenofi'li:
xenophob kseno'fo:p, -e
  ...o:bə
Xenophobie ksenofo'bi:
Xenophon 'kse:nofɔn
xenophontisch, X... kseno-
  'fɔntıʃ
Xenopulos neugr. ksɛ'nɔpu-
  lɔs
Xenotim kseno'ti:m
Xeranthemum kse'rante-
  mʊm, ...men ...'te:mən
Xeres 'çe:rɛs
Xérez span. 'xereθ
Xeroderma ksero'dɛrma,
  -ta ...ta
Xerodermie kserodɛr'mi:,
  -n ...i:ən
Xerographie kserogra'fi:,
  -n ...i:ən
Xerokopie kseroko'pi:, -n
  ...i:ən
xerokopieren kseroko'pi:-
  rən
xeromorph ksero'mɔrf
xerophil ksero'fi:l
Xerophilie kserofi'li:
Xerophthalmie kserɔf-
  tal'mi:, -n ...i:ən
Xerophthalmus kserɔf'tal-
  mʊs
Xerophyt ksero'fy:t
Xerose kse'ro:zə
Xerostomie kserosto'mi:,
  -n ...i:ən
xerotherm ksero'tɛrm

xerotisch kse'ro:tıʃ
Xerox® 'kse:rɔks, engl. 'zɪə-
  rɔks
Xerxes 'ksɛrksɛs
x-fach 'ıksfax
Xhosa 'ko:za, engl. 'kɔ:sə
Xi ksi:
Xia Gui chin. çịagụeị 41
Xiamen chin. çịamən 24
Xi'an chin. çian 11
Xianggang chin. çịaŋgaŋ 13
Xiangtan chin. çịaŋtan 12
Xianyang chin. çịɛn-ịaŋ 22
Xiaojiang chin. çịaụdzịaŋ 31
Xie Fuzhi chin. çịɛfudʒị 444
Xijiang chin. çidzịaŋ 12
Ximénez span. xi'meneθ
Xingụ bras. ʃiŋ'gu
Xinhua chin. çınxụa 12
Xining chin. çinıŋ 12
Xinjiang chin. çındzịaŋ 11
Xinxiang chin. çıncịaŋ 11
Xinzhu chin. çındʒu 12
Xisuthros ksi'zu:trɔs
Xizang chin. çidzaŋ 14
x-mal 'ıksma:l
Xoanon 'kso:anɔn, Xoana
  ...ana
Xochicalco span. xotʃi-
  'kalko
Xochimilco span. xotʃi-
  'milko
Xosa 'ko:za, engl. 'kɔ:sə
x-te 'ıkstə
Xtowo russ. 'kstɔvɐ
Xuanhua chin. çÿɛnxụa 14
Xuan Zang chin. çÿɛndzaŋ
  24
Xu Beihong chin. çybeịxʊŋ
  212
Xu Zhimo chin. çydʒ̧imɔ 242
Xuzhou chin. çydʒoụ 21
Xylan chin. ksy'la:n
Xylem chin. ksy'le:m
Xylenol ksyle'no:l
Xylidin ksyli'di:n
Xylit ksy'li:t
Xylograph ksylo'gra:f
Xylographie ksylogra'fi:, -n
  ...i:ən
Xylol ksy'lo:l
Xylolith® ksylo'li:t
Xylometer ksylo'me:tɐ
Xylophon ksylo'fo:n
Xylorganum ksy'lɔrganʊm
Xylose ksy'lo:zə
Xystos 'ksystɔs
Xystus 'ksystʊs, ...ti ...ti

Y

y span. i
y, Y 'ypsilɔn, engl. waı, fr.
  i'grɛk, it. ig'grɛ:ko, 'ipsi-
  lon, span. i'yrịeya
v, Y 'ypsilɔn
y-Achse 'ypsilɔn|aksə
Ya span. ja
Yaan chin. ịa-an 31
Yacht jaxt
Yacine fr. ja'sin
Yagiantenne 'ja:gịlantɛnə
Yagul span. ja'ɣul
Yak jak
Yaki 'ja:ki
Yakima engl. 'jækımɔ:
Yakuza ja'ku:tsa
Yale engl. jeıl
Yalongjiang chin. ịalʊŋ-
  dzịaŋ 121
Yalow engl. 'jæloʊ
Yalujiang chin. ịaludzịaŋ
  141
Yamaha 'jamaha, ja'ma:ha
Yamasaki engl. ja:mə'sɑ:kı
Yamashita jama'ʃi:ta
Yamen 'ja:mɛn
Yamoussoukro fr. jamusu-
  'kro
Yamswurzel 'jamsvʊrtsl̩
Yan'an chin. ịɛn-an 21
Yancey engl. 'jænsı
Yáñez span. 'jaɲeθ
Yang jaŋ, engl. jæŋ
Yang Hui chin. ịaŋxụeị 21
Yangquan chin. ịaŋtçÿɛn 22
Yangshao chin. ịaŋʃaụ 32
Yangzhou chin. ịaŋdʒoụ 21
Yang Zhu chin. ịaŋdʒu 21
Yanicki ja'nıtski
Yanji chin. ịɛndzi 22
Yank engl. jæŋk
Yankee 'jɛŋki
Yankee Doodle 'jɛŋkidu:dl̩
Yankeetum 'jɛŋkitu:m
Yankton engl. 'jæŋktən
Yan Liben chin. ịɛnlibən 243
Yantai chin. ịɛntaị 12
Yan Yu chin. ịɛn-iy 23
Yaoundé fr. jaun'de

Yap jap, *engl.* jɑːp, jæp
Yaqui *span.* 'jaki
Yard jaːɐ̯t
Yare *engl.* jɛə
Yaren *engl.* 'jɑːrən
Yarmouth *engl.* 'jɑːməθ
Yarrell *engl.* 'jærəl
Yarrow *engl.* 'jæroʊ
Yaşar *türk.* jaˈʃar
Yastik 'jastɪk
Yavarí *span.* jaβaˈri
Yavuz *türk.* jaˈvuz
Yawl joːl
Yaxchilán *span.* jastʃiˈlan
Yazoo *engl.* 'jæzuː
Ybbs ɪps
Yeadon *engl.* jeɪdn
Yeat[e]s *engl.* jeɪts
Yehudi jeˈhuːdi
Ye Jianying *chin.* i̯ɛdzi̯ɛnˈi̯ɪŋ 441
Yell[owknife] *engl.* 'jɛl[oʊnaɪf]
Yellowplush *engl.* 'jɛloʊplʌʃ
Yellowpress 'jɛloˈprɛs
Yellowstone *engl.* 'jɛloʊstoʊn
Yen jɛn
Yeoman, ...men 'joːmɛn
Yeomanry 'joːmɛnri
Yeovil *engl.* 'joʊvɪl
Yepes *span.* 'jepes
Yerba 'jɛrba
Yerba Buena *engl.* 'jəːbə 'bweɪnə
Yerby *engl.* 'jəːbɪ
Yerkes *engl.* 'jəːkiːz
Yerseke *niederl.* 'iːrsəkə
Yersin *fr.* jɛrˈsɛ̃
Yeşilhisar *türk.* jeˈʃilhiˌsar
Yeşilırmak *türk.* jeˈʃilɪrˌmak
Yeşilköy *türk.* jeˈʃilˌkœi̯
Yeti 'jeːti
Yeu *fr.* jø
Yggdrasil 'ʏkdrazɪl
Yibin *chin.* i̯ibɪn 21
Yichang *chin.* i̯itʃaŋ 21
Yiewsley *engl.* 'juːzlɪ
Yıldız *türk.* jilˈdiz
Yılmaz *türk.* jilˈmaz
Yin jɪn
Yinchuan *chin.* i̯ɪntʃu̯an 21
Yingkow *chin.* i̯ɪŋkou̯ 23
Yinshan *chin.* i̯ɪnʃan 11
Yippie 'jɪpi
Ylang-Ylang-... 'iːlaŋ'liːlaŋ...
Y. M. C. A., YMCA *engl.* waɪ-ɛmsiːˈeɪ
Ymir 'yːmɪr
Ynglingar *schwed.* ˌyŋliŋar

Yoga 'joːga
Yogi 'joːgi
Yogin 'joːgɪn
Yogyakarta *indon.* jɔgjaˈkarta
Yohimbin johɪmˈbiːn
Yohn *engl.* jɔn
Yola *engl.* 'joʊla:
Yolanthe joˈlantə
Yoldia 'jɔldi̯a
Yomud 'joːmʊt
Yoni 'joːni
Yonkers *engl.* 'jɔŋkəz
Yonne *fr.* jɔn
Yorba Linda *engl.* 'jɔːbə 'lɪndə
Yorck jɔrk
Yorick *engl.* 'jɔrɪk, *it.* 'i̯ɔːrik
York jɔrk, *engl.* jɔːk
Yorkshire *engl.* 'jɔːkʃə
Yorkton *engl.* 'jɔːktən
Yorktown *engl.* 'jɔːktaʊn
Yoruba 'joːruba, joˈruːba, *engl.* 'jɔrʊbə
Yosemite *engl.* joʊ'sɛmɪtɪ
Yōsu *korean.* 'jɔːsu
Youghal *engl.* jɔːl
Youghioghenny *engl.* jɔkəˈgeɪnɪ
Youlou *fr.* juˈlu
Youmans *engl.* 'juːmənz
Young *engl.* jʌŋ
Younghusband *engl.* 'jʌŋhʌzbənd
Young Men's Christian Association *engl.* 'jʌŋ 'mɛnz 'krɪstʃən əsoʊsɪ'eɪʃən
Youngster *engl.* 'jʌŋstə
Youngstown *engl.* 'jʌŋztaʊn
Young Women's Christian Association *engl.* 'jʌŋ 'wɪmɪnz 'krɪstʃən əsoʊsɪ'eɪʃən
Yourcenar *fr.* jursəˈnaːr
Youssoufia *fr.* jusuˈfja
Yo-Yo joˈjoː
Yozgat *türk.* 'jɔzgat
Ypacaraí *span.* ipakaraˈi
Ypenburg *niederl.* 'ipənbʏrx
Yperen *niederl.* 'ipərə
Ypern 'yːpɐn, 'iːp..., 'aip...
Ypres *fr.* ipr
Ypsilanti ɪpsiˈlanti, *engl.* ɪpsɪˈlæntɪ
Ypsilon 'ʏpsilɔn
Yrjö *finn.* 'yrjœ
Ysat y'zaːt
Ysaye *fr.* izaˈi
Yselin 'iːzəliːn

Ysenburg 'iːzn̩bʊrk
Yser *fr.* i'zɛːr
Ysop 'iːzɔp
Ysopet *fr.* izɔ'pɛ
Yssel *niederl.* 'ɛi̯səl
Ysselmeer *niederl.* ɛi̯səl-ˈmeːr
Ystad *schwed.* 'yːstaːd
y-te 'ʏpsilɔntə
Ytong ® 'yːtɔŋ
Ytterbium ʏ'tɛrbi̯ʊm
Yttererden 'ʏtɐleːɐ̯dn̩
Yttrium 'ʏtriʊm
Yttrofluorit ʏtrofluoˈriːt
Yuan 'juːan, *chin.* ỹɛn 2
Yuanjiang *chin.* ỹɛndʑi̯aŋ 21
Yuan Mei *chin.* ỹɛnmei̯ 22
Yuan Shikai *chin.* ỹɛnʃikai̯ 243
Yuba City *engl.* 'juːbə 'sɪtɪ
Yucaipa *engl.* juː'kaɪpə
Yucatán *span.* juka'tan
Yucca (Pflanze) 'jʊka
Yukatan 'juːkatan
Yukawa *engl.* juː'kɑːwɑː
Yukon *engl.* 'juːkɔn
Yule *engl.* juːl
Yuma *engl.* 'juːmə
Yumen *chin.* i̯ymən 42
Yun *korean.* jun
Yunnan *chin.* i̯ʏnnan 22
Yuppie 'jʊpi, 'japi
Yurimaguas *span.* juri'maˌyu̯as
Yuriria *span.* ju'riri̯a
Yuste *span.* 'juste
Yveline[s] *fr.* i'vlin
Yverdon *fr.* ivɛr'dõ
Yves *fr.* iːv
Yvetot *fr.* iv'to
Yvette *fr.* i'vɛt
Yvon *fr.* i'võ
Yvonne *fr.* i'vɔn
YWCA *engl.* waɪd̬ʌblju:si:'eɪ

z, Z tsɛt, *engl., fr.* zɛd, *it.* 'dzɛːta, *span.* 'θeða, 'θeta
ζ, Z 'tseːta
Zaan *niederl.* zaːn
Zaandam *niederl.* zaːnˈdɑm

Zaanstad *niederl.* 'za:nstɑt
Zaanstreek *niederl.* 'za:nstre:k
Zabaglione tsabal'jo:nə
Zabaione tsaba'jo:nə
Zabaleta *span.* θaβa'leta
Zabarella *it.* dzaba'rɛlla
Zabel 'tsa:bļ
Zabergäu 'tsa:bɐgɔy
Zabern[er] 'tsa:bɐn[ɐ]
Zabkowice *poln.* zɔmpkɔ-
'vitsɛ
Zabłocki *poln.* za'bu̯ɔtski
Záborský *slowak.* 'za:bɔrski:
Zábřeh *tschech.* 'za:brʒɛx
Zabrze *poln.* 'zabʒɛ
Zacapa *span.* θa'kapa
Zacatecas *span.* θaka'tekas
Zacatecoluca *span.* θakate-
ko'luka
Zaccagnini *it.* dzakkaɲ'ɲi:ni
Zaccaria *it.* dzakka'ri:a
Zacconi *it.* dzak'ko:ni
zach, Zach tsax
Zachariae tsaxa'ri:ɛ
Zachariah *engl.* zækə'raiə
Zacharias tsaxa'ri:as
Zachäus tsa'xɛ:ʊs
Zacher 'tsaxɐ
Zachow 'tsaxo
Zachun tsa'xu:n
zack!, Zack tsak
Zäckchen 'tsɛkçən
Zacke 'tsakə
zacken, Z... 'tsakņ
zackerieren tsakə'ri:rən
zackern 'tsakɐn
zackig 'tsakɪç, -e ...ɪgə
Zadar *serbokr.* 'zadar
Zadassa *russ.* tsɐda'sa
Zadder 'tsadɐ
zadd[e]rig 'tsad[ə]rɪç, -e
...ɪgə
Zaddik 'tsadɪk, tsa'di:k, -im
tsadi'ki:m
Zadek 'tsa:dɛk, *auch:* 'zadɛk
Zadkine *fr.* zad'kin
Zadok tsa'do:k, *engl.* 'zeɪdɔk
zag tsa:k, -e 'tsa:gə
Zagajewski *poln.* zaga'jɛfski
Żagań *poln.* 'ʒagai̯n
Zagel 'tsa:gḷ
zagen 'tsa:gņ, zag! tsa:k,
zagt tsa:kt
zaghaft 'tsa:khaft
Zaghouan *fr.* za'gwã
Zagorien za'go:riən
Zagorje *serbokr.* ˌzagɔ:rjɛ
Zagreb 'za:grɛp, *serbokr.*
ˌza:grɛb

Zagreus 'tsa:grɔys
Zagyva *ung.* 'zɔdjvɔ
zäh tsɛ:
Zaharoff *engl.* zə'ha:rɔ:f
Zähheit 'tsɛ:hait
Zähigkeit 'tsɛ:ıçkait
Zahirit zahi'ri:t
Zahl tsa:l
zahlen 'tsa:lən
zählen 'tsɛ:lən
zahm tsa:m
zähmen 'tsɛ:mən
Zahn tsa:n, Zähne 'tsɛ:nə
Zahna 'tsa:na
Zähnchen 'tsɛ:nçən
zähneln 'tsɛ:nļn
zahnen 'tsa:nən
zähnen 'tsɛ:nən
zahnig 'tsa:nıç, -e ...ıgə
...zähnig ...'tsɛ:nıç, -e ...ıgə
Zahnlücker 'tsa:nlykɐ
zahnlückig 'tsa:nlykıç, -e
...ıgə
Zahradníček *tschech.*
'zahradnji:tʃɛk
Zähre 'tsɛ:rə
Zähringen 'tsɛ:rıŋən
Zähringer 'tsɛ:rıŋɐ
Zährte 'tsɛ:ɐ̯tə
Zährtmann *dän.* 'saɐ̯tmæn'
Zaidit zai'di:t
Zain[e] 'tsain[ə]
zainen 'tsainən
Zainer 'tsainɐ
Zaire za'i:rə, za'i:ɐ̯, *port.*
'zairə
Zaïre *fr.* za'i:r
Zairer za'i:rɐ
zairisch za'i:rɪʃ
Zaisser 'tsaisɐ
Zaječar *serbokr.* 'zajɛtʃa:r
Zakat za'ka:t
Zakopane *poln.* zakɔ'panɛ
Zakostomie tsɛkosto'mi:,
-n ...i:ən
Zäkotomie tsɛkoto'mi:, -n
...i:ən
Zakrzów *poln.* 'zakʃuf
Zäkum 'tsɛ:kʊm, ...ka ...ka
Zakynthos tsa'kʏntɔs
Zala *ung.* 'zɔlɔ
Zalaegerszeg *ung.* 'zɔlɔɛ-
gɛrsɛg
Zalamea sala'me:a, *span.*
θala'mea
Zalău *rumän.* za'ləu̯
Zaleski *poln.* za'lɛski
Zaleukos tsa'lɔykɔs,
'tsa:lɔykɔs
Zama 'tsa:ma

Zamba 'samba, *auch:*
'tsamba
Zambales *span.* θam'bales
Zambezi *engl.* zæm'bi:zı
Zambia *engl.* 'zæmbıə
Zamblak *bulgar.* 'tsamblɐk
Zambo 'sambo, *auch:*
'tsambo
Zamboanga *span.* θambo-
'aŋga
Zambrów *poln.* 'zambruf
Zambrowski *poln.* zam-
'brɔfski
Zamenhof *poln.* 'zamɛnxɔf
Zamfir *rumän.* zam'fir
Zamfirescu *rumän.* zamfi-
'resku
Zamia 'tsa:mi̯a, ...ien ...i̯ən
Zamie 'tsa:mi̯ə
Zámoly *ung.* 'za:moj
Zamometič *slowen.* zamɔ-
'mɛtitʃ
Zamora *span.* θa'mora
Zamość *poln.* 'zamɔctɕ
Zamoyski *poln.* za'mɔjski
Zampa *it.* 'tsampa
Zampano 'tsampano
Zamperl 'tsampɐl
Zampieri *it.* dzam'pi̯e:ri
Zanardelli *it.* dzanar'dɛlli
Zanchi *it.* 'dzaŋki
Zand tsant
¹Zander (Fisch) 'tsandɐ
²Zander (Name) *schwed.*
'sandər
Zandonai *it.* dzando'na:i̯
Zandvoort *niederl.* 'zɑnt-
fo:rt
Zane *engl.* zeın
Zanella (Stoff) tsa'nɛla
Zanesville *engl.* 'zeınzvıl
Zang[e] 'tsaŋ[ə]
Zangel 'tsaŋļ
Zängelchen 'tsɛŋļçən
Zangius 'tsaŋgi̯ʊs
Zänglein 'tsɛŋlai̯n
Zangwill *engl.* 'zæŋgwıl
Zank tsaŋk
zanken 'tsaŋkņ
Zänker 'tsɛŋkɐ
Zankerei tsaŋkə'rai̯
Zänkerei tsɛŋkə'rai̯
zänkisch 'tsɛŋkıʃ
Zänkle 'tsaŋklə
Zankow *bulgar.* tsɐŋ'kɔf
Zanni *it.* 'dzanni
Zänogenese tsɛnogɐ'ne:zə
Zänogenesis tsɛno'ge:ne-
zıs, *auch:* ...gɛn..., ...nɛsən
...ge'ne:zņ

zänogenetisch t̮sɛnoge'ne:-
tıʃ
Zänozoikum t̮sɛno'tso:ikʊm
zänozoisch t̮sɛno'tso:ıʃ
Zante *it.* 'dzante
Zantedeschi *it.* dzante-
'deski
Zantedeschia t̮sante'dɛs-
ki̯a, ...ien ...i̯ən
ZANU *engl.* 'za:nu:
Zanuck *engl.* 'zænək
Zanussi *poln.* za'nuçi
Zanza[los] 't̮santsa[lɔs]
Zanzibar *engl.* zænzı'ba:
Zapala *span.* θa'pala
Zapata *span.* θa'pata
Zapateado sapate'a:do,
auch: t̮sa...
Zapf t̮sapf
Zäpfchen 't̮sɛpfçən
zapfen, Z... 't̮sapfn̩
Zapolska *poln.* za'pɔlska
Zápolya *ung.* 'za:poi̯o
zaponieren t̮sapo'ni:rən
Zaponlack t̮sa'po:nlak
Zapoteke t̮sapo'te:kə, sa...
Zápotocký *tschech.* 'za:po-
tɔtski:
Zappa *engl.* 'zæpə
Zapp[e]ler 't̮sap[ə]lɐ
zapp[e]lig 't̮sap[ə]lıç, -e
...ıgə
zappeln 't̮sapl̩n
zappen 't̮sapn̩, 'zɛpn̩
zappenduster 't̮sapn̩'du:stɐ
Zapping 't̮sapıŋ, 'zɛpıŋ
Zar t̮sa:ɐ
Zara *it.* 'dza:ra
Zaragoza sara'gɔsa, za...,
span. θara'ɣoθa
Zarah 't̮sa:ra
Zarapkin *russ.* tsa'rapkin
Zárate *span.* 'θarate
Zarathustra t̮sara'tʊstra
Zarcillo *span.* θar'θiʎo
Zarewitsch t̮sa're:vıtʃ
Zarewna t̮sa'rɛvna
Zarge 't̮sargə
Zaria *engl.* 'za:rıə
Zarin 't̮sa:rın
Zarismus t̮sa'rısmʊs
zaristisch t̮sa'rıstıʃ
Zariza t̮sa'rıtsa
Zarizyn *russ.* tsa'ritsin
Zarlino *it.* dzar'li:no
Zărnești *rumän.* zər'neʃtj
Žarnov *slowak.* 'ʒarnou̯
Zarskoje Selo *russ.* 'tsar-
skɐi̯ɐ sı'lɔ
zart t̮sa:ɐt

¹Zärte (Fisch) 't̮sɛrtə
²Zärte (Zartheit) 't̮sɛ:ɐtə
Zärtelei t̮sɛ:ɐtə'lai̯
zärteln 't̮sɛ:ɐtl̩n
Zarten 't̮sa:ɐtn̩
zärtlich 't̮sɛ:ɐtlıç
Zärtling 't̮sɛ:ɐtlıŋ
Zaruma *span.* θa'ruma
Žáry *poln.* 'ʒari
Žáry *slowak.* 'ʒa:ri
Zarzis *fr.* zar'zis
Zarzuela sar'sue:la
Zarzuelero sarsue'le:ro
Zasel 't̮sa:zl̩
Zaser 't̮sa:zɐ
Zäserchen 't̮sɛ:zɐçən
zaserig 't̮sa:zərıç, -e ...ıgə
zasern 't̮sa:zɐn, ...sre ...zrə
Zäsium 't̮sɛ:zi̯ʊm
Zäsius 't̮sɛ:zi̯ʊs
Zaspel 't̮saspl̩
Zaster 't̮sastɐ
Zäsur t̮sɛ'zu:ɐ
Žatec *tschech.* 'ʒatɛts
Zátopek *tschech.* 'za:tɔpɛk
zatschen 't̮sa:tʃn̩
zätschen 't̮sɛ:tʃn̩
Zatteltracht 't̮satl̩traxt
Zaturenska *engl.* zætə-
'rɛnskə
Zätzikhoven 't̮satsıkho:fn̩
Zauber 't̮saubɐ
Zauberei t̮saubə'rai̯
Zaub[e]rer 't̮saub[ə]rɐ
zauberisch 't̮saubərıʃ
zaubern 't̮saubɐn, zaubre
...brə
Zauch[e] 't̮saux[ə]
Zauderei t̮saudə'rai̯
Zaud[e]rer 't̮saud[ə]rɐ
zaudern 't̮saudɐn, zaudre
...drə
Zaum t̮saum, Zäume
't̮sɔymə
Zäumchen 't̮sɔymçən
zäumen 't̮sɔymən
Zaun t̮saun, Zäune 't̮sɔynə
Zäunchen 't̮sɔynçən
zaundürr 't̮saun'dyr
zäunen 't̮sɔynən
Zauner 't̮saunɐ
Zaupe 't̮saupə
zausen 't̮sauzn̩, zaus! t̮saus,
zaust t̮saust
zausig 't̮sauzıç, -e ...ıgə
Závada *tschech.* 'za:vada
Zavattini *it.* dzavat'ti:ni
Závist *tschech.* 'za:vist
Zawądzki *poln.* za'vatski
Zawiercie *poln.* za'vjɛrtɕɛ

Zawięyski *poln.* za'vjɛi̯ski
Zawija 'za:vija
Zay *fr.* zɛ
Zaziki t̮sa'tsi:ki
Zäzilia t̮sɛ'tsi:li̯a
Zäzilie t̮sɛ'tsi:li̯ə
Zazou za'zu:
Zbąszyń *poln.* 'zbõʃįi̯n
Zbigniew *poln.* 'zbigni̯ɛf
Zborowski t̮sbo'rɔfski
Zchaltubo *russ.* tsxal'tubɐ
Zchinwali *russ.* tsxin'vali
Žd'ár *tschech.* ʒdja:r
Zdarsky 't̮sdarski
Zdeněk *tschech.* 'zdɛnjɛk
Zdenka 'sdɛŋka
Zdeňka *tschech.* 'zdɛnjka
Zdenko 'sdɛŋko
Zduńska Wola *poln.*
'zdui̯ska 'vola
Zduny *poln.* 'zduni
Zea (Mais) 't̮se:a
Zeani *it.* dze'a:ni
Zeaxanthin t̮sɛaksan'ti:n
Zebaot[h] 't̮se:baɔt
Zebedäus t̮sebe'dɛ:ʊs
Zebra 't̮se:bra
Zebrano t̮se'bra:no
Zebrina t̮se'bri:na
Zebroid t̮sebro'i:t, -e ...i:də
Zebu 't̮se:bu
Zecchi *it.* 'tsɛkki, 'dz...
Zech[e] 't̮sɛç[ə]
zechen 't̮sɛçn̩
Zecher 't̮sɛçɐ
Zecherei t̮sɛçə'rai̯
Zechin[e] t̮sɛ'çi:n[ə]
Zechlin t̮sɛç'li:n
Zechow 't̮sɛço
Zechprellerei t̮sɛçprɛlə'rai̯
Zechstein 't̮sɛçʃtai̯n
Zeck[e] 't̮sɛk[ə]
zecken 't̮sɛkn̩
Zédé *fr.* ze'de
Zedekia t̮sede'ki:a
Zedenbal t̮sedɛn'bal
Zedent t̮se'dɛnt
Zeder 't̮se:dɐ
zedern 't̮se:dɐn
zedieren t̮se'di:rən
Zedillo *span.* θe'ðiʎo
Zedler 't̮se:dlɐ
Zedlitz 't̮se:dlıts
Zedrach... 't̮se:drax...
Zedrat t̮se'dra:t
Zedrelaholz t̮se'dre:lahɔlts
Zedrele t̮se'dre:lə
Zeebrugge *niederl.*
'ze:brʏɣə
Zeeland *niederl.* 'ze:lɑnt

Z**ee**man *niederl.* 'ze:mɑn
Z**ee**se 'tse:zə
Z**ee**sen 'tse:zn̩
Z**ee**uwsch-Vl**aa**nderen
niederl. ze: u̯s'fla:ndərə
Zef**a**nja tse'fanja
Zef**a**t *hebr.* tsə'fat
Zeffir**e**lli *it.* dzeffi'rɛlli
Zegadłowicz *poln.* zɛga-
'du̯ɔvitʃ
Z**e**h tse:
Z**e**hden 'tse:dn̩
Z**e**hdenick 'tse:dənɪk
Z**e**he 'tse:ə
...zehig ....tse:ɪç, -e ...ɪgə
z**e**hn, Z... tse:n
z**e**hneinhalb 'tse:n|ain'halp
Z**e**hner 'tse:nɐ
z**e**hnerlei 'tse:nɐ'lai
z**e**hnfach 'tse:nfax
z**e**hnfältig 'tse:nfɛltɪç, -e
...ɪgə
Z**e**hnfingersystem tse:n'fɪ-
ŋɐzyste:m
Z**e**hnjahrfeier tse:n'ja:ɐ̯fai̯ɐ
Z**e**hnkampf 'tse:nkampf
z**e**hnmal 'tse:nma:l
z**e**hnmalig 'tse:nma:lɪç, -e
...ɪgə
Z**e**hnpfennigstück tse:n-
'pfɛnɪçʃtʏk
z**e**hnt, Z... tse:nt
z**e**hntausend 'tse:n'tauznt
z**e**hnte, Z... 'tse:ntə
z**e**hntel, Z... 'tse:ntl̩
z**e**hnten[s] 'tse:ntn̩[s]
z**e**hnundeinhalb 'tse:n|ont-
|ain'halp
z**e**hren, Z... 'tse:rən
Z**e**hrer 'tse:rɐ
Z**e**hrfuss *fr.* zer'fys
Z**ei**chen 'tsaiçn̩
z**ei**chnen 'tsaiçnən
z**ei**deln 'tsaidl̩n, ...dle ...dlɐ
Z**ei**dler 'tsaidlɐ
Z**ei**dlerei tsaidlə'rai
z**ei**gen 'tsaign̩, z**ei**g! tsaik,
z**ei**gt tsaikt
Z**ei**ger 'tsaigɐ
z**ei**hen 'tsaiən
Z**ei**l[e] 'tsail[ə]
...zeilig ....tsailɪç, -e ...ɪgə
Z**ei**ller 'tsailɐ
Z**ei**n tse'i:n
Z**ei**ne 'tsainə
Z**ei**schen 'tsaisçən
Z**ei**selbär 'tsaizlbɛ:ɐ̯
z**ei**seln 'tsaizl̩n, ...sle ...zlə
z**ei**sen 'tsaizn̩, z**ei**s! tsais,
z**ei**st tsaist

Z**ei**sig 'tsaizɪç, -e ...ɪgə
Z**ei**sing 'tsaizɪŋ
Z**ei**ß, Z**ei**ss® tsais
Z**ei**st *niederl.* zɛi̯st
z**ei**t, Z... tsait
Z**ei**tblom 'tsaitblo:m
Z**ei**tgenosse 'tsaitgənɔsə
z**ei**tgenössisch 'tsaitgənœ-
sɪʃ
z**ei**ther tsait'he:ɐ̯
z**ei**therig tsait'he:rɪç, -e ...ɪgə
z**ei**tig 'tsaitɪç, -e ...ɪgə
z**ei**tigen 'tsaitɪgn̩, z**ei**tig!
...ɪç, z**ei**tigt ...ɪçt
z**ei**tlebens tsait'le:bn̩s
Z**ei**tlin 'tsaitli:n
Z**ei**tlose 'tsaitlo:zə
Z**ei**tschrift 'tsaitʃrɪft
Z**ei**tung 'tsaitoŋ
z**ei**tweilig 'tsaitvailɪç, -e
...ɪgə
Z**ei**tz tsaits
Z**ej**ler *obersorb.* 'zɛjlɐr
Zelebr**a**nt tsele'brant
Zelebrati**o**n tselebra'tsi̯o:n
Z**e**lebret 'tse:lebrɛt
zelebr**ie**ren tsele'bri:rən
Zelebrit**ä**t tselebri'tɛ:t
Zel**e**nka tse'lɛŋka, *tschech.*
'zɛlɛŋka
Żel**e**ński *poln.* ʒɛ'lei̯ski
Zelerit**ä**t tseleri'tɛ:t
Zel**e**tin *rumän.* zele'tin
Z**e**lge 'tsɛlgə
Zelinogr**a**d *russ.* tsəlina'grat
Z**e**ll[a] 'tsɛl[a]
Z**e**lla-M**e**hlis 'tsɛla'me:lɪs
Z**e**lle 'tsɛlə
Z**e**ller 'tsɛlɐ
z**e**llig 'tsɛlɪç, -e ...ɪgə
Z**e**llit tsɛ'li:t
Zellobi**o**se tsɛlo'bi̯o:zə
Zell**oi**din... tsɛloi'di:n...
Z**e**llon tsɛ'lo:n
Z**e**llophan tsɛlo'fa:n
Z**e**llstoff 'tsɛlʃtɔf
zellul**a**r tsɛlu'la:ɐ̯
zellul**ä**r tsɛlu'lɛ:ɐ̯
Zellul**a**se tsɛlu'la:zə
Zellul**i**tis tsɛlu'li:tɪs, ...liti-
den ...li'ti:dn̩
Zellul**oi**d tsɛlu'lɔyt, *auch:*
...lo'i:t, -es ...'lɔydəs, *auch:*
...lo'i:dəs
Zellul**o**se tsɛlu'lo:zə
zelosam**e**nte tseloza'mɛntə
zel**o**so tse'lo:zo
Zel**o**t tse'lo:t
Zelot**i**smus tselo'tɪsmos
Z**e**lt[e] 'tsɛlt[ə]

z**e**lten, Z... 'tsɛltn̩
Z**e**lter 'tsɛltɐ
Z**e**ltli 'tsɛltli
Z**e**ltweg 'tsɛltve:k
Z**e**lzate *niederl.* 'zɛlza:tə
Žem**ai**tė *lit.* ʒæ.mai̯te:
Z**e**man *tschech.* 'zɛman
Zem**e**nt tse'mɛnt
Zementati**o**n tsemɛnta-
'tsi̯o:n
zem**e**ntieren tsemɛn'ti:rən
Zem**e**ntit tsemɛn'ti:t
Zeml**i**nsky tsɛm'lɪnski
Z**e**mplén *ung.* 'zɛmple:n
Z**e**mpliner 'tsɛmpli:nɐ
Zemp**o**ala *span.* θɛmpo'ala
Z**e**mun *serbokr.* 'zɛmu:n
Z**e**n zɛn, *auch:* tsɛn
Zen**a**na ze'na:na
Zendaw**e**sta tsɛnda'vɛsta
Z**e**nder 'tsɛndɐ
Z**e**ner... 'tse:nɐ...
Z**e**nger 'tsɛŋɐ, *engl.* 'zɛŋə
Z**e**nica *serbokr.* 'zɛnitsa
Zen**i**t tse'ni:t
zenit**a**l tseni'ta:l
Z**e**nker 'tsɛŋkɐ
Z**e**nne *niederl.* 'zɛnə
Z**e**no 'tse:no, *it.* 'dze:no
Zen**o**bia tse'no:bi̯a
Zen**o**dot tseno'do:t
Zenog**e**nese tsenoge'ne:zə
zenogen**e**tisch tsenoge'ne:-
tɪʃ
Z**e**non 'tse:nɔn
Zen**o**taph tseno'ta:f
Zenot**a**phion tseno'ta:fi̯ɔn,
...ien ...i̯ən
Zenot**a**phium tseno'ta:-
fi̯om, ...ien ...i̯ən
zens**ie**ren tsɛn'zi:rən
Z**e**nsor 'tsɛnzo:ɐ̯, -en
...'zo:rən
zens**o**risch tsɛn'zo:rɪʃ
Zens**u**r tsɛn'zu:ɐ̯
zensur**ie**ren tsɛnzu'ri:rən
Z**e**nsus 'tsɛnzos, die - ...zu:s
Z**e**nt tsɛnt
Z**e**nta *ung.* 'zɛntə
Zent**au**r tsɛn'tauɐ̯
Zenten**a**r tsɛnte'na:ɐ̯
Zeten**a**rium tsɛnte'na:-
ri̯om, ...ien ...i̯ən
Z**e**nter... 'tsɛntɐ...
z**e**ntern 'tsɛntɐn
zentesim**a**l tsɛntezi'ma:l
Zentif**o**lie tsɛnti'fo:li̯ə

Zentigrad ʦɛnti'graːt, *auch:*
'---
Zentigramm ʦɛnti'gram,
auch: '---
Zentiliter ʦɛnti'liːtɐ, *auch:*
'----, *auch:* ...lıtɐ
Zentimeter ʦɛnti'meːtɐ,
auch: '----
Zenting 'ʦɛntıŋ
Zentner 'ʦɛntnɐ
Zento 'ʦɛnto, -nen
...'toːnən
zentral ʦɛn'traːl
Zentralasien ʦɛn'traːl-
laːzjən
Zentrale ʦɛn'traːlə
Zentralide ʦɛntra'liːdə
Zentralisation ʦɛntraliza-
'ʦjoːn
zentralisieren ʦɛntrali'ziː-
rən
Zentralismus ʦɛntra'lısmʊs
zentralistisch ʦɛntra'lıstıʃ
Zentralität ʦɛntrali'tɛːt
zentrieren ʦɛn'triːrən
zentrifugal ʦɛntrifu'gaːl
Zentrifuge ʦɛntri'fuːgə
zentrifugieren ʦɛntrifu'giː-
rən
Zentriol ʦɛntri'oːl
zentripetal ʦɛntripe'taːl
zentrisch 'ʦɛntrıʃ
Zentrismus ʦɛn'trısmʊs
Zentrist ʦɛn'trıst
Zentriwinkel 'ʦɛntrivıŋkl̩
zentrolezithal ʦɛntroleʦi-
'taːl
Zentromer ʦɛntro'meːɐ
Zentrosom ʦɛntro'zoːm
zentrovertiert ʦɛntrovɛr-
'tiːɐt
Zentrum 'ʦɛntrʊm
Zenturie ʦɛn'tuːrjə
Zenturio ʦɛn'tuːrjo, -nen
...tu'rjoːnən
Zenturione ʦɛntu'rjoːnə
Zenturium ʦɛn'tuːrjʊm
Zenz[i] 'ʦɛnʦ[i]
Zeolith ʦeo'liːt
Zephalhämatom ʦefalhɛ-
ma'toːm
Zephalopode ʦefalo'poːdə
Zephanja ʦe'fanja
Zephat ʦe'faːt
Zephir 'ʦeːfiːɐ
zephirisch ʦe'fiːrıʃ
Zephyr 'ʦeːfyːɐ
Zephyrin[us] ʦefy'riːn[ʊs]
zephyrisch ʦe'fyːrıʃ
Zephyros 'ʦeːfyrɔs

Zeppelin 'ʦɛpəliːn
Zepter 'ʦɛptɐ
Zer ʦeːɐ
Zeraphanie ʦerafa'niː, -n
...iːən
Zerat ʦe'raːt
Zerbe 'ʦɛrbə
zerbeißen ʦɛɐ'baisn̩
Zerberus 'ʦɛrberʊs
Zerbinetta ʦɛrbi'nɛta
Zerbst[er] 'ʦɛrpst[ɐ]
zerdeppern ʦɛɐ'dɛpɐn
Zerealie ʦere'aːljə, -n ...jən
zerebellar ʦerebɛ'laːɐ
Zerebellum ʦere'bɛlʊm,
...lla ...bɛla
Zerebra vgl. Zerebrum
zerebral, Z... ʦere'braːl
Zerebralisation ʦerebrali-
za'ʦjoːn
zerebralisieren ʦerebrali-
'ziːrən
Zerebrosid ʦerebro'ziːt, -e
...iːdə
zerebrospinal ʦerebrospi-
'naːl
Zerebrum 'ʦeːrebrʊm, ...ra
...ra
Zeremoniale ʦeremo-
'njaːlə, ...lien ...ljən
Zeremoniar ʦeremo'njaːɐ
Zeremonie ʦeremo'niː,
auch: ...'moːnjə, -n
...mo'niːən, *auch:*
...'moːnjən
zeremoniell, Z... ʦeremo-
'njɛl
Zeremonienmeister ʦere-
'moːnjənmaistɐ
zeremoniös ʦeremo'njøːs,
-e ...øːzə
Zeresin ʦere'ziːn
Zereteli *georg.* 'ʦeretheli
Zerevis ʦere'viːs
zerfledern ʦɛɐ'fleːdɐn,
...dre ...drə
zerfleischen ʦɛɐ'flaiʃn̩
zergen 'ʦɛɐgn̩, zerg! ʦɛrk,
zergt ʦɛrkt
Zëri i Popullit *alban.* 'zəri i
'popuʎit
Zerin ʦe'riːn
Zerit ʦe'riːt
Zerium 'ʦeːrjʊm
Zerkarie ʦɛr'kaːrjə
Zerkaulen ʦɛɐ'kaulən
Zerklaere ʦɛɐ'klɛːrə
zerkleinern ʦɛɐ'klainɐn
zerklüftet ʦɛɐ'klyftət
Zerknall ʦɛɐ'knal

zerknirscht ʦɛɐ'knırʃt
Zerkowski *bulgar.* ʦɛr-
'kɔfski
Zerlina ʦɛr'liːna
Zerline ʦɛr'liːnə
Zermatt 'ʦɛɐ'mat
Zermatten *fr.* zɛrma'tɛn
Zermelo ʦɛr'meːlo
zermürben ʦɛɐ'myrbn̩,
zermürb! ...rp, zermürbt
...rpt
Zernatto ʦɛr'nato
zernepft ʦɛɐ'nɛpft
zernieren ʦɛr'niːrən
Zernike *niederl.* 'ʦɛrnıkə
Zero 'ʦeːro
Zerograph ʦero'graːf
Zerographie ʦerogra'fiː, -n
...iːən
Żeromski *poln.* ʒɛ'rɔmski
Zerophanie ʦerofa'niː, -n
...iːən
Zeroplastik ʦero'plastık
Żerotin[a] *tschech.* 'ʒɛrɔ-
tjiːn[a]
Zerotin... ʦero'tiːn...
zerren 'ʦɛrən
Zerrenthin ʦɛrən'tiːn
zerrütten ʦɛɐ'rytn̩
zerschrunden ʦɛɐ'ʃrʊndn̩
zerschründet ʦɛɐ'ʃryndət
zerspellen ʦɛɐ'ʃpɛlən
zertalt ʦɛɐ'taːlt
Zertamen ʦɛr'taːmən,
...mina ...'taːmina
zerteppern ʦɛɐ'tɛpɐn
zertieren ʦɛr'tiːrən
Zertifikat ʦɛrtifi'kaːt
Zertifikation ʦɛrtifika-
'ʦjoːn
zertifizieren ʦɛrtifi'ʦiːrən
zertrümmern ʦɛɐ'trymɐn
Zerumen ʦe'ruːmən
Zerussit ʦerʊ'siːt
Zervelatwurst ʦɛrvə'laːt-
vʊrst, *auch:* zɛ...
zervikal ʦɛrvi'kaːl
Zervix 'ʦɛrvıks, ...ices ʦɛr-
'viːʦeːs
Zerwanismus ʦɛrva'nıs-
mʊs
Zerwürfnis ʦɛɐ'vyrfnıs,
-se ...ısə
Zerzer 'ʦɛrʦɐ
Zesarewitsch ʦeza're:vıʧ
Zesen 'ʦeːzn̩
Zeska 'ʦɛska
Zessalien ʦe'saːljən
Zessarewitsch ʦesa're:vıʧ
zessibel ʦɛ'siːbl̩, ...ble ...blə

Zessibilität tsɛsibili'tɛ:t
zessieren tsɛ'si:rən
Zession tsɛ'sjo:n
Zessionar tsɛsjo'na:ɐ̯
Zestode tsɛs'to:də
¹Zeta (Buchstabe) 'tse:ta
²Zeta (Name) serbokr. 'zɛta
Zetazeen tseta'tse:ən
Zetazismus tseta'tsısmʊs
Zetel 'tse:tl̩
Zeter 'tse:tɐ
zetermordio!, Zetermordio tse:tɐ'mordjo
zetern 'tse:tɐn
Zetetiker tse'te:tikɐ
Zetin tse'ti:n
Zetkin 'tsɛtki:n
Zetland engl. 'zɛtlənd
Zett[el] 'tsɛt[l̩]
Zettelei tsɛtə'lai̯
zetteln 'tsɛtl̩n
Zetterholm schwed. ˌsɛtər-holm
Zetterling schwed. ˌsɛtərlıŋ
Zetterström schwed. ˌsɛtər-strœm
Zettler 'tsɛtlɐ
zeuch! tsɔyç
zeuch[s]t tsɔyç[s]t
Zeug tsɔyk, -e 'tsɔygə
zeugen 'tsɔygn̩, zeug! tsɔyk, zeugt tsɔykt
Zeugit tsɔy'gi:t
Zeugma 'tsɔygma, -ta ...us
Zeugnis 'tsɔyknıs, -se ...ısə
Zeugs tsɔyks
Zeulenroda tsɔylən'ro:da
Zeuner 'tsɔynɐ
Zeus, Zeuss tsɔys
Zeute 'tsɔytə
Zeuthen dän. 'sɔj'dn̩
Zeuxis 'tsɔyksıs
Zeven 'tse:vn̩
Zevenaar niederl. 'ze:vəna:r
Zeyer 'tsai̯ɐ, tschech. 'zɛjɐr
Zêzere port. 'zezərə
Zezidie tse'tsi:djə
Zezidiologie tsetsidjolo'gi:
Zgierz poln. zgjɛʃ
Zgorzelec poln. zgɔ'ʒɛlɛts
Zhang Daoling chin. dʒaŋ-dau̯lıŋ 142
Zhanghua chin. dʒaŋxua 14
Zhangjiakou chin. dʒaŋ-dzjakou̯ 113
Zhang Qian chin. dʒaŋtɕiɛn 41
Zhang Xuan chin. dʒaŋçyɛn 11
Zhangye chin. dʒaŋjɛ 11

Zhang Zai chin. dʒaŋdzai̯ 14
Zhang Zhongjing chin. dʒaŋdʒʊŋdzıŋ 143
Zhangzhou chin. dʒaŋdʒou̯ 11
Zhanjiang chin. dʒandzjaŋ 41
Zhao Mengfu chin. dʒau̯-məŋfu 443
Zhaotong chin. dʒau̯tʊŋ 11
Zhao Wuji chin. dʒau̯-u̯udzi 422
Zhejiang chin. dʒʌdzjaŋ 41
Zhengzhou chin. dʒəŋdʒou̯ 41
Zhenjiang chin. dʒəndzjaŋ 41
Zhongguo chin. dʒʊŋguə 12
Zhonghua Renmin Gongheguo chin. dʒʊŋxuarənmıŋgʊŋxʌguə 1222422
Zhongshan chin. dʒʊŋʃan 11
Zhou Chen chin. dʒou̯tʃən 12
Zhoucun chin. dʒou̯tsu̯ən 11
Zhou Dunyi chin. dʒou̯-du̯ən-ji 112
Zhou Enlai chin. dʒou̯-ənlai̯ 112
Zhoukoudian chin. dʒou̯-kou̯djɛn 134
Zhou Yang chin. dʒou̯-jaŋ 12
Zhuang Zi chin. dʒuaŋdzi 13
Zhu De chin. dʒudʌ 12
Zhuhou chin. dʒuxou̯ 11
Zhu Xi chin. dʒuɕi 11
Ziani it. dzi'a:ni
Žiar nad Hronom slowak. 'ʒjar 'nadhrɔnɔm
Zia-ul-Haq engl. 'zi:ɑ:ʊl'hɑ:k
Zibbe 'tsibə
Zibebe tsi'be:bə
Zibeline tsibə'li:nə
Zibet 'tsi:bɛt
Zibeton tsibe'to:n
Zibo chin. dzibɔ 12
Ziborium tsi'bo:rjʊm, ...ien ...jən
Zichorie tsı'ço:rjə
Zichow 'tsıço
Zichy ung. 'zitʃi
Zick[e] 'tsık[ə]
Zickel[chen] 'tsıkl̩[çən]
zickeln 'tsıkl̩n
zickig 'tsıkıç, -e ...ıgə
zickzack, Z... 'tsıktsak
zickzacken 'tsıktsakn̩
Zics ung. zitʃ
Zider 'tsi:dɐ
Zidkija tsıt'ki:ja

Ziebland 'tsi:plant
Zieche 'tsi:çə
Ziechling 'tsi:çlıŋ
Ziedonis lett. 'zıɛdu̯ɔnıs
Ziefer 'tsi:fɐ
ziefern 'tsi:fɐn
Ziege 'tsi:gə
Ziegel 'tsi:gl̩
Ziegelbrennerei tsi:gl̩brɛ-nə'rai̯
Ziegelei tsi:gə'lai̯
ziegeln 'tsi:gl̩n, ziegle 'tsi:glə
ziegelrot 'tsi:gl̩ro:t
Ziegenbalg 'tsi:gn̩balk
Ziegenhain 'tsi:gn̩hai̯n
Ziegenhals 'tsi:gn̩hals
Ziegenpeter 'tsi:gn̩pe:tɐ
Ziegenrück 'tsi:gn̩ryk
Zieger 'tsi:gɐ
Ziegler 'tsi:glɐ
Ziehe 'tsi:ə
ziehen, Z... 'tsi:ən
Ziehrer 'tsi:rɐ
Ziel tsi:l
zielen 'tsi:lən
Zielens niederl. 'ziləns
Zielona Góra poln. zɛ'lona 'gura
zielstrebig 'tsi:lʃtre:bıç, -e ...ıgə
Ziem tsi:m
ziemen 'tsi:mən
Ziemer 'tsi:mɐ
ziemlich 'tsi:mlıç
Ziepchen 'tsi:pçən
Ziepelchen 'tsi:plçən
ziepen 'tsi:pn̩
Zier[de] 'tsi:ɐ̯[də]
zieren 'tsi:rən
Zierenberg 'tsi:rənbɛrk
Ziererei tsi:rə'rai̯
Zieritz 'tsi:rıts
zierlich 'tsi:ɐ̯lıç
Zierotin 'ʒerɔti:n
Zierrat 'tsi:ra:t, auch: 'tsi:ɐ̯ra:t
Ziesel 'tsi:zl̩
Ziesenis 'tsi:zənıs
Ziest tsi:st
Ziet[h]en 'tsi:tn̩
Ziffer 'tsıfɐ
...ziff[e]rig ...tsıf[ə]rıç, -e ...ıgə
zig tsıç
Zigarette tsiga'rɛtə
Zigarillo tsiga'rılo, auch: ...ljo
Zigärrchen tsi'gɛrçən
Zigarre tsi'garə

Ziger 'tsi:gɐ
Zigeuner tsi'gɔynɐ
zigeunern tsi'gɔynɐn
zigfach 'tsıçfax
Zigler 'tsi:glɐ
zigmal 'tsıçma:l
Zigong chin. dzigʊŋ 44
zigste 'tsıçstə
Ziguinchor fr. zigɛ̃'ʃɔ:r
Zikade tsi'ka:də
Zikkurat 'tsıkura:t, --'-
Zilahy ung. 'zilɔhi
Zilcher 'tsılçɐ
ziliar tsi'lia:ɐ̯
Ziliate tsi'lia:tə
Zilie 'tsi:liə
Zilies 'tsi:liəs
Žilina slowak. 'ʒilina
Zilizien tsi'li:tsiən
zilizisch tsi'li:tsıʃ
Zille 'tsılə
Ziller 'tsılɐ
Zillertal[er] 'tsılɐta:l[ɐ]
Zilli 'tsıli
Zilliacus schwed. sili'akʊs
Zillich, ...ig 'tsılıç
Zillis 'tsılıs
Zillmer 'tsılmɐ
Zilly 'tsıli
Zimarra tsi'mara
Zimbabwe tsım'bapvə, engl.
  zım'bɑ:bwı
Zimbal 'tsımbal
Zimbalist engl. 'zımbəlıst
Zimbel 'tsımbl̩
Zimber 'tsımbɐ
zimbrisch 'tsımbrıʃ
Zimelie tsi'me:liə
Zimelium tsi'me:liʊm, ...ien
  ...iən
Ziment tsi'mɛnt
zimentieren tsimɛn'ti:rən
Zimerman poln. 'zimɛrman
Zimier tsi'mi:ɐ̯
Zimljansk[ij] russ.
  tsim'ljansk[ij]
Zimmer 'tsımɐ
Zimmerbude 'tsımɐbu:də
Zimmerei tsımə'raı̯
...zimmerig ....tsımərıç, -e
  ...ıgə
Zimmerling 'tsımɐlıŋ
Zimmerman[n] 'tsımɐman
zimmern, Z... 'tsımɐn
Zimmerwald 'tsımɐvalt
Zimmet 'tsımət
...zimmrig ....tsımrıç, -e
  ...ıgə
Zimnicea rumän. 'zimnitʃɛa
Zimnik 'tsımnık

zimolisch tsi'mo:lıʃ
Zimolit tsimo'li:t
Žimorowic poln. ʒimɔ'rɔvits
zimperlich 'tsımpɐlıç
Zimperliese 'tsımpɐli:zə
zimpern 'tsımpɐn
Zimt tsımt
Zincgref 'tsıŋkgrɐ:f
Zincirli türk. zin'dʒirli
Zinckenit tsıŋkə'ni:t
Zincum 'tsıŋkʊm
Zindel 'tsındl̩
¹Zinder (Kohle) 'tsındɐ
²Zinder (Ort) fr. zɛ̃'dɛ:r
Zinellen tsi'nɛlən
Zineraria tsine'ra:ria, ...ien
  ...iən
Zinerarie tsine'ra:riə
Zingarelli it. tsiŋga'rɛlli
Zingaresca tsıŋga'rɛska
zingarese tsıŋga're:zə
Zingel 'tsıŋl̩
Zingg tsıŋk
Zingst tsıŋst
Zingulum 'tsıŋgulʊm, ...la
  ...la
Zink[e] 'tsıŋk[ə]
zinken, Z... 'tsıŋkn̩
Zinkenist tsıŋkə'nıst
...zinkig ....tsıŋkıç, -e ...ıgə
Zinkit tsıŋ'ki:t
Zinko 'tsıŋko
Zinkographie tsıŋkogra'fi:,
  -n ...i:ən
Zinkotypie tsıŋkoty'pi:, -n
  ...i:ən
Zinn[a] 'tsın[a]
Zinnamom tsına'mo:m
Zinne 'tsınə
Zinnemann 'tsınəman, engl.
  'zınıman
zinnen 'tsınən
Zinner 'tsınɐ
zinnern 'tsınɐn
Zinnie 'tsıniə
Zinnik niederl. 'zınık
Zinnober tsı'no:bɐ
Zinnwald 'tsınvalt
Zinnwaldit tsınval'di:t
Zino fr. zi'no
Zins tsıns, -es ...nzəs
zinsen 'tsınzn̩, zins! tsıns,
  zinst tsınst
Zinsen 'tsınzn̩
Zinten 'tsıntn̩
Zinzare tsın'tsa:rə
Zinzendorf 'tsıntsn̩dɔrf
Žinzifov mak. 'ʒinzifɔf
Ziolkowski russ. tsiał'kɔf-
  skij

Zion 'tsi:ɔn, engl. 'zaıən
Zionismus tsio'nısmʊs
Zionist tsio'nıst
Zionit tsio'ni:t
Zipaquirá span. θipaki'ra
Zipernowsky ung. 'zipɐr-
  nofski
Zipf[el] 'tsıpf[l̩]
zipf[e]lig 'tsıpf[ə]lıç, -e ...ıgə
zipfeln 'tsıpfl̩n
Zipolle tsi'pɔlə
Zipp[e] 'tsıp[ə]
Zipperlein 'tsıpɐlaın̯
Zippora tsı'po:ra
Zippus 'tsıpʊs, ...pi ...pi
Zips tsıps
Zirbe 'tsırbə
Zirbel 'tsırbl̩
Zirc ung. zirts
Zirconium tsır'ko:niʊm
zirka 'tsırka
zirkadian tsırka'dia:n
Zirkassien tsır'kasiən
Zirkassier tsır'kasiɐ
zirkassisch tsır'kasıʃ
Zirkel 'tsırkl̩
zirkeln 'tsırkl̩n
zirkelrund 'tsırkl̩'rʊnt
Zirknitz 'tsırknıts
Zirkon[ium] tsır'ko:n[iʊm]
zirkular, Z... tsırku'la:ɐ̯
zirkulär tsırku'lɛ:ɐ̯
Zirkulation tsırkula'tsio:n
zirkulieren tsırku'li:rən
Zirkumferenz tsırkʊmfe-
  'rɛnts
zirkumflektieren tsırkʊm-
  flɛk'ti:rən
Zirkumflex 'tsırkʊmflɛks,
  --'-
Zirkummeridianhöhe tsır-
  kʊmmeri'dia:nhø:ə
zirkumpazifisch tsırkʊmpa-
  'tsi:fıʃ
zirkumpolar tsırkʊmpo'la:ɐ̯
zirkumskript tsırkʊm'skrıpt
Zirkumskription tsırkʊm-
  skrıp'tsio:n
Zirkumstanz tsırkʊm-
  'stants, -ien ...tsiən
zirkumstanziell tsırkʊm-
  stan'tsiɛl
zirkumterrestrisch tsır-
  kʊmtɛ'rɛstrıʃ
zirkumvenieren tsırkʊmve-
  'ni:rən
Zirkumvention tsırkʊmvɛn-
  'tsio:n
Zirkumzision tsırkʊmtsi-
  'tsio:n

Zirkus 'tsɪrkʊs, -se ...ʊsə
Zirm tsɪrm
Zirndorf 'tsɪrndɔrf
Zirpe 'tsɪrpə
zirpen 'tsɪrpn̩
Zirrhose tsɪ'roːzə
zirrhotisch tsɪ'roːtɪʃ
Zirrokumulus tsɪroˈkuːmu-
  lus, ...li ...li
Zirrostratus tsɪroˈstraːtʊs
Zirrus 'tsɪrʊs
zirzensisch tsɪr'tsɛnzɪʃ
zisalpin[isch] tsɪslalˈpiːn[ɪʃ]
Zischelei tsɪʃəˈlai̯
zischeln 'tsɪʃln̩
zischen 'tsɪʃn̩
Zischka 'tsɪʃka
Ziseleur tsizəˈløːɐ̯
ziselieren tsizəˈliːrən
Ziska 'tsɪska
Ziskaukasien tsɪskau̯ˈkaː-
  zi̯ən
Zislaweng tsɪslaˈvɛŋ
Zisleithanien tsɪslai̯ˈtaːni̯ən
zisleithanisch tsɪslai̯ˈtaːnɪʃ
zispadanisch tsɪspaˈdaːnɪʃ
zisrhenanisch tsɪsreˈnaːnɪʃ
Zissalien tsɪˈsaːli̯ən
Zissi 'tsɪsi
Zissoide tsɪsoˈiːdə
Zista 'tsɪsta
Ziste 'tsɪstə
Zisterne tsɪsˈtɛrnə
Zistersdorf 'tsɪstɐsdɔrf
Zisterzienser tsɪstɛrˈtsi̯ɛnzɐ
Zistrose 'tsɪstroːzə
Zita 'tsiːta
Zitadelle tsitaˈdɛlə
Zitat tsiˈtaːt
Zitation tsitaˈtsi̯oːn
Zítek tschech. 'ziːtɛk
Zither 'tsɪtɐ
zitieren tsiˈtiːrən
Zitral tsiˈtraːl
Zitrat tsiˈtraːt
Zitrin tsiˈtriːn
Zitronat tsitroˈnaːt
Zitrone tsiˈtroːnə
Zitrulle tsiˈtrʊlə
Zitrus... 'tsiːtrʊs...
Zitscherling 'tsɪtʃɐlɪŋ
Zittau 'tsɪtau̯
zitt[e]rig 'tsɪt[ə]rɪç, -e ...ɪɡə
zittern 'tsɪtɐn
Zitwer 'tsɪtvɐ
Zitz[e] 'tsɪts[ə]
Zitzewitz 'tsɪtsəvɪts
Ziu 'tsiːu
Ziverts lett. 'ziːvɛrts
Zivette tsiˈvɛtə

Zivi 'tsiːvi
zivil, Z... tsiˈviːl
Zivilisation tsiviˈlizaˈtsi̯oːn
zivilisatorisch tsiviˈlizaˈtoː-
  rɪʃ
zivilisieren tsiviˈliˈziːrən
Zivilist tsiviˈlɪst
Zivismus tsiˈvɪsmʊs
Ziya Gök Alp türk. 'zii̯ɑ
  'ɡœk 'alp
zizerlweis 'tsiːtsɐlvai̯s
Zizit 'tsiːtsɪt
Žižka tschech. 'ʒiʃka
Zlatá Koruna tschech.
  'zlata: 'kɔruna
Zlatarić serbokr. ˌzlataritɛ
Zlatna rumän. 'zlatna
Zlín tschech. zliːn
Zlobec slowen. 'zloːbɛts
Złotoryja poln. zu̯ɔtɔˈrija
Złoty 'zlɔti, 'slɔti, auch:
  'tslɔti
Złoty poln. 'zu̯ɔti
Zmaj serbokr. zmaːj
Žmichowska poln. ʒmi-
  'xɔfska
Znaim tsnai̯m
Znojmo tschech. 'znɔjmɔ
Znüni 'tsnyːni
Zobel[titz] 'tsoːbl̩[tɪts]
Zöblitz 'tsøːblɪts
Zobten 'tsɔptn̩
Zoccoli 'tsɔkoli
Zocha 'tsɔxa
Zoche 'tsɔxə
zockeln 'tsɔkl̩n
zocken 'tsɔkn̩
Zocker 'tsɔkɐ
Zoderer 'tsoːdərɐ
zodiakal... tsodi̯aˈkaːl...
Zodiakus tsoˈdiːakʊs
Zoe 'tsoːə, engl. 'zoʊi
Zoelly 'tsœli
Zoetermeer niederl. zutər-
  'meːr
Zöfchen 'tsøːfçən
Zofe 'tsoːfə
Zoff tsɔf
Zoffany engl. 'zɔfənɪ
Zofia poln. 'zɔfja
Zofingen 'tsoːfɪŋən
zog tsoːk
zöge 'tsøːɡə
zogen 'tsoːɡn̩
zögern 'tsøːɡɐn, zögre
  ...ɡrə
Zögling 'tsøːklɪŋ
zogt tsoːkt
zögt tsøːkt
Zogu alban. 'zoɡu

Zohe 'tsoːə
Zoidiogamie tsoidi̯ogaˈmiː
Zoidiophilie tsoidi̯ofiˈliː
Zökostomie tsøkostoˈmiː
Zökotomie tsøkotoˈmiː
Zökum 'tsøːkʊm, ...ka ...ka
Zola fr. zɔ'la
Zölenterat tsølɛnteˈraːt
Zölestin[e] tsølɛsˈtiːn[ə]
Zölestiner tsølɛsˈtiːnɐ
Zölestinus tsølɛsˈtiːnʊs
zölestisch tsøˈlɛstɪʃ
Zöliakie tsøliaˈkiː, -n ...iːən
Zölibat tsøliˈbaːt
zölibatär, Z... tsøliba'tɛːɐ̯
Zoll tsɔl, Zölle 'tsœlə
zollen 'tsɔlən
Zollfeld 'tsɔlfɛlt
...zollig ...'tsɔlɪç, -e ...ɪɡə
...zöllig ...ˌtsœlɪç, -e ...ɪɡə
Zollikofer 'tsɔlikoːfɐ
Zollikon 'tsɔlikoːn
Zolling[er] 'tsɔlɪŋ[ɐ]
Zöllner 'tsœlnɐ
Zölom tsøˈloːm
Zölostat tsølo'staːt
Zoltán ung. 'zolta:n
Zomba ung. 'zɔmbɔ, engl.
  'zɔmbɑː
Zombie 'tsɔmbi
zombig 'tsɔmbɪç, -e ...ɪɡə
Zömeterium tsøme'teːri̯ʊm,
  ...ien ...i̯ən
Zönakel tso'naːkl̩
zonal tsoˈnaːl
zonar tsoˈnaːɐ̯
Zondek 'tsɔndɛk
Zone 'tsoːnə
Zongo 'zɔŋɡo, fr. zɔŋˈgo
Zonguldak türk. 'zɔŋɡuldak
zonieren tsoˈniːrən
Zönobit tsønoˈbiːt
Zönobium tsøˈnoːbi̯ʊm,
  ...ien ...i̯ən
Zönokarp tsønoˈkarp
Zons tsɔns, tsoˈns
Zoo tsoː:, auch: 'tsoːo
Zoochlorelle tsooklo'rɛlə
Zoochorie tsookoˈriː
zoogen tsooˈgeːn
Zoogeographie tsoogeo-
  graˈfiː
zoogeographisch tsoogeo-
  ˈgraːfɪʃ
Zooglöen tsooˈgløːən
Zoographie tsoograˈfiː, -n
  ...iːən
Zoolatrie tsoolaˈtriː, -n
  ...iːən
Zoolith tsooˈliːt

Zoologe t̯soo'lo:gə
Zoologie t̯soolo'gi:
zoologisch t̯soo'lo:gɪʃ
¹Zoom (Foto) zu:m, *auch:*
t̯so:m
²Zoom (Biom) t̯so'o:m
zoomen 'zu:mən, *auch:*
't̯so:mən
Zoonose t̯soo'no:zə
Zoon politikon 't̯so:ɔn poli-
ti'kɔn
Zooparasit t̯soopara'zi:t
zoophag t̯soo'fa:k, -e ...a:gə
Zoophage t̯soo'fa:gə
Zoophilie t̯soofi'li:
Zoophobie t̯soofo'bi:
Zoophyt t̯soo'fy:t
Zooplankton t̯soo'plaŋktɔn
Zoosemantik t̯sooze'man-
tɪk
Zoospermie t̯soospɛr'mi:,
-n ...i:ən
Zoospore t̯soo'spo:rə
Zootechnik t̯soo'tɛçnɪk
Zootechniker t̯soo'tɛçnikɐ
Zootomie t̯sooto'mi:
Zootoxin t̯sootɔ'ksi:n
Zoozönologie t̯sootsøno-
lo'gi:
Zopf t̯sɔpf, Zöpfe 't̯sœpfə
Zöpfchen 't̯sœpfçən
Zopfi 't̯sɔpfi
zopfig 't̯sɔpfɪç, -e ...ɪgə
Zophoros t̯so'fo:rɔs
Zophorus 't̯so:forʊs, ...ren
t̯so'fo:rən
Zoppi *it.* 't̯sɔppi
zoppo 't̯sɔpo
Zoppot[er] 't̯sɔpɔt[ɐ]
Zorach *engl.* 'zɔ:ra:k
Zoranić *serbokr.* ˌzɔranit̯s
Zörbig 't̯sœrbɪç
Zores 't̯so:rəs
Zorilla t̯so'rɪla
¹Zorn t̯sɔrn
²Zorn (Name) t̯sɔrn, *schwed.*
so:rn
Zorndorf 't̯sɔrndɔrf
zornig 't̯sɔrnɪç, -e ...ɪgə
Zoroaster t̯soro'astɐ
Zoroastrier t̯soro'astriɐ
zoroastrisch t̯soro'astrɪʃ
Zorrilla *span.* θɔ'rriʎa
Zortzico sɔr't̯sɪko, t̯sɔ...
Zorutti *it.* dzo'rutti
Zosimos 't̯so:zimɔs
Zosse 't̯sɔsə
Zossen 't̯sɔsn̩
Zoster 't̯sɔstɐ, 't̯so:stɐ, -es
t̯sɔs'te:re:s

Zote 't̯so:tə
zoten 't̯so:tn̩
zotig 't̯so:tɪç, -e ...ɪgə
Zotte 't̯sɔtə
Zottel 't̯sɔtl̩
Zottelei t̯sɔtə'lai
zott[e]lig 't̯sɔt[ə]lɪç, -e ...ɪgə
zotteln 't̯sɔtl̩n
zottig 't̯sɔtɪç, -e ...ɪgə
Zötus 't̯so:tʊs
Zrenjanin *serbokr.* ˌzrɛnja-
nin
Zriny (Th. Körner) 't̯sri:ni
Zrínyi *ung.* 'zri:nji
Zschokke 'tʃɔkə
Zschopau 'tʃo:pau
Zschorsch 'tʃɔrʃ
Zsigmond *ung.* 'ʒigmond
Zsigmondy 'ʃigmɔndi, *ung.*
'ʒigmondi
Zsivatorok *ung.* 'ʒivɔtorok
Zsófi[a] *ung.* 'ʒo:fi[ɔ]
Zsolna *ung.* 'ʒolnɔ
Zsolnay 'ʒɔlnai, *ung.* 'ʒolnɔi
Zsuzsanna *ung.* 'ʒuʒɔnnɔ
Zsuzsi *ung.* 'ʒuʒi
z-te 't̯sɛtə
zu t̯su:
zuallerallerletzt t̯su'|alɐ-
'|alɐ'lɛtst
zuallererst t̯su'|alɐ'|e:ɐ̯st
zuallerletzt t̯su'|alɐ'lɛtst
zuallermeist t̯su'|alɐ'maist
zuäußerst t̯su'|ɔysɐst
Zuave 't̯sua:və
Zubehör 't̯su:bəhø:ɐ̯
zubenamt 't̯su:bəna:mt
zubenannt 't̯su:bənant
Zuber 't̯su:bɐ
Zubettgehen t̯su'bɛtge:ən
Zubiri *span.* θu'βiri
Zuccalli *it.* tsuk'kalli
Zuccalmaglio t̯sukal'maljo
Zuccarelli *it.* tsukka'rɛlli
Zuccari *it.* 'tsukkari
Zucchetto t̯su'kɛto, ...tti
...ti
Zucchino t̯su'ki:no, ...ni ...ni
Züchen 't̯sy:çn̩
Zuchering 't̯sʊçərɪŋ
Zucht t̯sʊxt
züchten 't̯sʏçtn̩
züchtig 't̯sʏçtɪç, -e ...ɪgə
züchtigen 't̯sʏçtɪgn̩, züch-
tig! ...ɪç, züchtigt ...ɪçt
Zuchwil t̯sʊx'vi:l
zuck, Zuck t̯sʊk
zuckeln 't̯sʊkl̩n
zucken 't̯sʊkn̩
zücken 't̯sʏkn̩

Zucker 't̯sʊkɐ
Zuckerhut 't̯sʊkɐhu:t
zuckerig 't̯sʊkərɪç, -e ...ɪgə
Zuckerkand 't̯sʊkɐkant, -es
...ndəs
Zuckerkandl 't̯sʊkɐkandl̩
zuckern 't̯sʊkɐn
zuckersüß 't̯sʊkɐ'zy:s
Zuckmayer 't̯sʊkmaiɐ
zuckrig 't̯sʊkrɪç, -e ...ɪgə
zudem t̯su'de:m
zudringlich 't̯su:drɪŋlɪç
zueinander t̯su|ai'nandɐ
zuerst t̯su'|e:ɐ̯st
Zufahrt 't̯su:fa:ɐ̯t
zufleiß t̯su'flais
Zuflucht 't̯su:flʊxt
zufolge t̯su'fɔlgə
Zufolo 't̯su:folo, ...li ...li
zufrieden t̯su'fri:dn̩
Zufuhr 't̯su:fu:ɐ̯
Zufußgehen t̯su'fu:sge:ən
Zug t̯su:k, Züge 't̯sy:gə
Zugabe 't̯su:ga:bə
Zugang 't̯su:gaŋ
zugange t̯su'gaŋə
zugänglich 't̯su:gɛŋlɪç
Züge vgl. Zug
zugedacht 't̯su:gədaxt
zugegen t̯su'ge:gn̩
zugehörig 't̯su:gəhø:rɪç
Zügel 't̯sy:gl̩
zügeln 't̯sy:gl̩n, zügle ...glə
Zuger 't̯su:gɐ
zugerisch 't̯su:gərɪʃ
zugestanden 't̯su:gəʃtandn̩
Zugeständnis 't̯su:gəʃtɛnt-
nɪs
zugetan 't̯su:gəta:n
zugig 't̯su:gɪç, -e ...ɪgə
zügig 't̯sy:gɪç, -e ...ɪgə
...zügig ...'t̯sy:gɪç, -e ...ɪgə
zugleich t̯su'glaiç
Züglete 't̯sy:glətə
Züglung 't̯sy:glʊŋ
zugrunde t̯su'grʊndə
Zugspitze 't̯su:kʃpɪtsə
zugunsten t̯su'gʊnstn̩
zugut[e] t̯su'gu:t[ə]
Zuhälter 't̯su:hɛltɐ
Zuhälterei t̯su:hɛltə'rai
zuhanden t̯su'handn̩
zuhauf t̯su'hauf
Zuhause t̯su'hauzə
Zuhilfenahme t̯su'hɪlfə-
na:mə
zuhinterst t̯su'hɪntɐst
zuhöchst t̯su'hø:çst
Zuid-Beveland *niederl.*
zœi̯d'be:vəlant

Zuidersee 'zɔydɐːze:
Zuiderzee *niederl.* zœị-
dər'ze:
Zuid-Holland *niederl.*
zœịt'hɔlɑnt
zuinnerst tsu'lɪnɐst
Zukerman 'tsʊkɐman
Zukofsky *engl.* zʊ'kɔfskɪ
Zukor *engl.* 'zu:kə
Zukost 'tsu:kɔst
Żukrowski *poln.* ʒu'krɔfskɪ
Zukunft 'tsu:kʊnft
zukünftig 'tsu:kʏnftɪç
Zulage 'tsu:la:gə
zulänglich 'tsu:lɛŋlɪç
zulässig 'tsu:lɛsɪç
zulasten tsu'lastn̩
Zulauf 'tsu:lauf
Żuławski *poln.* ʒu'uafski
zuleide tsu'lait
zuleide tsu'laidə
zuletzt tsu'lɛtst
Zulia *span.* 'θulịa
zulieb tsu'li:p
zuliebe tsu'li:bə
zullen 'tsʊlən
Zulliger 'tsʊligɐ
Zuloaga *span.* θulo'aɣa
Zulp tsʊlp
zulpen 'tsʊlpn̩
Zülpich 'tsʏlpɪç
Zulu 'tsu:lu, *engl.* 'zu:lu:
Zülz tsʏlts
zum tsʊm
zumal tsu'ma:l
Zumárraga *span.*
θu'marraɣa
Zumaya *span.* θu'maja
Zumbusch 'tsʊmbʊʃ
zumeist tsu'maist
zumindest tsu'mɪndəst
Zumst[e]eg 'tsʊmʃte:k
zumut[e] tsu'mu:t[ə]
zumuten 'tsu:mu:tn̩
zunächst tsu'nɛ:çst
Zuna[h]me 'tsu:na:mə
Zünd tsʏngt
Zündapp® 'tsʏndap
Zundel 'tsʊndl̩
zünden 'tsʏndn̩, zünd! tsʏnt
Zunder 'tsʊndɐ
Zünder 'tsʏndɐ
Zunft tsʊnft, Zünfte
'tsʏnftə
zünftig 'tsʏnftɪç, -e ...ɪgə
Zünftler 'tsʏnftlɐ
Zunge 'tsʊŋə
Züngelchen 'tsʏŋl̩çən
züngeln 'tsʏŋl̩n
Zünglein 'tsʏŋlain

zunichte tsu'nɪçtə
zuniederst tsu'ni:dɐst
Zúñiga *span.* 'θuɲiɣa
Zünsler 'tsʏnzlɐ
Zun[t]z tsʊnts
zunutze tsu'nʊtsə
Zunyi *chin.* dzụən-ịi 14
Zunzunegui *span.* θunθu-
'neɣi
zuoberst tsu'lo:bɐst
zuordnen 'tsu:lɔrdnən
Zuoz 'tsu:ɔts, *rät.* tsuạts
Župan (Beamter) 'ʒʊpan, -e
ʒu'pa:nə
Župančič *slowen.* ʒu'pa:n-
tʃitʃ
Županja *serbokr.* ,ʒupanja
zupass tsu'pas
zupasse tsu'pasə
zupfen 'tsʊpfn̩
zur tsu:ɐ̯, tsʊr
zurande tsu'randə
zurate tsu'ra:tə
zuraten 'tsu:ra:tn̩
Zurbarán *span.* θurβa'ran
Zurbriggen 'tsʊrbrɪgn̩
Zürcher 'tsʏrçɐ
Zurechnung 'tsu:rɛçnʊŋ
zurechtfinden tsu'rɛçtfɪndn̩
zureden, Z... 'tsu:re:dn̩
zureichen 'tsu:raiçn̩
Zurich *niederl.* 'zy:rɪx
Zürich[er] 'tsy:rɪç[ɐ]
zurichten 'tsu:rɪçtn̩
Zurichter 'tsu:rɪçtɐ
Zur Mühlen tsʊr 'my:lən
Zürn tsʏrn
zürnen 'tsʏrnən
zurren 'tsʊrən
Zurring 'tsʊrɪŋ
Zurschaustellung tsʊr-
'ʃauʃtelʊŋ
zurück, Z... tsu'rʏk
zurückblicken tsu'rʏkblɪkn̩
Zurücknahme tsu'rʏkna:mə
Zuruf 'tsu:ru:f
Zurzach 'tsʊrtsax
zurzeit tsʊr'tsait
Zusage 'tsu:za:gə
Zusanek 'tsu:zanɛk
Zusatz 'tsu:zats
zusätzlich 'tsu:zɛtslɪç
zuschanden tsu'ʃandn̩

zuschulden tsu'ʃʊldn̩
Zuschuss 'tsu:ʃʊs
Zuse 'tsu:zə
zusehends 'tsu:ze:ənts
zuseiten tsu'zaitn̩
Zuspätkommende
tsu'ʃpɛ:tkɔməndə
Zustand 'tsu:ʃtant
zustande tsu'ʃtandə
zuständig 'tsu:ʃtɛndɪç
zuständlich 'tsu:ʃtɛntlɪç
zustatten tsu'ʃtatn̩
zutage tsu'ta:gə
Zutaten 'tsu:ta:tn̩
zuteil tsu'tail
zutiefst tsu'ti:fst
Zutphen *niederl.* 'zʏtfə
Zütphen 'tsʏtfn̩
Zuträgerei tsu:trɛ:gə'rai
zuträglich 'tsu:trɛ:klɪç
zutraulich 'tsu:traulɪç
zutschen 'tsu:tʃn̩
zutu[n]lich 'tsu:tu:[n]lɪç
zuungunsten tsu'lʊngʊnstn̩
zuunterst tsu'lʊntɐst
zuverlässig 'tsu:fɛɐ̯lɛsɪç
Zuversicht 'tsu:fɛɐ̯zɪçt
zuversichtlich 'tsu:fɛɐ̯zɪçtlɪç
Zuviel tsu'fi:l
zuvor tsu'fo:ɐ̯
zuvorderst tsu'fɔrdɐst
zuvörderst tsu'fœrdɐst
zuvorkommen tsu'fo:ɐ̯kɔ-
mən
zuvortun tsu'fo:ɐ̯tu:n
Zuwaage 'tsu:va:gə
Zuwachs 'tsu:vaks
zuwege tsu've:gə
zuweilen tsu'vailən
Zuwenig tsu've:nɪç
zuwider tsu'vi:dɐ
zuwiderhandeln tsu'vi:dɐ-
handl̩n
Zuwuchs 'tsu:vu:ks
zuzeiten tsu'tsaitn̩
zuzeln 'tsu:tsl̩n
Zuzügler 'tsu:tsy:klɐ
zuzüglich 'tsu:tsy:klɪç
Zvieri 'tsfi:ri
Zvolen *slowak.* 'zvɔljɛn
Zvornik *serbokr.* ,zvɔrni:k
zwacken 'tsvakn̩
zwang, Z... tsvaŋ
zwänge[n] 'tsvɛŋə[n]
zwanzig, Z... 'tsvantsɪç
zwanziger, Z... 'tsvantsɪgɐ
zwanzigerlei tsvantsɪgɐ'lai
zwanzigste 'tsvantsɪçstə
zwanzigstel, Z... 'tsvantsɪçstl̩
zwar tsva:ɐ̯

zwatzelig 'tsvatsəlıç, -e
  ...ıgə
zwatzeln 'tsvatsl̩n
Zweck[e] 'tsvɛk[ə]
zwecken 'tsvɛkn̩
zwecks tsvɛks
zween tsve:n
Zwehle 'tsve:lə
zwei, Z... tsvai
Zweibrücken 'tsvaibrʏkn̩
zweideutig 'tsvaidɔʏtıç
zweieiig 'tsvailaiıç, -e ...ıgə
zweieinhalb 'tsvailain'halp
zweien 'tsvaiən
Zweier 'tsvaiɐ
zweierlei 'tsvaiɐ'lai
zweifach 'tsvaifax
Zweifall 'tsvaifal
Zweifamilienhaus tsvaifa-
  'mi:lianhaus
Zweifarbendruck tsvai-
  'farbn̩drʊk
zweifarbig 'tsvaifarbıç
Zweifel 'tsvaifl̩
zweifellos 'tsvaifl̩lo:s
zweifeln 'tsvaifl̩n
zweifelsohne tsvaifl̩s'lo:nə
Zweiflügler 'tsvaifly:glɐ
Zweig tsvaik, -e ...aigə
zweigestrichen 'tsvaigə-
  ʃtrıçn̩
zweigleisig 'tsvaiglaizıç
Zweihänder 'tsvaihɛndɐ
zweihändig 'tsvaihɛndıç
zweihäusig 'tsvaihɔʏzıç
Zweiheit 'tsvaihait
zweihundert 'tsvai'hʊndɐt
Zweikammersystem tsvai-
  'kamɐzyste:m
Zweilunger 'tsvailʊŋɐ
zweimal 'tsvaima:l
zweimalig 'tsvaima:lıç, -e
  ...ıgə
Zweimannboot 'tsvaiman-
  bo:t
Zweimaster 'tsvaimastɐ
zweireihig 'tsvairaiıç
zweisam 'tsvaiza:m
zweischläf[e]rig 'tsvai-
  ʃlɛ:f[ə]rıç
zweischneidig 'tsvaiʃnaidıç
Zweisimmen 'tsvaizımən
Zweisitzer 'tsvaizıtsɐ
Zweispänner 'tsvaiʃpɛnɐ
zweispännig 'tsvaiʃpɛnıç
zweisprachig 'tsvaiʃpra:xıç
zweistündig 'tsvaiʃtʏndıç
zweistündlich 'tsvaiʃtʏntlıç
zweit tsvait
zweitausend 'tsvai'tauzn̩t

zweitbest 'tsvait'bɛst
Zweitdruck 'tsvaitdrʊk
zweite 'tsvaitə
zweiteilig 'tsvaitailıç
zweitens 'tsvaitn̩s
zweitletzt 'tsvait'lɛtst
Zweitligist 'tsvaitligıst
Zweitourenmaschine
  tsvai'tu:rənmaʃi:nə
zweitourig 'tsvaitu:rıç
zweiundeinhalb 'tsvailʊnt-
  lain'halp
zweiundzwanzig 'tsvai-
  lʊnt'tsvantsıç
Zwelitsha engl. zweı'li:tʃa:
Zwenkau 'tsvɛnkau
Zwenke 'tsvɛnkə
Zwentendorf 'tsvɛntn̩dɔrf
zwerch tsvɛrç
Zwerchfell 'tsvɛrçfɛl
Zwerenz 'tsve:rɛnts
Zwerg tsvɛrk, -e ...rgə
zwerghaft 'tsvɛrkhaft
zwergig 'tsvɛrgıç, -e ...ıgə
Zwergin 'tsvɛrgın
Zwerndorf 'tsvɛrndɔrf
Zwetajewa russ. tsvı'tajıvɐ
Zweter 'tsve:tɐ
Zwetsch[g]e 'tsvɛtʃ[g]ə
Zwetschke 'tsvɛtʃkə
Zwettl 'tsvɛtl̩
Zwevegem niederl. 'zwe:və-
  xɛm
Zwi tsvi:
Zwick tsvık
Zwickau[er] 'tsvıkau[ɐ]
Zwickel 'tsvıkl̩
zwicken 'tsvıkn̩
Zwicker 'tsvıkɐ
Zwicky 'tsvıki, engl. 'tsvıkı
Zwieback 'tsvi:bak
Zwiebel 'tsvi:bl̩
zwiebeln 'tsvi:bl̩n, zwieble
  ...blə
Zwiebrache 'tsvi:bra:xə
zwiebrachen 'tsvi:bra:xn̩
Zwiedineck 'tsvi:dinɛk
zwiefach 'tsvi:fax
Zwiefalten tsvi:'faltn̩
zwiefältig 'tsvi:fɛltıç
Zwielicht 'tsvi:lıçt
Zwiesel 'tsvi:zl̩
zwies[e]llig 'tsvi:z[ə]lıç, -e
  ...ıgə
zwieseln 'tsvi:zl̩n, ...sle
  ...zlə
Zwiespalt 'tsvi:ʃpalt
zwiespältig 'tsvi:ʃpɛltıç, -e
  ...ıgə
Zwietracht 'tsvi:traxt

zwieträchtig 'tsvi:trɛçtıç
Zwijndrecht niederl.
  'zwɛindrɛxt
Zwilch tsvılç
zwilchen 'tsvılçn̩
Zwille 'tsvılə
Zwillich 'tsvılıç
zwillichen 'tsvılıçn̩
Zwilling[er] 'tsvılıŋ[ɐ]
Zwinge 'tsvıŋə
zwingen, Z... 'tsvıŋən
Zwingenberg 'tsvıŋənbɛrk
Zwinger 'tsvıŋɐ
Zwingli 'tsvıŋli
Zwinglianer tsvıŋ'lia:nɐ
zwinken 'tsvıŋkn̩
zwinkern 'tsvıŋkɐn
zwirbeln 'tsvırbl̩n, ...ble
  ...blə
Zwirn tsvırn
zwirnen 'tsvırnən
Zwirner 'tsvırnɐ
Zwirnerei tsvırnə'rai
zwischen 'tsvıʃn̩
Zwischenahn tsvıʃn̩la:n
zwischendrein tsvıʃn̩'drain
zwischendrin tsvıʃn̩'drın
zwischendurch tsvıʃn̩'dʊrç
zwischenein tsvıʃn̩'lain
zwischenher tsvıʃn̩'he:ɐ
zwischenhin tsvıʃn̩'hın
zwischenhinein tsvıʃn̩hı-
  'nain
zwischeninne tsvıʃn̩'lınə
zwischenrein tsvıʃn̩'rain
Zwist tsvıst
zwistig 'tsvıstıç, -e ...ıgə
zwitschern tsvıtʃɐn
Zwittau 'tsvıttau
Zwitter 'tsvıtɐ
zwitt[e]rig 'tsvıt[ə]rıç, -e
  ...ıgə
zwo tsvo:
zwölf, Z... tsvœlf
zwölfeinhalb 'tsvœlf-
  lain'halp
zwölferlei 'tsvœlfɐ'lai
zwölffach 'tsvœlffax
Zwölffingerdarm tsvœlf'fı-
  ŋɐdarm
zwölfmal 'tsvœlfma:l
zwölfmalig 'tsvœlfma:lıç, -e
  ...ıgə
Zwölfpfennigmarke tsvœlf-
  'pfɛnıçmarkə
zwölft tsvœlft
Zwölftafelgesetze tsvœlf-
  'ta:flgəzɛtsə
zwölftausend 'tsvœlf-
  'tauzn̩t

zwölfte 'tsvœlftə
Zwölftel 'tsvœlftl̩
Zwölften 'tsvœlftn̩
zwölftens 'tsvœlftn̩s
Zwölftonmusik 'tsvœlfto:n-mu.zi:k
Zwolle niederl. 'zwɔlə
Zwönitz 'tsvø:nɪts
Zworykin engl. 'zwɔ:rɪkɪn
zwote 'tsvo:tə
Zyan tsȳa:n
Zyanat tsȳa'na:t
Zyane 'tsȳa:nə
Zyanid tsȳa'ni:t, -e ...i:də
Zyanisation tsȳaniza'tsi̯o:n
Zyankali tsȳa:n'ka:li
Zyanometer tsȳano'me:tɐ
Zyanophyzee tsȳanofy'tse:ə
Zyanopsie tsȳanɔ'psi:, -n ...i:ən
Zyanose tsȳa'no:zə
zyanotisch tsȳa'no:tɪʃ
Zyanotypie tsȳanoty'pi:, -n ...i:ən
Zyathus 'tsy:atʊs
Życie Warszawy poln. 'ʒitcɛ var'ʃavi
Zyfflich 'tsyflɪç
Zygäne tsy'gɛ:nə
Zygmunt poln. 'zigmunt
Zygoma tsy'go:ma, 'tsy:goma, -ta tsy'go:mata
zygomatisch tsygo'ma:tɪʃ
zygomorph tsygo'mɔrf
Zygospore tsygo'spo:rə
Zygote tsy'go:tə
Zykadazeen tsykada'tse:ən
Zykadeen tsyka'de:ən
Zykas 'tsy:kas
Zyklade tsy'kla:də
zyklam tsy'kla:m
Zyklame tsy'kla:mə
Zyklamen tsy'kla:mən
Zyklide tsy'kli:də
Zykliker 'tsy:klikɐ
zyklisch 'tsy:klɪʃ
Zyklitis tsy'kli:tɪs, ...itiden ...li'ti:dn̩
Zyklogenese tsykloge'ne:zə
Zyklogramm tsyklo'gram
zykloid tsyklo'i:t, -e ...i:də
Zykloide tsyklo'i:də
Zyklolyse tsyklo'ly:zə
Zyklometer tsyklo'me:tɐ
Zyklometrie tsyklome'tri:, -n ...i:ən
zyklometrisch tsyklo'me:-trɪʃ
Zyklon (auch: ®) tsy'klo:n

Zyklone tsy'klo:nə
Zyklonopath tsyklono'pa:t
Zyklonopathie tsyklono-pa'ti:, -n ...i:ən
Zyklonose tsyklo'no:zə
Zyklop tsy'klo:p
Zyklophorie tsyklofo'ri:, -n ...i:ən
Zyklopie tsyklo'pi:, -n ...i:ən
Zyklorama tsyklo'ra:ma
Zyklostome tsyklo'sto:mə
Zyklothem tsyklo'te:m
zyklothym tsyklo'ty:m
Zyklothyme tsyklo'ty:mə
Zyklothymie tsykloty'mi:
Zyklotron 'tsy:klotro:n
zyklotronisch tsyklo'tro:nɪʃ
Zyklus 'tsy:klʊs
Zylinder tsi'lɪndɐ, auch: tsy'l...
...zylindrig ...tsi̯ˌlɪndrɪç, auch: ...tsy.l..., -e ...ɪgə
zylindrisch tsi'lɪndrɪʃ, auch: tsy'l...
Zylindrom tsylɪn'dro:m
Zylis-Gara poln. 'ziliz'gara
Zyma 'tsy:ma, -ta ...ta
Zymase tsy'ma:zə
Zymbal 'tsymbal
zymisch 'tsy:mɪʃ
Zymogen tsymo'ge:n
Zymologe tsymo'lo:gə
Zymologie tsymolo'gi:
zymös tsy'mø:s, -e ...ø:zə
Zymotechnik tsymo'tɛçnɪk
zymotisch tsy'mo:tɪʃ
Zynegetik tsyne'ge:tɪk
zynegetisch tsyne'ge:tɪʃ
Zyniker 'tsy:nikɐ
zynisch 'tsy:nɪʃ
Zynismus tsy'nɪsmʊs
Zypergras 'tsy:pɐgra:s
Zypern 'tsy:pɐn
Zyprer 'tsy:prɐ
Zypresse tsy'prɛsə
zypressen tsy'prɛsn̩
Zyprian[us] tsypri'a:n[ʊs]
Zypridinen... tsypri'di:nən...
Zyprier 'tsy:priɐ
Zypriot tsypri'o:t
zypriotisch tsypri'o:tɪʃ
zyprisch 'tsy:prɪʃ
Żyrardów poln. ʒiˈrarduf
Zyriak 'tsy:ri̯ak
Zyriakus tsy'ri:akʊs
zyrillisch tsy'rɪlɪʃ
Zystalgie tsystal'gi:, -n ...i:ən
Zyste 'tsystə

Zystein tsyste'i:n
Zystektomie tsystɛkto'mi:, -n ...i:ən
Zystin tsys'ti:n
Zystis 'tsystɪs
zystisch 'tsystɪʃ
Zystitis tsys'ti:tɪs, ...itiden ...ti'ti:dn̩
Zystizerkose tsystitsɛr-'ko:zə
Zystizerkus tsysti'tsɛrkʊs
Zystoblastom tsystoblas-'to:m
Zystopyelitis tsystopye'li:-tɪs, ...itiden ...li'ti:dn̩
Zystoskop tsysto'sko:p
Zystoskopie tsystosko'pi:, -n ...i:ən
Zystospasmus tsysto'spas-mʊs
Zystostomie tsystosto'mi:, -n ...i:ən
Zystotomie tsystoto'mi:, -n ...i:ən
Zystozele tsysto'tse:lə
Zythera tsy'te:ra
Zytisin tsyti'zi:n
Zytisus 'tsy:tizʊs
Zytoarchitektonik tsyto-larçitɛk'to:nɪk
Zytoblast tsyto'blast
Zytoblastom tsytoblas'to:m
Zytochrom tsyto'kro:m
Zytode tsy'to:də
Zytodiagnostik tsytodi-a'gnɔstɪk
zytogen tsyto'ge:n
Zytogenetik tsytoge'ne:tɪk
Zytologe tsyto'lo:gə
Zytologie tsytolo'gi:
zytologisch tsyto'lo:gɪʃ
Zytolyse tsyto'ly:zə
Zytolysin tsytoly'zi:n
Zytoplasma tsyto'plasma
Zytoskopie tsytosko'pi:, -n ...i:ən
Zytostatikum tsyto'sta:ti-kʊm, ...ka ...ka
zytostatisch tsyto'sta:tɪʃ
Zytostom tsyto'sto:m
Zytostoma tsyto'sto:ma, -ta ...ta
Zytotoxin tsytotɔ'ksi:n
zytotoxisch tsyto'tɔksɪʃ
Zytotoxizität tsytotɔksitsi-'tɛ:t
Zytozentrum tsyto'tsɛn-trum
Żywiec poln. 'ʒivjɛts

Literaturverzeichnis

Ageenko, F. L./M. V. Zarva: Slovar' udarenij dlja rabotnikov radio
i televidenija, Moskva, 1993
Anglizismen-Wörterbuch, Berlin, 1993–96
BBC Pronouncing Dictionary of British Names, Oxford, 1983
Berulfsen, Bjarne: Norsk uttaleordbok, Oslo, 1969
Blöndal, Sigfús: Íslensk-dönsk orðabók, Reykyavík, 1920–24
Breu, Josef: Geographisches Namenbuch Österreichs, Wien, 1975
Bruguera i Talleda, Jordi: Diccionari ortogràfic i de pronúncia, Barcelona,
1990
Chŏn, Yŏng-u: Han-gugŏ parŭm sajŏn, Seoul, 1984
Collins Dictionary of the English Language, London & Glasgow, 1979
Danchev, Andrei/Michael Holman/Ekaterina Dimova/Milena Savova:
An English Dictionary of Bulgarian Names Spelling and Pronunciation,
Sofia, 1989
De Coninck, R. H. B.: Groot uitspraakwoordenboek van de Nederlandse
taal, Antwerpen, 1970
Den Store Danske Udtaleordbog, o. O., 1991
Der Literatur-Brockhaus, Mannheim, 1988
Dictionnaire usuel illustré Quillet-Flammarion, Paris, 1980
Dizionario d'ortografia e di pronunzia, Torino, 1981
Duden Deutsches Universalwörterbuch, Mannheim, 1996
Duden Fremdwörterbuch, Mannheim, 1997
Duden Das große Fremdwörterbuch, Mannheim, 1994
Duden Das große Wörterbuch der deutschen Sprache, Mannheim, 1999
Duden Rechtschreibung, Mannheim, 1996
Duden Wörterbuch geographischer Namen Europa (ohne Sowjetunion),
Mannheim, 1966
Fjalor i shqipes së sotme, Tiranë, 1984
Forster, Klaus: A Pronouncing Dictionary of English Place-Names,
London, 1981
Großes Wörterbuch der deutschen Aussprache, Leipzig, 1982
Hald, Kristian: Danske stednavne med udtaleangivelse, København, 1960
Hansen, Peter Molbæk: Udtaleordbog, København, 1990
Haugen, Norwegian-English Dictionary, Oslo, 1965
Hedelin, Per: Norstedts svenska uttalslexikon, Göteborg, 1997
Hiruyama, Teruo: Zenkoku akusento jiten, Tokio, 1965
Jones, Daniel: English Pronouncing Dictionary, Cambridge, 1997
Jones, Daniel/A. C. Gimson/Susan Ramsaran: English Pronouncing
Dictionary, London, 1988
Kenyon, John Samuel/Thomas Albert Knott: A pronouncing dictionary
of American English, Springfield, Mass., 1953
Král', Ábel: Pravidlá slovenskej výslovnosti, Bratislava, 1988
Lerond, Alain: Dictionnaire de la prononciation, Paris, 1980

Le Roux, T. H. en De Villiers Pienaar: Uitspraakwoordeboek van Afrikaans, Pretoria, 1962

Lietuvių pavardžių žodynas, Vilnius, 1985, 1989

Mangold, Max: A Pronouncing Dictionary of Malagasy Place Names, Forum Phoneticum 25, Hamburg, 1982

Mangold, Max: Aussprachelehre der bekannteren Fremdsprachen, Duden-Beiträge H. 13, Mannheim, 1964

Mangold, Max: A Swiss Pronouncing Gazetteer (Populated Places), Frankfurt am Main, 1994

Mangold, Max: Laut und Schrift im Deutschen, Duden-Beiträge H. 3, Mannheim, 1961

Meyers Enzyklopädisches Lexikon, Mannheim, 1971–1984

Meyers Großes Handlexikon A–Z, Mannheim, 1999

Meyers Taschenlexikon Musik, Mannheim, 1984

Muthmann, Gustav: Phonologisches Wörterbuch der deutschen Sprache, Tübingen, 1996

Muthmann, Gustav: Rückläufiges deutsches Wörterbuch, Tübingen, 1988

Nam, Kwang-woo/Lee, Chŏl-su/Yoo, Man-gŭn: Han-gugŏ p'yojun parŭm sajŏn, Seoul, 1984

Narumi, K.: Slownik russkih imen i familij, Tokio, 1979

NBC Handbook of Pronunciation, New York, 1964

Ökumenisches Verzeichnis der biblischen Eigennamen nach den Loccumer Richtlinien, Stuttgart, 1981

Pravopis sprpskohrvatskoga književnog jezika, Novi Sad, 1960

Rybakin, A. I.: A Dictionary of English Surnames, Moscow, 1986

Sahlgren-Bergman, Svenska ortnamn med uttalsuppgifter, Stockholm, 1955

Siebs, Theodor: Deutsche Bühnenaussprache Hochsprache, Bonn 1927

Siebs, Theodor: Rundfunkaussprache, Berlin, 1931

Siebs Deutsche Hochsprache, Berlin, 1957

Siebs Deutsche Aussprache, Berlin, 1969

Slovar' geografičeskih nazvanij SSSR, Moskva, 1983

Slovenska krajevna imena, Ljubljana, 1985

Slovenski pravopis, Ljubljana, 1962

Słownik wymowy polskiej PWN, Warszawa, 1977

The Columbia Lippincott Gazetteer of the World, New York, 1952

The New Century Cyclopedia of Names, New York, 1954

The Random House Dictionary of the English Language, New York, 1987

Verschueren Groot Geïllustreerd Woordenboek, Antwerpen, 1991

Viëtor, Wilhelm: Deutsches Aussprache-Wörterbuch, Leipzig, 1931

Vitkauskas, Vytautas: Lietuvių kalbos tarties žodynas, Vilnius, 1985

Warnant, Léon: Dictionnaire de la prononciation française dans sa norme actuelle, Paris-Gembloux, 1987

Webster's New Biographical Dictionary, Springfield, Mass., 1983

Webster's New Geographical Dictionary, Springfield, Mass., 1972

Wells, J. C.: Longman Pronunciation Dictionary, Harlow, Essex, 1990

Winkler Prins Woordenboek, Amsterdam-Brussel, 1958–59